中国古典诗词曲赋鉴赏系列工具书

宋词鉴赏辞典

SONGCI JIANSHANG CIDIAN

主编 ◎ 唐圭璋 钟振振

商务印书馆国际有限公司
中国·北京

《宋词鉴赏辞典》

主　编:唐圭璋　钟振振

撰稿人(按姓氏笔画排序):

于北山　万云骏　马兴荣　丰家骅　王一鹗　王士博　王延梯　王步高
王沛霖　王　玫　王明孝　王学太　王星琦　王锡九　王筱芸　邓广铭
邓小军　邓乔彬　孔凡礼　叶晨晖　叶嘉莹　朱宏恢　朱易安　朱金城
朱淡文　朱德才　刘乃昌　刘文忠　刘庆云　刘崇德　羊春秋　许山河
许永璋　阴法鲁　孙映逵　严迪昌　杨　杰　杨宝霖　杨重华　杨积庆
杨海明　杨敏如　李从军　李廷先　李时人　李希跃　李泽平　肖瑞峰
肖　鹏　吴丈蜀　吴小如　吴功正　吴伟斌　吴企明　吴汝煜　吴战垒
吴调公　吴　锦　吴新雷　吴熊和　吴翠芬　邱鸣皋　何林晖　辛更儒
沈祖棻　沈家庄　张　中　张文潜　张亚新　张志岳　张宏生　张宪文
张逸群　张　晶　张锡厚　张碧波　张　璋　陆永品　陈文发　陈书禄
陈邦炎　陈庆元　陈定玉　陈祥耀　林新樵　郁贤皓　罗忼烈　金启华
周少雄　周本淳　周念先　周振甫　周　蒙　周溶泉　郑孟彤　宛敏灏
赵义山　赵兴勤　赵　航　赵继武　赵　舒　胡国瑞　胡景西　钟振振
钟　陵　俞润生　施议对　姜书阁　姜光斗　姜逸波　洪　桥　祝　诚
秦惠民　秦寰明　袁行霈　耿百鸣　夏承焘　顾　启　顾复生　顾冠华
钱仲联　徐永端　徐有富　徐应佩　徐　枫　徐荣街　徐培均　徐翰逢
高梦林　唐圭璋　唐玲玲　黄世中　黄进德　黄墨谷　曹文彪　曹济平
崔海正　章继光　梁志成　梁鉴江　彭　靖　蒋哲伦　蒋　寅　韩经太
喻朝刚　程千帆　程中原　程　杰　程郁缀　傅正谷　曾枣庄　蔡义江
蔡厚示　蔡　毅　臧维熙　樊维纲　潘百齐　潘君昭　薛祥生　霍松林
霍　然

总　目

凡　例

一、本书共选唐、五代、宋词人185家（无名氏未计算在内），词作697首。

二、词人词作的排列顺序一般依《敦煌曲子词集》（王重民辑）、《唐五代词》（林大椿辑）、《全宋词》（唐圭璋编）为准。无名氏作品均分列于唐、五代、北宋、南宋之末。

三、每位词人的第一篇作品原文后列有该词人小传，内容包括生卒年、籍贯、经历、艺术风格及其在词史上的地位。

四、原作均有版本依据，一般从通行本，不出校记。

五、对原作中的语词解释，均在赏析中进行，不另加注释。

六、古代地名后，一般在括号内注明今名或现今的归属。旧纪年后，一般也在括号内注明公元纪年。

七、使用简化字。在可能产生歧义时，酌用繁体字或异体字。

八、编列《词人音序索引》《篇目音序索引》，供读者检索。

九、后附有《读词常识》《词学要籍简介》《本书所见词牌简介》，供读者参考。

前　言

唐圭璋　钟振振

在中国古代文学的阆苑里，唐宋词是一块芬芳绚丽的园圃。她姹紫嫣红、千姿百态，与唐诗争奇，与元曲斗妍，远从《诗经》《楚辞》及汉魏六朝诗歌里汲取营养，又为后来的明清戏剧小说输送了有机养分。直到今天，她那些闪烁着民主性、人民性光辉而又达到很高艺术境界的作品，仍在陶冶着人们的情操，给读者带来美的享受。

词起源于隋。和《诗经》、《楚辞》、汉魏六朝乐府相似，她的诞生与音乐有着不解之缘。但她所配合的曲调，既不是上古时代的“雅乐”，也不是汉魏六朝的“清乐”，而是兴起于隋、以汉族民间音乐为主、融合少数民族及外来音乐而形成的新声“燕乐”（“燕”，同“宴”。因常在宴会上演出，故名）。公元589年，隋灭陈，结束了二百七十多年南北分裂的局面。政治上的统一，经济上的通贯，民族间的融合，势必带来文化上的汇流。词之出现在此时，绝非偶然。她是“应运而生”，是南方和北方、汉民族和少数民族、中国和外国、音乐和文学的水乳交融。

词的全名是“曲子词”。“曲子”是她的燕乐曲调，“词”则是与这些曲调相谐和的唱辞。唐宋时，人们或简称其为“曲子”，或简称其为“词”，并无一定不变的称呼。由于这些“曲子”的唱法今已不传，现在我们所能欣赏的，就只剩下文辞了。“曲子词”今之所以通行省称为“词”，盖源于此。

词虽起源于隋，但隋词却未能保存下来。人们仅能从《河传》《水调》《泛龙舟》之类带有隋炀帝时代印记的词牌名称上去辨认她的蝉蜕。因此，我们论述词的发展史，不得不从唐代说起。

（一）

20世纪初在甘肃敦煌莫高窟藏经石室中发现的“敦煌曲子词”，是“中土千余年来未睹之秘籍”，是文学意义上词的“椎轮大辂”（朱孝臧《云谣集杂曲子跋》）。她主要是唐代（兼有五代）的民间创作。诚如王重民先生《敦煌曲子词集叙录》之所言，其中“有边客游子之呻吟，忠臣义士之壮语，隐君子之怡情悦志，少年学子之热望与失望，以及佛子之赞颂，医生之歌诀”，更有外族统治下“敦煌人民之壮烈歌声”，所反映的社会生活面相当广阔，情调也较健康，更多地体现了下层人民的思想、品格和趣味。她朴素、率直、活泼、清新，处处散发着浓郁的生活气息。尽管大部分作者的文化水平并不高，许多作品的笔触还显得粗糙、稚拙，但玉蕴璞中，连城之价毕竟是掩盖不了的。

任何一种产生于民间、为人民所喜闻乐见的崭新的文学样式，都具有极强的生命力，或迟或早总会引起文人雅士们的瞩目和效仿。词，也不例外。现存最早的文人词，当属盛唐大诗人李白的《忆秦娥》和《菩萨蛮》，宋黄昇《唐宋诸贤绝妙词选》尊之为“百代词曲之祖”。如果我们在“词曲”之前加上“文人”二字，这一评价将更符合实际。逮至中唐，张志和、韦应物、戴叔伦、王建、刘禹锡、白居易等先后继起，倚声填词遂渐成风气。个中较突出的词作者，一是张志和。其《渔歌子》五首抒写渔隐生活的情怀，风流千古。和者甚多，并很快便传到日本，为嵯峨天皇及其臣下所酷爱而至于仿作，堪称中外文化交流史上的一段佳话。二是刘禹锡和白居易。刘在贬谪朗州（今湖南常德）期间，学习当地少数民族的民歌，创作了不少歌词。而白的文艺理论颇有现实主义精神，所作诗歌也力求与民众相接近，因而有“老妪能解”的传说，他对新兴歌曲的乐于接受并为之加工，自不待言。晚唐五代时，填词之风愈扇愈炽，与刘、白二人的倡导、示范可谓不无关系。

因为上述诸作家大多数还应称作是诗人而非词人，其创作的主要成绩还在诗而不在词，所以在中唐以前，文人词还处于萌芽抽枝的阶段，直到晚唐，这一新型的文学样式才基本成熟。其标志即是第一位大词人温庭筠的出现。温虽然也工诗，但其诗名已为词誉所掩，这表明文人词已从文人诗那里争得了自己的独立。温词深美闳约，精艳绝人，音声繁会，针缕细密，达到了相当高的艺术水准。然而也正是在他的手里，词主艳情、香而软媚的传统格局定型了。此前，文人词在题材的广泛性上虽然不能和敦煌民间词同日而语，但也不至于像温词那样狭隘。可以说，词在晚唐的艺术性方面的长足进步，是以社会内容的消减作为代价的。推究其原因，殆由于温词半是替宰相令狐绹代笔去取悦那荒于酒色、好唱《菩萨蛮》的唐宣宗，半是为了应付狭斜妓女们侑酒时的歌唱之需，并不以展示自己的政治理想、人生抱负为宗旨。因此我们尽可以对词人的创作动机及由此而派生出的作品局限性表示不满，却不可以单凭其词作去论他的全人。读一读《温飞卿诗集》，便可知作者心目中并非没有国计民生。后来的许多词人，如欧阳修、柳永等，也都以诗而不以词为表达思想的主窗口，或至少不以词为唯一窗口，因而在他们的诗和词中，社会现实内容的有无与多寡，相差甚大。本文就词论词，对他们的为人和整个文学创作不进行全面评价，谨在此总提一笔，下不一一赘叙。

五代十国时期，北方战祸频仍，政权更迭，民不聊生，遑论文学艺术的发展。相对来说，南方的局势却较为平稳。于是经济重心和文化重心便联袂自中原南迁。而剑门关外的天府之国，扬子江畔的鱼米之乡，这万里长江的上下两端，天险堪恃，地利可依，正是战乱时代最理想的割据之处。因之，在这两块绿洲上立足的前、后蜀和南唐，理所当然地成了当时经济、文化最发达的国度。“西蜀”“南唐”两大词派，就在这特定的历史条件下先后崛起。

“西蜀词派”亦称“花间派”，因后蜀赵崇祚编《花间集》，共收十八位作家、五百首词，而这些作家又大多是蜀人或仕宦于前、后蜀，故此得名。该派成员之一的欧阳炯在为《花间集》作序时，曾这样描绘六朝乐府艳辞的创作背景：“绮筵公子，绣幌佳人。递叶叶之花笺，文抽丽锦；举纤纤之玉指，拍按香檀。不无清绝之词，用助妖娆之态。”其实，这也正是花间派词自身的炮制过程。尽管欧序颇有微词于“自南朝之宫体，扇北里之娼风”，但花间派词中仍有不少“宫体”与“娼风”的混合物。不难看出，此派词人是追随温庭筠的。而《花间集》首先入选的，也正是温词！难怪后人称温氏为“花间派”的鼻祖。须知，前、后蜀的某些君主如王衍、孟昶之流，纵情声色的程度，与唐宣宗相比，有过之而无不及；西蜀词人狎妓宴饮的风气，也不逊于晚唐才士。所以，“花间派”之脉承温飞卿，以醇酒美人为主要创作对象，可谓顺理成章。当然，这是就总体而言的。若具体分析，《花间集》中也还有像鹿虔扆《临江仙》那样暗伤亡国，像李珣《南乡子》那样描绘南疆风情的作品，未可一概而论。

西蜀词人中成就最高的是韦庄。其作品的主题固然多艳情，与温庭筠相差不大，但偏向于抒写自己的悲欢离合之情，主观色彩较强烈，风格也较为清丽疏朗，有别于温词的注重客观描绘和秾艳缜密。

“南唐词派”所产生的社会环境以及早期作品的题材和内容，与“西蜀词派”大致相同，但时代稍晚，代表作家的人数也较少、较单纯，主要是两位君主——中主李璟、后主李煜和一位宰相——冯延巳，不像西蜀词人的队伍那么庞杂——上至帝王将相,下至一般官员和士人。又该派形成之日,已是国祚衰微、风雨飘摇之时。后周以及代周而继起的宋,虎视眈眈,陈兵境上,这样严重的形势,不容许南唐的君臣们忘形地陶醉在“者边走,那边走,只是寻花柳;那边走,者边走,莫厌金杯酒”(前蜀后主王衍《醉妆词》)之类欢快的小夜曲里,一如西蜀贵族们之所曾经。因而,我们在李璟词里看到了“菡萏香销翠叶残,西风愁起绿波间”(《摊破浣溪沙》),在冯延巳词里看到了“楼上春山寒四面”(《鹊踏枝》)那样的冷色。要说南唐词与西蜀词在风格上有什么区别,那就是前者比后者多一层心理上的阴影,从而辞笔也就较为凄清,而不同于后者的绮艳。

都城金陵的陷落,标志着南唐政治命运的完结,同时也标志着南唐词文学价值的升华。南唐词派最后一位,也是最杰出的一位词人李煜,入宋后以亡国降虏的身份,在“日夕只以眼泪洗面”(宋人王铚《默记》引龙衮《江南录》,李后主与旧宫人书中语)的软禁生活中,写出了“小楼昨夜又东风,故国不堪回首月明中”“问君能有几多愁,恰似一江春水向东流”(《虞美人》)之类泣尽以血的词句。诚然,他所魂牵梦萦的,不过是一个封建帝王失去了的天堂,究其实质,本不足称道;更何况,他在位时的奢侈腐化是导致南唐覆灭的直接原因,今日阶下为囚的种种怨愁悔恨,无非咎由自取。可是,其入宋后的创作毕竟是真挚的,是用高度洗练的词句去概括一般人在失去曾经拥有的美好的一切时都可能会产生的那种沉痛心情,故其美学意义超出了作品本身所反映的具体社会生活内容,具有一种强烈的艺术感染力。清代著名词学评论家周济说:“毛嫱、西施,天下美妇人也。严妆佳,淡妆亦佳,粗服乱头,不掩国色。飞卿(温庭筠),严妆也。端己(韦庄),淡妆也。后主,则粗服乱头矣。”(《介存斋论词杂著》)盖谓温、韦、李三家各有千秋,评价是公允的。王国维《人间词话》批评周济“颠倒黑白”,将李煜“置诸温、韦之下”,其实是误解了周济的话——须知“粗服乱头”下还有“不掩国色”四字,这正是对后主那些直抒胸臆、洗尽铅华、纯用白描之佳作的高度赞许!

(二)

经过隋、唐、五代近四百年间众多民间作者和文人作者的共同努力,词业已由发源时仅可滥觞的一泓清浅,演为初具波澜、力能浮舟的溶溶流川。而进入两宋时期以后,因着创作队伍的不断壮大,创作视野的不断开阔，创作技巧的不断新变，其发展形势更有如江出三峡，一泻千里，吞天拆地，溅玉喷珠，挟五湖百渎之水赴海朝宗。今存唐五代词仅八十家，不足二千首；而宋词却多达一千四百三十余家，近二万一千首（含残篇断句）。尽管唐五代词因时代较早，散逸的比例更大一些，不能据此断言其词人、词作一定只有两宋的十八分之一和十分之一；但两宋词坛的繁荣程度大大超过唐五代却是毋庸置疑的。单从两者之间的数量对比上，我们也可以约略窥见词在入宋后的鼎盛气象。

鉴于晚唐、五代藩镇割据，兵连祸结，禁军怙乱，擅主废立的历史教训，北宋的统治者早在建国之初就怂恿和诱导高级将领交出兵权，“多积金，市田宅以遗子孙，歌儿舞女以终天年”（《宋史·石守信传》，宋太祖语）。后来，又扩大科举取士及任官的名额，设置一系列叠床架屋的行政机构，实行“官以寓禄秩、叙位著，职以待文学之选，而别为差遣以治内外之事”（《宋史·职官志》）的烦琐官制，建立了一支以文官为主的庞大官僚队伍，来保障其中央集权统治的稳固性。为了换取这一阶层的忠勤服务，封建君主也给予了他们优厚的生活待遇。因而，当时达官贵人蓄养家妓和士大夫阶层文酒雅集的风气之盛，是前朝所无法比拟的。此外，大一统政权的巩固，又给饱经晚唐、五代干戈俶扰之苦的人民提供了休养生息的机会，使得他们可以用自己的辛勤劳动，将生产力恢复并发展到一个崭新的阶段。随着农业、手工业和商业的日趋兴旺，都市经济的日渐繁荣，市民阶层的人数也急遽膨胀着，愈来愈成为一股不可小觑的社会力量。他们口腹之余，自然也要文化娱乐方面的享受，于是便有了那民间乐工、歌妓“新声巧笑于柳陌花衢，按管调弦于茶坊酒肆”（宋孟元老《东京梦华录序》），风尚所趋，凌轹往世。上流社会与中下层社会对于声歌的共同需求，构成了推动宋词臻于极盛的合力。而由于二者艺术旨趣的不同，其创作的面貌也大相径庭。这在北宋前期表现得尤为典型。

贵族们得利较早，因而北宋初期词坛是他们的一统天下。但贵族词艺术高峰的出现，是在宋的第四代君主仁宗统治时期，其代表词人是晏殊、欧阳修。他们都官至宰辅大臣，词作侧重反映士大夫阶层闲适自得的生活以及流连光景、感伤时序的情怀；所用词调仍以唐五代文人驾轻就熟的小令为主。词笔清丽，气度闲雅，言情缠绵而不儇薄，达意明白而不发露，词风近似南唐冯延巳。艺术造诣不可谓不高，然而因袭的成分较重，尚未能摆脱南唐的影响。晏殊的幼子晏几道亦擅长小令，与其父并称为“二晏”。他是由贵公子降为寒士的，经历了“华屋山丘”的人世沧桑,故其词高华之中,深寓悲凉。论时代,他已入北宋后期;论流派,则仍是晏、欧的变调和嗣响。

市民阶层的势力不可能因统治阶级内部权力和财产的再分配而立刻壮大起来,它需要经历一个社会生产水平提高、社会劳动总量积累的过程。因而市民词起步较晚,今存宋初词作中还找不到她的倩影。但她发展势头迅猛,也在仁宗时期达到了高潮,其代表词人是柳永。柳一生漂泊,沉沦下僚,故较能接近民众。所作大多描绘都市风光,传写坊曲欢爱,抒发羁旅情怀,内容略比晏、欧丰富,语言也较俚俗家常,颇合市民阶层的口味。他精通音律,长期混迹于秦楼楚馆,与民间乐工、歌妓密切合作,创制了很多新腔,其中大多数是更宜于表现繁复多变的都市生活的慢曲长调。慢词在敦煌民间词里虽早已有之,但自唐以迄宋初的文人比较矜持,他们宁愿采用那些句度类似五、七言近体诗(那本是他们的拿手戏)的短调,而不甚措意于所谓哇声淫奏的慢曲子。柳永是扭转此风的第一人。词的篇幅拉长了,容量加大了,表现手段自然也要出新。于是,柳永将六朝、隋唐小赋的技法引进词的领域。他那层层铺叙、处处渲染、淋漓酣畅、备足无余的词风,确与崇尚含蓄、讲究韵味、抒情小诗般的传统文人词大异其趣。由于柳词具有较广泛的群众基础,较新鲜的时代风貌,故而风靡一时,赢得了"凡有井水饮处,即能歌柳词"(宋叶梦得《避暑录话》引西夏归朝官语)的盛誉。

概括地说,北宋前期,主要是仁宗时期,词坛上就呈现着这样一种贵族词与市民词,雅词与俚词,小令与长调双峰对峙、二水分流的局面。当然,晏、欧未始没有俗词、长调的尝试,柳永也未尝不作雅词、小令,以上所述,无非是就双方各自的主导倾向而言。同期还有一位以善用"影"字而闻名的词人张先,官没有晏、欧做得大,但也不像柳永那样仕途偃蹇,他的词"适得其中,有含蓄处,亦有发越处"(清陈廷焯《白雨斋词话》),大抵出入于两派之间。

宋词至于柳永,完成了第一次转变。但这种转变只是翻新了词的音乐外壳,却未能从内容上根本突破"艳科"的藩篱。因此,当文学史家站在历史的高度为宋词划分流派时,仍将柳与晏、欧等一并编入"婉约派"的阵营。而拓宽词的意境,扩大词的表现功能,在新的历史条件下部分地恢复和发扬早已式微了的敦煌民间词的现实主义精神,使词能够做到像诗那样自由地、多侧面地表达思想感情,观照社会人生——宋词发展史上这更为艰巨、也更具积极意义的第二次转变,不能不有待于"豪放派"的异军突起。

北宋建国六十年后，社会繁荣背后隐藏着的民族矛盾、阶级矛盾、统治阶级内部不同政治派别之间的矛盾日益尖锐化，表面化。为了缓和这些矛盾，维持宋王朝的长治久安，统治集团中的有识之士纷纷提出政治、经济改革的主张并付诸行动。自仁宗庆历年间实施的"新政"到神宗熙宁、元丰间的"变法"，虽因大官僚地主保守势力的阻挠和反对而最终失败了，但它们对于社会生活各个方面的深刻影响却不容低估。宋词中"豪放派"在这一时期的兴起，恐怕很难用巧合二字来解释。当然未必所有的改革者都是"豪放派"，所有的"豪放派"都是改革者，然而改革精神必然会曲折地反映到文学包括词的领域中来，则是可以断言的。

严格说来，"豪放派"的发轫之始，应追溯到与晏、欧、柳同时的范仲淹。范氏出身贫寒，贵不忘本，具有"先天下之忧而忧，后天下之乐而乐"的博大胸怀，曾亲率大军抗击西夏党项贵族政权的入侵，后又主持过"庆历新政"。其词虽仅有五首传世，却颇多新意。如《渔家傲》之写边塞风光、军旅生活，以悲凉而为慷慨；《剔银灯》之借咏史发泄政治牢骚，于诙谐中见狂狷。这在当时以批风抹月为能事的词坛上，不啻是发聋振聩的一声雷鸣！豪放之作在敦煌民间词中已有一定数量，在唐、五代以至北宋前期的其他文人词里亦偶一露面，不可谓无，只是湮没在婉约词的茂草之下，呈间歇泉状态，还未曾喷涌成溪罢了。至范仲淹出，它才正式成为文人词的一种自觉的创作倾向。我们之所以云然，是连同范氏那些散逸了的豪放篇什一并考虑在内的。据宋人魏泰《东轩笔录》记载："范文正公守边日，作《渔家傲》乐歌数阕，皆以'塞下秋来'为首句，颇述边镇之劳苦。"倘若诸词一一俱存，豪放之作在其现存词作中就该占有数量上的优势了。

进入北宋后期，神宗朝的大改革家王安石一方面在创作上步武范仲淹，以《桂枝香》等刚健亢爽的怀古咏史词显现其政治长才、豪杰英气，另一方面又从理论角度向词须合乐的世俗观念发出了挑战。他说："古之歌者皆先有词，后有声，故曰'诗言志，歌永言，声依永，律和声'。如今先撰腔子，后填词，却是永依声也。"（宋赵令畤《侯鲭录》）这话实质上是以破为立，"豪放派"的创作纲领，已然音在弦外。前此词界之所以充斥着"妇人语"和"妮子态"，英雄志短，儿女情长，多阴柔之美而少阳刚之气，病根即在以词应歌。而晚唐、五代以来世尚女乐，歌者大都是妙龄女郎，大多是为适应她们的"莺吭燕舌"（宋张炎《词源》），词中自然只好以男欢女爱、离情别绪、伤春悲秋为主题，以

"婉约"为正宗了。"豪放派"要解放词体,打破"诗言志"(泛指情志)而"词言情"(特指情爱)的题材分工,冲决"诗庄词媚"的风格划界,就一定要松开束缚着词的音乐枷锁。在这一点上,时代略晚于王安石的苏轼,似乎走得更远。

苏轼"非不能歌",但自言平生不善歌,更为关键的是,他"豪放,不喜裁剪以就声律"(陆游《老学庵笔记》),因此,他只把词当成一种句读不葺的新体诗来作。他在词里怀古伤今,论史谈玄,抒爱国之志,叙师友之谊,写田园风物,记遨游情态……真正做到了"无意不可入,无事不可言"(清刘熙载《艺概·词曲概》);他的词或表现为平冈千骑、锦帽貂裘、挽弓射虎时的激昂慷慨,或表现为骤雨穿林、芒鞋竹杖、吟啸徐行时的开朗旷达,或表现为大江酹月、故国神游、缅怀英杰时的沉郁悲凉,或表现为长路思茶、柴门轻叩、试问野人时的随和平易……真正做到了"如行云流水,初无定质,但常行于所当行,常止于所不可不止"(苏轼《答谢民师书》)。他是"豪放派"当之无愧的奠基者。

苏轼的冲击波在北宋晚期词坛引起了各种不同的反响。以他的嫡派学生为例,大致可分四类。一是晁补之,他称赞苏词"横放杰出,自是曲子中缚不住者"(宋吴曾《能改斋漫录》),所作亦颇学苏。二是黄庭坚,虽对苏的革新未置可否,却在暗中仿效。三是陈师道,他批评苏词"虽极天下之工,要非本色"(《后山诗话》),落笔时也不以其师为法。四是秦观,出于对先生的尊敬,不便就苏词的有乖音律加以指摘,径自埋头走自己的"婉约"之路。

在北宋晚期的"婉约派"词人中,秦观是艺术造诣很高的一位。他的特色是只以中音轻唱,只以浅墨淡抹,而词的旋律间自有一种沉重的咏叹,画面上自有一种层深的晕染。他的佳作既得到了"虽不识字人亦知是天生好言语"(宋人吴曾《能改斋漫录》记晁补之语)的俗赏,也赢得了文化修养较高的士大夫们的众口交誉。但是他政治上屡经挫折,远谪南荒,加上性格软弱,不如与之有着相同遭际的苏轼、黄庭坚那么倔强,故其晚年之作多绝望语,格调也由哀婉而入凄厉。古往今来,人们一般都同情弱者,同情不幸者,秦观以及类似的悲剧型婉约作家,如前之李煜、晏几道,后之李清照,其作品之所以偏得人怜,这未尝不是一个重要的因素。

北宋晚期"婉约派"的另一位重要词人、徽宗朝曾主管国家音乐机关大晟府的周邦彦,在继承柳永词的基础之上,进一步发展了婉约词的艺术形式。如作纵向比较,他对柳永词的新变,着重表现在以下三个方面:其一,柳氏参与制作的大批慢曲,多是民间新声。口耳相传,此出彼入。乐工、歌妓既得自由发挥,兴之所至,擅行损益音拍;词人倚声填词,自不免客从主便,入境随俗,就文字作出相应的增减。故柳词中颇有同调作品句度、字数参差不一的现象。而周氏作为大音乐家、高级乐官,无论其独立创作抑或在其领导下整理和创作出的歌曲,都具有严格的规范性,故其词字句较整饬,呈现出格律化的定型。其二,柳永时代的乐曲,一曲仅用一种宫调,对歌词字声的要求还不算太讲究,故柳词多只在乐律吃紧处精心调配。而周氏制乐,每"移宫换羽,为三犯、四犯之曲"(张炎《词源》),一曲之中多次转换宫调,音律更为繁复多变,这就必须处处留意字声,平上去入,阴阳轻重,各用其宜,不容相混。王国维谓读周词"觉拗怒之中自饶和婉。曼声促节,繁会相宜,清浊抑扬,辘轳交往"(《清真先生遗事》),诵读尚如此,当时歌唱之悦耳可想而知。其三,柳词长调多平铺直叙,大开大合,盖筚路蓝缕之际,未暇作营构迷楼之想。而周氏躬逢慢词盛行之时,遂刻意创新出奇,人为地制造曲折回环,或无垂不缩,或欲吐先吞,或虚实兑形,或时空错序,章法的变化至此极矣。如作横向比较,则同是一时婉约高手,周邦彦与秦观的词风也不甚相同。大抵秦之笔轻灵,周之笔凝重;秦词醇正,周词老辣。北宋"婉约"词人,周邦彦最晚出,薰沐往哲,涵泳时贤,宜其词中千门万户,集婉约派之大成,开格律派之宗风。

与秦、周同辈且并驾齐驱的,还有一位词中怪杰——贺铸。他是北宋唯一从武官队伍里脱颖而出的著名词人,其词取材较广,风格也不拘一隅。他的婉约词如杂花酿蜜,与诸名家相较,得在同能,失在不独胜;豪放词却能择健曲为之,既作侠语狂言而又严守乐谱,犹合金铸剑,别有锋芒。

总的说来,北宋后期名家都属于士大夫阶层,部分人偶也写些俚词,但主要创作倾向却是雅俗共赏乃至以雅化俗,并且除晏几道外,一般都令慢兼长。因此,这一时期词坛的分野,转而表现为"婉约派"与"豪放派"的对垒。论暂时的力量对比,前者如老柳吹绵,漫天飞絮,占据着上风;论将来的发展趋势,则后者似新笋解箨,拔地而起,"栖凤枝梢犹软弱,化龙形状已依稀"(南唐李璟《咏新竹》诗,见宋人马令《南唐书·嗣主书》),前途正未可限量。

(三)

北宋末年,宋、金联合发起的灭辽战争,充分暴露了宋王朝的腐败和宋军的孱弱。于是,辽亡后不久,金贵族政权的铁骑便大举南下,一举吞并了整个中原。徽、钦二帝被掳,高宗仓皇南渡,中国历史上出现了第二次南北朝分裂的局面。

南宋前期是剑与火、血和泪、恨共仇的时代。且不说其间宋金双方曾有过若干年、若干次空前惨烈的拉锯战、保卫战和进攻战,即便是在宋向金称臣称侄、岁贡银绢、屈膝求全的苟安时期,以爱国的将领、士大夫和人民为一方,以误国甚至卖国的昏君(或庸君)、奸臣为另一方,战与和、战与降的斗争也始终不曾止息。国家的危亡,民族的耻辱,人民的苦难,面对这一切,只要是略有正义感的词人,谁还能镇日价偎翠依红、浅斟低唱?谁还能镇日价雕琢章句、锱铢宫商?他们不期然而然地集合到苏轼的旗帜下,拨动铜琵琶,叩响铁绰板,放开关西大汉的粗嗓门,高歌抗战,高歌北伐。天平急剧地向"豪放派"一侧倾倒。唐宋词史上最光辉的一页,就是由这批爱国词人蘸着自己动脉中沸腾的血液写成的。

最早的爱国词作者中包括李纲、岳飞等站在抗金斗争最前列的名臣战将。李纲的咏史组词八首,有如奏章,耸动"天听"。岳飞的词作今虽仅存三首,但首首与抗战有关,几于字字珠玑。尤其是那"壮怀激烈"的《满江红》,光昭日月,气吞山河,不仅唱出了那个时代的最强音,在近世中华民族反抗外来侵略的严峻斗争中,也曾教育和鼓舞过千百万人。

生活年代在李纲、岳飞之间的张元幹以及比他小四十二岁的张孝祥,在词史上并称"二张"。从创作的数量和质量、思想性和艺术性两方面的结合上来看,他们是南宋早期爱国词人中成就较高的两位。高宗绍兴年间,朝士胡铨因上书反对和议、请斩秦桧之头而遭迫害,被流放广东蛮荒之地。张元幹不畏株连,毅然作《贺新郎》送之,竟以此得罪,受到削籍除名的处分。孝宗朝"隆兴北伐"失利后,投降派重新得势,遣使向金人求和,张孝祥悲愤地在建康留守宴上赋《六州歌头》,致使主战派大臣张浚伤心罢席。此类慷慨悲凉、骏发踔厉的优秀爱国词作,二人集中,绝非仅有。清代著名词论家刘熙载读二张词,由衷地感叹道:"词之兴、观、群、怨,岂下于诗哉!"(《艺概·词曲概》)词至爱国,其体自尊。清人挖空心思以《诗经》中的长短句体为词之源,靠虚报年龄来抬高词的身价，未免多事了。

怒澜排空的南宋爱国词潮，至辛弃疾出而达到了巅峰。辛氏出生于北方沦陷区，青年时即组织义军，献身抗金复国的大业。南归后却始终不得朝廷信用，屡官屡罢，壮岁被投闲置散于乡里达二十余年之久，北伐宏图蹉跎成空。其将才相略无处发挥，一腔忠愤遂尽托之于词。无论高楼远眺、寒窗夜读抑或旅途书壁、归隐题轩，无论移官留别、饯客赠行抑或元夕观灯、中秋赏月，无论遣兴写怀、侑觞祝寿抑或抚今追昔、谈史论经，他那横戈跃马、以恢复中原为己任的豪情壮志，那因受昏庸无能的统治集团压制、排挤、打击，长期郁积于内的一肚皮不合时宜，时时处处，一触即发：击筑悲歌，不让荆轲《易水》；揭喉高唱，肯输刘季《大风》？浩叹沉吟，无非磊块；嬉笑怒骂，皆成文章。他那股浑厚苍莽之气，那支雄奇奔放之笔，不但曲子缚不住，就连词最起码的句度也无法范围了。在他的面前，苏轼的"以诗为词"也显得过于保守——他干脆进一步解放词体，"以文为词"，从此，散文句法也在词中通行了。辛词的创新，还不止于此。由于他是来自北方的"归正人"，备受猜忌，动辄得咎，颇有些复杂的感情、过激的言论不便于直接吐露；又由于他饱读诗书，胸藏万卷，学养广博精深，所以他便在词里大量用典，甚至用生典僻典。经史子集，信手拈来，往往有出神入化之妙。这种作法扩大了词的音蕴容量和艺术张力，但同时也给今天的读者造成了许多困难和障碍。

与辛弃疾同时的爱国词人，长者有陆游，平辈有陈亮，后进有刘过。陆游是南宋伟大的爱国诗人，而不以词名，刘过学辛弃疾而未有显著的个性，故此皆从略，只说一说陈亮。陈与辛是志同道合的密友，人才相若，二人唱和之作甚多，词风亦相近。稍为不同的是，辛弃疾身为朝廷命官，不能直言无忌，因而词多摧刚为柔，更见沉郁顿挫。而陈亮则是一介布衣，无丝毫拘束，所以敢大声疾呼。他以策论、檄文为词，痛快淋漓，横放恣肆，颇有自己的戛戛独造。虽然粗犷发露了一点，不及辛词的雄深雅健，但自是黄钟大吕之音，足以立懦起顽。

南宋前期，"婉约派"只为我们贡献了一位出类拔萃的词人——中国古代最杰出的女作家李清照。她的一生和创作横跨两宋。早在徽宗时，她那些真正属于女性自己的心声，而非由男士们越俎代庖的爱情词，即已以其特有的那份纯挚和缠绵悱恻而广泛流传；但《漱玉集》中的最高成就，却主要体现在词人南渡以后的作品里。女词人是爱国的——"生当作人杰，死亦为鬼雄。至今思项羽，不肯过江东！"（《乌江》诗),句句燃烧着火焰,其对于抗战的态度之坚决,对于投降派的义愤之强烈,绝不亚于任何一位爱国的"豪放"词人。可惜,"婉约派"关于词"别是一家"(宋胡仔《苕溪渔隐丛话后集》,李清照论词语)的传统观念限制了她的创作,使她偏心地把侠肝义胆都给了诗,而只在词里向读者展示了一个弱女子的自我形象。尽管如此,她的晚期词作还是具有相当高的现实主义价值的。虽然她写的只是个人在流落天涯、孤苦无告时的"寻寻觅觅,冷冷清清,凄凄惨惨戚戚"(《声声慢》),但却典型地涵盖了当时千千万万的北方难民在国破家亡后的共同境遇,从侧面暴露了侵略者和投降派的历史罪行。这一社会功能又非"豪放派"的爱国词可以替代的。至于她的词在艺术上的造诣,则主要在于能"用浅俗之语发清新之思"(清彭孙遹《金粟词话》),辞淡于水,而味浓如酎。她因此赢得了"男中李后主,女中李易安,极是当行本色"(清人沈谦《填词杂说》)的极高声誉。

"事无两样人心别"(辛弃疾《贺新郎·同父见和再用前韵答之》)。北中国的丧失,在爱国志士们固然如刳肠剜目;而对于南宋小朝廷来说,则只当是切除了半个胃,并不妨碍他们继续饮甘啖肥。更何况,以新都临安为中心的东南地区,风景秀丽,物产富饶,正是理想的安乐窝。因此,一旦妥协和屈辱换得了苟安,北宋末年那种以趁歌逐舞为特征的"宣政风流",就又成为达官贵人们的生活必需品了。这样的土壤,为培养南宋自己的周邦彦提供了温床。经过数十年的一再优化繁殖,终于,南宋后期词坛上结出了两颗"格律派"的硕果——姜夔和吴文英。

姜、吴二人都是游徙于豪贵之门的清客词人。他们有许多共同点,但在许多方面又不尽相同。首先,他们都精通音乐,各自创制了不少新腔。其中姜氏尤以乐家名世。《白石道人歌曲》中的十七支自度曲,且旁缀有工尺,为唯一留存至今的宋词乐谱,吉光片羽,弥足珍贵,成就似又在吴氏之上。其次,他们的词,都恪守"婉约"宗风,以言情咏物为主。但姜氏年长数十岁,游历也较广泛,特别是早年曾到过边城扬州,犹及亲见金人南侵暴行的遗迹,中年且于"开禧北伐"前得与辛弃疾交游,故集中尚有少许作品兴黍离麦秀之叹、发长淮金鼓之鸣,这就不是纯然生活在南宋晚期、足不出江浙之地的吴文英所能相比的了。又姜氏人品孤高,不肯苟作谀词,而吴氏于此则未能免俗,集中应酬之作甚多,同为江湖游士,情操却还有泾渭之分。再次,他们都学周邦彦,但姜氏旁参"江西诗派"的生硬,得周之峭拔;吴氏侧入晚唐诗人的密丽,得周之深华。分镳歧路,走向了不同的极端。就技法而言,姜词多用虚字提唱,故结体清空，层次的演绎和转换较为显豁，筋骨全在明处；吴词却每每排比藻绘，故为体质实，脉络都藏在暗处，所谓潜气内转，空际翻身。就风格而论，姜词“如野云孤飞，去留无迹”（张炎《词源》）；吴词“如万花为春”（清况周颐《香东漫笔》），蝶舞蜂忙。以群芳为喻，姜词是疏梗白荷，幽香冷艳；吴词是千叶牡丹，复瓣浓薰。至于说到格律的严谨，音韵的响亮，措辞的高雅，造句的新奇，两家却又殊途而同归于周邦彦。略晚于姜夔，史达祖的《梅溪词》也全祖周邦彦，“奇秀清逸，有李长吉之韵，盖能融情景于一家，会句意于两得”（姜夔《梅溪词序》），亦值得一提。

南宋晚期不少文人雅士，沿着他们的道路继续向前走，一时间效姜学吴蔚然成风。这批词人中，周密和张炎的名声较大。周密号草窗，词风接近吴文英，因吴氏号梦窗，后人遂有“二窗”之目；张炎词集名《山中白云》，论词推重姜夔，而姜氏号白石，后人便以“双白”并称。和那些老死于先生牖下的冥顽不灵的学生不同，他们一个往酒里兑水，降低梦窗的酽度，变其秾华为韶茜；一个给铸铁抛光，磨平白石的圭角，变其清峻为圆朗，能入能出，因而仍有独立存在的价值。但他们宋亡前的作品，至多不过是“鼓吹春声于繁华世界”，“令后三十年西湖锦绣山水犹生清响”（宋郑思肖《山中白云序》）而已，格调较高的篇什大都创作在亡国之后。清赵翼《题遗山诗》有云：“国家不幸诗家幸，赋到沧桑句便工。”信然！

从艺术角度来说，南宋后期的“豪放派”中没有产生能与姜、吴抗衡的名家。可是，围绕着宁宗朝抗击金人，金亡后理宗、度宗两朝抗击蒙古人南侵的斗争，爱国词人们仍然一直在呐喊。其中较出色的是刘克庄和陈人杰两位词人。

刘克庄与刘过号称“二刘”，同属辛派的嫡系。其词风酷肖辛氏，但功力未逮，浑厚不足，粗豪有余。唯词中颇有些新的政治内容，能发前人所未发。如谆谆告诫官军不要滥杀被逼造反的少数民族百姓，批评朝廷猜忌甚至敌视北方抗金义军的错误态度，提议在抗元斗争中应不拘一格地选拔重用起自卒伍的军事人才，等等。其《玉楼春》直言箴规沉湎于酒色的友人：“男儿西北有神州，莫滴水西桥畔泪！”正气浩然，千载之下犹能促人奋起。凡斯种种，都为宋词增添了进步的思想光彩。

陈人杰词今仅传《沁园春》三十一首，但多为忧时愤世之词。在蒙军压境而南宋君臣文恬武嬉、国事日非之际，他挟醉濡笔，在杭州丰乐楼壁上大书道：“扶起仲谋，唤回玄德，笑杀景升豚犬儿！”（《沁园春》）咄咄逼人，如唐雎对秦王挺剑而起，真有彗星袭月、白虹贯日、苍鹰击于殿上的气象。似这等明目张胆的“犯上”之举,慢说词中,恐怕整个文学史上都极罕见。他作虽不尽如此,然皆锋芒毕露,大有陈亮遗风。而事实上陈人杰一生科场失意,未曾步入仕途,也的确是陈亮那种类型的狂士。援“二张”“二刘”之例,我们不妨也把陈人杰和陈亮合称为“二陈”。

由于统治集团自身的腐朽没落,南迁一百五十年后,赵宋王朝终于为北方的元蒙政权所灭。元军的刀斧可以洗劫城市,可以屠戮人民,却封不住词人的歌喉。在徐徐降落的大幕下,不同经历、不同气质、不同流派的词人们,同台演完了宋词史上的最后一出悲剧。

此期名家,大略有文天祥、刘辰翁、蒋捷、周密、王沂孙、张炎等。各人处境不同,性格各异,故词风亦多参差。其中文天祥为烈士词人。他孤军抗元,被俘北去,英勇不屈,从容就义。其《酹江月》词:“镜里朱颜都变尽,只有丹心难灭!”精忠耿耿,声情悲壮,如天外风吼。刘辰翁为直士词人。他在宋亡前即能以词笔揭露批判南宋的腐败政治,宋亡后亦不肯觍颜事仇,所作多痛悼故国,骨高格遒,辞恸意苦,如林表鹃啼。蒋捷、周密为贞士词人。他们在入元后隐居不仕,全节而终。所作哀伤亡国之词旨意明显,语调悲凉,如山中鹤唳。王沂孙、张炎,为一般遗民词人。他们虽苟全性命于新朝,但无时无地不抒发故国之思、兴亡之感,或如草际蛩吟,或如叶底蝉嘒。就在这立体声的管弦乐多重奏中,宋词结束了她三百多年的辉煌历程。

以上,我们围绕唐宋词的发展过程、主要流派及其代表作家,作了一番粗略的介绍。不当之处,敬祈指正。

唐宋词这块芬芳绚丽的园圃令人目迷,令人神醉。每一位徜徉其间的游客都会有自己的种种感受,或与他人所共,或为个人所独。我们要感谢为本书撰稿的一百六十位专家,在这一篇篇饱含着撰稿者辛勤劳动的佳作中,凝聚着他们所进行的艺术思考和对美的探索。我们热切地期待读者来欣赏这些精彩的赏析文字。如果本书能带给大家启发和帮助,那么我们将感到十分欣慰。

篇　目

和　凝

韦　庄

牛　峤

牛希济

李　珣

顾　夐

杨 亿

范仲淹

柳 永

张 先

贺　铸

仲　殊

晁补之

张　耒

周邦彦

贺 铸

仲 殊

晁补之

张 耒

周邦彦

吴文英

许　棐

潘　牥

李彭老

张绍文

陈人杰

邓　剡

杨佥判

汪元量

王清惠

王沂孙

醴陵士人

徐君宝妻

蒋　捷

词人音序索引

篇目音序索引

说　明

一、本索引以词牌名为检索依据。词牌按第一个字的汉语拼音字母顺序排列。同声韵的字按声调的顺序排列；同音字按笔画数由少到多排列；笔画数相同的，按起笔笔形横（一）、竖（丨）、撇（丿）、点（丶）、折（乛）的顺序排列；起笔笔形相同的，按第二笔排列，以此类推。第一个字相同的，按第二个字的音序排列，以此类推。

二、同一词牌的各篇作品，按作品首句第一个字的汉语拼音字母顺序排列，第一个字相同的，按第二个字的音序排列，以此类推。

三、词目后面的数字，表示该词目在本书正文中的页码。

菩 萨 蛮　　敦煌曲子词*

枕前发尽千般愿，要休且待青山烂。水面上秤锤浮，直待黄河彻底枯。　白日参辰现，北斗回南面。休即未能休，且待三更见日头。

注 释

*清光绪二十六年(1900)，甘肃敦煌莫高窟(又称千佛洞)石室里，发现了大量唐五代手写卷子，其中一部分是燕乐曲子歌辞(简称曲子)。它们的创作年代先后不一，大约起自七世纪中期，下迄十世纪四十年代，作者遍及社会各阶层而以下层人民居多，反映社会生活面比较宽广，形式活泼多样，有小令也有长调，语言流畅，风格朴素。

鉴 赏

当爱情的火花点燃了两颗年轻的心，整个世界便都因了恋人的欢乐而存在。他们珍惜青春，渴求幸福，在宇宙的律动中，希冀爱情的永恒。于是，日月星辰，河流山川，无不呈现着他们感情的外化……

这首出自敦煌卷子中的唐代无名氏所作的《菩萨蛮》，是一位恋人向其所爱者的陈词。为了表示自己的坚贞不渝，她(他)在词中热烈地对爱人迸发出火一般的誓言。而这誓言，则是用一连串极为奇妙的比喻构成的。这一非常富于独创性的表现方式，使得无名氏的这篇抒情之作成为唐朝诗苑中的一颗明珠，可与汉代民歌中的《上邪》媲美。

词以“枕前发尽千般愿”一句开头，点明了主题。“发尽”二字，非常有力，充分显示了主人公的至情至性。在这最幸福的时刻，词人当然热切地希求着能够永远如此时一样相偎相依，相亲相爱。

因此,首先举出三件不可能的事为喻,坚信爱情的悲剧永远不会出现。第一三两喻寄意于山河。在古人心目中,山河都是永恒的象征。所以成语说:"青山不老,绿水长流。""青山烂"既纯属虚幻,爱情当然也就不会变。同时,"黄河彻底枯"既绝无可能,所谓"直待"也就无从谈起了。第二喻作者从日常生活中信手拈来,用得非常贴切、生动。秤锤一般为铁制,谚语有"秤锤虽小压千斤"之语,可见秤锤在重量关系中的作用,作者设喻显然有意突出了这一特征。而水的比重远低于铁,那么,所谓的"水面上秤锤浮",也就是绝不可能出现的现象。下片紧承上片,接着发愿,不同的是,主人公将喻体从地面移到了天空。第四六两喻分言日夜的颠倒。"参辰",即参辰二星,二星此出彼没,永不并见,更何况在白日显现。而三更之时,夜色正浓,假若这时日出,其有悖于常情也是不待分说的。昼夜的运行,是大自然的规律,主人公的这种逆向想象,不过是极力强调爱情的天长地久而已。第五喻也是就天体而言,其着眼点在空间的变异。北斗七星,例当在北。《易林》卷十六《中孚·大壮》云:"魁罡指南,告我室中。利以宜止,去国忧患。"可见,"北斗回南面"之句也无非是指出其不可能。主人公一口气举出六事发愿,说得那样情真意切,足以见出其如痴如狂的精神状态。爱情的表达方式,有的是软语缠绵,有的是激情倾诉。本词属于后者。从风格及产生地域看,作者似生活在北方。

这首《菩萨蛮》写得非常动人。其内容、格调和表现方式,都使我们想起汉朝乐府民歌中那首著名的《上邪》:"上邪!我欲与君相知,长命无绝衰。山无陵,江水为竭,冬雷震震,夏雨雪,天地合,乃敢与君绝。"这首诗,连举五事发誓,也是在大自然中寻找自己心灵的支撑。二者相距近千年,且又都是产生于民间,这种惊人的相似,使我们由衷地赞叹先民们独特的创造力。

在艺术上,这首《菩萨蛮》与《上邪》一样,最大的特点便是善于比喻。为了说明这一点,我们不妨参看杜甫和苏轼的两首诗。杜甫在《观公孙大娘弟子舞剑器行》中描写公孙大娘的舞姿道:"㸌如羿射九日落,矫如群帝骖龙翔。来如雷霆收震怒,罢如江海凝清光。"一连以四种形象相比,写得虎虎有神。苏轼更是比喻的圣手。他的《百步洪》描写急流的气势道:"有如兔走鹰隼落,骏马下注千丈坡。断弦离柱箭脱手,飞电过隙珠翻荷。"四句诗中,一气托出七种形象,大大展开了读者的想象力。钱钟书先生谈到苏轼的这种特色时称之为"一连串把五花八门的形象来表达一件事物的一个方面或一种状态。这种描写和衬托的方法仿佛是采用了旧小说里讲的'车轮战法',连一接二地搞得那件事物应接不暇,本相毕现,降伏在诗人的笔下"(《宋诗选注》)。这首《菩萨蛮》也是如此。青山坏烂、秤锤浮水、黄河彻底枯、白日参辰现、北斗回南面、三更见日头,这六事作为喻体,但都省略了比喻之词,所以是暗喻的形式。作者反复强调,一气呵成,就像夏日的暴风雨一般,突起骤止,以此展示动荡的内心世界,显得热情奔放,很有力量。它与杜、苏之作的不同处在于,后者是以物象喻物象,它却是以物象喻人情。另外,后者是正面作喻,它却是连续反喻——以六种不可能来说明一种不可能。词中所举喻体,皆属日常生活中所习见,作者却处处从不可能处下笔,这便使抽象与具体结合了起来,创造了良好的艺术效果。

(程千帆　张宏生)

菩　萨　蛮

敦煌曲子词

敦煌古往出神将,感得诸蕃遥钦仰。效节望龙庭,麟台早有名。　　只恨隔蕃部,情恳难申吐,早晚灭狼蕃,一齐拜圣颜!

鉴赏

这首歌辞作于唐德宗建中二年(781),沙州沦陷之前。

敦煌,沙州治所。它是我国西北地区风沙弥漫的戈壁滩畔的绿洲,是横贯欧亚的古老的丝绸之路的交通枢纽。它既是汉唐欧、亚、非各国与中国友好交往的孔道,又是西陲边防重镇,河西人民保聚之地。从西汉张骞经此出使西域,沟通中西经济文化以来,这里曾涌现过好几位功勋卓著、名垂史册的"神将",如汉代的李广利、赵充国,唐代的郭元振、张守珪,等等。尽管他们之中,或晚节有亏,或未得善终,但当年保塞安民,功不可没。如,贰师将军李广利由敦煌出师西征,"兵多,所至小国莫不迎,出食给军","威震外国","西域震惧,多遣使来贡献"(《汉书·李广利传》《西域传》)。

又如唐郭元振，中宗神龙（705—707）中，抚守四镇，也曾在敦煌一带用兵，威震荒服。“睿宗立，召为太仆卿。将行，安西酋长有嫠面哭送者。旌节下至玉门关，去凉州犹八百里，城中争具壶浆欢迎。都督嗟叹以闻”（《新唐书》本传）。歌辞发端便是“敦煌古往出神将，感得诸蕃遥钦仰”，奇峰突起，造势不凡。与一般艳科言情之作，判然异趣。所指的“神将”，信而有征，呼之欲出。古往“神将”已略如上述。即以中唐而论，镇守敦煌有功，足以彪炳青史者，也还有人在。如河西节度使杨休明，于大历元年五月移治沙州敦煌。在与朝廷的联络线已被吐蕃切断的情况下，仅凭瓜、沙两州之地与劲敌相持竟有十年之久。大历十一年，瓜州复陷。而沙州以都知兵马使代领州事的阎朝，为唐固守危城，首尾也有五六年光景。凡此种种公忠谋国、可歌可泣的英雄事迹，敦煌人民永远铭记于心，甚至连边远地方的少数民族对他们也无不顶礼膜拜。“诸蕃”的“蕃”，与“羌”“戎”同义，都是对少数民族的通称，未必仅指吐蕃而言。“效节望龙庭，麟台早有名”，上句就将吏而言，说他们衔命守边，克尽臣节，报效朝廷；下句为唐王朝立说，谓朝廷褒赞勋臣，恩宠有加。“龙庭”，即朝廷。“麟台”即麒麟阁。汉武帝时所建（一说萧何造）。汉宣帝甘露三年，画功臣霍光、赵充国、苏武等十一人像于其中。后世就以麒麟阁作为皇帝褒赞臣子功勋之处的代称。上片回顾历史，讴歌往昔敦煌守将的足智多谋，英武善战；下片着眼现实，抒写当地人民热望宁息边塞、早日入朝的迫切心情。我们都知道，自代宗宝应元年（762）开始，下迄德宗建中二年（781），吐蕃乘危，利用安史乱起、唐王朝悉召河西戍卒收复两京、守备空虚的弱点，首先攻取兰、鄯，切断河西走廊与内地的联系，然后由东向西次第攻占河西、陇右其他州县。唯独沙州一郡，直到建中二年岿然犹存。所以词中说：“只恨隔蕃部，情恳难申吐。”这里，着一“隔”字，点明敦煌入唐的道路已经由于沙州以东诸州的沦陷而被切断，以致边民对朝廷的耿耿忠心无由得达。“早晚灭狼蕃，一齐拜圣颜！”“早晚”，犹多晚，什么时候。唐代口语，屡见于敦煌写本文献。“狼蕃”，指吐蕃。“蕃”字前面加上修饰语“狼”，表现出敦煌百姓对吐蕃压迫者的憎恶，跟史书上所谓“吐蕃是强”“其心豺狼”同一个意思。这两句承上而来，倾吐出敦煌人民希望尽早统一祖国的强烈愿望和焦灼心理。作品以质朴的语言表达出敦煌人民纯真的感情，读来倍觉亲切动人。

（黄进德）

浣　溪　沙

敦煌曲子词

五两竿头风欲平，长风举棹觉船行。柔橹不施停却棹，是船行。　　满眼风波多闪灼，看山恰似走来迎。子细看山山不动，是船行。

鉴赏

这是一首船夫曲。它以轻快的笔调描画出扬帆出航、乘风行船时的愉悦之情。

“五两”，古代候风器。楚人称候风器为五两，因以五两（一说八两）鸡毛制作而成，故名。把它悬挂在竿头，立军营中或舟船上，借以窥测风向和风力。顾况《五两歌送张夏》：“竿头五两风袅袅，水上云帆逐鸟飞。”“五两竿头风欲平”，是说原先停泊在避风处的船只，从候风器上占出风向将起变化。“风欲平”，谓风力转弱，这是风向改变的前兆。“长风举棹觉船行”，长风，大风，这里指顺风。顺风挂帆又是打桨，拔锚起航了。驶向江心以后，既不用摇橹也无须打桨，乘风破浪，顺利行进。

过片写船上人所见江上风光。“满眼风波多闪灼”，波光闪烁，忽明忽暗。“看山”三句，化静为动，着意写出船行山迎相对运动的感觉。视觉有时会造成一种心理错觉，赋予静物以动感。在诗里写这种错觉的比较多。比如梁元帝萧绎《早发龙巢诗》：“不疑行舫动，唯看远树来。”远树，本来并未移动，却由于舟船在行进，映入船上人眼帘时，仿佛正迎面“走”来。李白《望天门山》：“两岸青山相对出”，写的是舟行江上遥望前面天门山才有可能产生的特有感受。相反，有时也会由于物我俱动而造成主客两体俱静的错觉。如陈与义《襄邑道中》：“飞花两岸照晚红，百里榆堤半日风。卧看满天云不动，不知云与我俱东。”既然有风，哪有云彩不动的道理！自然也是一种错觉。它是相对运动引起的又一种心理错觉。诗人先把动态写成静景，然后再点明物我“俱东”，不失为一种“夺胎换骨”的妙法。但在歌辞里，运用疑动式化静为动手法的，似乎并不多见。而本篇写得又早，弥觉可贵。不过，平心而论，如果按照词特殊的章法和韵味别具的要求来衡量，那么，它先说“看山恰似走来迎”，后以“子细看山山不动，是船行”收煞，把心理错觉兜底点破，未免失之太露。词里重复用“行”字叶韵，显示了早期民间词形式比较自由的特点。

（黄进德）

望　江　南　　敦煌曲子词

天上月，遥望似一团银。夜久更阑风渐紧，为奴吹散月边云。照见负心人。

鉴赏

艺术构思的丰富源泉来自生活，只有对生活进行过充分的观察和思考，才能使作者的想象在大千世界里纵横驰骋，创造出既富有浪漫色彩又符合一定生活真实的艺术构思，精妙地织成一幅幅神奇而又绚丽的画面，借以表达作品的主题思想和艺术旨趣，从而取得强烈的社会效果。就某些方面来说，敦煌词之所以深刻感人，主要原因就在于作者往往能够把真生活、真感情熔化在想象的大熔炉里，以新巧的构思和奇妙的夸张，谱写出一首首意境优美而又耐人寻味的词作。

这首《望江南》的主旨是通过一个被遗弃女子的悲诉，表达出对负心男人的怨恨之情。全词避开那种平铺直叙的写法，设想出一个“夜久”“更阑”“风紧”的特殊环境，突出表现一个“月”字，以月亮的光洁无瑕，同负心男人的卑劣龌龊的阴暗心灵构成鲜明的对照。作者大胆地运用这种明比暗喻的艺术手法，更能激起人们对负心人的厌恶和唾弃，并对弃妇的不幸遭遇寄予深切的同情。

作者远远地从“天上月”写起，一个被遗弃的女子，遥望着犹如一团白银似的月亮，悲怨满怀，思绪万千，纵然是置身在更深人静、风声渐紧的长夜，也难以平复涌上心头的幽恨。她热切希望风儿快快吹开月边的浮云，照见那个辜负自己一片痴情的狠心男子。言下之意，让圣洁的月光照一照那个负心人的秽行，这个忘情负义的男子应受到上苍的惩罚。

这首词的艺术特色，不仅表现在构思的新巧，想象的丰富，而且还在于作者紧紧抓住弃妇爱极生怨与怨而生恨的感情变化，并通过这些感情变化的生动描写，强烈谴责负心人的不义行为，进一步抒发埋藏在弃妇心头的郁愤，给人留下火辣辣的印象。由此可见，艺术的想象只有同作者的真情流露紧密地结合起来，才能产生强烈的艺术魅力。

（张锡厚）

定　风　波

敦煌曲子词

攻书学剑能几何？争如沙塞骋偻㑩。手执绿沉枪似铁，明月，龙泉三尺斩新磨。　　堪羡昔时军伍，谩夸儒士德能多。四塞忽闻狼烟起，问儒士，谁人敢去定风波？

鉴赏

这是一首描述有志之士决心驰骋沙场，平定战乱，为国建功立勋的词作，热烈赞颂那种守土保边、誓死作战的爱国精神。全词热情奔放，气势雄壮，读来激昂慷慨，动人魂魄，不失为刚健之作。它同敦煌词中描写儿女情长、幽思缠绵的情词相比，无疑是高亢的、奋发的、健康的。从词风上讲，可以说开豪放词的先河。

大唐帝国的繁荣昌盛促进了兄弟民族之间的团结和边塞的安宁。但是，中唐以后，社会矛盾和阶级矛盾逐渐激化起来，在异族上层势力的搅扰下，西陲沦陷。唐德宗建中二年(781)，吐蕃占领河湟一带，统治敦煌长达七十年之久。敦煌地区人民在归义军节度使张议潮率领下，奋起反抗，为保卫西部边疆进行艰苦卓绝的战斗。这首敦煌词《定风波》比较真实地反映出这一历史时期的社会状况和思想感情，为人们研究敦煌历史提供了丰富而又生动的材料，意义深远。

在动荡不安的社会里，那种纸上谈兵式的"攻书学剑"已经不能急国家之所需，只有"手执绿沉枪"，腰挂明晃晃的龙泉宝剑，奔驰在茫茫的"沙塞"，方显出英雄的本色。作者为了进一步发挥这种主张,词的下阕转与"儒士"相较。历史上只有军队将士殊堪羡慕,且不要随意夸耀儒生的德能是如何之多。一旦边塞发生战争,试问哪一个儒生敢于提枪上阵,平息战乱呢?全词跌宕起伏,曲折有致,极其概括地说明一个最普通的保家卫国的道理,只有勇敢地拿起武器,冲锋陷阵,才能解救国家和民族的危难,这对于鼓舞士气、动员人民作战无疑会起到有益的作用。不过,作者为了说明军伍的重要,却无视"儒士"的德能同样可以起到保边守土的作用,则失之偏颇。

在艺术上,这首词主要运用现实主义的表现手法,从广阔的社会生活中选取具有典型意义的题材,着力揭示某些有志之士的高贵品质和精神境界,让保卫边塞的战火锤炼他们热爱国家的思想感情,更显出作品的可贵。全词使用一种通俗易懂、自然明快的语言,一扫夸饰雕琢之习,创造出质朴刚健、气韵雄浑的语言风格,很值得重视。

(张锡厚)

鹊 踏 枝　　敦煌曲子词

叵耐灵鹊多谩语,送喜何曾有凭据?几度飞来活捉取,锁上金笼休共语。　　比拟好心来送喜,谁知锁我在金笼里。欲他征夫早归来,腾身却放我向青云里。

鉴赏

作为幸福象征的灵鹊,在敦煌曲子词中曾一再出现过。"正见庭前双鹊喜,君在塞外远征回"(《阿曹婆》),这是说灵鹊给离人带来喜讯。"鹊语虚消息"(《菩萨蛮》),这是说灵鹊虽鸣而远客仍然未归。前一首说灵鹊有灵,从科学性说来自然可笑,然而从长期的民俗传统和淳朴的愿望来评价,灵鹊是富于人情味的。后一首写灵鹊消息成虚,倒很有点和这一首灵鹊的"谩语"相似,可是由于题材的需要有所不同,并没有在"虚消息"上加以生发,把想象世界开拓。相比之下,《鹊踏枝》一词,既不同于《菩萨蛮》中的灵鹊无灵,也不同于《阿曹婆》中的灵鹊有灵。它既写出灵鹊报喜的“何曾有凭据”,分明是说无灵;但同时,却又把一只鸟儿写活,说它有一副好心肠,也有一腔委屈和盼望的情绪。它是鸟儿,可确乎又是“灵鹊”,或者说是经过了无名诗人艺术点化而成的鸟儿,这又分明是有灵。

灵鹊,这样一个灵而不灵的鸟儿,恰恰成为这首词中最关键性的角色。如果没有这一个灵而不灵的奇妙形象,那么这首词在两个观察点上就不可能得到人和鹊的统一,而在刻画征夫之妇的感情的复杂性上,也不可能达到愁郁和盼望心情相交织的统一。

这首词的上下片,分别采取了两个相辅相成的观察点。上片以征夫之妇的描述为主,下片以灵鹊的描述为主。一人一鸟,俨然对话,但委实又不是对话。这正因为,写征夫之妇心情的同时,捎带出灵鹊消息;而描述灵鹊盼望的同时,也令人想象到征夫之妇可能碰上的幸福。

“叵耐灵鹊多谩语,送喜何曾有凭据?”这是少妇对鹊儿的抱怨,但更是自已失望的苦恼。“几度飞来活捉取,锁上金笼休共语”,一转而为少妇行动的描绘。原来因为鹊儿报喜不真,被少妇捉去,锁入金笼,而且从此再也不被少妇理睬了。在这种情况下,灵鹊自然是满心委屈:“比拟好心来送喜,谁知锁我在金笼里。”我分明是一片好心,打算给你送个喜信,让你得到安慰,谁知你反把我锁进金笼!表面看来,这好像是灵鹊答话。然而它实际是出于作者巧妙构思的、针对少妇而发的、鸟儿的内心独白。不过,灵鹊尽管对少妇申诉,但它对少妇并没有心怀怨恨,它还是衷心希望有朝一日能把真正的喜信送来,而它也就此能飞出金笼。下面的“欲他征夫早归来,腾身却放我向青云里”,恰可以说是鹊儿内心独白的深一层发挥。“欲”和“早”表示灵鹊的善良和美好愿望的殷切,想象起一旦少妇听到真正的喜信后,她该是多么高兴,攀向挂着金笼的高处放去鹊儿。

一个少妇,一只鹊儿,以两个观察点为坐标而展开的双方心理独白,虽说在上、下片中有所分工,但却又互为包孕:或而表现为主、客体的问答式的交替,或而表现为心理独白与情态描述的互为更迭。特别是把鹊儿化为入情入理的人,更显得少妇的心和鹊儿的心密切相连。这样的形象结构的好处,不仅使上、下片能达到水乳相融的妙境,更因为鹊儿的人化,亦鹊亦人,显示出俗文学作者质朴的心灵之美。“自然,是人的非有机整体。”马克思这一名言,对曲子词的无名作者说来,正是有可能把鹊儿化为有情的人的审美依据。

促成上、下片交融的,另外还有一个重要因素,那就是层层引导、波澜迭起的少妇的感情,经过外化,成为多变而和谐的节奏:愁中有盼,盼中有愁。起先是失望之愁,后来却呈现出希望的一丝亮色。

如果少妇的离愁不深,盼望就不会急切。也正因为她朝朝悬念,所以才注意到鹊儿的叫声。当她听到鹊儿喜报时,不用说心里很欢喜,甚至于信以为真,可能还屈指计算归期,也可能更幻想出征夫归来时的种种情景。可是,不幸喜讯成空。一段时间过去了,音信依旧杳然。这对少妇来说,就不止是原有的离愁,而更重要的是因为一度萌起的希望变成失望,她心灵受到的打击就更大了。锁起鹊儿来,再不去理睬,这不在于惩罚鹊儿,而实在是说明少妇一时失去希望的信心,由愁闷而变成怫郁了。然而,她毕竟没有完全割断希望。这一点,在下片鹊儿的独白中透露出消息。也许会有这么一天吧。少妇为放掉鹊儿而开笼之际,也正是鹊儿行将在“青云里”翱翔之时。少妇和鹊儿可以说共同得到幸福。在两者之间曾经出现过的一场小小的误会,当然就此消除干净。

现在,我们可以再回过头来看看过去的风波,不仅是说不上芥蒂,相反地倒还增添了气氛的活跃和人鹊之间的风趣。少妇虽说是抱怨鹊儿,甚至关闭起鹊儿来,可别忘记她那种喃喃自语的神气。一个“叵耐”,一个“何曾”,只要你品味一下这里的语感,就不难联想到这抱怨有点近于一种对待知心人的轻嗔薄恼。它不是什么恨毒,更不是大发雷霆。这比起“打起黄莺儿,莫教枝上啼”(金昌绪《春梦》)来,似乎还要更亲切。尽管那位生怕黄莺儿惊醒了辽西残梦的少妇,并非真心要打莺儿,但毕竟字面上还用了个“打起”,而这里却只是表示赌气,只是发誓从今再也不去信鹊儿的报喜。如果说“打起”是强调那位少妇对惊醒她好梦的鸟儿发出恨恨之情的话,那么,这首词中有关少妇的一系列行动的描绘,却又别具一格,即富于轻松活泼的情趣。少妇不是去“打起”,而是把鹊儿锁入金笼。先是一“锁”,后是一“放”;先是“休共语”,后是“腾身”;先是征夫的音信“无凭据”,后来却又一转而为可能出现的“征夫早归来”:这一系列事态的变化和可能变化,沿着少妇和鹊儿两个观察点而转换,而交叉,终于成为形象画面的焦点——“送喜”。从“何曾有凭据”的“送喜”,到也许是真的“有凭据”的“送喜”。

你说我是虚送喜信,可现在你丈夫不是真的回来了吗?

这句话是曲子词里不曾写出的一段,但分明是鹊儿浮想中飞入青云时的潜台词,也可以说是一个多少富有喜剧味的结尾。少妇确是有一腔离愁别恨。不过这种愁恨,不同于玉堂绮户中思妇的缠绵哀怨、欲说还休,而是表现为刚健、爽朗、率真、机智,甚至还有几分泼辣。也正因为具有这样的气质,她放出鹊儿来才有可能性。

少妇是活泼泼的,鹊儿是活泼泼的,人和鹊闹了一场别扭,以后又言归于好,二者的水乳交融,则更是活泼泼的。这种淳朴而富有生气的风格,正是晚明袁中道所艳称的只有“在民间”才会出现的“真诗”的风格。

(吴调公)

南歌子

敦煌曲子词

自从君去后,无心恋别人。梦中面上指痕新。罗带同心自绾,被猕儿踏破裙。　　蝉鬓朱帘乱,金钗旧股分。红妆垂泪哭郎君。妾似南山松柏,无心恋别人。

鉴赏

敦煌本《南歌子》原为两首,采用民间对歌对唱的形式,表达一对夫妻之间的诘问与答对。这里所选是妻子对丈夫设问的答词。至于丈夫的诘问词,同样写得意趣盎然:“斜影朱帘立,情事共谁亲?分明面上指痕新。罗带同心谁绾?甚人踏破裙?　　蝉鬓因何乱?金钗为甚分?红妆泣泪忆何人?分明殿前直说,莫沉吟。”远别归来的丈夫,发现妻子身上的种种变化,未免产生某种猜疑,于是提出一连串的问题:太阳偏西时,你就站在门前张望,是盼望谁呢?脸上的指痕是谁留下的呢?身上的罗带同心是谁结的呢?又是什么人踏破了你的衣裙?等等。所有这些提问无非是怀疑和猜忌妻子有外遇，有私情，作为丈夫一时还不便撕破面皮，直究隐私，只好从不同方面提出疑问，试图探出真情。由于全词是以戏谑口吻设问，调侃中又隐含着严峻的伦理道德，由此可见作者的构思是煞费苦心的。

妻子面对丈夫的催问，尽管满怀委屈之情，还须一往情深地作出回答：是自己在梦中抓出脸上的指痕，是自己打成的罗带同心结，是小猴儿扯破了裙子，是帘子碰乱了自己的头发，金钗的旧裂痕造成它的脱开，我为思念你而哭得泪流满面。总之，我还像南山松柏一样的贞洁，无心恋别人。通过妻子的巧妙周旋和回答，生动地表明她对爱情的坚贞和怀念丈夫的真情，而她那忍辱辩诬、委屈不平的心理状态又被勾画得惟妙惟肖，意蕴深长，真切感人。这一段对话，把久别重逢以后的夫妻之间的复杂心情表现得细腻入微，生活气息十分浓厚，同时也隐隐地透露出古代妇女的从属性和悲惨低下的地位。

整首词通过对丈夫设问的答词，抒写出饱经离别之苦的妻子对爱情生活的热烈向往，并实心实意地消除丈夫的疑虑，从一个方面显示出我国古代妇女含辛茹苦、忍辱负重的品质，以及忠于爱情的思想情操。表现手法相当新巧灵活，语言也活泼生动，鲜明形象，不失为民间词里的一首好作品。

（张锡厚）

凤　归　云

敦煌曲子词

征夫数载，萍寄他邦。去便无消息，累换星霜。月下愁听砧杵起，塞雁南行。孤眠鸾帐里，枉劳魂梦，夜夜飞扬。　　想君薄行，更不思量。谁为传书与，表妾衷肠？倚牖无言垂血泪，暗祝三光。万般无奈处，一炉香尽，又更添香。

鉴赏

这首词选自敦煌写本《云谣集杂曲子》。作者的姓名与身世已无从考知。

《云谣集》是今存最早的民间

词集，大约结集于后梁末年(922)，收词三十首。该集作品并非出自一人之手，而是搜集无名氏之作的选本。它曾广泛地流传民间和敦煌地区。从《云谣集》使用的调名来看，除《内家娇》外，其余十二种调名（包括《凤归云》）皆见于崔令钦《教坊记》所录的曲名中，故可推断为盛唐前后的作品。敦煌本《云谣集》的发现是我国词学史上的一件大事，它为探讨词的起源、内容和形式等问题提供了可贵的资料。

这是一首描述征妇情思的闺怨词。它以真实深切的生活感受，委婉幽深的艺术手法，巧妙地构思出具有一定时代特征的典型环境，率直地表达征妇“相思夜夜到边庭”和“魂梦天涯无暂歇”的离愁别绪，细腻入微，深刻感人。它同唐代某些闺怨诗相比，全无秾丽纤巧之嫌，而以自然蕴藉、情真意实的风格见长，把火一般的炽热感情，融化在平静的叙事之中，从而渲染出情意缠绵、沁人肺腑的艺术效果。

该词上阕有两层意思。先写征夫离家，飘流他乡，时历数载，渺无消息。接写征妇在明亮的月光下，耳闻砧杵捣衣之声，目睹塞雁南飞之状，触景兴怀，再也无法孤独地安睡在鸾帐里，渐渐陷入魂飞梦萦的境地。这里虽未明写征妇的怅恨悲苦，又有意避开作者的直接抒情、议论，但是，在平静叙述的字里行间无不流露出征妇的绵绵幽思和缕缕情怀，且无斧凿痕迹，其隐含之深邃，是任何艳词丽句也难以比拟的。

下阕也包含两层意思。积征妇之长期忧念，引发出征人的薄行，并对征人忘却故土、不念亲人表示不满。纵使征妇意欲表达自己的衷肠，却又有谁能够传递书信呢？接着笔锋一转，在思君情切、投书无门的情况下，征妇独倚窗前，潸然泪下，暗自祈祷三光（指日、月、星），保佑征人早日归来。感伤之极，泪尽泣血，更表现出征妇的一片痴情。当她万般无奈而又抑制不住遥思征人之时，只得香尽添香，坐以待旦，从而表现出征妇彻夜不寐的无穷幽怨。这种融情于景、借景抒情的艺术手法，既描绘出征妇坐卧不安和心焦梦断的生动形象，又把征妇痛苦之中祈求上天降福征人的怨而不怒的心情，表现得淋漓尽致，真切感人。

全词乍读起来，都似叙事写景，细细咀嚼，方觉其蕴含着独特的生活感受和真实的思想情怀。叙事写景只是一般地描摹特定的社会环境和生活境遇；塑造充满闺怨情绪的征妇形象，才是全词的关键、枢纽。因此，作者笔下的一事一景都能把内情与外象巧妙地结合起来，使之凝结着浓郁的感情色彩，逐渐深化征妇对征人既思又恨的思想矛盾和性格冲突，才能猛烈地撞击人们的心弦，从而激起强烈的共鸣。

（张锡厚）

抛球乐

敦煌曲子词

珠泪纷纷湿绮罗，少年公子负恩多。当初姊妹分明道，莫把真心过与他。子细思量着，淡薄知闻解好么？

鉴赏

本篇选自敦煌写卷《云谣集杂曲子》。写的是一位被侮辱、被损害的妓女，痛定思痛，回顾自己的生活经历，痛切地感到，对儇薄寡情的“少年公子”决不能“过与”“真心”。发端“珠泪纷纷湿绮罗，少年公子负恩多”，展现在我们面前的，是位穿着精美的少女在伤心落泪。原来，她上当受骗了。作品运用倒卷之笔来揭示诸如此类的社会悲剧，从艺术角度看，可以避免平铺直叙的毛病。若就思想意义方面考虑，则更能引起处境相仿者的警觉，并赢得社会广泛的同情。接着，作者告诉我们，女主人公是位落魄风尘的妓女。“当初姊妹分明道”，这里的“姊妹”不同于一般亲属之间的称谓，而是特指沦入火坑的妓女。“姊妹”们凭借她们自己用血泪换来的社会经验，曾毫不含糊地劝告这位涉世未深的“伙伴”，别看那班风流倜傥的纨绔子弟信誓旦旦，一朝另有新欢就会弃你若敝屣。她们清醒地意识到自己不过是“少年公子”手里的玩物罢了。敦煌莫高窟第107窟唐代妓女供养像壁上祈求佛佑之语，表述了她们卑微的愿望——“愿舍贱从良”。作为妓女，对那班轻薄子弟只能是——“莫把真心过与他”。“过与”，付予的意思。而女主人公却没有接受这种善意的劝告，如今追悔莫及。她在悲悔交加之余，“子细思量”，反躬自问道：“淡薄知闻解好么？”“知闻”，相知、朋友。“淡薄知闻”构成一个词组，意同“相知不深的朋友”，也就是“薄幸的相知”。整个句子译成现代汉语，大略是：薄幸的相知懂得人的好心吗？首尾呼应，揭示题旨。从这悲愤的指控中，我们可以看到女主人公正在觉醒的道路上开始迈出艰难的一步。在当时的历史条件下，能有如此不甘任人欺骗、玩弄的表示，无疑是有进步意义的。宋杨偍《古今词话》引有无名氏所作《望江南》，题为《谕及第友人》，歌辞写道："这痴呆，休恁泪涟涟。他是灞陵桥畔柳，千人攀了到君攀，刚甚别离难。"很明显，作者意在劝诫友人不要贪恋风情，沉湎女色。把妓女视同"灞陵桥畔柳"，仿佛生来就是任人玩弄、遗弃的。这与敦煌写本歌辞作者的思想意识判若泾渭，昭然可见。

歌辞由眼前写起，追溯"当初"，而以斥责对方"负恩"收煞，行文曲折，小有波澜，构思别致，不落常套。

（黄进德）

望　江　南　　敦煌曲子词

莫攀我，攀我太心偏。我是曲江临池柳，者人折了那人攀。恩爱一时间。

鉴赏

这首词以妓女的口吻直接叙述她们被侮辱、被损害的地位和生活，深切表达她们充满内心的恼恨和怨愤，真实地反映出封建社会中把妓女不当人看待的严酷现实，具有一定的积极意义。

在封建社会里，男人们可以寻欢作乐，喜新厌旧，从精神到肉体摧残和折磨女性，致使那些处于社会底层的妓女更陷入完全丧失人的尊严，变成有闲阶级玩物的悲惨地位。因此，我国古典诗词里，某些以妓女命运为题材的作品，虽然对她们寄予过某种怜惜，但是，其格调是不高的，甚至还不无讥嘲轻贱之意。这首词却一反常态，以一种同情和肯定的态度描写城市里妓女的不幸遭遇，率直地表达她们对恩爱无常的悲苦命运提出的控诉和反抗。在某种程度上代表着民间词的大胆泼辣、自然刚直的风格，尽管在语言、形式上还不够含蓄蕴藉，但是它那种"直陈其事""直抒其情"的表现手法还是值得肯定的。

该词虽然直写妓女，却又不

明言“妓女”二字，而是以“曲江临池柳”设喻。这是因为任人攀折的柳枝恰恰符合妓女那种任人玩侮的生活特性，如唐代传奇《柳氏传》写妓女柳氏答韩翃的诗云：“杨柳枝，芳菲节，可恨年年赠离别。一叶随风忽报秋，纵使君来岂堪折。”正是以柳枝自喻。这首敦煌词同它相比，有异曲同工之妙，不过，在表现手法上敦煌词已脱尽幽恨绵绵的情调，而以质直明快的笔触，直抒其情。词中写道：你不要企图骗取我的爱，在你们的心中我好比曲江池畔的杨柳，任人攀折，不能自主。所谓“恩爱”也只是很短暂的，从没有人真心爱过我。这首词比杨慎所言“昨日下泪而送旧，今日红妆而迎新，倡楼之本色也”（《绝句衍义》卷一）有着更深一层的意思，不是妓女生来就水性杨花，而是客观现实逼迫她们不得不走上这种送旧迎新的道路。

作者如此直率地写出妓女被人欺凌玩弄，而又视“恩爱”如烟云的思想性格，其意义是积极的，非但没有引起人们的反感和憎恶，反而激起人们对陷入不幸之中的妇女的同情，更加憎恨不合理的社会制度以及与此有关的人情世态。

（张锡厚）

菩　萨　蛮

李　白*

平林漠漠烟如织，寒山一带伤心碧。暝色入高楼，有人楼上愁。　　玉阶空伫立，宿鸟归飞急。何处是归程？长亭连短亭。

作者

*李白（701—762），字太白，祖籍陇西成纪（今甘肃秦安、庄浪、通渭一带），其先人被窜于西域碎叶（即今新疆境内焉耆回族自治县与库尔勒一带。一说为今吉尔吉斯斯坦境内托克马克）。李白五岁时，家庭由西域迁至绵州彰明（今四川江油）。二十五岁出蜀，漫游各地。天宝初待诏翰林，至德年间为永王幕僚，后坐罪流夜郎，遇赦而还，病死当涂。他是唐代著名的大诗人，诗风雄奇豪放，是古代浪漫主义诗歌的高峰。有《李太白集》。

鉴赏

关于这首词的作者归属问题，是一桩聚讼的公案。发端于明胡应麟《少室山房笔丛》："《菩萨蛮》之名，当起于晚唐也。按《杜阳杂编》云：'大中初，女蛮国贡双龙犀，……其国人危髻金冠，璎珞被体，故谓之菩萨蛮。当时倡优遂制《菩萨蛮》曲，文士亦往往声其词。'《南部新书》所载与此亦同，则太白之世，尚未有斯调，何得预制其曲耶？"后人大多据此而认为非李白作。其实，《教坊记·曲名表》及敦煌曲均有此调名。《教坊记》作者崔令钦乃盛唐时人，书成于安史之乱后，所记乃开元时调名。可见盛唐时已有《菩萨蛮》曲，胡氏之说为非。此外，据北宋释文莹所著《湘山野录》载："'平林漠漠烟如织'云云，此词不知何人写在鼎州沧水驿楼，复不知何人所撰。魏道辅见而爱之，后至长沙，得《古风集》

于曾子宣内翰家，乃知太白所作。”文中所云曾子宣其人，即曾巩弟曾布。曾巩是李白集子的整理者，曾布家藏《古风集》载《菩萨蛮》一词为李白作，应是比较可信的。我们仍将此词归为李白所作。

这首词上下两片采用了不同的手法，上片偏于客观景物的渲染，下片着重主观心理的描绘。然而景物的渲染中却带有浓厚的主观色彩，主观心理的描绘又糅合在客观景物之中。因而从整体上来说，情与景、主观与客观，又融成一片。

这首词选择的时间是一个暮色苍茫、烟云暧暧的黄昏，季节是秋冬之交。词的起句“平林漠漠烟如织”便传达出一种空寞惆怅的情绪，它起到笼罩全篇的作用。如烟如织，扯也扯不开，割也割不断。就连那远处碧绿的山色也使人着恼，叫人伤感。这似乎是静态的写生，是一种冷色的画面，但静态之中又夹杂着主观的感受，给人一种潜在的骚动感，撩人意绪。接着，这种骚动感由潜在到表面化了。你看，“暝色入高楼”，一个“入”字使整个画面波动起来，由远及近、由潜在到表面化。看起来是客观景物感染了其人，实际上是此人内心感受在不断深化。至“有人楼上愁”句，这个由客观到主观、由物到人的过渡完成了。这个“愁”字把整个上片惆怅空寞的情绪全部绾结在一起，同时又自然地过渡到下片。承上启下，臻于绝妙。

下片立足于主观的感受上。在暮霭沉沉之中，主人公久久地站立在石阶前，感到的只是一片空茫。“空”也是上片所勾画的景物感染下的必然结果。主观情绪并不是孤立存在着的，它立刻又融入了景物之中——“宿鸟归飞急”。这一句插得很巧妙。作者用急飞的宿鸟与久立之人形成强烈的对照。一方面，由宿鸟急归反衬出人的落拓无依；另一方面，宿鸟急归无疑地使抒情主人公的内心骚动更加剧烈。于是，整个情绪波动起来。如果说上片的“愁”字还只是处于一种泛泛的心理感受状态，那么，现在那种朦胧泛泛的意识逐渐明朗化了。它是由宿鸟急归导发的。所以下面就自然道出了：“何处是归程？”主人公此刻也急于寻求自己的归宿，来挣脱无限的愁绪。可是归程在何处呢？只不过是“长亭连短亭”，并没有一个实在的答案。有的仍然是连绵不断的落拓、惆怅和空寞，在那十里五里、长亭短亭之间。短短的一首词中，撷取了密集的景物：平林、烟霭、寒山、暝色、高楼、宿鸟、长亭、短亭，借此移情、寓情、传情，手法极为娴熟，展现了丰富而复杂的内心世界，反映了词人在客观现实中找不到人生归宿的无限落拓惆怅的愁绪。

（李从军）

忆　秦　娥　　李　白

箫声咽，秦娥梦断秦楼月。秦楼月，年年柳色，灞陵伤别。　　乐游原上清秋节，咸阳古道音尘绝。音尘绝，西风残照，汉家陵阙。

鉴赏

这首词的作者归属历来也存在争议，我们仍将此词归为李白所作。

王国维评“西风残照，汉家陵阙”：“寥寥八字，遂关千古登临之口。后世唯范文正之《渔家傲》、夏英公之《喜迁莺》差足继武，然气象已不逮矣。”（《人间词话》）这个“气象”，我们只有在盛唐诗人那里才能看到。然而，这首词中的“气象”，与人们常常所说的开元时代的“盛唐气象”已有很大的不同，但它又确实是“盛唐气象”的一种，它博大、深厚、意境开阔、气韵沉雄，又带有悲凉之气。这种“气象”我们在李白天宝后期的作品《古风》（四十六）《远别离》《夕霁杜陵登楼寄韦繇》等诗都可以看到。后诗写道：“浮阳灭霁景，万物生秋容。登楼送远目，伏槛观群峰。原野旷超缅，关河纷错重。”与这首《忆秦娥》格调气象十分近似。杜甫天宝后期的《同诸公登慈恩寺塔》也有相类之处。胡应麟说这首词“气亦衰飒”，反映了晚唐王朝衰变的气运。其实，晚唐已经没有“西风残照，汉家陵阙”这样宏大广漠的气象了。如果说它反映了天宝后期表面上依然歌舞升平、内部危机重重的盛唐之衰，不是更合理一些吗？因此，这首词可能作于天宝后期。词人以比拟的手法，托秦娥抒写情怀，把直观的感情与意象浑融在一起。上阕由个人的忧愁写开，下阕过渡到历史的忧愁。

这首词不像《菩萨蛮》那样由客观景物的渲染过渡到人物内在感受的描摹。它一开始就写出了人物内心的情态：呜咽的箫声把秦娥从梦中惊醒,此时,一钩残月斜映在窗前。梦虽断了,她却似乎还沉浸在梦境之中,与情人欢会,可是眼前只有这冰冷的残月陪伴着她。唉,多少个这样的月夜,叫她黯然销魂、顾影自怜。因此,下面自然转入对"灞陵伤别"的回忆。《雍录》载:"汉世凡东出函、潼,必自灞陵始,故赠行者于此折柳相送。"可是,柳色绿了,一年又一年,而伊人依然远隔一方,只有那呜咽的箫声和着低声的啜泣,冰冷的残月陪伴着消瘦的倩影,葱绿的柳色勾起往事的回忆。一夜夜、一月月、一年年……请注意,实际上这是作者以秦娥对情人的思念来表达内心对某种事物的苦思与追求,这种苦思与追求是执著的,然而又是没有结果的。

词的上阕始终纠葛在个人的悲欢离合之中,下阕则出现了较大的跌宕。似乎比拟手法已不能满足感情的表达了,词人要撇开先前的主体,直接地把自身融入到画面之中。换头处突兀地以"乐游原上清秋节"起,画面是清秋节佳侣如云的狂欢时景,可是主人公茕茕孑立在西风残照之中,"此身饮罢无归处,独立苍茫自咏诗"(杜甫《乐游园歌》)。此时,个人的忧愁完全被抛开了,或者说是融入了历史的忧愁之中,词人通过对秦、汉那样赫赫王朝的遗迹——咸阳古道、汉代陵墓的掇取,从而进入了历史的反思。古道悠悠,音尘杳然,繁华、奢侈、纵欲……一切都被埋葬了,只剩下陵墓相伴着萧瑟的西风,如血的残阳,百年、千年地存在下去。作者是在凭吊秦皇汉武吗?不,他是在反思历史和现实。这里交杂着盛与衰、古与今、悲与欢的反思。词人固然没有正面写唐王朝的苟且繁华,但"乐游原上清秋节"这就足够了,这使人自然想象到天宝后期那种古罗马式的穷奢极欲和狂欢极乐。可又有谁能从中去体会那潜在的破碎感呢?不是吗,秦代、汉代过去了,只剩下悠悠的古道和孤独的陵墓,面对着西风残照。这固然是过去的遗迹,然而它又是实实在在的实景,同时,这"西风残照,汉家陵阙"的实景又必然使人联系到王朝的未来。于是,过去、现在、未来的界限被取消了,融合在一起,历史的代序给人们所留下的只是一种表象——"西风残照,汉家陵阙"。造成一种悲壮的历史消亡感,或者说是毁灭感,填塞在人们的心头,这就是历史反思的结果。因而上阕个人的忧愁只能被取代,或作为陪衬。是啊,在这种历史的忧愁中,个人的忧愁又能算得上什么呢?

李白的《忆秦娥》与《菩萨

蛮》两首词的出现，是词史上令人瞠目的奇迹。它是突起的高峰，前后都是平原，因而，自然使人产生可以理解的疑虑。也正是因为如此，黄昇才说它是“百代词曲之祖”。这就是盛唐的词，它还带有一些可感的诗歌痕迹。意境博大开阔，风格宏妙浑厚。我们从敦煌词中也可以看到类似的格调，而不类中晚唐的清婉绮丽。陆游说：“唐自大中以后，诗家日趣浅薄，其间不复有前辈宏妙浑厚之作。”（《花间集跋》）诗风与词风自身都存在着交错否定的趋势。

（李从军）

调　笑　令(二首)　　韦应物*

胡马,胡马,远放燕支山下。跑沙跑雪独嘶,东望西望路迷。迷路,迷路,边草无穷日暮。

河汉,河汉,晓挂秋城漫漫。愁人起望相思,江南塞北别离。离别,离别,河汉虽同路绝。

作者

*韦应物(737—786后),京兆长安(今陕西西安)人。少任侠,以三卫郎事玄宗。曾任滁州、江州刺史,贞元初,又由左司郎中出为苏州刺史,故世称韦苏州。其诗学陶渊明,韵高气清,颇得白居易、苏轼等人好评。有《韦苏州集》。

鉴赏

唐代征战频繁,在诗歌中出现了一大批描写边塞风光和征人生活的边塞诗,还形成了以高适、岑参为代表的边塞诗派。词却不然,除了敦煌曲子词中留传下来的若干作品外,早期文人词作中,写到边塞风光和征人生活的并不多见。这种现象,从一个侧面反映了早期的词和诗在题材的选择上是有所区别的。

第一首,字面上全都在写胡马,没有写人,但通过胡马的生活环境、动作,巧妙曲折地表现了征人的心情。“胡马”,唐代为适应战争需要,从西域引入了大批战马,以充军用。“燕(yān)支山”,又写作“焉支山”,在今甘肃境内,因产燕支草得名。“燕支”,又作“胭脂”,可作妇女涂红颜面的化妆品。《太平御览》卷七一九引《西河旧事》载,匈奴失此山,作歌道:“失我燕支山,使我妇女无颜色。”即指此。“跑”,应读作平声(páo),指用足蹄刨地。旧题刘向

《西京杂记》卷四说:“滕公驾至东都门,马鸣,跼不肯前,以足跑地久之。”这首词写一匹军马在燕支山下迷路,它极端焦急地在用蹄子跑着荒沙和积雪,时而东张西望,不知该往哪里去。眼前所见,只有无穷的边草和黄昏落日。天要黑了,在这荒寒的燕支山下,它找不到自己的归宿,不免迷惘、不安、恐惧、痛苦。这里写的是马,却曲折地表现了征人远戍时经常会有的孤独、痛苦、忧烦、急躁的心情。

第二首写身处塞北的征人,思念江南家乡,夜不安寝。天还没亮,他已经起来,仰望迢迢银河,高挂在自己戍守的城楼上。星河漫漫,他沉浸在对于家园的痛苦思念之中,心中充满了怅惘与哀愁。“河汉”,即银河,又称天河。神话传说中讲到牵牛与织女两星隔着银河相望,一年一度通过鹊桥相会。《古诗十九首》写“迢迢牵牛星,皎皎河汉女”,隔河相思,泣涕如雨。后人常以河汉、牛女写夫妻或情人远别相思之苦。这首《调笑令》写征人、思妇,一在塞北,一在江南,不仅相隔很远,而且离别甚久,连一年一度鹊桥相会的机会都没有。相见无期,其痛苦更在牛女之上。因此说“离别,离别,河汉虽同路绝”。

早期文人词中,剪红刻翠之作较多。韦应物这两首词写边塞,写征人,从一个侧面反映了社会生活;风格也较为健爽,有如其诗,“真而不朴,华而不绮”(《四库总目提要》),“韵高而气清”(张戒《岁寒堂诗话》),无论思想内容,艺术风格,都属上乘之作。《调笑令》这个词牌,又题作《调啸词》,王建词题作“宫中调笑”,可能原来是专写玩笑、谐趣之类内容的。韦词却以此写征戍生活,这一点值得注意。唐五代词所用词牌,大多用三字句、五字句、七字句,说明词(长短句)这种新兴诗体同五、七言绝句的关系比较密切。《调笑令》却通篇采用二字句和六字句,都是双音节的句子。全调八句,一、二两句重复,六、七两句重复,六、七两句又是将第五句最后二字颠倒过来,重复两遍,这就给人一种繁弦急管之感。用这样的音乐和歌词来表现调笑,是很合适的。韦应物选用这样的词调来表现征人的烦忧与痛苦,写得也十分自然而富有韵味。

(张　中)

谪 仙 怨

刘长卿*

晴川落日初低，惆怅孤舟解携。鸟向平芜远近，人随流水东西。　　白云千里万里，明月前溪后溪。独恨长沙谪去，江潭春草萋萋。

作者

*刘长卿(725？—791前)，字文房，河间(今河北河间)人。天宝年间进士。唐肃宗至德年间，因事下狱，贬潘州南巴尉。大历间任鄂岳转运留后时，因得罪上司被诬奏，贬睦州司马。后任随州刺史，世称刘随州。他是中唐时期很负盛名的诗人，尤工五律，被稍后的权德舆称为“五言长城”。有《刘随州集》。

鉴赏

这首词在《刘随州集》中，列入六言诗一类，未标明词调。据唐窦弘馀《〈广谪仙怨〉序》等才知是词。题一作“苕溪酬梁耿别后见寄”，一作“答秦徵君、徐少府春日见集苕溪，酬梁耿别后见寄六言”。据此，这首词可能是作者被贬睦州(今浙江建德)，道经苕溪，在朋友招饮的宴会上为酬答远谪的友人梁耿的寄赠而作的。词中寄寓了对友人不幸遭遇的同情。

词上片回忆送别梁耿的情景。“晴川落日初低，惆怅孤舟解携。”那是一个放晴的日子，斜阳低低地挂在天边，给河川绣上缕缕闪动的金丝。就在这时，一叶孤舟载着友人离去了，多么令人惆怅啊！首句点明当时送别的时间、环境。次句抒写目送友人孤舟远去时的心情。“鸟向平芜远近，人随流水东西。”友人的孤舟渐行渐远，孤帆远影终于消失在天际。这时暮色不知不觉地降临，但见归鸟在平旷的草地上或近或远地急急飞翔，而人却随着流水各奔东西，客中送客，处境相似，怎能不教人悲从中来！上片以写景为主，但景中含情。这里晴川、落日、孤舟、归鸟和远行的人，组成一幅江晚送别图。苍茫暗淡的背景，很好地衬托了诗人黯然伤别的情怀。

下片写别后对友人的忆念与同情。换头"白云千里万里"承上片结句而来，写别后相隔之遥与思念之深。希望悠悠飘忽的白云，把自己一片思念之情带给千里万里之外的友人。"明月前溪后溪"，写望月怀人，进一步表现对友人思念的深情。"前溪后溪"似指东西苕溪(苕溪有两源：出天目山之南的为东苕溪，出天目山之北的为西苕溪)。望云思友，见月怀人，是古代诗词中常用的手法。杜甫《恨别》诗："思家步月清宵立，忆弟看云白日眠。"这两句也是借白云、明月寄托对友人的怀念。末两句抒发对友人被谪迁的同情。"长沙谪去"，用西汉贾谊被谪为长沙王太傅之事比喻梁耿的被贬。一个"恨"字，充满遗憾怨愤之情。末句"江潭春草萋萋"，化用西汉刘安《招隐士》赋"王孙游兮不归，春草生兮萋萋"之意，慨叹友人久谪不归，其中不无寄寓作者相同遭遇之慨和怨切之情。下片托物寓意，以抒情为主，白云、明月、春草无不寄托着诗人的情思。

全词写得情景交融，景物与情思和谐地统一在一起。明净朴素的语言与怨切的声情妙合无垠。

(陈文发)

渔 歌 子

张志和*

西塞山前白鹭飞，桃花流水鳜鱼肥。青箬笠，绿蓑衣，斜风细雨不须归。

作者

*张志和，本名龟龄，字子同，金华（今属浙江）人。生卒年不详。唐肃宗时待诏翰林。后隐居江湖间，自号烟波钓徒。著书名《玄真子》，亦以自号。

鉴赏

这是一首千古流传、脍炙人口的著名词作。张志和的《渔歌子》原有五首，但另外四首却都为这一首的光辉所掩。但也正因为有这么一首短短的词，张志和得以传名后世。

张志和肃宗时待诏翰林，做过左金吾卫录事参军，因事被贬，作南浦尉。赦还以后，绝意仕途。朝廷赐给他奴婢各一名，他把他们配为夫妇，取名“渔童”“樵青”，自号为“烟波钓徒”，长期过着隐逸生活，徜徉于太湖一带的山水之间。他对文艺多所通晓，凡歌词、书画、击鼓、吹笛，无不精工，善于汲取各方面的营养化为己用，《渔歌子》便是借鉴民间的渔歌而成的。

由于取自民间，这首词的基调以清新、质朴见长。但另一方面，由于作者张志和并不是一个真正的渔父，而是以“烟波”为寄托的文人式的“钓徒”，所以词中除了具有民间文学的质朴、清新之气外，还融和着一种出污泥而不染的古代高蹈文人的淡泊、澄洁的高情远意。

因此，我们可以说《渔歌子》是渔父式的文人之歌，也是文人醉心渔父而确乎领略了烟波妙境的歌。尽管这境界不能代表渔父的心境，但作为诗人艺术加工的形象，作为张志和由于长期徜徉太湖之上积淀而成的审美意象来说，这首词正如胡震亨称道王维所说的："以淳古淡泊之音，写山林闲适之趣。"(《唐音癸签》)在那一个长夜难明的社会，不求闻达，"有山林闲适之趣"，可以说是别有襟抱的。当然，因为词人和世俗相忤，只落得从大自然中觅取心灵滋养，陶醉其中，也就免不了回避现实。但这毕竟是个别的不足之处，不能掩盖作品出于自然的淳美光彩，到如今，作品依然给读者带来词人淡怀逸致的美感。

词人的淡怀逸致不是诉诸直接咏怀，而是寄情于景，以词入画。通篇二十七字，写了山，写了水，写了白鹭和肥鱼，写了斜风细雨，更写了优游自在的渔父。词人借渔父寄托自己的情怀，而渔父又是被安排在一个特定的环境之中，显示了这是一幅江南水乡的渔歌图。

尽管诗是时间的艺术，画是空间的艺术，一动一静，各有特点，然而它们却又可以相通和相补。东坡论王维之作"诗中有画，画中有诗"，这正说明高明的诗人，善于在时间流程中，突出事物的某一点，描绘出空间中一刹那间静止的状态；而高明的画家，也善于在暂时凝固的画面中，不着一笔，巧妙地传写出事物静止时前前后后可能出现的变化。张志和是词人，又是画家，所以他对淡怀逸致的抒发，是诗画相兼的。从渔父的长期烟波生活中切取这么一点：恰是斜风细雨时，江南春色方浓时，而偏偏又是桃花汛泛起时。就这样，作者写出了一刹那的空间状态，相对凝定式的画图。与此同时，他还用中国传统的"散线透视"画法，以旧吴兴县西的西塞山作为观察点，罗罗清疏地、几乎是信手拈来地捕捉了山前的一片景色：高处有从水田飞入上空的白鹭鸶，低处有落英缤纷的春水绿波，以及引起人们鲜美味觉的大口细鳞的肥嫩鳜鱼。作为画图中心的，则是头戴"青箬笠"、身披"绿蓑衣"的渔父。而从这些互为烘托的静态的空间结构中，分明又通过景物生气的渲染，抒发出渔父内心翛然自得的动态。鹭在飞，水在流，鱼在泼剌地嬉逐，一切景物都是那么新鲜、清丽、秀润，当然，渔父也就被当前的景物所吸引，产生了自然、淳朴的意趣和不愿离开这一个魅人亦复宜人的境界的深情。你看，"斜风细雨不须归"，对渔父说来，不正是他对美的发现、美的执著吗？在斜风细雨中，渔父体验到鹭鸶的飞翔更为飘逸，漂流在水里的桃花瓣格外鲜妍。在这样优美的环境中垂钓，渔父的心情，就不仅是为美陶醉，而且还为当前的优美画境而坚定了意志，不仅是"不思归"，而且更进一步作出诉诸审美判断形式的“不须归”了。渔父所执著的已经不是垂钓，而是作为词人内心的自白——“我决心以山水之间的自由自在的生活终老”。这显然又是画中之诗，隐伏在西塞山前空间结构背后的时间潜流，悠悠地但终于又是深稳有力地荡漾着的感情波澜。就凭这样的时间和空间的结合，而尤其是突出了瞬间的静止的状态，突出了渔父这一个写景人物，让他“与山水有顾盼，人似看山，山亦似俯而看人”（《芥子园画谱》），这样的诗中之画，便充溢着一位自号为“烟波钓徒”者的胸中丘壑了。

唯其是烟波钓徒的诗中之画，就不同于唐代著名画家大、小李将军的青绿重彩，以及其中所显示的那种帝王宗室的富贵堂皇气派。张志和这幅“烟波垂钓图”，显然是另一路，属于王维一派，是泼墨画，是写意画。画中景物，无不有水墨淋漓之意。“漠漠水田飞白鹭”。鹭鸶，本来就沾满了水气。鱼，也离不开水。苏轼因“长江绕郭”而“知鱼美”，张志和因为桃花汛来临而想起“鳜鱼肥”，二者正如出一辙。水映桃花而红，桃花因水而湿，这和“竹外桃花”不同，自然也是湿漉漉的。渔父的一身打扮，就更不用说了。人、花、鱼、鹭，一切都被斜风细雨所笼罩。天地万物各自消失了它们的边际而成为浑然整体。这使我们想到古代文人画的水墨晕染，特别是宋代大、小米的那派取自潇湘奇观的云水烟树的技法。为了矢意绝尘脱俗，所以作者特地给安排了这么一个渔父，“襟度洒落，望之飘然”（刘学箕《方是闲居士小稿》）。而为了表现自己的率性归真，寄情缥缈，则又把整个画面建构为“斜风细雨”的审美内涵，归于“平淡”二字。林泉高致要淡，向万物“回归”的人要淡，忤世、傲世而避世的张志和自然也要淡。这首《渔歌子》中的整个人物和事物，按照美学的“先定默契”来说，作为点景人物的传神之笔，既然已经透露出“烟波垂钓”的隐逸基调，那么人们在目击到鹭飞、花漂、鱼游以至整个画幅时，自然也就更容易对之萌发出“同化”作用，不仅走进“平淡”的境界，更能“于平淡中求真味”（王士禛《师友诗传录》）。也许有人要问，词中不是也夹有鲜艳的颜色吗？可是别忘记，“青”哟，“绿”哟，它们都已经在斜风细雨中被吹被淋，色彩变淡了。“桃花”，也早已漂落水中。一切都淡。至于通篇音节的自然、简短、随和、淳朴，它们恰恰体现了作者平易近人的情调，并与作品色彩的“淡”糅合起来，而汇归为“平淡”的风格。

（吴调公）

调笑令　王建*

团扇，团扇，美人病来遮面。玉颜憔悴三年，谁复商量管弦？弦管，弦管，春草昭阳路断。

作者

*王建(约767—约830)，字仲初，颍川(今河南许昌)人。二十岁左右与张籍相识，一道从师求学，写作乐府诗，多方面反映社会现实，被称为"张王乐府"。他曾"从军走马十三年"，元和八年(813)前后任昭应县丞，后历官秘书郎、太常寺丞、陕州司马，世称王司马。

鉴赏

封建帝王的后宫是一个毁灭妇女青春的罪恶渊薮。本篇描写的那位女主人公正面临着被毁灭的厄运。

"团扇，团扇，美人病来遮面。"空虚寂寞的宫廷生活是很容易使人致病的。一病之后，原该得到体贴和照顾，但宫中的情况恰好相反，愈病，愈是凄凉。相伴于身边的，只是一柄团扇而已。在唐代的宫廷中，"美人"是内官之一，地位在才人之上，六仪之下。能由一般的宫女上升为"美人"，说明她有着出众的才貌，并曾经受到过皇帝的宠幸。就此点而言，比起那些一入后宫就终身不得见皇帝一面的宫女来，似乎要幸运得多。但是多年的宫廷生活，使她洞察到皇帝的心理，内心充满着隐忧。皇帝爱她的是色，她久病色衰。汉武帝宠幸的李夫人曾说过："色衰而爱弛，爱弛而恩绝。"(《汉书·外戚传》)汉婕妤班姬更曾作有《团扇》之短诗，言美人色衰爱弛困处冷宫犹如秋扇之被捐弃。此处她以团扇遮掩病容，透露出她的隐忧。其用心之苦，境况之悲，实足使人一掬同情之泪。

“玉颜憔悴三年,谁复商量管弦?”这两句进一步展示了女主人公的不幸命运。她在冷酷的境遇中挣扎着生活了三年,但病情并没有好转,玉颜更加憔悴了。箫管琴弦,对于美人来说,一方面是为了娱君,一方面也可以排遣寂寞、寄托哀怨。她知道,封建君王对于女子的要求不光是色,而且还有艺。只有色艺双全,才能博得帝王的欢心,因此尽管在病中,她也不忘管弦。但如今久病不愈,还有谁来同她“商量管弦”,即钻研和探讨音乐技艺呢?三年沉疴毁了她的色,也毁了她的艺。她所赖以取得帝王宠爱的两个基本条件都被病魔夺走了,等待着她的将是什么,也就不言而喻了。

“弦管,弦管,春草昭阳路断。”不可避免的结局终于到来。“弦管”两字叠用,深恨之情,终于溢于言表。“昭阳”为汉宫名,原是汉成帝宠妃赵昭仪所居之处,这里借指美人自己所居之处。这句是说,因为皇帝久不临幸,昭阳殿前长满了春草。“春草”“路断”,写出了自己所居处的荒凉景象。有病谁怜?有苦谁诉?这是多么悲惨的结局!

本词所写不是一般的宫女,而是一个有地位的内宫美人;不是一个般的内宫美人,而是一个色艺双全的佳丽。尽管如此,仍然不免被君王所遗弃。由此可见,一般的宫女和妃嫔也绝不会比她有更好的命运。这就是本词的深刻动人之处。

(吴汝煜)

调 笑 令

戴叔伦*

边草，边草，边草尽来兵老。山南山北雪晴，千里万里月明。明月，明月，胡笳一声愁绝。

作者

*戴叔伦（732—789），字幼公，一说字次公。润州金坛（今属江苏）人。大历中，曾为盐铁转运使刘晏幕僚。德宗朝，初为东阳县令及曹王李皋幕僚，后任抚州（今江西抚州）刺史。贞元四年（788）改容州（州治在广西容县）刺史，兼容管经略使。卒于任所。

鉴赏

这是一首写征人思归之情的小词。词的开头以强烈的感喟的语气出之："边草，边草，边草尽来兵老。""边草"即边地的白草。此草初与诸草无异，唯质地坚韧，为牛马所嗜，至秋天始干枯变白。在盛唐时代，边草变白，常常引起人们的建功立业思想，如王昌龄《江上闻笛》诗"何当边草白，旌节陇城阴"，就是如此；而现在的情况已经不同。由于国力衰微，胡马南窥，朝廷不得不把大量的士兵送往边塞屯戍。日复一日、年复一年的屯戍生活，消磨了征人的青春。没有谁来关心，也没有谁来替换。在这苍茫的绝域，每当边草始生的时候，他们也曾经萌生过回乡的希望，但久而久之，希望渐渐淡薄，最后终于随着边草的枯萎而幻灭了。他们敏锐地感悟到，自己的命运如同边草！

"山南山北雪晴，千里万里月明。"这两句进一步抒写了征人的思归之苦。大雪放晴，遍地银白，衬托得今夜的月色分外皎洁。睹月思乡，原是人情之常。岑参《碛中作》："走马西来欲到天，辞家见月两回圆。"李益《从军北征》诗:“碛里征人三十万,一时回首月中看。”都是通过明月来传写出征人的思乡之情的。本词虽然没有明言,但作者运用回环的句式,让征人的眼光在山南山北的雪原上往复探寻,让征人的思想随着遍照的月光,流驶到千里万里以外的故乡。乐景哀情,相反相成。一种郁结、压抑而又无法排遣的思乡之情,充溢于字里行间,读者细细品尝,是不难体味到的。

对月怀乡实为本词的主旨所在,故作者特意把“月明”两字安排在中间两句的结尾,以便在全词的结末处按照词牌的要求,再次加以强调:“明月,明月,胡笳一声愁绝。”把“月明”两字翻为“明月”,且又复沓一次,这就把征人“举头望明月,低头思故乡”的情态挑明了。不过本词中的征人在低头沉思中,却被一阵凄厉哀切的胡笳声惊醒过来。这场旷日持久的战事尚未结束,戍守未有尽期。这怎么能不使他们愁肠百结呢!

抒写征人的思乡之情而寄兴于边草、明月;感叹征人的不幸遭遇而借助于回环、复沓的句式,这就使得全词情景相生,精警含蓄,启人以丰富的联想。

(吴汝煜)

忆 江 南

刘禹锡*

春去也！多谢洛城人。弱柳从风疑举袂，丛兰浥露似沾巾，独坐亦含颦。

作者

*刘禹锡（772—842），字梦得，洛阳人。贞元九年（793）进士。因参与政治革新，谪官朗州、连州、夔州、和州等地二十二年之久。晚年以太子宾客分司东都。其诗骨力豪劲，气韵沉雄，有"诗豪"之誉。他各体皆工，尤擅民歌体乐府诗，所作《竹枝词》等"独步于元和间"。也是中唐时期较早开始依曲填词的作家之一。

鉴赏

这是一首流溢着淡淡哀愁的春词，作于开成三年（838）作者以太子宾客分司东都时。或许因为年届老暮、疾病缠身的缘故，其格调与作者写于壮年的《秋词》迥异。题下原有作者自注："和乐天春词，依《忆江南》曲拍为句。"这是我国文学史上有关依曲填词的最早记录，标志着词体已由"选词以配乐"的萌芽形态发展到"由乐以定词"的成熟阶段。

这首词以伤春为基调，首句即漾出一片无可奈何的惜春之情。姹紫嫣红的春光即将逝去，而作者生命的春天也早已一去不返。他有心让春光长在，却又无力挽住春天的脚步。"春去也"，在这貌似平淡的叙述中，融入了作者几多叹惋，几许惆怅！次句"多谢洛城人"笔锋一转，复代春天致词。却原来春也有情，它既不能久驻，更不忍遽去，只好深情缱绻地向留恋春光的"洛城人"殷勤致意。这样着笔，就化平为奇，化直为曲，把惜春之情烘托得格外浓烈，格外深长。三、四两句借助细致的观察和丰富的想象，绘就一幅气韵生动的送春画面：柔弱的柳条随风轻摇，不胜依依，恍如一位妙龄女子正挥手举袖与春天作别；而为晶莹的露水所沾湿的“丛兰”则好似这位少女于款款惜别之际泪洒罗巾。这就将惜春之情又向深处推进了一层：惜春复伤春的岂止是领略过大好春光的洛阳人，那曾经受到春光滋润的“弱柳”和“丛兰”也因“春将归去”而黯然神伤。“木犹如此，人何以堪！”于是，末句变侧面渲染为正面描写，引出一位“独坐亦含颦”的女子作结。“颦”是皱眉的意思。这位女子之所以独坐一隅，紧锁双蛾，自是因为有感于百花萎谢、春意阑珊的缘故。那日渐逝去的春天的足音，叩响了她敏感而又脆弱的心弦，使她忧思郁结，怅触百端，情不自禁地生出韶华易逝、红颜易老的感叹。作者采用“遗貌取神，离形得似”的笔法，不汲汲于对其花容月貌的精细刻画，而着重点染其伤春意绪。“独坐”，已使人想见其落寞情怀；“含颦”，更将其愁态明白点出。一个“颦”字，虽已被古代诗文家用得烂熟，在这里却是传神写照的词眼，它使一篇全活，词的伤春主旨藉此披露无遗。

这首词笔法的摇曳多姿，得力于拟人化手法的成功运用。作者将人情物态糅为一体，相互映衬，相得益彰。在作者笔下，不仅“春天”饶有灵性，与“洛阳人”心息相通；“弱柳”和“丛兰”也“似花还似非花”，别具柔肠，一往情深，并仿佛使人想见其后出场的“含颦独坐”的女子的倩影。这样，前四句虽未写“人”，“人”却始终活动于其间。全词情调哀婉，语言工丽，却又不流于绮靡。因而况周颐《餐樱庑词话》称赞它说：“流丽之笔，下开北宋子野、少游一派。唯其出自唐音，故能流而不靡，所谓‘风流高格调’，岂在斯乎？”

（肖瑞峰）

潇　湘　神（二首）　刘禹锡

湘水流，湘水流，九疑云物至今愁。若问二妃何处所？零陵香草露中秋。

斑竹枝，斑竹枝，泪痕点点寄相思。楚客欲听瑶瑟怨，潇湘深夜月明时。

鉴赏

此调一作“清湘词”，写于作者贬居朗州(治所在今湖南常德)期间。理想受挫的痛苦和无辜被贬的怨愤，使作者“胸中之气，伊郁蜿蜒”，发为歌词，每如“饱霜孤竹”“带火焦桐”，于感怆中深蕴气骨。这两首词虽为祭祀潇湘神而作，其中却融入了作者自己的深沉情思。“潇湘神”即湘妃。传说舜南巡死于苍梧，葬于九疑，其妃娥皇、女英追至，望苍梧而泣，泪洒竹上，留下痕迹斑斑，旋溺于湘水，为湘水之神。作者化用湘妃泣竹的历史传说，以空灵之笔，抒哀怨之情。第一首写二妃魂归湘水，愁满苍梧，标出一个“愁”字。第二首写二妃心恋帝舜，怨诉瑶瑟，标出一个“怨”字。此“愁”此“怨”，正是词中不断变奏的主旋律。

作者善于移情入景，使情景妙合无垠。第一首以“湘水流，湘水流”的复沓形式开篇，不仅渲染了一种幽渺、凄迷的气氛，而且暗示出哀愁的绵绵不断和悠悠无尽。“九疑云物”句将自然景物人格化、诗意化，写湘妃的悲剧遭遇使山岳为之动容，时过千载，九疑群峦犹笼罩在愁云恨雾之中，可知其不幸“移人也远，感人也深”。“若问二妃”二句仍致力于景物描写，在凝重的笔墨中寄寓了对千载之上的湘妃的深切哀挽。清秋时节，但见白露横江，香草零落，哪里还能觅得湘妃的踪迹？登高凭吊，只能徒增感伤，别添幽恨。第二首从“斑竹枝”起笔，首二句写湘妃无力追回帝舜的亡灵，只能泪洒斑竹，聊寄哀思，其专一之情、贞洁之志借泣竹之举而豁然轩露。“楚客欲听”二句系自《楚辞·远游》“使湘灵鼓瑟兮”句化出。“楚客”乃泛指沅湘逐客，包括作者自己。“瑶瑟”是瑟的美称。湘灵鼓瑟，在人们的想象中，定能极哀怨之致，故钱起《省试湘灵鼓瑟》诗有“楚客不堪听”“苦调凄金石”句。当明月高照、夜深人静时，“楚客”独自徘徊于潇湘之滨，欲听茫茫水面上传来的声声瑶瑟，岂止是发思古之幽情、闻曲之雅兴？那充满离情怨思的瑶瑟声声，不也代他诉说着内心的忧伤和愤懑？这里，不仅历史传说与现实生活已糅合为一，而且作者的主观之情与客观之景也已水乳交融，而具有“象外之致”“味外之旨”可供读者寻绎。全词恰似那清冽的湘水，自然流走，浑然天成。

就体制而言，这两首词尚带有早期词体的特点：虽依曲拍为句，却以七言句式为主，形同绝句而稍加变化。《旧唐书》本传记刘禹锡在朗州时“蛮俗好巫，每淫祠鼓舞，必歌俚辞。禹锡从事于其间，乃依骚人之作，为新辞，以教巫祝”。可知这一词调当有所本，作者在制作中虽曾婉其节度，文其词句，并益以风神，却仍不失民间词调的风味。

（肖瑞峰）

忆　江　南(三首)　　白居易*

江南好，风景旧曾谙。日出江花红胜火，春来江水绿如蓝。能不忆江南？

江南忆，最忆是杭州。山寺月中寻桂子，郡亭枕上看潮头。何日更重游？

江南忆，其次忆吴宫。吴酒一杯春竹叶，吴娃双舞醉芙蓉。早晚复相逢？

作者

*白居易(772—846)，字乐天，太原(今属山西)人。元和三年(808)拜左拾遗，后贬江州(今江西九江)司马，移忠州(今四川忠县)刺史，又为苏州、同州(今陕西大荔)刺史，以刑部尚书致仕。晚居洛阳，自号醉吟先生、香山居士。白居易是唐代伟大的现实主义诗人，也是唐代早期写词较多、较出色的一位词人。他的一些词，采取了民间文学的表现形式，对当时文人词的发展有一定的影响。有《白氏长庆集》，存词二十余首。

鉴赏

白居易于唐穆宗长庆二年(822)七月，自中书舍人除杭州刺史，十月一日到达杭州。长庆四年五月，任满离杭。唐敬宗宝历元年(825)三月，除苏州刺史，五月初到任，次年秋天因眼病免郡事，回到洛阳。这时候，他五十五岁。白居易青年时期，也曾漫游江南，旅居苏、杭。这从《江南送北客因凭寄徐州兄弟书》及《吴郡诗石记》等作品中可以看得出来。

苏、杭是江南名郡，风景秀

丽，人物风流，给白居易留下了美好的记忆；回到洛阳之后，写了不少怀念旧游的诗作。如《见殷尧蕃侍御忆江南诗三十首，诗中多叙苏杭胜事，余尝典二郡，因继和之》云："江南名郡数苏杭，写在殷家三十章。君是旅人犹苦忆，我为刺史更难忘。境牵吟咏真诗国，兴入笙歌好醉乡。为念旧游终一去，扁舟直拟到沧浪。"直到开成三年（838）六十七岁的时候，还写了这三首《忆江南》。

第一首泛忆江南，写春景。要用寥寥数语概括而形象地写出江南春景，是相当困难的。不妨举两个例子："暮春三月，江南草长。杂花生树，群莺乱飞。"（丘迟《与陈伯之书》）"千里莺啼绿映红，水村山郭酒旗风。南朝四百八十寺，多少楼台烟雨中。"（杜牧《江南春绝句》）"莺"与"花"，是江南春天富有特征性的景物。丘迟与杜牧，都抓取了这种富有特征性的景物加以生动的描绘，从而构成了色彩秾艳的长卷。不论是截取一段或展开整个画面，都会把你带进江南春景之中。就是说，它具有高度的典型性。白居易做杭州刺史时也有写"莺"、写"花"的名句，如"几处早莺争暖树""乱花渐欲迷人眼"等等。但他的《忆江南》第一首，却换了一个角度，以"江"为中心，展现了鲜艳夺目的江南春色。

全词五句。一开口即赞颂"江南好"，正因为"好"，才不能不"忆"。"风景旧曾谙"一句，说明那江南风景之"好"，不是听人说的，而是当年亲身感受到的、体验过的，因而在自己的审美意识里留下了难忘的记忆。既落实了"好"字，又点明了"忆"字。接下去，即用两句词写他"旧曾谙"的江南风景："日出江花红胜火，春来江水绿如蓝。""日出""春来"，互文见义。春来百花盛开，已极红艳；红日普照，更红得耀眼。在这里，因同色相烘染而提高了色彩的明亮度。春江水绿，红艳艳的阳光洒满了江岸，更显得绿波粼粼。在这里，因异色相映衬而加强了色彩的鲜明性。和丘迟、杜牧的名作相比，白居易压根儿没有写"莺"；虽然写了"花"，但视角不同。他先把"花"和"日"联系起来，为的是同色相烘染；又把"花"和"江"联系起来，为的是异色相映衬。江花红，江水绿，二者互为背景。于是红者更红，"红胜火"；绿者更绿，"绿如蓝"。

杜甫写景，善于着色。如"江碧鸟逾白，山青花欲燃"（《绝句》）"两个黄鹂鸣翠柳，一行白鹭上青天"（《绝句》）诸句，都明丽如画。而异色相映衬的手法，显然起了重要作用。白居易似乎有意学习，如"夕照红于烧，晴空碧胜蓝”(《秋思》)“春草绿时连梦泽,夕波红处近长安”(《题岳阳楼》)“绿浪东西南北水,红栏三百九十桥”(《正月三日闲行》)诸联,都因映衬手法的运用而获得了色彩鲜明的效果。至于“日出”“春来”两句,更在师承前人的基础上有所创新:在明媚的春光里,从初日、江花、江水、火焰、蓝叶那里吸取颜料,兼用烘染、映衬手法而交替错综,又济之以贴切的比喻,从而构成了阔大的图景。不仅色彩绚丽,耀人眼目;而且层次丰富,耐人联想。

读者如果抓住题中的“忆”字和词中的“旧曾谙”三字驰骋想象,就会发现还有一个更重要的层次:以北方春景映衬江南春景。全词以追忆的情怀,写“旧曾谙”的江南春景。而此时,作者却在洛阳。比起江南来,洛阳的春天来得晚。请看作者写于洛阳的《魏王堤》七绝:“花寒懒发鸟慵啼,信马闲行到日西。何处未春先有思,柳条无力魏王堤。”在江南“日出江花红胜火”的季节,洛阳却“花寒懒发”,只有魏王堤上的柳丝,才透出一点儿春意。

花发得比江南晚,水怎么样呢?洛阳有洛水、伊水,离黄河也不远。但即使春天已经来临,这些水也不可能像江南春水那样碧绿。不难设想,当作者信马寻春,看见的水都是黄的,花呢,还因春寒料峭而懒得开,至少还未盛开;他触景生情,怎能不追忆江南春景?怎能不从内心深处赞叹“江南好”?而在用生花妙笔写出他“旧曾谙”的江南好景之后,又怎能不以“能不忆江南”的眷恋之情,收束全词?词虽收束,而余情摇漾,凌空远去,自然引出第二首和第三首。

第二首紧承前首结句“能不忆江南”,以“江南忆,最忆是杭州”开头,将记忆的镜头移向杭州。偌大一个杭州,可忆的情境当然很多,而按照这种小令的结构,却只能纳入两句,这就需要选择和集中。选择什么呢?那不用说是最有代表性、也使他感受最深的东西。就杭州景物而言,最有代表性的东西是什么呢?且看宋之问的名作《灵隐寺》:“鹫岭郁岧峣,龙宫锁寂寥。楼观沧海日,门对浙江潮。桂子月中落,天香云外飘。……”浙江潮和月中桂子,就是杭州景物中最有代表性的东西,而作者对此也感受最深。

何谓“月中桂子”?《南部新书》里说:“杭州灵隐寺多桂。寺僧曰:‘此月中种也。’至今中秋望夜,往往子堕,寺僧亦尝拾得。”既然寺僧可以拾得,别人也可能拾得。白居易做杭州刺史的时候,也很想拾它几颗。《留题天竺灵隐两寺》诗云:“在郡六百日,入山十二回。宿因月桂落,醉为海榴开……”自注云:“天竺尝有月中桂子落,灵隐多海石榴花也。”看起来,他在杭州之时多次往寻月中桂子,欣赏三秋月夜的桂花,给他留下了难忘的回忆。因而当他把记忆的镜头移向杭州的时候,首先再现了这样一个动人的画面:“山寺月中寻桂子。”天竺寺里,秋月朗照,桂花飘香,一位诗人,徘徊月下,流连桂丛,时而举头望月,时而俯身看地,看看是否真的有桂子从月中落下,散在桂花影里。这和宋之问的“桂子月中落”相比,境界迥乎不同,其关键在于着一“寻”字,使得诗中有人,景中有情。碧空里的团圞明月,月光里的巍峨山寺和寺中的三秋桂子、婆娑月影,都很美。然而如果不通过人的审美感受,就缺乏诗意。着一“寻”字,则这一切客观景物都以抒情主人公的行动为焦点而组合、而移动,都通过抒情主人公的视觉、触觉、嗅觉乃至整个心灵而变成有情之物。于是乎,情与景合,意与境会,诗意盎然,引人入胜。

如果说天竺寺有月中桂子飘落不过是神话传说,那么,浙江潮却是实有的奇观。所以,上句只说“寻”桂子,不一定能寻见;下句却说“看”潮头,那是实实在在看见了。

浙江流到杭州城东南,称钱塘江;又东北流,至海门入海。自海门涌入的潮水,十分壮观。《杭州图经》云:“海门潮所起处,望之有三山。”这潮水,奔腾前进,直到杭州城外的钱塘江。《方舆胜览》云:“钱塘每昼夜潮再上,至八月十八日尤大。”就是说,每天都有早潮、晚潮,而以阴历中秋后三日潮势最大。请看《钱塘候潮图》里的描写:“常潮远观数百里,若素练横江;稍近,见潮头高数丈,卷云拥雪,混混沌沌,声如雷鼓。”正因为“潮头高数丈”,所以作者当年做杭州刺史的时候,躺在郡衙里的亭子上,就能看见那“卷云拥雪”的壮丽景色。

这两句词,都有人有景,以人观景,人是主体。所不同的是:上句以动观静,下句以静观动。

“山寺”“月”“桂”,本来是静的,主人公“寻桂子”,则是动的。以动观静,静者亦动,眼前景物,都跟着主人公的“寻”而移步换形。然而这里最吸引人的还不是那移步换形的客观景物,而是主人公“山寺月中寻桂子”的精神境界。他有感于山寺里香飘云外的桂花乃“月中种”的神话传说,特来“寻桂子”,究竟为了什么?是想寻到月中落下的桂子亲手种植,给人间以更多的幽香呢,还是神往月中仙境,感慨人世沧桑,探索宇宙的奥秘呢?

海潮涌入钱塘江,潮头高数丈,卷云拥雪,瞬息万变,这是动的。主人公“郡亭枕上看潮头”,

其形体当然是静的;但他的内心世界,是否也是静的呢?作者有一首《观潮》诗:“早潮才落晚潮来,一月周流六十回。不独光阴朝复暮,杭州老去被潮催。”不用说,这是他在“郡亭枕上看潮头”时出现过的内心活动。但难道只此而已,别无其他吗?何况,仅就这些内心活动而言,已蕴含着人生有限而宇宙无穷的哲理,值得人们深思啊!

第三首,照应第一首的结尾和第二首的开头,以“江南忆,其次忆吴宫”冒下,追忆苏州往事:“吴酒一杯春竹叶,吴娃双舞醉芙蓉。”即一面品尝美酒,一面欣赏美女双双起舞。“春竹叶”,是对“吴酒一杯”的补充说明。张华诗云:“苍梧竹叶清,宜城九酝醝。”可见“竹叶”本非“吴酒”。这里用“竹叶”,主要为了与下句的“芙蓉”在字面上对偶,正像杜甫的“竹叶与人既无分,菊花从此不须开”借“竹叶”对“菊花”一样。“春”,在这里是个形容词。所谓“春竹叶”,可以解释成春天酿熟的酒,作者在另一篇诗里就有“瓮头竹叶经春熟”的说法;也可以解释成能给饮者带来春意的酒,作者生活的中唐时代,就有不少名酒以“春”字命名,如“富水春”“若下春”之类(唐李肇《国史补》)。从“春”与“醉”对偶来看,后一种解释也许更符合原意。“醉芙蓉”是对“吴娃双舞”的形象描绘。以“醉”字形容“芙蓉”,极言那花儿像美人喝醉酒似的开头不说忆苏州而说“忆吴宫”,既为了与下文协韵,更为了唤起读者对于西施这位绝代美人的联想。读到“吴娃双舞醉芙蓉”,这种联想就更加活跃了。

“吴酒”两句,前宾后主,喝酒,是为观舞助兴,着眼点落在“醉芙蓉”似的“吴娃”身上,因而以“早晚复相逢”收尾。“早晚”,当时口语,其意与“何时”相同。

白居易在《与元九书》中说:“感人心者,莫先乎情,莫始乎言,莫切乎声,莫深乎义。诗者:根情,苗言,华声,实义。……未有声入而不应,情交而不感者。”又在《问杨琼》诗里慨叹道:“古人唱歌兼唱情,今人唱歌唯唱声!”诗歌,需要有音乐性和图画性。但它感动人心的艺术魅力,却不独在于声韵悠扬,更在于以声传情;不独在于写景如画,更在于借景抒情。白居易把情看作诗歌的“根”,作诗谱歌,力图以浓郁的实感真情动人心魄。这是他留给后人的最宝贵的艺术经验。这三首《忆江南》,也正是他的艺术经验的结晶。正如题目所昭示,洋溢于整个组词的,是对于江南的赞美之情和忆恋之情。“日出江花红胜火,春来江水绿如蓝”,真是写景如画!但这不是纯客观的景,而是以无限深情创造出来的情中景,又抒发了热爱江南的景中情。读这两句词,不仅看见了江南春景,还仿佛看见主人公赞美江南春景、忆恋江南春景的体态神情,从而想象他的精神活动,进入了作者所谓"情交"的境界。读"山寺""吴酒"两联,情况也与此相似。

这三首词,从今时忆往日,从洛阳忆苏杭。今、昔,南、北,时间、空间的跨度都很大。每一首的头两句,都抚今追昔,身在洛阳,神驰江南。每一首的中间两句,都以无限深情,追忆最难忘的江南往事。结句呢?则又回到今天,希冀那些美好的记忆有一天能够变成活生生的现实。因此,整个组词不过寥寥数十字,却从许多层次上吸引读者进入角色,想象主人公今昔南北所经历的各种情境,体验主人公今昔南北所展现的各种精神活动,从而获得寻味无穷的审美享受。

作者于《忆江南》题下自注云:"此曲亦名《谢秋娘》。"《乐府诗集》列《忆江南》为"近代曲辞",解释说:"一曰《望江南》。《乐府杂录》曰:'《望江南》本名《谢秋娘》,李德裕镇浙西,为妾谢秋娘所制。后改为《望江南》。'"按《教坊记》所载曲名,皆盛唐及以前乐曲,其中有《望江南》,可见并不始于李德裕。《敦煌曲子词》中有描写爱情的《望江南》,知此曲来自民间。白居易的《忆江南》三首,通俗,明快,真挚,音韵悠扬,还带有浓郁的民歌风味。

这三首词,每首自具首尾,有一定的独立性;而各首之间,又前后照应,脉络贯通,构成有机的整体。在"联章"诗词中,其谋篇布局的艺术技巧,也值得注意。

(霍松林)

长相思　　白居易

汴水流,泗水流,流到瓜洲古渡头。吴山点点愁。

思悠悠,恨悠悠,恨到归时方始休。月明人倚楼。

鉴赏

此词见于《花庵词选》,后收入《全唐诗》附词中,顾学颉校点《白居易集》,编入《白居易外集》。这是一首怀人念远的抒情小词，写一位女子在月明之夜，独倚高楼，望着汴泗南去的流水，想念着远在江南的爱人，思极转恨的情绪。这位思妇所处的位置，很可能就在徐州一带，而与钱塘无关（黄昇说此词上四句皆说钱塘，似误。或说词中的汴泗是想象而非写实，亦非是）。在唐代，汴水有两条：一条就是古汴水，由汴州开封（今属河南）经宋城（今河南商丘南）北部、萧县（今属安徽）而至徐州彭城（今江苏徐州市），在城东北隅与源于山东、流经徐州彭城的泗水汇合，这就是韩愈所说的“汴泗交流郡城角”。合流后，经下邳（今江苏邳县南）至淮阴（今属江苏）入淮水，东流，于山阳（今江苏淮安）转运河南流，而至扬州江都（今属江苏），在瓜洲与长江相通。另一条即隋时的通济渠，唐时称为汴水，由汴州开封经宋城、埇桥（今安徽宿县）东流入淮，同样也可以“流到瓜洲古渡头”，但与泗水关系不太直接。考虑到词中所写“汴水流，泗水流”的意境和白居易与徐州的深厚关系，我们觉得这首词的写作与徐州决非无关，思妇的位置或者就在徐州，所以她才能看到汴泗流水，并且目送逝波，直至瓜洲而更南去。当然，站在徐州是看不到瓜洲的，而且汴泗的实际流程也只能到入淮为止。这里是想象、夸张之词，通过这样的想象、夸张，来表现思妇的思念之遥远、幽深，也就是词中所说的“思悠悠”。然而她的思念还不止于瓜洲渡头，还在更远的吴地（今江南一带），她好像看到了面带愁容的点点吴山。——自然，吴中的山是明朗秀丽的，这里吴山的愁容，正是思妇内心愁绪的写照。瓜洲、吴山，皆是思妇心底之物，她心悬于彼，愁凝于彼。于是，读者从这里得知：她的爱人就在那里。瓜洲渡口，在唐代相当繁盛，是南北交通的要冲。思妇的爱人不管是商人还是游子，要从吴地归来与之团聚，瓜洲乃必经之地，由此溯流而北，相会之期便指日可待。这样，我们就揭开了思妇眼不离汴泗，心不离瓜洲以至吴山的秘密。但是，她的爱人还没有沿着这条水路归来，所以仍须劳她倚遍高楼，待尽明月。这就无怪乎她思极而“恨”了。“恨”且“悠悠”，无穷无尽，思念之深、等待之久，亦由此可知。而要此恨消除，除非爱人归来，所以词中说“恨到归时方始休”——这一句既是思妇的心理活动，也是词人揆情度理给她的思念所作的结论。“月明人倚楼”句，或解释为爱人归来之后双双倚楼望月，即把这一句作为“恨到归时方始休”的补充句；或解释为思妇对着汴泗怀念爱人的时间、地点。在这两种解释中，本文取后者。月明之夜，思妇难寐，正是怀人念远之情最浓重的时刻。这个结句极富意境，有深化人物形象和升华主题的作用。

这首词体现了作者纯熟的写作技巧。他以月下脉脉的流水映衬、象征悠悠绵绵的离情别绪，深沉的思念和由此而产生的怨恨情绪；外景中明明的月光，长长的流水，点点的远山，与思妇内心世界中悠悠的思怨，极为和谐地统一在一起；且又频用叠字叠韵，句句押韵，再配上那柔和的民歌风味，就自然形成了一种行云流水之致，这与写“流水”“相思”十分贴切。所以这首词虽然只有三十六个字，却不失为一件玲珑剔透的艺术珍品。

（邱鸣皋）

梦　江　南

皇甫松*

兰烬落，屏上暗红蕉。闲梦江南梅熟日，夜船吹笛雨潇潇，人语驿边桥。

作者

*皇甫松，字子奇，自号檀栾子，睦州新安（今浙江淳安）人。生卒年不详。他是工部侍郎皇甫湜的儿子，宰相牛僧孺的外甥。《花间集》只称他为“皇甫先辈”，“先辈”为唐人对进士的称呼，说明他并未入仕。其余事迹不详。

鉴赏

皇甫松的词，《花间集》录有十二首，大都缺乏深意。但他的两首《梦江南》，却是清新隽永、颇富诗情画意的佳作。王国维曾高度称赞它们：“情味深长，在乐天（白居易）、梦得（刘禹锡）之上也。”（《人间词话》）这首小令，就是其中的第一首。全词借梦中所见所闻的动人境界，描绘了江南水乡梅雨季节的风光，寄托了作者思念故乡的缱绻之情。

词分为两个层次，前两句写夜景，后三句写梦境。“兰烬落，屏上暗红蕉”是写室内夜深人静时的景象。灯花已经残落，画屏上鲜红的美人蕉，在微弱的灯光下，颜色也已显得暗淡，这正是入睡的时刻。经过这一铺垫，下面便转入了梦境的描写。作者先概括地点出所梦乃梅熟季节的江南：“闲梦江南梅熟日”；然后再补两笔，对梅熟时节的自然景观进行渲染：“夜船吹笛雨潇潇，人语驿边桥。”这样选取潇潇夜雨，水上画船，笛声人语，桥边驿站等可见、可闻、可感的具体场景和细节，便把梅熟季节的江南景象，鲜明生动地再现了出来。全词大体是从室内屏风上的人工画面，写到室外江南水乡真实的自然图景。由绘色（红蕉、黄梅）到绘声（吹笛、人语、夜雨潇潇），亦即从视觉到听觉。由此可见，这首小令的艺术构思极其概括而富于层次。诗人把自己的情感全灌注在用景物描绘所铸成的形象画面之中，含有不尽之意，令人思索玩味。其实，这首词不独结句是“以景结情”，而且全篇都是借景抒情，并且达到了情景交融的艺术境地。通过对景物绘声绘色的具体描写，借以寄托诗人的思想感情，或者说诗人把自己的感触或情绪，全部隐藏到具体的景物背后，使得诗情含而不露，这是我国古典诗词中常用的一种表现方法。作者在这首词中，并没有直接抒发自己思念江南故乡的感情，而只是运用简练的语言和白描的手法，勾勒出了江南暮春雨夜的动人画图。然而就是通过这一刻画，使得诗人的怀乡之情若隐若现地寄托在字里行间了。王国维在《人间词话》中说：“一切景语皆情语也。”这首词也正是寓情于景物的描绘之中，因而读来颇觉含蓄蕴藉，情长意远，给人以强烈的感染和想象的余地。王国维称赞这词“情味深长”，其原因也正在这里。

（周　蒙）

南歌子

温庭筠*

手里金鹦鹉，胸前绣凤凰。偷眼暗形相。不如从嫁与，作鸳鸯。

作者

*温庭筠(812—870?)，字飞卿，山西太原人。宣宗大中年间，累应进士试不第。由于恃才傲物，好讥刺权贵，且生活浪漫，故为当政者所排斥，终身潦倒，只作过国子监助教、方城及隋县尉之类小官。他在诗坛上与李商隐并称“温李”，然其诗之成就不如李，词则开拓初期词风，在词的发展史上有其重要地位。其词“精艳绝人”，虽内容多为闺怨之情，而其表现方法变化多端，显现出卓越的艺术匠心，对后代有深远的影响。

鉴赏

《南歌子》为唐教坊曲，有齐言、杂言之分，杂言中又分单调、双调。敦煌写卷伯三五〇一载本曲舞谱，前有说明曰：“《南歌子》两段，慢二，急三。慢二，令、挼三拍，舞据单。急三，中心送，中心慢拍，两拍送”(转引自任半塘《唐声诗》下篇)。语意虽不能全晓，但本曲为歌筵欢席上的小舞曲、小令曲，却是无疑的。内容上的浅俗和韵律上的繁音促节是本曲的特点。传世的《南歌子》杂言单调以温庭筠所作最早。温庭筠在《南歌子》中，一改他那婉约沉郁的作风，变得轻盈直率。

“手里金鹦鹉，胸前绣凤凰。”这是一个很有点气派的公子哥儿，手里擎的是名贵的鹦鹉，身上穿的是绣着凤凰的锦服。“偷眼暗形相”，这是女主人公的活动。“形相”，端详、打量也。一“偷”一“暗”，一个思春心切又不无娇羞的少女出来了。“不如从嫁与，作鸳鸯。”一番“形相”之后，女主人公很快地做出了嫁他的抉择。在这里,作者为人们展示了一个鸟的意象系列:活的鹦鹉、绣的凤凰、抽象的富于象征意味的鸳鸯。唐人多以鹦鹉、凤凰对举,如骆宾王诗云:“鹦鹉杯中浮竹叶,凤凰琴里落梅花。”又如杜甫诗云:“香稻啄余鹦鹉粒,碧梧栖老凤凰枝。”但词中的鹦鹉、凤凰似乎只是为了招来鸳鸯。她端详了半天,看到的是他手里的鹦鹉、胸前的凤凰,于是自然而然地,她想到了鸳鸯,选择了鸳鸯。“不如从嫁与”一句颇觉突兀,而“作鸳鸯”又使“不如从嫁与”变得顺理成章,意象的转换揭示了少女的心理变化进程。

温庭筠借助民间艺术中常用的比兴手法使这首易流于浅近的词饶有趣味,为人们描绘了一幅世俗的、平凡的而又充满生命活力的民间生活小景。

(梁志成)

望　江　南

温庭筠

梳洗罢,独倚望江楼。过尽千帆皆不是,斜晖脉脉水悠悠,肠断白蘋洲。

鉴赏

此词写一思妇在江楼终日盼望归人的心情。首句从“梳洗”点明开始盼望的时间,自然当是清晨,一“罢”字形容出她希望急切的心情,即刚一梳洗毕就去江楼盼望。次句点明盼望之事。“独倚”极妙地形容出她盼望时的情态。因独怀心事,故不邀女伴,亦不与人相近。“望江楼”言明她盼望时所在之处及所望目标,在望江楼上望的自是江上。“过尽”句写她失望的过程。这句中包含了数不清的希望与失望。每一船近,即紧张谛视,旋知非是,在这无数次的“不是”中,内心的摧伤多么惨重!这句也表明了盼望的时间之长久。“帆”本为船上的部分物件,这里用作船的代称,亦是古诗词中常见的以偏概全的修辞方法。末二句紧承第三句形容主人公失望后的感觉及心情。当成千数的船过去后,不见归人,而呈现在眼前的,只是脉脉无言的斜阳光辉,及悠悠不尽的流水，以及覆满白蘋的江洲，这时她的心目感到多么空虚，不能不因之“肠断”。“脉脉”为静默无言之状。“斜晖”本自无言，“斜晖脉脉”意谓在斜阳余晖照射下一片静默。水自悠悠不尽地流去，亦表明江上已无船的踪影。整句描绘的是思妇眼中的江上一片寂静景象，也暗示出这日已经绝望，故“肠断”乃显得有力，非轻易道出。

整首所写，皆为一“望”字，即思妇江楼盼望时的情景。读这首小词，面前宛如呈现一位江楼终日苦盼的思妇形象，她的动态及心理，以及她眼中的景物，都极鲜明易感。这首词以白描手法，作人物神态心理的描绘，景物也为衬映心理而设，对于容颜服饰一概略去，故风格特觉疏淡，与其一般表现为密丽者迥异。这种作品，在温词中是少见的。

（胡国瑞）

菩萨蛮

温庭筠

小山重叠金明灭，鬓云欲度香腮雪。懒起画蛾眉，弄妆梳洗迟。　　照花前后镜，花面交相映。新帖绣罗襦，双双金鹧鸪。

鉴赏

本词写一个独处闺中的妇女，从起床而梳妆以至穿衣一系列的动态，从中体现出她的处境及心情。首二句为主人公初起床的情态。这两句以特写的手法，突出主人公的形象，次句为主体，首句为衬景。“小山”为床榻围屏上的画景，“金”为涂在屏山上的颜色，唐代早已有金碧山水画。“明灭”为日光透过窗纱照射屏山阴阳显晦之状。或以为画上金碧山色有所脱落，故或明或灭，以见久别后闺中萧索之象。此二说均可通，后者意蕴较深，而前者景象鲜明。“鬓云”为鬓边下垂的黑发，女子鬓发卷曲轻扬，状如云朵，故常以云形容之。“欲度”从云常流动设想，描绘出鬓发轻扬之状。“香腮雪”形容主人公衬映鬓发的脸颊之腻白。整句凸出一副娇慵的女性面貌，因“鬓云欲度”正是鬓发散乱未整之状，句中也隐含呆坐懒起的时间过程。这两句在读者眼前展示出这样一个镜头：在小山重叠金色明灭的画屏围绕着的绣榻上，一位少妇刚刚坐起，她散乱的鬓发，似流云样将要度过她雪白香艳的脸腮。三、四两句开始写她下床后的活动。“懒起”二字透露出主人公的情绪，下句“迟”字与之相应，是了解整首词意的关键。“懒起”即懒懒地起来。一“懒”一“迟”，极见其无情无绪之神情，与“梳洗罢，独倚望江楼”（《望江南》）之因有所希冀而行动紧急，表情迥异。“弄妆”谓妆扮时频繁反复修饰。“迟”字总承“弄妆”与“梳洗”诸事。在这两句中，主人公娇慵之状宛然可见。

下阕写其人之继续活动。“照花”二句写其对镜簪花，于客观地描写人物活动中，暗寓其人对镜时自赏自怜之意。自赏：人面如花；自怜：盛年独处。此“花”当为插于发髻之饰物，非喻人面，从次句之花面并提可知。前后镜对照，脑后发髻簪插之花映于前镜，乃与镜中人面交相辉映，其人之容色光丽可想。最后两句写其梳妆后穿着衣服，不写其动作，但点出主人公眼中的衣上彩绘——金线绣的一双双的鹧鸪鸟。试想她满怀心事，懒洋洋地勉自梳妆罢，刚要着衣时，而入眼的乃是“双双金鹧鸪”，则其情当如何难堪！

本词写法上有其特点，其一是作者只是在生活的片段过程中，选取最具有特点的动态或物象，略加勾画，省去彼此间的表面联系，如首句仅写床周屏风的景色，而略去这景色所依附的屏和榻，次句只是突现出一个睡起的女子面貌，其他一切事物都隐藏在可感触的暧昧之中，两句合看，即可依据已勾勒出的形象加以想象补充，构成一幅完整的“晨闺”图画。其次是表情隐蔽，作者只是对人物动态及有关景物作客观描绘，但于其中微露或暗示人情，给读者尽多的想象体会余地。至于辞藻浓丽，更是温词的普遍现象。因此种种，常使读者感到晦涩，然如细心玩索，得其艺术匠心所在，当更觉情味丰腴。

（胡国瑞）

菩　萨　蛮　　温庭筠

水精帘里颇黎枕，暖香惹梦鸳鸯锦。江上柳如烟，雁飞残月天。　　藕丝秋色浅，人胜参差剪。双鬓隔香红，玉钗头上风。

鉴赏

本词的情节颇费玩索，无妨先逐层剖析，然后来融合理解其描写的中心。词的首二句从有关睡眠的事物写起。“颇黎”即玻璃。“暖香”为燃着的炉香。“鸳鸯锦”为绣有鸳鸯纹彩的锦被。这两句说，在水精帘里玻璃枕上，暖香缭绕着，逗引鸳鸯锦被中的人进入梦中。“江上”二句写景极为清美，在读者眼前展现出一幅空明澄澈的江天月夜景色。这两句紧承上句“惹梦”之后，似可理解为“鸳鸯锦”里人的梦中景象，但亦可看为实地景色。在这组《菩萨蛮》词里，往往在描写服饰的浓密辞句中，间以自然景物的点染，给人以清新畅适之感，使全词更加灵活鲜美。

下半阕纯写人的饰物。“藕丝”为藕花（荷花）色的丝。“秋色”乃指藕花秋来减退的颜色。“浅”为淡意。这句写的只是颜色，即浅淡的藕花色。“人胜”为剪彩作人形、用以插于鬓边的饰物。“参差”本为不齐之状，这里指剪的人胜形体凸凹不平的样子。这两句只是写女子头上的人胜，上句作为下句“人胜”的状语，形容其质地和颜色，下句点出主体，兼及形状。末二句写女子面貌，作为“藕丝”二句的归宿。这两句意谓，双鬓蔽隔着香红的脸颊，而插着玉钗的人头上被风吹拂着。这个“风”字下得极为轻灵，使下阕四句所写的事物全都生动起来。这四句只是集中写了一个女子头上饰物的动象。从这个“风”字，读者可以想到那用丝绸剪的浅淡荷花色的人胜，在插着玉钗的女子头上，和她香红脸颊上的鬓发，一并在轻风中飘动着。在这里，只有风的吹动，不见人的活动，而其中又确有“双鬓隔香红”的人，看来这个人是个睡着未动的人，只听任风吹动着她头上的一切。

弄清了各个情节，再综合看看整体结构。发端二句写的是室内静景，在精丽的物色中一个人正在做梦，而下半阕四句中也没有一点人的动意，那么，“江上”二句应是实景，这两句除了点明时间，主要的作用在于以室外阔大的夜景，加重室内静的气氛。全词内容描写的是：女主人公正在精丽的闺帏里，进入香甜的梦中，这时室外呈现的是一片凄清的江天月夜景象。室内仍自静悄悄的，轻风吹拂着她头上的发饰。细心领会这首词，内容确很简单，似乎没有什么意义，但它却是一幅精丽清幽的图画，在一片幽静的氛围里，呈现着益显静谧的动象，而无形中还有个莫测的境界在主人公的梦幻中活动着，这一切足以引起读者的遐想，使之沉浸于优美无尽的思索中。

（胡国瑞）

菩　萨　蛮

温庭筠

玉楼明月长相忆，柳丝袅娜春无力。门外草萋萋，送君闻马嘶。　　画罗金翡翠，香烛销成泪。花落子规啼，绿窗残梦迷。

鉴赏

此词所写为思妇萦于思忆而梦魂颠倒之情景。首句交代出主人公及其相思的地点时间。即在玉楼上的明月之夜，有人正在长久地忆念离人。“玉”乃形容栏槛精洁如玉的样子。次句从春柳衬上一笔，使“玉楼”景象大为丰富，楼外有柳，并有明月照映着，景象多么清幽！此句还有点明季节，加重相思之客观因素的作用。“悔教夫婿觅封侯”（王昌龄《闺怨》）即因“陌头杨柳色”触发之故。“柳丝无力”既体现出春柳之柔媚，亦以象征其人在长久相思中无可奈何之情态，与“东风无力百花残”（李商隐《无题》）写法用意正相同。三、四两句突出送别情节。首句既言主人公正在玉楼之上“长相忆”，何能忽又在“门外送君”呢？此二句所写，显然是在主人公长久相忆而心魂恍惚中出现的梦境，末句“绿窗残梦迷”即是为这一情节而着的点睛之笔。送君门外，行人已远，但见芳草萋萋，唯闻远方马嘶。此种最为关切而萦念难忘之情景，此时于殷切相思之际，遂重现于惝恍迷离之梦魂中。此四句两层情节之关系，正如电影中常见，每当人物回忆时，镜头即模糊散开，紧现一往事场面。温词虽是小令，而有些内容竟甚难捉摸，即因其局势常多奇幻之故。

下阕写“玉楼”内长夜中的具体情节。“画罗”二句写室内物象，由于人在梦中，故室内静悄悄，但见罗帐垂彩，烛泪堆凝，亦如“蜡照半笼金翡翠，麝香微度绣芙蓉”（李商隐《无题》），从纯粹物象描写中，体现室内长夜虚寂之象。“香烛”句亦表明长夜之向尽，于是末二句接着写出临晓的情节。“花落”句为梦醒之因，因子规啼声惊残人梦，而末句则为梦醒际之刹那间感觉。所谓“残梦迷”，即刚一醒觉之初，梦境犹在眼前，亦如庄周之梦为蝴蝶，蝴蝶之梦为庄周，迷离恍惚，自亦骤莫能辨。而三、四两句之为梦境，亦于此朗然明晰。“花落”“绿窗”俱为设色之辞，使景象更臻鲜美，因子规啼于暮春花落时，花落鸟啼，视听俱清新；而“绿窗”以一种青春鲜嫩的色调，可使读者想见其人之姝丽。

本词的重要情节在起结四句所写。起二句入梦，结二句梦醒，“门外”二句为梦中幻景，“画罗”二句为梦时衬景。笔法脉络为从室外写入室内，从梦前写到梦后。词中虽未显然呈现具体人物的面貌，而在这情采清丽的画图中，物象精美的楼房内，却可亲切感到有位被离思困扰、动人无限怜惜的伊人宛在。

（胡国瑞）

菩 萨 蛮

温庭筠

宝函钿雀金鸂鶒，沉香阁上吴山碧。杨柳又如丝，驿桥春雨时。　　画楼音信断，芳草江南岸。鸾镜与花枝，此情谁得知？

鉴赏

这是一篇伤春怨离的作品。

“宝函”，宝盒。“钿”“雀”，指花钿和雀钗。白居易《长恨歌》“花钿委地无人收，翠翘金雀玉搔头”中“花钿”“金雀”也是指此。“鸂鶒”（xīchì），水鸟名。“金鸂鶒”，当是鸂鶒形首饰。这些都是妇人所用装饰品。李冰若在《栩庄漫记》中说：“飞卿惯用金鹧鸪、金鸂鶒、金凤凰、金翡翠诸字，以表富丽，其实无非绣金耳。……本欲假以形容艳丽，乃徒彰其俗劣，正如小家碧玉，初入绣罗丛中，只能识其数事，便矜羡不已也。”其实不然，这些蹙金结绣的小道具在词中大有用场。“雀”，《说文解字》谓“依人小鸟也”，而成语则有“小鸟依人”，形容少女娇弱堪怜，钗作雀形，当有所本。而“瀏鶒”，形似鸳鸯而大，水上偶游，其羽毛多紫，又名紫鸳鸯。饰物作瀏鶒形，亦颇能引人联想。温庭筠打开宝函，引人们先注目于钿雀瀏鶒，是匠心独运之处。第二句，名其所居为“沉香阁”，极言其绮丽宜人。《开元天宝遗事》载，杨国忠用沉香造阁，用檀香造栏，并用麝香、乳香筛土和泥，涂饰墙壁，称沉香阁。词中阁名本此。倚阁而望，吴中春山皆作碧色。碧色，往往能引发忧伤之情，梁简文帝赋曰：“远山碧，暮水红，日既晏，谁与同。”李白《江行寄远》亦曰：“思君不可得，愁见江水碧。”倚阁远望，吴山如碧，返视阁下，杨柳如丝。柳色朦胧之处，春雨之中，驿桥隐约可见。而这杨柳、驿桥、春雨，却又是远别的象征。一“又”一“时”，将人们从现实的空间拉回到往昔，人们可以联想到：也是在杨柳如丝，春雨微茫的时刻，男女主人公在驿桥依依惜别，一别经年。上阕无一语道及离别，但词中意象已构成了浓烈的气氛，离愁别绪，思妇情怀，已透出纸背。

下阕，“画楼音信断，芳草江南岸”。画楼，指伊人所居之沉香阁。别已堪伤，又渺音信，春草生矣，江之南岸，一望萋萋，而君不归！刘敬叔《异苑》：“罽宾王有鸾，三年不鸣。夫人曰：‘闻鸾见影则鸣。’乃悬镜照之，中宵一奋而绝。”结句“鸾镜与花枝，此情谁得知”中“鸾镜”本此。鸾鸟雌雄相守，离则不胜其哀，若使之睹镜中之影，其哀尤甚。“鸾镜”，喻人失偶，览镜自伤也；“花枝”，喻人如花容，顾影自怜也。恋人远离，不通音问，亦唯有自伤自怜而已。无限委屈，欲说还休，怨而不怒，蕴藉缠绵。

此词在温庭筠《菩萨蛮》十四首中，是较为疏朗的一首。首句“宝函钿雀金瀏鶒”，稍感滞重，第二句“沉香阁上吴山碧”，境界已渐开阔，从封闭的闺阁而及于自然山川。接下，“杨柳又如丝，驿桥春雨时”，又宕开一笔，使之更具空间时间的跨度。“画楼音信断，芳草江南岸”，视野一收一放，思妇愁思，层深而广厚。最后两句，凝视返听，自省其身，所谓无往不复，无垂不缩也。其心弥苦，其志弥坚，含而不露，很具深度。

（梁志成）

菩萨蛮　温庭筠

南园满地堆轻絮，愁闻一霎清明雨。雨后却斜阳，杏花零落香。　无言匀睡脸，枕上屏山掩。时节欲黄昏，无憀独倚门。

鉴赏

这首词写一个妇女午后睡起时的情景。上阕写景物，下阕写人情。上阕看来为纯写景物，但次句有个“愁闻”，可知这片景物是“愁闻”的人眼中所见。这个人为什么“愁”，从整首情节揣度，虽是起于当前事物的变化，但归根还在于生活的孤独寂寞。上阕四句确是一幅鲜明的暮春图景，作用于人们感官的是一片光洁、鲜丽、芬芳，这一切都很自在，未受任何扰乱。轻絮满地，杏花自落，悉囿于南园之内，而这片境地，尽管有一个“愁闻”之人，踪影也未投到这里来。然满院春光虽闲于静悄之中，却又蕴藏一个愁心。整片景物，写来层次也很自然，轻絮堆满园地，为暮春景象普遍特征，故先从此着笔，作为画幅底景。次句写气候变化，关系上下三句：满地轻絮，何堪骤雨！而杏花零落，斜阳照射，尤足伤惋，委实堪愁。“雨后”二句，虽属春残景象，而写得光艳芳鲜，给人无限丰富的自然美感，即神妙画笔恐亦难为功。

下阕写主人公起床后的情态。“无言”表明她闺中独处，无可与语，亦可见其心情冷淡。“匀睡脸”为敷匀因睡眠而擦乱的脸上脂粉，因系午睡起来，不必重新梳妆，只匀整一下头脸就够了。此句如见其人之无情无绪容态。“枕上”句写床榻空虚之状，与上句容态表现相适应。这两句从人的动态和物的静象，共同烘染出一派虚寂气氛。从斜阳到黄昏的时间，就在这两句的活动中度过。末二句明写主人公无所事事的动态。黄昏则一日终了，为愁人最难消受的时刻。“纱窗日落渐黄昏”（刘方平《春怨》），“暝色入高楼”（李白《菩萨蛮》），俱以之作为激起愁绪的时间因素。在这里，主人公百无聊赖的情态，宛然可掬。

细玩本词情节，主人公似在闺中长久寂寞独处，上阕作为衬景的庭园景物，皆甚为宁静，下阕写人物动作，亦甚舒缓，似久已安于孤寂，无憀倚门，不过下意识的闲遣，并未急切有所企盼，亦未显然有所怨尤，是一位驯服于命运支配的女性。这是一幅封建社会部分妇女的生活写照。

（胡国瑞）

菩萨蛮　温庭筠

夜来皓月才当午，重帘悄悄无人语。深处麝烟长，卧时留薄妆。　当年还自惜，往事那堪忆！花露月明残，锦衾知晓寒。

鉴赏

这首词描写女主人公长夜不眠，追念往事，自怜自惜的隐曲情绪。其写法为从室外到室内，最后以融合内外物候的感觉结束，时间则从午夜直到天晓。上阕叙事，下阕抒情。起二句写深夜从外到内的一片静寂景象。首句从午夜写起，而句中实际已隐含午夜前无限情事。“月才当午”之一“才”字，透露出主人公时刻难度的感觉。前有“夜来”，不云“醒来”，可见其午夜前已长久未眠。而全句展现出的良夜景象，却极清美。次句点出在空阔澄明的夜景下一处深庭静室的情形。“无人语”揭示出全词情节的关键所在，暗示出主人公系闺中独处，以下所有情态及情绪活动俱从此生出。三、四两句写出室内景象之深静，及人物动作体现的细微心绪。“深处”即“重帘”之内的处所。“麝烟”为燃烧麝香发出的烟。麝香甚为贵重，实际所燃未必是麝，不过形容烟之香如燃麝发出，正如“玉楼”亦不过形容其材质光洁如玉之意。“烟长”形容烟缕飘得缭绕不断，益显境地之深静。“留薄妆”乃睡时妆未尽卸，头上还留下小部分饰物。此句体现出主人公在寂寞处境中的自赏自怜心情，故不忍尽易妆容。

下阕写午夜就寝直到清晨一段时间的情节。“当年”二句，是睡眠时的思想活动。看来主人公此时是在冷落的处境中，可能容颜有所憔悴，前结的“留薄妆”当亦有不甘憔悴之意。这两句追怀往昔，即所以伤惋现今。“当年”指过去年华茂盛时，“自惜”为自爱自怜之意。玩此句意，当是嗟惋已往蹉跎岁月，贻误人生，故无限追悔。虽说是“那堪忆”，实则此际已在往复忆念中。末二句以主人公感觉中的天晓时自然物象作结，表明其思忆从午夜直到天晓。花露月明，景至清鲜，只供作主人公遭受精神折磨的见证，而锦衾晓寒，则是长夜独宿者极难堪的味况。

此首与“南园满地堆轻絮”所写的主人公形象，基本类似，俱在长时间独处闺中，并未有所期待，或无聊弄妆自遣，或陷于往事沉思，但因选取的时间景物及情节不同，故构成的画面亦异。温庭筠的十四首《菩萨蛮》，总不外写春闺离情，而表现得情采缤纷，无所重复，充分显示了作者在构思运笔上的艺术才力。

（胡国瑞）

更漏子

温庭筠

柳丝长，春雨细，花外漏声迢递。惊塞雁，起城乌，画屏金鹧鸪。　　香雾薄，透重幕，惆怅谢家池阁。红烛背，绣帘垂，梦长君不知。

鉴赏

《更漏子》曲调就是“夜曲”。古代用铜壶滴漏来计算时刻，把一夜分成五更，故名“更漏”。“子”就是“曲子”的简称。前人多咏本题，这首词即写女子秋夜的相思之情。

头两句对起，以“春雨细”为主，“柳丝长”是衬托。“春雨细”是说夜深人静的时候，远处传来的漏声好像春雨那样轻微。由“春雨细”才联想到“柳丝长”。既然是春雨，应该是“润物细无声”，何来“漏声迢递”？这当于“花外”二字探求。因为蒙蒙春雨飘洒在室外花木之上，积雨成滴，再由枝叶上有节奏地滴下，而且声音在夜静时从远处传来，岂不像漏声吗？“迢递”，高远貌。左思《魏都赋》：“神钲迢递于高峦，灵响时惊于四表。”这两句不但说明“迢递”，亦可知下句“惊”字所由来。雁嘹唳于长空，乌夜啼于城上，声音都是来自高远之境。“迢递”不仅形容“漏声”，也同下面“惊塞雁，起城乌”有关。“惊”与“起”，对句互文，谓雨滴犹如漏声之细长凄恻，连无知的栖鸟也为之惊起。事实上“塞雁”“城乌”都不会被细长如漏的雨声惊起。词人无非是以夸张的手法来表达物尚如此,人何以堪的感情。歇拍结以“画屏金鹧鸪”,看来似乎与上两句不甚连贯。周济云:“如飞卿则神理超越,不复可以迹象求矣。然细绎之,正字字有脉络。”(《介存斋论词杂著》)仔细把玩此词结句,确如周氏所云“字字有脉络”。盖“画屏”五字含蕴丰富,至少有三层意思:一、雁唳、乌啼是耳之所闻,“画屏金鹧鸪”则是目之所睹,经此对比,很容易使人想到另一句温词——“双双金鹧鸪”。二、思妇在耳闻目睹难以成眠的当儿,出于想念殷切的敏感,也会觉得画屏上的金鹧鸪栩栩如生,亦惊亦鸣。三、上片景物,侧重室外,至“画屏”则已转向室内,为下片描写室内过渡,于脉络中见章法。而过去评家斥为“强植”,其错不在飞卿。

过片承上,直写“画屏”畔之情景。“香雾薄,透重幕”,说的是香炉里散发的烟雾已渐稀薄,显然夜已深沉。“幕”,帷也。香烟虽薄,犹能透过重帷,说明香质之佳,衬出人亦娇贵。“谢家池阁”,指思妇居处。唐李德裕有姬人谢秋娘,李甚眷之,贮之华屋。此处“谢家”,泛指金闺,不必泥于秋娘。“惆怅”,写思妇相思的殷切。此情尽管难以排遣,总得设法解脱。于是就熄灭烛光,垂下绣帘,欲寻美梦来消此“惆怅”。然而梦境悠远漫长,仍然不得排解。柔情缱绻,深婉入微,只怕良人还不知道呢。温词蕴藉,惯于不肯说破,其感人处,亦正在此。“此情谁得知”“此事竟谁知”,同是一副笔墨。

(王明孝)

更漏子

温庭筠

星斗稀,钟鼓歇,帘外晓莺残月。兰露重,柳风斜,满庭堆落花。　　虚阁上,倚阑望,还是去年惆怅。春欲暮,思无穷,旧欢如梦中。

鉴赏

这首词写的是一位女性春晨早起无聊怅望的情绪。上阕写的全是春天景物,那些景物,都是从主人公的耳目视听到的,都蒙有主人公的感情色调,细微地体现着她寂寞独处的心情。开始三句描绘出春晓时一片宁静广阔的自然景象,它的范围上自辽远的天空,下至城楼,以至近处庭院,都是在清晨进入人的耳目的。“晓莺残月”,视听多么清新!这一切只有早起才能感触到。当时闺中妇女,如非愁苦不安,哪能如此早起!钟鼓声歇,自然包含听到钟鼓声的经验。“兰露重”三句写室外庭园的景色。“兰露重”则兰叶低垂。“柳风斜”如见柳被风牵曳之态。落花堆积,于是春事终了。自然物象虽是动静殊态,人们从中感到的乃是一片沉寂阑珊的味况,这种味况与主人公的感情色调是相适应的。

下阕全是写人的活动及情思。“虚阁上”三句写人的活动情态。“虚阁”既点出地点,也逗出人情,已在阁上,而称曰“虚”,因人单而无与共度芳时之故。“倚阑望”明言系情远人。下句从“惆怅”回溯“去年”,而曰“还是”,可见其与意中人离别之久。“春欲暮”三句为“倚阑望”时的感情活动。“春欲暮”意乃感于“满庭堆落花”而生,隐含良人不在,虚度芳时的急切心情。“思无穷”明言此际的思绪之纷繁悠远。“思”字读去声。末句从上句孳生,道出经过无穷思忆而凝集的一种心理感觉:无限旧日欢情徒存忆念,真如梦幻之不可捉摸。此际心情,当如何难堪!读此六句时,眼前俨如浮现一个倚阑怅望迷惘沉思中的伊人形象。

(胡国瑞)

更 漏 子

温庭筠

玉炉香,红蜡泪,偏照画堂秋思。眉翠薄,鬓云残,夜长衾枕寒。　　梧桐树,三更雨,不道离情正苦。一叶叶,一声声,空阶滴到明。

鉴赏

这首词写的是一位妇女秋闺独处,长夜不眠的苦恼之情。上阕写室内物象对人的情绪的刺激。开始两句写室内夜间景色，看来是足以令人舒畅的，炉香缭绕，烛影摇红，但一“泪”字已埋下忧伤的种子。第三句顿入愁境，上述之景，一下变成了主人公的愁根。原来她在秋宵有所思念，想到离人不与已共此良宵，于是室中一切不仅成为虚设，而且骤觉凄黯，适足引起人无穷苦绪。“偏照”二字便是这个情绪激烈迸发时的感觉，表情极为强劲。在她看来，室内一切现象都是不能忍受的，这种似乎无理的想法，却是情深之极的表现。“秋思”之“思”字应读去声。“眉翠薄”三句写其人在上面室内物象刺激下长夜不眠的情状。在辗转衾枕间不能成眠时，眉上画的翠色被擦掉许多而显得淡薄了，如云般的鬓发也毁乱了。由于长夜孤眠，反复难寐，于是衾枕之间感到单寒，此时情绪又当如何难堪！

下阕从室内听到室外雨声来描写人情的更加难堪。桐叶秋日枯槁，雨点打上，声特响亮，况当三更人静之时，自易伤情，尤在离人情思正苦之际。“不道”即“不管”之意。人自情伤，却对雨声深致怨尤，无理之语，亦情至无可奈何之语。这句意谓打在梧桐树上的雨，一点儿也不管离别之人情思正苦。这句语气直贯下面三句，似乎雨有意叫人过不去，把人弄到极为难堪的地步。最后三句是人对雨感到难堪的高潮，既闻雨声滴到天明，则闻者亦自必不眠，直到天明。“空阶”更增加人对雨声响亮的感觉。这三句一气读下，亦似觉雨声点点，敲打在人们心上。本词从室内物象到室外雨声，从视觉到听觉，从实到虚，整个构成一片气氛浓郁的愁境。前半辞采密丽，后半情调疏畅，前后一浓一淡，不觉色调不谐，乃因情节发展自然，抒情由含蓄到发越，故能引导读者情绪，由沉郁转为激扬。整体局势，譬如山水画幅，近处巉岩险峻，远处烟波浩渺，相映成趣。

（胡国瑞）

河　传

温庭筠

湖上，闲望。雨萧萧，烟浦花桥路遥。谢娘翠蛾愁不销。终朝，梦魂迷晚潮。　荡子天涯归棹远，春已晚，莺语空肠断。若耶溪，溪水西，柳堤，不闻郎马嘶。

鉴赏

这是作者代思妇写的一首怀人词。

若耶溪，在浙江会稽（今绍兴），相传西施曾浣纱于此，又名浣纱溪。源出若耶山，北流入镜湖。镜湖又名南湖，乃后汉马臻为太守时所凿。《温飞卿诗集》卷四有《南湖》诗一首，当与此词同作于游浙之时。词中“湖上”之“湖”指镜湖。“闲望”是一词之主。时值霖雨，望中烟浦花桥缥缈朦胧，似不可及。“谢娘”，本指晋王羲之次子王凝之妻谢道韫，名相谢安的侄女，极具才名。孙恩攻会稽，身为江州刺史、会稽内史的王凝之被杀，谢道韫幸免于难，寡居会稽。后世多用“谢娘”代称妇女，如用“萧郎”代指男性一样。“谢娘”不止一次出现于温词中，如“谢娘无限心曲，晓屏山断续。”（《归国遥》）“谢娘惆怅倚兰桡，泪流玉箸千条。”（《河渎神》）谢娘只是一个泛称，在她身上，作者找到了最能传达他的意绪的媒介，所以顺手拈来，不必拘泥于原型。“雨萧萧，烟浦花桥路遥”，是“闲望”的“谢娘”目中所见。春雨中的湖景，何等凄迷。谢娘愁眉不展，徘徊终日（“终朝”有二解，一为整个上午，一为整日，此当作后解），若有所思，恍如梦寐，魂飞天壤间，与晚潮相逐……

下阕，振起一笔，女主人公回到了现实的世界里：“荡子天涯归棹远。”梦中之人浪荡天涯，等待几乎是徒劳的。“春已晚，莺语空肠断。”时不我待，目下莺飞草长，春将去矣。“若耶溪，溪水西，柳堤，不闻郎马嘶。”昔日水边柳下，君马常鸣，而今日君在何方？

《河传》原为隋开运河时传唱的曲子，原谱久佚，后人在此名下，创调甚多，庭筠此词，亦是新创。本词极具变化之妙。句有二、三、五、六、七言者，音繁句促，嘈嘈切切，读之如闻琵琶。韵凡四转，平仄相参，抑扬敛放，拗怒中不乏谐畅。

（梁志成）

菩萨蛮

李晔*

登楼遥望秦宫殿，茫茫只见双飞燕。渭水一条流，千山与万丘。　　野烟遮远树，陌上行人去。何处有英雄，迎归大内中？

作者

*李晔(867—904)，初名杰，唐懿宗第七子，封寿王。僖宗死后，嗣帝位，在位十四年。在政治上听人摆布，无所作为，但攻书好文。庙号昭宗。存词四首。

鉴赏

唐末凤翔节度使李茂贞拥有山南道梁、凤、岐等十五余郡之地，甲兵雄盛，凌弱王室，久蓄野心。乾宁三年(896)六月，称兵赴阙。七月，进逼京师。昭宗令延王戒丕出使太原，联络李克用，请其援救。华州节度使韩建遣子上表，名为坚"请"迎驾，实则挟持李晔驻跸华州(治所在今陕西华县)。自此，昭宗入其掌握，形同傀儡。李晔洞察其奸而又无可奈何，郁郁不乐，时登城西齐云楼以遣怀。《旧唐书·昭宗纪》载，乾宁四年(897)"七月甲戌，帝与学士、亲王登齐云楼，西望长安，令乐工唱御制《菩萨蛮》词，奏毕，皆泣下沾襟，覃王已下并有属和"。从这一记载看来，这首词的写作时间当略早于乾宁四年七月。当时唱和之作，仅见于敦煌写卷斯2607，存词六首。沈括在《梦溪笔谈》中说他曾在一佛寺中见到过李晔所作歌辞的"墨本"，"纸札甚草草"，"后人题跋，多盈巨轴"。李晔《菩萨蛮》歌辞现存两首，今选其一。全词不事藻饰，以化虚为实的手法，真切地袒露出他被逐出宫、行止华州时的悲苦之情。它从一个侧面反映了唐末动荡不安的政局。

上片叙写对皇宫的依恋，下片抒发怅然自失的心理。起调由写景入手，渲染气氛。“秦宫殿”，代指长安的唐宫殿。史载，李茂贞进犯京师，“宫室廛闾，鞠为灰烬。自中和已来葺构之功，扫地尽矣”（《旧唐书·昭宗纪》）。因此，“登楼遥望”所见何如，作者不好明写，也不忍明说。而承之以“茫茫只见双飞燕”，景象之荒芜，自可概见。“黍离”之悲，自已含蕴其间。“渭水”两句言京城遥远。华州去长安并不很远，言千山万丘，是比况政治上的障碍。过片承上接下，从字面看，仍然在写登楼所见，其实新意别具。“行人”，古代官名。《周礼·秋官》云：“大行人掌大宾之礼及大客之仪。”“小行人掌……使适四方，协九仪宾客之事。”这里特指上面已提到过的延王戒丕。当时，延王正衔命在途，仆仆风尘，因有“陌上行人去”之语。“何处有英雄，迎归大内中”，这里的“英雄”，暗指晋王李克用。“大内”，皇宫的总称。由此可以看出，当时李晔正翘首以待李克用能担负起力挽狂澜、匡扶社稷、拨乱反正、安邦定国的重任。全词上下紧接，一气呵成。怆怀国事，寄意深沉，与同时代用以侑觞佐欢的文人词显然不同。

（黄进德）

后庭宴　无名氏

千里故乡，十年华屋，乱魂飞过屏山簇。眼重眉褪不胜春，菱花知我销香玉。　双双燕子归来，应解笑人幽独。断歌零舞，遗恨清江曲。万树绿低迷，一庭红扑簌。

鉴赏

在文学史上，有许多这样的作家：他们的创作，以其独特的成就，丰富了人类瑰丽的艺术宝库，而他们的姓名，却因为种种原因，没有流传下来。这往往使得读者在捧读其作品之余，心向往之。所以，钟嵘在品评《古诗十九首》时，才发出了“人代冥灭而清音独远”的慨叹。的确，人们对天才的仰慕，是并不会因为其姓名湮灭在历史中而有所减轻的。实际上，那经千百年的自然淘汰而仍然有着顽强生命力的、发散着浓烈芳香的作品，已经使得这些作家留芳青史了，那么，人们又何必一定要知道其姓名呢？

这首《后庭宴》的出现，距今已有一千多年。宋陈岩肖云：宋“宣政间，修西京洛阳大内，掘地得一碑，隶书小词一阕，名《后庭宴》。”（《庚溪诗话》卷下）后来，明代杨慎更进一步将其定为“唐人作”，并说明这首词“本无题，后人名曰《后庭宴》”（《词品》卷一）。两说的不同之处，在于对词牌由来的交代，一说本有其名，一说为后人所加。真相如何，尚待研究。但关于这首词发现的时间和原因，两说大体一致。而且，杨慎将其定为唐人所作，也得到了后世的普遍承认。我们现在也暂从此说，定为唐无名氏的作品。

这首词，我们如果给它拟个题目的话，似可名之为“春暮乡思曲”。它是从对故乡的怀念写起的。“千里故乡，十年华屋”，以这一对句开头，风格凝重，内涵丰富。虽似平平道来，但从其对空间和时间的特殊强调上,足以使人体会到主人公内心潜在的感情湍流。远离故乡,独自漂泊,已是难以为怀,而长年如此,略无改观,则痛苦尤甚。这种心情,正见出主人公对故乡、乃至对过去生活的深深怀念。既然对现状无能为力,那就只有借助梦境来实现自己的愿望了,于是有了第三句"乱魂飞过屏山簇"。古人认为做梦乃是灵魂出游,而作者特别交代了乱魂必须飞越床前曲折如重山叠嶂的屏风,则是暗示了会合之困难与心情之迫切。"屏山簇"又暗示着返乡途中的千山万水。梦魂以"乱"字来形容,也形象地刻画了梦境所显示的特定精神状态。如人们所共有的亲身体验所示,梦境往往是纷乱的:起落不定,断续无端。而这梦的纷乱内容,则无疑是"故乡"或"华屋"的种种难以忘怀的往事。所以,这一句是过去与现在之间的过脉。它以浪漫的手法,拉平了时空距离和心理距离,将过去与现在联系起来,也铺垫了全词的抒情基调。

第四、五两句又回到现在,极力渲染思乡之苦:"眼重眉褪不胜春,菱花知我销香玉。""眼重",指佳人老去,眼睑下垂。"眉褪",指其无心修饰,往日眉上所画颜色已经消褪。"菱花",代指镜子,因古代铜镜背面花纹多作菱形。如李白《代美人愁镜》:"狂风吹却妾心断,玉箸并堕菱花前。"以对镜写闺怨,与此相近。冬去春来,万物复苏,一切都变得生机勃勃,这种情景,当然会给"眼重眉褪"的主人公的心灵带来巨大波动。然而,她的"不胜春",绝不仅仅是因为伤叹年华的消逝,而主要是她不能返回故乡华屋使然。既然她不能不想而又只能空想,那么,孤独和寂寞便会时刻缠绕着她,她又怎能不愁损憔悴乃至于"销香玉"呢?可是,这一切,故乡华屋中无人知道,漂泊在外更没人同情,只有镜子才知道她怎样忍受着巨大的心灵折磨而日渐消瘦的。这样,主人公的孤独寂寞之态便被形象地揭示出来。

换头二句,承上申足主人公的孤独感。"双双燕子归来,应解笑人幽独。"这种对比手法,在中国古代诗词中虽习见,但作者用于此处,仍有其新鲜的生命力。首先,燕子是成双成对的,而主人公却独在异乡,这是第一层;其次,燕子的旧居,就是主人公的客居,燕子年年回归旧居,而主人公却只能长年漂泊,这是第二层;再次,回到旧居的燕子,双双呢喃,非常快乐,而客中的主人公却只能在幽独之中,承受燕子的嘲笑(如果它们也会嘲笑的话),这是第三层。从这多层次的对比中,可以看出,作者对主人公的内心

(也许就是自己的内心)的把握是多么准确。实质上,这两句与前面“眼重”两句所表现的感情是完全一样的,作者所以反复言之,是因为非如此咏叹便不能充分表达郁结之情。在整体效果上,这两句增强了抒情厚度。

接着的“断歌零舞,遗恨清江曲”两句,又从现在回到过去,体现了故乡华屋的今昔盛衰。“清江曲”,指清江之曲折处,即故乡所在地。歌舞,是过去华屋中的生活情景,而“断”“零”的交代,则指千里外、十年后故乡的巨大变化。主人公感慨时光流逝,世事变迁,往日的种种欢乐,犹如一场春梦,转瞬无踪,只剩下怅惘的追思,时时牵动着她无穷的遗恨。行文至此,作品的感情节奏变得更加哀婉沉痛,对主人公浓重的羁旅之感和思乡之情,作了有力的生发和补充。同时,又呼应开头,突出了“千里”和“十年”的分量。

“万树绿低迷,一庭红扑簌”末二句一结,戛然而止,如截奔马。前面“断歌”二句,使全词进入了高潮,但正当主人公内心情思绵绵不能自已之时,作者却突然推出一幅画面来,这正是前人所重视的以景语作结。这种手法,象征着作者审美心理的飞跃。它使得主人公的情绪迅速地跨越时空的界限,并要求读者最大限度地调动自己的想象去补充这一过程,因此,是颇为耐人寻味的。从色彩上来说,全词都以淡色为主,唯独这两句浓墨重彩,这前后的鲜明对比,无疑是与主人公感情的不断加强加深加密结合着的。不过,那绿荫覆盖,万树低迷,残红遍地,一片凋零的暮春景象,却并非主人公客居所见,而完全是她的想象。春天快要过去了,沉浸在对往事的伤感中的主人公,仿佛看到了故乡那熟悉的景色。这景色,每到暮春,总是如此,而那魂牵梦绕的华屋,却已是“断歌零舞”,无复旧貌。作者以这种方式来进行对比,真是寄托着刻骨铭心之痛。本来,暮春常象征着美好事物的消逝,而作者却赋予不变的涵义,这就更进一步突出了故乡华屋的变化之巨大。但是,作者从自然界的大千景色中,只选取“绿低迷”和“红扑簌”这两个意象,仍同前“断”“零”有所联系,这里面有着一种明显的心理暗示,见出作者对盛衰之感的无限流连。另外,末二句本身的色彩对比也很有特色。“扑簌”,即朴樕的异体。《诗经·野有死麕》:“林有朴樕。”《毛传》:“小木也。”引申为小物,词中指凋零的残红。暮春时节,叶盛花落,大自然以这种独特的标志将事物的消长关系揭示出来,而作者则把这一直观的视觉感受,转化为一种细腻的心理体验，表现了主人公对美好事物的消逝的深沉追惜。后世许多作者都受到这位无名词人的启示，将红花、绿叶的对比提炼为一种对暮春的形象表现。如唐代的韩琮，他笔下“绿暗红稀”（《暮春浐水送别》）的描写，突出了色调与数量的对比，与这首《后庭宴》有着直接的渊源；而宋代词人李清照，更以自己独特的艺术表现力，将此意境概括为“绿肥红瘦”（《如梦令》），使它与大自然的这一现象一样，使人永远具有新鲜的感受。不同的是，这位无名词人是以枝头与地下相比，意在表现一种结果，而韩、李则以枝头互比，重在揭示事物的变化。显然，后者在对这种手法的借鉴中又有所发展。

最后，我们想试着推测一下这首词的本事。从词中所表现的情事看，它很可能出自一位富家歌女之手。由于某种巨大变故，她的生活道路也随之发生了改变，流落远方，感旧情深，便谱写了这首春暮乡思曲。

（程千帆　张宏生）

江　城　子(二首)　　和　凝*

竹里风生月上门。理秦筝，对云屏。轻拨朱弦，恐乱马嘶声。含恨含娇独自语，今夜约，太迟生！

斗转星移玉漏频。已三更，对栖莺。历历花间，似有马蹄声。含笑整衣开绣户，斜敛手，下阶迎。

作者

＊和凝(898—955)，字成绩，郓州(今山东东平)人。在梁、唐、晋、汉、周五代都曾做过官。他长于短歌艳曲，有"曲子相公"之称。著有《香奁集》传世，贵显后嫁名为韩偓所作。《全唐诗》存词二十四首。

鉴赏

古往今来，描绘爱情的名篇佳作异彩纷呈，绰约多姿：青年男女初见的钟情，幽会的欢悦，缠绵的思恋，难忍的分离，痛切的悼亡……无一不在诗人词客笔下得以再现，给人以各不相同的感受。和凝的这组《江城子》共五首，抒写男女爱情，各自成章，但又意脉贯连，组成一个完整、优美的故事，并以其特有的芳姿和色彩，赢得人们的喜爱。

所选第一首乃组词之二，从一个特定的角度，以女子的口吻，描绘了青年男女密约幽会的生动画面。女主人公情意绵绵，柔肠欲断，完全沉浸在痴情的向往和焦急的等待之中。起句写夜景，黄昏的微风从门前竹林里轻轻吹来，那随风摆动的竹枝，犹如情人翩翩起舞的身姿，风声伴随着竹叶，好似恋人暗中喁喁的私语。月亮在云层中时隐时现，透过绣花的门帘，似乎也在窥察她的芳姿，探询她心中的秘密。深幽的洞房,正是情人相会的好地方,朦胧的月夜,又是密约的好时刻。接下二句,由景入情。面对月色美景,女主人公若梦非梦,似醒非醒,热切盼望情人的到来。在百无聊赖之中,她的思绪有如云母屏风上的飞云流水。女主人公拿起秦筝,用鹿骨爪拨动那十三条丝弦,以似怨似诉的音调,向还未到来的情人倾诉思恋。此句与"云母窗前歇绣针,低鬟凝思坐调琴,玉纤纤按十三金"(贺铸《浣溪沙》)有异曲同工之妙。

"轻拨朱弦,恐乱马嘶声"二句刻画神情意态,确为传神之笔。《餐樱庑词话》评云:"熨帖入微,似乎人人意中所有,却未经前人道过,写出柔情蜜意,真质而不涉尖纤。"斯语得之。在阵阵惆怅怨艾的筝声中,她似乎捕捉到了由远及近的马嘶声,下意识地放轻了手法,降低了音度,继而凝神倾听,不知不觉停止了拨奏。词人用"恐"字,写出了女主人公既想借秦筝排遣惆怅,又怕筝声湮没马嘶声的矛盾心理,惟妙惟肖地表露了她急盼情人来会的心境。结句将她对心上人的思恋推向高峰:她在热切地等待,他却迟迟不来,一股无名的惆怅和怨恨在她心中油然而生,似乎在埋怨情人的姗姗来迟,无信失约。但当她偶尔回看玉漏,那叮咚作响的水滴正在缓缓地流淌,流淌。时未三更,约定的时刻未到,他又怎好前来?想到这,焦急万状的她不禁哑然失笑,转而含恨自言,含娇自语:今夜相约的时刻,实在是太晚太迟。此句似怨似嘲,实蕴含着她对他深厚真挚的爱恋。

所选第二首乃组词之三,承上首而来,继续刻画热恋中的女主人公形象。起句不仅表示时间的推移,而且是感情的升华。她等待的情人,未到约定的三更而不来,她虽然急不可待,但还能自解。时光流逝,星移斗转,时已深夜,漏正三更,但情人却还没有应约,这时她无以自慰,自然更为焦虑不安。"已三更"二句,景真情真。面对双双栖息的黄莺,她不禁思绪万千:憧憬与他相亲相爱,白头偕老。而今,思念中的情人还没有出现,她不能不惘然若失,不知所措。

"历历花间,似有马蹄声"二句,"尤为浑雅,进乎高诣"(《餐樱庑词话》)。一个"似"字,给人一种无中生有、有中生无、若有若无之感,逼真传神地写出了女主人公盼望幽会的急切心理。她驻足窗前,屏息凝听,在万籁无声中捕捉;她一遍又一遍地凝望户外,在盛开的花径中寻觅。然而,她所希望到来的情人,仍然没有出现。正在她无以自慰的时刻,突然一阵马蹄声轻轻传来,她欣喜若狂,迎下台阶。但她所要捕捉的声音似乎又远去了，慢慢地消失了。她不禁泪眼蒙眬，自叹薄命。正在完全失望的时候，她所盼望的马蹄声终于传来了、逼近了，甚至连他那熟悉的喘息声也听到了。"含笑"三句，是这首词的尾声。这时的她，自然是喜出望外，含笑整衣，大开绣户，奔出户外，斜身敛手，下阶相迎，表示了她对他到来的极度欣喜之心、非常倾慕之情。

两首词将眼前景、心中情打并一起，展现了"月上柳梢头，人约黄昏后"的幽静动人的画面。从女主人公梳理打扮、暗中盼望，到轻拨朱弦、含恨自怨，再到茫然翘首、含笑相迎，反映了她在等待他到来时兴奋、焦虑、自慰、埋怨、欢悦等细微的心理变化，显示出她对自由爱情的一往情深和她对自主婚姻的大胆追求。两首词都采用了直陈其事的手法，通过月下花间自然景物的描绘以及人物一系列连续性动作的勾画，时间、地点、人物、景物巧妙结合，组成了青年男女密约幽会的动人意境。词人抓住了生活中的细节，加以绘声绘色、生动细腻的描写，使女主人公的笑貌如在目前，声音犹在耳际，展示了她内心的细微变化，突出了她柔肠百转的复杂感情，因而使人物形象鲜明逼真，呼之欲出。两首词没有华丽的辞藻，也没有深奥的用典，词意清新，语出自然，于平淡中见功力，以柔婉细腻、情真意切感人心灵，因此写的虽是艳情，但读来却无轻佻之感。

（吴伟斌）

思帝乡　　韦庄*

春日游，杏花吹满头。陌上谁家年少、足风流？妾拟将身嫁与、一生休。纵被无情弃，不能羞。

作者

*韦庄(836？—910)，字端己，长安杜陵(今西安市东南)人。唐诗人韦应物的四世孙。他生活在唐帝国由衰弱到灭亡、再到五代十国分裂割据的混乱时期。五十九岁举进士，七十二岁帮助王建创建“前蜀”小朝廷，并任吏部侍郎同平章事，卒谥文靖。因他有反映黄巢义军攻入长安的长篇叙事诗《秦妇吟》，影响极大，被称为“秦妇吟秀才”。又在词坛上与温庭筠齐名，并称“温韦”，是“花间派”词人的代表作家，著有《浣花集》。

鉴赏

以前我在《灵谿词说》中，论及温庭筠及韦庄词时，曾经写过几首论词绝句。其中有论温词的一首，写的是“绣阁朝晖掩映金，当春懒起一沉吟。弄妆仔细匀眉黛，千古佳人寂寞心”。还有论韦词的一首，写的是“谁家陌上堪相许，从嫁甘拚一世休。终古挚情能似此，楚骚九死谊相侔”。本来“词”这种韵文体式，只是一种合乐的歌词。据欧阳炯《花间集序》所记叙，则当时文人诗客着手于“词”之写作者，原来也大多只不过将之视为一种歌筵酒席间供歌儿酒女去演唱的艳曲而已。所以“美女”与“爱情”也就成为早期词作中的主要内容了。其所叙写的翠鬟蛾眉的美女，与断肠流泪的相思，就当时之作者与歌者言之，原来也只不过表现一种男女间相赏悦相爱慕的情思而已。然而值得注意的则是，这些叙写美女与爱情的小词，其后却发展成了一种被词评家认为是最富于寄托深意的韵文形式。清代的张惠言就曾以为词之作用是“缘情造端,兴于微言,以相感动”,可以表达一种“贤人君子幽约怨悱不能自言之情”。张氏之以牵强比附之说来解释温、韦、晏、欧诸家之词,虽然曾为后人所诟病,然而词这种韵文体式之确实可以传达和引发一种幽隐之情思,足以触发读者丰富之联想,则也是被词论家所共同体认到的一种特质。这种特殊的品质,也就正是“词”之所以异于“诗”的主要差别之所在。因此即使是对张惠言的比兴寄托之说极为反对的王国维,在他的《人间词话》中论及词之特质时,也不得不提出诗与词之差别,说“词之为体,要眇宜修,能言诗之所不能言”,又说“诗之境阔,词之言长”。即如唐五代《花间集》中的一些小词,以诗境之阔而言,当然无法与杜甫之《赴奉先县咏怀》或《北征》等长篇伟制相比并,但我们却也不得不承认,这些篇幅虽短、意境虽狭的小词,有时却确实可以触引起读者许多幽微的感发与丰美的联想。我在前面所提出的论温词及论韦词的两首绝句,所标举的就是小词之所以特别富于感发之力的两种重要因素。就温词而言,我以为其所以易于引起读者之感发与联想的缘故,主要乃在于他所写的美女及其容饰,与中国文学传统中美人香草之托喻有暗合之处。即如他在《菩萨蛮》(小山重叠金明灭)一首中,所写的“懒起”“画眉”“簪花”“照镜”等情事,虽仅为客观地对美女之描摹,然而却与唐代杜荀鹤《春宫怨》所写的“早被婵娟误,欲妆临镜慵”,及李商隐《无题》所写的“八岁偷照镜,长眉已能画”这些诗句中的含有喻托性的美女之描述,有可以相通之处。这正是温词之足以引发读者之喻托丰美之联想的一项重要因素。关于此点,我以前在《温庭筠词概说》一文中,曾加以阐述,兹不再赘。至于韦庄的这一首《思帝乡》小词,其所以也足以引起读者深美之感发与联想的缘故,则是由于韦词中所抒写的一种用情的态度。温词客观,韦词主观,温词予人感发在美感之联想,韦词予人感发在感情之品质。现在就让我们对韦庄的这首小词,一加赏析。

此词开端之“春日游”三字,表面看来原只是极为简单直接的一句叙述而已,然而却已经为后文所写的感情之秾挚做了很好的准备和渲染。试想“春日”是何等美好的季节,草木之萌发,昆虫之起蛰,一切都表现了一种生命之觉醒与跃动。而“春日”之后更加一“游”字,则此“游春”之人的春心之欲,随春物以共同萌发及跃动从而可知,而春游所见之万紫千红、莺飞蝶舞之景象也就从而可想了。其后再加以“杏花吹满头”一句,则外在之春物遂与游春之人更加了一层直接的关系,其感染触发之密切乃竟有及身满头之情势矣。北宋词人宋祁曾经写过一句著名的词,说“红杏枝头春意闹”,可见“红杏”原是春天花树中极为繁盛艳丽的一种花树。“吹”字虽有花片被风吹落的意思,然而在此一句中却并没有花落春归的哀感,而却表现出一种当繁花开到极盛时,也同时伴随有花片之飞舞的一种更为缤纷盛美的景象。而且“吹”字还可表现出一种活泼撩动的感受,于是游春之人的内心,遂也因之而更增加了一种“气之动物,物之感人,故摇荡性情”的感受。何况“吹”字之下还加了“满头”二字,则外在景物对人之内心之强烈的引动可知。叙写至此,首二句已经为以后的感情之引发,培养和渲染了足够的气势,于是下面才一泻而出毫无假借地写了“陌上谁家年少、足风流”一个上六下三的九字长句,读起来笔力异常饱满。曰“陌上”,是游春时士女云集之所在;曰“谁家年少”,则表现了期望的真诚与选择的珍重;更加之以“足风流”,是对于美好多情之预想的最高要求。然后继之以“妾拟将身嫁与、一生休”另一个上六下三的九字长句,与上一句的节奏句式全同,前一句写期望之理想,后一句写自我之奉献,两相呼应,都是前面的六字句以两字为一顿,造成一波三折的气势,然后以一个三字句为总结。曰“足风流”,曰“一生休”,极为有力地表现了意志之坚决与感情之深挚。然后在结尾处写下了“纵被无情弃,不能羞”二句殉身无悔的誓词。昔儒家有“择善固执”之说,楚骚有“九死未悔”之言,韦庄这首小词虽不必有儒家之修养与楚骚之忠爱的用心,然而其所写的用情之态度与殉身之精神,却确实可以引发读者一种深沉的感动与丰美的联想。我以前在《常州词派比兴寄托之说的新检讨》一文中,曾提出“爱之共相”之说,以为“人世间之所谓爱,虽然有多种之不同,然而无论其为君臣、父子、夫妇、朋友间的伦理的爱,或者是对学说、宗教、理想、信仰等的精神之爱,其对象与关系虽有种种之不同,可是当我们欲将之表现于诗歌,而想在其中寻求一种最热情、最深挚、最具体,而且最容易使人接受和感动的‘爱’之意象,则当然莫过于男女之间的爱情”,这正是写男女欢爱之小词,有时偏能唤起读者幽微丰美之感发和联想的主要缘故。韦庄这首《思帝乡》词,便是这类写爱情而富于感发之深意的作品的很好的一篇例证。

（叶嘉莹）

女冠子　　韦庄

四月十七，正是去年今日。别君时，忍泪佯低面，含羞半敛眉。　　不知魂已断，空有梦相随。除却天边月，没人知。

鉴赏

《女冠子》，在成为词调之前，它本是唐代教坊曲的曲名。“女冠”，即女道士。此调本歌咏女道士的神态，有小令、长调之分。小令始于唐温庭筠，长调始于宋柳永。唐代的女道士，并非天主教修女式人物，与其说她是宗教信徒，倒不如说是霞帔道装的妓女，所以诗文中写到她们，总不离体态色相、风月之事。如温词中写到的对象，便是“雪胸”“云发”“乘鸾”“求仙”。韦词的性质大体类似，也写男女欢爱，只是更多抒情成分，抒写自己与情人离别相思之苦。两首同调的词，写的是同一件事，这在诗词中叫“联章体”。

这一首是回忆与情人分别和别后相思的情景。上阕说分别，写景象；下阕说相思，写心情。开头说“四月十七，正是去年今日”，明记日月，不加修饰，却能充分地表情达意，很有民歌的朴素风格，在文人词中，并不多见。与所爱分别，时隔整整一年，这个日子居然没有忘记，可见此事在作者心中所占的地位和印象之深刻。记得不等于想到，而现在恰恰于一年后的同一天中想到了，又可见此事无时无刻不在作者心头。这样，就很自然地强调了下文所述之分别的不同寻常。“别君时，忍泪佯低面，含羞半敛眉。”“别君时”三字，连上贯下，既是对上文所说日子含义的补足，又成为下文所写情态的时间状语。俞平伯先生标点此词，因此不圈断“去年今日”句（其实，加句号还是可以的），而只用逗号。他说：“以句法看，当连上‘四月十七’为一句；以韵脚论，仄韵换平韵，‘时’与‘眉’叶；就意识论，‘时’字承上，‘别君’启下离别光景：如这等地方，句读只可活看。”（《唐宋词选释》）“忍泪”“含羞”的主语都是“君”，是作者所见的当时对方的表情。“忍泪”而泪难忍,所以“佯低面”,为的是不让作者看见自己的眼泪,以免作者心里更加难受。“含羞”则是临别时心有所求,有话想说而又觉得说不出口;“半敛眉”透露了她内心的矛盾、痛苦。这一切细微的表情变化都没有逃过作者的眼睛,并深深地铭刻在他的心头了。

下阕就转入抒情。“不知魂已断,空有梦相随”是极言别离的痛苦。古人云:“黯然消魂者,唯别而已矣!”(江淹《别赋》)“消魂”也就是“断魂”。这里于“魂已断”之前,再加上“不知”二字,比用“黯然”,在刻画当时似痴似狂的精神状态上,更为具体、生动。说“梦相随”,就是人不相随;从此,随伴着自己的只有梦境了,所以用“空有”。有人把“魂已断”与“梦相随”看作同一回事,以为都是说做梦;又进而认为它点醒了上文:“单看上片,好像是一般的回忆,且确说某月某日,哪知却是梦景。”(《唐宋词选释》)这恐怕不对。真正写梦景的是下一首,这一首还是回忆去年离别时的实景实情的。否则,末了两句“除却天边月,没人知”,就不好解说了:月亮又怎能知道人的梦景呢?原来,词的结尾两句,其用意在于:一、表达自己内心的痛苦,无人了解;二、也交代当时离别的情景,没有人看到;三、补明上文未及的分手的时间和环境:正是那一天的夜晚或拂晓,当出门将行、两情依依之时,除了天边的月亮外,四周悄然无人,一片静寂。这大概就是作者另一首词中所说的“残月出门时,美人和泪辞”(《菩萨蛮》)的情景了。

(蔡义江)

女冠子

韦庄

昨夜夜半,枕上分明梦见。语多时,依旧桃花面,频低柳叶眉。　　半羞还半喜,欲去又依依。觉来知是梦,不胜悲。

鉴赏

上一首既写到与情人分别之后,“空有梦相随”了,这一首就接写梦境。这样,前后两首就勾连了起来,让人知道写的是同一件事。但结构上，上一首上下分片比较明显；这一首起写入梦，结写梦醒，中间几句都写梦中所见景象，一气连下，没有明显的过片痕迹。当然，在描写梦境时，层次还是有的。

"昨夜夜半，枕上分明梦见。"俗话说："日有所思，夜必有梦。"但好梦毕竟是可盼而不可求的。词中所梦见的与曾有过的事情如此一致，若非词人"为文造情"，有所增饰，就可能是把他时之梦拉来写在一起。反正词中也没说这"昨夜"非指"四月十七"不可。但在艺术表现上，是不妨给人以随即就梦见的感觉，这与情理是不悖的。"语多时，依旧桃花面，频低柳叶眉。"梦中人不是一现即逝，或印象模模糊糊；而是跟自己"语多时"，她的模样也清清楚楚。这是紧扣前面"分明"二字。而这里用"依旧"，从句子结构上看，似乎只说"桃花面"；其实，它的含义是一连管住四句的。从"联章体"的形式上说，"依旧"二字是回应上一首的。作者的这位意中人惯于低头敛眉，面带羞赧。类似的表情，我们在上一首中已经见过了。词的用意正是如此。它告诉我们，昨夜梦见的她，与过去一模一样。"桃花面"与"柳叶眉"，取喻同类成对。在我们今天看来，这样的形容不免有点俗气。当时，为描写女子红颊娇艳、黛眉修长，用此类比喻，倒是习以为常的，白居易也曾用"芙蓉如面柳如眉"来形容杨贵妃的美貌。

下阕再接写两句梦中所见："半羞还半喜，欲去又依依。"与上阕所写稍有区别的是，通过女子的表情动作，已深入到表现她内心感情的复杂变化上。又喜又羞，是写欢情，写激动；欲去依依，是写不舍，写多情。看似只写对方，骨子里实在还是暗示自身的感受。从"语多时"说到"欲去"，先后有序，由表及里，由浅入深，表现得很有层次。鸳梦重温，至此，感情已达高潮。情人似欲离去，作者又如何肯轻易地放她走！正在柔情缱绻，软语温存，与情人难解难分之际，梦忽然醒了。顿时，从幻境跌入到现实里，刚才的一番欢乐，全化为乌有。这怎么叫人不惆怅悲伤呢！

俞平伯先生认为，此首写梦，"结句说'觉来知是梦，不胜悲'，就太明白了"。这是很对的。它在艺术上确实过于平直，不如上一首来得蕴藉有味。但这两首词却都能代表韦庄词的典型风格。夏师瞿禅（承焘）先生曾比较温、韦词风的不同说："温庭筠'密而隐'，韦庄'疏而显'。"（《唐宋词欣赏》）的确，像"四月十七，正是去年今日。别君时……"这实在是疏得不能再疏了；像这一首，根本用不着作任何注释，从头到尾，一点费解的地方都没有，简直就同说话一样，这还不显吗？诗意该含蓄蕴藏的地方，说得太直露，“太明白了”，是不好的；但语言表达上的明白晓畅，通俗自然，应该说不但是韦庄词的特点，也是优点。

（蔡义江）

归国遥　　韦庄

金翡翠，为我南飞传我意。罨画桥边春水，几年花下醉？　别后只知相愧，泪珠难远寄。罗幕绣帏鸳被，旧欢如梦里。

鉴赏

陈廷焯和吴瞿安都认为词中有“南飞传意，别后知愧”的话，当为“留蜀后思君之辞”，寓有“惓惓故国之思”。不免求之过深。我以为这是词人回忆旧欢的一首小词。上片是委托南飞的青鸟，代陈旧日的欢情，引起美好的回忆；下片是倾吐自己难言之隐，相思之深。语言朗畅，感情真挚，是抒写生活情感的妙品。词一开始，就用了“青鸟传信”的富有浪漫色彩的神话故事，在画面上涂上了一层神秘的颜色，引起读者悠然神往的美好感情。“金翡翠”，就是青鸟，是神话中西王母的使者，后代于是称传递信息的使者为“青鸟”。唐孟浩然《清明日宴梅道士房》诗云：“忽逢青鸟使，邀我赤松家。”唐李商隐《无题》诗云：“蓬山此去无多路，青鸟殷勤为探看。”都因为用了这个带有神话色彩的典故，而增加了艺术的感染力。接着就是词中的“我”叮嘱青鸟的话。“南飞”即飞向江南。辛文房《唐才子传》载：“黄巢乱后，韦庄益窘，移家于越，周游南方。”今《浣花集》中有关扬州、苏州以及浙、闽、皖、赣的诗篇甚多，可见这里所指的江南，并非张皋文所说的“江南即指蜀”，而是词人曾经周游过的吴越一带。“罨画”二句，是用过去的生活情趣，唤起对方甜蜜的回忆。“罨画”，指杂色的彩画。杨慎《丹铅总录》说：“画家有罨画，杂彩色画也。”这里作风景如画讲。意思是说在那风景如画的桥边，面对着盈盈的春水，烂漫的春花，我们曾经陶醉在那媚人的景色中，沉浸在那幸福的生活里。这就是“我”要求青鸟传递的全部信息。（浙江长兴县西有罨画溪，疑此处指地名，情味更深。）他没有说别后的相思，只说了往日的欢乐，而相思之情溢于言表。陈廷焯说它“似直而纡，似达而郁”，正是这种艺术境界的最恰当的概括。下片以情文并茂的语言，写愧恨交并的感情。言“愧”者，想当年鸳鸯交颈，誓不别离；愧今日劳燕分飞，各自东西。想当年桥畔寻春，花下买醉；愧别后青鸟无凭，音问未通。然后披肝沥胆，向对方陈情：一则表明自己的心迹，不是薄情，不是负心；而是珠泪盈眶，无法寄远，一想到旧日的欢情，就感到内疚和惭愧。再则倾诉自己的生活：“罗幕”“绣帷”“鸳被”，是我们曾经双栖双宿的地方，而今绣帷依旧，鸳被犹存，伊人秋水，死生契阔，睹物思人，恍惚如梦，真是情不知所起，一往而深，在绮罗香泽之中，别具疏爽之致。词中没有着一“愁”字“恨”字，而怨别相思的情绪，宛然在目。王国维说：“端己词情深语秀，虽规模不及后主、正中，要在飞卿之上。”（《浣花词跋》）世以“温韦”并称，而王说“在飞卿之上”，正是因为韦庄能够屏绝浮艳虚华的辞藻，采用白描的手法，以真率坦白的语言，写热烈真挚的感情。我们从这首词中，可以得到很好的验证。

（羊春秋）

菩萨蛮　　韦庄

红楼别夜堪惆怅，香灯半卷流苏帐。残月出门时，美人和泪辞。　　琵琶金翠羽，弦上黄莺语。劝我早归家，绿窗人似花。

鉴赏

张皋文说韦庄的《菩萨蛮》四首是词人“留蜀后寄意之作”，字里行间流露出“惓惓君国之思”。盖其时中原鼎沸，欲归未能，其伤乱忧世之情，往往隐藏在欢愉之词后面，语虽淡而意实浓，肠未断而心先摧，故具有极大的艺术感染力。词一开头，便借男女之情，写乡国之思，点明话别的地点和时间。地点是“红楼”，一般代指豪门富家妇女的住所。白居易《秦中吟》的"红楼富家女,金缕绣罗襦",词人《长安春》的"长安春色本无主,古来尽属红楼女",都是以"红楼"作为大家闺秀的住所的。时间是残月在天的夜晚。那里有结彩下垂的罗帐,有香料加工的明烛,是一个环境幽美、陈设富丽的地方。词人在这里极力铺张"红楼"之美之富,实际上是写故国之美之富,亦犹《离骚》之盛夸"众芳之所在",《招魂》之盛称"高堂邃宇""层台累榭""翡翠珠被""兰膏明烛"一样,都寄寓了恋主思国之情。"残月"二句,是进一步抒发惜别的情思。词人不是径情直遂地写自己带着惆怅的心情告别了他所依恋的"美人",而是从"美人"的角度立言,写她当残月在天、星河欲曙的无可奈何之时,带着欲留不可、欲别不忍的无可奈何之情,依依不舍地与自己告别了。欲留而不可留,不欲别而终须别,这自然是最"堪惆怅"的了。"灵修美人,以媲于君",这是我国传统的比喻手法。故这里的"美人",已经不是男女之欢爱,而是君臣之眷恋。所以吴瞿安先生说:"端已《菩萨蛮》四章,惓惓故国之思,最耐寻味。"下片写话别时的叮咛,也是词人表白自己的初心。"早归"二字是这首词的主脑。"琵琶"二句,是用美丽的形象,写叮咛的深情。"金翡翠",是琵琶上的装饰。言装饰在捍拨(弹琵琶用的拨子)上的是一只羽毛美丽的鸟儿。王建的"凤凰飞入四条弦",牛峤的"捍拨双盘金凤",都是描绘装饰在捍拨上的凤凰,极言琵琶的华美。"黄莺语"是琵琶发出的动人的声音。白居易的"间关莺语花底滑",杜牧的"绿树莺莺语",都是以莺语比喻声音之美妙。以"似花"之美人,弹宛转之琵琶,又在琵琶声中,表达殷勤劝归之意,则"早归"乃是词人的初心,自是人之常情、理之固然了。谭复堂说这首词"当以十九首心眼读之",郑振铎说"端已词明白如话,而蕴藉至深",可谓独具只眼,能够"探幽怨之深情,窥逸响于弦外"了。这首词一气呵成,非常自然,像行云流水一样找不到连接的痕迹。清丽疏淡而寄托深远,情真语挚而蕴藉风流,一种不能自已的抑郁痛苦之感,在语言之外流露了出来。纯用白描的手法,写别离叮咛的情景,具有浓郁的民间词气息。宜乎前人说他的词"情深语秀",像一个"淡妆"的美人。

(羊春秋)

菩萨蛮　　韦庄

人人尽说江南好，游人只合江南老。春水碧于天，画船听雨眠。　垆边人似月，皓腕凝霜雪。未老莫还乡，还乡须断肠。

鉴赏

韦庄现存《菩萨蛮》词五首，非一时所作，此其二。清人张惠言以为五首词全是留蜀后作，并附会时事，说它有政治寄托。如注此首曰："此章述蜀人劝留之辞，即下章云'满楼红袖招'也。江南，即指蜀。中原沸乱，故曰'还乡须断肠'。"（《词选》卷一）龙榆生《唐宋名家词选》录其注而未加辨正。其实，张注的错误是很明显的。韦庄五十九岁才中进士，在这之前，长期过着浪游漂泊的生活。六十六岁始仕前蜀，七十二岁助王建称帝，建立前蜀割据政权，七十五岁就死了。他做前蜀吏部侍郎兼平章事的"晚达"生涯，是最后一两年的事（参阅夏承焘《唐宋词人年谱》及《论韦庄词》）。而这首词中自言"未老"，下一首则曰："如今却忆江南乐，当时年少春衫薄。骑马倚斜桥，满楼红袖招。"更可见他游江南，确是在"年少"时期，所以才有"红袖招"之；如果冯唐已老，哪能得到红袖的垂意！再说，诗文中称蜀为江南的，亦少见。大概是受张氏解此词末句为有感于"中原沸乱"的影响，又有人说："此词为韦庄避乱南方时所作。"（《中国历代文学作品选》）黄巢起义军攻破长安时，韦庄陷兵火中，大病几死，后逃出长安，流浪各地，已年过半百。无论从时间或情调上看，都与词所写不合，所以也不可信。总之，此词是韦庄早年浪游江南时的作品。

词的主题是赞美江南。这在一开头就点明："人人尽说江南好，游人只合江南老。"白居易曾写过脍炙人口的《望江南》词，起句就是"江南好"。《望江南》词调因此也就又名《江南好》，所以这里先说江南好是众口一词的。然后，特别提出"游人"，虽是泛指，实在也为作者自己当时处于客游江南的身份而发；同时还为词的末了说到“还乡”生根。作者说，到江南来的游客是只该永远留在这儿终老的，这样，就规定了所说江南好的方面，缩小了要讲的范围。对于一位游人来说，最感兴趣的事，不外乎游山玩水，寻欢作乐；而江南就是这样一个风月繁华之乡。以下四句就具体描述江南的好处。上阕先用两句说风景：“春水碧于天，画船听雨眠。”能抓住江南水乡的特点，写得极富有诗意。上句不但形容了春水的颜色，言外尚有水面开阔、明净，倒映着整个蓝天白云的美丽意境在，真所谓“春水船如天上坐”（杜甫诗）。画有各种图案的游船，为招徕客人，肯定是装备得相当舒适、漂亮的。江南春季多雨，那时，就不妨安稳地躺在画船中，听着雨声入眠。写得悠闲之至。

下阕转为从人事方面描绘，说的是酒家女的美貌：“垆边人似月，皓腕凝霜雪。”酒店里用土砌成四边隆起，中间可安放酒瓮的台，叫垆。“垆边人”指卖酒的女子。古时，女子当垆沽酒是常事。汉代司马相如固然曾自开酒店，“令文君当垆”；晋代阮籍也有邻家少妇“当垆沽酒”，阮常去饮酒，醉便卧其侧，其夫不疑的故事。唐诗中更多，如李白的“胡姬貌如花，当垆笑春风”（《前有樽酒行》）“吴姬压酒劝客尝”（《金陵酒肆留别》）等等，不能因卓文君曾当垆于临邛，就以为此词是在蜀地写的。以明月的皎洁比女子美貌，也古已有之。《诗·陈风·月出》：“月出皎兮，佼人僚兮。”郑笺：“喻妇人有美色之白皙。”宋玉《神女赋》也说：“皎若明月舒其光。”词中这两句前句是总写，后句是特写。酒家女操作用手，所以特写其“皓腕”，洁白的手腕如霜雪凝成，其美貌自不难想见。杜诗有“越女天下白”之句，也仅举肤色来说美。这样写，比“桃花面”“柳叶眉”要强多了。为什么只说酒家女呢？游人要添兴，不入酒家又往何处？而那个时代的诗酒风流生活是少不了女子的。词以回应“游人只合江南老”作结，说：“未老莫还乡，还乡须断肠。”话说得相当幽默、俏皮。按常情，作客异乡的人总以不得还归故乡而愁绪满怀。他却偏偏反过来说“还乡须断肠”。这是为什么呢？还不是因为江南的生活太值得留恋了！如果南来的游人正当年华的时候就回到了北地（作者的家乡在陕西），岂不要日思夜想地思念这迷人的江南了？倒是人老了，精力衰退了，游乐的兴趣、欲望随之淡薄了，那也还罢了。否则，这种令人“断肠”的苦苦思念将如何忍受呢？记不清是谁赞美江南说过“世间何物是江南”的话，韦庄的这首词中所表达的不能自已的感情，也仿佛似之。他把“江南好”这个主题强调到了无以复加的程度。

（蔡义江）

菩 萨 蛮

韦 庄

洛阳城里春光好，洛阳才子他乡老。柳暗魏王堤，此时心转迷。　桃花春水渌，水上鸳鸯浴。凝恨对残晖，忆君君不知。

鉴 赏

这是韦庄一首脍炙人口的名作。它把故国之思、兴亡之感，有机地熔铸在这首词里面。情致是那样的缠绵往复，笔力是那样的婉转畅达，绮罗香泽之中，别具疏淡之致，给人以很好的美感享受。词一开头，就用了两个互相对比、互相衬托的偶句，把词人思想上的矛盾、内心里的苦闷，充分地表现了出来。洛阳的春光，是那样的令人陶醉；而洛阳的才子，却要老于他乡。江山信美，而又是自己的故土，应该在那里流连光景，优游岁月，这才是人之常情。而词人却要浪迹江湖，飘泊异地，甚至要赌咒发誓，白头不归，这其间必有不可告人的隐痛在。这隐痛便是时移世易，家破国亡。语淡而悲，情深而婉，具有极大的感人力量。“柳暗”句直承“春光好”而来。“魏王堤”即魏王池，乃东都游赏的胜地。《清一统志》说：“洛水溢为池，为唐都城之胜。贞观中，以赐魏王泰，故名。”白居易《魏王堤》的“柳条无力魏王堤”，正是此句所本。这当然是想象，是回忆，是对“洛阳城里春光好”的具体描绘，也是词人暗示对于故国往事的向往和留恋。他的“魏王堤畔草如烟，有客伤时独扣舷”（《中渡晚眺》），正是这种心情的流露。紧接着以“此时心转迷”进一步表现自己的内心矛盾和苦闷。迷者，是春光缭乱，使人眼迷：到底是洛阳的春光好，还是江南的春光好？也是春意浓郁，使人心迷：到底是洛阳的“绿窗人似花”使我“早还家”呢？还是江南的“垆边人似月”使我“誓不归”？这样的眼迷、心迷，必然引起词人的心烦意乱，所以“迷”字下得极妙，“转”字亦极为得力。

下片仍是继续描绘洛阳的“春光好”，并以春光的明媚衬托内心的孤寂。在一首词中，只说一件事、一层意思，正是韦庄词的艺术特色。“桃花”二句，仍是词人的想象和回忆。言一到春天，洛阳到处是嫣红的桃花，到处是碧绿的春水，水上点缀着并头游泳的鸳鸯，真是一派生机，春意盎然，一下把读者带到烟笼柳堤、水浴鸳鸯的胜境中去，让柔媚的春光抚摸着、陶醉着自己。接着从极其欢乐的景象中，忽然转入极其愁苦的离愁别恨中去。他要把凝结在心头的苦恨，面对淡淡的残晖，一一倾诉出来；要把别后的相忆之诚，相思之深，对着远方的伊人，一一倾吐出来。顾敻说“换我心，为你心，始知相忆深”（《诉衷情》），李之仪说“只愿君心似我心，定不负相思意”（《卜算子》）。然而，君心既不可换，君心又不似我心，所以我虽“思君忆君，魂牵梦萦”，而君终不得知，终不得信。两句一结，无限低徊。原来赌了半天咒，表示要“白头誓不归”，骨子里却还是要归；说了半天乐，表示要“珍重主人意”，骨子里却还是要忆。这样的痴情，自与寻常艳语不同。丰神之妙，意境之妙，全在语淡而意浓，语近而意远。真不愧为花间派的冠冕人物！

（羊春秋）

更漏子　　韦庄

钟鼓寒，楼阁暝，月照古铜金井。深院闭，小庭空、落花香露红。　　烟柳重，春雾薄，灯背水窗高阁。闲倚户，暗沾衣，待郎郎不归。

鉴赏

这首词写的是思妇之情。上片写景，在景物中透露出思妇的孤独、寂寞和伤感，所谓“一切景语皆情语也”。下片主要写情，在抒情中仍然摄取了不少的景物，来烘托思妇的情意，所谓“诗缘情而绮靡也”。词一开头，就在读者眼前展现出两幅互相烘托的画卷，构成一种寂寞、凄凉的氛围，把人们召唤进去，使之与词中的思妇同忧乐，共悲欢。画卷的第一幅是表现时间的。词人在“钟鼓”后着一“螟”字，而晚凉如水之意全出。在“楼阁”后着一“暝”字，而暮色苍茫之感毕见。一轮新月，照在古井周围的铜制栏杆上，说明夜已深了，而人犹未睡。这里没有写人，却在字里行间隐藏着人的活动。画卷的第二幅是描绘具体环境的。深深的院落关得紧紧的，小小的庭宇显得空荡荡的，露坠了，花落了，地上一片残红。这院闭庭空，花落露坠等画面连缀起来，便构成一种孤寂、凄凉的意境，没有写人的活动，而思妇内心的空虚、孤零的情致，跃然纸上。

下片从时间的推移上，继续用了大量的景语，来烘托思妇的离愁别恨。如果说上片的“钟鼓寒”三句，是写薄暮的景色，那么这下片的“烟柳重”三句，就是更已尽、天欲曙的黎明时候了。这柳重、雾薄、灯背、窗暗等景物，被词人用一根感情的彩绳串联起来，使之“皆着我之色彩”，所以不是“散金碎玉”，不是“断线之珠”，而是在景语中蕴藏着丰富的感情。可见“诗中有画”还须“画中有情”，才能达到诗情画意、妙合无垠的艺术境界。“闲倚户”三句，才明显地出现了思妇的形象，特别是思妇的感情。她时而倚户以望，时而珠泪暗垂，表现了缕缕情思、种种闲愁。最后，感情抑制不住了，爆发出来了，才直截了当地喊出“待郎郎不归”那充满着失望和哀怨的话来。“倚户”而用“闲”来形容，垂泪而用“暗”来描绘，说明思妇既不愿公开表露内心的秘密，又不能在暗中解脱自己的愁苦，真是“残灯挑尽不成眠”“一曲离肠寸寸断”，完全被感情的绳索缚住了。情是诗的生命，没有情，就没有诗；没有真情，就没有真诗。词人在这里运用疏钟、淡月、落花、坠露、烟柳、春雾等景象，纡缓、低沉、断续、呜咽的旋律，造成一种凄凉、寂寞的氛围，把思妇的辗转不寐，深夜怀人的情状，充分地表现出来。它在表面上没有写哀愁，而在骨子里却浸透了哀愁；在表面上没有写希望，而在骨子里却充满了希望。正是这种哀怨和希望的交织，使读者感到温情脉脉、春意绵绵，最足耐人寻味。好像品茗一样，太浓则转苦，太淡则寡味，只有在清淡之中含浓郁之味，在浓郁之中带清淡之气，才能给人一种真正的美的享受。这首词的意境，就达到了这样的艺术境界。

（羊春秋）

应天长　　韦庄

绿槐荫里黄莺语，深院无人春昼午。画帘垂，金凤舞，寂寞绣屏香一炷。　　碧天云，无定处，空有梦魂来去。夜夜绿窗风雨，断肠君信否？

鉴赏

陈廷焯认为这首词也是韦庄"留蜀后思君之辞"，但词中有"碧天云，无定处"之句，分明是说所思之人，像天上的浮云，行踪无定，以之喻故君故国，未免牵强。我以为它是词人回忆旧欢之作。词的上片，是以冷热相间、动静交错的画面，写自己百无聊赖的寂寞情怀。绿槐成荫，黄莺试语，这是"热"，是"春意闹"的景色。深院无人，春昼日午，这是"冷"，是"春情薄"的表现。画帘低垂，绣屏寂寞，是以客观景物之静，烘托主人公的心潮起伏。金凤（指屏风上所绘之金凤凰）起舞，兰香缭绕，是以客观景物之动，反衬主人公内心的寂寞孤零。词人在这里没有正面写人的活动，而此中有人，呼之欲出。看到画帘绣屏之内，燃着兰香一炷，就可知道深院是有人的。这就是无画处有画，而画面更加丰富多彩。词人在这里没有写相思之情，而离情别意，洋溢于字里行间。闻莺语而怀春，见凤舞而兴感，乃是人之常情。这就是无声处有声，而声音更加蕴藉风流。盖意在言外，便觉深厚；一落言诠，便觉浅薄。韦庄之所以成为词的大宗，正在于他善于深入浅出，意婉语淡。下片以云之无定喻人之无定，进一步抒发旧欢难觅、新愁难遣的感情。"碧天云，无定处"，言无心之云，尚且凝聚在一起；而有情之人，反而分飞在两地。更何况所思的人，萍踪无定，纵然是"枕上片时春梦中，行尽江南数千里"，也还是"撩乱春愁如柳絮，悠悠梦里无寻处"的。这"空有梦魂来去"，正是人何处、梦难寻的感叹。"夜夜"承"昼午"，是主人公由白天之寂寞惆怅，到夜晚之辗转反侧，都沉浸在相思、相忆的愁苦之中。"绿窗"与"画帘"相关，"风雨"与"凤舞"相应，言夜来的风声雨声，增添了离人的无限愁绪。

大概以愁苦之眼观物,则物皆着愁苦之色彩;以欢愉之心观物,则物皆着欢愉之颜色。更何况风雨之夜,那一声声、一滴滴的自然音响,吹得人心乱,滴得人心碎,艺术地把离人的凄凉孤独心境再现出来,针线何等细密,脉络何等分明,最为词中胜境。更使人难堪的,是相思之肠,寸寸皆断;而相思之人,往往不信。“忠而见疑,信而被谤”,处于君臣之间,固属不幸;处于男女之际,亦难自明。“断肠君信否?”既坦率地倾吐了相思的真情,又委婉地表达了内心的痛苦。所谓“言情则沁人心脾”,正是这种扣人心扉的艺术感染力。词人喜欢用“断肠”的词语来表达内心的抑郁和苦闷,如“断肠芳草碧”(《谒金门》),“还乡须断肠”(《菩萨蛮》)和“一曲离肠寸寸断”(《上行杯》),或写故国之思,或抒男女之情,但都是极其凄苦、极其哀怨的。

(羊春秋)

荷叶杯　　韦庄

记得那年花下,深夜,初识谢娘时。水堂西面画帘垂,携手暗相期。　　惆怅晓莺残月,相别,从此隔音尘。如今俱是异乡人,相见更无因。

鉴赏

不少人认为韦庄因宠姬为蜀主王建所夺,而写了这首追念旧欢之词。杨湜《古今词话》说:“庄有宠人,姿质艳丽,兼善词翰。建闻之,托以教内人为辞,强夺之。庄追念悒怏,作《荷叶杯》《小重山》词。”蒋一葵《尧山堂外纪》亦说:“韦端己思旧姬,作《荷叶杯》《小重山》词。流传入宫,姬闻之,不食死。”其后刘毓盘在《浣花词跋》中也说:“彼庾信之入周,吴激之去宋,虽亏臣节,尚惬闲居。庄则鳒鲽分飞,生离死别,于家于国,两所难堪。”今从其词的内容来看,我以为他们的说法是可信的。词的上片,是以极其通俗的语言,写极其欢乐的艳情。一个回忆的镜头,把词中的主人公在夜深花下携手暗约的情景,推向遥远的过去,以旧欢之如梦,衬托新愁之难遣,从而增强了艺术的感染力。“谢娘”,即谢秋娘,唐代著名的歌妓。这里是泛指一般的美人。词人《浣溪沙》中的“小楼高阁谢娘家”,用法跟这里是一致的。接着以更加细腻、具体的形象,再现了他们在画帘低垂的水堂西侧,低低切切,暗约幽期的生活片断。过去的欢情写得越热烈,今日的心情就显得越凄凉,不言悲而悲转浓,不言愁而愁益深,收到了“以乐景写哀”的艺术效果。

下片以无限的惆怅,写眼前的离恨。“晓莺”承“花下”,“残月”承“深夜”,“相见更无因”承“携手暗相期”,句句有着落,层层有照应,针线极其细密,脉络极其分明。换头三句,有景有情,而以情为主。莺刚啼晓,月已向残,是写景,是突出与谢娘相别时的景色。魏承班《渔歌子》有“梦魂惊,钟鼓歇,窗外晓莺残月”的话,在字面上是很相似的。但魏词所写的景物与人的感情缺乏有机的联系,所以显得平直;而韦词与“初见谢娘时”的花下谈心、帘内携手,形成鲜明的对照,因而能够更好地表达出无限的情思。下两句是抒情,抒发其别后的郁结感情。“暗相思,无处说”,已经是人所难堪了,何况是“人寂寂,恨重重”呢?“难相见,易相别”,已经是人所难堪了,何况是音尘隔、见无期呢?只此二句,便把主人公的一腔幽怨,万种闲愁,淋漓尽致地抒发了出来。结尾二句,是感情的继续深化,是递进一层的写法。因为在故乡告别,居者和行者还有重见的机会。如今都在异乡作客,又在异乡相别,多应是“相见更无因”了。那么,携手西厢、暗约幽期的往事,只能在头脑里留下美好的回忆,而在现实生活中是不可能再有的了。词人在这里虽然没有用一个火辣辣的字眼,表示刻骨的相思;虽然没有提到对方,而只是从自己方面来抒情,却把相思的深情,既充分又痛快地表达了出来,使人从中得到真正的美的享受。

(羊春秋)

菩萨蛮　　牛　峤*

舞裙香暖金泥凤，画梁语燕惊残梦。门外柳花飞，玉郎犹未归。　　愁匀红粉泪，眉剪春山翠。何处是辽阳？锦屏春昼长。

作者

*牛峤，字松卿，一字延峰。陇西（今甘肃东南部）人，唐宰相牛僧孺之后，生卒年不详。僖宗乾符五年（878）登进士第，历官拾遗、补阙、校书郎。王建镇蜀，辟为判官，及称帝，拜给事中。《花间集》载其词三十余首。

鉴赏

这是《花间集》中所收牛峤七首《菩萨蛮》中的一首。所咏虽不出男女之情事，但词中女主人公所念之人身处辽阳（古来为征戍之地），则本词在思想内容方面就非《花间集》中那些纯咏妇女生活及男女情事的作品所可追配的了。

上片首句写女主人公服饰之精美。所着既为舞裙，则其为舞伎身份自明。“香”与“暖”写舞裙之精，“金泥凤”（裙上以金粉模印出的凤凰图案）写舞裙之美，极生动活脱之趣。服饰之精美如此，则其人之美可见。第二句写梦中惊醒。梦而谓之“残”，说明梦未做完。至于其所梦的内容，综观全词自可知晓。好梦未竟而被语燕惊醒，则其恼与怨亦可以想见。此句暗中化用金昌绪“打起黄莺儿，莫教枝上啼。啼时惊妾梦，不得到辽西”诗意，但比金诗更加委婉含蓄，实为《花间》本色。画梁之燕呢喃私语又暗指女主人公之孤单寂寞。梦后的一切依然如故：门外柳絮纷飞，而玉郎仍不见归。柳花飞既点明节令为春天（而春季是女子念远之心情最为急切的时候),又暗状女主人公残梦初醒时的迷离恍惚的精神状态。"犹"字暗逗出一点怨意。

过片首句是承上片末句而来。"匀"字一则表明其非痛哭流涕而是泪水暗滴,将痛苦强忍强咽,苦而必须咽、必须忍,则更见其苦;二则表明其力护容貌之美,故第二句接写其"眉剪春山翠",意谓双眉被剪画成春山之状,这句是暗用《西京杂记》所说卓文君"眉色如望远山"的典故。第三句"何处是辽阳",点明"玉郎"所在之地。此问句于无限向往之中渗透着无限哀怨与无可奈何的情绪。此实可问而不可答,故结以"锦屏春昼长"。"长"字固是春昼的实写,也是心理状态的虚写。以景语作结,极迷离动荡之致,给人以无限想象的余地。

清人周济《介存斋论词杂著》谓:"《花间》极有浑厚气象。""浑"指泯却针线,"厚"指感情深厚,本词足以当之。

(曹文彪)

生 查 子

牛希济*

春山烟欲收，天淡星稀小。残月脸边明，别泪临清晓。语已多，情未了，回首犹重道。记得绿罗裙，处处怜芳草。

作者

*牛希济，陇西(今甘肃东南部)人，词人牛峤之侄。生卒年不详。前蜀后主王衍时任起居郎、翰林学士、御史中丞等职。后唐李存勗灭蜀后，任雍州(今陕西西安一带)节度副使。《十国春秋》说他"素以诗辞擅名"。《花间集》收其词十一首。

鉴赏

这是一首表现别情的词，"别虽一端，事乃万族"，有情人的难舍难分最能引起人们的同情。伤心哭泣本是有情人离别时感情的自然流露，杜牧的《赠别》诗"多情却似总无情，唯觉尊前笑不成。蜡烛有心还惜别，替人垂泪到天明"，运用谐音双关、借物喻人等艺术手法，把伤心哭泣说得含蓄巧妙，既有新意，又很有诗的意境。牛希济这首词表现有情人的别恨也颇有特色。发端两句，交代了人物活动的环境。笼罩在春山上的雾气将要退去，开始发白的天空中星星已经稀少，这是清晨特有的景色。然而残月未落，那淡淡的月光穿过窗棂，仿佛就在女主人公的脸边，照亮了她惜别的滚滚热泪。诗人没有从正面描写人物，而是借多情又似无情的月光来发现，来作细节刻画，这样的写法不仅巧妙，还给人留下想象的空间：在残月来相照之前，这对离人兴许一大早就在相对哭泣了吧？于是在词人的笔下，月亮也有了人的感情，它正是离人临别时黯然销魂的唯一见证人啊！日常生活中的情事能写得如此生动、细腻,这不能不使读者为之赞叹。

有情人的离别,彼此总是有说不完的话、道不尽的情:或回忆往日的欢乐,或倾诉别后的痛苦,或指天日而作海誓山盟。但此词以“记得绿罗裙,处处怜芳草”两句收束,则是一种概括而蕴藉的警策。因所爱而连及能引起对所爱产生联想的事物,这是只有在爱得极深时才可能产生的一种心理状态,如《诗·邶风·静女》:“自牧归荑,询美且异。匪女之为美,美人之贻。”因为热爱这个女子,以至对她送的一根茅草都感到美得不得了。牛希济体验、捕捉了这一特殊的心理状态,用来表达诚挚的爱情,可以说是匠心独运的。芳草无处不有,想到绿罗裙因而对芳草产生感情,看到芳草也会念及穿绿罗裙的她,这本是一件事的两个方面,表明征夫游子对心上人的难忘之情。由于这一结句具有如此的表现力,无怪乎《栩庄漫记》说它“词旨悱恻温厚,而造句近乎自然,岂飞卿辈所可企及”了。

(叶晨晖)

生查子　　牛希济

新月曲如眉,未有团圞意。红豆不堪看,满眼相思泪。

终日劈桃穰,人在心儿里。两朵隔墙花,早晚成连理。

鉴赏

这是一首表现男女深情的小词,两句一转,由执著的相思到坚信终成眷属。

开端写望月兴叹。曲月如眉,距离月圆之时尚远,何日才能团圆?有度日如年、不胜煎熬之感。人们经常以月喻眉,形容女子美丽的容颜。牛希济叔父牛峤在《女冠子》中写道:“绿云高髻,点翠匀红时世。月如眉,浅笑含双靥。”即为一例。这里说“新月曲如眉”,前人也用过,如鲍照《玩月城西门廨中》:“娟娟似蛾眉。”陈后主《有所思》:“初月似愁眉。”这样写,包含着词人的想象,面对弯弯新月,如见楚楚动人的意中人的愁眉,自然引出何时才得团圆的感叹。夜晚是对月怀人,白天则是睹物伤情。红豆本是定情的信物,古人称为“相思子”,王维就写过著名的诗句:“红豆生南国,春来发几枝。劝君多采撷,此物最相思。”(《相思》)由于信物依然,人各一方,所以反而不忍看;加之“满眼相思泪”,想看也不能看了。不忍看与不能看是统一的。从形象描绘说,粒粒红豆,颗颗珠泪,正好相互映衬。上片写词中人物朝暮相思,情深意长,“淋漓沉重”(陈廷焯《词则》)。

下片以“终日劈桃穰,人在心儿里”开始。“桃穰”,桃瓤、桃肉。“人”,仁也,桃仁,桃核中的种子。这是谐音双关的表现方法,在六朝民歌中常用。例如“石阙生口中,衔碑不得语”,“碑”谐“悲”;“雾露隐芙蓉,见莲讵分明”(均见《读曲歌》),“莲”谐“怜”等。刘禹锡也有“东边日出西边雨,道是无晴却有晴”(以“晴”谐音双关“情”)的诗句,但在词中却不多见。作者用这种手法表达爱情的执著,写伊人的倩影无时无刻不在心上,真可谓“中心藏之,何日忘之”了。末两句再以因物起兴的手法出之。低头劈桃穰,偶然抬头,忽见隔墙有两朵鲜花,于是顿时产生“早晚成连理”的美妙联想。不是同根生的草木,枝干相连相生,谓之“连理”。白居易《长恨歌》云:“在天愿作比翼鸟,在地愿为连理枝”,有情总能团圆,情深总能比翼双飞。这是对爱情充满希望的信念。下片用了民歌的表现方法,但总显得“近纤巧”(陈廷焯《词则》)而不够深沉。

(吴　锦)

临　江　仙

牛希济

洞庭波浪飐晴天,君山一点凝烟。此中真境属神仙。玉楼珠殿,相映月轮边。　　万里平湖秋色冷,星辰垂影参然。橘林霜重更红鲜。罗浮山下,有路暗相连。

鉴赏

“飞卿数阕峤南曲,不许刘郎夸《竹枝》。”(陆游《题杨廷秀寄南海集》)温飞卿咏峤南风物的《南乡子》九首,今已不可得见;而花间派作者谱写南方风物的乡土词,在艳情旖旎的香软作品以外,确乎自成一格,给人以异常的新鲜感。这些风土词以李珣、欧阳炯等人所作为代表，其中牛希济的七首《临江仙》又是另辟蹊径，显出自己的特色。本词为第七首。

一般风土词的地方色彩，主要表现在风土民俗等方面的描摹上，而牛希济的一组《临江仙》，更融入了与当地有关的神话传说，歌咏风景名区和神仙韵事，将浪漫情调与写实手法融为一体。前六首包括了巫山云雨、谢家仙观、渭阙秦楼、黄陵江庙、素洛春光、汉滨解佩等风光仙迹的览胜探幽，穿插的叙事成分较多；最后这一首则侧重写景，以赞叹的语调，渲染洞庭秋月的如画美景，传达出“别有天地非人间”的缥缈意境。

这首词的上下两片，铺排匀称，基本上运用了“虚阁笼云”式的同样手法，都是以写实融合幻想，由尘寰通向仙境。人间天上，画意诗情，引人不胜遐想。上片先总括洞庭君山。洞庭波浪用“飐”字，但不是柳宗元诗的“惊风乱飐芙蓉水”，也不是吴文英词的“风拍波惊”景象，而是湖水在袅袅秋风中微微荡漾。天晴风静之际，湖上烟凝，君山一点，画面已经够美的了，但作者紧接着又把读者的思路引向神仙境界，以虚中见实的手法，幻化出月轮映照下的百尺楼台、珠宫玉宇，亦实亦虚，是幻是真，在扑朔迷离的描绘之中，给读者以特殊的美感，也使读者进入了遐想的意境。下片再由虚返实，对万里平湖的秋色，作进一步的描绘，在清丽圆转的文字中，间以气象恢宏壮阔的词句，把读者的视野开拓得更加广阔。在一望无际的平湖之上，笼罩着一片清冷的秋色；参差错落的繁星，静静地倒映在广袤的湖面上。这是写的冷色。然而就在湖边岸上，经霜的橘林，却是一带如火如荼的鲜红，说明秋气并不都是一味的萧条，这是写的暖色。冷暖相间，化矛盾为统一，不仅使词的意境更加丰富多彩，也使境界之寥廓恢奇，色调之清新明丽，莫可名状。临到词的结穴，作者虽然还是用沟通仙凡、幻化境界之法，但又有大同中之小异。上片是明写，赞美此夜湖山即是仙境，而这里则改成含蓄的暗点，水穷云起，迤逦入胜。“罗浮山”，是传说中道教“第七洞天”，晋代葛仙翁得道之处。此山远在天南，据说却有地脉仙源，可以缩地潜通他处名山；又旧有罗浮仙梦传说，谓隋时赵师雄在罗浮松林中醉卧，见仙女翠禽之事（曾慥《类说》卷十二引《异人录》）。“罗浮山下，有路暗相连。”巧妙自然地陈仓暗度，笔锋暗转，把写实的人寰无形中又引渡向更美好的洞天，清梦罗浮，遐思不尽。这一结，去路飘缈，迷离见隽，可算“结得有‘不愁明月尽，自有夜珠来’之妙”（《七颂堂词绎》）。

（顾复生）

南乡子　　李珣*

乘彩舫，过莲塘，棹歌惊起睡鸳鸯。游女带香偎伴笑，争窈窕，竞折团荷遮晚照。

作者

*李珣（约855—约930），字德润，其先为波斯人，后移家梓州（今四川三台）。妹舜弦为前蜀王衍昭仪。珣曾以秀才预宾贡。有诗名，尤工词，为“花间派”重要词人之一。著有《琼瑶集》，今佚，作品散见《花间》、《尊前》等选本，《全唐诗》收其词五十四首。其词风清婉明丽，较少雕饰，独具特色。事迹略见于《鉴戒录》、《茅亭客话》诸书。

鉴赏

这是一首写青年女子夏日泛舟游乐的小词。突出的特点就是李冰若《栩庄漫记》中评论的“写景物写风俗，均以明净之句绘影绘声，引人入胜”。你看，词一开头“乘彩舫，过莲塘”二句就展开了一幅明净的画面：五彩的画船在“接天莲叶无穷碧”的荷塘迤逦穿行，红绿相映，色彩十分鲜明。而接着“棹歌惊起睡鸳鸯”一句又为这动画配上了音响，好一幅有声有色又有趣的景物画！词到此为止一直写景，还未描绘乘舟的人。从“游女带香偎伴笑”（一作“带香游女偎人笑”）句转韵开始，主角出现了。棹歌惊醒了栖眠荷底的鸳鸯，引得游女们破颜而笑。她们笑什么呢？是怎么个笑法呢？“偎伴笑”（或“偎人笑”）三字十分传神地刻画了少女们的笑态，这是一种顽皮的、娇憨的、略带羞涩的笑。是笑鸳鸯惊恐的傻乎乎的样子，还是由双宿双飞的鸳鸯引起了对未来爱情的甜蜜憧憬？或者是在以鸳鸯戏谑女伴？我们不知道，也无须知道。总之，这是舒心的、无邪的、交织着甜蜜与希望的笑，是尚未被封建礼教束缚住的女儿们无忧无虑的笑，在浩瀚的充满着忧伤的古典诗歌中，这样自由的笑不是很少吗？所以它显得那么动人。如果说笑的描写是对少女心理的探索的话，那么后二句更表现了少女举止的活泼可爱。虽是夏日，玩到黄昏时分，阳光也不甚炽烈了，但她们却纷纷折下荷叶遮蔽阳光，在这嬉闹的动作中，就更显出姑娘们的婀娜多姿了。这里“争”“竞”两个字下得好，表现出她们竞折团荷意并不在遮阳，而是要尽力散发自己青春的美和活力。试想，一群身着五彩丽服的女孩儿，在画船上撑起一柄柄圆圆的绿荷，那姿态不是很可爱吗？词人精明地捕捉了这一情景，三两笔勾勒，少女们俏美的剪影便映在了黄昏的背景上。这是极其简练的速写，显示出作者高超的艺术表现力。

（蒋　寅）

南乡子　　李　珣

相见处，晚晴天，刺桐花下越台前。暗里回眸深属意，遗双翠。骑象背人先过水。

鉴赏

在以浓彩重笔写女性相思之作占压倒多数的《花间集》里，李珣可称得上卓然自成一家的词人。保存至今的五十四首词里，用较多的篇幅，抒写其“轻爵禄、慕玄虚”的情趣，无疑是蜀亡不仕后所作。但最有特色的还是《南乡子》十首。他用清丽的笔调，从不同的角度展现了岭南特有的风土人情，给人以耳目一新的感觉。周密曾说：“李珣、欧阳炯辈俱蜀人，各制《南乡子》数首以志风土，亦《竹枝》体也。”（《历代诗余》卷一一一《词话》引）

《孟子·滕文公下》有言：“丈夫生而愿为之有室，女子生而愿为之有家，父母之心人皆有之。不待父母之命，媒妁之言，钻穴隙相窥，逾墙相从，则父母国人皆贱之。”封建礼教窒息了青年一代在爱情婚姻方面的合理要求和强烈愿望。但在岭南这个边远地区，封建礼教的束缚可能略松动一些。尤其是从生活于社会下层的青年那里,我们简直看不到封建礼教在他(她)们心灵上投下的阴影。试看这首曲子所展示的当地风俗画面。在雨过天晴的傍晚时分,有位天真无邪的少女,在越王台前、刺桐花下,瞥见一位青年小伙子,一见钟情。当下暗里回头眉目传情、深情致意;又假意撂下信物——一双以翠羽妆饰的钗子,然后若有所待地悠悠然骑象涉水而去。神态逼真,诗意盎然。这位少女表露爱慕之情既没有大家闺秀那种矜持;也不像北朝民歌"阿婆不嫁女,那得孙儿抱"那么直露;又不像韦庄《思帝乡》词"妾拟将身嫁与、一生休。纵被无情弃,不能羞"说得如此决绝。词里洋溢着浓郁的岭南民歌风味,独标一格。所用的地名"越台",即越王台,汉代南越王赵佗所筑,在今广州市北越秀山上;植物"刺桐",一名梅桐,似桐而有刺,花深红色,也生长在南方;再加上"骑象",更加深了岭南的特殊色彩。像这类洗尽铅华、格调清新之作,在《花间集》里并不多见。

(黄进德)

巫山一段云

李 珣

古庙依青嶂,行宫枕碧流。水声山色锁妆楼,往事思悠悠。 云雨朝还暮,烟花春复秋。啼猿何必近孤舟,行客自多愁。

鉴赏

《巫山一段云》,当和《巫山女》《高唐云》一样,都受宋玉《高唐赋》的启示而咏巫山神女的故事。崔令钦《教坊记·曲名》已见著录,足证盛唐时代就已流传于世。宋黄昇《唐宋诸贤绝妙词选》卷一,在李珣《巫山一段云》二首词下注云:"唐词多缘题,所赋《临江仙》则言仙事,《女冠子》则述道情,《河渎神》则咏祠庙,大概不失本题之意,尔后渐变,去题远矣。如此二词,实唐人本来词体如此。"这首歌辞缘题而赋,就题发挥,说明它还保留了早期词的传统特色。

上片写望中所见。起拍"古

庙依青嶂，行宫枕碧流”。“古庙”，指巫山下供奉神女的祠庙。陆游《入蜀记》卷六：“过巫山凝真观，谒妙用真人祠。真人即世所谓巫山神女也。祠正对巫山，峰峦上入霄汉，山脚直插江中……十二峰者不可悉见。所见八九峰，惟神女峰最为纤丽奇峭。祝史（道观主事）云：每八月十五夜月明时，有丝竹之音往来峰顶，山猿皆鸣，达旦方渐止。庙后山半有石坛，平旷，传云夏禹见神女授符书于此。坛上观十二峰宛如屏障。”“依”，偎依。“青嶂”，指十二峰。“嶂”，山峦起伏有如屏障。“行宫”，离宫，帝王出京在外地居住的宫室，这里指楚细腰宫遗址。“枕”，枕藉。“碧流”，指长江水。古庙、行宫、山、水这些景物，一经词人用“依”“枕”二字加以连缀起来，便形成了一个整体结构。接下去“水声山色锁妆楼”一句，又把人们的视线吸引到了“妆楼”这一风景点上。“妆楼”，指细腰宫中的寝楼，宫妃所居，位于山水环抱之中。这里着一“锁”字，给人一种幽深的感觉，使之联想到生活在这“不得见人的去处”的宫妃孤寂难堪的心境。于是，词人遐想道：“往事思悠悠”。

下片写舟中所感。过片以下紧承“往事思悠悠”而来，申足上文，谓无论是朝云暮雨的神女还是幽闭妆楼的宫妃，春秋易节，时序交替，总难免会产生孤寂难耐之感吧。煞拍“啼猿何必近孤舟，行客自多愁”，抒写自身的感受。行客至此，怊怅自失，不必猿啼已自多愁，何况又听到催人泪下的猿啼呢？以景结情，语浅情深，含思凄绝，耐人回味。

（黄进德）

菩萨蛮　　李珣

回塘风起波纹细，刺桐花里门斜闭。残日照平芜，双双飞鹧鸪。　　征帆何处客，相见还相隔。不语欲魂销，望中烟水遥。

鉴赏

李珣今存《菩萨蛮》词三首，都是写思妇怀人之情的，这里选其二首。这一首，上片从景物描写入手，由近及远画出了一幅春日黄昏的图景,但画面中没有人,真像是纯粹的“无我之境”。然而,我们只消仔细品味一下,就会发现其中实有人在,我们正是随着她的眼光在观察风景。“回塘风起波纹细”一句很容易使人联想到南唐冯延巳的“风乍起,吹皱一池春水”。传说中主李璟曾戏谑他:“干卿何事?”这是人尽皆知的故事。那么李珣这句是否也可以问以“干卿何事”呢?其实,此句与冯句一样,都是在写景中寄托了一种象征意义,所描绘的既是客观的物象,又是主观的心象。幽塘上风吹起的一片涟漪,在自然中是多么细微的一点变化,然而词中的主人公捕捉到了。这一景象只能是百无聊赖的有心人眼中的对象,也正是和主人公寂寞而不安的心境相印的。“刺桐花里门斜闭”承首句交代了时令地点,也暗示了人物的身份。“刺桐”是生长在南方的一种落叶乔木,春间开花,春日刺桐花荫中的黄昏是美丽而幽静的,然而主人公对此并不爱赏。“门斜闭”是说门半掩着,把春色关在门外,给自己留下的是孤寂。一个“闭”字使人顿生一种隔绝感,然而生命的力量、追求幸福的渴望是关不住的,女主人公期待的目光还是透过深寂的小院伸向广阔的世界。“残日”二句就是远眺所见。在古代诗词中,鸳鸯、鹧鸪这些并栖的禽类都象征着爱情的和美,跟前一对对鹧鸪在晚照中双飞双落,好不适意,相形之下,便显出门中人的孤苦伶俜来了。但这一切意思还是隐约的,要到下片才清晰起来。水波和鹧鸪的动,衬出了桐花荫里深院的静,而那静又显出主人公内心的动,景、境、心就这么浑融在一起。

“征帆”二句过片,引起思妇对行人的怀念之情。主人公看到原野上双飞的鹧鸪,自然产生独处的伤感,而思念羁旅在外的丈夫。丈夫出门已久,一叶扁舟不知漂泊在何处,怎不叫做妻子的挂念呢?“征帆何处客”是思妇在想象,也引导着读者的想象,由小院飞越到江湖之上,无形中拓宽了词境。相思就想相见,然而远隔千里,又不知道他究竟在什么地方,也还是只有徒唤奈何。想到这里,她不禁黯然魂销了。梁代江淹《别赋》云:“黯然销魂者,唯别而已矣。”“不语欲魂销”用其语点明了别愁,揭出全词主旨。末句“望中烟水遥”承上“相见”句将视野推向远处,收束全词。相思所以相望,相望还是相隔,眼前唯有一望无际的浩渺烟波而已,但她还是望,这望实际上是寄托着思。从思到望,再到思、再到望的这个循环,鲜明地刻画了一个感情深挚、爱恋执著的思妇形象,很是动人。

这首词结构分明,上片景物

描写启发下片之情，下片的情绪抒发又回注上片之景，点活所寓之意，上下衔接得极其自然。写景之清丽可喜，抒情之缠绵动人，更具有十分的魅力。

（蒋　寅）

菩　萨　蛮　　李　珣

隔帘微雨双飞燕，砌花零落红深浅。捻得宝筝调，心随征棹遥。　　楚天云外路，动便经年去。香断画屏深，旧欢何处寻。

鉴　赏

诗词总不外“情”“景”二字，然而它们在作品中各占的比重、怎样组合与表现，却是千变万化的，即使同一个人的作品也不会雷同，正如一棵树上不会有两片相同的树叶。这首词也是写思妇怀人之情，但读来与前词却多有不同。如起首同是写景，前词先是从对面写去，而此首则直接从抒情主人公的角度写来：“隔帘微雨双飞燕，砌花零落红深浅。”这是主人公从屋内向外看到的景象，上句点明了天气，下句点明了时令。雨天空气沉闷，令人抑郁，而暮春花事已过，美景将逝，又易令人伤感，这样的时节与气候，首先给作品定下了一个低沉的基调，起了烘托情绪的作用。主人公隔着帘子看到一对燕子在蒙蒙细雨中差池翻飞，顿觉自己的孤单，又看到阶前落红飘零，青春将逝，更是十分伤惜，迟暮之感，溢于言外。这里的“双飞燕”显然是与前词的“双双飞鹧鸪”一样，有意无意地起了衬托作用。仔细琢磨起来，这两句表现的意思竟与五代另一位诗人翁宏《春残》“落花人独立，微雨燕双飞”二句略同。翁诗用“落花”和“微雨”写暮春雨日之景，用双飞之燕来映衬独立之人的孤凄，十分动人。后来晏几道《临江仙》词中袭用这两句，成为千古绝唱。李珣词中两句当然比不上翁诗精彩，但就全词来看也不失为佳句。阴沉的雨天，伤心的残春，双飞骄人的燕子，都使独守空闺的主人公触景动情，思绪纷乱。于是她操起筝来想弹支曲子排遣心中的烦闷，然而手方捻柱调弦，心却早已飞到江湖之上追寻丈夫去了。“捻得宝筝调，心随征棹遥”十字真是写尽了思妇的心理与情态，极为生动传神。

下片前二句从上歇拍处“心随征棹遥”一句来，写思妇的心理活动。这两首词怀念行人，想到征帆、“征棹”，自然是因为它们的地理背景相同。但前词上景下情，以内在的心理逻辑相联系，而此词则直接以上片的“征棹”来逗起下片，表现为外在的叙述逻辑。“楚天云外路”是具体展现“征棹”之“遥”。“楚天”一般泛指长江中下游地区，“楚天”距蜀中本已很远，又缀以“云外”，更是远得无望，所以这一句似缥缈而实沉重，或者说以缥缈之景寄沉重之情。而这种沉重的感情的由来，则是由于“动便经年去”。“经年”就是一年以上，古人“安土重迁”，对离别看得很重，经年之别是很让人伤心的。唐代诗人杜审言在送友人苏绾赴朔方军幕任书记的诗中叮咛他：“红粉楼中应计日，燕支山下莫经年。”柳永与情人分别，感叹“此去经年，应是良辰好景虚设”。可以想见主人公因丈夫经年在外该是多么痛苦了。词的末二句就写出了她眼下的状况，本来夫妇和美，其乐也融融，室内自然焚香不断，现在只身独处，香也懒得焚了；生活的孤独和寂寞，使闺房显得冷清、幽深。“深”是主人公的主观感觉，含有“心怯空房不忍归”的意味。温暖和恩爱都成了过去，再也无从寻觅，主人公最后在我们耳边留下了一声深长的太息。

如果说前词是主人公在美丽的春日因良人不在身边、辜负了春光而感到惆怅，是像王昌龄《闺怨》“忽见陌头杨柳色，悔教夫婿觅封侯”那样的情愁，那么此词就是张若虚《春江花月夜》“昨夜闲潭梦落花，可怜春半不还家”的忧伤了。前词的主人公在忧愁中表现出执著，而此词则更多地在哀怨中显出绝望；前词缠绵，此词的情调更显得低沉和伤感，这正是词人个性化的成功。

（蒋　寅）

定　风　波

李　珣

志在烟霞慕隐沦，功成归看五湖春。一叶舟中吟复醉，云水，此时方识自由身。　花岛为邻鸥作侣，深处，经年不见市朝人。已得希夷微旨，潜喜，荷衣蕙带绝纤尘。

鉴赏

《定风波》调的韵律是平仄韵错叶格。在这首词中，上片的“醉”“水”，下片的“侣”“处”，“旨”“喜”都是仄声韵脚。仄声韵可换，平声韵则是一韵到底，读时须注意。宋黄休复《茅亭客话》云：“（珣）所吟诗，往往动人。国亡不仕，词多感慨之音。”诗未见，其词擅长写南方风土，清新美妙。他也写了一些隐逸之词，如《渔父》《渔歌子》以及这首《定风波》等。这类词可能写在蜀亡之后。他的词在《花间集》中不像其他恻艳之作，语言质朴，风格清新，有其独特的气韵。这首词借范蠡事以明己志。范蠡在亡吴霸越之后，功成身退，泛一叶扁舟于五湖（即太湖）之上，啸傲风月于山水之间，过着隐逸生活。作者认为其人高尚，所以对他心怀仰慕。词一开头，直笔点题，明白说出志在烟霞，仰慕隐沦。“烟霞”，指山水之间的烟雾云霞。“隐沦”，犹言隐姓埋名。沦，没也。首句赞范蠡，也是表达自己的心愿。次句谓范蠡功成身退，逍遥于五湖之上，饱看春色。下句继续写退隐生活的乐趣。一叶扁舟，徜徉湖上，舟中隐者吟诗饮酒，其乐何如！“云水”二字概括了大自然的美好，令人陶醉。这时候才意识到无官一身轻的愉悦。上结也反映了作者对世俗的厌倦。

下片申足隐逸之乐。“花岛为邻鸥作侣”，“岛”，一作“鸟”。句中之“鸥”，已经写鸟，未免嫌重，作“岛”较好。“深处”，谓隐居于奇山异水的幽深之处，生活极其安闲恬适。在这里长年看不见追求名利的流俗之徒。“市”，指商贾，求利于市。“朝”，指官宦，争名于朝。能够这样，就已经进入了老子所说的“希夷”微妙的境界。《老子》云：“视之不见名曰希，听之不闻名曰夷。”“潜喜”，谓果真能得到老子所说的微妙之道，心中不禁暗暗自喜。结句“荷衣蕙带”，语本《九歌·少司命》：“荷衣兮蕙带，倏而来兮忽而逝。”“荷衣”“蕙带”，指神的服饰。此处用来比喻隐者的高洁，大有一尘不染、飘飘欲仙的况味。作者仰慕隐沦，与范蠡一样同抱烟霞之志。范蠡之隐是在功成之后，深感勾践为人可与同患难，难与处安乐，毅然退隐，出于主动。而作者以秀才预宾贡,事蜀主衍,未能立功,而遭亡国之痛。两人同是退隐,心情却不一样。这首词纯用白描,直抒胸臆,与他所写的风土词也不一样,在"花间"词中亦甚罕见。

(王明孝)

定风波　　李珣

雁过秋空夜未央,隔窗烟月锁莲塘。往事岂堪容易想,惆怅,故人迢递在潇湘。　纵有回文重叠意,谁寄?解囊临镜泣残妆。沉水香消金鸭冷,愁永,候虫声接杵声长。

鉴赏

"悲哉,秋之为气也!"秋天在古人眼中是惨淡的,令人伤感的。在凉秋时节,格外容易感于时序的变迁而引起愁思,因此自古传下了大量的吟咏秋思的作品。李珣这首《定风波》就是一篇写秋夜怀人之情的佳作。词首先以声音将我们引入境界:"雁过秋空夜未央。""夜未央"出《诗·小雅·庭燎》:"夜如何其?夜未央。"疏曰:"言夜未央,谓夜未至旦。"既然是在深夜,雁飞过秋空当然是看不见的,只是听到叫声,才知道它们又南飞去避寒了。试想,秋天的深夜,凉意袭人,未眠的主人公坐对寒灯,长空一声声凄厉的雁鸣传来,那是多么叫人惊心啊!秋意已深,雁也知道南归,而远游在外的行人却不见还家,主人公不免顿生感触。雁这种候鸟,定时来去,古诗中常用作与羁旅相关的象征意象,这里雁的出现,既是展现时节的标志,又是引起下文的引子,后面种种的情态都是由这雁声而生。听到雁声,主人公步到窗前,只见迷蒙的月色像烟一样笼罩在荷塘上,一片茫茫。"隔窗烟月锁莲塘"一句,用"锁"字来表现此情此景固然是很别致,而这个景取得尤其别致。"烟月锁莲塘"是主人公在屋内隔窗看到的窗外之景,在她眼中,弥漫天地之间的月色是无限的,然而词人却在她的身后取镜头来表现月色笼罩莲塘之景,在这个画面上,无边的月色被限定在窗的有限的范围内了,画面中还有个凭窗凝睇的思妇的背影(尽管字面上并没写出她)。正因为无限被用有限的形式撷取,像从底片上取某部分放大照片一样,景色突出了,给人的印象更强烈了。秋夜的景色唤起了主人公的情思,人在痛苦的时候最容易忆起曾有过的快乐,然而这回忆本身却并不能带来快乐,今昔悲喜苦乐的对照,只会更加深眼前的痛苦,词人刻画了主人公此刻的这种心理:“往事岂堪容易想,惆怅。”这里的“容易”大略相当于随便的意思,将“容易”与“不堪”连用,是更进一层的笔法,对于往事,随便想起也令人不堪,何况在像这样的夜里苦苦思忆起来呢?只更引起惆怅而已。这切合着她到半夜三更还未就寝的实情,表现思念往事令人低徊婉转无法入眠的痛苦状态。往事是怎样的,词人没有交代,但读者完全可以根据自己的幸福和快乐去设想。这一简笔,既给读者留下了想象的余地,同时也表明,词人的重点并不在往事而是在现时。果然他接着就点明了往事不堪回首的原因:“故人迢递在潇湘。”往事毕竟已是过去,当日相亲相爱的人儿现已远隔千里,漂泊在潇湘洞庭之野……读到这里,我们很自然地会想起曹丕《燕歌行》这较早的写秋夜思的名篇:“秋风萧瑟天气凉,草木摇落露为霜。群燕辞归雁南翔,念君客游思断肠……”同样是写凉秋深夜,同样是由雁南归引起对游子的思念,情调是多么相像啊!然而,我们读下去就会发现,它们之间更多的是不同。

下片承上故人在潇湘之意更进一层,说我纵然能像苏蕙那样织出锦字回文,又有谁能为我寄给他呢?“纵有回文重叠意”是用前秦苏蕙织锦寄夫的典故,《晋书·列女传》窦滔妻苏氏传载,前秦刺史窦滔被徙流沙,妻苏氏思之,在锦上织为回文璇玑图诗寄滔,共三百四十一字,回环往复,重叠数百首诗于其中,词甚凄婉。后世因将妻子写给丈夫的书信称为锦字回文。“谁寄”可解为寄谁,也可以解为“谁与寄”,都通,但前既称故人在潇湘,据文意看还是以“谁与寄”的解法为妥帖,主人公在慨叹无人替她捎书给远游的丈夫。其实她是明确意识到这点的,所以实际上她也并没写信,词中用了“纵然”这一假设之词是表现她的无可奈何之情,她实际的表现是后面一句:“解鬟临镜泣残妆。”鬟是当时女子梳成环形耸起的发髻,睡觉时要解散。夜已很深,不得不就寝了,女主人公坐在梳妆台前,对镜解散发髻,看到镜中自己脂粉不鲜的残妆,她不禁顾影自怜，潸然泪下。此句只作外在的描写，却深刻揭示了主人公内在的心理活动。在愁人凭窗凝睇、对镜伤神的当儿，时间不知不觉地流逝了，香炉中焚的沉水香已燃尽，铸成鸭形的香炉也已冷却。“沉水香消金鸭冷”一句既暗示了夜已更深，快到黎明时分，又与首句的“夜未央”正相呼应，是为表现主人公的愁思而作的间接描写，随后的“愁永”才使它的作用显现出来。“愁永”即愁思深长，从作品开始的凌晨到此刻主人公还未入眠，使“愁永”这抽象的表述具有了血肉丰满的内容。可是，这深长的愁思还未到尽头，它还在黑暗中绵延。主人公也许已熄烛就寝，但在万籁俱寂中，秋虫的唧唧声显得格外清晰和响亮，这又是撩人情思的声音，使人难以入梦；在秋虫的鸣声中又传来一阵阵砧杵之声，这就是说天已快亮，我们的主人公就要这么在苦苦的愁思中熬过一个不眠之夜了。作品从声音中开始，又在声音中结束，情由声音引起，又由声音绵延下去，给人留下无穷的回味。

从内容上看，李珣这首词与曹丕《燕歌行》尤其是其前四句及“银汉西流夜未央”等句很相像，很难说李珣是否受其影响或模仿它。这两篇作品都是从节候写起，引出对行人的思忆，但细看起来，却显而易见曹诗结构疏朗，用笔平直，而李词深隐密致，回环往复；曹诗对人物情态心理的描写不很突出，而李词则有个性化的刻画；这是艺术表现的深化和进步，同时也在某种程度上体现了诗和词的境界的区别。

（蒋　寅）

诉衷情　　　顾夐*

永夜抛人何处去？绝来音。香阁掩，眉敛，月将沉。争忍不相寻？怨孤衾。换我心、为你心，始知相忆深。

作者

*顾夐，字号年里均不详。五代前蜀时先为宫廷小吏，后官茂州(今属四川)刺史。后蜀孟知祥时官至太尉。《花间集》辑录其词五十五首。

鉴赏

情爱的抒写在唐五代两宋词人手里可以说是被发展到了追魂摄魄、登峰造极的地步。不仅篇什繁多，佳篇迭出，而且各家词人自出机杼，各擅其美。花间词人之一的顾夐就是以写情爱词著称而又较早的高手。《尧山堂外纪》称其"小词极工"，况周颐《蕙风词话》也说他的小词"皆艳词也。浓淡疏密，一归于艳，五代艳词之上驷矣"。所谓"艳词"，大抵即情爱之词。这首《诉衷情》属于疏淡一路，它的最显著的特点是纯以白描手法来表现口语式的内心独白，从而使一个痴情女子复杂的心理活动跃然纸上，人物的形象也呼之欲出。这样的特点所表现的情爱，呈现一种与"雅"之美相对而言的"俗"美，对后世词创作影响很深远，北宋柳永的一部分词的风格正是发展了这种路子。至于这首词较之温庭筠、韦庄同一词牌的作品增多四个字，即"怨孤衾"句变二字为三字，"换我心、为你心"由五字添至六字，并折腰为三三分句式，结句"始知相忆深"亦添了二字，《钦定词谱》认为这种体式"即开宋人添字之法"。这"添字之法"是词体演变历程中愈益增大情感容量、愈益灵活多变的重要因素之一。《词谱》又说"元词衬字实本于此"，那么对元人创作，以至对元曲的影响也值得我们注意了。

这首词写一个痴心女子独处长夜，思念而又怨恨久久相违的情人。这女子所思念的旧日情侣显得薄情无义、朝秦暮楚。何以见出她所遇到的是个薄情郎呢？是头两句“永夜抛人何处去？绝来音”告诉我们的。这一起首就展现开来的内心的思忖和怨声就很耐读，很生动。“永夜”是“长夜”，这时间观念上的“永”（长）本是可以理解为长长的一夜的，可是下面一个“抛”、一个“绝”，表明这“永夜”已不是单一的时间数量的形容，而是包含着时间绵延持续的长度，有了悠久性，于是，“永夜”就应是一夜又一夜、一夜复一夜了。正是这“永夜”之久长，才显得“抛”字的属实，她被遗弃了；也显出“绝”字之沉重，负心郎狠极了！反过来则又是“抛”与“绝”充实、延续着漫漫长夜，从而这曾经欢爱过的女子的怨恨也随时间的推延而绵绵不绝，怨之深可见。于是“绝来音”三字的切齿声亦似在耳畔了。接着“香阁掩”三句，从环境描写、情态描写，到阁外夜深的景色描写，即渲染气氛、表现动作、形容表情等多角度地勾勒出这女子的“怨”之情。怨情是实在的，但很难实写，即难以具体地直接地表现它，弄不好就会非常单调、非常浅薄。现在顾敻采取以虚写实，即不直接说怎样怎样的怨，而是以深闭香阁门、低垂眉眼来写愁思百结、怨苦至深，再用“月将沉”表明又是一夜“怨”中过！这样，一种无情无绪、意兴阑珊、失望之极的怨苦心态充分表现了出来。可是，怨之深，是出于爱之切啊，“争忍不相寻”——怎能叫我忍心不寻觅、不期待、不等候呢？痴绝之情从五个字中渗出。但话只说了一半，相寻、期待、等候又将会有什么结果呢？负心的薄情郎会回心转意吗？“怨孤衾”！“怨”字重重地写明，前面的种种积聚的怨情都落实至此，一种沉重、寂寥、怅惘、无望的心态，一种孤身只影的悲哀、被人遗弃的痛苦全都泻注在这“怨”字上。用最简洁的手段表现极丰富的内涵，这首小词在这方面显得很不凡。

我们说这是个善良的女子，因为唯其善良，所以痴情，而正是痴情足见其善良。“换我心、为你心”是痴人语，当然也是怨透的话。词人用大白话、口语写出，效果却极佳。我们知道，心的交换，作为物来说是不可能的（这不能用现代科学来解释），可是这不合理却合情。情相通者心可换，问题是面对一个负心汉，这种“换”无疑是已失去了前提。然而现在一旦出于痴情女之口，恰恰涨满了她的一片深情，也充分表现了“相忆深”的“深”。对方却不“知”此心，你说可恨可怨吗？既然不能“换”此心给你，使你体察思情之“深”，那么这“怨”岂不深重之极！

全词仅三十七字，无一字多余，也移动不了一字。篇幅虽短，容量极大，一腔怨情，满满泛起。这真是写情的能手！

（严迪昌）

杨柳枝 顾敻

秋夜香闺思寂寥，漏迢迢。鸳帏罗幌麝烟销，烛光摇。　　正忆玉郎游荡去，无寻处。更闻帘外雨潇潇，滴芭蕉。

鉴赏

这是又一阕抒写独处孤居、思念情人的怨苦情绪的小令。

上片从时间的延续上来写孤独感、思念苦。“漏迢迢”是明写在寂寥的秋夜坐守香闺，只觉夜长迢迢，愁苦绵绵。后两句是暗喻的写法。“鸳帏”应是成双作对共枕同寐之处，可是现今怎样呢？单身只影坐守空房，徒让“麝烟销”。这麝香之烟缭绕，本应薰欢情合抱的枕衾的，眼下徒然销尽散去在时间的流逝里；红烛之光本应在情侣携手共入鸳帐时熄灭了的，可是目前挑灯夜候，烛泪低垂，孤影摇晃。处处都暗写孤独，暗写长夜难度。下片从空间上写“无寻处”，那个“玉郎”不知到哪儿去寻花问柳了！空间的阻隔愈大，孤独的寂寥感也就愈深，时间的延续度也愈长，何况现今是“无寻处”，茫茫不知所去呢。

词的结句非常含蓄有致。“更闻帘外雨潇潇，滴芭蕉”，从听觉角度来体现孤独的思念苦，来表现心境。雨打芭蕉，岂不是滴滴在心头，声声见苦情吗？同时，满耳雨打芭蕉声，正见出一种寂寥感。此时别无他声已是令人寂寥，而雨打芭蕉之声更比无声使人哀苦了。愈静愈孤寂，愈觉思念苦，雨点声声愈增静寂感，心境愈显豁地写出。此词意在言外，以物以景传情，显得委婉缠绵。比起《诉衷情》质朴中略见辛辣味的表现，这个女性似较前一个柔软温顺，尽管她们的痴情是一般的深。

（严迪昌）

临　江　仙　　鹿虔扆*

金锁重门荒苑静，绮窗愁对秋空。翠华一去寂无踪。玉楼歌吹，声断已随风。　烟月不知人事改，夜阑还照深宫。藕花相向野塘中。暗伤亡国，清露泣香红。

作者

*鹿虔扆(一作虔扆)，字里无考。生卒年不详。事后蜀孟昶为永泰军节度使，进检校太尉，加太保，后蜀亡后不仕。

鉴赏

这是一首抒写亡国之痛的词作，当是后蜀亡后不久所作。

上阕借时地景物加以描写："金锁重门荒苑静，绮窗愁对秋空"。一个"锁"字，把人去楼空的萧索、冷落景象和盘托出，与李煜的"寂寞梧桐深院锁清秋"(《乌夜啼》)、苏轼的"空锁楼中燕"(《永遇乐》)一样工于造句，既渲染了秋色，又巧妙地传达出作者怀念故国的主观情怀。如果说，这是凭借想象的描摹，那么，荒苑寂静、绮窗愁对秋空则是实写，进一步加深、加重了哀怨。"翠华"，本指皇帝仪仗中用翠鸟羽毛装饰的旗，这里指代后蜀亡国，孟昶被俘到宋都汴京，他一去寂无消息。下句用歌吹声断来衬托昔日的轻歌曼舞，互相映照，尤显出今日这一不堪忍受的境界的凄凉、抑郁，使情感进一步深化，极委曲婉转之致。

下阕起句，"烟月不知人事改，夜阑还照深宫"，通过烟月来传达主人公的感伤，这是"人化的自然"，借月抒情，藏情于景，曲折地表达了主人公对"良辰美景"的深憾长恨。加之野塘里藕花相向，哀怨泣诉,这既是主人公悲凉凄楚心境的写照,也是他精神上备受摧残和折磨的象征,读来撼人心扉。一景一物,都怀“亡国”之痛,作者的肺腑之情可以说是历历如见了。外物的形、神、貌无一不是借助来描写自己的心声,却又始终不着直抒胸臆的痕迹。在表现手法上,它与李璟的《摊破浣溪沙》词“菡萏香销翠叶残,西风愁起绿波间”一样,菡萏的香销叶残,使西风也顿起怜悯之情,面对绿波而愁苦起来,用以衬托昔日的妩媚姿态和愉悦心情。全词的表现手法是借景传情,上阕以映衬为主,呈现在人们面前的是楼静人空、歌吹声断的景象,令人“黯然销魂”;下阕则以烘托为主,描写的是明月照深宫,藕花泣香红,显得感情更加深沉、凝重,表现了作者独到的艺术匠心和出色的艺术才能。像后世王安石的“六朝旧事随流水,但寒烟、衰草凝绿”(《桂枝香》)等名句,可能在不同程度上受到该词的影响和启迪。杨慎《词品》便指出,周美成《西河》词、瞿宗吉《西湖十景》词、许伯扬咏隋河柳词,“哀感顽艳,都与此词末句一例”,也可见出此词影响之深远。

（赵　航）

定风波　欧阳炯*

暖日闲窗映碧纱，小池春水浸明霞。数树海棠红欲尽，争忍，玉闺深掩过年华。　独凭绣床方寸乱，肠断，泪珠穿破脸边花。邻舍女郎相借问，音信，教人羞道未还家。

作者

*欧阳炯(896—971)，益州华阳(今四川双流)人。少事前蜀后主王衍为中书舍人，又事后蜀孟知祥，拜翰林学士，累迁门下侍郎，兼户部尚书同平章事。后从孟昶降宋，授左散骑常侍。其词多写艳情，但清新婉丽，富有余味。现存词四十八首。曾为赵崇祚《花间集》作序，颇有影响。

鉴赏

这首词写春日闺情。首句写景，"暖日"点时令，风和日暖，晴窗映碧，已见春深。着一"闲"字，便觉有情。"闲"，指闲散。只有在窗前有人的情况下，才会有闲散之感。这里的"闲窗"是说思妇看到窗外的残春光景，由于孤寂而闲得发愁。"小池春水浸明霞"，"明"，一作"晴"。此句写实景，亦寓愁情。冯延巳词："风乍起，吹皱一池春水。"池水涟漪，自然会荡起思妇的闲愁。头两句对仗，"浸"与"映"为互文，"春水"与"明霞"相映，景色极为绮丽。但"浸"字也有沉浸之意，春光如许明媚，怎不令伊沉醉呢？写到"数树海棠红欲尽"，思妇的恋春之情转到惜春。"海棠红欲尽"，正是春意阑珊时候，满地落红，使她不堪看。"争忍"，怎能禁受的意思。歇拍落到自己身上，"玉闺深掩"，"玉闺"，形容闺房华贵。"争忍"二字界于两句之间，意亦上下贯连，既不忍春事将尽，更不忍深闭闺房虚度年华。上片着重写景,景中有情,因景中有人在,但未正面写人。上结落到自身,只是用虚笔写人之所感,为下片正面写人转入抒情蓄势。换头"独凭绣床",人已出矣。首标"独"字,正切闺情。"绣床",有彩绣为饰的床。古人坐卧之具皆曰床,此处用"凭"字,倚靠的意思,当是坐具。"方寸",心也。"乱",谓心绪烦乱。"肠断",极其伤心,才会感到愁肠寸断。"断""乱",押韵。与上下句的关系也和上片"尽""忍"一样,彻上彻下。上结"玉闺深掩过年华",犹是慨叹之辞,由慨叹、心乱到肠断,抒情步步深入,到实在忍不住时,于是热泪不禁夺眶而出,才会出现"泪珠穿破脸边花"。"脸边花",写女子腮脸如花艳美。作者在另一首词中写道:"好花颜色,双脸上,晚妆同。"这也是写双脸如花美。词人笔触常涉及美人泪脸,冯正中词"香闺寂寂门半掩,愁眉敛,泪珠滴破胭脂脸",韦端己词"恨重重,泪界莲腮两线红"写法和用字都不相同,特别是在用动词上的差异,大有讲究。冯词用"滴",韦词用"界",本词用"穿",比较起来,"穿"字兼有"滴""界"两字之妙。用"滴破",想见泪痕点点,用"泪界",则泪痕两线。这里用"穿破","穿"比"滴"重,既然"穿破",而且直到脸边,自然也包含"泪界两线",就泪痕来说,还要深些。此处只就用字而言,并不意味着评论全词和词家。词中刻画思妇的形象和心理,写到"泪珠穿破",大有"山重水复疑无路"之势,谁知煞尾忽转新境,出现邻家女郎来问良人音信,教她害羞地答道:"还没有回家的日期呢!"笔意活泼,情趣盎然,带有浓厚的民歌色彩,深得水穷云起之妙。这首词的语言也不若作者其他作品那样秾艳。

(王明孝)

摊破浣溪沙

李 璟*

手卷真珠上玉钩，依前春恨锁重楼。风里落花谁是主？思悠悠。 青鸟不传云外信，丁香空结雨中愁。回首绿波三峡暮，接天流。

作者

*李璟（916—961），初名景通，字伯玉，南唐烈祖李昪的长子，称南唐中主，徐州人。庙号元宗，在位十九年。周世宗柴荣来攻，取滁州。璟割江北地与周，向周称臣，去帝号，称国主，迁都洪州（今南昌），以太子煜留守金陵（今南京），抑郁死去。他善作词，传下来的只有四首。多表达哀怨情绪，用词精练，含义深沉。

鉴赏

这首词描写一位思妇伤春之情、别离之恨，感情真切细腻，凄婉动人。

上片描写思妇卷帘所见的春景以及由此引起的悠思春恨。起句，词人以直写思妇手卷珠帘的动作，领起全词，平淡之中蕴含着挚情真味。帘卷窗开，帘卷之窗，既是她观看自然景色的窗口，也是她自己展现心灵的窗口。她之所以卷帘，无非意在观景，而观景之意则在写忧。

次句写重楼深锁伤春之恨，点明时令。说明卷帘所见，都为春景。因览春景而勾起春恨，写出了感情特点。“依前”二字，说明此种春恨不只今春有，往年也有；春恨年年，由来已久。用了此二字，一下将春恨的分量加重了许多，从而体现春恨之深。而此种春恨，深锁重楼。“重楼”，亦即层楼、高楼。写楼之高，则突出了人的孤独。楼高人孤，此中含有无限凄凉之意。重楼完全被春恨所笼罩，足见春恨之重。春恨实乃此句中心，“依前”和“锁重楼”乃从时间和环境上来对它的点染和强化。所恨为何？联系下句观之，其意自明。

下面以“风里落花谁是主”的设问句，写出思妇卷帘所见的具体景色，道出春恨之所由起。风吹落花，花随风散，寂寞飘零，无所依傍，是乃春天即将逝去的征兆，亦即她卷帘所见的暮春景色。谁是落花之主？落花随风飘荡，各自东西，是没有主宰的。“谁是主”一语，其中包含多少悲伤，蕴藏多少愤恨。盖落花，实乃妇女之自喻。自念亲人远去，孤寂无依，身世和处境，不就如风里的落花吗？想到这里，心头能不充满悲伤、怨恨，抽出悠悠的思绪吗？所以“思悠悠”一句写出了她的美人迟暮之感。

词的下片，继续描写女主人公卷帘所见的春景，进一步抒发亲人不归、鱼沉雁杳的无限哀愁。起句直叙远人不归，音信杳无，哀伤之情，不言可见。这里用了一个青鸟的神话传说，《山海经·海内北经》说：“其南有三青鸟，为西王母取食。”后来《汉武故事》根据《山海经》而加以变化，说西王母有三青鸟，一个先被遣为信使，前来给汉武帝报信，隔了许久，另外两个随西王母而来，并服侍在西王母身旁。这里词人把青鸟作为使者，说女主人公心中怨恨青鸟不传音信来，亦即怨恨沦落天涯的亲人音讯杳然。这样就起着承上启下的作用。承上，与前片联为一气，点明了“思悠悠”的具体内容；启下，指出“丁香空结雨中愁”之愁的由来。

“丁香空结雨中愁”，不但写景，更兼抒情。丁香，一名鸡舌香，花蕾晾干后可入药。丁香结，即丁香的花蕾。女主人公见到丁香花蕾，不觉猛然心动，它恰似郁结于心的哀愁。雨中丁香，风里落花，两者不但景相协，而且情一致。空结花蕾的丁香和那飘零无主的落花，都与女主人公密切相关。后者喻她的身世，前者喻她的心情。情寓于景，景融于情，感情色彩十分浓烈。这不仅从空结的“空”字表现出来，而且也从景物的色调上表现出来。风吹落花，景色已经够惨淡的了，而现在又加之以雨打丁香，这暮春景色不是更加惨淡了吗？雨中丁香，风里落花，形成了春光迟暮的景色，也为她春愁春恨之所发端。词人笔触，抒情写景，情景交融。

结末两句，描写女主人公回头远望，只见暮色苍茫之中，那高接天宇的浩浩绿波，冲破三峡，滚滚西来而又滔滔东去。这是女主人公手卷珠帘，继风里落花、雨中丁香之后所见的第三景。而此景与前两景大有不同。此景象开阔,气势雄浑。所寄的感情更加深沉,所涵意味更加含蓄。就此一景,即将全词的情意发展到了高潮。如果说风里落花、雨中丁香其所写不过是女主人公所处风雨飘零、美人迟暮之境,其所喻不过是女主人公蕴结于心的无可奈何之情,而这接天的江流,乃依前之春恨、悠悠之愁思,汇集而成,不可遏止的浩荡绿波,其源远,其势大,其流长,滔滔不尽。后来李煜的名句"问君能有几多愁,恰似一江春水向东流",显然从这句得到启发。

(王沛霖　傅正谷)

摊破浣溪沙

李　璟

菡萏香销翠叶残,西风愁起绿波间。还与韶光共憔悴,不堪看。　　细雨梦回鸡塞远,小楼吹彻玉笙寒。多少泪珠何限恨,倚阑干。

鉴赏

这首词的写作时间不详。马令《南唐书·王感化传》:"王感化善讴歌,声韵悠扬,清振林木,系乐部为歌板色。元宗即位,宴乐击鞠不辍。尝乘醉命感化奏水调词,感化惟歌'南朝天子爱风流'一句,如是者数四。元宗辄悟。""元宗尝作《浣溪沙》二阕,手写赐感化。"其中的一首即这首词。这样看,这首词好像在即位初写的。陆游《南唐书·冯延巳传》:"元宗尝因曲宴内殿,从容谓曰:'吹皱一池春水,何干卿事?'延巳对曰:'安得如陛下小楼吹彻玉笙寒之句。'时丧败不支,国几亡,稽首称臣于敌,奉其正朔以苟岁月,而君臣相语乃如此。"这样说,这首词又好像在丧败不支时作的。后一说可能符合词的内容。

"菡萏(hàndàn)",荷花。荷花落尽,香气消失,荷叶凋零,深秋的西风从绿波中起来,使人发愁。韶光是美好的时光,在荷花落尽、荷叶凋零时,美好的时光过去了,还有跟美好的时光一起消失的,是人的青春。人显得憔悴了,不堪去看花叶的凋零了。上半阕是即景生情,从景物中引起愁思来。下半阕写怀念远人。在睡梦中梦到遥远的边关去找寻想念的人，醒来时，细雨迷蒙，正和梦境的迷离相配合，感叹边关的遥远。“鸡塞”，即鸡鹿塞，在今内蒙古自治区杭锦后旗西北部。《后汉书·和帝纪》：“窦宪出鸡鹿塞。”这里泛指遥远的边关，是丈夫从军驻守的地方。梦醒起来，在小楼里吹笙，表达怀念远人的心情。“吹彻”，是吹到最后一曲，玉笙不暖了，不能再吹了。有多少泪珠纷纷掉下，倚着栏杆想念远人，有无限的怨恨。“玉笙”，指美好的笙。笙中的簧用铜片制成，要烘暖才吹，笙暖了，吹起来音正声清。吹久了，簧上有气水，不暖了，音不合律，不能吹了。吹笙怀念远人，吹到最后一曲，表达怀念的深沉，笙寒不能吹了，还想吹，更显出怨恨的无穷无尽。“何限”是何可限量，正说明无限。这首词写一位妇女看到荷花落尽，荷叶凋零，从韶光的憔悴里着一“共”字，是谁共呢？自然是自己，这里具有自己青春消逝的感叹，自己憔悴的感叹。在梦里去找寻远方的丈夫，在细雨迷蒙中醒来，凭栏远望，不胜怨恨。全首词情思幽怨，含义深沉。

下阕“细雨梦回鸡塞远，小楼吹彻玉笙寒”一联，在当时已被推重。《苕溪渔隐丛话前集》引《雪浪斋日记》：“荆公问山谷云：‘作小词曾看李后主词否？’云：‘曾看。’荆公云：‘何处最好？’山谷以‘一江春水向东流’（《虞美人》词句）为对。荆公曰：‘未若细雨梦回鸡塞远，小楼吹彻玉笙寒。’”王安石把李璟的词误作李煜的，但也赞赏“细雨”一联。王国维《人间词话》：“南唐中主词‘菡萏香销翠叶残，西风愁起绿波间’，大有众芳芜秽、美人迟暮之感。乃古今独赏其‘细雨梦回鸡塞远，小楼吹彻玉笙寒’，故知解人正不易得。”这首词是南唐词中的名篇，欣赏其中的名句，就有这样不同的看法。应该怎样看？抛开全篇，光看上半阕，确实是写众芳芜秽，美人迟暮。这正是屈原在《离骚》中所写的，那它的意义就极为深刻，不是“细雨”一联所能比。结合全篇来看，它是写思妇的怨恨，不是写弃妇。《离骚》的美人香草，可用弃妇来比，屈原被怀王所弃，跟弃妇较合，跟思妇不尽切合，思妇表达夫妇的感情深挚，与怀王弃屈原的情事不合。从思妇的怨恨说，“细雨”一联写得深细，“小楼”句更是新的创造，所以推重这联是有道理的。不过词的寄托很复杂，用思妇来比《离骚》的含义，确是不甚切合。倘从另一角度看，作者倘借思妇眼中的众芳芜秽、美人迟暮，用花叶凋零来比周师进攻，割江北地求和，感叹南唐的没落，那么这两句里有家国之痛，又跟《离骚》的家国之痛的用意相似。这种感情，虽不是思念远人的感情，但思妇对景伤情，感叹自己的青春易逝，也不妨有这种感情。在这种感情里，正不妨借花叶凋零来寄托家国的衰败，这又反映了王国维的家国身世之感，那它就胜过“细雨”一联了。总之，赞美“细雨”一联是从思妇的思念远人着眼的，赞美“菡萏”一联是从思妇的感伤身世着眼的，这种感伤身世更易引起后世身处乱离中的文士的感触，更会从花叶凋零中引起家国衰败之感，更觉意味深长。这样看来，王国维的意见更见深沉，在其中更反映王国维的家国和身世之感。

（周振甫）

虞 美 人　　李 煜*

春花秋月何时了，往事知多少！小楼昨夜又东风，故国不堪回首月明中。　　雕栏玉砌应犹在，只是朱颜改。问君能有几多愁？恰似一江春水向东流。

作 者

＊李煜(937—978)，字重光，初名从嘉，号钟隐，南唐中主第六子，公元961年嗣位，史称南唐后主。徐州人。在位十五年。他即位后，尊崇宋朝，贪图享受，以求苟安。宋太祖开宝八年(975)，宋军攻破金陵(今南京)，他出降，被俘到汴京(今开封)，封违命侯。据说他在生日七夕于寓中作乐，又作词有“小楼昨夜又东风，故国不堪回首月明中”的句子，宋太宗便用牵机药把他毒死。他在南唐写的词，反映宫廷的享受生活，风格柔靡。国亡后写的词，反映亡国之痛，题材扩大，意境深远，感情真挚，富有感染力，在唐末五代词中具有极高的成就。

鉴 赏

这首词，是李煜被俘到汴京后所作。开头说，春花秋月的美好时光，何时了结？因为一看到春花秋月，就有无数往事涌上心头，想到在南唐时欣赏春花秋月的美好日子，不堪回首，所以怕看见春花秋月。在东风吹拂的月明之夜，金陵的故国生活不堪回顾了。那里宫殿的雕栏玉砌应该还在，只是人的容貌因愁苦变得憔悴了。倘若要问有多少愁苦，恰恰像一江春水向东流去，无穷无尽。一江指长江，用一江春水来比愁，跟南唐故国金陵在长江边相结合，充满怀念故国之情。宋代王铚《默记》卷上：“后主在赐第，因七夕，命故妓作乐，声闻于外。太宗闻之，大怒。又传‘小楼昨夜又东风’及‘一江春水向东流’之句，并坐之，遂被祸云。”王国维《人间词话》:"尼采谓一切文学,余爱以血书者。后主之词,真所谓以血书者也。宋道君皇帝(徽宗)《燕山亭》词亦略似之。然道君不过自道身世之戚,后主则俨然有释迦、基督担荷人类罪恶之意,其大小固不同矣。"李煜被毒死,跟他写这首词有关,这真是用血写的。所谓"有释迦、基督担荷人类罪恶之意",就是说,李煜这样的词,不光是写他个人的愁苦,还有极大的概括性,概括了所有具亡国之痛的人的痛苦感情:如怕看到春花秋月,怕想到过去的美好生活;再如故国的美好景物已经不堪回顾。故国的景物像雕栏玉砌等还在,但人的容颜因愁苦改变,这里还含有人事的改变,人的主奴关系的改变。再像以一江春水来比愁。整首词正是反映了有亡国之痛的人的感情,担负了所有这些人的感情痛苦。这正说明这首词具有高度的概括性、代表性,这正是这首词的杰出成就。

宋朝陈郁《藏一话腴》:"太白(李白)曰:'请君试问东流水,别意与之谁短长?'(《金陵酒肆留别》)江南李后主曰:'问君还有几多愁?恰似一江春水向东流。'略加融点,已觉精彩。至寇莱公(准)则谓'愁情不断如春水'(《夜度娘》),少游(秦观)云'落红万点愁如海'(《千秋岁》),青出于蓝而胜于蓝矣。"这里对这首词用"一江春水向东流"来比愁作了评论。李白的诗句是写别情的长可以跟"东流水"比,诗是在金陵写的,这个"东流水"是指长江。李煜的词,是在汴京被拘禁中写的,他看不到长江,长江成为他怀念故国的一部分。因此李白的诗是用眼前景物来作比,李煜的词是用远离自己的长江来作比,在这个比喻里就有怀念故国之情,情思更为深厚。再说,"一江春水向东流",比"东流水"的形象更为鲜明。又"东流水"是比"别意"的"短长","一江春水向东流"是比愁的无穷无尽。这是两者的不同处,说明李煜的故国之痛更为深沉,并不是"略加融点"。寇准词曰:"日暮汀洲一望时,柔情不断如春水。"这是用"春水"来比"柔情",这个"柔情"也指别意,跟李白的句意相同,可以说是摹仿李白。"如春水",也不能与李煜词句相比。秦观词曰:"春去也,落红万点愁如海。"是写"离别宽衣带"的离情别绪,再加上伤春,加上"镜里朱颜改"的憔悴,配上"落红万点",确是名句。不过李煜的词写的是亡国之痛,比离情别绪更为深沉;也写"朱颜改",是结合亡国之痛来写的;加上"一江春水向东流"的形象鲜明壮阔,从情思到形象,也不是秦观的词句所能比拟的。

(周振甫)

临江仙

李煜

樱桃落尽春归去，蝶翻轻粉双飞。子规啼月小楼西。玉钩罗幕，惆怅暮烟垂。　　别巷寂寥人散后，望残烟草低迷。炉香闲袅凤凰儿。空持罗带，回首恨依依。

鉴赏

这首词，是李煜在围城中作的。开宝七年(974)十月，宋兵攻金陵，第二年十一月城破。词当作于开宝八年(975)初夏。词中字句，各本有出入，词尾缺十六字，据陈鹄《耆旧续闻》所录补足。全词意境，皆从"恨"字生出：围城危急，无力挽回，缅怀往事，触目伤心。"樱桃落尽春归去"，写初夏的典型景物以寓危亡之痛。《礼记·月令》载，仲夏之月，天子以含桃(樱桃)先荐寝庙。《汉书》载，惠帝尝出游离宫，取樱桃献宗庙。李煜此时，宗庙莫保，樱桃难献，而樱桃又随"春归去"而"落尽"，伤逝之感良深。这里的"春"，应包含"四十年来家国，三千里地山河"(《破阵子》)"晚妆初了明肌雪，春殿嫔娥鱼贯列"(《玉楼春》)的和平豪华的帝王生活，"春"既"归去"，悔恨何及？紧接着"蝶翻轻粉双飞"，与上句的情境极不调和，以粉蝶无知，回翔取乐，反衬并加深悔恨心情。"子规啼月小楼西"，"子规"，相传为失国的蜀帝杜宇之魂所化，这就加深亡国的预感。这句与"蝶翻"句，从相反的方面刻画矛盾心境。这里"西"字，不是简单地表示方位，而是宋兵自西而来，故于"小楼西"特别关注。词人被俘入汴京以后，其心意则常向东方："小楼昨夜又东风""恰似一江春水向东流"(《虞美人》)。可与此词相对照而窥见其心理变化。"玉钩罗幕"，点明词人以上见闻所及，是从小楼窗口获得的。倚窗销愁，愁偏侵袭，望暮烟之低垂，对长空而惆怅。这里"惆怅"，是明点此时此地的复杂心境：宋兵围城，朝不保夕，为国势失望而自伤。"暮烟垂"，形象地表现这种沉重的"惆怅"。

上片写外景，视线由内向外，

时间自日至暮；下片写内景，视线由外转内，时间自暮入夜。“别巷寂寥人散后”，写小巷人散初夜寂寥的景况，是顺着上片的时序，着重突出“寂寥”，以渲染环境气氛。“烟草低迷”，是“暮烟垂”的扩展与加深，冠以“望残”二字，刻画出凄然欲绝的寂寥人怅对寂寥天的形象。此处是一转折：窗外已无可望，亦不忍望，只得转向室内。“炉香闲袅”，本是宫廷中的寻常事，而在此一瞬间却产生特异的敏感作用：危急的心情，乍遇炉香闲袅，似乎得到一晌的平静，然一念及“一旦归为臣虏”（《破阵子》），则愈觉惶惑难安。况且炉香是闲袅着“凤凰儿”的，更是凄婉万分。“凤凰儿”，应是衾褥上的文饰（施肩吾《抛缠头词》“一抱红罗分不足，参差裂破凤凰儿”），同时也暗喻小周后（下句的“罗带”，《古今词话》《历代诗余》均作“裙带”，似以喻小周后为宜）。小周后的形象在这里隐约一现，是符合逻辑的，能完整地显现出词人的内心世界。在词人眼底，往日经常出现她“绣床斜凭娇无那”（《一斛珠》）的媚态，而今却见她“空持罗带”的愁容。江山如此危殆，美人如此憔悴，怎能不“回首恨依依”！结处明点一“恨”，倒贯全词，“凄凉怨慕，真亡国之声”（苏子由评此词语）！

李煜词，无论是写豪奢生活，或写亡国哀怨，无不深切感人，闪耀艺术光焰。这主要是由于他博学多能，而又不失其赤子之心，故虽用赋体直抒胸臆，而皆形象鲜明，性灵炳焕。今天，我们研究李煜词，倘能采撷其精髓，必将大有益于词坛。

（许永璋）

望江南　　李煜

多少恨，昨夜梦魂中。还似旧时游上苑，车如流水，马如龙，花月正春风。

鉴赏

此词是李煜归宋以后的作品。自写早起忆梦时的怨恨，抒发亡国之痛的思想感情。

起句“多少恨”，写词人早晨从梦中苏醒，兀自满腔怨恨。这是开门见山、直抒胸臆的写法。

然而这究竟为什么呢？很自然就给读者造成悬念，急切希望作者做出回答。

次句“昨夜梦魂中”，写其怨恨之由。原来是昨夜做了一个梦。一个“中”字，说明梦里有很多使人产生怨恨的情节。词人在这里欲言又止，并没有把怨恨的根由和盘托出。真是“千呼万唤始出来，犹抱琵琶半遮面”。足见第一、二两句言词虽短，却一句一意，纡回曲折，百态千姿，令人牵肠挂肚，非巧于艺术者不能道。

第三、四、五句，如行云流水，一泻千里，将梦中情景原原本本倾吐而出。本来词人此时已经做了大宋王朝的阶下囚，独居赐第，不得与外人接触。一言一行，都有人监视，不得自由，过着“此中日夕只以眼泪洗面”的痛苦生活。但是，昨夜梦中好像还是在做江南国主，一日游览上苑，满朝文武大臣，后宫后妃嫔娥，迤逦随行，一路上车如流水，马如游龙，络绎不绝。这时正值春光明媚，春花烂漫，春风和煦。游兴正浓，白昼不足，又继之以夜。此夜月圆如镜，月色如银，月明如水，月圆花好，其乐无穷。真是“梦里不知身是客，一晌贪欢”！这里用了袁宏《后汉纪》马皇后诏中的一句话。诏书斥责她娘家的人，每逢年节都要前来朝拜，兴师动众，大讲排场：“车如流水，马如游龙”。词里这个典用得十分贴切。然而一觉醒来，方知是黄粱一梦，立刻想到现实的处境。两两相较，能不“闲愁万种，无语怨东风”吗？词章写到这里，亡国之痛已经溢于言表。然而语言含蓄，感情蕴藉，颇耐人寻味。

（王沛霖　傅正谷）

清　平　乐　　李　煜

别来春半，触目柔肠断。砌下落梅如雪乱，拂了一身还满。　　雁来音信无凭，路遥归梦难成。离恨恰如春草，更行更远还生。

鉴赏

此词写离情。乾德四年（966），后主弟从善入宋不得归，后主思念深苦，遂有此作。然词中并不拘泥落实于此一情事，而是虚笔点染，写一种感情的境界及氛围，具有高度的艺术概括力和强烈的艺术感染力，能够引起读者的强烈共鸣。词的开端，点明事由与季节。“春半”本是春意正浓、春光明媚之时，何以说“触目柔肠断”呢？原来“别来”之阴影笼罩了一切，触目之景乃是“砌下落梅如雪乱，拂了一身还满”。白梅似雪，落英缤纷，使人为之黯然神伤。“砌下”“还满”写出落花之多、伫立之久，表现了词人无限悼惜哀伤的情怀，从中亦可见出作者状物之生动。这两句描绘出一个冷清静寂的画面：天空纷纷扬扬地飘着残英，一个面容憔悴的人痴立在这雪白的世界中。这幅图画空灵脱俗，毫不沾滞。从中人们自可想到，在这样美丽的季节，这样美丽的花朵竟遭到了“朝来寒雨晚来风”(《相见欢》)的侵袭而凋零，不正寓示着人的生命也正受到这样无情的摧残吗？物象的冷寂，也正反映了词人内心的冷寂。与其说是对落花的怜惜哀伤，毋宁说是一种生命的哀伤。这一层意思，就不是一般画面所能画得出的了。这两句是写实，更是写意。景为情使，情胜于景。从章法上说，它是承“触目”二字而来，又是“柔肠断”三字的形象补充。

下片轻轻一转，仍承“别来”二字。“雁来音信无凭”，从景物来看是转换，从情感来看是深入。古人谓鸿雁可以传书，但如今雁来信不来，雁归人不归，徒增愁恨。睹物伤情，沉挚之至。“路遥归梦难成”，又翻进一层，是替自己所怀念之人设想。梦之成否，与“路遥”何干？却偏咎之，语意奇特，无理而妙，委婉之至。这是反折笔法，借人映己。这两句前实后虚，笔势为之跌宕，情思为之悱恻。它从不同的角度用不同的笔法极写自己对离人的眷念和怀想，确非至情不能道出。结句：“离恨恰如春草，更行更远还生。”以远接天涯、绵绵无尽、无处不生的春草，来比喻离别的愁恨，生动形象，自然贴切。这里，春草的景色触发了词人的心情，而春草的形象又体现了词人的心情。“春草”既是喻象，又是景象，更是心象。词人外体物情，景为情而设；内抒心象，情由景而生。这种奇特的象喻由于作者赋予深情，自然产生出情景交融、情景合一的艺术效果。《楚辞·招隐士》“王孙游兮不归，春草生兮萋萋”，乐府《相和歌辞·饮马长城窟行》“青青河畔草，绵绵思远道”，白居易《赋得古原草送别》“野火烧不尽，春风吹又生。远芳侵古道，晴翠接荒城”等句，均与此意近。结句在句法上是一波三折，在语意上是一唱三叹。顿挫有致，情韵俱生。与《虞美人》“问君能有几多愁？恰似一江春水向东流”之一气直下，各逞其妙。

这首词上片即景生情，情景交融，感情的流露极为真挚自然；下片虚实交织，交映迭生，感情的抒发又极为缱绻婉转。语言的运用上多用白描，淡笔勾勒，明净自然，流走如珠，极有韵致。后主词所撷取的喻象多系身边日常所见之物，但往往产生神奇的艺术效果，这是他的独到之处。周之琦说：“予谓重光天籁也，恐非人力所及。”确系深识后主词者之精当评骘。

（李希跃）

喜迁莺

李煜

晓月坠，宿云微，无语枕频欹。梦回芳草思依依，天远雁声稀。　　啼莺散，余花乱，寂寞画堂深院。片红休扫尽从伊，留待舞人归。

鉴赏

这首词，是抒写对一个所钟爱的美人别后思念的情怀。李煜是“生于深宫之中，长于妇人之手”（王国维语）的皇帝，故于女性总不免魂牵梦萦。词以“梦回”为结穴：通首全写梦回后的情景，梦中多少事，不着一字，只留下“芳草思依依”的朦胧的梦影残痕，而这残痕，却仍是梦回时的迷离之感，这颇与李商隐“庄生晓梦迷蝴蝶”的意境相似。既已确定产生意境的基点，便可由此深入意境，而获得多层次的美感。

上片，写彻夜梦思的情状，妙在以逆势翻腾。多情伤别，梦寐萦怀。正惺忪睡眼，怅对遥空；叹芳草天涯，依依别恨。远天传来几声雁唳。这里的“雁声稀”，指音信难凭；“芳草”，喻指离恨。《清平乐》中“雁来音信无凭，路遥归梦难成。离恨恰如春草，更行更远还生”，与此相印证，意趣更加明晰。这两句，扩大了空间，增强了离恨，心情尤觉不宁，所以只得频频欹枕，默默无言。静对窗外，却见晓月坠沉，宿云微漠。这两句，写拂晓的景象，映衬出沉重的离情与隐微的愁绪。“晓月坠，宿云微”这一对偶句，本是表现梦回后的惆怅，而置于开头，便从逆势中暗示出由入梦至梦回的全部过程与心理状态。而坠月余辉，微云抹岫，又与梦里残痕，天边芳草暗相融洽，使人感到曲折深邃，缥缈汪洋。

下片，写寂寞的暮春景象，表示怀人的迫切心情。这里顺势走笔，从寂寞中生出波澜。“啼莺”，上接“雁声”；“余花”，遥映“芳草”；“画堂深院”，便是“梦回”寄情的处所，也是以此为主体刻画出寂寞的环境。独处画堂深院，孤寂难堪，而啼莺自散，余花乱落，更增添冷寂的气氛，明示伤春之情，暗寓怀人之苦。“片红休扫尽从伊，留待舞人归”二句，从平易中拓开奇境：字疏而意密，语淡而情浓，逐步深入，擒纵生姿。“片红”满地，本极寻常，吩咐“休扫”，便深入了一层；“尽从伊”，又深入一层；“留待”，是把近象送到远方；“舞人归”，是把远影摄入近处。此中意蕴深沉绵邈：“片红休扫”，既是伤春，又是惜春；无限春情，既是执著，又是飘逸。“尽从伊”与“舞人归”，是把两种极不调和的意象融在一起，不仅深化了伤春惜春之情，而且寄寓一种美好的想象：保留着这天然地毯，总有一天，舞人归来，重新出现“红锦地衣随步皱”（《浣溪沙》）的美妙舞姿。过片起处以“啼莺”的实景唤起春情，结尾以“舞人归”的虚像隐约地填补梦中的空白，曲折地表达思念的深情。写得惝怳飘忽，极饶烟水迷离之致，而其自然灵妙尤不可及。

（许永璋）

相见欢　　李煜

林花谢了春红，太匆匆，无奈朝来寒雨晚来风。胭脂泪，相留醉，几时重？自是人生长恨水长东！

鉴赏

这是一首即景抒情的小词。词人通过描绘春残花谢的自然景象，抒发了人生失意的无限怅恨。它是李煜后期词的代表作之一。

词的上阕，描写在寒雨急风的摧残之下，林花凋谢，春去匆匆。字里行间，寄寓着词人因感到人生短促、好景不长而产生的极度哀伤。首句“林花谢了春红”，写出了春残花谢的衰败景象,叫人好不惋惜伤怀。这里,景中寓情,情绪强烈。更接以下句"太匆匆"三字,使这本来就已十分强烈的惋惜情绪更加强烈了。末句"无奈朝来寒雨晚来风",是对"林花"何以匆匆谢了的原因的直接描叙。大自然的变化是有规律而又无常的,时而晴,时而雨,时而暖,时而寒。那朝之寒雨、晚之急风,不就是使百花过早凋谢的摧残者吗?这里的"朝"和"晚",应是复指,是朝朝晚晚之意。它说明寒风急雨次数之多,对"林花"施以淫威时间之久、摧残之酷和打击之重。"寒雨"的"寒"字,点出使"林花"凋谢过快的气候原因,也写出"雨"的冷酷无情。"风"字虽未明言其"寒",但天晚气寒,则晚来之风,其寒急也就可想而知。"无奈"二字,是说在寒雨急风阵阵袭来之时,"林花"无力抗拒,春天匆匆归去。故就其在上阕中的作用来说,它既是对在朝雨晚风袭击下"林花"凋谢的必然性的揭示,也可视为凋谢的"林花"的自叹与词人的哀叹,在这里,"物""我"已浑然一体了。

词的下阕,抒写好景不再的哀愁和人生痛苦的怨恨。首句"胭脂泪",是拟人手法。"胭脂",本是女子搽脸的红粉,此则指凋零的"林花",亦即所谓的"谢了春红"。胭脂和泪,是说那飘落遍地的红花,被夹着晚风吹来的寒雨打湿,犹如美人伤心至极而和着胭脂滴下的血泪。"谢了春红"的"林花"本不会落泪,泪是词人赋予它的。从这个角度说,这泪既是"林花"哀伤自己匆匆凋谢的眼泪,也可以说是词人自己的惜红伤春之泪。不言而喻,这一切都是以词人自己的生活经历为基础的。究其实质而言,是词人有感于昔日的帝王生活,在那"朝来寒雨晚来风"的袭击下——在宋兵的刀枪威逼下,过早被断送,因而流下伤心之泪。王国维说:"后主之词,真所谓以血书者也。"这"胭脂泪"不就是"以血书者"吗?正因为李煜是寄托着自己人生的痛苦经验,倾注着自己的全部心血去写词吟哦的,因此,他能够移情于物,赋予外物以人的思想感情,使物我融合,浑然一体。王国维在论及词的境界时,曾提出"有我之境"与"无我之境"的区别。他说:"有我之境,以我观物,故物皆着我之色彩。无我之境,以物观物,故不知何者为我,何者为物。"其实,除王氏所说外,还有兼此二境者:既是"有我",又是"无我",是入我于物而又物中有我的。试看此"胭脂泪",到底是何种境界呢?从胭脂不能有人之泪来看,显然,词人是"以我观物,故物皆着我之色彩"的;但从寒雨湿花、胭脂滴泪来看,又是

"以物观物,故不知何者为我,何者为物"的。下句"相留醉",是谁与谁"相留"呢?是花自留,花留人,还是人留花呢?仔细体味词意,可以说都是。所谓花自留,就是说,即使在寒雨急风的连续袭击下,"林花"亦不甘早谢,而愿长留芳菲于人世。所谓花留人,就是说,那被寒雨急风摧残"谢了春红"而正伤心落泪的"林花",仿佛在哀求人们再多看它几眼,而不要狠心离去,故有的版本亦作"留人醉",将此意明确点出。所谓人留花,就是说,眼看着这胭脂滴泪,不由人情动于中,久久流连于残花之中,冀花长留常开,故留花亦即留春,要留得春之长在。那么,"醉"字呢?联系前后文来看,这里是指心醉,即感情上的陶醉。一方面是花自醉,是匆匆"谢了春红"的"林花",在其繁茂之时也曾自我陶醉过,如今虽已花残红碎,但仍然余醉未消;另一方面是使人醉,是赏花人曾为那繁花满林的景色所陶醉,现在虽已落红遍地,但仍欲重见昔日那令人心醉的美景。然而,落花有意,风雨无情,人虽有心,美景难再,故下句才以"几时重"的疑问句式,哀叹花谢之不再重开。表面上,词人仿佛只是在问"林花"何日重开,实际上却是词人问失去的帝王生活何时重来。只有这样的理解,才能明白词人为什么在全词的末尾,写下"自是人生长恨水长东"这样极度哀伤的词句。这是一个一气呵成的九字长句。"东"字与上阕的"红""匆""风",以及前面的"重"等字协韵,字音响亮,节奏感强。在句式上,它与上阕末句同为连贯的二四三式的九字长句,而它的感情凝重又一以贯之,仿佛是从刚刚打开的闸门中夺路奔流的江水,是词人从肺腑中倾泻而出的感情激流。词人在这里明明白白地宣称,他的"人生长恨"是有如"水长东"一样的无穷无尽、无止无休的。两"长"相加,不是长而又长吗?当然,这里的"人生长恨"无疑是指他从昔日之帝王变成了今日之囚虏的痛苦经历,是由此而产生的痛惜与悔恨之情。但这"人生长恨"却又远远超出了李煜自身经历的范围,而具有普遍意义,它是那些在人生道路上有过无限恨事者的共同的体验,共同的感情。这是它主题特别深刻之处,是必须着重体会的。

这首词语言清新,情调哀怨,意味深长。它写林花凋落,景象鲜明。又通过"太匆匆""无奈""胭脂泪"等词,把主观感情灌注于自然景物之中,使情景交融,物我一体。末句则直抒胸中悔恨,以写物开始,以写人结束。词人还巧设比喻,以花开花谢喻人生的盛衰、苦乐。从全词看,其意可分四层:一、以"林花谢了春红,太匆匆”喻自己帝王生活结束之快；二、以“无奈朝来寒雨晚来风”喻国亡家破，是由于外力的打击；三、以“胭脂泪，相留醉，几时重”喻帝王生活一去不返，企其重来之不可得；四、以“水长东”喻自己的愁苦不断，怨恨无穷。四层意思层层相接，全词的意境也就豁然可见了。

（傅正谷　王沛霖）

捣练子令　　李　煜

深院静，小庭空，断续寒砧断续风。无奈夜长人不寐，数声和月到帘栊。

鉴赏

这是一首本义词。白练是一种丝织品，制作过程中要经过在砧石上用木棒捶捣这道工序，一般都是由妇女操作的。这首词的词牌即因其以捣练为题材而得名。作者通过对一个失眠者夜听砧上捣练之声的描绘，写出了抒情主人公内心的焦躁烦恼。但作者却为这种忐忑不宁的心情安排了一个十分幽静寂寥、空虚冷漠的环境。头两句乍一看仿佛是重复的，后来汤显祖在《牡丹亭》里就写出“人立小庭深院”的句子，把“深院”和“小庭”基本上看成同义词，其实这两句似重复而并不重复。第一句是诉诸听觉，第二句是诉诸视觉。然而尽管耳在听目在看，却什么也没有听到和看到。这样，“静”和“空”这两个字，不仅在感受上给人以差别，而且也看出作者在斟酌用词时是颇费了一番心思的。至于“深院”，是写居住的人远离尘嚣；“小庭”则写所居之地并非雕梁画栋，只是一个空荡荡的小小天井，不仅幽静，而且空虚。头两句看似写景，实际是衬托出主人公内心的寂寞无聊。只有在这绝对安静的环境里，远处被断续风声吹来的砧上捣练之声才有可能被这小庭深院的主人听到。

第三句是这首词的核心。自古以来，砧上捣衣或捣练的声音一直成为夫妇或情人彼此相思回忆的诗料；久而久之，也就成为诗词里的典故。比如李白在《子夜吴歌》的第三首里写道：“长安一片月，万户捣衣声。秋风吹不尽，总是玉关情。何日平胡虏，良人罢远征?”杜甫的一首题为《捣衣》的五律也说：“亦知戍不返，秋至拭清砧。已近苦寒月，况经长别心。宁辞捣衣倦，一寄塞垣深。用尽闺中力，君听空外音。”李杜两家所写，是从捣衣人的角度出发的。而李煜这首词却是从听砧声的人的角度来写的。这个听砧的人不管是男是女，总之是会因听到这种声音而引起相思离别之情的。不过要提请注意的是：第三句虽连用两次“断续”字样，涵义却不尽相同。一般来说，在砧上捣衣或捣练，总是有节奏的，因此一声与一声之间总有短暂的间歇，而这种断续的有节奏的捣练声并没有从头至尾一声不漏地送入小庭深院中来。这是因为风力时强时弱，时有时无，这就使身居小庭深院中的听砧者有时听得到，有时听不到。正因为“风”有断续，才使得砧声时有时无，若断若续。这就把一种诉诸听觉的板滞沉闷的静态给写活了。下面两句，明明是人因捣练的砧声搅乱了自己的万千思绪，因而心潮起伏，无法安眠；作者却偏偏翻转过来倒果为因，说人由于夜长无奈而睡不着觉，这才使砧声时断时续地达于耳畔。而且夜深了，砧声还在断断续续地响，是伴随着月光传入帘栊的。这就又把听觉和视觉相互结合起来，做到了声色交融——秋月的清光和捣练的音响合在一起，共同触动着这位“不寐”者的心弦。然而作者并没有绘声绘色，大事渲染，只是用单调的砧声和素朴的月光唤起了读者对一个孤独无眠者的惆怅和同情。这正是李煜写词真正见功力的地方。

前人评论李煜词的特点，都说他不假雕饰，纯用白描。其实李煜写词何尝不雕饰？只是洗尽铅华，摆脱了尘俗的浓妆艳抹，使人不觉其雕饰的痕迹而已。这首小词无论结构、布局、遣词、造句，都经过了严密的构思和细致的安排，而读者在读词时却仿佛作者只是在自然流露。一个作家能于朴实无华之中体现匠心，才是真正的白描高手。

（吴小如）

浣　溪　沙

李　煜

红日已高三丈透，金炉次第添香兽。红锦地衣随步皱。　　佳人舞点金钗溜。酒恶时拈花蕊嗅。别殿遥闻箫鼓奏。

鉴赏

这首词真实地记录了李煜前期所过的腐朽的帝王生活。

词的上阕起首两句，点出时间，写出环境。其时红日高高升起已经超过三丈，金制的香炉里熏香将尽，尚在依次添香。言外之意，歌舞还要继续进行。可以想见宫廷里的歌舞，不仅通宵达旦，而且是夜以继日的。从而使人们清楚地看到：词人沉迷于享乐腐化的生活竟达于何种程度。“金炉”本来可以解释为金属制作的兽形香炉，但结合词人的帝王身份，这个兽形香炉，很可能就是黄金制作而成。说明宫中陈设、用物的华贵，亦可表明物主身份的高贵，生活的奢靡。第三句描写歌舞尚在沉酣进行。你看，红色锦缎制成的地毯随着翩跹舞步起了皱纹。

下阕首句，写词人眼中的佳人舞姿。这时佳人身慵力乏，但是为了满足君王的享乐要求，不能不强整精神，随着音乐的旋律、箫鼓的节拍，使舞步左右腾挪，前后旋回，终于使头上的发髻松散，金钗滑脱。读者可以从佳人的舞姿之中，看到观赏者的赏乐之情。从写作技巧上说，下阕首句如此顺接，与上阕连成一片，天衣无缝。“酒恶”一句，笔锋一转，转向饮酒听乐之人即词人自身的情形，亦即对自己享乐生活的进一步描写。如果说前面一句是在描写视觉上的享受，那么这一句则是在描写嗅觉方面的享受了。很明显，词人一面观赏舞蹈，一面饮酒作乐，彻夜不眠，饮酒至醉（“酒恶”，即“中酒”，亦即酒醉），因而感到慵倦，只好不时拈起花蕊，凑到鼻子跟前闻闻，这样可以使人大脑清醒一点。这虽然是词人的生活实际，但他是怀着自我欣赏、自我陶醉的心情来描写的。作者当然认为这是一件美事，然而在读者看来，词句所表现的却是一个无道昏君的形象，它所显露出的是一个空虚丑恶的灵魂。结尾一句“别殿遥闻箫鼓奏”，是从更广阔的另一角度描写宫廷里的管弦箫鼓的喧闹的。其他的宫殿也飞起一阵箫鼓之声，可见宫苑之内，到处都是如此，这就进一步说明宫廷生活的极度奢靡。

这首词是李煜的前期作品。词的技巧是很高的，语言是华丽的；但是描写的生活却是空虚腐朽，情调低级庸俗。与他后期的那些感人的作品相比，简直有天渊之别。为什么会这样呢？显然是词人前后期的生活经历不同、思想感情变异所致。由此可以反证李煜后期词作的感染力量主要还是来自生活。如果李煜没有国破家亡的生活经历,没有思想感情的巨大变化,他一辈子只能写出这种庸俗的作品。

(王沛霖　傅正谷)

望　江　南(二首)

李　煜

闲梦远,南国正芳春。船上管弦江面绿,满城飞絮滚轻尘,忙杀看花人。

闲梦远,南国正清秋。千里江山寒色远,芦花深处泊孤舟。笛在月明楼。

鉴赏

这两首同调的词,描绘了两幅江南美景。江南四季,各有特色,但词人只是选取春秋两季景色为代表去着力描绘。而且不是直写眼前所见的实景,是采取梦幻的形式,将虚景与实景融合为一。

第一首写春景。“南国正芳春”句,概括写出广大的江南地区,正是春暖花开的美好季节。春之名“芳”,使人如见百媚千娇的花容,如闻馥郁的花香。词人从三方面具体描写了这“芳春”美景。首先是春风拂面、水波荡漾的春江。“船上管弦江面绿”的“江”,当是流经南京城的长江支流秦淮河。春满金陵,石城生辉,秦淮河上绿波荡漾,画船游舫,来往穿梭,船上丝竹相和,飞扬出舷的乐声飘荡于水波之上,动人心魄。这里,词人仅在一句之中,就把有形之物、无形之声和鲜明之色集合调配绘制成一幅水上音乐会的画图。句末的“绿”,乃是春天的颜色,是生命力的象征,它既写水色,亦状春色。它与“春风又绿江南岸”中的“绿”字一样,一下就将生机勃勃的江南春色概括无余。其次,词人又把目光转向陆地,抓住春风杨柳、飞絮满城的典型景色,进一步写出江南春景之美。“满城飞絮滚轻尘”,是实景的形象描写,同时还是对春风的暗写。词人并未直接写春风,但从那一“飞”一“滚”之中,却已使人觉得扑面的春风是无所不在了。"轻尘"翻滚,除春风吹拂的自然因素外,更主要的是人为的因素造成的。春色美好,人人皆欲观赏,游人多了,自然也就践起轻尘滚滚,故"滚轻尘"乃借物写人,说明游人之多。只有这样,才能与下面的描写自然地衔接起来。"忙杀看花人":春是百花盛开之时,观赏众芳,确是赏心悦目的快事,所以,写春是很难不写花的;但词人却不直接写群花如何美丽动人,而只说把看花人"忙杀"了。一个"忙杀",则百花之美,看花人兴致之高,人之多,场面之大,不都尽在其中了吗?

第二首写秋色。"南国正清秋",词人笔下的江南正是秋高气爽的时节,其总的特色是一个"清"字。"清",兼有清澈明朗和清爽凉快之意,它概括出秋天的景色和气候两方面的特点。正因为"清",词人才能将这秋景(无论是近、中、远景)看个清清楚楚,也才能将这秋景生动地描绘出来。在总括秋色之"清"后,接着,也是从三方面对之加以具体描写。首先是远景,词人从大处(深远广阔的背景)着墨,给"千里江山"敷上一层"寒色",勾画出一幅江山秋晚图。所谓"寒色",乃清冷之色。"寒"与"清",其义是可以合二而一的。"寒色远"的"远",既说明是远景,又是对千里江山皆寒色的一个模糊的数的量度,它还与"闲梦远"的"远"在内容上有内在的联系,即以在一片"寒色"掩映之下的"千里江山"之"远",来说明"闲梦"之"远"(梦长且多)。其次是中景。"芦花深处泊孤舟",既是写自然景物,也是写人的活动。"舟"之谓"孤",除从数量上指舟乃独木一叶外,也暗点出舟中人的孤独,使人想象出其身世之漂泊凄苦,心情的酸楚悲凉;如再看这"孤舟"乃泊于芦花深处,则其孤独、凄苦,就更是可想而知了。它在情调上与前面的"清""寒"是完全一致的。"笛在月明楼",是说秋月当空,银光如泻,高楼之上,笛声忽起,那悠扬的笛声,忽高忽低,时断时续,如泣如诉,它说明吹笛人的心灵是在怎样颤动,听笛人的心潮是在怎样激荡啊!这吹笛的人和听笛的人究竟是谁?或者,这吹笛者和听笛者乃是两个毫不相干的人?或者,他们都不过是词人在梦中所生的幻影,是词人一身幻化的两个化身?或者……总之,不管怎样说,它都是与词人的经历和心绪直接相关的。不是吗?古代诗人,大都以笛声写离别之思,表哀怨之情,故向秀思旧,有感于邻人吹笛之发声嘹亮,叹而赋曰:"听鸣笛之慷慨兮,妙声绝而复寻。"唐人亦有"吹笛秋山风月清,谁家巧作断肠声?……故园杨柳今摇落,何得愁中却尽生"

(杜甫《吹笛》)之句。由此可见,词人在这里所表达的也是一种思念故国(当然是一个亡国之君的)的眷恋难舍之情。不过,它不像前面那样是由"清""寒""孤"等字予以点出,而是隐含于笛声之中。我们只有明了了这一点,才算把握住了此句内容的实质。

总之,这两首词的写法是基本相同的,即都是先对景色的特点作总的概括,然后再从三个不同方面加以具体描写;所不同者,是它们的色调和情调,即前者色暖,后者色寒,前者欢快,后者凄清,由此造成的意境也有所不同。至于两词皆以"闲梦远"起首,除说明词中之景乃是以梦忆的形式出现外,这一"闲"一"远"还寓有深意焉。"闲梦"的"闲",是清闲,是空闲,是无所事事、整天闲得难受的"闲",这就清楚地说明了梦的性质,即这梦乃是从昔日的"不闲"到现在的"闲"的产物,是从帝王之尊降为阶下之囚后的恋旧,是往日的繁华化为如今的冷清后的追忆。至于"远"字,除说明梦的悠长、梦的地域的广大外,还说明所梦者乃远逝的过去。故此两字皆隐隐透露出一种思旧怀故之情,并由此可以判定,这两首词当是李煜归宋以后之作。其词描写江南风景愈美,则愈可见其故国情思之苦。古人论词,贵在含蓄蕴藉。刘熙载说:"词之妙,莫妙于以不言言之,非不言也,寄言也。"(《艺概·词曲概》)从这样的要求来看,李煜的这两首《望江南》不正是寄故国之思于梦景中的绝妙好词吗?

(傅正谷　王沛霖)

浪淘沙　　李　煜

往事只堪哀,对景难排。秋风庭院藓侵阶。一桁珠帘闲不卷,终日谁来?　　金锁已沉埋,壮气蒿莱。晚凉天净月华开。想得玉楼瑶殿影,空照秦淮。

鉴赏

这首词是李煜被俘后在汴京所作的。开头回思往事,只堪悲哀,对着当前的景物,难以排遣。这即是《虞美人》的怕见"春花秋月”,因为见了要想起过去的美好生活。这里写出他在汴京的生活,住处有庭院,庭院里苔藓侵阶,珠帘不卷,整天没有人来。宋代王铚《默记》卷上,写李煜住处“一老卒守门”,“卒言有旨不得与人接”。他被监禁,不能与外人接触,所以没有人上门。词里婉转地写出这种没有人上门的生活。下半阕回想往事。“金锁”即铁锁链。《晋书·王濬传》:“吴人于江险碛(水中沙石)要害之处,并以铁锁横截之,又作铁锥,长丈余,暗置江中,以逆距船。”“濬乃作大筏数十”,“以筏先行。筏遇铁锥,锥辄着筏去。又作火炬长十余丈,大数十围,灌以麻油,在船前。遇锁燃炬烧之,须臾融液断绝,于是船无所碍。”这是以三国吴用铁锁链来抗拒晋军的失败,借指南唐抗拒宋师的失败。宋军用船在采石矶作浮桥渡江。《宋史·南唐李氏世家》:“煜初闻朝廷作浮梁,语其臣张洎。洎对曰:‘载籍已来,长江无为梁之事。’煜曰:‘吾亦以为儿戏耳。’”可见三国时的吴国还作铁锁链横江来抗拒晋水军东下,南唐连这点也没有。这里只借指江防的失守。“壮气蒿莱”有两层意思:一、指金陵的王气消失了。刘禹锡《西塞山怀古》:“王濬楼船下益州,金陵王气黯然收。千寻铁锁沉江底,一片降幡出石头(指南京)。”“金锁”句即指“铁锁沉江底”,“壮气”句即指“王气黯然收”。二、指抗拒宋军的壮志消失了。《江南别录》:“兵初起,议者以京口(今江苏镇江)要害,当得良将。侍卫厢虞侯刘澄,旧事藩邸,后主尤信任之,乃擢为润州(即镇江)留后。”刘澄到润州,就投降了。宋人史温《钓矶立谈》称后主派卫殿卿陈大雅突围去洪州(今江西南昌),令朱令赟出军来救,“大雅驰还台城(指南京),辛勤冒矢石,才得潜入,君臣相持,喑呜泣下。大雅曰:‘令赟军必无成。’于是使(陈)乔草降表焉”。当时已无抵抗宋军的壮志,壮志已付给草野了。接下再写到眼前,“晚凉天净月华开”,天上无云,月光照耀,对月向往金陵的宫殿楼阁,在月下徒然投影在秦淮河上。“玉楼瑶殿”状宫殿楼阁的美好。秦淮指横贯南唐都城的秦淮河。这首词,写出了李煜在汴京被拘留的凄苦生活,写出了他怀念故国的痛苦心情。

(周振甫)

虞美人　　李　煜

风回小院庭芜绿，柳眼春相续。凭阑半日独无言，依旧竹声新月似当年。　　笙歌未散尊罍在，池面冰初解。烛明香暗画堂深，满鬓清霜残雪思难任。

鉴赏

这首词是李煜被俘后拘留在汴京时作的，反映他在拘留中的生活。宋太祖开宝九年（976）正月，李煜被俘到汴京（今河南开封），封违命侯。十月，宋太祖死，太宗即位。十一月，改封李煜为陇西公。宋朝王铚《默记》称太宗派徐铉去看李煜，有老卒守门。徐铉说奉旨来见，“老卒往报。徐入，立庭下”。可见李煜住处实况。“又后主在赐第，因七夕命故妓作乐，声闻于外。太宗闻之大怒。”李煜赐第中还有故妓，能作乐。这首词里正反映了这种生活。开头称春风又回到小院里来，院子里的草又绿了。院子里的柳条上新生柳叶，细长如人睡眼初展，这样的柳叶在春天到来时，连续着生出来。这里写出小院中春天的信息，可以从庭草的绿色里，从柳叶的舒展和相续生出中看出来。“柳眼春相续”，写得很细，是诗人的观察，也透露出他的寂寞之感。他在《玉楼春》里写在金陵时的春天景象：“晚妆初了明肌雪，春殿嫔娥鱼贯列。凤箫吹断水云闲，重按《霓裳》歌遍彻。”是盛极一时，跟被拘留中的寂寞正好构成对照。想起当日的情况，靠着栏杆半天没有一句话，透露他对故国之思的痛苦心情。这时想替自己排解，说风吹竹子的声音和新月的照耀还像当年。想来小院中还有竹子，春风吹来，还有竹声。不过跟《玉楼春》写的“醉拍阑干情未切”相比，这时的“半日独无言”又构成鲜明的对照了。

下半阕写他在赐第里还有故妓，还可以奏乐。笙歌未散，酒杯还在，还可以喝酒。春天到来，池面冰开始融化了。就他的处境来说，是否也像东风解冻呢？“烛明香暗画堂深，满鬓清霜残雪思难任。”用“烛明香暗”来陪衬“画堂深”,用“满鬓清霜残雪”的霜雪来反衬东风解冻的“冰初解”。“画堂深”是深沉,看来故妓的奏乐也是寂寞中的聊以自慰,不能跟“凤箫吹断水云闲,重按《霓裳》歌遍彻”相比,所以无法解除寂寞,因此有画堂深沉的感觉。东风解冻透露春天的气息,但对他说来,春天永远过去了,这表现在四十岁光景的人已经是满鬓霜雪了,这里含有对故国的怀念、亡国的痛苦难以担负。这首词,结合被俘后的生活来反映故国之思,写春天的到来,东风的解冻,都无法减轻他的痛苦。

（周振甫）

玉 楼 春　　李 煜

晚妆初了明肌雪,春殿嫔娥鱼贯列。凤箫吹断水云闲,重按《霓裳》歌遍彻。　　临风谁更飘香屑,醉拍阑干情未切。归时休放烛花红,待踏马蹄清夜月。

鉴赏

这首词是李煜在亡国前享乐生活的真实写照。

词的上阕,描写春夜宴乐的情景。开头两句,写嫔娥妆成,等待歌舞的开始。“晚妆”二字,既点明时间,又可使人想见嫔娥妆扮之盛——个个精心打扮,人人巧施粉黛,同时,又与下阕的夜归在时间上前后呼应。“初了”二字,点出晚妆刚刚结束,歌舞又尚未开始,只有此时,才最能显示出嫔娥肌肤的白嫩明丽。以“雪”喻“肌”,本已使人感到嫔娥肌白之美,再加一“明”字,显得肌肤更加洁白了。“春殿”的“春”,点出时辰之美:春宵良辰,正是宴乐的最好时刻。再以“春”饰“殿”,则殿内有如春风暖吹,百花吐艳,殿之华美可知。“鱼贯列”是对嫔娥行进队列的形象比喻,它不仅说明众多嫔娥行列的整齐,且使人从而想象出嫔娥行进时步履轻盈、腰肢闪动的优美姿态。值得注意的是,这看似纯客观的描写之中,实则隐含着李煜对此极为欣赏的主观感情,是景中带情手法的典型运用。下边两句,描写听曲观舞的快乐。“凤箫吹断水云闲”是说悠扬急促的乐曲声,飞出殿堂,飘上云空,沉入水底,在水云中回荡,仿佛水云也在应节而歌,随曲起舞。“水云闲”的“闲”，是以对水云形态的生动描写去突出“凤箫吹断”的音乐效果。“重按《霓裳》”，是说一再按奏《霓裳羽衣曲》。《霓裳羽衣曲》，本唐玄宗时的宫廷歌舞曲，唐末已残缺不全，李煜与大周后曾整理过此曲。“歌遍彻”，指演奏完大曲中的最后一遍。大曲，即整套的歌舞曲。沈括《梦溪笔谈·乐律》说它“凡数十解，每解有数叠者”。又据白居易《霓裳羽衣歌》自注说：“《霓裳》破凡十二遍而终。”说明其结尾部分称“曲破”，而“破”又有多遍。所谓“彻”，即指曲破的最后一遍。这里，“重按”除说明曲多之外，还含有听曲者兴致极高，一定要听完全曲方休之意。由此可见，精通音律的李煜对于自己和大周后的共同杰作，是何等欣赏和得意啊！

词的下阕，描写乐终醉归的情景。开头两句，写词人为歌舞所陶醉。“临风”的“风”，是春夜的风，宫女或太监在高处往下撒百合香，随风飘散。“谁更”二字，是故作疑问之词，只闻其香而不知其人，实则其人已在这“香屑”之中。至于“更”字，是承接词的上阕而言的，是说在目观、耳听的美的享受后，更有嗅觉美的享受。“醉拍阑干”的“醉”，是指酒醉，即口享之福，但与手拍阑干相连，则又含有为神曲妙舞、浓香所陶醉之意，是酒醉加心醉——身之快感和心之欢乐相融合的表现，“情未切”是对此时身心欢娱的最好表述。结末两句，写宴散乐终，词人骑马踏月而归的情景。“归时”句，是说在回寝宫时，要侍从不要点燃红烛来照明通路。“休放”二字，乃吩咐、命令的口吻，它显示了词人地位的尊贵。为什么令其“休放”？是“烛花红”不明亮、华美吗？是厌惧这火红的烛光吗？不，都不是。词人是为了要尽情地欣赏这春夜月色才这样做的。因此，“待踏马蹄清夜月”句，是对“休放”原因的解释，是从宴乐之欢的闹境进入到赏月的幽境。“待”，即“要”。“踏马蹄”（一作“放马蹄”），是策马随意缓行之意。一个“踏”字，不仅能使人如见醉归人骑马缓行之景，如闻马蹄声，而且还能使人仿佛若见满地月华，被马蹄踏碎，想见骑马者是如何被这清夜月色所陶醉！至于“清夜月”之“清”，是一字两义的：既指夜清，也指月清。夜清，是说环境清静；月清，是说月光清明。夜因月色而清幽，月因夜暗而生辉，于是，这夜与月的交融，便构成了一个月光皎洁、夜色清幽的极富诗意的境界。它与前面所描绘的嫔娥晚妆、凤箫吹断、《霓裳》重按、风飘香屑、尊满酒醉、手拍阑干，是两种不同的色调和情趣。前者浓，后者淡；前者华贵，后者素雅；前者喧闹，后者幽静，形成鲜明的对比。也可以说，词人的描写是由“浓”而“淡”的。可见他既醉心于宴乐，又寄兴于夜月，前者是帝王享乐生活的写照，后者是文人雅兴逸致的表露，而一个文人皇帝的形象，也就在这浓淡相映之中，清晰地显露了出来。

通观全词，词人描写的是帝王的享乐生活，表露的是着重于享乐的思想情绪，内容虽然是不足取的，但它写景真，情味切，文笔生动，善于设喻和对比，能准确地表现出场景的转换和情绪的变化，却清楚地显示出词人艺术技巧的高明。当然，全词带有浓厚的富贵气、脂粉香，它的着重于雕饰的风格，比起其后期词作的清怨自然的格调来，也不能不说是稍为逊色。

（傅正谷　王沛霖）

破　阵　子

李　煜

四十年来家国，三千里地山河。凤阁龙楼连霄汉，玉树琼枝作烟萝。几曾识干戈！　一旦归为臣虏，沈腰潘鬓消磨。最是仓皇辞庙日，教坊犹奏别离歌。垂泪对宫娥。

鉴赏

这首词是李煜被俘虏以后写的，所以愁苦得腰也瘦了，鬓发也斑白了，不是被俘时写的。李煜在被俘前的围城中又怎样呢？陆游《南唐书·后主本纪》：“长围既合，内外隔绝，城中之人惶怖无死所。后主方幸净居室，听沙门（僧）德明、云真、义伦、崇节请《楞严》《圆觉》经。用鄱阳隐士周惟简为文馆《诗》《易》侍讲学士，延入后苑，讲《易·否卦》，赐惟简金紫。群臣皆知国亡在旦暮，而张洎犹谓北师已老，将自遁去。后主益甘其言，晏然自安。”可见李煜在围城中还是听人讲经，相信臣下的蒙蔽，认为宋师就会撤退，并不愁苦。愁苦得腰瘦发白，应是被俘以后的事。这词又说“最是仓皇辞庙日”，是追叙被俘辞别宗庙之日的口气，不像被俘时所作。

南唐始祖李昪建国，经过中

主李璟,到后主李煜为宋所灭,共三十九年,从937年到975年,按成数称“四十年来家国”。南唐疆土,后晋时有江西全省及江苏、安徽两省境内淮水以南地,后周时并有福建省极大部分,因称“三千里地山河”。“凤阁龙楼”指金陵城中的宫殿楼阁,上面装饰着龙凤。“连霄汉”言连接天上的银河,夸张地说楼阁的高。“玉树琼枝”指宫廷中所种的珍贵树木。“烟萝”,烟雾萝藤,指山林隐士的处所,即宫廷中的各种树木,引起人们在山林隐逸生活的感想,即把宫廷和山林结合起来。李煜号钟隐,又称钟山隐士,他虽然身为君主,但向往隐士的生活。李煜爱好作词,工书法,善画,工画翎毛墨竹,通音律,不懂政事。陆游《南唐书·后主纪》:“国主以军旅委皇甫继勋,二事委陈乔、张洎,又以徐元瑀、刁衎为内殿传诏。而遽书警奏(紧急军书)日夜狎至(接连送来),元瑀等辄屏不以闻。王师(宋师)屯城南十里,闭门守陴,国主犹不知也。”李煜不懂政治军事,又任用非人,受到蒙蔽,所以说“几曾识干戈”,即不曾懂得战争。下半阕讲到一朝作为俘虏,“沈腰潘鬓消磨”。《梁书·沈约传》载沈约与徐勉书:“百日数旬,革带常应移孔。”皮带围腰,“移孔”指腰瘦。《文选》潘岳《秋兴赋序》:“余春秋三十有二,始见二毛。”即鬓发花白。李煜被俘后显得瘦了老了,精力衰退,人憔悴了。最使他记起的是慌张辞别宗庙的时候,宫廷里的音乐机关教坊还在奏别离的歌曲,自己对着宫娥掉泪。“仓皇”指慌张。“教坊”,掌管女乐的官署。《东坡志林》卷四:“后主既为樊若水所卖,举国与人,故当恸哭于九庙之外,谢其民而后行,顾乃挥泪宫娥,听教坊离曲!”樊若水,在南唐不得志,决计投宋。他在采石山筑石塔,夜系绳于石塔,摇小船引绳到江北,测量江面宽度。他到宋,向宋献渡江策。宋军即在石塔处建浮桥渡江(见陆游《入蜀记》)。《谈苑》:“城陷,(曹彬)整军成列,至其宫城,后主方开门奉表纳降。”(见夏承焘先生《唐宋词人年谱·南唐二主年谱》)可见李煜出降时,在宋军的包围中,不易接触百姓。他离开宫城时,所听见的是教坊奏的离歌,所看见的是宫娥。百姓不住在宫城,一出宫城即在宋军包围中了。这首词,上半阕概括了南唐经历的年代,南唐疆域的大小,归到自己不懂战争,断送了国家,有愧悔意。下半阕写被俘的生活。在愁苦中,对被俘时的情境印象深刻,特加叙述。

(周振甫)

浪淘沙　李煜

帘外雨潺潺，春意阑珊。罗衾不耐五更寒。梦里不知身是客，一晌贪欢。　独自莫凭栏，无限江山。别时容易见时难。流水落花春去也，天上人间。

鉴赏

据《西清诗话》说："南唐李后主归朝后，每怀江国，且念嫔妾散落，郁郁不自聊。尝作长短句云（词略），含思凄婉。未几下世矣。"由此可知，这是李煜亡国后的作品，以当时的囚徒生活和片刻欢乐的梦境对比，表现他思念故国的哀痛心情。

词的上阕说帘外潺潺的雨声惊醒了作者，他觉得春天即将衰残消逝，丝绸被子怎能抵御五更天的春寒袭击呢！由于梦醒，他才更加留恋梦中的一切，因为只有在梦里才忘记了自己是个"客"（俘虏），也只有在梦里还能贪恋一下片刻的欢娱生活。这是倒叙法。首句写景，以下抒情。"五更寒"既指自然界的气候，也是暗喻内心的凄凉哀痛。原来李煜身为南唐国主，过着骄奢淫逸的帝王生活。但是"一旦归为臣虏"（《破阵子》），带着个"违命侯"的封号，过着难堪的囚徒生活，他悲叹"故国梦重归，觉来双泪垂"（《子夜歌》），感到"往事只堪哀，对景难排"（《浪淘沙》）。因此梦中越是欢乐，就越反衬出现实的冷酷凄凉，何况帘外雨声又在诉说着春光即将消逝呢！

下阕说不要独自一人凭栏远眺，"无限江山"当指"四十年来家国，三千里地山河"（《破阵子》）而言，谓南唐山川。"别时容易"指金陵城破，仓皇辞庙，被押北上。然而那是亡国，是江山易主，再想回到金陵已是不可能了，所以说"见时难"。这是无可奈何的苦语，它饱含了作者无穷的痛苦和悔恨！所以最后脱口说出"流水落花春去也，天上人间"！这结句是照应开头的"春意阑珊"，同时也是逝者如斯、时不再来的慨叹。而"流水""落花""春去"三事又都是一去不复返的，帝王变囚徒，不也是天上人间的差别吗？无限凄苦之情，欲吐还吞，戛然而止，余味无穷。

这首词艺术上也别具特色，首先是具有鲜明的形象性。它塑造了一个失去故国，一梦醒来无限辛酸的不幸者形象。词中人物的心理活动，人生愁恨等抽象情绪，也是通过艺术形象表现出来的。如以“流水落花”形容欢乐的一去不复返，以“天上人间”概括今昔生活的对比，都是最好的形象比喻。其次，其语言有高度的概括性。它概括了人生中一些典型的、共通的、容易打动人心的东西，如喜怒哀乐、离愁别恨等，人们容易感到共同之处因而共鸣，却不易区别彼此间的差异，如“梦里不知身是客”，不就是概括了很多他乡作客之人的共同感受吗？再次，白描手法、对照比喻手法，语言精练自然，音韵和谐流畅，都提高了词的表现力。当然，对于李煜词的思想意义，过高的评价是不恰当的；然而只注意他是南唐皇帝，忘却了他还是个多情善感的杰出词人，或者认为他的词伤感情绪较浓厚而加以贬低，也是不恰当的。李煜在政治上虽然是个亡国之主，然而“在词中犹不失为南面王”（沈雄《古今词话》）。其作品的艺术成就应当加以肯定。

（高梦林）

相见欢　　李　煜

无言独上西楼，月如钩。寂寞梧桐深院锁清秋。
剪不断，理还乱，是离愁。别是一般滋味在心头。

鉴　赏

此词一般认为系后主降宋后所作，系其代表作之一。近来或认为系其亡国前之作，然细研词意，此说恐尚难使人信服，兹不详论。

后主从一个“几曾识干戈”的风流皇帝“一旦归为臣虏”（《破阵子》）后，备受凌辱，过着囚徒般的生活，“此中日夕只以眼泪洗面”（李煜自语，见《默记》）。这首词正是抒发了他深切的故国之思、亡国之恨。笔调沉重，一韵一顿，凄婉欲绝。开端一句“无言独上西楼”，意蕴极为丰富。“无言”二字，画出了后主无人共语、孤寂无欢的惨淡愁容。“独上”是写动作,词人一步一叹、步履沉重自可想见。这里是因“独上”而“无言”,抑或因“无言”才“独上”,二者难辨因果。“西楼”二字联系下句,见出夜之深,已是更残漏尽之时,后主此刻不在梦里“一晌贪欢”(《浪淘沙令》),而独上西楼“凭栏半日独无言”(《虞美人》),可见正是因为“无奈夜长人不寐”(《捣练子》)。虽然他也警告自己“独自莫凭栏”(《浪淘沙令》),但偏偏知其不可为而为之,正可见出后主愁恨之深重及矛盾复杂的心境。接着回过头来写景,“月如钩”,与愁人的悲凉心境相符,月是残月,有一定的象征意义。况且“夜月似秋霜”(萧纲《玄圃纳凉》),多么凄清、幽冷!再者,冷森森的月光把现实的悲惨景况映照得分分明明,既照见愁人“无言独上西楼”,也照见失去的“三千里地山河”(《破阵子》),这一切在冰凉澄澈的月光下失去了任何遮掩,不容人不正视这严酷的现实人生。词人举头是“月如钩”,俯首是“寂寞梧桐深院锁清秋”。这样的氛围,置身其间,确是使人“肠断更无疑”(《望江南》)。清秋的梧桐只剩下光秃秃的枝桠,只有淡淡月光透过斑驳的秃枝凌乱而冷寂地洒在地上。这写的是实景,但更是词人的心境使然,带有浓重的感情色彩。在词人眼里,似乎所有的萧瑟的秋意都集中浓缩而“锁”在自己所处的深院之中,在清秋的侵袭和摧残下,人“无言”,“月如钩”,深院“寂寞”。一个“锁”字,既生动形象,又蕴含着词人的万千愁绪,悲冷至极。其实,被“锁”在深院里的何止是“清秋”啊!着一“锁”字,真可谓境界全出。上片依次点出人物、地点、时间、环境、季节,十分精练。后主所写之景,无不倾注着他强烈的主观感受,不言愁而愁自见。诚如王国维《人间词话》所说:“一切景语皆情语也。”

下片直抒愁情。换头三句:“剪不断,理还乱,是离愁。”愁恨本是主观抽象之物,这里通过比喻使之变得具体可感。就思绪的纷繁复杂无法理清而言,愁情像一团乱麻,无始无终,越理越乱;就其无法解脱及没完没了而言,却又比乱麻更深一层。快刀斩乱麻,麻丝纵乱总还是可以剪断的,但愁情却是剪不断的,就像流水一样,“抽刀断水水更流”(李白诗)。这是以有形喻无形,它使看不见摸不着的思维活动及其因素,获得了神奇的立体感和可视性,使所要表达的愁情更鲜明更深刻。结句“别是一般滋味在心头”,是词人深沉的感叹。上面所说的“愁”总还是可以明确感觉到、并可以通过具体形象表达出来的,而这里所说的就不单是一个“愁”字所能概括得了的了，它是似乎不可捉摸、但又隐约感觉得到的未曾经历过的另一番滋味，这是以无形喻无形。这种无形只是词人难以说破或不愿说破而已，亦即稼轩词所谓“欲说还休”，正可见出作者体验之深、愁情之苦。明沈际飞云：“七情所至，浅尝者说破，深尝者说不破。破之浅，不破之深。‘别是’句妙。”（《草堂诗余续集》）下片前三句用喻较实，后一句较虚，词人从不同的角度、不同的侧面来表现自己的愁情，显得格外深挚浑厚，感人肺腑。然而，后主词虽然广取形象、博采比喻，却只是为了使其抒情来得更为生动有力，其动人的力量与感人的魅力还是来自情感的真实。

这首词章法与句法都很简单，感情自然真切，纯以白描见长。善于用平常、朴素而又富于表现力的语言，表现出深刻而真挚的思想感情，创造出一个和谐完美的艺术整体——无技巧的艺术境界。“李重光之词，神秀也”，王国维如是说并不过誉。

（李希跃）

鹊 踏 枝

冯延巳 *

梅落繁枝千万片，犹自多情，学雪随风转。昨夜笙歌容易散，酒醒添得愁无限。　楼上春山寒四面，过尽征鸿，暮景烟深浅。一晌凭栏人不见，鲛绡掩泪思量遍。

作者

* 冯延巳(903—960)，又名延嗣，字正中，广陵(今江苏扬州)人。他自幼跟随李璟，官至同平章事。史称冯"有辞学，多伎艺"，工诗词，"虽贵且老不废"。他不仅是南唐词坛存词最多的一个，在唐五代词人中也是一位大家。他在词中创造了一种"深美闳约"的艺术境界与"和泪试严妆"的新风格，对北宋早期词坛产生了直接的影响。冯词自编集《阳春录》早佚，今传《阳春集》是宋人陈世修辑编的。存词一百二十首，清末王鹏运补遗七首。但其中杂有温庭筠、韦庄、李煜、欧阳修诸人的作品。

鉴赏

此词开端"梅落繁枝千万片，犹自多情，学雪随风转"，仅只三句，便写出了所有有情之生命面临无常之际的缱绻哀伤，这正是人世千古共同的悲哀。首句"梅落繁枝千万片"，颇似杜甫《曲江》诗之"风飘万点正愁人"。然而杜甫在此七字之后所写的乃是"且看欲尽花经眼"，故而在杜甫诗中的万点落花不过仍为看花之诗人所见的景物而已；可是正中在"梅落繁枝"七字之后，所写的则是"犹自多情，学雪随风转"，故正中笔下的千万片落花已不只是诗人所见的景物，而且俨然成为一种陨落的多情生命的象喻了。以"千万片"来写此一生命之陨落，其意象乃是何等缤纷又何等凄哀，既足可见陨落之无情，又足可见临终之缱绻，所以下面乃径承以“犹自多情”四字，直把千万片落花视为有情矣。至于下面的“学雪随风转”，则又颇似李后主词之“落梅如雪乱”。然而后主的“落梅如雪”，也不过只是诗人眼前所见的景物而已，是诗人所见落花之如雪也；可是正中之“学雪随风转”句，则是落花本身有意去学白雪随风之飘转，是其本身就表现着一种多情缱绻的意象，而不仅是写实的景物了。这里所写的不是感情之事迹而是表达感情之境界。所以上三句虽是写景，却构成了一个完整而动人的多情之生命陨落的意象。下面的“昨夜笙歌容易散，酒醒添得愁无限”二句，才开始正面叙写人事，而又与前三句景物所表现之意象遥遥相应，笙歌之易散正如繁花之易落。花之零落与人之分散，正是无常之人世之必然的下场，所以加上“容易”两个字，正如晏小山词所说的“春梦秋云，聚散真容易”也。面对此易落易散的短暂无常之人世，则有情生命之哀伤愁苦当然乃是必然的了，所以落花既随风飘转表现得如此缱绻多情，而诗人也在歌散酒醒之际添得无限哀愁矣。“昨夜笙歌”二句，虽是写的现实之人事，可是在前面“梅落繁枝”三句景物所表现之意象的衬托下，这两句便俨然也于现实人事外有着更深、更广的意蕴了。下半阕开端之“楼上春山寒四面”，正如后一首《鹊踏枝》之“河畔青芜”，也是于下半阕开端时突然荡开作景语。正中词往往忽然以闲笔点缀一二写景之句，极富俊逸高远之致，这正是《人间词话》之所以从他的一贯之“和泪试严妆”的风格中，居然看出了有韦苏州、孟襄阳之高致的缘故。可是正中又毕竟不同于韦、孟，正中的景语，于风致高俊以外，其背后往往依然还是含蕴着许多难以言说的情意。即如后一首之“河畔青芜堤上柳”，表面原是写景，然而读到下面的“为问新愁，何事年年有”二句，才知道年年的芜青、柳绿原来就正暗示着年年在滋长着的新愁。这一句的“楼上春山寒四面”，也是要等到读了下面的“过尽征鸿，暮景烟深浅”二句，才体会出诗人在楼上凝望之久与怅惘之深。而且“楼上”已是高寒之所，何况更加以四面春山之寒峭，则诗人之孤寂凄寒可想，而“寒”字下更加上了“四面”二字，则诗人的全部身心便都在寒意的包围侵袭之下了。以外表的风露体肤之寒，写内心的凄寒孤寂之感，这也正是正中一贯所常用的一种表现方式，即如后一首之“独立小桥风满袖”、此一首之“楼上春山寒四面”及《抛球乐》之“风入罗衣贴体寒”，便都能予读者此种感受和联想。接着说“过尽征鸿”,不仅写出了凝望之久与瞻望之远,而且征鸿之春来秋去,也最容易引人想起踪迹的无定与节序的无常。而诗人竟在“寒四面”的“楼上”,凝望这些飘泊的“征鸿”直到“过尽”的时候,则其心中之怅惘哀伤,不言可知矣。然后承之以“暮景烟深浅”五个字,暮景者,日暮之景色也,然日暮之景色究竟何有?则远近之暮烟耳。“深浅”二字,正写出暮烟因远近而有浓淡之不同,既曰“深浅”,于是而远近乃同在此一片暮烟中矣。这五个字不仅写出了一片苍然的暮色,更写出了高楼上对此苍然暮色之人的一片怅惘的哀愁。于此,再返顾前半阕的“梅落繁枝”三句,因知“梅落”三句,固当是歌散酒醒以后之所见,而此“楼上春山”三句,实在也当是歌散酒醒以后之所见;不过,“梅落”三句所写花落之情景极为明白清晰,故当是白日之所见,至后半阕则自“过尽征鸿”表现着时间消逝之感的四个字以后,便已完全是日暮的景色了。从白昼到日暮,诗人何以竟在楼上凝望至如此之久呢?于是结二句之“一晌凭栏人不见,鲛绡掩泪思量遍”,便完全归结到感情的答案来了。“一晌”二字,据张相《诗词曲语辞汇释》解释为“指示时间之辞,有指多时者,有指暂时者”,引秦少游《满路花》词之“未知安否,一晌无消息”,以为乃“许久”之义,又引正中此句之“一晌凭栏”,以为乃“霎时”之义。私意以为“一晌”有久、暂二解是不错的,但正中此句当为“久”意,并非“暂”意,张相盖未仔细寻味此词,故有此误解也。综观此词,如上所述,既自白昼景物直写到暮色苍然,则诗人凭栏的时间之久当可想见,故曰“一晌凭栏”也。至于何以凭倚在栏杆畔如此之久,那当然乃是因为内心中有一种期待怀思的感情的缘故,故继之曰“人不见”,是所思终然未见也。如果是端己写人之不见,如其《荷叶杯》之“花下见无期”“相见更无因”等句,其所写的便该是确实有他所怀念的某一具体的人,而正中所写的“人不见”,则大可不必确指,其所写的乃是内心寂寞之中常如有所期待怀思的某种感情之境界,这种感情可以是为某人而发的,但又并不使读者受任何现实人物的拘限。我之所以敢作如是说者,只因为端己在写人不见时,同时所写的乃是“记得那年花下”及“绝代佳人难得”等极现实的情事;而正中在写“人不见”时,同时所写的则是春山四面之凄寒与暮烟远近之冥漠。端己所写的,乃是现实之情事;而正中所表现的,则是一片完全属于心灵的怅惘孤寂之感。所以我说正中词中“人不见”之“人”是并不必确指的。可是,人虽不必确指,而其期待怀思之情则是确有的,故结尾一句乃曰“鲛绡掩泪思量遍”。“思量”而曰“遍”,可见其怀思之情的始终不解,又曰“掩泪”,可见其怀思之情的悲苦哀伤。至于“鲛绡”,则用以掩泪之巾也。据《述异记》云,鲛绡乃南海鲛人所织之绡,而鲛人则眼中可以泣泪成珠者也。曰“鲛绡”,一则可见其用以拭泪之巾帕之珍美,再则用泣泪之人所织之绡巾来拭泪,乃愈可见其泣泪之堪悲,故曰“鲛绡掩泪思量遍”也。全词至此,原已解说完毕,只是我在前面一直都以主观自我叙写之口吻来解说此词,假如此词果为正中之自叙,则正中乃是一位男士,而末句“鲛绡掩泪”之动作,乃大似女郎矣。其实正中此词,如我在前面所说,原来它所写的乃是一种感情之境界,而并未实写感情之事迹,全词都充满了象喻之意味,因此末句之为男子口吻抑为女子口吻,实在无关紧要,何况美人、香草之托意,自古而然,“鲛绡掩泪”一句,主要的乃在于这几个字所表现的一种幽微珍美的悲苦之情意,这才是读者所当用心去体味的。这种一方面写自己主观之情意,而一方面又表现为托喻之笔法,与端己之直以男子之口吻来写所欢的完全写实之笔法,当然是不同的。

(叶嘉莹)

鹊 踏 枝

冯延巳

谁道闲情抛弃久?每到春来,惆怅还依旧。日日花前常病酒,不辞镜里朱颜瘦。　河畔青芜堤上柳,为问新愁,何事年年有?独立小桥风满袖,平林新月人归后。

鉴赏

冯延巳实在应该是五代词人中一位极为重要的作者,他的作品在五代北宋之间,对于词之发展曾经产生过非常值得重视的影响。然而历代评词和选词的人,对于他的成就却似乎并未曾予以应有的重视。那是因为他的词从表面看来,似乎也并未曾脱除五代一般小令的风格，其所叙写者，也不过仅是一些闺阁园亭之景、伤春怨别之情而已。然而若就其内容之意境言之，则冯词却实在已形成了一种重要的开拓。关于此点，我以前在《从〈人间词话〉看温韦冯李四家词的风格》（见拙著《迦陵论词丛稿》）、《灵谿词说·论冯延巳词》（见《四川大学学报丛刊》第15辑《古典文学论丛》）与《冯正中词的成就及其承前启后的地位》（见《北京师范学院学报》1982年第4期）诸文中，对此一看法都已曾有所阐述。盖词之初起原为歌筵酒席间之艳词，并无鲜明之个性及深刻之意境可言。温庭筠词意象之精美虽足以引起读者美感之联想，然而却缺乏主观抒情的直接感发之力。韦庄词虽具有主观抒情的直接感发之力，然而却又过于被个别之情事时地所拘限。至冯词之出现，则一方面既富有主观抒情的直接感发之力，而另一方面却又能不被个别之人物情事所拘限，从而传达出了一种个性鲜明的感情之意境，遂使读者因之而能引起一种丰美的感发和联想。这种特色曾经影响了北宋初年的晏殊、欧阳修诸人，令词之发展进入了一个意蕴深美感发幽微的境界，是中国词之发展史上一项极为可贵的成就。现在我们就将以这首小词为例证，对冯词之此种特色与成就略加介绍。

此词开端之"谁道闲情抛弃久"一句，虽然仅只七个字，然而却写得千回百转，表现了在感情方面欲抛不得的一种盘旋郁结的挣扎的痛苦。而对此种感情之所由来，却又并没有明白指说，而只用了"闲情"两个字。昔曹丕之《善哉行》曾有句云："高山有崖，林木有枝。忧来无方，人莫之知。"这种莫知其所自来的"闲情"才是最苦的，而这种无端的"闲情"对于某些多情善感的诗人而言，却正是如同山之有崖、木之有枝一样的与生俱来而无法摆脱的。所以诗人才说"谁道闲情抛弃久"，"抛弃"正是对"闲情"有意寻求摆脱所做的挣扎，而且冯氏还在后面用了一个"久"字，更加强了这种挣扎努力的感觉。可是冯氏却在此一句词的开端先用了"谁道"两个字，"谁道"者，原以为可以做到，而谁知竟未能做到，故以反问之语气出之，有此二字，于是下面的"闲情抛弃久"五字所表现的挣扎努力就全属于徒然落空了。于是下面乃继之以"每到春来，惆怅还依旧"，上面着一"每"字，下面着一"还"字，再加上后面的"依旧"两个字，已足可见此"惆怅"之永在长存。而必曰"每到春来"者，春季乃万物萌生之时，正是生命与感情觉醒的季节，而冯氏于春心觉醒之时，所写的却并非如一般人之属于现实的相思离别之情,而只是含蓄地用了"惆怅"二字。"惆怅"者,是内心恍如有所失落又恍如有所追寻的一种迷惘的情意,不像相思离别之拘于某人某事,而是较之相思离别更为寂寞、更为无奈的一种情绪。既然有此无奈的惆怅,而且经过抛弃的挣扎努力之后而依然永在长存,于是下面两句冯氏遂径以殉身无悔的口气,说出了"日日花前常病酒,不辞镜里朱颜瘦"两句决心一意承担负荷的话来。"花前"之所以"常病酒"者,杜甫在《曲江》二首之一中,曾经说过"且看欲尽花经眼,莫厌伤多酒入唇"的话,对于如此易落的花,何能忍而不更饮"伤多"之酒,此"花前"之所以"常病酒"也。上面更着以"日日"两字,更可见出此一份惆怅之情之对花难遣,故唯有"日日"饮酒而已。曰"日日",盖弥见其除饮酒外之无以度日也。至于下句之"镜里朱颜瘦",则正是"日日病酒"之生活的必然结果。曰"镜里",自有一份反省惊心之意,而上面却依然用了"不辞"二字,昔《离骚》有句云"虽九死其犹未悔","不辞"二字所表现的,就正是一种虽殉身而无悔的情意。我在前面曾经说过冯词所表现的往往不是现实的个别的情事,而是一种个性鲜明的感情之意境,这首词上半阕所写的这种经过"抛弃"的挣扎、经过"镜里"的反省而依然殉身无悔的情意,便正是冯氏词中所经常表现的意境之一。而此种顿挫沉郁的笔法,此种惝恍幽咽的情致,也正是冯词中所常见的笔法和情致。

下半阕承以"河畔青芜堤上柳"一句为开端,在这首词中实在只有这七个字是完全写景的句子,但此七字却又并不是真正只写景物的句子,不过只是以景物为感情之衬托而已。所以虽写春来之景色,而并不写繁枝嫩蕊的万紫千红,而只说"青芜",只说"柳"。"芜"者,丛茂之草也,"芜"的青青草色既然遍接天涯,"柳"的缕缕柔条,更是万丝飘拂。这种绿遍天涯的无穷草色,这种随风飘拂的无尽柔条,它们所唤起的,或者所象喻的,该是一种何等绵远纤柔的情意。而这种草色又不自今日方始,年年河畔草青,年年堤边柳绿,则此一份绵远纤柔的情意,岂不也就年年与之无尽无穷?所以下面接下去就说了"为问新愁,何事年年有"二句,正式从年年的芜青柳绿,写到"年年有"的"新愁"。但既然是"年年有"的"愁",何以又说是"新"?一则此词开端已曾说过"闲情抛弃久"的话,经过一段"抛弃"的挣扎,而重新又复苏起来的"愁",所以说"新",此其一;再则此愁虽旧,而其令人惆怅的感受,则敏锐深切岁岁常新,故曰"新",此其二。至于上面用了"为问"二字,下面又用了"何事"二字,造成了一种强烈的疑问语气,若将之与此词首句开端之"谁道闲情抛弃久"七字合看,从其尝试抛弃之徒劳的挣扎,到现在再问其新愁之何以年年常有,有如此之挣扎与反省而依然不能自解,这正是冯延巳一贯用情的态度与写情的笔法。而在此强烈的追问之后,冯氏却忽然荡开笔墨,更不作任何回答,而只写下了"独立小桥风满袖,平林新月人归后"两句身外的景物情事。而仔细玩味,则这十四个字却实在是把惆怅之情写得极深的两句词。试观其"独立"二字,已是寂寞可想,再观其"风满袖"三字,更是凄寒可知,又用了"小桥"二字,则其立身之地的孤伶无所荫蔽亦复如在目前,而且"风满袖"一句之"满"字,写风寒袭人,也写得极饱满有力。在如此寂寞孤伶无所荫蔽的凄寒之侵袭下,其心情之寂寞凄苦已可想见,何况又加上了下面的"平林新月人归后"七个字,曰"平林新月",则林梢月上,夜色渐起,又曰"人归后",则路断行人,已是寂寥人定之后了。从前面所写的"河畔青芜"之颜色鲜明来看,应该乃是白日之景象,而此一句则直写到月升人定,则诗人承受着满袖风寒在小桥上独立的时间之长久也可以想见了。清朝的诗人黄仲则曾有诗句云:"如此星辰非昨夜,为谁风露立中宵?"又曰:"独立市桥人不识,一星如月看多时。"如果不是内心中有一份难以排解的情绪,有谁会在寒风冷露的小桥上直立到中宵呢?从这首词我们已可见出,冯延巳所表现的这种孤寂惆怅之感,既绝不同于温庭筠词之冷静客观,也绝不同于韦庄词之拘限于现实之情事,冯词所写的乃是心中一种长存永在的惆怅哀愁,而且充满了独自担荷着的孤寂之感,不仅传达了一种感情的意境,且表现出强烈而鲜明的个性,这是冯词最可注意的特色和成就。

(叶嘉莹)

蝶恋花

冯延巳

几度凤楼同饮宴。此夕相逢,却胜当时见。低语前欢频转面,双眉敛恨春山远。　蜡烛泪流羌笛怨。

偷整罗衣,欲唱情犹懒。醉里不辞金爵满,《阳关》一曲肠千断。

鉴赏

刘永济《唐五代两宋词简析》评此词说:“此首所表之情,极其复杂。”怎样复杂呢?首先是它的层次多,以致打乱了我们习常所见的时间顺序。而层次多,正反映了作品所抒写的情感矛盾多。比如首句“几度凤楼同饮宴”,说的明明是过去的情事;而次句一转,“此夕相逢,却胜当时见”,立即转换为眼前的欢乐。它用“此夕”与“当时”两词相呼应,把过去和现在两个层次紧密地连在一起了。为什么今夕的相逢,胜如当时的饮宴呢?每一位经受过离别况味的读者都能体会到:久别重逢,的确是比初识乍遇要情味深长得多。古人把别后相思比作“情渴”,不是没有道理的。别离越久,重逢时就越觉得高兴,好比久渴得水。

“低语前欢频转面,双眉敛恨春山远。”这两句写重逢时难免旧事重提,又转了一层,由今日追想起昔日。在他俩的窃窃私语中,自不免回顾前时的欢娱。但既触及到“前欢”,也就免不了要牵起久别期间的旧苦,以致泪眼盈盈,欲零还住。为了不引得对方过于凄怆,女方有意频频转过脸去。但紧锁的双眉纠结着重重旧恨,好似春天的远山显出一派朦胧的黛色。写到这里,词人又从追忆中返回现实。就这样,一会儿自昔及今,一会儿又由今忆昔。忽昔忽今,层次迭出。一条时间的长线,被词人交织成团了。

如果说,上片叙述重逢之乐和昔别之苦,那么,下片则写重逢之后又面临着再别之痛。时间已是深夜,词人眼见着“蜡烛泪流”,耳听得“羌笛怨”,益发感到色苦声悲。杜牧曾写道:“蜡炬有心还惜别,替人垂泪到天明。”(《赠别》)蜡烛尚且有心,而况人乎?加上席上又响起伴奏的羌笛声,更勾起离人的无穷哀怨。王之涣《凉州词》写道:“羌笛何须怨杨柳?春风不度玉门关!”面临要折柳赠别,诗人怎能不怨恨那无法吹度关山的“春风”呢?

“偷整罗衣,欲唱情犹懒。”女方情知将别,心里也矛盾重重。她偷偷地整了整罗衣,目的在掩饰内心极度的慌乱。她想唱出自己的悲哀,但大庭广众之前，毕竟不便启齿；因此欲唱又罢，索性懒洋洋的。似这般细致的刻画，表现了多么隽永的诗味！

“醉里不辞金爵满，《阳关》一曲肠千断。”诗人此时只图一醉了事，故不再推辞一满杯又一满杯地痛饮。因为《阳关曲》（即王维所作《送元二使安西》）已唱起，离别即在眼前。听唱那“西出阳关无故人”的诗句，怎不令人肠断千截呢？用一“千”字，极言离恨之多且甚。

通篇娓娓言情，如泣如诉，绝妙地描绘出一幅悲欢交集的情侣相会图。

刘永济先生说：“冯延巳曾两度作宰相，此词表面以欢会与惜别为言，其中实有得失之心，但一托之闺情，便觉缠绵宛转。”（《唐五代两宋词简析》）他肯定清人张惠言评此词与另几首词“宛然《骚》《辩》之义”的说法。冯延巳的词，可能有所寄托；但托之于醇酒、妇人以抒其身世之感是可能的，而说他像屈原、宋玉一样欲取信于君则未免过于穿凿。冯词的内容实无可取，而我们之所以喜爱它，无非是因它在审美方面使我们获得了某种艺术的满足罢了。

（蔡厚示）

清　平　乐

冯延巳

雨晴烟晚，绿水新池满。双燕飞来垂柳院，小阁画帘高卷。　　黄昏独倚朱阑，西南新月眉弯。砌下落花风起，罗衣特地春寒。

鉴赏

这首词是《阳春集》四首《清平乐》（其中第三首属韦庄）中的第二首。词中所表现的感情，是闺妇在暮春季节怀念亲人的一点轻愁淡恨。这类题材，在《花间》词中是屡见不鲜的。但由于作者在本词的剪裁上独具匠心，读来颇觉清丽可喜，韵味深厚。

春雨过后，晚照下的迷蒙烟霭与绿水涨满的新池，是闺妇所见到的景象。透过景物所体现出的感情，是一般人都会产生的对生意盎然的春景和现实生活的热爱，还看不出具有闺妇个性特征的主观感受来。下面两句则把闺妇的主观感受表现得十分强烈。"双燕"归巢,这是傍晚时极普通的景象,但"小阁画帘高卷",表现出主人公对双燕归来的殷勤心意。这一细节的含义在于:让燕子快快归巢,双栖画栋吧。闺妇的情怀,都融化在这无声的高卷画帘的行动里。"夕阳无语燕归愁",深深体现了燕归人不归的惆怅。

下片首句明白地写出了闺妇的"独倚朱阑",这和双燕归栖画栋形成鲜明对照,揭示出本词的怀人主旨。"西南新月眉弯",是闺妇"独倚朱阑"时所见到的天空景象,它和傍晚时的"雨晴烟晚"大不相同,一弯新月高挂在西南天空,已是夜深人静的情景,这不仅表现出景物的变换与时间的进一步推移,更主要的是表现了闺妇望月怀人的深情。末二句再作深入揭示。"落花风"是暮春季节特有之景。当"落花风"吹动她的"罗衣"时,立刻感到"特地春寒",这不能简单地视为寒风刺激人体的客观反应,应该是闺妇主观意念的真实流露。时至暮春,春事将尽,绿肥红瘦,随之而来就是蒲柳先衰,因景而生情,怎能不起美人迟暮之感呢?但这种感慨作者写得极含蓄,用风振罗衣而芳心自警的细节表现出来,言简意赅,其艺术表现手法是极高超的。

(秦惠民)

谒金门　　冯延巳

风乍起,吹皱一池春水。闲引鸳鸯香径里,手挼红杏蕊。　斗鸭阑干遍倚,碧玉搔头斜坠。终日望君君不至,举头闻鹊喜。

鉴赏

这首词写贵族女子在春天里愁苦无法排遣和希望心上人到来的情景。

一开头写景:风忽地吹起,把满池塘的春水都吹皱了。这景物本身就含有象征意味:春风荡漾,吹皱了池水,也吹动了女主人公的心。一个"皱"字,就把这种心情确切地形容出来。因为是春风,不是狂风,所以才把池水吹皱,而还不至于吹翻。女主人公的心情也只是像池水一样,引起了波动不安的感觉。面对着明媚的春光,她的心上人不在身边,该怎样消磨这良辰美景呢?她只好在芳香的花间小路上,手挼着红杏花蕊,逗着鸳鸯消遣。可是成双成对的鸳鸯,难免要触起女主人公更深的愁苦和相思,甚至挑起她微微的妒意,觉得自己的命运比禽鸟尚不如。她漫不经心地摘下含苞欲放的红杏花,放在掌心里轻轻地把它揉碎。通过这样一个细节,深刻表现出女主人公内心无比复杂的感情。它意味着:尽管她也像红杏花一般美丽、芬芳,却被另一双无情的手把心揉碎了。这写得多么细致,蕴藏着多么深沉的感情!简直是写进人物的下意识领域中去了。

下片写她怀着这样愁苦的心情,一切景物都引不起她的兴致。哪怕她把斗鸭栏杆处处都倚"遍"(一作"独"。但"独"字不如"遍"字好),仍然是没精打采。这个"遍"字,把她这种难挨难耐的心情精细地刻画出来。她心事重重地垂着头。由于头垂得太久,以至头上的碧玉搔头(一种用碧玉做的簪子。《西京杂记》云:"(汉)武帝过李夫人,就取玉簪搔头;自此后,宫人搔头皆用玉。")也斜斜地向下倾。这说明她已挨过一段很长的时间。她整天思念心上人,却一直不见他来。忽然,她听到喜鹊的叫声。"喜鹊叫,喜事到。"莫非心上人真的要来了吗?她猛然抬起头,愁苦的脸上初次出现了喜悦的表情。作者写到这里,便结束了全词。在一种淡淡的欢乐中闭幕,像给女主人公留下一线新的希望。但读者可以设想:喜鹊报喜究竟有多大的可靠性呢?恐怕接连而来的,将是女主人公更大的失望和悲哀。尽管作者把帷幕拉上了,但读者透过这重帷幕,还可以想象出无穷无尽的后景。

这首词的思想内容,跟花间派词人的大多数作品也差不多。可能作者另有寄托,但也不外个人的恩怨而已,这些都无多大价值。但它那细致、委婉而又简练、生动的描写手法,值得我们借鉴。

"风乍起,吹皱一池春水"和李璟《摊破浣溪沙》里的"小楼吹彻玉笙寒",都是传诵千古的名句。据马令《南唐书》卷二十一的记载,李璟曾责问冯延巳:"吹皱一池春水,干卿何事?"吓得冯只好涎着脸皮说:"未如陛下'小楼吹彻玉笙寒'。"

(蔡厚示)

鹊踏枝

冯延巳

几日行云何处去？忘却归来，不道春将暮。百草千花寒食路，香车系在谁家树？　泪眼倚楼频独语。双燕飞来，陌上相逢否？撩乱春愁如柳絮，悠悠梦里无寻处。

鉴赏

这首词一说是欧阳修作。但近年来出版的词集选本多把它归在冯延巳名下。这首词写一女子怀念游荡在外的丈夫，表现了无穷哀怨。

首句写她看到空中飘荡的流云，联想起自己的丈夫也像流云一样，长时间不知飘向何处了。它采用诘问语气，表明她思念已久，心情愁闷；因为丈夫在外流连忘返，全不把她放在心上，而春天转眼间就要过去了，辜负了这良辰美景，怎不叫人怨恨呢？她急欲探知丈夫的去向，因此四顾张望："百草千花寒食路，香车系在谁家树？""百草千花"，这里暗指妓女；"香车"，指代丈夫的行踪。车子停在谁家树下，意指丈夫在何处冶游。这样写，既切合女主人公倚楼眺望的情景，又形象鲜明，情思婉转，耐人回味。

下片写她眼含泪水，倚立楼头，不免如痴如呆，独自念念叨叨。"频独语"三字，把女主人公那种伤心欲狂的精神状态清晰地刻画出来。她抬头看见双双飞来的燕子，也情不自禁地问它："归路上你们遇见我丈夫了吗？"燕子自然无法给她任何回答。对此，她潜意识里充满妒意，因而更深地撩起春愁。"如柳絮"三字，形容她春愁既多且乱。这样几经渲染，就把本来不可捉摸的愁怨，变得格外鲜明和具体了。

按理说写到这里，已够令人同情和伤感。但末了还有一句"悠悠梦里无寻处"，点明女主人公望了整整一天，竟连丈夫的踪影也未看见，只好寄相思于梦中。她想：在安谧的夜间兴许能在梦里跟丈夫会面。哪怕这只是片刻、虚假的欢乐，也总比一直沉浸在痛苦里要好受些。哪知她悠悠忽忽地在梦里也找不到他,这真叫人肝肠摧裂啊！这样一结,就极大地加强了作者所要着力渲染的伤感气氛,产生了扣人心弦的艺术魅力。很像我们观赏福建仙游县的九鲤湖瀑布,从雷轰漈经飞瀑漈到珠帘漈,眼见瀑布水一漈比一漈跌落得更深,奔泻得更猛,就更触目惊心而神思飞越。

这首词连用了三个问句:“几日行云何处去?”“香车系在谁家树?”“双燕飞来,陌上相逢否?”一次比一次问得更迫切,从而描绘出女主人公越到后来越濒近绝望的心情。这是一种层层加码式的手法。

这首词较明显地寄托了作者个人的感慨。他把自己比做被遗弃的女子,用以宣泄政治上的失意情绪。这比花间派词人专门描写妇女的服饰、容貌等一类作品,在内容上毕竟深厚些。这种写法,对北宋晏殊和欧阳修等人有着明显的影响。

陈廷焯在《白雨斋词话》中说:“正中词极沉郁之致,穷顿挫之妙。”所谓沉郁之致,也就是说词里别有寄托,在字、词、句外蕴藏着作者更深沉的思想感情。所谓顿挫之妙,也就是说词在气势和结构方面波澜起伏,变化多端,使人感到无穷妙处。读者细心读这首词,当可领会陈廷焯此话不错。

(蔡厚示)

南乡子

冯延巳

细雨湿流光,芳草年年与恨长。烟锁凤楼无限事,茫茫。鸾镜鸳衾两断肠。　　魂梦任悠扬,睡起杨花满绣床。薄幸不来门半掩,斜阳。负你残春泪几行。

鉴赏

此词写少女怀春之情。陈世修《阳春集序》评冯延巳词云:“观其思深辞丽,均律调新,真清新飘逸之才也。”本篇摆脱花间派词人对女性容貌与服饰的描绘,而转向对人物内心感情的刻画,思深辞丽,音韵谐婉,确实符合陈世修的评价。

凡是成功的小词,在摹写物象与情致上必然做到极婉极真,融合无间。此词以咏草起兴，深得此法。宋人周文璞评曰："《花间集》只有五字绝佳：'细雨湿流光。'景意俱微妙。"（见宋张端义《贵耳集》，所谓《花间集》系误记，词乃见于《阳春集》。）近人王国维则以为此五字"能摄春草之魂"（《人间词话》）。他们从摹写物象与情趣着眼，肯定了此词的艺术特色，确为有识之见。宋人林逋《点绛唇》咏草云"余花落处，满地和烟雨"，梅尧臣《苏幕遮》咏草云"满地残阳，翠色和烟老"，均为咏草名句，然比之此词，犹觉逊色。丝丝细雨，落在芳草地上，微风吹过，草上闪动阵阵白光，好似在流动一般，说它景色如画，但图画不能显其动；说它声韵似乐，但音乐难以摹其形。物象与情韵竟结合得如此之妙，令人叹赏不已！再益以"芳草年年与恨长"一句，则把少女的愁和恨化为具体可感的艺术形象，产生悠远的意境。以草喻恨，唐宋词中常有之。如李煜《清平乐》云："离恨恰如春草，更行更远还生。"秦观《八六子》云："倚危亭，恨如芳草，萋萋刬尽还生。"所不同的是：李、秦之词首言离恨，后言芳草，在写法上是融情入景；此词则是先写芳草，后写愁恨，在写法上是因景生情。因景生情能于不知不觉中将读者带入词的意境，并在不知不觉中受到感染。这是本篇的特点。

"烟锁"以下几句，有如电影的摇镜头，渐次推向少女所居之处。细雨如烟，笼罩妆楼，系紧承起首二句，描写雨中实境；然亦象征女子的心情，她终日妆楼独处，被浓烟细雨所包围，心情之压抑，可想而知。"茫茫"二字，既有韵律上的节奏感，也将雨意人心融为一境，读之令人凄然。"鸾镜""鸳衾"皆妆楼内陈设，此句通过物象的描写，抒发女子坐卧不宁的心情。她对镜梳妆，唯见愁眉不展，徒兴谁适为容之叹；拥衾独卧，亦复凄凉难耐，更添伶仃寂寞之愁。此即所谓"两断肠"也。词写至此，女子因芳草而引起的离恨，可谓形容殆尽。

过片转写梦境。从写法上说，此乃宕开一笔，是所谓"离"，然而内容仍是写离恨，不脱上阕意脉，是所谓"合"。因为有离有合，所以词风不腻不粘，疏落有致，引人入胜。"魂梦任悠扬"，是对"烟锁凤楼"的反衬。在现实生活中，她被困守妆楼，与世间隔，可是到了梦境里，她却无拘无束，自由驰骋。从这一点上看，这位女子是在追求个性解放，也见出作者立意之高。后来许多梦幻作品，特别是汤显祖《牡丹亭》中的"游园惊梦"或曾受到它的启示。文学作品中，通常写梦醒以后的情绪总是悲哀与失望，然而此处却说"睡起杨花满绣床"，境界美极了。由此看出，这位女子的梦境也是十分甜美的。苏轼《水龙吟·次韵章质夫杨花词》云:“梦随风万里,寻郎去处,又还被、莺呼起。”似可作此句的注脚。杨花飘荡,有如魂梦悠扬,上下二句,互文见义,亦可见修辞之匠心。

然而梦醒以后的美好情绪是保持不长的,当这位女子回到现实中时,痛苦又在缠绕她的灵魂。她半掩闺门,等待恋人的到来,可是从清晨等到红日西斜,还未见踪影,于是她忍不住骂了一声“薄情郎”。按照常情,爱之深,方恨之切。她口头上詈之为“薄幸”,内心深处正爱得切。最后一句更是直抒胸臆。春残时刻,雨落花飞,恨随草长,已堪悲堪怨。况是想得热泪潸潸,最终还是遭到薄幸的辜负,其痛苦自不待言。此以情语作结,感情仍落在“恨”字上。至此我们再回顾首句,便知词人笔下所写的离恨确是像芳草一样,一天天在增长。草长一分,恨长一寸,而那丝丝细雨,既是在浇灌芳草,也是在浇愁浇恨。周文璞所说的“景意俱佳”,也可以说不仅是评起句五字,同时也可算是在评全篇。倘加玩索,自会得出这种印象。

(徐培均)

喜迁莺

冯延巳

宿莺啼,乡梦断,春树晓朦胧。残灯和烬闭朱栊,人语隔屏风。　　香已寒,灯已绝,忽忆去年离别。石城花雨倚江楼,波上木兰舟。

鉴赏

这首词是写游子思乡的感情。全词表现出游子细微的心理变化,在艺术构思上颇有特色。“宿莺啼,乡梦断”,这对久客他乡欲归未遂的人来说,是一件极懊恼的事情。但作者把这种感情写得十分含蓄,只以“莺啼”“梦断”之语淡淡地道来,没有唐人“打起黄莺儿,莫教枝上啼”那种强烈的主观色彩。但在平淡词语的背后,却隐藏着游子的恼莺情绪。“春树晓朦胧”是室外之景。游子的乡梦惊残之后,不能明辨窗外的一切,只朦胧地看到一片树影。这种外景的描写,表现了游子梦醒之后那种迷离恍惚的心理状态。这时室内的灯已“残”，香已成“烬”。这两件事物的描写呼应了“宿莺啼”，说明天快明，是应该起身的时候了。但作者在“残灯和烬”之后加上“闭朱栊”三字，含义有三：一、是表现了游子恼莺情绪；二、是表现了对“乡梦”惊残的惋惜之情；三、是想隔绝莺声，以便重寻梦境，聊慰思乡之苦。这位游子把“朱栊”关闭起来，为自己制造了一个续梦的环境。他的“乡梦”到底续上了没有呢？作者用“人语隔屏风”一语回答了这个问题。“隔屏”“人语”句句盈耳，很巧妙地告诉人们，“乡梦”并未续上。梦未续成，恼莺情绪之外又添一重恼人的情绪！文笔跌宕多姿，曲折有致。

上片末句已暗示出思乡的内容是思念自己的亲人。过片两句，“香”已“寒”是对“烬”而言的，“灯”已“绝”是对“残”而言的。“香”由“烬”(热灰)而“寒”(冷灰)，“灯”由“残”而“绝”，写出了时间的推移。在已推移的这段时间里，游子回忆起去年和亲人分别时的情景：分别的地点是在石城的“江楼”，分别的季节是落花如雨的暮春。至于分别时难舍难分的景象则通过“倚江楼”“波上木兰舟”作了概括性的描写。船已行到江波之上，送别的亲人还“倚江楼”而望，这是亲人对游子难舍难分的情态；但这种情态是游子在“木兰舟”上所望到的，这又表明游子对江楼上的亲人也凝望了很久，同样是难舍难分。去年和亲人分别时的情景宛然在目，正见思之深、念之切，无怪乎这位游子要闭起“朱栊”而重寻他的“乡梦”了。

（秦惠民）

抛　球　乐

冯延巳

酒罢歌余兴未阑，小桥流水共盘桓。波摇梅蕊当心白，风入罗衣贴体寒。且莫思归去，须尽笙歌此夕欢。

鉴赏

此词开端“酒罢歌余兴未阑”一句，前四字是写两件事情的结束，而后三字却正暗示了另一些情事的开端。昔谭献《词辨》评欧阳修《采桑子》一词之开端“群芳过后西湖好”一句云“扫处即生”，就是说一方面是结束而另一方面却正是开始的意思，正中此七字也正是如此。“酒罢歌余”者，是酒既饮罢，歌也听残，然而却又继之以“兴未阑”，是意兴犹有未尽也。于是诗人遂不得不为此难尽之意兴更觅一安顿排遣之所，因之乃有下一句之“小桥流水共盘桓”也。然而，饮酒、听歌是何等热闹欢欣的场面，而小桥、流水又是何等冷落凄清的所在。正中自如彼饮酒、听歌的场面，因为意兴未阑而却转入如此冷落凄清之所，这是极耐人寻味的一件事。有此一转，然后可知正中在听歌、饮酒之意兴中，原来就自有其寂寞凄凉之一面心境，更可知正中在寂寞凄凉之心境中，有时却又自有其强求欢乐的一种意兴。正中词中往往表现有此二种相反相成之意境，如其《采桑子》词之或于“旧愁新恨知多少”之后，接写“更听笙歌满画船”；或于“满目悲凉”之后，接写“纵有笙歌亦断肠”；或于愁恨中翻更听歌；或于笙歌中转亦断肠。正中词每于耽溺之执著中作反省之挣扎，又于反省之挣扎中见耽溺之执著，所谓“和泪试严妆”，这种悲苦与欢乐之错综的表现，该也正是“和泪试严妆”所代表的另一种境界吧。而这也正是此词于“酒罢歌余兴未阑”之后，当下便转入了“小桥流水共盘桓”的缘故。“盘桓”者，徘徊不去之意。昔陶渊明《归去来辞》有“抚孤松而盘桓”之语，证之于渊明诗之往往托孤松以自喻，则渊明之所以抚孤松而徘徊不去者，岂不因其内心深处与此孤松正有一份戚戚之共感。如今正中乃欲与小桥流水共此盘桓，夫“小桥”是何等孤伶无可荫蔽的所在，“流水”更象喻着何等凄寒而长逝的悲哀，而且“桥”之为物，乃是供人来往之用，并非供人长久盘桓之所在，而今正中于“酒罢歌余”之际，乃竟盘桓于“小桥”之上，欲共此“流水”而徘徊不去，则其内心于追欢寻乐之后所感受的孤寒无聊赖可知。继之以下二句之“波摇梅蕊当心白，风入罗衣贴体寒”，则是盘桓之际孤寒无聊赖中之所见、所感也。“梅蕊”自然指梅树上之花蕊，然而既是树上之花蕊，又何以能被水波摇动？或以为梅蕊乃指已落在水中之梅花，这实在乃是误解，一则，因为“蕊”乃指含苞初放之花朵，杜甫《江畔独步寻花》诗“嫩蕊商量细细开”一句可以为证，是“梅蕊”不指已落之花者一也；再则，自下面的“当心白”三字来看，“白”字自当指花蕊之色，“当心”则为正当波心之意，如果是落在水中的花蕊，则零落散漫，随波流逝，如何能把花蕊之白色只留在波心，此

"梅蕊"之不指已落之花者二也。但既非落花,则树上之花蕊又何以会在波中摇动?则杜甫之《渼陂行》有句云"半陂已南纯浸山,动影袅窕冲融间",浸在水中之山影既可以随波摇动,则浸在水中的花影当然更可以随波摇动了,所以说"波摇梅蕊"。其随波摇动者正为梅蕊之倒影,而并非落花可知。这正是其所以能只留在波心而并不随流水以俱逝的缘故。而梅蕊之倒影则是白色的,故曰"当心白",此三字正写梅花倒映在水中所呈现在波心之一片白色的摇动的光影。以上只不过是把本句的文字及其所写的景物略作说明而已,其实此句真正之好处,乃在于写景之外所表现之由此景物所唤起及所象喻着的一种内心之境界。试想一片白色的光影动摇在波心之中,白色的凄寒与光影的动荡迷茫,其所唤起及所象喻着的诗人内心中之凄寒迷惘的感觉该是何等深切,因此说"波摇梅蕊当心白",明明写出"当心"二字来,正足以表现此摇动之一片白色之自波心直动荡到诗人之内心,是诗人之心中亦正复有此迷惘凄寒的动摇之一片白色也。这是极有神致的一句好词,所写正不仅眼前景物而已,而是由眼前景物所唤起和象喻的一种内心之境界,这正是正中词的独到之处。王氏四印斋刻本《阳春集》于"当"字下注云:"别作伤。""伤心白"三字,也未始不好,一则,"伤心"二字双声,恰好与下一句"贴体"二字之双声相对;再则,"波摇梅蕊""白"五字都是写景,加上"伤心"二字写情,一如世所传李白之《菩萨蛮》词"平林漠漠"一首之"寒山一带伤心碧",使人读之大有情景交融之感,所以作"伤心白"似亦原无不可。惟是除四印斋本有此注语外,其他诸本及选本仍以作"当心白"者为多,而且"伤心白"三字之好处,乃是容易讲出来的,而"当心白"三字之好处,则是不容易讲出来的。"当心白"三字虽不明言"伤心",而自彼波心映入诗人心目中之一片光影的摇动,似乎却更富于惝恍迷离之感,这正是我之所以选取了"当心白"三字,而且不惜辞费来加以解说的缘故。至于下一句"风入罗衣贴体寒",表面上也只是写桥上之风寒直透人衣而已,然而试看这一句所用的"风入"的"入"字及"贴体"的"贴"字,都是何等有力而深切的字样,而且"罗衣"的"罗"字所显示的又是何等不能御风的单寒。总之,此句所表现的乃是无可抵御的全身的寒冷之感,而这种全身的寒冷之感也是有着某种象喻的意味的。也就是说,这种寒冷之感并非全由于外界之因素,而是由于诗人之内心中本来就有着这一种为寒冷所浸透的感觉，所以此句所写的，实在不只是身体之寒冷，也是心灵的凄寒之感。至于如何来判断一般诗人所写的寒冷之感是仅属于身体的现实的寒冷，抑或更有着象喻意味的属于心灵的凄寒之感，我想这该是从诗人叙述的口吻中可以体味得到的。如以杜甫《月夜》一诗之“香雾云鬟湿，清辉玉臂寒”二句，与杜甫另一首《佳人》诗之“天寒翠袖薄，日暮倚修竹”二句相较，则前二句杜甫所写的，乃是遥想他的妻子于月夜怀念良人之时在月光与雾气之下的肌肤的寒冷，虽然言外也有凄清寂寞的意味，但那仍不过只是属于环境所造成的一时的凄清而已；至于后二句，则是遥想一位乱离之后家人死丧又为良人所抛弃的佳人之单寒翠袖、倚竹伶仃的情境，这两句的天寒袖薄，就俨然有着某种象喻的意味，而不仅只是写现实的肌肤之寒了。再如李义山《端居》一诗之“远书归梦两悠悠，只有空床敌素秋”二句，虽然在句中并未言明寒字，然而“素秋”二字所暗示的萧索寒冷之感是极为明显的，再加之上句所写的“远书”“归梦”两俱“悠悠”，是心灵与感情之全无依傍可知，所以下一句乃说“只有空床”来“敌”素秋了。“敌”字乃是抵御之意，是则义山所用以抵御此萧索寒冷之素秋的只剩有一张“空床”而已，“床”而着一“空”字，是极言其丝毫无可用以抵御之物也。义山所写的无可抵御的萧索寒冷之感，就也不只是现实身体之寒冷而已，而且是有着象喻意味的属于心灵的某种为寒冷所侵袭而无法抵御的感觉。正中此句“风入罗衣贴体寒”，就是把这种属于内心中之寒冷无法抵御的感觉写得极深切的一句词。如果把此句与上一句之“波摇梅蕊当心白”合看，才更可体味出正中所写的内心中之一片迷惘凄寒，是何等“当心”“贴体”的悲凉无奈。而在这两句小桥流水的盘桓所唤起的悲凉无奈之感以后，正中却忽然掉转笔来重写对欢乐的追寻，而且极执著地写下了“且莫思归去，须尽笙歌此夕欢”的句子，遥遥与开端之“酒罢歌余兴未阑”七字相呼应，不仅笔法有顿挫往复之致，而且用字也极为曲折沉郁，如上一句“且莫思归去”之“且莫”二字，与下一句“须尽笙歌此夕欢”的“须尽”二字，可以说都是经过感情的挣扎然后盘郁而出的。“且莫”者，暂且不要之意也，说“暂时”不要归去是明知其终必要归去也，而犹作此“且莫”之挣扎，岂不因归去以后之孤寂悲凄，较之此际小桥流水之“波摇”“风入”的迷惘凄寒有更为难耐者在，这是第一层盘郁；至于“须尽”，则是一定要做到终尽之意，至其所欲尽者则是笙歌之欢乐，然而此词开端却又明明已先写出过“酒罢歌余”的字样，而且中间曾经过一段小桥流水的波摇、风入的盘桓，则结尾之所谓“须尽”“欢”者，其为悲苦孤寂中强欲寻欢之心境分明可知，而却仍以“须尽”字样说是一定要做到尽欢，这种挣扎乃是第二层盘郁。这正是正中一贯用情和用笔的态度，如前所举第一首《鹊踏枝》词之抛弃闲情之转入惆怅依旧，第二首《鹊踏枝》词之自已落繁花之转入犹自多情，便都是表现的这一种顿挫缠绵惝恍抑郁的境界。读正中词，虽不能使读者确知其情事之究竟何指，而读之者却自然会兴起一种难以自解的无可奈何的怅惘哀伤之感，其意蕴之深厚曲折，确实难以作明白之言说。这正是正中词之所以独被《人间词话》赞许为“深美闳约”的缘故。

（叶嘉莹）

抛　球　乐　　冯延巳

逐胜归来雨未晴，楼前风重草烟轻。谷莺语软花边过，水调声长醉里听。款举金觥劝，谁是当筵最有情？

鉴赏

早在钟嵘《诗品·序》中，就曾说过“气之动物，物之感人，故摇荡性情，形诸舞咏”的话。大自然中四时景物之变化之足以感动人心，本来是千古以来诗歌创作中之一项重要质素。而一般说来则外界物象之所以能感动人心者，大约主要有两种情形：其一是由于有生之物对于生命之荣谢生死的一种共感，所以见到草木之寥落，便可以想到美人迟暮之悲，如同陆机在《文赋》中所说的“悲落叶于劲秋，喜柔条于芳春”，这是最为常见的一种情况；其二则有时也由于大自然之永恒不变的运转，往往可以对人世之短暂无常，形成一种强烈的对比，即如李煜在其《虞美人》词中之由“春花秋月何时了”与“小楼昨夜又东风”，而感慨“往事知多少”与“故国不堪回首月明中”，这也是一种常见的情况。在这两种情况中，其物与心之互相感发的关系，可以说都是较为明白可见，而且在评赏时,也都是较为容易解说的。然而却也有些作品,其物与心之间相互感发的关系,则并不如此明白易见,而其中却又确实具有一种深微幽隐的感发,这一类诗歌是最难加以评析解说的作品,而冯延巳的这一首词,就正是属于这一类的作品。其所传达的并不是什么强烈明显的情意,而是以敏锐细致的感受,传达了一种深微幽隐的情绪之萌发。开端第一句"逐胜归来雨未晴",先由时节和天气写起,而在时节与天气之间,则表现了一种矛盾的情况。时节是美好的游春逐胜的日子,而天气则是阴雨未晴的天气。所谓"逐胜"者,盖指春日之争逐于游春赏花等胜游胜赏之事,意兴原该是高扬的,而阴雨的天气则使人有一种扫兴之感。可是"雨"而曰"未晴",则似乎也透露有一种将晴而未晴之意。更何况诗人之"逐胜"也已经"归来",是则虽在阴雨之中,而诗人却也并未曾因之而放弃"逐胜"之春游,而在此种种矛盾的结合之间,便已显示了一种繁复幽微的感受,既有兴奋,也有怅惘;既有春光之美好,也有细雨之迷蒙。所以仅此开端一句看似非常平淡的叙写,却实在早已具含了足以引发人心之触动的多种因素。像这种幽微婉曲的情境,是只有最为敏锐善感的心灵才能感受得到的,也是只有最具艺术修养的诗人才能表现得出来的。接下去的"楼前风重草烟轻"一句,所写的就正是此一敏锐善感之诗人在"逐胜归来雨未晴"的情绪之触引中的眼前之所见。"楼前"二字,表面不过只写诗人之倚立楼头,为以下所写楼前所见之景物做准备。但诗人既已是逐胜归来,则何以竟未曾入室憩息,而依然倚立楼头?此岂不因其内心中正有一种触引感发之故乎!而接下来所写的"风重草烟轻"五个字,则使得其心中原已触引起的一种感发,有了更为滋长和扩大的趋势。"风重"者,是说风力之强劲,"草烟轻"者,是说草上之烟霭正因风之吹散而逐渐消失。表面所写固是眼前雨中将晴未晴之景色,然而"物色之动,心亦摇焉",这种看似与人无干的景色,却也正是引起人心微妙之触发的重要因素。北宋词人柳永就曾写过两句词,说"草色烟光残照里,无人会得凭栏意",可见"草色烟光"的景色,是确实可以引起人内心中之一种感发的。而且一个人如能够观察到风力之"重"与草烟之"轻",则此人必是已在楼头伫立了相当长久的时间了。于是诗人对四周的景物情事也就有了更为清楚的认知与更为深刻的感受。因此下面乃又继之以"谷莺语软花边过,水调声长醉里听"的叙写。"谷莺",是才出谷的黄莺，正是鸣声最为娇软之时，这种鸣声正代表了春天所滋育出来的最新鲜的生命。何况这种娇软的莺啼，又是从繁枝密叶的花树边传送过来的，有声，有色，这种情景和声音所给予诗人的感发，当然就较之第二句的“风重草烟轻”更为明显和动人了。如此逐渐写下来，大自然之景象便与诗人之情意逐渐加强了密切的关联。于是下一句的“水调声长醉里听”便正式写到了人的情事。所谓“水调”者，据《乐府诗集》卷七十九《近代曲辞》所载《水调歌》之记叙，引《乐苑》曰“水调，商调曲也”，又称其“声韵怨切”，可见“水调”必是一种哀怨动人的曲子。而诗人又于“水调”之下加了“声长”二字，便更可想见其声调之绵远动人了。何况诗人还在后面又加了“醉里听”三个字，如此就不仅写出了饮酒之醉，而且因为酒之醉也更增加了诗人对歌曲的沉醉。这首词从开端的时节与天气一直写下来，感受愈来愈深切，写到这里，真可以说是引起了千回百转的无限情思。既有了如此幽微深切的感发，于是便不由人不想到要寻找一个足以将这些情思加以投注的对象，于是诗人遂终于在最后写出了“款举金觥劝，谁是当筵最有情”两句深情专注的词句。这两句真是表现得珍重缠绵。试看“款举”是何等珍重尊敬的态度，“金觥”是何等珍贵美好的器皿，而金觥之中又该是何等芳醇的酒浆，最后更加一“劝”字，当然是劝饮之意，如此珍重地想要将芳醇的美酒呈献给一个值得呈献的人，则诗人心中所引发洋溢着的又该是何等深挚芳醇的情意。可是呈献给什么人呢？所以最后乃结之以“谁是当筵最有情”，在今日的筵席之间，哪一个才是真正能够体会这种深醇的情意，值得呈献这一杯美酒的有情人呢？这首词从开端看来，原也只似一首泛泛的叙写春天景物的流连光景之作，但却于平淡的叙写中逐渐加深了情意的感发，表现出内心中深微幽隐的一种投注和奉献的追寻及向往之情，这种对于深一层之意境的引发，正是冯延巳词的一贯的特色。只不过如他的《鹊踏枝》的“谁道闲情抛弃久”和“梅落繁枝千万片”诸词写得较为盘郁沉重，而这一首词则写得较为疏朗轻柔。刘熙载在《艺概·词曲概》中，曾经说“冯延巳词，晏同叔得其俊，欧阳永叔得其深”。大抵欧词所得之于冯词者，近于其盘郁沉重的一类作品，而大晏词所得之于冯词者，则近于其疏朗轻柔的一类作品，当然在相似之中也仍有各人不同的风格，可以参看笔者所撰《灵谿词说》中论冯、晏、欧三家之评析，此处就不暇详述了。

（叶嘉莹）

江 城 子

张 泌*

浣花溪上见卿卿，眼波明，黛眉轻。绿云高绾，金簇小蜻蜓。好是问他来得么，和笑道，莫多情！

作者

*张泌，字子澄，淮南人。生卒年不详。初官句容尉，上书陈治道，南唐后主征为监察御史，累官至内史舍人。随后主归宋，仍入史馆，迁虞部郎中。后归家毗陵(今江苏常州)。现存词二十七首。其作大多为艳情词，风格介乎温庭筠、韦庄之间而倾向于韦庄。用字工炼，章法巧妙，描绘细腻，用语流便。

鉴赏

这是张泌词中一首描摹心理情态的佳作。用简练的手法，生动地记述了一个有趣的生活片断。作者见到个可爱的姑娘，很想和她约会，却又怕被拒绝，终于不敢启口。词是以第一人称的口吻写的，开头一句，先交代了事情的起因。“卿卿”，这里代指姑娘，含有爱慕之意。接着，作者用大量的篇幅，描绘姑娘美貌，从她的脸，一直写到她的装束。“眼波明”一句，正好与“浣花溪”呼应。姑娘的眼睛是那样的明亮，那样的动人。古人常用流波、眼波等语汇来形容眼光流盼，如同水波一般清澈。汉代枚乘的《七发》中就有“揄流波，杂杜若”这样的名句。后世黄庭坚的《渔父》词：“新妇矶头眉黛愁，女儿浦口眼波秋。”而这幅美人图一经点睛，可爱的形象立刻生动地展现在读者面前。然后，作者又以工笔细绘，以衬托她那动人的秀丽。“黛眉轻”一句，是说那姑娘的眉毛画得又细又长；“绿云”，形容浓密的乌发；“高绾”，指她梳着当时流行的发式。“金簇小蜻蜓”是形容姑娘发髻上的装饰品。这一连串的描写层次分明，说明作者观察的细致，同时也揭示了他对姑娘的景慕之心。词的最后两句，在前面为姑娘写像的基础上引出，作者抑制不住自己的感情，很想约姑娘幽会一次。“好是”，是唐五代时的俗语，全句的意思是说，最好去问问她能不能来约会。可是，作者却仿佛从那姑娘庄重和蔼的神态中，看到了她对自己的轻率的善意批评。作者将自己内心的活动，借助于想象中的两人对话来描写，颇有新意。对话中的姑娘形象也被烘托得愈加亲切、可爱、完美。至于作者自己的窘态，虽然没有出现只字片语，但读者似乎觉得，这个小伙子一定为自己多情的荒唐举动脸红了。这首小令共有三十余字，语言平易流畅，无一奇字难字，却包含着丰富的情韵，男女主人公的心理、情态都刻画得十分细腻，主次繁简得体，格调轻快活泼。尤其是对女主人公形象的塑造是十分成功的。作者先写她的外表美，但纤丽而不轻佻；然后再想象她拒绝约会时的神情和语气，更显示出她那端庄大方的仪态。此时，女主人公的美，已不再停留在作者所看到的装束上，而是深入到她的性格中去了，揭示了一种内在的美，使她在词中的美好形象得到了完美的统一。张泌词中还有一些同样题材的作品，如《浣溪沙》中的“晚逐香车入凤城”等，也体现出作者擅长描摹人物情态的特点，但写得过分风流调笑，思想性和艺术性都不及这首《江城子》。

（朱金城　朱易安）

蝴　蝶　儿　　　张　泌

蝴蝶儿，晚春时。阿娇初着淡黄衣，倚窗学画伊。

还似花间见，双双对对飞。无端和泪湿胭脂，惹教双翅垂。

鉴赏

早期的词，词牌往往也就是题目。它兼具两个作用：确定音乐上的曲调，一般也限定了词的创作内容。张泌的《蝴蝶儿》便有这一特点。开篇两句即紧扣题目,前三字完全重复题目字面,可说是特例。审视题旨,词应该描绘蝴蝶的形神姿态,这两句偏不作摹写语,而用叙述的方法,但却把蝴蝶翩翩飞动的轻盈形象活灵活现地写出来了。关键是"晚春时"三字起到了极好的作用。它虽只点明特定的时节,却可以让我们想象出繁花似锦,草木丰茂,莺歌燕舞的暮春三月的风光。蝴蝶正是在这时出现,驾东风,采花粉,扇起它灵巧的双翅,又给春天增添了新的活力和气息。接着,诗人撇下蝴蝶,运转笔锋写人。"阿娇初着淡黄衣,倚窗学画伊。""阿娇",汉武帝陈皇后的小名,后用以代称少女。陶宗仪《辍耕录》"关中以女儿为阿娇"可证。这少女被翩翩飞舞的蝴蝶所吸引,凭倚着疏窗,手挥彩笔为它写真。这对上文摹写蝴蝶具有充实深化的作用,更好地表现了纷飞的蝴蝶非常惹人喜爱,以至少女捃摭入画。这两句写少女也是十分工致的。晚春是春夏更替的季节,人感受到新季节的来临,带着欣喜的心情送旧迎新,换装是自然的事。"初着淡黄衣",不仅说出了这些变化,而且刻画了少女美丽动人、充满青春活力的形象。"倚窗"的情态更描写出了少女凭窗握管的风姿。前人说"阿娇二句妩媚"(旧题汤显祖《花间集评》),是很有见地的。

换头就少女"学画"运笔,"还似花间见,双双对对飞",画出的蝴蝶栩栩如生,妙通造化,犹如真的蝴蝶一样。"双双对对",既同字重叠,又近义词反复,强调了所画蝴蝶的特点。古代诗词中,写蜂蝶成双成对的情景,往往是表现男女相思相爱的感情。词中的少女这么爱画双蝶,透露了她内心的感情活动。她触景生情,借物寓情,一种热切的怀春感情涌起。眼前数不清的双蝶可说是冶游酣畅,春情骀荡,而少女的心事毕竟虚幻成空,这就引起了她的伤心。"无端和泪湿胭脂,若教双翅垂。"她泪下滂沱,沾湿了脸上的胭脂,真是伤心透了。这似乎感染了蝴蝶,惹得它们双翅下垂,不再翩翩飞动,同情少女的悲伤。作者不直写主人公心情沮丧,致使她笔下的蝴蝶失却了写真的生气,而说蝴蝶灵犀一点,关怀同情人,极为深刻地表现了人的感情的婉曲、细腻。

这首词,写得切题但又不粘题,既写真蝴蝶,也写画的蝴蝶,真假不辨,玲珑透脱,还关合着作画少女的情感,表现了深致、凄婉的心理活动。词虽属小令,气势却一波三折,极富变化。词的语言浅近通俗,颇具民间词的特色,而表情达意,则很含蓄蕴藉,隽永有味。

(王锡九)

浣 溪 沙　张 泌

马上凝情忆旧游，照花淹竹小溪流，钿筝罗幕玉搔头。　早是出门长带月，可堪分袂又经秋。晚风斜日不胜愁。

鉴赏

张泌《浣溪沙》词共有十首，这是其中最为传诵的一首。它写一个羁旅行役之人追念旧游的情怀。

上片首句领起全词。一个骑在马背上的行役之人，思绪凝聚，追忆他旧日的游踪，往昔的伴侣。这句对抒情主人公的生活状况、感情色彩、想念的对象，都作了概括的描述，笔墨简练省净，既规定了词的下文所将叙写的情事，也为全词创造了深沉哀伤的感情基调。二、三句承“忆旧游”而来，追想旧游之地和旧游之人。旧游之地的环境极为幽美，一条潺湲流淌的小溪，碧水澄澈，反照着岸边的繁花异卉，浸渍了猗猗绿竹。当这景色晴明、风物如画的时节，他每与相爱的女子在此欢会。张设起帷帐（古人郊游有此风俗），面对着良辰美景，她又打扮得非常美丽华贵（玉搔头：玉簪。传说汉武帝曾用李夫人的玉簪来搔头，故名。见《西京杂记》），倾听着她弹奏美妙的乐曲（钿筝：装饰华美的筝。筝是一种弦乐器），人情物态，多么诱人，情怀意绪，无限风流。这两句，前句写自然环境，后句写人及情事，描绘出了饶有诗情画意的生活片断，非常真切。两句在写法上各有妙处。上句写了三个自然事物，各用一动词来刻画，且写花、竹，避实就虚，不直接进行描写，而是写其被澄明的溪水所反照、所浸渍的情形，倍觉姿态摇曳，灵动有味。下句写人、地、乐器，叠用三名词，但所在地的环境，人物的美貌，尽形毕态，跃然纸上。

过片，承“马上”叙写与旧游分离以后的浪迹情景。别后常是披星戴月，辛劳奔波，忽忽又已经年。“早是……可堪……”，相当于现代汉语的“已是……哪堪……”的句式，具有递进、加倍的作用，写出漂泊浪游的艰辛。

与上片"旧游"的情景形成鲜明的对照，比较之下，显然见得浪游人的哀伤情绪。末句即此而加以渲染。游人对着落照斜晖，晚风萧瑟，寂寞苍凉的景色，不禁触目伤情，愁绪无穷。以景寓情，语尽意长，耐人寻味。

词是抒发追忆旧游的感情，表现上却纯用叙述手法。描绘旧游、别后的不同生活情景，却能情致深厚，原因在于：诗人的叙写不细屑繁碎，而是选择典型情节来概括，描绘叙述极为形象真切，事中含情。这是本词的重要特色。再者，以首句领起全词，照管上下片，前后呼应，起承转合，脉络分明，构思精巧，结体颇具匠心，堪称"章法极妙"（《栩庄漫记》）。

（王锡九）

竹　枝　　孙光宪*

门前春水白蘋花，岸上无人小艇斜。商女经过江欲暮，散抛残食饲神鸦。

作者

*孙光宪（？—968），字孟文，自号葆光子。陵州贵平（今四川仁寿县东北）人。生年不详。据《宋史·荆南高氏世家》和《十国春秋》记载，他在唐时曾为陵州判官。后唐明宗天成初，避地江陵，为高季兴幕下掌书记，历事从诲、保融、继冲三世，累官荆南节度副使，检校秘书少监。入宋后，授黄州刺史。他博通经史，著作甚富。现仅存《北梦琐言》一书。《花间集》《尊前集》录存他的词作凡八十四首，是唐五代词人中存词最多者。

鉴赏

《竹枝》本是巴渝（今四川东部）地区的民歌，有和声，七字为句。每句破四字，和云“竹枝”，末和云“女儿”。唐代诗人刘禹锡颇为欣赏《竹枝》，说它“含思宛转”，犹如春秋时代卫国淇水、濮水流域的民歌那样优美。他并不满足于原来的《竹枝》俚歌，在学习屈原《九歌》的基础上，又创作了新的《竹枝词》，盛行于贞元和元和年间。

孙光宪在荆南（今湖北江陵地区）做官时，写了两首《竹枝词》，这是其中的一首。这首词反映的是我国南方的风貌，写得古朴典雅，真实自然，仍然保持《竹枝》民歌的特色。

在我国古代，有些船商，他们没有固定的住所，家就安在船上，随船飘泊，四海为家。作者在这首词里反映船商的生活，是另一种情况。此作写的船主是有固定住所的人，与在船上安家的行商显然不同。它描绘的是江边船商生活的一个侧面。作品不是写商人张帆远行，而是写商人远行船归,在家小歇的情景。词作第一句,即陡然破题,描写船商春天的生活景象。春天,是一年四季中的黄金季节,到处绿树成荫,鸟语花香,气候温和,风景宜人。不过,这是对春天一般景象的描写。而词作描写春天江边船商的生活,却别有一番风味。

一、二两句,写船商门前。河塘里碧波荡漾,白蘋盛开;船商父女,大约由于在外行船营生,是十分劳累的了,他们已经上岸回家休息。所以,岸上、船里都了无人影,只有小艇(小船)倾斜地横泊在江边。"岸上无人小艇斜"一句,说明江面风平浪静,小船才能够斜泊在江边。这两句,展现的天地并不算大,词人采用由近及远的写法,先写门前河塘里碧波荡漾,白蘋盛开;再写岸上寂静无人,小船斜泊江边。虽然着墨不多,但把船商生活的淡雅素朴、静谧恬适的意境,逼真地描绘出来了。这好像是一幅素描画,作者把自己亲眼目睹的景象,真实地摹写出来,就成为一幅得天独厚的杰作。这种如诗如画的优美境界,的确能给人留下美好的印象,令人玩味,令人神往。"小艇斜"的"斜"字,用得颇活,只此一字,就把江水平静、小船横斜停泊的景象,真切地描绘出来了。"斜"字,可谓是这句词的词眼。

在这首词里,船主始终没有露面,主人的女儿,是唯一同读者见面的人。由于她的出现,就给词作增添许多生气和情趣。她在干什么呢?可能她在家里做点针线活,一边稍事休息,只是在夜幕即将降临的时候,才端着剩饭剩菜,来到江边,喂饲觅食的乌鸦。词作最后两句,即描绘出这样一幅颇有情趣的"商女饲鸦图"。"经过",是指商女经过岸上,来到江边。第二句写"岸上无人",第三句写"商女经过",打破了一天的沉寂,使寂静的气氛突然活跃起来。为何商女在"江欲暮"时才出来"散抛残食饲神鸦"呢?这里有个生活常识问题。古代人烟稀少,鸟兽甚多,鸟兽常常出没人群,与人类为伍。以乌鸦来说,它们经常在傍晚夜幕即将拉下的黄昏时刻,才成群结队地纷纷飞到人们居住的地方觅食。这正是商女在"江欲暮"的时候,"散抛残食饲神鸦"的原因。"散抛"二字用得很有分寸,很有讲究。商女不是把"残食"放在一处,而是抛散开来,这说明觅食的乌鸦并非只是一只,而是众多的一片。这样把"残食"抛开,许多乌鸦都能吃到,免得人为地造成多寡不均,引起乌鸦的矛盾、斗殴。这种细节描写,看起来似乎不关紧要,但是使用了这两个字,就使商女饲鸦的举止神情毕露,并增加了词作的真实感。

可以看到,在这张"商女饲鸦图"的画面里,还保留着古代人民的迷信色彩。当时由于科学水平的限制,人们对许多自然现象,都无法理解,因而往往把它们视为神灵显威的表现。词作写商女把乌鸦当作"神鸦"喂饲,正是这种迷信思想的反映。这种现象在作品里出现不仅无伤大雅,反而给作品增添了时代的气息。

在艺术技巧方面,此作是采用烘云托月的手法,把商女饲鸦的鲜明形象,呈现在读者面前。前两句,是为写后两句的衬托之笔。前两句写船商门前河塘碧波荡漾、白蘋盛开的环境,江岸静悄悄,了无人影,船上空无一人,小船静静地在江边斜泊的气氛。作者渲染江里、岸上这种一片寂静的气氛,以及这种环境描写,都是为了烘托商女饲鸦的形象,商女过的是同父亲相依为命的生活。作者在词里没有写其父的活动,自然是为了更加集中地突出商女的形象,这是其一。其二,这首小词虽然只有四句,但它却描绘出两种不同的景致。前两句描绘的是静景,后两句描绘的是动景。这种前静后动的描写,就构成两幅优美的图画,前幅为优美的风景素描画,后幅则为古朴典雅的"商女饲鸦图"。这两幅画各有千秋,都有很高的美学价值。正是由于这两种不同的画面,才使船商的生活显得异常宁静恬适、饶有情趣。

刘禹锡发展了《竹枝词》,赋予《竹枝》民歌以新的生命,他是有贡献的。但他所写的《竹枝词》与孙光宪这首词相比,就显得比较婉丽,文人气太重,缺乏《竹枝》民歌那种纯厚质朴的气息,不如孙光宪这首词具有优美的意境、浓郁的诗情画意。

(陆永品)

风　流　子

孙光宪

茅舍槿篱溪曲,鸡犬自南自北。菰叶长,水葓开,门外春波涨绿。听织,声促,轧轧鸣梭穿屋。

鉴赏

我国古代诗人创作大量以农村为题材的作品。《诗·豳风·七月》以后,著名的作者如陶潜、王维、柳宗元、元稹、聂夷中、欧阳修、梅尧臣、范成大等人,都写了不少脍炙人口的田园诗。他们的创作,或偏重于对当时贫瘠的农村作牧歌式的描绘,其立足点在抒写自己的归隐之情;或能对当时农村的社会、阶级矛盾作一些揭露,使这些作品具备一定的社会现实意义。接踵继武,余波绮丽。而在词中,尤其是在极剪红刻翠之能事的花间词中,以农村生活为题材的作品,可以说是相当难得的。而孙光宪的这首《风流子》,却把笔触伸到了其他花间词人所没有达到过的地方。虽然,它在孙光宪的词中也是绝无仅有的,但它毕竟是一束新的光彩,一个新的开拓。

作品所展现的是一幅水乡农村的风俗画。作者在艺术处理上的一个最大特色,是准确地抓住了一系列富有特征的水乡农村的环境、景物以及生活内容,用简练朴素的语言加以描绘。在一条小溪的拐弯处,一带的槿(jǐn,一种落叶灌木)篱掩映着几间茅屋。春天已经到来了,溪边浅水中,菰叶长,水葓(hóng,一种水草)开,春波荡漾。这是一个安恬宁静的处所,作者又在这幅画面上配上了动态与音响:屋外鸡犬往来觅食,屋内纺车声轧轧传出。词中虽未曾出现人物,但已能感受到这农家忙碌的气氛了。全词取材选景的角度和处理都很得当。加之笔墨经济,色调简淡,动静协调,更具有浓郁的农家风味。

在孙光宪之前,文人词中写到农村的,只有刘禹锡的一首《竹枝》:"山上层层桃李花,云间烟火是人家。银钏金钗来负水,长刀短笠去烧畲。"而在孙光宪之后,苏轼曾写有农村词《浣溪沙》五首,辛弃疾则更有数十首之多,农村词的创作有了进一步的发展。虽然,孙光宪的这首农村词,与他前后绝大部分的农村词一样,都未能反映出那个时代农民的痛苦。但是,他毕竟以这首词填补了五代词中农村词的空白,与他的描写隋炀帝荒淫误国的《河传》、边塞征战的《酒泉子》等词一起,在题材内容上一定程度地突破了花间词的樊篱。

(秦寰明)

浣溪沙　　孙光宪

蓼岸风多橘柚香。江边一望楚天长。片帆烟际闪孤光。　　目送征鸿飞杳杳,思随流水去茫茫。兰红波碧忆潇湘。

鉴赏

孙光宪写了十九首《浣溪沙》,此是其中较好的一首抒情词。

此作的抒情特点,不是直抒胸臆,虽然从起句到结句,句句都在写景,但其用意并不在描写景色是何等绚丽,而是寓情于景,借景抒情。即是说,作者是借写景之笔,来抒发炽热的惜别留恋之情。因此,它与一般的抒情词不同。在我国古代词作中,借景抒情的作品,有各种不同的艺术境界,有的以写景为主,有的则以情胜景,有的却情景交融。孙光宪这首词则是以抒情为主,通过景色描写,来表现他与离别的亲人的依依难舍的真挚感情。

从此作描写的景象,即可以看出,作品是作者在荆南做官时所写。描写的是我国长江两岸深秋时节的景色,一种特定的典型环境。

首句是写主人公送别亲人时,在江岸上看到的喜人景象。蓼花盛开,清风徐徐,传来阵阵橘柚扑鼻的芳馨。在这里,作者抒发的不是愁苦,而是喜悦的感情。喜悦的是,在这蓼花争妍、橘柚成熟的季节,与亲人团聚,品尝蜜橘甜柚,该是多么美好啊!然而,此时此刻,亲人却突然离别而去,这实在令人感到惋惜。而首句所描绘的美丽景致,又为第二句陡然转入写江边凄清、楚天幽远的迷茫之景,抒发怅惘之情,作好铺垫和衬托。令人喜悦的景象,只写一句,在刹那之间,便转入抒发惜别之情,这种构思,又恰到好处。否则,过多地描写喜悦景色,就会冲淡抒发惜别之情,改变词作的基调。第二句"一望"二字,颇能传神,表现了主人公顷刻之间由喜悦变为忧愁的神态。

第三句在构思上,紧承第二句。在写景上,与第二句构成了不可或缺的完整画图。第二句描写的是高远廓清的"楚天"。第三句描写客人乘坐小船,孤身只影,在迷漫幽长的江流中飘荡。天上地面,景色凄清一片。江边船上,感情密切相连。柳永有句词说"多情自古伤离别"(《雨霖铃》),的确道出了天下有情人共同的心理。仅看"片帆烟际"四字,可以说是一幅优美的风景画,配上"闪孤光"三字,就突然改变了词句的感情色彩,给人一种孤寂凄凉之感。所以,第三句的写景与抒情,结合得相当完美,有浑然一体之妙。李白在表现对友人的惜别情怀时,曾写过这样两句名诗:“孤帆远影碧空尽,惟见长江天际流。”(《黄鹤楼送孟浩然之广陵》)这两句诗洋溢着深厚的惜别情谊,所以千百年来,广为流传,脍炙人口。孙词与它有异曲同工之妙,在古典诗词中,都不失为描写惜别之情的佳句。

在抒发感情上,作者采用的是递增法,层层深入,愈转愈深。过片前两句,是词中的警句,写惜别留恋之情已经达到高潮。上句是写目送,下句是写心随,构思新颖巧妙,对仗工整,意境深远,不失为流传千古的名句。“征鸿”,即远飞的鸿雁,用来比喻离别而去的亲人。亲人已经走远,他仍然在痴情地张望远方。亲人乘船远去,可他的心,却跟着船儿,随着茫茫的流水而去。这两句采用象征手法,以“目送征鸿”远去,象征依依不舍地送别亲人;以“思随流水”,象征心跟着亲人远去。把主人公对亲人的惜别留恋之情,表现得淋漓尽致,达到难解难分的境地。这在艺术表现上是相当成功的,并且写得非常生动优美,具有很高的审美价值。

最后的结句,从表面上看,好像与整首词似断非断,似续非续,并没有多少内在联系。其实并非如此。这句在构思上,与第一句遥相呼应,密切关合,笔法照应极其周延。在写景上,第一句写“蓼岸风多橘柚香”,是以喜景开头。结句写翌年红兰盛开,江水碧波荡漾,亦是写令人欣喜的景象,又以喜景作结。翌年“兰红波碧”时,他们相互定将更为思慕。这一结句,写得如此含蓄雅致,优美动人,富于诱人的艺术魅力,能够引起人们的向往。“忆潇湘”三字,其中包含着人们津津乐道的典故。传说,舜在南巡视察时,他的两个妻子娥皇和女英,未与他同往。之后,她们后悔没有与舜同去,便去追赶。当她们走到洞庭湖畔时,便听到舜死于苍梧(今湖南宁远东南)的噩耗,因此,她们悲痛不已,溺于湘水而死。因湘水与潇水在湖南零陵汇合,故泛称“潇湘”。“忆潇湘”,即比喻分别在天涯的亲人,相互在殷切地思念着。所以,“兰红波碧忆潇湘”一句,才具有特别令人神往的美丽意境。

关于词中送别的对象,没有史料证实,很难确定指的是何许人。不过,从词作写对送别者所表达的留恋、依依不舍的深情,即可知被送别的人,显然是主人公的亲爱者。

(陆永品)

谒金门

孙光宪

留不得！留得也应无益。白纻春衫如雪色，扬州初去日。　　轻别离，甘抛掷，江上满帆风疾。却羡彩鸳三十六，孤鸾还一只。

鉴赏

这首写别离的词，在花间词中颇具特色。传统的婉约词，写情都比较含蓄缠绵，这首词却以直露而决绝之笔，表现出沉郁曲折之至情。

词之起句，一般多以写景入手。沈雄《柳塘词话》云："起句言景者多，言情者少，叙事者更少。"盖触景而后生情，缘物而后托意，是作者感兴和写作的一般程序。发端便抒情或叙事，非高手则难见佳妙。在以抒情起句的词中，往往顿入为多。如温庭筠《望江南》"千万恨"，贺铸《望湘人》"厌莺声到枕"，周美成《解连环》"怨怀无托"，岳飞《满江红》"怒发冲冠"，徐伸《二郎神》"闷来弹鹊"等等，都不失为佳例。而孙光宪此词发端，言词决绝直吐胸臆，与温、贺诸人同类词作颇异其趣。词一开头便直达抒情的高峰。詹安泰先生甚至认为这种"顶点的抒情手法，在《花间集》中就找不出第二个例子"（《宋词散论》）。"留不得"三字写决绝之情犹如斩钉截铁，毫无挽回的余地，突兀之势，如泰山压顶，笼罩全篇。为什么"留不得"？难道非得分袂不可？读者从这三个字就会想象到下面一定大有文章。但是，作者笔锋一转，意思翻进一层，仍然扣住这个"留"字，写了"留得也应无益"这一句。此句一出，不仅使笔法陡转，而且，由于欲留而留不得与留得也无益的深刻矛盾，使决绝直露的开端一下子变得内涵深折，感情沉郁。读者看到这里，不得不作一番思索。

"白纻春衫如雪色，扬州初去日。"此句承首句"留不得"而来，追忆当时离别景况。前句写对方风流神采，后句交代对方去处，并且和下片"江上满帆风疾"句一起，点出作者是在若干年后的今天，仍然对这"初去日"留着深深的记忆。对时光和人事的追恋是词中经常描写的主题。在这首词中,作者所描写的这种记忆的分明,正表明作者心目中对对方不能即刻抛去的爱与怨,希冀与绝望的痛苦一直在交战着。

下片首句在意脉上是紧承上片“留得也应无益”而来,交代“无益”的原因,一个“轻”字,一个“甘”字,使我们看到对方的薄情。词的最后两句,作者托物言志以“彩鸳”反衬,借“孤鸾”自况,用一“却”字转折其间,进一步反映了作者别后的凄孤和哀愁。此词通首押入声韵,所以更觉沉郁遒劲。

孙光宪的词,风格比较多样,大体上说,浓密细腻之作较少,清新疏宕一路较多,风格接近韦庄。清疏之作,大都造语本色,不求重彩。清人贺裳云:“词虽以险丽为工,实不及本色语之妙……如孙光宪‘留不得,留得也应无益’……观此种句,觉‘红杏枝头春意闹’尚书,安排一个字,费许大气力。”(《皱水轩词筌》)此论甚确。但孙光宪词较之韦庄,又尤以气骨见长。正如陈廷焯所云:“孙孟文词,气骨甚遒,措语亦多警炼。”(《白雨斋词话》)

(秦寰明)

临江仙

徐昌图*

饮散离亭西去，浮生长恨飘蓬。回头烟柳渐重重。淡云孤雁远，寒日暮天红。　今夜画船何处？潮平淮月朦胧。酒醒人静奈愁浓。残灯孤枕梦，轻浪五更风。

作者

*徐昌图，莆田（今属福建）人。生卒年不详。初仕闽、南唐，入宋后任国子监博士，官至殿中丞。词仅存三首。

鉴赏

这是一首抒写羁旅行役愁绪的词作。

本词首句径写别离。“离亭”，送别的驿亭。词人饮罢饯行酒，告别恋人，踏上西去的征程，开始了孤身漂泊的生活，满目凄凉之意油然而生。遥遥水路，宛如一条长线，牵惹得他肠断心碎，“浮生长恨飘蓬”，恰说明了其当时的心境。既云“长恨”，也暗示出此类漂泊无定的生活每每经历，正所谓“旅思倦摇摇，孤游昔已屡”，难怪词人愁思如织，无可排遣。“回头烟柳渐重重”句，生动地描绘出词人一步三顾、不忍离去的情态。船儿渐去渐远，柳色愈转愈浓，离愁也层层加深。当树丛挡住了他的视线，望不到与恋人话别的驿亭时，词人未免心绪怅然，无可奈何地将目光转向那寥廓的长空和远方的天际。“淡云孤雁远，寒日暮天红”，是呈现于词人望中的惨淡画面。淡云浮动，孤鸿哀唳，落日斜照，晚霞映空，此情此景，使人很自然地联想起李白“浮云游子意，落日故人情”（《送友人》）的诗句。“犹将孤影侣斜阳”的词人，目睹孤雁远征，岂不心旌摇曳，触目伤情？这里的“孤雁远”，将自身的乘舟远去隐寓于内。环境气氛的渲染、景物的烘托，准确地道出了词人当时的复杂情感。

风送征帆，浪催船行，分别已成现实。“今夜画船何处？潮平淮月朦胧”，用悬揣之辞，既显豁亲切，又设想了泊船之处的冷寂环境。这两句，与柳永《雨霖铃》中的“今宵酒醒何处，杨柳岸、晓风残月”，有异曲同工之妙，映衬出词人旅途之中的落寞情怀。孤寂无聊，只能借杯酒以浇旅愁。然而，酣饮狂酌只能求得一时的解脱，一旦酒醒，只见朦胧的月光淡淡地落在水面和船舷上，空旷的四野寂无人声，更觉冷落萧瑟。郁塞胸腹的愁情，岂是三杯两盏淡酒冲刷得掉的？只有在荧荧烛光下伏枕而眠了，在梦境中打发时光。然而，旅途生活才刚开始，明日又将如何？这不尽之意，只有留待读者去体察了。“残灯孤枕梦，轻浪五更风”二句结语，含蓄隽永，耐人回味。

同是言旅愁，但采用的方法、选材的角度不同，表现出的感情力量也不尽相同。此作省去饯别场面的铺叙，直接以离情入笔，表达了词人对恋人的眷恋。继而，又借助于旅况的描述，反映了词人孤寂、凄凉的心境，抒发了饱经漂泊之感，还是十分感人的。元代诗家范梈曾说：“善诗者，就景中写意；不善诗者，就意中寻意。”意中寻意，失之浅率，必然味同嚼蜡；景中写意，则蕴藉含蓄，以真景、真情、真意感人。这正是本词的主要特色。词人将自己的主观感情的色彩，涂抹在旅途所见自然景物之上，将“情”和“景”融为一体。以慢镜头的巧妙组合，预为展示了“离亭西去”后的一系列场景：烟柳、孤雁、寒日、淮月、残灯、轻浪等几种人们所熟悉的不同景物。本篇很少纯属抒情的语句，但缘情布景，以景出情，凭藉对外界物象的描绘和气氛的渲染写旅愁，产生了感人至深的艺术效果。

（赵兴勤）

贺圣朝　无名氏

白露点、晓星明灭，秋风落叶。故址颓垣，冷烟衰草，前朝宫阙。　长安道上行客，依旧利深名切。改变容颜，消磨今古，陇头残月。

鉴赏

《词品》："此《五代新说》载鬼仙词也。"《词品》所引首句作"晓星明灭，白露点秋风落叶"。

唐五代词不尽如温韦等人一味香艳，这首《贺圣朝》就是一显例。全词表现的是一种关于人生意义的思虑和箴规。这种表现是借助形象化的手法来完成的。上片通过秋天的诸多习见的意象勾勒出一幅衰飒的画面。作者的意图不唯是用秋物创造一种凄凉的感情气氛。我们可以看到，描写的现实图景中点缀着历史的遗迹，"前朝宫阙"，"前朝"，并非专指哪一朝，词人正是用这样一种秋景描写，概括一切往古历史的归宿。历史是过去了的现实，现实正是未来的历史，一切都将成为虚幻。人们并没有从凄凉的历史结局中领悟到这一点，下片头两句直率地表达了词人由此而起的遗憾。愚庸之徒仍然耽于利禄，沉溺功名，长安古道，依旧熙来攘往，烟尘不绝。这种彼伏此起的热望和追求，在词人看来，正是人类的可悲之处。如果把人类的活动放置到自然运动这一更为广阔的领域中，那么这种可悲性就更为明显。"陇头残月"的形象是自然运动的代表，月亮圆缺明晦，自古至今不断周而复始地运动，没有因为人世的任何努力而改变。人世的一切活动在亘古、广邈、寂寥的自然运动面前都是短暂、渺小和纷乱的。"陇头"，亦名陇坂、陇首、陇山，即六盘山之一段，在今陕西与甘肃的交界处。这首短短的抒情小词，上下两片正构成了历史的凄静对人世的熙攘、自然对整个人生两种不同层次上的反衬和嘲弄,这些都是词人对人生悲剧意义的省悟和体验,它代表了唐王朝衰败之后、五代干戈之际社会普遍的幻灭心理,这显然是消极的。这首词,是诗,因为它有形象,有感情;是箴言,因为它是关于人生意义的思虑,带有鲜明的箴规和哲理意味。我们可以这样说,这首词是产生于没落动乱之际具有深刻时代感喟和悲剧体验的诗化的“警世通言”。

(程　杰)

点绛唇

王禹偁*

雨恨云愁，江南依旧称佳丽。水村渔市，一缕孤烟细。　　天际征鸿，遥认行如缀。平生事，此时凝睇，谁会凭栏意？

作者

*王禹偁(954—1001)，字元之，巨野(今属山东)人。太平兴国八年(983)进士。历任长洲知县、右拾遗、翰林学士、知制诰等，遇事敢言，屡遭贬谪。著有《小畜集》等。存词一首。

鉴赏

王禹偁幼年正逢一次历史的巨大变异，即晚唐五代以来割据纷争的局面终于结束，赵氏建立了中央集权的北宋王朝。他三十岁时考取了进士，授武成主簿，后徙知长洲县(今属江苏)，他的同年进士罗处约这时担任吴县知县，两人"日相与赋咏，人多传诵"，这首词大约作于此时。王禹偁出身清寒而少有大志，对于统一的新王朝和个人的功名事业，自然是抱有希望的，所以词中即景抒怀，寄寓其平生抱负。

"雨恨云愁，江南依旧称佳丽"，江南多雨，容易引起人的愁闷；然而，苦雨愁云却无损于这佳丽之地的天然秀色。二句先抑后扬，用的是反衬法。作者虽未以浓墨重彩描绘江南的繁华和艳丽，但优美的江南风光却依稀呈现于读者眼前。南齐诗人谢朓《入朝曲》咏金陵的诗句说："江南佳丽地，金陵帝王州。"这里化用前一句，中间加上"依旧"二字，联系上句"雨恨云愁"，便赋予了新的含义。下文紧接着描写江南田野中最常见和最富地方色彩的野景："水村渔市，一缕孤烟细。"稀稀落落的水村渔市，点缀在曲曲弯弯的绿水岸边，一缕炊烟，正向半空袅袅而上，显现出恬静的田园风光。“天际征鸿，遥认行如缀”，仰望天空，远飞的大雁正展翅长征，它们排着整齐的队形，一只只缀连成行，乘着长风，朝着既定的目标，奋力前进。这充满生机的天空和大地，触发词人对人生价值和功名前途的思考：“平生事，此时凝睇，谁会凭栏意？”“平生事”，指平生的心事、志向，想为国为民作一番轰轰烈烈的事业。“凝睇”，是全神贯注时的神情。此时作者正凭栏凝望，心中思潮翻滚，“谁会凭栏意”一句，十分含蓄而凝练地表达了他济苍生、建功业的远大理想和无人领会的怅然心情。

词自晚唐五代以来，多写男女艳情，王禹偁生当北宋开国之初，对文坛上“秉笔多艳冶”的风气十分不满，他诗学杜甫、白居易，文以六经为准，效法韩愈，主张“革弊复古”。词虽仅存一首，然即此可见，与他的诗文创作倾向是一致的。应该说，在北宋词坛上，最早开创新词风的是王禹偁。

（蒋哲伦）

踏 莎 行

寇 准*

春色将阑，莺声渐老，红英落尽青梅小。画堂人静雨蒙蒙，屏山半掩余香袅。　　密约沉沉，离情杳杳，菱花尘满慵将照。倚楼无语欲销魂，长空黯淡连芳草。

作者

*寇准(961—1023)，字平仲，华州下邽(今属陕西)人。太平兴国五年(980)进士，除巴东令。淳化五年(994)，参知政事。真宗朝，累官同中书门下平章事、尚书右仆射、集贤殿大学士，封莱国公。乾兴初，为丁谓所构，贬雷州司户，徙衡州司马。死后十一年追谥忠愍。有《巴东集》。《全宋词》收其词四首。

鉴赏

这是一首闺怨词。长久的离别使独守空闺的女子过着十分孤寂的生活。上片一开始先写暮春残景："春色将阑，莺声渐老，红英落尽青梅小。"春天转眼过去了，轻啭的黄莺啼叫声也渐渐地衰涩了。黄莺和燕子一样是春天的候鸟，春天一到，"莺初学啭尚羞簧"；随着春暮，"风老莺雏"，黄莺的叫声也渐渐老涩，不再那么嫩脆清亮了。那迎春斗艳的红花飘零在暮春的风雨中，梅树枝头已结出了小小的青果。这三句写物候的变化，第一句总说，第二句写耳中所闻，第三句写目中所见；不管是听觉形象，还是视觉形象，都明显地带有一种衰残、迟暮的情调。"流水落花春去也"，这在女主人公的心中，引起了无限伤春的情怀。

接下来由景写到人，由户外写到室内："画堂人静雨蒙蒙，屏山半掩余香袅。""画堂"，泛指华丽的堂舍。堂外细雨蒙蒙，堂内宁静沉寂，看上去是一动一静，外动内静；细加体会，就会感到在细雨笼罩中居于画堂内的人的心境,此时此刻也是极不平静的。心中的天宇正像堂外的天宇一样,天低云暗,阴雨绵绵。那画着山水图案的精美的屏风,半掩半开着。“屏山半掩”的形象很富有暗示性。半掩,似乎是女主人想借此隔开那恼人的暮春残景;而半开,又似乎是在等待着自己心上人的归来。这是无言的期待,是在多次失望之后,仍然抱有一线希望的期待。这种不知结果的渺茫的期待,伴随着那燃了很久、即将燃尽的一缕余香,袅袅地从屏风后轻轻飘出,弥漫在寂寞的画堂中,消散在蒙蒙的细雨里。

下片“密约沉沉,离情杳杳”,写女主人公在落寞失望中,又一次回忆起昔日依依惜别时那私下约言(大概是约好春至人归,所以入春来,女子日日倚门,在悬望中不知回忆了多少遍那私下密约),然而对方一直没有践约归来。既不见身影,又音信杳然,深黯幽远的离情别绪,使得她终日恹恹,再也无心思去梳妆打扮了,“菱花尘满慵将照”,任凭菱花镜上落满了灰尘,也不去拂拭一下,因为懒得去照镜梳妆。正如建安诗人徐幹《室思》诗中所云:“自君之出矣,明镜暗不治。思君如流水,何有穷已时。”

全词结尾两句“倚楼无语欲销魂,长空黯淡连芳草”,写神情怅惘的女主人,默然无语地独倚妆楼。“销魂”,这里指人的心灵在遭受打击后,神思茫然的样子,是形容人在极度悲伤愁苦时的情状。这里也是暗用江淹《别赋》中“黯然销魂者,唯别而已矣”的句意,从而进一步深化了“离情杳杳”。最后一句以写景收结全篇,余韵无穷。万里长空,黯淡无光,烟雨蒙蒙,芳草萋萋,那绵绵不尽的情思,随着那绵绵不尽的芳草,一直延伸到心上人所在的那遥远的地方。正所谓“离恨恰如春草,更行更远还生”。

这首词以写景起,情由景生;又以写景结,以景结情。景是暮春之景,情是伤离之情,情景交融,意境浑然。整个画面表面上宁静安谧,没有一句话语,也很少有声响、动作(“倚楼”,是一个静止了的动作),但字里行间处处跃动着抒情女主人公内心不平静的激情。“匆匆春又归去”,而久别的心上人却失约迟迟没有归来。时至今日,“无论君不归,君归芳已歇”矣!红英落尽,芳歇春去,亦暗指美人迟暮,青春在孤寂中悄然逝去,不能不使人倍添一层惆怅。宋人胡仔在《苕溪渔隐丛话》中评道:“忠愍诗思凄惋,盖富于情者。”其实他的词又何尝不是如此?这首《踏莎行》便是一例。

(程郁缀)

酒泉子（其五）　　潘阆*

长忆孤山，山在湖心如黛簇，僧房四面向湖开，轻棹去还来。　　芰荷香喷连云阁，阁上清声檐下铎。别来尘土污人衣，空役梦魂飞。

作者

*潘阆（？—1009），字逍遥，大名（今属河北）人。曾居钱塘（今浙江杭州）。宋太宗时经友人举荐，赐进士及第，授四门国子博士。后以“狂妄”获罪去官，漂泊多年。真宗时遇赦，出任滁州（今属安徽）参军。有《逍遥词》，今仅存《酒泉子》十首。

鉴赏

潘阆作《酒泉子》十首，分咏杭州诸景。这首词是回忆杭州西湖孤山胜景。孤山处于湖心，山上有一座僧房，僧房四面的门窗面湖而开，僧人和游人可以乘坐小舟在湖上往返。山顶还有一座连云阁，阁的四面临湖，湖面上布满绿芰青荷，清香四溢；阁檐四角悬挂着铃铎，风吹铃动，清音远扬。根据孤山这里的地势环境和景物特点，作者确立了一个颇为别致的构思，即以孤山为圆心，以西湖为圆周，将有关景物都纳入一个辐射圈中，构成一幅由圆心向四周流动、扩散的图画，展示出这一带环境的清静、幽美、超尘脱俗。作者的追忆和慨叹，也正着眼于孤山的幽静、佛地的圣洁，用来与扰攘纷浊的人世相对照。最后，以“空役梦魂飞”表达他对钱塘、对西湖、对孤山、对这块乐土的深切怀念。从词人的构思出发，词中写景，无论是取景的角度，摄取的景物，画面的转动，静景和动景的配合，还是有关语词、音响、色泽、亮度的选择，都别具一格。

"长忆孤山，山在湖心如黛簇"，一开头先确定画幅的中心点——孤山。山的位置在湖心，山的形状如黛簇。黛者，古代女子画眉用的黛墨，青而带黑，此喻山色；簇者，丛聚之意。青黛集聚，是形容矗立湖心的孤山。山呈黛色，给人的感受是苍翠幽深，人迹罕至；山峰聚簇，正好使画面的圆心集中凝聚于一点。接下去写山上的僧房。"僧房四面向湖开"，屋舍显得清静、敞亮，而空间则向四方开拓。"轻棹去还来"一句为上片作结。轻舟如箭，往返于湖上，使整幅画面由静变动，往复流动，山和湖由它沟通，僧人也借它和游客交往。这样，孤山和僧房便不再与人世隔绝，它既是修行的"佛境"，又是人踪可到的地方，也是作者往昔经常游息的处所。

下片转而描写连云阁。"芰荷香喷连云阁，阁上清声檐下铎"二句，一取荷香，一取铃音，这香，这音，都不断地在空中飘扬、传播，同样也造成一种四散流动的感觉。如果将它和上片末句小舟轻棹在湖上往返的流动感比较，一则显得迅疾、轻灵，一则显得幽雅、淡泊。所以"芰荷喷香"二句，与其说是为了写动，不如说是为了写静，但无论是动是静，都有一种流动感。纵观全词及其呈现的画面，无论由点及面，或由面及点，亦无不有此种流动感。这就是本词艺术上的成功之处。

（蒋哲伦）

酒　泉　子(其十)　　　　潘　阆

长忆观潮，满郭人争江上望，来疑沧海尽成空，万面鼓声中。　　弄潮儿向涛头立，手把红旗旗不湿。别来几向梦中看，梦觉尚心寒。

鉴赏

钱塘观潮，古来称盛。据南宋吴自牧《梦粱录》说："每岁八月内，潮怒胜于常时。都人自十一日起，便有观者。至十六、十八日倾城而出，车马纷纷。十八日最为繁盛。"当地风俗以十八日为潮神生日，要举行观潮盛典。词的起笔"长忆观潮，满郭人争江上望”,就生动地描绘出这种万头攒动、争睹奇观的热闹场面,为下面潮水的涌现创造了气氛。“来疑沧海尽成空,万面鼓声中。”只见江海相接之处,一线潮起,迅猛推进,转眼间翻为排空巨浪,扑面而来。仿佛浩瀚的大海顷刻间齐集江头,尽盖乾坤;又像是千万面战鼓一起擂响,震耳欲聋。作者在这里巧妙地避开对江潮的直接描述,用“来疑”二字,翻出比喻、夸张等手法,把排山倒海、声容俱壮的钱塘江潮,渲染得淋漓尽致。

然而,作者的笔墨并未停留在对大自然奇观的惊叹上,他把更热烈的礼赞倾注给驾驭江潮的人间英雄——“弄潮儿”。词的过片在前文尽情渲染的基础上转入对人的描写,令人更加眩目惊心:“弄潮儿向涛头立,手把红旗旗不湿。”他们英勇无畏,搏风击浪,身手不凡,履险如夷。那些在白花花的巨浪中迎风招展的红旗,如同戏龙之珠、舞狮之绸,鲜明、醒目,足为江潮增辉,成为全词的写景高潮。其后周密《武林旧事·观潮》云:“吴儿善泅者数百,皆披发文身,手执十幅大彩旗,争先鼓勇,溯迎而上,出没于鲸波万仞中,腾身百变,而旗略不沾湿,以此夸能。”描述更为详尽。词的歇拍两句挽到现实:“别来几向梦中看,梦觉尚心寒。”尽管离杭已久,但那壮观的场面仍频频入梦,以至“梦觉”尚感惊心动魄,不能自已。这种惊恐而又向往的矛盾心理,衬托出江潮崇高美的特征,增添了前文的气氛,又呼应了开头,使全词首尾相接,浑然一体,有力地突出了“忆”的主题。

潘阆这首《酒泉子》,以其豪迈之气、劲健之笔,写出了钱江潮涌的壮美风光,成为古来观潮词作的绝唱,当时即为人称道,“好事者以阆遨游浙江,咏潮著名,以轻绡写其形容,谓之《潘阆咏潮图》”(《词林纪事》引《皇朝类苑》)。

(蔡　毅)

点 绛 唇

林 逋*

金谷年年，乱生春色谁为主？余花落处，满地和烟雨。　　又是离歌，一阕长亭暮。王孙去，萋萋无数，南北东西路。

作者

*林逋(967—1028)，字君复，钱塘(今浙江杭州)人。初游历江、淮，后结庐西湖孤山，种梅养鹤，隐居不仕。死后赐谥和靖先生。著有《和靖集》，存词三首。

鉴赏

林逋《山园小梅》诗里有一联咏梅的名句："疏影横斜水轻浅，暗香浮动月黄昏。"历来以为绝唱。高洁、孤傲的梅花，也就成为他品格的象征。但是，在宋词的百花园里，还有一种极为平凡而又无所不在的景物，和林逋的名字紧紧连在一起，那就是春草。张先《过和靖隐居》诗："湖山隐后家空在，烟雨词亡草自青。"所赞叹的"烟雨词"，正是这首《点绛唇》。尚幸此词并未亡佚，南宋胡仔《苕溪渔隐丛话》收录了它，使我们今天仍能玩其全璧。

这是一首咏物词。"吟咏所发，志惟深远。"(《文心雕龙·物色》)林逋此作，通篇咏草，乍读似无甚深意，但若联系他的身世和为人，便可推究出个中旨趣。

词的上片，叹惋春意阑珊。"金谷年年，乱生春色谁为主？""金谷"，是晋代石崇在洛阳所建园名，这里借指春草生长的环境，更比衬出其卑微无助的地位。一年一度，春回大地，总是小草最先透露春的消息；百花烂漫时，又是小草衬托着无边的秀色。但从春初到春暮，又有谁眷顾过它？一任其悄然无主，自生自灭。"余花落处，满地和烟雨。"它只能承接缤纷的落英，伴和淅沥的春雨。词在对春草被漠视、被践踏的命运的同情中，透出作者幽寂的隐衷。

词的下片，叹惋故人飘零。“又是离歌，一阕长亭暮。”过片以“又是”转接，推开一层，换入新境。伤春之际，复又伤别，倍添愁情。“离歌”，亦谓“骊歌”，即告别之歌。“长亭”，古代行人休憩及饯别之处，所谓“十里一长亭，五里一短亭”。“王孙去，萋萋无数，南北东西路。”乃化用《楚辞·招隐士》“王孙游兮不归，春草生兮萋萋”的意思。白居易《赋得古原草送别》诗亦云：“远芳侵古道，晴翠接荒城。又送王孙去，萋萋满别情。”这里的“王孙”，是借指作者的朋友，并与开篇之“金谷”遥相呼应，使全词用典的高雅格调得以统一。晚春送别，又是一番伤感；离歌唱罢，长亭已是日暮。故人远去了，唯有满地春草，恰似无尽的别恨离愁，遮断了那纵横阡陌。林逋独居孤山，高标遗世，但仍渴求着友情的慰藉，张先等人皆时时造访，词中所怀，或为某一位相知的故人。

林逋在这首《点绛唇》里，披露了他孤寂的襟怀和对友谊的向往。可见，他并不愿禁锢自己的个性，希望被世人理解。但这种心底微澜，仍被他自己压抑了，只是在对春草的吟咏中稍露端倪，因而需要我们细细地体察。

这首词在宋人咏物词中居有独特的地位。以词咏物，北宋后期渐多，南宋末乃称盛，而宋初似不多见，空谷足音，弥足珍贵。而且，它与后来咏物词之穷形尽相、刻画精工不同，作者只略施淡墨，轻加濡染，那种雅洁的神韵，迷蒙的色调，却已溢出纸外。其间深沉的咏叹和凛傲的风骨，仍酷肖其为人。

（蔡　毅）

长相思　　林逋

吴山青，越山青。两岸青山相送迎。谁知离别情？
君泪盈，妾泪盈。罗带同心结未成。江头潮已平。

鉴赏

《长相思》，又名《双红豆》《相思令》，原是唐教坊乐曲，白居易、刘禹锡等都有以此调填词的佳作。林逋这首《长相思》，就词牌立意，托为一个女子声口，叙写她的爱情波澜。

“吴山青，越山青”，词开篇两两对举，重复一个“青”字，濡染出钱塘江两岸山明水秀的吴越风光。但这只是词的起兴，托物乃意在咏怀。紧接着作者以拟人手法写道：“两岸青山相送迎。谁知离别情？”夹水而立的座座青山，曾目睹过多少送往迎来、悲欢离合，但它们能真正理解情人诀别时的痛苦吗？青山无知，离人有恨，这种移情寄怨的手法，更为深切地道出了抒情主人公独自承受的巨大痛苦。“离别”二字，点出了词的主旨，自然导入下片。

“君泪盈，妾泪盈。”过片径用赋法，把笔触转到具体人物身上。行者与送者，难舍难分，唯有无语凝咽，泪眼相视。他们如此悲伤，难道仅仅是因为一次暂时的分离吗？不，原来他们的爱情曾横遭不幸：“罗带同心结未成。”词仅以这一形象的说法，委婉道出。古代民间男女定情，常用香罗带打成心状结，送给对方作为“信物”，表示双方同心，永远相爱。但这对男女在分手时，却“结未成”，暗喻双方未能定下终身。不要徒自怨艾了吧，送君千里，终有一别，你看，“江头潮已平”，江潮涨满，船儿也该起航了。

词以景语作结，蕴蓄甚厚。从构思看，这是一个“藏笔”，最后点出的“江头”方使人悟到，上片“两岸青山相送迎”，乃是舟行所见，即景生情。从意境看，词末创造了一个空茫的境界。女主人公目送情郎荡舟而去，她也心逐魂飞。词境隽永邈远，余味无穷。唐人送别诗作中颇有此种佳境，如李白《黄鹤楼送孟浩然之广陵》之“唯见长江天际流”，冷朝阳《送红线》之“碧天无际水空流”。和靖先生用之于词，又显其妙。正如沈义父《乐府指迷》所云：“结句须要放开，含有余不尽之意，以景结情最好。”

林逋在这首词中，运用《长相思》词调的传统技法，片头对起，用语复沓，流畅可歌而又含思婉转，具有很浓的民歌风味，同时又透出深沉、凝练的文人气息。这是文人学习民歌的一个好例。还须看到，林逋集中描写爱情的作品罕见，词中也仅此一篇，但这吉光片羽，恰恰透露出他真性情的另一面。彭孙遹《金粟词话》曾风趣地评道：“林处士妻梅子鹤，可称千古高风矣。乃其《长相思》惜别词云：（略）。何等风致！《闲情》一赋（即陶渊明所作《闲情赋》，不少人认为文中艳语，不类渊明之为人），讵必玉瑕珠颣耶？”

（蔡　毅）

少年游　　杨亿*

江南节物，水昏云淡，飞雪满前村。千寻翠岭，一枝芳艳，迢递寄归人。　　寿阳妆罢，冰姿玉态，的的写天真。等闲风雨又纷纷，更忍向、笛中闻！

作者

*杨亿(974—1020)，字大年，建州浦城(今属福建)人。宋太宗雍熙元年(984)，年十一，授秘书省正字。淳化三年(992)赐进士第。历著作佐郎、知制诰、翰林学士。他的诗以辞藻华丽著称，但内容空虚。曾与刘筠、钱惟演等相唱和，编成《西昆酬唱集》，称西昆体。兼擅骈文。有《武夷新集》传世。

鉴赏

这首词是咏梅之作。作者在风雪交加之际见到或者想到不畏风刀霜剑的梅花，因而写出这首小令来寄托自己的感慨。起句点明地点在江南，“节”字从第三句的“飞雪”找出答案——是严冬时节；第二句“水昏云淡”和第三句的“飞雪”，则是“物”的注解。第二句中的“昏”“淡”二字，刻画出风雪中的肃杀景象。“千寻”以下三句开始直接写梅花。这三句是从南朝宋人陆凯赠范晔诗“折梅逢驿使，寄与陇头人。江南无所有，聊赠一枝春”化出。词中起句的“江南”二字，也出自这首诗。“翠岭”指江西、广东交界的大庾岭。大庾岭亦称梅岭，作者在这里是为了咏梅而借用；而下两句亦是演绎前人的诗意，并非作者的实际行动。

下片各句紧扣梅花着笔。起句“寿阳妆罢”是为了用一个有关梅花的典故。据《太平御览》引《杂五行书》，说是南朝宋武帝女寿阳公主，正月初七日卧于含章殿檐下，梅花飘落她的额上成五出之花,时人仿效之,谓“梅花妆”。“冰姿”二句,表面是称赞寿阳公主的梅花妆,实际是作者对不惧风雪、冰肌玉骨的梅花的高度赞扬。紧接“等闲风雨又纷纷”,这一句是一个转折,作者内心悲悯梅花开在冬天,随时遭受凄风苦雨的侵袭不能自保,致使冰姿玉质化作尘泥。这是作者的兴感之由,于是才写成这首词。因此,这一句是全词的中心,接触到事物的本质,而其他各句都为这一句作铺垫。歇拍两句是“等闲风雨又纷纷”情意的继续,也是作者兴感的余波。结句“笛中闻”是因汉代横吹曲中有笛曲《梅花落》调。李白的《与史郎中钦听黄鹤楼上吹笛》诗中有“黄鹤楼中吹玉笛,江城五月落梅花”句,“落梅花”即笛曲《梅花落》。杨亿在此处有意用这个典故,表明自己为梅花受风雨摧残而伤感,连笛声吹奏《梅花落》调,也不忍心听下去,情致极为凄婉。

此词情景逼真,从写景开始,以抒情结束,三处用典,处理自然,不见痕迹,具见功力。在作者众多的诗词作品中是颇为难得的佳作。　　(吴丈蜀)

苏幕遮

范仲淹*

碧云天,黄叶地。秋色连波,波上寒烟翠。山映斜阳天接水,芳草无情,更在斜阳外。　　黯乡魂,追旅思。夜夜除非、好梦留人睡。明月楼高休独倚,酒入愁肠,化作相思泪。

作者

*范仲淹(989—1052),字希文,吴县(今属江苏)人。宋真宗大中祥符八年(1015)进士。官至参知政事。他是北宋著名的政治家,“庆历新政”的主持者。也是著名的文学家,有《范文正公集》,词只存五首。

鉴赏

宋黄昇《唐宋诸贤绝妙词选》卷三选录这首词,词牌下注有“别恨”二字。虽未必是作者原注,但也符合词意,可以认为是本词的主旨。

上片写景。起首两句“碧云天,黄叶地”,点明节令。高高的天穹里,云彩呈现出湛青的颜色;广阔的原野上,铺满了败落的黄叶。这两句从高、低两个角度描绘出一幅典型的秋景,表现了秋天寥廓苍茫、衰飒零落的特点。元代王实甫《西厢记》“长亭送别”一折就是化用这两句,衍为曲子,被称为绝唱。接着,词人再把视野放开,向远方望去:“秋色连波,波上寒烟翠。”绾合上两句,点明词所写的是秋天的景色。它绵延伸展,和远处的水波相连。而水上景色是“寒烟翠”。带有寒意的空翠的烟雾笼罩着水面,显得迷蒙凄清。这里以“波”指代“水”,“波”字很有形象性,写出了水的生动的态势。“山映斜阳天接水”,这一句将天、地(山)、水三者容纳在一句之内,描写它们融汇浑成的景象：夕阳映照着远处的山峰，水波与极远的天空相连接。“斜阳”二字更具体地点明描写的是傍晚时分的“秋色”。至此，可说已经把词人视觉所及范围内的秋景写到极致了。下边两句：“芳草无情，更在斜阳外。”转到怀人。由眼中所见写到目力之外，实中有虚，含有夸张想象的成分。芳草无边无际，连着天涯，似乎比斜阳更遥远。自然界里的青青草色是没有感情的，但在古代诗词里，文人却常常用它来引发自己的离愁别恨。相传为蔡邕所作的《饮马长城窟行》：“青青河边草，绵绵思远道。”写居者见到河边没有尽头的草色，思念起远方的客子。李煜《清平乐》“离恨恰如春草，更行更远还生”，则是将自己的离恨比作春草一般，生生不已，绵绵不断。类似的例子不胜枚举。“芳草”在古代文人的笔下，可以说成了别情的诱发物。本词说芳草延伸到望不到头的极远处，正是说作者因它而触动别恨，想到远在天之一方的亲人。“无情”正反跌出人的感情的深浓。两句在写景中带有强烈的主观感情色彩，拈出一个“情”字，更为上片的写景转为下片的抒情作了非常自然的过渡。

过片“黯乡魂，追旅思”两句，承接上片结语“情”字而来。“黯乡魂”，因思念家乡而心神悲伤。它是化用江淹《别赋》“黯然销魂者，惟别而已矣”的名句，强化了思乡之情。“追旅思”，“追”，追随，这里有纠缠的意思，意谓羁旅的愁思萦绕心头，拨不去，撇不开。它们在什么情况下才能从词人的心头抹去呢？“夜夜除非、好梦留人睡”，只有每天夜里美好的梦境把他留住才能达到。“除非”说明除此之外，别无可能。人的好梦是不多的，愁思满怀的人更难以得到好梦。这两句表面上看去，好像是说乡思旅愁也有消除的时候，实际上是说它们无时无刻不横梗心头。这样写，使词的造语奇特，表情达意更加深切婉曲。沈际飞说：“人但言睡不得尔，‘除非好梦’，反言愈切。”（《草堂诗余正集》）所指的就是这一点。“好梦”是什么这里没有说，显得很含蓄。但从上下文可以体会出，它是指梦中返乡和家人聚会的情事。“明月楼高休独倚”，有两方面的意思：一是承接“夜夜”而来，夜间因乡思旅愁而不能入睡，尽管月光皎洁，高楼上夜景很美，也不能去观赏，因为独自一人倚栏眺望，更会增添怅惘之情。二是逆挽上片，交代所写景色均为登楼远眺所见。不倚楼最多只能不增愁，却不能消愁。为了消愁，词人借酒排遣：“酒入愁肠，化作相思泪。”但酒没有浇去心头愁苦，却反而变成了泪水，使人倍加伤情,更加怀念远方的亲人。这真是"举杯消愁愁更愁"(李白《宣城谢朓楼饯别校书叔云》)了。

范仲淹是宋代的政治家,性格刚正坚毅。就词的创作来说,他也曾写过《渔家傲》(塞下秋来风景异)那样情调苍凉悲壮、气概雄伟的作品。但这首词写柔情,千回百转,似乎不类其为人。这种现象发生在他一个人的身上,看似矛盾,实际上并不矛盾。尽管身为政治家,但他也有自己的个人生活,有友谊,有爱情,在作品里反映出来并不奇怪。唐代名相宋璟也曾写出过柔丽的《梅花赋》,也不类其为人。这就说明,"铁石心肠人",完全是可以"作此销魂语"(许昂霄《词综偶评》)的,只是人们把它看得简单化了。但这首词所写柔情毕竟不同于一般的婉约词,它在低徊婉转之中别饶沉雄清刚之气。清谭献评此词,说它"大笔振迅"(《谭评词辨》),比较深刻地指出了这首词的艺术特色。

(李廷先　王锡九)

渔家傲　范仲淹

塞下秋来风景异,衡阳雁去无留意。四面边声连角起。千嶂里,长烟落日孤城闭。　浊酒一杯家万里,燕然未勒归无计。羌管悠悠霜满地。人不寐,将军白发征夫泪。

鉴赏

宋初的词仍沿着晚唐、五代绮靡的词风发展,这和当时社会的比较安定以及士大夫生活的优裕很有关系。仁宗即位之后,逐渐形成积贫积弱的形势,表面上歌舞升平,实际上危机四伏。有远见的政治家、文学家都已觉察到问题的严重性,"庆历新政"和古文运动先后发生在这个时期,并不是偶然现象,而是当时政治现实、社会现实的客观要求。在词的方面,豪放词开始抬头,一变低沉婉转之调,而为慷慨雄放之声。如和范仲淹同时的一位词人李冠,他有两首《六州歌头》,一首调下标明"骊山",一首调下标明"项羽庙",这两首怀古词都是宏伟沉丽之作。而首先把有关国家、社会的重大问题反映在词里的则是范仲淹。

范仲淹在仁宗康定元年(1040)八月,任陕西经略安抚副使兼知延州(治所在今陕西延安),抗击西夏。庆历元年(1041)四月调知耀州(治所在今陕西耀县)。他的《渔家傲》词即作于这个时期。据宋人魏泰《东轩笔录》说,范仲淹守边时,作《渔家傲》歌数阕,皆以"塞下秋来"为首句,颇述边镇之劳苦,欧阳公尝称为"穷塞主"之词云云,但现在只传下了这一首。

上阕着重写景。"塞下秋来风景异","塞下"点明了延州的所在区域。当时延州接近西北边疆,是防止西夏进攻的军事重镇,故称"塞下"。"秋来",点明了季节。"风景异"概括地写出了延州秋季和内地大不相同的风光。范仲淹是苏州人,他对这个地方的季节变换,远较北人敏感,故用一个"异"字概括,这中间含有惊异之意。怎样不同呢?"衡阳雁去无留意",雁是候鸟,每逢秋季,北方的雁即飞向南方避寒。古代传说,雁南飞,到衡阳即止,衡山的回雁峰即因此而得名,所以王勃说:"雁阵惊寒,声断衡阳之浦。"(《滕王阁序》)词里的"衡阳雁去"也从这个传说而来。"无留意"是说这里的雁到了秋季即向南展翅奋飞,毫无留恋之意,反映了这个地区到了秋天,寒风萧瑟,满目荒凉。反过来说,这个地区秋天的荒凉景象,尽括在雁"无留意"三字之中,显得笔力遒劲。下边续写延州傍晚时分的景象:"四面边声连角起"。所谓"边声"是指北边区域特有的一种声响。蔡文姬《胡笳十八拍》说:"日暮风悲兮边声四起。"可见"边声"和悲风有密切关系,大约是指风吹草木所发出的凄厉之声。这种声音随着军中的号角声而起,形成了浓厚的悲凉气氛,为下阕的抒情蓄势。"千嶂里,长烟落日孤城闭。"上句写延州周围环境,它处在层层山岭的环抱之中。下句牵挽到对西夏的军事斗争。"长烟落日",很容易使人想起唐代大诗人王维的名句"大漠孤烟直,长河落日圆"。同样地写出了塞外的壮阔风光。词里在"长烟落日"之后,紧缀以"孤城闭"三字,气象便不相同。千嶂、孤城、长烟、落日,这是静;边声、号角声,这是动,把静与动连缀起来,展现在人们眼前的是一幅充满肃杀之气的战地风光画面。特别值得玩味的是"孤城闭"三字,它隐隐地透露宋朝不利的军事形势。为什么会造成这种形势,要结合当时的历史情况才能理解。

宋朝从和辽邦订立“澶渊之盟”后，边疆上长期放弃警戒，武备松弛。宝元元年(1038)西夏元昊称帝，宋廷调兵遣将，扬声讨伐，而事起仓促，将不知兵，兵不知战，以致每战辄败。就在范仲淹移知延州前不久，元昊攻下延州外围重要据点保安、金明寨，擒守将李士彬父子，乘胜直抵延州城下。宋遣环庆路副都部署刘平、鄜延路副都部署石元孙联兵抗击，亦战败被俘，延州被围七日之久，因一夕大雪，元昊始解围去(《续资治通鉴》卷四十二，《宋史·刘平传》等)。不久西夏军又攻下塞门寨、安远寨，延州外围据点尽被攻陷。这时范仲淹才调知延州，接替范雍，可以说是“受任于败军之际，奉命于危难之间”。他到任后，一方面加强军队训练，一方面在延州周围构筑防御工事，始终居于守势，不敢轻易出击，延州局势才暂时稳定下来，就整个形势来说，延州仍处于孤立状态。所以“孤城闭”三字不仅真实地反映了当时的军事态势，且反映出宋朝守军力量是很薄弱的，作为指挥部所在地的城门，太阳一落就关闭起来，表现了形势的严重性。这个结句就为下阕的抒情作了铺垫。

下阕着重抒情。起句“浊酒一杯家万里”，这是词人的自抒怀抱。他身负重任，防守危城，天长日久，难免起乡关之思。这“一杯”与“万里”之间形成了悬殊的对比，也就是说，一杯浊酒，销不了浓重的乡愁，造语雄浑有力。乡愁由何而来呢?“燕然未勒归无计”，这句是用典。“燕然”，山名，即杭爱山，今在外蒙境内。汉和帝永元元年(89)，窦宪大破北匈奴，穷追北单于，曾登此山，“刻石勒功而还”(《后汉书·和帝纪》)。词意是说，战争没有取得胜利，还乡之计是无从谈起的，然而要取得胜利，又谈何容易!“羌管悠悠霜满地”，写夜景，在时间上是“长烟落日”的延续。“羌管”，即羌笛，是出自古代西部羌族的一种乐器，它所发的是凄切之声。唐代边塞诗里经常提到它，如王之涣《凉州曲》“羌笛何须怨杨柳，春风不度玉门关”，岑参《白雪歌送武判官归京》“中军置酒宴归客，胡琴琵琶与羌笛”等，皆为人所熟知。深夜里传来了抑扬的羌笛声，大地上铺满了秋霜。耳之所闻、目之所睹都给人以凄清、悲凉之感。如果深夜里安然熟睡，是听不到，也看不到的。这就逗出了下句“人不寐”，补叙上句，表明自己彻夜未眠，徘徊于庭。“将军白发征夫泪”，由自己而及征夫，总收全词。将军(词人自己)为什么通宵不眠，发为之白?很明显，是“燕然未勒归无计”造成的。征夫为什么落泪？是出于同样原因。他们和将军的思想感情是一致的：既希望取得伟大胜利，而战局长期没有进展，又难免思念家乡，妻子儿女魂牵梦绕。爱国激情、浓重乡思兼而有之，构成了他们复杂而又矛盾的情绪。将军与征夫的矛盾情绪通过全词景物的描写、气氛的渲染，婉曲地传达出来，情调苍凉而悲壮，为宋代词坛放一异彩。

这首词，不仅如一般评论者所说的：“表现了作者的英雄气概和战士们生活的艰苦性。”它还有更深广的现实意义。宋王朝在建立之初，就采取重内轻外政策。它把大量的精锐“禁军”，布置在内地重点城市，用以防止、镇压人民的反抗斗争，而在边防线上只投入少量的部队，始终采取消极防御政策。在受到敌人侵扰时，只好临时应付，战不胜则妥协退让。对付西夏的软弱无力，就是这种政策所造成的严重后果。这首词是对宋王朝重内轻外、消极防御政策所造成的严重后果形象的概括与反映，可以作为“词史”来看。

（李廷先）

御　街　行

范仲淹

纷纷坠叶飘香砌，夜寂静，寒声碎。真珠帘卷玉楼空，天淡银河垂地。年年今夜，月华如练，长是人千里。　　愁肠已断无由醉，酒未到，先成泪。残灯明灭枕头欹，谙尽孤眠滋味。都来此事，眉间心上，无计相回避。

鉴赏

这首词写离人的愁绪。

上片着重写景。开头三句“纷纷坠叶飘香砌，夜寂静，寒声碎”，写夜静时的落叶。落叶纷纷地散落到楼前的台阶上，由于夜静，可以听到它细碎的声响。“香砌”，表明台阶周围有残花散发着香气。落叶声用“碎”字来形容，和“纷纷”二字互相照应。如果只是一两片落叶，就不可能给人

"碎"的感觉。同时,不在寂静的夜间,也不可能听得如此真切。这三句就听觉而言,下面则从视觉来写。"真珠帘卷玉楼空,天淡银河垂地。"离人将他所居之处的帘子卷起,看到高朗的天空上星河倾斜着垂到了极远处的大地,天上地下,到处都是银色的世界。孤独的人在这个时候,是最容易触动离愁的。"年年今夜,月华如练,长是人千里。"以"练"字形容洁白的月光,显然是化用谢朓"澄江静如练"的名句而成的。"长是人千里",也是从谢庄《月赋》"隔千里兮共明月"变化而来。今天夜里,月光如昼,但亲人远在千里之外,美好的景致,恰恰使人增添思念之情。更何况分别已经多年,离情一年比一年浓重,眼下真叫人悲怆难禁。这三句虽是写景,却是景中透情。下片就从这里生发开去。

下片抒写离恨。换头直接上片结句作情极之语。"愁肠已断无由醉,酒未到,先成泪。"由于久别的煎熬,愁肠已经寸断,即使想用醉酒的办法来消愁,也是不可能的了。下面两个短句,词意陡转,从假设说起:"酒未到,先成泪。"如果饮酒的话,酒还未入肚,却已经化成了泪水,这真是"泪深于酒"(李攀龙语,见《草堂诗余隽》)。这比起他《苏幕遮》"酒入愁肠,化作相思泪"来更为凄切。"残灯明灭枕头欹,谙尽孤眠滋味。"两句回应上片"夜寂静"。"残灯明灭枕头欹",写夜已很深,灯光忽明忽暗,此时,离人根本无法入睡,斜靠在枕头上,独自伤情。下句说"谙尽孤眠滋味",这与上片"年年""长是"照应。末三句,申说愁思怎么也解脱不了。"都来此事,眉间心上,无计相回避。""都来",清王闿运释为"算来"(《湘绮楼词选》)。"此事"指相思之事。意谓他的离愁别恨非常浓重,眉头颦蹙,心里愁闷,都没有办法能够排遣它。这三句用白描手法写愁思,很真切生动,是李清照《一剪梅》"此情无计可消除,才下眉头,却上心头"所本。范仲淹的边塞词为宋代豪放词开风气之先,此词和《苏幕遮》(碧云天)又对后来的婉约派词人产生这样的影响,是很值得注意的事情。

在《渔家傲》(塞下秋来风景异)中,范仲淹为"燕然未勒"而心烦意乱,发为之白;在《苏幕遮》(碧云天)和这首词中则又为相思离别而流泪。无论是抒发政治情怀,还是写一己之情,他都写得深挚动人,这是因为他不仅是一位杰出的政治家,还是一位优秀的作家。

(李廷先　王锡九)

迎新春　　柳 永*

嶰管变青律，帝里阳和新布。晴景回轻煦。庆嘉节、当三五。列华灯、千门万户。遍九陌罗绮，香风微度。十里然绛树。鳌山耸，喧天箫鼓。　渐天如水，素月当午。香径里、绝缨掷果无数。更阑烛影花阴下，少年人、往往奇遇。太平时、朝野多欢，民康阜、随分良聚。堪对此景，争忍独醒归去！

作者

*柳永(984？—1053？)，字耆卿，初名三变，崇安(今属福建)人。他是大量作慢词的第一个词人，在词的发展上有重大的贡献。仕途坎坷，景祐元年(1034)约五十岁才中进士，官至屯田员外郎，世称柳屯田，死于润州(今江苏镇江)。有《乐章集》。他的词以写羁旅行役、离情别绪最为出色，感情纯真、大胆，善于用铺叙和白描手法，又善于向民间曲子词学习，促进了词的通俗化、口语化。

鉴赏

这首词，写都城开封元宵盛况。一起以节令之变换，点出帝京新春和暖。接着写天气晴朗更使气候宜人。“庆嘉节、当三五”，实写具体的佳节之欢。十五元宵，实际上是灯节，“列华灯”三句，铺写家家张灯结彩。而赏灯人之众之多，却是暗写，以“罗绮”“香风”代替男女人群。“九陌”“十里”极言其广。“十里”三句，再写灯的张挂在高高低低处，而配合着音乐演奏。“箫”代表管乐器，“鼓”代表板乐器，都是适合在热闹场中吹打的。上片是极写元宵的气候、灯景、乐器，而人却只是在这环境中以衣锦飘香若隐若现地浮动着，可谓虚中有实，似少实多，以某些特征而代表整个人，而人又是“遍九陌”之多的。

下片以“天”接“天”，从“喧天箫鼓”过渡到“渐天如水”，一“渐”字，拉开了时间的线索。时候不早了，“天如水”，天清而静。“素月当午”，月照正中。人自赏灯来，又转入各自寻觅所欢。“绝缨掷果无数”，用了两个典故，“绝缨”指楚庄王宴会时，一将酒醉戏其美人，美人绝（摘下）其冠缨，庄王不计其过，令大家皆绝缨，后得其效死力的故事。“掷果”故事出自西晋，文学家潘岳美姿容，每出门，老妪以果掷之满车。形容美男子为妇人所爱慕。这里说此二艳遇故事，但已非一人之艳遇，而是“无数”之多。“更阑”二句，写景极美，写事动人。“烛影花阴”，明明暗暗，朦朦胧胧。“少年人、往往奇遇”，有多少风流韵事，然而乐而不淫，就此煞住。“太平”二句，推广开来，写当时承平气象。这里，我们可以用祝穆《方舆胜览》记载范镇的话来说明这首词的史料价值。辞云：“范蜀公尝曰：‘仁宗四十二年太平，镇在翰苑十余载，不能出一语咏歌，乃于耆卿词见之。’”又黄裳在《书乐章集后》称：“予观柳氏乐章，喜其能道嘉祐中太平气象，如观杜甫诗。典雅文华，无所不有。是时予方为儿，犹想见其风俗欢声和气，洋溢道路之间，动植咸若。令人歌柳词，闻其声，听其词，如丁斯时，使人慨然有感。呜呼！太平气象，柳能一写于乐章，所谓词人盛世之黼藻，岂可废耶！”（《演山集》）从这些评述中，可以看出柳永描写都市风光、承平景象，有其特殊成就。词的最后，对景“争忍独醒归去”，是乐而忘返了。

这首词，以铺叙见长，气象渲染，浓淡适宜。写景则时疏时密，用典则结合时宜。人物都是在良辰美景中出现而又活跃着的，呈现出太平景象。一结更是含有欢乐长保的意义，余乐无穷。

（金启华）

曲玉管　　柳　永

陇首云飞，江边日晚，烟波满目凭阑久。一望关河萧索，千里清秋，忍凝眸？　　杳杳神京，盈盈仙子，别来锦字终难偶。断雁无凭，冉冉飞下汀洲，思悠悠。

暗想当初，有多少、幽欢佳会，岂知聚散难期，翻成雨恨云愁！阻追游。每登山临水，惹起平生心事，一场消黯，永日无言，却下层楼。

鉴赏

这首词写离别之恨与羁旅之愁。作者登高怀远，触景伤情，而将情景打成一片，往复交织，前后照应，针线尤为细密。

全词共分三叠。凡是三叠的词，以音律论，前两叠是双拽头，后一叠才是换头(一称过片)。故文词也每每是前两叠大体一意，后一叠另作一意，使声情相应。此词第一叠"陇首"三句，是当前景物和情况。"云飞""日晚"，隐含下"凭阑久"。"亭皋木叶下，陇首秋云飞"，是梁柳恽的名句。"陇首"，犹言山头。云、日、烟波，皆凭阑所见，而有远近之分。由此启下三句。"一望"，不是望一下，而是一眼望过去，由近及远，由实而虚，千里关河，可见而不尽可见，逼出"忍凝眸"三字，极写对景怀人、不堪久望之意。然而上言"凭阑久"，可见已经久望了，则"忍凝眸"者，乃是事后觉得望之无益，是透过一层的写法。此段五句都是写景，只用"忍凝眸"三字，便将内心活动全部贯注到所写景物之中，而使情景交融。

第一叠是先写景，后写情；第二叠则反过来，先写情，后写景。"杳杳"三句，接上"忍凝眸"来。"杳杳神京"，写所思之人在汴京；"盈盈仙子"，则写所思之人的身份。唐人诗中习惯上以仙女作为美女之代称，一般用来指娼妓或女道士。如施肩吾有《赠仙子》，"仙子"指娼妓；赵嘏有《赠女仙》，"女仙"指女道士。这里大约是指汴京的一位妓女。"锦字"是用窦滔、苏蕙夫妻故事。苻秦时，滔得罪徙流沙，蕙作回文诗，织于锦上以寄，词甚凄婉，见《晋书》。作者和这位"仙子"，并非正式夫妻，其所以用此典故，或系因应举时被仁宗放落，因而出京，与窦滔之获罪远徙，有些近似之故。文献不足，无从深考。此句是说"仙子"虽想寄与"锦字"，而终难相会(偶作遇解)，这是悬揣之词，并非真正收到她的信了，观下文可知。鸿雁本可传书，而说"断"，说"无凭"，则是始终不曾负担起它的任务。雁给人传书，无非是个传说或比喻，而雁"冉冉飞下汀洲"，则是眼前实事。由虚而实，体现出既得不着信又见不了面的惆怅心情，自然就不能不老是想着，放不下了。"思悠悠"三字，总结次段之意，与上"忍凝眸"遥应，而更深入一层。因第一段写景物萧索，使人不忍凝眸，第二段则写即使凝眸，其人终于难偶，不但人难偶，信也难通，所以除了相思之外，更无其他办法。

第三叠是“思悠悠”的铺叙。第一、二叠写景抒情，眼前之事，已经表现得非常丰满。而今日之惆怅，实缘于旧日之欢情，所以“暗想”四句，便概括往事，写其先相爱，后相离，既相离，难再见的愁恨心情。“阻追游”三字，横插在上四句下五句中间，包括了多少难以言说的酸辛在内。然后，笔锋一转，又从回忆而到当前。但是，在回到当前之时，却又宕开一笔，在平叙之中，略作波折，指出这种“忍凝眸”“思悠悠”的情状，并不是这一次，而是许多次，每次“登山临水”，就“惹起平生心事”。然后再写到这回依然如此，在“黯然消魂”的心情之下，长久无话可说，走下楼来。“却下层楼”，遥接“凭阑久”，使全词从头到尾，血脉流通。刘熙载《艺概》说柳词“细密而妥溜，明白而家常，善于叙事，有过前人”。这首词，特别是其第三叠，很可以证实这一论点的正确。《雨霖铃》的“此去经年”以下，此词的“暗想当初”以下，都似乎平铺直叙，没有什么技巧，但这正是柳永的特色，其他词人所难以企及的地方。

（沈祖棻）

雨霖铃

柳永

寒蝉凄切，对长亭晚，骤雨初歇。都门帐饮无绪，方留恋处，兰舟催发。执手相看泪眼，竟无语凝咽。念去去、千里烟波，暮霭沉沉楚天阔。　　多情自古伤离别，更那堪，冷落清秋节！今宵酒醒何处？杨柳岸、晓风残月。此去经年，应是良辰好景虚设。便纵有、千种风情，更与何人说？

鉴赏

这首写离情的词，可谓淋漓尽致，备足无余。词一起三句点明时间、地点、景物。人即将离别，日晚，阵雨乍停，蝉声凄切，在送别的长亭,人何以堪?这蝉鸣助添悲凉,而一起即道出,似乎为这首词定了调子。"都门"两句,极写饯别时的心情,委婉曲折,心理矛盾,欲饮无绪,欲留不得。"执手"两句,再加深涂抹,在执手、相看、无语中,更使人伤心失魄。以上三小节是极尽回环、顿挫、吞吐之能事。"念去去"以后,则大气包举,一泻千里,似江流出峡,直驰平川,词则直抒胸怀。以"念"这一领字带起,表明是设想别后的道路辽远。"千里烟波,暮霭沉沉楚天阔",全是写景,实际上含的全是情,景无边而情无限。

换头以情起,叹息从古到今离别之可哀。"更那堪"句又推进一层,这是把江淹《别赋》、宋玉悲秋的情思两者结合起来,提炼出这两句。"今宵"二句,又是推想,然而景物清丽,别者真像酒醒后在船中所见的残月、岸柳,晓风尤使人清醒,几如身历其境,忘其是设想了。"此去"二句,再推想别后长久的寂寞,虚度美好年华。"便纵有"二句,再从上两句的遭遇,深入下去,叹后会难期,风情向谁诉说。真是"余恨无穷,余味不尽"(唐圭璋《唐宋词简释》)。

这首词写的将别、临别以及别后的种种设想,把别后的情景描绘得比真的还真,又以景衬之,使人不觉得是虚构的,实在是柳永的艺术手法高妙,而很多高超的手法,都在这首词里表现了,所以有人称其"微妙则耐思,而景中有情……'杨柳岸晓风残月',所以脍炙人口也"(谢章铤《赌棋山庄词话》)。又有人认为:"'千里烟波',惜别之情已骋;'千种风情',相期之愿又赊。真所谓善传神者。"(李攀龙语,见《草堂诗余隽》)这都道出了这首词的妙处。但我们觉得刘熙载在《艺概》中的"点染"之说,更是值得称述的。他认为:"词有点染,耆卿《雨霖铃》'念去去'三句,点出离别冷落;'今宵'二句,乃就上三句染之。点染之间,不得有他语相隔,否则警句亦成死灰矣。"刘熙载的这一评论,实际上是以论画法论词,看出在柳词中的加深描绘,反复涂抹。既精微入里,而又大胆泼墨。也就是柳词中抒情与写景在章法和修辞上的巧妙运用,可谓词中有画。而其中抒情,尤寄寓哲理。所谓"多情自古伤离别,更那堪,冷落清秋节",清秋离别,多情那堪?感情极为沉痛,而染以"今宵酒醒何处?杨柳岸、晓风残月",更是伤心而又凄凉,情景妙合无垠。这一别后之情景,又是因"念去去"三句之点化而得,前后照应,委婉自如。柳词在点染方面的技巧运用,确是达到很高成就的,在这首词里最为突出。

(金启华)

采莲令　　柳　永

月华收，云淡霜天曙。西征客、此时情苦。翠娥执手，送临岐、轧轧开朱户。千娇面、盈盈伫立，无言有泪，断肠争忍回顾？　　一叶兰舟，便恁急桨凌波去。贪行色，岂知离绪。万般方寸，但饮恨、脉脉同谁语？更回首、重城不见，寒江天外，隐隐两三烟树。

鉴赏

本词当是柳永年轻时抒写行役奔波、惜别相思的作品。主要写和他女友话别时依依不舍的神情，以及别后孤寂思恋的离愁。

“月华收”两句点明时间，写出将行时月光已敛，霜天欲曙，把自己暗淡的离情融化入“云淡霜天曙”之中。灰淡的天色，一片凄然，沉痛地写出作者此时的心境。“此时情苦”，正点出离怀滋味。“情苦”，二字贯下所见。翠娥因客要远行，也起得挺早而轧轧地开了朱门，送到分歧路口，两人依依执手，清丽的玉人“盈盈伫立，无言有泪”，写尽依依不舍与离人相别的深情。“断肠争忍回顾”，把一对痛断情肠不忍相看的形象浮雕出来，使人也随之回肠九转。换头，写一叶兰舟打着急桨迅速地凌波长逝。“贪行色，岂知离绪”，虽是故荡一笔，更显出坐定后思想的孤寂。这只是一刹那安定的心情。到船行坐定之后，万般心绪都涌上心头。他只觉无言饮恨，脉脉无人对语了。小舟越行越远，他留恋故地一顾再顾，连城郭都已不见，只看到那寒天外隐隐约约罩着轻烟的两三远树，依依之情含蓄其中。唐圭璋先生说：“‘更回首’三句以远景作收，笔力千钧。”（《唐宋词简释》）上阕“无言有泪，断肠争忍回顾”，形象地刻画临别的心理活动。下阕“更回首”以下写出舟行以后，不知多少次地回首故地，但引来的却只是孤寂的离绪而已。全词只“盈盈”“脉脉”运用《古诗十九首》中“盈盈楼上女”和“脉脉不得语”的字面，其他全是明白如话。上阕写与翠娥相别，临歧执手，“千娇面、盈盈伫立，无言有泪，断肠争忍回顾”，都用白描手法，把离别情状写得如在目前。项安世《平斋杂说》说：“杜诗、柳词皆无表德，只是实说。”这首词就是这种精神。写景如“月华收，云淡霜天曙”和下阕的“寒江天外，隐隐两三烟树”都是情景交融，也就是王国维先生《人间词话》说的“有我之境”。这首词虽短，但也可代表柳永的风格。

（林新樵）

凤栖梧　　柳永

伫倚危楼风细细，望极春愁，黯黯生天际。草色烟光残照里，无言谁会凭阑意？　拟把疏狂图一醉，对酒当歌，强乐还无味。衣带渐宽终不悔，为伊消得人憔悴。

鉴赏

《凤栖梧》亦作《蝶恋花》，实际上是同一词调的不同名称。柳永这首词，是怀念远方恋人的作品。上片写登高望远，春愁油然而生，由望远而怀远。下片写为消除相思的痛苦，打算借酒浇愁，强自宽解，但又觉强乐无味。最后痛下决心，执著地追求他思念中的伊人，为了她，可以不惜一切，大有“春蚕到死丝方尽，蜡炬成灰泪始干”之气概。

“伫倚危楼风细细”句，“伫倚”即久立，“危楼”即高楼，此句是登高望远的立足点。词人久立于高楼之上，春风轻轻吹拂着面颊，在目力所及的天际，一缕春愁，黯黯地油然而生。“黯然消魂者，惟别而已矣。”（江淹《别赋》）看来这春愁正为伤别而生。春愁本由心生，现代生理学告诉我们愁是大脑思维活动的产物，这里却把愁说成是生于天际，由远而近，这虽然不合乎科学的道理，但却把愁形象化了，写出了愁的流动过程，把看不见摸不着的春愁，描写成可见的、流动的，这样就唤起人们的审美联想，使读者感觉词中主人公在系念着远方的恋人，春愁是因思念远方的伊人而生，伊人此时此地也会产生同样的春愁，将两处之愁联系在一起，这样表现，意境就浑厚得多了。下文的“草色烟光斜照里”，是登楼远望所见之景，给人以俯仰苍茫的感觉:草色青青,日光斜照,烟波浩渺,伊人何处?这时主人公默默无言,独倚高楼,又有谁理解他的凭阑念远之意呢?“无言”二字,含有千言万语和千种风情、万种思绪。

下片,词人将笔一摇,企图把春愁荡开,打算放纵一下,借酒浇愁,以求一醉。但是结果如何呢?“对酒当歌,强乐还无味。”这说明愁苦是无法排遣的。怎么办呢?索性继续相思下去,为了自己心爱的人,就不管三七二十一了。所以结穴说:“衣带渐宽终不悔,为伊消得人憔悴。”这两句词,是一篇之警策,可视为全词之眼。词人借此两句,把思念恋人的感情推向高潮。这两句词,千百年来,已成为脍炙人口的名句,实际上它是从《古诗十九首》中的名句“相去日已远,衣带日已缓”化出。但古诗中的此两句,表现比较含蓄,较温厚和平。柳永的这两句词,比起古诗来,感情更浓烈,态度更决绝,表现出才子词人对伊人的一片痴情。“衣带渐宽终不悔”的“终”字,“为伊消得人憔悴”的“消得”二字,都可以看作词人对爱情始终不渝、至死靡他的决心。胡云翼先生《宋词选》释“消得”为“值得”,可谓深得其解。这两句词,使我们想起《红楼梦》中贾宝玉常说的话:我就是为她们死了,化成灰,化成一缕青烟,也是值得的。

这首词抒情手法的特点是,始则借景生发;继则打算把怀远之情荡开,用“拟把疏狂图一醉”的方法,使相思之情得以排遣;终则因为此情无法消解,索性继续相思下去,一收之后,复来一纵,手法有开有合,卷舒自由,有波澜,有韵致,非词中高手,难以达此境界。

周济《宋四家词选》说:“柳词总以平铺见长,或发端,或结尾,或换头,以一二语勾勒提掇,有千钧之力。”这首《凤栖梧》从整体来看,是平铺直叙的,但换头、结尾,因善于勾勒提摄,颇能平中见奇。特别是结尾两句,总摄全篇,将感情推向高潮,确有千钧之力。

王国维《人间词话》说:“古今之成大事业、大学问者,必经过此三种之境界:‘昨夜西风凋碧树,独上高楼,望尽天涯路’,此第一境也。‘衣带渐宽终不悔,为伊消得人憔悴’,此第二境也。‘众里寻他千百度,蓦然回首,那人却在灯火阑珊处’,此第三境也。此等语皆非大词人不能道。”王氏所言第二境,就是柳永这首词所创造的境界,他借用这两句词来说明成大事业、做学问要有这种锲而不舍、苦苦追求的精神,与柳词原意没有直接联系。但王国维指出此等语非大词人不能道,足见他是很欣赏这两句词的。

(刘文忠)

卜算子慢　　柳永

江枫渐老，汀蕙半凋，满目败红衰翠。楚客登临，正是暮秋天气。引疏砧、断续残阳里。对晚景、伤怀念远，新愁旧恨相继。　脉脉人千里。念两处风情，万重烟水。雨歇天高，望断翠峰十二。尽无言、谁会凭高意？纵写得、离肠万种，奈归云谁寄？

鉴赏

这首词与《曲玉管》主题相同，也是伤高怀远之作。上片景为主，而景中有情；下片情为主，而情中有景：也与《曲玉管》前两叠相近。

起首两句，是登临所见。“败红”就是“渐老”的“江枫”，“衰翠”就是“半凋”的“汀蕙”，而曰“满目”，则是举枫树、蕙草以概其余，说明其已到了深秋了，所以接以“楚客”两句，即《雨霖铃》篇中所引宋玉《九辩》名句的缩写，用以点出登临，并暗示悲秋之意。以上是登高所见。

“引疏砧”句，续写所闻。秋色凋零，已足发生悲感，何况在这“满目败红衰翠”之中，耳中又引进这种断断续续、稀稀朗朗的砧杵之声，在残阳中回荡呢？古代妇女，每逢秋季，就用砧杵捣练，制寒衣以寄在外的征人。杜甫《捣衣》：“亦知戍不返，秋至拭清砧。已近苦寒月，况经长别心。宁辞捣衣倦，一寄塞垣深。用尽闺中力，君听空外音。”又《秋兴》：“寒衣处处催刀尺，白帝城高急暮砧。”所以在他乡作客的人，每闻砧声，就生旅愁。这里也是暗寓长期漂泊，“伤怀念远”之意。“暮秋”是一年将尽，“残阳”则是一日将尽，都是“晚景”。对景难排，所以下面即正面揭出“伤怀念远”的主旨。“新愁”句是对主旨的补充，以见这种“伤”和“念”并非偶然触发，而是本来心头有“恨”，才见景生“愁”。“旧恨”难忘，“新愁”又起，所以叫做“相继”。

过片接上直写愁恨之由。“脉脉”，用《古诗十九首》：“盈盈一水间，脉脉不得语。”“脉脉”，相视之貌。“相视”，是她望着我，我也望着她，也就是她怀念我，我也怀念她，所以才有二、三两句。“两处风情”，从“脉脉”来；“万重烟水”，从“千里”来。细针密线，丝丝入扣。

“雨歇”一句，不但是写登临时天气的实况，而且补出红翠衰败乃是风雨所致。“望断”句既是写实，又是寓意。就写实方面说，是讲雨过天开，视界辽阔，极目所见，唯有山岭重叠，连绵不断，坐实了“人千里”。就寓意方面说，则是讲那位“旦为朝云，暮为行雨”的巫山神女，由于天气转晴，云收雨散，也看不见了。“望断翠峰十二”，也是徒然。巫山有十二峰，诗人用高唐神女的典故，常常涉及。如李商隐《楚宫》：“十二峰前落照微，高唐宫暗坐迷归。朝云暮雨长相接，犹自君王恨见稀。”又《深宫》：“岂知为雨为云处。只有高唐十二峰。”其余不可悉数。这又不但暗抒了相思之情，而且暗示了所思之人，乃是神女、仙子一流人物。

“尽无言”两句，深进一层。“凭高”之意，无人可会，唯有默默无言而已。“凭高”，总上情景而言，“无言”“谁会”，就“脉脉人千里”极言之。凭高念远，已是堪伤，何况又无人可诉此情，无人能会此意呢？结两句，再深进两层。第一层，此意既然此时此地无可诉、无人会，那么这“离肠万种”就只有写寄之一法。第二层，可是纵然写了，又怎么能寄去，托谁寄去呢？一种无可奈何之情，千回百转而出，有很强的感染力。“归云”字，汉、晋人习用，如张衡《思玄赋》：“凭归云而遐逝兮，夕余宿乎扶桑。”潘岳《怀旧赋》：“仰晞归云，俯镜流泉。”据张赋“凭归云”即乘归去之云的意思，可知柳词末句，也就是无人为乘云寄书之意。

《宋四家词选》曾指出此词下片在艺术表现上的特征是“一气转注，连翩而下”。这是一个细致而准确的判断。所要补充的是，其文笔虽如周济所说，但内容却反复曲折，并不平顺。它们是矛盾的统一。

（沈祖棻）

定风波　　柳　永

自春来，惨绿愁红，芳心是事可可。日上花梢，莺穿柳带，犹压香衾卧。暖酥消，腻云亸，终日厌厌倦梳裹。无那！恨薄情一去，音书无个。　　早知恁么，悔当初、不把雕鞍锁。向鸡窗，只与蛮笺象管，拘束教吟课。镇相随，莫抛躲，针线闲拈伴伊坐。和我。免使年少，光阴虚过。

鉴赏

这是柳永俚词的代表作，词中描写了一位闺中少妇，丈夫客居在外，春色惊动芳心，她感到百无聊赖和心灰意懒。在无可奈何的情况下，她怨恨丈夫薄情，她后悔不该让丈夫远离家园，渴望能与丈夫整日厮守在一起，过着“镇相随，莫抛躲，针线闲拈伴伊坐”的生活。

上片开头几句：“自春来，惨绿愁红，芳心是事可可。”写思妇因心头苦闷，将美丽的春景，着上了主观感情的色彩，以至于把红花绿叶都看成是愁惨的景象，这是“泪眼观花”的境界。“芳心是事可可”，是说什么事都不在意，干什么都没心思，这句词刻画思妇的心理很真实。正因为思妇心绪不佳，所以当日上花梢之时，黄莺儿在柳林的枝条间如穿梭一般飞来飞去，这时候本来早应起床了，但她还在拥衾而卧，懒得起来。此时她心里在想什么，这是不言而喻的。以上寥寥数语，便勾勒出一幅思妇怀远图来。下面再进一层，写她的憔悴和懒得打扮：“暖酥消，腻云亸（亸，下垂的意思），终日厌厌倦梳裹。”这样便把思妇的形象，从思想的苦闷，到精神的委顿、肉体的消瘦，穷形尽相地表现出来。是什么原因，使得这少妇受到如此大的痛苦煎熬呢？下文补出了这个原因。“无那！恨薄情一去，音书无个。”原来是因为她的薄情郎一去杳无音讯。因思念丈夫而不得见，在无可奈何的情况下，转而对丈夫埋怨不已，这样写，把思妇的感情波澜，就表现得多彩多姿。将思妇的相思、怨恨、猜疑、担心等多种复杂感情交织在一起，使思妇对丈夫的思念，也深化了一步。

下片转笔写思妇的追悔：“早知恁么，悔当初、不把雕鞍锁。”她后悔，当初没有把丈夫的马鞍锁住，没有坚决阻止丈夫远行。后悔没有把丈夫管束起来，把他关在书房里，只给他纸和笔，只让他作诗填词，把吟咏当作功课，夫妻常在一起，丈夫吟咏，妻子闲拈针线陪伴。这位思妇认为，这样才不虚度光阴。这段艺术描写，妙在用虚拟的手法，写出了女主人公想象中的理想生活。

就这首词的题材而论，很像传统的闺怨诗，读了这首词，很容易使我们想起王昌龄的《闺怨》诗："闺中少妇不知愁，春日凝妆上翠楼。忽见陌头杨柳色，悔教夫婿觅封侯。"这首诗写出了闺中妇由不知愁，到愁，最后是后悔不该让丈夫远行求取功名。词是一种新体的抒情诗，由于它的容量比绝句大，形式又较自由，在抒情写景上，就显得更活泼，更加回环往复，更富有波澜，趣味性也更浓。

这首词在艺术上有以下几个特点：首先，作者在描写爱情上直露、大胆，写思妇相思用侧笔虚写，写她的怨恨、追悔，直笔实写并加以铺叙，以怨、悔映衬相思，感情浓烈而有波澜，刻画入微，画面感强，人物形象鲜明突出。我们不仅可以看到女主人公的愁苦、精神的委顿与肉体的消瘦，还可看到她的个性：多情、泼辣而又有几分任性。

其次，上片以乐景写哀情，以丽春美景来反衬思妇的愁苦。下片于追悔之后，虚拟出思妇设想的境界，在深化主题上起了重要作用，增强了艺术效果。

另外，应当指出，柳永的俚词，有绮罗香泽之态的描写，有香艳诗的轻冶与佻巧。如"暖酥消，腻云亸"的描写，有一定的色感与肉感，这是柳词为迎合市民口味的庸俗之处。这一点在历史上曾经遭到雅派文人的反对。宋张舜民《画墁录》说："柳三变既以词忤仁庙，吏部不放改官，三变不能堪，诣政府。晏公（晏殊）曰：'贤俊作曲子么？'三变曰：'只如相公亦作曲子。'公曰：'殊虽作曲子，不曾道"彩线慵拈伴伊坐"。'柳遂退。"这说明晏殊对柳永的这首词是大不以为然的。但柳永的俚词，广大人民是欢迎的。叶梦得《避暑录话》记西夏一归朝官云："凡有井水饮处，即能歌柳词。"这说明柳词有强大的艺术生命力，"暖酥消，腻云亸"的描写，亦不为大病，白璧微瑕而已。

（刘文忠）

少 年 游　　柳 永

长安古道马迟迟，高柳乱蝉嘶。夕阳鸟外，秋风原上，目断四天垂。　　归云一去无踪迹，何处是前期？狎兴生疏，酒徒萧索，不似少年时。

鉴赏

一般人论及柳永词者，往往多着重于他在长调慢词方面的拓展，其实他在小令方面的成就，也是极可注意的。我以前在《论柳永词》（见《四川大学学报》1984 年第 2 期）一文中，曾经谈到柳词在意境方面的拓展，以为唐五代小令中所叙写的“大多只不过是闺阁园亭伤离怨别，一种‘春女善怀’的情意”，而柳词中一些“自抒情意的佳作”，则写出了“一种‘秋士易感’的哀伤”。这种特色，在他的一些长调的佳作，如《八声甘州》《曲玉管》《雪梅香》诸词中，都曾经有很明白的表现。不过那些词都是长调慢词，其形式与唐五代之小令既有着明显的不同，如此则其在意境方面之有所拓展，便自然也是一种极自然的现象。然而柳词之拓展，却实在不仅限于其长调慢词而已，就是他短小的令词，在内容意境方面也同样有一些可注意的开拓。如这一首《少年游》小词，就是柳永将其“秋士易感”的失志之悲，写入了令词的一篇代表作。

柳永之所以往往怀有一种“失志”的悲哀，如我在《论柳永词》一文之所分析，盖由于其一方面既因家世之影响，而曾经怀有用世之志意，而一方面则又因天性之禀赋而爱好浪漫的生活。当他早年落第之时，虽然还可以藉着“浅斟低唱”来加以排遣，而当他年华老去之后，则对于冶游之事既已失去了当年的意兴，于是遂在志意的落空之后，又增加了一种感情也失去了寄托之所的悲慨。而最能传达出他的双重悲慨的，便是这首《少年游》小词。

这首小词所写的是秋天的景色，在情调与声音方面，都很有特色。在这首小词中，柳永既失去了那一份高远飞扬的意兴，也消逝了那一份迷恋眷念的感情，全词所弥漫的只是一片低沉萧瑟的色调和声音。从这种表现来判断，我以为这首词很可能是柳永的晚期之作。开端的“长安”可以有写实与托喻两重含义。先就写实言，则柳永确曾到过陕西的长安，他曾写有另一首《少年游》词，有“参差烟树灞陵桥”之句，足可为证。再就托喻言，则“长安”原为中国历史上著名之古都，前代诗人往往以“长安”借指为首都所在之地，而长安道上来往的车马，便也往往被借指为对于名利禄位的争逐。不过柳永此词在“马”字之下，所承接的却是“迟迟”两字，这便与前面的“长安古道”所可能引起的争逐的联想，形成一种强烈的反衬。至于在“道”字上着以一“古”字，则又可以使人联想及在此长安道上的车马之奔驰，原是自古而然，因而遂又可产生无限沧桑之感。而在此“长安古道”上诗人之“马”乃“迟迟”其行者，则既表现了诗人对争逐之事之已经灰心淡薄，也表现了一种对今古沧桑的若有深慨的思致。下面的“高柳乱蝉嘶”一句，有的本子或作“乱蝉栖”，但蝉之为体甚小，蝉之栖树决不同于鸦之栖树之明显可见，而蝉之特色则在于善于嘶鸣，故私意以为当作“乱蝉嘶”为是。而且秋蝉之嘶鸣更独具有一种凄凉之致。《古诗十九首》云“秋蝉鸣树间”，曹植《赠白马王彪》云“寒蝉鸣我侧”，便都表现有一种时节变易萧瑟惊秋的哀感。柳永则更在“蝉嘶”之上，还加了一个“乱”字，如此便不仅表现了蝉声的缭乱众多，也表现了被蝉嘶而引起哀感的诗人之心情的缭乱纷纭。至于“高柳”二字，一则表示了蝉嘶所在之地，再则又以“高”字表现了“柳”之零落萧疏，是其低垂的浓枝密叶已经凋零，所以乃弥见树之“高”也。下面的“夕阳鸟外，秋风原上，目断四天垂”三句，写诗人在秋日郊野所见之萧瑟凄凉的景象。“夕阳鸟外”一句，也有的本子作“岛外”，私意以为非是。盖长安道上安得有“岛”乎？至于作“鸟外”，则足可以表现郊原之寥廓无垠。昔杜牧有诗云“长空澹澹孤鸟没”，飞鸟之隐没在长空之外，而夕阳之隐没则更在飞鸟之外，故曰“夕阳鸟外”也。值此日暮之时，郊原上寒风四起，故又曰“秋风原上”，此景此情，读之如在目前。然则在此情景之中，此一失志落拓之诗人，又将何所归往乎？故继之乃曰“目断四天垂”，则天之苍苍，野之茫茫，诗人乃双目望断而终无一可供投止之所矣。以上前半阕是诗人自写其今日之飘零落拓、望断念绝，全自外界之景象着笔，而感慨极深。下半阕，开始写对于过去的追思，则一切希望与欢乐也已经不可复得。首先“归云一去无踪迹”一句，便已经是对一切消逝不可复返之事物的一种象喻。盖天下之事物其变化无常一逝不返者，实以“云”之形象最为明显。故陶渊明《咏贫士》第一首便曾以“云”为象喻，而有“暧暧空中灭，何时见余晖”之言，白居易《花非花》词亦有“去似朝云无觅处”之语，而柳永此句“归云一去无踪迹”七字，所表现的长逝不返的形象，也有同样的效果。不过其所喻托的主旨则各有不同。关于陶渊明与白居易的喻托，此处不暇详论。至于柳词此句之喻托，则其口气实与下句之“何处是前期”直接贯注。所谓“前期”者，我以为可以有两种提示：一则可以指旧日之志意心期，一则可以指旧日的欢爱约期。总之“期”字乃是一种愿望和期待，对于柳永而言，他可以说正是一个在两种期待和愿望上，都已经同样落空了的不幸的人物。于是下面三句乃直写自己今日的寂寥落寞，曰“狎兴生疏，酒徒萧索，不似少年时”。早年失意之时的“幸有意中人，堪寻访”的狎玩之意兴，既已经冷落荒疏，而当日与他在一起歌酒流连的“狂朋怪侣”也都已老大凋零。志意无成，年华一往，于是便只剩下了“不似少年时”的悲哀和叹息。这一句的“少年时”三字，很多本子都作“去年时”。本来“去年时”三字也未尝不好，盖人当老去之时，其意兴与健康之衰损，往往会不免有一年不及一年之感。故此句如作“去年时”，其悲慨亦复极深。不过，如果就此词前面之“归云一去无踪迹，何处是前期”诸句来看，则其所追怀眷念的，似乎原当是多年以前的往事，如此则承以“不似少年时”，便似乎更为气脉贯注，也更富于伤今感昔的慨叹。柳永这首《少年游》词，前半阕全从景象写起，而悲慨尽在言外，后半阕则以“归云”为喻象，写一切期望之落空，最后三句以悲叹自己之落拓无成作结。全词情景相生，虚实互应，是一首极能表现柳永一生之悲剧而艺术造诣又极高的好词。总之，柳永以一个禀赋有浪漫之天性及谱写俗曲之才能的青年人，而生活于当日之士族的家庭环境及社会传统中，本来就已经注定了是一个充满矛盾不被接纳的悲剧人物，而他自己由后天所养成的用世之意，与他自己先天所禀赋的浪漫的性格和才能，也彼此互相冲突。他在早年时，虽然还可以将失意之悲，借歌酒风流以自遣，但是，歌酒风流却毕竟只是一种麻醉，而并非可以长久依恃之物，于是年龄老大之后，遂终于落得了志意与感情全部落空的下场。昔叶梦得之《避暑录话》（卷下）记柳永以谱写歌词而终生不遇之故事，曾慨然论之曰：“永亦善他文辞，而偶先以是得名，始悔为己累，……而终不能救。择术不可不慎。”柳永的悲剧是值得我们同情，也值得我们反省的。

（叶嘉莹）

少年游　　柳永

参差烟树灞陵桥，风物尽前朝。衰杨古柳，几经攀折，憔悴楚宫腰。　　夕阳闲淡秋光老，离思满蘅皋。一曲《阳关》，断肠声尽，独自凭兰桡。

鉴赏

这首词是柳永漫游长安离开时所作。长安是汉、唐首都，都城附近有许多历史遗迹。灞桥烟柳即是著名的遗迹之一。《三辅黄图》："灞桥，在长安东，跨水作桥。汉人送客至此桥，折柳赠别。"《开元天宝遗事》："长安东灞陵有桥，来迎去送皆至此，为离别之地，故人呼之为销魂桥。"在汉、唐时，灞桥一带绿柳成行。亲友远行，人们都要到这里折柳送别，以表依依惜别之情。

词的上片，写作者乘舟离别长安时之所见。"参差"二句，写回首遥望长安的景象：灞桥一带，高高低低的柳树，笼罩在迷蒙的烟雾里，风物还是完全和汉、唐时一样。接着"衰杨古柳"三句，写灞桥柳色的衰老、憔悴。时当暮秋时节，柳树凋零本是季节所致。但作者不说是"西风凋碧树"，却巧妙地联系折柳赠别，把柳之衰残零落，归罪于折者之众。"杨柳含烟灞桥春，年年攀折为行人"（杨巨源《赋得灞岸柳留辞郑员外》），因为年复一年的"几经攀折"，所以纤如女子细腰的柳条失去了往日的风姿，变得衰老、憔悴了。"憔悴楚宫腰"，是以"楚腰"喻柳。因楚灵王好细腰，后人故谓细腰为"楚腰"。"憔悴"，点出"年年攀折"的结果，进一层补足"衰"和"古"。整个上片完全从景象写起，但景中已暗寓今昔之感、伤别之情。

下片写离别长安时置身舟中之所感。"夕阳闲淡秋光老"，是写离别之时正值暮秋，又当黄昏时节，一抹淡淡的秋日夕阳，映照着古城烟柳，使秋色更增添了几分老意。秋天的黄昏最易牵动人的离愁，再加上这样萧瑟的色调，自然更是"离愁万种"了。"离思满蘅皋"，既交代送别之地，又直接写离愁。"蘅皋"谓长满杜蘅（香草名）的水边陆地。古人常以"春水""丝雨""风絮"喻离愁，柳永不落前人窠臼，取眼前所见之景，用水边陆地上长满的浓绿杜蘅作喻，把抽象的感情化为具体的形象，数量上既多且密，色彩上又一片葱绿，饶有新意。至此作者已是离思萦怀，而恰在这时耳边又传来了一声声的《阳关》曲。《阳关》是唐时流行的送别曲，是根据大诗人王维《送元二使安西》绝句制成的。所以在这支送别曲乐声尽时，作者就悲不自胜而肝肠寸断。这是以耳中所闻，极写离愁之甚。末句“独自凭兰桡”，以一个画面作结。“兰桡”，本指划船的桨，这里代指船。这个独自一人倚在画船的船舷上的画面，透露出了一种孤寂难耐的情怀，余味不尽。

全词用与离别有关的典故，如灞桥柳色，《阳关》乐曲，勾起读者对离愁的联想；又用“西风残照”的秋光、夕阳作为烘托，表现“灞陵伤别”的情怀，虚实互应，情景相生，是一首极能表现柳永艺术造诣的佳作。

（丰家骅）

戚　氏　　柳　永

晚秋天，一霎微雨洒庭轩。槛菊萧疏，井梧零乱，惹残烟。凄然，望江关，飞云黯淡夕阳间。当时宋玉悲感，向此临水与登山。远道迢递，行人凄楚，倦听陇水潺湲。正蝉吟败叶，蛩响衰草，相应喧喧。　孤馆度日如年。风露渐变，悄悄至更阑。长天净，绛河清浅，皓月婵娟。思绵绵。夜永对景，那堪屈指，暗想从前。未名未禄，绮陌红楼，往往经岁迁延。
帝里风光好，当年少日，暮宴朝欢。况有狂朋怪侣，遇当歌、对酒竞留连。别来迅景如梭，旧游似梦，烟水程何限！念利名憔悴长萦绊，追往事、空惨愁颜。漏箭移、稍觉轻寒。渐呜咽画角数声残。对闲窗畔，停灯向晓，抱影无眠。

鉴赏

本篇可能是柳永入仕后晚年的作品。主要是眼前凄凉的景色勾起词人对以前行役的坎坷和未禄未名之前无拘无束娱游生活的回忆，从而抒发了他在孤馆的幽愁。

第一片“晚秋天”二句，写晚秋的一阵微雨轻轻洒落在庭院轩室。栏杆边的残菊经雨后一片萧疏,井边梧桐也零落了。这些乱草衰叶又粘上几缕残烟,对这一片萧飒情景怎能不觉得"凄然"呢?这几句点明季节、天气、地点。"凄然"二字既结上数句,又带起下二句"望江关,飞云黯淡夕阳间"。这时雨后初霁,夕阳晚照,那黯淡的飞云在斜阳里飘荡,更勾想起当年宋玉悲秋而发的"憭慄兮若在远行,登山临水兮送将归"之句(《九辩》)。他倾吐出自己尝尽跋涉山川的滋味,道路是那样的遥远,行人内心感到无限的凄凉苦楚,听倦陇头流水潺湲的声响。这是用汉乐府《陇头歌》中"陇头流水,流离山下,念吾一身,飘然旷野",写出行役悲苦的心情。用"倦听"二字,说明不知经受多少次这样登山临水的困顿。这时候知了正在败叶中长鸣,蟋蟀在衰草间振响,嘈杂的声响,上下相应,更觉得凄凉萧瑟。"正"是"正当"的意思,这一字是这一片的领格字,由这一字点出此时此景,加重了苦楚的心情。在声调中用这短促的去声字,正如点鼓,经此一点,更觉读来节奏紧凑均匀。这一片是从晚秋景物着笔,写临水登山之苦。

第二片他的思维回到度日如年的孤馆中来,这时夜渐渐凉了,时光静悄悄地过去,已是夜深更尽的时候了。仰见长天一片蔚蓝澄净,银河闪闪清浅可见,皓月当空明媚可爱。由此引起了长思,长夜中对着这清秋月影,怎堪屈指来回想以前的时光:在入仕之前的年少时节,秦楼楚馆,往往是经岁流连忘返。本片由于近景的感触而回想过去的生活:一为坎坷的行役,一为欢娱的绮梦。两相对比,倍觉孤寂。

第三片由年少时的欢娱转到目前的清苦。"帝里风光好"一句,概括当时汴京的繁荣。柳永在《玉楼春》中曾写到:"皇都今夕知何夕,特地风光盈绮陌。金丝玉管咽春空,蜡炬兰灯晓夜色。"在《迎新春》里曾叙述开封元夜的热闹情景:"庆嘉节,当三五。列华灯、千门万户。遍九陌、罗绮香风微度";"十里燃绛树,鳌山耸,喧天箫鼓。"写本词时他又回味少年之时在帝都的乐况。在那时候和狂朋怪侣相遇,吹弹歌唱,流连竞酒,真是暮宴朝欢。别后日月如梭,回想旧游,如在梦里。如今为着名利离开皇都,飘游过无限的水程,长期地被离愁羁缚,人已十分憔悴。再回思往事,只有愁颜,空觉凄惨了。这时刻已是漏下时移,身上已觉轻寒,只听得城楼上凄咽的画角残声。孤影对着闲窗,东方已现出鱼肚白,留着一盏残灯,却换来一夜"抱影不眠"。龙榆生先生说:"这一片的'遇''念''渐''对'都是领格,宜用去声,又'当年少日'与'对闲窗畔'二句皆上一下三句式。在长调慢词中,此等处最宜注意,须于曼声长吟之际,细加玩味,方能有所领悟,掌握节奏声容。"(《唐宋词格律》)这些话对我们吟咏领略这首词都有所帮助。

这首慢词,作者以其翩翩联想,来反复表现他在孤馆中凄凉的心境。他采用铺叙手法,一、二两片从目前景物想到昔日情况,第三片又从昔日情况回到目前的孤馆不眠,翻来覆去总是抒发作者孤寂不得志的心情。周济《介存斋论词杂著》说:"(耆卿)铺叙委婉,言近意远,渺秀幽淡之趣在骨。"我们吟咏此词当可领会此语。柳永留恋的是莺歌燕舞、纸醉金迷的生活,自有其消极的一面,但从这阕词中也透出封建社会中不得志作家的悲痛心情。

(林新樵)

夜半乐　　柳永

冻云黯淡天气,扁舟一叶,乘兴离江渚。渡万壑千岩,越溪深处。怒涛渐息,樵风乍起,更闻商旅相呼。片帆高举。泛画鹢、翩翩过南浦。　望中酒旆闪闪,一簇烟村,数行霜树。残日下,渔人鸣榔归去。败荷零落,衰杨掩映,岸边两两三三,浣纱游女,避行客,含羞笑相语。　到此因念,绣阁轻抛,浪萍难驻。叹后约丁宁竟何据?惨离怀、空恨岁晚归期阻。凝泪眼、杳杳神京路。断鸿声远长天暮。

鉴赏

这首词也分三叠。第一叠写旅途经历;第二叠写所见人、物,都是写景;第三叠抒感,是写情。它是词人浪迹浙江时所作,所以用了许多与浙江有关的地名和典故。"越溪"明指越地,不用说。"万壑千岩"语出《世说新语·言语》,顾长康赞会稽(今浙江绍兴)山川之美:"千岩竞秀,万壑争流。草木蒙笼其上,若云兴霞蔚。""乘兴"语出《世说新语·任诞》,王子猷居山阴,雪夜乘小船到剡县访戴安道,到了门外,又不去看他,说是“吾本乘兴而行,兴尽而返,何必见戴”的故事;“怒涛”语出枚乘《七发》形容曲江之涛,“有似勇壮之卒,突怒而无畏”,“诚奋厥武,如震如怒”,“声如雷鼓,发怒庢沓”等句;“樵风”语出《后汉书·郑弘传》注引《会稽记》所载郑弘从神人求得若耶溪的顺风为他采薪后的运输提供方便的故事。以上都与浙江有关,足见作者用词的细密。若是囫囵看过,未免有负他的匠心。

第一叠首句点明时令,二、三句写旅中出发情况。“渡万壑”以下,都是写开船之后,乘兴在船中欣赏景物。溯江上行,景物愈来愈美,而总以“万壑千岩”括之,这是用顾长康赞美会稽一带风景的话,已见上引。只有知道这个出典,才可以引起丰富的联想。“怒涛”句承上“江渚”来,江口有涛,涛息才可行船。“樵风”句承上“扁舟”来。郑弘早上出去砍柴,要坐船由南而北,晚上运柴回来,要由北而南,所以他要求神人在若耶溪上赐与“旦,南风;暮,北风”,果然如愿。故“樵风”也就含有顺风的意思。有了顺风,才能“乘兴离江渚”,也才能“片帆高举”。“更闻”一句,写出商人途中之繁忙,以衬自己的孤独。“泛画鹢”句,鹢是一种水鸟,古代船家画鹢于船头以作装饰。这里即用作船的代称。“翩翩”,轻快貌。“南浦”字出江淹《别赋》:“送君南浦,伤如之何!”这里已暗逗下文怨别,但总的来说,作者开始出发时,心情还是轻快的。

第二叠写所见。首句即明说“望中”,以下都是望中所见,有人有物。“酒旆”三句,岸上之物;“残日”句,江中之人。“鸣榔”,是一种以敲木作声来捕鱼的方法。“败荷”句,又江中;“衰杨”句,又岸上。“败荷”两句,均写景;“岸边”三句,均写人。人与物,岸上与江中,往复交织,构成一幅非常生动的秋日江干暮景的画面。在极其萧飒荒凉的景物中,忽然出现一群天真活泼的、一面含羞避客一面又笑又说的浣纱姑娘,这使景物增添了生气,但也使作者牵动了离愁。这群姑娘,是无忧无虑的,可是在途中的旅客,却由于看到了她们,而想起自己心爱的人来。杜牧《南陵道中》云:“南陵水面漫悠悠,风紧云轻欲变秋。正是客心孤迥处,谁家红袖凭江楼?”苏轼《蝶恋花》云:“墙里秋千墙外道。墙外行人,墙里佳人笑。笑渐不闻声渐悄,多情却被无情恼。”写的都是这种微妙的心理。但柳词在这里只提到所见为止,而所感则留在第三叠中去写。

第三叠由景入情,以“到此因念”四字领起。本来是“乘兴”沿途览景,景物清佳,虽然身在旅途,而离愁尚可借佳景以资排遣,但是,一群浣纱游女的忽然出现,却打破了这种暂时宁静的心理状态,把离愁都勾引出来了。"绣阁"句,悔当初的分别,考虑不够周详;"浪萍"句,比今天的行踪,仍然漂流无定。"叹后约"以下,直抒胸臆,而以"惨离怀"句怀乡里之爱妻,"凝泪眼"句忆汴京之仙子分承。古代诗词中归期、归舟等归字,都是指归回家乡。柳永当时落魄江湖,以情理说,不可能携带家眷同行,更不能把家眷安置在汴京,而独自出游浙江,故知"惨离怀"与"凝泪眼",乃是各念一人。许昂霄《词综偶评》说此词"第三叠乃言去国、离乡之感"(古人常称京为国,去国即是出京)。以去国与离乡分言,深合词意。而对此两人,又同有"绣阁轻抛"、后约无据之感,故以"断鸿"句作结,以景足情。"断鸿"之"远"、"长天"之"暮",与"离怀"之"惨"、"泪眼"之"凝",情调气氛,结合密切。

这首词前两叠平叙,从容不迫,所反映的情绪也很稳定,末叠则突然转为急促,一句一意,愈引愈深,所反映的情绪也变为激昂。前松后紧,前缓后急,前两叠之松缓,正为末叠蓄势,从而使矛盾达到高潮。可以想象得到,当时歌唱起来,也是声情相应的。

(沈祖棻)

望海潮　　柳永

东南形胜,三吴都会,钱塘自古繁华。烟柳画桥,风帘翠幕,参差十万人家。云树绕堤沙。怒涛卷霜雪,天堑无涯。市列珠玑,户盈罗绮竞豪奢。　重湖叠巘清嘉,有三秋桂子,十里荷花。羌管弄晴,菱歌泛夜,嬉嬉钓叟莲娃。千骑拥高牙。乘醉听箫鼓,吟赏烟霞。异日图将好景,归去凤池夸。

鉴赏

经过八十多年的休养生息,北宋王朝到了仁宗在位的时代(十一世纪二十至六十年代),人民生活已较安定,生产力有较大的发展，出现了国家富庶、经济繁荣的局面。在一些大城市，尤其显得突出。柳永由于在这个特定的时代中长期地过着都市生活，便很自然地在他的一些词中反映了这种景象。同时，由于他本来最善于用慢词（长调）的形式和铺叙的手法，写这类的题材也就显得得心应手。这首词正可以代表他在这方面的成就。

据罗大经《鹤林玉露》的记载，这首词是词人写来献给当时驻节杭州的两浙转运使孙何的。但主要的内容仍然是咏叹杭州湖山的美丽、城市的繁华。上片一上来两个四字对句便点明了这两方面，指出杭州地理位置的优越，它既是东南一带形势重要的地区，又是三吴（吴兴、吴郡和会稽的合称）最繁华的名城。紧接着，第三句又交代了这个位置在钱塘江畔的名城，历史悠久，但一直保持着繁华，不曾衰落。这一起三句，入手擒题，以阔大的气势笼罩着全篇，就为以下这两方面进一步交错地加以铺叙而铺平了道路。

“烟柳”两句，又是一对。湖上架着彩色画饰的桥梁，桥边栽着含烟惹雾的杨柳，这是城外的观赏之地；窗上悬有挡风的帘，室前挂着翠色的幕，这是城中的居住之区；而总以“参差”一句，就使人进一步体会到这个大都市物阜民康的面貌。

接着，词人要我们将注意力转向从城市东南流过的钱塘江。“云树”句，写入云的高树环绕着江堤的沙路，是江边。“怒涛”句，写奔腾的江涛翻卷着雪白的浪花，是水上。再接上“天堑”句，补足钱塘江的雄伟、广阔和险要。这就把这条大江的面貌完全刻画出来了。这三句是关于自然形胜的进一步描写。“市列”二句，则是关于社会繁华的进一步描写，它只拈出珠宝众多和服装精美两点，来形容这个消费城市的特色，其余自可想见。

下片分两层。“重湖”三句，就西湖本身写。“重湖”，指西湖兼有里湖、外湖之胜，就湖说；“叠巘”，指绕湖重重叠叠的峰峦，就山说；而总以“清嘉”二字赞之。“三秋桂子”，写桂子飘香之久，又和“叠巘”相应；“十里荷花”，写荷花种植之广，又和“重湖”相应。湖和山、荷花和桂子、夏季和秋季，参错交织，极见匠心。“羌管”三句，就湖上居民写。笛声在晴天荡漾，菱歌在夜空飘浮。钓鱼的老汉、采莲的姑娘（莲娃）都面带笑容，生活得很愉快。这里写的只是城市普通人民的生活，而且多少带有粉饰的成分，却也暗示了那些达官、贵人、地主、豪商的逸乐。这六句是一层，重点地描写了西湖。

“千骑”三句,是对孙何的称颂。成千的马队拥簇着高大的牙旗,只这一句,就形容出了他煊赫的声势;而这位高官在公退之余、醉酒之后,就听听音乐,欣赏和吟咏风景,则是写他日常行乐,从而烘托出当时太平无事的情况。最后的“异日”两句,是对孙何的良好祝愿。“凤池”即凤凰池,是唐、宋时代中央政府最高行政机关——中书省的美称。宋代实行中央集权政策,政治局势是内重外轻,所以祝愿他内调中央。但是,曾经住过杭州的人,即使高升了,又如何舍得这个美丽的城市呢?只好将它画下来,带进京去,夸示于同僚了。这五句又是一层,虽是题中应有的应酬话,但仍归结到对于杭州的赞美,也就达到了《文心雕龙·熔裁篇》所谓“首尾圆合”的要求。

陈振孙《直斋书录解题》赞美柳词,说它“音律谐婉,语意妥帖,承平气象,形容曲尽”。这一论点有助于对此词的理解。有人认为,这类描绘太平景象的词“没有什么意义可言”。但封建社会历朝出现的短期太平景象,也是有其物质基础的。其物质基础就是由于广大人民的斗争,生产力获得某种程度的解放,又由于人民的勤劳和智慧,才创造了丰盈的物质财富,太平景象的出现才有可能。我们从对这些描写太平景象的作品中,正可以看出广大人民伟大的创造力和他们为祖国的物质文明和精神文明所作出的直接或间接的贡献。就这一方面来说,它是仍然有其认识作用的。

在这里,想说几句题外的话。

我们读了上面这几首柳词,很容易得出如下两点意见:第一,柳永是一位词人。第二,柳永爱写,而且长于写羁旅行役、男欢女爱、别恨离愁。这是对的,但又不完全对。

今天我们说某一位古代作家是词人,究竟是什么意思呢?大概也不外乎两点:一是他只写词,不写其他样式的作品,或者虽然写过,但没有流传,我们所能看到的,只是他的词;二是他也写过其他样式的作品,我们也能看到,但认为只有词写得好,对于他来说,最有代表性。根据这两点,主要的是根据第二点,就称他为词人。

但是,这只是我们今天的看法,并不完全符合历史的真实。因为词在其还与音乐结合在一起,没有分离的时候,它既是一种抒情诗,又是一种流行歌曲的唱词,而后者,在当时是更其主要的、被重视的。在我国封建社会里,并没有现代这种专业作家。作家们绝大多数都是大大小小的官吏。他们的文学活动,必须从属于政治活动,首先要适应统治阶级的政治需要。任何被我们今天称之为作家的古人,都得把他的主要精力放在统治阶级所首先需要的正统文学样式上面。在宋代,被统治阶级所重视的,仍然是骈散文、五七言诗。所以宋代作家们也得首先重视诗、文的写作,然后才以余力来作词。这就决定了,绝大多数人绝不是只会作词,他们必然会作诗、文,而且把诗、文看得比词更重要。王灼《碧鸡漫志》赞美苏词"高处出神入天,平处尚临镜笑春,不顾侪辈",但首先却要说"东坡先生以文章余事作诗,溢而作词曲"。刘辰翁明明知道辛弃疾也会作诗,还知道他的诗远不及他的词,而在《辛稼轩集序》中,他却说:"稼轩胸中今古,止用资为词,非不能诗,不事此耳。"一个说,苏词乃其诗的余事,而诗又为其文章的余事。一个说,辛弃疾是不高兴作诗,否则,他的诗也会和他的词一样好。这不都正好说明词在宋人眼中的地位吗?因此,今天被称为词人的某些古代作家,除了少数一部分是只有词传世的之外,其余大多数的就完全依据我们的判断。我们断定他的词在其作品中最有代表性,就称他为词人,而不称他为诗人或散文家、骈文家。而据以判断的标准,又主要是艺术的,而非政治的。但是,目前我们的研究工作还停滞在搜集材料的阶段,而且也还做得很不够,至于整理材料,系统地研究文学现象的变化过程及其相互关系,就更需要不断地努力。已经出版的一些文学史在论述宋代文学时,除了对像欧阳修、苏轼这类大家曾比较全面论及其文、诗、词之外,像陆游,就只论其诗、词而不谈他的散文了。对秦观、李清照,则只论其词,不仅是散文,就连其写得很好的诗都不提了。这就使青年人产生一种错觉,好像他们只会作词。这显然没有如实地反映文学历史的真实。

从上述这种错觉又导致了另外一种错觉,即认为某些作家的词既可以代表其全部创作,则其词的题材、主题,也就反映这些作家全部的或至少是重要的思想感情,从而据以对之进行全面评价。这可以说,是一个更其严重的误会。这一误会的产生,一方面,如上所述,是由于没有将这些作家的现有全部作品加以考察,联系起来,全面研究;另一方面则是忽略了古代作家对于样式和题材、主题的关系,有他们传统的观点、处理习惯。

词从中、晚唐以来,逐渐上升到文人手中以后,主要是当作流行的歌曲在酒筵中供妓女歌唱的。它与酒筵中行令有关。小词称为小令、令词,即表明其出于酒令。在那样一种场合里,安排了那样一种用途,就使它不适宜容纳本来也未尝不可以容纳的更为广阔和较为严肃的题材,而常常局限于男女相悦之情、相逢之乐、相别之恨。宋人在苏、辛以前,尤其是在辛以前,词人大体沿袭了这种传统,因而在词里所表现的,往往只是这些儿女情长的题材。如范仲淹是一位有抱负、有功业的政治家,在著名的《岳阳楼记》里,他曾宣布过“先天下之忧而忧,后天下之乐而乐”这种崇高的思想,而在其词里,却出现了什么“残灯明灭枕头欹,谙尽孤眠滋味”(《御街行》)和“酒入愁肠,化作相思泪”(《苏幕遮》)这一类的腔调。秦观的诗,早年就被王安石和苏轼所赞赏(见《苕溪渔隐丛话》),晚年更是“严重高古,自成一家”(《吕氏童蒙训》);李清照的诗,具有极其强烈的反对民族压迫的感情和激烈喷薄的风格,更是有目共睹;都与其词完全不类。再就柳永而论,长久以来,由于流传的佚事和其词中所表现的内容,人们都把他看成了一个典型的风流浪子。然而他仅存的一首诗——《煮海歌》,却对苦难的盐业工人表达了深刻的同情。这使我们知道,柳永也不完全是个对人民痛苦漠不关心,只知道谈情说爱的人;又使我们知道,在他的笔下,也出现过他在词中大加歌颂的仁宗时代太平盛世的阴暗面。叶梦得《避暑录话》说:“永亦善为他文辞,而偶先以是得名,始悔为己累。”可见这位词人不但不止工于词,甚至还认为工于词对他并不是一件好事。这些事实告诉我们,作家们将某些思想感情,例如男女悲欢离合之感,写入词中,只是因为词更适合于表现这一类的生活,并不是除了这一类的思想感情之外,就再也没有被他们关心和注意的、更广泛的、更有社会意义的、更愿意反映的生活了。所以,仅仅根据作家们的词来对他们进行全面评价,往往是不全面的,因而也是有欠公正的。

总之,理解多数词人并非只是作词,而其词中所反映的又往往并非其全部的或最有社会意义的因而应当被认为是最重要的思想感情,对于全面地评价这些作家,绝非是无关紧要的。鲁迅先生告诉我们,论人要顾及全面。他曾举陶渊明为例,这位作家除了《归去来辞》《桃花源记》以及“采菊东篱下,悠然见南山”的诗句之外,也还有《闲情赋》“愿在丝而为履,附素足以周旋,悲行止之有节,空委弃于床前”那种“大胆的”、“胡思乱想的自白”,“也还有‘精卫衔微木,将以填沧海,刑天舞干戚,猛志固常在’之类的‘金刚怒目’式,在证明着他并非整天整夜的飘飘然”。他说:“这‘猛志固常在’和‘悠然见南山’的是一个人,倘有取舍,即非全人,再加抑扬,更离真实。”(《“题未定”草(六)》)在另外一篇文章里,他又说:“倘要论文,最好是顾及全篇,并且顾及作者的全人,以及他所处的社会状态,这才较为确凿。”(《“题未定”草(七)》)这些教导,是应当经常记住的。

(沈祖棻)

玉　蝴　蝶　　柳　永

望处雨收云断,凭阑悄悄,目送秋光。晚景萧疏,堪动宋玉悲凉。水风轻、蘋花渐老,月露冷、梧叶飘黄。遣情伤。故人何在?烟水茫茫。　　难忘。文期酒会,几孛风月,屡变星霜。海阔天遥,未知何处是潇湘。念双燕、难凭远信,指暮天、空识归航。黯相望。断鸿声里,立尽斜阳。

鉴赏

《玉蝴蝶》一词,是柳永的代表作之一,风格与他的《八声甘州》相近,故许昂霄《词综偶评》说它“与《雪梅香》《八声甘州》数首,蹊径仿佛”。

《玉蝴蝶》的主题是怀念远方的故人,它通过描绘萧疏、清幽的秋景,来抒写对朋友的思念之情。

词的上片以景生发。在深秋季节的雨后,在斜阳残照、日近黄昏之时,词人面对凄凉的秋景,凭阑远望,触景生情,由悲秋而兼及怀远,写出了思念故人的惆怅与哀感,以景为主,景中有情。下片插入回忆,以情为主,而情中有景。情与景回环往复,前后照应。

起句“望处雨收云断”,以写景入题,写即目所见之景,可以看出天边风云变幻的痕迹。“凭阑悄悄”四字,十分切景。凭阑远望,最易伤情,词人在《八声甘州》中说“不忍登高临远”,正是这个原因。这里又加“悄悄”一词,更增加了孤独之感。柳永暗用李后主“独自莫凭阑”句的意境,以此来引起他的万千思绪。“目送秋光”四字,是泛写眼前所见秋景,点明时届秋天。“晚景萧疏,堪动宋玉悲凉”两句,承接上文,面对向晚黄昏的萧疏秋景,很自然地引起悲秋的感慨，想起千古悲秋之祖的诗人宋玉来。“悲哉！秋之为气也，草木摇落而变衰，……贫士失职而志不平，……羁旅而无友生”（宋玉《九辩》）的悲秋情怀和身世感慨，这时都涌向柳永的心头，引起他的共鸣。“堪动宋玉悲凉”一句，以少总多，概括了这一切。“水风轻、蘋花渐老，月露冷、梧叶飘黄”数句，乃承首句而来，但写景方法与首句不同。首句写远望之景，此句写近景，视线由远而近，写景也渐入精细。这几句勾勒了一幅很有诗意的画面：秋风轻轻地吹拂着水面，白蘋花渐渐老了，月寒露冷，梧桐叶在霜露的浸染下变黄了，正在一叶叶地轻轻飘下。“一叶惊秋”，自然使人产生衰飒凄清之感。“轻”“冷”二字，写出了清秋的季节感受。“蘋花渐老”，也暗寓词人的漂泊无定和光阴易逝的感慨。“梧叶飘黄”的“黄”字用得很好，可谓一字传神。“飘”者有声，“黄”者有色，“飘黄”二字，写得有声有色，有静有动。“黄”字渲染了气氛，点缀了秋景，突出了梧桐叶飘落的形象，着一“黄”字，而境界全出。“遣情伤”一句，是由上文的景物描写中来，由景及情，在词中又是一个转折，并进而点出情伤的原因，即歇拍的“故人何在？烟水茫茫”两句。这两句承上启下，统摄全篇。“烟水茫茫”四字，写景阔大而浑厚，迷蒙而不可望穿的景色同因思念故人而产生的茫茫然的感情，交融在一起。

下片换头，插入回忆，写怀念故人之情，波澜起伏，错落有致。作者回忆起昔日与故人在一起时的“文期酒会”，那赏心乐事，至今难忘。分离之后，彼此天各一方，已经物换星移、秋光几度了。“几辜”“屡变”，旨在加强语气，突出久别后的怅惘。“海阔天遥，未知何处是潇湘”与歇拍“故人何在？烟水茫茫”相呼应，这两句化用了柳宗元《得卢衡州诗因以诗寄》“非是白蘋洲畔客，还将远意问潇湘”的意境，这里借用“潇湘”，虚指故人所居之地。“念双燕、难凭远信，指暮天、空识归航”，写出了因思念故人而产生的无可奈何的心情。欲通音讯，眼下无人可托，盼友人归来，却又一次次地落空。谢朓诗有“天际识归舟，云中辨江树”（《之宣城郡出新林浦向板桥》）之句，温庭筠词有“梳洗罢，独倚望江楼。过尽千帆皆不是，斜晖脉脉水悠悠，肠断白蘋洲”的艺术描写。柳词借用谢朓的诗句，化用温词的意境，创造出新的诗歌形象。看到天际的归舟，疑是故人归来，但到头来却是误识归航，好像在捉弄自己，这一描写，把极盼友人的心情写活了。

结穴处以景结情。以断鸿的哀鸣，来衬托词人的孤独怅惘，可谓妙合无垠，声情凄婉。“立尽斜阳”四字，画出了抒情主人公的形象，他久久地伫立在夕阳残照之中，如呆如痴，感情完全沉浸在回忆与思念之中。一个“尽”字，道出了伫立凝望之久，言有尽而意无穷，与李白的名句“孤帆远影碧空尽，惟见长江天际流”有异曲同工之妙。

（刘文忠）

满　江　红

柳永

暮雨初收，长川静、征帆夜落。临岛屿、蓼烟疏淡，苇风萧索。几许渔人飞短艇，尽载灯火归村落。遣行客、当此念回程，伤漂泊。　　桐江好，烟漠漠。波似染，山如削。绕严陵滩畔，鹭飞鱼跃。游宦区区成底事，平生况有云泉约。归去来、一曲仲宣吟，从军乐。

鉴赏

词上下片都是先景后情，情景交互抒写。“伤漂泊”与“云泉约”，为上下片之主旨，而核心思想则是归隐。柳永总结他的平生遭遇，在及第已老、游宦已倦之时，写下了这首词。

词一开始，“暮雨”三句，写雨歇川静，日暮舟泊，人是小休。“临岛屿”两句，则系舟中所见之蓼苇景色，秋景萧索，景中含情。“几许”两句为流水对，写渔人之归家。引出“遣行客”两句，以“伤漂泊”结束上片。

换头再以景起。“桐江好”四句写江山之美。“绕严陵”两句，不禁怀想严子陵的高隐，看鹭飞鱼跃之乐，又自然地引来以下“游宦”两句，这就引出了看淡利禄后的归隐之思。一结“归去来”两句，以王粲从军诗告终，似感突然，实际上是怀想而已。

这首词，是柳永景祐元年（1034）登第后，任睦州团练推官到任时所作。据宋僧文莹《湘山野录》记载，这年九月“范文正谪睦州，过严陵祠下。会吴俗岁祀，里巫迎神，但歌《满江红》，有‘桐江好，烟漠漠，波似染，山如削。

绕严陵滩畔，鹭飞鱼跃'之句。"足见此词是为范仲淹所知悉的。《福建通志》卷一八九曾记载柳永到睦州后，为州守吕蔚所赏识，曾奏请朝廷提职，但以侍御史郭铨认为任职不久，未见政绩，作罢。本来，柳永功名蹭蹬，这时得官，已叹老嗟卑，难有作为，产生归隐思想，是非常自然的。这一阶段他所写的词，如《安公子》称"游宦成羁旅"，《定风波》称"奈泛泛旅迹，厌厌病绪。迩来谙尽，宦游滋味"，《思归乐》称"晚岁光阴能几许？这巧宦不须多取"，都和这首词是同调的。

柳永晚年的词，确多具退隐思想，他的《凤归云》词表现得尤为突出，词云："驱驱行役，苒苒光阴，蝇头利禄，蜗角功名，毕竟成何事，漫相高。抛掷云泉，狎玩尘土，壮节等闲消。幸有五湖烟浪，一船风月，会须归去老渔樵。"这都和他的《满江红》在思想上是一致的。

柳永写归隐思想的词为数不少。在他写羁旅行役之词以后，写出这些词也是很自然的。他以慢词来铺写这些内容，又以这些内容来充实慢词，使慢词丰富起来，风格亦多样化。他对慢词的奠基作用厥功甚伟。

（金启华）

八声甘州　　柳　永

对潇潇暮雨洒江天，一番洗清秋。渐霜风凄紧，关河冷落，残照当楼。是处红衰翠减，苒苒物华休。惟有长江水，无语东流。　　不忍登高临远，望故乡渺邈，归思难收。叹年来踪迹，何事苦淹留！想佳人、妆楼颙望，误几回、天际识归舟。争知我、倚阑干处，正恁凝愁。

鉴赏

这首词，上片写景，下片抒情，脉络极为清楚。

柳永写别情的词，这首也是很出色的。开始以"对"字领起，写雨后的江天清澈如洗，词句也极洗练，而又大气磅礴。"渐霜风”三句，再以“渐”字领起，直贯而下，写风紧残照之关河楼头，境界绮丽而悲壮，声响尤其动人。难怪苏轼叹为“唐人佳处，不过如此”（赵令畤《侯鲭录》引）。这正说明宋词可与唐诗比美，而柳永更是代表作者。“是处”两句，跌到眼前近景，叹息花木万物凋残。“惟有”两句再宕开，写江流之无语东流，人也沉默隐忧。上片全系写景，惟景中含情，寄寓离别之思。

换头后，即景抒情，大开大合，呼应、问答、对照，各种手法运用自如。如“不忍”句与“望故乡”两句，系前呼后应；“叹年来”句与“何事”句，自问自答；“想佳人”两句与“争知我”两句，两相对照。这都是一层深入一层，一步紧接一步，在章法上是如此密接而又宕开。其中有些句子的领字，如“不忍”“望”“叹”“想”“误”“争知”，均贴切异常。而其中“想佳人、妆楼颙望，误几回、天际识归舟”，从艺术构思上是学习杜甫《月夜》思家的“今夜鄜州月，闺中只独看”的手法，从对方写起。而句子又沿用谢朓的《之宣城郡出新林浦向板桥》“天际识归舟”，然加上了“误几回”，意思完全相反，句子更为灵动。“争知我、倚阑干处，正恁凝愁”，又为对方设想自己，然后戛然而止。

这首词，梁启超曾云：“飞卿词‘照花前后镜，花面交相映’，此词境颇似之。”这词的上下片前后情景，确实具交相辉映之美，于壮丽的景色中含有无限柔情。其首尾之呼应，尤在有形无形之中，如末尾之“倚阑干处”是把凭栏明写出来，而开头之“对潇潇暮雨洒江天”所观之景，实亦凭栏所见，唯不写出栏杆字样而已。这词的本事原只为离人凭栏见景抒情，而翻腾出来，似乎使江天、关河统为变色，红绿万物尽供驱使，统统为情所笼罩，柳永写离情实具有天地境界。有人曾认为“‘关河冷落，残照当楼’，即《敕勒》之歌也”（刘体仁《七颂堂词绎》）。这是可以同意的。而“红衰翠减，苒苒物华休”，当具有杜甫《秋兴》诗之“玉露凋伤枫树林，巫山巫峡气萧森”的意境。“杜诗柳词，皆无表德，只是实说。”（项安世《平斋杂说》）以柳词与杜诗相提并论，在某些技巧方面是可以这样说的。他的“长调尤能以沉雄之魄，清劲之气，寄奇丽之情，作挥绰之声”（郑文焯《大鹤山人词论》）。在这首词里表现得很充分。柳永不愧为慢词的奠基人，他开创了长短句式格律词的新局面，在中国词史上有崇高的地位。

（金启华）

迷神引 柳永

一叶扁舟轻帆卷，暂泊楚江南岸。孤城暮角，引胡笳怨。水茫茫，平沙雁，旋惊散。烟敛寒林簇，画屏展。天际遥山小，黛眉浅。 旧赏轻抛，到此成游宦。觉客程劳，年光晚。异乡风物，忍萧索、当愁眼。帝城赊，秦楼阻，旅魂乱。芳草连空阔，残照满。佳人无消息，断云远。

鉴赏

这首词，是作者对旅途所经过的地方、所看见的景物加以描绘，然后又即景抒情，情景交融。词上片写景，下片抒情，大的段落是非常分明的。

“一叶扁舟”两句，一起点明舟泊江南。一“暂”字说明是稍息此间，而此前旅途之跋涉自不待言。“孤城”两句，本愿宁静一下，却传来暮角声，引起胡笳愁怨，是突然插入来的。因声而引起视觉，“水茫茫”三句，以“雁”之惊散，也自然联系到人的漂泊。这是一个动景，掀起了词的波澜。“烟敛”四句，写林写山，以两个五、三句式出之，顿挫生姿，音响似鼓点。而展开的寒林、遥山，宛如图画，漠漠秾秾而又遥遥浅浅，是工笔与泼墨相结合的山水画法。

下片直接抒情，追想从前，伤心今日。“旧赏”两句，无限懊丧。“觉客程劳，年光晚”，感慨良多。我们知道柳永少负才名，但功名蹭蹬，及第已老，游宦更迟。这两句是他的亲身经历。“异乡”三句，表现出无可奈何的感叹。而“帝城”三句，各为三言，和上面两个三言句配合，意思却又一转，追想“帝城”“秦楼”，遥远而阻隔，自己“旅魂”乱而无主。三个三言句，一顿一挫，点点震动心魄，余响无穷。然而犹未终了，“芳草”四句，又来描绘芳草无边，残阳高照。佳人音杳，断云远逝，展开空阔画图。其音响又是五、三句式，两句连续，人在画外，情在图里，声声似为哀叹，结束全篇。这一首旅泊中写离情的词，在柳永写离情的词中，别出心机，以成就其丰富多彩。前人称其“尤工于羁旅行役”（陈振孙《直斋书录解题》），就其单篇词是如此，而其多篇词的写离情，各从不同角度、不同章法、不同音调出之，也当为我们所特别注意。

这首词，从写的内容看，是柳永老年游宦之作，颇有漂泊之感，和他的少年恋情之词颇有不同。以词风而言，虽亦铺叙开来，但多平淡之语，实由于绮丽之极而趋于平淡。以这首词而论，除第一、二句为六、七言外，余均为五、四、三言句，而以三言句为多，极显顿挫之至，而意义仍繁富。这一淡远顿挫之作，当是柳永晚年的代表作品。柳永晚年远离帝京，永别知音，深感游宦乏味，惆怅无聊，不免多哀楚之声。

（金启华）

木兰花慢　　柳　永

拆桐花烂漫，乍疏雨，洗清明。正艳杏烧林，缃桃绣野，芳景如屏。倾城。尽寻胜去，骤雕鞍绀幰出郊坰。风暖繁弦翠管，万家竞奏新声。　　盈盈。斗草踏青。人艳冶、递逢迎。向路旁往往，遗簪堕珥，珠翠纵横。欢情。对佳丽地，信金罍罄竭玉山倾。拚却明朝永日，画堂一枕春酲。

鉴赏

这是一首描绘汴京清明节都人游乐盛况的词。清明是古代的重要节日之一，这一天是游乐宴赏的日子。都人不论贫富，倾城而出，车马塞路，四野若狂。柳永长期生活在汴京，清明时也常至郊外游宴。这首词当是他早期的作品，颇能再现当时汴京清明节的风貌。

词的上片，写清明景物的鲜丽和都人郊游的盛况。“拆桐花”三句，先点明时令，交代环境。“拆”，裂开。“拆桐花”，言开了桐花。清明是个多雨的季节，忽然下了一阵稀稀疏疏的春雨，郊外的景物如水洗过一般，显得更为清新、明丽。“洗”是柳永常用的一个字,最著名的如“对潇潇暮雨洒江天,一番洗清秋”(《八声甘州》),那是写秋天的凄清是雨洗出来的;此处当同于写雨后海棠的“霏微雨罢残阳院,洗出都城新锦缎”(《木兰花·海棠》),是写春日花木经雨后颜色更加鲜丽。这一“洗”字,既补出“桐花烂漫”之由,又直贯下文。“正艳杏”三句,即以一“正”领起,用一四字的对偶句,写枝头红杏经雨之后,更加鲜艳,杏红似火,在绿丛中令人似有烧林之感;浅黄色的缃桃,远远望去,一处处仿佛绣在芳郊绿野之上。一个“烧”字,写足了杏之红艳;一个“绣”字,点出了浅黄嫩绿妙合无垠,都极生动形象。而后用“芳景如屏”作结,言远郊美景好像天然的画屏,以作为都人郊游之张本。故紧接着即铺写都人的郊游盛况。“倾城”三句,写游人之众,言全城的人男男女女,老老少少全都往郊外去踏青游春、寻幽访胜。“骤雕鞍绀幰”句,“骤”这里作驰解。“雕鞍”,以装饰华美的鞍代马。“幰(xiǎn)”,古代车上的帷幔。“绀幰”,以天青色的车幔代车。五字写车马之盛。宋时都人游春,“游人士庶,车马万数”,“贵家士女,小轿插花,不垂帘幕”(《东京梦华录》卷七)。“骤雕鞍绀幰”,盖为当时之实况。“风暖”二句,写音乐之盛。“风暖”,既是实写春风和暖,也是虚喻乐声之繁急。词的上片,从全景着笔,勾勒出了一幅汴京的清明郊游图。

词的下片,由全景、远景转入近景、特写,分别写士女的尽情嬉游欢宴。“盈盈”四句,是写妇女游春的特写镜头。“盈盈”,写女子之仪态,并兼有众多之意。“斗草踏青”,写妇女游春的活动。“斗草”也叫斗百草,是一种用草竞高低的游戏。“人艳冶”,写妇女浓妆盛饰。“递逢迎”,言连续不断地相遇,写游春妇女之多。这个特写镜头描绘了一队队风姿绰约的女子,盛妆华饰,艳丽妖冶,络绎不绝相遇于郊。她们或是在芳郊绿野嬉游,或是采集各种花草,玩斗草的游戏,纵情欢度清明佳节。“向路旁”三句,承前句写妇女服饰侈靡、嬉游尽兴。因为她们嬉游忘情,斗草用力,戴的玉簪和耳珰,都被震落路旁。这些失落的“珠翠”饰物,随处可见。这不仅进一层写出了服饰之美,游人之众,而且也写出了翠珠之多,游兴之足。“欢情”三句,与“盈盈”相对,另起一层,写男子郊游宴饮情景。《东京梦华录》云:“清明节,……四野如市,往往就芳树之下,或园圃之间,罗列杯盘,互相劝酬。都城之歌儿舞女,遍满园亭,抵暮而归。”“信”,任,听任。“金罍”,刻有云雷纹的酒器。“罄竭”，空，尽。“玉山倾”，典出《世说新语·容止》，谓“嵇康身长七尺八寸，风姿特秀。……其醉也，傀俄（巍峨）若玉山之将崩”。此喻男子面对芳郊绣野，情绪欢畅，纵情饮酒，听任美酒喝尽而醉倒。“拚却”二句，“永日”，即整日。“春酲”，指病酒。如冯延巳“日日花前常病酒，不辞镜里朱颜瘦”之意，言不管明朝整日酒困倦卧，且图今朝一醉方休。这一结句既是叙事，亦为抒情；既是写游人，也是说自己，写出了郊游宴饮之酣畅，游人尽醉太平的欢乐情绪。

这首词反映了北宋之初，上下晏安的景象。宋人范镇曾说：“仁宗四十二年太平，镇在翰苑十余载，不能出一语咏歌，乃于耆卿词见之。”（祝穆《方舆胜览》引）柳永的一些节序词，多形象地反映了宋初这种“太平时、朝野多欢民康阜”的景象。这首清明词便是其中的一首。柳永不仅善写秋景，“工于羁旅行役”之词，而且也颇善于写春景，且写得绚丽多彩，不过往往为人们所忽略罢了。这首词在作法上也不同于一般上片写景、下片抒情的格局，而是上片写景叙事，下片叙事抒情，通篇铺叙衍展，备足无余。这是为了要表现“承平气象”，因而必须“形容曲尽”。内容决定形式，这也许是柳词多用铺叙手法的原因之一。

（丰家骅）

瑞鹧鸪　　柳永

吴会风流。人烟好，高下水际山头。瑶台绛阙，依约蓬丘。万井千闾富庶，雄压十三州。触处青娥画舸，红粉朱楼。　　方面委元侯。致讼简时丰，继日欢游。襦温袴暖，已扇民讴。旦暮锋车命驾，重整济川舟。当恁时，沙堤路稳，归去难留。

鉴赏

柳永一生中游历过许多城市，写过不少反映都市繁华的词。其中最享盛名、传播最广的是歌咏杭州的《望海潮》。古城苏州也是他笔下不止一次写到的许多城市之一。他对这个“古繁华茂苑”十分神往，早就想一游为快。这首《瑞鹧鸪》就是他游苏州后所写的几首词中的一首。

词的上片描绘古城的风光，下片颂扬州官的政绩。

苏州是春秋时吴国的都城，湖山秀美，人烟繁富。上片起句“吴会风流”，“吴会”即指苏州。“风流”有两层意思：一是言古都的流风余韵，一是指今日城市的风貌。这是从历史和现状总写一句，统领全篇。“人烟好”两句转入具体描写。苏州西南临烟波浩渺的太湖，四野田塍交错，随高下悉为田户。其西南姑苏山上有姑苏台，相传是吴王夫差和西施游宴之所；西边灵岩山上有馆娃宫，是夫差特地为西施建造的宫苑。城内“万家绿水朱楼”（《木兰花慢》），市井繁华，曲水萦回。“人烟好”的“人烟”，原指住户的炊烟，这里泛指人家。“高下水际山头”，指城内外的房屋台榭高高低低，有的在水边，有的在山头，仍保留着旧日的风貌。“瑶台”二句，“瑶台”，是美玉砌成的楼台。“绛阙”，是朱红色的楼阙。“蓬丘”，即蓬莱，仙山名。《史记·封禅书》：蓬莱、方丈、瀛洲，“此三神山者，其传在渤海中，……诸仙人及不死之药皆在焉。其物禽兽尽白，而黄金（白）银为宫阙。”这是写城外高处的建筑，言楼台门阙之崇高、华丽，犹如仙山上的宫阙一样。“万井”二句，“井”，相传古制八家一井；“闾”，古代一种居民组织单位，“五家为比……五比为闾”（《周礼·地官·大司徒》）。此均指人口聚居之地。“雄”，称霸于一时。“十三州”，相传禹治水后，分中国为九州，汉武帝分置十三州，即并、冀、幽、兖、青、徐、扬、荆、豫、益、凉、交趾、朔方，此指全国。这是写城内市井的繁华，言苏州市区住宅密集，人民富庶，居于全国之首。这四句一用神山作喻，一用具体数字，从不同角度描绘出了这座名城的富丽堂皇和民丰物阜。“触处”二句，用层层缩小法更进一层，具体写苏州的“人物鲜明”、游宴之盛。“触处”，即到处、处处。“青娥”，以女子的眉黛代称漂亮少女。“红粉”，以妇女化妆用的胭脂代称艳妆美女，言人物之美。“画舸”，有彩饰的大船。“朱楼”，华丽的楼房，言欢游之事。这两句色彩绚丽，历历如画，描绘出了苏州到处都看到画船载着漂亮少女游赏欢宴，看到红楼上艳妆美女轻歌曼舞。这里虽没有点出“绿水”，但“画舸”已暗含“绿水”；“画舸”与“朱楼”对用，“绿水朱楼”的画境就自然而出了。苏州湖山之美、园林之盛，甲于东南。四时游客皆盛，春则西山踏青，夏则泛舟荷荡,秋则桂岭九日登高。“触处”两句就生动地反映了吴中士大夫画船携妓、朱楼招饮的嬉游生活,这也是“吴王旧国”的一种流风余韵。

下片以“方面委元侯”换头,转入对苏州守官政绩的称颂。“方面”,指一方的军政事务,这是承上;“元侯”,泛指善治的州牧,这是转下。言朝廷重视,“专命方面”,将苏州一方的军政事务托付给一位贤能的大员。这个大员是谁?柳永在《木兰花慢》中说:“乃眷东南,思共理,命贤侯。继梦得文章,乐天惠爱,布政优优。”梦得,是唐诗人刘禹锡的字;乐天,是白居易的字。他们二人都做过苏州刺史。能继他们之后的人物,疑是指范仲淹。范仲淹于景祐元年(1034)四月,因谏废郭皇后贬睦州(州治在今浙江建德),六月移知苏州。这年柳永进士及第,三月也往睦州任团练使推官,不久又调任定海,他可能在这时曾游苏州。范仲淹至苏“首建郡学,聘胡瑗为师,自是苏学为诸郡倡”(《苏州府志》);“大水,民田不得耕,仲淹疏五河,导太湖注之海”(《宋史·范仲淹传》),对苏州的学校教育和农业生产都有所建树。“致讼简”二句,是从州官施政方面称颂,谓由于委用了贤能的州官,致使诉讼案件少,年岁丰登,百姓“继日欢游”。“襦温”二句,再从百姓生活方面称颂,言百姓衣食丰足,讴歌播扬。这虽是赞颂州官的政绩,但也是写苏州的社会面貌、人物风流。“旦暮”二句,由州官政绩卓著,进而对州官前程表示祝愿。“旦暮”二句言旦暮即将命驾前锋之车开路,重整舟楫浮过巨川。“济川”,喻匡时济世,言不久即将重新得到重用,施展自己匡时济世的大志。煞尾三句是用典,喻将升任宰辅之职。“恁时”,那时。“沙堤”,是个典故。唐天宝三年,京兆尹萧炅请于要路筑甬道以通车骑,覆沙道上,称为沙堤。凡拜相,府县令民载沙铺路,从宰相私邸铺到子城东街,成为故事。“沙堤路稳”,语意双关,言稳可升任宰辅,回到京师。

这首词虽是描写苏州的湖山秀美、市井繁华,但与柳永其他的都市词相比,更偏重于“咏人物鲜明,土风细腻”(《木兰花慢》)。前半为泛写“人物鲜明”,后半颂苏州牧政绩,则为专叙人物。全词虽也是采用赋体结构,用了不少对偶句,但也用了不少单字散句,使词趋于散化,令人读来感到音律舒缓,错落有致。在同一类词中格调不一,见出柳永自是北宋词坛巨手。

(丰家骅)

安公子　　柳永

远岸收残雨，雨残稍觉江天暮。拾翠汀洲人寂静，立双双鸥鹭。望几点、渔灯隐映蒹葭浦。停画桡、两两舟人语。道去程今夜，遥指前村烟树。　游宦成羁旅，短樯吟倚闲凝伫。万水千山迷远近，想乡关何处？自别后、风亭月榭孤欢聚。刚断肠、惹得离情苦。听杜宇声声，劝人不如归去。

鉴赏

这首词是游宦他乡、春暮怀归之作。词人对于萧疏淡远的自然景物似有偏爱，所以最工于描写秋景，而他笔下的春景，有的时候也不以绚烂浓丽见长，如此篇即是。这当然和他长年过着落魄江湖的生活、怀着名场失意的心情是有关的。

上片头两句写江天过雨之景，雨快下完了，才觉得江天渐晚，则雨下了很久可知。风雨孤舟，因雨不能行驶，旅人蛰居舟中，抑郁无聊更可知。这就把时间、地点、人物的动作和心情都或明或暗地展示出来了。

“拾翠”两句，不过是写即目所见。汀洲之上，有水禽栖息，而以拾翠之人已经归去，虚拟作陪，更以“双双”形容“鸥鹭”，便觉景中有情。“拾翠”字用杜甫《秋兴》：“佳人拾翠春相问。”拾翠佳人，即在水边采摘香草的少女。张先《木兰花》也说：“芳洲拾翠暮忘归，秀野踏青来不定。”意中有人，有人的语笑；今惟余景，景又呈现人去后特有的寂静。鸥鹭成双，自己则块然独处孤舟之中。这一对衬，就更进一步向读者展开了作者的内心活动。

“望几点”句，写由傍晚而转入夜间。渔灯已明，但由于是远望，又隔有蒹葭，所以说是“隐映”。这是远处所见。“停画桡”句，则是己身所在，近处所闻。“道去程”两句，乃是舟人的语言和动作。“前村烟树”，本属实景，而冠以“遥指”二字，则是虚写。这两句把船家对行程的安排，他们的神情、口吻以及依稀隐现的前村，都勾画了出来，用笔极其简练，而又生动、真切。

过片由今夜的去程而念及长年行役之苦。“短樯”七字，正面写出舟中百无聊赖的生活。“万水”两句，从“凝伫”来，因眺望已久，所见则“万水千山”，所思则“乡关何处”。“迷远近”虽指目“迷”，也是心“迷”。崔颢《黄鹤楼》云：“日暮乡关何处是，烟波江上使人愁。”正与此意相同。

“自别后”以下，直接“乡关何处”，而加以发挥。“风亭”七字，追忆过去，慨叹现在。昔日则良辰美景，胜地欢游，今日则短樯独处，离怀渺渺，而用一“孤”字将今昔分开，意谓亭榭风月依然，但人不能欢聚，就把它们辜负了。“刚断肠”以下，紧接上文。离情正苦，归期无定，而杜宇声声，劝人归去，愈觉不堪。杜宇无知之物，而能劝归，则无情而似有情；人不能归，而杜宇不谅，依旧催劝，徒乱人意，则有情终似无情。用意层层深入，一句紧接一句。情意深婉而笔力健拔，柳永所长，其后只有周邦彦用笔近似。

（沈祖棻）

倾　杯　　柳　永

鹜落霜洲，雁横烟渚，分明画出秋色。暮雨乍歇，小楫夜泊，宿苇村山驿。何人月下临风处，起一声羌笛？离愁万绪，闻岸草、切切蛩吟如织。　为忆，芳容别后，水遥山远，何计凭鳞翼！想绣阁深沉，争知憔悴损、天涯行客？楚峡云归，高阳人散，寂寞狂踪迹。望京国，空目断、远峰凝碧。

鉴赏

柳永一生仕途坎坷，只做过几任小官。宋代磨勘转官，“须至京引对”（《春明退朝录》上）。所以他踏上仕途后，经常被迫同所爱的人离别，过着一种飘泊不定的游宦生活。当时转职赴任，都是单人匹马或乘舟前往，旅途是十分孤寂凄凉的。每当他独自登程时，内心都有很多悲慨，写下了许多情景真切的羁旅行役、离愁别恨的词。这首词就是他在一个秋天乘舟赴任途中的伤远怀人之作。

词的上片写行役途中的景况。起三句，以秋景点明节令。“鹜落霜洲，雁横烟渚”句，“鹜”，水鸭。“雁”，属候鸟，秋来春去，飞时成群，常排成“一”字或“人”字。这是一个工整的对偶句，它描绘了一只只水鸭飞落到已经结霜的水中沙洲之上，雁阵横过笼罩烟雾的洲渚。“霜”降、“雁”飞，是秋天特有之景，故紧接着就总承以“分明画出秋色”，谓从舟中所见的这一自然之景，就像是画出的一幅秋天图画。秋天最易触动人的悲怀。宋玉《九辩》：“悲哉！秋之为气也”，“草木摇落而变衰”，“士失职而志不平”，“羁旅而无友生”。故在孤身远行时看到这幅秋色画，就已隐隐感到别离之恨、沦落之苦。“暮雨乍歇”三句，写乘舟的行踪。“小楫夜泊”，言泊舟之时。“楫”，船桨，这里代船。“苇村山驿”，言泊舟之地。“驿”，驿馆，古代供外出官员途中歇息的地方。作者原是乘着一叶扁舟，在潇潇秋雨中行进，黄昏时雨突然停了。入夜，小船停泊在一个长满芦苇的岸边，住宿在山村的驿馆里。秋夜，月下芦花飘白，风中荻声瑟瑟，使人有无限孤寂之感，而这时耳边忽又响起断断续续如泣如诉的笛声。“何人”两句，是写荒村中不知是谁在月下吹起羌笛，悠悠的笛声随风飘来。“羌笛”，又名羌管，相传为羌人（古代西北少数民族）所制。“羌笛何须怨杨柳”，笛声自古即令人有悲怨之感。在如此凄清的秋夜，离别自己所爱的人，孤身宿此山驿，夜闻笛声，就更易惹起无限的愁怀了。“离愁”两句，由隐而显，直接点出行役途中之愁怀。“万绪”，极言离愁之多。而这时却又听到岸边草丛中秋虫唧唧，就更愁上加愁。“羌笛”，是远处所闻；“蛩吟”，蟋蟀的叫声，则是近处所闻。夜深人静，低吟的虫声清晰可闻，见出写景之精细，也写足了离愁的“万绪”，虽是写景，却景中有情。

下片由景入情，直抒途中孤寂怅惘之感。换头从回忆写起。“水遥山远”，言别后与所爱的人相隔之远。相隔愈远，则思念愈深。我国古代有鲤鱼和雁足传书的传说。“何计凭鳞翼”，“鳞”，即指鲤鱼。“翼”，指鸿雁。“何计”，言无法。而今却无法传递消息，故两地相思，此情难诉！于是在无可奈何之中迂回开去，宕开一笔，从对面设想故乡的爱人对自己的思念。“想绣阁深沉”两句，“绣阁”，妇女住的闺房。“损”，周济《宋四家词选》云：“依调，‘损’字当属下；依词，‘损’字当属上。”其说极是。言她怎知飘泊天涯的“行客”为相思之苦而十分憔悴。这本是自己想念远方的佳人，却反说佳人未必知征人之苦，运实于虚，借人映己，使文势更为跌宕，情思也更为缠绵凄恻。“楚峡”三句，又从对方回到自己，写“小楫夜泊”的境遇。“楚峡”，巫山的代称。宋玉《高唐赋》载：楚王游高唐，于梦中和神女欢会，神女临别时说：“妾在巫山之阳，高丘之阻。旦为朝云，暮为行雨，朝朝暮暮，阳台之下。”“云归”即指佳人已去。“高阳人”，指高阳酒徒，《史记·郦生陆贾传》载：郦生求见汉高祖时自称：“吾高阳酒徒也，非儒人也。”“高阳人散”，即《少年游》中“酒徒萧索”的意思，言一起喝酒的朋友都离散了。旧日疏狂的踪迹像一场梦一样，欲寻无迹，只留下眼前的一片寂寞。笔势一纵一收，援昔衬今，把伤远怀人之情，表达得十分深透。收尾两句以景结束。“望京国”，写作者伫立月光之下，翘首遥望京城，感情完全沉浸在回忆与思念之中。但看到的只是一片“凝碧”的山峰，“往事已难重省”，只是空劳“目断”而已，令人感到无限怅惘。这种以景写情的结句，令人感到余味不尽。

柳永最善写景，“尤工于羁旅行役”（《直斋书录解题》）。他的这类词多用直笔，上片写景，下片抒情，一泻而下。但这首词却突破这一格局，写得腾起翻落、委婉曲折，别具一格。词的上片以景为主，但景中有情；下片以情为主，情中又有景。至于写景则由远及近，几经转折；目见耳闻，交相运用。抒情则时而自己怀人，时而设想对方念己，直笔曲笔，虚实并用。全词写得波澜起伏，跌宕多姿，收到了很好的艺术效果。

（丰家骅）

鹤冲天　　柳永

黄金榜上，偶失龙头望。明代暂遗贤，如何向？未遂风云便，争不恣狂荡。何须论得丧？才子词人，自是白衣卿相。　　烟花巷陌，依约丹青屏障。幸有意中人，堪寻访。且恁偎红依翠，风流事、平生畅。青春都一饷。忍把浮名，换了浅斟低唱！

鉴赏

这首词的本事,据胡仔《苕溪渔隐丛话》引《艺苑雌黄》云:“柳三变喜作小词,薄于操行,当时有荐其才者,上曰:‘得非填词柳三变乎?’曰:‘然。’上曰:‘且去填词。’由是不得志,日与儇子纵游倡馆酒楼间,无复检率。自称云‘奉圣旨填词柳三变’。”从这里,我们可以看出柳永虽然自称“奉圣旨填词”,实际上牢骚还是不小的。

这首词,明白如话,而却往复回环,心理描绘颇为丰富。一起即宣告自己榜上无名,这对多才的青年柳永是个沉重的打击。“明代”句暗含讽刺,不敢直斥。因为既称“明代”,应当是才人悉被录用,然而失望。怎么办呢?“未遂风云便,争不恣狂荡”,这就一任自己放荡吧!何必管它得失呢?内心痛苦,矛盾已极。“才子”两句,又作自我安慰,这也是不得已的解脱语。

下片从“恣狂荡”引申而来,在风尘女子中寻求知音,铺叙开来。“烟花”两句,点出慰藉地点。“幸有意中人,堪寻访”,这人是并不势利的,不以其落第而奚落他,同时和他依偎风流,享受青春。“青春都一饷”,真是青春不再,莫负当前。然而我们的词人,一结“忍把浮名,换了浅斟低唱”,字面上是开拓了,达观了,实际上,一“忍”字,多少辛酸。“浅斟低唱”,又有多少不可告人的哀楚。证之柳永后来依然不忘功名,终于“及第已老”,我们这一分析是合乎情理的。同时,我们知道柳永和声伎打交道,曾写出她们是愿意“永弃却烟花伴侣,免教人见妾,朝云暮雨”(《迷仙引》)的,道出了她们的真情实意,和她们是知音,因而自己在功名不得意时,则访求她们以求慰藉,这是很自然的事,也是这首词的思想感情的基础。

(金启华)

醉垂鞭　　张　先*

双蝶绣罗裙，东池宴，初相见。朱粉不深匀，闲花淡淡春。　细看诸处好，人人道，柳腰身。昨日乱山昏，来时衣上云。

作者

*张先（990—1078），字子野，乌程（今浙江吴兴）人。宋仁宗天圣八年（1030）进士，曾任永兴军通判，渝州知州，仕至都官郎中。晚年优游乡里，与苏轼有来往。他与柳永齐名，擅长小令，亦作慢词。其词含蓄工巧，情韵浓郁。有《张子野词》，存词一百八十多首。

鉴赏

这首词是酒筵中赠妓之作，以写其人的装束开头，但只写了一半，即她所穿的裙子。罗裙上绣着双飞的蝴蝶，已经很漂亮了，但等到读了结句，才知道，更漂亮的、能够使人产生丰富联想的，还不是她的“裙”，而是她的“衣”。

“东池”两句，记相见之地——东池，相见之因——宴，并且点明她“侑酒”的身份。“朱粉”两句，接着写其人之面貌，而着重于化妆的特征——淡妆。词人在这里，摆脱一切正面描绘，而代之以一个确切的、具体的比喻，这样，就将她的神情、风度，都勾画出来了。试想，浓丽的春光中，万紫千红之外，别有闲花一朵，带着淡淡的春色，在花丛中开放，幽闲淡雅，风韵天然，在许多“冶叶倡条”之中，显得多么出色！

这里涉及欣赏中“一”与“多”的变化问题。在一般的情况下，多数女子并不浓妆（在词中，又称为严妆、凝妆），所以一个浓妆的，便显得出众。但在上层社会的行乐场所，或是贵族宫廷里，多数女子都作浓妆，一个淡妆的，就反而引人注目了。唐朝的虢国夫人便很懂得这个道理，所以常常“素面朝天”。张祜为之作诗道：“虢国夫人承主恩，平明骑马入宫门。却嫌脂粉污颜色，淡扫蛾眉朝至尊。”而裴潾咏白牡丹则写道：“长安豪贵惜春残，争赏街西紫牡丹。别有玉盘承露冷，无人起就月中看。”便是讽刺那些豪贵们不懂这个道理。（唐人重深色牡丹，白居易《买花》云：“一丛深色花，十户中人赋。”）我们平常赞美一件东西、一个作品等，说它新奇别致，其中往往就包含了这个一与多的问题。张先显然受了张祜等的启发，但“闲花淡淡春”一句，仍然很有创造性。唐人称美女为春色，如元稹称越州妓刘采春为“鉴湖春色”。此词“春”字，也是双关。

换头三句，是倒装句法。人人都说她身材好，但据词人看来，则不但身材，实在许多地方都好，而这“诸处好”，又是“细看”后所下的评语，与上“初相见”相应。柳与美女之腰，同其婀娜多姿，连类相比，词中多有。如温庭筠《杨柳枝》云：“宜春苑外最长条，闲袅东风伴舞腰。”又《南歌子》云：“转盼如波眼，娉婷似柳腰。”不独白居易“樱桃樊素口，杨柳小蛮腰”之诗为世人所熟知而已。

结两句写其人的“衣”。古人较为贵重的衣料如绫罗之类，上面的花纹，或出于织，或出于绣，或出于画。出于织者，如白居易《缭绫》：“织为云外秋雁行。”出于绣者，如温庭筠《南歌子》：“胸前绣凤凰。”出于画者，如温庭筠《菩萨蛮》：“画罗金翡翠。”此词写“衣上云”，而连及“乱山昏”，可见不是部分图案，而是满幅云烟，以画罗的可能性较大。词人由她衣上的云，联想到山上的云，而未写云，先写山，不但写山，而且写乱山，不但写乱山，而且写带些昏暗的乱山，这就使人感到一朵朵的白云，从昏暗的乱山中徐徐而出，布满空间。经过这种渲染，就仿佛衣上的云变成了真正的云，而这位身着云衣的美女的出现，就像一位神女从云端飘然下降了。这两句的作用，决不限于写她穿的衣服的别致，更主要的是制造了一种气氛，衬托出并没有正面大加描写的女主人公形象的优美，风姿的潇洒。本来只是描写衣上花纹，却用大笔濡染，画出了一片混茫气象，并且写到这里，就戛然而止，更无多话，收得极其有力。所以周济在《宋四家词选》中，评为“横绝”。作者另一首《师师令》中，有“蜀彩衣长胜未起，纵乱云垂地”之句，用意略同，但不及此词之生动和浑成。

这里还涉及欣赏中“真”与“幻”的联系的问题。将“美女”

与“云”联系起来,始于宋玉《高唐赋》。赋中神女自白说:“妾在巫山之阳,高丘之阻。旦为朝云,暮为行雨。朝朝暮暮,阳台之下。”又宋玉对楚王问朝云之状,有云:“湫兮如风,凄兮如雨。风止雨霁,云无处所。”赋中神女,是宋玉以人间美女为模型而塑造的,就这一点来说,是真的;而她同时又是“无处所”的云,或随身环绕着云的神,则是幻的。因此,她是一个既有人的情欲,又有神的变化,亦真亦幻的形象,当然比一般人间的美女更吸引人。李商隐《重过圣女祠》“萼绿华来无定所”,即以另外一个仙女萼绿华来暗比巫山神女,以表现其真而又幻、仙而又凡的特点,可谓深明赋意。本词“昨日”两句,很明显也是脱胎于《高唐赋》,而从其人所着云衣生发,就使人看了,产生真中有幻之感,觉得她更加飘然若仙了。曹植《洛神赋》写洛神渡水云:“体迅飞凫,飘忽若神,凌波微步,罗袜生尘。”在水波上走路,是幻;走路而起灰尘,则是真。而说凌波可以微步,微步可使罗袜生尘,又使真与幻统一了起来,同样显示出她同时具有人和神的特点,可为旁证。文学中这种真与幻,或人间的与非人间的情景的联系,往往能够使人物形象和景色描写更为丰满而美妙。

筵前赠妓,题材纯属无聊,但词人笔下这幅素描还是动人的。“闲花”一句所给予读者的有关一与多的启示,“昨日”两句所给予读者的有关真与幻的启示,也可供今天作诗者参考。

(沈祖棻)

惜双双　　张 先

溪桥寄意

城上层楼天边路,残照里、平芜绿树。伤远更惜春暮,有人还在高高处。　　断梦归云经日去,无计使、哀弦寄语。相望恨不相遇,倚桥临水谁家住?

鉴赏

此词是眷恋旧情之作,构思颇为别致。

上片写登高骋望。起二句写登高所见之景,城上层楼是登高的地点。“天边路”，把视野一直伸向天涯。夕阳返照里，但见地平线上，一片茂草绿树，境界高远阔大。接着写此时所生之情。登临纵目，引起了无限伤离念远之感、惜春迟暮之恨。感恨深至，故虽夕阳西下，主人公犹伫立在高楼之上。

读了上片，读者会以为所怀之人一定已经远行，天各一方。其实不然。下片写爱情已经成为过去，又写出其人居处所在，词境转折幅度极大。过片一句，用宋玉《高唐赋》成语。“断梦归云”，即旧日欢情已经一天天过去了，遥远了。然而，主人公的眷恋却是与日俱增。下句写哀弦难托，也就是说无法向情人倾诉心声，暗示不但旧欢已去，而且音问难通，爱情实已无可挽回。结二句，点出情人居住之所在。上句说相望而不可相遇，既明白道出双方已有不可逾越的障碍，又暗示了她所在之处很近，咫尺天涯之感全凝聚在句中一个“恨”字上。下句紧承此意，一笔点明她就住在那溪桥旁边。虽是平淡叙述语，却极耐人寻味。

返观词题所谓“溪桥寄意”，知此词即为这位家住桥边的旧日情人所作。读者可能怀疑为什么上片要极写登高伤远呢？这可借作者《忆秦娥》一词中的两句作为说明：“情不足，西北有楼寄远目。”原来登高望远，并不一定是想望远行之人，也可以是借以寄托或稍微解脱伤心人无可奈何的别样怀抱。此词上片极写高瞻远瞩，境界阔大，却容不下满怀愁绪；下片转出所怀之人近在溪桥，却可望而不可即。这样就收到了情之所钟无计转移的艺术效果。从结构上说，这种远在天边、近在眼前的迷离扑朔的构思，不但确切地体现了恍惚的相思心理，而且实在又是艺术上的别出心裁。登高伤远，本是一种阔大高雅的词境，北宋文人词中常可见到，如晏殊的《蝶恋花》“独上高楼，望尽天涯路”。而市井人家，却又是一种富于城市生活气息的境界，当时词里也常见，如柳永《望海潮》的“参差十万人家”，周邦彦《瑞龙吟》的“愔愔坊曲人家”。张先此词，将这两种截然不同的境界融为一体：用高远之境表现自已的情怀，用市井之境描写生活的情境，虚实相生，这样就把高情雅致与生活气息融而为一，实是匠心独运的创新。

（宛敏灏　邓小军）

江南柳　　张先

隋堤远，波急路尘轻。今古柳桥多送别，见人分袂亦愁生。何况自关情？　　斜照后，新月上西城。城上楼高重倚望，愿身能似月亭亭。千里伴君行。

鉴赏

此词写送别和别后相望之情。时间是从白天写到夜晚，地点是从送别的隋堤写到相望的城楼。抒情主人公是一位女子，作者用她的口吻写下此词。

上片写送别情景，是从既别写起。“隋堤”是隋炀帝时修的汴河堤。迢迢隋堤，伸向远方。堤下，波涛滚滚，急急流去；堤上，一路轻尘，渐行渐远。情人已经远去，终于从这位伫立目送的女子的视野里消失了。留在她眼中的，只有刚才见证了她与他分别的汴水和堤柳而已。在她看来，这滔滔波浪，正像自己激动的心情。就如作者的《少年游》所写：“此恨无穷，远如江水，东去几时平？”而这依依垂柳，又正像自己缠绵的哀怨，“条条尽是离人怨”（《蝶恋花》）。古往今来，数不尽柳桥送别的事。平时看到他人分别，还不禁为之伤感；何况此时此地，自己正处此境。面对千丝万缕的堤柳，情何以堪？

下片写别后相望。真正的离情别绪，是从别后滋生起来，并且生生不已。夕阳西下之后，一弯新月，姗姗升上城头。这位深情的女子，也姗姗登上城楼。明知情人已绝不可能望见，却偏要再来相望，足见其情之痴。而其心愿却更痴：她愿此身能和亭亭明月一样，伴随着心上人悠悠远行，永不分离。虽似平常口语，却是一片至性深情。作者的《菩萨蛮》说“明月却多情，随人处处行”，也是写女子的心声，但只限于羡慕明月，意味较为平淡。唐张若虚《春江花月夜》“愿逐月华流照君”诗句，由于有“逐月照君”的愿望，当然胜于旁观明月随人。本词这两句则更翻进一层，愿身能亭亭似月，千里相伴。似月虽未明言化月，但不提逐月，显得主动积极，意味就更为深厚，正见这位女主人公执著的个性。

这首词写女子的声口，状女性的心理，又贴切，又细腻。“今古柳桥多送别，见人分袂亦愁生。”这样多愁善感，富于同情，正是女性所特有的一片温柔善良的心地。“愿身能似月亭亭，千里伴君行。”就更进一步见其对于爱情的专一。沈约《丽人赋》有“亭亭似月”语，这里也兼以隐喻那位女子明丽的形象。明月与杨柳，都是女主人公眼前的景物。用眼前景入情语，表达女子的心声，便极自然，极熨帖。所以读来如闻其声，韵味有余不尽。

（宛敏灏　邓小军）

一丛花令　　张　先

伤高怀远几时穷？无物似情浓。离愁正引千丝乱，更东陌、飞絮蒙蒙。嘶骑渐遥，征尘不断，何处认郎踪？　　双鸳池沼水溶溶，南北小桡通。梯横画阁黄昏后，又还是、斜月帘栊。沉恨细思，不如桃杏，犹解嫁东风。

鉴赏

这首词写的是一位女子在她的情人离开之后，独处深闺的相思和愁恨，仍然是一个古老的主题——闺怨。但由于它极其细致地表现了词中女主人公对环境的感受、对生活的情绪，还是很有魅力。

全篇结构，上片是情中之景，下片是景中之情。一起写愁恨所由生，一结写愁恨之余所产生的一种奇特的想法。它条理清楚，不像以后的周、秦诸家，在结构上变化多端。周济在《〈宋四家词选〉序论》中说作者的词“无大起落”，这首词也可为证。

上片倒叙。本来是情人别去，渐行渐远，柳丝引愁，飞絮惹恨，因而觉得伤高怀远，无穷无尽，从而产生“无物似情浓”的念头。但它一上来却先写出由自己切身的具体感受而悟出的一般的道理，将离别之苦、相思之情概括为“伤高怀远”。“几时穷”，是问句，下面却不作正面的回答，而但曰：“无物似情浓。”所以这“几时穷”，事实上乃是说无穷无尽，有“此恨绵绵”之意。因为人孰无情，只要有情，就会“伤高怀远”，何况此情又是极其浓厚，无物可比的呢？

爱情自来是人类社会生活的基本内容之一。古典作家一贯珍重并且歌颂真挚、纯洁的爱情，所以许多人都对此郑重地言及，而更多的人则在其作品中表现了这一点。张先的另一首《木兰花》有云："人生无物比多情，江水不深山不重。"元好问《摸鱼儿》有云："问世间情是何物，直教生死相许？"汤显祖《牡丹亭》有云："世间只有情难诉。"洪昇《长生殿》有云："借《太真外传》谱新词，情而已。"《红楼梦》中有一副对联写的是："厚地高天，堪叹古今情不尽；痴男怨女，可怜风月债难偿。"都是此意。斯大林在读了高尔基写的《少女与死神》以后，也肯定了他写的"爱战胜死"这个主题。当然，在阶级社会中，不同的阶级对爱情有不同的价值观念，对它在社会生活中的比重也有不同的看法，不能等同起来，一概而论。

第三句接着由一般的、概括的叙述延伸到具体的、个别的描写。"伤高怀远"无非由于离别。离愁的纷乱，用千丝杨柳来比喻，不但将情和景巧妙地结合在一起，而且将抽象的感情形象化了。柳丝缭乱，已惹离愁；何况飞絮蒙蒙，漫天无际，癫狂轻薄，更是恼人！所以"更东陌"两句，在写景方面是自然的联系和开拓，在写情方面则是进一层地展示了她的内心活动。古人风俗，折柳赠别，柳和离别，关系很深。这里不写别时折柳相赠，而写别后见柳相思，就摆脱了俗套。吴文英《风入松》"楼前绿暗分携路，一丝柳、一寸柔情"，也很新颖，可以算得此词的后劲。

"嘶骑"以下，直揭愁恨的由来。叫着的马儿走远了，空望见一片扬起的路尘，再也无法辨认他的踪迹了。这三句是写别后登高，心中所想、目中所见的情景，下文"梯横画阁"可证，亦见上文"伤高"二字，并不是为了陪衬"怀远"而随意安上去的。

下片由景及情，池水溶溶，小船来往，是户外所见。小船南来北往，各人忙着自己的事情，对于女主人公的心情，是无从了解，也无暇顾及的。可是，池中又偏偏有成双成对的鸳鸯，她触景生情，就自然不能不产生人不如物之感。这里没有明写她的孤独和感慨，却为结句伏下了线索。

"梯横"两句，直接首句"伤高怀远"来。上句言黄昏之后，要想再像白天那样登高望远，也不可得，只有深闺独坐；下句言即使挨过黄昏，也无非对着斜照在帘栊上的月光，仍是无聊。"又还是"三字，下得巧妙，因为它不但点明了黄昏的难遣，入夜尤其难遣，而且暗示了不但此夜难遣，夜夜也都难遣的心情。

夜夜独坐独眠，百无聊赖，不能不恨，不能不思，甚至于不能不“沉恨细思”。四字千锤百炼，千回百转。极其沉重有力，直逼出收尾两句来，就说明她是怨到极点了。而“沉恨细思”之故，仍是由于“情浓”。情若不浓，怎会怨极？这就显得首尾照应，一气贯穿。《皱水轩词筌》：“唐李益诗曰：‘嫁得瞿塘贾，朝朝误妾期。早知潮有信，嫁与弄潮儿。’子野《一丛花》末句云：‘沉恨细思，不如桃杏，犹解嫁东风。’此皆无理而妙。”所谓“无理”，乃是指违反一般的生活情况以及思维逻辑而言；所谓“妙”，则是指其通过这种似乎无理的描写，反而更深刻地表现了人的感情。在文学中，无理和有情，常常成为一对统一的矛盾。欧阳修极其推重这结尾的两句，正是因为它通过这个具体而新奇的比喻，表达了女主人极细微而深刻的心思，揭示了她在寂寞的生活中，有多少自怜自惜、自怨自艾在内。女主人对爱情的执著，对青春的珍惜，对幸福的向往，对无聊生活的抗议，对美好事物的追求，通过这一新奇的比喻，一下子都透露出来了。“妙”，就妙在这里。

（沈祖棻）

天仙子　　张先

时为嘉禾小倅，以病眠，不赴府会。

《水调》数声持酒听，午醉醒来愁未醒。送春春去几时回？临晚镜，伤流景，往事后期空记省。　沙上并禽池上暝，云破月来花弄影。重重帘幕密遮灯，风不定，人初静，明日落红应满径。

鉴赏

张先在嘉禾（今浙江嘉兴）作判官，约在仁宗庆历元年（1041），年五十二。据题，这首词当作于此年。但词中所写情事，与题很不相干。此题可能是时人偶记词乃何地何时所作，被误认为词题，传了下来。

这首词乃是临老伤春之作，与词中习见的少男、少女的伤春不同。一上来就写出了这一点。

持酒听歌，本是当时士大夫享乐生活的一部分。可是，这位听歌的人所获得的不是乐，而是愁。这种愁，又还不是在歌、酒中偶然感触到的淡淡的愁，而是长久以来就埋藏在心底的一种深沉的、执著的愁，所以午醉虽醒，而愁仍不醒，也就是李白所谓“抽刀断水水更流，举杯消愁愁更愁”（《宣城谢朓楼饯别校书叔云》）。

下面极写致愁的原因，点明主旨。“送春”一句，明知四时变化，明年还有春天，却定要问她什么时候回来，好像毫无常识。这当中，就包含有多少低徊留恋在内。这种心情，只有临老的人才有，所以就接以“临晚镜，伤流景”。杜牧《代吴兴妓春初寄薛军事》云：“自悲临晓镜，谁与惜流年？”这里用杜诗而改“晓镜”为“晚镜”，一字之差，情景全异。杜诗是《牡丹亭·惊梦》中“如花美眷，似水流年”之感，而本词则是王安石《壬辰寒食》中“巾发雪争出，镜颜朱早凋”之感。所以问“春去几时回”者，表面上是问自然界的春天，实际上是问自己生命中的青春时代。而人的青春不会再来，这也和自然界的春天会再来一样，都是无须问，也无须答的。人总是在时光的流逝中活动着。词人由流光之易逝，想到人事之无凭，回首过去，则往事成空，瞻望将来，则后期无定，因而觉得流光堪悲，人事就更堪悲了。“空记省”，与“愁未醒”相应。正因为想也无益，才更觉愁之难消。

上片写人之愁闷无聊，由午及晚；下片则专写晚景。“沙上”二句，傍晚所见。“沙上并禽”，用以对照自己的块然独处。“云破”一句，是千古传诵的名句。其好处在于“破”“弄”两字，下得极其生动细致。天上，云在流；地下，花影在动，都暗示有风，为以下“遮灯”“满径”埋下伏线。而且见出进屋之前，主人公又在池畔徘徊一阵子了。

词人在当时就有一个绰号，叫做张三影，意思是说他写过三句其中用了“影”字的名句。我们查他现存的诗词，用有“影”字的好句子，共有六句，其中一句是诗，五句是词。《华州西溪》：“浮萍破处见山影，小艇归时闻草声。”《天仙子》：“沙上并禽池上暝，云破月来花弄影。”《青门引》：“那堪更被明月，隔墙送过秋千影。”《归朝欢》：“娇柔懒起，帘押卷花影。”《剪牡丹》：“柳径无人，堕飞絮无影。”（一作“柔柳摇摇，坠轻絮无影”。）《木兰花》：“中庭月色正清明，无数杨花过无影。”前人所指三影，句子也不尽同，无须深究。应当指出的是：一般创作中讲究炼字，主要是在虚字方面下工夫，实字方面，可以伸缩变化的余地是不多的。从这些名句来看,主要的好处也都表现在虚字上面,或者说是用的虚字与“影”字配合极为恰当。有人认为作者以善于用“影”字出名,恐怕不完全符合实际情况。王国维《人间词话》说:“‘云破月来花弄影’,着一‘弄’字而境界全出矣。”他不注意“影”字而注意“弄”字,很有见解。

“重重”三句,极写进屋以后风狂人静之情景,结句仍应上“送春”,是说今晚还可以看到“花弄影”,大风之后,明天所见到的,唯有“落红满径”,春就更可伤了。

叹老嗟卑,是封建社会不得志的文人的常见情绪,其中也包含有一些优秀人物在那种黑暗时代被迫无所作为的愤惋,对于今天的读者来说,是有其认识作用的。

(沈祖棻)

千秋岁　　张先

数声鶗鴂,又报芳菲歇。惜春更把残红折。雨轻风色暴,梅子青时节。永丰柳,无人尽日飞花雪。

莫把么弦拨,怨极弦能说。天不老,情难绝。心似双丝网,中有千千结。夜过也,东窗未白凝残月。

鉴赏

这是一首伤春怀人的词。上片以景为主,融情入景;下片以情为主,融景入情。对景伤春与相思之情,融为一境,主旨是怀人。

起二句从听觉所感写起。几声鶗鴂,又报来了春归花谢的消息。众芳芜秽之感,笼定全篇。《离骚》:“恐鶗鴂之先鸣兮,使夫百草为之不芳。”因为鶗鴂一鸣,春天就归去了。下一“又”字,可知主人公伤春已不是头一遭,而是频年如此。“惜春”句说明尽管众芳衰歇,自己还向凋零的花丛去折残红。惜春之意,缠绵固执,见于言外。然而惜春又有何用?下面二句,极写时令气候之无情。风雨交加,雨点虽轻,“风色”却太狂暴。百花怎禁得起如此摧残?转眼已是梅子青青的时节了。歇拍句与白居易《杨柳词》“永丰坊里东南角,尽日无人属阿谁”字面略同而意境更胜。“永丰柳”即泛指杨柳。园林一片衰谢落寞的景象。柳絮如雪,整日飘飞,触目愈添伤感。说无人,暗示此情此境,唯有自己独自承受这份悲伤而已。

上片写景,蓄势已足。下片转而写情,情愈深厚。换头二句,“么弦”象征自己的孤独。连么弦也莫弹,因为弦传心声,会把极度的哀怨倾诉出来。有恨却不敢诉说,言外有无限难堪之痛。“天不老”等句,是全篇之眼。天不可能老,则情不可能绝。这是以不可能发生的事,誓言爱情的坚贞不渝。语意接近汉乐府《上邪》:“山无陵,江水为竭,冬雷震震,夏雨雪,天地合,乃敢与君绝!”誓言犹嫌未足,又加申说,这也是乐府的写法。两心好比双丝网交织,中有千千结。多少往事,柔情蜜意,都从言外得之。情语已尽,结处转以景语收束。“夜过也”,暗示彻夜不眠的相思。东方未白,夜色犹浓。而一弯残月,却耿耿孤明。这景象,绝妙地象征了主人公在绝望中固执一线希望的惨淡心情。全词有此二句,以景结情,以景喻情,便觉得竟体空灵,含有余不尽之意。

体味全词,词情的背后隐然是一个爱情的悲剧。“心似双丝网,中有千千结”,明言男女双方互相挚爱。“雨轻风色暴”,“又报芳菲歇”,则暗示爱情尤其是女方横遭摧残的命运。在封建社会里,命运与词中女子相同的妇女,不知有多少。《千秋岁》词调的声情,是适合于抒写这种哀怨的。

(宛敏灏　邓小军)

渔　家　傲　　张　先

和程公辟赠别

巴子城头青草暮,巴山重叠相逢处。燕子占巢花脱树。杯且举,瞿塘水阔舟难渡。　　天外吴门清霅路,君家正在吴门住。赠我柳枝情几许。春满缕,为君将入江南去。

鉴赏

张先六十三岁那年(1052),以屯田员外郎知渝州(今四川重庆),不久离任。此词即离任时答友人程师孟之作。师孟字公辟,时任夔州(今四川奉节)路提点刑狱。渝州,宋属夔州路。

上片点染相别的时地境象。起句点时地。渝州,周代为巴子国。“巴子城头”,点出送别的地点。青草萋萋,天色向晚,点明送别的季节、时间。下两句宕开渲染。巴山重峦叠嶂,渲染词人与友相逢相别地方的境象。燕子觅巢,春花辞树,既渲染了分别时节的景象,亦隐喻彼此的一去一留。史达祖《双双燕》:“差池欲住,试入旧巢相并,还相雕梁藻井,又软语商量不定。”写燕子相巢的情状细腻逼真。在这句词里却概括为一个“占”字,让读者去想象。落英缤纷的景色,也只以“花脱树”一语尽之。“脱”字避熟就生,亦有妙趣。相逢在异乡,相别又当春暮。“杯且举”两句,述临歧殷勤劝酒并话及旅途险恶。瞿塘峡,山高水急,自古行舟艰难。暗示双方入川出川之不易,倍增此时的感慨。

下片抒写惜别的情怀。首句言自己所去之地。“吴门”谓苏州,“清霅(zhà)”指霅溪(在今浙江吴兴)。古代交通不便,从四川到江、浙,路途遥远,故觉如在天外。陆游《渔家傲》有句云“东望山阴何处是,往来一万三千里”,“书回已是明年事”,也是写相同的感受。下句点出友人家园所在。宋平江军吴郡和湖州吴兴郡同属两浙路,隔太湖南北相望。从道阻且长写到家乡密迩,不仅上下片意脉连贯,更便于巧妙地为全篇作结。他首先感谢友人的赠柳情深。接着表明珍重这一友谊,要将春意盎然的柳枝带回到彼此的故乡——江南,让它发荣滋长,象征着友谊长青。语言真挚,情意深厚有余。

唐圭璋先生说此词“疏荡有韵”(《唐宋词简释》)。这首词语言清新,一洗纤秾,风格发越,接近古乐府。在张先词中,确是一首创新之作。正如陈廷焯《白雨斋词话》所说:子野有发越处,但发越不似豪苏腻柳,气格近古。此词作于四川,作者行万里路,宜有所得。虽在川时间不长,作词不多,但似为自己的词风注入了新鲜的活力。

(宛敏灏　邓小军)

木　兰　花　　张　先

乙卯吴兴寒食

龙头舴艋吴儿竞，笋柱秋千游女并。芳洲拾翠暮忘归，秀野踏青来不定。　　行云去后遥山暝，已放笙歌池院静。中庭月色正清明，无数杨花过无影。

鉴赏

此词作于宋神宗熙宁八年乙卯(1075)寒食节。这时，居住吴兴(浙江湖州)的词人已是八十六岁高龄。词中描绘出一幅欢乐的寒食春游图，同时又巧妙地表现了老人澄澈的心境。

上片写白天的春游。起句写赛龙船的少年。宋代在寒食有赛龙船的习俗。船小，形状像蚱蜢，装有龙头，故称“龙头舴艋”。下一“竞”字，就描绘出龙船疾驰水上，少年划手争先恐后的热闹情景。下句写打秋千的少女。秋千架用竹制成，称“笋柱”兼示拔地直立的形象。两位少女面对面站在一副秋千上。下一“并”字，打秋千的少女双双在晴空中飞起飞落的欢乐情景，便如在眼前。春游中最吸引人的活动，莫过于少男少女的赛龙船、打秋千。描写春游从此下笔，所以词一开头就有魅力。“芳洲”二句，把视野展向更广阔的春游场面。上句写水边。“芳洲”本指生长芳草的水中小洲，这里泛指水边草地。“拾翠”指拾取翠鸟落在草间的羽毛，用来点缀首饰。妇女们平时深居闺中，今天为春天的大自然所陶醉，以至天色向晚还没想到回城。下句是总写郊原。春天郊游叫踏青。原野上，踏青的人们来来往往，兴高采烈。这是寒食春游图的全景。

下片写月夜的庭院。首句写游女终于散去，远山渐渐沉入苍茫的暮色。“行云”语意双关，说浮云，也用宋玉《高唐赋》语说美女。踏青结束，词境换为庭院。歌舞终止遣散叫放队。放了笙歌，寒食最后一项娱乐也就结束了。庭院此时格外宁静，与此前的热闹形成鲜明对照。结二句，写庭中月光如水，一片清明。溶溶月色中，漫天柳絮轻轻飞过，无声无影。这境象，不但妙在宁静，尤其妙在清明澄澈，正体现了老人清澈的心境。热闹的寒食风俗画面，便收笔于这恬静的一角庭院。返观上片，老人对人间的欢乐，能够欣赏。可是，他更有清澈恬淡的心境是其可贵之处。

晁补之称道“子野韵高”（《能改斋漫录》引），很有道理。如此词之写柳絮，用遗貌取神手法，便写出了柳絮的神韵。清朱彝尊《静志居诗话》对结二句尝叹其工绝，在世所传“三影”之上，也确有见地。词人的名句“云破月来花弄影”，意象较为华美，易为一般人所欣赏。然其“中庭月色正清明，无数杨花过无影”，空灵蕴藉，极妙地象征了老人清澈的心境，却并不下于“云破月来”之句。

（宛敏灏　邓小军）

浣溪沙　张先

楼倚春江百尺高，烟中还未见归桡，几时期信似江潮？　花片片飞风弄蝶，柳阴阴下水平桥。日长才过又今宵。

鉴赏

这是一首思妇怀人之作。上片叙事言情，下片因景及情，层次分明，结构上确如周济所云“无大起落”。但细细咀嚼，“味极隽永”，在平易晓畅之中显现出浓郁蕴藉的情思、丰腴隽永的韵致。

“楼倚春江百尺高，烟中还未见归桡。”首二句叙写思妇深闺怀远，登高倚楼，凝眸春江却望而不见。乍一读来，似乎平直，慢慢体味，颇多婉曲。“楼倚春江”一方面交代楼之所在，且因楼、江而及人，把倚楼人与春江中的“归桡”联系起来；一方面以春江之开阔浩瀚衬倚楼人之孤单冷寂。“百尺高”与“还未见”一呼一应，传写出思妇从低到高，拾级而上，登高骋望，伤高怀远的急切情态与望而不见、思而不得的苦恼和哀怨。“烟中”二字乃点染之笔，它一则是春江景象的具体、形象的描绘，一则是以这迷蒙的春江景象巧妙地烘托思妇伤高怀远、惆怅哀怨的情怀。接下去，“几时期信似江潮”，紧承前面，从叙事言情转而直抒胸臆。此句既扣上“春江”，即景取喻，又暗用唐李益《江南曲》“早知潮有信，嫁与弄潮儿”诗意，进一步刻画思妇的内心活动，写出思妇的痴情、失望与怨恨。“几时”者，何时也。言游子何时能如期而归，如潮之有信期呢？

下片“花片片飞风弄蝶，柳阴阴下水平桥”写眼前景。“水平桥”与上片“江潮”“春江”前后照应，结构严谨。“弄”“下”两个动词下得极妙，用拟人手法把景物写活了。在思妇眼前，庭院池塘，小桥流水，春风杨柳，飞花舞蝶，自然界充满生机，和谐惬意。然而这一切非但不能引起她的愉悦，反而增添无穷的哀怨。因为她块然独处，触景伤情。看飞花舞蝶亲昵作态则增人不如物之感，见杨柳青青之色则添“悔教夫婿觅封侯”之情。因此，此二句写的是眼前景，绘的实是心中情，是以景绘情。而最后“日长才过又今宵”更由景及情，更深一层地写思妇的离别相思之苦。它是思妇在伤感苦恼中发出的百无聊赖的喟然长叹，而在这一声长叹中，又把思妇的伤感、苦恼从白昼延续到春宵。全词写到这里戛然而止，但却给读者留下了充分想象的天地，收到了言尽而意未尽的艺术效果。

（张逸群）

青门引　　张先

乍暖还轻冷，风雨晚来方定。庭轩寂寞近清明，残花中酒，又是去年病。　　楼头画角风吹醒，入夜重门静。那堪更被明月，隔墙送过秋千影。

鉴赏

此词《花庵词选》题作“春思”，《草堂诗余》又作“怀旧”。内容主要抒写暮春时节的寂寞心情。

起笔二句，言春天气候变化不定。“乍暖”，是一层；忽变为“轻冷”，又是一层；“轻冷”是伴随风雨来的，到傍晚风雨住了，这又是一层。层次细密，见出主人公的敏感。所以如此，正暗示着他的孤独。“庭轩”句点出时、地。下“寂寞”二字，便将此时此境苦闷难以为怀、一任天气变化侵逼的种种况味传出。歇拍二句，写春残花落，为了借酒浇愁，不觉过量（即中酒，中读去声）。重现了去年此时此情此境。频年如此，情何以堪！“病”字虽承上句中酒来，但不一定单纯理解为病酒，亦可寓有伤春、伤别之意。与晏几道《临江仙》“去年春恨却来时”句意略似而“病”字更为深刻。

换头写画角声声，凉风阵阵，将醉中人惊醒。“画角”，为听觉所感；“风”，为触觉所感。两种感觉并至一身，所以为之惊醒。醉酒本为逃愁，偏偏连片时的醉乡也稳不住。下面写酒醒后的庭院，所感较傍晚时更有难堪之处。夜色中重门掩闭，正象征了闭塞难通的苦闷心境。在这样苦闷的时刻，忽然看到清朗的月光隔墙送来秋千的影子。睹物怀人，人不可遇；连秋千也不可近，一墙之隔，便如隔山。“那堪”两字有力地表明愁思痛苦之深。

沈际飞评此词云：“怀则自触，触则愈怀，未有触之至此极者。”（《草堂诗余正集》）这首词正是善于把愁怀与感触交织起来，互相生发，又打成一片，以极写寂寞苦闷。故沈评强调其描状各种感触的特色。又黄蓼园谓：“末句那堪送影，真是描神之笔，极希微窅渺之致。”（《蓼园词选》）作者把感物兴怀、物亦可望而不可即的触目伤心感觉、心理，全都传了出来。这样作结，确实出人意料，意味也就更为深厚。

（宛敏灏　邓小军）

满　江　红　　　　张　先

飘尽寒梅，笑粉蝶、游蜂未觉。渐迤逦、水明山秀，暖生帘幕。过雨小桃红未透，舞烟新柳青犹弱。记画桥、深处水边亭，曾偷约。　　多少恨，今犹昨；愁和闷，都忘却。拚从前烂醉，被花迷着。晴鸽试铃风力软，雏莺弄舌春寒薄。但只愁、锦绣闹妆时，东风恶。

鉴赏

这是一首追怀旧情的词。《花庵词选》题作“初春”。全词分三层。上片为第一层，回忆初恋的时节及欢情。换头四句为第二层，写现在缅怀旧欢的感受。以下至结笔为第三层，又进入追忆之中，并暗示了这段爱情的悲剧性结局。

起二句写时令。寒梅飘尽，春天到了。可是，粉蝶蜜蜂还不知道，极言初春之早，也隐喻早期恋情尚未为他人察觉。接着描写春意渐浓。连绵的山水明秀，室内也帘幕生暖。经过春雨滋润，小桃初放，还没有红透；和烟轻舞的新柳，袅袅青青。词篇至此，写景蓄势已足，便转写当时的情事。歇拍二句，写在这样美好的初春里，自己曾与情人悄悄约会在画桥深处的水边亭上。说“记”、说“曾”，使读者这才明白上边所写情景，都不是现在，而是追忆。上边极写春光之美，尤其是小桃新柳的特写，皆非闲笔。不仅烘托了在这春天里成长的爱情的美好，也暗暗象征了那位女子的豆蔻年华和美妙神貌。

换头立足于现在，写出缅怀旧欢的感受。欢情已成为过去，留下的自然是无穷的痛苦。可是，至性深情的主人公一旦沉湎于往事，却又好像进入昔日的情境，以致不禁忘却眼前的凄凉寂寞。主人公的痴情，心上人的可爱，都在言外。下边两句，写当时自己的热恋程度，又跌进追忆。那时对她迷恋得那么深，开怀畅饮，竟至于不惜拼个烂醉。“晴鸽”二句，正面描写女子的出色，道出主人公痴情迷恋的原因，这是全词的画龙点睛之笔。词人写她的出色，并不在于美好的容貌，而是着力写其超群才艺。用了两个优美的意象来比喻，并描绘出美妙的境界加以映衬。像晴空中飞翔的鸽子，从云端里，从微风中，传来一声声悦耳的铃声。又像调舌的幼莺，透过还带点轻寒的空气，送来一声声婉转娇啼。歌声如此动听，怎能不令人倾倒！全词至此，进入高潮，这是爱情故事的高潮，也是词情推进的高潮。结二句，陡然跌入低潮。怕的是：在“锦绣闹妆”的春光里，无端东风作恶。戛然而止，暗示爱情将要横遭摧残的悲剧结局。这是人事的结局，也是词篇的尾声。主人公对爱情的执著不舍、缠绵悱恻，尽在余音袅袅之中。惟其如此，全词就更富于悲剧性，也更耐人寻味。

此词的艺术特色，在于它的结构精巧。张先，是北宋词史上一位承先启后的词人，上结晏、欧之局，下开周、秦之先。他作了不少长调，开拓了词体的领域，又扩大了作词特别是慢词的手法。如此词，在结构上，打破了爱情发展的时间顺序，交替运用追忆——现境——追忆的错综安排，收到了抒情中含有故事意味的效果。

（宛敏灏　邓小军）

浣　溪　沙

晏　殊*

一曲新词酒一杯，去年天气旧亭台，夕阳西下几时回？　无可奈何花落去，似曾相识燕归来。小园香径独徘徊。

作者

＊晏殊(991—1055)，字同叔，抚州临川(今属江西)人。少以神童召试，赐同进士出身。出仕真宗、仁宗两朝，官至同平章事兼枢密使。范仲淹、韩琦、欧阳修等都出自他的门下。晏殊一生富贵优游，所作多为歌酒风月、闲情别绪，而笔调闲婉，理致深蕴，音律谐适，词语雅丽，是北宋词坛上的重要词人。有《珠玉词》。

鉴赏

这篇短小的令词，字面上明白如话，但历来人们对其内容的理解颇不一致。细玩全词，虽含伤春惜时之意，但实是抒怀人之情，尽管通篇没有着一句怀人之语。上片的“天气”“亭台”“夕阳西下”，因有“去年”二字，而为今昔之所同。为了突出去年欢宴情景的难忘，“一曲新词酒一杯”一句，领先前置，加重了念昔的分量。曲曲新词，杯杯芳酒，此中有当年唱者的动人，听者的动心，更有不能言传的动情场景。而今，暮春的天气，曾经晤聚过的亭台，分手时的夕阳西下景象，一切都与去年无殊。然而，“几时回”三字，却道出了今昔的迥异：去年人在，听歌饮酒，何等欢愉；今日景象如旧，人却杳然，岂能不令人触目神伤？在“几时回”的喃喃呼唤中，吐露了难以藏抑的怀人之情。

上片绾合今昔，叠印时空，重在思昔；下片则巧借眼前景物，着重写今日的感伤。“无可奈何花落去，似曾相识燕归来”，两句对语精警工整，是晏殊的得意之句，被后人赞誉为“天然奇偶”（杨慎《词品》）。“无可奈何”，是多方护持而终竟无力挽转的叹惋；“似曾相识”，则是似是而又非全是的恍惚之感。“花落去”“燕归来”，是现实生活中常见的景，但一经与“无可奈何”“似曾相识”组合以后，普通的花、燕已非具体的确定的花、燕，而变为某种美好、熟悉的事物或感情的象征。“花落去”，可以是指芳春的匆匆归去，但又何尝不是惋惜美好生活的消逝；“燕归来”，固然可以看成是燕子回归旧巢的实际描写，但也可以是故地陈迹所引起的依稀之感。两句借物传意，融情入景，花落燕归之中，寄蕴着花落事已去、燕归人未归的深沉慨叹。其实，人生的盛衰浮沉，生死聚散，不也如同花开花落；抚昔怀旧，前尘影事，岂非如梦似幻？“无可奈何花落去，似曾相识燕归来”，靓姿幽芳，飘逝无回，去者何其无情；残踪剩影，朦胧仿佛，遗存者又何其有情！这两句看似写实，却包含极为丰富之内容，实中有虚。最后以“小园香径独徘徊”作结，落英缤纷，残红满径，孤身只影，踯躅徘徊，是在去年携手同游的小径上再寻故迹，也是重温旧梦，往事隐约，新愁迷蒙，句中着一“独”字，点醒题旨，翻看前面的听歌、饮酒、天气、亭台、夕阳、落花、归燕，等等，无一不是“独徘徊”中所见、所忆、所感。全词没有香艳之语，不见雕琢之迹，却自然媚婉，笔姿摇曳，情韵动人。

（钟　陵）

浣　溪　沙

晏　殊

小阁重帘有燕过，晚花红片落庭莎，曲阑干影入凉波。　　一霎好风生翠幕，几回疏雨滴圆荷。酒醒人散得愁多。

鉴赏

宋仁宗庆历八年（1048）春，晏殊以故相之尊移知陈州（今河南淮阳），于西园隙地种植莎草，并作《庭莎记》一文，叙写自己“偃藉吟讽，无施不谐”的闲适自得之情，这首词也当是同年的春夏间所作。

词的上片，写闲适中所见。“小阁重帘”，居处孤高深静，恰是闲适之境。燕子本是阁中之物，酒酣人喧，心绪纷繁，哪里有暇顾及燕子，所以虽有若无；酒醒人散，环境闲静安适，才觉有燕子穿飞。燕子的有无，反映了物境、心境的变化，同时也暗示出人的心绪的流动，眼光的移转。“晚花红片落庭莎”，“晚花”，迟花、残花。“红”是色彩，“片”是形状。晚花片片飞红，与绿色的庭莎相映，色调对照十分鲜明。“曲阑干影入凉波”，黄昏时间，阑影斜映入波，透示出词人观察之细致，心情之闲逸。上片所写的小阁燕过、花落庭莎、阑影入波，这由内到外、自上而下、从空中到水面的视线变化，一系列图景的移转推现，需要多少时间去注视，需要何等雍容闲暇的心情！

下片的“一霎好风生翠幕，几回疏雨滴圆荷。酒醒人散得愁多”，写身上所感，耳中所闻。“好风”，是使人感觉舒适的轻风，词人从翠幕中溢散出的丝丝凉意，敏锐地察觉到好风之来。疏雨之声细碎，而疏雨飘滴新荷之声更为轻微，词人能够听到，而且能够“几回”听到，说明聆听之久，心境之闲。最后以“酒醒人散得愁多”一句叫醒全篇，表明前五句所写都是酒醒人散后的景象，而“得愁多”就是这一系列闲静景象所引起的缕缕愁绪。全词以动态的景象、声音，反衬闲静的境界和心情。燕过、花落、阑影的画面之外，隐露出一双闲静中人物的目光；疏雨飘洒新荷的细声，自然地显现了词人凝神聆听的神态。翠幕风生添轻寒，疏雨荷声增寂寥，在一片闲静气氛中荡漾着淡淡的哀愁。作者感受细腻，笔调婉雅，表现了独特的情趣。

（钟　陵）

浣　溪　沙

晏　殊

一向年光有限身，等闲离别易消魂。酒筵歌席莫辞频。　满目山河空念远，落花风雨更伤春。不如怜取眼前人。

鉴赏

这首词抒写离别之情。一开始就以“一向年光有限身”的慨叹领起。“一向”，一霎，形容年光、岁月的迅疾，一切都在急速的移转变化之中。时不待人，而人生又复有限，两者相较，就更显得浮生的短暂。“等闲离别易消魂”，何况还要添上无端的离别，岂不令人觉得分外难堪！两句所写的时光倏忽、生命有限，以及蓦然分别，都是人生怅恨之事。“酒筵歌席莫辞频”，急管繁弦，浅斟低唱，看似沉浸于歌酒风月的欢娱，恣情地及时行乐，但与前两句联系起来看，这一句所写的实际是苦中作乐，“莫辞频”的连杯狂饮中，蕴含着难以抑制的感伤。

“满目山河空念远，落花风雨更伤春”二句，紧承上片，进一步抒写离情，但境界却陡然一变。“满目”句从李峤“山川满目泪沾衣”句化出，李诗纯写眼前景情，晏殊这里所写的“满目山河空念远”，既是指当前的关山远别，倍增离思；同时也是说今后的关山远隔，更添愁情；而今日一旦分别，他日纵然相望相思，念远怀人，但因关山梗阻，一切也是徒然，含意层深，境界开阔空远，情调高亢悲凉。“落花风雨更伤春”，花落，是春将匆匆归去，而风雨使春去更加匆匆，这一风雨肆虐、万花零落的凋残景象，常常会触动人们惋惜繁华遽逝的哀伤之情，景象凄美，感情缠绵。念来日之远隔，则衬以山河满目，感分别之在即，则衬以风雨落花，情景映照，相得益彰。两句中的“空”字、“更”字，前后呼应，“更”是“念远”再加上一层“伤春”，形成双重感伤的组合，加浓了感伤气氛；“空”兼指“念远”、“伤春”都是徒然，是反复体认后的自我悟识。结拍“不如怜取眼前人”一句，用《莺莺传》诗：“还将旧来意，怜取眼前人。”反映了词人在感情矛盾中的自我挣扎，它是一种无可奈何的强自慰解的选择：与其忍受伤春惜别、念远怀人的痛苦煎熬，倒“不如怜取眼前人”。

就这首词的表面意思，可以理解为念远伤春，因而对眼前人更增怜惜之情，但词中“满目山河”“落花风雨”的形象，与“空念远”“更伤春”的惆怅哀伤之情组合在一起之后，却触引人去联想与此仿佛的人生理想追求的渺茫、生活道路的坎坷。晏殊词所以能引起不同角度的理解和感受，这是因为他所写的不只是含义狭窄的表面现象，而是含蕴丰富的意象，具有比较深广的现实生活体验，这种理致深蕴的特色，使晏殊词更加耐人寻思。

（钟　陵）

蝶恋花　　晏殊

槛菊愁烟兰泣露，罗幕轻寒，燕子双飞去。明月不谙离别苦，斜光到晓穿朱户。　　昨夜西风凋碧树，独上高楼，望尽天涯路。欲寄彩笺无尺素，山长水阔知何处？

鉴赏

这首词也是写离别相思之情，时间由夜到晓，地点由室内、室外而到楼上。

上片写词人在清晨时对于室内、室外景物的感受，由此衬托出长夜相思之苦。首句写景物，不但点明了时令——秋天，并且描绘了环境的幽美，借以暗示人物的闲雅。菊而曰“槛菊”，则是在庭院廊庑之间。菊花笼着轻烟，兰花带有露珠，则是在清晓。用“愁”来表达菊在“烟”中所感，用“泣”来解释兰上何以有“露”，说的是菊与兰的心情，实际上是通过菊与兰的人格化，来表明人的心情，亦物亦人，物即是人。这一句只有七个字，但却写出了景物、地点、季节、时间和人物的情绪、感觉，没有一个字是多余的，或可有可无的，可谓精练。假如我们将这一句写成“黄菊初开兰蕊吐”，同样是写了秋天的景物，写了菊、兰，可是形象和意境就单薄多了。即使只改成“槛菊含烟兰带露”，那也不成，因为两字之差，就抽掉了恰恰是词人所要着重表达的对景生情这一点。它就不能一开头便笼罩全篇，使读者即时体会那种充满了离愁别恨的气氛。

第二三句写清晨燕子从帘幕中间飞了出去。古代富贵人家，堂前多垂帘或幕。燕巢梁上，进出必须穿过帘幕。“轻寒”，是新秋早晨的气候，而“双飞”则反衬人的孤独。一清早，燕子自管自地穿过帘幕，双双飞走了，却不顾屋里还有一个孤独的人，就含有燕子无情之感，从而暗中过渡到下文对明月的公然埋怨。

第四五句写在天亮以后，还有残月的余辉斜射房中，因而回想起昨夜的月光，竟是这样地整整照了一夜，使人无法入梦，直到现在,它还不肯罢休。它之所以这样,不正是因为不知道离别的痛苦吗?这种无理的埋怨,正是无可奈何的心情的表现。明月本是无知之物,可是作家却赋予它以生命和感情,使它为自己的创作意图服务。所以同一明月,晏殊可以说“明月不谙离别苦,斜光到晓穿朱户”,而张泌则可以说“多情只有春庭月,犹为离人照落花”(《寄人》)。同一杨柳,刘禹锡可以说“长安陌上无穷树,唯有垂杨管别离”(《杨柳枝》),而韦庄则可以说“无情最是台城柳,依旧烟笼十里堤”(《台城》)。但不管作家的感觉如何,这种艺术手段总是可以使景与情交织起来,从而更具体和深刻地表达他们自己的心情。

下片写这首词的主人公,也就是作者,经过一夜相思之苦以后,清晨走出卧房,登楼望远。当他“独上高楼”的时候,最先收入眼底的是一片空阔,连远到天边的路也可以看到尽头,什么遮拦阻隔都没有。于是才回想起昨天那个不眠之夜里所听到的风声、落叶声,恍然悟出,是昨夜西风很强劲,一夜之间,把树上的叶子都吹落了。“高楼”伏下句“望尽”。“独上”是说人之寂寞,与上“燕子双飞”对照。三句总写登高望远,难遣离愁,境界极为高远阔大,与旧题李白《菩萨蛮》“平林漠漠”等四句相近。

结两句承“望尽”句来。虽“望尽天涯路”,终不见天涯人,那么,相思之情,只有托之于书信了。然而,要写信,又恰恰没有信纸,怎么办呢?这里“彩笺”即是“尺素”。一个家有“槛菊”“罗幕”“朱户”“高楼”的人,而竟“无尺素”,这显然是他自己也不相信的、极为笨拙的推托。而其所以写出这种一望而知的托辞,则又显然出于一种难言之隐。比如说,她是否变了心呢,或者是嫁了人呢?他现在是无法知道的。所以接着又说,即使有尺素,可山这样连绵不尽,水这样广阔无边,人究竟在什么地方都不明白,又何从去寄呢?这两句极写诉说离情的困难和间阻,将许多难于说,或不愿说的情事,轻轻地推托于“无尺素”,就获得了意在言外、有余不尽的艺术效果。一本“无”作“兼”,则是加重语气,说是寄了“彩笺”,还要寄“尺素”,以形容有许多话要说,义亦可通,但不如“无”字的用意那么曲折、深厚。

作者另有一首《踏莎行》云:“碧海无波,瑶台有路,思量便合双飞去。当时轻别意中人,山长水远知何处?绮席凝尘,香闺掩雾,红笺小字凭谁附?高楼目尽欲黄昏,梧桐叶上潇潇雨。”拿来和本词一比,我们就可以看出,其主题、题材、人物、景色、情事无不相同或极其相似。然而,在晏殊的笔下,这两首词却各自成为一个完整的、不可重复的艺术形象。古典作家这点本领,很可供我们借鉴。

（沈祖棻）

清平乐　　晏殊

金风细细,叶叶梧桐坠。绿酒初尝人易醉,一枕小窗浓睡。　　紫薇朱槿花残,斜阳却照阑干。双燕欲归时节,银屏昨夜微寒。

鉴赏

全词以景写情,秋色明丽之中,暗含悲秋之情。

"金风细细,叶叶梧桐坠",金风,就是秋风,作者不是一般地叙说,而换以具有色彩感的描述。"细细",形容风力的轻微,但毕竟是萧瑟的秋风,所以梧桐临风而坠叶。俗语说:"一叶落而知天下秋。"梧桐的"叶叶"飞坠,说明秋意已深,二句点出季节特点。风的细细,叶的片片,是人的察觉和感知,反映出人的心情的闲适和恬静。然而,"情以物迁"(《文心雕龙·物色》),秋声秋色,自然会引起人的秋情秋感。"绿酒初尝人易醉,一枕小窗浓睡",绿酒飘香,正应痛饮,却"初尝人易醉",似乎是不胜酒量,其实并非绿酒的醉人,而是因秋而来的秋情使人自醉,"一枕小窗",无聊浓睡。字面上无一字明说,只是从人物的动作、神态中,含蓄地表现出人物内心的感情活动。

"紫薇朱槿花残,斜阳却照阑干",紧承上片,写浓睡醒来所见的庭院景象。紫薇、朱槿夏秋间开花,颜色鲜艳,深秋逐渐凋谢。"花残",是美好者消逝;"斜阳却照",是无限怜惜和眷恋之情。是斜阳惜花,也可能是斜阳自惜,眼前的景物都处在迅速的变化和即将消逝之中。"双燕欲归时节,银屏昨夜微寒",委婉点出燕归的深秋时节,同时以双燕之去、银屏生凉,暗衬出孤独寂寞的情怀。全词借景抒情,"情景相副,宛转关生,不求工而自合"(先著《词洁》),自然细腻,情致动人。

词中所摄取的都是细小的景物,"细细"是风的细轻,"叶叶"是落叶的细碎,"初尝"是酒的细饮。笔触也极为细致:斜阳是"却照”，双燕是“欲归”，银屏则是“微寒”。语气、程度、分量上，都极见斟酌推敲之功。有些事物看起来很平凡，但在作者的笔下却寓意幽微，花残、叶落、燕归，写的是季节之暮；斜阳投照阑干，写的是一日之暮；而绿酒初尝易醉、小窗独自浓睡、银屏昨夜生寒，则是因秋而来的节序代换、岁月流逝之感，写的是人生之暮。所写的事物虽都细小，然而却妙，“虽小却好”（刘熙载《艺概·词曲概》），细小的事物，细致的笔触，却巧妙地表现了细腻的感情，细微的意蕴。这首词的另一特色是善于敷彩设色，“绿酒”“紫薇”“朱槿”，绿酒荡漾，朱紫纷呈，相映成趣，其他如“金风”“银屏”，以及梧叶的飘黄，斜阳的落红，或是明点，或是暗写，色彩各异，明丽斑斓。

（钟　陵）

踏莎行

晏　殊

细草愁烟，幽花怯露，凭栏总是销魂处。日高深院静无人，时时海燕双飞去。　　带缓罗衣，香残蕙炷，天长不禁迢迢路。垂杨只解惹春风，何曾系得行人住？

鉴赏

晏殊的词一般都写得凄婉而且温润，不为激言烈响的劲切之辞，而却极其富于深微幽隐的感发之作用，这首《踏莎行》词，便是颇能表现出此种特色的一首好词。开端“细草愁烟，幽花怯露”，表面上看来只是景物的叙写：小草上的烟霭迷蒙，花蕊上的露珠泫照。所写都是外在的景象，而内含的却是极锐敏的感受。他所用的“愁”字和“怯”字，表现了极细腻的情思，且与形式上细密的对偶形式完美地结合为一体。你看，春天里，那些细草在烟霭之中仿佛是一种忧愁的神态，那朵幽花在露水之中仿佛有一种战惊的感觉。用“愁”来表达草在烟霭中的感受，用“怯”来描写花在晨露中的感受，表面上说的是花和草的心情，实际上是通过草与花的人格化，来表明人的心情，亦物亦人，物即是人。晏殊另一首《蝶恋花》之“槛菊愁烟兰泣露”句,可以与此相参看,境界相同,只是一个是秋景,一个是春景,但同样是在细小的形象中,表现了观察之纤细、幽致、锐感和善感的诗人特质,投注了他细腻幽深的情思。下面一个七字长句“凭栏总是销魂处”,是前两个四字短句的总结,是感情上的一个总的叙述。这个结句告诉你:“细草愁烟,幽花怯露”,是诗人靠在栏杆上所见到的景物。凭栏远眺是常人的习惯,但人人都凭栏,人人都看风雨,人人都看江山,人人都看草,人人都看花,却唯有晏殊看到了细草在那春天的烟霭中有忧愁的意味,小花在晨露中有寒怯的感觉,并且竟触发他感到“销魂”。你说“销魂”,不是悲哀愁苦才销魂吗?可是晏殊却只因草上的丝丝烟霭的迷蒙,花上的点点露珠的泫照,就能“销魂”,这才更显出情意的幽微深婉。后面紧连两个七字句把上片总结起来:“日高深院静无人,时时海燕双飞去。”前面由写景转而写人,这两句则是以环境的衬托进一步写人。“静无人”,实是有人,有一个凭栏销魂的人在。“日高深院静无人”的环境,衬托着人的寂寥。“时时海燕双飞去”,则是以“海燕双飞”反衬人的孤独,海燕是双双飞去了,给孤独的人却留下了一缕绵绵无尽的情思,在“日高深院”里萦回盘旋,渲染出一种孤寂之中的深沉的怅惘。

下片“带缓罗衣,香残蕙炷”,由上片的室外转向室内,仍在写人。《古诗十九首》曾云“相去日已远,衣带日已缓”,写因怀念远去的人而消瘦、憔悴,这里的“带缓罗衣”,以衣服宽大写人的消瘦,也暗示着离别。“香残蕙炷”,“蕙”是蕙香,一种以蕙草为香料制成的熏香,古代女子室内常用;“残”是烧残;“炷”是香炷,即我们常说的“一炷香”的“炷”。“香残蕙炷”是写室内点的蕙香,一段段烧成残灰,这又暗示着室内之人心绪的黯淡。秦观《减字木兰花》上片云:“天涯旧恨,独自凄凉人不问。欲见回肠,断尽金炉小篆香。”以断香比拟自己内心千回百转的愁肠已然断尽,比拟自己的情绪的冷落哀伤,可以在这里作注。但晏殊并没有像秦观以“篆香”比“回肠”这样清楚地表明自己内心之情,他只是客观地写出“带缓罗衣,香残蕙炷”,不明显,不激动,很含蓄。一般人念起来,因为很容易读懂,所以会一带而过,不再去作深一步体会。但晏殊的词是非细心体会不可得其妙处的,一读而过,他有多少离别相思的情意因为没有直说便会被你忽略了,岂不是入宝山而空手归的憾事?《古诗十九首》所说的离别相思、秦观《减字木兰花》所写的愁肠断尽，都说出了各自的原因，《古诗十九首》里是因为离别的人“相去日已远”，结果才“衣带日已缓”；秦观是因为“天涯旧恨，独自凄凉人不问”，结果才断尽了回肠。而晏殊却没有说。那么，他那一份怅惘怀思的情意，就果真是指现实的人与人的离别、怀念、相思吗？唯其不直说出来，所以才不受个别情事的拘限，才会使你想到整个人生该有多少值得你相思怀念的美好的情事，该有多少美好的人、事、物值得你交托、投注你的感情！这两句给人无限深远的想象与联想。

我们再接着看下一句的“天长不禁迢迢路”，这是一个长句，为上两句作结，与上片的前三句句式相同，两个对偶的双式紧接一个单句，严密而完整。“不禁”是不能阻拦。“天长”与“迢迢路”，是上面天长，下边路远，二者结合得很好，天长路远，这是没有什么办法阻拦的。“不禁”二字，所表现的是对已消逝的远去的一切无法挽回的哀伤。紧接在“带缓罗衣”的思念与“香残蕙炷”的销磨之后，更增加了对于已经失落的无可奈何之感。结尾两句“垂杨只解惹春风，何曾系得行人住”，以疑问的口吻出之，问而不答，留下了无尽的情意。杨柳柔条随风摆动，婀娜多姿，在晏殊看来，这多情、缠绵的垂柳，不过是在那里牵惹春风罢了，千条万缕的杨柳柔条，虽然从早到晚不住地摆动，但它哪一根柔条能把那要走的人留住？哪一根柔条能把那消逝的美好的往事挽回？这里象征着对整个人生的无可奈何的深刻感受，其中寄托有极深远的一片怀思怅惘之情，是要仔细吟味，才能体会得出的。

可能会有人认为，晏殊这里无非是表现了一种伤春的情绪，欣赏起来，于现实并无怎样重大深远的意义。当然，我们这里欣赏晏殊的词，并非是要大家同去伤春落泪，而是在晏殊的伤春情绪中，实在是有一种对时光年华流逝的深切的慨叹和惋惜存在，而且更在极幽微的情思的叙写中，流露出了很深挚又很高远的一份追寻向往的心意，这种情意，虽然表面看来也许只不过是伤春怀人之情而已，但是隐然间却可以使读者的心灵感情感受到一种提升的作用，这种言外的引人感发联想的作用，正是词这种韵文所最值得注意的一种特质和成就。而五代时南唐的冯正中，和北宋初年的大晏、欧阳，则是在这方面表现得最富于高远深厚之含蕴的几位作者。

（叶嘉莹）

踏 莎 行

晏 殊

小径红稀，芳郊绿遍。高台树色阴阴见。春风不解禁杨花，蒙蒙乱扑行人面。　　翠叶藏莺，珠帘隔燕。炉香静逐游丝转。一场愁梦酒醒时，斜阳却照深深院。

鉴赏

这首词，黄昇《花庵词选》题作"春思"，全词写晚春景象，表现了春愁的主题。

上片描绘如画的春郊景色：近处缀点残红的小路，远处一片绿色原野，绿树浓荫中隐现的楼台，空中蒙蒙的飞絮，自近而远，由低到高，境界不断拓宽并渐趋虚灵，感情的色彩也逐步加深。一幅晚春景色，虽然含有春之将尽的感伤，但这是生长中的谢落，繁茂中的凋零，是浓浓绿意之中的淡淡红情，仍然显得生意盎然。作者的感情不是直接的袒露，而是托寄于对春风的怨恨，"春风不解禁杨花，蒙蒙乱扑行人面"，既怨春风不禁杨花而引起春去的感伤，更怨春风不禁杨花而触动离怀。杨花的蒙蒙，是春天消逝、行人离别的象征，怨责春风，看似无理，但却有情。"无情最是台城柳，依旧烟笼十里堤"（韦庄《台城》），怨物的"不解"和"无情"，都是为了更有力地衬出人的多情。

下片转写院落景象。"翠叶藏莺，珠帘隔燕。炉香静逐游丝转"，树浓叶密，莺声隐约不清；楼深帘垂，燕子分隔难见，自外而内，由远而近，自然的景物逐步转换为人物的环境，室内轻灵淡薄的炉香，缕缕不绝，丝丝回旋，袅袅上升，并高与空中飘荡的游丝相接。轻柔细淡的物态，既表现出境界的闲静，更反映了人的空灵缥缈的心理状态。"几时心绪浑无事，得及游丝百尺长"（李商隐《日日》），作者的心绪外化为细淡若无的炉香，仍然系连空中的游丝回转，细腻地反映了词人对春天即将消逝的关切和眷恋。结拍"一场愁梦酒醒时，斜阳却照深深院"二句，最后点示"愁"字，写伤春伤别的惆怅，春去人离，所以愁而饮酒，以至醉梦，但最难堪的还是酒醒梦回后的旧愁未消，新愁更生。深院静，小庭空，自有一种寂寞情怀。斜阳映照下的景物，闪烁着动人的光辉，它使人留恋，更引人思索：春的匆匆归去，人的无端离散，斜阳也将在转瞬间坠没，一切都在变化、消逝之中。景境朦胧凄清，词人的心境也如炉香斜阳一样的幽微迷茫。

（钟　陵）

山　亭　柳　　晏　殊

赠　歌　者

家住西秦，赌博艺随身。花柳上，斗尖新。偶学念奴声调，有时高遏行云。蜀锦缠头无数，不负辛勤。数年来往咸京道，残杯冷炙漫销魂。衷肠事，托何人？若有知音见采，不辞遍唱《阳春》。一曲当筵落泪，重掩罗巾。

鉴赏

这首词在晏殊词中是一种变调，与他平时不为激言烈响的温润的风格颇有不同，因为这首词表现了一种颇为激切的感情，这在晏殊词中是一种例外。而同时这首词前面还加了一个“赠歌者”的题目，这在晏殊一贯并无标题的小词中，也是一种例外。

有些诗人、词人，喜欢把激动的感情明显、直接、强烈地表现出来，喜欢把自己血淋淋的伤口展露给别人看。晏殊作为一个理性词人，有了痛苦也不肯把血淋淋的伤口毫无遮掩地呈现给别人看，而是深藏起来，只借某一件情事曲折地表达。所以我们以为这首词表现出的激情和加一个“赠歌者”的题目这样两个例外，结合起来又表现了晏殊词里一个值得注意的特色，即是“借他人酒杯，浇自己块垒”（郑骞《词选》），迂回地表达了自己激动不平的心情。那么，晏殊为什么有如这首词里所表现的激动和不平的心情呢？我们知道，晏殊曾因为在仁宗朝给李宸妃撰写墓志，未言及宸妃生仁宗之事，而被贬出，辗转在颍州、陈州、徐州各地任职，后来又曾“知永兴军”。这件宫闱秘事即是戏曲中《狸猫换太子》所依据的史实：宋真宗时，他的一位妃子——李宸妃怀孕了，而刘后未孕也假说有孕在身，当李妃产下一子之后，刘后即勾通宦官，抱走了李妃之子，并谣传李妃生的是个怪胎，使李妃失宠于真宗。而刘后抱养的李妃之子，就是被立为太子以后承继了帝位的仁宗。显然，这是封建宫廷中的皇后、妃子争宠，以保存自己的牢固地位。晏殊被真宗朝这件宫闱秘事牵涉，是在仁宗继位之后的事。当时李妃死了，仁宗命宰相晏殊为李妃撰墓志，由于刘皇后尚健在，晏殊没敢把仁宗是李妃所出这件史实记在李妃的墓志中。其实当时尽管许多人都在传说、议论着宫闱秘事，但却没有人敢直接说出来。不只是晏殊，换了别人撰写李妃墓志也不敢直接揭露此事。可是当刘皇后死了，大家都敢说这件事了，也不复再是宫闱秘事了，于是就有人对仁宗指说晏殊在当初撰写李妃墓志时不敢直言，于是晏殊就被贬了。另外，晏殊还曾驱使官兵为自己大兴土木，建置官舍。这在宋代官吏中本是极普遍的，但也成了晏殊被贬的一个罪名。从《宋史》晏殊的传记看，晏殊被罢相贬出，很多人同情他，以为“非其罪”，所以晏殊本人当然有更为激动不平的心情。

晏殊的词集名《珠玉词》，这与他的词的圆柔、温润的风格特色是很相称的。出现《山亭柳》这样一首特殊风格的词，是晏殊词风格的一个变调，自有它独特的、多种的形成因素。台湾出版的郑骞所编的《词选》，以为“此词云‘西秦’‘咸京’，当是知永兴军时作，时同叔年逾六十，去国已久，难免抑郁”。这种写作的背景和心情，自然是使这首词形成如此激越之风格的重要因素；而另外则就其标题之“赠歌者”来看，则当时也应该确实有一个歌者，曾经以她的身世经历引起了晏殊的感动和共鸣，因而才有此感慨激情。但晏殊毕竟是理性的，他依然对如此冲动的感情作了反省、节制和操持，采取了适当的安排和处理，即以“赠歌者”的题目，艺术地把自身与感情拉开一段距离，像演双簧一样，自己站在幕后，让歌女站在台前表演，自己浓烈的感情，变成歌女的台词抒发出去，传达感染于人。白居易《琵琶行》描写的琵琶女和诗中“同是天涯沦落人，相逢何必曾相识”，“坐中泣下谁最多，江州司马青衫湿”的感情境界，可以与晏殊这首《山亭柳》中的情事相参看，大有异曲同工之妙。

晏殊《山亭柳》词的变调，要结合两点特色来看：一个是激动的感情，为一变；再一个是以“赠歌者”的题目把感情的慷慨激昂推远一步，又为一变。这两个“变”的结合，有如代数中的“负负为正”一样，使这首《山亭柳》词与晏殊《珠玉词》中的风格特色相反相成，并未破坏晏词风格的统一。

下面我们具体欣赏讲析词的内容。

首句“家住西秦，赌博艺随身”，是歌女自述的口气，是自信、自负的。“家住西秦”是写实，因为下面有“数年来往咸京道”的句子，歌女当是住在陕西。“赌”是比赛竞争之意，读时要将此一字单独顿开，读成“赌——博艺随身”。这两句是歌女述说自己的出身，自言具有多种浪漫的艺术技能，敢和人比赛、竞争。有些版本写“博”为“薄”，以为既可以免除字面上“赌博”的误会，又能讲为歌女的自谦之词，说她自己有一点微薄的技艺随身。自谦，说自己有点薄技不敢随便献丑，这是一般的常情，合于一般人的情理，但是在这里却不恰当。因为下面“花柳上，斗尖新。偶学念奴声调，有时高遏行云”，都是歌女十分自负的口气。而且说成自谦在字面上虽然讲得通，但却与整个词的内容意义相悖。“花柳上，斗尖新”，“花柳”，代指一切歌舞艺术才能技巧。“斗”，仍是竞赛之意。“尖”是高处，是过人之处。“新”，不是陈陈相因的旧套。合起来，这是歌女说自己在多种艺术才能上敢和大家竞赛，并且比别人高超，新颖独创，绝不去俗。“偶学念奴声调，有时高遏行云”，是具体形象地夸述自己的才能如何。“偶”，有随便之意。“念奴”是唐天宝年间有名的歌女。这里说我偶尔随便一唱当年念奴曾经唱过的歌，能让天上的行云停住听我歌唱，足见我唱得有多么美、多么动听。“高遏行云”，语出《列子·汤问》，说古有歌者秦青“抚节悲歌，声振林木，响遏行云”。前面这几句，是失意时回忆当年得意情事，所以，每一句自负的、向上扬的情绪背后，都有一种反衬中的失意的悲慨。自负的口气，实在是自负的不平。“蜀锦缠头无数，不负辛勤”。写当年得意之时，自己只要卖力气唱，歌声一发，人们为我响遏行云的歌声倾倒，纷纷酬答我，从不辜负我的辛劳。“蜀锦”，是四川的丝织品，在当时很名贵，当时歌女多以锦缠头。白居易《琵琶行》：“五陵年少争缠头，一曲红绡不知数。”可以参看。

下片首句“数年来往咸京道，残杯冷炙漫销魂”，是失意后的凄凉冷落的境遇写照。我们前面曾论述过晏殊这首词是“借他人酒杯，浇自己块垒”。从词里的“西秦”“咸京道”地点上看，当是晏殊被贬知永兴军时，慨叹自己的不平境遇而作的。所以，这首词的整个口吻都寄托着感慨。杜甫《赠韦左丞》诗："骑驴十三载，旅食京华春。……残杯与冷炙，到处潜悲辛。"是写当年身困长安时遭受的冷落。晏殊这里的"残杯冷炙"，语正出自杜甫这首诗，境界是同样的可悲，令人销魂。"衷肠事，托何人？"古代的歌者，多数是女子，因为封建社会女子没有独立的地位，都盼望能找一个可以终生相托的人。特别是一个歌女，一旦"暮去朝来颜色故"，便没有人再欣赏她了，做歌女总不是下场。其实还不仅是女子，即使男子也是盼望找到一个足以托身的所在，可以安身立命，终生为之奉献而不改变。古人说"良禽择木而栖，良臣择主而事"，也是相同的意思。"衷肠事"，是指内心的事，这里是指终生相托的大事。接着下句说："若有知音见采，不辞遍唱《阳春》。"仍是以歌女的口气自述：我终身的事托给谁？谁又是我可以终生相托的人？假如有一个知我心的人"见采"（"采"是选择、接纳，如果我被这个知音者选择、采纳），那么，我将唱尽高雅美好的《阳春白雪》的曲子，把自己一切最美好的都奉献给他。这虽然是一个歌女的口吻，但又实在是中国旧知识分子、封建士大夫的传统品德，即如果有一个人以国士待我，我一定以国士报之。因为中国人有这样的传统，都希望找到一个能够了解和欣赏自己的人，找到一个知音。《古诗十九首》"西北有高楼"诗云："不惜歌者苦，但伤知音稀。"便写的是这种情意。晏殊这里的"若有知音见采"，"若有"是实无，也就是悲叹找不到知音。那么，你纵然有奉献的感情，纵然愿意"不辞"，愿意"遍唱"，又有谁接受你的殷勤，接受你的美意？所以就"一曲当筵落泪，重掩罗巾"了。可以想象得出，这个歌女在酒筵前唱歌，想起当年得意之时的满堂彩声，眼下却这样凄清冷落，不禁当即流下了眼泪。晏殊当时在这个筵席前，可能看到了这个老大伤悲、不得其所的歌女之悲哀，引起了对自身遭贬受逐、客居外乡的境遇的悲感。而晏殊所托喻的是歌女，如就歌女而言，则还有更深一层的悲哀，那就是歌女是"卖笑"的，是要以笑语欢歌博取人家的欢喜、人家的报酬，所以，内心即使有悲哀，眼中有泪水，也要"重掩罗巾"，不能让人看到。"重掩"，是屡次流泪，屡次擦干。屡次感到悲哀，而又屡次不能让人看到悲哀，而强作笑颜，这正是一种极为深重的悲哀。

晏殊这首《山亭柳》，感慨很深。我们在欣赏当中，像欣赏其他作品一样，征引了许多旁人的诗、词作参照、作映发，不是徒然的,因为一定要这样,你才能把晏殊词里十分深刻的、沉重的感发的生命力传达出来,把中国古典诗词中几千年的感发生命的传统表达出来。

（叶嘉莹）

破阵子 晏殊

燕子来时新社,梨花落后清明。池上碧苔三四点,叶底黄鹂一两声,日长飞絮轻。　巧笑东邻女伴,采香径里逢迎。疑怪昨宵春梦好,原是今朝斗草赢,笑从双脸生。

鉴赏

这首词写的是古代闺阁中少女们春天生活的一个片段。词人用写生的妙笔,在读者面前展开了一幅仕女图,而美丽的春光则是它的背景。景色是那么鲜明,人物是那么生动,全篇充满着青春的欢乐气息。这在古代描写妇女生活的作品中是不多的。在封建社会中,妇女们都是受压迫的,就是上层社会的妇女也不例外,因而她们的苦难是特别深重的。许多作品反映了她们悲惨的遭遇和坚决的反抗,也就显示了她们对于生活的热爱,对于美好理想的向往。而少女们又是特别富有乐观精神的,尽管在重重压迫和束缚下,其青春活力也不会完全被封建礼教势力所窒息。这首词通过闺阁中日常生活的描绘,也从一个侧面证明了这一点。

词以上片写景,下片写人。它以一联对句开头,写景而兼点明季节。用“燕子”“梨花”带出“新社”和“清明”两个节日。社日是祭社神——土地神的日子,有春、秋两社,新社即春社,是在春分前后的戊日。古代上层妇女是不劳动的,但平常也要做些针线活。每逢社日,就可以放下针线活,外出游玩,所以张籍的《吴楚歌词》说:“今朝社日停针线。”清明在春分后十五日,是古代上坟祭祖的日子,也是妇女们可以出门踏青游玩的日子。从春社到清明,都是春光最好的时候。词人将人物安排在这个特定的时间里,就已经使读者感到春气的融和与春景的绚烂,仿佛置身在暖洋洋的春光中,看到燕子飞翔、梨花飘落一样了。如果我们对古代上层妇女在封建礼教压迫下深闭幽闺的生活有所了解,体会到她们乍从闺阁走向园林、走向大自然的怀抱时,对于春天的美好和新鲜的感觉,以及得到暂时的精神解放后轻松愉快的心情,那么,我们就能够分享词中少女们的欢乐了。《牡丹亭》中杜丽娘游园时,不也是以"不到园林,怎知春色如许"这样充满惊喜的口吻开场吗?

三四两句仍用对偶,描绘出一个极其幽静的园子来。园中有个小小池塘,池边疏疏落落地点缀着那么几点青苔。在茂密的树林里,时时有黄鹂在枝叶的深处偶然啼叫那么几声,来打破这静寂的空气。歇拍(上片的结句)写春天的日子,在这幽静的环境里,更显得特别悠长。而在这寂寥的长日里,似乎一切都是静悄悄的,只有一些柳絮在空中飘来飘去。这就将上面几句所写情景一起烘托了出来,有前人所说的"画龙点睛"之妙。

下片写人物,头两句的意思是从上片贯穿而来。在这样美好的春天、这样漫长的日子、这样寂寥的环境里,年轻人又怎么耐得住呢?于是,就想要到东边邻居家里去找女伴来游戏了。恰好,就在边走边采摘花草的小路上,那位姑娘也正带着笑容走了过来。"巧笑",写出东邻那位姑娘笑眯眯地带着聪明而调皮的神气;"采香",则暗示出下文斗草的情事。

下面三句写两位姑娘斗草。斗草是古代妇女玩的一种游戏,体现出她们对于名花异草的知识和爱好。敦煌卷子中有《斗百草》四首,是唐代的大曲,可见这种游戏,唐时已盛行于民间。《红楼梦》第六十二回中也曾有详细的描写,虽然宋代的斗草和清代的斗草细节可能有所不同,但大体上总差不多,可以参看。斗草赢了邻居,使得这位少女充满了欢乐。她忽然想起:怪不得昨天晚上做了那样一个好梦,原来是今天斗草要赢的兆头啊!越想越高兴,脸上就显出得意的笑容来了。"笑从双脸生",将笑写得非常自然天真。这是少女的毫无做作的笑,从内心深处发出的笑。仅仅因为赢了斗草,就这么高兴,这也只有感情纯洁得像水晶一样的少女才会这样的。

下片人物的活动,主要是斗草,然而作者却有意避开了对于斗草场面的正面描写,而只写了人物在斗草前后的活动和心情,因为抒情词并不是小说,更不是一本指导如何玩斗草游戏的书。这个道理不用多讲。

这首词纯用白描,展示了古代少女的纯洁心灵。笔调活泼,风格朴实,与主题相称。

(沈祖棻)

燕归梁　石延年*

春　愁

芳草年年惹恨幽，想前事悠悠。伤春伤别几时休？算从古、为风流。　春山总把，深匀翠黛，千叠在眉头。不知供得几多愁，更斜日、凭危楼。

作者

*石延年(994—1041)，字曼卿，一字安仁。其先幽州人，家宋城(今河南商丘)。宋真宗录三举进士，为三班奉职。宋仁宗明道元年(1032)以大理评事召试，授馆阁校勘。历太子中允，同判登闻鼓院。仁宗景祐二年(1035)，落校勘，同判差遣。有《扪虱庵长短句》，不传。为文劲健，尤工诗词。与欧阳修交厚。

鉴赏

此词写一个妇女在春天怀人引起的愁思。写愁诉怨，本是五代到北宋年间的词人常用的题材。但对这位"轩昂磊落，突兀峥嵘"(欧阳修评语)的石曼卿来说，这类题材似乎不应为他所采用。我们从作者怀才不遇，坎坷一生，赍志以殁的经历来看，可以推测此词是他的寄意之作，借一个妇女的春愁来抒发自己满腔的愤懑。因此不能把此词当作一般的儿女私情作品来理解。

词的起首二字便把时令是春天点明，只有春天才是百草齐芳的季节。本来当大地春回、青草满园的时候，正足使人心旷神怡，生机勃发。但在一个愁肠郁结者的眼中，每年茂发的芳草不但不能引起他的愉悦，却反而撩起他的幽恨。"年年"说明幽恨由来已久，并非偶发，作者长期投闲置散，从没有得到重用，也无从发挥自己的才能，实现自己的抱负，因而每到春天看到芳草丛生，就感到又已虚度一年，愤恨也就油然而生。一个"惹"字，把幽恨的产生归之于芳草，构思新颖，用字也巧妙。第二句说明“恨”是由于看到芳草而回想过去的遭际才产生的。自己的经历确是不堪回首，此情此景，哪能不愁！第三句，说明他伤春伤别已是无数次。而春去秋来，生离死别，这些能使一个多愁善感的人伤心的情景，看来是永无休止之期。作者在这里用了设问句，更有余味。歇拍两个三字句，是为引起春愁的当事人所作的归纳：自古以来因春至而牵动愁绪的，都是为了风流韵事。实际上这两句是作者有意作的翳障，若他直率地表露自己愁闷的真实思想，不仅有失一个性行高洁的文人的身份，会受人物议，可能还会触忤统治者，带来意外的灾祸。不如采用现在的方式，让人从表面上认为只是一个怨女因怀人而发的自我感伤而已。

换头三句，写出当事人愁绪满怀、双眉紧锁的悒郁形象。古代妇女用绿色颜料画眉，因此前人常用青山来比拟妇女的眉毛，作者也是沿用了这个说法。句中用“春山”，与词题“春愁”照应，更为下句的“翠黛”找根据。只有春天到来芳草茂密，山峰才会出现一片“翠黛”。作者在这里把春山拟人化，认为芳草形成的翠黛之色是春山“深匀”出来，并且“千叠在”含愁的妇女眉头，极为形象生动，可谓别具匠心。歇拍三句，更把当事人的愁绪推向高潮：“不知”句，说明这个妇女的愁已够多了，更何堪每当夕阳西下，独倚危楼凭高望远，所怀之人渺不可见，新愁旧恨，一时涌上心头，不知怎样排遣。这是足以使人触景伤情的时间和环境。两个三字句，言似未尽，包含了无数的潜台词，引起读者无限的遐想。

（吴丈蜀）

蝶恋花

李冠*

春暮

遥夜亭皋闲信步，才过清明，渐觉伤春暮。数点雨声风约住，朦胧淡月云来去。　桃杏依稀香暗度。谁在秋千，笑里轻轻语？一寸相思千万绪，人间没个安排处。

作者

*李冠，字世英，历城(今山东济南)人，生于北宋初年，以文学称。官乾宁(今河北青县)主簿。有《东皋集》，不传。

鉴赏

这是一首抒情词，写的是作者在夜间出外散步时的所见所闻和引起的一系列感慨。

词的开头就点出了散步的时间和地点："遥夜"就是长夜；"亭皋"是水边平地；时令是刚过清明的暮春之际。作者是一个多愁善感的人，为春光将逝而感伤，因而在夜间不愿就寝，索性出门跑到水边空旷之地独自徘徊。"数点"两句是他的耳闻目见：刚刚听到几点雨声，却被吹来的春风拦住而听不见了，"约"字炼得极为出色。天上的月亮因积有云层而朦胧不明，一个"淡"字用得形象而生动。"云来去"三字不但形象鲜明，而且把约住雨声的风的作用也表露出来了。这两句，上句是耳闻，下句则是目见，行笔错落有致。

下片起句却是从嗅觉得来。刚过清明，正是桃花杏花盛开之际，值此月夜，轻风送来花香，沁人心脾。由于是朦胧月色，红的桃花白的杏花自然看不分明，只是"依稀"可见，而花香也只能感觉是暗中送到。作者在这里用的是白描手法,却极真实。下面“秋千”两句,曾影响了以后的苏东坡。东坡也用《蝶恋花》调,其下片就从李词脱胎而来。苏词云:“墙里秋千墙外道,墙外行人,墙里佳人笑。笑渐不闻声渐悄,多情却被无情恼。”唐宋年间流行秋千游戏,富贵人家多设置秋千取乐。此时作者闲步水边,风声、月色、花香触动情怀、引起遐想之际,忽然听到近处有妇女在打秋千,传来一阵阵轻声笑语。作秋千戏者说些什么话虽听不真切,但不断飘来的莺鸣燕啭,对他来说却是一番刺激。从结尾两句,可知作者因意中人不在身边,以致经常使他魂牵梦萦。今夜出来漫步,也可能出于排遣对意中人的相思之苦。“一寸”指心之所在。一颗心总是思念对方,牵动情怀千头万绪,因而感到人间虽然广阔无边能容纳万物,可是竟没有一个可以安排自己愁绪的地方。一副彷徨无告之态可掬。作者其所以因春暮而感伤,月夜出来在水边踯躅,从词的终拍两句可以找到答案。

这首词是典型的婉约词,是当时词风影响下的产物。虽无积极意义,但写景鲜明,写情真切,以景入情,情景交融,极其自然。而词中不用典故,语言浅近,读起来委婉动人。所以,此词在艺术表现上有它的特色。

(吴文蜀)

玉楼春　　宋祁*

东城渐觉风光好，縠绉波纹迎客棹。绿杨烟外晓寒轻，红杏枝头春意闹。　浮生长恨欢娱少，肯爱千金轻一笑？为君持酒劝斜阳，且向花间留晚照。

作者

*宋祁（998—1061），字子京，安州安陆（今属湖北）人，后徙开封雍丘（今河南杞县）。宋仁宗天圣二年（1024）举进士，曾官翰林学士、史馆修撰，并曾与欧阳修等人同修《新唐书》。累迁知制诰、工部尚书、翰林学士承旨。谥景文。诗词多写个人生活，题材较窄。其词语言工丽，善炼字句，活泼生动，意切境新。集已佚，清人辑有《宋景文集》，近人赵万里辑有《宋景文公长短句》一卷。

鉴赏

这是一首广为流传、脍炙人口的名作。其中“红杏枝头春意闹”一句尤为人津津乐道，词人在当时就因此获得“红杏枝头春意闹尚书”的美称，这在《遯斋闲览》《苕溪渔隐丛话》等有关资料和著述中都有所记载。

词的上片是写景。首句泛写春光明媚，第二句转换成实写，类似电影中的“特写”：水面上的波纹宛如绉纱，仿佛是在殷勤地迎接游船。拟人化的手法将水波写得十分生动、亲切。三四句再从远、近落笔，远处是杨柳如烟，一片嫩绿，虽说是清晨，寒气却很轻微，与首句“渐”字相照应。“轻”字虽是“费许大气力”之笔，但却给人以轻灵之感。寒暖何言轻重？因为在口语里，“轻”也有微弱之意。《皱水轩词筌》云：“词虽以险丽为工，实不及本色语之妙。”所以这里的“轻”字和下文的“闹”字皆应作如是观，不可轻易放过。“红杏枝头”句又是“特写”，专写杏花，而以杏花的盛开托出春意之浓。“闹”者，热闹也。王国维《人间词话》评此句云：“着一‘闹’字而境界全出。”即谓词人只用这一个字，就将烂漫的大好春光描绘得淋漓尽致了。

下片由写景转入抒情。浮生若梦，苦多乐少，岂能吝惜金钱而轻易放弃这欢乐的瞬间呢！这里化用了“一笑倾人城”的典故，显然诗人写的是携妓游春时的心情。“为君持酒”的“君”当指同时冶游的友朋。为了使这次春游得以尽兴，我要为你举杯挽留斜阳，请它在花丛之间多陪伴我们些时候吧！留恋之情，溢于言表，同“浮生”句又是前后呼应的，章法井然，开阖自如。

对于这首词的下片，论者常斥之为情调低沉，反映了封建上层的玩乐思想，甚至说下片与上片不能相称，用了一些陈词滥调，充满了追欢逐乐的庸俗情趣。这些说法未必妥当。且不说我们不能苛求于古人，但说相称不相称，也不能看得太实太死。毛先舒《诗辨坻·词曲》云：“词贵开宕，不欲沾滞，忽悲忽喜，乍远乍近，斯为妙耳。如游乐词，微须着愁思，方不痴肥。……忽尔拓开，不但不为题束，并不为本意所苦，直如行云舒卷自如，人不觉耳。”宋祁此词上片极写春意盎然，下片“微着愁思”，正有“忽尔拓开”的妙处。仔细玩味，在诗人表达的感情中，颇有“夕阳无限好”这种惜时自贵的因素，不能全然目为消极享乐。刘大杰在《中国文学发展史》中说，宋祁等人的词，“言情虽缠绵而不轻薄，措词虽华美而不淫艳”。这首词可以说是一个典型的例子。

（王星琦）

水调歌头　　尹　洙*

和苏子美

万顷太湖上，朝暮浸寒光。吴王去后，台榭千古锁悲凉。谁信蓬山仙子，天与经纶才器，等闲厌名缰。敛翼下霄汉，雅意在沧浪。　　晚秋里，烟寂静，雨微凉。危亭好景，佳树修竹绕回塘。不用移舟酌酒，自有青山渌水，掩映似潇湘。莫问平生意，别有好思量。

作者

*尹洙（1001—1047），字师鲁，河南洛阳人。官至起居舍人。博学有识度，渴望富国强兵，其文多论西北军政。但累遭贬斥，终至死于贬所。为文简而有法，力倡古文，对欧阳修诗文革新运动有一定启发和影响。也能诗。有《河南先生文集》。

鉴赏

此词为作者和苏舜钦《水调歌头·沧浪亭》而作。苏舜钦和尹洙，虽有着相同的贬谪生涯，但由于各人的处境和写词时的心情及审美观的不同，因此他们在词中的描写也各具特色。如果说苏词偏重于抒发不平之鸣和壮志难酬的入世之情，那么尹词则侧重于表达鄙弃政治污浊和安于退隐闲居的出世之乐，从反面说出了不平的心声和抒发了遭受压抑的内心愤懑，与苏词异曲同工。

词的上片从对景怀古写起。开头两句应合苏词从太湖景落笔，同时也是关合苏舜钦在沧浪亭的生活。一语双关，起得巧妙。“吴王”二句应合苏词怀古之笔，但却另出新意，想当年这里有吴王夫差称霸一时,但到头来还不是"台榭千古锁悲凉",供后人追怀悼念。吴王为享乐而建的歌台舞榭,如今也被一派悲凉气氛所笼罩,历史的烟云变灭表明:人世的富贵名利,到头来终归是一场空。尹洙是这样看待历史的,因之也是这样来看待苏舜钦被罢官后退居沧浪亭的思想和生活的。以下即转入写苏。词中以"蓬莱仙子"比苏舜钦,谓其不屑跻身庙堂,作沧浪亭于太湖之滨的苏州以自适,犹如蓬莱仙岛上的仙子般自得其乐。虽天生才华横溢,满腹经纶,却轻易地把功名富贵视若束缚人身的缰绳和锁链弃而不取。"敛翼下霄汉,雅意在沧浪",是苏舜钦"等闲厌名缰"的具体行动。"敛翼",本指鸟收翅膀落地,此指苏舜钦退居苏州。"沧浪",明指沧浪亭,暗指隐居之事。古代隐士之歌云:"沧浪之水清兮,可以濯我缨;沧浪之水浊兮,可以濯我足。"(《楚辞·渔父》)同样,这里也流露出作者功业不就之后无可奈何而又乐天知命的出世思想。

下片借景言情,设想苏舜钦这位"仙子"流落到沧浪亭后逍遥自适的生活情趣。一开头即以优美的文字对沧浪亭秋景作简明而富于特征的描绘,使人如置身画中。"危亭"二句写亭边景。"危亭",即沧浪亭。"好景",即下句之"佳树修竹绕回塘"。"回塘",指亭边之水。以上描写暗示了苏舜钦闲居生活的宁静淡泊和情趣的陶然自乐。接下去三句是就景说理:"不用移舟酌酒,自有青山渌水,掩映似潇湘。"意谓沧浪亭这里,在竹树掩映中也能饱览青山渌水,饮酒自乐,不必移舟它处,借潭垂钓,自讨没趣。这既是从反衬的角度来写沧浪亭景物之美,也是针对苏词"拟借"三句而发,并暗含勉励苏舜钦安心在沧浪亭居住下去之意。"潇湘",本指发源和流经广西、湖南交界处的潇、湘二水,水清竹美,风景极佳,故一般用以借指风景优美之地或隐者居住之所。"莫问平生意,别有好思量。"词写至此,也如苏词一样,宕开一笔,戛然而止。只是苏词以写自己行动结,此词以作者直接议论结。"平生意",指平生的抱负心愿。"好思量",好主意,好打算。二句意谓此中真意莫问,妙处只有你知我知。两人肝胆相照,于此可见。结句的意境是从陶渊明《饮酒》诗之五"此中有真意,欲辨已忘言"句化出。整个下片,实际上都是围绕苏舜钦的沧浪亭闲居之乐而写的,但却无一句直接写到闲居生活的内容,无一字是对闲居乐趣的赞叹,只是纯然写景,以景见意,含而不露。末尾出以议论,也是"妙处难与君说"的含蓄。

文如折光镜，映出作者，映出时代。这首词虽是和苏之作，却蕴含着作者于宦海浮沉、怀古伤今中领悟到的人生启示和处世哲学。我们看到作者是以富贵名利为可鄙，以闲居自适为可乐的。但仔细分析起来，这里还有颇为复杂微妙的一面。本来一个封建时代的读书人，无不想走“学而优则仕”的道路，尹洙、苏舜钦也不例外。现在尹洙为什么竟然支持苏舜钦抛弃治国兴邦之念，视功名利禄为缰锁，要“敛翼下霄汉，雅意在沧浪”，做自然景物的骄子呢？原因是官场倾轧，政治理想无法实现，又屡遭贬斥。因此在旷达自适的处世哲学的背后，既包含不平则鸣的因素，一如白居易所说，“谁谓迁谪去，未妨游赏行”，在贬谪中求得自适之乐，也是一种反抗（其后苏轼亦颇谙此道），同时也是想在自然景物的抚慰中治愈政治斗争的创伤，获得精神的复苏和心境的安宁。他们吟咏自然美，同时也发现自己，吟咏自己。因此这里面包含着一定的积极的思想因素。当然过分强调浪迹山水之乐，也有逃避政治斗争、洁身自好的消极一面，这一点，只要放在当时历史条件下来分析，也是不难理解的。

此词从布局上看，是写景、议论，再写景、再议论的结合。上片于议论中寓抒情，下片以景相承而寓情于景，情贯始终，故通篇浑然一体。词是和苏之作，故词中多处应合苏词内容，但行文中却有天衣无缝之妙。如上片开头即承苏词写太湖山水，顺笔挥洒两句，不显黏滞。下片结尾二句扣合苏词“无语看波澜”之意，实际是苏词此句含义的诠释，也照应得极其自然。词的语言与词的格律完全适应，流畅明快，不求新奇，不作雕饰，少用典，少堆垛，语句平凡却含义丰厚。这些都与其文一样，“简而有法”。

（樊维纲　徐　枫）

采 桑 子(二首)

欧阳修*

其 一

轻舟短棹西湖好,绿水逶迤。芳草长堤,隐隐笙歌处处随。　　无风水面琉璃滑,不觉船移。微动涟漪,惊起沙禽掠岸飞。

其 四

群芳过后西湖好,狼藉残红。飞絮蒙蒙。垂柳阑干尽日风。　　笙歌散尽游人去,始觉春空。垂下帘栊,双燕归来细雨中。

作者

*欧阳修(1007—1072),庐陵(今江西吉安)人。天圣八年(1030)省元,中进士甲科。累擢知制诰、翰林学士,历枢密副使、参知政事。神宗朝,迁兵部尚书,以太子少师致仕。卒赠太子太师,谥文忠。知滁日,号醉翁,晚号六一居士。有集传世。他的词主要写恋情游宴、伤春怨别,表现出深婉而清丽的风格,和晏殊比较接近。其词集有《六一词》《近体乐府》《醉翁琴趣外编》等多种。

鉴赏

欧阳修早年曾被贬知颍州(今安徽阜阳),晚年又归隐于此,对这里的山山水水怀有深厚的感情。州城西北,在颍河与泉河汇流处,有一天然水泊,人称西湖,风景十分优美,是当时的名胜之地。欧阳修常来此游览,并写了十首《采桑子》,加以咏赞。首句末三字均以“西湖好”领起，但取景的角度却不同，笔调轻快活泼，色彩浓淡相宜，多层次、多侧面地再现了颍州西湖的秀丽风光，寄寓了作者流连山水的情趣。这里选的是其中第一、第四两首。

第一首写春日泛舟游湖。首句“轻舟短棹西湖好”，总摄全篇，点明题意，直抒赞美之情。“绿水”“芳草”“笙歌”三句，分别从视觉和听觉两方面描述舟中的见闻和观感。作者乘着轻舟，荡起小桨，迷人的景色迎面而来。那蜿蜒曲折的绿水，那长满芳草的长堤，像画境一样展现在眼前。远处又隐隐约约地传来清脆悦耳的歌吹之声。“处处随”三字，暗示出湖上游人之盛。上片短短数句，着墨不多，却有声有色地描绘出“擅东颍之佳名”的西湖那无限美好的春光。下片写曲水临流，徜徉舟中的情景。湖上风平浪静，万顷碧波像琉璃似的明净平滑，船儿慢慢地移动，不知不觉来到了僻静的湖边。沙洲上的水鸟被桨声惊动，突然展翅拂过堤岸向远方飞去。这里着重描写的是湖上的静境，但静中有动，意境幽美，富有神韵。本篇立足舟中刻画湖上风光，镜头随着小船的移动而不断转换，通过多彩多姿的客观景物，烘托出一种舒畅和悦的气氛，给读者以自然美的享受。

第四首写暮春凭栏观湖。作者登楼眺望，通过细致的观察，领略到“群芳过后”西湖仍然别有一番风韵，从而加以咏赞。上片刻画百花凋残，柳絮飞舞，渲染春末夏初湖上的宁静气氛；下片描写歌终人散，帘垂燕归，抒发傍晚时刻的空寂之感。咏残春往往流于伤感，本篇虽然也流露出一缕悼春的情绪，但作者是从赞美的角度来写的，首句即为全词定下了基调。词人认为即使“狼藉残红”“笙歌散尽”以后，西湖也“好”，令人神往留恋。这里不仅表达了作者对颍州西湖深深的热爱之情，而且也体现出他别具慧眼的审美观点。两片结句塑造出一种耐人寻味的意境。刘永济先生在《词论》中指出：“小令尤以结语取重，必通首蓄意、蓄势，于结句得之，自然有神韵。如永叔《采桑子》前结‘垂柳阑干尽日风’，后结‘双燕归来细雨中’，神味至永。盖芳歇红残，人去春空，皆喧极归寂之语，而此二句则至寂之境，一路说来，便觉至寂之中，真味无穷，辞意高绝。”这段话可作为理解本篇艺术构思的参考。

（喻朝刚）

诉衷情　　欧阳修

清晨帘幕卷轻霜，呵手试梅妆。都缘自有离恨，故画作、远山长。　　思往事，惜流芳。易成伤。拟歌先敛，欲笑还颦，最断人肠！

鉴赏

这首词黄昇《花庵词选》题作"眉意"，其他选本多略而不载。其实这个小题目至关重要，它统摄词旨，像是一把开启词的钥匙，门户既启，阃奥乃见。

全词写的是一个歌女的内心痛苦愁闷。上阕写在一个寒天轻霜的清晨，歌女卷起帘幕，天冷指僵，她呵手取暖，进行梳妆，试作梅花妆。"梅妆"，借用南朝宋武帝寿阳公主梅花妆的故事。《太平御览》卷三十引《杂五行书》："宋武帝女寿阳公主，人日卧于含章殿檐下，梅花落公主额上，成五出花，拂之不去。皇后留之，看得几时；经三日，洗之乃落。宫女奇其异，竞效之，今梅花妆是也。"词中的歌女因满怀离愁，思念着远方的意中人，在梳妆时故意把双眉画成长长的远山形状，用以表示自己离恨的深长。以"远山"喻眉，古已有之。汉代伶玄《赵飞燕外传》："女弟合德入宫，为薄眉，号远山黛。"有的用远山来喻指姿容的姣美。如晋代葛洪《西京杂记》："文君姣好，眉色如望远山。"有的借远山来表现离愁别恨，如欧阳修《踏莎行》："平芜尽处是春山，行人更在春山外。"即以迢远的春山抒写骋望难及的别离之情。有的用眉如远山的颜色来喻指离愁的黯然销魂，如韦庄《荷叶杯》："一双愁黛远山眉。"欧词"故画作远山长"则表达多层涵义，既喻指漫长的离恨，又表现姣美的姿容。

下阕写歌女回忆往事，叹惜青春易逝，流年似水，因而不禁兴起感伤之情。"思往事"三句浓缩了她所经历的人生悲欢离合故事，特别是她与意中人由相会、相合到相别的悲惨遭遇。我们虽然无法得知词的本事，但从字里行间还是可以约略窥见她内心的痛楚。"拟歌先敛，欲笑还颦"两句，进一步摹写出歌女未歌先蹙眉、欲笑又悲伤的矛盾复杂情貌，从而深刻地揭示出她内心的痛苦。

我们知道，封建社会中的歌女是被迫过着唱歌卖笑生涯的，内心苦楚却不得不强作笑颜，人世间没有比这更令人痛苦的事了。经过上述细致的描摹，最后逼出“最断人肠”四字作结，就有画龙点睛之妙，使读者在感情上不能不产生共鸣，这正是词人艺术匠心之所在。“拟歌”两句，写法与欧阳修另一首《望江南》“无言敛皱眉山翠”之句相似。后来周邦彦《风流子》中的“欲说又休，虑乖芳信；未歌先咽，愁近清觞”，显然就是由欧词这里化出的。

这首词在写作上的一个显著特点是以形传神，歌女的辛酸痛苦都是通过“眉”的形状曲折传出的。上阕以“画作远山长”的眉形来表达内心的离恨。下阕思往事、惜流芳的感伤还是写隐含在歌女内心深处的情感，只有当作者描摹出歌女的“敛”“颦”之后，才深刻、细腻地表达出歌女肝肠寸断的痛苦之情。

（吴翠芬）

踏莎行　欧阳修

候馆梅残，溪桥柳细，草薰风暖摇征辔。离愁渐远渐无穷，迢迢不断如春水。　　寸寸柔肠，盈盈粉泪，楼高莫近危阑倚。平芜尽处是春山，行人更在春山外。

鉴赏

这首词写的是一个旅人在征途中的感受。上片写男性行人途中所见所感，下片写旅人想象中的女性居者对他的怀念。

它以对句开头。“候馆”，即旅舍。候馆、溪桥，点明征途；梅残、柳细，点明时令，在读者眼前展开了一片初春景色。

第三句接着仍然写了初春景色，春风已经是暖洋洋的，原野上的春草也散发着一阵阵的香气，而旅人却正在这么吸引人的环境之中，摇动着马缰，走上征途。这句承上启下，由春景过渡到离愁。江淹《别赋》：“闺中风暖，陌上草薰。”上句属女性居者，下句属男性行者。此句用江赋而小变其意，将风暖、草薰都归之于行者中途所见。

四、五两句，接写中途所感。在这么美好的春光中，不能留在家乡，和爱人一起欣赏景物，却要跋涉长途，到遥远的地方去，怎么能够不兴起离愁呢？马不停地走着，离家是愈来愈远了。路程，长了；时间，久了，是不是把离愁冲淡了一些呢？词人回答说：不。相反地，它却随着空间和时间的差距而更增加了。这离愁，正像沿途经过的河流。春水是那样地无穷无尽，永远不断，眼前所见与心中所感，真是再也没有这样吻合的了。抽象的感情，在词人笔下，变成了具体的形象，这就不但使人更容易感受，而且这种感受还极为亲切。以流水与离愁关合，是词人们常用的一种表现方式。在欧阳修以前，则如南唐李中主《摊破浣溪沙》云："青鸟不传云外信，丁香空结雨中愁。回首绿波三峡暮，接天流。"在他以后，则如秦观《江城子》云："西城杨柳弄春柔。动离忧，泪难收。……便做春江都是泪，流不尽，许多愁。"而李词浑朴，欧词真挚，秦词工巧，风格各异。至如南唐后主《虞美人》之"问君能有几多愁，恰似一江春水向东流"之启发了欧词，更属显而易见。

下片写行者自己感到离愁之无穷无尽，于是推想到居者也一定相同。她必然是痛心流泪，登高望远，而产生如张先词中所写的那种"嘶骑渐遥，征尘不断，何处认郎踪"的感伤了。"楼高"以下三句，是行者心中设想的居者心里的话。她说，别上楼去靠着那高高的阑干痴望了吧！人已经走得太远，望不着了。能望到的，只不过是一片长满青草的平原，即使望到了草原的尽头，又还有春山挡住了视线，而人又还在春山之外，如何看得见呢？行者由自己的离愁推想到居者的离愁，又由居者有离愁而想到她会登高望远，想到她要登高望远而又迟疑不决。层层深入，有如剥蕉。

范仲淹《苏幕遮》云："山映斜阳天接水，芳草无情，更在斜阳外。"本词云："平芜尽处是春山，行人更在春山外。"一向被人认为是相类的名句。它们的特征在于，将情景融成一体，在想象中更进一层。斜阳已远，而芳草更在斜阳之外；春山已远，而行人更在春山之外：就更令人不能为怀。与这种表现手法可以比较的，则是作家们有时又不从想象而从事实着笔。张潮《江南行》云："茨菰叶烂别西湾，莲子花开犹未还。妾梦不离江上水，人传郎在凤凰山。"刘采春《罗唝曲》云："那年离别日，只道往桐庐。桐庐人不见，今得广州书。"本以为他在江水边，谁知道却跑到凤凰山去了。本以为他在桐庐，想不到却从广州来了信。这叫人的感情怎么追得上他的足迹呢?一写想象,一写事实,但由于景的扩大而增加了情的容量,则正相同。

读这首词,特别是下片,还应当参看梁元帝的《荡妇秋思赋》。赋起云:“荡子之别十年,荡妇之居自怜。登楼一望,惟见远树含烟。平原如此,不知道路几千?”下又云:“妾怨回文之锦,君思出塞之歌。相思相望,路远如何!”写法基本相同。不同的是:景色,春、秋各异;人物,词以男性行者为主,女性居者为宾,赋则主宾互易而已。(荡妇是长期在外乡流浪的人的妻子,即荡子妇,不是风流放荡的妇人的意思。)然而词自是词,赋自是赋,细玩自知。

(沈祖棻)

望江南　　欧阳修

江南蝶,斜日一双双。身似何郎全傅粉,心如韩寿爱偷香。天赋与轻狂。　微雨后,薄翅腻烟光。才伴游峰来小院,又随飞絮过东墙。长是为花忙。

鉴赏

宋张炎《词源》云:“诗难于咏物,词为尤难。”清刘体仁《七颂堂词绎》也说:“咏物,至词更难于诗。”欧阳修这首《望江南》却因难而见巧,咏物而不滞留于物,可谓咏物词中的佳作。

这首词咏的是蝴蝶。蝴蝶是我国文学作品里经常写到的题材。早在《庄子·齐物论》中就有庄周梦蝶之事,梁山伯与祝英台死后化蝶的传说则更是家喻户晓。在东方的文学里,蝴蝶往往用来借喻女性,但在中国,它却往往被当作薄幸的男子的象征(参见郑振铎《蝴蝶的文学》)。此词上阕开头两句写一双双江南蝴蝶在斜阳下翩翩飞舞。“身似何郎全傅粉”两句,接连用两个典故来描写蝴蝶的美丽形象和采蜜于花丛之中。“何郎”指何晏,《世说新语·容止》说:“何平叔(晏)美姿仪,面至白,魏明帝疑其傅粉,正夏月,与热汤饼,既啖,大汗出,以朱衣自拭,色转皎然。”这里就是以傅粉何郎借喻美丽的蝴蝶。蝶翅和体表生有各色鳞片和丛毛,形成各种花斑,表面上又长着一层蝶粉,用傅粉何郎这个有名的美男子来作比喻,真是既贴切,又形象。韩寿偷香的故事见于《世说新语·惑溺》与《晋书·贾充传》。据记载,韩寿美姿容。贾充辟为司空掾。充女贾午见而悦之,使侍婢潜通音问,厚相赠结,寿逾垣与之通。午窃充御赐西域奇香赠寿。充僚属闻其香气,告于充。充乃考问女之左右,具以状对。充秘之,遂以女妻寿。这里也是以韩寿偷香比喻蝴蝶在花丛中吮吸花蜜。用典同样生动、妥帖。这两句可说是全词的词眼。是人是蝶,亦蝶亦人,真有"不知周之梦为蝴蝶与(欤),蝴蝶之梦为周与(欤)"(《庄子·齐物论》)之妙。结句"天赋与轻狂",挽住上片,又启迪下片。"轻狂",指爱情不专一、恣情放浪的行为。欧阳修另一首《洞天春》也有"燕蝶轻狂,柳丝撩乱,春心多少"之句。

下片即从"轻狂"进一步具写浪蝶的活动。傍晚下了一场小雨,雨一停,粉翅犹腻的蝴蝶便忙碌起来了。"薄翅"句,写蝶出神入化,说明作者体物入微,用字造语准确、精当。蝴蝶的翅膀是很薄而近乎透明的,翅上的粉沾上雨水之后,在烟光之中飞舞,就给人一种"腻"的感觉,杜牧《阿房宫赋》云:"渭流涨腻,弃脂水也。"欧词颇有异曲同工之妙。轻狂的蝴蝶自有轻狂的朋侣"游蜂""飞絮"相伴,蜂与蝶向来并称为狂蜂浪蝶。飞絮杨花,向被人目为水性之物,都是"倡条冶叶恣留连"(欧阳修《玉楼春》)的轻狂之辈。蝴蝶伴随狂蜂、飞絮到处宿粉栖香,游荡不定——"长是为花忙"。这一结句回应了上片的"天赋与轻狂",一纵一收,开阖自然。

这首词既是咏蝶又是借蝶咏人。作者通过何晏、韩寿两个典故,就在蝴蝶的形象上,集中了风流浪子眠花宿柳、寻欢作乐的种种属性,它几乎成了轻狂男子的化身。可见在诗词中如何恰当地用典,是十分重要的。在欧阳修之前,毛文锡也有一首咏蝶的《纱窗恨》,试录于下以作比较:"双双蝶翅涂铅粉,咂花心。绮窗绣户飞来稳,画堂阴。二三月爱随飘絮,伴落花来拂衣襟。更剪轻罗片,傅黄金。"乍看,毛词与欧词咏蝶的用笔大致相近,但细加玩索就不难发现,毛文锡这首词是咏物而滞于物,即咏蝶仅止于写蝶本身,别无比兴之意,因此同欧词相比,在思想艺术境界与审美价值上就不免逊色得多了。

(吴翠芬)

生查子 欧阳修

元夕

去年元夜时，花市灯如昼。月上柳梢头，人约黄昏后。 今年元夜时，月与灯依旧。不见去年人，泪湿春衫袖。

鉴赏

这首小词又见于朱淑贞《断肠词》。南宋初人曾慥所编《乐府雅词》把欧词中许多认为可疑的艳词都删掉了，却将此首列为欧词，当是可信的。况周颐《蕙风词话》也认为这是欧词，"误入朱淑贞集"。

"元夕"亦称元夜，指农历正月十五日元宵节，也叫上元节。自唐代开始于元夜张灯，民间有观灯的风俗，故又叫"灯节"。唐玄宗以正月十五日前后放灯火三夜。宋太祖乾德五年增加十七十八为五夜（南宋淳祐时又增十三夜为预放元宵）。据宋孟元老《东京梦华录》卷六《元宵》："正月十五日元宵，大内前自岁前至冬至后，开封府绞缚山棚，立木正对宣德楼……灯山上彩，金碧相射，锦绣交辉。"由此可见元宵节繁华景象之一斑。元夕是人们喜庆的日子。"青春何处风光好，帝里偏爱元夕。"（欧阳修《御带花》）元夕的美好，往往又是同爱情联系在一起的。这首小词即借写元夕来歌咏、追怀美好的爱情。

词的构思很巧妙。它采取了多层次的对比手法，如今与昔，闹与静，悲与欢，一层深似一层地表现了词中主人公内心的真挚感情。

上阕写词中主人公回忆去年上元之夜与情人的佳期密约。作者用"花市"一句概写元夜的景况，并交代了与情人约会的时间和地点。"花市"，每年春时卖花、赏花的集市。白天虽过，花市仍然未收，华灯齐明，夜市如昼，可见元夕之夜是多么的繁华热闹。"月上柳梢头"一句，进一步交代约会的具体时刻，月、柳相映，使幽会更增添了几分诗情画意。十五的月亮，又圆又亮，它象征着男女美满的爱情。柳在古代诗词中也往往被用作爱情的意象，例如吴文英《风入松》就有"楼前绿暗分携路，一丝柳、一寸柔情”的名句。柳枝在皎洁的月光下轻轻摆动，这给约会的情侣增加了多少绵绵的情意啊！此句将月、柳、人三者交织一处，构成了一种情景交融的温馨境界，一个幸福的统一体。

下阕描述今年灯节的情景。“月与灯依旧”一句，用“依旧”两字点出今年的上元之夜，一切景物都与去年相同，这就为下文的“人非”先作了“物是”的铺垫。景物依旧，而去年的情人已经不在身边，此情此景，怎不教人惆怅悲伤。词中没有交代“去年人”为何“不见”，在仿佛有难言的隐痛中给读者留下了充分的想象余地。去年的莺俦燕侣，如今只剩下了只身孤影。去年的欢乐幸福却酿成了今年不幸的苦酒。词中主人公抚今思昔，触景伤怀，终于不堪忍受而“泪湿春衫袖”了。

欧阳修一方面继承了五代花间词传统，另一方面又注意向民歌学习，因此词风清丽深婉。这首《生查子》显然也是吸收了民歌的风格，明白如话，却又隽永含蓄，耐人寻味。

（吴翠芬）

玉　楼　春　　欧阳修

尊前拟把归期说，欲语春容先惨咽。人生自是有情痴，此恨不关风与月。　　离歌且莫翻新阕，一曲能教肠寸结。直须看尽洛城花，始共春风容易别。

鉴赏

以前我在《灵谿词说》中，对于欧阳修词已曾作过简单的介绍和评述，以为北宋初年的一些名臣，如范仲淹及晏殊、欧阳修等人，除德业文章以外，也都喜欢填写一些温柔旖旎的小词，而且在小词的锐感深情之中，更往往可以见到他们的某些心性品格甚至学养襟抱的流露。就欧阳修而言，则他在小词中所经常表现出来的意境，可以说乃是一方面既对人世间美好的事物常有着赏爱的深情，而另一方面则对人世间之苦难无常也常有着沉痛的悲慨。而我们现在所要评说的这一首《玉楼春》词，可以说就正是表现了其词中此种意境的一首代表作。

这首词开端的“尊前拟把归期说,欲语春容先惨咽”两句,表面看来固仅是对眼前情事的直接叙写,但在其遣词造句的选择与结构之间,却已于无意间显示出了他自己的一种独具的意境。首先就其所用之语汇而言,第一句的“尊前”,原该是何等欢乐的场合,第二句的“春容”又该是何等美丽的人物,而在“尊前”所要述说的却是指向离别的“归期”,于是“尊前”的欢乐与“春容”的美丽,乃一变而为伤心的“惨咽”了。在这种转变与对比之中,虽然仅只两句,我们却隐然已经能够体会出词中所表现的对美好事物之爱赏与对人世无常之悲慨二种情绪相对比之中所形成的一种张力了。其次再就此两句叙写之口吻而言,欧阳修在“归期说”之前,所用的乃是“拟把”两个字;而在“春容”“惨咽”之前,所用的则是“欲语”两个字。曰“拟”曰“欲”,本来都是将然未然之辞;曰“说”曰“语”,本来都是言语叙说之意。表面虽似乎是重复,然而其间却实在含有两个不同的层次,“拟把”仍只是心中之想,而“欲语”则已是张口欲言之际。两句连言,不仅不是重复,反而更可见出对于指向离别的“归期”,有多少不忍念及和不忍道出的婉转的深情。其间固有无穷曲折吞吐的姿态和层次,而笔下写来,却又表现得如此真挚,如此自然,如此富于直接感发之力,所以即此两句,实在便已表现了欧词的一种特美。至于下面两句“人生自是有情痴,此恨不关风与月”,则似乎是由前两句所写的眼前的情事,转入了一种理念上的反省和思考,而如此也就把对于眼前一件情事的感受,推广到了对于整个人世的认识。所谓“人生自是有情痴”者,古人有云“太上忘情,其下不及情,情之所钟,正在我辈”。所以况周颐在其《蕙风词话》中就曾说过“吾观风雨,吾览江山,常觉风雨江山之外,别有动吾心者在”。这正是人生之自有情痴,原不关于风月。李后主之《虞美人》词曾有“春花秋月何时了,往事知多少?小楼昨夜又东风,故国不堪回首月明中”之句,夫彼天边之明月与楼外之东风,固原属无情,何干人事?只不过就有情之人观之,则明月东风遂皆成为引人伤心断肠之媒介了。所以说“人生自是有情痴,此恨不关风与月”,此两句虽是理念上的思索和反省,但事实上却是透过了理念才更见出深情之难解。而此种情痴则又正与首两句所写的“尊前”“欲语”的使人悲惨呜咽之离情暗相呼应。所以下半阕开端乃曰“离歌且莫翻新阕,一曲能教肠寸结”,再由理念中的情痴重新返回到上半阕的尊前话别的情事。“离歌”自当指尊前所演唱的离别的歌曲。古人演唱离歌常不仅只唱一首,而是一曲既终,再接唱另一曲,不断演唱下去的。唐代王昌龄在一首《从军行》中,就曾经写有“琵琶起舞换新声,总是关山离别情”之句,其所谓“换新声”也就正是“翻新阕”之意。而欧词此首《玉楼春》乃曰“且莫翻新阕”,是劝止那些演唱离歌之人不要再接唱什么另一曲离歌了,因为仅只是一曲离歌,便已可使人悲哀到难以忍受了,所以下句乃曰“一曲能教肠寸结”也。前句“且莫”二字的劝阻之辞写得如此叮咛恳切,正以反衬后句“肠寸结”的哀痛伤心。写情至此,本已对离别无常之悲慨陷入极深,而欧阳修却于末两句突然扬起,写出了“直须看尽洛城花,始共春风容易别”的遣玩的豪兴,这正是欧阳修词风格中的一个最大的特色,也是欧阳修性格中的一个最大的特色。我以前在《灵谿词说》中论述冯延巳与晏殊及欧阳修三家词风之异同时,就曾指出过他们三家词虽有继承影响之关系,然而其词风则又在相似之中各有不同之特色,而形成其不同之风格特色的缘故,则主要在于三人性格方面的差异。冯词有热情的执著,晏词有明澈的观照,而欧词则表现为一种豪宕的意兴。欧阳修这一首《玉楼春》词,明明蕴含有很深重的离别的哀伤与春归的惆怅,然而他却偏偏在结尾写出了“直须看尽洛城花,始共春风容易别”的豪宕的句子。在这两句中,不仅其要把“洛城花”完全“看尽”,表现了一种遣玩的意兴,而且他所用的“直须”和“始共”等口吻也极为豪宕有力。然而“洛城花”却毕竟有“尽”,“春风”也毕竟要“别”,因此在豪宕之中又实在隐含了沉重的悲慨。所以王国维在《人间词话》中论及欧词此数句时,乃谓其“于豪放之中有沉着之致,所以尤高”。其实“豪放之中有沉着之致”不仅道中了《玉楼春》这一首词这几句的好处,而且也恰好正说明了欧词风格中的一点主要的特色,那就是在其赏爱之深情与沉重之悲慨两种情绪相摩荡之中,所产生出来的要想以遣玩之意兴挣脱沉痛之悲慨的一种既豪宕又沉着的力量。我以前在《灵谿词说》论述欧词时,曾经提到他的几首《采桑子》小词,也都指出过欧词的此一特色。不过比较而言,这一首《玉楼春》词,可以说是对此一特色最具代表性的作品。

（叶嘉莹）

玉楼春

欧阳修

别后不知君远近，触目凄凉多少闷。渐行渐远渐无书，水阔鱼沉何处问。　　夜深风竹敲秋韵，万叶千声皆是恨。故欹单枕梦中寻，梦又不成灯又烬。

鉴赏

“黯然销魂者，唯别而已矣”（江淹《别赋》）。历代抒写离愁别恨之作不计其数，但欧阳修这首《玉楼春》，却写得别具一格，自有特色。

这首词写的是闺中思妇深沉凄绝的别恨。上下两阕都是写她与爱人别后的凄凉愁闷，但上阕是泛写，下阕则是具写，在布局谋篇与表现手法上都显出独特的匠心与高强的艺术腕力。

词的发端，即点出“别后”两字，读者一望而知下文将以离情别绪作为主旨生发开去。然而紧接着是“不知君远近”五个字，平凡之中忽见奇崛，所爱之人出游，闺中人岂有不知其去远去近之理？看来有难言之隐痛不便明说，所以便有“触目凄凉多少闷”之句补足。第三句又是奇峰突起。“渐行渐远渐无书”，将思妇的揣测和无情的事实交织一处。上文刚说“不知君远近”，这里又说“渐行渐远”，似乎是一个矛盾。细玩词意，盖思妇因为接到的书信愈来愈少，终至于无，所以既猜想所思之人“渐行渐远”，又聊以此想自宽自慰：之所以“无书”并非其他令人担心的原因（如寻花问柳、喜新厌旧之类），而仅仅是离家太远，书信不通而已。这样一句便把思妇的矛盾、复杂、细腻的内心活动刻画得细如毫发了。“水阔”句承“无书”而来。鱼雁传书，是我国古代的传说。如今水既浩渺鱼又沉入水底，要想询问鱼儿何以“无书”，都无处可问。这“何处问”三字，将思妇那种不可名状的愁苦，描写得沉痛极了。下阕由白昼写到深夜，是选择一个具体而典型的秋夜来进一步写这位思妇的相思之苦。白天是“触目凄凉多少闷”，入夜之后又如何呢？“风竹敲秋韵”，这本是一个令人赏心悦目的宁静境界，可是在思妇听来，那在静夜敲起秋日韵律的“万叶千声”，非但毫不美妙，反而如泣如诉，牵动愁肠,仿佛是在为她“空中传恨”一般。“皆是恨”三字,从“触目凄凉”之物写到满耳愁恨之声,由满腹愁闷写到满怀幽恨,如此层层递进,作者笔下的女主人公真个是走投无路了。写到这里,似乎语意已尽,本可戛然中止,然而作者笔锋一转,采取了欲擒故纵的手法,在绝望之际先给以一线希望:“故攲单枕梦中寻。”梦境虽幻,毕竟可以稍释愁肠嘛,可是在旋踵之间,连这点可怜的盼望也归于幻灭了:“梦又不成灯又烬。”“烬”,灯芯烧后剩下的灰烬,这里是说灯已熄灭。单枕孤栖,已经不是滋味,但有油灯相伴,尚可带来些许温暖,驱除几分岑寂,倘若灯花双结,还能使内心萌发出某种虽则朦胧却能聊以自慰自欺的希望。然而现在,这点可怜的希望也泯灭了。在女主人公和读者的眼前,完全是一片黑暗、绝望。思妇内心的哀婉之情,可谓一字一泪。

从词史上看,欧阳修承继了花间派和冯延巳的词风,尤与晏殊相近,故世称“晏欧”。“冯延巳词,晏同叔得其俊,欧阳永叔得其深”(刘熙载《艺概》卷四)。这首《玉楼春》正体现出欧词婉约深沉的特点。

(吴翠芬)

南　歌　子

欧阳修

凤髻金泥带,龙纹玉掌梳。走来窗下笑相扶,爱道画眉深浅入时无?　　弄笔偎人久,描花试手初。等闲妨了绣工夫,笑问双鸳鸯字怎生书?

鉴赏

这首词宛如一组轻松、活泼的影视镜头,在观众面前一一转换。

词中的女主人公是一位打扮入时的新嫁娘。词的上片一开端,就出现了这位新娘的特写镜头:发髻梳成凤凰式,再用金泥带子束起来,头上又插着一把玉掌形的梳子,梳子上雕刻着龙的花纹。“金泥”即泥金,金屑、金末。用金泥为饰的用品,北宋很流行。发髻束上这种金泥带子,会闪现点点金光。凤髻上插着龙纹的梳子,取龙凤呈祥之意,正是男女合登的喜庆标志。接着,这位发式与发饰既入时又艳美的新娘,轻快地走到窗下来了,新郎连忙迎上前去,两人带着幸福的欢声笑语,亲亲热热地依偎一起。这时,经过精心装扮的新娘,怕自己还有什么地方不妥帖,便情不自禁地向新郎问道:“你看看我眉黛画得深浅合乎时髦的样式吗?”这句问话借用了唐代朱庆馀《近试上张水部》“洞房昨夜停红烛,待晓堂前拜舅姑。妆罢低声问夫婿,画眉深浅入时无”的成句,但朱诗实际上是一首政治诗,而欧词则是一首地地道道的情词。这里用“爱道”而不是“问道”,就细致刻画出这位新娘天真娇柔的神态。可以想见,她乍来到夫家,在这陌生的新环境中,自舅姑至家中各色人等都会以异样的眼光来打量她,乃至挑剔她。她的一言一行,也都可能产生不同的后果,影响她今后在这个家庭中的处境。可以想象,她向丈夫提出“画眉深浅入时无”这个问题,实际上也包含着她到夫家之后的一切举止行为怎样才能“入时”得体的问题,这就使敏锐的读者感到,这位姑娘不仅天真娇柔,还的确有点机灵劲儿呢。

下片,镜头仍然对准新娘。你看她依偎着新郎,久久摆弄那支对她来说是生疏的笔管,初次尝试着来描摹花枝花朵。可以想见,笔是不大听她使唤的,摆弄的结果,白白地耽误了她绣花的时光。这时,顺理成章的是,她应该放下笔,拿起针线了,但词的结句却妙趣横生:新娘突然满脸娇笑地询问新郎:“‘鸳鸯’两个字是怎么个写法?”原来这位狡黠的新娘,怀着对丈夫的满腔柔情,搁下针线,拿起笔管,试手描花,不过是一种羞涩的掩饰动作,“弄笔”的真实目的是为了学写“鸳鸯”字样,借此吐露自己的爱情心曲而已。

短短五十二个字的小令,以饶有情趣的通俗口语,一系列富有戏剧性的举止动作,描绘出一位既娇柔多情又颇有心计的新嫁娘的情态,笑声问语,活泼可爱,绘声绘色,极其生动、真切。特别是上下两片的结句,都是写新娘向新郎的发问,两句问话都那么聪明、俏皮,既含蓄,又风趣,巧妙地揭示了新娘内心的一片柔情蜜意,体现了欧词风流蕴藉一面的特色。

(吴翠芬)

浪淘沙　欧阳修

把酒祝东风，且共从容。垂杨紫陌洛城东。总是当时携手处，游遍芳丛。　聚散苦匆匆，此恨无穷。今年花胜去年红。可惜明年花更好，知与谁同？

鉴赏

这首词写与洛阳友人昔日聚会的欢乐与分别以来的苦恨。

据《宋史》本传记载，欧阳修平生对待朋友情笃义重，“生则振掖之，死则调护其家”。他为人天资刚劲，见义勇为，善于奖掖后进，像曾巩、王安石、苏洵、苏轼、苏辙都是经他赏识与宣扬而显名于世的。他早年长期处于逆境，仕途坎坷，屡遭贬谪，自谓“十年困风波，九死出槛阱”（《述怀》）。特别是庆历新政的失败，在他精神上留下了深深的创伤，直至晚年官居高位时也难以平复。他一生都在忧念积贫积弱的国家，关心国家盛衰兴亡的命运，并将这种深情倾泻于笔端，化为多姿多彩的佳篇丽句。他在诗词中常常追忆洛阳的风物：“常忆洛阳风景媚”（《玉楼春》），“洛阳古郡邑，万户美风烟；荒凉见宫阙，表里壮河山”（《书怀感事寄梅圣俞》）。西京洛阳是北宋的陪都，又曾是他早年和志同道合的革新派挚友尹师鲁、梅圣俞等结识、交游的故地，因此他对洛阳的忆念之情不同于一般，有着深刻的内涵。

词的上半阕，追忆昔日在洛阳与友人欢聚的良辰美景。“把酒祝东风，且共从容。”“从容”即流连。此二句与作者《鹤冲天》词意大致相同：“梅谢粉、柳拖金。香满旧园林。养花天气半晴阴，花好却愁深。　花无数，愁无数，花好却愁春去。戴花持酒祝东风，千万莫匆匆。”词人持酒祷祝，希望东风姑且与人从容流连，千万别匆匆离去。“花好却愁春去”，当与挚友幸福团聚时，却担心离别分手。这与苏轼“持杯邀劝天边月，愿月圆无缺”（《虞美人》）同一机杼。“垂杨”三句，写昔日洛阳欢纵的情景。“紫陌”，洛阳曾为东周、东汉的首都，用紫色土铺路，故云“紫”；东西方向的田间道路称为“陌”。但这里“紫陌”专指帝都洛阳郊野的道路。李白《南都行》有“高楼对紫陌，甲第连青山”句。想当初,在宋仁宗天圣、明道年间,欧阳修刚过及冠之年,春风得意,“举进士,试南宫第一,擢甲科,调西京推官”。初官伊洛,意气骄矜,他成为文采风流、倒冠落佩的洛阳才子。他与尹师鲁交游,写作古文,议论时事,两人都把对方当作老师与朋友。又与梅圣俞交往,以诗歌互相赠答,于是欧阳修便“以文章名冠天下”(《宋史》本传)。当时,真可谓“少年意气易成欢”(《送张屯田归洛浦》)。欧阳修与志同道合的友人携手同游洛阳古都的情景,在《书怀感事寄梅圣俞》一诗中留下了生动的镜头:“每忆少年日,未知人事艰;颠狂无所阂,落魄去羁牵。”“相将日无事,上马若鸿翩。出门尽垂柳,信步即名园。”“寻尽水与竹,忽去嵩峰巅。”这些诗句是“游遍芳丛”的最好注脚。有谁料到,“当时携手处”竟变成今日梦魂萦绕的相思处了。

词的下半阕,写与友人分别后的无限离恨。浮世歌欢易消逝。人生向来是乐少悲多,聚也匆匆,散也匆匆,正如欧阳修所说的“乐事不可极,酣歌变为叹”(同上),相聚的暂时欢乐,往往酿成了离散后的长久悲恨。他写道:“洛阳旧友一时散,十年会合无二三。”(《圣俞会饮》)“忆昔西都欢纵,自别后有谁能共?伊川山水洛川花,细寻思旧游如梦。”(《夜行船》)词人满怀愁绪独对今年的好花,慨叹无人共赏,同时又不胜惋惜地预料明年的花将会更好,担心仍无人共赏。词作者在其中所寄托的并不是一般黯然销魂的伤别感情,而是包含着深意。作者当年怀抱壮志,锐意革除弊政,参加“庆历新政”的改革运动,但壮志未酬,革新失败,革新派的“当世贤豪”一一被革职,贬谪,流落西东。词人追忆青年时代的洛阳旧游,自然是与眷恋“新政”、眷恋那些志同道合的挚友、关怀国家兴亡联系在一起的。细绎词中的“把酒祝东风,且共从容”句,在祷祝自然界的东风与人从容流连之时,是否也寓含着祷祝政治上的庆历新政这股东风呢?而“聚散苦匆匆,此恨无穷”,新政夭折,改革派倒台,纷纷被罢职贬出,“此恨”的内涵又何限于离恨!今年、明年,不知等到哪一年才能重新欢聚,被罢职贬出的革新派友人才能重新起用?

这首词从题面上看写的是游芳赏花,从追忆昔日携手同赏之欢,到描述今日孤居独赏之悲,再到叹惜明日渺茫不可逆料之苦,在时间跨度上观照昨天、今天与明天,在空间距离上由聚合到分散,在情绪变化上由欢快到悲恨,词的境界一层层开拓、深化,词的感情也一步步趋于恳挚、沉重。

语言朴素自然，洒脱清新。末句“知与谁同”以诘问歇拍，遗响幽韵袅袅不绝。

（吴翠芬）

浣 溪 沙

欧阳修

堤上游人逐画船。拍堤春水四垂天。绿杨楼外出秋千。　　白发戴花君莫笑，《六幺》催拍盏频传。人生何处似尊前？

鉴赏

这首词写春日泛舟的欢乐与感触。

上片“堤上游人逐画船”，写堤上游人众多，一个“逐”字，将游人的欢快情状生动地描绘了出来，同时也将堤上游人与水面画船勾连呼应了起来。堤上与水上尽是游兴正浓的人们，但是乘画船在水面泛游比之在堤岸上游玩，自当胜过一筹，更具有吸引力。因此，这个“逐”字，就将堤上游人对水上画船的热衷之情点画了出来。“拍堤春水四垂天”，写天幕四方垂地，一湖春水仿佛有意为游人助兴似的，荡起一阵阵清波，欢快地拍打着堤岸。一个“拍”字，把春水活泼泼的生命刻画了出来。水天一色，浩浩荡荡的春水，似乎与四方垂地的天幕连成了一片。“绿杨楼外出秋千”，写居住在春水之滨人家的欢快情景。古代女子有在春天荡秋千的习俗。“出秋千”三字，也暗中写出了秋千女的形象。对于这句词语，王国维曾专门评论说：“欧九《浣溪沙》词‘绿杨楼外出秋千’，晁补之谓：只一‘出’字，便后人所不能道。余谓：此本于正中（冯延巳）《上行杯》词‘柳外秋千出画墙’，但欧语尤工耳。”后人又指出欧词用“出”字，本于王维《寒食城东即事》诗：“蹴踘屡过飞鸟上，秋千竞出垂杨里。”其实，欧词的妙处不在于有无所本，也不在于后人的能道不能道，而在于他在短短三句中，将游人、画船、天光、水色、绿树、楼台以及那位似露面而非露面的秋千美人，生动地交织为一幅色调谐和、情趣盎然的湖上游春图。在这幅图上，经丹青巨匠的生花妙笔轻轻一点，“逐”“拍”“垂”“出”，顿使画面上的形象化静为动，呼之欲出。

下片触景生感。面对大好景色、欢乐游人，愁绪满怀的词人"拟将沉醉为清欢"（《玉楼春》），看来他真的喝醉了，有点失态了。"白发戴花君莫笑"，"戴花"，本是年轻人的爱美习性，但人到老年何尝会心甘情愿地服老，而不忆恋那一去不复返的金色年华！作者在《采桑子》中写道"鬓华虽改心无改"，就是最好的注脚。不是吗？词中主人公青丝虽已改为霜鬓，而一颗年轻人的爱美之心并未改变。此时，酒宴中"《六幺》催拍盏频传"。"《六幺》"为唐代琵琶曲名，白居易《琵琶行》有"轻拢慢捻抹复挑，初为《霓裳》后《六幺》"句。"催拍"指乐曲的节拍急促。在急管繁弦的喧闹声中，玉盏催传，此时此地真是不醉难休了。作者平生嗜酒，自称为"醉翁"，写过大量的饮酒词："劝君满满酌金瓯，纵使花时常病酒，也是风流。"（《浪淘沙》）"浮世歌欢真易失，宦途离合信难期，尊前莫惜醉如泥。"（《浣溪沙》）这首《浣溪沙》词也就以"人生何处似尊前"的诘问句歇拍。有人批评这首词下片有"及时行乐的消极情调"。不错，从字面上看似乎如此，但是还应看到"伤心人别有怀抱"。作者曾写道："花开鸟语辄自醉，醉与花鸟为交朋。……可笑灵均楚泽畔，离骚憔悴愁独醒。"（《啼鸟》）他借用《楚辞·渔父》中屈原自谓"众人皆醉而我独醒，是以见放"这句比喻，作为饮酒沉醉的藉口，寄托之意自明。一生常怀忧时之情与愤世之意，感慨政治理想抱负不得实现的欧阳修，借酒来浇自家块垒，在沉醉中一吐胸中的牢骚郁闷，获得精神上的片刻快慰，何过之有！

（吴翠芬）

浣溪沙　　欧阳修

湖上朱桥响画轮。溶溶春水浸春云。碧琉璃滑净无尘。　　当路游丝萦醉客，隔花啼鸟唤行人。日斜归去奈何春！

鉴赏

欧阳修一生热爱大自然，所到之处往往流连忘返，写出很多啸傲风月、寄情山水的佳作名篇。从早年在洛阳与志同道合的“当世贤豪”游览嵩洛胜景所写下的记游诗文，到晚年退休归颍，在“十顷西湖一钓竿”的生活中写下的《采桑子》十首，都是为后人称道的写景杰构。这首《浣溪沙》写泛舟春水，流连光景的情趣。由于作者善于细心观察湖面的天光水色，敏锐捕捉自然景物中上至云天阳光、下至花鸟游丝所蕴涵的美的特质，并注入自己内心特蕴的情思，便交融成幽美的画意诗境。

上半阕写湖面上的风光：飞架在湖面上的彩虹——朱色桥上正行驶着有雕绘彩画的华美车辆，车轮滚滚碾过桥面，发出阵阵声响。“溶溶春水浸春云”写水天交映之景，“溶溶”，水波流动的样子。“浸”字用得极妙，不是直写春水倒映春云，而是从观察体验的错觉中来描绘景物的状态，写春天的云彩浸泡在溶溶的一湖春水之中。水天颠倒，幻境顿生：似乎是湖水弥漫到了云天之上，又似是云彩掉落到湖水之底。此处与作者《采桑子》“行云却在行舟下，空水澄鲜，俯仰留连，疑是湖中别有天”意致相同，而笔墨异趣。自然界中，水天倒影本是极平常的景色，但作者却从平常中发现了不平常的美，并以清词丽句艺术地再现出来。“碧琉璃滑净无尘”写湖面无风，水色澄碧。“滑”指船行水面有如在琉璃上轻轻滑过。与《采桑子》“无风水面琉璃滑，不觉船移”意同，都是熨帖入微地描述了湖面泛舟时轻快、恬适的心情感受，形象而有诗意。

下半阕写游兴未尽的流连之情，意笔兼到，写法别具一格。明明是游人在湖上泛舟狂饮，耽乐了一整天，这时夕阳斜照，天色已晚，醉眼蒙眬的游人怀着恋恋不舍之情，不得不踏上归途。可是作者却特意从啼鸟、游丝着笔，从对面写来，反客为主，主动化为被动，词意跌宕，情味更加浓郁。我们看到，词中的主动者是啼鸟、游丝，被动者是醉客、行人，不是耽乐的醉客行人贪恋湖上春色不愿离开，而是春天里自然界可爱的生灵——春虫春鸟多情好客：“当路游丝萦醉客，隔花啼鸟唤行人。”在醉客行人归回的路上，蜘蛛用自己吐出的丝，多情地缠绕着游人；鸟儿也在花丛中婉转啼鸣，热情地召唤着游人，他们都对游人挽留不已。春水、春云、春虫、春鸟既对人流连，也令人流连。欧阳修笔下的啼鸟、游丝是颇通人性的灵物：“啼鸟亦屡变，新音巧调篁。游丝最无事，百尺拖晴光。”(《暮春有感》)在词中，游丝萦醉客，醉客也自萦游丝；啼鸟唤行人，行人也自唤啼鸟。游人与春光共流连，游丝、啼鸟也与春光共流连，自然界中万物对春光的相依相恋之情融成了一片。“天工施造化，万物感春阳”（同上），景语即情语，抒发了作者对春光的深深眷恋。词中的“春”，何止是指自然的春天，不也包括人生的青春、爱情、理想、希望等等一切最幸福美好的事物吗？正因此，作者以对“春”的无限深情，凝成了词的结句：“日斜归去奈何春”。“奈何春”，是指对春天无可排遣的意思。词人郁积内心的流连惆怅之情，从歇拍的轻轻喟叹中丝丝传出，萦纡不绝。“寻常风物口头语，便是诗家绝妙词。”这首词以自然鲜妍的艺术形象，浅近明畅的语言，写出沉挚深婉的情思，乍看似平淡无奇，细加品味却有隽永之趣，堪称写景词中的上乘之作。

（吴翠芬）

少　年　游　　欧阳修

阑干十二独凭春，晴碧远连云。千里万里，二月三月，行色苦愁人。　谢家池上，江淹浦畔，吟魄与离魂。那堪疏雨滴黄昏，更特地、忆王孙。

鉴赏

《能改斋漫录》载：一次，梅尧臣在欧阳修处作客，席间有人称赞林逋的草词作得好，梅尧臣就即席作了一首《苏幕遮》与之媲美。欧阳修击节赞赏，当即和作这首《少年游》。前两首词既然都以咏草为题，欧阳修的和作自然也应是一首咏草词。但意在借草赋别，抒写离别相思之情。

上片写主人公凭栏远眺的感受，引出离别相思之苦。首句写凭栏，不但点明了时令——春天，而且介绍了地点的幽雅——一座有阑干的小楼，借以暗示人物身份的尊贵。并且还交代了此时此刻她的处境——独自一人。“阑干十二”语出南朝乐府《西洲曲》：“阑干十二曲。”言阑干之弯弯曲曲。第二句写主人公目中所见，“晴”“碧”言其色泽鲜嫩，“远连云”言其遥与天接，混为一体。此句境界阔大。三、四两句从时空方面着眼，“千里万里”，就空间说，“二月三月”，就时间说，二者都是为了引出下句“行色苦愁人”。“行色”，指出行的神态，此乃少妇凭阑所见。“愁人”，指少妇。思亲人而不见，独自凭阑，其愁自不待言，而又恰逢二三月间，楼下行人匆匆远赴千里万里之外。少妇触目生愁，由“愁”而“苦”，“苦”比“愁”程度上更进一层。由这一“苦”字，领起下片。

下片连用一系列离别相思的典故，使上片的离愁别绪进一步深化。“谢家池上”是说谢灵运梦见谢惠连，醒而得佳句“池塘生春草，园柳变鸣禽”；“江淹浦畔”则是化用了江淹《别赋》中“春草碧色，春水绿波。送君南浦，伤如之何”的名句。“吟魄与离魂”句复指：“吟魄”指谢，“离魂”指江。篇末三句用《楚辞·招隐士》“王孙游兮不归，春草生兮萋萋”语，亦是关于草的典故。疏雨黄昏中的小草，更使人思念心上人。由“晴碧”而“疏雨滴黄昏”，说明主人公凭栏伫立之久，益见相思之切。词人在他的另一首词作《蝶恋花》中，也刻画了一个登楼远眺的女主人公形象。其下片有云：“雨横风狂三月暮，门掩黄昏，无计留春住。”此句虽不能说是这几句的缩写（“疏雨”较“雨横”程度已有所不同），但作为同一作者的作品，其潜移默化之处还是有迹可寻的。

从艺术上看，这首词境界辽远阔大，语言质朴清新，与一般描写离别相思之苦的婉约之作已有不同。宋词之由婉约到豪放，有一个逐步转变的过程，欧阳修乃是这个转变过程中的一位承先启后的人物。这一点，从这首词中也可以得到证明。

（霍　然）

蝶　恋　花

欧阳修

六曲阑干偎碧树，杨柳风轻，展尽黄金缕。谁把钿筝移玉柱？穿帘海燕双飞去。　满眼游丝兼落絮，红杏开时，一霎清明雨。浓睡觉来莺乱语，惊残好梦无寻处。

鉴赏

这首词寓情于景地写出抒情主人公从早春到暮春的感情

波澜。

上半阕先写栏外景色：碧玉般的绿树与六曲形的栏杆紧紧依偎着。词中的“碧树”当指杨柳。“二月东风催柳信”（欧阳修《玉楼春》），在东风的轻轻吹拂下，杨柳正舒展出又嫩又黄、似金色丝缕一般的柔枝。不难看出，唐代诗人贺知章的《咏柳》“碧玉妆成一树高，万条垂下绿丝绦。不知细叶谁裁出，二月春风似剪刀”，白居易的《杨柳枝词》“一树春风千万枝，嫩于金色软于丝”，当为欧词所本。但欧词中的柳又别具一种妖娆姿色。他的《玉楼春》咏柳一词，把柳比拟成娇柔可爱的少女。如今，我们在《蝶恋花》词中又见到了她，这位“腰柔乍怯”的少女，正依偎在六曲栏杆之旁，轻展姿影，妩媚动人。

“谁把”两句写帘内景物。“钿筝”是嵌金为饰之筝，唐温庭筠《和友人悼亡》有“钿筝弦断雁行稀”句。“玉柱”，指用玉所制的筝瑟之柱。“移”，动。“移玉柱”指弹奏钿筝。“海燕”，燕子的别称。古人认为燕子产于南方，渡海而至，故称“海燕”。两句写不知是谁弹奏起钿筝，响声一发，帘内双栖的海燕骤然惊起，双双穿过帘幕，比翼飞去。

栏外柳丝轻展，帘内海燕双栖，“碧树”“黄金缕”“钿筝”“玉柱”，一派金碧辉煌、堂皇富丽景象。在这幢幽邃静寂的雕栏画楼之中，一声钿筝惊飞双燕，词境静中有动，兴象极其微妙动人。

下半阕，“满眼”三句写眼前所见到的暮春三月的景色。“游丝”指蜘蛛或其他虫类所吐的丝，飞扬于空中，故称游丝。杨柳的“黄金缕”这时已化为缭乱的飞絮。三月正是杏花盛开的季节，可是无情的清明雨一霎间侵凌而来，使得“杏花零落香红谢”（欧阳修《蝶恋花》），到处是狼藉残红，飞絮蒙蒙，逗引出词人伤心惜花的一怀惆怅之情。“浓睡”两句，写莺语惊破好梦的懊恼情绪。镇日凄清，原无欢意，便把希望寄托于梦中。果然，词人在浓睡中做了个欢乐的好梦，但好梦不长，竟被恼人的莺语惊破，想寻求也无处寻求，此情此景真是惆怅春心无限了。

那么，词人被惊残的“好梦”是什么呢？词中没有点明，但从“穿帘海燕双飞去”中不难窥见其中消息。那依偎的碧树，那在春风中摇曳的柔枝，展尽千姿百态的杨柳，那动人心弦的声声钿筝，都渲染、衬托出在画楼帘中双栖双飞的一对海燕。词人在浓醉中从凄凉的暮春重回到温馨的早春，那凝聚着青春、爱情、幸福的美好时光。这，就是他渴望寻求的“好梦”。

清代词学家谭献评这首词如

"金碧山水,一片空蒙"(《复堂词话》),颇得其中三昧。欧阳修在词中的叙事做到了"非寄托不入,专寄托不出"(周济《宋四家词选目录序论》),词中的"双燕"必定寓含作者的寄托,但又使读者一眼看不出寄托所在,须透过缥缈的云雾之气去辨析、欣赏"金碧山水"的姿色之美。这就是作者渲染"一片空蒙"画面的高超笔墨所在。

(吴翠芬)

阮　郎　归

欧阳修

南园春早踏青时,风和闻马嘶。青梅如豆柳如眉,日长蝴蝶飞。　　花露重,草烟低,人家帘幕垂。秋千慵困解罗衣,画堂双燕栖。

鉴赏

这首词是写一个女子于早春踏青时的所闻所见,以及她荡过秋千之后的心境。

上片写景,点出时令。"踏青"即春日出游。古代踏青节的日期,因时因地而不同,有在二月二日的,有在三月三日的。后世多将寒食、清明节出游叫做踏青。在一个风和日丽的春天,词中的女主人公来到南园踏青了,听到的是马儿在欢叫,看到的是如豆的青梅和如眉的柳叶。白天渐渐地长了,蝴蝶整日价在小园之中翻飞、起舞……好一幅寻春行乐的风俗画啊!宋代吴仲孚《苏堤清明即事》一诗云:"梨花风起正清明,游子寻春半出城。日暮笙歌收拾去,万株杨柳属流莺。"可以和这首词互参,但描写的细致、韵味都不逮此词远甚。试看"青梅如豆柳如眉"一句,用"豆"和"眉"来形容梅和柳,这正是早春的时节特点,观赏的精细,比喻的贴切,都可见词人的匠心。"日长蝴蝶飞"一句,看似寻常之语,细味则很耐人咀嚼。它不仅实写了春天的白昼在逐渐加长,而且还暗寓着主人公的主观感受。为下片的抒情作了绝妙的铺垫,是景语也是情语。

下片继续写景,并重点转入抒情。"花露重"三句,承接"日长"而来,春天的白昼虽然漫长,但随着日影的推移,黄昏也终于渐渐临近,这时,自然的景色便由风和日丽一变而为黯淡、凄迷,词的情调也随之趋于惆怅。家家帘幕低垂,说明踏青的游人已经兴尽归来,说不定还在双双对对地回味踏青之乐呢!然而词中的女主人公却只能在荡罢秋千之后,独自带着慵困的身心,脱下罗衣,准备回到空房休息。偏偏就在这当儿,她忽然瞥见画堂之上,一双燕子正在栖息,再回想小园中的蝴蝶,也是成双成对地翩飞,这怎么不使她一再触景生情,为自己孤飞独栖的不幸而黯然销魂呢?到底是少女怀春,还是思念远游未归的情人,词中没有作具体交代,这就给读者留下了揣测、想象的余地,与作者另一首《洞天春》"燕蝶轻狂,柳丝撩乱,春心多少"的描写相比较,意思相近,但前者含蓄,后者直露,在艺术上显然有高下之分。前人认为深于言情者,正在善于写景。这首词的佳处正在于寓情于景,以景结情,读后颇有低徊欲绝、余音袅袅之致,代表了欧词和婉、深隽的特色。

(吴翠芬)

蝶恋花

欧阳修

庭院深深深几许?杨柳堆烟,帘幕无重数。玉勒雕鞍游冶处,楼高不见章台路。　雨横风狂三月暮,门掩黄昏,无计留春住。泪眼问花花不语,乱红飞过秋千去。

鉴赏

这首词的作者向来说法不一,有人认为是冯延巳,但李清照认为是欧阳修。李是宋代人,离欧生活时代不远,她的说法应该是可信的。另外,这首词的题旨是什么,历来也颇有歧见。清人张惠言《词选》把这首词视为有寄寓的政治词,处处与屈原的《离骚》比附,认为:"'庭院深深',闺中既以邃远也;'楼高不见',哲王又不悟也。章台游冶,小人之径。'雨横风狂',政令暴急也。'乱红飞过',斥逐者非一人而已。殆为韩、范作乎?"竟把"乱红飞过"喻指为北宋大臣韩琦和范仲淹遭受斥逐。王国维不同意这种穿凿附会的臆测，他在《人间词话》中批评了张惠言对欧词的“深文罗织”。他说：“固哉皋文（皋文是张惠言的字）之为词也！”认为像欧阳修这类词“皆兴到之作”，并无政治上的寓意。我们同意王国维的意见。这首词细腻地描写了封建社会上层的一个深闺思妇的愁苦心情，它以曲折深远的意境与摇曳荡漾的情思拨动着读者的心弦。

词上阕一开端即描绘出思妇所处的典型环境。“庭院深深深几许”一句，选用三个“深”字，极言庭院之幽深。“几许”，约略估计之词，意为若干、多少。这里以疑问语气出之，是为了加重“深”的程度，与下文“帘幕无重数”相映成趣。李清照对这首词特别是首句非常赞赏，她说：“欧阳公作《蝶恋花》有‘庭院深深深几许’之句，予酷爱之，用其语作‘庭院深深深’数阕，其声即旧《临江仙》也。”“杨柳”“帘幕”二句，言一簇簇的杨柳攒聚一处，好像烟雾堆积，又好像数不清的重重帘幕，造成内外阻隔，使得本来很深的庭院变得更加深邃了。生活在这样一个琼楼深院中的女主人公，本来应该是“不知愁”的；当她“春日凝妆上翠楼”的时刻，却无心赏玩明媚的大好春光，而是满怀愁肠地向远方凝望，“玉勒雕鞍游冶处”，也就是薄幸郎沉湎的歌楼妓馆——章台路。“玉勒”，玉制的马衔。“雕鞍”，有雕花为饰的马鞍，泛指贵族公子的坐骑。“游冶”，这里指狎妓一类的寻欢作乐。“章台路”，汉代长安有章台街，在章台下，后来章台便成为妓女住所的代称。通过刻画、描写，一位幽闭深闺的贵族女子，因为薄幸之人一味追求狭邪之游而愁苦的心情便跃然纸上了。尤其值得注意的是，“玉勒”一句用浓笔极写薄情郎的游冶之欢，“不见”二字，又以冷隽之笔描写女主人公的惆怅、悲哀，这是一个鲜明的对比。再联系发端三句来看，那舒适华丽的高楼深院，那本是赏心悦目的如烟杨柳，这时却适足以反衬深闺思妇的愁苦，在艺术上收到了“以乐景写哀，以哀景写乐，一倍增其哀乐”（王夫之《薑斋诗话》）的效果。

下阕，“三月暮”点出时令，“雨横风狂”，描述气候特征。春光云暮，本已使人不堪，何况风狂雨骤，更加速春的消逝；更何况时候又到了黄昏。三层意思，层层递进，又层层深入，使人悲从中来，不可断绝，只有掩起门户独守空房，发出“无计留春住”的悲叹。这句的“春”字含义深广，耐人寻味。细绎词意，一则实指春天，二则象征美好的青春年华，三则隐喻爱情。真所谓惊心动魄，一字千金，将女主人公那种因物感时，因时怀人而又自伤孤寂的内心活动刻画得细腻极了。

结句“泪眼问花花不语，乱红飞过秋千去”，是历来受人赞赏的名句。在此之前温庭筠有“百舌问花花不语”（《惜春词》）之句，严恽也有“尽日问花花不语，为谁零落为谁开”（《落花》）之句，或为欧词之所本。但温、严的两句都不及欧词著名，其原因盖在于欧词这两句以眼前之景写内心之情，寄深于浅，借景抒情，包含多层意蕴。毛稚黄（先舒）分析说：“因花而有泪，此一层意也；因泪而问花，此一层意也；花竟不语，此一层意也；不但不语，且又乱落，飞过秋千，此一层意也。人愈伤心，花愈恼人，语愈浅而意愈入，又绝无刻画费力之迹，谓非层深而浑成耶？”（《古今词论》引）这里的花，已被作者采用拟人化的手法，赋予了人的思想感情。思妇以泪眼相看相问，花既不语，又纷纷飘飞秋千之外。是人有意而花无情呢，还是人、花同一悲惨命运，以花飞花落暗喻思妇的无所依托？作者没有明说，只是以其生花妙笔，传达出一种缥缈绵邈的情思，让读者去琢磨，去思索，去“各以意会”（陈廷焯《白雨斋词话》），因而读来反觉韵味无穷。前人谓“填词结句，或以动荡见奇，或以迷离称胜”（沈谦《填词杂说》），欧词这一结句，的确达到了既奇且胜的境地。

（吴翠芬）

望 江 南(二首)　　王 琪*

江南雨,风送满长川。碧瓦烟昏沉柳岸,红绡香润入梅天。飘洒正潇然。　　朝与暮,长在楚峰前。寒夜愁欹金带枕,暮江深闭木兰船。烟浪远相连。

江南月,清夜满西楼。云落开时冰吐鉴,浪花深处玉沉钩。圆缺几时休?　　星汉迴,风露入新秋。丹桂不知摇落恨,素娥应信别离愁。天上共悠悠。

作者

*王琪,字君玉。华阳(今四川成都)人,徙居舒州(今安徽庐江)。生卒年不详。举进士,调江都主簿;天圣三年(1025),召试,授大理评事、馆阁校勘;历集贤校理、知制诰,加枢密直学士。以礼部侍郎致仕,卒年七十二。所制乐府名《谪仙长短句》,今不传。《全宋词》收其词十一首。

鉴赏

王琪《望江南》词共十首,都是双调五十四字体。一首咏江南一物,虽无题目,但每首都是以第一句点明题意。这里所选的两首,《全宋词》依《花草粹编》次序,分别列为第六首和第九首。

先讲前一首。这一首《唐宋诸贤绝妙词选》题为"江景",通过写江南雨景,寄远怀人。上片"江南雨,风送满长川",写初夏之际,风送梅雨,洒满长川。一个"满"字,写出了梅雨之盛、范围之广。一开始大笔渲染,领起全篇。接着写"碧瓦烟昏沉柳岸,红绡香润入梅天"。青青的岸柳,掩映着碧瓦楼阁,一起沉进了迷茫无边的烟雨里,真是"黄梅时节家家雨"(赵师秀诗句),到处都被蒙蒙的细雨笼罩着。一入梅天，那潮湿的空气，将染香的红绡都湿润了。“红绡”，指用生丝织成的红色绢绸，一般都是用来作女子的服饰丝巾。这个特殊的意象，为下面隐写雨中闺怨埋下了伏笔。结句“飘洒正潇然”，活脱脱地写出了梅雨随意飘飞的情态：任情自在，潇洒悠然。

下片先暗用“巫山云雨”事，“朝与暮，长在楚峰前”，朝朝暮暮，细雨都飘绕在楚峰前后。无情之物似多情，有情之人反无情；雨依偎着楚峰，而人却离隔在风尘之外。那独守空闺的女子尽管物质生活很优裕，但精神生活却十分空虚落寞：“寒夜愁欹金带枕，暮江深闭木兰船。”清寒孤凄的夜晚，窗外阴雨绵绵，心中乌云密布，一个人愁绪满怀地斜倚在金带枕上。神情痴然、慵懒无聊的情态，宛然在目。日暮烟昏的江面上，已经看不见令人牵挂的木兰船的帆影了，只剩下“烟浪远相连”。在那渐去渐远、波波相连的烟浪中，寄寓了女子多少对远方人思念的深情；正所谓“离愁渐远渐无穷，迢迢不断如春水”（欧阳修词句）。

下面再讲后一首。这一首写的是江南明月，上片写“月有阴晴圆缺”。起句“江南月，清夜满西楼”，写一个天朗气清的秋夜，明亮的月光洒满了西楼。统观全篇，此西楼乃思妇居处。词的开头意境，跟曹植《七哀诗》开头的意境相同：“明月照高楼，流光正徘徊。上有愁思妇，悲叹有余哀。”楼头思妇，看惯了流水无穷已的秋江上月升月落、月圆月缺，不知重复了多少次：“云落开时冰吐鉴，浪花深处玉沉钩。”此一时在风吹云开的天宇，圆月如冰镜高悬；彼一时在浪花翻滚的深处，缺月如玉钩低沉江心。这两句似乎也可以理解为前句写风平浪静的江面上，圆月与天光云影一起倒映其中，后句写流急浪涌波光粼粼的江流中，残月出没其里。这里的“冰吐鉴”“玉沉钩”，词序颠倒，新颖别致。按常规，这两句应作“吐冰鉴”“沉玉钩”。冰鉴，指光华圆满时的明月如圆镜一般，唐人元稹有《月》诗云：“绛河冰鉴朗，黄道玉轮巍。”而玉钩，则指天边弯弯的缺月，像挂着的白玉钩，宋人陆游《月下作》诗云：“玉钩定谁挂，冰轮了无辙。”这首词中，作者有意识地用动词“吐”“沉”，分别隔开了组合名词“冰鉴”、“玉钩”。这样一来，“冰”和“玉”，状月之素色；“鉴”和“钩”，描月之形态。结果，不仅句式上易板为活，而且诗意上也用常得奇，颇得老杜“香稻啄余鹦鹉粒，碧梧栖老凤凰枝”（《秋兴八首》）诗句之匠心。这大概也是王安石称赞王琪诗词“时有奇句”之处吧！上片的结句“圆缺几时休”，既承接收拢了前两句，又以月圆月缺何时了的感慨，开启了下片词意，十分自然地转渡到新的境界中来。

下片写“星汉迥，风露入新秋”。银河遥遥，星移斗转，不觉又进入了金风玉露的新秋。“丹桂不知摇落恨，素娥应信别离愁。”“素娥”，嫦娥的别称，因月色素白而得名。神话传说中的月中桂树，高五百丈；砍之，树创随合（见段成式《酉阳杂俎》）。“摇落”，凋残零落意。月中丹桂，四时不谢，虽然它没有因秋而凋零的愁恨，但月中嫦娥离群索居于广寒冷宫，在长久的孤寂中，应当体验和确信了离别的苦痛，“嫦娥应悔偷灵药，碧海青天夜夜心”（李商隐诗句）。最后结句“天上共悠悠”，“悠悠”，忧思的样子。一个“共”字，使结句有“一石击两鸟”之妙，道出了人间的离人和天上的嫦娥，都为月缺人分离、月圆人未圆而黯然神伤。

这两首《望江南》，咏物写景都十分生动形象，体物精微，状物细妙，像王安石所酷爱的词句“红绡香润入梅天”。两首词都在咏物写景中抒情，前一首借梅雨绵绵，抒发了离别后的情思绵绵；后一首则借江月圆缺无休时，写出了悠悠离愁无穷已。此外，这两首词的结句都含蓄蕴藉，余味无穷。

作者王琪长居庐江，入仕后又曾任主簿于江都（今扬州）。庐江和江都都地处江北，且离江甚近。因此他的十首《望江南》词，所写江南诸景诸物，绝不是泛泛之笔；如果没有游历江南的实际生活体验，恐怕很难将江南风物摹写得如此生动逼真，形神兼备，情韵悠然！

（程郁缀）

望江南　　王琪

江南岸，云树半晴阴。帆去帆来天亦老，潮生潮落日还沉。南北别离心。　兴废事，千古一沾襟。山下孤烟渔市远，柳边疏雨酒家深。行客莫登临。

鉴赏

《望江南》调，中间七言两句以对偶为宜，宋人多用双调。作者有《望江南》十首，各咏一物，名标句首，如“江南柳”“江南酒”“江南燕”等，颇类咏物。此首以“江南岸”起句，另题“江乡”，所写内容，并非咏“岸”，而是从岸头所见的江乡景物写开，饶有怀古情思。次句“云树半晴阴”，写江干实景。江天云树，时晴时阴，使人有捉摸不定、变幻莫测之感。中间七字对句“帆去帆来”和“潮生潮落”，也是写江干景物，实寓有怀古之情。历来诗词中借“帆”与“潮”来抒发伤时怀古幽思的很多，如刘禹锡诗“沉舟侧畔千帆过”“潮打空城寂寞回”。这两句词意谓：江上风帆来来去去，阅历了古往今来的人世变幻，天若有情也要为之衰老。“天亦老”，借用李贺“天若有情天亦老”的成句。岸边江潮时起时落，几经沧海桑田，太阳还是如昔西沉。歇拍以“南北别离心”暂作收束，看上去与以上两句无关，其实不然。要知道古往今来，世事变幻，其间包蕴了多少人间的悲欢离合。这里已由怀古转到寄慨了。“南北”是方位词，一般是从横的方面区分地域，此词既写怀古，也宜于从纵的方面想象。上片构思用笔，全从虚处摄神，含蓄深婉。

过片承上，转笔落实。“兴废事，千古一沾襟”，这才从正面点醒题旨。但从字面看，又从“别离”转到怀古，下面接着又描写景物，其间跳跃性较大。清人况周颐云：“作词须知‘暗’字诀。凡暗转、暗接、暗提、暗顿，必须有大气真力斡旋其间。”（《蕙风词话》）这首词构思用笔的转、接、提、顿，就是深得暗字诀的奥秘。下面七言对句，又复写景，且从远处着眼。“山下孤烟渔市远，柳边疏雨酒家深”刻画江乡景色如画，而“渔市”“酒家”，尤足令人向往。可是“行人别有凄凉意”，在“一沾襟”的情况下，也无心沽酒烹鱼为乐。结末“行客莫登临”，语极哀怨沉痛，因为对于“行客”来说，江乡胜景美肴，此时已觉索然寡味，尤其在凝想千古兴废事之时，只能益增惆怅而已。其实，“渔市远”“酒家深”，明明已是临眺所见，何以反说“莫登临”呢？须知这里的“莫”字是重笔，用作反跌，使词意更深一层。韦庄词“未老莫还乡”，李煜词“独自莫凭阑”，晏几道词“清歌莫断肠”，这些“莫”字都具有此妙，值得玩味。

（王明孝）

水调歌头　苏舜钦*

沧浪亭

潇洒太湖岸，淡伫洞庭山。鱼龙隐处，烟雾深锁渺弥间。方念陶朱张翰，忽有扁舟急桨，撇浪载鲈还。落日暴风雨，归路绕汀湾。　丈夫志，当景盛，耻疏闲。壮年何事憔悴，华发改朱颜？拟借寒潭垂钓，又恐鸥鸟相猜，不肯傍青纶。刺棹穿芦荻，无语看波澜。

作者

*苏舜钦（1008—1048），字子美，梓州铜山（今四川中江南）人，迁居开封。曾任大理评事、集贤校理、监进奏院，以议论侵权贵，罢居苏州，作沧浪亭以自适。终湖州长史。诗与梅尧臣齐名，风格轩昂奔放，但时有粗率之笔。亦工散文。有《苏学士集》。

鉴赏

此词为苏舜钦免官居苏州时所作。这次免官，是由于他“位虽卑，数上疏论朝廷大事，敢道人之所难言”（欧阳修《湖州长史苏君墓志铭》），故为权贵所忌，遭到诬陷打击，于仁宗庆历四年（1044）被斥。他于是“居苏州，买水石，作沧浪亭，日益读书”，“而时发其愤懑于歌诗”（同上）。此词乃抒愤之作。词以作者居沧浪亭时游于太湖为线索，通过写景、怀古、明志、抒愤，寄托了自己的身世之感，表达了壮志难酬、抑郁无诉的情怀。

上片从写景起笔，开头四句是对太湖景物的总摄。先用二句把太湖岸和洞庭山作总体勾勒。“潇洒”，言岸边景物萧疏，“淡伫”即淡泞,此指洞庭山四周的湖水十分清新明净。白居易《送客回晚兴》诗云:“参差乱山出,淡伫平江净。”这是晴明之景。画面则由近及远,由平面而立体,虽用对仗,仍觉文字洒脱,不假藻饰。接下二句,写湖上弥漫的烟雾,使湖中鱼龙不见踪影,仿佛已被深锁一般。这是对太湖景物的实写,但也寓托了作者内心的苦闷:自己现在不也如同深隐的鱼龙,被锁在云雾渺弥之间,不得施展抱负吗?一个“隐”字,一个“锁”字,把作者遭贬后怀才不遇的愤懑之情隐隐透露出来。“方念陶朱张翰,忽有扁舟急桨,撇浪载鲈还”三句,笔锋一转,由自身的被贬,联想到与太湖有关的两位古人来。心中正在想,眼中似乎就已见到扁舟载着鲈鱼急驶而来。陶朱就是范蠡,他曾辅助越王勾践完成灭吴大业,最终却忧谗畏讥而归隐江湖;张翰见秋风起而归隐故乡,也是急流勇退,意欲全身避祸。作者自己虽然胸怀大志,希望大有作为,谁知竟被朝廷罢黜,被迫息影江湖。较之范、张,被动、主动有异,而归宿则一,故联想及之,聊作旷达之想以自慰。末二句由遐想转写眼前景事,但仍隐含作者此时内心的愤懑,暗喻人生的曲折。上片从画面上看,是由淡到浓,由静到动,而感情也逐渐由平静到翻腾,这就为下片的直接抒情作了充分的铺垫。

换头“丈夫志,当景盛,耻疏闲”,连用三言短句,直抒胸臆,把内心的愤激之情和盘宣泄出来了。自己胸怀大志,又值春秋正富之际,自然耻于投闲置散。然而由于遭到贬斥,心情悒郁难平,以致方当盛壮之年,即已容颜憔悴,白发盈颠。壮志难酬,报国无路,此情何以能堪?着以“何事”二字,故以反诘语气出之,更觉感慨万千。可是现实生活是无情的,既已疏闲,就只好隐居沧浪亭,“拟借寒潭垂钓”以求自适了。史载作者居苏州时,因是被朝廷免职的“罪人”,一些别有用心的人便企图通过与他的接触抓点把柄,致使他“闭户不敢与相见,如避兵寇”,一时门庭冷落,交游几乎断绝,于是他在沧浪亭中,只好以“修竹慰愁颜”,终日“心随鱼鸟闲”。但他毕竟不甘寂寞,与世隔绝。有一次曾想去丹阳一游,并与一些人士交往,不料竟遭潘师旦等人的冷落和拒绝,而且宣言于人(参见《东轩笔录》)。这对他来说又是一个不小的打击。“又恐鸥鸟相猜,不肯傍青纶”之语,或即缘此而发。作者苦闷的心情,由此不难想见。末二句宕开一笔收束全篇,意谓既然如此,倒不如索性棹起双桨,穿过芦荻,在沉默之中冷眼观看人世的波澜。这仍是借景抒情，寓情于景，不过感情已由忧谗畏讥转为愤世嫉俗了。

在北宋词坛上，大量地以词写政治性题材的作家首推苏轼，而此词及尹洙的和作则远在苏轼之前，其开拓之功是不可抹杀的。

（樊维纲　徐　枫）

凤箫吟　　韩缜*

锁离愁、连绵无际，来时陌上初熏。绣帏人念远，暗垂珠泪，泣送征轮。长亭长在眼，更重重、远水孤云。但望极楼高，尽日目断王孙。　消魂。池塘别后，曾行处、绿妒轻裙。恁时携素手，乱花飞絮里，缓步香茵。朱颜空自改，向年年、芳意长新。遍绿野，嬉游醉眠，莫负青春。

作者

*韩缜(1019—1097)，字玉汝，灵寿(今属河北)人，绛、维之弟。庆历二年(1042)进士。英宗期，历淮南转运使。神宗朝，累知枢密院事。哲宗朝，拜尚书右仆射，兼中书侍郎。出知颍昌府，以太子太保致仕。卒赠司空、崇国公，谥庄敏。

鉴赏

写愁，是中国古典文学中一个永恒的主题。在浩如繁星的写愁篇什中最突出的是写离愁，围绕着这一主题，各种描写技巧和修辞手法运用殆尽。其中以“春草”喻离愁者，更是不胜枚举，它最早滥觞于《楚辞·招隐士》：“王孙游兮不归，春草生兮萋萋。”江淹《别赋》有云：“春草碧色，春水渌波，送君南浦，伤如之何！”到了“刻意伤春复伤别”的诗词中，此题更是蔚然成风。温庭筠《菩萨蛮》云：“门外草萋萋，送君闻马嘶。”李煜《清平乐》云：“离恨恰如春草，更行更远还生。”冯延巳《鹊踏枝》云：“河畔青芜堤上柳，为问新愁，何事年年有？”宋人步武者更众。但多数作品都只是将春草作为抒写离情的一个意象，而韩缜的这首《凤箫吟》，则整首赋咏春草，并且多侧面地把它作为离恨的象征来描写。这首词因而被公认为是咏草的典范，《乐府纪闻》记载道：此词流传开后，“后人竟以‘芳草’为调名，则失《凤箫吟》原唱意矣”。

叶梦得《石林诗话》记载了写作本事：“元丰初，夏人来议地界，韩丞相玉汝出分画。将行，与爱妾刘氏剧饮通夕，且作词留别。翌日，忽中批步军司遣兵为搬家追送之，初莫测所由，久之方知自乐府发也。”这是一则传闻，但亦可见作品所受到的称慕和颂扬。作品一开始便挑出了主题：“锁离愁、连绵无际，来时陌上初熏。”连绵无际的离愁就如同这连绵无际的春草，繁茂的芳草中裹藏着浓郁的愁绪。一个“锁”字，便恰如其分地将此情此景联系在一起了。首句写了愁来之时的炽盛，次句便点明了人物和事件：“绣帏人”是闺中少妇，“征轮”便道出远离。“暗垂珠泪，泣送征轮”不仅是少妇伤别的情态，也是词人咏草的妙笔：芳草沾露，晶莹透彻，随着车轮滚过，露珠纷纷下坠，如同泪滴，泣送征人。“长亭”句之后，便顺时序而铺叙，写离人的远去和居人的悬望。随着离人之车越来越远，越来越小，那远方的流水、天空的浮云便被收入眼帘。词人托出“远水孤云”，一方面是衬托春草的连绵不绝；另一方面也寓有以流水喻情之绵绵、以浮云喻身世飘萍、以“远”字况有情人天各一方、以“孤”字况彼此皆孑然无依等进一层的含义，可见词人修辞之讲究。征人远去，而思妇在高楼上犹悬望不止，甚至于“尽日”凭栏，哪怕离人早已“目断”。这里暗用了《招隐士》“王孙游兮不归，春草生兮萋萋”的典故，咏题一致，情景皆合，显得自然而又贴切。

过片“消魂”二字，是通篇精神所在，它既是上片的归结，也是下片的开启。“池塘”二句，一笔跳到追思昔游，在结构上是逆入法。谢灵运有“池塘生春草”的名句，这里暗用谢诗，又把春草联系上了。词人追思那年的别后重会：池塘边的草坪上，两人亲密地携手相依，天上乱花飞絮飘扬，他们幸福地漫步在散发着芳香的草地上；看到他们的温情爱怜，连绿色的小草也发出了嫉妒之情。往事不堪回首，“朱颜”句又挽回，从想象中的欢景又跌入现实中的悲景。这句词意化用刘希夷的诗句“年年岁岁花相似，岁岁年年人不同”，本来年去颜衰，就足以令人悲伤，何况爱人又复远离，更是孤凄难言。“朱颜”和“芳意”盛衰消长的对比，和昔欢今哀的对比交汇在一起，构成了感伤的重叠。

末句,词人却一反前调,以解脱之语强作宽慰:“遍绿野,嬉游醉眠,莫负青春。”“莫负青春”承上“朱颜”句来,而“遍绿野”又紧扣咏草,因此,末句在结构上虽是再次宕开,但形象依然完整。春光尚好,还是不要太发愁吧,既然青春难再,何不及时行乐!这种劝慰虽是充满着对生活的热爱,但并没有摆脱自伤和悲哀,这种宽慰是勉强的,无力的。遍野绿草,只会无止境地作为别情的象征而给人以痛苦。

这首词结构上富于变化,空间上有远近、虚实之变,时间上有顺逆之变,笔法上有开合之变。而尤长于借句用典,通篇四处用典,皆显得平顺自然,绝无做作。作品以草喻人,以人喻草,人即草,草即人,深得比兴三昧,直可方驾周邦彦《兰陵王·柳》、苏轼《水龙吟·杨花》诸名篇。根本说来,则是作者长于言情,感情长注而深厚,故有变而不觉隔,用典而不觉拗,并且物物皆着我之色彩。

(耿百鸣)

花心动　　阮逸女*

春词

仙苑春浓，小桃开，枝枝已堪攀折。乍雨乍晴，轻暖轻寒，渐近赏花时节。柳摇台榭东风软，帘栊静、幽禽调舌。断魂远、闲寻翠径，顿成愁结。　此恨无人共说。还立尽黄昏，寸心空切。强整绣衾，独掩朱扉，簟枕为谁铺设？夜长更漏传声远，纱窗映、银釭明灭。梦回处，梅梢半笼淡月。

作者

*阮逸女，事迹不详。其父阮逸，字天隐，建阳人。天圣五年（1027）进士。景祐初，典乐事。皇祐中，为兵部员外郎。

鉴赏

这是一首闺怨词，作者与词中抒情主人公均为女性。刘勰认为“人禀七情，应物斯感；感物吟志，莫非自然”（《文心雕龙·明诗》）。“春秋代序，阴阳惨舒，物色之动，心亦摇焉”（同上《物色》）。指出时序物态对人的心灵情感的感发作用。而那些居于深闺、与外界隔绝的封建时代的妇女，对时序的变化和物态的感发也更为细腻敏感，中国古代诗词中大量的闺怨作品，均是为此而发的。此词题为春词，是抒发因春而起的感触。上片写景，下片叙情。

首句扣紧题旨，所写乃是仙苑中的春景。人居之所而曰“仙苑”，点出其华丽且非常人所居之地。苑中桃花竞开，枝枝芳华灿烂，光彩照人。“春浓”二字更概括出春意盎然、芳华极盛的情景。“已堪攀折”，是实写桃花极盛之景，又以花盛暗示出女子处于青春年华，渴盼爱情的情态。自《诗经·摽有梅》，我国古代便有以花盛果熟比兴女子求偶的习惯。歇拍进一步从时序刻画春浓。“乍雨乍晴，轻暖轻寒，渐近赏花时节”，以“乍”（刚）写春天晴雨交替的变幻，以“轻”写春天乍暖还寒，但却和煦宜人的轻柔感受。在这种晴雨冷暖交替中反映出一种春天勃发的生命萌动的活力。几番残雨笼晴、轻暖轻寒之后，百花盛开，已到了春光明媚的赏花时节。攀折与赏花，均是人之动作情态。首两句均由物及人，由花盛而写女子已值攀折的极盛年华，由春盛写渴盼爱情的情态。表现了因春盛花盛而感发的渴望爱情、春心萌动的情景。第三韵由自然情景转向人之处所。其幽深寂寞与自然界万花争发、生命喧腾的景象成强烈对比。台榭旁吹动柳的东风是无力的“软”，帘栊遮蔽的深闺是寂寞的“静”，绿阴深处鸟儿的鸣叫更反衬出居处的幽深孤寂。春心本共花争发，然因离人远去，这春花春时春情只能引起伤离惜春情怀。行人踪迹不定，刻骨的相思使闺中人魂随天涯、断续无凭。怅惘之中，本想在旧日共游的翠径上重寻旧迹以求慰藉，但物是人非，反而引起更为郁结难遣的愁绪。换头叙怀，“春心莫共花争发，一寸相思一寸灰”的怅恨是无法与人叙说，也无人可以叙说的。“立尽黄昏”，以极为细腻的动作刻画出主人公这种无法言传之怅恨。“立尽”，既点出立于斜阳中怅望之长久，愁怀之郁结，黄昏斜阳又暗寓着闺中人独守空房，年华在孤寂中白白流尽的情致。“寸心空切”将“立尽黄昏”之情化为灰烬，点出这种相思怅恨无人理解，是徒劳无益的哀伤。写到此处情已尽，意已绝。“强整绣衾”以下重起一意，写闺中人无可奈何之下，强自振作的情态。在时空上是由黄昏至夜晚，由屋外至屋内的接续。强打起精神整理绣花的衾被，独自掩门不知不觉间又在床上摆上两个枕头。待摆好之后，才醒悟人去屋空，此枕为谁铺设呢？不觉悲从中来。这个细节突出了闺中人渴盼爱情相思至极的情怀，其以反问之句出之，则表现了情感上的又一个跌宕转折。继之写长夜独眠，不直接写辗转难寐，只写耳中所听，是在幽静的长夜里远远传来的滴漏声；目中所见，是映在纱窗上明灭不定的灯影。以漏声的悠远不断，灯影的明灭不定，暗示闺中人绵长的相思，动荡的情绪。结句“梦回处”写闺中人在愁绪之中渐入朦胧之境，从梦中惊醒之后，只见窗外一泓清淡的月色笼罩着摇曳的梅梢。此处化用卢仝《有所思》“相思一夜梅花发，忽到窗前疑是君”之意，在短暂的梦中，也许真切地见到亲人归来，在窗下轻叩，于惊喜交加中醒来，仍是形只影单，窗外风吹梅花，梅落敲窗，眼前只有梅梢轻摇，月色轻淡如水，一切是相思之极的幻象。

（王筱芸）

桂 枝 香

王安石*

登临送目。正故国晚秋,天气初肃。千里澄江似练,翠峰如簇。征帆去棹残阳里,背西风、酒旗斜矗。彩舟云淡,星河鹭起,画图难足。　　念往昔、繁华竞逐。叹门外楼头,悲恨相续。千古凭高对此,谩嗟荣辱。六朝旧事随流水,但寒烟、芳草凝绿。至今商女,时时犹唱,《后庭》遗曲。

作者

*王安石(1021—1086),字介甫,晚号半山,抚州临川(今属江西)人。宋仁宗庆历二年(1042)进士。神宗熙宁年间两任同平章事(宰相),实行变法,企图改变宋朝积贫积弱的局面。卒谥曰文,赠太师。崇宁间追封舒王。有《王文公集》,词只存二十余首。

鉴赏

王安石这首词,黄昇《唐宋诸贤绝妙词选》词牌下注有"金陵怀古"四字,可能是黄氏根据词意所增,非荆公自注。

金陵是东吴、东晋、宋、齐、梁、陈、南唐等朝代的都城所在,形势险要,风光秀美,久已驰名。唐人以金陵史迹、名胜为题材的诗歌不少。在宋词里当以张昪的《离亭燕》(一作孙浩然作)为最早,张昪是宋仁宗的大臣,作过参知政事、枢密使。这首词是他退居金陵以后所作,时在神宗熙宁年间。他通过金陵秋季景色的描写,抒发了兴亡之感,似为熙宁新政而发。王安石这首《桂枝香》,

一般也认为是他罢相以后退居金陵的作品,和张作前后相接,在写法上曾受到张作的启发,但立意完全不同。他这首词很受宋人的推重,杨湜《古今词话》说:“金陵怀古,诸公调寄《桂枝香》者三十余家,独介甫为绝唱。”所谓“诸公”之词,今皆不传,只剩荆公此作。南宋末著名词人张炎说此词“清空中有意趣”(《词源》)。但究竟“绝”在哪里,“趣”在何处,都未说出,须作具体探索。

上片写景。起首一句“登临送目”领起上片词意,表明以下描写全是目中所见。“正故国晚秋,天气初肃”点明登临季节。“故国”指金陵,和刘禹锡《石头城》“山围故国周遭在”是同一用法。晚秋的时候,天气清肃,登高四顾,周遭的山川景物毕呈眼底。“千里澄江似练,翠峰如簇。”首先看到的是千里澄江蜿蜒东去,静静地躺着,犹如一条铺陈着的白色丝带。这一句是从南齐诗人谢朓《晚登三山还望京邑》的名句“澄江静如练”化出。下句自铸伟词:碧绿的山峰连绵不断,好似簇拥在一起。金陵周围的山,近一点的有清凉山、狮子山、覆舟山、幕府山、紫金山等,远一点的有青龙山、牛首山、祖堂山等。如凌高四望,山峰重叠,参差竞秀,确有“如簇”之感,益可知荆公此句状景之妙。这两句是写静景。“征帆去棹残阳里,背西风、酒旗斜矗”两句写动景。在夕照里,江里的船帆在缓缓移动,酒家的旗帜在迎风招展,写出了人的活动。这两句似从张昇《离亭燕》“云际客帆高挂,烟外酒旗低亚”两句化出,而造语更工。“残阳”“西风”,透露出衰飒景象,隐隐为下片抒感创造气氛。“彩舟云淡,星河鹭起”两句写极目远望所见:河上的小舟被轻云遮掩,依稀可辨。“星河”指长江,远望处,天水相连,故称长江为星河,星河即天河。“鹭起”可能是写实,看到一群白鹭腾空而起;也有可能是从白鹭洲地名而幻想出来的虚景。“画图难足”句总收上片,极称赏之意。澄江、翠峰、征帆、酒旗、彩舟、白鹭,色彩斑斓,动静相间,构成一幅壮丽的画面。

下片抒感。起句“念往昔、繁华竞逐”,总领下片词意。六朝的一些帝王凭借金陵的险要形势和江南无尽的珍藏,穷奢极欲,出奇争胜,广筑宫殿,博采声色,琼树朝朝,金莲步步,招致了国破家残,败亡相继。“繁华竞逐”四字深刻地揭示出六朝更替的根本原因。“叹门外楼头,悲恨相续。”上句是杜牧《台城曲》“门外韩擒虎,楼头张丽华”两句的缩写。韩擒虎是隋朝的名将,隋文帝开皇九年(589),大举伐陈,以韩擒虎为先锋,率精兵五百人首先攻入金陵朱雀门，直扑宫闱，陈后主降。张丽华是陈后主的宠妃，她住在豪华的结绮阁上。这两句是说，当敌国大将已攻到宫城之外，陈后主还在醉生梦死，和宠妃们寻欢作乐。这是用艺术夸张手法刻画的一幅历史画面。实际的情况是，当隋军攻入宫城后，陈后主即命人把自己和张丽华、孔贵嫔用绳子连在一起缒入井中以避难，隋军出之而被俘。诗人之所以要把张丽华这个人物突出出来和韩擒虎作个鲜明的对比，意在表明，陈后主由于沉湎酒色导致了亡国之祸，令人触目惊心。至于托名颜师古的《隋遗录》说隋军入宫后，后主仍在饮酒赋诗云云，伪书所载不足信。金陵在短短的三百年里，走马灯似地更换了六个朝代，一些亡国之君所以“悲恨相续”，是因为他们在亡国之前从不接受历史教训。这一句不止是对六朝亡国之君的指责，而含有更深的现实意义。以下是对吊古者的批评：“千古凭高对此，谩嗟荣辱。”“凭高”和“登临”相呼应。“谩嗟荣辱”即空叹兴亡。意思是说，只是空叹兴亡，有什么用呢？这一句把从唐朝以来金陵怀古一类的作品统统推倒，显示出作者的雄伟气概，是全词抒情的高潮，也是全词的警句。但怎样才算是不空叹兴亡，作者并没有直说，而把深邃的思想蕴蓄句中，让读者去揣度，去悬想。以下只是“余波”。“六朝旧事随流水，但寒烟、芳草凝绿。”“流水”应上片的“澄江”，“寒烟”“凝绿”应上片的“晚秋”。六朝的往事都随着流水逝去，成了历史上的陈迹，只剩下寒烟笼罩下的一片芳草，也日渐枯黄。“至今商女，时时犹唱，《后庭》遗曲”，乃化用杜牧《泊秦淮》“商女不知亡国恨，隔江犹唱《后庭花》”诗意以收束全词。《后庭花》是《玉树后庭花》的简称，这是陈后主所创的新曲之一，其歌辞传于今的仅有“璧月夜夜满，琼树朝朝新”两句，其内容大抵皆称美张贵妃、孔贵嫔等人的容貌，可以断定为靡靡之音。《隋书·五行志》所载“玉树后庭花，花开不复久”两句，当是唐人附会之词，不足征信。

这首词立意高远，体气刚健而浑厚，多处化用前人的诗句、诗意以状景抒怀，不见雕镂痕迹，具见锤炼之功。但这首词最堪玩味的还是作者的命意所在。他不是简单地重复前人的诗意，客观地感叹兴亡。他对于六朝统治集团生活上“繁华竞逐”导致覆亡相继的历史事迹深表惋叹，是针对宋朝的政治现实而发的。宋朝从真宗到仁宗、英宗时期，都是安于表面的承平而过着奢豪的生活，宫廷开支之大，皇帝赏赐之滥，冗官冗员之多，都超过了六朝。君臣们无所事事,赏花钓鱼,坐吃山空,弄得国库枯竭,民不聊生,危机时露。这在作者《上仁宗皇帝言事书》和上神宗皇帝的《本朝百年无事札子》以及其他有关文章里有全面、详尽的论述。在这首词里,他认为对于六朝兴亡相继的事实不能"谩嗟",也就是说不能只是空自感叹,而是要从政治上加以变革,汲取历史教训,免蹈覆辙。这不是一般文人的见解,而是政治家的见解。换句话说,这首词是政治家的词,不是一般的文人词,必须结合作者的政治思想才能探索到它的底蕴。它的"绝"处就在这里,它的"意趣"也在这里。

后于王安石的著名词人周邦彦,也有一首《西河·金陵怀古》词,也融入了不少前人诗句,勾勒点染,构成一首圆美流转的怀古词,艺术功力是很深的,但意境却和王安石的《桂枝香》大有差别。周词只是"谩嗟荣辱",了无新意,就像一幅一般的工笔画,虽纤毫毕具而索寞乏神采,不免匠气,是十足的文人怀古词,难与荆公比并。

（李廷先）

浪淘沙令

王安石

伊吕两衰翁,历遍穷通。一为钓叟一耕佣。若使当时身不遇,老了英雄。　　汤武偶相逢,风虎云龙。兴王只在笑谈中。直至如今千载后。谁与争功?

鉴赏

这是一首咏史词。

作品从伊尹、吕尚的身世入笔。"伊吕两衰翁,历遍穷通。一为钓叟一耕佣。"伊尹是夏末有莘氏女的陪嫁奴隶,因才干卓越,为成汤所识,汤任以国政,得以灭夏桀而建商朝。成汤死后,伊尹还辅佐了两朝国君,巩固了商政权。吕尚,又称姜太公,早年贫寒,老来垂钓渭津,于渭水边遇周文王,后辅佐武王完成灭纣兴周的大业。伊尹和吕尚,是历来为儒家所称颂的著名贤相。才能的发挥,功业的成就,除了需要杰出的才干之外,更重要的是要有才干得以发挥的环境和条件。刘克庄的《沁园春》曾叹道:“使李将军,遇高皇帝,万户侯何足道哉!”但李广毕竟没有碰上汉高祖,多少英才也就这样沉沦埋没了。相比之下,伊尹、吕尚是幸运的。“若使当时身不遇,老了英雄。”作者的两层意思很明确:首先他提倡积极用世,和赞美垂钓逍遥的老庄之徒不同,他对终身隐逸并不赞许;其次他指出事业的成功也有一定的偶然性,没有时势和机缘也难造就英雄。

正在宦途上奋力前进的作者,对于政治上的作为自然是充满热情的,下片激昂之情油然而生:“汤武偶相逢,风虎云龙。兴王只在笑谈中。”伊尹、吕尚遇到了成汤、武王,自然是如风从虎,如云从龙;改朝换代、建国创业的奇功,蕴于羽扇谈笑之中。沧桑巨变,在词人笔下显得如此的轻松和悠闲,这表现出王安石对他的先驱们是何等的景仰啊!崇敬和羡慕之余,显然还有着深深的自励:“直至如今千载后,谁与争功?”“如今千载后”,意即千载后的今天;“谁与争功”,表面意谓功盖千秋,无与争者,实际上也颇自负:伊、吕之业,虽千古无匹,但风流人物,尚看今朝。词人以伊、吕自况,政治上的抱负,便从末句那不服气的神色中强烈地透了出来。

把上下片的情绪结合起来,不难看出王安石既有着建功立业的强烈的事业心以及充分的自信心,同时还渴望能为君王所重,获得施展才能的机会。然而,作品的意义不限于作者本身的自我希望和自我认识,它既揭示了杰出人物成功的必备才能和外因,也从侧面唱出了多少优秀人才埋没于“钓叟”“耕佣”而“老了英雄”的哀歌,有相当的普遍意义。

词在宋初,境界始开,但诗庄词媚的界限依然分明,能摆脱脂粉气的作家不多,题材乃至意境宏大开阔的作品亦属罕见,更不用说这类现实意义强、政治色彩浓的作品了。从这方面看,这首词不失为豪放词发展史上继范仲淹《渔家傲》之后的又一首重要作品。

(耿百鸣)

减字木兰花　王安国*

春　情

画桥流水，雨湿落红飞不起。月破黄昏，帘里余香马上闻。　徘徊不语，今夜梦魂何处去？不似垂杨，犹解飞花入洞房。

清　平　乐

春　晚

留春不住，费尽莺儿语。满地残红宫锦污，昨夜南园风雨。　小怜初上琵琶，晓来思绕天涯。不肯画堂朱户，春风自在杨花。

作者

*王安国(1030—1076)，字平甫，抚州临川(今属江西)人，王安石之弟。宋神宗熙宁元年(1068)，经韩绛推荐，召试，赐进士及第，历任西京国子教授、崇文院校书、秘阁校理。他反对新法，多次力谏安石。后安石罢相，吕惠卿执政，安国时为大理寺丞、集贤校理，因郑侠上疏反对新法、攻击执政者一事牵连，于熙宁八年被罢废，放归田里。有《王校理集》，不传。

鉴赏

这两首词题材相同，都是写暮春景色；艺术手法相同，都是借景抒情。但两者表达的感情却有所不同：前者是游子思家，后者则是由惜春惜花来写人品的高洁。

《减字木兰花·春情》以描写

暮春景色开端。画桥流水,雨湿落花,景物虽美,无奈"流水落花春去也",反而使人暗生怅惘之情。加之云破月来,清光洒满大地,又正是寂寞思乡之时。走马远别,"帘里余香"尚存鼻端。此情此景,与杜诗"香雾云鬟湿,清辉玉臂寒"之所咏所思何殊?过后接以"徘徊不语,今夜梦魂何处去"之句,极写思念之深、怀念之切。踽踽独行,无人可与晤语,征人寂寞之况味可知。不堪索漠,唯一的希望就是在梦中与伊人相见;然而梦魂难托,归路无凭,更觉愁肠九曲,凄苦万状。蓦见杨花飞舞,不觉顿生遐想:无情的杨花尚能飞入洞房,而有情之人反而滞留他乡,由物及人,因而又复化思念为悲痛。

与上词相比,《清平乐·春晚》中所表达的伤春之情则比较空灵抽象,读者可作多方面的理解:对时光匆匆的感叹,对自己境遇改变的悲伤,对美好事物凋零的悼惜等等。这首词由惜春、留春归结到像春光那样保持高洁的品性。

"留春不住,费尽莺儿语",发端构思十分新巧。莺语间关,为的是挽留春光。平常的自然现象,在诗人丰富的想象中,被赋予了不同寻常的含义。两句表面上是写黄莺殷勤留春,实际上是用拟人化的手法,借黄莺来表达自己的惜春之深情。"满地残红宫锦污,昨夜南园风雨"是倒装句。一夜风雨,残红满地,犹如玷污的宫锦。"残红"说明春已归去,连枝头残花都被打落了。"宫锦污",形容遍地落花的狼藉之状。美好的事物受到摧残,更令人痛惜。下片承上,惜春惜花之情由歌女小怜托之琵琶诉出。这是从李贺《冯小怜》诗"湾头见小怜,请上琵琶弦"之句化来。以弦代语,歌哭无端。"弦弦掩抑声声思",铮铮哀音,令人终晓不寐。随着乐声,诗人追踪春光,绕遍天涯海角。结句的"画堂朱户"指达官贵人的宅邸。春光已去,只有自由飘舞的杨花,犹存流风余韵,然而它却不肯附丽于权贵之家以求飞黄腾达。美好的事物,即使行将结束,也依然保持她的美质,真可谓"质本洁来还洁去"。作者的惜春、留春、心随春去、思绕天涯,不仅因为春天是美好的,而且因为春归之时保持了高洁的品性。这种品性其实就是作者的自我写照。他并不附和当上宰相的哥哥而求青云直上,也不因为受的诬陷罢废而奔走权门,联系这些事实,是有助于我们理解这首词的。

两首词在写作手法上都是因物起兴,即景抒情,这是我国古代诗词中常用的技巧。然而一则见杨花飞入洞房而自愧弗如(与杜甫《发同谷县》“去往与愿违，仰惭林间翮”之句同一机杼），一则借在春风中自在翻荡的杨花自喻，构思、联想在新巧之中俱见匠心，在相同的拟人化手法中又各自曲尽其妙，这是他人类似的词作所难比肩的。

（吴　锦）

菩 萨 蛮

孙 洙*

楼头尚有三通鼓，何须抵死催人去？上马苦匆匆，琵琶曲未终。　回头凝望处，却更廉纤雨。漫道玉为堂，玉堂今夜长！

作者

*孙洙(1031—1079)，字巨源，广陵(今江苏扬州)人。年十九举进士，元丰中官翰林学士。有《孙贤良集》，不传。

鉴赏

《词综》引黄叔旸云："孙公于元丰间为翰苑，与李端愿太尉往来尤数，会一日锁院，宣召者至其家，则出。数十辈踪迹，得之于李氏。时李新纳妾，能琵琶，公饮不肯去，而迫于宣命，入院几二鼓矣。遂草三制，罢，复作此长短句以记别恨。迟明，遣以示李。"或以为孙将亡时所作，非也。作者贵为翰林学士，犹感到身不由己，故作此词以记其恨。李商隐诗："嗟余听鼓应官去，走马兰台类转蓬。"言听到鼓声，就得到兰台(秘书省)上班点卯，而发出身如蓬草随风飞转的感叹。作者由于亲身经历，悲慨同深。李诗当为词意所本。此词开头两句明白如话，直抒胸臆。意谓上班点卯的时间还早，哪用得着如此急急相催呢？这里对朝廷迫他连夜草制已露出不满的情绪。天子之言曰制。草制，就是为皇帝草拟"圣旨"。"抵死"，犹云急急。"上马苦匆匆"，着一"苦"字，表达了作者对官场的厌倦心情和身不由己的痛苦。一曲琵琶听犹未了，正当豪情方酣之际，竟匆匆上马去应官差，真是大煞风景。"琵琶曲未终"，闷闷而去，惆怅不已。

换头紧承上结。一曲未终，

即被迫匆匆上马,回首欢乐场面,怎能忘情?所以上了马仍不时回头凝望着欢乐的场所。何况一路上飘洒着廉纤细雨,更令人黯然神伤。于是结句发出"漫道玉为堂,玉堂今夜长"的浩叹。宋太宗赵光义诗:"翰林承旨贵,清净玉堂中。"自此遂以玉堂专属翰林。然而作者对这华贵的玉堂却感到厌倦。此句意谓徒然空说翰林院是玉造成的堂,可是今夜的玉堂简直叫人难受,大有度夜如年之慨。末两句重复玉堂,用顶针句法,不但音节谐美,而且加重语气,表达了作者当时的心情。从这个侧面也反映了封建文人为人作嫁的苦闷。

(王明孝)

临江仙

晏几道*

梦后楼台高锁，酒醒帘幕低垂。去年春恨却来时。落花人独立，微雨燕双飞。　　记得小蘋初见，两重心字罗衣。琵琶弦上说相思。当时明月在，曾照彩云归。

作者

*晏几道(1048？—1113？)，字叔原，号小山，晏殊第七子。他出身宦门，但不肯攀附权贵、趋从时俗，性情孤傲耿介，所以仕途蹇仄，曾监许田镇，后为乾宁军通判、开封府推官。由于生平遭遇变故，饱谙人情世态的炎凉冷暖，在他所擅用的小令中，多半抒写爱情离合和人生聚散无常的悲欢，缠绵悱恻、凄婉动人。有《小山词》。

鉴赏

这首词抒写怀念歌女小蘋的深情。起始“梦后”“酒醒”二句互文。楼台高锁，帘幕低垂，是居处的冷落，梦后、酒醒之后，就显得更为凄清寂寥，以环境的描写暗暗衬写出词中主人公的眼前春恨，虽然在字面上没有明说，但紧接以“去年春恨却来时”一句，暗暗表明居处的落寞与去年春恨重来有关。去年春恨的具体内容也不直接说出，而以“落花人独立，微雨燕双飞”的出色景语烘染，众芳纷谢的凋零景象，微雨迷蒙的黯淡气氛，既可理解为实景的描绘，但又何尝不是喻指烂漫如春的美好生活已经消逝，只留下一片迷茫、满腔怅惘？落花、微雨之中，一人孑然伫立，空中双燕穿飞，画面虽然无声，但一种无言的春恨却已泛溢于画面之外。“双燕复双燕，双飞令人羡”(李白《双燕离》)，“梁燕不知人事改，雨中犹作一双飞”(郑文宝《缺题》)，双燕能够自由地双飞，而人却茕茕孑立，其情何堪！伊人已去，往事已矣，但好景无常的落花春恨，绵长无止的微雨愁情,却年年再来,难有已时!

上片以幽雅凄清的景境衬写眼前和去年的春恨,但所以引起春恨的具体缘由却始终没有清楚地道出,只是稍点即止,闪烁其词,层层蓄势,直至下片“记得小蘋初见,两重心字罗衣,琵琶弦上说相思”几句,才开始点明。紧承上片的因景生情、见物怀人,自然地由眼前、去年而追溯更远的往事,景境随之一变,感情也从婉曲变为直率,如同闸门开启后的急流一泻而出。“记得”二字,语气郑重,说明是追忆往事。小蘋是歌女名字,其人妩媚善笑,小晏曾为之倾倒,当年初见的情景更是耿耿难忘。“两重心字罗衣”,借衣饰之美,衬写小蘋人美,也含两心相印之意;“琵琶弦上说相思”,在琵琶的弦声中吐露了相爱之情,人美,再加上情深,怎能不使人缱绻难忘!结拍“当时明月在,曾照彩云归”二句,以长在之明月绾合今昔,当时明月之下,曾经映照彩云般的小蘋归去,“只愁歌舞散,化作彩云归”(李白《宫中行乐词》),彩云般的恋情也随人的归去而消散无踪。说“曾照彩云归”的“当时明月在”,实是反衬人的不在,不言怀人,而怀人之情自见,也自然地点出了年年春恨之因。眼前、去年以及更远的春恨,正是词人当年青春恋情消逝的长恨,它凝聚了作者执著难忘的深情。全词以“春恨”为关捩,“梦后”二句写眼前,“落花”二句写去年,“记得”三句写过去,由近及远,层层翻转,恰如一幅幅画面不断映现,而又首尾贯串,深得蛇灰蚓线之妙。

(钟　陵)

蝶　恋　花

晏几道

醉别西楼醒不记,春梦秋云,聚散真容易。斜月半窗还少睡,画屏闲展吴山翠。　　衣上酒痕诗里字,点点行行,总是凄凉意。红烛自怜无好计,夜寒空替人垂泪。

鉴赏

晏几道是晏殊的小儿子。虽然他父亲作过宰相,但他因为如黄庭坚《〈小山词〉序》中所说的“磊隗权奇,疏于顾忌;文章翰墨,自立规模。常欲轩轾人,而不受世之轻重。……遂陆沉于下位”,于是只好“嬉弄于乐府之余”,即以流连歌酒自遣。由于怀才不遇,没有为国家尽力的机会,就趋于颓废,这是从信陵君以来,许多人走过的老路。这位词人与那些人不同的是,他为后代留下了许多篇动人的作品。

晏几道晚年为自己的词集作了一篇短短的序文。这篇序,事实上是凄婉的回忆录和优美的散文诗。我们用它来对照这首作于晚年的词,对于词中的情事就看得更其清楚。这篇序和这首词的主题,都可以借用《楚辞·九章》中的一个篇名,就是《惜往日》。

自序略云:“始时,沈十二廉叔、陈十君宠家,有莲、鸿、蘋、云,品清讴娱客。每得一解,即以草授诸儿。吾三人持酒听之,为一笑乐。已而君宠疾废卧家,廉叔下世。昔之狂篇醉句,遂与两家歌儿酒使,俱流转于人间。……追惟往昔过从饮酒之人,或垅木已长,或病不偶。考其篇中所记悲欢、合离之事,如幻,如电,如昨梦、前尘,但能掩卷怃然,感光阴之易迁,叹境缘之无实也。”这首词也是写离别之感,但却更广泛地慨叹于过去欢情之易逝,今日孤怀之难遣,将来重会之无期,所以情调比其他一些伤别之作更加低徊往复、沉郁悲凉。

上片起句即点明离别。“西楼”,当时欢宴之地,此中有人。醉中一别,醒后全忘,难道是患了健忘症吗?也不过是极言当日情事“如幻,如电,如昨梦、前尘”,不可复得罢了。抚今追昔,浑如一梦,所以一概付之于“不记”。此与其《鹧鸪天》之“一醉醒来春又残”及《临江仙》之“梦后楼台高锁,酒醒帘幕低垂”同一意境。

二三两句承上说,但觉当时之聚,今日之散,无凭无定,竟如春梦秋云,即所谓“感光阴之易迁,叹境缘之无实”。白居易《花非花》云:“花非花,雾非雾。夜半来,天明去。来如春梦不多时,去似朝云无觅处。”这首诗写得迷离惝恍,据诗中“朝云”字,当是为南朝小乐府中所谓“夜度娘”一类人物而作。此处改“朝云”为“秋云”,修辞更为工整。而所谓“春梦秋云”之聚散,乃指莲、鸿、蘋、云之始在沈、陈两家,后来流转人间,仍甚分明。其情事当然也包括沈死、陈病在内。

四、五两句,是说由于聚散之感,怅触于怀,以至“斜月半窗”而仍不能入梦,则愁思之深可见。人方多恼,屏却无情。它悠闲地将一片翠色的吴山展示在这不眠人的面前,使人更增加无穷的遐想。这个“闲”字至关重要,有这一个字,才能衬托出由于人的心烦意乱,主观地认为画屏恼人,因而人也恼画屏的无聊心情。

过片写胜游欢宴既不可再，怀念旧人，检点旧物，则唯见“衣上酒痕”。这沾在衣上的一点一滴的酒痕，乃是西楼欢宴的陈迹。“酒痕”应上“醉”字。还有“诗里字”，这写在纸上的一行一行字，就是当时的“草授诸儿，吾三人持酒听之，为一笑乐”的“狂篇醉句”。今日观之，无非凄凉之意而已。

结尾两句，不说自己寒夜无眠，不说自己“自怜无好计”，不说自己“垂泪”，而将这一切归之于红烛。意思是要说，连红烛都为我的“凄凉意”而受感动，则我自己的哀伤也就可想而知。杜牧《赠别》：“蜡烛有心还惜别，替人垂泪到天明。”晏词即从杜诗受到启发，但形象更为丰满，青出于蓝。画屏、蜡烛，一翠一红，一无情，一有情，相映成趣，亦见结构巧妙。温庭筠《更漏子》“玉炉香，红蜡泪，偏照画堂秋思”，也为前人所称，但“蜡泪”与人的“秋思”“离情”，没有发生有机联系，比起这两句来，是有差距的。

唐圭璋先生说：“这首词，虚字尤其传神，如‘真’‘还’‘闲’等字，用得自然而深刻；‘总是’‘空替’，则极概括。”很扼要地指出了它在用字方面的特点。

（沈祖棻）

蝶 恋 花

晏几道

欲减罗衣寒未去，不卷珠帘，人在深深处。残杏枝头花几许？啼红正恨清明雨。　　尽日沉香烟一缕，宿酒醒迟，恼破春情绪。远信还因归燕误，小屏风上西江路。

鉴赏

这首词《乐府雅词》又作赵令畤作。我们认为作者是晏小山。原因有三：一、《小山词》结集于晏几道逝世之前，一般不可能混入他人作品。二、《乐府雅词》载《蝶恋花》，字面与《小山词》所载有出入，很多地方与词意相龃龉，《小山词》所录应是原作。三、就风格而论，这一首与《小山词》其他十四首《蝶恋花》形成统一的艺术风格，遣词造句方式也基本相同，而与赵令畤十二首商调《蝶恋花》，情韵气质则有明显区别。

晏几道的词以“工于言情”“措词婉妙”为人称道（陈廷焯《白雨斋词话》卷一）。冯煦说他是“古之伤心人”（《宋六十一家词选例言》）。这首《蝶恋花》反映了晏词的以上特点，主要写一位深闺思妇春深怀念远方亲人的悲哀伤感。首句从抒情主人公的心理活动写起，与一般景起、情起的写法有所不同。“欲”字透露出两层意思：或觉得天气转暖，或认为时令已到减衣的晚春。“寒未去”，意陡转，写出怯于减衣的犹豫。一波三折，这就令人思忖：究竟是春寒，是心寒，还是身子骨单薄，抵御不住春寒料峭？作者都未一语道破。二三句从心理到外形，托出锁在深闺、有意封闭自己的孤独、懦弱的思妇形象。“不卷珠帘”，或是畏寒，或是慵懒，或是怕出户外见到春残景象。“人在深深处”，透露出这畏寒女子闭门深隐，似有千种愁绪无人告诉。这一意境，与欧阳修同调词“庭院深深深几许，杨柳堆烟，帘幕无重数”的意境非常相似，主题和情绪氛围的制造也很接近。下面宕开，不再写闺中人，而写室外景：“残杏枝头花几许？啼红正恨清明雨。”“残杏”而能“啼”，能“恨”，这应是闺中人心理体验的外射。前三句写人与后二句写“残杏”“啼红”，让人与花交相辉映，启发读者想到残红就是思妇，花啼即人啼。这里融进了上引欧阳修《蝶恋花》“泪眼问花花不语，乱红飞过秋千去”的意境，创造出意象叠加的审美境界，比欧词显得更含蕴、深婉。这种处理艺术技巧极高。残红的“啼”“恨”，全是虚拟，若止看成拟人，理解就太肤浅了，而把这“啼”和“恨”坐实到伤春人、伤心人的形象中，二者交映，就使人们看到一个春残时愁锁深闺，满脸粉泪，像残杏一般在哭泣的孤独女子的形象。

下片回到闺中，主要写人。首先写出闺阁中香烟缭绕的朦胧气氛，表现思妇愁绪如烟如织、弥漫无穷的意象，又突出思妇整日里无所事事的无聊生活环境。思妇本想借酒浇愁，醉中麻木自己，但麻木是短暂的，即使醒来迟，终究要因伤春伤别情绪而苦恼。“春情绪”而能“破”，写愁绪的饱和。仿佛从睡梦中醒来是一根针，将充斥愁绪的水泡挑破，愁立即溢出，四散开来。结拍两句，终于道出愁苦的原因。“远信”，是所盼；“归燕”，是假想。“远信”不可盼而托之“归燕”，“归燕”不可托而怨其“误”事。这无理之理转为至情。明知燕归信无凭，于是又将思绪和视线牵向屏风上所画的山水图，在山水图上寻找亲人的行踪。这个结尾十分巧妙，看似不着气力，客观地摆出“小屏风”这个画面，实则暗示了深闺思妇的许多复杂的心理活动及细微的眼神动作转移。见到窗外归燕，怨其误了自己的“远信”；看到屏风上的山水，想到亲人“西江路”上的匆匆行色，这都是入梦入痴的悬想造成的。至此，一个伤春伤别的深闺思妇形象，活脱脱出现在人们眼前。人们不但看到此人如落红般的啼痕，还看到她细腻的、变化的心思。而这些又都是通过形象鲜明的画面来表现的。画面之外，隐藏着丰富内涵和悠长情韵，这就是写词所要追求的含蓄蕴藉的艺术境界。

（沈家庄）

蝶恋花

晏几道

梦入江南烟水路，行尽江南，不与离人遇。睡里消魂无说处，觉来惆怅消魂误。　　欲尽此情书尺素，浮雁沉鱼，终了无凭据。却倚缓弦歌别绪，断肠移破秦筝柱。

鉴赏

小晏有许多描绘梦境的词，在他现存的二百多首中，写到梦的有四十多首，这首词就是其中之一。

词一开始，就从梦写起，“梦入江南烟水路”，笔势迅疾突兀。烟水迷离的江南，虽然相距遥远，但因是那人的所去之处，魂牵神萦，不知不觉地就梦入江南，是思之极，也是情之深。“行尽江南，不与离人遇”，梦里也难相逢。岑参《春梦》诗“枕上片时春梦中，行尽江南数千里”，表现了梦魂远涉江南千里寻人的深情，小晏这几句词由此化出，境界近似，但江南行尽、离人不遇，较岑参诗更深一层地表现了内心感情的挫折，词情也随之作一顿挫。梦中的江南，烟水迷离，梦魂飘荡，千里驰飞，闪烁着惝恍飘忽的神秘色彩，浮现出虚幻多变的境界，朦胧迷茫，令人神思摇荡。“睡里消魂无说处，觉来惆怅消魂误”，梦中相寻不遇，梦魂劳瘁不堪，凄然神伤，黯然魂消，无限苦情，却无处可说，实是无人可以倾诉。梦后醒来，悟知梦中不遇的消魂之苦，全是虚幻，所以是“误”；然而现实中同样暌隔如前，与梦中相较，梦里消魂固然是不实之误，但梦魂还可以自由驰飞江南，四处相寻，现实中却拘禁森严，因而惆怅更深，比梦中更为消魂，词情至此又作一顿挫。

下片“欲尽此情书尺素，浮雁沉鱼，终了无凭据”三句，写惆怅难以排遣。想在信中详尽地叙说日思夜梦的相思之情，但离人行踪不定，睡梦里无法寻觅，现实中也鱼雁难凭，虽作尺素，也难以递传，满腔情愫，无法可以寄达，千回百折，步步逼近，词情再一顿挫。结拍“却倚缓弦歌别绪，断肠移破秦筝柱”二句，写于无可奈何之中，借弹筝歌唱，抒写别绪离情。“断肠”是感情悲苦，筝也随之弦紧音急，筝柱移破，形容弹奏迅疾如风雨骤至，声情自然激亢悲凉。全词“写来层层深入，节节顿挫，既清利，又沉着”（唐圭璋《唐宋词简释》），最后形成高潮。

（钟　陵）

鹧　鸪　天

晏几道

彩袖殷勤捧玉钟，当年拚却醉颜红。舞低杨柳楼心月，歌尽桃花扇底风。　　从别后，忆相逢，几回魂梦与君同。今宵剩把银釭照，犹恐相逢是梦中。

鉴赏

这首词写一对情人久别后的重逢。全篇都是从男子方面着笔来写的。抒情主人公即是作者，自叙其爱情生活中的一段经历。

上片追忆初次会见时的情景。因其历久难忘，印象最深，所以词中用了一半篇幅进行具体细致的描绘。开头两句，写词人与那位女子相逢在一次华筵上。彼此一见倾心，互通情愫，真诚相爱。“彩袖”暗示伊人身为歌女，“当年”点明所叙乃是往事。殷勤捧杯劝酒，说明女方钟情于己；词人深受感动，故不惜一杯接着一杯，开怀畅饮，甘愿一醉方休。通过劝饮、醉酒这一细节描写，形象地表现了男女双方的柔情蜜意。接着两句，形容歌舞盛况，渲染欢乐场面。一遍遍地起舞，不觉更深夜尽，照在楼头的月亮已经渐渐地低沉下去；一曲曲的清歌，唱至精疲力竭，桃花扇下的风也快消失了。这里不用“嘹亮”“婉转”“婆娑”“美妙”等等词汇去形容歌声舞态，而借时间的推移，淋漓尽致地刻画出歌舞的尽态极妍，以及与会者尽情欢度此一良宵的情景。以上场面是从主人公的回忆中展现出来的，采用的是“化实为虚”的艺术表现手法。

下片换头三句，写别后相思。中间略去了相识以后和离别之时的种种情事，直接叙述别后的思念，颇见剪裁之工。前两句就事理说是叙述句，从表现方法看却是解说句，再次点明上片所云乃是当年之事。“几回”句，具体描述相思情状，多少次梦里的欢聚，醒来后却增添了更多的烦恼和愁苦。字面上虽然没有出现“相思”的字眼，但通过双方之梦寐，自然衬出了彼此间感情的真挚与深厚。这三句仍用虚写，回想过去，一夕相会，引出了无限的相思之情。结拍两句，写意外的重逢。“今宵”点明是眼前的事，形象地表现出惊喜之情。“犹恐”句，与上文“几回魂梦与君同”相照应。先写动作——持银灯相照，再写内心活动。过去频为梦境所苦，以其并非现实；今夜真的重逢了，却又恐其仍是梦境，因而把银灯来照，极欲证其为真。总由一往情深，所以显得“曲折深婉”（陈廷焯语），心理描写十分细腻真实。

这首词写的虽是男女恋情的传统题材，但在艺术上却有其独到之处。全词依时间顺序，写了情事的发展过程：初欢——久别——重逢。从情感的变化看则是：欢乐——愁苦——欢乐。结构严谨，层次分明，波澜起伏，虚实照应，在短短的篇幅里包含着丰富的内容。笔端又富于变化，语言自然工丽，形象鲜明生动，具有较强的艺术魅力，故被列为宋金十大曲之一，当时曾广为传唱。

（喻朝刚）

鹧鸪天　　晏几道

小令尊前见玉箫，银灯一曲太妖娆。歌中醉倒谁能恨？唱罢归来酒未消。　　春悄悄，夜迢迢，碧云天共楚宫遥。梦魂惯得无拘检，又踏杨花过谢桥。

鉴赏

这首词也是怀人之作，上片写昔时相见，下片写今日相思。

起句前四字点明歌筵酒席，乃所见之地，后三字用唐人小说中人名，点明所见之人。范摅《云溪友议》所载韦皋和姜辅家中的婢女玉箫两世姻缘的故事，也是大家所熟知的。以玉箫称此人，即所以说明她乃是莲、鸿、蘋、云之流，或者就是她们中间的一个。

次句，“银灯”点夜宴，“一曲”承“小令”来，“见”是初见，因是初见，前所未睹，故用一“太”字来形容其“妖娆”出众，因而一见钟情，生出下面许多文字。一曲又一曲地唱着，要花许多时间。在听她歌唱的时候，竟醉倒了，但谁能因之感到遗恨呢？她唱完以后，余音在耳，回到家里，酒还没有醒，又可见得真是醉得可以。两句着力写她歌声之妙，不独美艳动人而已。上片都属回忆。

过片写别后的情景。春夜孤栖，故觉“悄悄”；久不成寐，故觉“迢迢”。这不是一般春夜的感觉，而是某一个春夜极其怀念已经与自己相距很远的“玉箫”时的感觉，所以接写天遥地远，再见为难，唯有托之梦寐。“楚宫”字，也是暗示其巫山神女的身份，且为下入梦张本。李商隐《过楚宫》云：“巫峡迢迢旧楚宫，至今云雨暗丹枫。微生尽恋人间乐，只有襄王忆梦中。”词人很可能从此诗得到一些启发。

结尾两句写相思之极，寤寐求之，以见钟情之深，用意是深入一层，用笔则是宕开一层。“梦魂”牵惹，非常迫切，但却有其“无拘检”的好处，即不比实际的人生会有许多间阻。由于没有这种或那种间阻，非常自由，故用“惯得”以拟议之。“过谢桥”而以“踏杨花”作陪衬，不独与上文“春悄悄”相应，而且合于梦魂缥缈之情景。着一“又”字，则可见梦里相寻，已非一次，与上“惯得无拘检”也相应。“谢桥”，指谢娘家之桥，犹谢家指谢娘之家。张泌《寄人》：“别梦依依到谢家，小廊回合曲阑斜。多情只有春庭月，犹为离人照落花。”诗意与此词下片相似。谢娘即谢秋娘，唐时名妓。

相传和晏几道同时的道学家程颐，也很欣赏“梦魂”两句，笑道：“鬼语也。”（邵博《邵氏闻见后录》）这句话不能直译为“这是鬼话”，只能意译为：“这样的词，只有鬼才写得出来！”连这个老顽固都被感染了，也说明这两句的确富于魅力。

（沈祖棻）

清　平　乐

晏几道

留人不住，醉解兰舟去。一棹碧涛春水路，过尽晓莺啼处。　渡头杨柳青青，枝枝叶叶离情。此后锦书休寄，画楼云雨无凭。

鉴赏

晏几道和晏殊在词的创作上齐名，故有“二晏”之称，但父子二人的生活经历却不相同。大晏位尊名高，生活颇为得意，而小晏却非如此。大晏在世时，晏家不乏“笙歌归院落，灯火下楼台”的富贵气象，小晏也曾过着歌韵铮琮、钿筝暖响的生活。随着乃父的去世，门祚的式微，小晏的境况也起了很大的变化，加上他孤高耿介、不愿阿附权势的个性，以致生活的道路不很顺利。身世的坎坷和世情的冷暖，使小晏除了耿介特立之外，又具有一往情深、善感任直的性格。所以他的词虽不离伤春悲秋、别怨离愁、相思情苦的内容，但是于情文之间缭绕着一股郁勃而深挚的情思，可以激动人心。黄庭坚《〈小山词〉序》中就说小晏的为人是“痴绝”。所谓“痴”就是情极真的表现。《序》中又说到小晏有“四痴”，除了不会溜须拍马，奔走于豪族权贵之门，不肯写应制的文章，不懂得持家理财之外，最后一痴便是“人百负之而不恨，已信人终不疑其欺己”。在小晏词中这种痴情之作实在不少，这首词便是其中著名的一篇。

这首词具体的写作背景无从查考了，也许是为一个女子而作，它写出了一种难以割舍的“痴情”。对于深情的人来说，最痛苦的莫过于离别了。为了两人能在一起，小晏不忍轻别，苦苦相留，可是对方未必理解他的心情，酒足醉罢解缆放船而去。劈头一句“留人不住”便凝结着小晏无限的愁思。小晏沮丧却又不无眷恋地望着一叶小舟随着悠悠的春水默默远去，直到船儿消失在莺歌阵阵、一片繁华的阳春烟景之中。小船消失了，人影消失了，然而绵绵的情丝并未因此断绝，恼怨、怅惘等等难言的情感交汇而来，竟使小晏盘桓于渡口不知何所适从，只见渡口边一排排的杨柳沐浴着春光，青翠撩人，仿佛每一枝每一叶都浸透着别绪离情。一切都那么瞬息即逝,多情的小晏不能不恼怨对方若无牵挂地飘然远去。凡事都有个“度”,人的感情也是这样,由于爱得太深,太笃,当这种爱无法得到对方的理解,它就会转向反面,即恨。爱得深,恨得也深。因为小晏向人捧出的是一片真心,可是对方未必理解他的心情。“此后锦书休寄,画楼云雨无凭”,便是感情发展的必然表现。从今以后不必再通信往来了,那过去的情事就当作没有罢了。这句话貌似绝情,实则痴情,如果小晏是个滥施感情逢场作戏的人,何必为这种离别而痛苦?既然对方未必珍视这种感情。正是因为情痴才生出这般烦恼。看来周济《宋四家词选》中说此词“结语殊怨,然不忍割”是颇中肯綮的。联系小晏其他词作来看,这种痴情也是很明显。比如《少年游》“离多最是”,尽管也感慨“可怜人意,薄于云水”,但并未因此而憎恨对方,还是慨叹“佳会更难重”,独自忍受着情感的折磨。又如《菩萨蛮》“相逢欲话相思苦”,在恼怨对方的“浅情”之时,仍然充满了深情的思念:“长到月明时,不眠犹待伊。”这些都能见出小晏诚挚率真的性格。那么,小晏怎么能做到这一点呢?除了小晏生性多情之外,这也在于他对对方已有相当的了解。小晏交往的女子大多是歌儿舞女,除了对她们不幸的遭遇寄予深切的同情外,小晏对她们痛苦的内心世界也是深为理解的。她们“浅情”的原因也许是复杂的,或是由误会引起,或是客观情势的逼迫,或是某种顽固势力的暗中操纵,这些都可能支配她们的行动。对于这些不幸的女子本人,他又能怨恨她们什么呢?

这首词上阕写眼睛所见,下阕写内心所感,写得率真自然,以致看不出有何刻意写作的斧凿痕迹。若要寻绎其艺术技巧上的表现,此词最明显的便是对比手法的运用。从这一角度上看,上阕写的是对方的举动,下阕便是写自己的衷肠。一个是千留万留不住,登舟舍岸,一棹轻举;一个是独立津渡,愁思满怀。两相比较,一个情浅,一个情深,一目了然。除了人与人的对比之外,用一片生机盎然的春景来写别恨,这也是一种对比,春色愈佳,则别情弥苦;春意益浓,则人情越显得淡薄。无情之景尚能与人同驻,有情之人竟忍轻别,作者之愁怀,之憾恨,之深情尽在不言之中了。

(王　玫)

木兰花　　晏几道

秋千院落重帘暮，彩笔闲来题绣户。墙头丹杏雨余花，门外绿杨风后絮。　朝云信断知何处。应作襄王春梦去。紫骝认得旧游踪，嘶过画桥东畔路。

鉴赏

词从当年写到重游，抒写旧情难已的怅惘。上片首二句“秋千院落重帘暮，彩笔闲来题绣户”，从追忆当年情景着笔，“秋千院落”，是当年伊人彩索身轻的所在，暮色深浓，帘幕低垂，正是当年共相欢娱之时。彩笔生花，闲来多情，常常在绣户之中为伊人题诗作句，青春的恋情热烈缠绵，闪耀着欢乐的光彩。然而，好景不长，痛苦的分离替代了和谐的聚合。“墙头丹杏雨余花，门外绿杨风后絮”，表面上似写院落内外的景物，实际上是喻比情事，墙内人当初艳如丹杏，别后恐已成为雨余之花，不知飘零何处。墙外人生涯落拓，而今恰似狂风吹卷后的绿杨飞絮，飘散无定。两句精工整丽，而又能尽工巧于矩度，寓流动于排偶，巧妙而又贴切地表现了对伊人状况的忧虑和自身浪迹江湖的感慨，景象鲜明，寓托深涵。沈际飞曾经指出“雨余花，风后絮；入江云，黏地絮，如出一手”(《草堂诗余正集》)，称赏小晏和周邦彦在以写景咏物喻比人情方面有异曲同工之妙。

下片“朝云信断知何处？应作襄王春梦去”二句，紧承上片所写的当初、别后，进一步写伊人一别，音信断绝。“朝云”句，暗用《高唐赋》巫山神女“旦为朝云，暮为行雨”“云无处所”之意，喻示了伊人的妓女身份。“应作襄王春梦去”句，暗用《神女赋》所载楚襄王梦会神女事，“应作”是因“朝云信断”而又不知踪迹何处后的估测，暗示伊人可能已另有所欢。从作者在这两句中所表现的关切、忖度，曲折地反映出对旧情的眷恋。结拍“紫骝认得旧游踪，嘶过画桥东畔路”二句，写旧地重游的复杂心情，但字面上不作正面叙说，只写紫骝马仍然记认旧游踪，在常常经过的画桥东畔频频发出嘶唤，表明物之有情，也就更深一层地表现了人对故地旧情的难忘。唐段成式《折杨柳》诗“公子骅骝往何处，绿阴堪系紫游缰”，宋张先《木兰花》词“骊驹应解恼人情，欲出重城嘶不歇”，金冯子翼《江城子》词“门外三更，灯影立骅骝”，都借写马而暗传人情，小晏的这两句尤为出色，物中有人，景外有情，画面动荡，情韵摇漾。

（钟　陵）

菩　萨　蛮　　晏几道

哀筝一弄《湘江曲》，声声写尽湘波绿。纤指十三弦，细将幽恨传。　当筵秋水慢，玉柱斜飞雁。弹到断肠时，春山眉黛低。

鉴赏

词写筝伎的弹奏，声情动人，形态传神。筝声哀怨，使人“感悲音而增叹，怆憔悴而怀愁”（汉侯瑾《筝赋》），所以起首就点出“哀筝”二字，既切合筝的乐器特点，同时也为全词定下了基调，哀怨之情笼罩全篇。“一弄《湘江曲》”，写哀筝所弹曲调。湘江是传说中舜的二妃泪洒斑竹和魂游的所在，同时也是爱国诗人屈原自沉的地方，“斑竹啼舜妃，清湘沉楚臣”（韩愈《送惠师》），充满了震荡心魄的悲剧色彩，以此为题材的《湘江曲》自然是悲凉音调。乐曲是听觉艺术，听之有音，视之无形，但词人却写道“声声写尽湘波绿”，“写”，同泻。湘江水清波绿，是自然的景，这里却是指《湘江曲》的乐调美妙有如湘江绿波的倾泻奔流，无形的声，化为有形有色的湘水，“秋风一奏《沉湘》曲，流水千年作恨声”（雍裕之《听弹沉湘》），这里是听者的品音入微，更是弹者的技艺高超。“纤指十三弦，细将幽恨传。”“纤指”是柔，也是美，更是巧，就在这纤纤手指的抚弄弹拨下，本来无声的十三根筝弦立刻颤发出有情之声，细传出难以明言的幽愁暗恨，不仅写出筝声的哀切，而且进一步写出筝伎的内心哀怨。

下片的“当筵秋水慢，玉柱斜飞雁”，“秋水”，是形容眼睛的明亮晶莹。白居易的《筝》诗也曾这样写道：“双眸剪秋水。”“慢”，也可以写作漫，指眼光的闪烁流漾，形容弹奏进入境界，眼中闪射出异样的神采。《湘江曲》的悲凉，湘江人神的憾恨，以及筝伎自身的哀伤，在弹奏中已经融合为一。筝弦十三，音阶递升，筝柱排列有如雁行，所以李商隐《昨日》诗中说:“十三弦柱雁行斜。”筝柱斜列如雁飞长天,不仅写筝形之美,而且暗示出筝伎在十三弦上飞速弹奏的美妙手法。结拍“弹到断肠时,春山眉黛低”二句,以“断肠”与首句“哀筝”呼应,点出全词哀怨的题旨。“春山眉黛低”,则以生动的笔墨,描绘出敛眉垂目悲不自胜的形象,情深意远,韵致无限。词中描摹音声,善于化虚为实,视听互通,《湘江曲》的音乐形象转化为湘江水的画面形象,乐曲的表现内容与产生的效果得到了和谐统一。词中写人也能于略加勾勒处传神,纤指轻抚,暗传幽恨;明眸流盼,刻画弹奏之入神;低眉垂首,透露出无穷哀怨。稍稍点染,疏疏勾画,神情却自然动人。

(钟　陵)

玉　楼　春

晏几道

东风又作无情计,艳粉娇红吹满地。碧楼帘影不遮愁,还似去年今日意。　谁知错管春残事,到处登临曾费泪。此时金盏直须深,看尽落花能几醉?

鉴赏

全词抒写花落春残的感伤。“东风又作无情计”一句破空而来,起笔就直怨东风。既怨东风无情,着一“又”字,是更怨东风无情并非偶尔,而是频年如此;特别是东风无情出于有意,更令人怨恨无已!接以“艳粉娇红吹满地”一句,具体绘写东风无情所造成的惨淡景象。“艳粉娇红”,正面写落花的艳丽和娇冶动人,笔端含情,而“吹满地”三字,景象一变,满目繁华,转瞬间化为乌有,令人惊心动魄,一句之中,自成对比,感情也起落顿挫,显示出词人笔法之妙。“碧楼帘影不遮愁,还似去年今日意”,碧楼高远,帘影幽深,是怕见落花春残,所以蛰居楼中,隔身帘里,较之近观虽然增加了一层距离,但花飞花谢依然可见,高楼重帘,遮不住红销香减的春残景象,自然也就遮不住由此而生的愁情。其实,这种景象,这种愁情,又岂是“今日”才有,“去年”何尝不是如此!“还似”二字,回应首句“又”字,申说花落春残的情景,并非一年如此,而是年年目睹，年年愁生，情深意苦。

下片"谁知错管春残事，到处登临曾费泪"二句，紧接上片"去年"之意，以转作承，不再正面叙说惜春之情，却故意反说关心花落春残，不仅是多管，而且是错管，花落春残，注定如此，怜花惜春，岂非徒然？过去不能通晓此理，处处登临，每每落泪，今日看来，全属空费之举。既然悟彻当初错管，所以今日"此时金盏直须深，看尽落花能几醉"，只须痛饮美酒，恣意玩赏落花，语气直率，辞意旷达。与上片怜花惜春的深情浓愁相比，下片表面上自怨自责、自解自慰，显得十分达观自适，实际上感情极为沉痛，较之怜惜之情更深一层。"直须深"三字，包蕴着无计挽回、无法收拾的深悲和难以言表、难以抑制的巨痛。"临轩一盏悲春酒，明月池塘是绿阴"（韩偓《惜花》），群花未谢时的"艳粉娇红"自当趁时玩赏，而虽然飘"吹满地"但还未埋土随水的落花，也可供人怜惜！当然，就是这种触目惊心的景象又能看得几次？情调极为悲凉。联系作者的生平和北宋后期的政局，这首词的惜花伤春的浓重感伤，可能与当时艰危的形势有关。晏殊的"门外落花随水逝，相看莫惜尊前醉"（《蝶恋花》），与这首词结拍二句意虽相近，而词意却劲直明朗。相比之下，小晏词则显得婉转凄恻，笔致摇曳。

（钟　陵）

阮　郎　归　　晏几道

旧香残粉似当初，人情恨不如。一春犹有数行书，秋来书更疏。　　衾凤冷，枕鸳孤，愁肠待酒舒。梦魂纵有也成虚，那堪和梦无！

鉴赏

词中追念往昔的恋情，悲叹人情的变化。首句就从"旧香残粉似当初"的怀旧写起，"香""粉"是伊人所用之物，因物而自然念及其人，说明旧情难忘；然而，香是"旧香"，粉是"残粉"，是人去楼空，旧影陈迹依稀，而伊人芳踪杳然难寻。虽然明知往事已是风流云散，但深情缱绻，难以释怀，余香剩色，恍若又"似当初"！

层层写来，追念者的深情自然逼现。下接“人情恨不如”一句，与上句形成强烈对比，己之睹物生情，可见爱之切，而伊人之情却不如物。香、粉虽然旧残，但毕竟还在，还似当初，人情浇薄，大不如物，变化惊人，憾恨极深。“一春犹有数行书，秋来书更疏”，具体叙写伊人情薄。“一春”之中，书信只有“数行”，已见人情不如当初，但有总胜于无，寥寥数行，还能从中获得几许安慰、几丝希望。而入秋以来，书信更为疏少，是“数行”也已难见，可见情意十分淡薄，关系更加疏远。上片四句，着重写对方的情不如初的变化，下片五句，则专就自己一方来写。换头“衾凤冷，枕鸳孤”二句，写处境的孤冷，从中衬示出自己对伊人的怀念和爱情的坚贞。一方情深，一方情薄，自然逼出“愁肠待酒舒”一句，愁肠千折，须待酒浇之，也待酒而舒，可见愁怀难解。其实，有酒也未必能够解愁，最后只能寄希望于梦中相逢。然而，“梦魂纵有也成虚，那堪和梦无”！梦魂本属虚无，只因现实中无法实现自己的愿望，所以托之于梦；虽知其无，但情深意切，仍希其有；纵然能有一梦，然而，梦总有醒时，最后还是成虚；最苦的是连这短暂虚无的梦也没有！“和梦也新来不做”（赵佶《宴山亭·北行见杏花》），凄苦无限。

全词写恋情变故，感慨人情的翻覆。“上下片结处文笔，皆用层深之法，极为疏隽”（唐圭璋《唐宋词简释》）。小晏词中多用此法，如“纵得相逢留不住，何况相逢无处”（《清平乐》），“欲得恩爱结来生，只恐来生缘又短”（《木兰花》），都以笔势回环、辞复层深取胜。

（钟　陵）

阮　郎　归

晏几道

天边金掌露成霜，云随雁字长。绿杯红袖趁重阳，人情似故乡。　　兰佩紫，菊簪黄，殷勤理旧狂。欲将沉醉换悲凉，清歌莫断肠。

鉴赏

此词是汴京重阳宴饮之作，在《小山词》中，可称得最为凝重深厚。

起首两句自秋景写起，但意象敏妙，非寻常景语。词中“天边金掌”即李贺诗中“金铜仙人”，据《三辅黄图》载，汉武帝刘彻曾在长安建章宫前造神明台，上铸铜仙人，手托承露盘以储露水。词中“露成霜”三字，亦取自《诗·秦风·蒹葭》：“蒹葭苍苍，白露为霜。”总之，作者有意不从眼前实景着笔，而是从悠远的历史记忆中引出秋气萧瑟之意，从而使词一开始就有一种笼罩历史般的特定气氛。不仅如此，首句言“天边”，即与次句秋云之景紧紧相关，而“金掌”之上本是高寒之处，故其露成霜更能给人以冷凝之感。二句所写，更见想象之妙、情味之长。唐代王勃早有“落霞与孤鹜齐飞”的名句，小山“云随”句可谓同工，这完全是一种诗的奇妙的语言，绝不能以常情常理去领会。词人是临川（今江西抚州）人，上阕结句有“人情似故乡”之句，显见得他此时思乡心切，正所谓“独在异乡为异客，每逢佳节倍思亲”，而秋季亦正值大雁南飞之际，于是这“雁字”正牵动着绵绵思乡之心，“雁字长”者，其心之长也。秋云虽系于秋风而变幻，但绝无随雁阵而变幻的道理，此处乃是写作者仰视秋空，目送雁阵直到天边，只见有“雁字”处即有云影，故曰“云随雁字长”，显然，这里云影随雁而长，亦正秋云与乡思共长之意。这首两句一出，已满纸悲凉。

三、四句落实到重阳。“绿杯红袖”，正写出物品和人情的丰厚，是下句“人情似故乡”的基础。“趁”者，陈匪石《宋词举》解道：“本不萦情于‘绿杯红袖’，而姑趁重阳令节，一作欢娱，满腔幽怨，无可奈何，一‘趁’字尽之。其所以然者，以‘人情’尚‘似故乡’也。”这两句将客居心情与思乡之情交织来写，吞吐往复，真挚深厚。一方面思乡心切，一方面又珍惜友人之情，一个“似”字，既赞美故乡人情之美，同时，不也正赞美了重阳友情之美吗？

过片处紧承上意来写。上阕中“绿杯红袖”是指他人他物，而“兰佩紫，菊簪黄”则写到了自己。《离骚》有“纫秋兰以为佩”，《九歌·少司命》有“秋兰兮青青，绿叶兮紫茎”，而杜牧《九日齐山登高》又云“尘世难逢开口笑，菊花须插满头归”，作者化用其意，不仅切秋景重阳，更为下句铺垫，将“殷勤”二字具体化了。晏几道为人“磊隗权奇，疏于顾忌，文章翰墨，自立规摹”，此即“狂”之所谓，但此“狂”如今已属“旧”日情形，由于“仕宦连蹇”、“陆沉于下位”，更由于如他自己所说“我槃跚勃窣，犹获罪于诸公”，他是不得不委屈处世，难得放任性情，今日偶得自在，于是不妨再“理旧狂”,甚至“殷勤”而“理”,以不辜负此间友人的一片盛情。

不过,虽能偶得自在疏狂,说到底也只是一种自我排遣罢了,《蕙风词话》以为“‘欲将沉醉换悲凉’,是上句注脚”,极为中肯。但是,内心之悲凉却非沉醉所轻易能“换”者,席间“清歌”一举,不禁又有“断肠”之感,只因已有聊作疏狂之意,便只得自宽自解,一个“莫”字,包含有万般无奈而聊作旷达的苦楚。这最末一句又加深了一层感情的回环曲折,将前面所写之情意推到一个更深广的心理世界中去,留下不尽的余意,难怪《蕙风词话》说:“此词沉着厚重,得此结句,便觉竟体空灵。”

(韩经太)

浣　溪　沙

晏几道

日日双眉斗画长,行云飞絮共轻狂。不将心嫁冶游郎。　溅酒滴残歌扇字,弄花熏得舞衣香。一春弹泪说凄凉。

鉴赏

在古代封建社会中,歌儿舞女是统治阶级的特殊奴隶,是达官贵人的玩物。她们被强迫过着一种物质享受相当丰富,可是精神世界极度空虚的生活,表面上承恩受宠,实质上被侮辱、被损害。她们当然也要爱情,但难得有人真正地爱她们;她们当然也有人格,但难得有人真正地把她们当人看待。这样一来,尽管住的是曲室洞房,穿的是绫罗,戴的是珠翠,饮的是美酒,吃的是佳肴,但她们的心却是痛苦的、寂寞的。这首词写的正是这种情形。

为了取悦贵人们,梳妆打扮,争妍比美,就成了她们最重要的事情,所以词也就从这里写起。这“日日双眉斗画长”一句,是从秦韬玉《贫女》“不把双眉斗画长”来,但根据主题的需要,反用其意。词中写道这位姑娘每天每日仔仔细细地画着自己的一双长长的眉毛,为什么呢?是为了一心一意地要赛过她的同列。只用一个“斗”字,就将她在那样一种特定的环境中,不得不和另外一些姑娘争妍比美的心情刻画了出来。不要小看了这一个字,这个字重有千斤，它把她全部生活中的酸甜苦辣都暗示给我们了。

次句写她（也包括她们）的命运、踪迹和心情都是随人摆布的，飘浮不定，显得轻狂，就如同天空的云彩、枝头的柳絮随风而动一样。“行云”，暗用《高唐赋》巫山神女“旦为朝云，暮为行雨”，“云无处所”之意。“飞絮”，用杜甫《绝句漫兴》“颠狂柳絮随风舞，轻薄桃花逐水流”之意，不但象征她的命运、踪迹、心情，而且也暗示了她的身份。因为神女、云雨、柳絮、桃花，从唐以来，久已用来作为形容妓女的词汇。但是，这一句并不代表词人对她的评价，而只是反映了一般的世俗之见，观下文自明。

第三句是一个陡然的转折。既然她是那么“轻狂”，难道还能够用严肃的态度对待爱情问题吗？是的，正是这样。由于身份和职业的关系，她是无法拒绝和那些玩弄女性的公子哥儿，即“冶游郎”交往的，甚至于有时还不得不委身于他们；然而在内心里，她是决不肯将爱情献给这样一种人的，因此，“身”虽然嫁了，“心”却没有嫁。李商隐《无题》云：“寿阳宫主嫁时妆，八字宫眉捧额黄。见我佯羞频照影，不知身属冶游郎。”李诗是写一个上层妇女，在糊里糊涂的情况之下，将身子嫁给了一个冶游郎；晏词则是写一个下层妇女，在清醒的情况下，“不将心嫁冶游郎”。两两相形，显示了卑贱者的聪明和阶级敌意。这一句语气坚决，而笔力沉重足以达之。

换头转入写这位姑娘的日常生活。因为经常在筵席之前劝酒唱歌，所以有酒溅在歌扇之上，将写在扇子上记曲名的字迹都弄得模糊了。而陪着贵人们游赏园林，又往往徘徊花丛，玩弄花朵，也使得穿的舞衣都染上了香味。于良史《春山夜月》“掬水月在手，弄花香满衣”，是“弄花”一句所本。“歌扇”“舞衣”，点明身份；“溅酒”“弄花”，描摹情态。全词没有一句是正面描写这位姑娘的容色的，但通过这两句，却在我们面前呈现了一个娇美可爱的形象。唐代大画家周昉善于画背面美人，此词也正是如此。

这种生活，该是繁华热闹、舒适快乐的吧，然而词的结句却告诉我们，她整个春天都在那里挥泪，对着万紫千红、和风暖日，诉说自己的“凄凉”。向谁诉说，词人没有交代，大半是自己对自己诉说吧。这又是一个陡然的转折。这样，就不仅画出了一幅比较完整的美丽、善良，并有一定程度反抗性的古代艺妓的肖像，而且激发了我们对那个不合理的旧社会的憎恨心情。

古来写妓女，写和妓女相爱的词很多，其中不少写得相当出色。但以深厚的同情来体会她们的内心世界，哀怜她们的不幸遭遇如这首词，却极少见。这和作者那种“痴”的个性，和“陆沉于下位”的政治命运，都有关系。

晏几道还有一首《蝶恋花》：“笑艳秋莲生绿浦，红脸青腰，旧识凌波女。照影弄妆娇欲语，西风岂是繁华主？　可恨良辰天不与，才过斜阳，又是黄昏雨。朝落暮开空自许，竟无人解知心苦。”表面上咏荷花，实际上也是哀怜妓女们的命运。根据他喜欢把她们的名字写入词句的习惯（如“记得小蘋初见”“小蘋若解愁春暮”“手拈香笺意小莲”“小莲若解论心素”之类），则此词也可能是为小莲而作。

（沈祖棻）

御街行　　晏几道

街南绿树春饶絮，雪满游春路。树头花艳杂娇云，树底人家朱户。北楼闲上，疏帘高卷，直见街南树。
阑干倚尽犹慵去，几度黄昏雨。晚春盘马踏青苔，曾傍绿阴深驻。落花犹在，香屏空掩，人面知何处？

鉴赏

这是一首怀人感旧之作，表达了作者重游旧地寻人不遇的惆怅索寞的心情。世间美好的事物人们都是喜爱的，尽管时过境迁，人事皆非，美好的东西却能永久地铭刻在人们的记忆之中。多情善感的小晏也同样如是。这首词写的究竟是哪一次的际会，哪一时的情怀，我们今天已经无从知晓了，但从词中可以看出，词人曾在一条街上遇到他爱慕的一位女子，他们俩一个住街南，一个住北楼，不时的会面，眼神的相交，心灵的互通，各自在内心烙下了记忆的印痕。随着时光的流逝，人事的变化，当小晏再度来到这个地方时，他看到的、想到的又是什么呢？

“街南绿树春饶絮，雪满游春路”，昔日街南的景物而今依然如故，那翠绿青葱的树木，又飞花扬絮，恰似一层薄薄的白雪飘洒在春游者行走的路面上。花苞吐蕊，犹如朵朵娇艳的红云点缀在青绿枝头。树梢洋溢着盎然的春意,而在树梢底下正是那家红楼朱户,显然,也就是那位女子的住处。那里寄寓着小晏几多幻想、几多思慕!正是为了能看到“树底人家朱户”,小晏“北楼闲上,疏帘高卷,直见街南树”。人的感情也很微妙,没有人不想和自己心爱的人在一起,爱得越深越不忍分离,即使不能面对面地脉脉相视,就是从旁边悄悄地瞥上一眼,或者听听对方的声音,甚至看到、听到、想到可以与之相关联的事物,似乎都能慰藉心灵的焦渴。牛希济有两句为人传诵的词句“记得绿罗裙,处处怜芳草”,说的也就是这种心理。为了能望见那扇“朱户”,当然也就是为了能见到那位女子,小晏不知上了多少次“北楼”,倚了多少回“阑干”,无奈“阑干倚尽犹慵去,几度黄昏雨”。栏杆倚遍还是见不到那位女子的倩影,一次次揣着希望而来,最终带着失望而归,更那堪正在期而不遇的等待中,黄昏时偏偏又下起雨来,心情不好加上气候的变化,内心不免又裹上一层浓重的愁雾。不知经过了多少次这样的黄昏倚楼翘盼而不得见以后,小晏终于挨不住等待的痛苦,身骑鞍马,踏着路上的青苔,逗留彷徨于那些绿叶纷披的大树之下。当然,不论是“青苔盘马”,还是“绿阴深驻”,目的还是想能遇到那位女子。可是,他等待、寻觅到的又是什么呢——“落花犹在,香屏空掩,人面知何处”?如今徒有“落花空忆前踪”,姑娘就像春天一样不知归向何处,朱户也因主人的外出而重门深闭,往昔的那个人儿到哪里去了呢?在这几句慨叹中不难捕捉到小晏那种索寞惆怅的思绪。我们常有这样的生活经验,当寻人不遇时心里总觉得很沮丧,何况是一对相爱的人儿,个中的况味自不待言。唐代有位叫崔护的诗人写过一首《题都城南庄》的诗,诗云:“去年今日此门中,人面桃花相映红。人面不知何处去,桃花依旧笑春风。”晏殊《清平乐》“红笺小字”词亦云:“人面不知何处,绿波依旧东流。”不论是感慨桃花如故,还是绿波依旧,与小晏此词一样,它们同是表达了一种物是人非的惆怅索寞的情怀,不同的是在写作手法上各有自己的特色。从艺术技巧方面看,有的评论家认为这首词较成功地运用了电影蒙太奇的表现手法(刘逸生《宋词小札》),作者就像一位摄影师,通过一个个镜头表现自己内心的情感。这种以形象的画面来传达内心的感受,也是古代诗文论中常说的“含蓄”。含蓄作为一种艺术上的表现手法,其目的在于避免直露,所谓“含不尽之意见于言外”(欧阳修《六一诗话》)。这首词中几乎没有直接的言情，而代以一个个画面的递代交替。从街南的绿木繁茂，红花如云，朱楼绣户，到街北的栏杆独倚，雨横黄昏，以至青苔盘马，绿阴深驻，落花香屏，作者把一个个画面展现在读者面前，让读者自己在词的境界里读到作者自然流露的今昔之感、缱绻之情，从而得到浓厚的美感享受。由此也可以看出含蓄手法的运用能使作品具有丰富的艺术容量。

（王　玫）

虞　美　人　　晏几道

曲阑干外天如水，昨夜还曾倚。初将明月比佳期，长向月圆时候、望人归。　　罗衣著破前香在，旧意谁教改？一春离恨懒调弦，犹有两行闲泪、宝筝前。

鉴赏

这首词写离恨，既见忠厚之忱，又得哀婉之致，陈廷焯谓“北宋晏小山工于言情”（《白雨斋词话》），确然不错。

上阕先写盼望之切，而出之以层深之笔。首两句写倚栏所见，景语不过“天如水”三字，如果仅仅守住这一句来理解，意思必然滞涩，下句接着写到“月圆”，那么，此处“天如水”的意思，无疑是形容明月中天，夜空澄澈，如无边清水映出那皎洁的月轮。实际上，与其说首两句重在写倚栏所见，倒毋宁说重在写倚栏本身，作者不说今夜如何如何，偏说昨夜曾经如何如何，这样一来，就显得倚栏之事绝非今夜一时之举，而几乎是夜夜如此了。正因为前两句就写出了这层意思，所以接下两句便有水到渠成之妙，“初将明月比佳期”，是说月未圆时倚栏人盼望月团圆时人亦团圆，既然如此，俟月圆之夜，其人未归，倚栏人之哀恨便可想而知了。其实，拟将明月比佳期，不过是以自我欺骗的方式来自我安慰罢了，而此处亦不可放过“长向”二字，可知以月圆为期而又失其所望者，已不止一次了。值得珍视者，在于其人虽则失望而依然痴望，其情至深，其意至诚，如此痴情的词章，怕只有像晏几道这样“痴绝”的人才能道得。

下阕承上来写，如果说上阕

侧重于意象的渲染，那么下阕便侧重于意念的抒写。“罗衣著破”，是言别离时久，上阕内蕴之意，至此点明。“前香”与“旧意”乃相互生发之笔，一者是感觉，一者是意念，或正因衣上“前香”尚在，故令人“旧意”弥坚，或只因“旧意”未改，故令人似觉“前香”尚在，孰真孰幻，读者不妨自去解悟，而关键只在斯感、斯意全为斯人而发，这便是所谓“痴顽”。同时，这里“谁教”二字亦耐寻味，它不是疑问口气，而是一种自表心迹的感叹，所谓忠厚之忱，于此可见。词意至此，已是高潮，而作者之笔又拓进一层去写，以痴顽之心对无情现实，结果不得不是极度的哀恨，而哀恨真到了极度，反而会生出一种莫名的无聊。此词结尾两句正是写这种愁极无聊之感。春天本来是芳思缠绵的时候，但日日为离恨所苦，何来心绪调弦弹筝？然而又百无聊赖，于是只好对着筝弦发愣伤神。这种内心的苦恨，唯自家能有体验，一来无法诉说与他人，二来纵然诉说亦自无益，甚至连寄托之物都没有，那么此时之泪不是“闲泪”又是什么呢！全词不是结束在高潮上，而是将高潮推向更深的感情层次，于是留给读者去回味的艺术空间也就更深广了。

（韩经太）

采桑子　　晏几道

西楼月下当时见，泪粉偷匀。歌罢还颦，恨隔炉烟看未真。　　别来楼外垂杨缕，几换青春。倦客红尘，长记楼中粉泪人。

鉴赏

在唐宋词中，有一类小令，或写往事中难忘的一幕，或写生活中具体的感受，虽笔墨平实，但读来情景历历在目，因而倍觉自然可爱。小山此词亦近于这种类型，淡淡写来，却极富魅力。

上阕追叙当时情景，尤能以寥寥数字传出歌女神情，栩栩生动。首句点时点地并点事。“西楼”，乃当时听歌见人之地，宋人词中多以“西楼”“西厢”“西窗”为名，如作者尝有“南苑吹花，西楼题叶”，秦观有“西楼促坐酒杯深”，等等，可见是一种习惯用语，故不必深究其实。二、三两句写歌女神情，“泪粉”，是指泪水冲洗着脸上的敷粉，而之所以“偷匀”者，怕席上诸人看出泪痕之故，仅此一句，已写出了歌妓那强颜欢笑以助人取乐的可怜处境。然而，尽管强颜欢笑，终于掩不住内心的辛酸，待得一曲歌罢，就更止不住愁情外露，这便是所谓“歌罢还颦”。从这里可以看出，作者对当时月下所见的这位歌妓，既有喜爱之情，更多同情之心，缘此之故，就更想看得真切一点，可惜隔席而坐，缕缕炉烟遮挡了视线，以至于如今回想起来，只能记得一个朦胧的形象。

值得注意的是，作者对歌妓命运的同情是一贯的，如其《玉楼春》词云：“清歌学得秦娥似，金屋瑶台知姓字。可怜春恨一生心，长带粉痕双袖泪。　从来懒话低眉事，今日新声谁会意。坐中应有赏音人，试问回肠曾断未？”看来作者每每就是那“坐中”“赏音人”，亦每每为她们的不幸而感怀伤神，这不难理解，因为作者自己就是一个“人百负之而不恨，已信人终不疑其欺己”的“痴人”（黄庭坚《〈小山词〉序》）。

下阕写别后相忆，亦抒发自家身世之感。当时月下相见，犹恨未能看得真切，不意此后再也无缘相见，恍惚之间，竟是数年。这里，用了“几换青春”四字，意义双关，表面是说已过春光几度，暗里亦有“树犹如此，人何以堪”的感喟，字里行间，继续流露出对歌妓命运的关怀。接下自抒厌倦尘世之感，因有“一肚皮不合时宜”，所以颇引这“一春弹泪说凄凉”者为同调，那么，“长记楼中粉泪人”，就多少是由于“同是天涯沦落人”的缘故了。

（韩经太）

思远人　　晏几道

红叶黄花秋意晚，千里念行客。飞云过尽，归鸿无信，何处寄书得？　泪弹不尽临窗滴，就砚旋研墨。渐写到别来，此情深处，红笺为无色。

鉴赏

这首词的词题与词意相合，　写念远怀人之情。首句以“红叶黄花秋意晚”起兴,红叶黄花染绘出深秋的特殊色调,并从中透散出悲凉的秋意。宋玉《九辩》中写道:“悲哉!秋之为气也。萧瑟兮,草木摇落而变衰。”秋月的肃杀凋残,很容易引起飘零离散之感,增添怀念游子征人的渺思远怀。“千里念行客”,路遥地远,更使闺中人系念难已。秋意萧瑟,人在天涯,悲秋与怀人自然融成一种忧伤的气氛。天上的“飞云”,飘忽不定,就像那浪迹江湖的游子。“浮云游子意”(李白《送友人》),而“飞云”却已“过尽”,消散不见。云外的“归鸿”也许能带来慰人的音讯,但归鸿缥缈,杳无影迹。人既不见,信又不通,虽想投书,但又“何处寄书得”?似乎已是山穷水尽。然而,天下最难尽者莫如情,最痴者亦莫过于情,尽管看来无望,而情却难已,割不断的相思,挣不脱的离愁,化作“弹不尽”的伤心泪。滴泪还要“临窗”,虽然泪光盈盈,但仍不忘远目遥天,期待万一归来的千里行客,细腻地刻画了闺中人的深情。泪滴入砚,“就砚旋研墨”,以泪和墨作书,泪里离情苦,墨中相思深,人物的动作和心理活动,写得旖旎之极,凄苦之极,也写得痴情之极。“渐写到别来”,触及到写信者最为伤心之处,也是“此情深处”。情愈深,则愈感到离别之痛,伤心泪水自然如泉涌流难止,但词中却不用流泪的字样,只说是“红笺为无色”,语意奇绝。情到深处,红笺无色,感情的深浅可以影响颜色的有无,其间并无必然的联系,只不过是说法的含蓄,说是情深,实是意苦,红笺的所以无色,是由于痛苦的泪水湿透红笺而淡褪若无,然而,无中藏有,红笺无色情却深。

词中先写泪珠弹滴,衬写相思情苦,还是常事;而以泪研墨,已属异态;以泪和墨作书,更是奇想;不说红笺因泪水湿褪颜色,却说是情深而使红笺无色,则尤见巧思。所以陈廷焯称赏说:“就‘泪墨’二字渲染成词,何等姿态!”(《词则》)

(钟　陵)

卜算子

王观*

送鲍浩然之浙东

水是眼波横，山是眉峰聚。欲问行人去那边？眉眼盈盈处。　才始送春归，又送君归去。若到江南赶上春，千万和春住！

作者

*王观，字通叟，江苏如皋人。生卒年不详。宋仁宗嘉祐二年（1057）进士。曾任大理寺丞、江都知县等职。宋神宗时官至翰林学士，曾奉诏写了一首《清平乐》，描写宫廷生活，有“黄金殿里，烛影双龙戏”，“折旋舞彻《伊州》，君恩与整搔头”等句，高太后（英宗皇后）认为亵渎了神宗，他因此被罢职，以后自号“逐客”。有《冠柳集》，已佚，今存词十六首。

鉴赏

作者送友人鲍浩然到浙东去，写下了这首情真意切、构思新巧的送别词。上片写友人一路山水行程，含蓄地表达了惜别深情，下片直抒胸臆，兼写离愁别绪与对友人的深情祝愿。

古人常有“眉如春山”“眼如秋水”的比喻。如司马相如妻文君，“眉色如望远山”（《西京杂记》）；“昔时横波目，今作流泪泉”（李白《长相思》）；“一双瞳人剪秋水”（李贺《唐儿歌》）等等。此词发端“水是眼波横，山是眉峰聚”两句，却别出心裁，刻意翻新。其一，不再把“眼波”“眉峰”专属美貌女子，而是指自己的眉眼。其二，反过来说水是眼波，山是眉峰。这样，就把景语化成情语，把送别时所见自然山水化为有情之物。而且，友人山一程，水一路，行行重行行，但送别的视线，送别的容颜，却一直相随，真是深情无限。“眼波横”是热泪盈眶，“眉峰聚”是愁眉紧锁，联想、比喻、描写都可谓极生动形象之能事。“欲问行人去那边？眉眼盈盈处”一语双关，构思奇绝。“眉眼盈盈”，既指友人所去浙东的秀丽山水，又指送别时脉脉含情的神态，写送别时的一往情深，却又妙在含而不露。

换头“才始送春归，又送君归去”两句，正面点明送别。春已归去，无计挽留，已自教人不堪，何况挚友南下，分手又复在即呢？用“才送”“又送”递进，将作者“黯然销魂”的愁苦之情描写得更见深切。加上作者自己家在靠长江不远的如皋，欲归不得，羁旅之愁益觉难以为怀。然而作者却压住自己的沉痛心情，转而叮咛祝愿离去的友人：“你到江南之后，如果赶上江南的春光，千万要和春光同住啊！”惜春之情，溢于言表，而爱惜春光，在这里又寓托了作者对友人的美好祝愿，亦即祝愿对方和春光同在，情意眷眷，却不是写得悲悲切切，与一般送别词相比，自有其独到的特色。

（吴　锦）

江 神 子

张舜民*

癸亥陈和叔会于赏心亭

七朝文物旧江山。水如天，莫凭阑。千古斜阳，无处问长安。更隔秦淮闻旧曲，秋已半，夜将阑。　争教潘鬓不生斑？敛芳颜，抹幺弦。须记琵琶，子细说因缘。待得鸾胶肠已断，重别日，是何年？

作者

*张舜民，字芸叟，号浮休居士，又号矴斋，邠州（今陕西彬县）人。生卒年不详。进士出身，哲宗朝做过监察御史，徽宗朝为吏部侍郎，以龙图阁待制知同州。后以元祐党籍，贬商州（今陕西商县）卒。善画，亦能诗文，有《画墁集》。存词四首。

鉴赏

《江神子》，一名《江城子》，原为单调，宋人多依原曲重增一片。这首词写于元丰六年（1083），岁次癸亥。舜民在灵武诗有“白骨似沙沙似雪”，及官军砍受降城柳为薪之句，坐罪谪监郴州酒税，词为南贬途中经金陵登赏心亭作。友人陈和叔，即陈睦，嘉祐六年（1061）进士，累迁史馆修撰。是年秋，与舜民会于赏心亭。亭在城西下水门城上，下临秦淮，为观赏胜境。起句“七朝文物旧江山”，写江山依旧、文物已非的兴亡感慨。杜牧诗：“六朝文物草连空。”“六朝”，指东吴、东晋、宋、齐、梁、陈。这里却说“七朝”，系包括南唐而言。宋灭南唐，完成统一局面。降及北宋后期，国势日趋衰颓，六朝、南唐，“殷鉴不远”（《诗经·大雅·荡篇》），意义尤为深刻。亭上西望长江，水天一色，风景不殊，想到国事,则忧心忡忡,而不忍凭栏凝望了。“莫凭阑”,“莫”字重笔,带出下句“千古斜阳,无处问长安”。杜牧诗:“秋草樊川路,斜阳覆盎门。”欧阳修诗:“朱栏明绿水,古柳照斜阳。”诗词中的“斜阳”,除写实景外,亦往往用以抒写兴亡之感、沉沦之痛,或伤迟暮,或悲衰颓。此句“斜阳”加上“千古”,自寓沧桑之感。“无处问长安”,长安(今陕西西安)为汉、唐故都,此处借指汴京(今河南开封)。作者此时身在江南,而犹恋京阙,足见对国事关怀的殷切。“更隔秦淮闻旧曲”,忽又转到即景怀古。“旧曲”,指的就是乐曲《玉树后庭花》,为陈朝的末代皇帝后主陈叔宝时所作,反映其耽于声色的奢靡生活,被视为亡国之音。“淮水”,指秦淮河。杜牧诗:“烟笼寒水月笼沙,夜泊秦淮近酒家。商女不知亡国恨,隔江犹唱《后庭花》。”此用其意。“秋已半”,月到中秋分外明,秦淮月色,照人无眠。“夜将阑”,言两人在亭上聚会直到深夜。这两句言外之意,无论就国事和个人来说,都饶有迟暮之感。过片从自己落笔。想到国事蜩螗,身世坎坷,怎能教自己的青鬓不变成白发呢?“争”,犹怎。“潘鬓”,用潘岳典故。潘岳,晋朝人,富文才,美容仪。潘岳三十二岁开始有白发,后世即以“潘鬓”指中年鬓发斑白。“敛芳颜”句是说收起笑颜,显出一种端庄矜持的神态。“抹幺弦”,“抹”,弹琵琶的一种手法。“幺弦”,指琵琶的第四弦。这两句是回忆往事,所以下面接着就说“须记琵琶,子细说因缘”。白居易诗:“弦弦掩抑声声思,似诉平生不得志。”韦庄词:“琵琶金翠羽,弦上黄莺语。”晏小山词:“琵琶弦上说相思。”花解语,弦亦解语。自来认为精于音律,通晓弦语者谓之知音,而怀才不遇者总是苦于难得知音。词句中写的琵琶奏弹着美好的因缘,自然令人难以忘怀。对自己来说,这只是美丽的回忆。“因缘”,佛家语,指产生结果的直接原因及促成这种结果的条件。因此相契谓之有缘,相乖谓之无缘,而通常就有缘分的说法。词中“子细说因缘”是寓过去的政治顺境,而眼下的现实却是处于南贬途中。“待得鸾胶肠已断”,“鸾胶”,据《武帝外传》:“西海献鸾胶,武帝弦断,以胶续之,弦两头遂相着,终日射不断,武帝大悦,名续弦胶。”这里暗喻期待有朝一日能得朝廷重用再回京师。犹如断了的弦,获得鸾胶就能重新胶好。但对这种期待毕竟感到渺茫,于是发出长叹,那恐怕要等到肠断了。结句六字是对同游者的告别之辞,谓此别之后,何年再得重别呢?不言再会,而说重别,意思更为深沉。这首词上片写登临怀古，忧心国事。下片回思往事，嗟叹来日。上以景结，下以情结，写法错落有致。抒怀古之情，寓伤今之慨，多从景色描摹反映。而追溯往事，寄慨身世，则托诸琵琶弦音。婉曲蕴藉，情意深厚。

（王明孝）

卖花声　张舜民

题岳阳楼

木叶下君山，空水漫漫。十分斟酒敛芳颜。不是渭城西去客，休唱《阳关》。　醉袖抚危栏，天淡云闲。何人此路得生还？回首夕阳红尽处，应是长安。

鉴赏

宋神宗元丰六年（1083），张舜民因写诗讥议边事，为人攻讦，被谪监郴州（今湖南郴县）酒税。南行途中经岳阳，登楼感怀，填了两首《卖花声》词，这是其中的一首。

唐宋之际，朝官受黜，多远逐于今湖南、两广一带。岳阳地处南北水陆交通要道，为南窜官员的必经之地，正如范仲淹《岳阳楼记》所说："北通巫峡，南极潇湘，迁客骚人，多会于此。"而岳阳楼自唐代张说兴建，宋初滕子京重修后，也就成为文人们登临题咏的胜地。张舜民这首《卖花声》，就是其中的名作之一。

"木叶下君山，空水漫漫。"词一起笔，便勾画出一幅洞庭叶落、水空迷蒙的秋天景象。岳阳楼下临洞庭，遥望湖中君山，词人自然想起屈原《九歌·湘夫人》中的名句："袅袅兮秋风，洞庭波兮木叶下。""漫漫"，在此处应读阳平，是空茫、渺远的意思。这萧瑟的秋景，正烘托了作者此时悲凉的心境。触目伤神，他只得把视线收回到身边歌女的身上。"十分斟酒敛芳颜。"她们殷勤劝饮，却神情肃然，不苟言笑。为什么呢？原来她们正演唱着一首令人断肠的千古离歌《阳关三叠》。歌声撩起了词人的乡愁。他的故乡在长安西北，而此时身为迁客，万里投荒，听到王维《渭城曲》"劝君更尽一杯酒，西出阳关无故人"的凄凉之声，便觉百端愁绪，纷至沓来。欲西归而不得，故不忍听，此其一；岳阳南去，确"无故人"，又不忍听，此其二；此番登临，无人伴送，唯独酌自醉（《卖花声》其二“楼上久踌躇，地远身孤”一语可证），更不忍听，此其三。目不忍睹，耳不堪闻，此情此景，将何以遣？“不是渭城西去客，休唱《阳关》。”凄怆之情，溢于言外。

过片承“酒”而来，将视界再度拉回楼前。“醉袖抚危栏”，“抚”意为“拍”，在古音中同属双唇音。“危栏”，高楼的栏杆。词人借酒浇愁，在“十分斟酒”后，他已有几分醉意，凭栏独立，唯见“天淡云闲”。词在浓烈的抒情中插入这笔写景，犹如音乐中的休止，戏剧中的静场，使感情节奏得以顿宕，深得回旋纡徐之妙。从构思角度看，它还呼应了开篇的“空水漫漫”，启引了歇拍的“夕阳红尽”，使写景的意脉不断。在情思如九曲回流，略作渟蓄后，终于逼出撞击心扉的潮头：“何人此路得生还？”看来只有弃身蛮瘴，抛骨他乡了。负载着无尽的悲观与恸楚，他想到白居易当年《题岳阳楼》诗中的名句：“春岸绿时连梦泽，夕波红处是长安。”恰合此时心境，于是乎一声浩叹：“回首夕阳红尽处，应是长安。”（这里的“长安”代指汴京）看来，作为一个“自是长安日下影，流落江湖”（《卖花声》其二）的朝廷命官，他是心有不甘的。对故乡的眷恋，对遭贬的怨愤，对君王的期待，在掌故的巧妙化用中，一并写出，含义浑厚。

张舜民这首《卖花声》，点化成语，自裁新篇，写得层次曲折，抑郁盘旋，深婉中又时显峭拔之气，在众多岳阳楼题咏中，艺术上堪称上乘之作。但察其内容，仍不出孔子“温柔敦厚”诗教的藩篱，正如周煇《清波杂志》所评：“岂无去国流离之思？殊觉婉而不伤也。”

（蔡　毅）

离亭燕

孙浩然*

一带江山如画,风物向秋潇洒。水浸碧天何处断?霁色冷光相射。蓼岸荻花洲,掩映竹篱茅舍。
天际客帆高挂,烟外酒旗低亚。多少六朝兴废事,尽入渔樵闲话。怅望倚层楼,寒日无言西下。

作者

*孙浩然,宋仁宗、英宗时人。字里无考,生平不详。现存词仅二首。

鉴赏

这首词的主名,长期以来,人们都沿袭宋范公偁《过庭录》的说法,以为张昪(《词综》《词林纪事》又因形近误作"张昇",近几十年不少选本更沿此误)所作。事实上它的作者应是孙浩然。楼钥《攻媿集》卷七十《跋王晋卿江山秋晚图》,又卷七十七《跋王都尉湘江小景》两文及黄昇《花庵词选》皆以为孙作,极是。近年来,已有些词学研究者注意到这一问题。

金陵,曾是六朝故都,历史上有许多重要人物在这里活动过,发生过一幕又一幕的重大事件。江水悠悠,光阴流逝,随着时代的变迁,"钟阜龙蟠,石城虎踞"的形胜虽仍如往昔,但"帝王州"的昌盛气象早已不复存在。这首通过写景抒发思古幽情的词作,避免熟烂,另辟蹊径,不写它险要的江山形胜,"画图难足"的壮丽景象,纯写空寂旷远的苍凉秋色,表达昔盛今衰的兴亡之感。

词开头两句总起,概写金陵,江山如画,秋天的景物萧疏清爽。"风物潇洒"是全词写景的总冒,限制着下文不写雄伟壮阔的大观,而只涂抹空阔无边、渺茫迷离的景物。三、四两句描写碧天江水。“水浸碧天”，横无际涯的江水，由近而远，铺展开去，尽头处浸渍了苍穹。不取习用的“接”“连”等字，而用“浸”字，更形象地写出了水波浩渺，伸展到远方，与天相连接的动态。天水之间，秋雨之后的晴光和江面上粼粼波光所发出的清冷色调互相映照，浑然一气。“射”字的感情色彩很强烈，是作者对秋天寂寥的天光水色的特殊感受。“蓼岸荻花洲，掩映竹篱茅舍。”转而写江岸和洲渚上的秋色。江岸边长满蓼草，洲渚上一望无际的芦苇，白花萧飒，掩映着远远近近的村落，竹篱茅舍隐约可见，使人极感寂寞苍凉。

下片继续写景，但渐次转到抒写感慨上来。“天际”两句是工整的对偶句式，前句写江上，后句写陆上。江中的行舟高挂着风帆，劈波驾浪，穿梭往来；一面面酒旗交相辉映，迎风招展。这情景古今如斯，而人间世事却沧桑多变。看着看着，不由得想起曾在这里演出过的历史旧事：“多少六朝兴废事，尽入渔樵闲话。”那一件件、一桩桩的往事，都成了渔父樵夫闲谈的资料。这使人徒生悲伤，哀痛无穷。这两句以诗人的唱叹感慨为主，但“渔樵”应是实际所见的情景。融喟叹于景物之中，将感情织进具体的物象里，又夹带着想象和夸张，婉曲深致，隽永有味。末两句，诗人对六朝兴废，充满着悼惜悲怆的感情。他站在高楼上，凭倚着栏杆，眺望这一派江山秋晚图，心情沉重如磐，久久地凝情颙想，直到寒日垂垂落山西下，收敛了它昏黄清寒的余晖。“层楼怅望”是全词写景的凭藉，表现了作者极目潇洒秋色的感情色彩，也自然地流露了他对六朝兴亡的伤感意绪，自然景色的苍茫冷寂和人的感情的低沉悲伤，得到了浑然无间的融合。《历代词人考略》说词的歇拍的意境“极苍凉萧远之致”，是正确的。

这首词写江山如画的秋色是很成功的，当时就被王晋卿(诜)取以入画，作《江山秋晚图》。作者在众多的金陵怀古之作以外，别出机杼，不写石城、钟山，也不写乌衣巷、秦淮河这些名区今昔的不同景致，通过雄伟与颓败、繁华与荒凉的对照映衬来显示历史的盛衰兴亡，表达凭吊之情，而是抓住金陵“风物向秋潇洒”的特点，着力于描写刻画，涂抹渲染辽阔而寂寥萧疏的景色，烘托出繁华消逝、人世沧桑的无情现实，寄寓诗人的深沉感慨，体现了怀古诗词多触景生情，抒发今昔盛衰之感的特色。

(王锡九)

忆 故 人　　王 诜*

烛影摇红向夜阑，乍酒醒、心情懒。尊前谁为唱《阳关》？离恨天涯远。　　无奈云沉雨散，凭阑干、东风泪眼。海棠开后，燕子来时，黄昏庭院。

作者

*王诜，字晋卿，开封人。熙宁二年(1069)娶英宗女蜀国长公主，拜左卫将军、驸马都尉，为利州防御使。元丰二年(1079)，因与苏轼有牵连，坐罪落驸马都尉，责授昭化军节度行军司马，均州安置，移颍州安置。元祐元年(1086)复登州刺史、驸马都尉。卒赠昭化军节度使，谥荣安。工书画，词亦清丽幽远。

鉴赏

《忆故人》系作者自度曲。吴曾《能改斋漫录》云："王都尉(诜)有《忆故人》词，徽宗喜其词意，犹以不丰容宛转为恨，遂令大晟别撰腔，周美成(邦彦)增损其词，而以首句为名，谓之《烛影摇红》云。"其实，美成增益，反不及原词美妙。这首词，调咏本意，乃怀人之作。"烛影摇红"，语言色彩和情味极佳，在夜阑人静时，则尤为旖旎。忽然从酒醉中醒来，心头别是一种滋味，怅然若有所失。这种心情用"懒"字来形容，非常贴切。诚然是茶不思，饭不想，一味沉浸在相思中。这个"懒"字写尽心曲，与温庭筠词中的"懒起画蛾眉"之"懒"，有异曲同工之妙。"尊前谁为唱《阳关》"，"尊"，酒器。《阳关》，送别的歌曲，因王维所作的《渭城曲》"劝君更进一杯酒，西出阳关无故人"而得名，唱至"阳关"句反复歌之，谓之《阳关三叠》。这里仍然想着酒，想着离席，想着远方的离人，怎能无恨呢？于是下句便自然落到"离恨天涯远"。李煜词：

"离恨恰如春草,更行更远还生。"欧阳修词:"离愁渐远渐无穷,迢迢不断如春水。"词中写离愁别恨颇多从"远"字着眼。过片从离别之后想到欢聚之时,然而如今已是云沉雨散,无可奈何,此亦是"懒"字之所从来。"凭阑干、东风泪眼"就势所必然了。"凭"字平仄两读,但此处应读去声。"东风",指春风,点时令。春天原是美好的季节,正多赏心乐事,而这里却出现"泪眼",盖伤心人别有怀抱,当从"离恨"而来。结尾三句,以景结情,措辞含蓄,一句一境,韵味无穷。"海棠开后",应是"绿肥红瘦"时节,美好的春光已在悄悄地消逝!"燕子来时",自然会想到"燕归人不归",看到双燕翩翩,不免自伤形单。"黄昏庭院","人约黄昏后",黄昏本是情人约会的好时光,而此时却人在天涯。独自凭阑垂泪,面对着孤寂的庭院,情何以堪!句句情余言外,令人玩味不尽。三句虽然平列,涓滴归海,都在为"东风泪眼"作注脚,构思脉络细针密线,达于极诣。

(王明孝)

水龙吟

苏　轼*

次韵章质夫杨花词

似花还似非花，也无人惜从教坠。抛家傍路，思量却是，无情有思。萦损柔肠，困酣娇眼，欲开还闭。梦随风万里，寻郎去处，又还被、莺呼起。　不恨此花飞尽，恨西园、落红难缀。晓来雨过，遗踪何在？一池萍碎。春色三分，二分尘土，一分流水。细看来，不是杨花点点，是离人泪。

作者

*苏轼（1036—1101），字子瞻，一字和仲，号东坡居士，眉州眉山（今属四川）人。二十二岁中进士。历任凤翔府签判、杭州通判，知密、徐、湖诸州。元丰中，被指控讥刺新法而下狱，后贬居黄州。元祐中，迁中书舍人、翰林学士，除龙图阁学士知杭州，改知颍州、扬州。还，迁端明殿学士、礼部尚书，再知定州。绍圣初，坐讪谤贬惠州，徙儋州。徽宗立，赦还，卒于常州。苏轼才情奔放，为宋代杰出作家，诗、词、文均有独诣成就。其词于风格、体制上皆有创变，豪壮清雄之作尤新人耳目。著述颇富，《东坡乐府》存词三百五十余首。

鉴赏

次韵是要受到很多限制的，不但要用原作的韵，而且次序也不能变。这就比和韵更难，弄得不好，往往以辞害意。所以许多大诗人、大词人都不多作。东坡这一次韵之作，一般以为比原作更好。这就不能不说与作者的才学有关了。

词一起，便把描写对象放在似与不似之间，这是非常高明的。“似花还似非花”，可说是形象地概括了这类咏物词的艺术规律。

似花在形,似非花在神。很好地处理形与神的关系,这就是咏物词在艺术上的要求。正因其似而不似,所以一般人就不知道珍惜而任其飘坠了。“抛家”句,承“坠”字而来。一抛,似无情;一傍,却有思。“无情”而“有思”,也就是“似花还似非花”。杜甫《白丝行》句:“落絮游丝亦有情”;韩愈《晚春》句:“杨花榆荚无才思,惟解漫天作雪飞。”这里反用其意,较之章作全袭韩意自为高妙。“萦损”三句,以拟人语组合成句,状其温婉娇美,是由神似而至人化的过渡。“梦随”三句,取意于唐人金昌绪诗《春怨》:“打起黄莺儿,莫教枝上啼。啼时惊妾梦,不得到辽西。”这里实际是暗写一位女子的无限幽怨。寓伤感于飘逸,已不是“无情有思”而是“有情有思”了。

换头而下,则从这个女子眼中写来。从“不恨”与“恨”之间见其深情远思。“此花飞尽”,一花之事也;“落红难缀”,一春之事也。杜甫《曲江》句:“一片花飞减却春,风飘万点正愁人。”整个春天即将过去,而所思之人尚未归来。其思念之切可想而知。“晓来”三句,进一层写落红不但“难缀”,且遗迹也将为朝雨洗净,只剩下一池破碎的浮萍。“春色”三句,紧承“晓来”三句而来,三分春色,全都付之尘土与流水。“且看欲尽”“莫厌伤多”(杜甫《曲江》),真不禁心灰意冷了。歇拍用唐人诗:“君看陌上梅花红,尽是离人眼中血。”曾季貍《艇斋诗话》以为“夺胎换骨”。词人之笔绕回到杨花身上,但它在离人眼中一点点都成了血泪。前面所谓“无人惜”者,似为花,实为人。而现在,则惜此花者,唯此离人;惜此离人者,亦唯此花。一样飘零,都无人管。此人此花,泪眼相看,情何能已!思何能已!故郑文焯手批《东坡乐府》以为歇拍“画龙点睛”,可谓别具只眼。

综观全词,沈谦《填词杂说》谓为“幽怨缠绵,直是言情,非复赋物”。这是就其艺术效果说词已不止于赋物,而充分表达了作者欲言之情。我们不能理解为艺术上可以把言情与赋物分离开来乃至对立起来。问题在于如何处理物之形与神的关系,又如何处理物之神与人之情的关系。刘熙载《艺概》以为起句可作全词评语,“盖不离不即也”。于“不离不即”中求之,斯为探真之道。唐圭璋先生以为此词“咏杨花,遗貌取神,压倒古今”(《唐宋词简释》),则明确主张从貌与神的关系的处理中求之,较之刘氏之说更进了一步。当然,“遗貌取神”必先由貌入神,也不能把貌与神分离乃至对立起来。唐先生又谓“全篇皆从一惜字生发”,也极精当。由

"无人惜"而至有人相惜，乃是贯串全篇的基本脉络。

（彭　靖）

满　庭　芳　　　　苏　轼

元丰七年四月一日，余将去黄移汝，留别雪堂邻里二三君子。会李仲览自江东来别，遂书以遗之。

归去来兮，吾归何处？万里家在岷峨。百年强半，来日苦无多。坐见黄州再闰，儿童尽、楚语吴歌。山中友，鸡豚社酒，相劝老东坡。　云何？当此去，人生底事，来往如梭？待闲看，秋风洛水清波。好在堂前细柳，应念我、莫剪柔柯。仍传语、江南父老，时与晒鱼蓑。

鉴赏

元丰七年即1084年。黄指黄州（今湖北黄冈），汝指汝州（今河南临汝）。"雪堂"，苏轼贬官黄州期间，开垦东坡，葺堂五间，堂成于大雪中，遂绘雪于四壁，名曰东坡雪堂。李仲览名翔，王质《东坡先生祠堂记》说："杨元素起为富川，闻先生自黄移汝，欲顺大江，逆西江，适筠（州）见子由，令富川弟子员李翔要先生道富川，《满庭芳序》所谓'会李仲览自江东来'者是。"这是一首告别黄州父老的词，表现了他同黄州父老的深厚情谊。

这首词从音乐上看虽是上下两阕，但内容是三层。第一层是"将去"抒慨。"归去来兮"三句感叹有家难归。陶渊明有《归去来兮辞》，写弃官归隐。苏轼也希望弃官归隐，故以这四字开头。但自己连弃官归隐都不可能，表面原因是"万里家在岷峨"，离家太远；实际是"有罪"在身，行动不自由。"百年强半"二句是叹老，化用韩愈诗句："年皆过半百，来日苦无多。"（《除官赴阙至江州寄鄂岳李大夫》）韩愈作诗时，年五十三，故云"过半"；苏轼作词时，年四十九，故云"强半"。"坐见黄州再闰"二句，感叹贬官黄州的时间太长了，连孩子们的口音都改变了。苏轼于元丰三年（1080）二月到达黄州贬所，七年四月由黄移汝，其间元丰三年（1080）闰九月，元丰六年（1083）闰六月，故云“再闰”。前面贯一“坐”字，表明白白浪费了这些时间。因为他在黄州是放闲，“不得签书公判”。过去的大好光阴虚度，来日又“苦无多”，充满了感伤之情。

第二层写黄州父老对他的挽留。苏轼在黄州期间同当地人民结下了深厚的友谊，他们帮助他开垦东坡：“我穷交游绝，三子（指潘丙、郭遘、古耕道）独见存。从我于东坡，劳饷同一飧。”指导他种地：“农父告我言，勿使苗叶昌。君欲富饼饵，要须纵牛羊。”（《东坡八首》）苏轼对黄州人民给他的帮助，一直念念不忘：“我昔在东坡，秋菊为夕餐。永愧坡间人，布褐为我完。”（《次韵毛滂法曹感雨》）佛教徒认为不宜三宿桑下，因为久生恩爱，会产生恋恋不舍之情（《别黄州》：“桑下岂无三宿恋。”）；他现在要离开朝夕相处五年的东坡父老，双方当然都会依依不舍。“山中友”以酒肉为他饯行，劝他在东坡终老，并问他为什么要东奔西走。“云何？当此去”，意思是当此离别之际，（他们间）说了些什么？“人生底事，来往如梭”，是山中友问话的内容。这是写黄州父老对他的情谊和关切。

第三层是苏轼的答词。一是回答为什么要“来往如梭”：“待闲看，秋风洛水清波”——他是要去欣赏汝州附近洛水的秋风、清波。回答得很轻松，言外之意实际是由贬官黄州而改贬汝州，这是不得不去的啊！他在《与王文甫书》中说：“前蒙恩量移汝州，比欲乞依旧黄州住，细思罪大责轻，君恩至厚，不可不奔赴。……本意终老江湖，与公扁舟往来，而事与心违，何胜慨叹！计公闻之亦凄然也。”可见他由黄迁汝，完全是被迫。在他的心目中，汝州也决非那样美好，汝人多长瘿（颈部的囊状瘤子），“阔领先裁盖瘿衣”，这才是他对汝州的真实看法。二是对黄州父老的嘱托，表示自己一定还要回来。因此，他才要“雪堂邻里”照管好他的“堂前细柳”，不要伤了柳树柔软的枝条；并转告长江南岸武昌（今湖北鄂城）西山、寒溪（苏轼在黄州常游之地，“相过殆百数”）的父老，经常为他晒晒打鱼的蓑衣，他一定还要回来打鱼。这些交代越琐细，越能表现他对黄州的感情。苏轼以后再也未能重到黄州，但在当时他希望终老黄州的感情确实是真实的：“投老江湖终不失，来时莫遣故人非”（《别黄州》）；“他年一叶溯江来，还吹此曲相迎饯。”（《过江夜行武昌山上闻黄州鼓角》）

这首词的语言十分质朴，没有堆砌什么形容词，但感情却非常真挚。"将去"之叹,沉郁顿挫,寄慨遥深。"山中友"挽留之语,实际也是苏轼的自白,表现了他对人生的看法。他的告别词,尤其写得含蓄委婉,怨而不怒,情意缠绵,富有余味。

(曾枣庄)

满庭芳　　苏轼

有王长官者,弃官黄州三十三年,黄人谓之王先生。因送陈慥来过余,因为赋此。

三十三年,今谁存者?算只君与长江。凛然苍桧,霜干苦难双。闻道司州古县,云溪上、竹坞松窗。江南岸,不因送子,宁肯过吾邦?　　摐摐,疏雨过,风林舞破,烟盖云幢。愿持此邀君,一饮空缸。居士先生老矣,真梦里、相对残釭。歌声断,行人未起,船鼓已逢逢。

鉴赏

王长官,不详其名。黄州,今湖北黄冈。陈慥字季常,少为豪侠,壮而折节读书,晚乃隐于光州、黄州之间的岐亭。苏轼初仕,任凤翔(今属陕西)签判,陈父为知府,因与慥游。苏轼贬官黄州,与慥过从甚密,曾三次去岐亭访慥,慥曾七次来黄州访苏轼。此词所载为其中的第六次,时间在元丰六年(1083)五月。

词的上阕写"王先生因送陈慥来过余",表现了这位长期弃官隐居的长者的孤傲高雅的品格;下阕写王来去匆匆,抒发了对这位新交的一往深情。词评家郑文焯对此词极其赞赏,说它"健句入词,更奇峰特出,此境非稼轩所能梦到。不事雕凿,字字苍寒,如空岩霜干,天风吹堕颇黎(玻璃)地上,铿然作碎玉声"。苏轼一生写了不少抒发朋友之情的词,这是其中别具一格的一首。

王先生与众不同的突出特点就是长期自甘寂寞,弃官隐居三十三年,因此,词一开头就从这里写起。前三句用一自问自答的设问句,赞叹王隐居时间之长,也赞叹了他的长寿:三十三年,还有谁活着？算起来只有您和长江吧！“尔曹身与名俱灭，不废江河万古流。”比起永恒的大自然来，人世的一切都是短暂的，故以长江比王，可算最高的赞美。王隐居之地黄陂就在长江附近，这种比拟真是顺手拈来，却成妙笔。接着二句又以经冬不凋的苍桧比喻王的品格。“凛然”，可敬畏貌。“霜干”，指傲霜的枝干。“苦难双”紧扣“只君”，进一步突出了王先生这样的人，世上是不多见的。“闻道”三句写王的居所。“司州古县”，即黄陂县，唐武德初曾以黄陂置南司州。“云溪”乃白云缭绕的山溪，滠水流经黄陂入长江，或指此。“竹坞”为种竹以为屏障的土垒。“松窗”意为窗外长满松柏。云溪、竹坞、松窗，写出了这位隐士居住环境的幽静、高雅。从“黄人谓之王先生”看，王在当地似小有名气；苏轼未到过王的居所，故冠以“闻道”二字。“江南岸”三句写王访轼之由。“子”指陈慥，“江南岸，不因送子”，是“不因送子江南岸”的倒装，意谓不是因为送陈慥去江南，你难道肯来黄州？这进一步突出了这位隐士的性格，不愿轻易与人交游。上阕无论写王弃官之久、居地之幽，还是写其交往之疏，都着重于刻画王的品格。虽着墨不多，但王那种有如“凛然苍桧”一般的傲岸品格已跃然纸上。

下阕前四句紧承上阕，写王雨后过访。“纵纵（chuāng）”，象声词，状风吹树枝相摩击声。“疏雨”指稀疏但雨点很大的阵雨，形容五月的阵雨。“盖”指车盖，“幢”指车帘，冠以“烟”“云”，说明他所乘车辆都带雾气云霞，处处不忘表现他那山中隐士的高雅特征。这三句中用得最生动的还是“舞破”二字，树木在大风中舞动，车帘好像快被大风撕破，都一一突现在眼前。五六句写一起痛饮。“持此邀君”即举杯邀王。酒逢知己千杯少，故“一饮空缸”。一饮而空，堪称豪饮。“居士”三句写畅谈到深夜。居士为苏轼自指，苏轼贬官黄州，筑室东坡，自称东坡居士。而“先生”则指王。“真梦里”三字，切不可轻轻放过，它上扣“老矣”，意谓这大半辈子真如做梦一般；下接“相对残釭”，可见他们都相互倾吐了自己的不幸经历。此句化用杜诗：“夜阑更秉烛，相对如梦寐。”苏轼从小“奋厉有当世志”，但是，后来他不但未能“致君尧舜”，反被投入狱中，贬谪黄州，这不有如一场噩梦吗？因此，他在黄州期间感叹“人生如梦”的诗词特别多，如“却对酒杯浑似梦”，“忧患已空犹梦怕”，“事如春梦了无痕”等等。但他把这一切深沉的辛酸的人生感慨，仅用“真梦里”三字轻轻带过，怨而不怒，含蕴无穷。最后三句写匆匆离别，妙在把酒席上的歌声刚停，王先生还未起身，而发船的鼓声已响这三个连续的过程压在一起，就充分抒发了相聚恨短之情。“逢逢”，也是象声词，状鼓声，开船的信号。下阕以冒着“扒扒疏雨”而来开头，以“船鼓逢逢”催人离去作结，前后呼应，给人以来也匆匆、去也匆匆的强烈感觉。

“多情自古伤离别”，一般写别情都写得哀婉缠绵，即使是男性相送的词也是如此。如张先“送临淄相公”的《玉联环》：“叶落灞陵如翦，泪沾歌扇。无由重肯日边来，上马便、长安远。”而苏轼这首词却以刚健苍凉见长，全词写王的隐居、居所，冒雨来访、开怀畅饮，彻夜交谈，匆匆离去，皆直陈其事，“不事雕凿”，而情真意切，这就是它高于一般友情词的地方。

（曾枣庄）

水调歌头　　苏轼

黄州快哉亭赠张偓佺

落日绣帘卷，亭下水连空。知君为我新作，窗户湿青红。长记平山堂上，攲枕江南烟雨，渺渺没孤鸿。认得醉翁语，山色有无中。　一千顷，都镜净，倒碧峰。忽然浪起，掀舞一叶白头翁。堪笑兰台公子，未解庄生天籁，刚道有雌雄。一点浩然气，千里快哉风。

鉴赏

北宋神宗赵顼元丰六年（1083），苏轼谪居黄州（治所在今湖北黄冈县）。他的友人张怀民，字偓佺，又字梦得，在黄州宅舍西南长江边建筑一所亭台。苏轼为这个亭起了一个颇为雅致的名字，叫“快哉亭”，并写下了这首词。词写作者在快哉亭上所见到的山光水色。虽然上下片都夹杂着一些议论，但仍不失为独具特色的词作。它以写景、议论、抒情见长，表现了苏轼豪放的词风。

开头两句是破题，说正当夕阳西下的时候，词人坐在快哉亭上，卷起锦绣的窗帘，看到亭台和江面形成了亭连水、水连空、水天一色的美丽景色。开头就描绘出这样如诗如画的意境,的确具有引人入胜的强烈的艺术魅力。起句“落日绣帘卷”,一方面交代写作时间是在傍晚,同时也为词作的写景揭开序幕。

三、四两句紧承上文,就亭着一染笔,并点明了亭主和自己的亲切关系,并非单纯的客套话。它的大意是说:我知道你为接待我而特意建筑了这座亭台。“窗户湿青红”,是说窗户涂抹上青漆和红漆,色彩极为绚丽美观。“湿”字,是动词,在这里含有油漆未干的意思。

接下去五句是倒叙,写昔日词人在平山堂所看到的迷人的江南烟雨,并借用这种景色来巧妙地表现他在快哉亭所看到的江岸的景致。“平山堂”,在今江苏省扬州市西北蜀岗法净寺内,是宋庆历年间欧阳修为扬州知州时所建。平山堂居高临下,举目即可眺望江南秀丽的山光水色。欧阳修是苏轼的老师,他熟悉欧阳公当年描写平山堂的《朝中措》词。熙宁七年,苏轼由杭州改官密州时,路经扬州,曾写过《平山堂次王居卿祠部韵》诗。所以很自然地想到平山堂的景物。“长记平山堂上,攲枕江南烟雨,渺渺没孤鸿”,是说不会忘记当年在平山堂上,卧看江南的浩渺烟波,遥望远天渐渐消失的孤雁。那种空蒙、高远、淡雅的意境,确实令人神往。难怪苏轼一直都不能忘却这段经历。“攲枕江南烟雨,渺渺没孤鸿”两句,既有很高的美学价值,又有深沉的寓托。“渺渺”,是幽远的样子。“孤鸿”,就是失群的大雁。作者为什么对“孤鸿”如此感兴趣呢?联系他谪居黄州时远离亲朋好友、孤苦无依的境况,就可以体察到他的笔意了。

“认得醉翁语,山色有无中”。“认得”,是说曾记得。“醉翁”,指欧阳修。他在《醉翁亭记》中,曾自称“醉翁”。欧阳修是宋代著名的文学家,他不仅散文写得出色,词也写得清新婉丽。他在《朝中措》中有这么两句:“平山栏槛倚晴空,山色有无中。”苏轼这里的“认得醉翁语,山色有无中”就是指欧阳修这两句词而言。其实“山色有无中”一句,并不是欧阳修的创作,王维曾有两句诗说:“江流天地外,山色有无中。”(《汉江临泛》)可见欧阳修是借用了王维的现成诗句,不过他用得很贴切。苏轼在这里又借用“山色有无中”这一名句,来转写他在快哉亭上所见到的武昌诸山山色空蒙、若有若无的奇妙景象。采用的是借景写景的方法,比较新颖别致。

下片在结构上以“风”字为主线,无论写静景或动景,还是发议论或抒发感慨,都紧紧地围绕

"风"来构思。"一千顷,都镜净,倒碧峰。忽然浪起,掀舞一叶白头翁",这是词人临窗眺远所见,是对江面变化的正面描写。"一千顷"三句,是写静景,用特写,写广阔的江面,风平浪静,犹如明镜一般,清澈见底;碧绿的山峰,倒映在江水之中,构成"江晚落日"的优美图画。这里写的是无风的静景,下面两句笔锋陡然一转,写江面风起云涌:"忽然浪起,掀舞一叶白头翁。""白头翁",指操舟的白发老人。"一叶"是形象的说法,是指小舟逐浪翻飞,犹如一片树叶在水中浮游一样。这两句是写动景,用速写手法,把江面上突然之间风云开合,波涛汹涌,一位白发老人驾一叶扁舟出没烟波里的情景,写得逼真而饶有情趣。从艺术表现方法来看,前三句用的是白描手法,这两句却使用了形容和夸张的手法。尽管两种手法不同,对表现长江那种风云开合,时而平静如镜,时而惊涛骇浪的壮观场面,同样都能收到良好的艺术效果。作者在描写杭州西湖时曾有两句诗说:"欲把西湖比西子,淡妆浓抹总相宜。"(《饮湖上初晴后雨》)也可以这么说:作者描写长江多姿多彩的画面,无论是淡妆,还是浓抹,总是相宜的。这是因为作者既有敏锐的观察力,又有丰富的想象力,同时还具有极高的驾驭语言的能力,所以才能够心到笔随,下笔有神。

词人由于看到江面风起浪涌,想到战国时代楚国的宋玉,为了讽刺楚襄王,把风分成了雌风和雄风。"堪笑兰台公子,未解庄生天籁,刚道有雌雄"三句,就是说的这个历史故事。"兰台",相传故址在今湖北钟祥县境内。宋玉曾陪同楚襄王游览兰台宫。这里的"兰台公子"就是指宋玉。在这三句词中,作者使用了两个典故。"未解庄生天籁","庄生",即庄周,他在《庄子·齐物论》篇里,有天籁、地籁、人籁的议论。"籁"是古代的一种乐器。"天籁"是大自然演奏的乐曲,指风。苏轼说宋玉"未解庄生天籁,刚道有雌雄",是指宋玉写的一篇《风赋》。《风赋》写宋玉等人陪同楚襄王游兰台之宫,忽然刮起风来,楚襄王披襟当风说:"快哉此风!寡人所与庶人共者邪?"宋玉说:"此独大王之风耳,庶人安得而共之!"楚王不理解是什么意思,宋玉就向楚王解释说:"大王之风"能"发明耳目,宁体便人",所以称为"雄风"。"庶人之风"会使人"生病造热",所以称为"雌风"。非常明显,宋玉故意把风分为"大王之雄风"和"庶人之雌风",讽谏楚王之意显而易见。"刚道",是硬说或偏偏这么说的意思。值得深究的是,苏轼使用这个典故,究竟有什么深意呢?据《古今词话》

说:“坡以谗言,谪居黄州,郁郁不得志,凡赋诗缀词,必写其所怀。”可见这三句词并非无的放矢,在词句背后,深深地隐藏着对现实的不满情绪。

上文,词人不赞成宋玉把风分成雌雄,并借此来大发议论,抒发感慨,但没有完全把自己胸中的郁结抒发出来。所以词作最后,索性畅快淋漓地写出“一点浩然气,千里快哉风”两句,来抒发他的感慨。“浩然气”,就是“浩然之气”,这里指正气和节操。这两句是说:只要我胸中有一点正气,就可以领略吹来的千里浩浩长风。词句以“一点”和“千里”这极小与极大两方面来呼应,充分表现出词人的广阔胸怀和过人的气概。这两句,显然寄寓了作者不满现实、坚守气节的思想。

“一点浩然气,千里快哉风”,这是词作的警句,它体现了词人的豪迈气概。并且“快哉风”三字,同“快哉亭”的词题紧密关合,前后照应得极好。词作以浩荡雄伟的气势,铿锵有力的笔触终结,使人振奋,给人一种积极的力量。

从写作上来说,这首词有两个比较突出的特点:一是以议论入词,比如下片对宋玉的议论,就反映出这样一个特点。唐五代以来,词这种文学样式,似乎只能写缠绵悱恻的男女之情,春愁秋恨的苦闷,甚至吟风弄月,无病呻吟。到了苏轼,开始对词进行革新,猛烈地扫荡绮靡不振的词风。他身体力行,以诗为词,把说理谈玄、咏史怀古、感伤时事、抒情写性、描写山水田园等内容,统统纳入词里,使词“无意不可入,无事不可言”(《艺概·词曲概》),从而创造出一种清新高远的意境,形成一种奔放豪迈的词风,为词的繁荣和发展开拓了广阔的天地。第二个特点是,这首词下片以“风”字作筋骨,一贯到底,因此词作结构严谨,环环相扣,如层波叠浪,一直推向高潮。“其精微超旷,真足以开拓心胸,推倒豪杰!”(《艺概·诗概》)

(陆永品)

水调歌头 苏轼

丙辰中秋,欢饮达旦。大醉,作此篇。兼怀子由。

明月几时有?把酒问青天。不知天上宫阙,今夕是何年。我欲乘风归去,又恐琼楼玉宇,高处不胜寒。起舞弄清影,何似在人间! 转朱阁,低绮户,照无眠。不应有恨，何事长向别时圆？人有悲欢离合，月有阴晴圆缺，此事古难全。但愿人长久，千里共婵娟。

鉴赏

此词作于宋神宗熙宁九年(1076)，亦即丙辰年的中秋节日。作者当时知密州(今山东诸城)。从小序可知，此词系醉后抒怀之作，同时表达了对兄弟苏辙(子由)的思念。古人评论说：词的前半“自是天仙化人之笔”(先著《词洁》)，其实通篇风调又何尝不是这样。

此词的主旨在于抒发作者外放期间的寥落情怀，其中杂用道家思想观照世界，亦复自为排遣。作者俯仰古今变迁，感慨宇宙流转，厌弃险恶的宦海风涛，揭示睿智的人生理念，运用形象描绘的手法，勾勒出一种皓月当空、美人千里、孤高旷远的境界氛围，把自己遗世独立的意绪和往昔的神话传说融合一处，在月的阴晴圆缺当中，渗进浓厚的哲学意味，可以说是一首将自然和社会高度契合的感喟作品。

苏轼一生，以崇高儒学、讲究实务为主。但他也“龆龀好道”，中年以后，又曾表示过“归依佛僧”，是经常处在儒释道纠葛当中的。每当挫折失意之际，则老庄思想上升，借以帮助自己解释穷通进退的困惑。宋神宗熙宁四年(1071)，他以开封府推官通判杭州，是为了权且避开汴京政争的漩涡。熙宁七年调知密州，虽说出于自愿，实质上仍是处于外放冷遇的地位。尽管当时“面貌加丰”，颇有一些旷达表现，也难以遮掩深藏内心的郁愤。这首中秋词，正是此种宦途险恶体验的升华与总结。“大醉”遣怀是主，“兼怀子由”是辅。对于一贯秉持“尊主泽民”节操的作者来说，手足分离的私情，比起廷忧边患的国势来说，毕竟属于次要的伦理负荷。此点在题序中并有深微的揭示。

此词通篇咏月，却处处关合人事。上片借明月自喻孤高，下片用圆月衬托别情。开篇“明月几时有”一问，排空直入，笔力奇崛。诸家指出此处词意和屈原《天问》、李白《把酒问月》的传承关系，正可说明作者“奋励有当世志”，而又不谐尘俗的佛郁心理。“不知天上宫阙”以下数句，笔势夭矫回折，跌宕多彩。它说明作者在“出世”与“入世”，亦即“退”与“进”“仕”与“隐”之间抉择上的深自徘徊困惑情态。李泽厚在阐述苏轼诗文的美学观时说：苏轼把“中晚唐开其端的进取与退隐的矛盾双重心理发展到一个新的质变点”，“苏轼一生并未退隐”，“但他通过诗文所表达出来的那种人生空漠之感，却比前人任何口头上或事实上的‘退隐’‘归田’‘遁世’要更深刻更沉重”（《美的历程》）。这些论断，对理解《水调歌头》这首词本身，是很有启示作用的。

“又恐琼楼玉宇”二句，把见于段成式《酉阳杂俎》诸书中的神话传说具象化。说入世不易，出世尤难，言外仍是说得在现实社会中好自为之。这里寄寓着“出世”“入世”的双重矛盾心理，也潜藏着对封建秩序的些微怀疑情绪。尽管上下文衔接处都曾表示自己顾影自怜、颇欲遐举的旨意。苏轼诗文中很多貌似“出世”的思想，实质上都是“入世”思想的一种反拨形式，本篇亦复如此。

下片，融写实为写意，化景物为情思，挥洒淋漓，无入不适。“转朱阁”三句，“愈转愈深，自成妙谛”（唐圭璋《唐宋词简释》）。“不应”二句，笔势淋漓顿挫，表面上是责月问月，实际上是怀人。“月如无恨月长圆”（石曼卿），本是“人事多错迕”（杜甫）的同义语。“人有悲欢离合”三句，双绾自然和社会，用变幻不拘的宇宙规律，说明人间合少离多自古已然的事实，意境一转豁达，聊以自我宽慰。结尾两句，把南朝刘宋时谢庄的《月赋》，进行更高层次的变转，向世间所有离别的亲人发出深挚的祝愿，给全词增加了积极奋发的意蕴。词的境界愈见澄澈辽远，词的情思也愈加殷切绵延，是颇有“逸怀浩气，超乎尘垢之外”（胡寅《酒边词序》）的崇高美感的。

从艺术成就上看，本篇属于苏词代表作之一。它构思奇拔，畦径独辟，极富浪漫主义色彩。在格调上则是“一洗绮罗香泽之态，摆脱绸缪婉转之度，使人登高望远，举首高歌”（胡寅《酒边词序》），是历来公认的中秋词中的绝唱。从表现方面来说，词的前半纵写，后半横叙。上片高屋建瓴，下片峰回路转。前半是对历代神话传说的推陈出新，也是对魏晋六朝游仙诗的递嬗发展。后半纯用白描，人月双及。它名为演绎物理，实则阐释人事。笔致错综回环，摇曳多姿。从布局方面来说，上片凌空而起，入处似虚；下片波澜层叠，返虚转实。最后虚实交错，纡徐作结。

作者既标举了“夐绝尘寰的宇宙意识”，又摒弃那种“在神奇的永恒面前的错愕”情态（闻一多评《春江花月夜》语）。他并不完全超然地对待自然界的变化发展，而是努力从自然规律中寻求

"随缘自娱"的生活意义。所以,尽管这首词基本上是一种情怀寥落的秋的吟咏,读来却并不缺乏"触处生春"、引人向上的韵致。

（徐翰逢）

满 江 红　　苏 轼

寄鄂州朱使君寿昌

江汉西来,高楼下、蒲萄深碧。犹自带、岷峨雪浪,锦江春色。君是南山遗爱守,我为剑外思归客。对此间、风物岂无情?殷勤说。　《江表传》,君休读。狂处士,真堪惜。空洲对鹦鹉,苇花萧瑟。不独笑书生争底事,曹公黄祖俱飘忽。愿使君、还赋谪仙诗,追黄鹤。

鉴赏

神宗元丰年间,苏轼因以诗文讥刺新法,被某些官僚忌恨罗织而身陷台狱,结案后以罪人身份安置黄州(今湖北黄冈)。黄州同鄂州(今湖北武昌)隔江相望,当时的鄂州知守朱寿昌(字康叔)与苏轼过从颇密,两人不断翰墨往还,倾吐肺腑,本篇就是这时期写寄给朱寿昌的。

词的上片即地写景,由景到情。起句大笔勾勒,突兀而入。"江汉",即长江与汉水,二水自西北奔流而下,汇合于鄂州。"江汉西来"描绘出大江浩浩荡荡、直指东海的雄伟气势。接下来收束笔锋,着力刻画武汉一带长江景色之壮美。"高楼",指黄鹤楼,它凌驾于武昌西黄鹤矶上,俯临大江,旧传仙人乘黄鹤过此,故名。"高楼下"似乎对当地名胜只是轻轻一点,但它上承大江西来的巨大气势,又凭借它本身特有的神话色彩,易于诱发人们种种联想。"蒲萄深碧"道尽黄鹤楼下江水的渊深澄澈,用葡萄酒比喻江水,极有意趣。以下用"犹自带"三字振起,驰骋遐想,视通千里。生长在蜀中的李白有"江带峨眉雪"(《经乱离后天恩流夜郎忆旧游书怀赠江夏韦太守良宰》)之吟,飘泊四川的杜甫写过"锦江春色来天地"(《登楼》)的名句,"岷峨"

二句化用李白杜甫诗句，毫无痕迹，这既给深碧如酒的江水再染上一层奇幻鲜美的色彩，又在写景中融入了浓郁的乡思，为下文感怀作了适当的铺垫。朱寿昌做过陕州通守（即通判），卓有政绩，境内有终南山，故称“南山遗爱守”。“遗爱”，留下恩泽的意思。苏轼故里四川，在剑门山之南，故称“剑外思归客”。此亦化用杜诗“江汉思归客，乾坤一腐儒”（《江汉》）句意，杜甫这种愤懑而又自负的表白，颇符合苏轼初贬黄州后的心情。彼有辗转游宦之感，我有他乡思归之心、郁愤不平之情，面对此间风物，自会触景兴感，这样，由对景物的描绘过渡到对自己身世的回顾，才情横溢的苏轼不免要对友人进一步敞开心扉。于是，“对此间”以下三句，将君、我归拢为一，双流汇注，水到渠成。

这情不得不发，然而又从何处说起呢？借历史之亡灵发今日之感慨，对于苏轼这样一位“笔头千字，胸中万卷”的文人是十分自然的，何况是在他对武汉长江风物进行了一番遐想，对自己的经历作了一番回顾之后呢？于是下片即面向友人，慷慨评说。换头四句，词意重拙，语调愤激，虽然在结构上承上片尾句而来，但在意念上突然进入怀古抒情，仍给人一种异军突起之感。《江表传》，是记载三国时代吴国人物事迹的史书，此代指三国典籍。三国逐鹿，有许多悲壮的故事发生在大江两岸，离武汉不远的荆州、赤壁等地，更是三国时代风云人物施展才略的政治舞台，可是苏轼却劝他的朋友不要读这些史书，不必倾慕那些豪杰，这自然有作者难言的苦衷，但也因为他想起了在武汉被难的“狂处士”祢衡。祢衡恃才傲物，不见容于曹操，最终被江夏太守黄祖所杀。谓其“狂”，正写出了祢衡的刚直性格。“君休读”加以强调，对友人语重心长；“真堪惜”对祢衡痛悼追念，可说情真意切。“空洲对鹦鹉”二句用染笔将祢衡的故事加以勾勒，意在言外。祢衡写过辞气慷慨、借物抒怀的《鹦鹉赋》，死后葬地人称鹦鹉洲，李白《赠江夏韦太守》诗有“顾惭祢处士，虚对鹦鹉洲”之句，此化用其意。这里“空”字跟“苇花”句构成的意象有着强烈的感情色彩：鹦鹉洲上芳草萋萋，苇花瑟瑟，而才智之士的芳魂安在？苍凉的环境烘染所包含的意蕴对上句表现的悼惜叹赏之情作了有力的补充。作者再把感情逼进一步：才士被杀，英名犹存，而迫害祢衡的曹操、黄祖虽然曾经不可一世，但最终还不是被大浪淘尽、“飘忽”而去了吗？这与《前赤壁赋》“固一时之雄也，而今安在哉”用意颇为相近。“争底事”即争何事，意谓书生何苦与此辈纠缠，以自戕其身？郁愤之情以洒脱之笔出之，更觉动人。结尾三句就眼前指点，转出正意，希望友人超然于政治风云之外，寄意于文章事业。相传李白游黄鹤楼看到崔颢《黄鹤楼》诗，曾有搁笔之叹，他后来写《登金陵凤凰台》诸篇，据说有意和崔颢争胜。这里借李白的故事劝勉友人，也是自励。结句“黄鹤”与开端“高楼”呼应，拍合上文，以明本旨。

此词上片景中寓情，下笔关照到友我两方，下片开怀倾诉，谈古论今。作者用直泻胸臆的方式表情达意，既表现出朋友间的深厚情谊，又使读者在洞见肺腑的议论中窥见作者的内心世界。但这种表达方式，如果掌握不好，会失之浅露，缺乏情韵，本篇却无此弊。这是因为，词中所写景物情事都不离友人的居住地鄂州，使眼前景、意中事、胸中情相互契合，朋友读来也会觉得亲切；同时，它选用内涵丰富、饶有意趣的历史掌故来述怀写志，藏情于事，因而言直意纡，读者自会从中感受到诗人苍凉悲慨、郁勃不平的激情。

（刘乃昌　崔海正）

念奴娇　　苏轼

赤壁怀古

大江东去，浪淘尽、千古风流人物。故垒西边，人道是、三国周郎赤壁。乱石穿空，惊涛拍岸，卷起千堆雪。江山如画，一时多少豪杰！　遥想公瑾当年，小乔初嫁了，雄姿英发。羽扇纶巾，谈笑间、樯橹灰飞烟灭。故国神游，多情应笑我，早生华发，人生如梦，一尊还酹江月。

鉴赏

本篇是苏词中具有豪雄气概的代表作，是北宋词坛上最为引人注目的作品之一。它写于宋神宗元丰五年（1082）七月。当时，由于苏轼诗文讽喻新法，为新派官僚罗织论罪贬谪到黄州，这首词是他游赏黄冈城外的赤壁矶时写下的。

此词开篇从滚滚东流的长江着笔，随即用“浪淘尽”把大江与千古人物联系起来，布置了一个极为广阔而悠久的空间时间背景。它既使人看到大江的汹涌奔腾，又使人想见风流人物（出色的英雄人物）的非凡气概，更可体味到作者兀立长江岸边对景抒情的壮怀，气魄极大，笔力非凡。接着“故垒”两句，点出这里是传说中的古代赤壁战场。“人道是”，据人们讲，下笔极有分寸。周瑜大败曹兵的赤壁战场究竟在哪儿，向来众说纷纭，苏轼在此不过是姑且借景怀古以抒感而已，读者不必刻舟求剑。以下“乱石”三句，集中写赤壁景物：陡峭的山崖散乱地高插云霄，汹涌的骇浪猛烈地拍击着江岸，滚滚的江流卷起千万堆澎湃的雪浪。这种从不同的角度而又诉诸不同感觉的浓墨健笔的生动描写，一扫平庸委靡的气氛，把读者顿时带进一个奔马轰雷、惊心动魄的奇险境界，使人心胸为之开阔，精神为之振奋！歇拍二句，总结上文，带起下片。“江山如画”，这脱口而出、明白精切的赞美，是作者和读者从以上艺术地提供的大自然的雄伟画卷中自然得出的结论。“地灵人杰”，锦绣山河，必然产生、哺育和吸引无数出色的英雄，三国正是人才辈出的时代：横槊赋诗的曹操，驰马射虎的孙权，隆中定策的诸葛亮，足智多谋的周公瑾……真可谓“一时多少豪杰”！

上片重在写景，将时间与空间的距离缩短集中到三国时代的豪杰人物身上。但苏轼在如此众多的英雄人物中，尤其向往那智破强敌的周瑜，所以下片“遥想公瑾当年”六句就集中腕力塑造青年将领周瑜的形象。“公瑾”，周瑜的字。“小乔”，乔公的幼女，嫁给了周瑜。作者在历史事实的基础上，挑选表现人物个性的素材，从几个不同的方面进行刻画，把人物写得栩栩如生。据史载，建安三年东吴孙策亲自迎请二十四岁的周瑜，授予他“建威中郎将”的职衔，并同他一齐攻取皖城。周瑜娶小乔，正在皖城战役胜利之时，而后十年他才指挥了有名的赤壁之战。此处把十年间的事集中到一起，在写赤壁之战前，忽插入“小乔初嫁了”一句，既从生活细事上烘托周瑜的年轻得意，同时也是在向人们暗示：赢得这次抗曹战争的胜利，乃是使东吴保有江东、发展胜利形势的保证，否则难免出现如诗人杜牧《赤壁》诗中所写的“铜雀春深锁二乔”的严重后果。这就强调了这次战争的重要意义。“雄姿英发，羽扇纶巾”，是从肖像仪态上描写周瑜装束儒雅，风度翩翩。“纶巾”，青丝带头巾。“葛巾毛扇”，是三国以来儒将常有的装扮，着力刻画其仪容装束，正反映出作为指挥官的周瑜临战潇洒从容，也说明了他对这次战争成竹在胸，稳操胜券。“谈笑间，樯橹灰飞烟灭”，抓住了火攻水战的特点，集中概括了这次战争的胜利过程。当时周瑜指挥吴军用轻便战舰，装满燥荻枯柴，诈称请降，驶向曹军，一时间火烈风猛，烧尽北船。词中只用“灰飞烟灭”四字，就将曹军的惨败情景形容殆尽。试看，在滚滚奔流的大江之上，一位卓异不凡的青年将军周瑜，谈笑自若地指挥水军，抗御横江而来不可一世的强敌，使对方的万艘舳舻，顿时化为灰烬，这是何等的气势！苏轼为什么如此仰慕周瑜？这是因为他怀着一腔报国疆场的热忱，时刻关心着边庭战事，从而觉察到北宋国力的软弱和辽夏军事政权的严重威胁。面对边疆危机的加深，目睹宋廷的委靡慵懦，他是多么渴望有如三国那样称雄一时的豪杰人物，来扭转这很不景气的现状啊！这正是作者所以要缅怀赤壁之战，并塑造导演这一战争活剧的中心人物周瑜的思想契机。然而，眼前的政治现实和词人被贬黄州的坎坷处境，却同他振兴王朝的祈望和有志报国的壮怀大相抵牾，所以，当词人一旦从“神游故国”跌入现实，就不免自笑多情善感，慨叹光阴虚度，而无可奈何地归结为以酒浇愁了。虽然词的结尾调子失之低沉，但这也是历史与现状、理想与实际经过尖锐的冲突之后在作者心理上的一种反映，就艺术表现的角度而言，这种故作超旷的写法，从某种意义上说，有时更能引起读者的思考。

这首词从总的方面来看，气象磅礴，格调雄浑，高唱入云，其境界之宏大，是前所未有的。特别是它第一次以空前的气魄和艺术力量塑造了一个英气勃发的人物形象，透露了作者有志报国、壮怀难酬的感慨，为用词体表达重大的社会题材，开拓了新的道路，产生了重大影响。据俞文豹《吹剑录》记载，当时有人认为此词须关西大汉手持铜琵琶、铁绰板进行演唱，虽然他们囿于偏见，对东坡词新风不免微带讥诮，但也从另一方面说明，这首词的出现，对于仍然盛行缠绵悱恻之调的北宋词坛，确有振聋发聩的作用。

（刘乃昌　崔海正）

沁园春　苏轼

孤馆灯青，野店鸡号，旅枕梦残。渐月华收练，晨霜耿耿；云山摛锦，朝露漙漙。世路无穷，劳生有限，似此区区长鲜欢。微吟罢，凭征鞍无语，往事千端。
当时共客长安，似二陆初来俱少年。有笔头千字，胸中万卷，致君尧舜，此事何难。用舍由时，行藏在我，袖手何妨闲处看？身长健，但优游卒岁，且斗尊前。

鉴赏

这首词一本有题“赴密州早行马上寄子由”，作于神宗熙宁七年（1074）赴密州途中，时苏轼三十九岁。由于政治上的原因，苏轼曾于熙宁四年请调外任，在“风景古今奇”的杭州度过三年。在杭州任上，苏轼所处环境，以及他的心境，还是比较惬意的，他的歌词大多是描写美好湖山及四时风物之作。离杭赴密，生活环境变迁，心境变化，词风也开始转变，《沁园春》词就是这一转变的标志。

这首词以议论入词，直抒胸臆，表现作者的政治怀抱。词作一开头，作者便将温庭筠《商山早行》诗“鸡声茅店月，人迹板桥霜”的意境，化入词中，融为“孤馆灯青，野店鸡号，旅枕梦残”以及“月华收练，晨霜耿耿；云山摛锦，朝露漙漙”数句，绘声绘色地画出了一幅早行图。早行中，眼前月光山色，晨霜、朝露，别具一番景象，但早行人为了早日与弟弟联床夜话，畅叙别情，却无心观赏。此时，他“凭征鞍无语”，进入沉思，感叹“世路无穷，劳生有限。”为此，便引出了一大通议论来。作者想：他们兄弟俩，“当时共客长安，似二陆初来俱少年”。“二陆”，指西晋陆机、陆云兄弟，词里用来比自己和弟弟苏辙。两人有远大抱负，要像伊尹那样，“使是君为尧舜之君”（《孟子》）；要像杜甫那样，“致君尧舜上，再使风俗淳”，以实现其“结人心，厚风俗，存纪纲”（《上神宗皇帝书》）的政治理想；而且他们兄弟俩，“笔头千字，胸中万卷”，对于“致君尧舜”这一伟大功业，充满着信心和希望。眼下,他们兄弟俩在现实社会中都碰了壁。为了相互宽慰,作者将《论语》“用之则行,舍之则藏,惟我与尔有是夫”,《孔子家语》“优哉游哉,聊以卒岁”,以及牛僧孺“休论世上升沉事,且斗尊前见在身”诗句,运化入词,并加以改造、发挥,以自开解。整首词,除了开头几句形象描述之外,其余大多是议论;表面上写早行,实际上借题发挥,成为一篇发牢骚的政论文。

这首词发议论,充分体现了苏轼的艺术才能。除了善于将写景、抒情、议论三者合为一体外,其艺术才能还表现在善于驾驭词调,善于将诗、文、经、史谱入歌词。这一词调,上片十一个四字句,下片八个四字句,多处用对仗,句法比较工整,而且还在许多整齐的句子之间,穿插了几个长短句,如三言句、六言句、七言句和八言句,长短相间,参差错落。这个词调适合以赋体入词,但又最忌板滞,它不同于短篇令词,也不同于一般长调,是个较难驾驭的词调。两宋词人当中,辛弃疾填了九首,刘克庄填了二十五首,陈人杰填了三十一首,这算是较为罕见的。许多名家,比如柳永、李清照、周邦彦、姜夔、史达祖、张炎等,都不见填制。但是,此调若格局开张掌握得好,却可造成排山倒海之势,收到良好的艺术效果。苏轼这首《沁园春》词,上片写景,一下子罗列了七个四言句。前三个四言句“孤馆灯青,野店鸡号,旅枕梦残”,句式相同,三脚并立。后四个四言句,“月华收练,晨霜耿耿;云山摛锦,朝露漙漙”,组成“扇面对”,由“渐”字构成领头格,贯穿到底。七个四言句组织绵密,构成了一幅完整的画面。紧接着,“世路无穷,劳生有限”,仍用四言对句,“征鞍无语,往事千端”,也是四言句。这十一个整齐的四言句,除了靠“渐”“凭”两个领格字提携,还由两个长短句“似此区区长鲜欢”及“微吟罢”在当中辗转运气。于是,十一个四言句,就不至于像是拆开来的七宝楼台,不成片段。下片八个四言句略有变化。前四个四言句,不再用“扇面对”,其中,“笔头千字,胸中万卷”,自成对仗,“致君尧舜,此事何难”二句不对,其余与上片大致相同。这段议论,先由换头“当时共客长安,似二陆初来俱少年”两个长短句叙事,承接上结所提“往事”,然后铺排议论。领格字“有”,从字面上看,只管领“笔头”“胸中”二句,但“有”字下面的六个四言句,词意还是相贯通的,这六句之下,直接“袖手何妨闲处看”,还是具有一定气势的。最后,由一个三言短句“身长健”停顿蓄势,“但”字提携、转折,带上两个四言句“优游卒岁,且斗尊前”,为全词作结。

总之,《沁园春》词是苏轼以诗文句法入词的尝试,已稍露东坡本色。但这首词在艺术上仍有某些不足之处,如与《水调歌头》(明月几时有)等词作比较,就觉得《沁园春》以抽象的说理议论代替具体的形象描述,不如以情动人之作,具有那么大的感人力量。比如“身长健,但优游卒岁,且斗尊前”与“但愿人长久,千里共婵娟”意思相近,但前者总不及后者那样有意境,那样耐人寻味。

(夏承焘　施议对)

西　江　月

苏　轼

春夜蕲水中过酒家饮。酒醉,乘月至一溪桥上,解鞍曲肱少休。及觉,已晓。乱山葱茏,不谓尘世也。书此词桥柱。

照野弥弥浅浪,横空隐隐层霄。障泥未解玉骢骄,我欲醉眠芳草。　　可惜一溪明月,莫教踏破琼瑶。解鞍欹枕绿杨桥,杜宇一声春晓。

鉴赏

苏轼于元丰三年(1080)正月被谪黄州,先是寓居在定惠院和江边的临皋亭。元丰五年二月,他在东坡旧营地上盖了雪堂,三月又经别人介绍,买田于黄州附近的蕲水,遂有终老之计。这段时间,他经常往来于蕲水路上。一次,夜晚在酒家吃醉了酒,趁着月色走到一座溪桥上,卸马枕着胳膊在那儿略微休息了一下。当他醒来时已是拂晓,只见周围丛山乱石一片葱茏。在朦胧中以为已非人境,便在桥柱上题了这首词。

一般说来,词的上下两片或有转折,或用过渡。而这首词则是顺情直下,一气贯穿,浑然一体。开首二句先写月光下所见:一溪满涨的春水,翻动着细浪,流向月光笼罩下的原野。夜空中薄薄的云层时隐时现。月色中的原野与晴空已是如此广阔,在惺忪醉眼中的“弥弥浅浪”“隐隐层霄”又是如此迷人。接下去的两句,是作者又在这一清旷缥缈的画面上为我们勾画出一个走倦而“障泥未解”的玉骢马,和酩酊欲睡的“我”。“障泥”即马鞯,因垫在鞍下垂至马腹以挡尘土,故有是称。这两句言我既已醉欲眠芳草郊野，而马也在待人卸掉身上的鞍鞯。以马等待卸鞍解辔之状衬人酒醉欲眠之情，生动有致。过片又紧承上意，继写人马。“可惜”二句言所以要醉眠于此，并非在于酒。而是深深爱惜这映在溪水中美玉般的月色，恐怕被马下水踏碎了。从酒醉宕开一笔，人马沉湎于芳野月色的情景跃然纸上。“解鞍攲枕”一句道出人马憩息之地乃绿杨垂映中的溪桥上。以上言人马欲眠，实写夜景，且皆为视觉所见，益感清静。结尾一句写晓景。只言“杜宇一声”突出听觉的作用，以清爽破静穆。此时晓风残月下的绿杨翠岚，桥下的淙淙流水与声声催归的杜宇交织。再结合词前短序中的“及觉，已晓。乱山葱茏，不谓尘世也”数句，这不是在我们眼前展现出一幅清新湮润的水墨画吗？

春夜料峭，醉不得归，人马露宿于郊野，本是极凄清辛苦之事。然而在东坡笔下写来却如此清新迷人，恍如仙境。这表达出他在政治迫害下“一蓑烟雨任平生”（《定风波》）的人生态度和幕天席地、友月交风的阔大胸襟。司马迁称赞屈子曰“其志清，故其称物芳”。东坡心胸旷达，故发音爽朗。至若词中以“芳草”代郊野，称溪月为“琼瑶”，马则“玉骢骄”，桥云“绿杨桥”，无不使此词色彩明洁、清澈。王国维在《人间词话》中便称赞东坡词具有陶渊明诗的“跌宕昭彰，独超众类，抑扬爽朗，莫之与竞”的气象。此词殆为这类作品。

（刘崇德）

临　江　仙　　　　苏　轼

夜归临皋

夜饮东坡醒复醉，归来仿佛三更。家童鼻息已雷鸣。敲门都不应，倚杖听江声。　　长恨此身非我有，何时忘却营营？夜阑风静縠纹平。小舟从此逝，江海寄余生。

鉴赏

这首词作于元丰五年（1082）九月，在黄州（今湖北黄冈）谪所。

元丰二年八月十八日,苏轼曾以所作诗文语涉讪谤罪被逮下御史台狱,至是年十二月二十八日始出狱。这就是我国历史上著名的"乌台诗案"。出狱后,苏轼被流放到黄州,戴罪任检校水部员外郎、黄州团练副使。居黄期间,苏轼初寓定惠院,后迁居临皋亭。五年春间,苏轼筑雪堂于东坡,榜之曰"东坡雪堂",并自号东坡居士。临皋亭本名回车院,在黄州朝宗门外,下临长江。东坡在黄州城东,原为一片旧营地,可数十亩。这首词题为"夜归临皋",说的是苏轼夜饮东坡雪堂、醉归临皋亭寓所之情事。

词作开头,着意渲染其醉态,谓"醒复醉",谓"仿佛",写得十分逼真。接着,写其到家时的情景:家童已熟睡,鼻息雷鸣;敲门没有用,只好"倚杖听江声"。这里所说,虽仅是生活中的一件小事,但却体现了作者的处世态度,说明他在现实生活中如何善于自我开解。这是上片。下片写作者酒醒时的思想活动。"长恨此身非我有,何时忘却营营",这是老庄思想,也是苏轼当时的思想。《庄子·知北游》载:"舜问乎丞曰:'道可得而有乎?'曰:'汝身非汝有也,汝何得夫有道?'舜曰:'吾身非吾有也,孰有之哉?'曰:'是天地之委形也。'"又,《庄子·庚桑楚》曰:"无使汝思虑营营。"庄子宣扬"吾身非吾有",提倡人身自由,主张不为外物所役,这正与苏轼思想相一致。因为"讪谤罪"而被逮下狱,这对苏轼是一次沉重的打击。在严峻的事实面前,苏轼已逐渐认识到为什么会造成这样的结果?主要是因为未能忘却人世间的功名利禄。苏轼自幼"奋励有当世志",想在人世间干一番事业。但是,事与愿违,不仅理想得不到实现,而且差点儿被置于死地。如今,苏轼仍然不得自主,他是作为"罪人"受看管的。因此,他痛恨自己不能掌握自己的命运,不能摆脱人世间的名缰利锁,他以老庄思想为武器,努力寻求精神寄托。人世间得不到满足,就求诸大自然。"夜阑风静縠纹平",既是眼前真实物境,又是作者的真实心境。作者似乎已经看破红尘,他想从今以后,像越国大夫范蠡那样,驾着小船,飘往江湖深处。

这首词,写景、抒情、发议论,组合得非常好。夜归临皋,"倚杖听江声",作者将客观物境与主观心境完全融为一体,在艺术创造上达到了出神入化之境,致使人们难以辨别真假。据载:因为词中有"小舟从此逝,江海寄余生"二句,第二天,人们议论纷纷,谓苏轼夜作此词,已"挂冠服江边,拏舟长啸去矣"。于是,这便使黄州郡守徐君猷惊而且惧,他唯恐走失了"罪人",急忙派人察看,结果发现,苏轼正在家中沉睡(叶梦得《避暑录话》卷二)。这虽然是一种传说,但却从社会效果上说明了苏轼此词具有巨大的艺术感染力。

(施议对)

鹧 鸪 天

苏 轼

林断山明竹隐墙,乱蝉衰草小池塘。翻空白鸟时时见,照水红蕖细细香。　村舍外,古城旁,杖藜徐步转斜阳。殷勤昨夜三更雨,又得浮生一日凉。

鉴赏

北宋神宗赵顼元丰三年(1080),苏轼谪居黄州(治所在今湖北黄冈),政治打击和仕途挫折使他的心情不免时感悲凉。这首词就是他在黄冈时被迫过隐逸生活的自我写照,在表现失意心境和形象刻画方面,有独到的艺术特色。

作品上片写景,下片刻画人物形象,描写人物的心理状态。开头两句,作者以推移镜头,由远而近,描绘自己所处的具体环境:远处郁郁葱葱的树林尽头,有高山耸入云端,清晰可见。近处,丛生的翠竹,像绿色的屏障,围护在一道院墙周围。这座庭院,正是词人的居所。靠近院落,有一个池塘,池边长满枯萎的衰草。蝉声四起,乱成一团,令人烦躁不安。在这两句词中,竟然写出了林、山、竹、墙、蝉、草、池塘七种景色,容量如此之大,在古典诗词里也是不多见的。这里呈现的景象,跟词人熙宁十年(1077)任徐州知州时所描写的景象迥然不同。那时作者写下的词句是:"软草平莎过雨新,轻沙走马路无尘。""麻叶层层苘叶光,谁家煮茧一村香?"(《浣溪沙》)那是一种奔腾奋发、蒸蒸日上的景象。而"林断山明竹隐墙,乱蝉衰草小池塘",则完全是派幽狭的气氛。词人为何会描写出此等景象呢?原来,词人在徐州任知州时,政绩卓著,深得民心,所以他当时写的词,充满着积极奋发的精神。后来,他受到打击,被贬到黄州充任团练副使,才能无从施展,被迫过着隐退生活,所以心情苦闷,精神不振。这就无怪乎他的词章变得这样凄清苍凉了。

三、四两句，含义更深邃。从词句上看，这两句描写得比较优美：在广阔的天空，不时能看到白鸟在飞上飞下，自由翱翔；满池荷花，映照绿水，散发出柔和的幽香。意境如此清新淡雅，颇有些诗情画意。“红蕖”，是荷花的别名。“细细香”，是说荷花散发出的香味不是扑鼻的浓烈香气，而是宜人的淡淡幽香。如果不是别的原因，这样的环境的确是修身养性的乐土。然而，对于词人来说，他并非安于现状，乐于流连于这里的景致。他虽然描绘出白鸟翻空、红荷照水的画面，但这和他倾心欣赏杭州西湖那种“淡妆浓抹总相宜”的美丽景色，是不能相提并论的。透过这样一幅画面，我们能够隐隐约约看到词人那种百无聊赖、自寻安慰、无可奈何的心境。词的下片，作者又用自我形象的描绘，作了生动的说明。

下片前三句，是写太阳在即将落山的时候，词人拄着藜杖在村边小道上徐徐漫步。这是词人自我形象的写照。但他表现的究竟是怎样的形象呢？是老态龙钟，还是病后的神态？是表现自得其乐的隐者生活，还是百无聊赖的失意情绪？读者仔细玩味，自然会得出正确的答案。

最后两句，是画龙点睛之笔。词句的表面是说：昨夜三更时分，天公饶有情意地下了一场好雨，使得他又度过了凉爽的一天。“殷勤”二字，犹言“多承”。细细品评，在这两个字里，还含有某些意外之意，即是说：有谁还能想到几经贬谪的我呢？大概世人早已把我忘却了，唯有天公还想到我，为我降下“三更雨”。所以，在“殷勤”两字中还隐藏着无限感慨。“又得浮生一日凉”，是词中最显露的一句。“浮生”，是说人生飘忽不定。《庄子·刻意》篇说：“其生若浮，其死若休。”苏轼的这种消极思想，就是受庄子思想的影响。此句句首“又”字，分量很重，对揭示主题，起着重要的作用，它表现了词人得过且过、日复一日地消磨岁月的消极情绪。总观全词，从词作对特定环境的描写和自我形象的刻画，都可以看到一个抑郁不得志的闲人的形象，所谓其心则闲，其心则苦了。

（陆永品）

少年游　　苏轼

润州作

去年相送，馀杭门外，飞雪似杨花。今年春尽，杨花似雪，犹不见还家。　对酒卷帘邀明月，风露透窗纱。恰似姮娥怜双燕，分明照、画梁斜。

鉴赏

这首词又题作"润州作，代人寄远"。作者自熙宁四年（1071）十一月到杭州通判任，因相度堤岸和赈济灾荒，曾于熙宁五年、六年两次奔走于三吴。此时作者因与新法派政见不合，遂有退隐之念，所谓"已成归蜀计，谁借买山资？"（《答任师中次韵》）；对当时的宦游生活也不禁发出"家在西南，常作东南别"（《醉落魄·离京口作》）的慨叹。熙宁六年十一月，作者雪中发于馀杭以北的临平。次年四月，犹在润州（今江苏镇江）途中。因感于春尽未归，故托为此词。所念归者，杭州也，非蜀之眉山。此亦"却望并州是故乡"之意。

此词乃《少年游》之别体。这一体的特点是上片以两个并行的四、四、五的句式组成。作者正是巧妙地运用了这一形式，在两个并行的句式中各用飞雪与杨花这两种可以互拟的自然形象，作为两个季节的标志，表达了两种情景。上片前三句是说，想到去年家中人在馀杭门外送我的时候，片片飞雪恰似漫天飘坠的杨花。这样描写飞雪，是出自东晋女诗人谢道韫"未若柳絮因风起"的名句，也是以此勾起对称的下句。下三句则是互拟，说现在已是"柳绵飞似雪"（欧阳修《玉楼春》）的第二年暮春，我仍然没有还家。实际是由眼前的"杨花似雪"忆及别家时"飞雪似杨花"的情景。这里采用了《诗·小雅·采薇》"昔我往矣，杨柳依依；今我来思，雨雪霏霏"一诗回环往复的旋律。《采薇》是以往时衬来归的情景，此词则重在写久客未归的感受。况且漫天飞扬、随风飘坠的柳絮比起袅袅依依的柳条更能触动游子的乡思呢！

上片是由客居润州时的满城飞花想到往岁别家时的霏霏飘雪，径直表达了自己的思归之情。

过片则是对当前孤寂心境的写照。“对酒卷帘”一句是说当晚风吹透窗纱之际，我卷起珠帘，邀请明月与我一起畅饮。阮籍在抒发其孤苦心情时写道：“夜中不能寐，起坐弹鸣琴。薄帷鉴明月，清风吹我襟。”(《咏怀》其一)李白在“花间一壶酒，独酌无相亲”时，也曾“举杯邀明月，对影成三人”(《月下独酌》)。苏轼此时也面对着清风、明月，感到“此生飘荡何时歇”(《醉落魄·离京口作》)，“直恐终身死道途”(《除夜宿常州城外二首》)，不胜凄苦、惆怅。然而此时的明月并没有与苏轼“对影成三人”，却多情地斜照着双栖在画梁上的燕子。燕侣双栖，月犹爱慕，何况久客未归的我呢？这里以“姮娥”代月，更显得含蓄多情。

此词为作者早期作品。上片自《小雅·采薇》化出；下片变李白《月下独酌》诗意，故语隽而境旷。前人谓欧词“疏隽开子瞻，深婉开少游”(冯煦《宋六十一家词选例言》)。苏轼曾受欧阳修疏隽词风的影响，于此词可见一斑。又，此词上片飞雪、杨花互拟，重笔之下，物显境明，抒情率直。下片写月光兼及风露，形象清虚缥缈，境曲情隐，故寄慨无端。此即清人刘熙载所谓“空中荡漾，最是词家妙诀”(《艺概·词曲概》)。然而上片词意过显，抒情过于率直，体现出苏词的一个缺陷，读苏词者不可不知。

(刘崇德)

定风波

苏轼

三月七日，沙湖道中遇雨，雨具先去，同行皆狼狈，余独不觉，已而遂晴，故作此词。

莫听穿林打叶声，何妨吟啸且徐行？竹杖芒鞋轻胜马，谁怕？一蓑烟雨任平生。　料峭春风吹酒醒，微冷。山头斜照却相迎。回首向来萧瑟处，归去，也无风雨也无晴。

鉴赏

本篇是苏轼谪居黄州时期所作。元丰五年(1082)春天，他到黄冈东南三十里的沙湖相看新买的农田，路上遇雨，因为没有雨具，同行的人都狼狈不堪，独有苏轼从容不迫。事后，他写词记述这次经历。

途中遇雨本极平常，而苏轼却从中悟得一番有关人生的哲理。这是因为他仕途蹭蹬，终至身陷囹圄，而后又以罪人身份编管黄州，躬耕东坡，政治上生活上都经历了不少风险与磨难。他的心胸就像一片汪洋大海，对风雨变化虽然十分敏感地不时泛起波澜，但在总体上又能摇之不浊，维持自己大体的平衡。这首词就是借助这样一件途中遇雨的生活小事来抒写他此时独特的人生体验与处世态度。

词的开篇突兀而起。风雨骤至，盖顶而来，穿林打叶，声声入耳，然而诗人却且吟且啸，徐步向前，竹杖芒鞋，轻快无比。在铺天盖地的骤雨袭击下，诗人是那样的安详自若，若无其事。“一蓑烟雨任平生”，“一蓑”，一本作“一莎”，意犹“一袭蓑衣”。冒着漫天风雨，漫步在崎岖的旅途上，任其自然，乃是平生的惯常经历。这是上片的总结和深化。至此，一个在人生道路上履险如夷、泰然自若、任天而动的诗人形象，便栩栩如生地呈现在我们面前。他既不同于“独钓寒江雪”的柳宗元，又不同于“悠然见南山”的陶渊明，他就是他，就是在处世应物上也卓有独诣的苏东坡。词的上片主要是叙事，但叙事中渗透了强烈的感情色彩。“莫听”“何妨”“谁怕”“任平生”，鲜明地体现了作者广阔的胸襟和倔强的性格。

词的上片写冒雨徐行的心情，下片则着重写雨后景物和感受。骤雨已过，云开天晴，春风料峭，略带寒意，前路山头，夕阳斜照，诗人原来的酒意经过风雨洗礼，早已消散了。这几句既点明了时间，又描绘了雨后清新的风光。诗人沐浴着雨后的凉爽，回望刚刚走过的风雨萧瑟之处，既已云消雾散，斜阳也收敛了光辉。一切都已成为过去了。经过阵风骤雨，得来的常常是轻松平静，自然界如此，人生的旅程上又何尝不是如此！这里所写的是诗人经风历雨的真切感受，又何尝不是他对自己经历的一切政治风云的内心体验与反省？换句话说，这个景象也可说是作者心灵和经历的艺术投影。苏轼《独觉》诗云：“翛然独觉午窗明，欲觉犹闻醉鼾声。回首向来萧瑟处，也无风雨也无晴。”结尾两句与此词相同。作者之所以特别喜爱这两句，就在于它映现了带有作者独特个性的心理折光。如果说这结尾几句有什么深意的话，恐怕主要意蕴即在乎此。

这首词上下两片都是从叙事

到抒感，作者的感受、襟怀、见解和个性，都是紧密联系途中遇雨这件生活小事形象地体现出来的。以具体的日常小事寄寓普遍意义的哲理，以曲笔写胸臆，日常形象和深邃哲理的有机融合与统一，就是这篇小词的显著特色。

（刘乃昌　崔海正）

南乡子　苏轼

送述古

回首乱山横，不见居人只见城。谁似临平山上塔？亭亭，迎客西来送客行。　　归路晚风清，一枕初寒梦不成。今夜残灯斜照处，荧荧，秋雨晴时泪不晴。

鉴赏

述古，即陈述古，名襄，福州侯官人。进士及第，先后任浦城主簿、知河阳县、知常州等职。神宗立，同修起居注，知谏院，改侍御史知杂事。在政治上，他是反对王安石变法的，指责青苗法是“称贷以取利”，要求“贬斥王安石、吕惠卿以谢天下”。神宗曾向陈襄访问可用之人，襄举司马光、苏轼等三十三人以对。这引起王安石的不满，被命知陈州。熙宁五年（1072）八月改知杭州，时苏轼任杭州通判，二人多所唱和。熙宁七年（1074）陈襄改知应天府，苏轼作了六首词送述古，这是其中最后一首。王文诰《苏诗总案》卷十二说：“追送陈襄移守南都（即应天府），别于临平，舟中作《南乡子》。”

诗的上阕写归舟中回望告别之地临平镇和临平山，抒发对陈襄的依依不舍之情。“回首乱山横”的“山”，就是第三句所说的临平山。“不见居人只见城”的城是指临平镇。“回首”“不见”的主语都是作者自己。苏轼《辛丑十一月十九日既与子由别于郑州马上赋诗一篇寄之》“登高回首坡垅隔，但见乌帽出复没”，“登高回首”的也是苏轼而不是子由。这首词的写法相同，区别仅在于郑州是“登高回首”，故能看见弟弟的“乌帽出复没”；这里是“舟中”“回首”，故“不见居人只见城”。居人当然是指临平镇的人，但城中居人都“不见”，即将离开甚至已经离开临平的陈襄，当然更“不见”了，这样理解才符合苏轼惜别之意。陈岩肖《庚溪诗话》卷下说:“昔人临歧执别,恋恋不忍远去而形于诗者,如王摩诘诗‘车徒望不见,时见起行尘’;欧阳詹云‘高城已不见,况复城中人’;东坡与其弟子由别云‘登高回首坡垅隔,但见乌帽出复没’;咸记行人已远而故人不可复见,语虽不同,其惜别之意则同也。”把这首词的前两句加入所举例子中,一点也不会感到梗塞。正因为一、二句是写舟中看不见已去的友人,才会产生三至五句羡慕“临平山上塔”的感情。“山上塔”高高耸立(亭亭),可居高眺远,既可“迎客西来”,又可“送客”东行北上。据《元丰九域志》卷五载,杭州仁和县有临平镇,在杭州东北百余里处。临平山即在此,下临大运河。宋代官员由杭州北行,坐车马至临平,然后改坐船由大运河北上。如果“回首”者是陈襄,在百余里外的临平回望杭州,恐怕不仅“不见居人”,连“只见城”也不可能了。

下阕写因思念友人而夜不能寐,泪满衣襟。“归路晚风清”,“归路”二字绾合上下,不仅下阕是写自己“归路”中情景,上阕的“回首”临平也是别后“归路”中“回首”。“晚风清”,“一枕初寒”,既是写实,又是暗示友人去后,自己感到分外清冷。“梦不成”是说希望能在梦中与友人团聚,但却不能成寐。最后三句进一步补写“梦不成”,抒发思念友人的苦况。柳永《雨霖铃》“今宵酒醒何处?杨柳岸、晓风残月”,这里的写作手法与之相似,也是设想之词:残灯斜照,灯光昏暗(荧荧),秋雨已停而别泪不停。如果说上阕的特点是以“临平山上塔”还能望见友人反衬自己不能望见友人,那么下阕的特点就在于善于以“晚风清”“一枕初寒”“残灯”“荧荧”秋雨绵绵这样一些凄冷的词语烘托离别之苦。

有人曾说“眉山公之词短于情”。所谓“短于情”,如果是指短于柳永式的艳情,也许不无道理;如果是指缺乏真挚感情,那就完全不符合实际了。苏轼词对妻子(如《江城子·记梦》)、兄弟(如《水调歌头·中秋怀子由》)、朋友(如这首《南乡子》),都充满真挚而又深厚的感情。苏轼说自己“多情多感”(《采桑子》),“我辈情钟”(《点绛唇》),这首词就是明证。

(曾枣庄)

望江南　　苏轼

超然台作

春未老，风细柳斜斜。试上超然台上看，半壕春水一城花。烟雨暗千家。　　寒食后，酒醒却咨嗟。休对故人思故国，且将新火试新茶。诗酒趁年华。

鉴赏

这首词作于熙宁九年(1076)暮春，在密州(今山东诸城县)任上。作者于熙宁七年十一月至密州，“处之期年”，即八年底，动工修葺园北旧台，并由其弟苏辙命名“超然”(苏轼《超然台记》)。作者登超然台，眺望满城烟雨，触动乡思，写下了这首词。

这首词为双调，比原来的单调《望江南》增加了一叠。上片写登台时所见城中春景，包括三个层次。首先，以春柳在春风中的姿态，“风细柳斜斜”，点明当时的季节特征：春已暮而未老。其次，以“试上”二句直说登临远眺，而“半壕春水一城花”，在句中设对，以春水、春花，将眼前图景铺排开来。然后，以“烟雨暗千家”作结。三个层次先是由一个特写镜头导入，再是大场面的铺叙，最后，居高临下，说烟雨笼罩着千家万户。于是，满城风光，尽收眼底。这是上片，写春景。下片写情，乃触景生情，与上片所写之景关系紧密。“寒食后，酒醒却咨嗟”。进一步将登临的时间点明。寒食，在清明前两天，相传是为纪念介子推而设，从这天起，禁火三天；寒食过后，重新点火，称为“新火”。此处点明“寒食后”，揣其用意：一是说，寒食过后，可以另起“新火”；二是说，寒食过后，正是清明节，应当返乡扫墓。但是，此时却欲归而归不得：一是因为公务在身，二是因为想继续进取，希望实现其“致君尧舜”的宏大志愿。此时，作者的思想处于极端矛盾的状态之中。既由眼前之景触动思归之欲望，而这种欲望又不可能得到满足，因此，他只好自我开解，进行一番自我安慰。“休对故人思故国，且将新火试新茶”。“休对”“且将”，这是最好的解脱办法，也是最切实的解脱办法。这个办法虽十分勉强，无可奈何，但毕竟使思想上的矛盾暂时得到了解决。于是,“诗酒趁年华”,便进一步申明:必须超然物外,忘却尘世间的一切,而要抓紧时机,借诗酒以自娱。全词所写,紧紧围绕着“超然”二字,至此,即进入了“超然”的最高境界。这一境界,正是苏轼在密州时期精神世界的真实体现。

在作法上,作者按谱填词,也颇为讲究。《望江南》词,以单调为多,宋人喜作双调,《全宋词》中存词一百五十多首(不包括残篇)。宋人所作,成功例子并不多,而苏轼此词,却堪称典范。《望江南》词,上下两片居中两个七字句,通常是对仗句。苏轼这首词,上片两个七字句,上一句是散文句式,与下一句并不对,但下一句“半壕春水一城花”,“半壕”对“一城”,“春水”对“(春)花”,却很工整,同样收到铺排场景的艺术效果。下片两个七字句,天设地造,不仅字面对得工,而且辞义也对得工。这组对句,道出了全词的中心意思。两组对句,一组写景,一组抒情,两相照应,两相关联。上一组对句,写的是异乡之景,下一组对句,抒的是故乡之情;上下合在一起看,可知上片所写之景,乃由异乡人眼中看出,而下片所抒之情,则由眼前之景所触发,景与情已经融为一体。令词小调,作得如此天衣无缝,实在难得。可见苏轼并非是豪放而不拘格律的词人。

(施议对)

卜算子　　苏轼

黄州定惠院寓居作

缺月挂疏桐,漏断人初静。谁见幽人独往来?缥缈孤鸿影。　　惊起却回头,有恨无人省。拣尽寒枝不肯栖,寂寞沙洲冷。

鉴赏

词作于元丰五年(1082)十二月,时作者谪居黄州。吴曾《能改斋漫录》云:“其属意盖为王氏女子也,读者不能解。张右史文潜继贬黄州,访潘邠老,尝得其详,题诗以志之云:‘空江月明鱼龙眠,月中孤鸿影翩翩。有人清吟立江边,葛巾藜杖眼窥天。夜冷月堕幽虫泣,鸿影翘沙衣露湿。仙人采诗作步虚,玉皇饮之碧琳腴。'"这诗只写了词人作此词时的怅惘之状,远不及词的本身那样说明问题。

起调写月缺桐疏,夜阑人静。为人踪、鸿影之往来、缥缈安排一个环境,其特点是"初静"、微明。这与作者当时感到苍茫大地、身无所寄的怅惘心情,正相吻合。

换头而下,集中写孤鸿,亦影现自己。栖而未能安,其原因在于有恨而无人省,足见其恨之隐而深。"拣尽"句,王楙云:"渔隐谓鸿雁未尝栖宿树枝,唯在田苇间。'拣尽寒枝不肯栖',此语亦病。仆谓人读书不多,不可妄议前辈诗句。观隋李元操《鸣雁行》曰'夕宿寒枝上,朝飞空井旁。'坡语岂无自邪?"(《野客丛书》)这都是把艺术与生活等同起来,王楙亦不过为其说找到了一个根据而已。雁不栖于木而栖于江洲苇丛,是其习性如此。"拣尽"不栖,则变习性为有意识而为之。这正是词人托意所在!不栖于高寒而栖于卑湿,乃甘为之而非强为之,则其品格可见。苏轼词《水调歌头·中秋》"我欲乘风归去,又恐琼楼玉宇,高处不胜寒",继之以"起舞弄清影,何似在人间",与此笔法相似。都是在高寒与卑湿之间有异于常人的选择,而词人的品格与意趣,即于此见。《山谷题跋》有云:"语意高妙,似非吃烟火食人语。"如果说此"似非吃烟火食人语",而彼则尚似"吃烟火食人语"。而"非胸中有数万卷书,笔下无一点尘俗气"则不能到。金王若虚《滹南诗话》以为"盖激诡之致,词人正贵其如此,而或者以为语病,是尚可与言哉!"可谓知言。

合上下片观之,唐圭璋先生以为上片写鸿见人,下片则写人见鸿(《唐宋词简释》)。这是切合实际的。以前许多曲说误解,一扫而尽。然而人与鸿又几乎无间。作者所托之意即见于此。人而似鸿,鸿而似人,非鸿非人,亦鸿亦人。这就是作者在这首词里为我们提供的这个艺术形象的独特之处。而托鸿以见人,则是其用意所在。

陆游有一首《鹊桥仙·夜闻杜鹃》,胡云翼《宋词选》说:"陈廷焯《白雨斋词话》特别推重陆游这首词,说是'借物寓言'。"其实,陈氏在这里还说了这么两句话:"然以东坡《卜算子·雁》较之,相距殆不可道里计矣。"为什么陈廷焯对陆游这首词虽有所肯定,以为"较他作为合乎古",但又以为远不如苏词呢?盖陆词人与鹃划然为二,而苏词则人与鸿凝为一体,而又鸿不掩人,人不掩鸿,更合乎"借物寓言",不失比兴之旨。当然,陆词在句子的连接上,多用虚语，几于以散文为之，有失跳跃之势，亦为一病。

宋人周济论词主“有寄托”与“无寄托”之说，以为非寄托不入，而专寄托则不出。东坡此词，有而似无，无而却有，可谓入而能出，故臻艺术高境。清人况周颐在他的《词学讲义》中说：“所贵乎寄托者，触发于弗克自已，流露于不自知，吾为是词而所寄托者出焉，非因寄托而为是词也。有意为是寄托，若为吾词增重，则是骛乎其外，近于门面语矣。”坡词能臻此境，亦在于“非因寄托而为是词”，乃“触发于弗克自已，流露于不自知”，而其如此，又由于郁积于中者至久且深！以陆词较之，则尚似近于因寄托而为之，陈廷焯有不及坡词远甚之感，或亦有见于此。元萨都剌亦有《卜算子·泊吴江夜见孤雁》，殆效坡词而为之，所托者较陆词为尤浅，不足论矣。盖亦词人胸襟、气质、才分与学养的不同有以致之欤！

（彭　靖）

贺新郎

苏　轼

乳燕飞华屋。悄无人、桐阴转午，晚凉新浴。手弄生绡白团扇，扇手一时似玉。渐困倚、孤眠清熟。帘外谁来推绣户？枉教人梦断瑶台曲。又却是，风敲竹。

石榴半吐红巾蹙，待浮花浪蕊都尽，伴君幽独。秾艳一枝细看取，芳心千重似束。又恐被、西风惊绿。若待得君来向此，花前对酒不忍触。共粉泪，两簌簌。

鉴赏

用托物取喻的方法表达深远的寄托，使词旨深沉含蓄，有耐人寻味之妙。本篇即是借比兴寄托表达政治失意之感的作品。

词的上片着力塑造了一位绝代佳人，她高洁贞静，超尘拔俗，又那么孤寂无依，命薄运蹇。发端三句写佳人冰清玉洁的栖身环境。“桐阴转午”，是说桐树阴影转移，天已到午后，表示时间的变化。“手弄生绡白团扇”两句，用局部来映现整体，给读者以充分的艺术联想余地,借以显示佳人的身心纯洁、体态妩媚。同时,佳人伴以白团扇还有特殊的象征意义。相传汉成帝妃班婕妤"美而能文",后来为赵飞燕所妒,失宠退居东宫,曾"作赋及纨扇诗以自伤悼",将自己比作齐纨素制成的团扇。这里写佳人手持"白团扇",除了映衬佳人的洁白之外,也暗示佳人与秋后的团扇有同样的命运。"渐困倚"以下,写佳人入睡被帘外的风竹声惊醒。佳人困倦孤眠,不由沉入梦乡,走向了阆苑仙境。"瑶台曲",即瑶台的幽深处。瑶台是神仙所居,《离骚》中有"望瑶台之偃蹇兮,见有娀之佚女"的诗句。佳人不甘幽闺之寂寞,时时表现出对理想的憧憬与追求,她梦中刚到仙境幽深处,朦胧中听到有人揭帘推门,对于这种空谷足音,佳人也许是兴奋的、等待的、盼望的,不料恍然醒来,又是惯常听到的风竹萧萧声。李益《竹窗闻风寄苗发司空曙》诗中"开门复动竹,疑是故人来"正可说明这种意境。然而,美梦枉被惊破,等待佳人的却仍然是一片寂寞。"枉教人""又却是",透露了佳人怅惘失意的心情。

词的下片集中咏榴花,借以写佳人。榴花艳丽文静,自甘幽独,不愿与浮花浪蕊为伍。"半吐红巾蹙",说石榴花半开,像折皱成团的红巾一样。韩愈《杏花》诗有"浮花浪蕊镇长有,才开还落瘴雾中"之句,榴花专等轻浮的花卉凋谢净尽,才吐出浓艳的红花,来陪伴佳人度过寂寞的时光。她心魂蹙束,芳意重重,担心萧飒的冷风吹落娇嫩的花蕊。"芳心千重似束",意谓从榴花的形象仿佛看出她心事沉重,精神蹙束。"西风惊绿"是担心娇嫩的榴花被秋风惊落后,只剩下满枝绿叶。这里用一"惊"字,写出了榴花也是佳人的沉重心绪。最后诗人暗示,榴花已临近失时的边沿,待到西风吹来,美人把酒对花,将禁不住粉泪与花瓣一同纷纷下落。到此佳人与榴花感情交融,合而为一。

全词采用了衬映和比兴。华屋只有乳燕飞出,见出房栊阒寂。户外唯见风动竹摇,说明门庭冷落。写中庭曰"悄",写傍晚曰"凉",写睡眠曰"孤"曰"清",这都处处烘托出环境的幽悄清冷,表明佳人是被无人了解的一派索寞气氛包围着。与佳人同栖的是幼小的飞燕,供佳人手持的是洁白的团扇,同佳人相伴的是浓艳孤高的石榴花。主人公的感情注入了周围的事物,从周围的物情使人联想到主人公的品操与命运遭遇。作者写佳人周围的一切,写飞燕,写团扇,无不是在写佳人,而浓艳绝伦的榴花,更是这位佳人的传神写照。在诗人笔下,榴花已被充分地人格化,诗人借榴花象征佳人,榴花为宾,佳人为主,而佳人则经由诗人的感情胚胎孕育了她特定的个性化品格。虽然诗人没有在作品中出现,也没有直接抒发天涯沦落之感,但读者不难从榴花联想到佳人,从佳人又仿佛看到诗人的影子。作者用榴花比况佳人,用佳人寄托个人的不遇之感、孤高失时之悲,意在言外,余味无穷。

比兴、寄托是我国诗歌的优秀传统之一。以香草美人比君子,恶鸟阴云喻小人,借他人之遭遇,发自身之感慨,是自屈原以来的不少诗人惯用的手法。宋人对本词题旨,说法颇多,如有人认为是苏轼知杭州时为官妓秀兰解围而作;有人则说因杭州万顷寺有榴花树,寺中有歌女昼寝,故作此词;还有人说东坡为爱妾名榴花者而作,这都不足凭信。艺术作品从来不是生活的简单摹写,把一首词的内容完全坐实,刻板地句句索解,显系附会之谈。《项氏家语》卷八云:"苏公'乳燕飞华屋'之词,兴寄最深,有《离骚经》之遗法,盖以兴君臣遇合之难,一篇之中,殆不止三致意焉。"此说似可参考。这首词大约是苏轼晚年的作品。苏轼一向有独立的政见,为人又表里澄澈,直言敢议,在新旧两派当权时,都不愿随声附和希合求进。他曾被新派官僚罗织罪名,逮捕入狱,又被旧党排斥,不能立足于朝,他对当时官场的险恶,是颇为愤慨不平的。处在这样的政治环境中,不能不使他抚躬自悼,倍觉悲凉,产生怀才不遇、美人迟暮之感,此词全篇浸透了这种感情色调。

苏轼是以开创豪放清旷词风而著称的大家,但也不乏艳冶动人的婉丽之作。但此篇与一般的婉丽之作不同,它用华艳绝伦的形象和婉曲缠绵的格调写政治题材,通过比兴象征的方法含蓄曲折地表达失意之感,这在词史上是富有独创性的。

(刘乃昌　崔海正)

洞仙歌　　苏轼

余七岁时,见眉山老尼,姓朱,忘其名,年九十余。自言尝随其师入蜀主孟昶宫中。一日大热,蜀主与花蕊夫人夜纳凉摩诃池上,作一词,朱具能记之。今四十年,朱已死久矣。人无知此词者,但记其首两句。暇日寻味,岂《洞仙歌令》乎?乃为足之云。

冰肌玉骨，自清凉无汗。水殿风来暗香满。绣帘开、一点明月窥人，人未寝、欹枕钗横鬓乱。　起来携素手，庭户无声，时见疏星渡河汉。试问夜如何，夜已三更，金波淡、玉绳低转。但屈指西风几时来，又不道流年，暗中偷换。

鉴赏

这首词作于元丰五年(1082)，时作者四十七岁，在黄州任上。词作附有一篇小序，九十三个字，比词作稍长。序文，叙述作者填写此词之缘由，谓此词乃为补足蜀主孟昶所作《洞仙歌令》之佚文而作。序文所说，虽属于往事，但文中突出交代九十老尼朱氏记词经历，谓"今四十年，朱已死久矣"，其中已带有流年暗中偷换的人生感慨。序文告诉读者：此词并非一般娱戏文字，而是一篇自所得意的有为之作。词的上片描绘美人的姿质及情态。"冰肌玉骨，自清凉无汗。"谓其肌肤若冰雪。"水殿风来暗香满"，为美人所处的环境。"水殿"，是指筑在摩诃池上的宫殿，点明了美人的身份。清风与荷花香，对美人所在环境进一步加以渲染。三句所写，环境与人物都甚美好，虽未曾涂脂抹粉，但人们诵此，"自觉口吻俱香"(沈祥龙《论词随笔》)。接着，词作借"明月窥人"，描绘美人欹枕时的娇羞情态。绣帘被清风吹开，月光照见了美人。这里，作者将明月拟人化，谓"一点明月"，说其高远，谓"窥"，似乎是偷眼相看，正反衬出美人的羞怯意态，而欹枕未寝、钗横鬓乱，则正面体现美人的娇容。这是上片，在静态中进行描绘。下片写美人的行动及其心理，在动态中进行描绘。"起来携素手，庭户无声，时见疏星渡河汉。"三句为换头，起承上启下的作用。"起来"承接"欹枕"，"素手"关照"冰肌玉骨"，"携"即转入表现两人的行动和心理。庭院无声，夜深人静，两人注视着星空的变化。这里，既描绘了人物的行动，又体现了人物的心理。接着，侧重揭示人物的内心世界。两人在殿中，看着疏星渡河汉，时间悄悄流逝，不知不觉中，发现月光已淡，玉绳星也已偏西。其时，殿中美人既希望秋天早日到来，又害怕时间过得太快，年华似水，不知不觉地消逝。"但屈指""又不道"，正尖锐地体现了这一矛盾状态。

这是下片，将美人的内心世界揭示得颇为充分。

这首词说花蕊夫人故事，仅开头二句为蜀主词句，后皆苏轼续之，全词“豪华婉逸，如出一手”（李日华《味水轩日记》卷四），体现了作者高超的艺术创造力。但是，苏轼补足此词，用意不仅在于还历史真面目，更主要的是借题发挥，用以抒发内心感慨。如上所说，苏轼在序文中已经透露了这一消息，当他进行词境再创造时，这一用意就显得更加突出。此词十分注重时间推移。词中主人公的心理活动，似乎全部围绕着时间的推移而进行。“时见疏星渡河汉。”“时见”二字，谓其不时看见。“试问夜如何，夜已三更，金波淡、玉绳低转”，自问自答，对于时间推移无比关心。主人公害怕年老色衰，但流年暗中偷换，却不以人们的主观意愿为转移。结处着一“偷”字，带有无限怨恨之意。这里，寄寓着作者深切的同情。所以，我认为：苏轼写花蕊夫人的故事是有所寄托的。

续成这首词，苏轼自己感到很得意。苏轼的成功之处，除了续补之后，全词“如出一手”之外，还在于创作了一篇很好的序文。这篇序文，处处与词的内容相关照，但又不与词的内容重复。二者互为补充，相得益彰，共同构成了一个完整的艺术整体。因为这篇序文，词中所写的内容更加充实，而且，也因为这篇序文，使得苏轼的著作权不至为他人篡夺，苏轼的艺术成就也不至被贬低。后世读者，或以为蜀主传有全词，苏词乃隐括蜀主之词而成（张邦基《墨庄漫录》卷九），或以为苏轼此词未免有点金之憾（朱彝尊《词综》卷二），或以为苏轼之续补反为蛇足（李调元《雨村词话》卷一）云云。有此序文，则足以廓清事实，让人们得知苏轼续成此词的来龙去脉。因此，序文比词作文字稍长，乃是十分必要的。

（施议对）

八声甘州　　苏　轼

寄参寥子

有情风万里卷潮来，无情送潮归。问钱塘江上，西兴浦口，几度斜晖？不用思量今古，俯仰昔人非。谁似东坡老，白首忘机？　　记取西湖西畔，正春山好处，空翠烟霏。算诗人相得，如我与君稀。约他年、东还海道，愿谢公雅志莫相违。西州路，不应回首，为我沾衣。

鉴赏

要想欣赏苏轼的这一首《八声甘州》，首先我们便要对苏轼当年写作此词之时代背景及心情，略有一点认识。胡仔《苕溪渔隐丛话后集》卷三九《长短句》，谓“东坡别参寥长短句‘有情风万里卷潮来’云云，其词石刻后，东坡自题云‘元祐六年三月六日’。余以东坡年谱考之，元祐四年知杭州，六年召为翰林学士承旨，则长短句盖此时作也”。苏轼一生仕途偃蹇，历经迁贬，他先后曾有两次出官于杭州。第一次是在神宗熙宁四年。当时神宗正在信用王安石，变行新法。苏轼与王安石政见不合，屡次上书言事，为新党所忌，遂于熙宁四年（1071）六月以太常博士直史馆外出通判杭州。当时苏轼三十六岁。第二次则是在哲宗元祐四年（1089），当时哲宗已经即位数年，太皇太后用事，起用旧党之人，苏轼也早于旧党用事时被召还朝，而又因其论事忠直，与旧党亦不能尽合，复加以当时朝廷之内更有洛党、蜀党、朔党之争，遂复以龙图阁学士出知杭州，当时苏轼已有五十四岁。两年后苏轼又以翰林学士承旨被召还朝，就是他在元祐六年被召还朝时之所作。至于这首词标题所提到的“参寥子”，则是苏氏平生交谊甚深的一位方外友人。查慎行《苏诗补注》卷十六于《次韵僧潜见赠》一诗下，曾引《咸淳临安志》云“道潜，于潜浮溪村人，字参寥”。又补录引《施注苏诗》有关参寥事迹云“东坡守吴兴，会于松江。坡既谪居，不远二千里相从于齐安，留期年，遇移汝海，同游庐山。有次韵留别诗。坡守钱塘，卜智果精舍居之。入院分韵赋诗，又作《参寥泉铭》。坡南迁，遂欲转海访之。以书力戒，勿萌此意，自揣余生必须相见。当路亦捃其诗语，谓有刺讥，得罪，反初服。建中靖国初，曾子开在翰苑，言其非罪，诏复薙发”。从这些记述来看，则苏轼与参寥交谊之深可以概见。以上可以说是我们对于苏轼这一首《八声甘州》写作的时间与写赠之对象的简单介绍。至于苏轼之性格与其词之风格，则我以前在《论苏轼词》一文中也曾做过相当的论述（见《中国社会科学》1985 年第 2 期）。盖苏轼天性中原具有儒家用世之志意与道家超旷之精神这两种不同之特质。前者可以说是他欲有所作为时用以立身之正途，后者则是当他不能有所作为时用以自慰之妙理。而苏氏之致力于小词之写作，则正是当他用世之志意受到挫折，第一次出官杭州通判以后才开始的，所以苏词之终于发展成为一种以超旷为主的风格。可以说正是他平生仕途受到挫折后，因之在欲以旷达自慰之情况下，所形成的自然之结果。胡寅在其《酒边词序》中，即曾谓"眉山苏氏，一洗绮罗香泽之态，摆脱绸缪宛转之度，使人登高望远，举首高歌，而逸怀浩气，超乎尘垢之外"。这正是一般人之所共见的苏轼词之一般的风格，不过我们也不可忘记，苏轼之禀赋中既原来也还有一种用世之志意，所以在苏词中，虽以超旷为其主调，然而却时时也隐现一种志意未成的挫伤的悲慨。陈廷焯《白雨斋词话》卷一即曾谓词至东坡"寄慨无端，别有天地"。近人夏敬观更曾将苏轼词分为两类，谓"东坡词如春花散空，不着迹象，使柳枝歌之，正如天风海涛之曲，中多幽咽怨断之音，此其上乘也；若夫激昂排宕，不可一世之概，陈无己所谓'如教坊雷大使之舞，虽极天下之工，要非本色者'，乃其第二乘也"。而我们现在所要讨论的这首《八声甘州》，则可以说正是苏词中"天风海涛之曲，中多幽咽怨断之音"的一首代表作。

此词开端之"有情风万里卷潮来，无情送潮归"二句，写万里之风涛，气象开阔，笔力矫健。盖真有所谓"登高望远、举首高歌"之慨，初观之固极为超举。然而仔细吟味，则在其"有情"与"无情"，及"潮来"与"潮归"之间，却实在也隐含有无限感慨苍凉之意。表面虽然似乎是只写风潮之来去，而却在暗中隐寓了许多人世间之盛衰离合的无常之悲慨。而苏氏一生两度出仕杭州之政海波澜变化，亦复尽在言外。所以其下乃继以"问钱塘江上，西兴浦口，几度斜晖"。所谓"几度斜晖"者，实在已将苏氏初次通判杭州，及再次出知杭州，迄今又复将离去的数十年之沧桑往事，尽皆纳入其中矣。而以上数句却全从大自然之"风""潮""江""浦"及"斜晖"之种种外在物象着笔，未及人事之一字。直到下面的"不用思量今古，俯仰昔人非"二句，才点出人事之感慨。是真所谓在"天风海涛之曲"中，表现有"幽咽怨断之音"者也。但苏轼却在此二句人事感慨之后，当下就承以"谁似东坡老、白首忘机"二句，立即飞扬超越而出。这实在是苏词中最为独到的一种境界。以上是此词之前半阕。至于下半阕换头之"记取西湖西畔，正春山好处，空翠烟霏"三句，则另换一种笔法，写记忆中难忘之西湖美景，意致清丽舒徐，真有"春花散空"之态。而事实上则此数句又不仅是写西湖景色之美而已，还更伴随有在如此美景中，苏氏与其方外好友参寥子之同游共处的种种情事。故继之乃云"算诗人相得，如我与君稀"。据我们在前面所引的《施注苏诗》之记述，我们知道自从苏氏与参寥相识以后，每当苏氏被迁贬之际，参寥都往往辗转相从，而当苏氏知杭州之时，更曾"卜智果精舍居之"，则其相知相得之情，自可想见。而且参寥也是一位诗人，现在苏氏诗集中还留存有不少与参寥相赠的诗篇。何况更加以当日"春山好处，空翠烟霏"之西湖美景的陪衬，是则这一份"诗人相得"之情，固真当为千古所稀，至今日读之，犹使人艳羡不已。而在写了如此美好的景物情谊之后，其下遂写入了今日之别情与他日之期望，曰"约他年、东还海道，愿谢公雅志莫相违"。在这两句中苏轼用了一个有关东晋谢安的典故，据《晋书·谢安传》所载，谢安功业既盛，颇为权臣所嫉，"及镇新城，尽室而行，造泛海之装，欲须经略粗定，自江道还东。雅志未就，遂遇疾笃"。苏氏用谢安之故事，正在表现他今日虽被召还朝，然必不忘归隐之志，他日亦将东还，与参寥重会于杭州，此固为当年谢安之"雅志"，亦即今日苏轼之"雅志"也。而曰"愿谢公雅志莫相违"，以一个"愿"字的期望，与下面"莫相违"三个字相结合，则又于期望之中表现了无限忧恐之意。盖一则对入朝之召固不免有忧谗畏嫉之心，再则对年命无常亦不免有死生离别之慨。所以下面乃写出了"西州路，不应回首，为我沾衣"数句的结尾。其中又用了一则与谢安有关的故事，盖据《晋书》所载，谢安出镇新城后不久，"遂遇疾笃"，其后"诏遣侍中慰劳，遂还都"，"舆入西州门"，未几即病殁。是其"东还"之志意，乃终于未能成就。谢安有甥，名羊昙，夙为安所爱重，谢安既殁，羊昙行不由西州路。一日因饮醉，不觉遂至州门，左右告之，羊昙遂恸哭而去。这自然是一件极可悲慨的故事。苏轼用之，虽然取了否定的语气，说"不应回首，为我沾衣"，欲以自慰慰人，然而究其实，则岂不是因为苏氏心中也正有如此的一份死生离别之悲的忧惧？综观此词，则一起之开阔健举，确如天风海涛之曲，而前片结尾之"白首忘机"也大有超旷之怀。然而中间几度转折，既有今古盛衰之慨，又有死生离别之悲，更虑及入朝从政之堪危，知交乐事之难再，百感交集，并入笔端。

（叶嘉莹）

江城子　　苏轼

密州出猎

老夫聊发少年狂，左牵黄，右擎苍。锦帽貂裘，千骑卷平冈。为报倾城随太守，亲射虎，看孙郎。　酒酣胸胆尚开张，鬓微霜，又何妨？持节云中，何日遣冯唐？会挽雕弓如满月，西北望，射天狼。

鉴赏

熙宁八年十月，苏轼在密州祭常山回，与同官会猎于铁沟附近，作此词以抒怀。发端三句刻画出猎形象，开篇就显示出本词的豪放气韵。起句着一"狂"字，实即统摄全词精神。"老夫"，作者自谓。"聊"，姑且的意思。"左牵黄，右擎苍"是说左手牵黄犬，右臂架苍鹰。《梁书·张充传》谓梁代张充年少喜好游猎，出猎时"左手臂鹰，右手牵狗"，此暗用其事。"锦帽貂裘，千骑卷平冈"烘染出田猎的气氛。"锦帽"，锦蒙帽；"貂裘"，貂鼠皮袄。这是猎队武士的装束。一个"卷"字，极写出猎队武士乘马飞驰的勇武气势。"为报"三句是说，为我通知全城官员武士都跟随太守前往打猎，看我像孙郎射虎一样不平凡的身手吧！"孙郎"，指孙权。《三国志·吴书》记载，建安二十三年，"权将如吴，亲乘马射虎于庱亭（今江苏丹阳东），马为虎所伤，权投以双戟，虎却废"。这里以孙权比况自己的英武有为，进一步描画打猎的热烈场面。"酒酣"三句紧承上文，是自我感情的剖白：太守酒意正浓，心高胆壮，即使鬓边添了几根白发，又有什么要紧呢？"持节云中，何日遣冯唐"，用冯唐赦魏尚事：汉文帝时，云中郡太守魏尚守边有方，战绩卓著，后因上报战果数字略有差误被削职，郎中署长冯唐谏文帝不应如此对待武臣名将，于是文帝就"令唐持节赦魏尚，复以为云中守"（《汉书·冯唐传》）。这里虽有身世之感，实际上乃是渴望得到朝廷重用，表现出作者立功边陲的急切心情。结尾三句抒发壮志豪情，点明词旨。"天狼"，星名，古代用以代表贪残掠夺，这里代指辽和西夏统治者。积贫积弱的北宋王朝，不断受到西北边境各少数民族的侵扰,就在本年七月,辽主曾胁迫宋廷割地七百里。一向关心边防的苏轼,是多么希望驰骋疆场反击贪残的掠夺者啊!词的上片描绘打猎的壮阔场面,下片抒发由打猎激发起来的胸次襟抱,叙事而抒怀,全词一气贯注。

这是一首别开生面的词作。首先,用词来写习武打猎,借以抒发关心边防的热忱,在题材和内容上都具有开创性意义,它进一步发展了范仲淹悲壮苍凉的边塞词的精神,为南宋蔚为大观的抗战词开了先河。其次,它塑造了一个激昂慷慨的志士形象。词的开篇勾勒射猎的武夫,继而以千骑如飞、围观如堵进行烘托,两个典故的运用转出正意,由射猎过渡到演武,束拍的点睛之笔,便使走马挽弓、"狂"态不减少年的志士形象呈现在人们眼前。这个形象的出现,在北宋词坛上还是第一次。其次,它通过对特定素材的描写以及对抵御外族侵扰的忠义之情的抒发,形成一种粗犷豪迈的风格,具有一种阳刚之美,与当时笼罩词坛的柳永词风形成鲜明的对照。苏轼在《与鲜于子骏书》中说:"近却颇作小词,虽无柳七郎风味,亦自成一家。呵呵!数日前猎于郊外,所获颇多。得一阕,令东州壮士抵掌顿足而歌之,吹笛击鼓以为节,颇壮观也。"看来他是以能于依红偎翠的词风之外进行写作壮词的尝试而感到自豪的。

这首词和《江城子·乙卯正月二十日夜记梦》属于同一词调而风格迥异,除了题材内容及表现手法不同之外,还因为作者在这首平韵格词中,于上下片最末一个韵位(即"郎""狼"处)用阳平字作韵脚,使它显得音节响亮,声情高旷。

(刘乃昌　崔海正)

江　城　子

苏　轼

乙卯正月二十日夜记梦

十年生死两茫茫,不思量,自难忘。千里孤坟,无处话凄凉。纵使相逢应不识,尘满面,鬓如霜。　夜来幽梦忽还乡,小轩窗,正梳妆。相顾无言,惟有泪千行。料得年年肠断处,明月夜,短松冈。

鉴赏

乙卯是宋神宗熙宁八年(1075),这时苏轼正在密州(今山东诸城)做知州,这首词是本年正月为悼念妻子王弗而写。王弗十六岁与苏轼结婚,她聪颖贤惠,又有识见,夫妻感情一向笃厚,但她不幸于宋英宗治平二年(1065)二十七岁时便在汴京(今开封)谢世,次年归葬于故乡四川祖茔。经过十年宦海沉浮的苏轼,在这首词中表达了对亡妻深挚的思念之情。

此词发端从夫妻双方十载生死相隔、音容渺茫写起,正所谓开篇顿入正意。"两茫茫"是说自己和亡妻十年来互相遥念却又各无消息,"两"字一笔双写,"茫茫"状述出双方实即自己无边怅惘、无限空虚的情怀。沈雄《柳塘词话》说:"起句言景者多,言情者少,叙事者更少。"此词开头却兼及叙事与言情,并为全篇定下伤悼的感情基调。作者本在时时思念亡妻,但偏用"不思量"逆接首句,再反跌出"自难忘"三字,笔势摇曳跌宕。即使不去思量,亡妻的影像也时留脑际,愈见感情深挚。如果说上面是写生死相隔时间之久,那么下面则是说分处两地,相距之遥。作者时在山东密州,妻子葬在故乡四川,故曰"千里"。亡妻孑然埋于旧茔,故曰"孤"。既遥远又孤单,满腔凄苦情景无由向亲人倾诉,故接以"无处话凄凉"。夫妻不能共话,不仅由于地域遥远,更在于生死分隔无法超越。以下笔锋一转,谓即使生死可以沟通,夫妇可以再逢,又如何呢?——"纵使相逢应不识,尘满面,鬓如霜。"作者用假设之笔逼进一步,说纵使相逢,妻子大概也认不出我来了。十年来,由于他与变法派政见不合,从权开封府推官乞外任通判杭州,再移知密州,仕途的失意与生活的颠簸使作者过早地容颜衰老,"尘满面,鬓如霜",这对诗人外貌简括而有特征的勾勒,渗入了无限的身世之感。

上片写梦前,几经分合转折,抒发了对亡妻思念不已的一片真情。下片转入记梦,换头中"忽"字写出了梦境的迷离恍惚。"小轩窗,正梳妆"是说梦中见到妻子还同往常一样在窗前梳妆打扮。这里再现了青年时代夫妻生活的实际情形,是虚中带实的写法。相别已久的夫妇一旦相见,定有千言万语要倾吐,然而,思绪如麻,又当从何处说起呢?"相顾无言,惟有泪千行",这个无声有泪的细节特写,既符合生活的真实,又取得了"此时无声胜有声"的艺术效果。以上写梦中,结尾三句写梦醒后的感慨。作者想象在千里之外的荒郊月夜,那长着小松林的冈垄上,妻子定会年复一年地为思念丈夫而伤悲。写对方为怀念自己柔肠寸断,也正表现了自己对死者的无限悼念,以景结情,余音袅袅。

用词写悼亡,是苏轼的首创,于此可见作者扩大词境的开拓精神。这首悼亡词运用分合顿挫、虚实结合以及叙述白描等多种艺术方法,来表达怀念亡妻的感情,语言平易质朴,在对亡妻的哀思中又糅进自己的身世感慨,因而能将夫妻之间的感情表达得深婉而执著,感人至深。王若虚《滹南诗话》引晁无咎云"眉山公之词短于情",这种看法是片面的。其实,苏轼不仅以雄文大手写豪迈之情,也善于以柔婉的语言写健康的朋友之情、夫妻之情。

(刘乃昌　崔海正)

蝶恋花　　苏轼

花褪残红青杏小,燕子飞时,绿水人家绕。枝上柳绵吹又少,天涯何处无芳草!　　墙里秋千墙外道,墙外行人,墙里佳人笑。笑渐不闻声渐悄,多情却被无情恼。

鉴赏

这是一首感叹春光易逝、佳人难见的小词。上阕伤春,写红花凋谢,青杏初结,紫燕轻飞,绿溪绕舍,柳絮飘舞,芳草无边的春末夏初景象,充满了"流水落花春去也"之感。下阕写"墙外行人"的单相思。墙里秋千高荡,佳人笑声飞扬,使"墙外行人"心荡神怡,产生了爱慕之情;但"墙里佳人"并不知有"墙外行人",荡罢秋千,翩然离去,"佳人"笑声渐失,"行人"烦恼倍增。

作者在上阕中既善于把握春末夏初的特有风光,又善于借景抒情,不是纯客观地描摹景色,而是融入了自己的深沉感受。"残红"是说红花已所余无几了,着一"褪"字就深了一层,不但花少,且已褪色,感伤之情更浓。作者似乎对"褪红"二字很得意,他在描写岭南红梅的《西江月》(玉骨那愁瘴雾)中,也有"洗妆不褪唇红"之语,但用法正相反。"青杏小",杏已结子,表明夏天已到;但杏"青"而且"小",又说明夏天刚到,这就突出了春夏之交的时令。这一句是通过写景点时令,二、三句是通过写景交代地点,这是一处"人家",空中轻燕斜飞,舍外绿水环抱。"人家"二字不可等闲看过,它已为下阕写"墙里佳人"作了暗示和铺垫。"绿水人家绕","绕"字一作"晓",《诗人玉屑》卷二一引《词话》云:"予得真本于友人处,'绿水人家绕'作'绿水人家晓'。而'绕'与'晓'自天壤也!""绕"与"晓"的优劣确实有天壤之别,但在《词话》的作者看来,"真本"的"晓"字大大优于"绕"字;也有人认为"绕"远优于"晓":"有'燕子'句,合用'绕'字。若'晓'字,少着落"(《草堂诗余》正集卷二);"'绕'字虽平,然是实境。'晓'字无皈着,试通吟全章便见"(俞彦《爰园词话》)。我们同意后一种看法,因为"通吟全章",确实无"晓"景,用"晓"字,"无皈着","少着落";用"绕"字,燕子"绕"舍而飞,绿水"绕"舍而流,行人"绕"舍而走,确实是"实境"实写,逼真、美丽得多。这里要补充的是所谓"真本"问题,即使《词话》作者所见是东坡手迹吧,但东坡经常手书自己的诗词,又焉知"绕"字不是作者后来所改定呢?这首词最为后人称道的还是上阕的最后两句。"枝上柳绵吹又少",写法与"花褪残红"相似;柳絮纷飞已标志着"春去也",更何况"吹又少"呢?但这种相似写法又不露痕迹,故不觉重复,倒给人以缠绵悱恻之感。"何处无芳草"是到处皆芳草之意,伴随芳草茂的必然是百花残,再次抒发了伤春之情。王士禛盛赞这两句说:"'枝上柳绵',恐屯田(指柳永)缘情绮靡,未必能过,孰谓坡但解作'大江东去'耶!髯(东坡)直是轶伦绝群!"(《花草蒙拾》)确实如此,苏轼这首词表明,他不仅是豪放词的开创者,他的婉约词也不亚于任何专以婉约见长的词人。

黄蓼园说:"'柳绵'自是佳句,而次阕尤为奇情四溢也。"(《蓼园词选》)奇就奇在诗词特别是文字无多的小词,最忌词语重复,而这里"墙里""墙外"的往复循环却妙趣横生。男女场中,一方自作多情,恋恋不舍,而另一方却毫无所察,根本不知道,这是生活中司空见惯的事,不足为奇。奇就奇在作者把这种见惯不惊的事作了高度的集中,把"墙外行人"和"墙里佳人"的"多情"和"无情","笑"和"恼"作了巧妙的对比,作出了"多情却被无情恼"这一颇富哲理的概括,产生了"奇情四溢”的艺术效果。

初读这首词,也许会觉得下阕单相思的喜剧,同上阕深沉的伤春情调不甚协调。先著的《词洁》就批评此词有“笔走不守之憾”,认为作者“后半手滑,遂不能自主;少一停思,必无此憾”。这恐怕是没有看清上下阕的内在联系。其实,上阕的“流水落花春去也”的描写,正是为了烘托下阕的“佳人难再得”,上下阕都是在感慨美景不常,繁华易逝,可谓一气贯注。如前所述,上阕的“绿水人家绕”,已是在为下阕写“墙里秋千”作准备,作者是经过精心构思、巧妙安排的,不存在手滑笔走的问题。

这首词作于何时已不可考,只知道苏轼晚年贬官岭南曾叫侍妾朝云唱此词:“子瞻在惠州,与朝云闲坐。时青女(霜神)初至,落木萧萧,凄然有悲秋之意,命朝云把大白,唱‘花褪残红’。朝云歌喉将啭,泪满衣襟。子瞻诘其故,答曰:‘奴所不能歌,是“枝上柳绵吹又少,天涯何处无芳草”也。’子瞻大笑曰:‘是吾正悲秋,而汝又伤春矣。’遂罢。”(《林下词谈》)朝云唱这首词虽“泪满衣襟”,但又特别爱唱这首词,“日唱‘枝上柳绵’二句,为之流泪,病极,犹不释口”(《冷斋夜话》)。朝云在惠州为什么特别爱唱此词而每唱总是“泪满衣襟”呢?这是因为即使苏轼这首词不是作于惠州,也颇能代表他们贬官惠州的心情。苏轼对朝廷一片忠心,却落得远谪岭南的下场,这不正是“多情却被无情恼”吗?而他们当时的境遇也正像被风雨摧残的柳絮——“枝上柳绵吹又少”,“也无人惜从教坠”。 (曾枣庄)

永遇乐　　苏轼

彭城夜宿燕子楼,梦盼盼,因作此词。

明月如霜,好风如水,清景无限。曲港跳鱼,圆荷泻露,寂寞无人见。紞如三鼓,铿然一叶,黯黯梦云惊断。夜茫茫,重寻无处,觉来小园行遍。　天涯倦客,山中归路,望断故园心眼。燕子楼空,佳人何在?空锁楼中燕。古今如梦,何曾梦觉,但有旧欢新怨。异时对、黄楼夜景,为余浩叹!

鉴赏

彭城即今江苏徐州。燕子楼在徐州郡舍后（见蔡絛《西清诗话》卷中）。“盼盼”，旧说为唐节度使张建封的侍儿，实为张建封之子张愔的侍儿，善歌舞，多风态。张愔卒，盼盼念旧爱而不嫁，居张氏旧第燕子楼十年（见白居易《燕子楼三首》序）。据王文诰《苏诗总案》卷十七载，这首词作于元丰元年（1078）十月，时苏轼任徐州知州。这是一首怀古词，其突出特点是没有花多少笔墨来写古，而是偏重于写景抒慨，但却充满了怀古伤今之情。

词的上阕写梦。前六句写清寂的夜景。写“月”状以“明”，以“如霜”为喻；写“风”状以“好”，以“如水”为喻，开头八字就为我们活画出了明朗、清凉、有如银色世界一般的秋天月夜景色。然后以“清景无限”概之，这样，既有形象鲜明的具体描写，又有含蕴丰富的抽象概括，为读者留下了充分的想象余地。“曲港跳鱼，圆荷泻露”，其声甚微，这是以有声反衬无声，以“无人见”反衬“有人见”。中间三句交代“梦盼盼”而被惊醒。“纨（dǎn）”，击鼓声；“如”，助词；语出《晋书·邓攸传》“纨如打五鼓”，此是三更鼓声。“铿然”，金石声。“铿然一叶”，是梧桐叶落地作金石声，所谓一叶落而知秋之意。“梦云”，借宋玉《高唐赋》言楚王梦巫山神女自称“旦为朝云，暮为行雨”事，喻自己“梦盼盼”事。作者的高明就在于根本未写“梦盼盼”的内容，仅用“梦云惊断”一笔带过，而上阕的最后三句却以“重寻无处”作结。“夜茫茫”照应“清景无限”，但前者清朗，后者暗淡，充满了感伤色彩，也预示了“重寻无处”。“觉来小园行遍”，“行遍”二字说明他多么渴望寻到梦中的境界，但却“重寻无处”，这就难怪他黯然心伤了。

作者的心情为什么这样暗淡呢？下阕的抒慨作了回答。一是对现在的宦游生活已深感厌倦，很想归隐，但故乡渺渺，枉自望眼欲穿。这里，显然包含了对时局的不满。因不满新法，这一时期的作品充满了厌倦仕途、盼归田园的思想：“揭来东游慕人爵，弃去旧学从儿嬉。狂谋谬算百不遂，惟有霜鬓来如期。故山松柏皆手种，行且拱矣归何时？”这首《送安惇秀才失解西归》，几乎可作“天涯倦客”三句的注脚。二是触景引起的伤情，怀古引起的伤今。眼前的燕子楼空空如也，当年的美人盼盼再也不见踪影，真是物是人非。古往今来有如梦幻一般,总是梦不醒,只为后人留下一些旧欢新怨的遗迹罢了。这首词题作“宿燕子楼,梦盼盼”,而直接咏燕子楼、盼盼事,仅“燕子楼空,佳人何在?空锁楼中燕”三句,具有高度的概括性。晁无咎赞其“只三句,便说尽张建封(当为张愔)事”(《高斋诗话》引);张炎赞其“用事而不为事所使”(《词源》卷下);郑文焯赞其“咏古之超宕,贵神情不贵迹象”(《手批东坡乐府》)。这些评语,都相当准确地把握住了这首词的艺术特色。怀古之作贵抒怀而不贵记事,否则就成为历史教科书的再版了。三是由“燕子楼空”想到他在徐州所建黄楼的未来命运。苏轼初到徐州就遇上黄河泛滥,他率领徐州军民防洪,第二年春又筑堤以防洪水再至,并建黄楼以镇之。就在苏轼写这首词前一个月的重阳节,有三十多位文士聚宴黄楼,庆其落成,堪称一时盛事。万物有盛必有衰,现在自己为“燕子楼空”而兴叹,将来谁又对着黄楼夜,为我长叹呢?苏轼《送郑户曹》说:“荡荡清河壖,黄楼我所开。……他年君倦游,白首赋归来。登楼一长啸,使君(自指)安在哉!”与词意正同。

这首词写景如画,感情浓郁,怀古而不胶着于古,抒怀并不空洞抒怀,而能寄情于景,借古伤今,具有强烈的抒情色彩。调子虽较低沉,但这正是动荡的政局和厌倦官场的心绪在词作中的艺术折射。因为写这首词后不到一年他就锒铛入狱了。

(曾枣庄)

浣溪沙　　苏轼

游蕲水清泉寺,寺临兰溪,溪水西流。

山下兰芽短浸溪,松间沙路净无泥。萧萧暮雨子规啼。　谁道人生无再少?门前流水尚能西。休将白发唱黄鸡。

鉴赏

蕲水,今湖北浠水,在黄州(今湖北黄冈)东。清泉寺在蕲水郭门外二里许,下临兰溪。兰溪,出箬竹山,其侧多兰,故名。元丰五年(1082)三月苏轼贬官黄州期间作此词。关于这首词的写作背景,苏轼在《游沙湖》(《东坡志林》卷一)中有详细记载:“黄州东南三十里为沙湖,亦曰螺师店。予买田其间,因往相田,得疾。闻麻桥人庞安常善医而聋,遂往求疗。安常虽聋,而颖悟绝人,以纸画字,书不数字,辄深了人意。余戏之曰:‘余以手为口,君以眼为耳,皆一时异人也。’疾愈,与之同游清泉寺。寺在郭门外二里许,有王逸少洗笔泉,水极甘。下临兰溪,溪水西流,作歌云(词略)。是日剧饮而归。”

词的上阕即写暮春三月兰溪的雨后景色。首句点明了兰溪之名的由来,山下溪边多兰;也点明了游兰溪的时令。据王文诰《苏诗总案》卷二十一推断,苏轼游兰溪是在这年三月七日至十一日之间。这时,兰仅发“芽”,芽还很“短”,但生机勃勃,长得很快,故以“浸溪”状之。着一“浸”字,就写出了春兰的活力。次句写漫步溪边。这句脱胎于白居易的《三月三日祓禊洛滨》“沙路润无泥”,只易一字,换“润”为“净”。曾敏行说:“‘润’‘净’两字,当有能辨之者。”(《独醒杂志》卷二)白居易用“润”字是为了同上句“柳桥晴有絮”的“晴”字相对。苏轼更“润”为“净”,是为了突出兰溪的洁净,一尘不起。确实,一字之易,意境迥别。最后一句既补足了“松间沙路净无泥”的原因,又烘托了自己贬官黄州期间的凄冷环境和悲凉心情。暮雨萧萧,子规哀鸣,当然都是实写。但暮春三月可写之景甚多,作者独取此景,显然与他当时的处境和心情有关。据《游沙湖》,苏轼这次是为“买田”而去的。苏轼贬官黄州,以为这一辈子再也无法实现“致君尧舜”的壮志,已经做好了“便为齐安(黄州)民”的思想准备,故一到黄州就以“求田问舍”为事。除欲买田沙湖外,还曾想买几处田。一是黄州柯丘:“此邦疑可老,修竹带泉石。欲买柯氏林,兹谋待君必”(《晓至巴河口迎子由》);二是定襄胡家田:“胡田先佃后买,所谓抱桥澡浴、把缆放船也”(《与杨元素书》);三是荆南庄田:“乐宣德言,此田甚好,但税稍重”(同上);四是武昌(今湖北鄂城)田:“示谕武昌一策,不劳营为,坐减半费,此真上策也”(《答陈季常书》)。这些“买田”计划,由于种种原因均未实现,但却颇能说明苏轼当时的心境,也就难怪他在“买田”途中有“萧萧暮雨子规啼”这样凄凉的词句了。

苏轼毕竟是一位“奋厉有当世志”的人物,他从眼前的“溪水西流”悟出,溪水尚能西流,难道人生就不能再少?又何必自伤白发、哀叹衰老呢?下阕集中表现了他虽处困境，仍力求振作精神。“门前流水尚能西”一作“君看流水尚能西”，“君”指“善医而聋”“颖悟绝人”的庞安常，苏轼在《记庞安常》中还说：“蕲人庞安常，善医而聩，不以贿谢为急，又博物，通古今，此所以过人也。”“白发”“黄鸡”语出白居易《醉歌》：“谁道使君不解歌？听唱黄鸡与白日。黄鸡催晓丑时鸣，白日催年酉前没。腰间红绶系未稳，镜里朱颜看已失。”白诗是感叹黄鸡催晓，白日催年，朱颜易失，调子比较低沉。苏轼这里是说不要徒自悲叹白发，感慨“黄鸡催晓”，光阴易逝。这是反其意而用之，不但没有白诗的低沉调子，也冲淡了上阕“萧萧暮雨子规啼”的悲凉气氛。

此词上阕写景，景色如画，雅淡凄婉；下阕即景抒慨，富有哲理，振奋人心。八百多年来，它不知给了多少身受挫折的人以生活下去的勇气、继续前进的信心！

（曾枣庄）

浣溪沙　　苏轼

旋抹红妆看使君，三三五五棘篱门，相排踏破茜罗裙。　　老幼扶携收麦社，乌鸢翔舞赛神村，道逢醉叟卧黄昏。

鉴赏

宋神宗熙宁十年（1077），苏轼调到徐州做知州。他刚到任不久，就遇上一场特大洪水，曾领导州民抗洪。次年即元丰元年春天，又发生大旱，他曾为民祈雨。初夏雨后，他怀着欣喜的心情到徐州城东石潭谢雨，并访察附近农村，写下一组五首著名的农村词，从不同的角度描绘了农村的生活画面。这组词原有小序云：“徐门石潭谢雨，道上作五首。潭在城东二十里，常与泗水增减，清浊相应。”这是第二首，写在村内所见。

词的上片写自己进村之后出现的一个热闹的生活场景。“旋抹红妆看使君”，是说农村姑娘临时匆忙地梳妆打扮一下去看知州。“使君”，是古代人对州郡长官的尊称。从“红妆”一词，人们便知出场的人物是花枝招展的少女,不必写身份而人物身份自明。而且不难窥知少女是怀着高兴的心情外出的,这是用外在形象显示内在心灵。“旋抹”刻画少女的动作,能使人想见她们当时的神态,也许这是村姑们第一次得见州官,所以心情特别急切。姑娘们看热闹又毕竟有自己的方式,她们不会像小伙子那样不顾一切地挤到前排,而是三个一团,五个一伙,拉拉扯扯紧靠着家门,你拥我挤,以至于把特意穿上的红罗裙都踏破了。“三三五五棘篱门,相排踏破茜罗裙”,正是最恰当地写出了这群少女争看知州的情景。“棘篱门”,用树条黍秸等编织的篱笆门,这显示了典型的古代农村环境。“茜罗裙”,红色的罗裙,同首句“红妆”相应。姑娘们连心爱的“茜罗裙”被拥挤的人群踏破也顾不得了,既烘染出场面的热烈,又透露出观光的少女精神十分集中。这样写不仅浓化了当时的气氛,表现了这一带农村风俗的淳朴,而且也说明作为一州之长的苏轼和农民关系的融洽。

上片是写村民欢迎知州的场面,而着重以引人注目的一群少女作为代表。下片写农村的迎神赛会。“收麦社”,即麦收季节祭祀土地神的活动。“鸢”,俗称老鹰。“赛神”,也叫迎神赛会,是农村的一种迷信礼俗,用仪仗、鼓乐、杂戏迎神出庙,周游街巷。农民们老幼相扶去参加这种庆祝丰收的祭神活动,而在摆满祭品的供桌上空,乌鸦在盘桓飞翔。“老幼扶携”,说明农民迎神心诚,满村扶老携幼全家出动;“乌鸢翔舞”,反映出祭品丰盛,招引得乌鸦往复低飞,驱赶不散。还有一位老翁,也许因为多喝了几盅,竟然卧在路旁,悠然入睡了。“卧黄昏”表明祭神活动持续了一天,农民们直到尽欢而散。

这首小词不是一般地写景,也不是直接抒情,而是写人叙事,全篇由两个饶有兴味的场景组成,场景按知州进村的时间顺序安排。这两个场景似乎各不相关,但它们却是通过前来察访的知州的视线贯串在一起的。两个场景向读者展示了充满浓郁生活气息和丰收喜悦的农村风俗画,使君亦即作者虽没有直接在画面中出现,但他对农村朴厚风俗,和男女老少村民的亲切喜悦之情,我们是完全可以从字里行间领略得到的。

(刘乃昌　崔海正)

浣 溪 沙　　苏 轼

簌簌衣巾落枣花，村南村北响缫车，牛衣古柳卖黄瓜。　　酒困路长惟欲睡，日高人渴漫思茶，敲门试问野人家。

鉴赏

这是苏轼在徐州写的五首《浣溪沙》组词的第四首，记述他在村野的见闻和感受。首句写景也写人，并且兼点季节。“簌簌”，象声词，摹写枣花飘落时的细微声音。枣树是北方常见的果树，多种植在场圃旁和靠近村庄的田间地边上，因为经济价值高而又不大影响庄稼的生长，所以深得农民的喜爱。每当初夏麦子快熟的时候，那稠密的黄色小花也就一串串地挂满了枝头，微风拂动，枣花便纷纷下落。作者大约这时正走在树下，所以清香四溢的枣花便洒满衣巾。作者从枣花着笔，渲染出浓厚的农村生活气息。次句写所闻。蚕事已毕，茧子丰收，村妇们可真忙起来了。她们大概要趁紧张的麦收到来之前，赶快将蚕茧缫成丝，换回生产生活用品以备麦收吧？怪不得不论走到哪头，都能听到此起彼伏的缫车声呢！末句则写所见。“牛衣”，《汉书·食货志》有“贫民常衣牛马之衣”的话，亦说即蓑衣之属，这里泛指用粗麻织成的衣服。作者徜徉在枣树下，抬眼望去，就在道口的一株古柳树下，一位穿着粗麻衣服的农人正在叫卖刚刚上市的黄瓜呢！枣花簌簌，缫车声声，再加上吆卖时鲜瓜菜的叫喊，这是田家生活中多么迷人的音乐！

如果说词的上片是通过作者伫立村头，谛听静观，拍摄下了农村生活的一个侧面，展示了蚕茧、瓜果丰收后的繁忙景象，那么下片则是记述村外旅行中的一件生活小事，从中看出作者平易近人的作风。他大概走得有点累了，又喝了几杯酒，在初夏暖烘烘的阳光里，觉得意倦口渴，很想喝碗清茶。于是只好“敲门试问野人家”了。“野人家”，指村野的一户人家。“敲门试问”有点探询之意，打听一下老乡家有没有茶，不是要求人家必须提供，这说明他是以一个普通过路人的身份出现在百姓面前的，不愿惊扰百姓，没有摆官老爷的架子。作为州官的苏轼向老百姓求茶，态度如此谦和，这在当时是难能可贵的。

五代北宋文人词以农村生活为题材的非常罕见，苏轼这五首《浣溪沙》描绘了农村的生产和生活情景以及各式各样的农村人物，为北宋词的社会内容开辟了新天地，在艺术上也各有特色。这首词记述自己在村郊的见闻和经历，似乎信手拈来，但在构思和用语上都是颇见匠心的。词中"枣花""缫车""牛衣""古柳"等都是农村习见的典型事物，"卖瓜人""野人家"也很有乡土风味。尤其向农户敲门求茶，更见出农村淳厚的风俗。清新朴实，明白如话，是这首词显著的艺术风格。

（刘乃昌　崔海正）

浣溪沙　　苏轼

春　情

道字娇讹苦未成，未应春阁梦多情，朝来何事绿鬟倾？　　彩索身轻长趁燕，红窗睡重不闻莺。困人天气近清明。

鉴赏

古代大家词风，往往是不拘一格，多姿多彩的。苏轼这首《浣溪沙》就是如此。这首词笔调轻盈，情致谐婉，运用清丽而又浑成的语言，描写一位富裕家庭怀春少女的天真活泼形象，具有婉约词派的某些审美特征，是苏词中带有别开生面色调的作品。

这首词标题"春情"，和另首《蝶恋花》（花褪残红）标题"春景"不同。全词侧重描写的是少女春天的"慵困"意态，是少女春天的玫瑰色梦境。在写作上，它撮笔生新，不落陈套，始终围绕少女春日贪睡这一侧面，用饶有情致的笔触加以渲染，使一位怀春少女的神思跃然纸上。

"道字娇讹苦未成"，开篇凿空而起，直接突现少女梦呓之中的隐秘心理。这位怀春女子，大约是在梦里见到了情人，想向对方倾诉什么衷曲。然而费尽心力，却总是吐字不清，苦于言不成句。这个劈头的特写镜头，意在表现少女初恋时那种特有的胆怯、羞涩的心理。李白诗有"道字不正娇为歌”之句，南朝乐府民歌也有“想闻欢唤声，虚应空中诺”之句，都是意在刻画女子类似的痴情状态。第二句“未应春阁梦多情”，笔锋轻转，语含谐趣，是作者故设疑云，也是一种欲擒先纵的写法，意思是说，上述情态并非就能一定证明少女是在梦中与情人欢会吧！“未应”二字，妙在语气模棱，疑非又是。跟着一句“朝来何事绿鬟倾”，以问作答，等于扫除上面故设的疑云，明白作出判断，意思是说：如果不是梦中欢会，为什么早晨起身时鬓发那样散乱！“绿”，黑色。“鬟”，指古代“环发为髻”的少女发式。上片，作者轻巧娴熟地运用一些俏皮含蓄的语句，描绘出一幅娇艳迷离的闺思图景，富于青春的质的美感。下片则通过少女荡秋千和昼眠这两个生活侧面的描写，使题旨更加鲜明，形象愈益丰满。“彩索身轻长趁燕”，多彩的秋千绳索，是和女主人公的豆蔻年华相辉映的。“身轻长趁燕”，又进一步渲染这位少女荡秋千时身影轻盈，宛若追赶空中飞翔的燕子。古人闺思题材，常用偶鸟衬托孤栖，欧阳修《阮郎归》词“秋千慵困解罗衣，画堂双燕栖”，寓意与此相同。“红窗睡重”一句，续写少女的春睡沉酣状态。上片是夜寐，这里是昼眠，再一次刻画了少女的怀春心理。古时妇女居处多以红色为饰，故云“红窗”。“睡重不闻莺”，是说少女睡得很沉很甜，连黄莺的啼声都听不见了。黄莺是南国春天的宠儿，也是青春爱侣的象征。它的鸣声虽美，但往往却给寂寞的深闺带来一种令人烦恼的情绪。现在，这位少女索性白昼酣眠，借以排遣烦忧，这是作者在有意深入渲染怀春的意境。尾句点明季节，绾合全篇，使全词结构愈见严整。

通篇看来，这首词起笔清超，收煞沉稳。虽然写的只是日常生活中的细枝末节，但却没有一处率易之笔。清人贺裳《皱水轩词筌》说本词“彩索”两句，“如此风调，令十七八女郎歌之，岂在‘晓风残月’之下”。可见苏词不独以豪放擅场，在婉约一面也有不少佳制。

（徐翰逢）

沁园春　　苏轼

情若连环，恨如流水，甚时是休？也不须惊怪，沈郎易瘦；也不须惊怪，潘鬓先愁。总是难禁，许多魔难，奈好事教人不自由。空追想,念前欢杳杳,后会悠悠。　凝眸。悔上层楼。谩惹起、新愁压旧愁。向彩笺写遍,相思字了,重重封卷,密寄书邮。料到伊行,时时开看,一看一回和泪收。须知道,□这般病染,两处心头。

鉴赏

这首词见明万历刊《重编东坡先生外集》卷八十三,同卷尚有《沁园春》(小阁深沉)词一首。两首《沁园春》中:"小阁深沉"首,明刊《东坡先生全集》卷七十四辑为附录,唐圭璋先生辑《全宋词》录为无名氏作;"情若连环"首,《全宋词》未录,孔凡礼先生《全宋词补辑》录为苏轼作。《东坡乐府》中另有一首《沁园春》(孤馆灯青),内容和格调都与这首词大不一样;《东坡乐府》中绝大部分作品,其家数都与这首词迥异。这首词与柳永作风颇为相近,疑为苏轼早期所作。

从作法上看,这首词的一个突出特点是以铺叙手法说相思。"情若连环,恨如流水",起调是一组并列对句,以连环、流水为比,说此"情"、此"恨"之无法休止。接着以一组扇面对句,说相思的具体情状。依律,这组扇面对句,当以一领格字提起,此处连用两个"也"领起,用以铺排叙说:一边说瘦,有如沈约一般,腰围减损;一边说鬓发斑白,有如潘岳一般,因见二毛而发愁。至此,皆为并列式的铺叙。"总是"二句,依律亦当用对句,此处以散句入词,接下句,均为直说,点明上文所说"瘦"与"愁"的原因,是"好事教人不自由"。"好事",当指男女间欢会等情事。因为时时刻刻惦记着这许多情事,无法自主,所以才有这无穷无尽的"情"与"恨"。末了,词作进一步点明,主人公所"追想"的"好事"就是"前欢"与"后会",以一组并列对句,说出相思的全部内容,即思想:前欢已是杳无踪迹,不可追寻,而后会又遥遥无期,难以预卜。"杳杳""悠悠",与"连环""流水"相呼应,将所谓"情"与"恨"更加具体化。这是上片,说的全是主人公一方面的相思情况。下片变换了角度与方位,既写主人公一方,又写对方,并将双方合在一起写。"凝眸。悔上层楼。谩惹起、新愁压旧愁。"这是过片。一方面承接上片所说相思情景,谓怕上层楼,即害怕追想往事，惹起“旧愁”；一方面启下，转说当前的相思情景，新愁与旧愁交织在一起。紧接说当前的相思情景，先说主人公一方，说主人公如何写情书，写好情书如何密封，封好以后如何秘密投寄。“写遍”“字了”，谓其如何倾诉衷情，将天下所有用来诉说“相思”的字眼都用光了。“重重”，谓其密封程度，“密”，既有秘密之意，又表明数量之多，一封接一封，相距甚密。主人公的行动，那么谨慎神秘，生怕走漏消息，这已显示出相思的程度。以下转向写对方，说对方接到情书，如何时时开看，“一看一回和泪收”。“料”字说明是假设。主人公从自身的相思，设想对方的相思，写了对方的相思，反过来更加增添了自身的相思。最后说，这种相思要不得，两处挂心，将更加难以开解，道出了双方的共同心病。“这般病染，两处心头。”依律当用对，并以一领格字提起，如上结领格字“念”提携“前欢杳杳，后会悠悠”一对句。此处不用对，可能夺一领格字，因以“□”补之。全词说相思，至此戛然而止，留下了无穷余味。

这首词以铺叙手法说相思，反反复复地说，虽只是“相思”二字，却并不单调乏味。能有这样的艺术效果，除了真切体验之外，还在于善铺叙。作者善铺叙，就是在有条理、有层次的铺陈之后，突然插入一笔，由一方设想另一方，构成“照花前后镜，花面交相映”的妙境。这种作法是从柳永词中得来的。因此，这首词婉转言情，另有一副面目，非关西大汉所宜歌也。这是苏轼学柳七作词的一个明证。

（施议对）

卜　算　子

李之仪＊

我住长江头，君住长江尾。日日思君不见君，共饮长江水。　　此水几时休？此恨何时已？只愿君心似我心，定不负相思意。

作者

＊李之仪（1038—1117），字端叔，号姑溪居士，沧州无棣（今属山东）人。宋神宗时进士，曾从苏轼于定州幕府，历官枢密院编修官。徽宗初年以文章获罪，编管太平州。卒年八十。有《姑溪词》。

鉴赏

这首词为代言体。作者以一位痴情女子的声口，表现她对爱情的忠贞不渝。上片纯用赋体："我住长江头，君住长江尾。日日思君不见君，共饮长江水。"直白地道出了她相思若渴的情怀。对句中的"长江头"与"长江尾"不可过于拘泥，它并非实指地理上所谓长江的发源处与入海口，而是说男女双方所居之地一为上游，一为下游，相隔甚远。这位女子伫立江头，翘首遥望，朝思暮想，但始终看不见情郎的身影，唯有那默默东去的江水，似乎在流诉着相思的情愫。

换头用接字法，借江水比兴，推进一层。"此水几时休？此恨何时已？"江水源远流长，永不止息，恰似我的离愁别恨，绵长无尽。这两句显然蜕化于汉乐府民歌《上邪》："上邪！我欲与君相知，长命无绝衰。山无陵，江水为竭，冬雷震震，夏雨雪，天地合，乃敢与君绝！"诗以一系列不可能发生的事态比喻自己忠于爱情永不变心，其中"江水为竭"即为作者所本。但他反面立意，又以怨语出之，感情便显得更细致，更深厚。结句直抒胸臆:“只愿君心似我心,定不负相思意。”不管相隔多远,分别多久,只要双方心心相印,爱情就能地久天长。从“只愿”一语中,似乎可以窥见这位痴情女子的隐衷深恸。她日夜思念的那位心上人,该不会是一个薄情郎君吧!全句意蕴,亦从五代顾敻《诉衷情》“换我心,为你心,始知相忆深”化出。其间“定不负相思意”的“定”,乃是衬字,词学中称为“添声”,即在词调固定的字数外再适当增添一些并非关键的词语,以更好地表情达意。有了这个“定”字,词便显得活泼轻快,更近口语。与顾作相较,可知其妙。

这首词显然是模仿民歌而作的。除了上文所引汉乐府民歌外,在南朝吴声、西曲中,也有不少借江水起兴设喻、歌唱爱情的作品。这些民歌多产生于长江中下游,因为这一带商旅频繁,交通便利,使江边的男女有接触的可能,长江也就被他们当做相思的纽带,爱情的化身。李之仪学习民歌,寄语江流,用复沓的手法,清新的语言,又弹奏出一曲动人的恋歌。其间虽然也流露出封建社会薄命女子常有的猜疑和忧虑,但它仍是明朗的,坦然的,轻盈流走而无沉重滞涩之感,具有浓郁的民歌风调。毛晋《宋六十名家词·姑溪词跋》云:“(姑溪词)小令更长于淡语、景语、情语。”“至若‘我住长江头……’,直是古乐府俊语矣。”评论是中肯的。

（蔡　毅）

水调歌头　　苏　辙*

徐州中秋

离别一何久，七度过中秋。去年东武今夕，明月不胜愁。岂意彭城山下，同泛清河古汴，船上载《凉州》。鼓吹助清赏，鸿雁起汀洲。　坐中客，翠羽帔，紫绮裘。素娥无赖西去，曾不为人留。今夜清尊对客，明夜孤帆水驿，依旧照离忧。但恐同王粲，相对永登楼。

作者

＊苏辙(1039—1112)，字子由，与兄苏轼同登进士，累官翰林学士、门下侍郎。自绍圣后，以言忤旨，屡遭贬谪。蔡京当国，降居许州，致仕，自号颍滨遗老。谥文定。为文汪洋澹泊，有奇杰之气。有《栾城集》。存词四首。

鉴赏

熙宁十年(1077)四月，苏轼知徐州，辙随兄至徐，留百余日，将赴南都(今河南淮阳)留守签判任。中秋作《水调歌头》告别。词中抒写兄弟俩久别重逢又临分别的凄凉情怀。苏辙还写了《逍遥堂》诗二首，诗序云："辙幼从子瞻读书，未尝一日相舍，既壮将宦游四方，读韦苏州诗至'那知风雨夜，复此对床眠'，恻然感之，乃相约早退，为闲居之乐。"序与词意足相映发。子由诗词，东坡都有和作，可并读。词一开头，用赋笔直陈其事。"离别一何久，七度过中秋。"熙宁四年(1071)苏轼因对当时变法持不同政见，被贬离开汴京(今河南开封)，后辗转外郡，历时五年。东坡将离任密州之时，子由在齐州(今山东济南)李常幕府任职，弟兄都在京东，已有七年没有晤面。咫尺天涯，离多合少，情何以堪！“去年东武今夕，明月不胜愁。”“东武”，密州，即高密。去年今夕，指熙宁九年中秋，苏轼在密州超然台上饮酒赏月，欢饮达旦，大醉，写了一阕古今推为绝唱的《水调歌头》（明月几时有），对月抒怀，并怀念久别的子由，子由自然是念念不忘。“岂意彭城山下”，笔锋一转，意谓怎么料到今年二月弟兄俩复会于澶、濮之间，四月一同来到彭门（徐州，一名彭城），一直住到同度中秋。七年没有在一起过中秋了，该是多么难得。佳节之夜，他们泛舟清河、汴水，欢聚赏月。古汴河故道有一条由郑州、开封、商丘北境经徐州合泗入淮。“船上载《凉州》”，“载”字妙，实词虚用。此用唐薛能“一船丝竹载《凉州》”诗句。“凉州”，地名，治所在今甘肃武威，此处指乐调。《凉州曲》为开元中西凉府都督郭知远进。唐诗中的《凉州词》以王之涣所作最著名，“羌笛何须怨杨柳，春风不度玉门关”，传唱遐迩，旗亭画壁，成为佳话。历来对这首诗的主题颇多争议，其中有种说法，似可与词意绾合。杨慎云：“此诗言恩泽不及于边塞，所谓君门远于万里也。”（《升庵诗话》）虽然苏氏弟兄不在边塞，但屡遭贬谪，受朝廷的冷漠，则有相似之处。而“怨杨柳”，其实也就是怨别。船上不载别的，而载《凉州》，其意大约在此。赏月船上弦管鼓吹，丝竹并奏，欢乐之声，惊起汀洲上的鸿雁分飞，写眼前景物，兴又将离别之悲慨，以景结情，深厚蕴藉。

过片承上，从“鼓吹助清赏”来。东坡既为郡守，中秋偕子由泛舟赏月，自必高朋满座。“翠羽帔，紫绮裘”是描写“坐中客”衣着华贵。子由无心恋栈官场，曾与东坡相约早退，为闲居之乐。东坡和词“须早计，要褐裘”，表示应该早作归计，要穿上老百姓的衣服，就是针对子由原唱而发。“素娥”，即嫦娥。“无赖”，意有不快而无可如何者。连同下句意谓，无可如何一轮明月渐渐西沉，不为赏月的人们少留片刻。可见他们赏月直到深夜。“今夜”两句，以眼前盛会的欢乐，与明夜旅程的孤寂作强烈的对比，不免黯然。“依旧照离忧”，从明夜起又将回到长期离别的苦境，皎洁的月光依旧像往昔一样照着他对离别发愁。下句“但恐”，笔锋又转，怕的是他在别后会有像王粲那样的命运。王粲为建安七子之一，少有文才，生逢乱世，长期流寓荆州，刘表不予重用，一直抑郁不得志。有次他登上当阳（今湖北当阳县东）城楼，写了一篇有名的《登楼赋》，抒发其壮志难酬的悲慨和怀乡思归的感情。“相对永登楼”，

"相对"含义很深,对着明月,对着月光下的乃兄,面对着不得意的现实,都包括在内。结句言外之意谓如其像王粲那样不得志而登楼怀忧,则不如及时早退,以期"退而相从之乐",词意无异重申前约。东坡和作序文指出原唱"其语过悲",对辙深表同情,而且慰勉有加。此词通篇以白描的手法直抒胸臆,而且适当地运用典故,使词意更为精练,字里行间充分体现了苏氏弟兄笃于手足之情。上以景结,以景纬情;下以情结,情中有景,且与起句照应,章法井井。子由作词不多,却非同泛泛。

(王明孝)

玉楼春　马成*

来时吴会犹残暑，去日武林春已暮。欲知遗爱感人深，洒泪多于江上雨。　欢情未举眉先聚，别酒多斟君莫诉。从今宁忍看西湖，抬眼尽成肠断处。

作者

*马成，字仲甫，又字中玉，庐州合肥人。工部尚书马亮之子。生卒年不详。官至天章阁待制。与苏轼交往甚密，所传词仅此一首。

鉴赏

此词是作者任浙江漕司时所作。当时苏轼正任杭州知州，二人过从甚密，常有酬唱。在苏轼被召入京的别宴上，作者欣然赋就了这首《玉楼春》，表达了对朋友的离别深情。

“来时吴会犹残暑，去日武林春已暮。”马成生平事迹无考，“来时”当指马成赴浙漕一事，时为作此词的前一年。“去日”便指东坡应诏回京。二句字面上虽然只交代了时间、地点和人物事件，但从我“来时”演绎到君“去日”，已经透写出二人密切的交往和深厚的友情了。紧接着词人便破题点出，“欲知遗爱感人深，洒泪多于江上雨”。遗爱者，指地方官在职时有德政，走后仍为当地百姓所爱戴。思人之至而洒泪，固已深切，以“江上雨”喻泪，尤觉缠绵：泪如雨，只是比喻了泪之多，而江上之雨，更是汇入江流，连绵不绝。因此，以“江上雨”喻泪，不仅形象地表现了流泪之多，还暗示着泪是可以流尽的，内心的思念却可如钱塘江水永远流不尽。并且，这种思念是无法截断的，任何强作宽慰和超脱只能是“抽刀断水水更流”。

往事已去，来日方远，还是注

目于执盏话别的此时此地吧。过片笔锋一转:“欢情未举眉先聚,别酒多斟君莫诉。”在一片伤离的气氛中,双方都想轻松一下,不要过分悲苦,但是,长亭的氛围毕竟死死地笼罩住词人的心灵,所以“欢情未举”,又皱起了眉头,陷入那离别的无尽思绪中去了。往日谈笑风生的宴席上,如今是默默对斟,两人都沉浸在依依的别情之中。轻松的谈不出,沉重的不愿谈,“君莫诉”三字便是这种情形的绝妙写照。末二句一笔宕开,代别后设想:“从今宁忍看西湖,抬眼尽成肠断处。”西湖畔的山水楼台,是二位友人时常欢聚的地方,朋友离去,这里再也不会有赏心乐事了。良辰美景,盖为嘉宾而设;物是人非,只能空惹啼痕。昔日欢游的踪迹,遍布于湖边的一草一木,因此哪怕是微小的景致,都会带上特殊的感情。一个“尽”字,既正写了肠断之恨,又暗写了往日的友情之深,不管“抬眼”望何处,都会勾起物是人非的深切思念。

在这首词里词人从忆昔、思今到追想将来,感情脉络十分清楚。结句呈现出一种迷蒙渺茫、无所适从的气氛,给读者以不尽的回味和想象。整首词感情极为缠绵尽致,感人至深。苏轼得词,深受感动,提笔和道:“知君仙骨无寒暑,千载相逢犹旦暮。故将别语恼佳人,要看梨花枝上雨。落花已逐回风去,花本无心莺自诉。明朝归路下塘西,不见莺啼花落处。”苏轼毕竟是性格豪放人物,虽然也千思万念,但写得较为空灵。

(耿百鸣)

虞美人　　舒亶*

寄公度

芙蓉落尽天涵水，日暮沧波起。背飞双燕贴云寒，独向小楼东畔、倚栏看。　　浮生只合尊前老，雪满长安道。故人早晚上高台，赠我江南春色、一枝梅。

作者

*舒亶(1041—1103)，字信道，号懒堂，明州慈溪(今属浙江)人。治平二年(1065)进士。神宗时，历知谏院、权直学士院、御史中丞等，举劾政敌，不遗余力。曾与李定同劾苏轼以诗文讥讪新法，锻成乌台诗案。后以罪废罢。徽宗时，以开边功，累除直龙图阁待制。有集，今不传。赵万里辑有《舒学士词》一卷。

鉴赏

这是一首寄赠友人的词。一本无"寄公度"的词题。公度，或谓即黄公度，字师宪，莆田(今属福建)人。疑非是。按黄公度生于徽宗大观三年(1109)，时舒亶已卒六年，为不及见。此"公度"，似友人之字，其人俟考。

上片写日暮登楼所见。"芙蓉落尽天涵水，日暮沧波起。""芙蓉"，即荷花。荷花落尽，时当秋风初起。日暮远望，水天相接，烟波无际；客愁离思，亦随烟波荡漾而起。江上芙蓉，则使人想起"涉江采芙蓉"那首怀人的古诗，眼前秋风四起，菡萏香销，即欲有所遗赠，亦已无可采摘了。其惆怅为何如！"背飞双燕贴云寒"，正当独立苍茫、黯然凝望之际，却见一对燕子，相背向云边飞去。这是楼中凝望的焦点，也是上片的眼目所在。《玉台新咏》卷九《东飞伯劳歌》云："东飞伯劳西飞燕，黄姑(牵牛)织女时相见。”后即称朋友离别为“劳燕分飞”。这里的“背飞双燕”,即寓此意。与其说是即目感兴,毋宁说是借物抒情。“独向小楼东畔、倚栏看”,这是补叙之笔,交代前面所写,都是小楼东畔倚栏所见。“独”字轻轻点出,既写倚栏眺景者为独自一人,又透露出触景而生的孤独惆怅之感。

下片直抒念远怀友之情。“浮生只合尊前老,雪满长安道。”是说光阴荏苒,转眼又是岁暮,雪满京城,寂寥寡欢,唯有借酒销日而已。“尊”,酒杯。“长安”,借指京城。“雪满长安”,既点时地,又渲染出一派冷寂的气氛,以衬托岁暮怀人的孤凄心境。“故人早晚上高台,赠我江南春色、一枝梅”,“故人”,老朋友,指公度。“早晚”,多义语词,这里为随时、每日之意。这两句想象老朋友也同我一样,天天登高望远,思念着我;即使道远雪阻,他也一定会向我寄赠一枝江南报春的早梅。这是用南朝宋陆凯折梅题诗以寄范晔的故事。《荆州记》:“陆凯与范晔交善,自江南寄梅花一枝,诣长安与晔。赠诗曰:‘折梅逢驿使,寄与陇头人。江南无所有,聊赠一枝春。’”这一枝明艳的“江南春色”,定会给“雪满长安”的友人带来亲切的问候和友情的温暖。这是用典,却又切合作者当年与友人置酒相别的一段情事。作者有一首《蝶恋花》,题曰“置酒别公度,座间探题得梅”,有句云:“折向尊前君细看,便是江南,寄我人还远。”可见折梅相赠这一典故,具有普遍与特殊的双层涵义,用典如此,可谓表里俱化了。

(吴战垒)

菩萨蛮　　舒亶

画船捶鼓催君去,高楼把酒留君住。去住若为情?西江潮欲平。　　江潮容易得,只是人南北。今日此尊空,知君何日同?

鉴赏

这是一首送别的小词,篇幅很短,所拓展的情感空间却较为深广。

“画船捶鼓催君去,高楼把酒

留君住。”一边是江上击鼓开船，催离人赶快上船出发；一边却还在楼上饮酒话别，依依难舍。同一时间不同空间的两个镜头组接在一起，就产生了类似电影蒙太奇的效果，把将别而不忍别的情景映衬得十分强烈。使人想起柳永《雨霖铃》词中那几句：“都门帐饮无绪，方留恋处，兰舟催发。”情景相似。但这里以对句的形式展示出来，一“催”一“留”，对比更为鲜明。“去住若为情？西江潮欲平。”这两句就离人一面说。开船在即，欲去欲留，心情十分矛盾。“若为情”，即何以为情，感情上摆不平。然而江潮上涨，几欲平岸，开船的时机不可失，非走不可了。这两句一开一合，通过惜别的矛盾心理，写出对友人的深深系恋。

“江潮容易得，只是人南北。”这是送行者的口吻。友人乘坐的船，即将随江潮而去，潮去还有再来的时候，人去则天南海北，难得再见了。这又是一个对比：江潮来去容易，友人一别难逢。从将别而想到别后，笔意拓进一层，把惜别的情怀抒写得更为深挚。行文则承上片“西江潮欲平”而来，似答非答，既承且转，自然而不着力。“今日此尊空，知君何日同？”为饯行语。朋友毕竟留不住，送行者举起酒杯说：“来，今天再把这一杯喝光！这一去，不知道什么时候才能跟你重逢同饮呢。”这最后一杯别酒，满斟着深长的友谊，也寄托着重逢的希望。以问语出之，更觉情韵深长。

这首小词，依次写一催一留的离别情景，欲去欲留的离人心理，欲留难住的惜别心情，以及分手南北的慨叹和别后重逢的希冀等等，写来曲折层深，摇曳多姿，却又一气流转，语语浑然天成。宋人曾季貍《艇斋诗话》称道舒亶“工小词”，并欣赏这首《菩萨蛮》写得“甚有思致”。

（吴战垒）

念奴娇

黄庭坚*

八月十七日，同诸甥步自永安城楼，过张宽夫园待月。偶有名酒，因以金荷酌众客。客有孙彦立，善吹笛。援笔作乐府长短句，文不加点。

断虹霁雨，净秋空，山染修眉新绿。桂影扶疏，谁便道，今夕清辉不足？万里青天，姮娥何处，驾此一轮玉？寒光零乱，为谁偏照醽醁？　　年少从我追游，晚凉幽径，绕张园森木。共倒金荷家万里，难得尊前相属。老子平生，江南江北，最爱临风曲。孙郎微笑，坐来声喷霜竹。

作者

＊黄庭坚(1045—1105)，字鲁直，自号山谷道人，又号涪翁，洪州分宁(今江西修水)人，曾任国子监教授、国史编修官等职。哲宗绍圣年间，章惇等人以修《神宗实录》不实为罪名，将他贬为涪州别驾、黔州安置。徽宗时虽一度复职，旋又被贬至宜州，死于贬所。黄庭坚是北宋著名诗人，开创了江西诗派，在两宋诗坛上产生了很大影响。他以余事作词，但在当时颇负词名，和秦观并称"秦黄"。现存词一百八十余首，集名《山谷词》，又名《山谷琴趣外编》。

鉴赏

绍圣元年(1094)，词人被贬为涪州别驾，安置黔州(今四川彭水)。后移戎州(今四川宜宾)。据陆游《老学庵笔记》，此词当作于戎州。当时的戎州一带，被视为蛮荒之地，词人不能不产生"投荒万死鬓毛斑"的凄凉感受。然而，词人以旷达而倔强的胸怀来抵御人生的磨难，浮沉不系于心，荣辱不萦于怀，在这首《念奴娇》

词中，便充分展示出词人那种高朗傲岸的襟抱。

上片，词人通过一系列奇异的想象，创造出高旷清美的艺术境界。“断虹霁雨”三句，俨然是一幅色调明丽的秋山新雨图。雨后初晴，万物显示出无比清新的风采。一段半隐半现的虹霓，悬挂在傍晚的秋空，把薄暮的云朵辉映得五彩缤纷。“山染修眉新绿”，把雨后的山峦比喻为美人的修眉新施螺黛（螺形画眉墨），使山的形象呈现出一种妩媚动人的风姿，意象极为生动优美。这是翻用卓文君“眉色如望远山”（《西京杂记》）的典故，使人感到意趣新颖。“桂影扶疏”三句，与“断虹霁雨”三句有一个时间上的推移过程。先前是写薄暮时的景色，此时则是明月升起的时候。八月十五——中秋节，是月轮最亮最圆的日子，八月十七，月虽稍缺，亮度稍减，依然是万里清辉。月中斑驳的暗影，也就是词人所说的“桂影”。传说月中有桂树，高五百丈。“扶疏”，形容其枝叶繁茂。词人就又生发出更为奇特的想象：无比寥廓的万里青天之中，美丽而寂寞的嫦娥究竟在哪里驾着这一轮明月在运行呢？“姮娥”，即嫦娥，汉代因避文帝刘恒之讳，改姮为嫦。词人直接以玉代月，用这种暗喻更加突出了月亮的皎洁纯净。“寒光”承玉而来，如玉一般的明月所泼洒的是寒素的清辉。“为谁偏照醽醁”，便把镜头由天上拉到人间，集中在词人的杯盏之中，极为自然地使词意过渡到下片的叙写。“醽醁（línglù）”，代指美酒，据《荆州记》载，酃湖（在湖南衡阳市东）及渌水（在江西万载县东）之水，取以酿酒，非常甘美，因称醽醁酒。

换头处开始写人，从词人的外甥们娓娓谈起。“年少”，即少年，指跟随黄庭坚到贬所的洪朋、洪刍、洪炎等几位外甥。这三句化用了唐代大诗人杜甫《羌村》诗中“忆昔好追凉，故绕池边树”的诗意，却蕴含着更深的感慨。《羌村》是饱经乱离之后回到故园与亲人相聚之后所写，“忆昔”二句，也是追忆当年在家乡时的情景。而山谷这首词，却是写在远离故园的贬所，不能不深藏着对故园的眷恋。“共倒金荷”两句，充溢着对桑梓的怀念，对晚辈的疼爱，以及那种对贬谪生活泰然处之的旷达之情。“金荷”，金荷叶杯，形容酒器之精美。词人向诸甥劝酒，说我们离开故土千里万里，能在这里把盏对酒，是难得的啊！“属”，是劝酒之意。“老子平生”三句，字里行间，显示出词人身处逆境却不颓丧的达观态度，无论转徙何处，飘流哪方，都喜欢欣赏那种临风飞扬的刚健曲音。“孙郎”二句，“孙郎”，即序中所说的孙彦立。“坐来”,是当时俗语,意即顿时、立刻。“霜竹”,指笛子。孙郎吹出清越的笛声,使词人陶醉。全词便结束在悠扬回旋的笛音中了。

这首词虽写于谪居生活之中,但所流露的思想情调并不消沉,而且勃发着一种傲岸不羁之气。词人后半生饱经政治风雨的摧折,却仍保持着那种倔强兀傲的个性,这充分体现在他的诗词创作之中。清人姚范评价黄庭坚的创作特点:“涪翁以惊创为奇,其神兀傲,其气崛奇,玄思瑰句,排斥冥筌,自得意表。”(《援鹑堂笔记》)这是很中肯的。

(张　晶)

水调歌头　　黄庭坚

游　览

瑶草一何碧,春入武陵溪。溪上桃花无数,花上有黄鹂。我欲穿花寻路,直入白云深处,浩气展虹霓。只恐花深里,红露湿人衣。　坐玉石,欹玉枕,拂金徽。谪仙何处?天人伴我白螺杯。我为灵芝仙草,不为朱唇丹脸,长啸亦何为!醉舞下山去,明月逐人归。

鉴赏

这首词是春行纪游之作。

上片,词人把所游的溪山写得富有仙气。“瑶草”,就是仙草。词人以“一何”修饰“碧”,给人以充分的想象余地。“武陵溪”,并非实指,而是用陶渊明所写的《桃花源记》的典故,也就是指那种美好的世外桃源。这里,词人似乎又曲折地糅进了刘、阮在天台山遇仙女的典故。“入”字便把春色人格化了。她似乎从远方款款地来到这溪山之中,使之充满了盎然春意。“溪上”二句,以白描手法,极写溪畔生机勃勃的春色。桃花无数,如烂漫的红云;黄鹂鸣啭,在寂静的溪山中分外动听,可谓有声有色。“我欲”三句,出现了主人公的形象,在这幅想象的画图中,由远及近,走进最佳境界,排遣胸中积郁的烦恼,舒展出一腔浩气,像天上的长虹那样,使心灵得到净化。“只恐”二句,为这幻化的境界补足更妙的一笔。“花深里”也正是“白云深处”,云愈深而花愈浓,云雾的湿气把红花浸润得十分鲜嫩,而红花也使雾气似乎变红了,词人的衣襟也为其所湿,多美的意境啊!“只恐”二字,并非是表现怕衣湿的心情,而是一种喜不自禁的情绪。唐代诗人张旭《山行留客》诗中有这样两句:“纵使晴明天雨色,入云深处亦沾衣”。山谷这两句词可能由此而受到启发。

下片,主人公形象占据了主导地位。这个形象是那样飘逸自如、高蹈遗世。他坐在玉般的美石之上,斜倚玉枕,手拂琴弦,俨然一副醉仙模样。这几个动作描写,烘染出词人那种得意忘言、神交自然的精神境界。“金徽”,金饰的琴徽,这里用作琴的代称。“谪仙”二句,进一步抒写自己那种放达自适的胸臆。“谪仙”,是贺知章对李白的美称。“白螺杯”,用白色螺壳制成的酒杯。“谪仙”两句似乎暗借了李白《山中与幽人对酌》诗意。李诗云:“两人对酌山花开,一杯一杯复一杯。我醉欲眠卿且去,明朝有意抱琴来。”词人欲与谪仙对酌,大约由此而来。“我为”三句,须联系“春入武陵溪”一句,方能得其深意。桃源的典故在后代诗词中又常和刘晨、阮肇入天台山遇仙女的传说混杂在一起(刘、阮事见刘义庆《幽明录》)。山谷词意是说:我只是为了寻求这种世外桃源式的乐土,而非为了侥幸得遇仙女,也不为学孙登长啸。“醉舞”二句,化用李白《下终南山过斛斯山人宿置酒》诗首二句:“暮从碧山下,山月随人归。”极为生动地写出词人的醉态。“逐人”之月比“随人”之月,更为积极主动,月亮在这里被高度拟人化。

黄庭坚一贯主张诗词创作要以超轶绝俗为高标,在《跋东坡乐府》中,他称赞苏词:“语意高妙,似非吃烟火食人语,非胸中有万卷书,笔下无一点尘俗气,孰能至此!”这段话代表了他一贯的审美趣味。这首《水调歌头》的意境与格调,正体现了词人这种“超轶绝尘”的审美理想,高华超逸,不落尘俗。词中的主人公形象,颇有一点仙风道骨。词句之间缓缓流布着一种静穆平和、俯仰自得的气息。词人把自然界的溪山描绘得如此纯净美好,实际是要在词中构筑一个自得其乐的天地,自己陶醉于其中,并以此求得对充满权诈机心的现实社会的抗衡,遗忘掉那些烦恼与忧虑。另外一点,词人在诗歌创作中力主“夺胎换骨”“点铁成金”,强调“无一字无来处”,因此,山谷诗词用典颇多，书卷气甚浓。这首词虽也多处用典及化用前人诗句，但却很自然，没有晦涩难懂之处。

（张　晶）

清　平　乐

黄庭坚

春归何处？寂寞无行路。若有人知春去处，唤取归来同住。　　春无踪迹谁知？除非问取黄鹂，百啭无人能解，因风飞过蔷薇。

鉴赏

这是一首惜春之作。词人以细腻清新的笔触，表现了对美好事物热切而执著的追求。

上片，一开始便把春天拟人化。“何处”，一方面表达了词人寻觅春天的急切心情，另一方面也把词导入空灵蕴藉的境界。“寂寞”者谁？不是词人，而是春天。词人惜春、恋春，不从自己说起，却从春天道来，把春天写得像人那样有感情、有灵性。“若有”两句，就空托起，以浪漫的奇想，把对春日的依恋之情，表露得极为深切。有谁能知道春天到哪里去了呢？要请人唤回春天与其同住，涉想极为新奇。

下片，略加推宕，而意脉仍承上片。词人思索良久，似乎从离奇的痴想中醒悟过来。春天的来去，是没有踪迹可寻的，因而也就找不到一个能唤回春天的人。下边再转，拓出新的境界。既然无人能知春天的踪迹，只好去问黄鹂了。这里翻进一层，更深刻地表现出词人对美好事物追寻的执著。黄鹂是春夏之际最活跃的鸟，也可以说是欢快的象征。也许，黄鹂能知道春天的踪迹吧！但是，黄鹂的鸣啭，人是不能理解的。“百啭”，似乎是在写黄鹂殷勤告诉词人春天的踪迹，其实，正透出词人寻春的焦灼心情。最后，由于无人理解黄鹂的语意，它只好无可奈何地乘风拂过蔷薇花，远远地飞走了。词在这里结束，给人留下了美丽而悠长的情味。词人通过奇妙的、一连串的想象，把惜春之情、寻美之意，表现得微妙曲折而又淋漓尽致。

黄庭坚的词风格不一。或高旷飘逸，或俚俗狂放，或典雅优美。这首词属后者，它在构思立意上十分新奇。从风格角度讲，它更多地具有婉约的特质,而不同于他那些豪放旷达之作。意象之中,充满了静穆而柔和的美感。李清照在《词论》中主张词"别是一家",并认为黄庭坚是词家中少有的明于此道者,大约是指这类典雅优美的作品而言。

(张　晶)

绿头鸭 晁端礼*

咏月

晚云收，淡天一片琉璃。烂银盘、来从海底，皓色千里澄辉。莹无尘、素娥淡伫，静可数、丹桂参差。玉露初零，金风未凛，一年无似此佳时。露坐久、疏萤时度，乌鹊正南飞。瑶台冷，阑干凭暖，欲下迟迟。

念佳人、音尘别后，对此应解相思。最关情、漏声正永，暗断肠、花影偷移。料得来宵，清光未减，阴晴天气又争知？共凝恋、如今别后，还是隔年期。人强健，清尊素影，长愿相随。

作者

*晁端礼(1046—1113)，字次膺，祖居澶州清丰(今属河南)，徙家彭门(今江苏徐州)。熙宁六年(1073)进士。曾两为县令，因违逆上官而落职。长慢词，晚年受命为大晟府协律郎，未及就职即去世。词有《闲斋琴趣外篇》六卷传世，约九十多首。

鉴赏

月亮，是十分重要的自然景物。古往今来的墨客骚人，览物生情，常常通过咏叹月亮来表现他们的审美感受，抒写他们的思想情绪以至对人生哲理的探索。在宋词中，咏月之作，公认苏轼的《水调歌头》(明月几时有)为翘楚，但晁端礼的这首《绿头鸭·咏月》也颇得识者激赏。胡仔《苕溪渔隐丛话》就曾将晁词与苏词并论，推为佳构："中秋词，自东坡《水调歌头》一出，余词尽废。然

其后岂无佳词?如晁次膺《鸭头绿》(按:此调又名)一词,殊清婉。"(后集卷三十九)

这首咏月词的上阕是对中秋赏月的铺叙。词人先从待月入笔,循次写到月出。等待赏月的词人看着晚云逐渐消散,天穹收起一天斑斓的云锦,换成像琉璃般半透明的一色浅蓝。这时,天还没有完全黑下来,中秋的圆月就像灿烂夺目的银盘,从海底升起来了,她那洁白澄净的光辉普照着整个大地。这幅月出的图画除了以一望无际的浅蓝色天穹做背景之外,没有一点陪衬拖带,这就格外显出月出的美、月亮的圆和明。接着正面写望月:"莹无尘、素娥淡伫,静可数、丹桂参差。"词人眼前的中秋圆月,晶莹明澈,一尘不染。"素娥",月的代称。"淡伫",即"淡泞"。此言月光皎洁,明净如水。月亮又多么安宁静谧,那五百丈高的桂树,参差纷披的枝条也历历可数。在这里,词人将中秋月晶莹、静谧的自然美和关于月亮的神话传说巧妙地结合起来,这"人化的自然",使得原来冰冷死寂的世界变成了可亲可爱的仙境。赏月也就更加富有生活的情趣了。在尽情仰望观赏之余,词人这才注意到周围环境。中秋时节的气候是多么宜人啊,露珠轻洒,如珠如玉,沾在草上、花上、树叶上;秋风送爽,凉快,但没有一丝寒意。一年当中再没有比这更好的时光了。在这样的良辰美景里,词人的怡然自得、愉悦称意是跃然可见了。词人沉浸在美景之中,好久好久。周遭是那样的宁静,身边,不时有流萤飞舞;空中,正有乌鹊南飞。然而就是这些自然物的动态,诱使词人渐渐地离开静观默赏、赏心悦目的境界,思绪开始向另一端流动。他想到,那神仙居处的瑶台毕竟是寒冷的吧——我不如下楼离去吧,但刚欲抽身,又舍不得这月夜佳辰美景,故迟迟未下,栏杆都靠暖了。这里,词人"欲下"而又"迟迟"不下的心理态势,暗示了情感开始朝着相反方向流动,过渡到下阕的即景有感、览物生情,十分自然。

从"寒""暖"的对比起始,词人的思绪不可遏制地转入了对佳人的思念,酸楚苦痛逐渐奔突而出,写来曲折回环,波澜起伏。下阕先写想起佳人时痛苦的自慰。同佳人音讯阻隔已经多时了,不过今天对着这轮明月,虽然天各一方,总可以一诉衷肠,聊解相思之苦吧。但事实上想起佳人来,就无法忍受、无法抑止这种痛苦。在这静寂的秋夜,那漏壶连续不断的滴水声,听得分外真切,一声声敲打心扉,最是牵动思念者的情思;看到月光之下花影不经意间暗暗移动,想起昔日花前月下的软语温存，更是令人肠断。这一动一静，一声一色，将相思之苦，表现得入木三分。词人难过得再也无心赏月，甚至无法再在这儿耽下去了。他想逃避，明天再来赏月吧——“料得来宵，清光未减”，想来明天月光不会逊色吧？但转而一想——“阴晴天气又争知？”明天的天气是阴是晴又怎么能预料呢？词人感到无可奈何，终于渐渐从痛苦中解脱出来。既然明天靠不住，咱们还是一道专注地爱恋着今天的良辰美景吧。今天一过，要看中秋月，就要等一年了。最后又自慰、慰人，只要人身强体健，能有清酒一杯，对月成影，这样淡泊地生活下去，也就如愿以偿、可以满足了。

读罢这首词作，可以感受到它在艺术上的一个显著特点是咏物与抒情的谐和。作者写中秋月夜明亮静谧之景，抒缠绵感伤之情、清冲淡远之怀，景与情、物与我，交融谐调，成为一个精致完整的艺术品。物，随着时间的推移和视点的变化，在变换着自己的色和形；我，也由于物的变化和时的推移变化着自己的情感：或期待，或欣喜，或遐想，或愉悦，或忧伤，或希冀，或失望，或宽慰……而词人的感情虽是一波三折地起伏变动，却并没有大的起落。从字里行间虽然寄托着词人仕途不济的幽怨和企求用世的希望，但并不强烈，终于转为以“清尊素影”的淡泊生活为满足。这同全词对物的描写虽有种种变化，却始终没有越出“洁白”和“明亮”（视觉），没有打破“静谧”（听觉），是完全合拍的。所以，整首词作给人的感受是曲折婉转而又冲淡自然。它虽没有东坡《水调歌头》那种豁达，也没有山谷《念奴娇》（断虹霁雨）那样豪迈，却以它的清婉赢得读者的喜爱。

词中多处融化前人诗句，读来浑如己出，没有生涩、拼凑之感。如“烂银盘、来从海底”化用唐人卢仝《月蚀》诗：“烂银盘从海底出，出来照我草屋东。”“露坐久、疏萤时度，乌鹊正南飞”化用曹操《短歌行》中“月明星稀，乌鹊南飞”名句。再如，结尾“人强健，清尊素影，长愿相随”，也是脱胎于李白《月下独酌》的“举杯邀明月，对影成三人”和苏轼《水调歌头》结句“但愿人长久，千里共婵娟”。词作的语言要求合乎音律，在这个前提下，做到“其辞脱口而出，无矫揉妆束之态”是很不容易的。这首词化用前人成句而能信手拈来，如脱口而出，更可见作者语言上的功夫了。

（赵　舒）

青门饮

时彦*

胡马嘶风，汉旗翻雪，彤云又吐，一竿残照。古木连空，乱山无数，行尽暮沙衰草。星斗横幽馆，夜无眠，灯花空老。雾浓香鸭，冰凝泪烛，霜天难晓。　长记小妆才了，一杯未尽，离怀多少！醉里秋波，梦中朝雨，都是醒时烦恼。料有牵情处，忍思量、耳边曾道。甚时跃马归来，认得迎门轻笑？

作者

＊时彦（？—1107），字邦彦，开封（今属河南）人。神宗元丰二年（1079）进士第一，历官开封尹、兵部员外郎、吏部尚书、河东转运使。词见《花草粹编》。

鉴赏

这首词是作者远役怀人之作，写境悲凉，抒情深厚，语言疏密相间，密处凝练警动，疏处形象真切，在艺术构思方面也有其独特之处。

上片纯写境界，是作者旅途所经历的北国风光：乱山古木，黄沙衰草，一片广阔荒寒的景象，历历如画。时而风雪连天，时而残照西沉，这景象连画也画不出来。到了夜幕降临的时候，又只见外面是星斗横斜，而室内则是灯花不剪，烛泪凝结，鸭形熏炉中散放着阵阵香雾，作者彻夜无眠，沉浸在怀念之中，真觉夜长如年，难以排遣。

下片展开回忆，突出了离别的一幕，尤其着力刻绘伊人的形象。先写她为送别而梳洗装束的姿态，再写她在别宴上，举杯少饮即醉，醉后秋波频转的神情，还有是她酒醒之后，临行之际，附耳小语时的深情。

着末两句，更拓开一层，道出离别时伊人望归的迫切，并想象远人归来时，伊人欢乐的笑容。这就使本来黯然销魂的场面涂上喜人的色彩，也使伊人的形象更显得异常丰满。

这首词不见宋人传本，唯见明人《花草粹编》卷十一，殊属可贵！

（唐圭璋）

望海潮　　秦观*

梅英疏淡，冰澌溶泄，东风暗换年华。金谷俊游，铜驼巷陌，新晴细履平沙。长记误随车。正絮翻蝶舞，芳思交加。柳下桃蹊，乱分春色到人家。　西园夜饮鸣笳。有华灯碍月，飞盖妨花。兰苑未空，行人渐老，重来是事堪嗟！烟暝酒旗斜。但倚楼极目，时见栖鸦。无奈归心，暗随流水到天涯。

作者

*秦观(1049—1100)，字太虚，后改字少游，别号淮海居士，高邮(今属江苏)人。神宗元丰八年(1085)进士。哲宗元祐初被推荐入京，先后任太学博士、秘书省正字及国史院编修等职，并与黄庭坚、晁补之、张耒等人受到苏轼识拔，相互论文品诗，切磋学问，以“苏门四学士”著称于世。绍圣初年，因与苏轼等交往获罪被贬到南方，元符三年(1100)放还，途经藤州(今广西藤县)时去世。他的词远绍西蜀南唐，近受柳永影响，词风俊逸精妙，情韵兼胜。是“出色当行”的婉约派主要词人。有《淮海居士长短句》三卷。

鉴赏

这首词，宋本《淮海居士长短句》无题，汲古阁本《淮海词》题为“洛阳怀古”。细玩词意，乃感旧而非怀古；且作词之地为汴京而非洛阳。至其作期则在绍圣元年(1094)春，即旧党下台，新党再起，他因此贬官即将去京之时。

秦观曾于元丰五年(1082)及八年两度入京应试，但只在元祐五年(1090)制举及第后才留京供职五年，得以参与当时名公的文酒之会，而元祐七年的赐宴，则是他印象最深的一次。《淮海集》载《西城宴集》诗序云：“元祐七年三月上巳，诏赐馆阁官花酒，以中浣日游金明池、琼林苑，又会于国夫人园。会者二十有六人。”这是当时罕有的盛举，所以作者后来贬谪处州（州治今浙江丽水），作《千秋岁》词，还提及“忆昔西池会，鹓鹭同飞盖”，而致慨于“日边清梦断，镜里朱颜改”。此刻更是记忆犹新，怎么舍得不在贬官去国之时，重游其地，让两年前的事再现心头、形诸笔墨呢？

这首词的结构有些特别。一般的词都从换头处改变作意，如上片写景，下片写情，或上片写今，下片写昔等。此词也是今昔对比，但先写今，再写昔，然后又归到今。忆昔是全篇重点，通贯上下两片，而不从换头处换意。

上片起头三句写初春景物。梅花渐渐稀疏，结冰的水流已经融化，在东风的煦拂下，冬天悄悄走了，春天不声不响来了。“暗换年华”指眼前自然界的变化，但对于自己荣辱穷通所关至巨的政局变化即寓其中。此种双关的今昔之感，直贯结句思归之意。

从“金谷俊游”以下，一直到下片“飞盖妨花”为止，共十一句，都是在写旧游，而以“长记”两字领起。“误随车”固在“长记”之中，即前三句所写在金谷园中、铜驼路上的游赏，也同样在内。但由于格律关系（此词四、五句要实对，如柳永的《望海潮》（东南形胜）词中的“烟柳画桥，风帘翠幕”），就把“长记”这作为领起的字移后了。所以读时不可误会，以为“金谷”三句是写今而非忆昔。只要仔细一点，就不难看出：此三句所写都是欢娱之情，与下片后半所写今日的感伤心绪很不和谐，显然不是一时之事。

在汴京居住达五年之久，“长记”之事，当然甚多可说者，而这首词只写两年前春天的那一次游宴。金谷园是西晋石崇的花园，在洛阳西北。铜驼路是西晋洛阳皇宫前一条繁华街道，以宫前立有铜驼而得名。所以人们每以金谷、铜驼代表洛阳的名胜古迹。但在本篇里，西晋都城洛阳的金谷园和铜驼路却以借指北宋都城汴京的金明池和琼林苑，而非实指。与下面的西园非实指曹魏邺都（在今河北临漳西）曹氏兄弟的游乐之地而是指金明池（因它位于汴京之西）相同。古人诗词中出现的名胜古迹名称，或以实指，或为借喻，要根据诗中情事，具体分析不可一概而论。如骆宾王《艳情代郭氏答卢照邻》“铜驼路上柳千条，金谷园中花几色”，或系实指；刘禹锡《杨柳枝》“金谷园中莺乱飞，铜驼陌上好风吹”，亦为实指。而元人雅琥《汴梁怀古》“荆榛无月泣铜驼”，则显然是以洛阳之典来咏汴京，与秦词全然相同。总之，这里的“金谷”三句，是说前年上巳，适值新晴，游赏幽美名园，漫步繁华街道，缓踏平沙，非常轻快。

由于记起当年在大道上，名园中，“细履平沙”，因而连带想起最令人难忘的“误随车”那件事来。“误随车”出自韩愈《游城南十六首》中的《嘲少年》：“直把春偿酒，都将命乞花。只知闲信马，不觉误随车。”而李白的《陌上赠美人》：“白马骄行踏落花，垂鞭直拂五云车。美人一笑褰珠箔，遥指红楼是妾家。”以及张泌的《浣溪沙》“晚逐香车入凤城，东风斜揭绣帘轻，慢回娇眼笑盈盈。

消息未通何计是？便须佯醉且随行，依稀闻道太狂生”，则都可作“随车”的注释。不过是有意之随与无心之误的区别而已。士女倾城，春游极盛，在这种“车如流水马如龙”的盛况下，“误随车”是完全可能的。尽管那次只是“误随”，但却引起词人温馨的遐想，使他对之长远地保持着美好的记忆，在心里萦回不已，难以忘怀。

“正絮翻蝶舞”四句写春景。时间已由初春到了艳阳天，所以春色也就更浓丽了。“絮翻蝶舞”，“柳下桃蹊”，正面形容浓春。春天的气息到处洋溢着，人在这种环境中自然也就“芳思交加”，即心情充满了青春的欢乐。而且，这浓丽春光并非作者所独享，而是被纷纷地送到沿着“柳下桃蹊”住着的许多人家。这个“乱”字下得极好，它将春色无所不在、乱哄哄地呈现着万紫千红的图景出色地反映了出来。

换头“西园”三句，从美妙的景物写到愉快的饮宴，时间则由白天到了夜晚，以见当时的尽情欢乐。西园借指西池，已见前。曹植的《公宴》写道：“清夜游西园，飞盖相追随。明月澄清景，列宿正参差。”曹丕《与吴质书》云：“白日既匿，继以朗月。同乘并载，以游后园。舆轮徐动，参从无声。清风夜起，悲笳微吟。”又云：“从者鸣笳以启路，文学托乘于后车。”词用二曹诗文中意象，写日间在外游玩之后，晚间又到国夫人园中饮酒，听乐。各种花灯都点亮了，使得明月也失去了光辉；许多车子在园中飞驰，也不管车盖擦损路旁的花枝。写来使人觉得灯烛辉煌，车水马龙，如在目前。“碍”字和“妨”字，不但显出月朗花繁，而且还写出灯多而交映、车众而并驰的盛况。

以上十一句写旧游。把过去写得愈热闹就愈衬托出现在的凄凉、寂寞。“兰苑”二句暗中转折，逼出“重来是事堪嗟”，点明怀旧之意，与上“东风暗换年华”相呼应（兰苑指金谷、西园之类；是事，犹言每事）。追忆前游，是事可念，而“重来”旧地，则“是事堪嗟”，感慨深至。

当年西园夜饮，何等意气？今天酒楼独倚，何等消沉！烟暝旗斜，暮色苍茫，既无飞盖而来的俊侣，也无鸣笳启路的豪情，极目所至，已经看不到絮、蝶、桃、柳这样一些春色，只是“时见栖鸦”而已。这时候，当然早已没有了交加的芳思，而宦海风波，仕途蹉跌，也使词人不得不离开汴京，于是归心也就自然而然地同时也是无可奈何地涌上心来了。

这首词的主旨是感旧，感时之意即寓其中；由感旧而思归，则盛衰之异自见，故以今昔对照为其基本表现手段。它用大量的篇幅写旧游之乐以反衬今日之牢落衰老，因此，具有很强的感染力。这也就是周济《宋四家词选》所说的“两两相形”。如酒楼和金谷、铜驼、西园、兰苑，“烟暝酒旗斜”和“华灯碍月，飞盖妨花”，“倚楼”和“随车”，“栖鸦”和“蝶舞”，“归心”和“芳思”，“暗随”和“乱分”，“天涯”和“人家”，无往而非两两相形，以见今昔之殊，而抒盛衰之感。

（沈祖棻）

水龙吟　　秦观

小楼连苑横空，下窥绣毂雕鞍骤。朱帘半卷，单衣初试，清明时候。破暖轻风，弄晴微雨，欲无还有。卖花声过尽，斜阳院落，红成阵，飞鸳甃。　玉佩丁东别后，怅佳期参差难又。名缰利锁，天还知道，和天也瘦。花下重门，柳边深巷，不堪回首。念多情但有，当时皓月，向人依旧。

鉴赏

淮海词多咏离情别意，且往往将仕途蹭蹬的身世之感绾入其中。这首荡气回肠的相思曲系元祐初年作于蔡州（治所在今河南汝南）。曾慥《高斋诗话》云：“秦少游在蔡州，与营妓娄琬字东玉者甚密，赠之词云：‘小楼连苑横空。’”故明嘉靖张綖鄂州全集本《淮海长短句》、毛晋汲古阁刊本《淮海词》等皆题作“赠妓娄东玉”。对一个沦落风尘的薄命女子，作者竟钟情若此，这绝非为征管逐弦而出入青楼的薄幸子弟所能望其项背。

词的上片在细致入微的景物气候描写中暗寓抒情主人公乍暖还寒、怅惘莫名的心境，虽然了无一字言及“情”，其情却跃然纸上，如可触摸。首二句曾受到苏轼的善意讥诮，以为“十三个字，只说得一个人骑马楼前过”，稍嫌累赘（见《高斋诗话》）。其实，细加把玩，作者如是措辞，自有其艺术匠心。“小楼”句系由张籍《节妇吟》诗“妾家高楼连苑起”化来，写作者所在的楼房紧傍园林横空而立。唯其“连苑”，才能将“红成阵，飞鸳甃”的伤心惨目之景一览无余，生发出佳期难再的断肠情怀。这就不仅点明了作者相思的处所，而且巧妙照应了下文，草蛇灰线，有迹可寻。而易“高楼”为“小楼”，则隐隐见出作者官职的卑微和居所的清寒。不仅如此，曾季貍《艇斋诗话》还以为“小楼连苑横空”六字中暗藏“娄琬”之名。可谓“一石数鸟”。“下窥”句写作者闲倚栏杆，俯视通衢，但见华美的车马匆匆奔驰。这同样值得玩味：那疾驰而去的车马岂不牵动着作者的情思，勾引起他对“一别音容两渺茫”的心上人的忆念？他情随车发，思逐马驰，多想也这般绝尘而去，与心上人重续欢会，却又苦于身不由已。因而这句已暗逗下文“名缰利锁”的感叹，实无一字虚设。苏轼仅从修辞学的角度着眼，未免失察。“朱帘半卷”以下六句从不同侧面着意描摹其时的气候和景物特点，既点明时令，又暗示心境。我们不能不惊叹作者对大自然的敏锐观察力。“朱帘”三句从人着笔：时值清明，气候转暖，室内用以抵御寒风的朱帘已卷起一半，作者也已“脱故服新”，试穿单衣。“破暖”三句从“物”落墨：温暖的春风时隐时显，送来阵阵暖意；轻盈的春雨时断时续，仿佛戏弄着人们盼望已久的清明。这既是对清明时节的气候景物特点的准确描绘，也是对作者此时此际的心境的生动写照。作者的离愁别恨不也像这春雨一样“欲无还有”、时断时续吗？这里，“破”“弄”二字赋物态以人情，饶有意趣。“卖花声过尽”以下四句借落英缤纷的暮春景象抒写作者的伤春惜花意绪。花期已过，深巷中再无卖花的吆喝声传来；夕阳映照下的小小院落里，落花犹如阵雨一般，飘坠在井台上。有景若此，已够难堪，何况那斜阳、落英、鸳甃又都是足以令作者触目兴感、低徊再三的意象！前人每每称道淮海词善于融情于景，其实，情与景会，本是中国古典诗歌的艺术传统，非独秦观熟稔于此。秦观的独到之处在于：他惯于用凄迷之景，写凄苦之情，因而在淮海词中我们几乎看不到“乱石崩云，惊涛裂岸”的壮阔之景，也几乎看不到

“宝函钿雀”“翠屏金凤”的绮丽之景,看到的只是与他的心情相惬的“斜阳”“腻云”“残雨”“乱红”“衰草”等。作者便用这些富有象征意义的景物构成一个惨淡、迷蒙的境界,而自己则如痴如醉地吟唱于其中。这里的斜阳、落花,也是触发作者一腔愁绪、满怀离思的媒介。不言而喻,作者伤春实自伤,惜花实自惜。

累月经年,佳期错失,欢会难再,这使作者怅恨无已。“玉佩”,指衣带上所系玉饰。“丁东”,是摹拟玉佩相击之声。李商隐诗云:“鲍壶冰皎洁,王佩玉丁东。”这里,“玉佩丁东”四字不仅是对别时情景的一种绘声绘色的描写,别具情致,而且巧妙运用嵌字法,织入了娄琬小字“东玉”,是上片起句的“故技重演”。“参差”,在这里是错失的意思。薛能《下第后春日长安寓居》诗云:“隔年空仰望,临日又参差。”“名缰利锁”以下三句揭示佳期难又的原因,并声言自己痛苦之深,足以感天动地。“名缰利锁”,是说自己身在官场,为名利所束缚,不能随心所欲,恣意而行,以至失去种种机缘。这是作者的痛惜愧悔之情的真诚流露。“天还知道,和天也瘦”,虽系点化李贺《金铜仙人辞汉歌》诗中“天若有情天亦老”句意,用在这里却丝丝入扣,宛如己出。如果以科学常识来衡量,这自然属于无理之妄语。然而,“诗歌不能凭仗哲学和智力来认识”(鲁迅《集外集拾遗·诗歌之敌》)。唯其作如是的奇想和夸饰,才能化无形为有形,突现作者的相思之苦、忧愁之深,这就是所谓“无理之理”。作者《河传》中的“若说相思,佛也眉儿聚”,“人人尽道断肠初,那堪肠已无”,“便做春江都是泪,流不尽、许多愁”,“春去也,飞红万点愁如海”等语皆同此例。宋代道学家程颐不谙其中三昧,曾指责作者亵渎“上穹尊严”,这显然是“感情已经冰结的思想家”所作的一种“谬误的判断和隔膜的揶揄”。“花下重门”以下三句点明昔日欢会的地点。在那花影摇曳、柳枝飘拂、从而显得分外幽静的“重门”“深巷”中,他们曾度过多少个美好的晨昏。然而,往事已矣,哪堪重忆?在这天各一方的日子里,对幸福的回味只能撩起内心的创痛。这里“不堪回首”四字下得何其沉重!“念多情但有”以下三句托出物是人非之感,收束全篇。唐张泌《寄人》诗云:“多情只有春庭月,犹为离人照落花。”秦观一本其意,说只有亘古如斯的一轮明月不改故貌,“向人依旧”,这就暗示自己早已不胜相思之情的煎熬而形销骨损。全词以景起,以景结,而其中一以贯之的则是作者执著的情愫。

(肖瑞峰)

八 六 子

秦 观

倚危亭,恨如芳草,萋萋刬尽还生。念柳外青骢别后,水边红袂分时,怆然暗惊。 无端天与娉婷,夜月一帘幽梦,春风十里柔情。怎奈向、欢娱渐随流水,素弦声断,翠绡香减;那堪片片飞花弄晚,蒙蒙残雨笼晴。正销凝,黄鹂又啼数声。

鉴赏

词写别后相思。一般说来,词以景起为多,由景而情,纡徐平缓。这首词劈头却由情直入,一起便揭出一个"恨"字,有破空而来之势。人们仓促间不知其"恨"之由来,但从绵延天际的芳草,却深深感受到了这种莫名之"恨"的强度和力度。这就是周济评此词的所谓"起处神来之笔"(《宋四家词选》)。"刬",通"铲"。"芳草",词人倚楼所见,是客观实景,今比之以"恨",则本自李煜《清平乐》"离恨恰似春草,更行更远还生",而就其"刬尽还生"、生之不绝所体现的惊人的顽强性和不可遏制性来说,却分明脱胎于白居易的"离离原上草,一岁一枯荣。野火烧不尽,春风吹又生"(《赋得古原草送别》)。如此运用前人诗句,方尽融化之妙。以下用"念"字领起一联对句,引出回忆,点明"恨"之由来。那是若干年前的一次离别场景:"柳外水边",环境幽雅,一个揽辔"青骢"(青白色骏马),一个飘然"红袂"(红袖衣衫),色泽鲜丽。脑海中的景象越清晰鲜明,心胸间的愁恨就越是萦结难解。真是欲罢不能,"不思量,自难忘"。倚亭远眺,意在赏景遣怀,不料"对景难排",满目芳草又唤醒了"柳外水边"的痛楚回忆,激起了"青骢红袂"的离愁别恨。对这种不期而然、突来遽至的情绪,连词人自己也不知所以,因而不觉"怆然暗惊"。何以悲伤之余,又暗暗心惊呢?心惊什么?心惊岁月的流逝竟然没有冲淡往昔的形象,离别的场景依然记忆如新;心惊离愁别恨竟像眼前"刬尽还生"的芳草,是那样顽强固执地萦绕心际,剪不断,铲不尽,一触即发,一发而不可收。所以说,

"怆然暗惊"四字言简意深,形神兼备,内蕴丰厚。从结构技巧上说,它既暗应篇首,突出一个"恨"字,又虚虚顿住,煞住上片,为下片的叙事抒情留出宽阔余地。

下片回溯别前的欢洽之情,起得似乎突然,实际上远承"念"字,而万千情丝总是从"怆然暗惊"的心理神态中生出,所谓过片"岭断云连"者是,亦词家所称"暗接"之法。"无端"三句化用杜牧《赠别》诗意:"娉娉袅袅十三余,豆蔻梢头二月初。春风十里扬州路,卷上珠帘总不如。""无端天与娉婷",赞其"天生丽质",埋怨上天何以平白无故地赋伊如此美妙的面容和婀娜风姿,使己倾慕不已,以致至今犹难忘怀。这种写法妙在无理有情。归咎上天,貌似无理,实则微妙地表现一种不可自制的痴呆之情。"夜月"一联正面写欢娱情事,但用笔含蓄,"春风柔情""夜月幽梦",主要以境取胜,不像他的某些俗词间涉媟亵。"怎奈向"以下陡转,五句一气贯注,从甜蜜的回忆转为别后至今的相思之苦。"怎奈向",即"怎奈","向"字为语尾助词,无义,用来加强"无可奈何"的伤感语气。欢娱恨短,如水东逝;多少年来,素琴在目,但她那美妙悦耳的琴声已不复可闻;翠巾随身,但那上面的香气却渐渐消失了。"那堪"以下,情越转越深。事去情在,睹物思人,人已不堪其愁,更何况面临一派暮春景象呢!"去年春恨却来时,落花人独立,微雨燕双飞。"(晏几道《临江仙》)词人面对晚风轻拂中的片片飞花,似晴还阴中的蒙蒙残雨,神思飘扬,黯然销魂,所触发起的正是这种春去人孤的强烈"春恨"——离别之恨。煞拍"正销凝"句一顿,继以"黄鹂又啼数声",将词意推进一层,以转为收。正当词人凝视飞花残雨茫然出神之际,耳旁忽然传来了数声黄鹂的啼鸣。是怨其啼声破神,抑或因鸟思人?是鸟啼春归之苦,抑或鸟乐人愁之恨?好在含而不露,启人想象,饶有余味。这个结尾显然仿效杜牧《八六子》笔法。杜词云:"正销魂,梧桐又移翠阴。"前人或谓秦不如杜(洪迈《容斋四笔》),未必公允。杜词梧桐移影,秦词黄鹂啼枝,一写宫怨,一赋离恨,各得妙理,安可强分轩轾。

词由情切入,突兀而起。其间绘景叙事,或回溯别前之欢,或追忆离后之苦,或感叹现实之悲,委婉曲折,道尽心中一个"恨"字。"可堪"以下,不再说情,纯写眼前景物,寓情于景。最后以黄鹂鸣声作结,显得空灵含蓄。这首词在语言上好用对句,如"柳外水边""夜月春风""素琴翠绡""飞花残雨"皆是,尤以"夜月"和"飞花”两联为佳，不仅语言工丽，而且各具意境。“弄”字、“笼”字，炼字亦胜。

（朱德才）

满 庭 芳

秦 观

山抹微云，天粘衰草，画角声断谯门。暂停征棹，聊共引离尊。多少蓬莱旧事，空回首、烟霭纷纷。斜阳外，寒鸦数点，流水绕孤村。　销魂。当此际，香囊暗解，罗带轻分。谩赢得、青楼薄幸名存。此去何时见也？襟袖上、空惹啼痕。伤情处，高城望断，灯火已黄昏。

鉴赏

秦观善写离情别绪，这首《满庭芳》更是名噪一时，于元丰年间已“盛行于淮楚”一带（见叶梦得《避暑录话》），致有杭城歌妓琴操改韵之说（见吴曾《能改斋漫录》），虽是赞扬琴操的才思敏捷，却也说明了此词传唱之广、影响之深。词写与情侣告别场景，类乎柳永笔法，可与柳永《雨霖铃》（寒蝉凄切）一阕对读。

词从绘景开笔。“山抹”一联以其对仗工稳、下字精炼、绘景贴切而盛传都下。据说东坡曾戏呼以“山抹微云君”，更曰：“山抹微云秦学士，露花倒影柳屯田。”其婿范温赴宴，竟以“某乃‘山抹微云’女婿也”而自抬声价，闻者无不绝倒。我们且看作家的艺术手段：远山淡云，衰草接天，乃城郊深秋之景。今于“山”“云”之间下一“抹”字，直如丹青高手挥舒妙笔，将那一缕柔薄飘浮的白云轻轻抹于山腰之间，何等的清淡高远！“草”“天”相接，一派萧瑟苍茫，着一“粘”字，何等的形象真切！这两句是极目所见，下一句是侧耳所闻，谯楼上呜咽凄清的画角声时断时续，又平添出不少悲凉气氛。三句绘景固妙，其作用尤在为惜别伤怀作有力的渲染与烘托。起式与柳词略同。以下由远而近，由景物而人事，引出饯别场景，“暂停”两句亦即柳词“都门帐饮无绪，方留恋处，兰舟催发”句意。“暂停”，言留别时间短促。“聊共”，足见对饮无绪，一杯离酒在手，顿觉无限"旧事"涌上心头。

"蓬莱"，指会稽龙山下的蓬莱阁。据《艺苑雌黄》载："程公辟守会稽，少游客焉，馆之蓬莱阁。一日，席上有所悦，自尔眷眷，不能忘情，因赋长短句。"秦观《别程公辟给事》诗中有句云："买舟江上辞公去，回首蓬莱梦寐中。"亦可资参证。其时当在元丰二年(1079)，则少游三十一岁仍为一介布衣，怀才不遇，心绪难免抑郁寡欢。由此可知，"蓬莱旧事"主要指往昔情事，但也不无一定身世之感。临别怀昔，有"多少蓬莱旧事"萦绕胸际啊！但词人不忍直赋其事，才触即转，用"空回首"三字一笔荡开，又以"烟霭纷纷"句轻轻拢住。"烟霭纷纷"紧承"空"字，亦景亦情，虚实兼顾。无限"蓬莱旧事"竟如眼前弥漫于水面的烟雾一般，既分明在目，却又纷乱而不可理，迷茫而不可追，这正是秦词之委婉含蓄处。往事已然纷乱迷茫，不堪回首，那么，别后前程又将如何？词人仍不用实笔，而是借景传意，透过淡烟薄雾，推出又一画境："斜阳外，寒鸦数点，流水绕孤村。"这三句被友人晁补之称为"虽不识字人，亦知是天生好言语"(《苕溪渔隐丛话》)，即谓其自然清丽，形象鲜明，雅俗共赏。其实，诗本自隋炀帝杨广诗句："寒鸦千万点，流水绕孤村。"不过经词人用长短句式一错落，并衬之以"斜阳外"，于是不仅尽得"词味"，而且将自然实景变作虚实相间、迷离惝恍之境了。求诸内涵，则于秋意萧瑟外，不无天涯沦落、前途未卜的身世之感寄寓其中(有人以为马致远的令曲《天净沙·秋思》即由此脱胎)。此种情境与柳词"今宵酒醒何处？杨柳岸、晓风残月"相类，皆临别展念未来，而又借景寓情。

换头直以情起，"销魂"用江淹"黯然销魂者，唯别而已矣"(《别赋》)意，点出伤离题旨。"香囊"两句回应上片"暂停征棹"，言临别情意。古时男子有系香囊的风习，如繁钦《定情诗》："何以致叩叩，香囊系肘后。"上句写男方暗解香囊以赠。古时用锦带制成菱形连环回文结，以示同心恩爱，梁武帝《有所思》："腰中双绮带，梦为同心结。"林逋《相思令》："君泪盈，妾泪盈，罗带同心结未成。"下句谓女方轻轻拆开罗带同心结，以示从今两别。此处"轻"字兼含"轻轻"和"轻易"两义。相见时难别却易，别时容易见时难，这其中自有种种难言之隐。词人此时已过而立之年，然犹一介布衣，所以下句"谩赢得、青楼薄幸名存"，化用杜牧"十年一觉扬州梦，赢得青楼薄幸名"(《遣怀》)，也是心有灵犀，兼指爱情、仕途两不如意的。周济慧眼独具，指出"将身世之感打并入艳情，又是一法"(《宋四家词选》)。正因为今后相见无期，所以临别纵然泪湿襟袖，也不过是"空惹啼痕"而已。一个"空"字，增添无限酸辛。

"伤情处，高城望断，灯火已黄昏。"下片自"销魂"以下，或直赋情事，或坦陈胸臆，一气贯穿，颇有酣畅之势，至"伤情处"稍作顿挫，束住上文，唤起煞拍两句，以景结情。这样既见文势起伏变化，又使结尾有含蓄不尽之意。"高城"两句，细加品味，当是征棹开发，人已两别，为词人在逐渐远去的舟船上回望高城的情景，表现出依依不舍的感情。时已黄昏，极目望去，高城渐隐，唯见一片灯火闪烁而已。所谓"高城已不见，况复城中人"(欧阳詹《初发太原途中寄太原所思》)。情在景中，意在言外，令人怅然不已。

善于将事、情、景三者融汇一气，是该词艺术表现上的一大特色。全词叙事仅两处："暂停征棹，聊共引离尊"和"香囊暗解，罗带轻分"，却是作品抒情的基础，即所谓即事抒情。词的上片以写景为主，景中寓情；下片以抒情为主，情中有景。景色从微云度山写入，继之以斜阳归鸦，收之以灯火黄昏，时间逐步推移，景色渐次昏暝，人事则由停棹饯饮，到赠囊话别，到舟发人远，脉络清晰，层次井然。而融贯全词的则是"黯然销魂"的无限伤离之情。

(朱德才)

江城子

秦观

西城杨柳弄春柔，动离忧，泪难收。犹记多情，曾为系归舟。碧野朱桥当日事，人不见，水空流。　韶华不为少年留，恨悠悠，几时休？飞絮落花时候、一登楼。便做春江都是泪，流不尽，许多愁。

鉴赏

词写离愁别恨，读来清丽和婉，仿佛一支优美动听的小夜曲，细加玩味，则无限哀怨，亦"伤心人"之作。观其情意，犹如《满庭芳》之续篇。前者"暂停征棹"话别时，此则"曾为系归舟"忆别后。

旧地重到,万千感慨,均由眼前景物生出。按词人元丰八年(1085)登进士第,除定海(今浙江镇海县)主簿,此系途经会稽时作。当然,北宋每多即席"应歌",似也不必拘泥时代和考稽本事。

词起笔赋柳。"西城",当年离别之地。"春",点明节气。"柔",咏柳形态。这句妙在"弄"字化静为动,将景点活。春风微拂,柔条万千,款款起舞,婀娜多姿,这在常人看来,何等赏心悦目。然而,何以独对词人偏偏触发起满怀离愁和无穷泪水呢?一则,折柳送别原是古代传统风俗,因此见柳而动离愁,也是人之常情。二则,此柳乃是当年别时之柳,而且承它多情,曾为自己一系归舟,印象鲜明,至今记忆犹新。三则,故地重游,见柳思人,睹物伤情。所以以下由柳及人,引出一段往事的回忆。往事纷繁,众味兼有,从何着笔呢?词人不叙当时折柳话别之痛,却忆昔日"碧野朱桥"同游之乐,此反衬手法,以往昔双飞之乐,衬今日影单之悲。由于作者重在叹今,故于忆昔处稍触即离,转笔作收:"人不见,水空流。"看其低徊怨绝之态,惆怅流连之情,跃然纸上。

下片劈头就是意极沉痛的一句:"韶华不为少年留。"这是由上片结处的"水空流",联想到岁月如流,青春不再。人生是短促的,但离恨悠悠,却无休无止。特别是在这暮春时分登楼远眺,眼见柳絮飞坠,落花飘零,大好春光冉冉消逝,更是倍增一种知己难觅、人生易暮之慨。"便做春江都是泪,流不尽,许多愁。"正当词人倚楼深深自苦自愁之际,目光掠过浩荡东去的春江,景与情会,忽地萌动出一个惊人之想:满江春水竟然变成了一江辛酸之泪。但接着又一回念:即便如此,也流不尽自己胸中的无穷离愁啊!

显然,该词以善用比兴见长。上片主要叙事,却以咏柳起兴,归舟、碧野、朱桥、玉人皆由此顺序迭出,离忧、愁泪也由此相继而生。下片主要抒情,继直抒胸臆之后,以夸张性的比喻作结,文情流畅而意味无穷。古代诗词中以水喻愁的佳句不少,其中尤以李煜《虞美人》词中的"问君能有几多愁,恰似一江春水向东流"最负盛名。此外,李煜又有以春草喻恨的名句:"离恨恰似春草,更行更远还生。"(《清平乐》)欧阳修融二为一,说"离愁渐远渐无穷,迢迢不断如春水"(《踏莎行》),属正面化用的范例。秦词之长在于比喻出神入化,在于反用李词,自出新意。"愁",是一种抽象的感情,可以用"一江春水"喻其绵绵不断,喻其无穷无尽,但它如何能"流"得?细品秦词,其化合过程当如下:心中之愁——眼中之泪——江中之水，于是作者的“愁”就可以尽情地“流淌”了，此其一。“满江都是泪”，其泪可谓多矣，其愁可谓大矣。然而，即便如是，浩荡春江日夜东流，也还是“流不尽”词人眼中的泪、心中的愁。则其泪之多，其愁之大，近乎难以言传，唯有神会了。化用李诗而有所翻新，无怪自成警策矣，此其二。谈到对后世的影响，我们当然也不可忽视郑文宝的一份功绩，其《柳枝词》亦有句云：“不管烟波与风雨，载将离恨过江南。”“愁”，不仅能“流”，居然也可用船来“载”。由此可知，稍后李清照的名句“只恐双溪舴艋舟，载不动，许多愁”（《武陵春》），即由秦、郑两家诗词脱化而来。以后，金人《董西厢》有“休问离愁轻重，向个马儿上驼也驼不动”，元人《王西厢》有“遍人间烦恼填胸臆，量这些大小车儿如何载得起”，将“愁”马驼车载，比喻上的夸张翻新，都是承上演化而来。而在这一语言艺术的长期演化过程中，秦词承上启下，卓有其功。

（朱德才）

鹊桥仙

秦观

纤云弄巧，飞星传恨，银汉迢迢暗度。金风玉露一相逢，便胜却、人间无数。　柔情似水，佳期如梦，忍顾鹊桥归路？两情若是久长时，又岂在、朝朝暮暮。

鉴赏

本词采用七月七日之夜牛郎织女相会于天河鹊桥的传说。“七月七日，世谓织女牵牛聚会之日，是夕陈瓜果于庭中以乞巧。”（《荆楚岁时记》）内容切合题意，所描写的虽是天上景象，实际上是词人七夕仰观星空时的所见和所思。首三句先形容秋云纤薄，并在不断飘动中变化出繁多而巧妙的花样，这让人联想起织女灵巧的双手。再看织女牵牛两颗星星不停地闪烁，似乎蕴含着无限怅恨，他们所恨的大概是各处一方，难得相会吧。“迢迢牵牛星，皎皎河汉女。纤纤擢素手，札札弄机杼。终日不成章，泣涕零如雨。河汉清且浅，相去复几许。盈盈一水间，脉脉不得语。”（《古诗十九首》）只有在七夕，才能互诉衷曲。“七月七日牵牛织女会天河。”（傅玄《拟天问》）“银汉”即是天河，“暗度”，不仅写夜幕沉沉、星光微茫，而且还传出他们两人相思不得相见，如今匆匆会面又即将分离的万千愁绪。“金风”两句，点出季节。牛郎织女相逢于秋风飒爽、白露初降之际：“恐是仙家好别离，故教迢递作佳期。由来碧落银河畔，可要金风玉露时。”（李商隐《辛未七夕》）“一相逢”与上面的“恨”字相呼应，但词人并不仅仅着眼于“恨”字，却反而认为这“一相逢”能胜过人间的不分离。这样，就为下片的描述起着过渡作用。

下片首三句展开想象。词人设想两星相会于鹊桥的情景。他俩情意绵绵、互倾衷曲，真是银汉迢迢、两心悠悠；而七夕佳期，又是瞬息即逝，如同梦幻泡影一般，转眼即将赋别离。“忍顾”，即怎么忍心顾。鹊儿行将远飞，归路也就断绝，在匆匆话别后，真不忍回顾那踽踽独自返归的身影。末句跳出俗套，立意较高，即认为两情的久长与否，并不在于能否朝暮相会。这种看法胜过白居易《长恨歌》以永远相爱不相离为爱情的最高愿望：“七月七日长生殿，夜半无人私语时；在天愿作比翼鸟，在地愿为连理枝。”苏轼的中秋词《水调歌头》末两句：“但愿人长久，千里共婵娟。”是从月有阴晴圆缺联系到人有悲欢离合，继而又将手足之情扩大而为“月常圆，人长久”的美好祝愿，与之相较，本词虽较一般恋情词高出一筹，但也仅止于男女之爱的范畴，因此就不及苏轼中秋词的博大高远。

（潘君昭）

减字木兰花　　秦　观

天涯旧恨，独自凄凉人不问。欲见回肠，断尽金炉小篆香。　　黛蛾长敛，任是东风吹不展。困倚危楼，过尽飞鸿字字愁。

鉴赏

这首词写一女子独处怀人的苦闷情怀。

上片写独自凄凉，愁肠欲绝。首句“天涯旧恨”四字极凝练、极沉重。“天涯”，写彼此分离而天各一方，是就距离言；“旧恨”，写别愁之长，离恨之深，是就时间言。一篇本事，已就此揭出，所谓“黯然销魂者，唯别而已矣”。既相别天涯，自生离恨，然累月经年，此恨萦盘于心，有增无减，可见情深意笃。唯其如此，方倍感独处的“凄凉”。“人不问”之“人”，恐非泛指，此“人”，应指远在“天涯”而为其朝思暮想之人。其人“不问”，可见音信杳杳，相思难寄，这必然加重她的疑虑和愁思。“独自凄凉”四字，得以进一步落实。

三、四两句，写她在百无聊赖的苦闷中，只好燃香数刻，以耗光阴。目睹“篆香”（香烟缭绕若篆文形状）曲曲，她立刻感到，自己伤离念远的九曲柔肠，不正像这曲曲盘环的篆香吗？她似乎在默默地寄语远人：心上人啊，想知道我相思的愁肠是怎样的百折九回吗？就像那金炉中篆香的往复盘曲啊！这里“断尽”二字，可以看作虚实兼指。其实指，是说炉香燃尽熄灭，烟气已断。可以想象，当她独守空房，注目香烟的升腾缭绕时，那环境该是怎样的死一般的寂静，而这死一般寂静的环境气氛，正衬托出她那空虚寂寞、愁闷无聊的内心感情。其虚指，是说自感柔肠寸断，有如篆香烟断，这样，便极写其相思的愁苦和怀人的深切。

过片两句，上承“旧恨”二字，写其愁眉难展的情态。由于别离之恨难以消除，存于心头而现于眉梢，以致常常双眉紧蹙，满面愁容，任“东风”吹拂，亦难以舒展。此句构想特妙，春天来临，“东风”劲吹，它吹开了百花，吹绿了大地，多么神奇而具有伟力的风！然而，“任是东风”，却怎么也没有吹展她那“长敛”的“黛蛾”（特指美人眉）。实际含义大约是说，尽管春回大地，百花吐艳，万物争荣，一派美景，也并不能使她觉得一丝一毫的赏心悦目。这不但揭示出了她的离愁别恨的深沉，也表现出她精神负担的沉重。在那“长敛”和“不展”的背后，包含着“花容憔悴”“芳姿瘦损”等丰富的潜台词。此句的构思命意，有可能受到李白“秋风吹不尽，总是玉关情”这两句诗的启发，相比之下，秦词更鲜明生动，更富有情思。

下片所写，环境已由室内转到室外，百无聊赖的女主人公，已由室内的注目炉香而转到“困倚危楼”了。她默默无语地望着天空，目视着大雁的飞过，她相信那鸿雁传书的美谈，渴望着远人锦书的到来。但是，凭着多次失望的经验，她又知道那毕竟是缥缈无凭的，目睹鸿雁来去，只不过更增离恨，那飞鸿排成的“一”字

"人"字,在她看来,都不过是一个个巨大的"愁"字而已。她带着理念上的失望,但也带着几分感情上的希冀,等待着,等待着……直到倚遍危楼(高楼),直到飞鸿"过尽"。可是,还是音信全无,她又一次失望了!依然是"天涯"离恨,依旧是"独自凄凉"!

这首词通体悲凉,可谓断肠之吟,尤其上下片结句,诚如唐圭璋先生所言:"皆愁极伤极之语。"(《唐宋词简释》)秦观早年多写儿女柔情以应歌,情调婉丽,中晚年贬放南迁,常以比兴手法寓家国身世感慨于男女相思离别,故词中骤增凄厉之音。拿此词与他的《踏莎行》《千秋岁》《鼓笛慢》等后期词作参读,似觉这首词亦应作于后期,因而,在那怀思远人的浓重离愁别恨中,恐怕就别有寄慨了。从艺术表现上看,此词出语凝重,显出沉郁顿挫的风致,与秦观词以柔婉见长的主要倾向相对来说,这首词在《淮海词》中可算别具一格。从声律上看,《减字木兰花》这个词调四换韵,且平仄交错,读起来抑扬分明,有强烈的起伏跌宕之感,秦观用以抒写一种愁肠百结的沉郁感情,算是恰到好处。

(赵义山)

画 堂 春　　　　秦 观

落红铺径水平池,弄晴小雨霏霏。杏园憔悴杜鹃啼,无奈春归。　　柳外画楼独上,凭栏手捻花枝。放花无语对斜晖,此恨谁知!

鉴赏

秦观是北宋词坛上一位重要的作者,这一则自然是因为他的词具有一种婉约纤柔的特美;再则也因为这种特美,与词之性质有特别相近之处;因此当词之发展,已经在苏轼手中达到了诗化之高峰以后,秦观词的成就,就更有了一种对词之本质重新加以认定的意义。而其后较秦观时代稍晚的一些作者,如贺铸、周邦彦诸人,其作风乃多近于秦,而并不近于苏,所以陈廷焯《白雨斋词话》卷一乃谓"秦少游自是作手,近开美成,导其先路"。而秦观词在宋词发展中的重要性，也就由此可以概见一斑了。而更可注意的则是秦观词中所表现的婉约纤柔之特点，乃全出于其心灵中那份敏锐善感之天性的资质，所以虽然是对词之本质的回归，然而与以前五代的《花间集》和北宋初年的晏殊、欧阳修诸人的词风，则又各有不同。《花间集》中的作品大多为歌筵酒席之艳歌，其纤柔婉丽之品质，乃是与现实之女性结合有密切之关系者，而并不必为作者个人心性品质之流露，这是秦观词之所以与《花间集》中一些纤柔婉丽之作，表面上作风虽然看似相近，而实际上却有所不同的缘故。至于晏、欧的一些小词，则又因为他们在学问事功方面各有过人的成就，因此在他们的小词中，也就隐然结合了个人的怀抱修养，而如此也就并不仅是其心性本质单纯自然之流露了，这是秦观词之所以与晏、欧的某些纤柔婉丽的小词虽看似相近，而实际上却也有所不同的缘故(关于这些词人在风格方面的细致的差别，可参看我以前在《四川大学学报》所发表的《灵谿词说》论各家词之文稿)。所以刘熙载在其《艺概·词曲概》中，乃云“秦少游词得《花间》《尊前》遗韵，却能自出清新”。冯煦在其《宋六十一家词选例言》中，亦云：“他人之词，词才也；少游，词心也，得之于内，不可以传。”这些评语都不失为对秦观词的体会有得之言。现在我们就将以这一首《画堂春》词为例证，来对秦观词的此种出于心性之本质的婉约纤柔之特点，一加赏析。

这是一首伤春之词，这自是一望可知的。伤春原是自唐五代以来，词人所经常叙写的一个主题。即以《花间集》而言，如温庭筠《菩萨蛮》词的“杨柳又如丝，驿桥春雨时”，韦庄《谒金门》词的“满院落花春寂寂，断肠芳草碧”，便都是写伤春之情的小词。还有晏殊《浣溪沙》词的“满目山河空念远，落花风雨更伤春”，及欧阳修《玉楼春》词的“直须看尽洛城花，始共春风容易别”，便也都是写伤春之情的小词。但温、韦所写的乃是以男女之相思离别为主的伤春之情，而晏、欧所写的则一则表现了圆融的观照，一则表现了豪宕的意兴，都隐然有个人的襟抱修养流露于其间(参看《四川大学学报》所刊拙著《灵谿词说》中论各家词之文稿)。可是秦观这一首小词所写的，却只是由于春归之景色所引起的一片单纯锐感的柔情。开端的“落红铺径水平池，弄晴小雨霏霏，杏园憔悴杜鹃啼”三句，全从眼中耳中所见所闻之春归的景物写起，而且全不用重笔，写“落花”只是“铺径”，写“水”只是“平池”，写“小雨”只是“霏霏”,第三句写“杏园”虽用了“憔悴”二字,明写出春光之迟暮,然而却也并不是落花狼藉风雨摧残的重笔,而是在“憔悴”中也仍然有着含敛的意致。所以下一句虽明写出“春归”二字,但也只是一种“无奈”之情,而并没有断肠长恨的呼号。这种纤柔婉丽的风格,正是秦观词的一种特点。至于此词之下半阕,则由写景而转为写人,换头之处“柳外画楼独上,凭栏手捻花枝”两句,情致更是柔婉动人。试想“柳外画楼”是何等精致美丽的所在,“独上”“凭栏”而更“手捻花枝”,又是何等幽微深婉的情意。如果就一般《花间》词风的作者而言,则“柳外画楼独上”的精微美丽的句子,他们或许也还写得出来,但“凭栏手捻花枝”的幽微深婉的情意,就不是一般作者所能够写得出来的了。而秦观词的佳处还不仅如此而已,他的更为难能之处,是紧接着又写了下一句的“放花无语对斜晖”,这才真是一句神来之笔。因为一般人写到对花的爱赏都只不过是“看花”“折花”“簪花”,甚至即使写到“葬花”,也都是把对花的爱赏之情,变成了带有某种目的性的一种理性之处理了。可是秦观这首词所写的从“手捻花枝”到“放花无语”,却是如此自然,如此无意,如此不自觉,更如此不自禁,而全出于内心中一种敏锐深微的感动。当其“捻”起花枝时,是何等爱花的深情,当其“放”下花枝时,又是何等惜花的无奈。在这种对花之多情深惜的情意之比较下,我们就可以见到一般人所常常吟咏的“花开堪折直须折”的情意,是何等庸俗而且鲁莽灭裂了。所以“放花”之下,乃继之以“无语”,便正因为此种深微细致的由爱花惜花而引起的内心中的一种幽微的感动,原不是粗糙的语言所能够表达的。而又继之以“对斜晖”三个字,便更增加了一种伤春无奈之情。何则?盖此词前半阕既已经写了“落红铺径”与“无奈春归”的句子,是花既将残,春亦将尽,而今面对“斜晖”,则一日又复将终。以前欧阳修曾经写过一组调寄《定风波》的送春之词,其中有一首的开端两句,写的就是:“过尽韶华不可添,小楼红日下层檐。”其所表现的一种春去难留的悲感,是极为深切的。秦观此句之“放花无语对斜晖”,也有极深切的伤春之悲感,但却并未使用如欧阳修所用之“过尽”“不可添”“下层檐”等沉重的口吻,而只是极为含蓄地写了一个“放花无语”的轻微的动作和“对斜晖”的凝立的姿态,但却隐然有一缕极深幽的哀感袭人而来。所以继之以“此恨谁知”,才会使读者感到其中心之果然有一种难以言说的幽微之深恨。周济在其

《宋四家词选·序论》中，即曾云："少游最和婉醇正。"又云："少游意在含蓄，如花初胎，故少重笔。"像《浣溪沙》（漠漠轻寒上小楼）及《画堂春》这两首词，便都可以作为这些评语的印证。也许有人会以为像这些锐感多情的小词，并没有什么深远的意境可言，然而这种晶莹敏锐的善于感发的资质，却实在是一切美与善德的根源。关于此意我在《迦陵论词丛稿》的《后叙》中已曾有所论述，就不拟在此重述了。

（叶嘉莹）

千 秋 岁　　秦 观

水边沙外，城郭春寒退。花影乱，莺声碎。飘零疏酒盏，离别宽衣带。人不见，碧云暮合空相对。　忆昔西池会，鹓鹭同飞盖。携手处，今谁在？日边清梦断，镜里朱颜改。春去也，飞红万点愁如海。

鉴赏

词作于处州（今浙江丽水县）贬所（或谓转徙郴州途中过衡阳作），时在绍圣二年（1095）到三年（1096）。因为词作反映出"元祐党人"的共同命运和心声，师友辈感慨之余，苏轼、黄庭坚、孔平仲、李之仪等均有次韵之作，有的作于少游死后，实际上已成悼词（如山谷之和作）。及南宋范成大知处州，因慕其有"花影莺声"之句，乃建"莺花亭"，并赋诗六绝以记少游平生。由此可见，此词无论在当时或后世，都有重大影响。

词写春日谪居愁。但内容已不局限于个人的身世之恸，而是曲折地反映出北宋中后期朝廷内部的一场复杂的政治斗争。先是神宗熙宁间，以王安石为首的"新党"实行变法，以司马光为首的"旧党"则因反对而遭黜。继之，幼帝哲宗即位，太皇太后听政，改元元祐，起用旧党，苏轼及苏门中人俱得重用。八年后，哲宗亲政，改元绍圣，复进新党，于是斥苏轼辈为"元祐党人"，一概放逐。作为"苏门四学士"之一的秦观，其后期的悲剧生涯正起源于此。明乎此，对秦观后期词的幽怨凄厉，方可有一全面理解。

词起首四句写春景。"春寒

退”,总写之笔,“水边沙外”,专指城郊,“花影”“莺声”,兼指城内。合而言之,城郭内外寒意全消,正是一派青洲绿水、鸟语花香的大好春景。“花影乱,莺声碎”,化用晚唐杜荀鹤《春宫怨》中的名联:“风暖鸟声碎,日高花影重。”“花影”,给人以视觉形象美,“莺声”,给人以听觉形象美;说“影乱”,说“声碎”,则春阳之明丽、春风之和煦自在其中;曰“乱”,繁花迎风摇曳之状可见,曰“碎”,流莺细促轻幽之音如闻。总之,这两句绘形绘声复绘神,写出了浓郁的春色,有意境,有魅力。

但是,浓郁的春色并不能引起词人内心的愉悦,反倒牵动出贬居独处的无限愁思。以下四句一气贯注,写愁思。“飘零疏酒盏,离别宽衣带。”由于身世飘零而无心饮酒,因为离亲友而人渐憔悴。酒,既能助兴,又可解忧,真所谓“一日不可无此君”,现在却任其疏远之,内心悲苦之深可知。不说人渐消瘦,而说衣带渐宽,生动形象而其来有自。《古诗》:“相去日已远,衣带日已缓。”柳永《凤栖梧》更云:“衣带渐宽终不悔,为伊消得人憔悴。”结尾两句承“疏酒盏”“宽衣带”之意,而就眼前情景烘托,并绾收上片。江淹《休上人怨别》:“日暮碧云合,佳人殊未来。”此仿其语意。“人”,指同辈师友苏、黄等人,“碧云暮合”,回应篇首“水边沙外”,正合曹植《洛神赋》“尔乃税驾乎蘅皋,以待宓妃”之意。“佳人”不见,碧云冉冉,蘅皋渐暮,“空相对”三字传达出词人那种望友不至的怅惘心情。

下片由“不见人”而回忆“人”,追念当年师友欢叙之谊。“西池”,晋明帝曾筑西池于丹阳,此则指汴京西郊的金明池,秦观尝有《上巳游金明池》诗略记其胜。“鹓鹭”,两种鸟,以其群飞有序,喻朝官班行,此指昔日师友同僚。“盖”,车篷,借以指车,“飞盖”,车行如飞。这两句意谓:忆昔当年和师友同僚共赴西池盛会,驱车如飞,或纵论时政,或品评诗文,豪情胜慨,令人神往不已。“携手处,今谁在?”思绪陡转。不想时局骤变,昔日畅游之地,而今又有准在?师友们竟无一人逃脱贬谪的厄运。

以下情境益发不堪。古人以“日”喻君主,是以“日边”即指帝都,此指汴京开封。“清梦”,美梦。“朱颜”,青春面容。这两句说,看来重返帝都,共侍君侧,终成幻梦;奈何时不我待,人却渐渐老去。结句“春”字,遥应篇首,但云“飞红万点”“春去也”,则纯属想象,是对前程的展望,是出自肺腑的绝望呼喊。在悲观的秦观看来,元祐美梦难续,个人立业无望,如“春”之将去,乃必然趋势,绝非人力所可挽回。杜甫说:“一片飞花减却春,风飘万点正愁人。”(《曲江》之一)李煜说:“问君能有几多愁?恰似一江春水向东流。”(《虞美人》)秦词则云:“飞红万点愁如海。”其愁之深广、境之凄厉如此,无怪时人竟直以“挽词”目之。

这首词上片对景抒怀,“飘零”一联,感情虽然凄婉,尚不觉激愤,以空对蘅皋暮色束住。下片忆昔叹今,以“谁在”句发问为枢纽,感情渐趋悲愤激荡。日边梦断,朱颜难留,反映出政治理想和冷酷现实间的矛盾。回天无术,痛心疾首,满腹怨愤,喷薄而出,遂有“春去也,飞红万点愁如海”这样一声呼天抢地、震撼人心的呼喊。景语,亦情语,怨绝语,亦愤绝语。置身愁海而不能超脱自拔,这就形成了王国维在《人间词话》中所称的“凄厉”之境,亦即淮海后期词的独特风格。在这一点上,苏轼可谓知之者深。他欣赏少游的“可堪孤馆闭春寒,杜鹃声里斜阳暮”,但更倾心于他的“郴江幸自绕郴山,为谁流下潇湘去”(《踏莎行》),书之于扇曰:“少游已矣,虽万人何赎!”盖“郴江”两句亦痴绝语、怨绝语也。

(朱德才)

踏莎行　　秦观

雾失楼台,月迷津渡,桃源望断无寻处。可堪孤馆闭春寒,杜鹃声里斜阳暮。　驿寄梅花,鱼传尺素,砌成此恨无重数。郴江幸自绕郴山,为谁流下潇湘去?

鉴赏

在北宋的词人中,秦观原是以独具善感之“词心”著称的一位作者,冯煦在其《宋六十一家词选例言》中即曾云:“他人之词,词才也;少游,词心也,得之于内,不可以传。”所以在他的词中,往往能写出一种极为纤细幽微的感受,即如其《浣溪沙》(漠漠轻寒上小楼)一首及《画堂春》(落红铺径水平池)一首,便都是极能代表此种锐感之词心的著名的好词。而当他在仕途上遇到挫伤,因新旧党争而被贬逐之后，他也就以其极锐感的词心，体受到了极深重的悲苦。因此在他晚期的词作中，遂由早期的纤柔婉约转入了一种哀苦凄厉的境界。这一首《踏莎行》词，就是他晚年由处州又被贬到郴州以后所写的，最能表现他此种哀苦凄厉之心情的一篇代表作品。

本来秦观既是以独具锐感之词心为其特色，所以他一向的长处原在于能对景物及情思，做出最精确的捕捉和描述，而且更善于将外在之景与内在之情，做出一种微妙的结合。即如其《浣溪沙》（漠漠轻寒）一首，其中的“自在飞花轻似梦，无边丝雨细如愁”两句，表面原只是写“飞花”“丝雨”的外在景物，然而其“似梦”“如愁”的描述形容，却传达出一种极微妙的情思；再如其《画堂春》（落红铺径）一首，其中的“凭栏手捻花枝”及“放花无语对斜晖”诸句，他所要传达的原是伤春的情意，而他所写的却只是外在的形象与动作；其他一些名词之警句，像《减字木兰花》（天涯旧恨）一首中的“欲见回肠，断尽金炉小篆香”两句，是把极抽象的断肠之情，做了极具体的形象化的喻写；而《满庭芳》（山抹微云）一首中的“多少蓬莱旧事，空回首、烟霭纷纷。斜阳外，寒鸦数点，流水绕孤村”，则是将无限怀思感旧之情，都融入了外在的烟霭、斜阳、寒鸦、流水的景色之中了；至于《八六子》（倚危亭）一首中的“夜月一帘幽梦，春风十里柔情”两句，次句虽然用的是杜牧之诗意，但放在此一联中，却因为与前面的“夜月一帘”相映衬且相对偶，于是“春风十里”便也成了一个鲜明的形象，而继之以“幽梦”“柔情”，遂使得抽象之情思，都加上了具象的形容。凡此种种例证，当然都足以说明，秦观在将抽象之情思与具象之景物做互相生发、互相融会或是互相拟比之叙写时，确实有极为出色的成就。但我以为这一首《踏莎行》词之开端的“雾失楼台，月迷津渡，桃源望断无寻处”三句，与其结尾的“郴江幸自绕郴山，为谁流下潇湘去”二句，则较之前述诸例证对形象与情意之叙写安排，尤有值得注意之处。何则？先就“雾失楼台”三句而言，则前举诸例证中所写之景物，乃大多为现实中实有之景物，而“雾失楼台”三句所写者，则是现实中并不实有之景物，此其可注意者一；再就“郴江幸自绕郴山”二句而言，则前举诸例证之景物所映衬或拟比者，尚不过为人间一般共有之情思，而“郴江”二句，却是借景物对宇宙提出了一个无理的究诘，大有《楚辞·天问》之意，此其可注意者二。现在我们先谈“雾失楼台”三句，我之所以认为其所写之景物并非实有者，盖以在此三句之下，作者原来还明明写有“可堪孤馆闭春寒，杜鹃声里斜阳暮”的描述。而这两句所写的独自闭居在客馆春寒之中的人物，和耳中所闻的杜鹃的不如归去的哀啼之音，与眼中所见的斜阳西下的暮色渐深之景，这才是现实中果然实有的情境。至于“雾失楼台”三句，则不过是诗人内心中的深悲极苦所化成的一片幻景的象喻。首句的“楼台”，令人联想到的是一种崇高远大的形象，而加上了“雾失”二字，则是这种崇高远大之境界，已经被茫茫的重雾所完全掩没无存；次句的“津渡”，令人联想到的是可以指引和济渡的出路，而加之以“月迷”二字，则是此一可以予人指引和济渡的出路，也已经在朦胧的月色中完全迷失而不可得见；三句的“桃源”，令人联想到的是陶渊明在《桃花源记》中所描述的“黄发垂髫，并怡然自乐”的一片乐土，而继之以“望断无寻处”，则是此一乐土之根本并不存在于人间。由此看来，可见此三句之所叙写者表面虽也是具象之景物，然而却并不同于前举诸例中的现实中之景物，而是进入了一种含有丰富象征意义的幻想中之境界了。这在小词的发展演进中，实在是一件极值得注意的开拓和成就。至于秦观之所以能写出此类作品，最重要的原因，自然是由于其锐敏之心性与悲苦之遭遇的相互结合，于是遂以其锐感深思中之悲苦，凝聚成了如此深刻真切的饱含象征意味的形象。至于触引起他产生此种象喻之想的，则我以为其主要之关键，实当在第三句的“桃源”二字。盖因当时秦观正贬居在郴州，在湖南境内，而世传桃花源在武陵，亦在湖南境内。正是这种巧合，引起了这位锐感之词人的丰富的想象，为我们留下了这几句在词境中特具开创意味的小词，这种成就，实在是极可注意的。而当我们对此三句词所象征的绝望悲苦之情有所了解以后，我们便可以明白作者在此三句象征之语，和下二句之“孤馆闭春寒”及“杜鹃声里斜阳暮”的写实之语中间，所加入的“可堪”二字的作用了。盖“可堪”者，原为“岂可堪”，也就是“不堪”之意。正因为先有了前三句对绝望悲苦之心情的象征的叙写，“高楼”之希望既“失”，“津渡”之引济亦“迷”，“桃源”在人世之根本“无寻”，然后对身外之“孤馆”“春寒”，“鹃”啼春去，“斜阳”日“暮”之情境，乃弥觉其不可堪也。至于下半阕过片之“驿寄梅花，鱼传尺素，砌成此恨无重数”三句，则是极写远谪之恨。据秦观年谱，就在他写了这首词的第二年，他便又自郴州被迁贬到横州。又次年,又被迁贬到雷州。他在雷州曾写了一篇《自作挽词》,其中曾有"家乡在万里,妻子天一涯"及"奇祸一朝作,飘零至于斯。弱孤未堪事,返骨定何时"之语(《淮海集》卷四十)。可知秦观在迁贬以后,并无家人之伴随,其冤谪飘零之苦,思乡感旧之悲,一直是非常深重的,曰"驿寄梅花,鱼传尺素"便正是极写其思乡怀旧之情。上一句用的是江东之陆凯寄梅花与长安之范晔的故事,据《太平御览》卷十九引《荆州记》云:"陆凯与范晔为友,在江南寄梅花一枝诣长安与晔,并赠诗云:'折花逢秦使,寄与陇头人,江南无所有,聊寄一枝春。'"下一句用的是古乐府诗《饮马长城窟》的诗意,盖以该诗中曾有"客从远方来,遗我双鲤鱼,呼儿烹鲤鱼,中有尺素书"之句(《昭明文选》卷二十七),故以"鱼传尺素"代表寄书信意。总之,这两句所写的乃是怀旧之多情与远书之难寄,所以乃继之以"砌成此恨无重数",极写远谪离别之悲,造成了无穷的深恨。而秦观在此处所用的"砌"字,则又是把抽象的"恨"之情意,做了一种具象的"砌"之描述。"砌"者何?砖石之砌筑也;曰"砌成此恨",则其恨之积累之深重与坚固之不可破除,从而可想见矣。在如此深重坚实之苦恨中,所以乃写出了后二句的"郴江幸自绕郴山,为谁流下潇湘去"的无理问天之语。《苕溪渔隐丛话前集》引《冷斋夜话》谓少游写此词,东坡读之,"绝爱其尾两句,自书于扇,曰:'少游已矣,虽万人何赎。'"本来一般人所常用的悼念贤才之语,原是"百身莫赎",而此一传闻之故实,乃曰"万人何赎",也足可见此二句词的感人之深,以及对秦观的悼念之切了。至于此二句词之感人者何在,则私意以为,其主要之因素盖亦由于此两句词可以提供出写实与象喻两个层次的内涵,而其用意则又在可解与不可解之间,因之在表面所写之情景以外,乃更增加了一种神秘而无理性的气氛,也就更增加了它的吸引和感动人的力量。现在我们先谈其第一层写实的意义,则郴江之水源出于湖南省郴县之黄岑山,是所谓"郴江"之"绕郴山"者也。出山以后,乃北流而入耒水,又北经耒阳县,至衡阳而东入于潇湘之水,是所谓"流下潇湘去"者也。此原为天地自然之山川,本无任何情感可言者也。至于就第二层象喻之意义言之,则此一位锐感多情之词人秦观,在其历尽远谪思乡之苦以后,乃竟以自己之心想象为郴江江水之心,于是在"郴江"之"绕郴山"的自然山水中,乃加入了"幸自"两个有情的字样,又在"流下潇湘去"的自然现象前,加上了

“为谁”两个表示诘问的词语，于是遂使得此二句所叙写的自然山川，平添了一种象喻的意义。因此无情之郴水郴山乃顿时化为有情，而使得郴水竟然流出郴山且直下潇湘不返的造物之天地，乃成为冷酷无情矣。于此我们如果一念及前面所引的秦观《自作挽词》中的“奇祸一朝作，飘零至于斯”的话，我们就可以体会出，他对于离开郴山一去不返的郴江江水，曾经注入了多少他自己的离乡远谪的长恨了。而所谓“为谁流下”者，则正是秦观自己对于无情之天地，乃竟使“奇祸一朝作”的深悲极怨的究诘。像这种深隐幽微，而又苦怨无理的情意，原是极难以理性去解说和欣赏的。因此王国维在其《人间词话》中，虽然也曾赞美秦观这一首《踏莎行》词，谓其词境“凄厉”，但王氏所称美者，只是前半阕结尾的“可堪孤馆闭春寒，杜鹃声里斜阳暮”两句，而却认为苏轼之欣赏此词后半阕结尾的这两句词是“犹为皮相”。其原因我以为就正由于在这首词中，实在只有“可堪孤馆闭春寒”两句，是从现实之景物，正面叙写其贬谪之情境，而其他诸句，则多为象喻或用典之语，这与王氏平时所主张的“以自然之眼观物，以自然之舌言情”的欣赏标准，当然不甚相合，何况此词末二句，又写得如此隐曲而无理，因之王氏对于苏轼之欣赏此两句词的心情，乃不能完全理解，所以乃谓之为“皮相”。而苏轼之欣赏此两句词，则很可能是因为苏轼也是一个亲自经历了远贬迁谪之苦的人，所以尽管此二句词写得隐曲而且无理，苏轼读之却自然引起了一种直觉的感动。总之，苏轼与王国维之所赏爱的因素虽然各有不同，却也都不失为各有一得之赏。至于我个人的看法，则以为就词中意境之发展而言，实在当以此词首尾两处所使用的象征的手法，和所蕴含的象喻的意义为最可注意。而且我还以为，秦观早期词作中所表现的纤柔婉约之风格，虽然也有其独具之特色，使人被其敏锐善感之“词心”所感动，但那还只不过是由其天赋之资质所形成的一种特色而已。至如我们现在所讨论的这首《踏莎行》词，则是以其天赋之锐敏善感之心性，更结合了平生苦难之经历，然后透过其多年写词之艺术修养，而凝聚成的一种使词境更为加深了的象喻层次的开拓；这是我们在论秦观词时，所绝不该忽视的他的一点重要成就。

（叶嘉莹）

蝶恋花 秦观

晓日窥轩双燕语，似与佳人，共惜春将暮。屈指艳阳都几许，可无时霎闲风雨？　流水落花无问处，只有飞云，冉冉来还去。持酒劝云云且住，凭君碍断春归路。

鉴赏

这首词写怅惜春暮的柔情，极婉媚动人。

上片先写惜春。首句展示出一幅色彩鲜明、有声有色的生动画面：艳阳冉冉，晴光荡摇，春燕双双，呢喃声软。不说窗含晓日，而说"晓日窥轩"，不说燕叫，而说"燕语"，多么富有情思，多么美丽可爱的形象！然而，双燕所语，"似与佳人，共惜春将暮"，它们好像诉说着正和"佳人"一样的惜春归去的情怀。以上就所见所感写来，然后用"惜春"二字点明人物的感情，也点出一篇主旨。

四、五两句，紧承"惜春"二字，写"佳人"的动作和痴想。她扳动指头，计算着还剩下多少个艳阳天，然后，她又想到这当中还杂有一些闲风闲雨的日子，好天气哪有自己计算的那么多呢？这两句妙在双关，说艳阳之日所剩无多，也暗示这位"佳人"的韶华之年即将逝去，说大自然的闲风闲雨，也暗指生活和感情上的曲折风波。这双关语句，寄慨似隐若现，极为空灵蕴藉。明知一定会有"闲风闲雨"，却不肯定说出，而着"可无"（意即岂无）二字，出以猜度的口吻，何其委婉含蓄。细细咀玩，主人公将信将疑，既希望其无，又担心其有的忧郁彷徨的心理情态，似乎就在眼前，其怜春惜春的痴情，被描写得活灵活现。

下片写留春。"流水落花无问处，只有飞云，冉冉来还去。"过片不断意脉，因为屈指艳阳无多，所以，就更觉剩下的韶光是多么宝贵！是多么值得珍惜！于是，她想去找回那凋谢了的春花，寻回那沾惹着花香远去的春水，让春光永驻人间。然而，水流花谢两无情，能到哪里去问讯它们的踪迹呢？她似乎也认识到这一点，因而出语侃切，直说“无问处”，显得哀切沉痛。二、三两句，用冉冉飞云的去而复来，反衬流水落花的一去不回。她正感伤流水落花一去不回，无处问讯，实在无可奈何之极，忽然看到晨曦中片片彩云的冉冉飘飞，一种奇妙的幻觉，使她感到这飞动着的彩云，不就是先前那飞走了的片片春云，又带着春光回来了吗？蓦地，她对飞云的去而复来又惊又喜，也就在同时，她又对它的“来还去”又恼又急，于是情不自禁地、满怀热望和深情地向它发出了请求：“持酒劝云云且住，凭君碍断春归路！”她举起酒杯央告：云儿啊，请你停下来遮断去路，把春光留住吧，如今除了你还靠谁呢！然而，空中浮云却是比流水落花更为虚无缥缈的东西，当她从幻觉中清醒过来，明确地感到这一点的时候，又该激起一种多么难堪的绝望情绪！词虽戛然而止，但意蕴无穷，遥情无限。

通观全词，可以看到，作者以“惜春将暮”四字为中心，以惜春、寻春、留春的感情发展过程为描写线索，脉络清晰而构思谨严。此外，这首词还有几个显著特点。首先，就是重在人物心理活动的刻画，借以表现主人公心灵深处那一腔惜春的柔情，虽然也写到“晓日”“双燕”“飞云”等外界景物，但却主要是借它们来直接展开人物的心理活动，而不是像通常的词作那样借以衬托人物的感情。其次，是出语轻柔，如“似与”“可无”等，这是秦观词的基本特点之一，从一个方面体现着秦观柔婉的词风。第三，就是不用典故，全是寻常语，但洗练精纯，显得自然雅洁，这也是秦观词的语言的基本特色，用况周颐的话说，“直是初日芙蓉，晓风杨柳”（《蕙风词话》）。这同词人的写作态度有关。据《师友谈记》载，秦观自己就曾说“不可全务古语而有疵病”，恐怕正因为这一点，被李清照责为“如贫家美女，非不妍丽丰逸，然终乏富贵态”。其实，秦观词的可爱处，正在这里。

（赵义山）

浣溪沙

秦观

漠漠轻寒上小楼，晓阴无赖似穷秋，淡烟流水画屏幽。　自在飞花轻似梦，无边丝雨细如愁，宝帘闲挂小银钩。

鉴 赏

上片描写室内情景。首两句点出人物、地点和时间。先写她无言独上小楼,但觉轻寒袭人。次句紧接写登楼以后的感受,是阴沉湿冷,竟然不似春晓,却与清冷的秋晨差不多。本来,春寒料峭,早晚尤甚。"东风临夜冷于秋"(吴文英《浣溪沙》)是说春夜风寒,也是将春比秋,只不过一为"晓阴",一为"临夜",两者都是通过这种描写手法使人联想到人物的内心感觉。"无赖"不仅形容天气的不如人意,其中也包括她那百无聊赖的心情。"淡烟"句以画屏概括小楼环境,一"幽"字不仅形容那画屏上面的山水烟霞,而且也与人物的心理状态十分协调。小山词亦有"斜月半窗还少睡,画屏闲展吴山翠"(《蝶恋花》)之句,写月光映照下的吴山翠色与长夜怀人的心情很相称,由此引起悠悠遐思,并借画屏上的景色来寄托愁思。在本词,她也将一片愁心寄于山水之间,不禁神往久久。

下片写室外。首两句以飞花和细雨形容梦和愁。花谢花飞,随风飘扬,给人以闲散而无牵挂的印象。"自在"两字比喻飞花极为贴切生动,如"春风自在杨花"(王安国《清平乐》)。而飞花的飘荡无定又使人联想起那虚幻变化的迷梦,同样都是难于捉摸、十分空灵。"丝雨"是说小雨蒙蒙,一片迷离景象,正如闲愁那样无边无际。至于是因为见雨而生愁,还是由于愁闷而厌烦那沾湿流光的细雨?这恐怕只有凭栏人自己才能知道了。末句是倒装句,应该放在"自在"两句之前,上接"画屏幽"而来,看到画屏上的淡烟流水,就自然地想起帘外风光,从而轻轻地将珠帘卷起,也即是"手卷珠帘上玉钩"(李璟《浣溪沙》)之意。帘外所见,勾起了她的幽怨,从飞花和丝雨联系到梦和愁,可以说是由实到虚,而说梦似花,愁如雨,则又是从虚到实,是写景而又同时在抒情,给人的印象是迷离而耐人寻味。

张泌《浣溪沙》:"二年终日两相思,杏花明月始应知。"词中写愁,是相思无处诉述,只有杏花明月得知。写梦,是别久未曾入梦,醒后但见帘外微雨,在手法上是直抒其情。这与本词运用联想和比喻的手法是大异其趣的。

(潘君昭)

如 梦 令

秦 观

遥夜沉沉如水，风紧驿亭深闭。梦破鼠窥灯，霜送晓寒侵被。无寐，无寐，门外马嘶人起。

鉴 赏

绍圣元年(1094)，秦观四十六岁贬官处州，以后流徙南荒，直到卒于放还途中，经历了六年的贬谪生涯，这使他的晚期创作中增加了羁旅行役的内容。由于他不像苏轼那样善以佛老自遣，旷达乐观，所以词风也由早期的清丽柔婉，而更趋于幽怨凄厉。这首小令写其贬途生涯，很能代表他晚期词的风格。

地点，是一个郊外的驿站旅舍；时间，从深夜到天明；人，一个匆匆的过客，贬外的罪臣。首两句写深夜之景。“沉沉”，深沉貌。长夜漫漫，阒无人声，沉沉似水；荒郊野外，秋风凄紧，人们早将驿亭的大门深深关闭。次两句写拂晓境况。一梦醒来，只见饥鼠潜出，绕灯窥油。唯觉霜重露冷，大有薄衾“不耐五更寒”之感。正在词人辗转反侧、欲眠无计之际，门外传来一片马嘶人起的嘈杂之声。啊，原来已是天光大亮，“不许愁人不起”了！

一阕小令，犹如一组鲜明的特写镜头，从深夜的风打驿门，到拂晓的鼠窥油灯，到天明的马嘶人起，有时间的推移，有清晰的画面，有画外的音响，更有那默默感受着这一切的不寐之客，各个镜头之间的衔接推移，井然有序，完美地表现了一个行役者的生活。虽说是一个小小的生活剪影，但由于词人摄取了行役生活中的典型事物，所以着墨无多，却极富表现力，不妨把它视作是词人六年贬谪生涯的一个艺术缩影。

这首词的又一个显著特色是深沉含蓄。词人自始至终只作纯客观的描写和记叙，几乎并无一句主观的抒情，但读者却完全可以通过特定的典型景物去感受作者的主观思绪。此种手法和情景类乎杜甫的《石壕吏》。长夜漫漫，秋风阵阵，独卧孤馆，已自难挨天明；何况饥鼠窥灯，晓寒侵被，驿站竟是如此的鄙陋寒荒(“鼠窥灯”堪称神来之笔)，这和他当年的“西园夜饮鸣笳。有华灯碍月，飞盖妨花”(《望海潮》)，和“醉鞭拂面归来晚”的“殢酒困花”(《梦扬州》)生涯相比,真有天渊之别;更何况“门外马嘶人起”,这意味着新的一天的行役生活又将开始,而茫茫前程,等待着他的又将是什么呢?总之,句句景语,字字情语,不着一“悲”字,不下一“苦”字,而词人那种不胜天涯贬谪的悲怆凄苦之情却于词中深深自见。

最后,谈及对“无寐”一组叠字的评价。《古今词统》说:“《花间集》云,此词(按:指《如梦令》词调)安顿二叠语最难。‘知否,知否’,口气宛然,若他……‘无寐,无寐’,便不浑成。”在我们看来,褒李固然不错,贬秦却未必允当。摘句评论理应顾及全词,否则易失片面。清照词是与侍女对话口气,纯用口语,显得自然亲切,浑然天成,并和全词清新流转的语言风格一致。少游词的具体语言环境和李词不同,近乎一种自言自语的内心独白,重在表现其反侧难寐的神态,这和全词深沉凝重的语言风格正好吻合,何谓“便不浑成”?

(朱德才)

阮郎归　　秦观

湘天风雨破寒初,深沉庭院虚。丽谯吹罢《小单于》,迢迢清夜徂。　乡梦断,旅魂孤,峥嵘岁又除。衡阳犹有雁传书,郴阳和雁无!

鉴赏

绍圣三年(1096)岁末,秦观到达郴州贬所,一路上奔波劳顿,在心力交瘁的状况下度过了除夕,本词就是在忧心忡忡的情绪中写成的。

上片写的是四周环境。郴州位于湖湘南端,故称湘天。岁暮风雨交加,云雾迷漫,意味着天气已在由冷转暖,但气候虽然开始变化,而迁客的感觉却与气候的变化相反,是愈向南方就愈加凄伤。“深沉”句不仅仅描绘眼前所见:庭院深邃,空寂冷落。一“虚”字更道出词人心头若有所失、郁郁寡欢的况味。其间不只是反映出自身的孤寂感,还包含着对久绝音问的亲朋好友的无限思念;回想以往“华灯碍月,飞盖妨花”

(《望海潮》)的京师胜游,更显出目前流放生涯的凄凉艰辛,真可说是往事不堪回首了。“丽谯”两句写正当忧思难解之时,忽然从城门楼上传来《小单于》的乐曲声,打破了四周岑寂的空气,也使他从沉思中惊醒。“清夜徂”,是说漫长的除夕夜,就在孤独和冥思中悄然度过了。

下片写内心感触。“乡梦断”两句,是失望已极之语。本来,由于思乡情切,时常梦返故里,但目前离家愈来愈远,回乡几成为不可能之事,所以近来连回乡之梦也不做了。然而,梦虽没有,思乡之念仍然不断袭来,从而使旅人内心更觉孤苦伶仃、无枝可依。“峥嵘”两句形容年终光景,“峥嵘”有寒气凛冽的意思,这是词人在异乡度岁的心情,只觉寒气迫人,而无欢乐之感。末两句是说在衡阳时还能见到雁儿,传说雁能传书,见雁也是尚存接到书信的希望,而郴州,却是连雁儿也没有一只,又将托谁去传送音讯呢?传说雁南飞至衡阳而止,郴州更在衡阳之南,故云。这里暗示自己离乡日益遥远,处境也愈加危苦。

本词在艺术方面有所继承,如“衡阳犹有雁传书,郴阳和雁无”两句,就和晏几道的“梦魂纵有也成虚,那堪和梦无”(《阮郎归》)手法相同,是通过前后照应、层层深入来表达内心活动。两句遥应梦断魂孤之语,不说自己贬谪远地以来与亲友音问断绝、度日如年,而只指出在衡阳还能看到传书的雁儿,心中还存在希望,来此后连雁儿也看不到一只,那就连这一点希望也没有了;几句话委婉曲折地透露出他内心难以言传的苦痛,语似平淡,含蕴却很深。

(潘君昭)

满 庭 芳　　秦 观

晓色云开,春随人意,骤雨才过还晴。古台芳榭,飞燕蹴红英。舞困榆钱自落,秋千外、绿水桥平。东风里,朱门映柳,低按小秦筝。　多情,行乐处,珠钿翠盖,玉辔红缨。渐酒空金榼,花困蓬瀛。豆蔻梢头旧恨,十年梦、屈指堪惊。凭阑久,疏烟淡日,寂寞下芜城。

鉴赏

这首词当是作者在扬州追念汴京旧游之作。起笔三句,写天气之好。拂晓之前,落过一阵急雨,雨若不停,就妨碍了春游,可是,随着晓色的出现,云也开了,天也晴了,所以说“春随人意”。天气之佳,心情之好,融成一片。

“古台”四句,写景物之美,仍然将心情之好贯注其中。在游赏的“古台芳榭”之间,看到的是飘落的花片和榆钱,燕子回来了,河中的绿水也已高涨到与桥相平了。这都是暮春的景象。在一般情况下,词人们是要惜春、伤春、送春的,而惜、伤、送,都不免带有凄凉的情绪。但由于作者心情之好,就另有一番感受。燕子在坠落的花片中飞来飞去,为的是衔泥筑巢。有的人对于这种景物是有惋惜之情的,如周邦彦《浣溪沙》:“新笋已成堂下竹,落花都上燕巢泥,忍听林表杜鹃啼?”然而作者在这里却认为燕子是在踢着花片儿玩哩。榆钱老了,随风飘坠,同样有人认为这是春光寥落的表现,如李商隐《江东》:“今日春光太飘荡,谢家轻絮沈郎钱。”然而作者在这里却认为是榆树舞蹈得太累了,榆钱自然地落了下来。总之,一切都与感伤情调不沾边。荡秋千是古代女子玩的游戏,苏轼《浣溪沙》中“彩索身轻常趁燕”句可证。它都是安置在花园之中,所以秋千乃是作者在围墙之外所见,启下所闻。

“东风里”三句,写人情之乐。东风之中,朱门之内,垂柳拂墙,佳人理曲(时在午前,非宴饮之时,筝为低按,非奏技之状,故知是理曲),“东风”与上文“飞燕蹴红英。舞困榆钱自落”相应,“朱门”与上文“古台芳榭”及“绿水”相应,“柳”与上文“红英”“榆钱”相应,“秦筝”与上文“秋千”相应,构成了一幅完整而富艳的行乐图。

因此,过片便紧接“多情,行乐处”,而以“珠钿”两句补足,以极写京国春游之盛,见出良辰、美景、赏心、乐事,四者皆备(谢灵运《〈拟魏太子邺中集诗〉序》:“天下良辰、美景、赏心、乐事,四者难并。”)。古代女子乘车,男子骑马。“珠钿翠盖”指车,代表女子;“玉辔红缨”指马,代表男子。宋祁《鹧鸪天》“画毂雕鞍狭路逢”,或王国维《蝶恋花》“细马香车,两两行相近”,可以移注秦词此两句。

“渐酒空”两句一转,从昔日之繁华欢乐转到今天之寂寞悲凉。但这变化,也有一个过程,故两句用一“渐”字领起，以示非一朝一夕之故。独自凭栏，旧游如梦，屈指一算，不觉十年，真是使人惊心动魄。杜牧《赠别》：“娉娉袅袅十三余，豆蔻梢头二月初。春风十里扬州路，卷上珠帘总不如。”又《遣怀》：“落魄江湖载酒行，楚腰纤细掌中轻。十年一觉扬州梦，赢得青楼薄幸名。”“豆蔻梢头”两句，即用其意。但要注意的是，这被比为豆蔻未开的姑娘，仍是汴京旧识，而非扬州新知。作者此时身在扬州，回思汴京前事，故用本地风光，来作比喻。

“凭阑久”以下，今日心情，然而完全写景，但言倚栏久立，唯见傍晚时分薄薄的雾气和淡淡的阳光向城墙落下而已。不写情而情自在其中，司空图《诗品》所谓“不着一字，尽得风流”以及《文心雕龙·隐秀篇》所谓“隐之为体，义生文外”，即是此意。

这首词与《望海潮》同一机杼，也不从换头处换意。但只有昔与今两层，而不像前者之分今、昔、今三层来写。它从起笔直到“屈指堪惊”，都是写汴京旧事，而以“渐酒空”二句略作转折。金榼之酒，蓬瀛之花，仍承上来，但用“空”“困”两字，就承上而又启下。两句之上，冠以“渐”字，便不突兀。这结尾几句，也就是作者另一首《满庭芳》中“多少蓬莱旧事，空回首、烟蔼纷纷”之意，可以参照。“蓬瀛”与“蓬莱”同意，故知词乃追忆汴京旧游。“芜城”乃扬州别名，故知词乃旅居扬州之作。（南朝宋竞陵王刘诞据扬州叛乱，平定以后，城邑荒芜，鲍照登故城有感，作《芜城赋》，故后人称扬州为芜城。）

陈廷焯《白雨斋词话》说：“少游《满庭芳》诸阕，大半被放后作。恋恋故国，不胜热衷，其用心不逮东坡之忠厚，而寄情之远、措词之工，则各有千古。”这一意见与周济认为这类词是“将身世之感打并入艳情”相同。这也就是说，它们也含有词人在政治上失意的感伤在内，不独是追念过去的享乐生活而已。这种看法，还是有其一定的根据和理由的。

（沈祖棻）

虞美人　　秦观

碧桃天上栽和露，不是凡花数。乱山深处水萦回。可惜一枝如画、为谁开？　轻寒细雨情何限，不道春难管。为君沉醉又何妨？只怕酒醒时候、断人肠。

鉴赏

对这首词的写作缘起，杨湜《古今词话》所记甚详："秦少游寓京师，有贵官延饮，出宠妓碧桃侑觞，劝酒惓惓。少游领其意，复举觞劝碧桃。贵官云：'碧桃素不善饮。'意不欲少游强之。碧桃曰：'今日为学士拚了一醉！'引巨觞长饮。少游即席赠《虞美人》词曰：'碧桃天上栽和露……'。阖座悉恨。"据此，可知这也是一首赠妓之作。作者以其特有的敏感和深情，一下子便把握住了颤动于"同是天涯沦落人"的碧桃内心深处的悲剧之弦，并让它与自己惯于吹奏出凄音幽韵的"七管芦笛"发生和谐的共鸣，从而使词中飘逸着哀婉的音符。显然，作者为误入风尘、错植朽壤的碧桃代鸣不平，有"借他人酒杯，浇胸中块垒"之意。

词的上片以双关的笔墨，叹惋"碧桃"生性高洁却不得其所，徒有其明媚鲜妍。这里，咏花亦咏人，怜人亦自怜。"碧桃"句化用唐高蟾《下第后上永崇高侍郎》诗"天上碧桃和露种"，赞美之意、钦羡之情灼然可见。栽于"天上"，写其"高"；"和露"而种，写共"洁"。唯其既高且洁，一旦沦于乱山腻水之间，才倍感孤凄幽独。这里，作者在赞美、钦羡中，已为碧桃的悲剧命运埋下伏线，暗示她与污浊的尘世的牴牾势不可免。"不是"句仍是对碧桃的深情礼赞。"数"，指不在凡花数中。碧桃如此高洁，自非凡花之伦、俗卉之俦。然而，"不是凡花"，在污浊的尘世却偏被视为凡花，这正是碧桃的不幸之所在。"乱山"句写"不是凡花"的碧桃经历着比凡花更不幸的遭遇：被误植在人迹罕至的"乱山深处"，"一年三百六十日，风刀霜剑严相逼"，而不得斗妍上苑，争奇御林，享受应有的待遇。这既是隐喻色艺双绝的妓女碧桃误堕风尘、受尽凌辱，也是暗指屈居卑位的作者自己怀才不遇、历尽坎坷，用笔曲折，词意含蓄。"可惜"句是作者深蕴不平的叹惋。碧桃一枝横逸，美艳如画，却因生不得所而无人见赏，寂寞独开，幽极凄绝。这里，我们如闻作者天道何在、公理何在的怅问。

词的下片一改以物拟人、托物见意的笔法，设为碧桃的内心独白，刻画其矛盾而又痛苦的心理。"轻寒"句说只有春天慷慨地以那"沾衣欲湿杏花雨，吹面不寒杨柳风"沾溉和沐浴着人间万物，似有无限情意。这是宕开一笔，为下文留下回旋余地。"不道"句作波澜开阖，说无奈春天并不听人管束和支配。意即春天不肯长驻人间，鲜艳的桃花也因此不能永葆红颜，难免埋骨香冢，“零落成泥”。这一沉重叹息，分明糅入了女主人公华年易逝、红颜薄命的凄怆感受。“为君”句立意略同晏几道《鹧鸪天》词中的“当年拚却醉颜红”。为酬知己，何妨一醉。碧桃与作者同秉异质，俱怀殊志，在这觥筹交错、嚣声四起的宴会上，犹如跻身于鸡群的双鹤一般，显得那样超尘脱俗。他们两情相向，一见倾心，恨不能携手而去，安危与共。然而碧桃自知此身早有所属，难与意中人风雨同程。伤心之余，她只得“拚了一醉”，一则聊以相酬，二则暂以解忧。一声“为君沉醉”，意蕴何其丰厚，情感何其沉痛！“只怕”句以逆笔反承前意，说酣饮入醉，固然可以暂时撇却现实，解忧消愁，然而一旦醒来，想到现实依然如故，却会感到更加烦恼，乃至五内俱焚，柔肠寸断。这里，作者既将碧桃那种进退维谷、百般无奈的复杂心理刻画得淋漓尽致，又借碧桃之声口，披露了自己对饮酒、醉酒的真实看法。为了排愁遣闷，作者曾想遁迹醉乡。“醉乡广大人间小”。他以为只要喝得酩酊大醉，就会把自己在人间所遭遇的种种不幸看得轻、看得淡了，因而故作“最好挥毫万字，一饮拚千钟”（《望海潮·广陵怀古》）、“最好金龟换酒，相与醉沧洲”（《望海潮·越州怀古》）之类的豪放语。然而，酒精的刺激和麻醉作用毕竟是有限的，它不可能使作者始终昏昏然地耽于那个虚无的世界，与忧愁苦恼绝缘。作者自己也意识到这一点，而情不自禁地发出“谩道愁须殢酒，酒未到，愁已先回”（《满庭芳》）的浩叹。这里，“只怕酒醒时候、断人肠”，既是碧桃的痛苦心音，也是作者的辛酸自白；既蕴藏着碧桃的沦落之感，也寄寓着作者的身世之恨。多少难以直陈的隐曲，尽在此中！纵观全词，比拟新巧，物我交融；逆笔回旋，一波三折；从而“含不尽之意见于言外”，使读者如入迷宫，初觉惝恍一片；骋目既久，则渐入胜境，得览其旖旎风光而欣然忘返。

（肖瑞峰）

鹧鸪天　　　贺铸*

半死桐

重过阊门万事非，同来何事不同归？梧桐半死清霜后，头白鸳鸯失伴飞。　原上草，露初晞。旧栖新垅两依依。空床卧听南窗雨，谁复挑灯夜补衣！

作者

*贺铸(1052—1125)，字方回，号庆湖遗老。祖籍山阴(今浙江绍兴)，生在卫州共城(今河南辉县)。出身于没落贵族家庭。初仕为武弁，曾任和州(今安徽和县一带)管界巡检。四十岁时改入文阶，曾通判泗州(今江苏盱眙一带)、太平州(今安徽当涂一带)。五十八岁时致仕，晚年隐居苏、常二州(今皆属江苏)。他才兼文武，但由于秉性刚直，不阿权贵，因而一生屈居下僚，用不极其才而老。其词题材较丰富，风格也多所变化，兼有豪放、婉约二派之长，善于融化前人成句，用韵特严，富有节奏感和音乐美。今传《东山词》一卷、《贺方回词》二卷，共二百八十余阕。亦工诗文，有《庆湖遗老诗集》。

鉴赏

有宋一代，诗坛是个“被爱情遗忘的角落”，爱情的花朵几乎都开放在词苑里。而宋词中的爱情，又几乎是清一色的婚外之恋——文士和妓女间的卿卿我我，言及夫妻之情的微乎其微。究其原因，殆为封建社会讲究门当户对，并不以性爱为婚姻的第一要义之故。但是，先结婚后恋爱，在同甘共苦的生活中培养出浓郁情感的例子总还是有，谓予不信，请看贺铸为其妻赵氏所作的这首悼亡词。

贺铸一生屈居下僚，经济上不很宽裕，而赵氏夫人勤俭持家，对丈夫十分体贴，夫妻感情甚笃。

哲宗元符元年(1098)至徽宗建中靖国元年(1101),词人闲居苏州,中间曾于元符三年(1100)冬北上过一次,颇疑赵氏即殁于北行之前,此词则作于北行之返。汉枚乘《七发》:龙门有桐,其根半死半生,斫以制琴,声音为天下之至悲。故唐李峤《天官崔侍郎夫人吴氏挽歌》:"琴哀半死桐。"贺铸截用之为此词题篇,正取悼亡之意,寄托深沉的哀思。

本篇首二句用赋。"阊门"是苏州城西门。词人北行后回到苏州,想起和自己相濡以沫的妻子已长眠于此,不禁悲从中来,只觉一切都不顺心,遂脱口而出道:"重过阊门万事非。"接以"同来何事不同归"一问,问得十分奇怪——夫人何尝愿意先词人而去呢?实则文学是讲情不讲理的,极无理之辞正是极有情之语,作者撕肝裂肺的哀毁,已然全包含在这泣尽以血的一声呼喊中了。

三、四句转而用比。唐孟郊《列女操》:"梧桐相待老,鸳鸯会双死。"贺词即以这连理树的半死、双栖鸟的失伴来象征自己的丧偶。"清霜后"云云,借岁之将暮以喻人之垂老。"头白"一语双关,鸳鸯头上有白毛,而词人此时已届五十,也到了青丝成雪的年龄。这两句很形象、很艺术地刻画出作者本人的孤独和凄凉。

宋孙光宪《北梦琐言》记名倡徐月英送人诗:"惆怅人间万事违,两人同去一人归。生憎平望亭前水,忍照鸳鸯相背飞。"又赵令畤《侯鲭录》载蔡确悼亡妾琵琶诗:"鹦鹉言犹在,琵琶事已非。伤心瘴江水,同渡不同归。"贺词上阕明显是从徐、蔡诗夺胎而出,然二诗今已鲜为人知,贺词却成为千古绝唱。宋叶梦得《贺铸传》称他"掇拾人所遗弃,少加隐括,皆为新奇",可谓笃论。

过片六字承上启下,亦比亦兴。汉乐府丧歌《薤露》:"薤上露,何易晞?露晞明朝更复落,人死一去何时归?"贺词本此。用原草之露初晞指夫人的新殁,是为比,紧接上片,与"梧桐"二句共同构成"博喻";又,原草晞露亦是荒郊坟场应有之景,是为兴,有它导夫先路,下文"新垅"乃不突兀。

以后三句重又回复到赋体。因言"新垅",顺势化用陶渊明《归田园居》五首其四"徘徊丘垅间,依依昔人居",牵出"旧栖",下文即很自然地转入自己在"旧栖"中的长夜不眠之思。"空床卧听南窗雨,谁复挑灯夜补衣!"这是全词的最高潮,也是全词最感人的两句。词人二十九岁在磁州(今河北磁县一带)都作院(管理军器制造的机构)供职时写过一首《问内》诗:"庚伏厌蒸暑,细君弄针缕。乌绨百结裘,茹茧加弥补。劳问汝何为,经营特先期?妇功乃我职，一日安敢堕？尝闻古俚语，君子毋见嗤。瘿女将有行，始求燃艾医。须衣待僵冻，何异斯人痴？蕉葛此时好，冰霜非所宜。”说的是妻子大伏天就忙着给他补裰冬天穿的破衣服了，问她何以如此性急，她便振振有词地说出一番道理：俗传古时候有个人临到女儿出嫁，才去请大夫灸治姑娘颈上的肿瘤；冰天雪地等衣穿时再来缝缝补补，岂不是和那人一样傻吗？全诗通过一件生活小事以及夫妻间的一段对话，活脱脱写出了妻子的贤惠与勤劳，写出了伉俪之情的温馨。糟糠夫妻，情逾金石，无怪乎词人当此雨叩窗棂，一灯如豆，空床辗转之际，最最不能忘怀的就是妻子“挑灯夜补衣”的纯朴形象！全词到此戛然而止，就把这哀婉凄绝的一幕深深楔入千万读者的心扉，铁石人也不容不潸然泪下了。

在文学史上，这首悼亡词是和晋潘岳《悼亡》三首、唐元稹《遣悲怀》三首、宋苏轼《江城子·乙卯正月二十日夜记梦》并传不朽的。它们同以真挚、沉痛见称，俱有永恒的魅力。但据思想、艺术两方面分析，似乎各有短长。就艺术性而言，潘诗为五古，浑厚拙朴固其所善，惟略嫌铺张，一题洋洋洒洒四百数十字，未免使人产生长歌之号啕何如稀声之抽泣的慨叹；元诗是七律，形式易得板滞，其作情气深婉，读来不觉雕琢，已属难能可贵，但总不能尽去痕迹，臻于化境；苏、贺二篇得力于词体长在言情，样式上先沾了光，故而更见回肠荡气；而苏词三四五七言交错，一唱三叹，又较贺词基本为七言句式者更胜一筹。从思想性来看，元诗贺词反映出夫妇感情的基础在于患难与共、甘苦同尝，这一要素恰恰是潘、苏之作所缺少的；元诗其一：“顾我无衣搜荩箧，泥他沽酒拔金钗。野蔬充膳甘长藿，落叶添薪仰古槐。”回忆贫贱夫妻当时情事，真切动人，惜末尾“今日俸钱过十万，与君营奠复营斋”二句庸俗，损伤了全诗的格调；而贺词结句不唯声泪俱下、哀感顽艳，情趣也远较元诗纯洁，宜其为冠！要之，苏、贺二词凌驾潘、元六诗，堪称古代悼亡篇章中的双绝，论艺术性苏词差胜，评思想性贺作稍优，梅须逊雪三分白，雪却输梅一段香！

（钟振振）

古捣练子(五首)　　贺铸

夜捣衣

收锦字，下鸳机，净拂床砧夜捣衣。马上少年今健否？过瓜时见雁南归。

杵声齐

砧面莹，杵声齐，捣就征衣泪墨题。寄到玉关应万里，戍人犹在玉关西！

夜如年

斜月下，北风前，万杵千砧捣欲穿。不为捣衣勤不睡，破除今夜夜如年。

剪征袍

抛练杵，傍窗纱，巧剪征袍斗出花。想见陇头长戍客，授衣时节也思家。

望书归

边堠远，置邮稀，附与征衣衬铁衣。连夜不妨频梦见，过年惟望得书归。

鉴赏

北宋是中国历史上最孱弱的一个封建王朝，开国伊始，就不断受到边疆少数民族政权的侵扰(先是北方的辽，后来是西北方的夏)，因此，经朝廷征发，远离家乡、亲人而驻守在北陲苦寒地带的戍卒数量巨大。封建统治者对他们的生死哀乐漠不关心，“谁知营中血战人，无钱得合金疮药！”(刘克庄《军中乐》)这虽然写在南宋，但据北宋士兵多次发生暴动的事实，可知当时军人的待遇也一样恶劣。他们既时刻面临战争和死亡的威胁，又得不到朝廷的爱恤，于是亲人对他们牵肠挂肚的思念，遂成为极正常、极普遍的社会现象。词人元丰七年(1084)冬在徐州亲眼见过"役夫前驱行，少妇痛不随。分携仰天哭，声尽有余悲"(见其《部兵之狄丘道中怀寄彭城社友》诗)的惨状。作为一名对人民疾苦抱有同情心的文学家，他不能不站出来代思妇征夫诉说他们的痛楚。上面所录的《古捣练子》组词，就是在这样的背景下创作出来的。原词共六首，可惜第一首已经残缺，只好阙如了。

《捣练子》这个词牌，名称起源于晋、宋以来的习见诗题《捣衣》。古代一般纺织品的质地较粗硬，须用木杵在石砧上反复锤捣，使之柔软，方可制作和穿着。贺词写思妇捣衣寄远，用的正是词牌的本义。下面，我们一首首地来串讲。

《夜捣衣》　"锦字"，《晋书·列女传》载前秦窦滔被流放到边疆地区，其妻苏蕙思念不已，遂织锦为回文旋图诗相寄赠。诗图共八百四十字，文辞凄婉，婉转循环皆可以读。"鸳机"，织机的美称。"床砧"，捣衣用的大石板。"马上少年"，指从军的年轻夫婿。《史记·陆贾列传》载汉高祖刘邦自称他的天下"居马上而得之"，"马上"，谓戎马背上。"瓜时"，《左传·庄公八年》载齐襄公派将军连称、管至父去戍守葵丘，当时正值瓜熟(即"瓜时")，襄公便许诺明年瓜熟之日派人去替换他们。谁知一年期满，襄公却自食其言，不准他们回来。本篇写一位思妇才下织机，又忙着将大石板擦拭干净，连夜捣衣，准备寄给戍边的良人。她一边劳作一边忐忑不安地思忖，不知丈夫现在身体可好？为什么役期已过，却只见大雁南归，不见征人北返呢？

《杵声齐》　"玉关"，即玉门关，故地在今甘肃敦煌附近，北宋时属西夏。由于它在汉、唐两代是通往西域的重要关口，因此这里借用来泛指西北边防要塞。本篇大意是：年深日久，大石板的表面已磨得很光亮了。木杵一下接一下地锤击，声音很有规律。征衣捣成后打好包裹，用泪水研墨，题写上亲人的姓名。衣裳寄到玉门关，怕该有迢迢万里路吧？可夫婿戍守的地方，还要自玉门关再往西去！

《夜如年》　夜深了，月儿已经西斜，思妇还在北风中捣衣不止。千杵万杵，厚厚的石板都将被捣穿。是不是因为手脚勤快，忙于捣衣而顾不上睡觉呢？不，是因为思念征人而睡不着觉，所以才起来捣衣,聊以打发这漫无尽头的长夜。

《剪征袍》　“练”,本义为白绢,这里泛指衣料布匹。“斗”,拼合。“陇头”,又名陇山、陇首、陇坂,在今陕、甘两省交界处,北宋时在秦凤路境内,此处也是作为西北边戍的泛称。“授衣时节”,《诗·豳风·七月》:“七月流火,九月授衣。”毛传:“九月霜始降,妇功成,可以授冬衣矣。”本篇是说,捣好衣料,丢下木杵,坐到纱窗边上来为征人裁制战袍。开片时巧运心思,设法使不得不剪破的图案花纹,能够在缝纫时重新拼接复原。想来长年戍守在边塞上的夫婿,到了授衣的季节,也一定在思念妻子儿女吧?

《望书归》　“边堠”,边防线上的土堡,用以侦伺敌情,属哨所性质。“置邮”,即驿车、驿马、驿站,古代的邮递工具和设施。“铁衣”,铠甲。“过年”,有的选本解为今之所谓过春节,说思妇“一心盼望得到征人回家过年的书信”。这是不对的,应释作“逾年”。汉桓宽《盐铁论·徭役》:“古者无过年之徭,无逾时之役。”可以为据。按古代文学作品中写思妇与征夫互通音讯之困难,每每有这样的句子。如梁刘孝先《春宵》诗:“敦煌定若远,一信动经年。”唐刘希夷《捣衣篇》:“缄书远寄交河曲,须及明年春草绿。”皆是其例。本篇略谓:边关遥遥,官家的驿车马匹却配备甚少。难得今天见到驿使,寄信之外,还附上自己赶制的战袍。有它衬里,良人披上铁甲便不会再感觉到寒冷。唉!一夜之间尽可以三番五次地和夫婿在梦里厮见,而事实上呢,明年能够收到他的回信,也就算如愿以偿了。

这一组词,无论就思想性还是艺术性而言,都是宋词里的上乘之作。

先谈思想性。在它们哀婉的笔调之下,隐藏着对于封建统治者的讽谴。如《夜捣衣》末句,“瓜时”已过,雁归而人不归,思妇还得捣衣寄远,征夫仍须在塞上越冬,朝廷之言而无信,任意延长役期的行径,不是昭然若揭吗?又如《望书归》,边堠再远,也不应是“十书九不到,一到忽经年”(唐贾岛《寄远》诗)的充足理由,思妇之所以今秋寄衣而不敢奢望明年以前能有回信,根本原因还在于执政者对戍人及其家属的苦痛置若罔闻。这层意思尽在“置邮稀”淡淡三字中。苏轼写供帝王后妃们享用的新鲜荔枝龙眼如何不远万里及时贡进,不是有“十里一置飞尘灰,五里一堠兵火催。……飞车跨山鹘横海,风枝露叶如新采”(《荔枝叹》)之句吗?虽咏前朝之事,实刺当代的类似情况。用来反衬贺词,愈见轻描淡写中有微辞在,不可等闲看过。当然,这些都是笔者的以意逆志,或者以为求之过深,我们不妨退一步讲。即使词人毫无归咎朝廷之意,仅就这组词中倾注着的对思妇征夫之深切同情而论,它们也足可称为具有人民性的优秀作品。

再看艺术性。总体上说,这组词没有浪费一点笔墨去描写思妇的体态、容貌(如梁武帝萧衍《捣衣》诗"轻罗飞玉腕,弱袖低红妆。朱颜日已兴,眄睇色增光"之类),乃至照明设备(如梁王僧孺《咏捣衣》诗"雕金辟龙烛"之类)、裁缝工具(如北周庾信《夜听捣衣》诗"龙文镂剪刀"之类)等无关宏旨的物事,而是把所有的篇幅都用来展示思妇的感情波澜,把所有的笔触都用来刻画思妇的内心世界,这样,它们便产生了叩开读者心扉,使读者哀其哀、怨其怨的艺术感染力量,不像上举南北朝作家的同题材作品,徒以华丽的辞藻炫人眼目。具体而论,词人在传达思妇的复杂情感时,力避陈俗,全然不用那些描绘人物面部表情和身体形态变化(诸如泪眼愁眉、衣宽带减之类)的程式,而是将它们有机地糅进捣衣、裁衣、寄衣的一举一动,且这一举一动又无不经过词人的精心选择或提炼,具有可观的艺术张力。例如"巧剪征袍斗出花",一方面,它把思妇对征人的柔情蜜意表现得十分细腻;另一方面,思妇所企图拼接的,又岂止是衣料上剪破的花朵?这难道不是她渴望花好月圆、夫妻团聚的象征吗?再如"捣就征衣泪墨题",写思妇的哀戚也极为传神。类似的情景,我们在唐诗里看到过长孙佐转妻《答外》"结成一衣和泪封"之句,这仅仅是对生活现象的直观;而词人却让自己笔下的思妇以泪水濡墨染毫,题写封裹,艺术地对生活现象进行了再创造,显然更胜一筹。在摹写思妇的心理活动方面,词人也挖掘得比较深。例如"不为捣衣勤不睡,破除今夜夜如年"。思妇夜捣征衣,通宵达旦,若作关切征人冷暖、不惮一己辛劳来理解,本来也是合乎情理的;但如果光从这一方面着眼,即未免浅之乎也。词人偏让思妇自吐胸臆,明言这是为了宣泄内心的痛苦,挨过不眠的永夜,这样的写法,真可谓探骨取髓。因为,作者的目的并不是写一篇《女儿经》,宣扬封建的妇功、妇德,而是要写出封建兵役制度的残酷,写出一个在悲惨中挣扎着的灵魂!再如"连夜不妨频梦见。过年惟望得书归"。词人写思妇对于生活的要求,已经低到了不可能再低的限度:不敢想真的与征夫重逢,只希望梦中能多见几面;不敢想人归,只望书信归;不敢想回信之速,只寄希望于明年。

其哀婉何以复加？在它的背后，正不知有多少个幻想变成过泡影，多少次热望化作了灰烬！显而易见，这比直接去写盼望征人早早归来，何止深沉千倍万倍！

近代著名学者夏敬观指出："观以上凡七言二句，皆唐人绝句作法。"是的，它们确实不类宋调，丰神直追唐音。试观唐人同题材七绝，陈玉兰《古意》："夫戍萧关妾在吴，西风吹妾妾忧夫。一行书信千行泪，寒到君边衣到无？"又陈陶《水调词》："长夜孤眠倦锦衾，秦楼霜月苦边心。征衣一倍装绵厚，犹虑交河雪冻深！"又张纮《怨诗》："去年离别雁初归，今夜裁缝萤已飞。征客近来音信断，不知何处寄寒衣。"贺词与之相较，实可方驾玉兰，视陈陶、张纮辈犹觉冰寒于水。宋杨万里《颐庵诗稿序》云："至于荼也，人病其苦也，然苦未既而不胜甘。诗亦如是而已矣。……《三百篇》之后，此味绝矣，惟晚唐诸子差近之。《寄边衣》曰：'寄到玉关应万里，戍人犹在玉关西。'……《三百篇》之遗味，黯然犹存也。"笔者检《全唐诗》及其外编，未见这两句，若非原诗今佚，即是诚斋误记。如果真是误记的话，那就证明贺词酷肖唐诗，已经到了可乱楮叶的地步。

最后，我们再把这组词纳入唐宋词发展史的范围来讨论。像这样以思妇口吻、借捣衣寄远表达怀念戍人之情并讽谴封建统治者的题材，在敦煌民间词里是屡见不鲜的。"孟姜女，杞梁妻，一去燕山更不归。造得寒衣无人送，不免自家送征衣。"——词牌正是《捣练子》！艺术上是粗糙了些，思想意义的火花却很耀眼。后来到了某些文人手里，此长彼消，向着否定的方向发展。文人词中最早的一首《捣练子》系李后主（一说冯延巳）所作："深院静，小庭空。断续寒砧断续风。无奈夜长人不寐，数声和月到帘栊。"写作技巧倒是提高了，而内容竟改变为封建知识分子夜听寒砧的悲秋情绪，这真是"维鹊有巢，维鸠居之"（《诗·召南·鹊巢》）！至于贺铸这组词，又来了个否定之否定。它们标明是"古"《捣练子》，五首中且有三首用韵与敦煌《捣练子》相同，从这些迹象来看，词人是有意汲取敦煌民间词的营养并向其复归。不过，他在学习和继承敦煌《捣练子》的同时，扬弃了它那质木无文的弱点，益之以文人词的成熟技法，做到了思想性和艺术性的统一，写出了新水平。唐宋文人词中，这种题材的作品非常罕见；达到和贺铸同样水准的，那就更难寻觅。吉光片羽，弥足珍贵，对于这组《捣练子》的价值，当做如是观。

（钟振振）

将进酒　贺铸

城下路，凄风露，今人犁田古人墓。岸头沙，带蒹葭，漫漫昔时流水今人家。黄埃赤日长安道，倦客无浆马无草。开函关，掩函关，千古如何不见一人闲？

六国扰，三秦扫，初谓商山遗四老。驰单车，致缄书，裂荷焚芰接武曳长裾。高流端得酒中趣，深入醉乡安稳处。生忘形，死忘名，谁论二豪初不数刘伶？

鉴赏

这首词也是一篇以咏史来咏怀的作品，但所咏史事，并非某一历史事件，而是一种在古代社会中带有普遍性的历史现象；所咏怀抱，也并非与这一历史现象相契合，而是与之相对立，所以与多数的咏史即咏怀的作品的格局、命意都有所不同。

封建社会的统治阶级为了实现自己的野心和贪欲，总是不断地争城夺地，至少也是争名夺利。这种争夺的结果，不但使广大人民遭殃，也使统治阶级中某些道德和才能出众的成员受到压抑和排斥。贺铸就是其中的一个。他这类的作品，就是针对这种普遍存在的历史现象而发出的不平之鸣。作品中所表现的对于那样一些统治者及其帮忙、帮闲们的鄙视，是有其进步意义的。但由于阶级性和世界观的限制，他又只知道向“醉乡”中逃避，即采取不合作的态度，这种消极的生活态度和思想感情又显示了这种进步意义的局限性很大。

以愤慨、嘲讽的口吻来描写历史上那些一生忙着追求权势和名利的人，占了这首词的大部分篇幅。但起笔却从人事无常写起，这样，就好比釜底抽薪，把那些热衷于富贵功名的人都看得冷淡了，从而为下文揭露这些人的丑态，埋下伏线，同时，也为作者自己最后表示的消极逃避思想埋下伏线。

自然界的变化，一般比人事变化迟缓。如果自然界都发生了变化，那人事变化之大就可想而知了。沧海桑田的典故，就是说的这种情况。本词一上来六句，也是就自然与人事两方面合写这个意思。词句用顾况《悲歌》“边城路，今人犁田昔人墓；岸上沙，昔时流水今人家”，而略加增改。前三句写陆上之变化，墓已成田（用《古诗》“古墓犁为田”之意），有人耕；后三句写水中之变化，水已成陆，有人住。下面“黄埃”二句也从顾况《长安道》“长安道，人无衣，马无草”来，接得十分陡峭。看了墓成田，水成陆，人们该清醒了吧，然而，不。他们依旧为了自己的打算，不顾一切地奔忙着。函谷关是进入长安的必由之路。关开关掩，改朝换代，然而长安道上还是充满了人渴马饥的执迷不悟之徒。歇拍用一问句收束，讥讽之意自见。

过片两句，“六国扰”，概括了七雄争霸到秦帝国的统一，“三秦扫”，概括了秦末动乱到汉帝国的统一。“初谓”四句，是指在秦、汉帝国通过长期战争而完成统一事业的过程中，几乎所有人都被卷进去了。是不是也有人置身局外，即没有在这种局势中为自己作些打算的人呢？词人说，他最初还以为商山中还留下了东园公、甪里先生、绮里季、夏黄公这四老。谁知道经过统治者写信派车敦请以后，就也撕下了隐士的服饰，一个跟着一个地穿起官服，在帝王门下行走起来了。（商山四皓最初不肯臣事汉高祖，后被张良用计请之出山，保护太子，见《史记·留侯世家》。南齐周彦伦隐居钟山，后应诏出来做官，孔稚珪作《北山移文》来讥讽他，中有“焚芰制而裂荷衣，抗尘容而走俗状”之语。又汉邹阳《上吴王书》中句：“何王之门不可曳长裾乎？”）这四句专写名利场中的隐士，表面上很恬淡，实则非常热衷。隐居，只是他们的一种姿态、一种向统治者讨价还价的手段，一到条件讲好，就把原来自我标榜的高洁全部丢了。上面的“初”字、“遗”字和下面的“裂”字、“焚”字、“接”字、“曳”字，不但生动准确，而且相映成趣，既达到嘲讽的目的，也显示了作者的幽默感。不加评论，而这般欺世盗名的人物的丑态自然如在目前。

“高流”以下，正面给出本意。《醉乡记》，隋、唐之际的王绩作，《酒德颂》，晋刘伶作，都是古来赞美饮酒的著名文章。在《记》中，王绩曾假设“阮嗣宗、陶渊明等十数人并游于醉乡，没身不反，死葬其壤，中国以为酒仙”。在《颂》中，刘伶曾假设有贵介公子和缙绅处士各一人，起先反对饮酒，后来反而被专门痛饮的那位大人先生所感化。“高流”，指阮、陶、刘、王一辈人，当然也包括自己在内。末三句是说，酒徒既外生死、忘名利，那么公子、处士这二豪最初不赞成刘伶那位先生，又有谁去计较呢？肯定阮、刘等，也就是否定“长安道”上的“倦客”“裂荷焚芰”的隐士。（“生忘形”，用杜甫《醉时歌》：“忘形到尔汝，痛饮真吾师。”“死忘名”，用《世说新语·任诞》载晋张翰语：“使我有身后名，不如即时一杯酒。”均与“高流端得酒中趣”相切合。）方伯海《〈文选〉集成》评《酒德颂》云：“古人遭逢不幸，多托于酒，谓非此无以隐其干济之略，释其悲愤之怀。”这首词以饮酒与争权势、夺名利对立，也是此意。

张耒《〈东山词〉序》曾指出贺词风格多样化的特点：“夫其盛丽如游金、张之堂，而妖冶如揽嫱、施之袪，幽洁如屈、宋，悲壮如苏、李，览者自知之。”这首词和前几首截然不同，也可证明此点。从这些地方，我们可以看出，苏轼的作品在词坛出现以后，其影响是相当广泛的。

（沈祖棻）

水调歌头　　贺铸

台城游

南国本潇洒，六代浸豪奢。台城游冶，襞笺能赋属宫娃。云观登临清夏，璧月留连长夜，吟醉送年华。回首飞鸳瓦，却羡井中蛙。　访乌衣，成白社，不容车。旧时王谢，堂前双燕过谁家？楼外河横斗挂，淮上潮平霜下，樯影落寒沙。商女篷窗罅，犹唱《后庭花》！

鉴赏

这是一首金陵怀古词，“台城游”为作者改题之新名。“台城”，本系东吴后苑城，东晋成帝时改建作新宫，遂成为宫城，历宋、齐、梁、陈，皆为台省（中央政府）及宫殿所在地，因此专名台城。故地在今南京鸡鸣山南、干河沿北。

“南国”两句，言南方风景本即秀丽，而偏安江南的六朝君主一个比一个豪华奢侈。上句从宋孙浩然《离亭燕》金陵词“一带江山如画，风物向秋潇洒”（一作张昇词）化出，下句则变用刘禹锡《台城》诗：“台城六代竞豪华，结绮临春事最奢。”“浸”,渐进之意。“结绮”“临春”是陈后主(叔宝)兴建的两座宫中楼阁,刘禹锡认为六朝帝王中数陈后主最奢侈荒淫,贺词亦秉承其旨,接以下五句,专写后主这个典型。

据《南史·陈本纪》,后主荒于酒色,不恤政事,左右嬖佞之臣五十,美人千余。宫中宴会,常使张贵妃(丽华)、孔贵嫔等八名宠姬夹坐,江总、孔范等十名佞臣与宴,号为“狎客”。先令八妇人襞(折迭。又若以为“擘”的通假字,也可通)彩笺作诗,十客赓和,文思稍慢,便要罚酒。君臣酣饮,通宵达旦,习以为常。“襞笺”句即谓此事。“能赋”,《诗·鄘风·定之方中》毛传:“升高能赋”。唐孔颖达正义:“谓升高有所见,能为诗赋其形状,铺陈其事势也。”“云观”句,云观即齐云观,后主祯明二年(588)所建高楼。这是倒装句,谓夏日登齐云观以避暑。“璧月”句,后主选择宠姬、狎客所赋艳诗,配乐歌唱,其中名句有“璧月夜夜满,琼树朝朝新”,多半描写张、孔二妃的美丽姿色。刘宋何偃《月赋》:“满月如璧。”“留连”,同“流连”。此句谓沉湎良宵女色,流连忘返。“吟醉”句,叙说这一干昏君幸臣在吟咏酣醉之中消磨日月。

“回首”二句,写陈朝灭亡。祯明三年(589),北方的强敌隋军南下,攻破陈都建康(今南京)。隋将贺若弼乘胜进军陈宫城,烧北掖门。“飞鸳瓦”即喻陈宫门被毁,用杜甫《往在》诗意:“往在西京时,胡来满彤宫。中宵焚九庙,云汉为之红。解瓦飞十里,繐帷纷曾空。”“鸳瓦”,华丽建筑物上覆瓦的美称,语出《三国志·魏书·方技传》:魏文帝“梦殿屋两瓦堕地,化为双鸳鸯”。“却羡”句,用杜牧《台城曲》:“谁怜容足地,却羡井中蛙。”陈宫城破后,后主躲入井中,隋军窥井,扬言欲下石,后主惊叫,于是隋军用绳索拉他出井。始则怪其太重,拉上来才知道还有张、孔二妃。“井中蛙”,《庄子·秋水》篇有寓言讲埳井之蛙坐井自大,向东海之鳖夸耀井中为至乐之地。这里用来讽刺后主穷途末路,求为井蛙亦不可得了。

整个上阕,开头一笔带过六代繁华竞逐于金陵这个尽人皆知的史实,继而铺叙南朝风流天子之最——最后也是最能挥霍的一个败家子,如何骄奢淫逸,旋以其狼狈不堪的下场作结束,予人国莫亡于侈的深刻历史教训。

过片三句,更用昔日簪缨聚居地今竟降为贫民区这一重大变迁,唤起人们的历史兴亡之感。“乌衣”即乌衣巷,在秦淮河南,东吴时是乌衣营驻地,故名。晋南渡后,王、谢等名门豪族居住于此。“白社”，洛阳地名，晋高士董京常宿于白社，乞丐度日，得破布烂絮结衣蔽体，这里用为贫民区的代名词。“不容车”则是截用古乐府《相逢狭路间行》：“路隘不容车。”

“旧时”二句，化用刘禹锡《乌衣巷》诗：“朱雀桥边野草花，乌衣巷口夕阳斜。旧时王谢堂前燕，飞入寻常百姓家。”改成疑问句，夹在上下文陈述句型中间，是一种调剂，这样全篇就不至于呆板。

“楼外”三句，突然插入一组萧瑟的秋景，渲染气氛，烘托主题，是生花之笔，极苍凉浑莽之致。先写天，秋夜星空，银河自东南至西北横斜于天，北斗之柄指北，下垂若挂；次写地，秦淮河上，秋潮涨满，霜华点缀大地；再次写人，水边商旅舟楫，樯桅为月光所照耀，投影沙滩，霜月交辉，沙滩一片惨白，倍添凄清，故曰“寒沙”——布景既出，演员随即登场，这就逗出了下两句：“商女篷窗罅，犹唱《后庭花》！”

结尾的这两句，仍用杜牧诗——《夜泊秦淮》：“商女不知亡国恨，隔江犹唱《后庭花》！”《后庭花》即《玉树后庭花》，陈后主宫廷里制作和演唱的靡靡之音，《隋书·音乐志》记载其音甚哀，辞曰：“玉树后庭花，花开不复久。”当时人们认为这是歌谶，是陈亡国的预兆。“商女”，旧说多认为是歌女，实应解作商船上的商人妇，宋叶桂女《咏江州琵琶亭》“明月满船无处问，不闻商女琵琶声”可证。贺词“篷窗罅”云云，也是说商船窗缝里传出歌声。当然词人未必真的听到商女在唱《后庭花》，这里是用典，遥遥绾合上阕，再次申明主题：陈后主殷鉴不远，宴安鸩乐的统治者们，不能重蹈覆辙啦！

宋代积贫积弱，国势远逊汉唐，而统治阶级的腐败堕落，则与六朝相仿，是以王安石先有“至今商女，时时犹唱，《后庭》遗曲”之叹。贺词用意，正与王词《桂枝香》类同，针砭时弊，借古讽今，具有积极的思想意义。

从艺术成就上看，本篇除了用典贴切，融化前人诗句有天衣无缝之妙，最显著的特色是音乐感极强。龙榆生先生《论贺方回词质胡适之先生》评曰：“《水调歌头》，普通作家，皆叶平韵，不叶仄韵。东坡之‘明月几时有’一阕，‘我欲乘风归去，又恐琼楼玉宇’，‘去’与‘宇’叶；‘人有悲欢离合，月有阴晴圆缺’，‘合’与‘缺’叶；已视他作为美听矣。而方回此调，不独平仄两叶，而又句句皆用同部之韵，声情越发妙不可阶。……全首皆用第十部韵，而又以‘麻’‘马’‘祃’三声通叶。麻韵本为发扬豪壮之音，宜写悲歌慷慨，激昂蹈厉，吊古伤今之情，更以'马''祃'之上去声韵，相间互叶，轻重相权，何等嘹亮亢爽！声调组织之美，吾于贺氏此作……真有'观止'之叹。"

总之，此作辞情俱佳，在北宋同题词作中，可与王安石《桂枝香》、周邦彦《西河》鼎足而三。

（钟振振）

横塘路　贺铸

凌波不过横塘路，但目送、芳尘去。锦瑟华年谁与度？月桥花院，琐窗朱户，只有春知处。　飞云冉冉蘅皋暮，彩笔新题断肠句。试问闲愁都几许？一川烟草，满城风絮，梅子黄时雨。

鉴赏

作者晚年退隐苏州，住在横塘附近。此词当是其时其地所作。它表面似写相思之情，实则是发抒悒悒不得志的"闲愁"。上片，情之间阻；下片，愁之纷乱。上是宾，下是主。

起三句用曹植《洛神赋》"凌波微步，罗袜生尘"之语。凌波微步，不过横塘，是其人没有来；面对芳尘，只能目送，是自己也不能去。"但"，犹言仅、只。她没有来，己不能去，则极目远望，只能从所见到的一片芳尘之中，想象其"凌波微步"的美妙姿态而已。

"锦瑟"一句提问，直用李商隐《锦瑟》："锦瑟无端五十弦，一弦一柱思华年。"问她美好的青春与谁共度，亦即悬揣其无人共度之意。点出盛年不偶，必致"美人迟暮"，暗暗关合到自己的遭际。

"月桥"两句，是想象中其人的住处。"只有"句是说其地无人知，自然也就更无人到。"月桥花院"写环境之幽美，"琐窗未户"写房室之富丽，由外及内，而结以"只有春知处"，就从绚烂繁华的时间和空间里，显示出其人的寂寞来。这三句，共有两层意思：其一，其人深居独处，虚度华年，非常值得同情和怜惜；其二，深闺邃远，除了一年一度的春光之外，无人能到，自己当然也无从寄与相思、相惜之情。这也完全与词人自己沉沦下僚，一辈子不被人知重的情况相吻合。

过片"飞云冉冉"，是实写当

前景色,同时暗用江淹《休上人怨别》"日暮碧云合,佳人殊未来",以补足首句"凌波不过"之意。"蘅皋暮",是说在生长着杜蘅这种香草的泽边,徘徊已久,暮色已临,也是实写,同时又暗用曹植《洛神赋》"尔乃税驾乎蘅皋,秣驷乎芝田"。曹植就是中途在那儿休息,才遇到洛神宓妃的。这就补充了词中没有写出的第一次和其人见面的情节。细针密线,天衣无缝。

"彩笔"一句,承上久立蘅皋,伊人不见而来。由于此情难遣,故虽才情富艳,有如江淹之曾得郭璞在梦中所传的彩笔,而所能题的,也不过是令人伤感的诗句罢了。提起笔来,唯有断肠之句,都是由万种闲愁而起,所以紧接着就描写闲愁。先以"几许"提问,引起注意,然后以十分精警和夸张的比喻作答,突出主旨,结束全篇。

这首词当时非常出名。黄庭坚寄作者诗云:"少游醉卧古藤下,谁与愁眉唱一杯?(秦观《好事近》:"醉卧古藤阴下,了不知南北。")解道江南断肠句,只今唯有贺方回。"诗作于秦观死后,意思是说,当今词手,就只有他了。而结尾三句,尤其为人传诵,以致作者被称为"贺梅子"(见周紫芝《竹坡诗话》)。

结尾之好,历来批评家多有论及,现加以概括,列举如下:

首先,它们是用具体而生动的景物表现了抽象的、无迹可求和难以捉摸的细致感情,使这种感情转化为可见的、可闻的,因而是可信的事物,使读者可以从闲愁的形象中受到它的感染。本是言情,而作者却借景抒情,而所写之景,又极其鲜明而且多样化,使人觉得此愁简直充塞天地,无所不在。沈谦《填词杂说》所云:"不特善于喻愁,正以琐碎为妙。"正是此意。

其次,这些比喻都不沿袭前人。罗大经《鹤林玉露》云:"诗家有以山喻愁者,杜少陵云:'忧端如山来,澒洞不可掇。'赵嘏云:'夕阳楼上山重叠,未抵闲愁一倍多。'是也。有以水喻愁者,李颀云:'请量东海水,看取浅深愁。'李后主云:'问君能有几多愁?恰似一江春水向东流。'秦少游云:'落红万点愁如海。'是也。贺方回云:'试问闲愁都几许?一川烟草,满城风絮,梅子黄时雨。'盖以三者比愁之多也,尤为新奇,兼兴中有比,意味更长。"所谓新奇,即富于创造性。所谓兴中有比,即不仅比闲愁之无尽,亦以兴身世之可悲,因为三者都属于暮春和初夏,即"春去也"的光景,对于词人的晚境欠佳,是有其象征性的。

其三,如罗大经所略举,他人言愁,或以山喻,或以水喻,大都只限于用一个比喻，本词却连设三喻；而且这三个比喻，又都不是单纯的事物如山或水，而是复合的景色。“草”是烟雾中的草，而且是一望无际的平原上的烟草。(一川即满川，川在这里是平原之意，即杜甫《乐游园歌》中“秦川对酒平如掌”之川。)“絮”是在空中飞动的絮，而且是韩翃《寒食》中“春城无处不飞花”之花絮。“雨”是梅子黄时下个不停的、如雾如烟的雨。(《潘子真诗话》尝举寇准“杜鹃啼处血成花，梅子黄时雨如雾”之句，以为是贺词所本。)这都是它们跨越了前人同类句子的地方。所以沈际飞在《草堂诗余正集》中评为“真绝唱”。

顺便提到，像以多种事物比譬一件事物这样的夸张手法，虽在文人词中少见，写得像本词这样新奇的更是不多，但这却是民间文学中常见的。由汉代民歌一直到清代京戏剧本中都有。如《铙歌》中汉代民间诗人所写的《上邪》:“上邪！我欲与君相知，长命无绝衰。山无陵，江水为竭，冬雷震震，夏雨雪，天地合，乃敢与君绝！”又敦煌卷子中唐代民间词人所写的《菩萨蛮》:“枕前发尽千般愿，要休且待青山烂。水面上秤锤浮，直待黄河彻底枯。白日参辰现，北斗回南面，休即未能休，且待三更见日头。”前者以高山变平、江水变干、冬天打雷、夏天落雪、天地合并五种绝对不可能发生的事情，后者以青山烂坏、秤锤浮水、黄河干枯、参辰昼见、北斗南回、三更见日六种绝对不可能发生的事情来比譬爱情之不可能“绝”和“休”，其联想之丰富，比拟之奇特，感情之深沉，风格之浑厚、纯朴、刚健，又把贺铸这三句比下去了。虽然这三句更其工巧，而且仍不失为佳作。

其四，这三句本是虚景实写，目的在于用作比譬，但所写又确系春末夏初横塘一带的景物，它本足以引起纷乱的愁绪，所以写来就显得亦景亦情，亦虚亦实，亦比亦兴，融成一片。先著《词洁》评本词为“工妙之至，无迹可寻”，正是指的这种地方。

作者大概是在横塘附近曾经偶然见到过那么一位女子，既不知其住址，也无缘与之相识，甚至也没有一定想要和她相识，但在她身上，却寄托一些遐想、一些美人迟暮的悲哀。《蓼园词选》说此词下片“言幽居肠断，不尽穷愁，惟见烟草、风絮、梅雨如雾，共此旦晚，无非写其境之郁勃岑寂耳”。这一见解是符合词意的。所以，它虽写了相思，却并非以爱情为主题的作品。

(沈祖棻)

好女儿　贺铸

国门东

车马匆匆，会国门东。信人间、自古销魂处，指红尘北道，碧波南浦，黄叶西风。　候馆娟娟新月，从今夜、与谁同？想深闺、独守空床思，但频占镜鹊，悔分钗燕，长望书鸿！

鉴赏

离别相思是素以"婉约"为"正统"的词里写滥了的题材，似乎它是体操比赛中的"规定动作"，人人都得表演一番。惟其如此，要想在这题目上出头，真是难乎其难。贺铸此词，偏是同题作品中因难见巧的一篇。

上阕写离别。起二句，谓行者与送行者的车马匆匆会集在都城之东门外。"国门"即都门。"信人间"句用梁江淹《别赋》："黯然销魂者，惟别而已矣。""销魂处"，即离别处。"处"本指地，有时亦用若"时"，说见王锳《诗词曲语辞例释》；这里则兼"时""地"二者而言。"多情自古伤离别"，前人早已说过，着一"信"字，表示赞同并重申。接下去三句，即具体描绘离别之地与时，循惯例作鼎足对。"红""碧""黄"为颜色，"北""南""西"为方位，都是的对，异常精秀工稳。而"北道""南浦""西风"除相互为对外，又与上文"门东"遥遥照映，半首之内，四方毕见，可谓匠心。然其妙处还不尽在此。清陈廷焯《词则·别调集》曰本篇上下阕末三句"俱有三层意义，不似后人叠床架屋，其病百出也"，所评甚有见地。"红尘"句谓陆路，谓北方：北地交通多赖陆上车马。"碧波"句谓水程，谓南国：南方交通多倚江湖舟楫。就这层意思说，它是承上，是上联的对句。但从另一层意思来说，它又是括用《别赋》"春草碧色，春水渌波，送君南浦，伤如之何"，隐有春日离别之意。这就兼启下文，成为下句的出联，顺理成章地逗出了"黄叶西风"——秋天的别离。十二字错落有致，概括力是很强的。

无论行者所去为南为北，取道是水是陆，首途在春在秋，其为离别则一，故下阕即进而表现行者的道里之思。“候馆”是官办的客站。“娟娟新月”语出南朝宋鲍照《玩月城西门廨中》:“娟娟似蛾眉。”行者在客馆里看到初弦月一钩弯弯,酷似美人纤细的黛眉,自然会联想到闺阁中人。杜甫《月夜》:“今夜鄜州月,闺中只独看。”贺词曰“从今夜、与谁同”,不啻是说“今后候馆月,客中只独看”,用杜诗而稍有翻换。“想深闺”以下,不言我思闺人,而曰闺人思我,透过一层去写,则行者的千万思量,已然尽寓其中。《古诗十九首·青青河畔草》:“荡子行不归,空床难独守。”末三句正是“荡子”对闺人“独守空床”之心绪的悬想。古代铜镜背面多铸飞鹊,故称鹊镜,思妇有用其占卜行人回归与否及回归日期的风俗。唐王建《镜听词》:“重重摩挲嫁时镜,夫婿远行凭镜听。……嗟嗟嚓嚓下堂阶,独自灶前来跪拜:‘出门愿不闻悲哀,身在任郎回不回。’月明地上人过尽,好语多同皆道‘来’。……可中三日得相见,重绣镜囊磨镜面。”贺词“频占镜鹊”即谓此类事。着一“频”字,思妇盼望荡子早早归来的心情就更见迫切。又,古代妇女首饰有玉钗雕作燕形者,称燕钗。情侣分袂,女子往往将钗掰为两股,一股留给自己,一股赠与男子当做信物。“悔分钗燕”,即追悔轻别之意。至鸿雁用若“信使”,在古诗词中则更属习见。“长望书鸿”,无非是深盼行人来信。这三句一句一意,幽闺心情,幽闺动作,摹写殆尽。措辞之别致,尤令人叫绝。按文义,“鹊”“燕”“鸿”三字本不必有;然若径作“频占镜,悔分钗,长望书”,便生气全无;若依正常语序作“频占鹊镜,悔分燕钗,长望鸿书”,亦味同嚼蜡。惟倒作“镜鹊”“钗燕”“书鸿”,则原先物化为钗、镜的燕、鹊重新获得了生命,本来附属于书信的鸿雁重新恢复了自由,呆板的对仗句也就变得活泼了。南宋吴文英《莺啼序》:“暗点检、离痕欢唾,犹染鲛绡,亸凤迷归,破鸾慵舞。”其中“亸凤”即已分之钗,“破鸾”即半面之镜,与“鲛绡”同为亡妾的遗物。这种腐草化萤的修辞手法,显然是借鉴贺词又加以演进(索性将“钗”“镜”字都泯去了)。清周之琦《十六家词录》论贺词一绝云:“他日四明(吴文英系四明人)工琢句,瓣香应自庆湖来。”信然!

(钟振振)

点绛唇　　贺铸

一幅霜绡，麝煤熏腻纹丝缕。掩妆无语，的是销凝处。　　薄暮兰桡，漾下苹花渚。风留住。绿杨归路，燕子西飞去。

鉴赏

这是一首爱情词，写情侣乍别的悲伤和思念。词人流寓苏州时，曾与一歌妓恋爱并订终身。别后她专情相候，蓬头垢面，再不与外人交际，竟不幸夭折。词人闻讯悲恸万分，写过两首悼亡词。本篇不知是否与这段爱情经历有关。

上阕写女方，写居者，写别时。“霜绡”是白手绢。“麝煤”是熏炉中燃烧的香料。女子伤离哭泣，手绢浸湿，故须在熏炉上烘烤。言“熏腻纹丝缕”，足见伤情之甚，手绢干了又湿，不知熏焙了多少次。“掩妆”谓用手绢捂住脸。“无语”从柳永《雨霖铃》“执手相看泪眼，竟无语凝咽”出。王实甫《西厢记》长亭送别一折，莺莺对张生左叮咛右嘱咐，那是舞台表演的需要，光哭不唱，观众就会哄场。而词篇幅有限，贵凝练简洁，故万语千言以“无语”语之。表现手法殊途异趣，艺术造就却同归化工。“的是”句谓确是伤情之时。此句尤重拙，唯其不搔首弄姿，故更见深厚，语意愈尽而其情愈无穷。

下阕写男方，写行人，写别后。古俗，女子每于春日佳节郊游，采白苹花赠情人。贺词《夜游宫》有“初过寒食一百六，采苹游，湔香裙，鸣佩玉”的场景。“薄暮”二句写傍晚放舟远行，一“漾”字炼，见出不忍骤离，故随波逐流，决不肯急帆快桨。无意中，船儿漂向长满白苹的小洲，苹花蓦地勾起甜蜜的回忆，触发了不可遏止的相思，这就引出了下三句。“风留住”，写人不愿行，故稍遇逆风即泊岸系缆。妙在不直说，而借助拟人手法，将无情之风写得极有人情味。“绿杨”二句，用唐顾况《短歌行》“紫燕西飞欲寄书”句歇后。刚上旅途，就迫不及待地捎信给心上人，而所托之信使，又非更为习见的“鲤鱼”，大约是嫌它太慢，不寄“航空快件”何以表达词人此时霹雳火一般的炽烈相思？写到这里，我们想起《西厢记》莺莺两句唱辞：“从今后衫儿袖儿，都揾做重重叠叠的泪！……久已后书儿信儿，索与我恓恓惶惶的寄！”其张本莫不即在贺词中？不同者，揾泪、寄书都等不到“从今后”“久已后”。

词中向有疏、密两派。张炎《词源》：“词……若堆迭实字，读且不通，况付之雪儿（歌女）乎？合用虚字呼唤。……若能尽用虚字，句语自活，必不质实。”他是主疏的，从自己的审美观立论，未免偏颇。贺铸此词几乎全用实字，不靠虚字呼应贯串，使的是潜气内转法，层次演进从画面转换中见出，筋脉都在暗处，灭尽针缕之迹。初读之，不知所谓；吟味至再，滋味愈嚼愈出。谁说质实一定不能成为佳作呢？

（钟振振）

天门谣　　贺铸

牛渚天门险，限南北、七雄豪占。清雾敛，与闲人登览。　　待月上潮平波滟滟，塞管轻吹新《阿滥》。风满槛，历历数、西州更点。

鉴赏

据宋王灼《碧鸡漫志》，本篇词牌应是《朝天子》，《天门谣》是作者改题的新名。它辑自宋李之仪《姑溪词》，李有和作，题曰“次韵贺方回登采石蛾眉亭”。采石镇在太平州（今安徽当涂），濒长江有牛渚矶，绝壁嵌空，突出江中。矶西南有两山夹江耸立，谓之天门，其上岚浮翠拂，状若美人蛾眉。熙宁年间，郡守张瓌在矶上筑亭以观览天门奇景，遂命名曰蛾眉。词人崇宁、大观年间曾通判太平并与编管在此的李之仪过从甚密，词或作于这一时期。

用小令写登临怀古的题材，不能像长调那样铺陈具体史实，而须高度概括，遗貌取神。试与前录《台城游》比较，两篇写法是不同的。

“牛渚”二句，开门见“山”。太平地理形势之险要，历史地位之重要，只用十二字道尽。偏安江左的小朝廷，每建都金陵，凭恃长江天险，遏止北方强敌的南牧。

当涂踞金陵上游，牛渚、天门正是西方门户，故宋沈立《金陵记》云：“六代英雄迭居于此，……广屯兵甲，代筑墙垒。”词言“七雄”，当是兼括了南唐。“清雾”二句，谓雾气消散，似有意让人们登览。“与”字下得妙，足见炼字不必定求奇丽，寻常字面调度得当，一样能够神采飞扬。上阕这两个语意层次，前者追昔，剑拔弩张，气势苍莽；后者抚今，轻裘缓带，趣味萧闲。小令体制本即短小，而半首之内，如此大起大落，笔力何其健也！

下阕，若常人为之，当承上“登览”二字，展开描写眼底风光，词人却不落旧巢，江声山色，无一语道及，偏说要等到月上潮平、笛吹风起之时，细数石城古都报时的钟鼓。章法出奇，妙不可言。试想，作者登矶在上午雾散后，竟日览胜而兴犹未已，更欲继之以夜，那好山好水的魅力，岂非不着一字，尽得风流？李之仪和作上阕末云“称霜晴披览”，下即直陈“披览”所见：“正风静云闲平潋滟，……杳杳落、沙鸥数点。”固然也风流蕴藉，不愧佳作，但若以兵法为喻，这是堂堂之阵，正面出击；而贺词则是迂回包抄，出奇制胜，两相对比，遂有将才与帅才之分。复就词笔而言，李词盖目击口占，而贺词“待”字以下纯属想象之辞，难为他把江月笛风、遐钟远鼓写得垂手可掬、倾耳可闻。一是实景实写，一是虚境实写，写生与创作，对画家来说，也还存在着难度大小的区别。

更重要的是，贺词并非普通的模山范水之作，它的主旨在凭吊前朝的兴亡。天下大势，分久必合，天险挽救不了六朝覆灭的命运。“七雄豪占”的军事要塞，今竟成为“闲人登览”的旅游胜地，读者不难从中得到江山守成在德不在险的深刻历史教训。又金陵距当涂毕竟有一百几十里之遥，“西州更点”岂可以“历历数”？词人卒章牵入六朝故都(西州，此代指金陵)，是否觉得人们必须牢记这历史的晨钟暮鼓，以六朝为戒呢？好就好在不曾和盘托出，让读者自己作三日想。

还有一件趣事，百年后，岳飞之孙岳珂在镇江北固山也写了一首怀古词《祝英台近》，结尾即整用贺词的“历历数、西州更点”。同一处金陵钟鼓，二人一在北宋，一在南宋，分别从上游和下游两个不同的方向去谛听。贺词原唱即佳，岳珂信手拈来，竟如天造地设，真堪击节！而贺词对南宋豪放派的影响，也由此略见一斑。

(钟振振)

减字浣溪沙

贺　铸

闲把琵琶旧谱寻，四弦声怨却沉吟，燕飞人静画堂深。　　欹枕有时成雨梦，隔帘无处说春心。一从灯夜到如今。

鉴赏

在封建社会里，礼教束缚着男女青年，剥夺了他们自由交往和恋爱的权利。这种对于人性的扼杀，给女子带来的痛苦尤甚，古诗词中写闺怨的作品比重之大，可以为证。本篇就是一首很好的闺怨词。

“闲把”句用韦庄《谒金门》(春漏促)“闲抱琵琶寻旧曲”，写一位少女百无聊赖，抱持琵琶重弹旧曲。“寻”通“焊”，重温之义。“四弦”句言琴声凄怨哀沉。“却”字是词眼，见出她抚琴本为解闷，殊不料反增其愁。看来“旧谱”不能简单理解为过时的曲子，它当指往日与恋人聚会时曾奏之曲。那时人合，故琴欢；如今两情隔绝，虽更弹旧曲，企望用美好的回忆来自我安慰，但无论如何也奏不出旧日的愉悦之音了。“燕飞”句：少女幽居闺中，只有梁燕做伴。燕子似乎不忍听此哀弦，飞走了。少女本人也不能终曲，放下了琴拨。闺中恢复到先前那死一般的沉寂。淡淡七字，写尽了主人公的孤独与怅惘。

过片“欹枕”二句对仗。上联写少女情思之炽热：梦中会得像宋玉《高唐赋》里那位“旦为朝云，暮为行雨，朝朝暮暮，阳台之下”的巫山神女一样，飞到情人身边。下联写客观现实之冷酷：一道门帘就像沉重的棺盖，使闺中人与世隔绝，无处诉说她的怀春相思之心。两句形成强烈的对比。“一从”句：“灯夜”即元宵节，农历正月十五前后几天，城市处处张灯结彩，通宵达旦。平日“藏在深闺人未识”的姑娘们，难得有这样的好机会，可以获准外出嬉游。“月上柳梢头，人约黄昏后。”就在如此良宵，不知发生过多少个青年男女冲决封建礼教的网罗而自由恋爱的故事。本篇所写，亦属此类。主人公最后一次见到她的恋人，也就是在元夜，从那以后，再没有机会相聚，故而魂牵梦绕，郁郁至今。

《浣溪沙》末句最为难写,单句叶韵,收束全篇,短短七字,须独立见意,精彩出场,功力稍有不至,即难免凑拍趁韵之讥。然而贺铸此作,却偏偏以末句著称。清代著名词学评论家陈廷焯《白雨斋词话》中说:“贺老小词工于结句,往往有通首渲染,至结处一笔叫醒,遂使全篇实处皆虚,最属胜境。”并举本篇为例曰:“妙处全在结句,开后人无数章法。”我们试看前五句,当然句句不苟,也构成了很幽索凄厉的意境,表达出极缠绵悱恻的情怀,但它们总还是个平面;而末句给出上述种种状况的时间持续度,点明“雨梦”“春心”由来已久。以数学拟之,前五句好比底数 M,末句则有如它右上角的 n 次方号,读来寻常七字,殊非警策,然其功效之大,陡使前五句所抒情怀的厚度成倍翻番。白雨斋可谓深得此词三昧。

(钟振振)

六州歌头　　贺铸

少年侠气,交结五都雄。肝胆洞,毛发耸。立谈中,死生同。一诺千金重。推翘勇,矜豪纵。轻盖拥,联飞鞚,斗城东。轰饮酒垆,春色浮寒瓮,吸海垂虹。间呼鹰嗾犬,白羽摘雕弓,狡穴俄空。乐匆匆。

似黄粱梦。辞丹凤,明月共,漾孤篷。官冗从,怀倥偬,落尘笼。簿书丛,鹖弁如云众,供粗用,忽奇功。笳鼓动,渔阳弄,思悲翁。不请长缨,系取天骄种,剑吼西风。恨登山临水,手寄七弦桐,目送归鸿。

鉴赏

《东山词》中的压卷之作,恐怕非这首闪耀着爱国主义光辉的《六州歌头》莫属了。

关于本篇的写作时期与时代背景,向有大同小异的两种解说。二说都把它定在徽宗宣和七年(1125),亦即词人七十四岁,临死的那一年。不过一说为抗金而作,一说为抗辽而作,又略有分歧。据笔者考证,它实应作于哲宗元祐三年(1088)秋,当时贺铸三十七岁,在和州(今安徽和县一带)管界巡检(武职,负责地方上训治甲兵、巡逻州邑、擒捕盗贼等事宜)任上;而词的要旨,则与抗夏有关(详见拙撰《贺铸〈六州歌头〉系年考辨》一文,载《中华文史论丛》1982年第四辑)。

西夏本是中国的一部分,党项族也是中华民族大家庭中的成员之一。北宋建国初,党项族首领李彝兴接受了宋太祖授予的太尉头衔,并继续保留着唐以来的建难军节度使、后周以来的西平王等职称和爵号,他所统辖的地区,显然是隶属于宋朝中央政权的少数民族地方自治领。仁宗景祐五年(1038)十月,李元昊建国称帝,号为"大夏",随后即不断入寇北宋,掳掠汉民族的人口、财物。这种分裂的做法破坏了民族团结,无论是给汉族人民还是给党项族人民,都带来了深重的灾难。缺乏战斗力的宋军对付不了强悍的夏人,屡战屡败,朝廷只好向夏人岁纳大批银、绢,换取苟安局面。熙宁、元丰间,宋神宗在位,王安石等新党人物执政,变法革新,整军抗战,且能从战略角度考虑根绝西北边患问题,主动出击西夏党项族政权的侵略势力,并曾一度取得"熙河战役"(熙宁五年,1072)的重大胜利,使宋夏边界的形势初步改观。尽管后来在"灵州战役"(元丰四年,1081)、"永乐战役"(元丰五年,1082)中遭到严重损失,但终神宗之世,北宋对西夏的抗战态度是坚决的。不料神宗死后,哲宗以幼龄即位,由高太后听政,旧党上台,却尽反王安石变法时之所为,对西夏的侵略采取妥协姿态。元祐元年(1086)春,司马光公然提出要把米脂、浮屠、葭芦、安疆等西北边防要塞拱手让与夏人。刘挚、苏辙、范纯仁等随声附和,文彦博更主张连同熙河路全部地区以及兰州等战略要地一齐奉送。一时间,妥协之声甚嚣尘上。身为下级军官的贺铸,人微言轻,又在远离京城的地方上供职,自然不可能有机会登陛廷对,慷慨陈词,留下彪炳史册的忠言谠论;可是他将自己英雄报国无战场的一腔抑塞不平之气,吐而为词,表达了人民和爱国将士迫切要求反抗侵略、反对妥协派的强烈呼声,在以轻音乐为主的北宋乐章磁带上,录下了振聋发聩的一声雷鸣。

下面,就让我们去追寻这一道闪电运行的轨迹吧。

和北宋绝大多数著名词家不同,贺铸出生在一个"以才武显"的军人世家(宋程俱《宋故朝奉郎贺公墓志铭》),从他的七代祖贺景思一直到他的父亲贺安世,共七世担任武职。贺铸本人的长相与性情也颇威武豪放,他"仪观甚伟,如羽人剑客"(程俱《贺方回诗集序》),"貌奇丑,色青黑而有英气,俗谓之‘贺鬼头’”(陆游《老学庵笔记》),“豪爽精悍”(《墓志铭》),“少时侠气盖一座,驰马走狗,饮酒如长鲸”(《贺方回诗集序》)。他的仕宦生涯,也就从武职开始。神宗熙宁元年(1068)或二年(1069),词人十七八岁,离开家乡卫州共城,来到首都东京,靠着门荫,当上了一名低级侍卫武官。从熙宁初至熙宁八年出监临城县(今河北临城)酒税日止,词人在东京过了六七年倜傥逸群的侠少生活。本篇上阕就是对这一段生活经历的追忆。

“少年侠气,交结五都雄”两句化用李白《赠从兄襄阳少府皓》诗“结发未识事,所交尽豪雄”及李益《从军有苦乐行》“侠气五都少”句。按汉以洛阳、邯郸、临淄、宛、成都为五都,见《汉书·食货志下》;三国魏以长安、谯、许昌、邺、洛阳为五都,见《三国志·魏书·文帝纪》刘宋裴松之注引《魏略》;唐以长安、洛阳、凤翔、江陵、太原为五都,见《新唐书·肃宗纪》;这里则泛指北宋的各大都市。此二句是整个上阕的总摄之笔,接着就扣紧了“侠”“雄”二字来作文章。

“肝胆洞”至“矜豪纵”凡七句,是概括地传写自己和伙伴们的“侠”“雄”品性:他们肝胆相照,极有血性和正义感,听到或遇到不平之事,马上怒发冲冠;他们性格豪爽,侪类相逢,不待坐下来慢慢细谈(“立谈”,语出汉扬雄《解嘲》:“或七十说而不遇,或立谈间而封侯。”谓站立而谈,喻时间很短暂),便成为生死之交;他们一言既出,驷马难追,答允别人的事,决不反悔(“一诺千金重”,语出《史记·季布栾布列传》:“楚人谚曰:‘得黄金百斤,不如季布一诺。’”又唐虞世南《结客少年场行》:“结友一言重。”李白《叙旧赠江阳宰陆调》诗:“一诺许他人,千金双错刀。”),推崇的是出众的勇敢(“翘勇”,《说文·羽部》:“翘,尾长毛也。”引申为突出义),并且以豪放不羁而自矜。

“轻盖拥”至“狡穴俄空”凡九句,则是具体地铺叙自己和俦侣们的“侠”“雄”行藏:他们轻车簇拥,联镳驰逐,出游京郊(“斗城”,汉京城长安的俗呼,因其城南为南斗形、北为北斗形而名,见《三辅黄图》。此处借指北宋东京);他们闹嚷嚷地在酒店里豪饮,似乎要把大海喝干(“春色”,唐吕岩《七言》诗:“杖头春色一壶酒。”“垂虹”,南朝宋刘敬叔《异苑》:“晋义熙初,晋陵薛愿,有虹饮其釜澳,须臾噏响便竭。愿辇酒灌之,随投随涸。”);他们间或带着鹰犬到野外去射猎,霎时间便荡平了狡兔的巢穴(“白羽”,白羽箭。“狡穴”,《战国策·齐策》:“狡兔有三窟。”)。

上两个层次,既有点,又有染;

既有虚，又有实；既有抽象，又有形象：这就立体地向我们展现了一轴弓刀武侠的生动画卷。夏敬观《手批东山词》赞曰："雄姿壮彩，不可一世。"无限神往，可谓情见乎辞了。

上阕末句"乐匆匆"三字、下阕首句"似黄粱梦"四字，是全词文意转折、情绪变换的枢纽。青少年时代的游侠生活朝气蓬勃、龙腾虎掷，虽然欢快，可惜太短促了，好像唐传奇《枕中记》里的卢生，做了一场黄粱梦。寥寥七字，将上阕的赏心乐事连同那兴高采烈的气氛收束殆尽，骤然转入对自己二十四岁至三十七岁十三年来南北羁宦、沉沦屈厄的生活经历的陈述，急泪迸流，一发而不可收。

"辞丹凤"至"忽奇功"十句："辞丹凤"，截用唐东方虬《昭君怨》诗"掩泪辞丹凤"。"丹凤"即"丹凤城"之省，宋赵次公注杜甫《夜》诗曰："秦穆公女吹箫，凤降其城，因号丹凤城。"诗词中每以喻指京都。词人于熙宁八年（1075）离京出监临城酒税，任满后回京；元丰元年（1078）改官滏阳（今河北磁县一带）都作院（管理军器制造的机构），任满后于元丰四年（1081）回京；旋于次年七月赴官徐州宝丰监（采铜铸钱的矿区），任满后于元祐元年（1086）二月回京；又于次年十一月赴官和州。本句即谓此四次辞别东京。"冗从"，《汉书·枚乘传》颜师古注："散职之从王者也。"词人出任各地差遣时，官阶为右班殿直至西头供奉之间的低级侍卫武官，其性质略相当于汉代所谓的"冗从"。"鹖弁"句化用汉李陵《答苏武书》："猛将如云。""鹖弁"，本谓武将的官帽，此处代指武官。这一段文字大意是说：离开京城到外地供职，乘坐一叶孤舟飘泊在旅途的河流上，唯有明月相伴。官品卑微，情怀愁苦，陷入了污浊的官场仕途，如鸟在笼，不得自由。像自己这样的武官成千上万，但朝廷重文轻武，只将武士们支到地方上去打杂，劳碌于案牍文书堆里，不能够杀敌疆场，建功立业。十来年的郁积，一肚皮的牢骚，不吐不快。因此这十句恰似黄河决堤，一浪赶过一浪。起先还只是嗟叹个人的怀才不遇，继而扩大到替包括自己在内的众多武士呐喊不平，终于把锋芒指向了埋没人才的封建统治阶级上层。随着词人激愤情绪的一步步高昂，词的主题也在不断地深化。

至"笳鼓动"六句，全词达到了最高潮。"笳"和"鼓"都是军乐器，《渔阳》则是军乐曲。隋薛道衡《奉和月夜听军乐应诏》诗："笳声喧《陇水》，鼓曲噪《渔阳》。"《思悲翁》本也是武曲名，《晋书·乐志》："汉时有《短箫铙歌》之乐，其曲有《朱鹭》《思悲翁》……，多序战阵之事。”这里词人一语双关，“悲翁”又是自呼，他在《答致仕吴朝请潜登黄鹤楼见招》一诗中写道：“城隅黄鹤莫登临，端使悲翁动楚吟。”可证。古人每每中年称“老”称“翁”，贺铸元祐三年诗中自称“老生”（《游金陵雨花台》）、“老夫”（《黄埭魏氏见江亭》），可与本词对参。“天骄”，《汉书·匈奴传》：“胡者，天之骄子也。”后人因以称北方少数民族。元祐三年三月，夏人入侵德靖砦，同年六月，又侵塞门砦。这消息传到僻远的和州，大约已经是秋天了。如果说，在太平时节，军人不能得到重用，还情有可原的话，那么，现在正是国家和民族的多事之秋，英雄总该有用武之地了吧？然而，朝中妥协派当道，爱国将士们依然壮志难酬。词人痛心地写道：军乐吹奏起来了，边疆上发生了战事。想我这悲愤的老兵啊，却无路请缨，不能生擒西夏的酋帅，献俘阙下，就连随身的宝剑也在秋风中发出愤怒的吼声！晋王嘉《拾遗记》：“帝颛顼有曳影之剑，……未用之时，常于匣里如龙虎之吟。”词人用这典故，分明是以剑喻人，它象征着自己和一切热血男儿，一“吼”字，“吼”出了爱国军人报国无门的满腔义愤，真是掷地能作金石声！千载之下，生气犹凛凛然。至此，一个飞鹰走狗的五陵侠少，已经完成了他向“位卑未敢忘忧国”的仁人志士的转变，形象更高大了，更丰满了；词中表达的思想感情，也升华到了爱国主义的境界高度。

最后三句，紧承上文，由浪峰沿自然之势作降落滑行，变激烈为悲凉，在火山喷薄后的平静中结束了全篇。“登山”句截用宋玉《九辩》：“登山临水兮送将归。”“手寄”句似从魏嵇康《酒会》诗“但当体七弦，寄心在知己”句化出。“桐”，桐木为制琴的最佳材料，故以代琴。此句与下“目送”句联属，又是翻用嵇康《赠兄秀才入军》诗：“目送征鸿，手挥五弦。”句句都与送别有关。因此，本篇很可能是写来为一位友人赠行的，谓自己既不得志，只能够满怀恨恨然之情游山逛水，拊瑟送客，以此来作为宣泄了。

读完这首词，我们很容易联想到乐府古题《结客少年场行》。宋郭茂倩《乐府诗集》引《乐府解题》曰：“结客少年场，言轻生重义，慷慨以立功名也。”又按曰：“言少年时结任侠之客，为游乐之场，终而无成，故作此曲也。”贺词显然是用此题材而实之以自己的真情切事，内容及情调亦近似于《乐府诗集》所录南朝宋鲍照、梁刘孝威、唐虞世南、虞羽客、卢照邻《结客少年场行》诸作，又与汉曹植、南朝宋袁淑、齐孔稚圭、梁徐悱、隋王胄、唐李白《白马篇》，王维、王昌龄、张籍《少年行》，梁何逊《长安少年行》，唐郑锡《邯郸少年行》，崔颢《游侠篇》，晋张华《壮十篇》等相类。不同的是，上举各篇除曹植、张华两篇外，一般都是因古题而制文，且均为第三人称叙述口吻。当然，个中也有些优秀作品寄托着作者本人靖边报国的赤诚，但假托他人，又何如以自己的喉管直吁胸中浩气呢？贺词的真切感人之处，恰在于此。

自唐五代以迄北宋，文人词中多倚红偎翠之作，极少直接反映国家和民族的大事件。北宋开国伊始，就不断遭受到北方少数民族政权的武装侵略和军事威胁。可是在北宋词人笔下，涉及反侵略内容的词作，今仅见十余首，只占现存北宋词总数的千分之二三。而像贺铸这样以戎马报国、抵御外侮为主题，并用第一人称唱出的爱国主义壮歌，又只苏轼一首《江城子·密州出猎》可以伯仲。“会挽雕弓如满月，西北望，射天狼！”苏词壮则壮矣，却没有贺词中那一股抑塞郁愤之气以及对妥协派的强烈控诉。当然，苏词作于抗战派王安石执政的熙宁年间，我们不应撇开具体的历史背景去吹毛求疵。但苏轼是活到了徽宗即位的，哲宗元祐时期妥协派猖獗一时，《东坡乐府》中却不见指斥之作，无论是未作抑或作而今佚，都不能不说是一件憾事！因此，贺铸这首《六州歌头》在北宋词坛上就显得格外珍贵了，称之为“铁树之花”，似乎并不过分。事实上，靖康以前，忧时愤事而能与后来岳飞、张元幹、张孝祥、陆游、辛弃疾、陈亮、刘过、刘克庄等抗衡的爱国词作，特此一篇而已。

在艺术上，本篇不但以笔力雄健警拔、神采飞扬腾翥见长，“不为声律所缚，反能利用声律之精密组织，以显示其抑塞磊落，纵恣不可一世之气概”（龙榆生《论贺方回词质胡适之先生》），也是一大显著特点。本调长达三十九句、一百四十三字，同时代人刘潜、李冠所作，只叶二十九韵，且其中还间入三部不同的仄韵；而贺词却平上去三声通协，连珠炮似地一气用韵三十四句，句短韵密，急管繁弦，读起来恰如天风海雨，飘然而至，惊涛骇浪，彼伏此起，激越的声情在跳荡的旋律中得到了体现，两者臻于完美的统一。龙榆生先生赞美词人“在东坡、美成间，特能自开户牖，有两派之长而无其短”（出处同上）。如果这是指苏轼词豪放而不屑守律，周邦彦词调谐而稍欠风骨，贺方回词却能兼顾两面，虽作壮词也不爲音乐声韵之道，甚且要求更加严格的话，我们应当承认，他的意见是有一定道理的。

（钟振振）

踏 莎 行　　贺 铸

杨柳回塘,鸳鸯别浦,绿萍涨断莲舟路。断无蜂蝶慕幽香,红衣脱尽芳心苦。　　返照迎潮,行云带雨,依依似与骚人语。当年不肯嫁春风,无端却被秋风误。

鉴赏

这是一首咏物词,所咏当是红莲花。比贺铸年长三十余岁的北宋理学家周敦颐在《爱莲说》中盛赞莲花"出淤泥而不染,濯清涟而不妖,中通外直,不蔓不枝,香远益清,亭亭净植,可远观而不可亵玩",并认为"莲,花之君子者也"。可是,贺铸词中的莲花,只因生长于回塘别浦,没有人发现她,更没有人欣赏她,她只能寂寞地开,又寂寞地落,犹如王维笔下的山中芙蓉:"木末芙蓉花,山中发红萼。涧户寂无人,纷纷开且落。"在不为人知的境遇中度过自己孤寂的一生。词中孤高幽洁的莲花正是一生怀才不遇的作者贺铸的化身。全词运用比兴手法,寄托遥深。起三句景物描写渲染环境。"回塘"是曲折的池沼,"别浦"是小水流入大水之处,都是指红莲生长的地方。红莲生长于绿波之上,有亭亭似盖的绿叶为衬托,有丝丝弄碧的垂柳为背景,又有活泼绚丽的鸳鸯为陪伴,则红莲之清丽芳洁自可想见。然而,如此美艳的莲花,只因她所处地方偏僻少有人到,不易为人发现、招人爱慕;又因地势僻静,水动迟缓,绿色浮萍又厚又密,以至阻断了采莲舟的来路:于是她就再也没有可能为少女的双手所采摘,为忠诚的情人所供养。"断无"两句承上继续渲染红莲花处境的可悲。她生长僻境无人能见,莲舟又为绿萍所阻不能前来,但蜂蝶能飞,该是会来吮芳采蜜的吧。然而那些蜂蝶却不知"幽香"之可慕,断然不来。"断无"二字加重语气,突出红莲因幽洁而绝无知音。当她"红衣脱尽"即花瓣凋落之后,结成莲蓬,每一颗莲子中央都有一瓣暗绿色的细芯:那被人叫做"薏"的带有苦味的"芳心",就是红莲花一生痛苦的象征了。

此词上片以莲花喻己,处处双关。以莲花之地处僻境喻己身居下位,以绿萍阻断莲舟喻为人汲引之难,以蜂蝶不来喻在上者对己毫不欣赏,以红莲瓣落喻己年华老大,以莲芯之苦喻己内心痛苦。既是写花,又是写人,一手两牍,一声两歌,笔墨经济,比兴有致。换头两句宕开,于情中布景,描绘夏秋傍晚之荷塘景色:金色斜阳照在荷塘绿波之上,迎来从浦口流入的潮水,天上的行云又洒下一阵微雨。词人以此寥落之景暗示红莲花日复一日,历尽阴晴朝暮而始终不为人知,亦喻自己多年以来,经历了多少炎凉世态,而始终未得一展抱负。结三句描摹红莲的神态与内心世界。"骚人"即诗人,此处应系作者贺铸自称。在词人眼中,他的身外之身——红莲似乎在向自己倾吐心曲,故红莲之语实际上是词人的内心独白。用一"似"字,摹写红莲欲语之神态虚而又活。"当年不肯嫁春风,无端却被秋风误",短短两句正是红莲高傲品格和一生遭际的概括。唐代诗人曾以花之开于春天比作嫁给春风,如李贺《南园》"嫁与春风不用媒",韩偓《寄恨》"莲花不肯嫁春风",均系此意。莲花不肯与百花一样在春风中斗妍取怜,可见其不同于凡花的高洁品格。然而她却正因此而落得寂寞一生,一旦秋天来临,红衣脱尽,芳心独苦,没来由反而被秋风所耽误了。因此,红莲之悲剧不仅是环境所造成,也是她性格的必然结果。红莲的悲剧也就是贺铸的悲剧。史载贺铸才华过人,然因尚气使酒,好品评乃至丑诋权要,一生郁不得志。此词所写美艳幽洁的红莲终于只能孤芳自赏,自开自落,正象征着词人自己虽有才有德而不为时流知重,以致为环境所埋没。幸贺铸出身贵族,又与宗室赵克彰女结缡,虽一生沉沦下僚,与秦观等人比较总算遭际尚佳,未曾屡受贬谪,远窜蛮荒。故此词虽有失意的悲哀,却仍有"不吾知其亦已兮,苟余情其信芳"的信念和自我慰安,不至于陷入秦观般的悲凉凄苦而不能自拔。

清代词论家陈廷焯谓:"此词骚情雅意,哀怨无端,读者亦不知何以心醉,何以泪堕。"(《白雨斋词话》卷一)的确,由于贺铸运用了传统的寄托手法,将自己的思想、性格、政治品质与社会环境凝聚成具体可感的红莲形象,使此词的思想内涵远较叹老嗟卑式的直接吐露为含蓄深广,其感人力量也因而增强,特别是封建时代怀才不遇的知识分子更易产生共鸣。陈廷焯对此词评价极高,原因就在这里。

(朱淡文)

南歌子 仲殊*

十里青山远，潮平路带沙。数声啼鸟怨年华，又是凄凉时候、在天涯。白露收残暑，清风散晚霞。绿杨堤畔闹荷花，记得年时沽酒、那人家。

作者

*仲殊，名挥，字师利，俗姓张氏，安州（今湖北安陆）人。生卒年不详。曾举进士，后弃家为僧，住苏州承天寺、杭州吴山宝月寺。和苏轼有交往。崇宁中，自缢卒。能文，善歌词，皆操笔立就。词风清逸和婉。词集名《宝月集》，不传，今有赵万里辑本。

鉴赏

这首词黄昇《花庵词选》题作"忆旧"，恐非词人原意。细品全词，无非是写羁旅行役之感。起首两句便展示出一幅"青山隐隐水迢迢"（杜牧《寄韩绰判官》）的江山行旅图画。"十里青山"而着一"远"字，不仅点出"平芜尽处是春山，行人更在春山外"（欧阳修《踏莎行》）的意境，而且给人一种山峦的推移感，透露出主人公在行旅途中那种路漫漫其修远，不知何日是归期的惆怅心理。"潮平路带沙"，视线从远至近，由山而水，点出行人活动的具体环境。"路带沙"，说明潮水才退出路面，尚留涨潮时带来的河沙。韩愈《答张十一》"山净江空水见沙，哀猿啼处两三家"，同是写行旅孤寂的哀愁，也是用"净山""空江"和"见沙"来点染，而韩诗炼字简赅，此处却摹写细腻。首二句写所见，第三句写所闻。行者听到"数声啼鸟"，便觉得鸟儿也在埋怨年华易逝，青春易老。这是行者的心理情绪移注到鸟啼声所引起的联想。"在天涯"，点明词作感叹羁旅的主旨。“又”字,表现出行者长期的漂泊及对这种生活的厌倦情绪。“凄凉时候”,指秋晚时令,“时令”之上加上“凄凉”一词,反映出行人旅途心境的暗淡、情绪的索寞。由于前三句已经蓄足了势,所以这句虽直露,却显得是真情实感,哀切动人。

上片主要从空间方面着笔,下片则主要从时间方面构思。“白露”双关,既实指秋凉的夜露,又指节候。从一天来说,夜露降下,收敛了白昼的炎热;从一年来说,到了白露,秋已近半,暑气已尽。“清风散晚霞”,紧承前句强调白昼的完结。这两句坐实了“啼鸟怨年华”的命意。时间的推移,在诗词中较难表现。此处一个五言对句,形象优美、轨迹清晰地展示出时间的脚步,表现出词人敏锐的观察力和精细的表现力。“绿杨堤畔闹荷花”,承前两句写实境。“绿杨”是赠别物,“堤畔”是送别处,对行者说,是最易引起离愁别绪的,但这时却偏偏在“闹荷花”。“荷花”而曰“闹”,取意于宋祁《玉楼春》的“红杏枝头春意闹”,不过这里的“闹”字更令人玩味。好像荷花故意与人作对,故意撩人,开得闹哄哄地,以揶揄行者的凄苦寂寞。但这荷花,立即又触动了行人的回忆。哦,原来几年前我也正是漂泊经过此处,那曾经光顾过的酒家不分明还在那边吗?从眼前景,而追想“年时”事,仍是从时间方面来写,照应上片“又是凄凉时候、在天涯”。下片,词人的感情深潜于客观景物的描述之中。上片还流露出“怨年华”的哀愁,下片则几乎看不出词人的喜、怒、哀、乐,反而有一种听其自然、自我排遣的情绪。可能词人正是以出家人的眼光观物,也即苏轼所说“胸中无一毫发事”(《东坡志林》),所以能归结为超脱的缘故吧。这首词从时、空两方面构思,意象清悠、淡远。下片“白露”“清风”“绿杨”“荷花”,设色明艳,对比和谐,很富美感。叹羁旅,怨年华,哀而不伤,情辞和婉,表现出清逸的风格。　　(沈家庄)

诉衷情　　　　仲殊

寒　食

涌金门外小瀛洲,寒食更风流。红船满湖歌吹,花外有高楼。　　晴日暖,淡烟浮,恣嬉游。三千粉黛,十二阑干,一片云头。

鉴赏

这首词写西湖寒食游人盛况。首两句点明地点、时令。“小瀛洲”，西湖中的一个小岛，以渤海中三神山之一的“瀛洲”为名。“更风流”，说到了寒食节，这个神姿仙态的湖中小岛，显得更加可爱。这一句总冒下文。“红船满湖歌吹，花外有高楼。”“红船”，指荡漾在湖中的彩饰游艇，即“画舸”。这里词人不仅展示出湖面船只色彩鲜妍的视觉形象，而且给读者提供了一个以湖面空间为场所的听觉形象——“歌吹”。“满湖”将视觉形象与听觉形象连贯起来，造成了一个有声有色的立体画面。“花外”“高楼”，画面富层次感，楼外有花，花外有楼，更显出富贵雍容的风流姿态。题为“寒食”，但“红船”“歌吹”“春花”“高楼”，无一与“寒”字沾边。一切是那么热烈、喧阗；一切是那么繁华、艳丽。“寒食”而“风流”，这正是词人写“寒食”与人异趣的地方。《荆楚岁时记》曰：“去冬至一百五日，即有疾风甚雨，谓之寒食。”此处寒食却风和景明。在这样的良辰，处这样的美境，“嬉游”而且“恣意”，便是十分自然的了。

“三千粉黛，十二阑干，一片云头。”用三个数字领起的扇面对作结，振起全篇精神。“粉黛”与上片“红船”“歌吹”及“花”相呼应；“阑干”与“高楼”对映；“云头”与“淡烟”互举，收束了全篇意境。“三千”极写“粉黛”之多，回应上片“满湖歌吹”与“花外高楼”，“十二”亦状“高楼”的豪华宏敞。“三千粉黛，十二阑干”与“一片云头”并列，既是写实，又似有词人微旨。近人胡云翼认为：“‘三千粉黛，十二阑干，一片云头’，简直太浓艳了。”（《宋词选》）实际上词人在这里并不是专写浓艳景色，不过是表达了出家人一种富贵荣华都如过眼云烟的人生感想而已。李白《宫中行乐词》：“只愁歌舞散，化作彩云飞。”白居易《简简吟》：“大都好物不坚牢，彩云易散琉璃脆。”词中“一片云头”，正与“彩云”同一意旨。仲殊此词结拍三句，很可能是从李白诗句化出。于是这首寒食词的通篇热烈语，遂全融入最后这句冷峻语中，归结到四大皆空的境界，更显出这首词构思立意的新颖与深刻。

（沈家庄）

望江南

仲 殊

成都好，蚕市趁遨游。夜放笙歌喧紫陌，春邀灯火上红楼。车马溢瀛洲。　人散后，茧馆喜绸缪。柳叶已饶烟黛细，桑条何似玉纤柔？立马看风流。

鉴赏

这首词咏成都蚕市的繁华。据《茅亭客话》载，蜀有蚕市。每年正月至三月，州城及属县循环一十五处，耆旧相传，三月为蚕市。古蚕丛氏为蜀主，民无定居，随蚕丛所在致市居，此其遗风也。每年蚕事将兴，便开蚕市销售蚕农蚕工所需器具物品以及花木果药杂物，为蜀地一年一度盛大的集市贸易聚会。成都因盛产蜀锦而号称锦城（亦称锦官城），唐宋以来养蚕业与纺织业十分发达。此词提供了北宋蚕市盛况的记录，从侧面反映了成都当时商业发达的情况。

起首二句强调成都好就好在蚕市开放的时节。"趁遨游"，即乘兴遨游。一个"趁"字，传达出词人遨游兴致之浓，全为蚕市而起。以下三句，坐实成都蚕市好的具体内容。夜降临了，四处笙歌齐举，婉转动听的器乐声和歌唱声一直喧闹至郊外大道。春意盎然的夜晚，红楼灯火通明，将春意点染得更加光彩照人。街道上车如流水马如龙，好像在神界仙境穿流着熙熙攘攘的人群。"溢"字，写尽了车马的繁多和人流的簇拥。词人抓住夜间这一特定环境着意渲染，虽只简短三句，但读者已听到悠扬鼎沸的歌声；已看到明如繁星的红楼灯火；已仿佛置身在摩肩接踵的人潮中并担心着如梭车马的拥挤碰撞。蚕市的夜晚如此繁华热闹，白天的景象便可想见。这正是词人设计典型环境的匠心。"夜"而能"放笙歌"，"春"而能"邀灯火"，将时间状语作主语用，不但收到拟人的艺术效果，而且把"夜"和"笙歌"，"春"与"灯火"这本无必然联系的物象颇令人玩味地联系在了一起，使声音和画面都变得活动而流走。加上动词"喧"和"上"，造成笙歌和灯火更富时间长度的流动感，扩充了读者艺术联想的三度空间，造成画面和电影镜头都难以达到的艺术境界。

"红楼""紫陌"相对,鲜明的热色调,将热闹、繁华、绚丽、辉煌的场面渲染得更其气氛浓郁。最后以"瀛洲"作喻,将成都的"好"写到极处。

上片写蚕市的大场面,突出"喧"和动,着意繁华;下片写蚕市的小镜头,突出寂和静,着意恬淡。"人散后",蚕市归于清静。街市的热闹,代之以"茧馆"蚕工们对蚕茧丰收的喜悦。"茧馆",养蚕和缫丝综合作坊。"绸缪",本指情意殷勤、缠绵,这里指丰收的喜悦。"柳叶""桑条"句,是一种室外景与室内人比照合写的手法。茧馆外的柳树已长得枝叶娇娆无比了,映衬得室内蚕女和缫丝女工们烟黛色的柳叶细眉更加妩媚;后园如玉柔婉的桑枝,也比不上她们洁白柔美的纤纤素手。这里虚实结合,"柳叶""桑条"既是实景,又是比兴蚕女、缫丝女工的容貌姿态。字面之外洋溢着词人对蚕工们的热烈赞扬之情——是对她们劳动的礼赞。因为蚕市热闹的一切是为她们的劳动而准备,茧馆的一切又是靠她们的玉纤柔手去劳作的。面对着这动人的场面,词人看呆了,身心陶醉在这优美惬意的劳动环境之中。"立马看风流",道出了词人这种入迷的形象和心境。写蚕市而以颂蚕工作结,非常得体,也表现出词人不同凡俗的构思意图。

这首词大景与小景结合,动景与静景交替,喧嚣与静谧搭配,繁华与恬淡比照,很富艺术辩证法的美感。最后一句表现词人的陶醉,照应开首的"趁遨游",亦是前动后静,淡淡写来,不着痕迹而兴味自远。

(沈家庄)

摸鱼儿

晁补之*

东皋寓居

买陂塘、旋栽杨柳,依稀淮岸江浦。东皋嘉雨新痕涨,沙嘴鹭来鸥聚。堪爱处,最好是、一川夜月光流渚。无人独舞。任翠幄张天,柔茵藉地,酒尽未能去。　青绫被,莫忆金闺故步。儒冠曾把身误。弓刀千骑成何事?荒了邵平瓜圃!君试觑,满青镜、星星鬓影今如许!功名浪语。便似得班超,封侯万里,归计恐迟暮。

作者

*晁补之(1053—1110),字无咎,济州巨野(今属山东)人。神宗元丰二年(1079)举进士第,官秘书省正字等。词风受苏轼影响,今存《琴趣外篇》六卷。

鉴赏

这首词写作者贬谪后退居田园的生活及对官场不满的牢骚。晁补之早年受知于苏轼,为"苏门四学士"之一。绍圣四年(1097)新党清洗旧党时受株连,与秦观、张耒等同被"编管"远邑。后退居故乡,"东皋寓居",修葺东山"归来园",以供游憩。

开首三句总提,简括买池买地,栽树种柳,建成景色优美的东山园林的全过程。"陂塘",池塘,代指东皋,是以部分代全体的借代手法。"依稀淮岸江浦",建成的池塘左近,风光简直像淮水畔、长江滨一般宏阔迷人。"江浦"一作"湘浦",湘江滨景色更幽美,

"淮""湘"对举,与词意更贴。以下宕开,分别赞扬寓所的雨后沙嘴,月夜川渚,浓密树荫和轻软草地。"嘉雨"后池塘"新痕涨",观察细致,体物入微,并透露出词人对"陂塘"的关注与热爱。"沙嘴鹭来鸥聚",这动态的场面描写,既安谧清幽,又淡远飘逸。是环境的写实,又虚用《列子》"鸥鹭忘机"的典故,流露出对隐退生活的自得。"一川夜月光流渚",画出入夜后东皋川明渚亮,宛如仙界的美妙景象。使人不禁想起陶渊明诗中"结庐在人境,而无车马喧""山气日夕佳,飞鸟相与还"的意境。一个"流"字,牵动整个画面,使景象变得很美。夜本不见水流,因"光流"而现,这是动词的妙用。置身在如此奇妙的美景中,词人当然要叹赏这是"最好"的"堪爱处"了。沉湎于美境而无闲人打扰,便想独自起舞。"无人独舞",令人想到李白《月下独酌》的意境,表现作者对自由放达生活的陶醉。捆着手脚做官,是不可能体会这种自由情绪的啊!"翠幄张天,柔茵藉地",则有幕天席地的恢宏气魄,表现出词人旷达的胸襟。也是写实。"翠幄",绿色帐幕,指树荫浓密,绿柳遮天;"柔茵",轻软地毯,指软嫩草坪。"酒尽未能去",迭进一层,写流连忘返的心情,绾合前面对寓所周围优美环境的赞美,并引发下片的情绪。上片写景,赞扬寓所佳处,句句景语皆情语。下片抒情,也是回答为何"酒尽未能去"的原因。

过片两句,是说不要留恋以往的官场生活。汉制,尚书郎值班,官供新青缣白绫被或锦被。词中"青绫被"代表做官时的物质享受。"金闺",即金马门,汉武帝使学士待诏金马门,备顾问。晁补之曾官著作郎,供职馆阁,故借"金闺故步",代指自己在朝廷为官的生活。"儒冠"句,语出杜诗:"纨袴不饿死,儒冠多误身。"是说读书做官误了自己。接着言自己做地方官毫无成就,反倒荒废了田园,耽误了农事。"弓刀千骑"指太守级的地方官出行的威风。词人曾知河中府等,故云。"邵平",秦时人,封东陵侯。秦亡后,隐居长安城东种瓜。瓜有五色,很美,称"东陵瓜"。以上五句,前三句是后两句的引发,后两句是前三句的申说,表示对朝廷权贵的蔑视,对官场角逐的厌倦,对隐居生活的由衷向往。有忏悔,有怨恨,有激愤,磊落意气,倾荡而出,表现出豪壮的情怀。词人少年便以文名受知于苏轼。举进士,试开封府及礼部别院皆第一。正是以出众才华干一番事业的时候,却因党祸株连,无故贬谪,宦海风波,使词人心灰意冷。正是由于时局的煎迫,世事的无常,词人才决计退出官场，过隐居生活。类似这种思想认识，在作者另一些词中也有表现，如“暗想平生，自悔儒冠误”（《迷神引》）等。不过最使他痛苦的，还是人老头白，欲悔无及了。于是他沉痛叹道：“君试觑，满青镜、星星鬓影今如许！”做官误了终身，荒了田园，白了少年头。这是为什么呢？词人通过痛苦的反思，终于得出彻悟的结论：所谓功名，不过是一句废话罢了！“功名浪语”，是对封建时代士子最高追求的彻底否定，愤激也达高潮。词人对“功名”的认识，有一个过程：年少时，追求功名，耽心“月期花信尚参差，功名更难卜”（《好事近》）；进士及第后，欣然感叹“莺花荡眼，功名满意，无限嬉游”（《洞仙歌·留春》）；进而又意识到“世上功名，老来风味，春归时候”（《水龙吟》），把“功名”与“老来”“春归”并举，已露厌薄情绪；接着便怨恨“文字功名真自误”（《临江仙》），决计“罢说功名，但觉青山归晚”（《碧牡丹》）。“便似得班超”以下三句，借古代立功名封侯的班超，印证“功名浪语”的感慨，意即连班超这个万里封侯的英雄，最后也得还乡居住，可惜他归得太晚了啊！《后汉书·班超传》载，班超少有大志，尝投笔叹曰：“大丈夫无他志略，犹当效傅介子、张骞立功异域，以取封侯，安能久事笔砚间乎？”后来在西域建立大功，封定远侯。他在外三十多年，回到京城洛阳时，已七十一岁，不久便死了，所以词人感叹他归计太迟。

这首词脱去传统词家所谓“词须婉转绵丽”（王世贞语）的蹊径，慷慨磊落，直抒胸臆，颇富豁达的情趣。所以刘熙载认为“无咎词堂庑颇大”（《艺概·词曲概》），并以为辛弃疾《摸鱼儿》“更能消几番风雨”一阕，“即无咎《摸鱼儿》‘买陂塘旋栽杨柳’之波澜也”（同上）。稼轩词受到无咎词影响是无疑的，但若说辛词是晁词波澜，却未为允当。就内容言，虽两者都对朝廷表示强烈反感，但态度和出发点有明显的区别：辛词的哀怨是从关心国事出发，申说报国无门的愤懑，并痛斥投降误国的权奸；晁词只是感叹仕途不遇、歌颂隐居和抒发个人事业无成的怨悱。尽管晁词也反映了封建时代知识分子的清高气节，在今天仍有认识价值，我们不能简单说它“消极”，但辛词思想性更高、政治气节更磊落光明，这却是事实。就艺术言，晁词赋体，境界醒豁，辞气充沛，感情爽直；辛词比兴体，意境深邃，辞气吞吐，感情沉郁。二词各有千秋。

（沈家庄）

临江仙　晁补之

信州作

谪宦江城无屋买，残僧野寺相依。松间药臼竹间衣。水穷行到处，云起坐看时。　一个幽禽缘底事，苦来醉耳边啼？月斜西院愈声悲。青山无限好，犹道不如归。

鉴赏

作者曾坐修《神宗实录》失实被贬监处、信二州（处州治所在今浙江丽水，信州治所在今江西上饶）酒税。本词就是作者在信州任上的作品，表现了他厌弃官场而向往故里的思想情感。

上片首句无一字虚下。“谪宦”交代了全词的政治背景并为全词定下基调。“江城”点信州，“无屋买”是夸张之词，表明江城的偏僻荒凉，这样便极自然地引出第二句。“残僧野寺相依”，可注意者有二：寺而谓之“野”，可见其荒凉破败，僧而谓之“残”，可明其残留无几，所居之处及所相依之人既如彼，则作者自己的寂寞可以想见，此其一；其二，宋代士大夫于失意时，每喜与僧人相游处，或静己心，或明己志，这一句似亦含此用意，读者当细味之。以下三句承第二句而写其行迹。第三句谓在松间小径行走，时见有药臼委弃一边，竹林间又有竹箨供小坐休憩。四、五两句用王维《终南别业》“行到水穷处，坐看云起时”句，只是为了协词律，在文字的排列上略作调整而已。虽然是全部袭用，但与本词意境融合无间，浑然无迹，表现出诗人的野趣。

大概作者曾试图遁入醉乡以遣岁月。但不知为什么事，一只幽禽（杜鹃）又在醉酒之时来到耳边苦苦啼叫。“苦来醉耳边啼”应读作“醉来耳边苦啼”。不仅是“苦啼”，而且是愈啼愈悲。“月斜”表明时间已晚，时间既晚，则啼叫之久可知，“声愈悲”以见鸟之情切。细味起来，实是借鸟的悲啼显示自己的悲苦心境。结尾则托出全词之主旨：这儿的青山尽管无限美好，但杜鹃仍啼道“不如归”！前者从李商隐“夕阳无限好”化出，两句合起来又暗用王粲

《登楼赋》及陶渊明《归去来兮辞》意。是啊,尽管这儿的山水很好,有松林竹林可供盘桓,有水有云可供观赏,但毕竟身在官场,终不如退守田园那么自由自在。至此可以明白,作者流连山水、遁入醉乡皆是不得已而为之,他所真心向往的是退隐故园。

本词借杜鹃之口点明归家退隐之主旨,给人以警醒之感。粗看似乎杜鹃为醒者,作者为醉者,其实作者之内心为醒者,作者之外表为醉者,唤醒作者的实是作者自己而非杜鹃鸟。这种以客位写主位的方法是十分巧妙的。

（曹文彪）

洞仙歌　　晁补之

泗州中秋作

青烟幂处,碧海飞金镜。永夜闲阶卧桂影。露凉时、零乱多少寒螀,神京远,惟有蓝桥路近。　　水晶帘不下,云母屏开,冷浸佳人淡脂粉。待都将许多明,付与金尊,投晓共、流霞倾尽。更携取、胡床上南楼,看玉做人间,素秋千顷。

鉴赏

本词作者青年时代才华横溢,仕途亦颇得意,后坐修《神宗实录》失实而被贬,徽宗立,曾一度被起用,但旋因党祸再起而又遭贬,直到大观末年(1110)方才出党籍,起知达州、泗州,泗州治在临淮(今江苏泗洪东南,盱眙对岸,清康熙时,州城陷入洪泽湖)。本词便是作者在泗州任上的绝笔之作(见毛晋《琴趣外篇跋》),可以看出,作者因官场失意而在寻求精神上的安慰与解脱。

上片写中秋夜景。首两句写月亮初升,是仰视所见的远景:遥望天空,烟霭迷茫,俄顷,碧空中飞起一轮金镜般的月亮。“幂”字意为遮蔽,此句写月亮未升前的天边景色极形象生动。后一句化用李白“月下飞天镜”句,月亮之初升实非飞驰,但从无月一变而为有月则非“飞”字无以状之。以碧海喻中秋之夜空,以金镜喻中秋初升之月,皆形象贴切。第二句写俯视所见的近景。夜而谓之

“永”，阶而谓之“闲”，既是写现实更是写心境，桂影而谓之“卧”，极写夜之幽静。以上皆从视觉写中秋月亮初升之夜景，下面则转而从听觉写。“露凉时”一方面写出时间在推移，表明夜已渐深；另一方面又极自然地过渡到“零乱多少寒蛩”。因为夜已深、露已凉，故蛩（蟋蟀）声零乱错落。蛩声零乱，听来又觉其为寒，观察体会极为细致。这里“凉”“零乱”及“寒”字与上面“永”“闲”一样都写出作者的主观感受，这些主观感受也都是作者心境的反映。闲寂之月夜缀以零乱之寒蛩，静中有声，愈觉其静。夜愈静则心愈寂，心愈寂则更感夜静，两者互为因果，相辅相成。至此为止描画出一幅充满凉意的、悠长寂寞的中秋月夜图，失意如作者在此环境当中，怎么不感慨万千、遐想联翩呢？于是下面便以“神京远，惟有蓝桥路近”的感慨收束上片。“神京”即指京城，“蓝桥”为唐秀才裴航巧遇云英并与之结为夫妇之处，这里泛指与妓女相往还。此两句意谓到京城做官这一辈子算是无望了，只有与妓女往还以排遣日月倒是比较切近现实的。唐宋士大夫特别向往做京官，一则便于实现自己的政治抱负，二则升迁机会较多；因而出任地方官——无论是被贬外放还是正常出任，总是感到极不得意。不得意时又往往寄情托怀于佳人，而佳人又与美酒紧密相连，于是下片便将感慨转化为对佳人与饮酒的具体叙写。

过片三句写月下佳人。“水晶帘不下”反用李白《玉阶怨》之“却下水晶帘”句，将“下”字改为“不下”，便使月光满透。“云母屏开”化用自李商隐“云母屏风烛影深”句，“开”字亦是道出月光满透。前者动词用否定式，后者动词用肯定式，见出用词变化，此等细微处皆见作者用心之苦。云母屏、水晶帘皆质地纯净，这里衬托出佳人的高雅形象。佳人而淡着脂粉，既显素洁之美又见其幽贞之志。“冷”字写出了时间的推移（由上片之“凉”变为此处之“冷”，足见夜已更加深沉），同时与水晶帘、云母屏及薄施脂粉的佳人一起形成一个极其统一和谐的、清幽淡雅的画面，与杜甫的“绝代有佳人，幽居在空谷……天寒翠袖薄，日暮倚修竹”意境颇相似。这里既是写现实中的佳人，又是借佳人以自况。下面三句接写饮酒。“待”字是拟想之词，表明此三句的动作在词中并未实现，又见出行文之变化。这三句意谓考虑将如许之多的月光分付与金尊，等到拂晓时一同喝尽流霞仙酒，“倾尽”显出作者洒脱之气。结末三句是实境。为了更好地领略大好的月光，于是又携取胡床(一种可以折叠的轻便坐具,传自西域)到南楼上去欣赏月在中天、光满人间、一片秋色、洁白无瑕的景色。让这洁白无瑕的月光洗净自己的凡心,使自己从尘世中的浮沉、官场中的宠辱中解脱出来。这三句暗用东晋庾亮南楼踞胡床赏月典故,写得气度恢宏,兴象万千,给人以冰魂玉魄之感。

李攀龙云:"此词前后照应,如织锦然。"(《草堂诗余隽》引)本词上片首三句写月之初升,四、五句轻轻宕开而写蟋蟀的叫声,接着再宕开一笔写个人之感慨,过片之后又写佳人,这些虽与月有关,但毕竟不是月亮本身。至此须悬崖勒马,否则任其宕开就收束不住了。于是以"待"字领出饮酒赏月三句,又以"更"字领出登楼赏月三句作结,这样,通篇就形成一个层次井然首尾呼应的三段式,既切题而又不粘于题。在宋人的咏中秋词中,除苏轼的《水调歌头》外,这一首也是公认的佳作。

(曹文彪)

风 流 子　　　张 耒*

木叶亭皋下，重阳近，又是捣衣秋。奈愁入庾肠，老侵潘鬓，谩簪黄菊，花也应羞。楚天晚，白蘋烟尽处，红蓼水边头。芳草有情，夕阳无语，雁横南浦，人倚西楼。　　玉容知安否？香笺共锦字，两处悠悠。空恨碧云离合，青鸟沉浮。向风前懊恼，芳心一点，寸眉两叶，禁甚闲愁？情到不堪言处，分付东流。

作者

*张耒（1054—1114），字文潜，号柯山，楚州淮阴（今属江苏）人。神宗熙宁六年（1073）中进士，授临淮（今安徽泗县）主簿。元祐元年（1086）召试学士院，授秘书省正字。仕至起居舍人，以直龙图阁知润州。后因新旧党争，几次起落。诗文颇得苏轼弟兄赏识，与黄庭坚、秦观、晁补之并称"苏门四学士"。有《张右史文集》。近人赵万里于诸家选本及宋人笔记中辑得其词六首，题曰《柯山诗余》，录入《校辑宋金元人词》中。

鉴赏

张耒工诗善文，名重于时，倚声制曲，则非其所长。在苏门四学士中，张耒作词最少，现仅存六首。但他毕竟是一位抒情能手，偶有倚声之作，不乏佳妙之处。《能改斋漫录》的作者吴曾看到张耒的《少年游》《秋蕊香》二词，说："元祐诸公皆有乐府，唯张仅见此二词，味其句意，不在诸公下矣。"

这首《风流子》是写游子思妇相思之情的。从词中用语"重阳""捣衣""庾肠""潘鬓""锦字"等来看，可能是作者因坐元祐党籍，被贬外州时思念妻子所作。起句"木叶亭皋下，重阳近，又是捣衣秋”，点明地点、时令，暗寓思家之意。“木叶”，即树叶。《楚辞·九歌·湘夫人》：“袅袅兮秋风，洞庭波兮木叶下。”后世常以此写秋景，兼写相思。“亭皋”，指水边平地。“重阳”，节令，旧历九月九日。古时人们常在这天登高饮酒。有亲友在外，届时不免互相思念。王维《九月九日忆山东兄弟》：“遥知兄弟登高处，遍插茱萸少一人。”即指此种风俗。“捣衣”，历来解释不一，通常为妇女将织好的布帛（麻布）放在砧板上，用木棒敲击，使之柔软，以便裁缝衣服。谢惠连《捣衣》诗：“纨素既已成，君子（丈夫）行未归。裁用笥中刀，缝为万里衣。”后常以捣衣写妻子对远方丈夫的思念。李白《子夜吴歌》：“长安一片月，万户捣衣声。”沈佺期《独不见》：“九月寒砧催木叶，十年征戍忆辽阳。”九月换季之时，家家准备寒衣，这时，“万户捣衣声”，最容易引起闺中人对远方丈夫痛苦的思念。远行之人，也容易因此想到妻子在家为自己捣衣的情景，感到既痛苦，又温暖。张耒此词“木叶”“捣衣”连用，显系用沈佺期诗意，既写时近重阳，又写两地相思。下面是进一步的生发。“庾肠”，庾，指庾信，字子山。初仕梁，后出使西魏，值西魏灭梁，被留。历仕西魏、北周。他羁旅北地，常常想念祖国和故乡。《哀江南赋》等暮年所作，大都抒写乡关之思。后人常以“庾愁”代指思乡之意。“庾肠”，即思乡的愁肠。“潘鬓”，潘，指潘岳，西晋文学家。潘岳《秋兴赋序》：“余春秋三十有二，始见二毛。”后因以“潘鬓”为中年鬓发初白的代词。古俗重阳赏菊、簪菊。由于忧伤，鬓衰将不胜簪，故云“谩簪黄菊，花也应羞”，以此写思家之苦。下面几句，在写景中寓离别相思之意。“白蘋”，水中浮草，因其随波漂流，容易引起游子产生离家漂泊的伤感。温庭筠《梦江南》：“梳洗罢，独倚望江楼。过尽千帆皆不是，斜晖脉脉水悠悠，肠断白蘋洲。”就是写这种感情。“红蓼”，生于水中者名泽蓼或水蓼，开浅红色小花，叶味辛香，古称辛菜，有时用以比喻辛苦。蘋、蓼都能使人想起离家之苦，所以说“芳草有情”。“夕阳无语”一句，也是寄情于景。一脉脉含情，一恹恹不语，似乎都在为游子思妇的乖离而深表同情，真所谓物犹如此、人何以堪了。以下再着以“雁横南浦”一句，进一步从景物的描绘中，寓托别离之情。《楚辞·九歌·河伯》云：“子交手兮东行，送美人兮南浦。”江淹《别赋》又云：“送君南浦，伤如之何？”雁是候鸟，南浦是送别之地；雁届时即归，而人分袂之后却不能归去，再次因物兴感，更觉悲从中来。末句“人倚西楼”，点出游子登眺之处，交代了“楚天晚”至“雁横南浦”六句，都是极目之所见；由所见而引起所感，因而所见之景物都似乎有了人的感情。王国维在《人间词话》中说：“一切景语皆情语也。”这首词对景物的描绘也的确收到了这样的艺术效果。

换头“玉容知安否”，点明所思之人，揭出了词旨所在，使上片所写种种情景明朗化。“玉容”，代指思妇。“香笺”“锦字”，指书信。晋代窦滔以罪徙流沙，其妻苏蕙，因思念丈夫，织锦为《回文旋图诗》以寄。后世常以此指妻子寄书丈夫，表达相思之意。“青鸟”，神话中西王母饲养的鸟，能传递信息，后世常以此指传信的使者。“碧云”，江淹《休上人怨别》诗有“日暮碧云合，佳人殊未来”之句，这里借以写对于闺中人的怀想。由于香笺锦字，两处悠悠，碧云已合而佳人未来，青鸟杳然而音书全无。“离合”“沉浮”都是偏义复词，重点在“合”“沉”，闺中妻子是否平安，不得而知。以上是就游子方面来说的。“向风前懊恼，芳心一点，寸眉两叶，禁甚闲愁”四句，转以想象之笔，设想妻子思念自己时的痛苦情状。写对方思念自己，正是为了表达自己对于妻子深挚的爱情与痛苦的思念。这种诗词常用的写法，比较容易使读者感到生动、亲切。“情到不堪言处，分付东流”两句，用质语绾合全篇。相思至极，欲说还休；不是不想说，而是说了反而愈加愁苦，倒不如将此情交付给东流之水带去为好。毛滂《惜分飞》云：“今夜山深处，断魂分付潮回去。”构思、手法与此相同。

《餐樱庑词话》对这首词有如下一段评语：“张文潜《风流子》：‘芳草有情，夕阳无语，雁横南浦，人倚西楼。’景语亦复寻常，惟用在过拍，即此顿住，便觉老当浑成。换头：‘玉容知安否？’融景入情，力量甚大。此等句有力量，非深于词，不能知也。‘香笺’至‘沉浮’，微嫌近滑，幸‘风前’四句，深婉入情，为之补救；而‘芳心’‘翠眉’，又稍稍刷色。下云：‘情到不堪言处，分付东流。’盖至是不能不用质语为结束矣。”有些分析颇有见地，可以参考。

（张　中）

瑞龙吟　　周邦彦*

章台路。还见褪粉梅梢，试花桃树。愔愔坊陌人家，定巢燕子，归来旧处。　黯凝伫。因念个人痴小，乍窥门户。侵晨浅约宫黄，障风映袖，盈盈笑语。　前度刘郎重到，访邻寻里，同时歌舞。惟有旧家秋娘，声价如故。吟笺赋笔，犹记《燕台》句。知谁伴、名园露饮，东城闲步？事与孤鸿去。探春尽是，伤离意绪。官柳低金缕。归骑晚，纤纤池塘飞雨。断肠院落，一帘风絮。

作者

*周邦彦(1056—1121)，字美成，号清真居士，钱塘(今浙江杭州)人。少年落魄不羁，后因向神宗献《汴都赋》万余言，被擢为太学正。出教授庐州，知溧水县，还京为国子监主簿。徽宗时先后任校书郎、考功员外郎、卫尉宗正少卿兼仪礼局检讨等官职。徽宗颁布大晟乐，召邦彦提举大晟府。不久，知顺昌府，徙处州。他精通音律，能自度曲，词律细密。词风浑厚和雅，富艳精工，极铺陈之能事。词集名《清真词》，又名《片玉集》，今人吴则虞校点《清真集》共收词二百零六首。

鉴赏

溧水任满后，词人于绍圣四年(1097)春天抵达京师，任国子监主簿。从元祐二年(1087)离京至此整整十年，其间政治的更张，人事的变化，使他不胜今昔之感，就在踏入国门不久的时候，写了这首寄托深远的《瑞龙吟》。这是周邦彦最负盛名的词作之一，自沈义父《乐府指迷》至俞平伯《清真词释》，好评如林，解说亦如林，尽管评说不一致，大都认为是“章台感旧”的佳作罢了。只有李攀龙说：“此词负才抱志，不得于君，流落无聊，故托以自况。”(《草堂诗余隽》引)还算有一点眉目。词的写作背景，也许是十年后重访旧游之地有感而作，但这只是表面的现象，背后却是政治的沧桑之感。因他抒情、写景和用事与“章台感旧”极其贴合，悲喜无端，音律美妙，令读者荡气回肠，所以弦外之音反被忽略了。当然，在整首词里不是一字一句都有寄托，但作者似乎在有意无意之间，或用双关语，或借应节令的事物隐约地影射；尤其值得注意的，是词中用了三位“风流人物”——刘禹锡、李商隐、杜牧的故事，背后都有一段政治上的辛酸史。

“章台”的词义，在后世文学中虽演变为“狎邪”的意思，如王勃《春思赋》所谓“白马新临玉沟道，青牛近出章台路”。但它本是秦昭王所筑的朝会之所，屡见于《史记》等典籍。词中“章台路”是双关的，也指朝廷。“褪粉梅梢，试花桃树”于景物是冬尽春来，象征着肃杀阴霾的季节已经过去，欣欣向荣的日子到了；也象征今后的政治好景。“愔愔坊陌人家”，气氛是一片宁静，也暗示朝廷一片和谐，再不是“蝴蝶满园飞，无人扑”了。这时节，“飘流瀚海”的“社燕”从远方归来，在旧巢定居了。“定巢燕子，归来旧处”，说的是燕子，比拟的是词人自己，心情是愉快的，与“旧巢更有新燕”成了强烈的对比。词共分三段，是“双曳头”体，以上说的是第一段；“黯凝伫”至“盈盈笑语”是第二段，是“怀旧”的表面文章而已，主要的意思在最后一段。

“前度刘郎重到”，用刘禹锡诗，表面上是“崔护重来”的意思，骨子里却大有文章。刘禹锡在唐顺宗时，因与柳宗元等参加以王叔文为首的“贞元革新”变法集团，失败后被贬朗州司马，凡十年(805—815)之久。唐宪宗元和十年(815)才召还京师，有《元和十年自朗州承召至京戏赠看花诸君子》诗云：“紫陌红尘拂面来，无人不道看花回。玄都观里桃千树，尽是刘郎去后栽。”十四年后又赋《再游玄都观绝句》：“百亩庭中半是苔，桃花净尽菜花开。种桃道士归何处？前度刘郎今又来。”这两首诗寄托着沉痛的政治感情，《旧唐书》本传说他“语涉讥刺”，《新唐书》本传说他“以诋权近”，所以“人嘉其才而薄其行”。这是尊儒的“正统”史家的无聊按语。刘禹锡所讥诋的，是地主、官僚、武臣、宦官因利害关系而互相勾结的反动集团,所痛恨的是先后为这个集团代表人的武元衡和李逢吉等。“玄都观里桃千树,尽是刘郎去后栽”,是比喻“贞元革新”失败,他们“八司马”被贬后,保守分子纷纷登场。玄都观影射朝廷,桃树影射那些一朝得意的新官人。十四年后,世事沧桑,经不起风霜的桃花已经净尽了。当年栽培桃花的道士——武元衡、李逢吉,一死一贬,故云:“种花道士归何处?前度刘郎今又来。”周邦彦以刘禹锡自拟,目司马光、吕公著等是“种桃道士”;昔年许多保守派官人是“桃千树”;现在都被贬斥了,便是“桃花净尽”;变法派再度登台了,便是“菜花开”。这政治感慨,与当年的刘禹锡一样。

“惟有旧家秋娘,声价如故。吟笺赋笔,犹记《燕台》句”数语,背后也有所指。“声价如故”的“旧家秋娘”,似指章惇。他在熙宁变法之初,即被王安石赏拔,历任编修、三司条例官、湖南北察访使、知制诰、军器监、翰林学士等要职,元丰三年拜参知政事,五年加门下侍郎,元祐时虽被贬斥,但从元祐八年“太皇太后”高氏死后,终哲宗之世,都是他一人专政。在革新派人物中,除王安石、吕惠卿以外,资历较深、执政最久的是章惇。周邦彦被召还京,当然要通过他的。“燕台”句,用李商隐《燕台》诗。李商隐《柳枝》诗序云:“柳枝,洛中里娘也……余从昆让山,比柳枝居为近。他日春曾阴,让山下马柳枝南柳下,咏余《燕台》诗。柳枝惊问:‘谁人有此,谁人为是?’让山谓曰:‘此吾里中少年叔耳。’柳枝手断长带,结让山:‘为赠叔乞诗。’明日,余比马出其巷,柳枝丫鬟毕妆,抱立扇下,风障一袖,指曰:‘若叔是?后三日,邻当去溅裙水上,以博山香待,与郎俱过。’余诺之……”《瑞龙吟》词“障风映袖”句,已用序中语。《燕台》诗四首,是寄托政治感慨的,纪昀谓其“语艳意深”,何焯谓其“寄托深远”。词中“吟笺赋笔,犹记《燕台》句”,是比喻《汴都赋》仍然没有被执政者忘记,楼钥《清真先生文集序》谓“哲宗始置之文馆……以一赋而得三朝之眷”,可资印证。次年(元符元年)六月十八日,哲宗召见于崇政殿,命重进《汴都赋》,除秘书省正字。

“秋娘”和“东城闲步”,都出杜牧诗。杜牧《杜秋娘诗》序云:“杜秋娘,金陵女也。年十五,为李锜妾。后锜叛灭,籍之入宫,有宠于景陵。穆宗命秋为皇子傅姆。皇子壮,封漳王。郑注用事,诬丞相欲去己者,指王为根。王被罪废削,秋因赐归故乡。予过金陵,感其穷且老,为之赋诗。”诗中“四朝三十载，似梦复疑非”，“因倾一樽酒，题作秋娘诗，愁来独长咏，聊可以自贻”之语，感叹秋娘，实无异于感叹自己。又《张好好诗》序云：“牧大和三年(829)佐故吏部沈公江西幕，好好年十三，始以善歌来乐籍中。后一岁，公移镇宣城，复置好好宣城籍中。后二岁，为沈著作述师以双鬟纳之。后二岁，于洛阳城东重睹好好，感旧伤怀，故题诗赠之。”诗云：“洛阳重相见，婥婥为当垆。怪我苦何事，少年垂白须……洒尽满襟泪，短歌聊一书。”词中“东城闲步”，即用杜牧遇张好好在洛阳城东当垆沽酒故事。而杜牧感叹张好好的飘零，亦即感叹自己的飘零。杜牧生当晚唐皇朝极孱弱腐败的时代，牛李党争，藩镇跋扈，国家已在灭亡边沿。“牧追咎长庆以来朝廷措置亡术，复失山东，巨封剧镇，所以系天下轻重，不得承袭轻授，皆国家大事。嫌不当位而言，实有罪，故作《罪言》。”(《新唐书》本传)他“刚直有奇节，不为龊龊小谨，敢论列大事，指陈病利尤切至”(引同上)，又曾注曹操定本《孙子兵法》。这样一个主张中央集权、镇压藩镇、倾向革新的人物，定然不容于当权的腐朽的政治集团。因此，“时无右援者，从兄悰更历将相，而牧回踬不自振，颇怏怏不平”(引同上)。仕宦流落，使他“江湖醉度十年春，牛渚山边六问津”(杜牧《和州绝句》)；“十年一觉扬州梦，赢得青楼薄幸名”(杜牧《遣怀》)。这种际遇，周邦彦有同感焉。

刘禹锡、李商隐、杜牧在政治上都具有进步思想，都因政治失败而一生坎坷，借香草美人寄托政治感慨。所以周邦彦《瑞龙吟》词借用他们的诗歌，是有意使人联想他们的遭遇，暗示自己的政治感慨的。“事与孤鸿去”一语，也用杜牧《题安州浮云寺楼寄湖州张郎中》“恨如春草多，事与孤鸿去”诗句。这首词的寄托是相当明显的，但词论家不详考作者生平，故无所发见。如沈义父《乐府指迷》、杨慎《词品》、周济《宋四家词选》、陈洵《海绡说词》、吴梅《词学通论》、夏敬观评《清真集》……以至陈匪石《宋词举》、俞平伯《清真词释》等等，都有所论列，只限于章句法度的讨论。独有李攀龙认为：“此词负才抱志，不得于君，流落无聊，故托以自说。”(《草堂诗余隽》引)略有见地，但“不得于君”云云，脱不了儒家诗教老套，体会也不彻底。

(罗忼烈)

风流子　周邦彦

新绿小池塘，风帘动、碎影舞斜阳。羡金屋去来，旧时巢燕，土花缭绕，前度莓墙。绣阁凤帏深几许，听得理丝簧。欲说又休，虑乖芳信，未歌先咽，愁近清觞。　遥知新妆了，开朱户、应自待月西厢。最苦梦魂，今宵不到伊行。问甚时说与，佳音密耗，寄将秦镜，偷换韩香？天便教人，霎时厮见何妨。

鉴赏

这首词，王明清《挥麈余话》说是周邦彦为溧水令时，"主簿之姬有色而慧，美成常款洽于尊席之间。世所传《风流子》词盖所寓焉。……词中新绿、待月，皆簿厅亭轩之名焉。"友人罗忼烈教授《清真词笺》在此词《附记》中指出其牴牾处，言其为不可信。又称："宋人笔记多信手记录，不复考核，此所以往往失实也。"此说澄清这一事实，为周邦彦辩诬，有助于了解这首词的真正意趣。

此词其景其事，当为怀人之作，寓意深厚。究竟所怀何人，我们不妨把它和《蒹葭》以及《离骚》中的"帝阍""瑶台"相提并论，当为其所追求的理想化身，不必实指为谁。这样，词的旨趣就突出了，也高雅了。词写怀人，层次极为清晰。地点由外入里，时间从"斜阳"到"待月"。人，一个是伫立池边，一个是绣阁理簧。而人的心理描绘尤为细致周到，设想奇绝，最后道出愤激语。

一起"新绿"三句，写景如绘。一"新"字，是美丽的静景。风来吹动映水的帘影，又经过斜日照射，似破已碎，一"舞"字，是奇妙的动景。一静一动，真如电影手法。这里，景中暗里有人。"羡"字为领字，直贯下四句。实是人的心理活动，他在羡慕那燕子去来金屋、土花缭绕莓墙，都是过去的事，而今依旧重演，但人只是羡慕它们，恨不能去。潜台词是自己多么不如它们，然而奈何！"绣阁”句则转到对方的活动,有声传出。她是在“理丝簧”,也是站在池边的人所听到的。“欲说”四句,则加深描绘所听丝簧声之深情,内心矛盾,多情之恼,酒难消愁,种种百无聊赖的情绪,均在丝簧声中表现出来。这是从对方写来的。下片和上片末尾似断实续,“遥知”句,系从自己猜测对方,“开朱户、应自待月西厢”则设想对方也有所期待,然而含而不露。“最苦”两句,又跌到自身来,悔恼之至,现实如此凌厉,欲去不得,而“梦魂惯得无拘检,又踏杨花过谢桥。”(晏几道《鹧鸪天》)古人多情,得梦中晤。而今自己梦魂,也“今宵不到伊行”,真是苦中之最,“最苦”二字,真刻骨之言,更深一层。人不得去,梦也不得去,但仍不甘休,发出奇问,“问甚时”四句,则直率地吐露,何时能去得呢?这里以典故秦嘉、徐淑、韩寿、贾女的多情韵事,也即刘禹锡诗之“秦嘉镜有前时结,韩寿香销故箧衣”(《泰娘歌》)的化用。都是反衬现在自己和所思不得相见,真是愁肠千结,懊恼万端。综上所述,都是写欲见不得见,纳闷之至,吞忍之至,最后,痛极呼天,“天便教人,霎时厮见何妨”。这里全是散文句法,直陈其辞,不暇雕饰。思极恨极,突然爆发,天也不管了,实际上是骂开来了,然而也伤痛之至,一刹那的会晤,你都不允许吗?一刹那的会晤又妨害你什么呢?老天,你不该受质问吗?你不太残忍吗?离别之痛,相思之苦,真是无以复加了。

这首写怀人的词,从层次上来说,是一层深入一层,有时用对照写法,从双方写来,层次极为清楚。另外,一起以景,极清丽,而又突然翻动;一结以情,极朴厚,而又干脆利落。周邦彦在词的章法上,千门万户,这首词正表现了上述特点。

(金启华)

渡　江　云　　周邦彦

晴岚低楚甸,暖回雁翼,阵势起平沙。骤惊春在眼,借问何时,委曲到山家?涂香晕色,盛粉饰、争作妍华。千万丝、陌头杨柳,渐渐可藏鸦。　堪嗟。清江东注,画舸西流,指长安日下。愁宴阑、风翻旗尾,潮溅乌纱。今宵正对初弦月,傍水驿、深舣蒹葭。沉恨处,时时自剔灯花。

鉴赏

周邦彦为北宋词人中集大成之作者,开南宋词之先声,这一点在词之发展史上,早为论者所公认。关于周邦彦词在艺术方面之成就,如其长于勾勒描绘,善于运化诗句,精于音律结构,以及其风格之浑成和雅,凡此种种长处,也早为识者所共见。只是关于周词之内容意境方面的评价,则论者见仁见智,历来颇有异辞。盖早自张炎之《词源》,即已曾讥其"意趣却不高远";王世贞之《弇州山人词评》亦曾谓其"能作景语,不能作情语";刘熙载之《艺概·词曲概》亦曾谓"美成词信富艳精工,只是当不得一个贞字"。至于王国维则虽然在其晚年所写的《清真先生遗事》中对周词之艺术成就表现了相当的推崇,然而在其早年所写的《人间词话》中,便也曾对周词之意境加以讥议,说"美成深远之致不及欧秦",又谓其"创调之才多,创意之才少"。这些评语便都是对其内容意境方面表示不满的。但另一方面,则也有对周词之意境极致赞美者,如陈廷焯之《白雨斋词话》,即曾云"美成词极其感慨,而无处不郁"。又谓"今之谈词者,亦知尊美成,然知其佳而不知其所以佳,正坐不解沉郁顿挫之妙"。又举周氏之《兰陵王》(柳阴直)、《满庭芳》(风老莺雏)及《菩萨蛮》(银河宛转三千曲)诸词,以为其"言中有物,吞吐尽致","沉郁顿挫中别饶蕴藉","哀怨之深,每忠爱之至"。不过陈廷焯虽极为赞美周词,但他的解说却嫌不够详明,而且陈氏自己也曾承认周氏之词往往有"令人不能遽窥其旨"的遗憾。因此近人之编写词选及文学史者,对于周词之内容遂颇多评诋,即如胡云翼之《宋词选》,就曾称周词所反映的是"冶荡无聊的生活,风格不高",刘大杰之《文学发展史》也曾谓周词"除了一部分描写妓女的情爱以外,大都是无病呻吟的写景咏物之作"。其实周邦彦生当北宋新旧党争之际,对于政海沧桑确实颇多深慨,只不过一则因为他写得含蓄深蕴使人不易觉察,再则也因为周氏在当时的政争中,是被人目为新党之人,而在旧日传统之眼光中,则常有一种偏护旧党而鄙薄新党的成见,所以后世论词者便往往不肯从此一角度来解说周词。其实只要我们对周氏生平略加考察，便可以知道他的词中之含有政治方面的感慨，原是极为可能的。盖周氏之入汴都为太学生，乃正当神宗元丰初年变行新法之际。其后不久周氏就献上了赞美新法的《汴都赋》，为神宗所欣赏，遂自太学生一命为太学正。及至哲宗元祐初年高太后用事，起用旧党之人，周氏遂于不久后被出官在外，流转多年。及至绍圣年间，哲宗正式亲政，于是旧党之人又相继被贬出，而新党之人乃陆续被召回。于是周邦彦便也于此时又被召回汴都，且曾重献《汴都赋》。只不过这时的周邦彦，在阅历沧桑以后，已经不复是早期炫学急进的少年，而是一位委顺知命的恬退的长者了。从他晚期的一些词作来看，如其《兰陵王》（柳阴直）、《瑞龙吟》（章台路）诸作，便该都是在其表面所写的对柔情之追念中，隐藏有政海沧桑之慨的。只不过这些词都写得极为含蓄，可以吟味，但都不宜于指说。唯有现在我们所要讨论的这一首《渡江云》词，则对其喻托之意稍微露有端倪。

此词第一句就点明了"楚甸"，据王国维《清真先生遗事》，以为周氏客荆州"当在教授庐州之后，知溧水之前"。但此词却并非此时所作，而当为其第二次被召入京时重过荆州之作（请参看《灵谿词说》中拙著《论周邦彦词》一文）。从表面看来，其前半阕不过泛写春日之景物而已。俞陛云《唐宋词选释》即曾谓此词"上阕言楚江作客，春光取次而来，皆平叙景物"。其所说虽是，然而这实在只是这首词表面所写的第一层意思而已。至于此词之下半阕，俞氏虽也曾提出"其写怀全在下阕"之说，然而俞氏对其所写之怀的理解，则只是"宴阑人散，送行者皆自崖而返，而扁舟孤客，泊苇荻荒滩，与冷月残灯相对。此词与柳屯田之晓风残月，皆善写客愁者"。其所说亦未能得其真义。现在当我们对周邦彦之性格与遭遇以及写作此词之时间与地点，都有了进一步的认识以后，就可以对其做较深一层的探索了。如我们在前文之所叙述，周邦彦自元祐初年出为庐州教授，至绍圣年间之再被召还京师，其间盖已有十年之久。在此十年中，时代既曾有新旧党人之废兴的两次剧变，周邦彦在阅历世变之余，其早年写赋求进之锐气，也已经消磨殆尽。因之此次再度蒙召入京，一方面虽然也有惊喜之情，而另一方面却同时也不免怀着很深的悲慨和恐惧。此词开端"晴岚低楚甸，暖回雁翼，阵势起平沙"数句，表面所写虽是在荆州水途中所见到的春至阳回的景色，但实在却已经隐喻了时代的政治气氛之转变,尤其值得注意的是“暖回雁翼,阵势起平沙”二句,表面上所写虽是雁阵之起飞,但实际上却已经隐喻着一些因政治情势改变,而又纷纷得意回朝的新党的人士。下面的“骤惊春在眼,借问何时,委曲到山家”数句,表面是写春天到来时,春光也来到了山中的人家,但此处实隐含有自指之意,暗喻自己在此次政局转变中,也再度被召还朝的这件事。以下自“涂香晕色”一直到上半阕的结尾数句,表面上所写的自然仍是春光之美盛,而实际上所隐喻的,则正是政局转变后,新党之人竞相趋进的形势。对于这首词中前半阕所可能具有的隐喻之意有了理解后,我们就会明白何以作者在下半阕的开端,竟忽然用了“堪嗟”两个字,来承接前面所叙写的美丽的春光了。如果说前半阕借春天景色所托喻的是政局的转变,以及在此一转变中,自己也随着政局之新形势而被召还朝的意外的惊喜;那么下半阕所写的,则正是伴随着这种惊喜所同时产生的,对这种荣悴无常祸福难料的,新旧党人互相倾轧之多变的政坛的一种悲慨和恐惧。据强焕《片玉词序》谓周氏知溧水县时,曾将后园之亭台命名为“姑射”“萧闲”,则其对竞进的心之逐渐泯除,已可概见;何况他在溧水还写有极著名的《满庭芳》(风老莺雏)一首词,其中的“且莫思身外、长近尊前”诸词句,也同样表现了一种淡泊世事的心情。而他在此次蒙召赴京,将要离开溧水前,所写的《花犯》(粉墙低)一首词,也曾借着对梅花的感情,表现了对溧水的闲适恬静远非世纷的生活的依恋。当我们有了这种认识以后,就可以了解他在此首《渡江云》下半阕开端所写的“堪嗟。清江东注,画舸西流,指长安日下”所蕴涵的对于蒙召赴京一事之矛盾恐惧之心理了。其“清江东注”一句,所写的实不仅指眼前的江水而已,同时也暗喻了他对于江南的依恋,这种依恋,既包括了他曾任过县令的溧水,也包括了他自己的故乡钱塘,而下句的“画舸西流”,则正指今日奉召入京的旅程,其中的矛盾对比,自是显然可见的。再者,对旧日的士大夫而言,其一生所追求者,既以仕进为人生之主要目标,则被召还京师,便原该是一件可喜的事。而周邦彦在这一首词中,却表现了如此深沉的嗟叹和矛盾,则其原因究竟何在?于是周氏在下面的“愁宴阑、风翻旗尾,潮溅乌纱”,马上就写出了他的矛盾恐惧的症结之所在,原来他所愁惧的乃是政争翻覆之无常。所谓“愁宴阑”

者,正是预先愁想之意,“宴阑”之所指,则是预愁今日如雁阵飞起的、“涂香晕色”的骤然贵显的一批新党之士,一旦“宴阑”下台,便不免将要受到如今日下台的旧党人士所受到的同样的排挤和迫害。所以才在此一句之下,马上承接了“风翻旗尾,潮溅乌纱”两句,暗喻了政治上的风云变色。“旗”字既可使人联想到一种权势党派的标志,“乌纱”更可使人体味到政治上的官职和地位。而曰“风翻”曰“潮溅”,则暗喻此种权势和地位之一旦倾覆的危险。这种用语和承接,都是要在我们体会到其中的托喻之意以后,才能够理解的。俞陛云评说此词,竟以为果然有离别之宴,谓此词为“宴阑人散”以后之作,而忽略了“愁宴阑”之“愁”字,原为预先愁想之意,那便因为他对此词所隐喻的真正意旨未能完全体会的缘故。至于此词结尾之处的“今宵正对初弦月,傍水驿、深舣蒹葭。沉恨处,时时自剔灯花”数句,才是此词中真正全用写实之笔之处。表现出水程夜泊孤独寂寞中满怀心事的情景。透过对于这一首《渡江云》的写作之时地,及其内容之深一层含义的分析,我们对周邦彦词之意境,当然有了更多的了解。但我却并不是主张一定要以托喻之意去解释周词。因为周邦彦在性格中既原来具有浪漫不羁而且爱好音乐的一面,则其作品中当然存有不少爱情之词与应歌之作。因此我以为对待周词一般大概可以取三种不同之态度:其一是可以但视之为爱情之歌曲,不必更推求任何深意者,如其词集中风格与“花间”相近的一些令词,以及长调中如《拜星月慢》(夜色催更)一首之写对幽欢佳会的怀念,以及《解连环》(怨怀无托)一首之写别后相思的怨情,像这一类词,我们对之便只当欣赏其动人之情事与精美之艺术,而不必更推求什么言外之含义。其二是对作品之本身,虽不必确指为有任何深远之含义,然而当我们对周邦彦之时代、生平和性格、遭遇都有了较深之认识以后,却可以使读者从其中吟味出一种深远之意蕴者,如其《齐天乐》(绿芜凋尽台城路)一首,读者便可以从其中吟味出一种沧桑之慨和迟暮之悲。再如其《玉楼春》(桃溪不作从容住)一首小令,表面所写虽然是离别今昔之感,但却全以极富于象喻性之形象出之,遂使读者读之也自然可以引发一种深远之联想者。若此之类虽是供读者吟味,但却都不必确指其有任何托喻之意。其三则是果然有托喻之意可以确指者,如我们所举的《渡江云》(晴岚低楚甸）一首，就属于此一类作品。像这类作品，我们在指说其托喻之意时，实当取极为审慎之态度，而不可落入牵强的比附之中。关于如何判断作品中是否确有托喻，我以前在《常州词派比兴寄托之说的新检讨》一文中，曾提出过三项衡量的标准，以为“第一当就作者生平之为人来做判断。第二当就作品叙写之口吻及表现之神情来做判断。第三当就作品产生之环境背景来做判断”（见《迦陵论词丛稿》）。如果我们用这三项标准来对此《渡江云》一词试加衡量，则其一，周邦彦此词盖写于其出官外州县已有十年之久以后，其为人性格已由少年时之不羁与急进，转为阅尽世变沧桑以后的淡泊恬退。而且据楼钥《清真先生文集序》之所记述，周邦彦此次蒙召还京以后，也是“虽归班于朝，坐视捷径，不一趋焉”。这种性格之形成，自然与他对当日党争中仕途之升沉祸福之忧惧，有很大的关系。此其合于第一项衡量标准者也。其二，此词中所叙写之口吻神情，不仅在下半阕中的“指长安日下”和“风翻旗尾、潮溅乌纱”数句中之“长安”“旗尾”“乌纱”等字样，显然可见其含有喻托之意；就是在前半阕中的“暖回雁翼，阵势起平沙”，及“涂香晕色，盛粉饰、争作妍华”数句，其托喻之含义也是隐然可想的。即如杜甫就曾有“君看随阳雁，各有稻粱谋”之句（《登慈恩寺塔》），将随阳追暖的雁，比喻作谋求稻粱利禄的竞进之人；而辛弃疾也曾有“却笑东风从此，便薰梅染柳，更没些闲”之句（《汉宫春》），将春色的薰梅染柳，比喻韩侂胄当国时，以恢复之议对功名之士的号召（见台湾现代国民基本知识丛书中之郑骞《词选》），像这些词句中所用的语汇和叙写的口吻，就都或隐或显地表现了托喻之意。此其合于第二项衡量标准者也。其三，则此词写于绍圣年间，哲宗已经亲政，旧党多被贬谪，而新党重新得势之际。是其写作之时代环境，也证明了此词有托喻之可能，此其合于第三项衡量标准者也。正因为有如此种种相合之处，所以我才敢大胆指明此词之果有托喻之意。不过，像这种完全合乎三项衡量标准的作品，在周邦彦词中并不多。所以我们虽可以因此词之证明，对周词之意境，在阅读时可以有较深之意会及较多之联想，但在解说周词时，则仍当极为谨慎小心，不要轻易做过分指实的托喻的解说。这也是我们在评赏周邦彦词时，所不得不注意的。

（叶嘉莹）

解 连 环

周邦彦

怨怀无托。嗟情人断绝,信音辽邈。信妙手、能解连环,似风散雨收,雾轻云薄。燕子楼空,暗尘锁、一床弦索。想移根换叶,尽是旧时,手种红药。　汀洲渐生杜若。料舟依岸曲,人在天角。漫记得、当日音书,把闲语闲言,待总烧却。水驿春回,望寄我、江南梅萼。拚今生、对花对酒,为伊泪落。

鉴赏

此词首句,即是主题,而此无可寄托、难于消遣之"怨怀",则由于"情人断绝"而引起。它写的是一个"负心女子痴心汉"的小小悲剧,与它篇之多写互相怀念者不同。

起句总挈全篇,以下依次细写"怨怀无托"之故和别后情事。不但行踪断绝,音信也都没有了,怎么能够不使人嗟叹呢?二、三两句,乃是对起句的补充,点明了"怀"之何以"怨","怨怀"之何以"无托"。因为如果人虽不见,音信犹通,则就是有托而非无托了。

"信妙手"三句,巧妙地用了一个典故,来暗示对方之负心。战国时,秦王将一枚玉连环送给齐君王后,说:"齐国的聪明人很多,能够将它解开吗?"君王后将它拿来和群臣商议,都认为无法解开。君王后立刻用铁锥将连环打破,告诉秦国的使者说:"已经解开了。"(见《战国策》)这是历史上一个不按照常规办事而解决了问题的著名事例,并且出自一个有决断的女子之手。这里用"妙手能解连环"来比譬对方主动想方设法,断然地拒绝了自己的爱情,就显得非常恰当。可知词人在选择曲调的时候,也是有其用意的。连环本不可解,犹如缠绵往复、无法分开的爱情,可是由于"妙手",竟然"解"了。连环既解,则过去的一切,也就像风雨云雾一扫而光,天空之中,一碧无际,更无所有了。以云雨比喻所爱的女子,以雨散云飞比喻和她的分离,诗人习用。如张又新《赠广陵妓》"云雨分飞二十年,当时求梦不曾眠。今来头白重相见,还上襄王玳瑁筵";窦巩《宫人斜》"离宫路远北原斜,生死恩深不到家。云雨今归何处去?黄鹂飞上野棠花"皆是。所以这里以"风散"等为比,不但形容感情之变化,也表现了踪迹之乖隔。周邦彦还在一首《浪淘沙慢》中云:"连环解,旧香顿歇。"与此同意。这三句写的是"断绝"之故。

"燕子"以下,直至歇拍,都是想象中其人旧居的情景。关盼盼是唐张愔的爱妓,张死后,盼盼念旧爱而不嫁,一直在彭城(今江苏徐州)燕子楼中孤单地住着。这件事,使当时的张仲素、白居易以及后代的苏轼都很感动,为她写了诗词。苏轼《永遇乐·彭城夜宿燕子楼,梦盼盼,因作此词》云:"燕子楼空,佳人何在?空锁楼中燕。"张仲素《燕子楼诗》云:"瑶瑟玉箫无意绪,任从蛛网任从灰。"即此所本。"燕子楼空"一句,直用苏词,暗含"佳人何在"之意,且点明其人亦属己之爱妓。"暗尘"一句,是张诗改写,而更工致。"暗尘"是为时已久,于不知不觉中蒙上的灰尘。"一床弦索"是满架子的乐器,即"瑶瑟玉箫"之类。"一床弦索"本非"暗尘"可"锁"之物,而词人独独挑上这样一个字将两者联系起来,以形容弦索虽存,久已无人拨弄,竟好比被暗尘锁住了一般,则人去楼空、人亡物在、室迩人遐之感就更其清楚了。张诗言"无意绪",言"任从",是就关盼盼的主观情感言;本词言"空",言"锁",是就自己所见到的客观事实言。但盼盼是念旧爱而不嫁于张愔的死后,其人却是弃旧爱而思迁于自己的生前,正好相反,故张仲素与自己所感,也正好相异。"想移根"两句,由楼内而想到楼前,由人之去而想到物之换。阶前的红芍药花,是她当日亲手所种,但其人离去已久,则旧时花草,也必都已更新。人既久离,物也非故,就使得感慨更深一层了。

换头由旧时红芍药想到新生的杜若,由楼中想到汀洲,由自己目前处境想到对方情况。古人有采折芳香的花草寄赠远人以表情意的风习,杜若也属可赠之物,故《九歌·湘夫人》云"搴汀洲兮杜若,将以遗兮远者。"自己此时虽想到杜若渐生因而有采芳赠远之意,但其人乘船而去,现在何地,不得而知,只能料想她沿途时或停泊于岸曲,时或行驶于水中,愈走愈远罢了。

"漫记得"以下,续念旧情。想到断绝之后,今天固然是"信音辽邈",然在以前一段时期,还是常常有书信往来的。不但常有书信,而且还是如晏殊《清平乐》中所写的“红笺小字，说尽平生意”那种深盟蜜意的情书。这些情书，当时写得如此郑重，如此缠绵，而今天事过情迁，看起来真不过是“闲语闲言”即无关紧要的连篇废话而已，还不如拿来一起烧掉，不留痕迹，以免睹物思人，徒增苦恼。设想至此，真觉心灰气短，一切皆空，话也说尽了。

可是，爱情这个东西，有时真具有如李商隐《无题》中所说的“春蚕到死丝方尽，蜡炬成灰泪始干”那样一种顽强的力量。情场失意的词人，写到这里，心思一转，又在绝望之中，迸发出希望来。盛弘之《荆州记》载：吴之陆凯曾从江南将梅花寄到长安，送给他的好友范晔，并赠诗云：“折梅逢驿使，寄与陇头人。江南无所有，聊赠一枝春。”现在春天又回来了，她的心是不是也会像春天一样回转来呢？她会不会像陆凯一样，也寄一枝梅花给我，以表情意呢？对方舟行无定，故自己欲寄杜若而势有不能，而自己则定居未动，她只要想寄梅花，总是可以随着水驿而寄到的。问题是她愿不愿寄，肯不肯寄。

前面一上来，就指出“情人断绝，信音辽邈”，以此推知，则“望寄我、江南梅萼”者，终于不过是一厢情愿而已，所以笔锋放开之后，又重新收缩回来，由幻想仍归现实。一方决绝，一方缠绵，则缠绵的一方，也只有一辈子虽在良辰美景之中，“对花对酒”，为怀念决绝的一方而伤心落泪而已。这种尽其在我的想法，即前人所谓痴顽，也还是“怨怀无托”之意，回应篇首，总结全词。

这首词的句法规定了要在许多地方用一个单字领起下文。作者都使用得极好，如“纵”“想”“料”“望”“拚”诸字，都使感情深化，文势转折，有助于达难达之情。

《玉楼春》与此词同是写与情人断绝之悲，但前者是写己之未留，后者是写人之竟绝；同是写一种执著痴顽之情，但前者即景抒情，缘情布景，后者写情为主，略点景物，故其风格前者精丽，后者朴素，也各不相同。

（沈祖棻）

满　江　红　　周邦彦

昼日移阴，揽衣起、春帷睡足。临宝鉴、绿云撩乱，未
忺妆束。蝶粉蜂黄都褪了，枕痕一线红生肉。背画

阑、脉脉悄无言,寻棋局。　　重会面,犹未卜。无限事,萦心曲。想秦筝依旧,尚鸣金屋。芳草连天迷远望,宝香薰被成孤宿。最苦是、蝴蝶满园飞,无人扑!

鉴赏

哲宗亲政以后,革新派既被斥殆尽,保守分子就呼朋引类,纷纷上场,却又明争暗斗。这个景象,恰似“暮春三月,江南草长,杂花生树,群莺乱飞”(丘迟《与陈伯之书》),闹哄哄、乱纷纷的。这当儿,周邦彦写了这首《满江红》。

这首词,后人只当作一般闺情词看,欣赏词中艳语。如王世贞《弇州山人词评》说:“美成能作景语,不能作情语;能入丽字,不能入雅字。以故价微劣于柳(永)。然至‘枕痕一线红生肉’,又‘唤起两眸清炯炯,泪花落枕红绵冷’,其形容睡起之妙,真能动人。”这样的词评,真是丈八金刚,摸不着头脑。其实整首词都用寄托手法,通过春闺孤寂的各种景象,写出作者当时的政治愤慨。幻变《楚辞》的传统风貌,并运用错综的修辞技巧,传达了下面三层意思。

一是自己的政治苦闷。以闺中人的美丽、芳洁,象征“纷吾既有此内美兮,又重之以修能”(《离骚》)的意思。这本是古代诗歌文学惯用的寄托手法。但不用“美人”“佳人”“蛾眉”“修姱”等《楚辞》字面,也不用一般“香奁泛语”来做正面的描画。却用“临宝鉴、绿云撩乱,未忺妆束”,“枕痕一线红生肉”几句。从侧面烘染出意态之美,见其粗服乱头,不掩国色。“宝香薰被成孤宿”一句,包含两个意思,值得注意。“宝香薰被”,比喻洁身自爱,与《楚辞》的“佩兰”“纫蕙”“荷衣”“药房”……用意相同。“成孤宿”,比喻政治处境的孤立无助。那时候,革新派在汴京政坛上倒下来,中坚分子既被斥逐,一小撮动摇分子又向保守派靠拢。周邦彦官职虽小,政治立场却很坚定,始终不因个人的得失而改变。后来,他在《重进〈汴都赋〉表》追述其事说:“旋遭时变,不能俯仰取容,自触废罢。”所谓“时变”,指革新派失败、保守派专政的大变动。“不能俯仰取容”,指不肯改变立场,投靠敌人。因而触犯了保守派,被罢免太学正的职务。《楼序》云:"未几,神宗上宾,公亦低徊不自表襮。"亦指出献赋之后不久,神宗死去,保守派炙手可炎的时候,他不肯为了功名,砌词自白。革新派人斥逐的斥逐,靠拢的靠拢,所以他非常孤寂。正像深闺独宿的少妇,顾影自怜,空虚而寂寞。"昼日移阴,揽衣起、春帷睡足";"背画阑、脉脉悄无言,寻棋局",是寂寞无聊的情景,比喻自己的政治苦闷。

二是对革新派人和新法的不幸而感慨。词中"重会面,犹未卜"和"芳草连天迷远望"三句,以离人远去,望眼欲穿,比喻怀念被斥逐到远州去的革新分子。"无限事,萦心曲",以旧欢往事,比喻心中向往变法时的无限好景。"秦筝"是优良的乐器,影射新法;"金屋"影射朝廷。词云"想秦筝依旧,尚鸣金屋"两句,是暗示希望他们不改素志,依旧为政治理想而奋斗。好像筝手凭仗乐器,在华堂上弹出美妙的乐曲一般。《浣溪沙》词又说:"金屋无人风竹乱,衣篝尽日水沉微,一春须有忆人时。"朝中没有能人,让保守派人在那儿扰扰攘攘,像风吹竹响,一片零乱、嘈杂,自己在孤寂中过日子,常常怀念着被斥的人,感慨亦复相同。而"昼日移阴","蝶粉蜂黄都褪了",表面上说良辰美景已经消逝,内容却象征新法被废,好景不长。

三是对当权派的愤恨和讽刺。词意分明,情绪也较激动。"最苦是、蝴蝶满园飞,无人扑"二句,"蝴蝶"披着美丽的外衣,却是树木的害虫,不是好东西,比喻保守派政客;"园"也是比喻朝廷。当时保守派盘踞政坛,排除异己,又复自相内讧,好像满园蝴蝶乱飞,不可扑灭。这种乱纷纷的情形,上文曾概述元丰八年至元祐二年的政治状况,这里不重提。这两句的寄托手法,正和《楚辞·涉江》的"鸾鸟凤凰,日以远兮,燕雀乌鹊,巢堂坛兮"相似。我们要注意"最苦是""无人扑"二语,这是有特殊作用的。扑蝴蝶是旧时妇女的一种游戏,和扑流萤、打秋千一般普遍,诗歌中说过很多。蝴蝶彩色绚烂,翩翩飞舞于花间,只有惹人喜爱。这里为什么不说"最爱是""无奈是"之类,偏说"最苦是"?若是闺中少妇心上空虚,什么玩艺总引不起兴致,蝴蝶也懒得扑了,就该说"无心扑",为什么偏说"无人扑"?作者为着强化憎恨满园乱飞的蝴蝶,就必须说"最苦是",不能说"最爱是",即说"无奈是"也不够力量。"人"暗指强有力的政治人物,如宋神宗、王安石,运用铁腕把顽固的保守派一网打尽。现在,皇帝是个不懂事的小孩子,“已矣哉国无人”(《离骚》)! 谁去扑灭满园的浪蝶呢? 所以必须说“无人扑”,不能泛泛地说“无心扑”。作者用字拿捏得准,词意自然分明,而憎恶之情也彻底流露出来了。

(罗忼烈)

瑞鹤仙

周邦彦

悄郊原带郭。行路永、客去车尘漠漠。斜阳映山落,敛余红、犹恋孤城阑角。凌波步弱,过短亭、何用素约? 有流莺劝我,重解绣鞍,缓引春酌。　不记归时早暮,上马谁扶,醒眠朱阁。惊飙动幕。扶残醉,绕红药。叹西园、已是花深无地,东风何事又恶? 任流光过却,犹喜洞天自乐。

鉴赏

这首词从时间上说是记昨日黄昏到今天清晨的事。是送别复有所遇,醉眠朱阁,惊风醒人,再看落花,再叹身世,聊以自解之作。一起二句写送客之地和客去之状。一“悄”字,刻画静态。郊原广阔,围城如带,而路长车行扬尘,漠漠茫茫,模糊不见,意中含情。“斜阳”句,美极,写夕阳映山,余光斜照城角,有大自然景色,也有建筑姿容。写景寓情,斜阳犹恋孤城阑角,人今别后,怎不相思? 意在景中。“凌波”句,忽插入邂逅相逢之趣,非约而遇,喜出望外。再加以“流莺劝我”,解鞍引酌,又有多少欢晤。这里是挑起波澜,而又铺叙开来,急煞而止。换头似别开生面,实际上是从上片的“凌波”事引来的,写的是今朝事了。“醒眠朱阁”语略而事丰,实际上是由于醒来才知道昨宵是身眠朱阁,而如何到此来的,则不记得何时何人把自己送到这里的了。“惊飙动幕”,再掀波澜。狂风吹来,花事堪虑。于是“扶残醉,绕红药”,护花费尽精神。然而如何呢?“叹西园、已是花深无地”,极具体、极形象,较泛言花落之多,沉重万分。然而还不够,再加上“东风何事又恶”,这里斥东风,又是不明言落花,而痛恨那吹落花的东风。真是大开大阖,驰骋纵横。末二句急下,无可奈何,不了了之,求自得之乐。“任流光过却,犹喜洞天自乐”,是自我解脱,这世界只有求仙成道最好,实寓隐逸之思罢了。

这首词,在章法上确实直叙中有波澜,顺叙中插逆转,顿挫生姿,起伏变化,而又都有迹可寻,真是“结构精奇,金针度尽”(周济《宋四家词选》)。友人罗忼烈教授称“此词当是暮年避地睦州时纪事之作。……然其时花石纲扰民愈甚。……‘叹西园、已是花深无地,东风何事又恶’,弦外之音,或刺民穷财尽而犹横征暴敛也”(《周邦彦清真词笺·瑞鹤仙附记》)。这对我们认识这首词的思想意义,是有很大帮助的。周邦彦词惯用比兴手法,香草美人,均有所指。其胸次高,书卷多,有感而发,发而必中。

（金启华）

满 庭 芳

周邦彦

夏日溧水无想山作

风老莺雏,雨肥梅子,午阴嘉树清圆。地卑山近,衣润费炉烟。人静乌鸢自乐,小桥外,新绿溅溅。凭栏久,黄芦苦竹,疑泛九江船。　　年年。如社燕,飘流瀚海,来寄修椽。且莫思身外,长近尊前。憔悴江南倦客,不堪听、急管繁弦。歌筵畔,先安簟枕,容我醉时眠。

鉴赏

周邦彦为北宋末期词学大家。由于他深通音律,创制慢词很多,无论写景抒情,都能刻画入微,形容尽致。章法变化多端,疏密相间,笔力奇横。王国维推尊为词中老杜,确非溢美之词。他的《满庭芳》一词,可见一斑。

周邦彦于哲宗元祐八年(1093)任溧水(今江苏溧水)县令,时年三十九岁。无想山在溧水县南十八里，山上无想寺（一名禅寂院）中有韩熙载读书堂。韩曾有赠寺僧诗云：“无想景幽远，山屏四面开。凭师领鹤去，待我挂冠来。药为依时采，松宜绕舍栽。林泉自多兴，不是效刘雷。”由此可见无想山之幽僻。郑文焯以为无想山乃邦彦所名，非是。

上片写足江南初夏景色，极其细密；下片即景抒情，曲折回环，章法完全从柳词化出。“风老”三句，是说莺雏已经长成，梅子亦均结实。杜牧有“风蒲燕雏老”之句，杜甫有“红绽雨肥梅”之句，皆含风雨滋长万物之意。两句对仗工整，“老”字、“肥”字皆以形容词作动词用，极其生动。时值中午，阳光直射，树荫亭亭如幄，正如刘禹锡所云：“日午树荫正，独吟池上亭。”“圆”字绘出绿树葱茏的形象。本词正是作者在无想山写所闻所见的景物之美。

“地卑”两句承上而来，写溧水地低而近山的特殊环境，雨多树密，此时又正值黄梅季节，所谓“梅子黄时雨”，使得处处湿重而衣物潮润，炉香熏衣，需时较久，“费”字道出衣服之润湿，则地卑久雨的景象不言自明，湿气越重，衣越“润”，费炉烟愈多，一“费”字既具体又概括，形象袅袅，精炼异常。

“人静”句据陈元龙注云：“杜甫诗‘人静乌鸢乐’。”今本杜集无此语。正因为空山人寂，所以才能领略乌鸢逍遥情态。“自”字极灵动传神，画出鸟儿之无拘无束，令人生羡，但也反映出自己的心情苦闷。周词《琐窗寒》云“想东园桃李自春”，用“自”字同样有无穷韵味。“小桥”句仍写静境，水色澄清，水声溅溅，说明雨多，这又与上文“地卑”“衣润”等相互关联。邦彦治溧水时有新绿池、姑射亭、待月轩、萧闲堂诸名胜。

“凭栏久”承上，意谓上述景物，均是凭栏眺望时所见。词意至此，进一步联系到自身。“黄芦苦竹”，用白居易《琵琶行》中“住近湓江地低湿，黄芦苦竹绕宅生”之句，点出自己的处境与贬谪的白居易相类。“疑”字别本作“拟”，当以“疑”字为胜。

换头“年年”，为句中韵。《乐府指迷》云：“词中多有句中韵，人多不晓，不惟读之可听，而歌时最要叶韵应拍，不可以为闲字而不押，……又如《满庭芳》过处‘年年如社燕’，‘年’字是韵，不可不察也。”三句自叹身世，曲折道来。作者在此以社燕自比，社燕每年春社时来，秋社时去，从漠北瀚海飘流来此，于人家屋椽之间暂时栖身，这里暗示出他宦情如逆旅的心情。

“且莫思”两句，劝人一齐放下，开怀行乐，词意从杜甫诗“莫思身外无穷事，且尽尊前有限杯”

中化出。“憔悴”两句,又作一转,飘泊不定的江南倦客,虽然强抑悲怀,不思种种烦恼的身外事,但盛宴当前,丝竹纷陈,又令人难以为情而徒增伤感,这种深刻而沉痛的拙笔、重笔、大笔,正是周词的特色。

“歌筵畔”句再转作收。“容我醉时眠”,用陶潜语。“潜若先醉,便语客:‘我醉欲眠卿可去。’”(《南史·陶潜传》)李白亦有“我醉欲眠卿且去”之句,这里用其意而又有所不同,歌筵弦管,客之所乐,而醉眠忘忧,为己之所欲,两者尽可各择所好。“容我”两字,极其宛转,暗示作者愁思无已,唯有借醉眠以了之。

周邦彦自元祐二年离开汴京,先后流宦于庐州、荆南、溧水等僻远之地,故多自伤身世之叹,这种思想在本词中也有所反映。但本词的特色是蕴藉含蓄,词人的内心活动亦多隐约不露。例如上片细写静景,说明作者对四周景物的感受细微,又似极其客观,纯属欣赏;但“凭栏久”三句,以贬居江州的白居易自比,则其内心之矛盾苦痛,亦可概见。不过其表现方式却与《琵琶行》不同。陈廷焯说:“但说得虽哀怨,却不激烈,沉郁顿挫中别饶蕴藉。”(《白雨斋词话》)说明两者风格之不同。下片笔锋一转再转,曲折传出作者流宦他乡的苦况,他自比暂寄修椽的社燕,又想借酒忘愁而苦于不能,但终于只能以醉眠求得内心短暂的宁静。《蓼园词选》指出:“‘且莫思’至句末,写其心之难遣也,末句妙于语言。”这“妙于语言”亦指含蓄而言。

宋陈振孙《直斋书录解题》云:“清真词多用唐人诗语,隐括入律,浑然天成,长调尤善铺叙,富艳精工。”这话是对的。即如这首词就用了杜甫、白居易、刘禹锡、杜牧诸人的诗,而结合真景真情,炼字琢句,运化无痕,气脉不断,实为难能可贵的佳作。

(唐圭璋)

过 秦 楼

周邦彦

水浴清蟾,叶喧凉吹,巷陌马声初断。闲依露井,笑扑流萤,惹破画罗轻扇。人静夜久凭阑,愁不归眠,立残更箭。叹年华一瞬,人今千里,梦沉书远。

空见说、鬓怯琼梳,容销金镜,渐懒趁时匀染。梅风地溽，虹雨苔滋，一架舞红都变。谁信无聊为伊，才减江淹，情伤荀倩？但明河影下，还看稀星数点。

鉴赏

这首词是抒写别情的，词人一上来就把自己沉浸在生动的回忆里。

那是一个初秋之夜，月儿像水洗过一般地清亮，凉风在树叶中飒飒地喧闹。（古代神话：嫦娥奔月，化为蟾蜍。故以清蟾为明月的代语。凉吹即凉风，吹读去声。）其时，巷陌中行人渐少，马的嘶声、蹄声也开始断绝了。一起这三句，着墨无多，但既写了那位回忆中人物住处的门外景色，又写了那个值得回忆的季节和时间。

次三句由写景逐步转入写情，由写门外的自然景色转而写门内的人物神态。在秋凉夜静的时候，清幽的庭院中，那位姑娘闲着没有事干，就在露井（没有井亭覆盖的井）旁边，笑着追扑飞动着的萤火虫，甚至于把手中的画罗扇子都弄破了，足见其人之天真活泼，还不知道忧愁。"笑扑"二句，用杜牧《秋夕》"银烛秋光冷画屏，轻罗小扇扑流萤"意。

以上写自己和情人共同欢乐地度过的美好夜晚。回忆当时的时间、地点和情事。"人静"以下，则由过去的回忆转入今日的相思。夜深人静，还是无法入睡，只好靠着阑干，看着计时器（铜壶）上的指针（更箭）不停地移动，时间不觉已经很长了。这"立残更箭"的过程，也就是回忆与相思的过程。这三句写的是今日的时间、地点和情事。以今昔对写，原是作者惯用的手法，但在这首词里，却表现得特别显露，如以今日自己之"凭阑"与昔日其人之"依井"相对，以今日自己之"愁"与昔日其人之"笑"相对，以今日自己之"立残更箭"与昔日其人之"笑扑流萤"相对，都是。

在这种两两相形、今非昔比的情况之下，自然不能不生出许多感慨来，这就有了写今天感慨的"叹年华"等三句。青春在飞逝中，情人在千里外，旧梦消沉，音书辽远，怎么不使人难受呢？"梦沉"承"年华一瞬"，"书远"承"人今千里"，而总付之一叹，故以"叹"字领起。

总的说来，上片是以今昔对比的手法处理的。首六句写昔日之乐，"人静"三句写今日之哀，"叹年华"三句抒今昔异同之感。

下片则换了一种手法，从彼此对比来写。

换头三句，先将自己的相思暂时搁在一边，而从传闻中所听到的对方消息写起。这是一层曲折顿挫。写所听到的对方消息，又不直写对方的相思之情，而只写对方由于相思而引起的日常生活的变化。这又是一层曲折顿挫。“见说”，犹言听说。“匀染”，指敷粉施朱，亦即梳妆打扮。听说她茂密的头发逐渐稀疏，以至于连琼玉的梳儿都怕用了；美丽的容颜日益消瘦，青铜的镜子也可以出面证明；这样，就渐渐地更懒得作时新的打扮了。但对于自己这方面来说，就是听到了这些，又有什么办法、什么用处呢？还不是白白地听了吗？以“空见说”三字领起“鬓怯”以下三语，其辞含蓄，其情凄婉。

接着，词笔又从人事宕开，转到景物。在黄梅天，地面总是湿漉漉的；一会儿下雨，一会儿出虹，青苔也就愈长愈多。这时，院落之中，一架红花也已随风飞舞，变色了，凋谢了。这和从前的“清蟾”“凉吹”，“轻扇”“流萤”，是多么的不同啊！这三句明写春色阑珊，暗喻欢情消歇，借物言情，是二是一，故周济评为“意味深厚”。

在这以下，才正面写出自己的离情。《南史·江淹传》载淹少时梦见郭璞给了他一管五色笔，因此变得非常会写诗文，后来又梦见郭璞将笔收回，创作水平就大为降低，时人称为“才尽”。《世说新语·惑溺》载荀奉倩的妻子曹氏极美，曹氏死后，奉倩精神上所受刺激过大，不久也就去世。词人在这里用了这两个典故。意思是说：谁肯相信我的抑郁无聊是为了她以至于像江淹那样才思减退、荀奉倩那样神情伤耗呢？这也正是由于对方的音信，自己尚可得之于传闻；而自己的感情，对方却恐怕无从知道，所以才这么说。“谁信”，其实是怕对方不信，但也说得非常委婉含蓄。

“空见说”三句，写对方的相思之情，却从自己听到一些传闻落笔；“谁信”三句，写自己的离别之感，却从恐怕对方不知、不信着想，愈见彼此间阻之苦、愁恨之深。

结尾两句，谓抚今追昔，无可奈何之余，只有在天河——那条年年岁岁证明着牛郎、织女永远不变的爱情的天河——的光影之下，独自凝望着天畔的几点星星而已。写景即以抒情，语尽而情不尽。

陈洵在《海绡说词》中云：“换头三句，承‘人今千里’，‘梅风’三句，承‘年华一瞬’，然后以‘无聊为伊’三句结情，以‘明河影下’两句结景。篇法之妙，不可思议。”对于此词结构的分析,很是细致、正确。

对于周邦彦《清真集》的评价,古今论者分歧较多,甚至同一个人在不同的时间里也会作出截然相反的结论来。如王国维在其《人间词话》中对周词评价并不太高,而后来作《清真先生遗事》,竟将他比作诗中“集大成”的杜甫,就是一例。我们认为:这种矛盾大体上反映了周词本身狭窄贫乏的思想内容和其精美复杂的艺术技巧之间的矛盾。若就内容而论,就难以对它肯定过多;如以技巧而言,则周词上承柳永,下开史达祖、吴文英,在语言的运用、篇章的组织诸方面,确有独到之处。如果要对它作出全面的评价,这两方面都是应该顾到的。

以上这几首词,无论就题材或技巧来说,都是周词中习见的。通过对于它们的分析,大致可以知道:沉溺在日常生活,特别是个人爱情生活的狭小圈子里,不能自拔,使得这位很有才华,并在艺术上用过苦功的词人,只能给我们留下了一些虽然精美绝伦,但却缺乏重大社会意义的作品。在技巧上,他善于挑选和锤炼语言,在前人的遗产中找到自己合用的字句,虽然有所自来,却并不生搬硬套;他善于安排结构,不仅首尾呼应,而且层次曲折,给人以既完整而又变化的美感。其风格虽然纯属婉约一派,但并不以纤巧妥溜见长,而是时有沉郁顿挫、深厚质重之处,每于精丽中见浑成。这些,又都值得加以肯定和借鉴。

我们读了北宋婉约派诸名家的一些作品,不难看出,他们的词在题材和主题方面,描写男女悲欢离合之情,占有很大的比重,而这些作品中的女主人,即词人的恋爱对象,又大多是妓女。关于词何以多写男女爱悦之情,这在不少文章中都有过阐述。这里,试就后一点再作一点简单的解释。

反映在文学上的这一现象,也是历史的产物。在《家庭、私有制及国家的起源》中,恩格斯曾经为我们指出过在古代(对于我们所涉及的具体历史范畴来说,则是中国封建社会时代)的婚姻和恋爱这些人类社会生活中的一些主要特征。首先,他指出,对于统治阶级来说,“结婚是一种政治的行为”,“起决定作用的是家世的利益,而绝不是个人的意愿”;因而“在整个古代,婚姻的缔结都是由父母包办,当事人则安心顺从”。这在我国旧社会中,流行的说法和做法如所谓“门当户对”,“龙配龙,凤配凤”,“父母之命,媒妁之言”等等,正是如此。其次,他还指出,由于上述情况，“古代所仅有的那一点夫妇之爱，并不是主观的爱好，而是客观的义务；不是婚姻的基础，而是婚姻的附加物”。这在我国封建社会的伦理观念中，对于夫妻关系，重敬而不重爱，可以得到证明。梁鸿和孟光，相敬如宾，历来都被认为是一对模范夫妻，而张敞给妻子画过眉毛，就被人从汉代一直笑骂到清代。班昭《女诫·敬顺篇》说：“夫妇之好，终身不离。房室周旋，遂生媟黩。媟黩既生，语言过矣。语言既过，纵恣必作。纵恣既作，则侮夫之心生矣。”这就说得很清楚，防止产生和加深情爱，是为了维护和加强夫权。在这种制度和观念的控制之下，“妻子和普通的娼妓不同之处，只在于她不是像雇佣女工计件出卖劳动那样出租自己的肉体，而是一次永远出卖为奴隶”。这样，作为婚姻的义务和附加物的夫妻之间的爱情，自然就更难于得到培植和滋生的机会了。其三，在进入文明社会以后产生的一夫一妻制，在男性中心社会中，事实上只是限制了妻子，而绝没有限制丈夫。所以对于男性方面来说，群婚制依然存在。“凡在妇女方面被认为是犯罪并且要引起严重的法律后果和社会后果的一切，对于男子却被认为是一种光荣，至多也不过被当做可以欣然接受的道德上的小污点。”在我国封建社会中，由皇帝的三宫六院到士人的一妻一妾的制度固然有法律明文规定，官妓、家妓以及其他形式的这种行业也都是公开的。一方面，婚姻不是爱情的产物，反之，爱情却是婚姻的附加物；另一方面，男性又有在自己的妻子以外公然地和广泛地接触另外一些女子的权利和机会，这样，就必然使得男女之间，由于“体态的美丽、亲密的交往、融洽的旨趣等等”所构成的互相爱悦的条件，在非婚姻关系中更容易得到满足。所以，第四，恩格斯又指出：“现代意义上的爱情关系，在古代只是在官方社会以外才有。……而在奴隶的爱情关系以外，我们所遇到的爱情关系只是灭亡中的古代世界的崩溃的产物，而且是与同样也处在官方社会以外的妇女——艺妓，即异地妇女或被释放的女奴隶发生的关系。”当然，我国与欧洲的具体历史情况有所不同，但他所说的现代观念的爱情关系，并不存在于由于正式婚姻而结合的夫妻之间，却反而往往存在于男性与之并无婚姻关系的妓女之间，则与我国封建社会的实际的（以及通过文学所反映的）情况相符合。

恩格斯上述的辉煌的分析，

对于我们理解古典文学中有关写与妓女的爱情的作品是极端重要的。因为它不但告诉了我们，作家们所写与妓女恋爱的作品有其历史背景与客观原因，而且告诉了我们，在这些作品中，所写的悲欢离合之情往往并不是虚伪的而是真挚的（当然，作品本身也证明了这一点），因为他们之间的结合是自愿的，是以恩格斯所说的“体态的美丽、亲密的交往、融洽的旨趣等等”互相吸引为前提的。他对她们可以进行选择，而她对他们也是一样。（虽然她们的选择性可能小一些，有时纵然被迫不能选择，还可以“不将心嫁冶游郎”，而不至于受到像一个正式的妻子因此而受到的那种制裁、谴责和鄙视。）所以，归根到底，这些作品以及这些作品中所表现出来的思想感情，乃是在封建制度之下，人们对于爱情的正当要求的不正当表现。

（沈祖棻）

苏幕遮

周邦彦

燎沉香，消溽暑。鸟雀呼晴，侵晓窥檐语。叶上初阳干宿雨，水面清圆，一一风荷举。　　故乡遥，何日去？家住吴门，久作长安旅。五月渔郎相忆否？小楫轻舟，梦入芙蓉浦。

鉴赏

这首词，上片写景，下片抒情，段落极为分明。一起写静境，焚香消暑，取心定自然凉之意，或暗示在热闹场中服一副清凉剂，两句写境静、心也静。三、四句写静中有噪，“鸟雀呼晴”，一“呼”字，极为传神，暗示昨夜雨，今朝晴。“侵晓窥檐语”，更是鸟雀多情，窥檐而告诉人以新晴之欢，生动而有风致。“叶上”句，清新而又美丽。“水面清圆，一一风荷举”，则动态可掬。这两句，实是交互句法，配合得极为巧妙，而又音响动人。是写清圆的荷叶，叶面上还留存昨夜的雨珠，在朝阳下逐渐地干了，一阵风来，荷叶一团团地舞动起来。这是像电影的镜头一样，有时间性的景致。炼一“举”字,全词站立了起来,动景如生。这样,我们再回看一起的“燎沉香,消溽暑”的时间,则该是一天的事,而从“鸟雀呼晴”起,则是晨光初兴的景物。然后再从屋边推到室外,荷塘一片新晴景色。再看首二句,时间该是拖长了,夏日如年,以香消之,寂静可知,意义丰富而含蓄,为下片久客思乡伏了一笔。

下片直抒胸怀,词语如话,不加雕饰。写己身旅泊长安(实即当时汴京)。周邦彦本以太学生入都,以献《汴都赋》为神宗所赏识,进为太学正,但仍无所作为,不免有乡归之思。“故乡遥,何日去”点地点时。“家住吴门,久作长安旅”,实为不如归去之意。紧接“五月渔郎相忆否”,不言己思家乡友朋,却写渔郎是否思念自己,这是从对面深一层写法。一结两句,“小楫轻舟,梦入芙蓉浦”,即梦中划小舟入莲花塘中了。以虚构的梦境作结,虽虚而实,变幻莫测。

这首词构成的境界,确如周济所说:“上阕,若有意,若无意,使人神眩。”(《宋四家词选》)而周邦彦的心胸,又当如陈世焜所说:“不必以词胜,而词自胜。风致绝佳,亦见先生胸襟恬淡。”(《云韶集》)周邦彦的词以典雅著称,又被推为集大成词人,其词作固然精工绝伦,而其思想境界之高超,实尤为其词作之牢固基础。

(金启华)

少　年　游　　周邦彦

并刀如水,吴盐胜雪,纤手破新橙。锦幄初温,兽香不断,相对坐调笙。　　低声问,向谁行宿?城上已三更。马滑霜浓,不如休去,直是少人行。

鉴赏

这首词“似饮妓馆之作”。饮妓之事,本来多是鄙陋猥亵而不堪赋写的,但高明的词人能化腐朽为神奇,在色情的泥沼中淘洗出真的价值与美的光彩,这就难能可贵。历来词家之所以称赏此词,多数是从这个角度着眼的。

这首词在艺术上很有特点。上阕写景,类似于两个电影特写镜头，景极琐细而情意浓挚；下阕纪言，以声传情，而环境气氛自见于言外。起首三句实际上只写了一个纤手亲破新橙的动作细节，而首先以静物刻画为铺垫。杜甫《戏题王宰画山水图歌》云：“焉得并州快剪刀，剪取吴淞半江水？”此处言“并刀如水”，则是形容破橙之器光洁如同清水之澄澈；李白《梁园吟》云：“玉盘杨梅为君设，吴盐如花皎如雪。”此处言“吴盐胜雪”，又是形容玉盘明净果蔬新鲜。两句所写，如同一幅光色鲜亮的静物画，已先自渲染出一种近乎透明的气氛，而绝无丝毫的腻脂浓粉之感，确有净化感情的作用。在这明光素洁的背景上，作者才突出写那纤纤玉指亲破新橙的动作细节，整个画面顿时活跃起来，充满了生活情趣，那女子的一片温情，也借此而得到了恰当而巧妙的表现，显得端庄高雅，毫无牵裾之嫌。接着作者将视角拉开，写整个室内的情景，华美的帐幔轻垂，袅袅的炉香使室内弥漫着暖融融的气息，彼此间的柔情蜜意也似乎都融化在这温馨的气息之中了。而在这令人陶醉的气氛中，作者再突出那分外端庄的人物形象，并让那悠悠的笙曲把人们的想象引向遐远。如此描写，无形中已告诉读者，这里的一对男女，彼此之间是充满了体贴之情并且以知音而相得的。

换头以下，则全写女子低语，情意缠绵之至。此时低语之人，正是方才纤手破橙之人，因此，下阕虽换了角度，却是在进一步抒写温存体贴之情，虽仅是从女子一人口吻着笔，但两人亲昵之状自可想见。换头一句是问，不无羞涩之态；“城上已三更”，已带有劝的语气，至“马滑霜浓”三句，则分明是挽留之意了。此中缠绵情态若尽出则难免鄙俗，若不出则未免单调，作者借一方之口，闪闪烁烁，既让读者解其情味，又留有广阔的想象空间，深得意余言外之妙。不仅如此，下阕虽系纪言而言外有景，那霜寒路滑、冷寂空漠的室外环境恰好与上片所渲染的室内温馨气氛形成强烈的对比，从而自然生出一种对温香暖玉的留恋之情。

周词之长在“模写物态，曲尽其妙”，此词成就，显然得力于他体物察情的深入。不过，此词虽有环境的烘托，却主要是通过人物的动作细节与语言细节来刻画人物的内心世界，可见其艺术构思已有某些合乎典型化创作原则的特点，这是发人深省的现象。我国古代诗词固然长于抒情，但客观叙写的素质亦自不弱，后者怎样通过前者来表现自己，不也很值得我们去探讨吗！

（韩经太）

六　丑

周邦彦

蔷薇谢后作

正单衣试酒，怅客里、光阴虚掷。愿春暂留，春归如过翼，一去无迹。为问花何在？夜来风雨，葬楚宫倾国。钗钿堕处遗香泽，乱点桃蹊，轻翻柳陌。多情为谁追惜？但蜂媒蝶使，时叩窗槅。　　东园岑寂，渐蒙笼暗碧。静绕珍丛底、成叹息。长条故惹行客，似牵衣待话，别情无极。残英小、强簪巾帻，终不似、一朵钗头颤袅，向人欹侧。漂流处、莫趁潮汐。恐断红、尚有相思字，何由见得？

鉴赏

这首词的内容不过是惜花惜春，极平常的感情，却被周邦彦铺展成为一百四十字的一首慢词。写得浑厚典雅、玉润珠圆，是周邦彦的代表作。

上阕开头三句“正单衣试酒，怅客里、光阴虚掷”。这不是一般地感叹虚度了光阴，而是说辜负了大好春光，在客中没有心思欣赏春天的美景，让它白白地过去了，因而感到惆怅，若有所失。这种感情是在换了单衣之际、品尝新酒之时产生的，由更换单衣而想到更换季节。《武林旧事》载，夏历四月初酒库呈样尝酒。“试酒”也会带来春天的新鲜感受。“愿春暂留，春归如过翼，一去无迹。”词人知道春是不能久留的，他只求“暂留”，但春毫不理会词人的心情，如鸟之飞过，了无痕迹。周济评此三句曰：“十三字千回百折，千锤百炼。”确实如此。“过翼”二字出自杜甫《夜》“村墟过翼稀”，但杜甫是直言其事，周邦彦则是用“过翼”比喻春归，恰切而又新鲜。黄庭坚《清平乐》（春归何处）全词就“春归何处”反复追问，富有情趣。周邦彦只用一个比喻，也很耐人寻味。春既匆匆归去，蔷薇花当然也凋谢了：“为问花何在？夜来风雨，葬楚宫倾国。”这几句显然是从孟浩然的《春晓》变化来的,不同的是把花拟人化,比做楚宫里的倾国佳人。她到哪里去了?已被昨夜的风雨葬送了。下面继续从“楚宫倾国”展开想象:“钗钿堕处遗香泽,乱点桃蹊,轻翻柳陌。”蔷薇的花瓣好像佳人的钗钿,落在哪里就把香泽留在哪里。在长着桃树、柳树的小径上乱撒着,轻翻着,一片衰飒景象。晚唐诗人徐夤《蔷薇》:“晚风飘处似遗钿。”中唐刘禹锡《踏歌词》:“桃蹊柳陌好经过。”周邦彦加以融化,不露痕迹。“多情为谁追惜?但蜂媒蝶使,时叩窗槅。”这落花会被哪一个多情的人所追惜呢?只有蜂和蝶时时叩打着窗槅,以表达它们的惋惜和悲痛,并招呼词人去吊花。词人用“媒”“使”二字,是因为蔷薇盛开的时候,它们曾忙着在花丛中穿来穿去做媒做使。如今花已凋零,它们格外感到冷落。

上阕写春归花落,是试酒之际的想象,下阕才走进东园去凭吊落花。“东园岑寂,渐蒙笼暗碧。静绕珍丛底、成叹息。”这几句是写刚进东园时总的印象。“岑寂”不是说没有人到这里来,而是说花事谢了,原来万紫千红、蜂飞蝶舞的东园已是绿叶成荫,一片暗碧。词人只能静静地绕着无花的蔷薇,叹息春的过去。人既惜花,花亦惜人:“长条故惹行客。似牵衣待话,别情无极。”蔷薇长长的枝条仿佛故意要惹动自己的愁绪,钩住衣服等待我说些什么,那无限的别情真是难以言状。这三句是全词的警策。唐代诗人储光羲的《蔷薇歌》里有一句“低边绿刺已牵衣”,周邦彦加以发展,蔷薇之有情不仅表现在“牵衣”上,更表现在“待话”上。仅仅“牵衣”,不过是扣住蔷薇带刺的特点来写,而“待话”二字则进一步把蔷薇的神情写了出来。这时词人瞥见枝头还有一朵小小的残花,就摘来插在自己的头巾上:“残英小、强簪巾帻,终不似、一朵钗头颤袅,向人欹侧。”这是一朵迟开的蔷薇,它没赶上好时候,是那么憔悴弱小,只能勉强戴在头巾上,好像戴也戴不住似的。“终不似”的“终”字,在这里不是“终究”的意思,不是说小花终究比不上大花美,而是“虽”或“纵”的意思,是说小小的残英虽然不如美人钗上的大花那么颤袅多姿,但它也还是依依多情地“向人欹侧”着。“向人欹侧”不是形容大花,大花已有“颤袅”二字去形容,无须再用一个近义的“欹侧”。“欹侧”二字是属于小小的残英的。揣摩这首词的感情,词人看到那小小的残英无限爱惜,觉得它虽不像美人钗上的大花,但也别有一种亲近之感。

这样讲，词的感情前后才是一致的。

词的最后翻出一层新的意思："漂流处、莫趁潮汐。恐断红、尚有相思字，何由见得？"词人看见有的落花飘到水中，便记起红叶题诗的故事。这落英上会不会也有寄托相思的诗句呢？真怕它们被潮水漂走，那样的话，花上的相思字就没有人能见到了。红叶题诗的故事见范摅《云溪友议》："卢渥舍人应举之岁，偶临御沟，见一红叶，命仆搴来。叶上乃有一绝句。……诗云：'水流何太急，深宫竟日闲。殷勤谢红叶，好去到人间。'"

《蓼园诗选》对此词曾作过很恰当的评论："自叹年老远宦，意境落寞，借花起兴。以下是花，是自己，已比兴无端，指与物化，奇情四溢，不可方物，人巧极而天工生矣！结处意致尤缠绵无已，耐人寻绎。"黄蓼园说这首词是晚年所作，想必是因为词中有一种迟暮之感。虽然不能断定，但不妨这样设想。词中所写的残英，那尚未盛开就已败落的小花，寄寓着词人自己的身世之感。从周邦彦残存的诗中可以看出，他是一个希望在政治上有所作为的人。但他正像那残英一样，还没来得及盛开就凋谢了，他的抱负也许还没有机会让人知道呢！词的内容虽然是惜花，难道不也是在为自己以及和自己一样的一些文人惋惜吗？

（袁行霈）

兰　陵　王　　周邦彦

柳

柳阴直，烟里丝丝弄碧。隋堤上、曾见几番，拂水飘绵送行色。登临望故国，谁识京华倦客？长亭路、年去岁来，应折柔条过千尺。　　闲寻旧踪迹，又酒趁哀弦，灯照离席。梨花榆火催寒食。愁一箭风快，半篙波暖，回头迢递便数驿。望人在天北。　　凄恻，恨堆积。渐别浦萦回，津堠岑寂。斜阳冉冉春无极。念月榭携手，露桥闻笛。沉思前事，似梦里，泪暗滴。

鉴赏

这首词的词调是周邦彦的自度腔，是他所创的新声。我们知道周邦彦从哲宗绍圣四年到徽宗政和元年(1097—1111)的十五年间是在汴京任职，政和二年出知隆德府，五年徙知明州，六年入为秘书监，进徽猷阁待制，提举大晟府，重和元年(1118)出知顺昌府。据他前后所作的词记载，他三进三出京城。在这近二十年间，他可能曾有过短期的离京入京，但这首词可能是他最后一次出京所作。在较长期的京官生活中，他眼见朝政日益腐朽，新党业已变质，权奸执政，奢靡荒乱，帝王昏庸，国事日非。这首词是他和京都告别，很像屈原的离别郢都，抒发其无限情思。词也具有《离骚》中某些片断的意味。宋人王灼曾说："世间有《离骚》，惟贺方回、周美成时时得之。"(《碧鸡漫志》)这意见是可取的。我们也认为不结合周邦彦的身世、抱负、遭遇以及当时的政治情况来谈这首词，是难以了解它的深度和广度的。词写欲留不得，非去不可。以柳发端，以行为愁，回想落泪，极回环往复之致，具沉郁顿挫的风格。

词分三片，自然分为三段。第一段以柳色来铺写别情。古人以柳惜别，以柳送行，这里大写特写柳。"柳阴直"，写柳之多而成行。"烟里丝丝弄碧"，极写柳之姿态婀娜，一"弄"字，道出柳似乎是在作弄人，自己漫不经心，却使多少人、多少次、多少年在柳生柳老之际，造成离别。这里夹杂着"登临望故国，谁识京华倦客"，当是作者自己。在京华，本是冠盖云集之处，而自己却是倦客，言外之意，当系不满于当时现实，然而又依依难舍，临别一瞥，谁人识我，实寓有怀才不遇的无限感慨。但又只此两句是抒情，其余都是写柳。写柳也即写人，真是景中寓情，情更真切。但人还是不得不走了。

二段写离筵与惜别之情。"闲寻"承"登临"，"旧"字承"曾见"及"年去岁来"。"又"字推进一层，"酒趁哀弦，灯照离席"点明现在情事。"愁"字系反语见意，情更凄苦。本来人的行路是希望早日到站，无论车行、舟行总是以快为好。但这里却是"愁一箭风快，半篙波暖"，怕走得太快了。实际舟行急速，回首已过了多少驿站了。为什么怕快？是怕离人更远了。"望人在天北"，含多少眼泪，道出这一句啊！这个"人"字，也该是作者所钟情、所渴慕的人，而更多的当是作者理想的化身。周邦彦抱负不得舒展，壮志难酬，悄然离开京华，只留得这一怅望。这一句，质朴无华，语意千钧，又是以散文句法出之，明白如话。

三段，写愈行愈远，愈远愈恨。“恨堆积”，是由于“渐别浦萦回，津堠岑寂”。极写行路中的迂远寂寞。但这仍是一般的描绘，而“斜阳冉冉春无极”，则是既空灵而又沉重，更富有无穷哲理。“斜阳冉冉”本是黄昏景象，是“夕阳无限好，只是近黄昏”的境界，辞虽绮丽，意却萧瑟。而和“春无极”联成一句，顿觉无限春光又现眼前，言有尽而意无穷。在萧瑟中又呈现出美好意境，给人以无穷希望。这是辩证的对立的统一。周邦彦爱好学道，具有老庄思想，从这一词句中透露出他受道家思想影响，写出这意味深长的名句，在这首词里像彩虹般地闪耀着光彩。本段以回想作结，词人仍不能忘情，以“泪暗滴”结束，留下哀痛。

这首词，可称为周邦彦的代表作。王国维《清真先生遗事》曾称：“词中老杜，非先生不可。”这是就周词的风格和杜诗沉郁顿挫的风格相似而言的。我们认为《兰陵王》的风格确实沉郁顿挫。另外，在音响方面，这首词长短句式和促节、繁音配合得极为巧妙，其二言、三言的促节和七言的繁音结合运用，以成就其声音之协调。尤以人声韵为结，显出无垂不缩，急止留韵，在演奏、吟诵方面具有音乐美。

（金启华）

西　　河　　周邦彦

金陵怀古

佳丽地，南朝盛事谁记？山围故国绕清江，髻鬟对起。怒涛寂寞打孤城，风樯遥度天际。　　断崖树，犹倒倚，莫愁艇子谁系？空余旧迹郁苍苍，雾沉半垒。夜深月过女墙来，伤心东望淮水。　　酒旗戏鼓甚处市？想依稀、王谢邻里。燕子不知何世，向寻常巷陌人家相对，如说兴亡斜阳里。

鉴 赏

这首词有分两叠及三叠的，当以三叠为是。以“断崖树”为换头，“酒旗戏鼓”为三叠开始。词写金陵怀古，本为旧题。前此，王安石已有《桂枝香》词写之，主旨为道盛衰兴亡，对江山发出感慨。周邦彦的这首词也不例外。所异者，王安石写的是金陵秋景，周邦彦似写春光。更突出的是周词多用旧句，融为己出，不露痕迹。譬如“佳丽地”，系用谢朓《入朝曲》：“江南佳丽地，金陵帝王州。”“风樯遥度天际”，系用谢朓《之宣城郡出新林浦向板桥》诗：“天际识归舟，云中辨江树。”至于“山围故国绕清江”“怒涛寂寞打孤城”以及二叠的“夜深月过女墙来，伤心东望淮水”，则系用刘禹锡《金陵五题》之《石头城》：“山围故国周遭在，潮打空城寂寞回。淮水东边旧时月，夜深还过女墙来。”三叠之“想依稀、王谢邻里。燕子不知何世，向寻常巷陌人家相对，如说兴亡斜阳里”，又系用刘禹锡《乌衣巷》：“朱雀桥边野草花，乌衣巷口夕阳斜。旧时王谢堂前燕，飞入寻常百姓家。”至于“莫愁艇子谁系”，又系用《莫愁乐》二曲之一：“莫愁在何处？莫愁石城西。艇子打两桨，催送莫愁来。”所以张炎曾说：“美成词只当看他浑成处，于软媚中有气魄，采唐诗融化如己出者。”（《词源》）实际上，周词不仅是用唐诗，该包括前人更多的句子。难得的是他能融化，不见针缝线迹。把整齐的诗句变为参差的词句，显出音响之美，浑成之妙，气魄之大，这是难能可贵的。

这首词，从章法上看，一起点出金陵，歌颂美好江山。写山写水，纡回峭拔。“怒涛寂寞打孤城”是近景，涛而似怒，当是汹涌澎湃。何来“寂寞”，则系由城之“孤”而来，城孤又系应“南朝盛事谁记”和“故国”而来。这境界是又翻腾又冷静，有动又有静，观者之心当极为矛盾而别有怀抱的。“风樯遥度天际”则系远景，极目无边，风樯几片，在大境界显出几个小点点，是动景，但由于是远看，所以显出似为静态。这两句确实是大气包举，吞吐古今。二片写残余事物，更以夜景来托出凄凉。艇存水逝，令人吊念。“夜深月过女墙来，伤心东望淮水”，虽系化诗句而来，但结合此时、此地、此景，却更委婉多姿。实写夜深月光从西照来，光抹城上女墙，本为美景。然而又照着秦淮水东去，则有美景不常之感，故而以“伤心”贯之。美丽而又凄凉，词意丰富。末片以斜阳、燕子，写出古今兴亡之感。从燕子依旧，人物全非，对照地描绘富贵之不长保，到头来衰微、没落。实际上燕子也非旧燕，而词人却说它是不变的。是“向寻常巷陌人家相对，如说兴亡斜阳里”，写来极为生动，而又以拟人化来写它，更显出富有情思，深寓感慨。这也是后之视今，也犹今之视昔一样，是人生无法避免的，但或以文写之，或以诗出之，或以词咏之，周邦彦的这首词可以说是化腐朽为神奇，在长短句的抑扬顿挫音响中，显出词这一体裁的新的成就，可以和王安石的《桂枝香》称为双璧。沈际飞早曾说过，这首词使“介甫《桂枝香》独步不得”（《草堂诗余正集》）。而周词在后，在技巧上能有所翻新，更为难能可贵了。

（金启华）

拜星月慢　　周邦彦

秋　思

夜色催更，清尘收露，小曲幽坊月暗。竹槛灯窗，识秋娘庭院。笑相遇，似觉琼枝玉树相倚，暖日明霞光烂。水盼兰情，总平生稀见。　画图中、旧识春风面。谁知道、自到瑶台畔，眷恋雨润云温，苦惊风吹散。念荒寒、寄宿无人馆，重门闭、败壁秋虫叹。怎奈向、一缕相思，隔溪山不断。

鉴赏

这首词所咏情事，略同《瑞龙吟》，但并非重游旧地，而是神驰旧游。作为一位工于描写女性的词人，在这篇作品中，作者为读者绘制了一幅稀有的动人的画像。

为了要使词中女主人的登场获得预期的应有的效果，词人在艺术构思上是煞费苦心的。他首先画出背景。在一个月色阴沉的晚上，更鼓催来了夜色，露水收尽了街尘，正是在这样一个极其幽美的时刻，他来到了她所居住的地方；栏杆外种着竹子，窗户里闪着灯光，正是在这样一个极优雅的地方，他会见了这位人物。与杜甫《佳人》之写“天寒翠袖薄，日暮倚修竹”用意相同，这里的竹槛、灯窗，也是以景色的清幽来陪衬人物之淡雅的。

先写路途，次写居处，再写会晤，层次分明，步步逼近。下面却忽然用“笑相遇”三字概括提过，对于闻名乍见、倾慕欢乐之情，一概省略。这样，就将以后全力描摹人物之美的地步留了出来。在这里，可以悟出创作上虚实相间的手法。

“似觉”以下四句，是对美人的正面描写，又可以分为几层：第一、二句，乍见其光艳；第三句，细赏其神情；第四句，总赞。写其人之美，不用已为人所习见的“云鬓花颜”“雪肤花貌”，而用“琼枝玉树”“暖日明霞”来形容，就不熟滥，不一般化；用两个长排句，四种东西作比，也更有分量。（吴白匋先生云：“‘琼枝’，见沈约《古别离》：‘愿一见颜色，不异琼树枝。’‘玉树’，见杜甫《饮中八仙歌》：‘皎如玉树临风前。’”）上句说像琼枝和玉树互相交映，是写其明洁耀眼；下句说像暖日和明霞的光辉灿烂，是写其神采照人。两句写入室乍见之初，顿时感到光芒四射，眼花缭乱，尤其因为这次见面是在夜间，就使人物与背景之间，色彩的明暗对比更为显著。在用这种侧重光觉的比喻之先，路途中所见的暗淡月色与庭院中所见的隐约灯光的描写，也对之起了一种很好的衬托作用。如果不仔细研究全词的布局，对于这种使我们容易联想到一些优秀的电影导演的艺术处理手段的巧妙构思，是很容易被忽略过去的。两句写其人之美，可谓竭尽全力，而犹嫌不足，于是再加上“水盼兰情”一句。韩琮《春愁》“水盼兰情别来久”，是用字所本。“水盼”，指眼神明媚如流水；“兰情”，指性情幽静像兰花。这句虽也是写其人之美，但已由乍见其容光而转到细赏其神态了。这已是进了一层，但美人之美，是看不够、写不完的，所以再总一句说：“总平生稀见。”这才画完了这幅美人图的最后一笔。

换头一句，从抒情来说，是上片的延伸；从叙事来说，却是更进一步追溯到“笑相遇”以前的旧事。杜甫《咏怀古迹》咏王昭君云：“画图省识春风面。”词句即点化杜诗而成，意思是说：在和其人会面之前，就已经知道她的声名，见过她的画像了。从而也看出了，这次的会晤，乃是渴望已久之事，而终于如愿以偿，欢乐可想。

从这以下，才正面写到离情。“谁知道”二句则是这一幕小小悲剧的转折点。“瑶台”是美女所居。《离骚》：“望瑶台之偃蹇兮，见有娀之佚女。”王逸注：“佚，美也。”但这里却兼用李白《清平调》：“云想衣裳花想容，春风拂槛露华浓。若非群玉山头见，会向瑶台月下逢。”这就暗示了这位姑娘有着如李白所形容的杨玉环那样神仙般美丽风姿，作为上片实写其人之美的补充。云雨习用，而“雨”以“润”来形容，“云”以“温”来形容，则化臭腐为神奇，其人性情之好，爱悦之深，由此两字，都可想见，且与上文“兰情”关合。但这叙述两相爱悦的幸福的句子“自到瑶台畔，眷恋雨润云温”，却以“谁知道”领起，以“苦惊风吹散”收束，就全部翻了一个面。惊风吹散了温润的云雨，正如意外的事故拆散了姻缘，通体用比喻说明，处理得极其含蓄而简洁。读到这里，我们才发现，原来在这以上所写，都是追叙。行文变化莫测，与《夜飞鹊》同。

“念荒寒”以下，折入现在。独自寄宿在荒寒的空屋里，关上重重门户，听着坏了的墙壁中秋虫的叫声，这种种凄凉情景，用一“念”字领起，就显得更加沉重。因为无人可语，才只好自思自念。不写人叹，而以虫鸣为叹，似乎虫亦有知，同情自己。如此落墨，意思更深。这三句极力描摹此时此地之哀，正是为了与上片所写彼时彼地之乐作出强烈的对比。

末以纵使水远山遥，却仍然隔不断一缕相思之情作结，是今昔对比以后，题中应有之义，而冠以“怎奈向”三字，就暗示了疑怪、埋怨的意思，使这种相思之情，含义更为丰富。

《宋四家词选》评云：“全是追思，却纯用实写。但读前阕，几疑是赋也。换头再为加倍跌宕之。他人万万无此力量。”周济此说，很能阐明本词在布局方面的特点。

（沈祖棻）

尉 迟 杯

周邦彦

离 恨

隋堤路。渐日晚、密霭生深树。阴阴淡月笼沙，还宿河桥深处。无情画舸，都不管、烟波隔南浦。等行人、醉拥重衾，载将离恨归去。　因念旧客京华，长偎傍、疏林小槛欢聚。冶叶倡条俱相识，仍惯见、珠歌翠舞。如今向、渔村水驿,夜如岁、焚香独自语。有何人念我无聊?梦魂凝想鸳侣。

鉴赏

此词乃作者宦旅途中所作,其中既有离情,又有羁愁,更兼身世之叹。陈洵《海绡说词》曾言:"'隋堤'一境,'京华'一境,'渔村水驿'一境,总入'焚香独自语'一句中。"也就是说,作者是以宦旅途中水驿之夜的情景为中心而将追忆念想层层展开的。

上阕所写,是当时离开汴京时的情景。这本是追忆中事,但此处却运以实在之笔,这在作者已是惯技,如《拜星月慢》词,周济便曾评道:"全是追思,却纯用实写,但读前半阕,几疑是赋也。"这种感觉,我们此刻不是也有吗!需要强调指出的是,上阕写当时离京时的情景,有着明显的时间层次。起首三字点出离别之地,隋堤是隋炀帝时所筑汴河之堤,是人们由水路离开汴京的出发点。接下"渐"字领起一句,写徘徊汴堤而未曾登船之际,但见日色渐渐向晚,浓重的暮霭正从那茂密的树林之中弥漫开来。至"阴阴"两句,则已是船上所见景象,化用杜牧"烟笼寒水月笼沙"诗意,"阴阴"二字,为淡月传神,亦充分写出"烟笼寒水"所给予人的感受。古时水路行客多于傍晚登船,开船则在半夜或清晨,此处所写,当是船上饯别已毕,送行的友人已登岸离去,自己怅望江天,独自就寝船上时的情景。"无情画舸"以下数句,乃融化郑仲贤"亭亭画舸系寒潭,直到行人酒半酣,不管烟波与风雨,载将离恨过江南"诗意而成,前人多言"清真善于融化前人诗句",于此可见一斑。此处虽系融化前人诗句,却如同作者新构一般,情景俱真,感人至深,究其奥妙,无非感受相类而心理相通罢了。这几句所写的意思,既在时间上与前面所写相接,又不妨作为事后的心理活动来看,换言之,这带有思忖意味的一笔,与歇拍处"有何人念我"相呼应,点出了作者内心深深的孤寂之感。

上阕结句殊堪寻味。既曰"归去",何有"离恨"?实则,"离恨"是指离开京都的悲恨,而"归去"则是指此行去向正与故乡相近。看来,作者此时的心绪,是眷恋京华胜于思念家乡,故下片才有对"旧客京华"的怀念。同时,由此亦可确定作者此行乃是离京而南下(作者家乡在钱塘,即今杭州)。有人认为此词当作于徽宗政和元年出知隆德府(今山西长治)时,显然不妥,因为自开封往北,当不会有下阕所云“渔村水驿”的景致,再说往北而行无论如何都不能称作“归去”。

下阕一起抒怀,追念京华岁月,大有杜甫“每依北斗望京华”的感慨。而写旧日京华生活,将笔墨倾注于声色征逐之乐。从结句“凝想鸳侣”的情思来判断,此处“疏林小槛欢聚”当是指男女欢会,而不是如有些人所说的那样指朋友聚会,再从接下“冶叶倡条”两句的意思来判断,欢会中的对方则是歌妓舞女。李商隐《燕台》诗有“密房羽客类芳心,冶叶倡条遍相识”,本来是指杨柳枝软叶轻,如水性杨花的倡妓,而《杨妃外传》曰:“明皇令宫妓佩七宝璎珞舞《霓裳羽衣曲》,曲终,珠翠可扫。”作者化用其意,无非形容歌舞欢会而已。这里有一个问题值得注意,作者另有一词《一寸金》“新安作”云:“自叹劳生,经年何事,京华信漂泊?念渚蒲汀柳,空归闲梦,风轮雨楫,终辜前约。情景牵心眼,流连处、利名易薄。回头谢,冶叶倡条,便入渔钓乐。”新安即睦州,建中靖国元年(1101)作者曾到此,时作者四十六岁,距四十二岁由贬谪十年而还京都不过四年时间,已有这种情绪,此后年岁日迈,当不复再以声色征逐为乐,那么,由此推断本词的写作时间,应在三十二岁被贬出京之时,彼时初放庐州(今安徽合肥)教授,亦正合南行的方向。对于作者来说,当时虽遭受政治打击,但毕竟是青年人情怀,故而于京华歌舞欢会眷恋不已,词中以“俱相识”“仍惯见”连缀,也明显地流露出一种自羡之情。

自“如今向”开始,才是眼前实景的叙写。船向“渔村水驿”驶去,说明作者此时尚漂泊于旅途之中,而夜长如岁的感觉,又说明作者愁绪满怀而彻夜失眠。夜深不寐,起而焚香,自吁自叹,黯然神伤,岂无舟子相与语?只怕难得理解,情意至此,自然道出结尾那哀痛的一叹。“梦魂凝想”者,因凝想而梦,梦中依然凝想,但可悲者在于,“我”虽念人如痴,而“何人念我”终不可知。明知不被理解,犹且痴顽如此,于此亦可见作者性情的朴厚。

周济评此词曰:“南宋诸公所断不能到者,出之平实,故胜;一结拙甚。”(《宋四家词选》)所谓“平实”,当然可有多种解会,但在此处,当主要指艺术处理上的化虚为实,如上阕所写本是追忆中情景,却完全如直寻即目所得,又如其中化用了郑仲贤诗句却完全如自身体验所得。至于结句之“拙”,是说它直抒性情而不借景烘托，但看过全词便知道，结句一叹，是词中感情逐层推进的自然结果，如岸边海潮，层层推向礁岩，终于激起巨浪。可见，有意为“拙”便成真拙，唯有任之自然，得于无意，才是大巧之“拙”，别具魅力。

（韩经太）

蝶恋花 周邦彦

秋思

月皎惊乌栖不定，更漏将残，轳辘牵金井。唤起两眸清炯炯，泪花落枕红绵冷。　执手霜风吹鬓影，去意徘徊，别语愁难听。楼上阑干横斗柄，露寒人远鸡相应。

鉴赏

这是一首送别词，写的是一个早晨的事，然而层次分明，景物在变化，情绪在扩展，又首尾呼应，以声相应。

词一起点明夜深，月光明亮，惊起乌噪，以乌之不安兴起人之将别，不是泛泛地写景。“更漏”两句，指示天将晓，轳辘声响，人已在劳作。天将晓，人须赶路，不得不唤起行人。“唤起”两句，神态毕现，恨别伤心。“其形容睡起之妙，真能动人”（王世贞《弇州山人词评》）。实际上是唤起的人，眼睛传神，炯炯有光而失神，知道将别则不觉泪落而至湿透绵枕了，实写伤心之至。

下片加深描绘别时情景，“执手霜风吹鬓影”，是紧接上片末句的离别之伤心，而这时送别门外，执手惜别，风吹鬓影，写景如生。“去意”两句，则写难分难舍，什么话也听不进了，暗示着什么话也说不出了。写别时之情景实为深刻之至。“楼上”两句，急转急收。人走远了，仍在登楼遥望，人影无踪，看到的是北斗星斜，感到的是寒露袭人，听到的是四面鸡声。天是大亮了，人也走远了。

这首词写别前、别时和别后的情景，历历在目，层次井然。从室外写到室内，又从室内写到室外，一结写登楼遥看路长、人远，皆写得沉郁之至。所谓“清真之词，其意淡远，其气浑厚，其音节又复清妍和雅,最为词家之正宗”(戈载《宋七家词选》),周邦彦的这首词是具有这些特色的。另外,这首词本为小令,而他的小令尤其是在前人的令词以外,另辟蹊径。正如陈廷焯《白雨斋词话》所云:“美成小令以警动胜,视飞卿色泽较淡,意态却浓。温、韦之外,别有独至处。”

(金启华)

玉楼春

周邦彦

桃溪不作从容住,秋藕绝来无续处。当时相候赤栏桥,今日独寻黄叶路。　　烟中列岫青无数,雁背夕阳红欲暮。人如风后入江云,情似雨余粘地絮。

鉴赏

《草堂诗余》《古今诗余醉》《词统》均题作“天台”。据刘义庆《幽明录》载,刘晨、阮肇共入天台山,遥望山上有一桃树,溪边有二女子,姿质绝妙,相见欣喜,遂留居半年。既出,亲旧零落,邑屋改易,无复相识。问讯得七世孙,传闻上世入山,迷不得归。周济《宋四家词选》曰:“只赋天台事,态浓意远。”但释此词为单纯咏刘、阮故事,未必确切,因为故事与词的内容并不十分切合。这首词不过是用一个仙凡恋爱的故事起头,词的内容是写词人自己和情人分别之后,旧地重游而引起的怅惘之情。

“桃溪不作从容住,秋藕绝来无续处。”自己以往的情人明明像桃溪的仙女一样,而且对自己又十分钟情,当时应该留下来永远和她在一起,可是竟没有从容地多住些时候。如今后悔了,想恢复往日的恩情,可是彼此的关系如同秋藕,一旦折断就无法接续了。孟郊《去妇诗》:“妾心藕中丝,虽断犹牵连。”这里是反用其意。这两句写其追悔之情,极平常却极沉痛,概括了带有普遍性的一种人生经验。过去轻易抛弃的,也许是最值得宝贵的。用铁铸成的大错已无可挽回,只有用回忆去填补心灵的空白,让悔恨折磨自己剩下的岁月。这就是“桃溪不作从容住,秋藕绝来无续处”。这两句从字面上琢磨,也很有意思。俞平伯先生说:“桃与藕对,实以春对秋,故于藕字上特着一‘秋’字。”(《清真词释》)的确,“桃溪”二字给人以春的感觉,而“秋藕”则点明了秋。“桃溪”让人联想到往日的青春,而“秋藕”则让人联想到今日的萧条。

“当时相候赤栏桥,今日独寻黄叶路。”第三句照应第一句,第四句照应第二句,还是从昔与今的对比上落笔。“赤栏桥”就是“黄叶路”,地点相同,情况和心绪已经不同。当时是她在桥上等候自己到来,自己的心情是喜悦的,所以着眼于桥上的红栏杆,“赤栏”衬出感情的热烈。今日独自踏着小路寻觅往日的回忆,心情是索寞的,所以着眼于路上的黄叶,“黄叶”衬出感情的忧伤。“寻”字不要理解为寻人,是寻往日欢爱的记忆,人已杳无踪迹不可寻了。“赤栏桥”与“黄叶路”对比,字面上也给人以春和秋两种感觉。俞平伯先生引温庭筠《杨柳枝》“一渠春水赤栏桥”,说“黄叶路点明秋景;赤栏桥未言杨柳,是春景却不说破”(《清真词释》)。这体会很细致。这两句对比十分鲜明,一句当时一句今日,一句热烈一句冷寂。而“独寻”二字又含有无限怅恨,一步一步,其间有多少低徊。举目四望,唯有青山如障夕阳如血,苍茫中愈显出自身的孤独。这就是下面两句:“烟中列岫青无数,雁背夕阳红欲暮。”这是独寻所见,寻到了什么?只有青红两色组成的一片空间。这两句把视线引到远处,薄暮的雾霭中排列着无数青山,它们默默地立在那儿,像一堵墙。山的那边也许是她的所在,但是有通向那里的路吗?“山中列岫青无数”是从谢朓的“窗中列远岫”(《郡内高斋闲望》)化出来的,化得巧妙!“雁背夕阳红欲暮”是以雁的飞度反衬自己的不能飞度。雁有翼而己身无翼,但自己的心也随着大雁飞向了远方。这一句我原先理解为雁背上映着夕阳,雁背被夕阳染红了,意境犹如温庭筠《春日野行》“鸦背夕阳多”。可是细细想来,此句与上句对偶,上句的“青无数”是指“列岫”;“烟中”只是背景,不是说烟中青无数。按同样的句式,“雁背夕阳红欲暮”,应当是说“夕阳”变红了,而不是说“雁背”红了。哪里的夕阳呢?当然是西方天空的夕阳,然而这夕阳已渐渐低落,雁从天边飞过,雁背与夕阳相切,好像夕阳就在雁背上一样。

末尾是两个比喻:“人如风后入江云,情似雨余粘地絮。”她好比风后散入江心的云,了无踪影;自己的感情却如雨后粘在地上的柳絮,无法解脱。人皆知秦观《满庭芳》“山抹微云,天粘衰草”为佳句,而且叹服"粘"字之工。但秦观之于"粘"字仅偶一用之。周邦彦却屡用"粘"字,无不精妙。"粘"者,粘着、贴合之意,状柳絮、蛛丝,得形神两似。而春之腻人、困人如现于纸上。周邦彦喜用"粘"字,亦可见其词风。他的词情浓意密、反复缠绵,化不开,剪不断,确实有一股粘劲儿。如用一个字概括他的风格,不就是这个"粘"吗?

这首词共八句,上下片各四句。八句都是七言,很像两首七言绝句合在一起。但又不是七绝,因为两句两句的全是对偶。它的形式很呆板,读起来却并不觉得呆板,因为各联之间各句之间的接续富于变化。一、二句以昔与今对比。第三句承第一句,第四句承第二句。五、六句单承第四句。七、八句又换了角度,不从今昔上对比,而从彼此双方对比。腾挪变化的章法,克服了形式的呆板,取得很好的艺术效果。

(袁行霈)

夜飞鹊　　周邦彦

河桥送人处,凉夜何其。斜月远堕余辉。铜盘烛泪已流尽,霏霏凉露沾衣。相将散离会,探风前津鼓,树杪参旗。花骢会意,纵扬鞭、亦自行迟。　迢递路回清野,人语渐无闻,空带愁归。何意重红满地,遗钿不见,斜径都迷。兔葵燕麦,向残阳、欲与人齐。但徘徊班草,唏嘘酹酒,极望天西。

鉴赏

这首词调,创自清真。写别离情景,故能随意驰骋,而又与音调相协合,具声乐美。词系写别情,上片写昨夜送客情况,是追叙。下片写送客归来,是铺叙,各臻妙境。

词一起点地、点时,"凉夜何其",用《诗经·小雅·庭燎》之"夜如何其"句,"其"为助词,无实意,极显朴厚深沉。"斜月"三句写凉夜景色,美而凄切。"霏霏凉露沾衣",一"衣"字暗含有人送别、将别。“相将”句束上启下，更点明是离会了。“探风前津鼓，树杪参旗”，“探”字极为生动贴切，由于是夜间送客，难分难舍，延磨时光，这时天渐亮了，不得不行，不得不别。一“探”字知道了渡口更鼓声随风飘来，而仰望天空，树梢上犹悬着猎户星座(《史记·天官书》正义云：“参旗九星在参西，天旗也。”友人罗忼烈教授注为今猎户星座，兹从罗说)。这时间是由夜入晓。一结以“花骢会意，纵扬鞭、亦自行迟”，不言人之惜别，而写马识人意，即使你要扬鞭赶它，它也不忍快走，真是神来之笔。马犹如此，人何以堪，是力透纸背的写法。结束了上片，余韵无穷。

下片写送客归来，当然是从送客的地点——河桥归来。这里以“迢递”开头，一连三句。河桥送客本非远处，何以“迢递”言之？则来时虽送别，但有伴而来，万语千言，叮咛嘱咐，自然不觉得就到了离别之处。现在客已走了，独自归来，“人语渐无闻，空带愁归”，哪能不觉得路远呢？写人之别后感觉，入微而又深厚。归途中，“何意”三句，美极、怅极。这一句，有的本子作“何意重经前地”，我们采用“何意重红满地”，认为后者包括前者。“重红满地”，写花落满地，自然“遗钿不见，斜径都迷”。“何意”也寓有重经前地的意义，而又发挥想象，直贯下来，“兔葵燕麦，向残阳、欲与人齐”，也是“何意”的另一所见。这两句，一向为人所赞赏，如梁启超云：“‘兔葵燕麦’二语，与柳屯田之‘晓风残月’，可称送别词中双绝，皆熔情入景也。”(《艺蘅馆词选》)实际上，柳句是行人的所经，“兔葵”句则是送行者归来之所见，仍有所不同，唯均景中寓情，所以脍炙人口。“残阳”从送别归来惆怅迷惘的时间上看，又是一天将了，人的相思真无有尽时。词的结尾，再加深描绘情景，一“但”字领起，也急转急收，抚今思昔，只好“徘徊班草，唏嘘酹酒，极望天西”。“班草”，是布草坐地。“酹酒”，是尊酒强欢。这是从江淹《别赋》之“左右兮魂动，亲宾兮泪滋。可班荆兮赠恨，惟尊酒兮叙悲”化出，但更简练而多情。“望极天西”是徘徊、唏嘘的继续，不使用感情色彩的字面，只平平说出，实际上是怅望无穷。

这首词，是“自将行至远送，又自去后写怀望之情，层次井井而意致绵密，词采秾深，时出雄厚之句，耐人咀嚼”(黄蓼园《蓼园词选》)。

(金启华)

关河令 周邦彦

秋阴时作渐向暝，变一庭凄冷。伫听寒声，云深无雁影。　更深人去寂静，但照壁、孤灯相映。酒已都醒，如何消夜永。

鉴赏

此词写旅况凄清，上阕是日色和晚庭中感受，下阕是更深人静孤居情怀。

对于多愁善感的文人来说，黄昏日暮总是一个难挨的时辰，唐人就有“日暮乡关何处是，烟波江上使人愁”的诗句，而作者自己亦曾哀叹：“生憎暮景”，“那堪昏暝”。如果这不仅仅是黄昏日暮，而且时当秋令，更有甚者，是一个阴沉沉的秋日黄昏，那情景又当如何呢？此词首句“秋阴时作”，是说天气动辄阴沉，使人们心上蒙着一层阴影，何况那最难挨过的黄昏时光正一步步逼近哩！秋气萧瑟，更兼阴云布空，所以伫立中庭之际，便感到加倍的凄冷。当然，“一庭凄冷”也表现了自己的孤寂心情，在冷清的中庭，时当日暮，暝色袭来，更有一种空落落的感觉。着一“变”字，写出此际心理陡然冷寂之状，增加了抒情的层次感和深厚度。值此伫立中庭之际，入耳者唯一片秋声而已，秋声而寒，正说明作者此时的心理是相当落寞而冷淡。这寒声，包括一切秋风所动的声响，似乎夹有秋雁的哀鸣，更使作者心惊，因为它牵动了一颗思乡之心，于是循声仰视而寻觅雁影，却只见茫茫秋云，沉沉暮色，想那哀鸣的大雁是在云外罢。作者《氐州第一》词有“乱叶翻鸦，惊风破雁，天角孤云缥缈”，而《庆宫春》词又有“衰柳啼鸦，惊风驱雁，动人一片秋声”，与此词“伫听寒声，云深无雁影”，皆写秋声秋色与雁影雁鸣，而能各极其妙。此处雁影无踪而唯有哀鸣在耳的意象，更透出一种追寻无着的茫然，加深了作者此际的孤凄心情。

下阕所写的时间已是更深夜阑，至于作者怎样由黄昏苦熬到此刻，读者自去想象。不过换头一句有“人去”二字，而结句又有酒醒之文,那么度之以常情,入夜之际或有同行旅客或旅舍之客相与为伴、借酒浇愁,此时人已尽去,唯留自己,寒室孤灯,形影相吊,更何况愁心易惊,本想借酒浇愁,而如今酒意全去,这漫漫长夜又该如何打发呢?至此,已无以为计,抒写到此亦无以为词,非作者有意搁笔,实在是“止于不得不止”,如果读者能设身处地,那么这里自有体味不尽的生活内容。

词中小令如诗中绝句,形式短小而要求内容丰富,于是写景必得是感受强烈者,抒情必得是灵魂深层的悸动。周邦彦的这首小令,上阕写景,在一片寒声中突出云外秋雁的哀鸣,下阕抒怀,又突出酒醒之后百般无奈的愁苦,显然深得以少胜多的奥妙。陈廷焯尝言:“美成小令以警动胜。”何谓警动,不妨从此词作法去领会。

(韩经太)

虞美人 李廌*

玉阑干外清江浦，渺渺天涯雨。好风如扇雨如帘，时见岸花汀草、涨痕添。　　青林枕上关山路，卧想乘鸾处。碧芜千里信悠悠，惟有霎时凉梦、到南州。

作者

*李廌（1059—1109），字方叔，华州（今陕西华县）人。少长，以学问称乡里，以文受知于苏轼。屡举不第，中年绝意进取，定居颍之长社（今河南长葛东）。有《济南集》，自《永乐大典》辑出。

鉴赏

词的开头，点出所居环境。栏杆之外，碧水涟漪，楼台近水，为下文"时见岸花汀草、涨痕添"一句铺垫。"玉阑干"之"玉"，非言栏杆之材料，乃石栏杆之美称而已。第二句，写下雨。"天涯"，指下雨面积之广；"渺渺"，远貌，指雨区之广。过拍"好风如扇雨如帘，时见岸花汀草、涨痕添"两句，写居家所见。以"如扇"喻风，以"如帘"喻雨；"如扇"，风之凉；"如帘"，雨之密，比喻恰当。况周颐曾评说："'好风'句绝新，似乎未经人道。"（《蕙风词话》卷二）。"岸花汀草"，时添涨痕，近水所见。春夏之交，情景如画。"岸花汀草"，扣"清江浦"；"涨痕添"，扣"天涯雨"。上面从大处落墨，下边从小处着笔，上下勾连，结构绵密。

上片写日间，下片写晚上。身在青林枕上，心存千里关山。因关山之路，想起故人乘鸾之处。"乘鸾"，《集仙录》谓"天使降时，鸾鹤千万，众仙毕至，高者乘鸾，次者乘麒麟，次乘龙"，"乘鸾"，遂成神仙远游之辞。作者"卧想乘鸾"者，为何人？"东坡素知李廌方叔。方叔赴省试，东坡知举，得一卷子，大喜，手批数十字，且语黄鲁直曰：'是必吾李廌也。'及拆号，则章持致平，而廌乃见黜。"(《老学庵笔记》卷十)东坡"大叹恨，作诗送其归，所谓'平生漫说古战场，过眼空迷日五色'者是也。"(《鹤林玉露》卷五)建中靖国元年(1101)，苏轼死于常州，李廌为文以祭，有"皇天后土，鉴一生忠义之心；名山大川，还万古英灵之气"之句，当时传诵海内，可见李廌与苏轼交谊。苏轼于绍圣元年(1094)贬惠州，四年(1097)，昌化安置，同年苏辙贬雷州。号称"苏门四学士"之一的黄庭坚，绍圣元年贬黔州，四年迁置戎州，崇宁元年(1102)，宜州编管，死于宜。秦观贬于郴州，元符元年(1098)，雷州编管，三年(1100)死于藤州。黄庭坚、秦观，都与李廌有交游。结合下文"凉梦到南州"句，我们可知李廌"卧想乘鸾"者，是怀念苏轼及黄庭坚、秦观诸人。"碧芜千里信悠悠"，颍水岭南，碧芜千里，关山阻隔，音信难通。欲见不能，欲问不得，思之极，念之极，故形诸梦寐，"唯有霎时凉梦、到南州"了。李廌身在"好风如扇雨如帘"之中，故梦也为之凉。诸友被贬，或死或存，依依魂梦，岂不悲凉？结尾两句，所忆之人，所忆之事，不着一实语，清疏潇洒，引人遐想，故况周颐评之曰："歇拍云：'碧芜千里思悠悠，惟有霎时凉梦、到南州。'尤极淡远清疏之致。"(《蕙风词话》卷二)

(杨宝霖)

江神子

谢逸*

杏花村馆酒旗风。水溶溶，飏残红。野渡舟横，杨柳绿阴浓。望断江南山色远，人不见，草连空。　夕阳楼外晚烟笼。粉香融，淡眉峰。记得年时，相见画屏中。只有关山今夜月，千里外，素光同。

作者

*谢逸(1064—1113)，字无逸，临川(今属江西)人。屡试不第，以布衣终老。工诗能文，曾作蝴蝶诗三百多首，中多佳句，人称"谢蝴蝶"。所作小词，长于写景，风格清丽。有《溪堂词》，存词六十多首。

鉴赏

这是一首怀人的词。

上片先以淡笔推出一幅景物：杏花村的酒旗迎风招展，江水静静地流着，落红的花瓣在空中飞舞。除"飏残红"点明季节是春末，多少带点伤感的意味外，基本上是恬静、优美的村野景色。接二句，"野渡舟横"，出自韦应物的《滁州西涧》诗句"野渡无人舟自横"，极言郊野的寂静无人。"杨柳绿阴浓"句，承"飏残红"而来，扣紧时令，春末柳叶茂密，树阴浓重，更显得四周环境的寂静。这两句不仅补足了前面的画面，有近景，有远景，有动有静；而且暗示诗人是位在异乡作客的行人，以上都是他在旅途中看到的春末落花时节，江南郊野的景象。落花时节，本来使人容易产生悲感，更何况作客异乡。尽管有酒店，可以停下来饮一杯水酒，以解旅途的疲乏，可是无心饮。眼面前的流水就像那往事一般，一去不返。而自已呢，却像那被风吹扬的落红，到处飘泊。走在柳荫浓密的官道上，那渡口的船儿，预示了今后无休止的行程。郊野是如此寂静，更显得自己的孤独。此情此景无不引起对往事和伊人的怀念。于是，忍不住登高望远，期有所见。可是，呈现在眼前的只有远山一片，山之外更有那无边的连天芳草。与欧阳修《踏莎行》下片结句“平芜尽处是青山，行人更在青山外”，手法相同，都是以青山、芳草的阻隔，形容相距之远、离别之苦和思念之深，只不过抒情主人公的身份有别而已。下片头五句是对往昔的回忆，分三层来写。首先描绘出当年的环境：楼外是夕阳斜照，傍晚的云雾笼罩着，洋溢着一股宁静的气氛。楼，是他和伊人相会，并相恋过的地方。接写伊人之美，“粉香融，淡眉峰”，她粉白香润的面颊，和如远山般美好的淡淡双眉，是那么美丽动人。这里是由上片所见景物“山色远”“飏残红”而引起的回忆，所以对伊人之美不作全面描绘，而只抓住这两点。最后写他们曾共同度过一段美好的日子。“记得年时”四字，按说应放在下片首句。无论是楼外景物，还是楼内伊人，都是由“记得”而来。伊人之美则是“相见”后发现的。这种颠倒次序的错杂写法，一来使文字有变化，避免平板；二来突出“相见”的具体地点、伊人之美，以表示当初的印象之深，和如今的思念之切。而“相见画屏中”放在后面，还暗示“相见”后二人曾在一起生活过一段时间。晏几道《临江仙》的“酒醒长恨锦屏空”，就有这种暗示。两者不同的是，晏词强调的是人去楼空，本词则侧重缅怀那温馨的往事。这是因为伊人或许尚在楼中思念他，而“行人”则漂泊在外。结句用“只有”二字陡转，回到眼前。往事虽然美好，但已成为过去，现在人隔千里关山，相见无期，只有皎洁的月光，照着你也照着我。“千里外，素光同”，与苏轼《水调歌头》的下片结句“但愿人长久，千里共婵娟”义近，而各有所侧重。苏轼是以旷达的态度，自我宽解并安慰对方，带有祝愿的意味。本词则侧重于诉说离情，带有人不能相见，徒然共照同一月亮的惆怅、抱怨的意味。从回忆“相见画屏中”的“年时”，一下子跳到“今夜”，显得情事变化既快且突然，跳跃性大，可见其间省略了许多具体的描写和诉说。这就留给读者体会、想象的余地，含蕴深婉，耐人寻味。《词则》评为“情深文明”，的确是中肯之语。

尽管是怀人之词，但哀愁的氛围并不浓重。那酒馆、溶溶流水、杨柳荫，构成一幅山村闲淡的景色，与怀念中女子的美色相映照。这一点，与常见的通过伤春悲秋来写怀念之情的词相区别，显得构思新颖，写法别致。

（张文潜）

临江仙　　晁冲之*

忆昔西池池上饮，年年多少欢娱！别来不寄一行书。寻常相见了，犹道不如初。　　安稳锦屏今夜梦，月明好渡江湖。相思休问定何如。情知春去后，管得落花无？

作者

*晁冲之，字叔用，一字用道，巨野（今属山东）人。生卒年不详。举进士不第，授承务郎。宋哲宗绍圣年间，新党章惇执政，排斥旧党，被牵连，离京隐居具茨山（在今河南密县东）下。有诗集《具茨集》传世。词清丽自然，近人赵万里辑有《晁叔用词》一卷。

鉴赏

这一首词是怀念汴京旧游的，上片忆旧，下片写别后相思。

冲之及其从兄补之、咏之，政治上都接近旧党，补之是苏轼门下的“四学士”之一，咏之也受过苏轼的荐举。他们在旧党执政的元祐年间齐集汴京，与苏轼、苏辙、黄庭坚、秦观、张耒等同游，极一时之盛。“西池”，指金明池，在汴京西，周围九里，是京师胜地。从秦观《千秋岁》词“忆昔西池会，鹓鹭同飞盖”两句看，是他们时常同游之地。词的上片“忆昔西池池上饮，年年多少欢娱”两句，同样是写这种同游盛况的，话似平而情极深。试想当时那样一批有才华，有政治抱负，而又意气相投的文人聚集在一起，面对西池美景，纵饮豪谈，那是何等气概，何等难得的事！句中“多少”二字，即表示对它有说不出的无限留恋。可惜的是，这种文酒之乐，随着政局的变化，倏然而逝，一去不返。

所谓“年年”，也只是元祐元年(1086)到九年(1094)起迄九个年头而已。这九年当中，人事小有变化，大的变化，则在最后一年，即元祐九年。从这一年起，二苏、黄、秦、张及晁补之都遭贬谪；冲之本人也受到这种政治风波的牵连而离京隐居。他在隐居中，怀念亲朋受到严重迫害，旧游云散，心情难堪；但因性格豪放、乐观，又兼词似写于诸人贬谪初期，还希望有遇赦召回之日，所以情调还不陷于悲切。然而深情洋溢，一起即波澜卷至。后来陈与义《临江仙·忆洛中旧游》的“忆昔午桥桥上饮，座中多少豪英”即受到它的启发，从它脱胎。“别来不寄一行书”，折到当前，由团聚转写分离，由欢娱转表孤寂。盼望远方书信已属可伤，连“一行书”都盼不到，更加可伤。作者不说盼不到而说“不寄”，话似责怪对方，实是有意减少伤感色彩。当时贬谪诸人，寄书困难，作者并非不知，只是故意“以痴顽作达”罢了。“寻常相见了，犹道不如初”，写九年中间，已有变故，不如开始时那样顺适。旧党后来分化，苏轼因受攻击，在九年中三度出为外官；黄庭坚后期因母丧回家守孝；秦观官职有起落；晁补之也一度出任扬州通判。这一句蕴涵着深沉的感慨：“不如初”，一可慨；至今连这种“不如初”的“相见”也不可得，“寻常”成为极不“寻常”，二可慨。

下片，“安稳锦屏今夜梦”，写闲居自适？夜里可以“安稳”做梦。为什么强调这种自适？是有意与仕宦生涯对比。作者《汉宫春·梅》词，有三句名句：“清浅小溪如练，问玉堂何似，茅舍疏篱？”读过这三句，便可了解本句的用意。一梦“安稳”，好在可以“月明好渡江湖”，梦中与故人相会。句中景写得像李白《梦游天姥吟留别》的“一夜飞渡镜湖月”那样美；但相会只能寄希望于梦中，能否实现还未可知，情又可哀。以乐景写哀情，本应倍增其哀；但在作者，则是有意渲染乐观、减少哀情的。“相思休问定何如”，设想梦中与故人相见的问答。相见难得，自应痛问痛谈，为什么“休问”呢？当然有不堪言说的事和情在。词句同样是要以乐观口气冲淡悲伤。“情知春去后，管得落花无”，写法也如前，“管得无”表面是“管得么”，实际是不堪回首，不宜再问再管。这两句是“比兴”之笔；“春去”，比元祐年间良好时机的消失；“落花”，比故人贬谪后的种种不幸遭际。

这首词以轻快、乐观的语调写曲折、伤感的心情，相反相成，故许昂霄评为：“淡语有深致，咀之无穷。”(《词综偶评》)

(陈祥耀)

临江仙　苏庠*

猎猎风蒲初暑过，萧然庭户秋清。野渡渡口带烟横。晚山千万叠，别鹤两三声。　秋水芙蓉聊荡桨，一樽同破愁城。蓼花滩上白鸥明。暮云连极浦，急雨暗长汀。

作者

*苏庠(1065—1147)，字养直，澶州(今河南濮阳)人，徙居丹阳(今属江苏)之后湖。少能诗，不事科举。绍兴二年(1132)，徐俯荐于朝，令赴都堂审察，不赴。有《后湖集》。

鉴赏

"猎猎风蒲"，风吹蒲叶，猎猎作响，写秋景，也写秋声。"初暑过"，暑天初过，点明秋天已至，所以下句说"萧然庭户秋清"。"萧然"，回照"猎猎风蒲"，"秋清"回应"初暑过"。不写他物，只说"风蒲"，是野渡景象，照应第三句。下三句，写野外秋景。无人驾驶的小艇，带着浓重的水汽横泊于渡口，"野渡无人舟自横"，可以晨，也可以暮，结合下文"晚山"，可知是暮景。"晚山千万叠"，远景；"别鹤两三声"，近景。千万叠之晚山，以视觉出之；两三声之别鹤，以听觉出之。"别鹤"，失群之鹤，离巢之鹤。萧瑟秋风，数声鹤唳，秋意更浓了，"悲哉，秋之为气也"，秋天来临使人感到时光易逝，敏感的词人，焉得不愁？怎样打发"愁"呢？遂有下片荡桨、把酒以破愁城之举。《词源·制曲》云："最是过片，不要断了曲意，须要承上接下。"此词上片歇拍"晚山千万叠，别鹤两三声"与过变"秋水芙蓉聊荡桨，一樽同破愁城"表面似不联结，其实上两句，有感秋、悲秋之意在，与过变貌不连而神连。

“秋水芙蓉聊荡桨”，“秋水”，承“渡口”；“荡桨”，承“野渡”。“一樽同破愁城”，荡桨，举杯，共把“愁城”来“破”，故用一“同”字。作者愁如坚城，其愁何在？上文有悲秋之意，愁之一也；“秋水芙蓉”，是“菡萏香销翠叶残”了，使词人感到“还与韶光共憔悴”，愁之二也；词人生于南北宋之际，高宗南渡之时，他已年逾花甲，“岂不惜，封疆蹙；岂不念，徽钦辱。”愁之三也。愁如坚城，区区“荡桨”，小小“一樽”，如何能“破”？故作者加一“聊”字。“蓼花滩上白鸥明”，一“明”字用得好。读者试想，秋空渐晚，暮云四合，夜幕初临，沙滩上红色的蓼花，染上了黄昏黯淡的颜色，变得暗红了。在这一片暗红的蓼花滩上，映衬着雪白明洁的沙鸥，对比鲜明。一“明”字，何等简洁，何等形象！“暮云连极浦”，正是“秋水共长天一色”，不过不是一色澄碧，而是一色灰暗。“急雨暗长汀”，已是黄昏，又添急雨，长汀何得不暗？白鸥明，长汀暗，一明一暗，色泽分明。

此词虽然写及愁，这愁，不像李后主的“恰似一江春水向东流”的愁，不像秦少游的“便做春江都是泪，流不尽，许多愁”的“愁”，也不像李清照“又恐双溪舴艋舟，载不动，许多愁”的“愁”。作者把愁与野渡、渡口、晚山、鹤声、红蓼、白鸥一起来写，减轻了愁的重量。展现在读者面前的，是一幅用蘸着淡淡哀愁的笔触，渲染得清疏明远的秋晚郊游图。这大概是像苏庠这样隐居不仕的山林之士作品的特有风格吧！

《临江仙》调上下片末二句，可对可不对，而以对为工。徐昌图的“淡云孤雁远，寒日暮云红”；晏几道的“落花人独立，微雨燕双飞”；“梦回芳草夜，歌罢落梅天”；“莫如云易散，须似月频圆”，至今脍炙人口。此词“晚山千万叠，别鹤两三声”，“暮云连极浦，急雨暗长汀”，对仗工整，增加了感人效果。

（杨宝霖）

惜分飞　　毛　滂*

富阳僧舍作别语赠妓琼芳

泪湿阑干花着露，愁到眉峰碧聚。此恨平分取，更无言语，空相觑。　　断雨残云无意绪，寂寞朝朝暮暮。今夜山深处，断魂分付，潮回去。

作者

＊毛滂（1064—？），字泽民，衢州江山（今属浙江）人。曾任杭州法曹、饶州司法参军、武康县令、秀州知州等。诗、词、文均知名于世。《四库提要》称“其词则情韵特胜”。有《东堂词》传世。

鉴赏

毛滂《惜分飞》是一首很著名的词。南宋黄昇曾将其选入《唐宋诸贤绝妙词选》，并记下了这样一段故事：“元祐中，东坡守钱塘，泽民为法曹掾，秩满辞去。是夕宴客，有妓歌此词，坡问谁所作，妓以毛法曹对。坡语座客曰：‘郡寮有词人不及知，某之罪也。’翌日折柬追还，留连数日。泽民因此得名。”不过，这个令后人津津乐道的故事，实际上是不可靠的。苏东坡知杭州，是元祐四年（1089）至元祐六年（1091），而毛滂元祐三年（1088）已出任饶州司法参军，直到元祐七年（1092）还在饶州任上，不可能到杭州做东坡僚佐。其实，根据史料，毛滂因其父毛国镇的关系，早在东坡知杭州前就受知于东坡兄弟，并深得他们的赏识和器重。东坡在元祐三年曾为毛滂写过“荐状”，称其“文词雅健，有超世之韵”，“保举堪充文章典丽可备著述科”。黄昇所记实不过是一种承讹袭谬的传闻。但这一故事的产生和流传，足证《惜分飞》是当时广为传播的一首词。

《惜分飞》所写的是别离相思之情。从题目看，作者寄语的对象是妓女琼芳。在封建社会士子和歌妓舞女的往来，虽然大多是逢场作戏，但在频繁的接触中，有时也会弄假成真，互相产生一种真挚的感情。从词中看，作者和琼芳的感情是浓烈和深挚的。开头两句记女方离别时的情态。“泪湿阑干花着露”，是说女子泪流满面，犹如美丽的春花挂满了露珠。“阑干”，眼泪纵横散乱的样子。此句用白居易《长恨歌》“玉容寂寞泪阑干，梨花一枝春带雨”诗意。“愁到眉峰碧聚”写女子内心愁苦凝于眉际之态。所谓“眉峰碧聚”是写双眉紧蹙眉峰耸起的表情，十分生动传神。这一句是化用卓文君“眉色如望远山”（《西京杂记》）的典故而成，而浑然无迹。接下去说“此恨平分取”，轻轻一语道出被送者和送行人的心情完全是一样的。用不着笔墨形容，完全可以想象出被送者“行子肠断，百感凄恻”的心情和神态。正因为双方的痛苦一样的深，那最后离别的场面竟然是“更无言语，空相觑”。本来，人生生离甚于死别，儿女河梁执手，该有千言万语要说。但分手在即，有限时间内所能说的话，肯定表达不了无限的情思，于是，那无限的情思，似乎只有用眼睛这一“最能充分流露灵魂的器官”（黑格尔语）来表达了。这一场面的描写，令人想起柳永的名句：“执手相看泪眼，竟无语凝咽。”（《雨霖铃》）所不同的是，这里似乎连呜咽之声也没有了，双方的目光在这种“空相觑”中凝聚，双方的感情也在这种“空相觑”中胶结，使他们忘却了一切外物的存在，完全沉浸在那种不能自持的痛苦之中。上片写相别，“一笔描来，不可思议”（沈际飞《草堂诗余正集》）。

下片换头突然写到“断雨残云无意绪，寂寞朝朝暮暮”，是说别后凄凉，百般无绪，寂寞难耐。读到这里可以知道上片完全是追忆往事。至末三句“今夜山深处，断魂分付，潮回去”，作者才说出此时此地的相思。富阳在浙江北部，杭州西南，流贯境内的钱塘江在此称富春江，两岸连山，风景秀丽。作者现在富阳某僧舍，故云“山深处”。山水相隔，已不能到对方的身边，只有将自己的“断魂”付予江潮，希望魂魄能随着江水流到情人的面前，表达自己的相思之情。称己魂为“断魂”，可见作者此时心境的凄苦，更表示其相思的深切。

这首词写得情真语切，音律谐美，格调凄婉，体现了毛滂词“情韵特胜”的特点。其结语寄魂江潮，颇具奇思，诚如周煇所评：“语尽而意不尽，意尽而情不尽，何酷似秦少游也。”（《清波杂志》）

（李时人）

黄金缕　　司马槱*

家在钱塘江上住,花落花开,不管年华度。燕子又将春色去,纱窗一阵黄昏雨。　　斜插犀梳云半吐,檀板清歌,唱彻《黄金缕》。望断云行无去处,梦回明月生春浦。

作者

*司马槱,字才仲,陕州夏台(今山西夏县)人。生卒年不详。元祐六年(1091)任河中府司理参军,以苏轼荐,应科举,入第五等,赐同进士出身,授予初等职官;后调杭州幕官,不逾年病卒于任。存词二首。

鉴赏

司马槱爱作宫体诗,其词似诗,写男女情思,文笔清丽,感情细腻。这首词便是记一个浪漫的梦,梦中词人遇到了一位钱塘歌妓。词人以缠绵的抒情笔调,生动地描绘了梦中遇到的这位女子。词的上片以女子自叙的口气,介绍了她的住所、个性。“家在钱塘江上住”,一作“妾本钱塘江上住”。钱塘江,指浙江下游的杭州段,流经杭州市闸口以下注入杭州湾。杭州自古是繁华都市,名妓荟集。女子启口就自报家门,活泼可爱,表明不是俗妓。这是一位无忧无虑、恣情生活的年轻女子:“花落花开,不管年华度。”青春年少,全不惜大好春光和美好年华的轻易流逝,很像《琵琶行》中“今年欢笑复明年,秋月春风等闲度”的长安娼女。头三句就把一位年轻活泼的风尘女子的形象活脱脱地勾勒出来。因话出女子之口,语言清新明快,很有个性。接下“燕子”两句,是“不管年华度”的具体坐实。女子轻歌曼舞,欢笑终日,直到黄昏时分,天色骤暗，一阵春雨撒下，敲得纱窗“沙沙”作响，才引起她的注意。移步至碧纱窗前，向外一望，她感到惊讶：雨扫枝头，落红狼藉，燕子衔物，穿梭雨中，春天又将过去了！两句词，下句写视觉，是实写，上句写幻觉，是虚写。句序倒装，意思应是闻雨声方觉窗外春残，倒装后，突出了女子的心理活动。春天归去得那么快，以至认为是被雨中的燕子衔走了。这一句很妙，它化无形的自然季节为有形的燕嘴衔物：春天如一片花瓣、一块湿泥、一根稻草……燕子衔上即飞，转眼便消失得无影无踪。它流露了女子微含惊讶的心情。然而，这种瞬间的惊讶正是她“不管年华度”的具体体现，爱惜年华的人往往对春光很敏感，“惜春长怕花开早，何况落红无数？”只有不惜年华的人，才会春残始惊。一个“又”字，传神地表现出女子对春光、年华漫不经心的态度，它暗示这种情况年年如此，并不在意。这两句写出了这位快活无忧的钱塘歌妓的性格。

下片换以词人的口气，正面描绘这位女子。先写外貌：“斜插犀梳云半吐”。“犀梳”，犀牛角梳子，它是女子插在发上的装饰品。“云”，云鬓，形容女子乌黑如云的头发。女子黑亮高耸的浓密头发上，不经意地斜插着一把精美的犀牛角梳子；乌发如云，弯弯的梳子就像乌云中吐出的半轮明月。多么别致脱俗的妆扮！词人写外貌，不去描绘皓齿明眸，柳腰金莲，单单写女子的发饰，这不仅因为相逢在梦中，一切恍惚不清，更主要的是它体现了这位钱塘歌妓的特有风韵，给词人印象最深。如云如月，皎洁动人，足露词人心中的爱慕之情。接着两句写女子唱歌，明言歌妓身份。这位楚楚动人的女子，深情地面对词人，轻按檀板，徐吐清歌，唱了一曲令人难忘的《黄金缕》。结句点明这场美好的相遇竟是虚无缥缈的梦。曲终女子已不见，词人忽地惊醒，正值午夜，歌声似乎还萦绕耳旁。披衣起巡，凭轩凝望，唯有春江上一轮明月，不胜怅惘。“云行无去处”暗用高唐神女典故，表明人已不见。结句情味很浓，尽在言外。

这首词写得迷离恍惚，清丽凄恻，致使词人身后传说纷纷。据传，司马槱某日昼寝，梦见一美人入幌执板而歌，唱了这首词的上片，歌尽而去。槱醒后爱其曲，续成下片（一说秦觏所续）。后来司马槱调官杭州，卒于任上，官舍下就是南齐时钱塘名歌妓苏小小之墓。意思是说，这位歌妓就是苏小小的鬼魂所化。其实，这纯是好事者所编。司马槱生前多次往来钱塘，与一位歌妓相好也会有的，或许后来其人不可见，故托梦境以寄相思。

（周少雄）

鹊桥仙　谢薖*

月胧星淡，南飞乌鹊，暗数秋期天上。锦楼不到野人家，但门外、清流叠嶂。　　一杯相属，佳人何在？不见绕梁清唱。人间平地亦崎岖，叹银汉、何曾风浪。

作者

*谢薖（1070—1116），字幼槃，号竹友，临川（今属江西）人。谢逸从弟；从逸读书，兄弟以诗文媲美，时称"二谢"。屡试进士不中，老死布衣。诗词清新俊逸，名列江西派中。有《竹友词》一卷。

鉴赏

北宋末年，政治黑暗。谢薖直道而行，困居布衣，却愈加自持节操。薖娶金溪董氏，壮岁之后，生活益穷，只得迁居金溪跃马泉北，一住十年。这首词当是在跃马泉所作。它是一首咏七夕的词，词人没有谈儿女之情，而是藉以咏怀，抒发慨叹。

词的上片从写景入手：七夕，天挂新月，一弯如眉；时已入秋，金风飒飒。因为风吹，天上不时飘过缕缕纤云，时而遮住月光，时而掩住星斗，月色朦朦胧胧，星光淡淡如烟，夜色如画。突然，月下有几只乌鹊惊起，扑楞楞南飞而去。词人循声伫望，心中一动，掐指暗数：原来今夜已是牛郎织女欢会的佳期。"秋期"，指七夕。"月胧"两句，化用曹操"月明星稀，乌鹊南飞"诗句，然而用其字而夺其意，已无曹诗群贤不知归宿的凄恻心境，而是渲染着一种朦胧欢快的节日气氛。"金风玉露一相逢，便胜却人间无数。"（秦观《鹊桥仙》）用前人之句而另造新意的手法，是江西诗派脱胎换骨法在词的创作中的运用。天上欢会,人间风光又如何呢?"锦楼不到野人家,但门外、清流叠嶂。""锦楼",锦缎扎成的乞巧楼。宋代,七夕盛行"乞巧"风俗。《东京梦华录》记载:"至初六七日,贵家多结彩楼,谓之乞巧楼。"这儿以代指豪门"乞巧"的奢侈气派。词人隐居跃马泉边,地处山阿,傍山面溪,所以自称"野人"。这三句描绘了山野人家的清苦生活:京都豪门乞巧的热闹风光在词人家看不到,推开柴扉,唯见清清的溪流,层叠的山峰。貌似卑词,骨子里却为傲语。"但门外、清流叠嶂",既是清贫生活的写照,也是谢薖气节情操的象征,挺拔高奇,为戛然独造之境。"清流叠嶂",在视觉形象上,峻秀雄伟,将她与人工雕饰的小小锦楼对峙而立,更是气势压人。所以当"但"字一个转折,以一个特写镜头把她突然推现出来时,便显得势拔五岳、充塞天地。对于豪门,词人虽未直斥。然而以"清流迭嶂"傲视"锦楼",态度已很明白。崇宁大观间,蔡京当道,广罗党羽,一些无行文人纷纷卖身投靠,谢薖兄弟却不屑于卑膝,甘守穷困,词中透露了谢薖的这种气节和抱负。词人在《七夕书事》诗中声称:"不须文乞巧,只有直如弦。"意思较词更为明白。

下片直抒感慨,含义深沉。过片三句,写词人的第一个感慨:人不团圆。七夕良辰美景,本应对酒当歌,欢饮达旦,可是当词人举杯敬酒之际,忽觉有酒无歌,佳人不在,昔日欢会之绕梁清唱已不得再闻,顿时凄惶不已,玉液难咽。"佳人何在?"猝然发问,感慨何深!"佳人",当有所指,她有美妙的歌喉,如古代韩娥,清歌一曲,余音绕梁,三日不绝。这里似指词人所思慕的人。谢薖与其兄谢逸感情极深,与潘大临、汪信民、董彦孚等人也是金石之交。而此时,词人双鬓点雪,索居异乡山中,平日好友,或星散,或为鬼,孤身逢节,倍感凄戚,故发此感慨。词人推开杯子,默默想起自己及兄、友的生平遭遇:虽有高名妙文,却多为布衣,常为糊口漂泊异乡。鼠辈擅权,君子多厄。抬头仰视星空,银河如带,横贯碧落。他不由发出第二声感叹:"人间平地亦崎岖,叹银汉、何曾风浪。"人间不如天上。平地名之为"平",却崎岖难行;银汉名之为"河",却风平浪静。词人抓住矛盾的对比,借对天上的向往,表示对人间希望的破灭。这是词人对时局、政治的感慨,比第一声更为沉重。

这首词咏"鹊桥仙"本事,从天上写到人间,又从人间写到天上,借咏天上七夕,意在人间,处处巧设对比,层层深入,在对比中把自己的心潮逐步推向高峰,深刻地表现了词人对现实的强烈不满和倔强抗争。

(周少雄)

青玉案　　惠洪*

和贺方回韵

绿槐烟柳长亭路，恨取次、分离去。日永如年愁难度。高城回首，暮云遮尽，目断人何处？　解鞍旅舍天将暮，暗忆丁宁千万句。一寸柔肠情几许？薄衾孤枕，梦回人静，彻晓潇潇雨。

作者

*惠洪(1071—1128)，北宋名诗僧。俗姓彭，后易名德洪，字觉范，筠州(今江西高安)人。以医识张商英，又往来郭天信之门。政和元年(1111)，张、郭得罪，洪决配朱崖，旋北还。工诗能文，与苏轼、黄庭坚为方外交。其小词情思婉约，受时人推重。词散见于《石门文字禅》及《冷斋夜话》，《全宋词》收有二十一首。

鉴赏

惠洪与黄庭坚是忘年友。崇宁三年(1104)春，黄庭坚谪宜州(今广西宜山)途中，过湘江，惠洪入舟陪送。黄赠诗一首："吾年六十子方半，槁项顶螺忘岁年。韵胜不减秦少觌，气爽绝类徐师川。不肯低头拾卿相，又能落笔生云烟。脱却衲衫着蓑笠，来佐涪翁刺钓船。"字里行间，流露出山谷老人对这位青年诗僧的器重。山谷这次是因为文章"语涉谤讪"而被流放，是蔡京之流对他的又一次政治迫害。晚际坎坷、愁绪萦怀，山谷爱咏贺铸《青玉案》词"梅子黄时雨"的写愁名句。因此，及谪宜州，其兄黄大临赋词送别，便填了首《青玉案》，山谷至宜州也和寄《青玉案》。惠洪这首词，是与山谷兄弟的和作。三首《青玉案》，全步贺铸词的原韵，士大夫中一时传为佳话。

惠洪词全篇代山谷设辞，描写行人的离愁，上片写长亭别恨，下片写旅夜苦思，情思婉约，真切动人，如出自山谷肺腑，不负平生知交。开头三句写长亭相别。芳郊外，长亭畔，古槐绿荫，柳丝笼烟，行人与亲友满怀愁恨，仓猝言别。开头两句渲染了气氛，点明了分别时间、地点。花落春去，春愁撩人，更奈何人又将别。长亭大路，通往行人将去的“千峰百嶂宜州路”，远山修水，愁不堪望。“取次”，仓猝的意思。山谷是流放的罪官，诏下即行，不得滞留，故匆匆分别。“恨”字统领下五字，顿挫有力，语含酸辛。这是挥手之际，人们心头陡然涌上的感情。怎能不恨呢？山谷已是年入花甲的老人，宜州路多艰险，政局渺不可测，能否归还，不堪设想，又何况这样匆匆分手？（事实上山谷次年便在宜州去世。）“日永”句写行人起程后途中感受。旅鞍生活，寂寞孤独，引人思亲。思亲令人愁，因愁而觉日长如年，难以熬度。“愁”字是关键。离愁别恨，这是全词的主旨。接下“高城”三句，与山谷词“烟中一线来时路，极目送，幽人去”之意相近。惠洪这儿暗用唐代欧阳詹“高城已不见，况复城中人”诗意，写行人禁不住愁思，立马回望来时路，只见天边暮云四合，遮断视线；高城早遥不可见，自然不用提城中的亲友了。写得含蓄沉重，满纸愁意。

上片从分别、别后行途落笔，下片则变换角度，从旅舍夜思入手，继续写愁。天色近黄昏，该投宿了。路边小店灯笼高挑，行人驻马入店。解鞍秣马，抬望苍茫的暮色，行人不由又想起亲友，忆起他们临别时的千叮万咛。亲友的叮咛细心周到，不厌其烦，句句深情。行人怔忡扶鞍，细细寻味，只觉得柔肠寸断，不堪别情。夜深了，旅店豆灯摇灭，行人路途疲乏，不觉昏昏睡去。在迷迷糊糊的梦中，行人回到了熟悉的书斋、小苑，又见到旧盟白鸥，亲朋好友……倏地梦醒，竟是身在异乡旅舍，孤枕薄被，无限凄凉。睁眼黑夜，辗转反侧，四周静得出奇，唯有屋外不知什么时候开始落的细雨“滴滴答答”格外脆响。春雨绵绵，愁思绵绵，行人再也难以入睡，眼睁睁地卧听雨打空阶，直到黎明。歇拍三句，只作细节描写，没有明言愁字，却形象地勾勒出行人的愁容恨态，耐人寻味。黄大临《青玉案》词也有同样内容的句子——“水村山郭，夜阑无寐，听尽空阶雨”，显得较为直露、笼统。

这首词,代人设辞却情真意切,刻意写愁而不事雕饰。词中先后写了相别之愁、路途之愁、投宿之愁、夜思之愁;愁上叠愁,一气呵成,感情委婉。宋人许彦周评论:“上人善作小词,情思婉约似秦少游,仲殊、参寥皆不能及。”并非过誉。

(周少雄)

忆君王　谢克家*

依依宫柳拂宫墙，楼殿无人春昼长。燕子归来依旧忙。忆君王，月破黄昏人断肠。

作者

*谢克家（？—1134），字任伯，上蔡（今属河南）人。绍圣四年（1097）中第，建炎四年（1130）迁参知政事，次年八月改提举洞霄宫。

鉴赏

这首词一题为“徽宗北行作此”。靖康元年（1126）十二月，金人陷汴京，二年春，徽、钦二帝及在京的皇族全被掳走，宫殿、京城被洗劫一空，北宋灭亡。本词是作者在徽宗被掳、中原易主、自己在乱离中来到江南以后所作。词意如牌名，是痛思君王、故国之作。开头三句写汴京故宫的春色。第一句镜头遥对墙外：春风中，碧绿的宫柳多情地拂拭着红色的宫墙，她似乎对逶迤绵长的宫墙、墙内的宫殿，充满了感情。“宫墙”，指北宋故宫。“依依”，形容柳枝招展，也指其恋恋难舍的神态。作者没有说出自己的感情，但已借助“柳枝依依”这一生动形象，成功地在画面上体现出来，显得感人、深沉。第二句镜头摇入墙内：画楼深殿空寂无人，漫长的春日在悄然而艰难地流逝。句意阴森凄凉。“楼殿无人”为写实，宫殿已被金人抢掠一空，后妃宫人也尽数掳走。“春昼长”为感慨，是有感于昔日“春日苦短”而捕捉到的一个感情微澜，激发词人的则是“楼殿无人”的冷落气氛；“楼殿无人”暗指国破家亡，它也是全词伤感涕零、浮想万端的源头。见出词人对故国一往情深：昔日故宫春日欢游，人苦昼短，这情景镜头上没有，但它作为画外画深存于作者心中。作者含泪描绘今日时,暗中是有对比的,因而倍觉春昼漫长。这一感慨凝聚了千言万语,丰富的感情、内容,尽在纸外。第三句是个特写镜头:梁上旧燕春日归来,依旧忙着飞进飞出,经营旧巢。这句写燕子无知,不知旧日主人饱经灾劫,或死或掳,已不可见;写燕子无情,不知悲戚,不会凭吊。燕子无情盖发于人之有情、深情。经过天崩地裂后的作者,痛定思痛,哀痛欲绝,任何与过去生活有牵连的景物都会触动他那敏感的心弦,何况见到这旧日宫燕!“依旧”二字,十分传神,语气凝重,感情深沉,微含责备,而更多的是痛苦的暗叹、感慨。这两字,是全词的词眼,种种微妙复杂的心情都从中传达出来,实为空灵之笔。这三句写景都是想象之辞,是作者在南方逢春而产生的令人心碎的遐思。明月拨开黄昏的帷幕,惨白的银辉洒在独立夜风中的词人身上。“已是黄昏独自愁,更着风和雨。”此情此景,作者痛不自持,于是,结句冲出一声凄厉的哀诉:“忆君王,月破黄昏人断肠。”“人断肠”三字,字字含泪。国破家亡,流落异乡,一欲断肠;君王难忘,故国难忘,二欲断肠;春色可人,惊心催泪,三欲断肠;独立黄昏,暮色如愁,四欲断肠。难怪当时士大夫称这首词“语意悲凄,读之令人泪堕,真爱君忧国之语也”。

这首小令字数虽少,含蓄凝练。作者多从对面落笔:伤感眼前春色却写故宫之春,追思旧时繁华却吊今日无人,欲吐故国之情却说宫柳多情,春燕无情,一句话包含了深厚的内容和感情。作者亡国之痛发自肺腑,千万情感结于数语,故能如此凝重深沉,力透纸背,感人至深。

(周少雄)

水调歌头　　叶梦得*

九月望日，与客习射西园，余偶病不能射。

霜降碧天静，秋事促西风。寒声隐地初听，中夜入梧桐。起瞰高城回望，寥落关河千里，一醉与君同。叠鼓闹清晓，飞骑引雕弓。　岁将晚，客争笑，问衰翁。平生豪气安在，走马为谁雄？何似当筵虎士，挥手弦声响处，双雁落遥空。老矣真堪愧，回首望云中！

作者

*叶梦得(1077—1148)，字少蕴，号石林居士，吴县(今属江苏)人，居乌程(今浙江湖州)。绍圣四年(1097)进士。徽宗时，累官龙图阁直学士。南渡之初，官江东安抚制置大使兼知建康府，总四路漕计，为支援抗金作过重要贡献。词风简淡，感怀国事之作有雄杰之气。

鉴赏

这首词的小题，曾慥《乐府雅词》作："九月望日，与客习射西园，余偶病不能射。客较胜相先。将领岳德，弓强二石五斗，连发三中的，观者尽惊，因作此词示坐客。前一夕大风，是日始寒。"以此参验词意，知为九月十五日西园习射，有感于将领之勇而自伤衰老、无力报国之作。其具体写作年代不可确考，大约作于绍兴八年(1138)再次知建康府时期。当时，北方大片国土为金兵所据，南宋王朝只拥有半壁山河，建康已成为扼江守险，支援北伐军需的重镇。词中所写的秋事、习射等均与宋金战事有关。词的上片，写夜饮西园的情景。首句写时届深秋，寒霜遍地，碧天清肃。

在这寥廓凄清的夜晚，阵阵西风牵引出诗人复杂的思绪，先写出一句“秋事促西风”。所谓“秋事”，指秋收、制寒衣等事。据《宋史·文苑传》载，叶梦得在兼总四路漕计期间，补给馈饷，军用不乏，故诸将得悉力以战。可见词中的“秋事”二字表达了诗人在西风相催，寒冬将至之际，对前方将士的深切关注之情。西风使诗人想起秋事，而西风带来的寒声则使他心绪纷乱，于是又写出“寒声隐地初听，中夜入梧桐”。在这两句中，形象地写出了寒声由微弱到响大的过程。“入”字用得极好，生动地描绘出寒声不是一响而过，而是直入梧桐的枝叶深处，鸣响不止。它既点出西风的劲疾，又点出寒声的繁杂。本来，西风中的寒声，万籁俱作，奇音异响，类状殊多。但诗人不写别的单写梧桐之声，这是因为梧桐叶大而薄，风起响处，声大而杂，尤其在寂静的夜半时分，格外恼人。所以在古人笔下，风鸣桐叶往往是触发愁绪的媒介，有所谓“秋思满梧桐”的说法，叶梦得的立意也在于此。正是这使人烦恼、凄凉的桐叶寒声，勾起了诗人内心深处的沉忧，于是他起身离座，迎着西风，登上城楼，回望中原故土，只见“寥落关河千里”，满目凄凉，冷落不堪。一种国土沦亡、山河破碎的沉痛感情，顿时涌上心头。可是，他既无力挽狂澜于既倒，又难以排遣心中的痛苦，只有借酒消愁，与客同醉，因而以沉痛之笔写了一句“一醉与君同”。从词意来看，西园饮筵是度过了一个不眠的夜晚，故歇拍处依时间顺序写了清晓习射的情景：“叠鼓闹清晓，飞骑引雕弓。”所谓“叠鼓”，指鼓点紧而密。当诗人与众客酣饮之际，军中响起密集的鼓声，在一片喧闹声中，报告东方欲晓，演武场上走马驰射。此刻，场面是紧张而热烈的，诗人的感情又奋扬起来。

词的下片承续上片，写西园习射的情景。诗人写这首词时，已经是六十开外的人了，又因为身体不好，不能习射竞武，感慨本来就很多。加上座中宾客正当壮年，武场较胜，欢谈笑语，争相夸美，心境更为苍凉。尤其是虎士岳德当筵竞射，三发中的，箭术精湛，轻松自如，膂力过人，不禁引起诗人对往事的回忆。当年，他走马驰射，争雄沙场，豪气如虹，而今已是垂暮之年的老翁，不能像岳德这样骁勇竞射了，因而以自问语气写下了“平生豪气安在，走马为谁雄？何似当筵虎士，挥手弦声响处，双雁落遥空”。在这几句中，既有英雄已老的喟叹，又有对虎士的赞叹；感叹自己壮志未酬而身已衰老，羡慕岳德英武骁勇当报国有期。这说明诗人虽然自叹英雄已老，但内心依然蕴藏着热望报国的雄豪之气，所以才能在结尾处写出“老矣真堪愧，回首望云中”的词句。这两句写得慷慨悲凉，是全篇的感情重点。前一句写诗人因年老无力报国而惭愧莫名的心情，后一句写他身虽老衰而志节不衰的精神。句中所说的“云中”，指云中郡，为汉代北方边防重镇。魏尚、李广都曾在这里抗击匈奴，为国立功。诗人写“回首望云中”是借以表达抗击金兵、收复中原的心愿。他在自己的词作中曾多次诉说过这种愿望，如：“谁似东山老，谈笑静胡沙”“老去情怀，犹作天涯想”。以此验证本词之意，足见诗人直至晚年仍没有忘却恢复故土的宏愿大志。

这首词是叶梦得的代表作之一。笔力雄杰，词情沉郁而又苍健。词中上片言“回望”，结句说“回首”，前后贯通，反复言说，系念国事，北伐中原之意至为深切，充分反映了诗人“烈士暮年，壮心不已”的情怀。

（臧维熙）

水调歌头

叶梦得

秋色渐将晚，霜信报黄花。小窗低户深映，微路绕欹斜。为问山翁何事，坐看流年轻度，拚却鬓双华？徙倚望沧海，天净水明霞。　　念平昔，空飘荡，遍天涯。归来三径重扫，松竹本吾家。却恨悲风时起，冉冉云间新雁，边马怨胡笳。谁似东山老，谈笑净胡沙！

鉴赏

叶梦得晚年，退居于乌程卞山。那里是一个风景秀丽的地方，北临太湖，奇石森列，又有藏书数万卷。他终日读书赏景，啸咏自娱，生活是很悠闲的。可是，作为一位爱国词人，他不能忘却抗金战事，时刻牵挂着国家的安危，这首词就是诗人自叙平生、抒写怀抱之作。词的上片，写秋景和山居情趣。开头四句，先写秋景,后写环境。第一句“秋色渐将晚”的“晚”字是形象化写法,言暮秋景物渐呈苍老深暗之色。第二句“霜信报黄花”的“霜信”,指降霜的信息。“黄花”,即菊花。古人以黄色为菊花正色,故每以黄花代称之。此句言菊花开了,报来降霜的信息。第三句“小窗低户深映”,言简陋古朴的小屋掩映在花木的深处,点明诗人所住的小屋环境幽雅而芳洁。第四句“微路绕欹斜”的“微路”,指山上的小路。“绕”字既点明小路盘山之状,又点明路小而长。“欹斜”,犹言倾斜,表明小路依山上延,山斜路亦斜。这四句总起来描画出一幅清丽幽静的卞山小筑秋景图,很有诗情画意。接下去的五句,以自问自答的方式抒写卞山隐居的情趣:第一句“为问山翁何事”的“为”字是助词。“山翁”,此为诗人自谓之辞。第二句“坐看流年轻度”的“坐看”,犹言空看、徒观。“流年”,指流逝的岁月。“轻度”,即轻易度过之意,语感比“虚度”要淡些。第三句“拚却鬓双华”的“拚却”,意为不惜、不顾。“鬓双华”,形容两鬓白发如霜花。这三句,以“为问”二字呼起,以“何事”二字就事设问,然后又续出“坐看”两句,加强反问,这就说明所问的“何事”必是牵动着诗人感情的。这其中虽有流年轻度、鬓发双华的感伤,但主要的则是因为“徙倚望沧海,天净水明霞”。所谓“徙倚”,乃低徊留恋之意。“沧海”,借指太湖,言其水域广大,浩渺如海。后一句的“明”字,写太湖之水映出的青空霞光,色彩鲜艳明丽,说明天净水清,天光水色都很美。写到这里,上文的“何事”二字所指者豁然显露。原来,诗人之所以不惜两鬓花白而坐看时光流逝,乃因深深地迷恋着太湖风光之美!从而揭示出诗人晚年卜居卞山的深远意趣。

词的下片,写平昔生活和归隐后系念国事的心情。过片以“念”字勾起回叙,领写三句:“念平昔,空飘荡,遍天涯。”其中的“空”字言其平昔无所建树。“飘荡”,言行踪不定,暗示社会动乱。“天涯”,喻平昔飘荡之远,前面着一“遍”字,则表飘荡之广,也寓含时间之久。从这三句章法来说,第三句补叙第二句,而二、三两句又是第一句“念”字的意向所在和“平昔”二字的注脚。在词情上,“念”“空”“遍”三字分量都较重,由这三字组成的三个三字句,语急情促,笔下流出一股凄怆悲凉之气。这里既有对事业未成的喟叹,也有对赵宋王朝压抑人才的不满。诗人立志报国,而结果却是“空飘荡,遍天涯”,一事无成,而终至因老衰不得不退居故乡,于是顺手在回叙中推挽出两句:“归来三径重扫,松竹本吾家。”这两句与上片的卞山幽居环境互相映衬。句意系由陶渊明《归去来兮辞》的“三径就荒,松竹犹存”点化而成。“三径”,指隐士庭院间的小路。“松竹”,代指山林隐居处,含有贞节自持之意。“本吾家”,既点明重归,又表明夙愿。这两句表达出诗人长期飘泊、事业无成而重返故园的喜悦心情。接下去,词意又是一折,用“却”字倒转,以“恨”字切入,连出三句:“却恨悲风时起,冉冉云间新雁,边马怨胡笳。”所谓“悲风”,指秋风,因使人有悲寒之感,故称之为悲风。“冉冉”,渐飞之貌。“新雁”,指南归之雁。“边马”,指边地军马。“笳”,乐器名,以竹管制成,其声哀怨凄厉。因产于北方胡人地区,故名曰“胡笳”。这三句脱胎于蔡琰《悲愤诗》的“胡笳动兮边马鸣,孤雁归兮声嘤嘤”。自汉朝以来,胡人南扰多在秋天,诗人临秋风,望归雁,联想起金兵南下,不禁又点燃起忧恨的火种,心情更加不平静了。第一句中所用的“恨”字,是一个笔意极为沉重的字眼,倾注着诗人满腔的郁愤。正是基于这样一种爱国抗金的激情,所以词的末尾才振笔疾呼:“谁似东山老,谈笑净胡沙!”“东山老”,指东晋谢安(字安石),因他曾隐居东山,故称。“胡沙”,犹言胡尘,指代胡人发动的战争,此借指金兵侵宋。这两句化用了李白《永王东巡歌》的“但用东山谢安石,为君谈笑净胡沙”。公元383年,前秦苻坚统兵百万南下,谢安以征讨大都督命谢石等挥师北上迎敌,大破前秦兵于淮淝之间,此即著名的淝水之战。相传当苻坚兵至之日,东晋朝野震恐,而谢安却毫无惧色,他一面从容指挥,一面谈笑自若,邀集亲朋,驾车出游,在别墅与张玄(一说谢玄)对弈。及前秦兵溃败时,谢安仍围棋如故。叶梦得括用谢安大破前秦兵故事,一方面表示内心自愧,不能像谢安那样谈笑间从容破敌;另一方面也是对南宋将无良材、无计却敌的感叹,表现出深切的爱国忧国之情。同时,这两句也暗含一个“恨”字,与前面的“恨”字暗应,所以下片的后半段,写的既是身恨也是国恨。从叶梦得当时的心情来看,退隐与国事是矛盾的。他想在卞山以山水自娱,但又无法忘怀国家的危难,时刻惦念着抗金战事。这种复杂的思想感情,在下片中得到了充分而深刻的反映。而在他矛盾复杂的感情中,对国家命运的关注是主要的,所以词的结尾才显得词情激越,呼号出悲凉而高亢的心音。

(臧维熙)

八声甘州

叶梦得

寿阳楼八公山作

故都迷岸草，望长淮、依然绕孤城。想乌衣年少，芝兰秀发，戈戟云横。坐看骄兵南渡，沸浪骇奔鲸。转眄东流水，一顾功成。　千载八公山下，尚断崖草木，遥拥峥嵘。漫云涛吞吐，无处问豪英。信劳生、空成今古，笑我来、何事怆遗情？东山老，可堪岁晚，独听桓筝！

鉴赏

寿阳即今安徽寿县，本秦寿春县，东晋改为寿阳，战国楚考烈王和汉淮南王刘安均曾都此。八公山在城北，相传刘安时有八仙登此山，遂以为名。一说八公指刘安门客左吴、朱骄、伍被、雷被等人，世以八公为仙人乃误传（见《资治通鉴·晋纪》胡三省注）。

这是一首怀古伤今的作品，从词意来看，当是绍兴十一年（1141）宋、金达成和议以后所作。

叶梦得在北宋末到南宋初和金人的激烈斗争中，坚决地站在主战派一边。他曾两次任江东安抚使兼知建康府（今江苏南京），因筹措粮饷得力，军用不乏，沿江诸将得以全力赴敌，挡住了金兵向江南的进攻，对于抗金事业作出了重要贡献。宋、金结成和议后，两方以淮河为界，抗金名将岳飞、岳云、张宪等皆被冤杀，他本人也受到秦桧的压制。绍兴十四年（1144），他在福建安抚大使兼福州知州任上，被迫上疏告老，退居湖州。他在许多诗、词里抒发了对时局的感慨以及爱国情怀，这首《八声甘州》是其中的一首。

上片着重叙事。起句“故都迷岸草，望长淮、依然绕孤城”，写寿阳的自然形势。“故都”，指寿阳，因曾两次作都城，故云。“迷岸草”，为淮河岸上的草所迷，极言城的荒凉。淮河从河南桐柏山迤逦而来，流经寿阳之北，东注大海。“孤城”也指寿阳而言，“孤”字形容其处境孤危。当宋、金划淮河为界后，淮东沿河重镇是淮阴，淮南重镇即寿阳，而南宋君臣只图苟安，不思恢复，即使临边重镇也日趋荒凉，成为孤城，敌人可以随时牧马南下。在起首两句中已经透露出南宋的衰弱形势，言下不胜感慨。由今日的荒草凄迷的孤城，想起了历史上这里曾进行过一次大规模的抗击北来敌人的战争。“依然”二字隐隐逗出下边的词意。“想乌衣年少，芝兰秀发，戈戟云横。”这几句写淝水之战大破苻坚军的前锋都督谢玄。“乌衣”，巷名，在建康秦淮河南，为东晋谢氏家族聚居之地。“年少”即指谢玄。淝水大战时，谢玄年四十，言“年少”，是相对于其叔谢安辈而言的。谢安尝问诸子侄：“子弟亦何预人事，而正欲使其佳?”诸人未有言者，谢玄说：“譬如芝兰玉树，欲使其生于阶庭耳。”（见《世说新语·言语》，亦见《晋书·谢玄传》）词里就用谢玄回答他叔父的话，来称赞他的才略就像“芝兰秀发”。“戈戟云横”说他带领雄兵。“戈戟”本是两种武器，这里代指军队。“云横”极言其多。在淝水之战前，谢玄是徐、兖二州刺史，率军镇守江北重镇广陵（今江苏扬州）。太元八年（383），苻坚大举南下，晋帝调谢玄为前锋都督，与征讨大都督谢石（谢安弟）、辅国将军谢琰（谢安子）、西中郎将桓伊等共八万人进军寿阳，抗击苻坚。“坐看骄兵南渡，沸浪骇奔鲸”，“坐看”的主语是谢玄，形容他的从容镇定。“骄兵”以下写苻坚南下时的强大声势。苻坚离长安攻晋时，有步卒六十多万，骑兵二十七万，合计兵力达九十万，号称百万。进军中旗鼓相望，前后千里。规模之大远远超过了赤壁之战时曹操的实际兵力，为中国战争史上所罕见。苻坚在攻晋之前曾经说过：“以吾之众旅，投鞭于江，足断其流。”（《晋书·苻坚载记》）自以为吞并江南，稳操胜券，气焰嚣张，不可一世。决计攻晋后，下诏以司马昌明（晋孝武帝名）为尚书右仆射，谢安为吏部尚书，桓冲为侍中，并在长安起第宅，为安置晋朝君臣之所。词里用“骄兵”二字概括苻坚之军，最为精确，同时还暗示了苻坚必然要遭到惨败。但它的声势毕竟是浩大的，说它使水中的波浪为之沸腾，鲸鱼为之惊奔，是对它的声势夸张性的描写，为下文写谢玄的取得胜利蓄势。“转眄东流水，一顾功成。”写谢玄高妙的指挥韬略，顾盼之间就击败了强大的敌人，大功成就。

下片着重抒感。换头“千载八公山下，尚断崖草木，遥拥峥嵘”，从回忆往事回到现实中来。从淝水之战到作者写此词时有七百六十多年，说“千载”，是举成数。这几句是说，尽管往事已过了千年，但八公山下断崖石壁之间的草木仍然卫护着高峻的山峰,也就是说,八公山仍然屹立,形势不减当年。因为作者是在寿阳城楼看八公山的,所以用“遥”字。下边词意陡转:“漫云涛吞吐,无处问豪英。”“云涛”应上片的“东流水”,以形容波浪之高;“吞吐”形容波浪起伏之状。“豪英”指谢玄。词意是说,尽管淝水波浪起伏,仍似当年,但像谢玄这样的英雄人物却不可得见了!这两句寄慨遥深,涵情无限,表面上是慨叹英雄人物的不可得见,实际上是对南宋朝廷只图偏安,压制英杰的委婉的谴责,还寄托了南宋衰微的隐忧。英才是任何时代都有的,问题在于识与不识,用与不用。例如岳飞,论军事韬略,绝不在谢玄之下,而在南宋王朝对敌妥协退让政策的指导下,落得悲惨结局,词里似乎含有悼念岳鹏举之意。下边宕开一层说:“信劳生、空成今古,笑我来、何事怆遗情?”“劳生”用《庄子》“劳我以生”语意,言谢玄艰苦驰骋,创下了丰功伟绩,都已成了陈迹,自己为什么还要抚事伤情呢?“笑”是自笑,这是从沉思悲怆中清醒过来以后一种感情的流露。这是一扬,下面再转:“东山老,可堪岁晚,独听桓筝!”再次借古抒慨。“东山老”是指谢安,他在未出仕前曾隐居浙江上虞的东山,故云。淝水之战,谢安有决策、筹划的大功。后来他的女婿王国宝和会稽王司马道子勾结,向孝武帝进谗言,并煽动一批小人散布流言蜚语,造成了孝武帝对谢安的猜忌。“桓筝”,指桓伊之筝。桓伊在反击苻坚之战中曾立战功,他善音乐,称为江南第一。一日,孝武帝召伊饮宴,谢安侍坐。伊抚筝而歌曹植《怨诗》曰:“为君既不易,为臣良独难。忠信事不显,乃有见疑患。周公佐成王,《金縢》功不刊。推心辅王室,二叔反流言。”诗意很切合谢安的情况,特别是最后两句好像是为谢安而发,而且桓伊“声节慷慨,俯仰可观”,安深为感动,泪下沾衣,“乃越席而就之,捋其须曰:‘使君于此不凡!’帝甚有愧色”(《晋书·桓伊传》)。叶梦得在词的歇拍里所以要追述这件往事,是因为他本人也受到秦桧之流的压抑,和谢安有类似的遭遇。悲惋之情,溢于言外,悠然有不尽之意。

怀古、咏史一类的诗词,最难的不是抒发感慨,而是点化史实,大篇、长调尤其如此。太实则板滞,太虚则空疏,必须能提得起,放得开,而又能收得住,事在虚实之间,而又情从事出,方臻高境。叶梦得这首词在叙事中,无一笔实写,全是形象的概括,连一个历史人物的名字都未出现,只用“乌衣年少”代指谢玄,以“骄兵南渡”代称苻坚军,以“东山老”代称谢安。写淝水之战,也只就谢玄方面“转眄”“一顾”两句写出，而前后气势连贯，脉理清晰，跌宕起伏，感情深沉。仔细体味，可以看出在写法上曾受到东坡《念奴娇》的影响，如“乌衣年少”三句很容易使人想到“遥想公瑾当年，小乔初嫁了，雄姿英发”。“转眄”“一顾”两句，使人想到“谈笑间、强虏灰飞烟灭”。但影响只是影响，并非模仿，仍显出作者提炼史迹、锤炼语言的深厚功力。宋人关注称赞叶梦得的词说：“其词婉丽，绰有温、李之风。晚岁落其华而实之，能于简淡时出雄杰，合处不减靖节（陶渊明）、东坡之妙。”（《题石林词》）《八声甘州》就是一首“简淡时出雄杰”的作品。

（李廷先）

喜迁莺　　刘一止*

晓　　行

晓光催角，听宿鸟未惊，邻鸡先觉。迤逦烟村，马嘶人起，残月尚穿林薄。泪痕带霜微凝，酒力冲寒犹弱。叹倦客，悄不禁，重染风尘京洛。　追念人别后，心事万重，难觅孤鸿托。翠幌娇深，曲屏香暖，争念岁华飘泊？怨月恨花烦恼，不是不曾经着。这情味，望一成消减，新来还恶。

作者

*刘一止（1079—1160），字行简，湖州归安（今浙江吴兴）人。宣和三年（1121）进士，绍兴初召试，除秘书省校书郎，历给事中。正直敢言，不避权贵。以秘阁修撰致仕，进敷文阁待制。著有《苕溪集》。《彊村丛书》收《苕溪乐章》一卷。

鉴赏

这首词上片写晓行情景，下片写别后怀人情味。据陈振孙《直斋书录解题》称，此词盛传京师，作者亦以此得名，一时有“刘晓行”之号。这与张先的“张三影”、贺铸的“贺梅子”一样，都是词坛佳话。

“晓光催角，听宿鸟未惊，邻鸡先觉。”起三句写天刚拂晓，呜呜的号角就已吹响，林中的宿鸟还未被惊醒，四近的鸡声却开始报晓了。晓角声，鸡唱声，是醒后所闻；用一“催”字，有温衾难恋、催人早起之意。其间插入“宿鸟未惊”一笔，写鸟声沉寂，栖巢尚稳，似与即将首途的早行人作一映照。且宿鸟对光线的感觉特别敏感，鸟未惊醒，可见熹微之晨光还不足以刺激它张开睡眼。这三句从早起行人的听觉着笔，闻晓角声、邻鸡声，而未闻鸟雀的噪鸣声，从正反两个角度，渲染出晨光初露、残夜未尽的清晓情景。以声音写晓色，真切而别致。“迤逦烟村，马嘶人起，残月尚穿林薄。”“迤逦”，曲折连绵貌。“林薄”，草木丛杂之地。这三句写所见：远处晓烟迷蒙的一带村落，林中即将西沉的一钩残月，早起束装待发的行人和长嘶上路的马儿，这一切构成了一幅有声有色的晓行图，而行人正是画面的主角。这是第三者描述的视觉镜头，与开头三句写听觉感受的第一人称不同。作者既身入画中，又跳出画外；既感受，又审视。主观镜头和客观镜头的综合使用，是为了多角度和多侧面地表现晓行情景。“泪痕带霜微凝，酒力冲寒犹弱”，则从全景性的透视转为人物的特写镜头。行人与妻子依依话别，脸上的泪痕，已被晨霜所凝冻；几杯别酒，却挡不住刺骨的晓寒，至于心头的寒意，则更非酒力所能驱除了。透过这泪痕满面的镜头，我们可以窥见行人内心的酸楚和凄凉。这两句写晓行话别情景，晓寒之袭人与别意之凄惶，内外俱到。继而顺势转出行人的一声深长喟叹：“叹倦客，悄不禁，重染风尘京洛。”悄不禁，犹浑不禁，简直禁受不住。“风尘京洛”，用晋陆机《为顾彦先赠妇》诗意：“京洛多风尘，素衣化为缁。”这里说“倦客”，可见已不是初次出门远行，而早有厌倦行旅之意；说“悄不禁，重染风尘京洛”，则表示不愿再到京城那个软红十丈、污染人品的处所去。然而现在还得重染京洛风尘，虽然心有所不愿，无奈势有所不能。已经有过抛家别妻的痛苦体验，现在却又要重尝别离的苦酒，其感慨和酸楚自觉格外难禁了。

“追念人别后，心事万重，难觅孤鸿托。”下片以“追念”二字领起，写别后思念之情。全从行客心理着笔，一贯到底。“心事万重”，思绪万千。“难觅孤鸿托”，感叹找不到传达讯问的信使。彼此远隔一方，情愫难通，这默默的思念，只有托之于想象了。“翠幌娇深，曲屏香暖，争念岁华飘泊?”正是一种想象之词。“翠幌”，翠幕。“曲屏”，曲折的屏风。两者都是闺房的陈设。“争念”，怎念。“岁华”，岁时。这几句是想象家中的娇妻，在深深的翠幕中，曲折的屏风边，对着炉中袅袅的暖烟，不知怎生在想念终年飘泊的丈夫？不说自己想念妻子，而想象妻子如何想念自己，背面敷粉，以收一笔两见之效，这是诗词中常用的手法。“怨月恨花烦恼，不是不曾经着”宕开一笔，说自己经常出门远行，对月见花的离愁别恨已习以为常,似乎能够强自克制和控束感情;这是欲擒故纵,预作铺垫之笔。“这情味,望一成消减,新来还恶”即承上一转,终于剖白出难以排遣的痛苦:这离别相思的情味,本希望它消减一分,却不料近来发作得更厉害了!一开一合,顿挫蓄势,转出更深沉的感情潜流。

这首词题为“晓行”,而仅前半写晓行景色,前人称赏,似皆着眼于此。如许昂霄《词综偶评》云:“‘宿鸟’以下七句,字字真切,觉晓行情景,宛在目前,宜当时以此得名。”先著《词洁》亦云:“前半晓行景色在目,虽不及竹山之工,正是雅词。”所言诚是。但这首词的好处,似不仅在于写景真切。初读此词,似乎上片写景,下片抒情,分作两截;但若细味过片“追念”二字,则知上片晓行情景,全从别后追忆中写出。这难以忘却的一幕,别后犹历历在目,每一念及,辄令人黯然消魂。于是由别离情景而自然地切入别后思念之情。“追念”二字,实为承上启下之关捩。由离别而思念,而别后之思念,转又包容别时之情景;故晓行相别情景,虽属虚空设想,却字字真切,语语浸润着深沉的追恋怀想之情。这是情绪记忆的表现,也是凝思结想的幻化,不可纯作景语看。唯其如此,上下片才融成一气,虽叙述和描写的角度多所变化,而构思的基点仍只有一个。词心之空灵,于此可见。

(吴战垒)

点绛唇　　汪　藻*

新月娟娟，夜寒江静山衔斗。起来搔首，梅影横窗瘦。　好个霜天，闲却传杯手。君知否？乱鸦啼后，归兴浓于酒。

作者

*汪藻（1079—1154），字彦章，饶州德兴（今江西波阳）人。曾入太学，进士及第。高宗朝官中书舍人，兼直学士院，又拜翰林学士，知湖州、徽州、宣州，后夺职居永州，卒。今存《浮溪词》一卷。

鉴赏

关于此词的写作，《能改斋漫录》及《玉照新志》都曾说及。参阅《宋史》本传，大致可以这么认为：作者曾一度颇感仕途艰险，机锋四伏，因而渴望退隐归家，乐守田园，本词就是描述这种思想情感的。至于究竟写于何时、何处，有何具体本事，似没有可能也没有必要过分落实。

上片首两句写景。远望夜空中悬挂着一弯美好的新月，北斗已经下沉，似被远山衔在口中。看来夜已很深了，寒气袭人，江水沉静。"衔"字下得极其形象生动，"寒"与"静"状冬天的深夜，准确、凝练，使人如置身其境。以上是外景、远景。三、四句写内景、近景。虽然是更深夜静，但是作者仍未入睡，于是起来。干什么呢？似乎也无事可干，只得凭窗而坐，一边凝视横映在窗纸上的清瘦的梅影，一边以手搔首，聊以遣闷。"搔首"极写作者寂寞无聊的心境，无限欲言难言之情都从此细微的动作中显示出来。为什么横映在窗纸上的是清瘦的梅影呢？这一方面固然是切合时令，另一方面也是暗喻手法，愁绪满怀,人焉得不瘦?清瘦的梅影,也是词人自己的形象。

过片"好个霜天"既总束上片的写景,又暗中将下片拨向抒情,此等细微处不可轻轻放过。本来梅影扶疏、夜寒江静的霜天是最宜饮酒,但现在霜天虽好,作者却酒兴全无。"闲却传杯手",给人抛出一个悬念,这就为结末两句的点明主旨作了铺垫。下面"君知否"一个三字领问句,警醒有力,然后结尾两句水到渠成,推出主旨"乱鸦啼后,归兴浓于酒"。他盼望归家,归家之兴比酒兴还要浓,所以他就"闲却传杯手"了。为什么归兴浓于酒在乱鸦啼后呢?"乱鸦啼"当是指小人的飞短流长。

这首小令上片写景,画面冷洁清疏,"起来搔首"这个细节又使整个画面潜气内转,使人感到笔墨之外有所欲言。下片便用自问自答的形式将上片欲言未言之情思抒发出来,于自然幽默之中含愤激之气。

(曹文彪)

青玉案　　曹组*

碧山锦树明秋霁，路转陡、疑无地。忽有人家临曲水，竹篱茅舍，酒旗沙岸，一簇成村市。　凄凉只恐乡心起，凤楼远、回头谩凝睇。何处今宵孤馆里？一声征雁，半窗残月，总是离人泪。

作者

*曹组，字元宠，颍昌(今河南许昌)人。生卒年不详。以诸生为右列，六举未第。宣和三年(1121)，特命就殿试，考中第五甲，赐同进士出身。官阁门宣赞舍人、睿思殿应制，以占对开敏得幸。工词，王灼《碧鸡漫志》称其"每出长短句，脍炙人口"。有《箕颍集》二十卷，今不传。赵万里辑其词三十六首。

鉴赏

这是一首抒写旅愁乡思的词。秋山行旅，忽见临水人家，不觉触动乡心。进而感叹路远人遥，空自凝望；最后以推想今宵旅宿的凄凉况味作结。写来峰回路转，曲折尽致。

"碧山锦树明秋霁"，首句点出行旅的节令和境地。秋雨初晴，晴空如洗，显得青山霜叶分外明丽。"锦树"，指霜后斑斓如锦的树木。一肩行李，秋色如画，雨后的晴光更给这幅秋山行旅图增添了欢快的亮色。此词意在抒写旅愁，却于开头弹出一串欢快的音符，遥映后文，以形成音阶的变化和情绪的跌宕。

"路转陡、疑无地。"行行之际，山路转陡，几疑路穷。这种"山重水复疑无路"的感觉，正是"柳暗花明又一村"的前奏，而旅行者的乐趣亦莫过于此。"忽有人家临曲水，竹篱茅舍，酒旗沙岸，一簇成村市。"这四句写忽然之间的惊喜发现。行文开合顿挫,饶有风致。它使人想起秦观两句有名的诗:“菰蒲深处疑无地,忽有人家笑语声。”(《秋日》)机杼正复相似。作者在这里以白描法写景,寥寥数笔,就画出了一幅诱人的图景:竹篱茅舍的临水人家,岸边迎风轻扬的酒旗,远处疏疏落落的烟村,多么宁静安详而有人情味!它使旅人感到一种温暖和慰藉,却也从心底悄悄地勾起了一缕乡思。这就自然地过渡到下片。

“凄凉只恐乡心起”,一语提起下片。“凄凉”二字,正以状一掬“乡心”的况味;“只恐”二字妙,拓开一步,似未然而实不期然而然。旅人似乎唯恐触发乡心,而欲有意防范,无奈触目烟村,乡心早已撩拨而起,可谓“心”不由己了。“凤楼远、回头谩凝睇。”“凤楼”,妇女居处,这里指家中的妻子。“凝睇”,凝神而望。“谩”,徒然,空自。这两句感叹路远人遥,视线难及,纵然回头凝望,又有什么用!这就点明了“乡心”的具体内涵,并对“凄凉只恐乡心起”作第一层回应和铺染。接着运笔入虚,从望乡的怅惘转入今宵旅宿的孤寂情景:“何处今宵孤馆里?一声征雁,半窗残月,总是离人泪。”全从揣想着笔,身未一一经而心先历历想,念念及此,不禁黯然肠断。这是对“凄凉只恐乡心起”的第二层回应和铺染。其写法颇类似于柳永《雨霖铃》词的名句:“今宵酒醒何处?杨柳岸、晓风残月。”但意脉并不相同,境地更见凄清,情怀亦更觉悲苦。“一声征雁”,使人想到一字抵千金的家书,又自然会发出“雁归人未归”的感喟。“半窗残月”,则使人想见“落月满屋梁,犹疑照颜色”的梦后惆怅之情。总之,独宿孤馆,乡思盈怀,所闻所见,无不献愁供恨,催人泪下。这四句与上片“忽有人家临曲水,竹篱茅舍,酒旗沙岸,一簇成村市”四句遥相映照,前后有一种因果相生的关联,却又和谐地组成同一主题的变奏。

这首词上片似乎纯然写景,而一一从行旅者眼中见出,便觉景中寓情,貌似明丽而实已伏下突变的契机。过片承转十分自然,而神光一注到底;写来吞吐曲折,虚实错综,极尽铺染之能事。一结盘空作势,又复回盼前文,更觉精神飞动,情韵无尽。

(吴战垒)

诉衷情　　万俟咏*

送　春

一鞭清晓喜还家，宿醉困流霞。夜来小雨新霁，双燕舞风斜。　山不尽，水无涯，望中赊。送春滋味，念远情怀，分付杨花。

作者

*万俟咏，字雅言，自号词隐。徽宗朝充大晟府制撰，与周邦彦、晁次膺等按月律进词。绍兴五年(1135)补下州文学。有《大声集》，已失传。赵万里辑得二十七首。

鉴赏

黄昇《花庵词选》录这首词题作“送春”。但细审词的主旨，并不是写送春的情怀，而是抒发客子即将到家时的喜悦心情。

开头一句，客子大清早就起来上马赶路。他估计今天就可以到家了，心情十分高兴，扬起鞭子，催马前驱。“喜”字是全词的结穴，统篇的写景抒情，莫不是围绕它构思下笔的。第二句撇开抒写心中之喜，忽然插入叙写由于昨晚酒(流霞，酒之泛称)喝多了，一夜沉醉，直到现在酒意还未全消，骑在马上，感到昏沉沉的情景。但是，这酒是因为快要到家高兴而喝的，所以，它很深致地刻画出了客子从昨晚起，就沉浸于归来的喜悦之中的心情，收到了极好的效果。三、四两句描写“清晓”的景色。夜间落了一场小雨，拂晓天变晴了，天空高朗，空气清新，双双燕子在晨风中自由地飞舞。这景象是美丽的。客子欣赏着，仿佛它是在为自己的归来增添喜悦的气氛，写景中流露了人的欢快的心情。

下片,“山不尽,水无涯,望中赊。”客子顾望归途中所走过的路程。在他已经走过的归途上,近山连着远山,峰峦叠嶂,逶迤绵延,没有尽头;辽阔无涯的河水,滔滔不绝,伸展到天外。现在回过头来一看,它们是多么长远广阔(赊,空阔),当时却是一山一水,艰难地跋涉过来的啊!其间的奔波劳顿、辛苦万状,难以极言。“送春滋味,念远情怀,分付杨花。”客子想到马上就要到家了,那一切都将成为过去,颇为俏皮地说:我客中送春的凄凉滋味,家人思念我这位客子的伤感情怀,全将交由那漫天飞舞的蒙蒙杨花承受了,我们和那种种凄怆情绪告别了。飞絮拍面,是眼前实景,它本易引起人的伤春念远的情绪,但客子将要和家人团聚了,这也就和他无涉。下片,一回看客中情景,一凝想聚首情怀,也都很生动透脱地表现了客子的喜悦心情。

(王锡九)

长相思　　万俟咏

雨

一声声,一更更。窗外芭蕉窗里灯,此时无限情。

梦难成,恨难平。不道愁人不喜听,空阶滴到明。

鉴赏

这首小令抒写孤客听雨的愁思,其命意措语显然受到温庭筠《更漏子》词的影响,“不道愁人不喜听”,即从“不道离情正苦”化出,而“一声声”“空阶滴到明”,更是袭用了温词原句。但这首小令在抒写角度上有所变化,上片着重渲染雨夜的孤寂气氛,下片则直抒愁怀,通首写雨而不出“雨”字,不同于温词“梧桐树,三更雨”,明白地加以点破。

“一声声,一更更”,开头这两个叠句,写雨声不止,长夜难明,从听觉和时间感觉上渲染出雨夜的凄寂气氛和“愁人觉夜长”的心境。接着转到视觉方面来写:“窗外芭蕉窗里灯。”窗外潇潇夜雨打芭蕉,是倍觉凄凉的原因;窗内的孤灯,是耿耿长夜辗转失眠的见证。窗外窗内,作双层透视,所见无非引愁之物。在中国古典诗词中，芭蕉夜雨也像梧桐夜雨一样，是一种典型化了的抒情意象，它无须点破，读者自能意会。唐人杜牧《雨》诗云："一夜不眠孤客耳，主人窗外有芭蕉。"宋人吕本中《夜》诗云："梦短添惆怅，更深转寂寥。如何今夜雨，只是滴芭蕉？"元人徐再思《水仙子·夜雨》曲云："一声梧叶一声秋，一点芭蕉一点愁。"似乎都可以作为这一句的注脚。明乎此，下面这一句"此时无限情"，就不待说破了。"无限情"者，酸甜苦辣，触绪纷来，一时也难以说得清楚。也许是旅怀乡愁，也许是离别相思，也许兼而有之，就像徐再思那首《水仙子·夜雨》所写的："枕上十年事，江南二老忧，都到心间。"凡此种种，都是夜雨所触发引逗的，虽不明写雨，却从内心感受上对夜雨作了充分的渲染。

下片从内心感受转到外向的抒情。"梦难成，恨难平。"连用两个"难"字，极写离愁别恨之难以自解。"梦难成"，是想望而不可得。"恨难平"，是摆脱而不可能。句式并列，却有因果承递的关系。此时此地，唯有梦境是愁人的逋逃薮，即使片刻温馨的梦境，也能给孤寂凄苦的心灵以莫大的慰藉。然而越是希望入梦，却偏偏不能成梦；夜雨撩人，愁思难遣，以致产生一种按捺不住的怨恨之情，即所谓"恨难平"也。恨谁呢？结尾两句即申明此意："不道愁人不喜听，空阶滴到明。"这恼人的夜雨，明知愁人脆弱的心弦禁受不起这凄凉的声响，它却毫不体谅，不管你不喜欢听，它还是不停地下呀，下呀，竟一直下到天明！这是对夜雨的怨恨，也是无可奈何的喟叹。谁叫你愁思盈怀呢？一个无忧无虑的人听雨会产生这种感受吗？那么你又怨恨谁呢？

这首短短的小令，通过芭蕉夜雨的凄清氛围和缓慢的时间节奏，揭示了一颗彻夜不眠的心灵的痛苦告语，它载着沉重的情感负荷，欲卸不能，欲遁无地，其痛苦随着时间的消逝而不断加深。虽方寸之微，却自波澜迭起，这或许就是它所以打动人心的秘密吧。

（吴战垒）

木兰花慢　万俟咏

恨莺花渐老，但芳草、绿汀洲。纵岫壁千寻，榆钱万叠，难买春留。梅花向来始别，又匆匆、结子满枝头。门外垂杨岸侧，画桥谁系兰舟？　悠悠，岁月如流。叹水覆、杳难收。凭画阑，往往抬头举眼，都是春愁。东风晚来更恶，怕飞红、拍絮入书楼。双燕归来问我，怎生不上帘钩？

鉴赏

这首词托为惜春，实际是作者抒写他与一位恋人离异的情事，其本事已难以考定。

上片从惜春写起。开头三句，写春事阑珊。莺啼花开的盛春季节已经过去了，只有碧绿的芳草铺满汀洲。这景色令人情感凄断。出语的"恨"字分量下得很足，犹如从作者的心中迸出，表现了他对春光消逝极为痛惜。接着的三句用领字"纵"字直贯而下，说无法能留得住春天。千寻的高山挡不住它，万叠的榆钱（即榆荚，这里偏取"钱"字）也难以买回它。这里运用夸张手法，极言春去不可复回，将惜春心情表达得更为深刻。"梅花"三句叹惜春光短促。梅花凌寒独开，吐香于众花之前，它是春天的使者，是春到人间的最早象征，可它很快就零落了。曾几何时，已是繁花凋谢，绿荫浓密，子满枝头的暮春了。末二句，则由惜春转过笔锋，写生活中的情事。"门外垂杨岸侧，画桥谁系兰舟？"往日停泊于杨柳岸边、画桥之旁的兰舟，再也不见了，那船上的人当然也不会再来。这个人是谁？我们可以通过诠释"结子满枝头"的内在含义找到答案。据《丽情集》记载：杜牧原在湖州看中一少女，并与其母约定，十年后来娶此女。后来他逾时三年方去，那女子早已嫁人，而且生了两个孩子。杜牧非常失望，因作《怅别》诗说："自恨寻芳到已迟，往年曾见未开时。如今风摆花狼藉，绿叶成阴子满枝。"词就是活用这个典故。作者说他旧日的恋人,已经另嫁他人,再也不能与之相会了。上片惜春的感情,实际上表现的是与恋人离异的情怀。春天消逝,也就是比喻过去与恋人之间柔情蜜意的甜美生活幻灭了。

过片四句,连用两个比喻,作者感叹日月如流水,往事也像倾泼出去的水一样,绝无重现的可能。与上片意脉贯串,将春天的遁迹和自己情事的幻灭关合起来并提。"覆水难收"是用汉代朱买臣的故事。买臣原先甚为贫寒,其妻自动与他离异。后来他发迹富贵,到家乡做会稽太守,其妻又希望和他破镜重圆。买臣取水泼于地上,令其妻收取,表示不能重合。作者与恋人的离异,虽然情事的性质可能与此有别,但不能重温旧梦则是相同的。词正是在这一点上用这个典故来比况。以下直至歇拍,都是作者抒写时去人空的愁绪。"凭画阑"三句,心情不佳,所见到的一切,莫不添愁惹恨。"东风"三句,时届傍晚,东风肆虐,摧残着百草千花,作者不忍看"飞红""拍絮"的景象,怕增添缭乱的愁绪。所以,他躲进书楼,放下帘幕,与外界隔绝,希冀回避它。末二句,又掀起波澜。双燕春日重归来,见到这种情景,问我为什么不上帘钩,打开帘幕。以燕子的成双成对,春情旖旎,对人毫不理解,反衬词人形单影只、孤独寂寞的愁苦,把"春愁"增强到无以复加的程度。

这首词在艺术上有两点明显的特色。一是比兴手法的运用。词借惜春来写与恋人离异的情怀。这样,赋予了"春""留春""春愁"以特定的含义,十分含蓄蕴藉地抒写了作者难以倾诉的情愫。二是针线密。如上片中的"汀洲"和"垂杨岸""兰舟",上下片之间的"莺花渐老""垂杨"和"飞红""拍絮"等,无不前后对照,首尾呼应,弥缝缜密,浑然成篇。没有"斧凿刻琢"的痕迹,而有"平而工,和而雅"的特色,无怪乎作者在当日赢得了"词之圣者"(《花庵词选》卷七)的称号。

(王锡九)

南柯子　　田为*

春景

梦怕愁时断，春从醉里回。凄凉怀抱向谁开？些子清明时候、被莺催。　柳外都成絮，栏边半是苔。多情帘燕独徘徊，依旧满身花雨、又归来。

作者

*田为，字不伐，生卒籍里不详。善琵琶，行为放荡。政和末，充大晟府典乐。宣和元年(1119)，罢典乐，为大晟府乐令。有《洋呕集》，已佚。赵万里有辑本。

鉴赏

《南柯子》即《南歌子》。题名“春景”，却非单纯写景之作，而是借景以抒春愁。

“梦怕愁时断，春从醉里回”以对句起，开门见山，直抒愁肠。点出“梦”和“醉”二字，说明这位沉浸于痛苦之中的愁人，借以消愁解闷、麻醉自己的方法只有梦和酒。他害怕梦醒愁也醒(断，指梦破)，于是“终日昏昏醉梦间”，而春天却从沉醉中悄悄地回来了。春天能否给他带来欢乐呢？面对阳春烟景，他却发出酸楚的自问：“凄凉怀抱向谁开？”他感到的只是满怀的凄凉况味，无法诉说，也找不到可以诉说的人。杜甫《奉侍严大夫》诗：“身老时危思会面，一生襟抱向谁开？”虽然所指不同，但感叹知己难得之情是相似的。凄凉怀抱，无可告语，可见知心人不在身边，使词人感到格外孤寂难堪。这一句暗示愁闷难解的原因在于怀人，那么他梦断酒醒后的惆怅就自然可以理解了。这三句已定下全词的抒情基调，于是在词人眼中所见的“春景”，无不染上这种“凄凉”的色调。“些子清明时候、被莺催”，清明前后，正是春光大好之时，也是出门游春的节日。词人却意兴萧索，无心赏玩春光。“些子清明时候”，在他的感觉上，这春光的黄金季节，却是如此短暂，匆匆即过。“些子”，唐宋时俗语，少许、一点点的意思，这里形容时间的短暂。“些子”春光，并不曾给愁人带来丝毫欢乐；在他听来，枝头的百啭黄莺，不是在为春天欢唱，却在催春归去，唱着送春的挽歌。这两句把莺花三月化作短暂的心理时间，染上凄凉的感情色彩。春天从醉梦里悄悄而来，又在莺声中匆匆而去，外在的春景如梦幻泡影，春去春来，愁情依旧。

如果说上片是词人直抒胸臆的痛苦告语，下片则推出了一组令人黯然销魂的景物镜头。词人隐身在景物之后，让这些无言的镜头说出他的心声。“柳外都成絮，栏边半是苔。”柳絮纷飞，意味着春将归去，自然令人想到上片结处“被莺催”的那个“催”字，意脉的过渡毫不着力。栏杆边的苔痕，则说明长久无人凭栏眺景了。春天对于愁人来说，似乎是可有可无的，然而有一件东西却深深地触动了词人：“多情帘燕独徘徊，依旧满身花雨、又归来。”啊，只有你，多情的燕子！还记得旧时的主人，带着一身花雨，又来到我的身边。“多情”二字，含着热泪脱口呼出，有如见故人之感。这多情的燕子还记得当年帘幕内的欢乐情景，然而当它重来时，却感到境地凄凉，气氛顿异，不禁迟疑起来。“独徘徊”三字，就传神地写出燕子归来的这种心理。“依旧”二字，则唤起对于当年燕子来时的回忆，同时又很自然地会使人发问：当年栖巢的燕子又归来了，当年欢聚的人儿呢？对此，作者未曾点破，但整首词的着眼点却正在这里。作者巧妙地把要说的话，诱使读者替他说出来。这首词之所以耐人寻味，也正在于此。

（吴战垒）

南柯子　　田为

春　思

团玉梅梢重，香罗芰扇低。帘风不动蝶交飞，一样绿阴庭院、锁斜晖。　对月怀歌扇，因风念舞衣。何须惆怅惜芳菲，拚却一生憔悴、待春归！

鉴赏

这首《南柯子》可以看作前一首的姊妹篇，在内容上有一定的关联。题为"春思"，在写法上却从触景兴感着笔。"团玉梅梢重，香罗芰扇低。"开头两句写暮春景色。"团玉"指初生的春梅，圆如碧玉。一个"重"字，写梅花谢落，梅子初生，枝头甸甸，增加了重量感。"芰扇"喻初生的荷叶。"芰"，原指菱，因诗词中常以"芰荷"连称，故以指荷。"香罗芰扇"，犹轻罗小扇。春末夏初，荷叶初生，田田轻圆，有如罗扇。用一"低"字，状荷叶刚露水面。这两句分别从枝头和水面两个高低不同的角度，写出暮春的特征性景物。而梅树结子、荷叶如扇，似亦含有触景伤情的意味：由团团的荷扇，想到当年持扇轻歌的人；而枝头的青梅，则可以触发"绿叶成阴子满枝"的怅惘。如果说这两句还是含而不露的静景，那么下一句"帘风不动蝶交飞"，就是一个静中见动而带有明显隐喻意味的抒情镜头。蝴蝶双飞，联想的轨迹十分清楚；蝴蝶所以在帘外飞舞，似有依恋之意，可能帘幕中还留着伊人的余香吧。这情景使人想起吴文英《风入松》词中的名句："黄蜂频扑秋千索，有当时、纤手香凝。"当然这里仅仅含有作如是想的启迪意味，作者并没有点破。帘幕低垂，双蝶飞舞，这以静托动的镜头，反映出对景者心情的不平静，他的思绪也随着蝶翅而飞扬起来。他想到当年与那人欢聚的时候，也像一对翩跹自在的彩蝶，形影不离，上下戏逐，生活充满着多少柔情蜜意啊！然而现在呢？"一样绿阴庭院、锁斜晖。"同是这样的暮春季节，庭院依旧，而情事全非，言外有无限追恋和怅惘之感。同一绿阴庭院，当年歌舞欢聚时并不觉得春光的消逝；而今却感到满院阴沉，春光荡尽，唯有落日的余晖为这深锁的庭院投下一抹凄清的暗影。院门深锁，却锁不住美好的春光，锁不住爱情的欢乐；而空自锁住了凄清的晚照、梦醒的惆怅，以及不尽的追恋。细细咀嚼这个"锁"字，其意味正自深长呢。

下片正面抒写思念之情。"对月怀歌扇，因风念舞衣"明确点出其人身份。"歌扇""舞衣"，与上片的"芰扇""蝶交飞"，有一种隐喻性的意象关联。风前月下，触景兴感，怀念之情更觉不能自已。"何须惆怅惜芳菲，拚却一生憔悴、待春归！"这两句一推一挽，激发出感情的更大力度，为全词弹出一个怀人的最强音。“何须”句是说不必因为悼惜春光而深自惆怅，作者似乎想从痛苦中解脱出来；然而欲擒故纵，这看似达观自解的话，却正表示着已经做好承受巨大痛苦的心理准备；于是转出“拚却”一句，语气斩钉截铁，自誓任凭时光流逝，耿耿相忆之情始终不泯，即使一生为之憔悴痛苦，也仍然痴心地期待着春天的归来！他明白，这逝去的“春天”可能永不复返，期待的结果也只能是连续的失望和层累的痛苦，但是，他愿意。

这情怀是动人的。文献记载作者“无行”，似乎指他好狎邪之游，生活不太严肃。如果从反正统的眼光来看，这位擅长琵琶的词人，对于歌女舞妓倒怀有真挚的感情，这两首《南柯子》也许可以作为例证吧。

（吴战垒）

菩萨蛮　　陈克*

赤阑桥尽香街直，笼街细柳娇无力。金碧上青空，花晴帘影红。　　黄衫飞白马，日日青楼下。醉眼不逢人，午香吹暗尘。

作者

*陈克（1081—1137?），字子高，自号赤城居士，临海（今属浙江）人，寓居宜兴（今属江苏）。绍兴初因吕祉辟举，任江南东路安抚司准备差遣、敕令所编修官。郦琼叛乱时遇害。一说被贬送吏部与远小监当。有《赤城词》，格韵绝高，婉雅闲丽。

鉴赏

这首词张惠言云为“刺时”。刺虽刺，却写得极雅正，怨而不怒，体现了儒家温柔敦厚的宗旨。词的上片写繁华都市花街柳巷之景。起句点明环境。“赤阑桥”，泛指朱红栏杆的桥。“香街”，形容街道繁华，空气中飘逸着各种香气。“笼街”句写垂柳，十分传神。“笼”字写柳之繁密，遍植街道两旁。“细”字状柳之体态，叶儿窄长，枝条柔弱。“娇无力”，用拟人化手法，表现出柳之神态。“无力”之前用一“娇”字，更显得柳之袅娜、妩媚；同时以柳喻人，暗寓下面“青楼”之歌妓舞女的娇姿媚态、如柳风韵。“金碧”句极力夸饰街道两旁的建筑物金碧辉煌、五彩缤纷，在蓝天映衬下更显得高大华丽。“花晴”句则描画了晴天丽日、花映垂帘的美景。这四句，有如一组电影镜头，从远景、全景，摇到中景、近景：赤阑桥、香街、细柳、楼台、蓝天、丽日、红花、帘影……纵横交叉，点面结合，呈现出一幅艳冶富丽的花街柳巷立体图。

下片写冶游狎妓之人，在刻形状貌中揭露了其灵魂的丑恶。“黄衫”，原指少年穿的华贵衣服，这里以衣代人，指纨绔公子。“飞”字勾勒出身披黄衫、骑着白马的公子哥儿那种趾高气扬、骄横跋扈的狂态。“日日”极言频繁，黄衫儿频频出入妓院，眠花宿柳，寻欢作乐。“醉眼不逢人”，除了写醉态，还写其人气焰熏天，目中无人；其马横冲直撞，如入无人之境。这一句戟刺时事，兼披中怀，对黄衫儿的卑鄙行为和社会的腐朽堕落进行了无情揭露和辛辣讽刺。结句言马蹄过去尘土飞扬，带来一股香气，内涵十分丰富。“午”字点明时间是中午，同时照应了前面的“青空”“花晴”“帘影”。正因为是中午的烈日，细柳才愈显“无力”而呈“娇态”；街道两侧也因而升腾着热烘烘的气流，香味蒸发，浓郁袭人。“暗尘”，暗陌之尘，形容繁华街道上扬起的尘土。化用李白《古风》“大车扬飞尘，亭午暗阡陌”诗意。“暗尘”与“白马”“午香”，同时呼应。烈日暴晒，尘土干燥，黄衫儿目中无人，快马加鞭，故马蹄过去，只见尘土飞扬而不见马，唯有飘来的香气，告诉人们刚才过去的是黄衫儿。

这首词写景与写人分属两阕，乍一看，结构不严，细品味，意脉贯穿。景之美丽，物之繁华，更显出黄衫儿品行之丑恶，神态之骄横。状景写人，前后相合，寓讽其中，委婉含蓄，这种艺术手法值得我们借鉴。

（何林晖）

菩　萨　蛮

陈　克

绿芜墙绕青苔院，中庭日淡芭蕉卷。蝴蝶上阶飞，烘帘自在垂。　　玉钩双语燕，宝甃杨花转。几处簸钱声，绿窗春睡轻。

鉴赏

词在恬淡清雅的春景中，表现了闺妇闲适自得的典型情绪，历来为人所激赏。词的上片写帘外之景，宛然如画。起句借用白居易《陵园妾》诗的成句，点明时间及闺妇所居，妙合无痕。"中庭"句写庭院春景：淡日（春阳）、卷蕉，极雅致和谐。"蝴蝶"二句动静结合，既破静为动，又动中显静，极得静穆之神韵。蝴蝶款款翩翩，飞上玉阶；烘帘（指阳光烘照的帘幕）自然下垂，呈现一种飘逸风致。两者相映成趣，暗衬出帘内闺妇于此不闻不见、悠然自得的神态。下片换头，由帘外庭院，转到帘内闺房。"玉钩双语燕"，帘垂未卷，燕子落于玉钩之上，双双对语。"玉钩"既出，则宝帘不言而喻，帘中人亦不见自见，写法委婉含蓄。"宝甃（zhòu）"，甃，井壁，代指井。这里指华美之井。这一句，镜头又一个跳跃，从闺房摇到庭院，摄下了迷迷蒙蒙、旋转飘扬的杨花，十分传神地表现了春天的特征。"簸钱"是唐宋时期青少年女子所喜爱玩的一种游戏，即玩者持钱在手里颠簸，然后依次摊开使人猜测正反面，以中否为胜负。王建《宫词》"暂向玉华阶上坐，簸钱赢得两三筹"，写的就是这种游戏。"几处"状玩"簸钱"游戏的地方多而分散。结句从晏几道《临江仙》"绿窗春睡浓"中化出，改"浓"为"轻"，写"簸钱声"于"春睡"中听到，极其香倩。正如王国维所说的："最工之文学非徒善创亦且善因。"（《人间词话手稿》）"绿窗"常用以指华贵女子的闺房，由此可知词中主人公的身份。"睡"前着一"春"字，已令人生出多少联想，何况又出现在"绿窗"闺妇身上。梦中内容作者严守天机，而读者自可从上面的"双语燕"中展开想象。一个"轻"字，可谓"画龙点睛"。"轻"，是一种模糊概念，十分传神地表现了春睡中若隐若现、朦胧恍惚、可思可想而不可言喻的流动意象。睡之浮浅，梦之缥缈，以"轻"状之，既化抽象为具体，又化无形为有形。而且，写声于梦中，听觉通之于表程度的幻觉，更是字意俱练，韵味无穷。难怪卓人月叹之为"一'轻'字，全首具灵"（《词统》）。

这首词韵格极高，突出地表现了陈克香倩高丽的词风。词所表现的只是闺妇的闲情逸趣，但由于这是在明洁幽雅的环境和恬静融和的氛围中形成的，故富丽而不鄙俗，高雅而不失清新。词的结构以意象贯之，以气脉相联，显得十分严密。上片写庭院之景，而结句暗度下片，下片状闺阁之人，而时时回扣庭院。帘外秾丽、喧闹，帘内淡雅、宁静，两两相对，鲜明强烈而又和谐统一。由绘色（绿芜、青苔、淡日）到绘声（簸钱声），从视觉到听觉，尔后又从听觉到幻觉，声色浓重，层次鲜明，表现出春之色、态、神、韵。另外，全词几乎全在写景，直至末句才点出庭院的主人，寓情于景，使景、情、意三者俱美。陈廷焯云："陈子高词，婉雅闲丽，暗合温、韦之旨，晁无咎、毛泽民、万俟雅言等远不逮也。"（《白雨斋词话》）是颇有道理的。

（何林晖）

水 龙 吟

朱敦儒*

放船千里凌波去,略为吴山留顾。云屯水府,涛随神女,九江东注。北客翩然,壮心偏感,年华将暮。念伊嵩旧隐,巢由故友,南柯梦,遽如许。　回首妖氛未扫,问人间、英雄何处?奇谋报国,可怜无用,尘昏白羽。铁锁横江,锦帆冲浪,孙郎良苦。但愁敲桂棹,悲吟《梁父》,泪流如雨。

作者

*朱敦儒(1081—1159),字希真,洛阳人。绍兴三年(1133),以荐补右迪功郎。绍兴五年,赐进士出身,为秘书省正字,擢兵部郎中,迁两浙东路提点刑狱。致仕,居嘉禾。秦桧起用他为鸿胪少卿。秦桧死,依旧致仕。有《岩壑老人诗文》一卷,不传。又有词三卷,名《樵歌》。其词除反映他的遁世隐居的生活外,也有少量忧国伤时之作,通俗而绝少艳语。

鉴赏

这首词是"靖康之难"朱敦儒逃亡到南方后的作品。黄昇《中兴以来绝妙词选》卷一题作"感事"。

词的上片写去国离乡之感。前六句说:放船长江,顺流东下时,除了略顾江苏南部诸山之外,就只看到滚滚江水和片片白云了。三、四两句"云屯水府,涛随神女"和"涛屯水府,云随神女"一样,是互文合指,形容长江之上云聚涛涌的景象。"九",泛指多数,"九江",谓长江为众水汇流之江。诗人面对长江的壮丽景色,不禁产生感慨,故紧接前六句说:"北客翩然,壮心偏感,年华将暮。"诗人从洛阳逃难到南方,所以自称"北客"。"壮心"则指报国壮志。

这三句是说：自己有报国壮志，但是报国无路，年龄却又一天一天老了。这怎能不使人感慨呢！其实，这还不仅是感慨，它还包含着诗人对现实的不满。正因为对现实不满，自然会怀念过去的岁月，怀念过去的人和事，所以说："念伊嵩旧隐，巢由故友，南柯梦，遽如许。"当年自己在洛阳的隐居生活、隐居的朋友，都已经如南柯一梦，很快地消失了。

下片写对国事的关怀和报国无路的悲痛。词一开头就沉痛地指出"回首妖氛未扫，问人间、英雄何处？"意思是说：回首中原，金兵依旧盘踞，而抗金的英雄在何处呢？抗金名将宗泽多次上书，力请出兵收复失地，为投降派所阻，忧愤成疾，连呼"过河"而与世长辞了。主张用两河义军收复失地、驱逐金人的宰相李纲被投降派排挤出朝了。"奇谋报国，可怜无用，尘昏白羽。""白羽"，白羽扇，用来指挥军事。这三句既是对抗金英雄的不幸遭遇的惋惜，同时也是表达自己报国无路的悲痛之情的。这和词人在《苏幕遮》词中写的"有奇才，无用处。壮节飘零，受尽人间苦"，完全一致。南宋最高统治者对抗金英雄不用，对有报国奇谋的不用，而金人却在长江饮马了。面对这样的现实，诗人不禁想到晋灭吴的历史事件。"铁锁横江，锦帆冲浪，孙郎良苦。"公元279年，晋武帝司马炎为完成统一大业，下令伐吴，从西边的益州（今四川成都）至东边的滁州（今安徽滁县）分兵数路，向吴进攻。龙骧将军王濬从四川率领战船沿长江东下，向金陵（今江苏南京）挺进。吴人横铁锁（铁链）于长江，企图阻其军舰，可是王濬用火炬、麻油烧熔铁锁，长驱东下，攻入金陵，吴主孙皓只好投降了。现在，晋灭吴的历史会不会重演呢？想至此，词人痛苦已极。但是，有什么办法呢？"但愁敲桂棹，悲吟《梁父》，泪流如雨。"只能敲着船像当年隐居南阳，关心天下大事的诸葛亮一样悲吟《梁父》诗罢了。这对一个爱国者是多么痛苦的事啊，所以"泪流如雨"。

整首词，表达了诗人对国事的深切关怀和报国无路的悲愤之情。王鹏运在《樵歌跋》中说朱敦儒的词"忧时念乱，忠愤之致，触感而生"。就这首词来说，是很恰当的评语。

（马兴荣）

临江仙　朱敦儒

直自凤凰城破后，擘钗破镜分飞。天涯海角信音稀。梦回辽海北，魂断玉关西。　月解重圆星解聚，如何不见人归？今春还听杜鹃啼。年年看塞雁，一十四番回。

鉴赏

一个作家，不管怎样着意地选择或开拓自己的创作道路，他总要自觉或不自觉地将自己纳入时代的轨道，伴着时代的脉搏而歌唱。生活在北宋南渡前后的朱敦儒，生活态度和艺术旨趣一向以超脱现实为宗旨，曾被后世诩之为"天资旷远"（杨慎《词品》卷四）。他的作品常给人以不食人间烟火的印象，所谓"相望尘世，梦想都销歇"（朱敦儒《念奴娇·垂虹亭》），正见出他那时时寄心物外的气度。然而，这位以一介布衣而誉满东都的名士，在金兵南下，汴京陷落之后，面对着国破家亡的悲惨现实，不得不从天上回到了人间，在时代的熔炉里重新铸造自己的诗心。于是，就像与他同时的许多词人一样，也深沉地唱出一曲曲时代的哀歌。

如本词所示，这首《临江仙》大约作于靖康之难后十四年。它开门见山，从金兵攻陷汴京写起。"直自凤凰城破后"，指1127年北宋都城汴京被金兵攻占。"凤凰城"，汉唐长安的美称，以汉长安城中有凤凰阙得名（《三辅黄图》），这里借指宋都。"擘钗破镜分飞"，喻夫妻离散。"擘钗"，出自白居易《长恨歌》："钗留一股合一扇，钗擘黄金合分钿。"而"破镜"一事，则见孟棨《本事诗·情感》："陈太子舍人徐德言之妻，后主叔宝之妹，封乐昌公主，才色冠绝。时陈政方乱，德言知不相保，谓其妻曰：'以君之才容，国亡必入权豪之家，斯永绝矣。倘情缘未断，犹冀相见，宜有以信之。'乃破一镜，人执其半……"以"直自"句起，一上来就暗示汴京陷落之前，主人公生活平静，家庭团聚，十分美满。但作者又把这一切都推到幕后，只从美好事物的消失写起，便极大地调动了每一位读者的想象力，使他们不能自已地去寻味那些没有写出来的、与现实形成强烈对照的往事。这就是前辈词论家所说的“扫处即生”之法，使全词从开头便抓住了读者。同时，就前后的关系而言，首句又明确交代了次句“擘钗破镜”的缘由。“擘（bò）”与“破”，都是使动词，这就是说，钗非自擘，镜也非自破。显然，作者已侧面点出了这场悲剧的导演者——女真贵族侵略者，而“分飞”二字，又递进一层，暗示着这场离散的程度，并为下文埋下伏笔。从用典上来看，唐玄宗与杨贵妃之“擘钗”，徐德言与乐昌公主之“破镜”，皆因战乱所致，作者用来反映主人公在靖康之难中的遭遇，也是非常确切的。

如果离散之后，很快就能重逢，那也算不了什么大悲剧了，可是，命运并不是这样安排的，于是就出现了“天涯海角信音稀”这一非常残酷的事实。这句对“分飞”作进一步的阐发。亲人离散，究在何处？天涯海角，无由寻觅。金兵攻下汴京后，许多人抛妻别子，流落江南，这位主人公也是如此。那一江之隔，竟在他心中引起天涯海角的感受，其中所包含的历史内容是很丰富的。正是侵略者的铁蹄，蹂躏着北方的大好河山，才生生将自己和亲人拆散，那么，这条江不是有着万水千山的分量吗？更何况南北交兵，形势险恶，就是插翅也飞不回去啊！因此，“天涯海角”虽是极言之，却蕴涵着相当的历史真实。“信音稀”，实际上是说音讯全无。的确，在当时那种形势下，怎么可能得到亲人的消息呢？所以，主人公紧接着便对亲人之所在进行揣测。

“梦回辽海北，魂断玉关西。”“辽海”，泛指辽东滨海之地，亦即上句的“海角”。“玉关”，即玉门关，在今甘肃敦煌县西北，亦即上句的“天涯”。这两句虽都是借辽远的边关，表现主人公对亲人流落的焦虑，其中却又有宾主之分。金兵攻宋是从辽海（海角）而来，他们常把所掳掠的宋朝臣民带回去为奴。因此，作者的重点是指辽海，玉关不过是陪衬而已。这种手法，使我们想起了薛道衡《昔昔盐》中“前年过代北，今岁往辽西”两句诗。隋时，在北方经常和突厥等族作战，在东北经常和高丽作战。薛诗描写了一位思妇对征战在外的行人的思念，虚写代北，实写辽西，显然对朱词有着直接的影响。但是比起薛诗，朱敦儒的这两句词是青出于蓝。他将乐府诗简质的交代性描写，转化为一种带有浓厚浪漫色彩的梦境，超越了时间与空间，超越了主体与客体，在一个更高的层次上，展现了主人公爱情的真挚和执著。同时，这两句也使作品的思想意蕴升华。因为，在现实生活中，主人公回不到北方，更找不到亲人的踪迹，而这一切，他都借助梦境加以实现，这是对现实的一种多么深沉的抗议！再者，“魂断”的描写也有着很深的含义。作为凝聚度很高的抒情词，作者不可能对主人公所牵挂的情事作详细的交代，但是，他却暗示了主人公对亲人处境的深深忧虑。这中间显然省略了一连串的心理活动，需要读者用想象加以补充。在话本《杨思温燕山逢故人》中，我们可以看到抒情诗难以表现的另外一些场景。故事叙述了杨思温流落燕山，巧遇嫂嫂郑意娘，听她哭诉说：“妾自靖康之冬，与兄赁舟下淮楚，将至盱眙，不幸箭穿驾手，刀中艄公，妾有乐昌破镜之忧，汝兄被缧绁缠身之苦。为虏所掠。其酋撒八太尉相逼，我义不受辱，为其执虏至燕山。撒八太尉恨妾不从，见妾骨瘦如柴，遂鬻妾身于祖氏之家，后知是娼户。自思是品官妻，命官女，生如苏小卿何荣？死如孟姜女何辱？暗抽裙带自缢梁间。……”郑意娘夫妻的悲惨遭遇，在那种形势下，是有一定的普遍性的。因此，这一段描写可以帮助我们想象词中主人公与其所思离散后流落辽海一方的处境，而主人公的“魂断”就更能得到读者的深切同情了。

上片写离别的痛苦，下片则写对重逢的向往。

相思，为的是盼望团聚，这是感情的自然发展。十四年了，多少次看到月缺月圆，星散星聚！大自然的每一次富有象征的变化，都深深牵动着他敏感的心灵。因此，他询问道：“月解重圆星解聚，如何不见人归？”这里的“星”，显然是指牵牛和织女。那传说中的牛郎、织女的一年一度的天河会，虽然算不得美满，可比起自己，却是强过百倍。对比之下，主人公当然会更加体会到这漫长的十四年，是多么坚固，多么难以消磨。盼来盼去，望穿双眼，仍是“不见人归”。那么，“人归”二字，究竟属谁？是指亲人来到自己身边呢，还是指自己归回北方，与亲人团聚？显然是后者。因为主人公明白，大河有水，小河不干，只有收复了失地，彼此才能结束流离生活，回到故乡，重新团聚。而以“如何”领起的这一问句，浸透着他个人的失望，也浸透着一个民族的失望。这忧愤是深广的。

年年希望，年年失望，十四年了。那么，今年怎么样呢？对于这一问题，他是从侧面回答的。

宋室南渡后,小朝廷一味偏安,不思恢复失地,这一切对他不会没有触动。因此,“今春还听杜鹃啼”一句饱含着他的无限辛酸。新的一年,笼罩在他心头的阴影仍是那样沉重。那凄切悲苦的杜鹃啼声,以其在中国古典诗词的传统意象中所特有的含义,宣告了主人公所遭受的又一次打击。那么,所谓杜鹃啼血,不就是他的自我形象吗?一个“还”字,贯穿了过去与现在,交织着年年期望中的等待和等待中的失望,又对以后的状况作了一定的暗示。这句词粗看似觉平常,实则出笔极为沉重,力透纸背。

作为全词的结尾,也作为对作品整体感情的概括,作者最后写下了“年年看塞雁,一十四番回”二句。“塞”字,承上辽海和玉关。“塞雁”的意象,在这里有两层含义:第一,作为一种年年准时经过的候鸟,它能克服一切大自然的障碍,勇敢地向目的地进发,相形之下,主人公由衷地感到人不如雁。第二,中国古代传统上有着鱼雁传书的传说,因此,雁就又带有双关意味,暗承前“天涯海角信音稀”一句。十四年来,他一次次地关注着那边塞飞来的大雁,焦急地等待着亲人的消息,而时光不断地飞逝过去,结果仍是“信音稀”。大雁果真能传书吗?写到这里,连这美丽的幻想也不复存在了,现实对他是何等的残酷。在词人看来,人的重逢固然最好,即便能够“信音”相通也聊可慰藉,而现在,二者都成了泡影,那么主人公的心情不得不较之过去任何时候更为沉重了。但是,虽然失望,却还没有完全绝望。在过去的十四年中,主人公曾以极大的热情在等待着,那么,今后的第十五年乃至永远,他是否还会一如既往地等待呢?从词中反映的感情看,答案是肯定的。因为,主人公对祖国的感情是真挚的,他热爱祖国,痛悼国家的沦亡,而对亲人的思念,又与这种感情息息相通。所以,他的心中将会永远闪烁着希望的火花,虽九死而不悔。

朱敦儒这首《临江仙》有着强烈的时代性。作者将这十四年间自身经历的漂泊流离略去,而集中描写那一巨大的事变对一个普通家庭的毁灭以及当事者在这种毁灭中所产生的心灵感受。这种表现手法,与杜甫的《佳人》一样,是对当时战乱中的大量事实的概括。由于作者所描写的,是在汴京失守后,每一个家庭都可能有,而且为无数家庭所已有的悲剧,因此,就富有典型性。由于作者在个人身世中寄托着亡国之悲,也就拓展了词的境界,使它突破对一己感情的抒发,反映了整个时代的大悲剧,从而赋予了它爱国主义意蕴。一百多年后，面对着南宋政权完全崩溃的悲惨现实，爱国词人刘辰翁写下了一首《夜飞鹊·七夕》："何曾见飞渡？年又年痴，今古相望犹疑。朱颜一去似流水，断桥魂梦参差。何堪更嗟迟暮，听旁人说与，此夕佳期。深深代籍，盼悠悠，北地胭脂。 谁寄扬州破镜？遍海角天涯，空待人归。自小秦楼望巧，吴机回锦，歌舞为谁？星萍耿耿，算欢娱、未省流离。但秋衾梦浅，云闲曲远，薄命同时。"这首词，无论在主题上，还是在意象、格调上，都与朱词相似，这两位词人，都以自己的悲惨经历，感受了亡国的痛苦。他们的词作，以小见大，写出了时代的悲哀。而在这个意义上，我们看到，朱敦儒的词是较早的以词这种形式来表现普通人的生活是如何在激烈的民族矛盾中发生变故的，他这首词也说明这样一个事实：一位真正的诗人，在时代的熔炉里能够重新铸造自己的诗心。

（程千帆　张宏生）

鹧鸪天

朱敦儒

西都作

我是清都山水郎，天教懒慢带疏狂。曾批给露支风敕，累奏留云借月章。 诗万首，酒千觞，几曾着眼看侯王？玉楼金阙慵归去，且插梅花醉洛阳。

鉴赏

《宋史·朱敦儒传》说朱敦儒"靖康中召至京师，将处以学官。敦儒辞曰：'麋鹿之性，自乐闲旷，爵禄非所愿也。'固辞还山"。这首词就是他从京师返回洛阳后作的。所以题为"西都作"。黄昇《中兴以来绝妙词选》则题作"自述"。

词一开始就直截了当地说："我是清都山水郎，天教懒慢带疏狂。""清都"，神话传说中天帝的官阙。"山水郎"，管理山水的郎官。这两句的意思是：我的生性是爱好山水、懒散和狂放不拘的。紧接着两句"曾批给露支风敕，累奏留云借月章"。"支"，支取。"敕"，皇帝的诏书。"章"，臣子的奏本。两句意为：是天帝批准我管理露、风、云、月的。整个上片讲自己爱好山水自然,生性疏懒狂放。这实际是概括了他前期,也就是北宋被灭亡前的一段生活。这时期的朱敦儒,有过“金鞭柘弹趁芳尘”(《定风波》)的五陵少年生活,而更多的时间则是“挑月担花”“旗亭问酒”“萧寺寻茶”(《朝中措》),“花间相过酒家眠,乘风游二室,弄雪过三川”(《临江仙》)的隐逸生活。但这只是一个方面,它另一方面还包含有:我只管大自然的露、风、云、月和山山水水,不问人间社会的一切事务。可以说,这是词人愤世嫉俗的一种反映。

下片进一步写上片所述的自己的生活、思想感情。“诗万首,酒千觞,几曾着眼看侯王?”“万首”“千觞”并非实指,而是极言其多。三句的意思是:我醉酒、吟诗,几曾把侯王放在眼里。我们都知道,在长期等级森严的封建社会中,许许多多封建士大夫为名为利屈身受辱,只有东晋大诗人陶渊明不愿为五斗米折腰,毅然“解绶去职”(《陶渊明传》);只有唐代大诗人李白愤然唱出“安能摧眉折腰事权贵,使我不得开心颜”(《梦游天姥吟留别》),所以历来为人称道。朱敦儒在这里所表现的鄙夷权贵、傲视王侯的精神,也是很值得称道的。“玉楼金阙慵归去,且插梅花醉洛阳。”“玉楼金阙”说的是天上宫殿,实际指的是朝廷。意思是:我不愿做官,我只愿在洛阳过我隐逸狂放的生活。实际还是讲对官爵利禄、侯王权贵并不在意。

这首词清隽谐婉,自然流畅。而且前后呼应,章法井然。上片第二句“天教懒慢带疏狂”,下片的“诗万首,酒千觞,几曾着眼看侯王”和“且插梅花醉洛阳”表现了诗人的潇洒、狂放,照应了“疏狂”。“玉楼金阙慵归去”,则照应了“懒慢”。

总之,不管从内容或艺术来说,这首词都是朱敦儒词中具有代表性的作品,也是朱敦儒词中脍炙人口的作品。

(马兴荣)

相 见 欢

朱敦儒

金陵城上西楼,倚清秋。万里夕阳垂地、大江流。

中原乱,簪缨散,几时收?试倩悲风吹泪、过扬州。

鉴赏

在金人鼙鼓声中，徽钦二帝被俘北去，中原沦陷。面对国破家亡这一残酷的历史现实，南渡词人普遍为之愤激不已，词风也随之大变。有的词表现了词人高度的爱国热情和抗金的英雄气概，有的词则透露了词人对故土的怀念以及国破家亡后凄凉苦闷的心情。朱敦儒这首《相见欢》就属于后一类作品。

词的上片着重写景。“金陵城上西楼，倚清秋。”站在金陵（今江苏南京）西城上，倚楼眺望万里江天的秋色。在词人的视野中，无疑有远山、近郭、村庄、绿野、蓝天、大江等景物。但是，词人只选取了大江和落日来描写。“万里夕阳垂地、大江流。”万里大地、滚滚长江是壮阔的，可是，夕阳已经垂地了，一切很快就要淹没在苍茫之中了，给人以好景逝去、不可挽回的感伤。唐代大诗人王维《使至塞上》诗中的“长河落日圆”，同样选择的是江河、落日。可是，一个“长”字写出了一望无垠的沙漠上，横贯其间的黄河的雄伟；一个“圆”字，具体写出了落日的形象，给人以壮丽的感觉，却不是苍凉悲伤的印象。

下片着重是抒情。“中原乱，簪缨散，几时收？”词从大江落日忽然转到国家大事，似乎太突然了。其实，上片末尾两句虽是写景，但也隐含有国事日非的意思。所以下片一开始就直截了当地指出中原地区被金人占领，统治阶级人物纷纷南迁。“簪缨”，这里代指世族。中原沦陷、世族星散的情况要何时才能改变呢？“几时收”三字饱含诗人对国事的悲痛、忧伤和苦闷。接着以“试倩悲风吹泪、过扬州”作结，请悲风将我的热泪吹到扬州。“扬州”就是现在的江苏扬州市，当时为南宋抗金的前线。这表现了词人对前线战事的关切，对前线军民的关怀等等。沈义父《乐府指迷》曾说：“结句须要放开，含有余不尽之意。”朱敦儒的这首词“含有余不尽之意”，给人以许多思索之余地。

这首词使我们看到“且插梅花醉洛阳”的朱敦儒，在血与火的面前变了，变得对国家大事关切了，也变得有些凄苦了。

（马兴荣）

浣溪沙　慕容嵓卿妻*

满目江山忆旧游。汀洲花草弄春柔。长亭舣住木兰舟。　好梦易随流水去，芳心空逐晓云愁。行人莫上望京楼。

作者

*生平不详。其夫嵓卿，姑苏(今苏州)士人。

鉴赏

这是一首登楼望远、忆旧感怀之词。首句横空突起，舍去登临处所的描绘，以"满目江山忆旧游"一语道尽登临所见所感，十分苍凉清劲。"满目江山"，突出了登临所见，扑面而来的山川景致寥廓苍莽，有无边无际的气象。对旧游的追忆，正是在这寥廓苍茫的背景上展开的，可知满目江山是旧游时所曾见。昔日所见之景同，今日同游之人非，满目江山之重现重见成了触动伤怀的特殊景致。且两相对照，满目江山的寥廓苍莽，在时间上反衬出旧游的瞬息即逝，不可逆转；在空间上反衬出人迹的绵渺难寻。其所以有苍凉清劲的气势，就是因为它不仅是作者登临所见的眼前之景，而且包含了作者透过眼前之景而领略到的宇宙江山广阔无限、人世人情短暂易逝的人生感喟。首句包含的这种人生感喟，使全词的忆旧感怀，不限于眼前所见之景所忆之情，而是透过此情此景对整个人生的体验。故首句最佳，为全词定调。以下两句承上具体描写旧游情景。"汀洲"，点出旧游之地，"花草弄春柔"，写出旧游之时，是春天。"木兰舟"，船之美称。"舣"者，船拢岸也。左思《蜀都赋》有"试水客，舣轻舟"。当日旧游是在羁旅之中,船泊长亭的间隙。羁旅虽苦,然有心爱的人相伴,何况是同游于春光明媚的时节。汀洲流水,春风柔媚,莺飞草长,鲜花盛开,人与草木均沉浸在春之柔情中。当日汀洲之畔,曾有他们共同登临游历的无数印迹,刻记着那些不能忘怀的情事。

过片一联,由忆旧跌转今情。往事幻为梦,空有情;眼前所见,是流水兀自一泻千里,风逐晓云,远飞无踪。作者用“好梦”括尽往昔之一切,见出当日美好情事是那么短暂,永逝难寻,只能作为一段虚幻的好梦,时时在梦中回味、追寻。眼前一去不返的流水又更深地触动了作者的情怀,使她将今昔佳景相系,发出“好梦易随流水去”的感喟,即使这样短暂如梦难以把握的情事,也难于追寻了,它们像这流水一样,随着生命之河消逝。尽管如此,当日之情却始终耿耿,不因情人远去、也不因行踪如风中流云飘渺无踪而削减,这片芳心始终系念着,追寻着,尽管是无望的,尽管明知这种追寻是徒劳无益,只能带来一片空愁。此一联遥应首句,且更进一层。由宇宙江山之广阔无限而人世人情短暂的感喟,进至表达明知事如玉瓶落井,但仍旧难已的至情。此一联将今昔、情景、虚实融为一片,且对仗工巧。结句以“行人莫上望京楼”的劝慰、超脱之语戛然止住。“望京楼”,据《太平寰宇记》“东京浚仪县”条,是浚仪城西门楼(地在今河南开封),本无名,唐令狐绹重修之,登临赋诗:“夷门一镇五更秋,未得朝天未免愁。因上此楼望京国,便名楼作望京楼。”许浑有“去乡今已远,更上望京楼”。此词之结句遥应首句,点出登临之地,且含蓄有无穷意。联系作者词中所叙,纵使不登楼,作者的情怀愁绪也难消除,此劝慰、超脱,决绝语实为难以劝慰、难以解脱因而所作的反语。

(王筱芸)

鹧鸪天 周紫芝*

一点残红欲尽时，乍凉秋气满屏帏。梧桐叶上三更雨，叶叶声声是别离。　调宝瑟，拨金猊，那时同唱《鹧鸪词》。如今风雨西楼夜，不听清歌也泪垂。

作者

*周紫芝，字少隐，自号竹坡居士。宣州(今安徽宣城)人，生卒年不详。高宗绍兴中登第。历枢密院编修官、右司员外郎、知兴国军。有《太仓稊米集》。

鉴赏

这是一首秋夜怀人的词。“一点残红欲尽时”，写夜阑更深，残灯欲灭。“残红”，指即将熄灭的灯焰。一本作“残釭”，即残灯，意更明豁；但“残红”兼有一星残火闪烁欲灭的视觉感，以及无边夜色中唯一的一点温暖感，故义较胜。写残灯而倚灯不眠之人，已宛然可想。“乍凉秋气满屏帏”，则写出这位不眠之人在残灯欲灭之际，所突然产生的一种心理感受。他感到一股秋天的凉意穿过重重屏幕，而迅速扩散到整个居室。夜凉如水，而心头的凉意更甚。这是写环境氛围，也是写心境感受。一个“满”字，暗示凄凉的秋气无处不在，也无计可以回避。接着笔锋一转，由室内写到室外，把秋意的感受更扩大和加深：“梧桐叶上三更雨，叶叶声声是别离。”秋雨正敲打着窗外的梧桐，发出一片凄凉的秋声；秋雨也敲打着窗内失眠者的心扉，使充满离别相思之情的心灵发出痛苦的叹息。那绵绵不止的梧桐秋雨，不正是离人连绵不断的相思之泪吗？在中国古典诗词中，梧桐夜雨，常用作抒写离愁别恨的触媒，有其特定的情感内涵，这方面的例子不胜枚举。这两句则化用温庭筠《更漏子》词:“梧桐树,三更雨,不道离情正苦。一叶叶,一声声,空阶滴到明。”尽管其意象有所承袭,在具体意境的创造上却仍具特色;作者善于把室内外的环境气氛和长夜失眠的心理感受融成一片,化叙述为抒情,点出“别离”二字,既为上片作一结穴,又自然地开出下片对当年欢聚情景的追忆。

“调宝瑟,拨金猊,那时同唱《鹧鸪词》。”这是一个温馨而美好的回忆。大概也是秋天的夜晚吧?作者与心爱的女子对坐调瑟,同唱象征爱情美满的歌词;欢乐中的夜晚过得真快,似乎没有多会儿,要拨动炉中香料,使其充分燃烧。“金猊(ní)”,狮子形的铜制香炉。《鹧鸪词》,当指歌唱男女恋情的词。因鹧鸪雌雄双栖,故以相喻。唐罗邺《放鹧鸪》诗云:“好倚青山与碧溪,刺桐花竹待双栖。”温庭筠《菩萨蛮》词云:“新帖绣罗襦,双双金鹧鸪。”这里正以鹧鸪双栖,喻男女欢配。这三句所写的情调气氛,与上片恰成鲜明的对比。由今夜的梧桐秋雨,想到当年的宝瑟欢歌,企图以温馨的回忆驱除心头的凄凉,求得片刻的慰藉。然而这美好的一幕毕竟已成过去,欢娱梦醒,却更增添了心中的痛苦。于是从回忆又跌回冷酷的现实中来:“如今风雨西楼夜,不听清歌也泪垂。”清歌已渺,秋雨凄凉;伊人不见,旧梦难温。请问这是一种什么滋味?“不听清歌也泪垂”,意谓而今未见其人,未闻其歌,尚且默想追忆而流泪,倘若重闻清歌,重缔旧欢,其悲喜交并为何如?“如今风雨西楼夜”,紧接“那时同唱《鹧鸪词》”,极写欢娱之情难久;“那时”“如今”,转眼之间,情景顿异。同时又回应上片“梧桐叶上三更雨”,完成了二度时空的转换,浓化了抒情基调。终片处一语喝醒,更觉怅然不已。

这首词写秋夜怀人,回环婉曲,情景相生,而吐语天成,毫无着力痕迹。孙兢评周紫芝的词“清丽婉曲”(《竹坡词序》),移评此词,亦可谓中肯之语。

(吴战垒)

踏莎行

周紫芝

情似游丝,人如飞絮,泪珠阁定空相觑。一溪烟柳万丝垂,无因系得兰舟住。　　雁过斜阳,草迷烟渚,如今已是愁无数。明朝且做莫思量，如何过得今宵去？

鉴赏

这是一首别情词。上片写别时，下片写别后。

开头两句，用两个比喻。“情似游丝”，“游丝”，空中青虫一类吐出的绵长纤细的丝，比喻离情别绪缱绻缠绵。“人如飞絮”，以暮春时漫天飞舞、飘扬不定的柳絮，比喻人飘零聚散，别会无常。周邦彦《玉楼春》：“人如风后入江云，情似雨余粘地絮。”不仅设词相同，且意境亦可互参。“泪珠阁定空相觑”，描绘出离别双方在临别之际的情态。泪水盈盈，停留在眼眶里，只是空自定睛相对，默默无语。这时，任何语言也表达不了复杂的感情。“泪珠阁定”的形象，比“泣涕零如雨”(《古诗·迢迢牵牛星》)似的泪水滂沱，更能表现离人的凄惨心情。“一溪烟柳”两句承次句来。行人乘舟离去了，夹溪两岸的杨柳，披拂着千万缕细软的枝条，但也没有法子系住客船，表现了他们不得不分离时悲痛难禁又无可奈何的情景。这两句写刚分离之后居者的情态。“柳”音谐“留”，汉唐以来，有折柳赠别的风俗。柳丝系船正是从这一风俗联想引发出来的。这种即景生情的刻画抒写，怨柳丝未曾系住行舟，含蕴着居者彷徨凄黯的伤别意绪。

过片仍写居者在行人走后的凄怆情怀。“雁过斜阳，草迷烟渚”两句不直接抒写离愁，而宕开写景。它们是居者远望所见。空中的大雁在苍茫的余晖里向天边飞去，不知它将到何方，栖息于何处？沉沉暮色中，烟雾弥漫的洲渚上，青青的草色凄清迷离。这些景物迷蒙凄黯的色彩，飘零无定的态势，是对行人羁旅生活形象的比喻和刻画，其中也含蕴着居者迷惘的情怀和不堪离别的慨叹。这样借景寓情，比起直接抒发离情来，更含蓄，更有强烈的感染力。正因为如此，下句“如今已是愁无数”这一惊魂摄魄的情语，才具有深沉的力量。“愁无数”，无限的愁思就包蕴在上述景物的描绘之中。愁思如此地茫茫无际，使居者深深地陷入痛苦之中。“明朝且做莫思量，如何过得今宵去”，她感到愁思无法排遣，今宵不知怎样才能挨过去，明朝的事姑且就不要去想了。深沉的别恨，凄怆的情怀，被最充分地表达了出来。这里直抒别情之所以能打动人,仍与前面对薄暮黯淡景色的描写所起的渲染烘托的作用分不开。

词的上片先抒情,末则情景交融,景语的点缀为情语服务;下片不同,先写景,后抒情,使全词具有错综的长处,结体颇见整中有散、统一中求变化的特色。就周紫芝词的一些名篇看,说他的乐章"非苦心刻意为之"(沈雄《古今词话》引孙兢语),并不符合实际情况。

(王锡九)

燕山亭　　赵佶*

北行见杏花

裁翦冰绡，轻叠数重，淡着燕脂匀注。新样靓妆，艳溢香融，羞杀蕊珠宫女。易得凋零，更多少、无情风雨？愁苦。问院落凄凉，几番春暮？　凭寄离恨重重，这双燕，何曾会人言语？天遥地远，万水千山，知他故宫何处？怎不思量？除梦里、有时曾去。无据。和梦也、新来不做。

作者

*赵佶（1082—1135），即宋徽宗，神宗第十一子，在位二十五年，昏庸奢侈。内禅皇太子，自尊为太上皇。靖康二年（1127）与其子钦宗赵桓同为金人所俘，囚禁五国城（今黑龙江依兰）至死。工书画。《全宋词》收词十二首。

鉴赏

宋徽宗赵佶因荒淫失国，在公元1127年与其子钦宗赵桓被金兵掳往北方五国城，囚禁至死。在北行途中，忽见如火的杏花，万感交集，写下了这首词。这是他生活遭遇最悲惨的实录，也可以说是一篇血书。他不仅工书善画，而且知乐能词，足以与南唐李后主媲美。

这首词上片描写杏花，运笔极其细腻，好似在作工笔画。那些开放的杏花，如同一叠叠冰清玉洁的缣绸，经过巧手裁剪出重重花瓣，还晕染上淡淡的胭脂。这一朵朵活色生香的杏花，似乎是装束别致而匀施粉黛的仕女，连天上宫阙里的仙女也比不上。"艳溢"和"香融"也增加了人们的色泽感和香味感。接着从杏花的极盛，写到杏花凋零的可哀，忽转变徵之音,大有一落千丈之概。几番风雨,残红满地,春光已逝,春意阑珊,这不仅仅是写杏花,而且也是写自己故国不堪回首之感。怜花怜已,语带双关。词笔曲曲道出,层层深入,如怨如慕,如泣如诉。

下片抒写离恨哀情,层层深入,愈转愈深,愈深愈痛。第一层写看见燕子飞回故巢,便想托付它们寄去重重离恨,但它们恐怕领会不了人们的千言万语;第二层叹息身为俘虏,与汴京故宫相隔万水千山,再见不知何年;第三层以反诘说明怀恋故国之情,唯有梦中曾到;第四层揭出近来梦都不做。内心百折千回,真是肝肠断绝之音。赵佶词虽不多,但这一首自足千古传诵。

(唐圭璋)

九　张　机(九首)

无名氏

一张机，采桑陌上试春衣。风晴日暖慵无力，桃花枝上，啼莺言语，不肯放人归。

两张机，行人立马意迟迟。深心未忍轻分付，回头一笑，花间归去，只恐被花知。

三张机，吴蚕已老燕雏飞。东风宴罢长洲苑，轻绡催趁，馆娃宫女，要换舞时衣。

四张机，咿哑声里暗颦眉。回梭织朵垂莲子，盘花易绾，愁心难整，脉脉乱如丝。

五张机，横纹织就沈郎诗。中心一句无人会，不言愁恨，不言憔悴，只恁寄相思。

六张机，行行都是耍花儿。花间更有双蝴蝶，停梭一晌，闲窗影里，独自看多时。

七张机，鸳鸯织就又迟疑。只恐被人轻裁剪，分飞两处，一场离恨，何计再相随？

八张机，回文知是阿谁诗？织成一片凄凉意，行行读遍，恹恹无语，不忍更寻思。

九张机，双花双叶又双枝。薄情自古多离别，从头到底，将心萦系，穿过一条丝。

鉴赏

《九张机》是文人模拟民间词的作品。曾慥在《乐府雅词》中说:“《九张机》者,才子之新调。”可见它原不是一般词调的名称,是下层文人学习民歌而创制出来的新调。这种词调的性质和一般的词没有基本的区别,只是九首之间在内容上有某些联系,在抒情中有一定的叙事因素。

这组词中所写主人公是一个普通的织锦女子,她在春天采桑时爱上了一个少年,当她还没有大胆地向他表白自己的心意时,少年却远行了。她一边织锦,一边思念着他,她织了垂莲子、相思辞、双蝴蝶、鸳鸯,以此来寄托自己的相思。

九首词,每一首的开头都提到织机,这是一种借物起兴的表现手法。它既可以创造一种抒情气氛,又能把主人公的丰富细腻的心理活动同日夜不停息的织锦劳动密切结合起来。根据作品的内容和主人公思想感情的起伏,这一组词可以分为两个部分。前两首是第一部分,写织锦女子同少年的相识和离别。作者采用了融情入景、亦景亦情的手法,写出了青年男女之间的纯真感情。在风和日丽的春天,织锦女子换上春装去采桑,兴冲冲地走在田间的小路上,桃花烂漫,如火如荼,黄莺儿一声声叫得婉转动人,织锦女子置身在这如画的美景中,同自己心爱的人儿相会了。但那位少年却要远去他乡,他停下马来久久地迟疑着,情意深长。其实,她比男子还要多情,只是不好意思尽情倾诉出来,只是回头一笑,穿过花丛,往回走去。“桃花枝上,啼莺言语,不肯放人归”,“深心未忍轻分付,回头一笑,花间归去,只恐被花知”,这些优美的词句,句句是景语,亦句句是情语。它描写的是大好春景中的纯洁恋情。王夫之曾在《薑斋诗话》中指出:“情、景名为二,而实不可离。神于诗者,妙合无垠。”况周颐也说:“写景与言情,非二事也。善言情者,但要写景而情在其中。”在诗词创作中,情与景相汇,主观心意和客观事物相通,可以收到感人至深的艺术效果。第三首承上启下,“吴蚕已老燕雏飞,东风宴罢长洲苑”,同样是用景物的描绘衬托出了女主人公孤独寂寞的心情。

后六首是这一组词的第二部分,它真切细腻地抒写了织锦女子同少年分别后复杂而痛苦的思想感情。作者托物寄情,巧于用比,让人物的内在感情假借于具体生动的事物自然地流露出来。这是一种间接抒情的方式,它比起直接呼喊我多么痛苦要感人得多。比如,在第四首词中作者写道:织机咿咿哑哑作响,织锦的女子皱起眉头暗自伤心,她来来回回飞动梭子,把一朵“垂莲子”(谐音“垂怜子”,是“爱你”的双关语)织在锦缎上,花纹针脚绵密倒是容易盘绕,心中的愁苦却像乱丝一样难以清理。在这里,作者借主人公织荷花,表现了“剪不断,理还乱”的离愁。又如第七首词,写织锦女子在锦缎上默不作声地织出了一对俏丽的鸳鸯,成双作对的鸳鸯寄托了她的美好愿望,但是鸳鸯织成了她却又迟疑彷徨起来,她只怕这一对交颈戏水的鸳鸯轻易被人剪裁开来,南北分飞,各在一方。在这里,诗人从生活中发现了诗美,找到了抒情的喷发口。规避直露的正面描写,巧妙虚拟类比,让形象去包容思想和感情。作者在后六首词中,选取了最富于民间色彩,最为普通群众所熟悉的平凡事物:荷花、蝴蝶、鸳鸯,比喻、烘托,尽情铺写,表现了一个痴心女子的婉转情思。陈廷焯在《白雨斋词话》中说:“情有所感,不能无所寄,意有所郁,不能无所泄。”《九张机》的作者正是借助于一连串的美好事物,含蓄地抒发了主人公对理想爱情的不懈追求。

这一组词歌咏普通年青下层女子的爱情,细腻地剖析了她的恋爱心理。它“凭戛玉之清歌,写掷梭之春怨,章章寄恨,句句言情”(曾慥《乐府雅词》),写得如此凄婉绵丽,打动人心,这是同作者细微而深刻的心理描写分不开的。诗人善于体会揣摩词中女主人公微妙的心理变化,把她对环境的感受、对生活的情绪,充分揭示了出来。例如,她同自己心爱的人儿分别时,那种欲诉未诉的内心矛盾;生怕自己的心事被花知道的羞怯心情;她在锦缎上织出俏丽的花朵,又在花间织出一双双蝴蝶,然后停下织梭,独个人站在静静的小窗前,反复端详的神态,都真实而自然地展示了一个少女的纯洁心灵。此外,这一组词具有浓厚的民歌色彩,它风格朴实,笔调灵活,语言也通俗而流畅。它采用传统的比兴手法,低徊深婉,往复叠唱,增强了作品的艺术感染力。

(徐荣街)

御 街 行

无名氏

霜风渐紧寒侵被，听孤雁、声嘹唳。一声声送一声悲，云淡碧天如水。披衣起告，雁儿略住，听我些儿事。　　塔儿南畔城儿里，第三个，桥儿外。濒河西岸小红楼，门外梧桐雕砌。请教且与，低声飞过，那里有人人无寐。

鉴赏

这首托雁言情之作，写得新颖、细腻，很能感人。

一个离别亲人、客居异乡的人，在深秋寒夜，不论怎样也无法入眠。客乡的风物牵动着他，使他深深地想念远方的亲人。夜越来越深，只听到客舍外呼啸的寒风一阵比一阵猛烈，独卧在孤衾里，觉得寒气侵逼，煞是难熬。“霜风渐紧寒侵被”就写出了这些寓居他乡寒夜的特殊感受。“渐”字具有多方面的作用，它将夜愈深，风愈紧，寒气愈侵人，一直无眠等情状合并写出。正在这时，听到一只离群孤雁在夜空中拖着漫长而响亮的声音鸣叫着，它的每一声哀鸣似乎都传达出一次悲痛的倾诉，一声更比一声沉重。后“一声”是“一声声”的省语。这显然是听者的主观感受。孤雁为离群而悲鸣，他也为自己客居异乡而伤心。听到雁鸣声，非常自然地引起他的共鸣。“云淡碧天如水”，是夜间客舍外的真实情景，游子起身眺望所见。这一句插在雁声之后，对雁告语之前，与首句呼应，共同创造了孤雁哀鸣的背景，渲染了索寞的环境气氛，表现了人的凄恻情绪。“披衣起告”以下直到歇拍，是客子对孤雁的叮咛嘱咐之词。“雁儿略住，听我些儿事。”又是正式嘱事之前的招呼词。语气的柔软和缓，神态的恳切诚挚，分明可见。呼雁告语，本是绝无可能之情事，如此设词，异想天开，却将客子深婉细腻的心理活动，表现得入木三分。

下片，全是客子对雁所说的话。质而言之，不外乎说，你飞经我亲人的居处时，请不要高声鸣叫，以免惊动也是无眠的她。词没有这样质直地表达，而是具体形象地叙写，使他的话生动感人。整个下阕，“门外梧桐雕砌”以上为一层。这一层，“我”不惮繁琐，絮絮叨叨地向大雁详细描述亲人居处的具体所在，着力于描写其居处的环境景色，尽量将其特点勾画出来。具体地讲，词先写“城”，次写“桥”，最后交代“楼”，采取了从大到小，由面到点，步步推进的方法，并分别以“塔儿南畔”“第三个”“灏河西岸”修饰限制“城”“桥”“楼”，还用“梧桐雕砌”找补描写“楼”，非常准确固定地将那人所居描述了出来。这些近乎唠叨琐屑、实是殷勤叮咛的话语，不仅细致地刻画了“我”悉心希望大雁南飞途中认准对方居处，不要产生丝毫差误的神情，而且又真切生动地表达了“我”对亲人的深切思念之情。“请教且与”至歇拍是下片的第二层：向大雁嘱事。“人人”即那个人，通常用为对情人的昵称。“我”对雁所嘱之事，全是上片“我”听雁鸣时所想到的，是由自己的切身感受而来。雁声嘹唳，引起了我的凄楚情怀，她如听到这样的鸣叫声，岂不是也会触景伤情吗？但愿你大雁飞过她居处的时候，不要再像现在发出“嘹唳”之声，免得给她本已伤离念远、夜不能寐的心头增添新的悲伤。作客他乡，却要想象居人怀远，透过一层，从对面写来，深化了词的抒情效果。词的末三句用这一手法，还有创造生新之处。一般诗人采用这一艺术表现手段时，总是尽量写得对照强烈，以达到抒情的深刻性。而本词则写成唯恐给原已黯然伤神的对方无端地增添什么悲伤痛苦的关心体贴，来抒发特定背景下客中思家的婉曲情致，词的意境非常深厚。

“凡情无奇而自佳，景不丽而自妙者，韵使之也”（陆时雍《诗境总论》）。客中怀人是极普通的题材。在众多的作品中，这首词没有奇情丽景，而之所以能称其为一首佳作，即在于它韵味隽永。词用第一人称“我”的写法，多侧面、多层次地叙写了我所闻、所见、所感、所思、所说，将怀人之情写得真挚曲折，感人至深。上片侧重写离怀，下片重点写铭心镂骨的相思，笔触灵动。尤其是“下片以长句作具体详细的描写，有小说、散文意味，且开金元曲子风气”（俞平伯《唐宋词选释》），具有显著的特色。文字很口语化，怀人而全词不着一思念字眼，又深得民歌的神髓。

（王锡九）

念奴娇　　李纲*

宪宗平淮西

晚唐姑息，有多少方镇，飞扬跋扈。淮蔡雄藩联四郡，千里公然旅拒。同恶相资，潜伤宰辅，谁敢分明语？媕婀群议，共云旄节应付。　　於穆天子英明，不疑不贰处，登庸裴度。往督全师威令使，擒贼功名归愬。半夜衔枚，满城深雪，忽已亡悬瓠。明堂坐治，中兴高映千古。

作者

*李纲(1083—1140)，字伯纪，邵武(今属福建)人。政和二年(1112)进士。北宋末任太常少卿，钦宗靖康元年(1126)，为兵部侍郎、尚书右丞。金兵围汴京时，以尚书右丞任亲征行营使，登城督战，击退金兵。但不久受到投降派的排挤。高宗即位后，一度被起用为宰相，在职仅七十五天，又遭贬斥。绍兴二年(1132)，为观文殿大学士、湖广宣抚使兼知潭州。徙居洪州。著有《论语详说》《靖康传言录》《梁溪集》等。

鉴赏

这是一首咏史词。作者用史笔叙述并评说唐朝宪宗时讨伐割据淮西的藩镇吴元济的史实。

唐代自“安史之乱”开始，各方节度使势力逐渐强大，往往拥兵自重，割据一方，不听朝廷号令。朝廷上下亦昏庸怯懦，不能振拔，一味姑息，遂使中晚唐形成了藩镇割据的分裂局面。唐肃宗以下各帝，几无不如此。惟宪宗李纯，稍有振作。他起用了裴度等忠直的重臣为宰相，平定了淮南西道(治所在蔡州)吴元济的分裂活动，取得了军事和政治上的胜利。唐朝一度出现了“中兴”的势头。虽然好景不长,但此事在历史上还是有影响的。

这首词上片讲的就是裴度讨伐蔡州之前的那段历史现状。前五句先写“方镇”即藩镇的猖獗跋扈。“旅拒”是指他们以兵力与朝廷相对抗。后五句再写出兵前宪宗朝廷内部围绕出兵的问题展开的斗争。由于统治者长期姑息养奸,统治集团内部藩镇势力十分嚣张。他们里通外联,狼狈为奸。宪宗元和十年(815),平卢节度使李师道派遣刺客暗杀了力主出兵削平藩镇的宰相武元衡,又刺伤了御史中丞裴度,企图阻止朝廷对淮蔡等藩镇的讨伐。“同恶相资,潜伤宰辅,谁敢分明语”三句,即指此事。“媕婀群议,共云旄节应付”是对“谁敢分明语”的进一步说明。面对肆虐的藩镇,朝臣们的态度则十分暧昧。“媕婀”二字,形象地描绘出他们依违曲阿、无所作为、敷衍塞责的态度。这样的“群议”就只能想出以“旄节应付”这种与虎添翼、强敌弱己的权宜之计。自唐玄宗起,朝廷任命节度使时要赐双旌双节,这里所说的“旄节”,即指此旌旄和符节而言。还不止此,长期以来,各地节度使往往是父死子继,或由权将自代,朝廷随而认可,并非由朝廷选授,即如这个淮西节度使,五十年中,传三姓四将,直至吴元济,都是谁抓到兵权,朝廷就授谁旄节,以求保持形式上和名义上的统辖权。此非“旄节应付”又是什么?

下片才写讨伐淮蔡的经过。“於穆天子英明,不疑不贰处”是作者对唐宪宗敢于起用忠臣这一做法由衷的赞美。“於穆”,是盛表赞美的叹词。“不贰”,指忠心耿耿的人。这里赞美的具体所指即下句所言“登庸裴度”——举用裴度为相的事。裴度任宰相后,果然出色地发挥了他的才干。他排除了历来由宦官监视军队这一干扰,主动果断地指挥了讨淮战役。元和十二年(817)冬十月,在他的部署下,大将李愬带兵冒雪夜行军,衔枚止语,偷袭了悬瓠城(今河南汝南),生擒吴元济,取得讨淮胜利。正当各路藩镇惊惶不已时,朝廷又乘胜收复了十余州。“明堂坐治,中兴高映千古”既是与前面“於穆天子英明”相应,对唐宪宗给予很高评价;也是对在这次巩固中央集权的战争中起决定作用的裴度的高度赞扬。

这实际上是一首政治抒情词。虽然它通篇以客观评述的形式写成,并未如其他咏史词一般将作者自己写进词中,但它却极其含蓄隐晦、同时也是确切无误地表达了作者的主观政治理想。靖康元年,金兵围困汴京时,作者身为尚书右丞,曾带领京城军民抗击金兵,建立了赫赫战功。但他却因此而被排挤出朝廷,远调太原。临行前宋钦宗手书《裴度传》赐予李纲。李纲深为感慨地说:"臣曾不足以望裴度万分之一。然寇攘外患,可以扫除;小人在朝,蠹害难去。"(《宋史·李纲传》)这首《念奴娇》大约就是作者此时借以自抒怀抱的。可以看出,自比裴度的李纲在词中所寄托的,正是他盼望朝廷能除奸扶正、不再压制抗金力量,使忠臣大将得以如裴度那样施展才力,挽救危亡。

李纲留存到现在的词不过五十余首,其中明标咏史的就不下七八首,大都是写历史上中兴事业的,可知其用意在于讽时。因为他是借古喻今,所以全篇都明述历史故事,不须隐晦,而处处都影射现实,扣得非常紧密,使读者可以窥见词人的真意所在。这是李纲此类词作独特的创作方法。

(姜逸波)

六幺令　　　李纲

次韵和贺方回金陵怀古,波阳席上作

长江千里,烟淡水云阔。歌沉《玉树》,古寺空有疏钟发。六代兴亡如梦,苒苒惊时月。兵戈凌灭,豪华销尽,几见银蟾自圆缺。　潮落潮生波渺,江树森如发。谁念迁客归来,老大伤名节。纵使岁寒途远,此志应难夺。高楼谁设,倚栏凝望,独立渔翁满江雪。

鉴赏

李纲在金兵南下时,曾上"御敌五策",后来也曾上书反对秦桧议和。但在南宋王朝腐朽统治集团的压抑下,却投闲置散,壮志难酬。这首词大约写于南宋初年作者接连被贬斥之后,它不是一般的席上酬酢之作,而是借这首词抒发郁积在胸中的忠愤不平之气。

词的上片是吊古。前四句,诗人由眼前的自然景物写起:千里长江,烟波浩渺,滚滚东流;歌声沉寂,南朝陈后主创制的《玉树后庭花》的乐曲再也听不到了,只有远处的古寺里传来疏缓的钟声。写奔泻的长江,写古寺的钟声,不仅从时间和空间上写出了历史的悠远,同时也生动地渲染出了追念古昔的情绪。后五句,由自然沧桑引起人事兴衰代谢的感触,把历史事变和眼前的景物结合起来,创造了一种悲凉而深邃的意境。作者身在江南波阳,面对东去的大江,很自然地想到六朝故都金陵。吴、东晋、宋、齐、梁、陈六朝,它们先后都在建康(金陵,今南京市)建都,穷极奢靡,繁华一时。而今岁月流逝,战争的痕迹早已消失,朱雀桥边野草丛生,乌衣巷口燕子飞回,当年的王谢权门,都已豪华销尽。多少年来,月亮圆了又缺,缺了又圆,日月的转换总是填补不上人世的遗憾。在上片中,着重写景,通过景物的描绘充分展示人事的更迭和历史的变迁。在这里,作者并不是泛泛地发思古之幽情,而是字里行间包蕴了他作为一位政治家卓越的历史见解和哲理观念,更能启发人们对历史的冷静追寻和对当今的深沉思考。

词的下片是伤今。"潮落"两句,写得景象壮阔,它既是对上片内容的照应和加强,又是由写景到抒情的必要的过渡。大江中潮涨潮落,波涛流逝,江岸上树木繁茂,密如毛发,我这个被贬斥、流徙远方的人老大归来,又有谁能体谅到我名节未立的悲愤心情呢?"谁念迁客归来,老大伤名节",十一个字便写尽了作者的身世遭遇。词的最后五句是全篇的主旨所在。诗人高洁的操守,不渝的信念和不屈不挠的品格都表白了出来。尽管作者身处逆境,却能经得住严酷的打击和冷峻的考验,志向不变,目标不移,在坎坷的路途上奋力前行。"纵使岁寒途远,此志应难夺。"在这铿锵作响的字句里,腾涌起激昂豪情。把"岁寒然后知松柏之后凋""匹夫不可夺志"(《论语》),巧妙地糅进词中,非常自然地表达了自己的心境。词的尾句"独立渔翁满江雪",借风雪中独立不移的渔翁,比喻自己坚忍不拔的斗争精神。这里很明显地化用了唐代诗人柳宗元《江雪》中"孤舟蓑笠翁,独钓寒江雪"的诗句。《江雪》是永贞革新失败后,柳宗元被贬时的作品。李纲化用《江雪》的诗意入词,不仅切合自己的身份,而且思想感情也是和前辈诗人相通的。

作者于宣和三年(1121)曾写过《金陵怀古》诗四首,其中有"歌沉《玉树》月自圆""兵戈凌灭故城荒""豪华散灭城池古"等句。这首词绝不是前作字句上的重复,诗中感怀历史往事,情绪较为抑郁低沉。这首词追怀中有思考,感慨中有奋争,作者的忠贞报国的坚强意志,给读者以深刻的启发和向上的力量。

（徐荣街）

喜迁莺　　李纲

真宗幸澶渊

边城寒早。恣骄虏、远牧甘泉丰草。铁马嘶风,毡裘凌雪,坐使一方云扰。庙堂折冲无策,欲幸坤维江表。叱群议,赖寇公力挽,亲行天讨。　缥缈。銮辂动,霓旌龙旆,遥指澶渊道。日照金戈,云随黄伞,径渡大河清晓。六军万姓呼舞,箭发狄酋难保。虏情慑,誓书来,从此年年修好。

鉴赏

这首咏史词记的是北宋真宗时的"澶渊之盟"。虽然创作这首《喜迁莺》时,距真宗年间往事已有百余年,但由于作者身边正在发生重蹈历史覆辙的事情,不能不引起他对历史的回顾。从这首词不难看出,作者乃是借咏史以讽喻现实。

先看真宗年间的史事。景德元年(1004),契丹族辽国大军深入宋境,真宗无法应付,惊恐万状。这正如词中所说的"庙堂折冲无策"。"庙堂",指朝廷而言。"折冲",是抵御敌人的意思。这句说,真宗虽召集群臣商议御敌对策,却无良计。他打算采纳参知政事王钦若迁都金陵或陈尧叟迁都成都、弃京城而南逃的主张。"欲幸坤维江表"即指此事。长江中下游的江南一带,自三国孙吴以来人称"江表"。"坤维",指地的四角。成都远处西蜀,就此时宋的疆土而言,可谓地角天涯,故用"坤维"以喻其偏远。从这句话中不难看出作者对前朝君臣欲放弃中原而逃往南方的谴责之意。不过,真宗朝廷这次逃跑主义的做法终因宰相寇准的坚决反对而被制止了。寇准力请皇帝亲自带兵抗击辽军。真宗迫不得已,勉强亲自出征澶州（今河南濮阳）。皇帝的亲征，极大地鼓舞了抗辽官兵的士气，宋军在澶州城下一举打败了敌人，并射死辽国统军萧挞览。这正如词中所说："箭发狄酋难保。"这一仗重创辽军，迫使辽国不得不求和。就在景德元年十二月（1005年1月），宋辽两国互立誓书，达成和议，史称"澶渊之盟"。在这件事的前半段上，寇准阻止迁都，力主抗辽，使宋朝避免了一场覆灭之祸，寇准建立了极大的功勋。但是，至订结"澶渊之盟"时，则事情就发生了质变，到手的胜利却被投降派轻易地出卖了。战胜国的宋朝反以银十万两、绢二十万匹每年向辽国纳贡。不但丧失胜利果实，反而转居于屈辱的地位。事后，力主抗辽的寇准，也遭投降势力排挤而被罢相，贬谪至陕州。作者在词中歌颂的，正是寇准那种不畏朝廷恶势力、为抗敌救国而顽强斗争的精神。

历史的发展竟会如此反复。本词作者李纲在他的斗争生涯中也经历了一场与当年寇准极其相似的遭遇。靖康元年（1126），面对金兵压境的形势，刚刚即位的宋钦宗迫于军民反投降的激愤情绪，不得不下诏表示要亲自出征、保卫京城。而深谙钦宗怯敌隐衷的白时中、李邦彦认为都城不可守，要钦宗"暂避敌锋"，弃城出逃。这时李纲挺身而出，申明自己虽不知兵，却愿统兵守城。钦宗即任李纲为尚书右丞、东京留守。领命后，李纲奋不顾身，率将士死守京城。他一边抗击金兵，一边还必须与妥协投降势力进行斗争。因此，他虽曾一度击败金兵，为暂保京都立过大功，却终因反对派的排斥而屡被罢黜。同年，他被夺了兵权，贬官扬州，北宋亦旋即灭亡。高宗即位后，这位在抗战派中威望极高的功臣李纲被起用为相仅七十五天，一切才能和措施还未及展布，就又被罢免了。

这首词可能就是李纲在这一时期，即北宋靖康年间到南宋高宗前期所作。此时，宋朝国难当头，随时有覆灭的危险。而无论是钦宗还是高宗，都以避敌为宗旨，多次弃京出逃。李纲屡次进谏，举澶渊旧事为例，企图说服朝廷以武力抗御金兵，终未见纳。与前朝相比，李纲的坎坷遭遇较寇准有过之而无不及：寇准尚有说服真宗出兵澶州、为国立功的机会；到李纲时，宋朝连当初真宗向辽国赠银献绢以求苟安也不可得，只好眼睁睁地放弃中原而南渡。故而作者在词末不无企羡地对"澶渊之盟"提出了"虏情慑，誓书来，从此年年修好"这种主观拔高的评价。对真宗朝的赞扬，无疑隐含着对当朝统治者的批判。

全词语言平实朴素，无多渲染，而作者此时沉重忧虑的心情却已充分表露，溢于言外了。

（姜逸波）

苏武令

李纲

塞上风高，渔阳秋早，惆怅翠华音杳。驿使空驰，征鸿归尽，不寄双龙消耗。念白衣、金殿除恩，归黄阁、未成图报。　谁信我、致主丹衷？伤时多故，未作救民方召。调鼎为霖，登坛作将，燕然即须平扫。拥精兵十万，横行沙漠，奉迎天表。

鉴赏

这是李纲被罢相后的作品。南宋初期，为了笼络人心，刚即位的高宗就曾提出过“中兴”的口号。但是，他并没有任何具体措施，所以“中兴”只是变成了一句空话，徒然成为南宋一代爱国志士长期追求的美好愿望。这首《苏武令》所表达的，正是作者的爱国理想不断遭受挫折之后，仍然念念不忘恢复故国的耿耿忠心。

上片先写因秋而生愁，思念被掳的徽、钦二帝。“塞上”“渔阳”（今天津市蓟县）此时均为金地。靖康二年（1127），北宋最后两个皇帝徽宗和钦宗被金人俘虏北去，北宋随之灭亡。这就是作者“惆怅”的根源。词中的“翠华”和“双龙”，便是指二帝而言。这开头几句说，自二帝被掳以后，迄今杳无消息，令人伤痛。下面“念白衣、金殿除恩，归黄阁、未成图报”数句，接着写自己在国家危难之际受命肩负重任，但是力未及施，谋未及用，便被排挤而去，图报未成。此处虽未言恨，而怨恨心情可想而知。

下片紧承前意，进一步倾吐作者救国济民的宏愿。西周宣王时，方叔和召虎得到信任与重用，竭心尽力辅佐周室，以致中兴。与古代贤臣相比，作者对朝政多变、自己虽有方、召之才，却因得不到君主信用而无以致力感到格外痛心。不过，他并未消沉，直至晚年，还不断上疏高宗，力陈救国主张。“调鼎为霖”“登坛作将”正是他希图以己之力挽救危亡迫切心情的剖白。“调鼎”“为霖”二语均出自《尚书·说命》。商王武丁用傅说为相,将他在治国上的重要作用比之如烹调中的盐、梅(古以梅调酸味);又比喻说:“若岁大旱,用汝(傅说)作霖雨”,言其可解救苍生之困。作者在词中以“调鼎为霖”四字首先表示自己若为宰相,便要以贤相为榜样,救国济民;若要带兵,便“登坛作将”,即刻北伐,定为收复中原失地作出贡献,并“平扫”“燕然”。“燕然”是金国境内一座山名,这里代指金营。最后一句“拥精兵十万,横行沙漠,奉迎天表”,更是作者表明其忠君救国的理想之辞。实际上,被俘的二帝自南宋高宗即位之时起,便已退下了历史舞台。即使将他们从金国救回,也绝无再君临天下的可能。不过,作为北宋故国的代表,他们在人们心目中还具有偶像的作用。这里所说的“奉迎天表”(天表是对帝王仪容的尊称)正是表明作者报国雪耻的愿望。

无疑,这首词自始至终表现的都是报答君恩的思想,似不足取。然而,在李纲所处的时代,作为统治阶级中的有识之士,他所认为的国家的奇耻大辱,实莫过于二帝被掳一事;况且,这也确实标志着北宋王朝的灭亡。因此,在这首反映“徽钦蒙尘”、表现清雪靖康之耻愿望的作品中,必然反映出作者的爱国思想。因此,我们读这首词时,并未因他主要写的是报君恩而感到他的思想感情有什么鄙琐,相反的,却还是被他的忠愤之气所感染和激励,并对作者兴起敬慕之心。这难道不是他的写作艺术的力量吗?

(姜逸波)

南　歌　子　　李　祁*

袅袅秋风起，萧萧败叶声。岳阳楼上听哀筝，楼下凄凉江月、为谁明？　雾雨沉云梦，烟波渺洞庭。可怜无处问湘灵，只有无情江水、绕孤城。

作者

*李祁，字萧远（或作肃远），雍丘（今河南杞县）人。生卒年不详。少有诗名，登进士，官至尚书郎。宣和间，与王俊义首建正论，责监汉阳酒税。亦工词，婉约清丽，胜处不减少游，所作见《乐府雅词》。

鉴赏

《南歌子》调，例用对句起，宋人多用双调。这首词是作者登岳阳楼作。岳阳楼即岳阳城西门楼，襟江带湖，为登临胜境，历来题咏甚多。本词起句写景，首句"袅袅秋风起"，"袅袅"，形容秋风。《九歌·湘夫人》："袅袅兮秋风，洞庭波兮木叶下。"次句"萧萧败叶声"，"萧萧"，古音读sōusōu，形容秋风吹着树上的枯叶发出声响。《九歌·山鬼》："风飒飒兮木萧萧。"两句用语都本《楚辞》，切合洞庭。起句叠字对仗，音节谐婉，语言工整，而且把读者带入《九歌》境界，令人感到萧瑟凄清。这两句是写登岳阳楼的实景，作用在制造气氛，衬托登楼者的心情。接着就写"岳阳楼上听哀筝"，筝声曰"哀"，其情可知。秋风落叶是自然的声响，楼上哀声是人弹的乐声，此时融成一片，合拍和谐。楼上听筝是写人事，下句转到楼下，又写景物，而写的是"江月"。"楼下江月"，显然是从楼上眺望江上月色，冠以"凄凉"，其情愈悲。九字小顿之后，末尾三字“为谁明”用反诘语，表达了无限哀怨，情更深切。

下片仍用对句起，写云梦雾雨阴沉，洞庭烟波浩渺。古代“云”“梦”本是二泽，在湖北省大江南北，江北为“云”、江南为“梦”。后世大部分淤成陆地，便并称为云梦泽。两句写云梦、洞庭，境界空阔邈远。句中用“沉”与“渺”，字炼，写景带有感情色彩。“可怜无处问湘灵”，一声长叹，无可奈何。“湘灵”是湘水之神，岳阳城西南湖中有君山，山上有湘妃庙。远望君山，凝思湘灵，可惜此时神也无法解除心中的哀怨。这时只有无情的江水绕着孤城岳阳静静地流，流到烟波浩渺的洞庭汇成一片。收笔神远，韵味无穷。“湘灵”二字，遥应篇首。这首词上结有“江月”，下结有“江水”，而且在句中又放在同一位置上，遥相映照，特别显眼。登岳阳楼写了洞庭，为何还要如此突出地写“江”呢？盖岳阳地当洞庭入江之口，词中写湖复写江，显示了岳阳地理位置的特点。江在湖的北面，作者是雍丘人，仕历曾责监汉阳酒税。汉阳（今属湖北武汉市）、雍丘都在岳阳之北，词中哀怨之情，来自于际遇坎坷和旅思乡愁，妙在不着痕迹。

（王明孝）

烛影摇红

廖世美*

题安陆浮云楼

霭霭春空,画楼森耸凌云渚。紫薇登览最关情,绝妙夸能赋。惆怅相思迟暮,记当日、朱栏共语。塞鸿难问,岸柳何穷,别愁纷絮。　　催促年光,旧来流水知何处?断肠何必更残阳,极目伤平楚。晚霁波声带雨,悄无人、舟横野渡。数峰江上,芳草天涯,参差烟树。

作者

*廖世美,北宋末期人,生平不详。《唐宋诸贤绝妙词选》录词两首。

鉴赏

这是一首抒写别情的词。题目中的安陆为宋代郡名,郡治即今湖北安陆。上片头二句,扣紧题目。“霭霭”,是云盛的样子,形容云气密集。这是以春日多云的天空为背景,烘托出楼的华丽与高耸入云,以此点出楼名——浮云。接二句,是由楼而联想到曾为此楼题诗的历史名人:杜牧登楼游览时最为多情,能写出好的诗篇。“紫薇”,是唐宋以来中书舍人的代称。杜牧曾为中书舍人,所以称他为杜紫薇。他作有《题安州(即安陆)浮云寺寄湖州张郎中》诗:“去夏疏雨余,同倚朱栏语。当时楼下水,今日到何处?恨如春草多,事与孤鸿去。楚岸柳何穷,别愁纷若絮。”“记当日”四句,转到自己抒情:回忆当年我们曾在此楼倚栏谈心,可是自分别以来,音讯难通,相思惆怅之情就像那无穷的岸柳,纷纷飘扬的柳絮，又多又乱地萦绕在心头。这里，“朱栏共语”“别愁纷絮”“塞鸿难问”“岸柳何穷”，都是隐括杜牧诗句。但词情熨帖，自然浑成，了无痕迹，足见熔裁之妙。

下片开头“催促年光，旧来流水知何处”一句度入目前：当日楼下流水是目睹我们“共倚朱栏语”的见证者。可是，年催月促，它已不知流向何方，恐怕早已流入茫茫大海之中，无处寻觅了。我们的过去也如流水一般渺茫难觅。这里充满今昔之感与迟暮之叹。下面“断肠”二句更翻进一层：正在伤心难过之时，偏偏夕阳西下，放眼远望，只见残照下一片江南平原，益觉凄怆入神。“晚霁”二句，随着时间推移，由“残阳”进入傍晚，本来晴朗的天变阴了。“晚霁波声带雨”，波声夹带雨水，这是听到的。一方面表明雨过天晴了，一方面用波声反衬四周环境之寂静。“悄无人、舟横野渡”，这是眼前所看到的，是由韦应物诗句“春潮带雨晚来急，野渡无人舟自横”变化而来。为什么偏偏听到、看到这些呢？跟词人所抒之情有何关系呢？可以说除点出四周寂静，显示其孤独之感外，还暗示了他的生活处境：也许明天他又要乘船出发，重又踏上征途，正逢天气不好，心情愁闷，其苦可想而知。以声、景表现诗人的心情和处境，收到极好的艺术效果。最后以景结：江上青青的山峰静静地矗立着，芳草一直延伸到天边，晚烟笼罩下的柳树，在雨中参差翻舞。意境凄清、辽阔，形象地显示了诗人内心的凄苦之情。况周颐对本词评价甚高，说：“‘塞鸿难问，岸柳何穷，别愁纷絮’，神来之笔，既已佳矣。换头云：‘催促年光，旧来流水知何处？断肠何必更残阳，极目伤平楚。晚霁波声带雨，悄无人、舟横野渡。’语淡而情深。令子野、太虚辈为之，容或未必能到。此等词一再吟诵，辄沁人心脾，毕生不能忘。花庵《绝妙词选》中，真能不愧‘绝妙’二字，如世美之作，殊不多觏。”（《蕙风词话》卷二）虽未免誉之过甚，但指出了本词的一些特点，有独到之见。词从楼上的角度抒写别情，视野开阔，极目寥远，以平楚、波声、野渡、烟树，构成一淡远而略带愁思的意境。声容姣好，情致蕴藉，自是名家手笔。

（张文潜）

孤 雁 儿

李清照*

藤床纸帐朝眠起，说不尽，无佳思。沉香断续玉炉寒，伴我情怀如水。笛里三弄，梅心惊破，多少游春意。　　小风疏雨萧萧地，又催下、千行泪。吹箫人去玉楼空，肠断与谁同倚！一枝折得，人间天上，没个人堪寄。

作者

*李清照（1084—1151 至 1156 间），号易安居士，济南章丘人。嫁金石家赵明诚。靖康之变，仓皇南渡。建炎三年，明诚病故。李清照携图书并明诚遗著《金石录》逃兵乱，足迹遍江浙皖赣一带，晚年寓居临安。李清照的著述据著录有《李易安集》十二卷、《漱玉词》一卷（别本五卷）、《易安居士文集》七卷、《易安词》六卷等，今均佚失。现在流传的《漱玉词》，乃后人所辑，非宋代原书。李清照词，令慢均工，擅长白描，善用口语，能炼字、炼句、炼意、炼格，形成“易安体”。南渡以后，词的风格，从清俊旷逸变为苍凉沉郁，多寓故国黍离之悲，给南宋辛稼轩、陆游、刘辰翁诸爱国词人以深刻的影响。

鉴赏

此词调下原有小序云：“世人作梅词，下笔便俗。予试作一篇，乃知前言不妄耳。”语意谦逊，似在咏梅；然细玩词意，却是一首感情深挚的悼亡之作。调名本作《御街行》，《古今词话》载有变格一首，中有“霜风渐紧寒侵被，听孤雁，声嘹唳”之句，遂又名《孤雁儿》。词人不取前者而用后者，盖亦以自况。

靖康事变之后，李清照从青州故第逃亡到建康（今江苏南京）。长江天堑，暂时阻住金人南下的铁蹄。在局势相对稳定的情况下，她“每值大雪，既顶笠披蓑，循城远览以寻诗，得句必邀其夫赓和”（周煇《清波杂志》卷八）。可是不久其夫赵明诚病逝，把她一个人抛在人地生疏的江南，“飘零遂与流人伍”，过着流离动荡、孤苦伶仃的寡居生活。大概在宋高宗建炎末年的一个春天，梅吐新蕊，作者睹物思人，写下了这首小词。

上阕起二句云：“藤床纸帐朝眠起，说不尽，无佳思。”并未直截咏梅，而是铺叙环境，抒写忧思。“藤床”，犹今之藤躺椅。据明人高濂《遵生八笺》记载，上置倚圈靠背，后有活动撑脚，便于调整高低。“纸帐”，亦名梅花纸帐，据宋人林洪《山家清事》云，其上作大方形帐顶，四周以细白布制成帐罩，中置布单、楮衾、菊枕、蒲褥。这些陈设，都较简陋，色调也较凄黯，前人常用来表现懒散凄清的心境。如宋无名氏有《春光好》词云：“小藤床，随意横。”朱敦儒《念奴娇》词云：“照我藤床凉似水。”此词境界与之相似，一榻横陈，日高方起，正是孤寂无聊寡居生活的写照。以下两句，承“无佳思”句意，进一步描写词人凄苦情怀。“沉香断续玉炉寒”，使人想起她的《醉花阴》中的“薄雾浓云愁永昼，瑞脑销金兽”，意思相似，然着一“寒”字，愈益突出环境的凄冷与心境的痛苦。此时室内再无一人，唯有一炉时断时续的沉香同词人相伴。香烟虽缥缈而有形，愁绪虽萦纡却无踪，以有形之香烟状无踪之愁绪，殊为确切。益以“伴我情怀如水”一句，则词人难言的悲苦之情更加感人，变成具体可感的形象。秦观《鹊桥仙》中也曾说过“柔情似水”，以水性之柔喻感情之弱。此处“情怀似水”，则是以水之凉喻情怀之冷。有此一句，则前面之“无佳思”便有了呼应。

正当词人寂寞凄凉之际，窗外传来一阵悠扬的乐曲：“笛里三弄，梅心惊破，多少游春意。”这里不仅以《梅花落》的笛曲，照应小序中所说的“咏梅”，同时双关现实生活中的梅花，好像笛子一声，催绽万树梅花，带来春天的消息，用意颇似李白《与史郎中钦听黄鹤楼上吹笛》诗中所写的“黄鹤楼中吹玉笛，江城五月落梅花”。然“梅心惊破”一语，想象似更奇警，以“梅心”拟人心，暗示词人在心田中曾掀起一阵感情的波澜，产生过出外游春的欲望，也许此刻她想起了赵明诚在时，曾双双顶笠披蓑，循城赏梅，踏雪寻诗。然而意境含蓄，撩人想象。她在《永遇乐》中也写过：“落日熔金，暮云合璧，人在何处？染柳烟浓，吹梅笛怨，春意知几许！”可见闻笛怀人，见梅思春，在她作品中是用过的。正因有了这一歇拍，词就自然地过渡到下阕。

下阕由梅而及人,正面抒写悼念亡夫之情。词境由晴而雨,人心由清而苦,然而跌宕之中意脉不断。"小风"二句,将外境的渲染与内心的刻画融为一体:门外疏雨萧萧,下个不停;门内词人枯坐,泪下千行。以雨催泪,亦以雨衬泪,恍似词人在《声声慢》中所写的:"梧桐更兼细雨,到黄昏点点滴滴。这次第、怎一个愁字了得。"词自起处写至此处,均通过环境的铺叙,景物的变化,写感情发展与演变,但为什么"无佳思",为什么"情怀如水"和泪下千行,却未言明,直至"吹箫人去玉楼空,肠断与谁同倚",我们才知道她是在怀念亡夫赵明诚。"吹箫人去",典出《列仙传》云:"箫史者,秦穆公时人也,善吹箫,能致孔雀、白鹤于庭。穆公有女字弄玉,好之。公遂以女妻焉。日教弄玉作凤鸣。居数年,吹似凤声,凤凰来止其屋。公为作凤台,夫妇止其上不下数年,一旦皆随凤凰飞去。"这是一则富于浪漫主义色彩的故事,箫史弄玉,双宿双飞,多么幸福!可是生活中的赵明诚,却丢下李清照,一个人先去了。如今在李清照面前,确是人去楼空,纵有梅花胜景,又有谁与她倚栏同赏呢?凄清情味,溢于言外,词人回想昔日归来堂上,猜书斗茶,能不怆然?于是词中就迸出结尾三句。

结尾三句,用的是陆凯赠梅与范晔的典故。此为常典,为前人所习用,故词人小序中云:"下笔便俗,予试作一篇,乃知前言不妄耳。"然而词人的长处在"以俗为雅,以故为新"。新就新在"一枝折得,人间天上,没个人堪寄",措辞自然,感情真挚,寥寥数语,明白如话,写尽了寻寻觅觅、四处茫茫、怅然若失的神态。即使不了解原来的典故,也能明了词意,被它深深地打动。全词至此,戛然而止,而一曲余音,袅袅不绝,犹自盘旋在人们的心头。

这首词的特点归纳起来大致有四:一是将咏梅与悼亡冶于一炉,十分真挚地抒写了忆念亡夫赵明诚的哀思;二是旧典新用,语意双关,如"笛声三弄""吹箫人去"以及折梅赠远等都做到浑化无迹,恍如己出;三是语言通俗,音调凄婉,像"说不尽,无佳思"和结尾三句,全是以口头语度入音律,令人感到和谐雅畅,不落蒜酪;四是环境描写与心理刻画融合无间,意境浑成,特别表现在二起之中。词人通过这些艺术手法,层层描写,步步开掘,从而塑造了一个有血有肉、内心充满无限痛苦的孀妇形象,在宋代词坛上,可算是独特的。

(徐培均)

玉 楼 春　李清照

红酥肯放琼苞碎，探着南枝开遍未？不知酝藉几多香，但见包藏无限意。　道人憔悴春窗底，闷损阑干愁不倚。要来小酌便来休，未必明朝风不起。

鉴赏

这是一首咏梅词，《花草粹编》《历代诗余》题作“红梅”，是靖康之难以后在南方所作。首句写出红梅正含苞初放的姿态。“红酥”是色泽，“碎”字形容尖圆的花苞徐徐绽开，露出琼玉似的花瓣尖。“探着”句想象红梅开放的盛况。“南枝”，见宋朱翌《猗觉寮杂记》：“梅用南枝事，共知《青琐》《红梅》诗云：‘南枝向暖北枝寒。’李峤云：‘大庾天寒少，南枝独早芳。’张方注云：‘大庾岭上梅，南枝落，北枝开。’南唐冯延巳词云：‘北枝梅蕊犯寒开。’则南北枝事，其来远矣。”“不知”两句，将红梅的香气、风韵写出。“酝藉”作“含蓄”解，林和靖的“暗香浮动”，就是很好的说明。词人并不寻思朵朵梅花究竟包含着多少清香，而只是由此引起联想，“无限意”，即是从“南枝”“北枝”想到北方家乡之梅。清照词中借咏梅以寄托故土之思者甚多，如“夜来沉醉卸妆迟，梅萼插残枝。酒醒熏破春睡，梦远不成归”（《诉衷情》），“今年海角天涯，萧萧两鬓生华。看取晚来风势，故应难看梅花”（《清平乐》）。可见此处“无限意”当也与乡思有关，这又和过片首两句词意相连接。

过片先写赏梅之人。“道人”是清照自称，《世说新语》中称僧为“道人”。南渡以后，清照家破夫亡，孤身流寓异乡，故亦以“道人”自居。她形貌枯槁，情绪低沉，虽然窗外春梅盛放，但也打不起精神去倚阑赏花。“闷损”与“愁损离人，不惯起来听”（《添字丑奴儿》）的“愁损”意思相似，说明此际由于南枝盛放而引起词人故土之思，身世之悲，以致无精打采。“愁”字又与“无限意”呼应。结拍忽然一转，陡地振起，提出还是要及时饮酒观赏，庶几不致辜负眼前色香俱胜的梅花。朱彝尊《静志居诗话》云：“咏物诗最难工,而梅尤不易……高续古绝句云:'舍南舍北雪犹存,山外斜阳不到门。一夜冷香清入梦,野梅千树月明村。'可谓传神好手。朱希真词:'横枝清瘦只如无,但空里、疏花几点。'李易安词:'要来小酌便来休,未必明朝风不起。'皆得此花之神。"这里表面上说只怕明朝风起花落,还是趁今日美景当前,尽情观赏。实际上,词人赏梅,并非兴之所至,而是爱其格高韵胜,故乡之梅,不可得见,则眼前南枝,亦可聊寄愁怀。此是用间接手法,不仅从爱梅者的倾心传出梅花风神,同时也透露出她内心深处的思乡怀人之情。

(潘君昭)

清　平　乐　　李清照

年年雪里,常插梅花醉。挼尽梅花无好意,赢得满衣清泪。　　今年海角天涯,萧萧两鬓生华。看取晚来风势,故应难看梅花。

鉴赏

这首词是清照晚年之作,以梅花为题,抒发今昔之感。开端"年年雪里,常插梅花醉",是昔;过片"今年海角天涯,萧萧两鬓生华",是今。清照的前期词,常有咏花之作。咏菊不少,咏梅更多。或比附清品,或寄托幽思。在那些咏梅的词篇里,为了赞美梅花的清品,往往撇开梅花神态的描摹,或以初春雪景作衬托,如"雪里已知春信至,寒梅点缀琼枝腻"(《渔家傲》);或以清歌醉饮作烘染,如"座上客来,尊前酒满,歌声共、水流云断"(《殢人娇》)。为了倾诉对梅花的爱慕,或强调观赏及时,如"南枝可插,更须频剪。莫直待,西楼数声羌管"(《殢人娇》),"要来小酌便来休,未必明朝风不起"(《玉楼春》);或珍重深情不断,如"莫恨香消玉减,须信道,迹扫情留。难言处,良宵淡月,疏影尚风流"(《满庭芳》)。但在南渡以后,物是人非,咏梅的内涵和情调起了根本的变化。看这一首,首先是抚今追昔,无好情怀:"挼尽梅花无好意,赢得满衣清泪。"明诚已死,无须以梅寄意;宾客都散,无须插枝佐酒。挼搓梅花，纷纷蔌蔌，洒满襟怀的是梅花片片，清泪点点。前期咏梅词，哪得如此哀感顽艳的词句？再看，过片转作变徵之音："今年海角天涯，萧萧两鬓生华。"女词人风鬟雾鬓，飘泊天涯，十二个字，声泪俱下。她的词风从锦宛秀逸转为挥洒苍凉，开南宋爱国词人一路。结末二句，更加声如裂帛："看取晚来风势，故应难看梅花。"根据傍晚风起的势头，该不必再作观赏梅花之想了吧！"晚来风势"，语出双关，指的是国家情势的恶劣。"故应难看梅花"是作者对逝去的如梅花般繁盛的岁月，对梅花标格的自身的沉痛诀别。现实无情，今非昔比，从此再无观看与品味梅花的雅兴与清梦了。

这篇词悲深凄绝，探得梅花魂魄，因此，应视作清照梅花词之冠。

（杨敏如）

南　歌　子

李清照

天上星河转，人间帘幕垂。凉生枕簟泪痕滋。起解罗衣，聊问夜何其。　　翠贴莲蓬小，金销藕叶稀。旧时天气旧时衣。只有情怀，不似旧家时。

鉴赏

此词当作于晚年客居临安时，是悼念明诚之作。上片首韵对起，"天上星河转，人间帘幕垂"，合时与地创造境界。"天上""人间"，乃空间；"星河转""帘幕垂"，乃时间，魏文帝诗"明月皎皎照我床，星汉西流夜未央"。首韵虽是写景，但寓比兴之笔，是"天人睽隔"的哀悲，为次韵"凉生枕簟泪痕滋"之抒情铺叙。上片结拍"起解罗衣，聊问夜何其"，用《诗经·小雅·庭燎》的诗意道出其彻夜无眠。"聊问"，是词人心中郁结，无可告语，只有自己发问，与屈原之《天问》意同。"其"字，语助，无义，唐韦应物《答杨辙》诗"嘉宾自远至，觞饮夜何其"，以助语协韵，清照此词亦仍之。

《南歌子》虽系小令，悼念亡夫，题亦小。然清照却"小题大做"，取境重大，笔力千钧，使所抒之情哀愤沉着，感染力极强烈。过片首韵对起"翠贴莲蓬小，金销藕叶稀"，用勾勒法，是描绘上片

“罗衣”的花纹，通过体物图貌的“铺叙”法来烘托时令，再渲染秋景，“翠贴”“金销”，设色冷艳，体物新颖，如果不是有这种蔚似雕绘的“铺叙”作前提，下文煞拍“旧时天气旧时衣，只有情怀，不似旧家时”，“衣”字、“时”字、“旧”字的反复勾勒，便会像浮萍无根，觉得散漫儇薄了。

清照穿图绘莲蓬、藕叶的罗衣，也是她爱国思想、高尚人格的表现。屈原忠而被谤、横遭放逐后所作《离骚》，就有这样一段自叙：“进不入以离尤兮，退将复修吾初服。制芰荷以为衣兮，集芙蓉以为裳。不吾知其亦已矣，苟余情其信芳。”清照建炎元年自青州来建康，力主抗金，恢复中原，曾作诗诋高宗及其佞臣，以致明诚罢建康守，他们的遭遇与屈原为楚臣被逐近似。梁令娴《艺蘅馆词选》评清照《武陵春》词“此盖感愤时事之作”，确是独具慧眼。我以为读《南歌子》词，亦应作如是观。

（黄墨谷）

渔家傲

李清照

天接云涛连晓雾，星河欲转千帆舞。仿佛梦魂归帝所。闻天语，殷勤问我归何处。　　我报路长嗟日暮，学诗漫有惊人句。九万里风鹏正举，风休住，蓬舟吹取三山去。

鉴赏

这首词经《乐府雅词》缀题曰“记梦”。但细玩词意，倒不如说是清照的一首述志词。从它的豪迈气概与疏放词笔看来，似乎应是女词人的早期之作。梁启超评曰：“此绝似苏辛派，不类《漱玉集》中语。”黄蓼园赞曰：“无一毫钗粉气，自是北宋风格。”可知它在《漱玉集》中占了一个特殊地位，突破了清照词的婉约格调。

作者以浪漫主义开篇，描绘了一个神奇的梦境：辽阔的海天，迷茫的水雾，云朵卷动如飞涛叠浪，这是破晓天空的实写。“星河”者，非仅指银河，乃泛指银河与众星，如杜甫诗句：“满天星河光破碎。”星斗在天际运行，星光闪烁而流动，像无数小船上下飞舞，这是飞向天空的虚写。女词人继承屈原、李白的传统，驾着浪漫与想象的小舟，驶飞到天帝的居所。看她把神话写得多么生动、逼真：天帝向女词人殷勤问讯：“你希望到哪儿呢?”这是词的上片，表露出女词人不满人间的黑暗，憧憬天上的光明，追求美妙的幻想，寻找精神的归宿。

下片从“我报”开始，就此转入女词人的答对。有人因女词人在嗟叹“路长”和“日暮”，便断言此首为南渡后作品，因她曾历经漫长的人生，达到可悲的桑榆晚景。其实并非如此。“路长”“日暮”，是用《离骚》诗意。凡“欲少留此灵琐兮，日忽忽其将暮”，“路漫漫其修远兮，吾将上下而求索”等，都是唯恐浪费青春和生命，追索有价值的道路和理想的志士的咏叹。女词人见人间道路漫长无涯，人的生命与日俱逝，才产生了追索理想的愿望。“学诗漫有惊人句”，是从杜甫《江上值水如海势聊短述》诗“为人性僻耽佳句，语不惊人死不休。……焉得思如陶谢手，令渠述作与同游”化出的。“漫”有“徒然”“空自”的意思，可见她对自己的负有才名兀自感到不足。再请看她如何表露雄阔的胸襟吧：九万里的鲲鹏展翅，无休止的大风扬波，她召唤着《庄子》寓言中击水三千、与风搏斗的大鹏，准备乘着豪兴，驾着生命的小船，冲破牢笼似的现实风浪，直向那幸福之境——三山。《史记·封禅书》记载，相传渤海之中有蓬莱、方丈、瀛洲三座神山，黄金白银为宫阙，飞禽走兽俱雪白，住有许多仙人，藏有不死药草。“未至，望之若云。及到，三神山反居水下，临之，风辄引去，终莫能至云”。女词人在奋力追求的，就是这样的瞻之在前、恍惚不见、宛然在目、从之还远的幸福理想。

李清照在这首词中，以豪迈清空的意境，雄健矫拔的笔力，刻画自己的精神世界。清沈曾植在他的《菌阁琐谈》中盛赞清照：“自明以来，堕情者醉其芬馨，飞想者赏其神骏。易安有灵，后者当许为知己。”这里说的“神骏”，怕正是针对这首词而言的吧。

（杨敏如）

如梦令　　李清照

常记溪亭日暮，沉醉不知归路。兴尽晚回舟，误入藕花深处。争渡，争渡，惊起一滩鸥鹭。

鉴赏

清照的两首《如梦令》，是她前期词中两颗罕见的明珠。它们显现出一位活泼率真、热爱生活的女词人形象，以及她那深美的内心世界和高雅的生活情趣。在这一首小令里，作者采用她擅长的白描手段，追记一次十分有趣的郊游。

起句“常记”的“常”，同“尝”，意思是“曾经”。“溪亭”“日暮”，为下句“沉醉”二字点出醉饮的所在和饮罢的时间。溪亭醉饮，不知归路，表示游兴沉酣，乐而忘返。溪亭醉饮，游兴沉酣，反映了超出女性词的士大夫情趣，揭示了女词人的倜傥豪放与洒落的性格。黄昇《花庵词选》收这首词时，补了一个词题曰“酒兴”。只看到酒兴，没体会主要内容“游兴”，这样的加题可称画蛇添足。还是从曾慥《乐府雅词》不加题为是。“兴尽晚回舟”句，承上启下。怎样承上？有人黏滞在“酒兴”上，解释说：待到酒兴阑珊，方才回去。如果照这样讲，那么酒意已消，怎么回舟时，还“误入藕花深处”呢？“兴尽”分明用的是“兴尽而返”的典故：晋朝的王徽之，是大书法家王羲之的儿子。在一个雪夜，他从山阴家中出发，泛舟剡溪，为的是忽然兴至，要去访问一个朋友戴安道。等到了戴家门口，他并没有走进去，就吩咐回舟而归了。有人问他为什么这样，他说：“乘兴而来，兴尽而返，我又何必见安道呢？”女词人这里写“兴尽”，意思是乘兴而来，兴尽而返，又何必考虑归路如何呢？所以“兴尽晚回舟”和“不知归路”不是矛盾的，正是承接的。女词人和王徽之正是有同样的洒落情怀。这句又怎样启下？既然兴尽即返，不问归路，自然难免有驾船驶入荷花深密之处的失误。藕花就是荷花，用前词不用后词，主要是因为音律的缘故。妙在酒意未消、游兴未减的游人,对于这种“岔子”可毫不在意,非要“争渡,争渡”,夺路前进不可。我们读着“争渡,争渡”,仿佛听见猛力向前的击水桨声;宛然看见无忧无虑、有说有笑的游人神态,似乎《如梦令》词调的叠句格律是为着词人妙造自然的词句而设的了。有人把“争渡”的“争”字解作“怎”字。虽然一般词曲用字确有如此的解释,但不能排斥“争”字当“抢”讲的普通释义。如果是“怎渡”,下面的词意就衔接不上了;必须是抢渡,才会“惊起一滩鸥鹭”。眠宿在沙滩上的鸥鹭,被抢渡的击桨声、游人的笑语声所惊骇,扑棱棱拍翅飞起,何等美妙的景象!鸥鹭常见于诗词。鸥鹭“忘机”,独与不失赤子之心的人们亲狎作友。作者以鸥鹭形象作为陪衬,表现了主人公潇洒天真的性格。

这首词形象生动逼真,语言自然优美,表现了李清照早期词用白描法引出新思、取寻常语度入音律的艺术特色。有人以为是苏轼的作品(《草堂诗余》),甚至以为是吕洞宾的词(《古今词话》),都是没有理解李清照词一扫香而弱的词风,不作女儿态的词语的一种独特之处。

(杨敏如)

如梦令　　李清照

昨夜雨疏风骤,浓睡不消残酒。试问卷帘人,却道海棠依旧。知否?知否?应是绿肥红瘦。

鉴赏

这是一首写女词人闺中生活的小词。词意与唐孟浩然《春晓》“春眠不觉晓,处处闻啼鸟。夜来风雨声,花落知多少”和唐韩偓《懒起》“昨夜三更雨,临明一阵寒。海棠花在否?侧卧卷帘看”二诗相似。它揭示女词人对大自然变化的敏感和生活中美好事物的关怀。内容曲折而含蓄,语言深美而自然,笔调跌宕而有致。请看她写景:“雨疏风骤”,雨点稀疏而风急;写人:“浓睡”“残酒”,睡得香甜而残醉未醒;写花:“绿肥红瘦”,绿代指叶,红代指花,风雨之后,叶儿茂盛了,花儿稀少了。如此精心刻意地选择对立统一的形象和词语，相彰并比地渲染和形容，给读者更加鲜明醒豁的印象。其中尤以“绿肥红瘦”一语最为清新。色泽浓艳，形象逼真，从来没有为人道过。甚至在用韵上，依律上、去可以互押，但作者哪怕在这方面也用心做到上、去递换使用，像“骤”“酒”“旧”“否”“瘦”，抑扬相间，跌宕入耳。再看词中的问答。“卷帘人”指正在卷帘的侍女。“试问卷帘人”，引出女主人公与侍女的一番对话。“却道海棠依旧”，是答语。问语省去，从答语中可知问的是：“经过一夜风雨的海棠究竟怎么样了?”问答显然不相称，问得多情，答得淡漠。因答语的漫不经心，逼出一句更加多情的“知否？知否?”来。《如梦令》小词，安顿两个叠句短语最难。然而这里的“知否？知否?”，口气宛然，浑成天巧，非圣于词者不能到此。女主人公出于对花的关心，问得那么认真；出于惜花的心情，驳得那么恳切。结句“应是绿肥红瘦”，是她脑中浮现的景象和感受。“绿肥红瘦”四个字，无限凄婉，却又妙在含蓄，蕴积了她对春光一瞬和好花不常的无限惋惜心情，体现了女词人的纯净心灵和高雅情趣。

仅一首小词，寥寥数语，就能在描摹中寓深美主题，流露了女词人惜春而不伤春的情愫；在锤炼中出天然言语，显示了女词人的创造心力；在短幅中藏无数曲折，传神而有致；在韵律中求抑扬声调，传情而动听。四美具备，堪称词中楷模。

（杨敏如）

菩萨蛮

李清照

风柔日薄春犹早，夹衫乍着心情好。睡起觉微寒，梅花鬓上残。　　故乡何处是？忘了除非醉。沉水卧时烧，香消酒未消。

鉴赏

清代王士祯盛称他的同乡、济南李清照为北宋词坛婉约派宗主，这话极是。清照恪守词“别是一家”说，使词与诗分工，以柔婉为主要风格,以含蓄为基本笔法,靠景物、形象传情,以家常言语生致,不求尽诗所能言,能达诗所不能至之妙。这首《菩萨蛮》写得蕴藉要眇,表现了词体与词人的当行本色。

开篇二句,女词人故作轻淡和平之语:节序是"风柔日薄"的早春天气。换了夹衫,心情似乎要轻快些吧。接着,随词调的换韵,转出两句绝妙好词来:"睡起觉微寒,梅花鬓上残。"这是以深美的词境,藉闺中人的情态,写心境的微妙感受。"微寒"者,以身上的微冷感觉喻心头的浸渐凄清。梅"残"者,以头上的花朵凋残比自家的飘零憔悴。词境清丽悱恻,平淡入妙,使飞卿、延巳之制,有所逊色。

过片忽来重笔,直语道破主题:"故乡何处是?"清照时常在沉痛处做反问语,像《声声慢》中"怎一个愁字了得",《永遇乐》中"人在何处",都是为了发泄她在悲哀中的愤激之情。回答也很干脆:"忘了除非醉。"不过,这样的乡关之思,和破国亡家联系在一起,不是杯酒所能消释的。清照再以奇俊之语,曲折之锋,抒写此意:"沉水卧时烧,香消酒未消。""沉水"是沉水香,一名沉香。香,氤氲着万缕愁思;酒,酝酿着千种愁肠。昨夜香尽,今晨酒残,都无法消除心头沉重的愁和恨。

建炎元年九月,北宋抗金名臣赵鼎有《满江红》词以寄亡国之恨,其中有这样两句:"欲待忘忧除是酒,奈酒行有尽愁无极。"建炎二年,清照南下,可能在建康听到那里的爱国士大夫传诵这首词,对这两句有亲切的体会,因此将同样的词意写在自己的词里。前人曾有评论,认为赵句直露,李句蕴藉。要知道清照若在词中表达一种意思,往往从远处说,反使其意回环不已;从浅处说,反使其意深沉不尽。像这一首,以轻灵秀逸之笔,写思苦悲深之情,颇得婉约词的真味。

(杨敏如)

浣　溪　沙

李清照

淡荡春光寒食天,玉炉沉水袅残烟,梦回山枕隐花钿。　　海燕未来人斗草,江梅已过柳生绵。黄昏疏雨湿秋千。

鉴赏

在这首词里,作者以外物形象刻画人物形象,以具体的艺术意境体现抽象的内在情思,为我们描绘了一位感春的少女。

上片一句起氛围,二句作烘染,三句出人物。先报节序:“淡荡春光寒食天。”清明前两日是寒食,不取它那不举火的习俗,只为说明是暮春三月的天气。“淡荡”,是摇动、充盈的意思,形容丽日融和、晴风摇漾的春光。继写闺中:“玉炉沉水袅残烟。”“沉水”,沉水香,以玉炉、名香、残烟袅袅来相伴少女,引出人物“梦回山枕隐花钿”。“山枕”,两端突起、中间凹进的高枕。“隐”是凭倚的意思,《孟子·公孙丑》:“隐几而卧。”温庭筠《菩萨蛮》:“山枕隐浓妆。”“花钿”,金花,妇女头面饰物。那人梦后,凝妆倚枕,半晌出神。荡漾的春光,依袅的沉水,一个春睡以后兀自出神的少女神态,就这样丰满逼真地浮现在眼前了。

下片,明珠有泪,良玉生烟,又有几个形象织成意境,透露少女的感春衷曲。一层:“海燕未来人斗草。”燕子从海上来,因称“海燕”。唐沈佺期《独不见》诗:“海燕双栖玳瑁梁。”张九龄《咏燕》诗:“海燕何微眇,乘春亦暂来。”“斗草”,古代五月五日,有妇女“斗百草”的习俗。后来,不拘春天何日,妇女踏青的,往往彼此出草相赛,除赌斗灵慧,还有占卜命运的意思。朱敦儒词:“无路踏青斗草。”(《杏花天》)晏殊词:“元是今朝斗草赢。”(《破阵子》)小说《红楼梦》六十二回也记载了女孩子们斗草的游戏。是谁斗草?非指自己,乃系他人。海燕经春未归,女伴逢春斗草,少女在闺中感到无可名状的寂寞。二层:“江梅已过柳生绵。”野生的梅子已经熟透落地了,这里指少女已届“摽梅”年纪。正像《诗·摽有梅》所唱的,梅子纷纷落地,少女到了求偶的年龄,盼望未婚男子及时前来求亲。柳树的种子已经柔毛似绵,飞散如絮了。这里指少女已如柳绵辞枝,不知飞向何处。梅、柳如此,少女何堪!这时她感到无所寄托的愁怨。三层:“黄昏疏雨湿秋千。”“秋千”,自汉唐来,宫中设秋千架,供妇女荡戏。“秋千”在宋词中常见。张先词:“隔墙送过秋千影。”(《青门引》)欧阳修词:“绿杨楼外出秋千。”(《浣溪沙》)暮春天气阴晴不定,“淡荡春光”转瞬变成“黄昏疏雨”。“黄昏疏雨湿秋千”与欧阳修的“乱红飞过秋千去”(《蝶恋花》)意境相似。秋千,作为少女青春的象征。秋千已湿不能再荡,年华渐逝又怎能常驻呢?少女惜春、怜春,自惜自怜,感到无可奈何的悲哀。这就是北宋婉约词的典型做法:不把意思和盘托出,只把读者沉浸在艺术之宫里,让他们在意境和形象中咀嚼内含的情思,既得其真,又品其味。

(杨敏如)

一剪梅

李清照

红藕香残玉簟秋,轻解罗裳,独上兰舟。云中谁寄锦书来?雁字回时,月满西楼。　花自飘零水自流,一种相思,两处闲愁。此情无计可消除,才下眉头,却上心头。

鉴赏

元伊世珍《琅環记》卷中有云:"赵明诚幼时,其父将为择妇。明诚昼寝,梦诵一书,觉来惟忆三句云:'言与司合,安上已脱,芝芙草拔。'以告其父。其父为解曰:'汝待得能文词妇也。言与司合是词字,安上已脱是女字,芝芙草拔是之夫二字,非谓汝为词女之夫乎?'后李翁以女妻之,即易安也,果有文章。易安结褵未久,明诚即负笈远游,易安殊不忍别,觅锦帕书《一剪梅》词以送之。"这则故事与词意不合,当系好事者所为,不必实有其事。

此词首两句写红色的荷花开始凋谢了,素白的竹席也有些凉了,作者通过视觉、嗅觉、触觉的感受点明时间已进入深秋。作者接着写她再次划船去寻觅大自然的美景,这似乎同过去相似,但一个"独"字却暗示了她的生活内容和思想感情与过去已有了很大的不同。少女时代,她驾舟出游是没有孤独感的。结婚以后,明诚本应同她一道去领略水光山色,却因为外出而没有去,她这才感到孤独。景由情生,情由景发。过去她泛舟见到的是萍花、汀草、鸥鹭,而现在她盼望见到的却是相传能送信的鸿雁。前秦窦滔妻苏若兰曾寄给她丈夫一首织锦回文诗,后世锦书多指夫妻间往来的书信,清照所盼望的"锦书"显然是明诚来信了。遗憾的是她一直等到月满西楼时才见到雁行掠过。征鸿是否为她带来了锦书呢？看来没有，于是便出现了下片的感叹。

换头一句以花落水流比喻青春易逝，光阴难驻。次两句写自己思念明诚，又设想明诚思念自己；自己相思难熬，又设想明诚的闲愁也不易排遣。身处异地，两心相通，这就使清照所抒发的相思之情深入了一层。结句八字，"才下"与"却上"属对，"眉头"与"心头"重字，这就完美地表达了无计可消除的相思之情由眉头过渡到心头是多么迅速、短暂。这种句式，杜甫的"即从巴峡穿巫峡，便下襄阳向洛阳"差可比拟。

"红藕香残玉簟秋""花自飘零水自流"，前四字与后三字皆为并列的主谓结构。"轻解罗裳，独上兰舟""一种相思，两处闲愁""才下眉头，却上心头"皆为对偶句。它们都既工巧而又明白如话，这是本词语言运用上的一个显著特点。

（徐有富）

凤凰台上忆吹箫

李清照

香冷金猊，被翻红浪，起来慵自梳头。任宝奁尘满，日上帘钩。生怕离怀别苦，多少事、欲说还休。新来瘦，非干病酒，不是悲愁。　　休休！这回去也，千万遍《阳关》，也则难留。念武陵人远，烟锁秦楼。惟有楼前流水，应念我、终日凝眸。凝眸处，从今又添，一段新愁。

鉴赏

"多情自古伤离别"。赵明诚留在汴京，清照的闺中生活就够闲暇的了；赵明诚外出，她的生活岂不更加空虚和寂寞？少妇们在空虚寂寞的生活中所形成的闲愁深怨在男权社会中是普遍的、必然的现象。清照作为广大妇女的代言人，把这种愁和怨深刻而又巧妙地表现了出来。她的《凤凰台上忆吹箫》就是这方面的代表作。

一般写离别，多写临别之情

或别后所感。这首词妙在写别前,写别前对别后的设想。起头五句围绕一个“慵”字落笔。“金猊”是铜制狮形香炉,炉子里的香烧完了,可见时之已晚;“被翻红浪”可见词人翻来覆去睡不着;起来后头也懒得梳,镜奁也懒得拂拭,可见清照一听说丈夫将要离别便失去了生活的情趣。《诗经·伯兮》:“自伯之东,首如飞蓬。岂无膏沐,谁适为容?”是写丈夫出征之后,妻子没有心思打扮,而清照写丈夫准备走,还没有走,就懒得梳妆了,显然比前文又深入了一层。接着是一段心理描写,她“生怕离怀别苦,多少事、欲说还休”。同时,她又了解得非常清楚:“新来瘦,非干病酒,不是悲秋。”离别的痛苦并不因为她的自我克制而丝毫有所减轻。在这几句词里,作者采用吞吞吐吐、曲曲折折的方式,淋漓尽致地表现了女性所特有的深婉而细腻的感情。

换头用叠字以加重语气。“休”,即算了,表示无可奈何。“这回去也”以下三句说明清照一再挽留过,但最终还是没有挽留住。晋陶渊明《桃花源记》写武陵人到桃花源事,后来以桃花、流水、仙境等与刘晨、阮肇入天台遇二女事相类似而牵合。“念武陵人远”即用此典,借刘阮指所怀远人。“秦楼”即凤台,是仙人萧史与秦穆公的女儿弄玉飞升以前所住的地方,这里借指词人自己的住所。“武陵人远,烟锁秦楼”八字,意即人去楼空,词人用了这两个美丽的传说就增强了诗意。词的下片有两个“念”字,前一个“念”字设想别后词人对丈夫的怀念,后一个“念”字设想楼前流水对终日凝眸的词人之同情。显然后一个“念”字措词更巧妙,措意更深永。前人还特别称赞“惟有楼前流水,应念我、终日凝眸”一句是痴语。作者之所以能写出这样的痴语,是因为她痴情。别前,词人已经因愁而瘦了。别后,“清风朗月,陡化为楚雨巫云;阿阁洞房,立变为离亭别墅”(明沈际飞评《草堂诗余正集》卷三)。因此,词的最后说:“凝眸处,从今又添,一段新愁。”

从清照这首词以及其他词中,我们可以发现:她写离别的愁越浓,正说明她对丈夫的爱越深。这类古代作品表现了当时妇女们对正常的爱情生活的追求,因此总的倾向是积极的。

(徐有富)

蝶恋花

李清照

泪湿罗衣脂粉满，四叠《阳关》，唱到千千遍。人道山长山又断，潇潇微雨闻孤馆。　　惜别伤离方寸乱，忘了临行，酒盏深和浅。好把音书凭过雁，东莱不似蓬莱远。

鉴赏

此词作于宣和二年夏，乃送别明诚赴任莱州之作。首韵“泪湿罗衣脂粉满”，极写不忍别之苦情，这在清照同年秋所作《凤凰台上忆吹箫》就有所透露：“生怕离怀别苦，多少事、欲说还休。”江淹《别赋》：“黯然销魂者，惟别而已矣。”何况明诚、清照此次之别离，乃在兵荒马乱的时代，去靖康之耻，北宋沦亡，仅三四年光景。接云“四叠《阳关》，唱到千千遍”，《阳关曲》，唐王维《送元二使安西》诗，后歌入乐府，以为送别之曲，至第四句“西出阳关无故人”反复歌之，谓之《阳关三叠》《阳关四叠》。这是明诚已踏上征途，清照别情依依，回环往复，无数遍唱《阳关曲》。“千千遍”，极夸张，然极真挚，声可裂帛，感人至深。上片结拍“人道山长山又断，潇潇微雨闻孤馆”，“人道”二字，意谓早就听人说，从青州到莱州要翻山越岭，行旅的季节又在仲夏，阴雨绵绵，此乃清照怜念明诚夙兴夜寐、孤馆闻雨的凄凉景况。过片回叙临行帐饮，写得惝恍迷离。此调仅是一首六十一个字的令词，章法竟能如此开阖纵横，王维的“劝君更尽一杯酒，西出阳关无故人”，到了清照笔下变成“四叠《阳关》，唱到千千遍”的激情。通首写惜别心情，是层层深入，不能自已，但煞拍“好把音书凭过雁，东莱不似蓬莱远”，出人意外地作宽解语，能放能收，令词能运用这种变化莫测的笔法，是很不容易的。所谓善言情者不尽情，余韵隽永，耐人寻味。李商隐七律《无题》“刘郎已恨蓬山远，更隔蓬山一万重”，用汉武帝刘彻遣方士入海求蓬莱仙境故事，而清照以东莱比蓬莱，意谓虽然分别，却非远别，更不是人仙睽隔，还能互通音书，词意翻新。故谭献《词辨》云："山谷谓以故为新，以俗为雅者，易安先得之矣。"

（黄墨谷）

蝶恋花

李清照

暖雨晴风初破冻，柳眼梅腮，已觉春心动。酒意诗情谁与共？泪融残粉花钿重。　乍试夹衫金缕缝，山枕斜欹，枕损钗头凤。独抱浓愁无好梦，夜阑犹剪灯花弄。

鉴赏

这首词《唐宋诸贤绝妙词选》《草堂诗余别集》《古今词统》等题作"离情"。从词的内容来看，的确是写离情别绪的。至于写作的时间，从词的内容来看，大约是在婚后不久，赵明诚远出，李清照独居的时候。

开头三句"暖雨晴风初破冻，柳眼梅腮，已觉春心动"：暖和的雨，晴朗时的风，驱走了严寒，开始破除了冰冻。初生的柳叶，细长如人眼；盛开的红梅，艳丽如人颊。春天已经来临了。初春时节，天气开始温和晴朗，所以雨和风已经不是三九严寒时的"寒风阴雨"，而是"暖雨晴风"了。因为天气温和，冰冻开始破除了，但只是刚刚开始破除，所以在"破冻"前用一"初"字，很有斟酌。这一句讲的是气候的变化。气候变化了，自然界的变化又是怎样的呢？初春，柳树已经发芽，梅花正是开得最旺盛的时候，词人就把柳和梅作为初春景物特征来写。在创作上，一般都是以物喻人和事，如苏轼的《水龙吟·次韵章质夫杨花词》、史达祖的《双双燕·咏燕》、张炎的《解连环·孤雁》、王沂孙的《眉妩·新月》《齐天乐·蝉》等等都是，而"柳眼梅腮"却独辟门径，以人喻物，把早春拟人化。这既新鲜、生动，又增强了美感。第三句"已觉春心动"也写得很妙，它既写出词人感受到春在动，春来临了。同时也是写词人游春、赏春的心在动，表达了词人面对初春良辰美景时，自然而然出现的一种心情。

头三句给人以万物充满生机

的感觉，但是突然笔锋一转，紧接着写道："酒意诗情谁与共？泪融残粉花钿重。"景象由明快、兴盛转变为暗淡、零落衰残，词人的感情也由愉快、兴奋转为悲哀、伤感。我们都知道，李清照和赵明诚自宋徽宗建中靖国元年(1101)结婚以后，感情甚笃，他们烹茗角胜，饮酒赋诗，校勘书史，展玩碑文，传写珍本秘籍，鉴赏书画彝鼎。对这种情投意合、富于诗意的生活，李清照在《金石录后序》中说是"自谓葛天氏之民也"，"甘心老是乡矣"。但是，别离并没有放过他们。因此，词人在"暖雨晴风""柳眼梅腮"的大好春光里，自然而然地会发出情投意合的人何在、谁和我饮酒赋诗等问。"谁与共"和柳永《雨霖铃》中的"此去经年，应是良辰好景虚设。便纵有、千种风情，更与何人说"异曲同工。"共"字下得很好，它反衬出词人的孤独寂寞，暗示对远离的丈夫的怀念。正因为深深地陷在无边无际的思念中，所以"泪融残粉花钿重"。"泪融残粉"，纵横的眼泪消溶脸上残余的香粉。"残粉"，说明她懒施脂粉。"花钿重"，首饰的重量是不变的，而别情沉重，低头悲念，似乎头上戴的首饰也沉重了。这一句仅仅七个字，却生动地画出了一个泪痕斑斑、低头不语、花钿低垂的思妇形象。

上片中写的景和情，似乎是不一致的，前者开朗，后者沉重。实际上，它是由美景唤起词人对过去美好生活的回忆，并和当前孤独寂寞的生活对比，从而突出离愁的。这说明景还是为情服务的，它们还是紧密相连的。

下片和上片的写法有所不同，它是通过一些生活细节的描写来表现离愁的。

开头三句，"乍试夹衫金缕缝，山枕斜欹，枕损钗头凤"。春天来了，天气转暖，初次试穿夹衫。"金缕缝"，可见所穿夹衫的不一般，而是很精致的。但是，穿上这样珍贵的夹衫，却就躺在床上，斜靠着枕头了，头上精致的"钗头凤"也损坏了。这说明词人的愁闷已经到了极点了，所以连珍贵的夹衫和首饰也根本没有在意。"乍试夹衫"点明了季节，照应了上片第一句。

斜欹山枕，和衣而卧，如果能够安稳地入睡，暂时摆脱一下愁闷的折磨也好，能够做一个好梦那就更好了，而结句云："独抱浓愁无好梦，夜阑犹剪灯花弄。"第一句把"独"与"浓"并列，既表明了她的孤独，又显示了她的深愁。"无好梦"也就是顺理成章的事了。"无好梦"似乎入梦了，只是"梦"不好而已。其实连起下句来看，她是并未入梦的。"无好梦"

就是不能入梦，所以她只好从床上坐起来剪弄灯花以遣愁怀，直到夜静更深。

下片中"乍试夹衫""枕损钗头凤""夜阑犹剪灯花弄"几个细节，形象地表明了词人离愁之深。描写极为细致、生动。特别是结尾两句，寓浓愁于闲散之中的写法，如果没有亲身的体验、高深的艺术修养，是很不容易写出来的。清代的词论家贺裳也称赞这两句是"入神之句"（《皱水轩词筌》）。

（马兴荣）

鹧　鸪　天

李清照

寒日萧萧上锁窗，梧桐应恨夜来霜。酒阑更喜团茶苦，梦断偏宜瑞脑香。　　秋已尽，日犹长，仲宣怀远更凄凉。不如随分尊前醉，莫负东篱菊蕊黄。

鉴赏

这首词，从"仲宣怀远更凄凉"一句看，当作于南渡以后。靖康二年（1127）金人攻陷宋都汴京（今河南开封），掳走徽、钦二帝，宋政权南迁。这一重大的政治变故非常广泛地影响着当时各阶层人们的生活。对于李清照来说，靖康之乱犹如汹涌的波涛，猝不及防地冲垮了她那学术生活的基础，她身不由已地被卷进流亡大军的队伍中，过着"飘零遂与流人伍"的悲惨生活。离乡背井之苦，国破家亡之痛，使其词的境界扩大，并渗透着深沉的故国旧家之思，含有较大的社会意义。

这是首抒写作者怀乡之苦的词。上片写暮秋的萧索冷落及作者百无聊赖的烦恼心情。起句"寒日萧萧上锁窗，梧桐应恨夜来霜"，是说深秋天渐转寒，即使太阳已上锁窗，也仍难免给人以冷落萧索之感；这时梧桐树因受霜而凋残零落，它应当痛恨那夜间凝结的严霜吧！"萧萧"，冷落萧索貌。"锁窗"，棂上刻着花纹的窗子。这里词人通过"寒日""梧桐""夜来霜"等富有特征意义的形象的创造，构成一幅萧索冷落的悲秋景象，把人带入凄凉的艺术气氛中。此句是景语也是情语。"恨"字把梧桐人格化了，使它有了意志和力量。"夜来霜"使梧桐凋零，这“恨”是梧桐的，但也渗入了词人的思想感情。此时作者因战乱而转徙流亡，同时，一生中最珍爱的金石书画大部散失焚毁，霜打梧桐怎能不使词人见景生情？所以国恨家仇也一触即发，只是表现手法含蓄蕴藉一些罢了。以上是窗外，次句转笔室内：“酒阑更喜团茶苦，梦断偏宜瑞脑香。”意思是喝完酒，更喜欢喝杯浓浓的团茶；梦醒时偏爱闻瑞脑的香气。“酒阑”，即饮完酒，“阑”，尽的意思。“团茶苦”，团茶是宋代为进贡宫廷特制的茶饼，上印龙凤图纹，所以也叫“龙凤团”，是茶中珍品。欧阳修《归田录》：“茶之品，莫贵于龙凤，谓之团茶，凡八饼重一斤。”“团茶苦”，指浓茶。“瑞脑”，即瑞龙脑，一种香料。《酉阳杂俎》前集卷一：“天宝末，交趾贡龙脑，如蝉蚕形，波斯言老龙脑树节方有，禁中呼为瑞龙脑，上唯赐贵妃十枚，香气彻十余步。”这两句以对偶的形式通过对生活细节的描写，揭示人物的内心世界。“团茶”“瑞脑”，看似生活琐事，但“酒阑”“梦断”却透出词人此时有难以排遣的乡思之苦。这可从作者的其他词作中见其端倪。“故乡何处是？忘了除非醉。”（《菩萨蛮》）“酒醒熏破春睡，梦远不成归。”（《诉衷情》）“酒”“梦”都和思乡的愁苦有关。但这一点作者并不直说，而偏说饮完酒更喜欢喝杯浓茶，梦醒后最适宜闻闻瑞脑的香味。这是在排遣百无聊赖的烦恼啊！这种以闲写愁的笔法，是很耐人寻味的。

下片以仲宣怀远作比，抒思乡凄情。换头直承上来，“秋已尽，日犹长，仲宣怀远更凄凉”。大意是秋天已经过完，白昼还是那么长，比起仲宣怀念远方的故乡更加凄凉。“秋已尽，日犹长”，这里“已”“犹”等虚字用得自然深刻。夏至以后，白天逐渐变短，在秋尽之时作者却觉得白昼还是那么长。看似无理，实则有因、有情。南渡前，词人由于丈夫的暂时离别就发出过“薄雾浓云愁永昼”（《醉花阴》）的感慨，何况现在是处于有家难归的时刻呢？终日被思念故国旧家的愁苦所煎熬，产生度日如年的感觉就是自然的、合理的了。“仲宣怀远更凄凉”，王粲，字仲宣，汉末山阳高平（今山东邹县）人。少时即以文才见称，是“建安七子”之一。董卓之乱时，他避乱荆州，依附刘表，但未被重用，因此写了《登楼赋》，赋中充满了长期滞留他乡、怀才不遇的悒郁情绪。此时李清照流徙异乡，其身世、其情怀与仲宣相仿。这一句点明全词主旨。“仲宣怀远”是怀古寄情，“更凄凉”，纵笔直抒。“更”字，包含了多少身世之感、乱离之苦，它的容量是很大的。此句极写心情之凄苦，殆已尽致，结句却将词意宕开，又推出一层："不如随分尊前醉，莫负东篱菊蕊黄。""随分"，照例，照样。"东篱"，种菊花的地方，语出陶渊明《饮酒》诗："采菊东篱下，悠然见南山。"这句的意思是说，不如照样倾杯痛饮，一醉方休，别辜负了东篱盛开的菊花。词人饮酒赏菊，已不止一次。《醉花阴》中有"东篱把酒黄昏后"的句子，在《行香子》中又说"探金英、知近重阳"。所以这一次依然"随分"。然而"随分"是在"更凄凉"之时，可知把酒对菊已非赏心乐事。这是词人在寄托自己浓愁难遣、无可奈何的情怀，这自宽自慰之词，看似轻松，实则含悲。

这首词在艺术上把多种事物有机地融为一体而无迹可寻，很值得注意。"寒日""梧桐""夜来霜""团茶""瑞脑""酒""梦""菊蕊"，以至古人仲宣，都被词人用一彩笔融为一体，或暗示，或类比，或寄托，无不为思乡服务，前人所谓"镂金错绣而无痕迹"正可概括这一特点。

（王延梯　胡景西）

怨王孙

李清照

湖上风来波浩渺，秋已暮、红稀香少。水光山色与人亲，说不尽、无穷好。　　莲子已成荷叶老，清露洗、蘋花汀草。眠沙鸥鹭不回头，似也恨、人归早。

鉴赏

自从宋玉发出"悲哉，秋之为气也"（《九辩》）的感慨后，文人笔下的秋思，往往与"宋玉悲秋"同一类型。本词也以秋景为题材，然而却是以愉悦的心情歌咏秋光的宜人。清照极喜出游，并有诗词以记其事，如"常记溪亭日暮，沉醉不知归路"（《如梦令》），是记一次尽兴的畅游。南渡之初，她来到建康（今江苏南京），"每值天大雪，即顶笠披蓑，循城远览以寻诗"（周煇《清波杂志》）。本词写湖上之游。首两句描绘湖面广阔，清风过处，但见水波万顷，一望无际。"红稀"，形容荷花凋零。晏殊的"小径红稀，芳郊绿遍”(《踏莎行》)是指春暮,此处则是写季节已属晚秋。“水光”两句接着赞赏眼前莹碧的水光和黛青的远山,都显得那样可爱,似乎与人们十分亲近,致使女词人在饱览美景后心胸为之一爽,深爱这种令人百看不厌的秋色。李白《独坐敬亭山》云:“相看两不厌,只有敬亭山。”亦是写陶醉于自然山水,可以说是颇有同感了。

下片写湖面风光。夏日湖上遍满芰荷,如今“接天莲叶无穷碧,映日荷花别样红”(杨万里《晓出净慈送林子方》)的景象已经消逝。李义山的“留得残荷听雨声”在闲散中带着一丝惆怅,而清照词“莲子”两句虽然写荷叶残败,却怀着喜悦的心情,注视那莲房中饱满的莲实,更可喜的是水面上浮着的蘋花,也似含着无限情意。“无限楼前沧波意,谁采蘋花寄取。”(叶梦得《贺新郎》)原来那小小的白蘋花亦可借以传寄怀人情愫。李廌《虞美人》云:“好风如扇雨如帘,时见岸花汀草涨痕添”,是写雨中湖边花草似隐若现之景。而本词则是描绘湖上碧波荡漾,蘋花汀草,飘浮其间,如经露水沾湿那样清润欲滴,这种景色虽然不同于春光下姹紫嫣红开遍那样烂漫,但也另有一番清幽的情趣。结尾写黄昏归去。不说自己依依惜别,而是写鸥鹭栖息在水边沙地,毫不理会人们,像是埋怨游客过早地离开这幽美的场所。

辛弃疾有一首《丑奴儿近》,副标题是“博山道中效李易安体”,与本词格调颇为接近。两词都是运用口语,不用典故,以乐观的情调传达出对大自然的热爱,用拟人化的手法表现了对鸥鹭野鸟的亲近。这说明这种表达方式是为清照所习用而又为大家熟知且颇有效法者,故称之为“李易安体”。

(潘君昭)

醉花阴

李清照

薄雾浓云愁永昼,瑞脑销金兽。佳节又重阳,玉枕纱厨,半夜凉初透。　　东篱把酒黄昏后,有暗香盈袖。莫道不销魂,帘卷西风,人比黄花瘦。

鉴赏

唐司空图认为含蓄的主要特征是:“不着一字,尽得风流。语不涉及,若不堪忧。”(《诗品·含蓄》)从字面上看,这首《醉花阴》没有写离别之苦、相思之情,但是仔细寻味,它的每个字都浸透了这一点。九月九日通常是秋高气爽的,但在独居人眼里空中却布满“薄雾浓云”,呈现着黯淡的色彩。重阳有登高的习俗,清照又是喜欢游山玩水的,而这次她竟一个人待在家里,嫌白天太长,为怎样度过这漫长的白天而发愁。从她不时去看香炉里的瑞脑(一种香料)燃烧了多少(即时间过去了多少)的细节中,我们可以感到她简直是度日如年。白天好不容易挨过去了,晚上又怎样呢?清照不直接写“每逢佳节倍思亲”,而是写失眠,写一直到半夜都没有睡着。看来她不只是身体感到凉,主要的还是内心感到凉。于是她对明诚那苦苦思念之情便从字里行间洋溢而出。

清照是不甘寂寞的,下片重点描写了她黄昏时赏菊东篱、借酒浇愁的情景。读罢,一位不堪忍受离别之苦的少妇形象生动地立在我们眼前,西风拂动着她的衣袖,几丛黄花在瑟缩开着,地上散落着片片花瓣。据说清照将这首词寄给明诚,明诚叹赏,自愧不如。为了超过妻子,竟关起门来,做了三天三夜,得词五十阕,故意将清照的这一首夹在当中,拿给朋友陆德夫看。陆德夫赏玩了半天说:“只三句绝佳。”明诚问哪三句,陆德夫说:“莫道不销魂,帘卷西风,人比黄花瘦。”而这三句恰恰是清照写的。“瘦”字一般用来形容人,用来形容花,自有新意。因为清照怜花,所以当她看到西风吹动帘子的同时就想到了西风也在吹动着菊花,感到菊花随着气候变冷而逐渐变瘦了。又因为作者自怜,所以作者很自然地联想到自己比黄花还要瘦。人因相思而瘦,当然就不言而喻了。宋无名氏《如梦令》有“依旧,依旧,人与绿杨俱瘦”之句,前人已经指出李清照这首词“结句亦从‘人与绿杨俱瘦’脱出,但语意较工妙耳”(清许昂霄《词综偶评》)。但从“人与绿杨俱瘦”到“人比黄花瘦”显然是有所发展的。这说明清照在语言方面,既善于学习,又勇于创造。

(徐有富)

行 香 子　　李清照

草际鸣蛩，惊落梧桐，正人间天上愁浓。云阶月地，关锁千重。纵浮槎来，浮槎去，不相逢。　　星桥鹊驾，经年才见，想离情别恨难穷。牵牛织女，莫是离中？甚霎儿晴，霎儿雨，霎儿风？

鉴赏

这是首写离愁别恨的词，《历代诗余》题作“七夕”。从词意看，它应写于前期与丈夫分别之后。词上片借写牵牛织女由于“关锁千重”而不能相逢的情景，抒发作者自己的浓重离愁。首句点明时令和题旨。“草际鸣蛩，惊落梧桐，正人间天上愁浓。”意思是，蟋蟀在草丛中鸣叫着，它的声音惊落了梧桐树的叶子，这正是人间天上离愁最浓的时候。这两句从眼前景物起笔，渲染周围环境的凄凉冷落。蟋蟀鸣叫和梧桐叶落是秋天的自然现象，但在离人的眼里，则有凄冷的感觉。这里暗含“悲哉，秋之为气也”（宋玉《九辩》）和“多情自古伤离别，更那堪、冷落清秋节”（柳永《雨霖铃》）之意。“惊”字赋予梧桐以生命，也隐喻词人自己为离愁所煎熬的精神状态，非常含蓄委婉。此句景中含情，由外而内，既写了人间的，也是作者自己的伤感情怀，也自然而然地引出“正人间天上愁浓”一句。此句承上启下，“愁浓”二字笼罩全词。作者驰骋想象，由人间而至天上，空间极其广阔。这就把作者和牵牛织女的处境联系在一起，给人以联想的余地。“七夕”是天上牵牛织女相会的日子，这时词人却孤独无依，其“愁浓”是可以想见的。然而此时牵牛织女愁从何来？这就开启了下句。“云阶月地，关锁千重。”是说在以云为阶、以月为地的天宫里，牵牛织女被千万重关防阻隔着。杜牧《七夕》诗中有“云阶月地一相过，未抵经年别恨多”的句子。上片结句“纵浮槎来，浮槎去，不相逢”，意思是即使乘着木筏在天河里来往寻找，也是不能相逢的。“浮槎”，木筏。张华《博物志》卷三:“旧说云:天河与海通,近世有人居海渚者,年年八月,有浮槎去来,不失期。”此句从“关锁千重”而来,亦有回答“天上愁浓”之意。牵牛织女隔河相望,为觅求相会,他们不畏风险,乘浮槎相寻,可谓思切而志坚!而唯其思切志坚,“不相逢”才会令人加倍悲戚。

下片由牵牛织女的不能相逢,转而写他们虽有一年一度的相见,但仍然“离情别恨难穷”,进而表现词人自己难以排遣的离愁。换头三句是说喜鹊在天河上架搭成桥,他们一年才相见一次,想来其离情别恨是无穷无尽的。“星桥鹊驾”是“鹊驾星桥”的倒装。《风俗记》有“织女七夕当渡河,使鹊为桥”的记载。“经年才见”言其分别之日长,相见之时难。“见”字与上片“不相逢”对比而言,同下句“想离情别恨难穷”结合起来看,即使他们有一年一度的相见,但因其一年才见一次面,故而“离情别恨”依然是无穷无尽的。这里透出词人对牵牛织女长期分离的不平和同情,也反映出现实生活中,自己与丈夫离居精神上的痛苦。下片结句“牵牛织女,莫是离中?甚霎儿晴,霎儿雨,霎儿风”,使人感到词人在凄清的环境里很是想了一会儿,她想得很远、很深。“七夕”,是牵牛织女相会的日子,但此时大概他们正在分离中吧?不然的话,为什么一会儿晴朗,一会儿下雨,一会儿刮风呢?“莫是离中”,推测之辞,但含有对牵牛织女的关注,有“生怕离怀别苦”之意。这种担心不是没有道理的,天上不是一会儿晴朗,一会儿又下起雨、刮起风来了吗?这里作者以大自然的阴晴变幻象征牵牛织女悲欢离合的复杂感情。

这首词在写法上非常别致,不是直接抒写,而是从侧面间接着笔。正面描写的虽是牵牛织女的离愁别恨,但用“正人间天上愁浓”一句,就把作者自己摆了进去,使读者感到这离愁别恨是牵牛织女的,也是作者自己的。“甚霎儿晴”三句,采用叠句写法,有鲜明的口语化特色并加强了节奏感,给人留下鲜明深刻的印象。后来辛弃疾在《行香子·三山作》中有“放霎时阴,霎时雨,霎时晴”的句子,显然脱胎于易安。由此,也可见其对后世影响之一斑。

(王延梯　胡景西)

念奴娇

李清照

萧条庭院，又斜风细雨，重门须闭。宠柳娇花寒食近，种种恼人天气。险韵诗成，扶头酒醒，别是闲滋味。征鸿过尽，万千心事难寄。　　楼上几日春寒，帘垂四面，玉阑干慵倚。被冷香消新梦觉，不许愁人不起。清露晨流，新桐初引，多少游春意。日高烟敛，更看今日晴未？

鉴赏

这首词应是作者早年写夫妇离别后生活的作品。

上片的前三句是说：庭院本来就冷清（萧条，寂寥冷落之意），再加上“斜风细雨”，只好闭起“重门”，也就和外面隔绝了。

“宠柳”两句是说寒食节快到了，这时候的风雨比较多，对花柳不利，真是“恼人”的“天气”！“宠柳娇花”是说为人所宠为人所娇的柳和花。之所以用如此生新的字来形容它，是为了引起读者的注意，更感到风雨的恼人。

“险韵”三句是说：在这样的时候，只好吟“险韵”（指意义狭窄不易组织的字）诗，饮“扶头酒”（易醉之酒），用以解闷。本来“闲”是使人轻松愉快的，但作者这一次的“闲”，却别是一种苦恼的“滋味”啊！

前结两句，揭开愁闷的原因是由于想起远别的丈夫，而这种“万千心事”是“征鸿过尽”也无法捎寄的（征鸿，远飞的大雁）。这不仅是把上片的写法总结出一个头绪来，而且也开了下片的写法。

下片的前三句是承上文“恼人天气”来写到梦后的情况的。其中“玉阑干慵倚”具有多种作用。

“被冷”两句是说被也冷了，香也消了（应指睡前所焚的香），在这种情况下，一个“愁人”能再赖着不起来吗？事实上“玉阑干慵倚”已经说明人起来了，“慵倚”，正是梦境初醒耐人寻思的状态。

“清露”三句中的前两句完全

用《世说新语》的原文，来形容春晨的美景，从而引起“多少游春意”。这也是因为先有“玉阑干慵倚”的提前点出，才自然合拍，而不至于衔接不上。在“慵倚”“阑干”的情况下，忽然发现这天的早晨有放晴之意。

后结两句，是进一步实写放晴，但还不敢相信。“日高烟敛”是说，雨后新晴，潮湿之气为阳光所蒸发，凝聚成烟，而随着太阳的高起来，潮湿之气蒸发渐尽，烟也就随之而收敛了。为什么还要用问号作结呢？这是因为，天虽然有放晴的迹象；但连日来的阴雨情况，使人不敢相信：今天是不是能晴得牢靠呢？这说明：在“愁人”的心目中，雨也愁，晴也愁，问题并不是出在天气上，也就不是天气的好坏所能改变的。

再就语言的特点略说几句话：“宠柳娇花”是很有雕琢的意味的，但因为只此一句，倒觉得生新。“清露晨流，新桐初引”，虽然是用《世说新语》中的原文，但因为切合景色，使人不觉得作者是在用前人成语。“不许愁人不起”完全是大白话，但也只有一句，而且语气上配合得很恰切，毫不觉得有雅俗不伦的感受。以上的工丽、典雅、通俗等多种因素，都统一在清新的风格内，构成丰富多彩的特点，而又非常协调。

（张志岳）

永　遇　乐

李清照

落日熔金，暮云合璧，人在何处？染柳烟浓，吹梅笛怨，春意知几许！元宵佳节，融和天气，次第岂无风雨？来相召、香车宝马，谢他酒朋诗侣。　中州盛日，闺门多暇，记得偏重三五。铺翠冠儿，捻金雪柳，簇带争济楚。如今憔悴，风鬟雾鬓，怕见夜间出去。不如向、帘儿底下，听人笑语。

鉴赏

清照是为避乱而移居金华的。金人及伪齐南下，连续被挫，不得不于绍兴四年(1134)十二月退兵，因此清照很可能于绍兴五年又回到了临安(今杭州)。自此一直到清照去世,江南相对来说比较安定,她基本上流落在临安度过了贫困的晚年。此词就是清照这段生活的写照。

词的上片写今,写当前的景物和心情;下片从今昔对比中表现出盛衰之感。

起头两句写夕照鲜明,晚霞艳丽,暗示入夜后天气必然晴朗,正好欢度佳节。"人在何处"中的"人"指自己,"何处"指临安。分明身在临安,却反而明知故问"人在何处",就更加反映出她流落异乡、孤独寂寞的境遇和心情来。接下去写春之早、景之妍。初春柳叶刚刚出芽,略呈淡黄色,但由于烟雾的渲染,柳色似也很深,故曰"染柳烟浓"。梅花开得最早,而笛谱有《梅花落》曲,故李白《听黄鹤楼上吹笛》云:"一为迁客去长沙,西望长安不见家。黄鹤楼中吹玉笛,江城五月落梅花。"作者流徙异乡,怀念旧京,闻笛之声而思及李诗,故曰"吹梅笛怨"。既然"春意知几许",她是否又有"多少游春意"呢?也许因为年龄更老、忧患更深了吧,她这回却想到:尽管现在的天气如此之好,难道转眼之间就不会刮风下雨了吗?这就显示了她历尽沧桑之后,对于一切都感到变幻莫测,因而顾虑重重的心理状态。既然如此存心,对于一些贵妇人来邀请她出去游赏和赋诗饮酒,当然就只能婉言谢绝了。

下片分两层:前六句忆昔;后五句伤今。"中州"以下,从眼前的景物和心情,想到汴京沦陷以前的繁华世界。那时节,不但社会显得繁荣,清照也很空闲,对每年的元宵节都十分重视,头上戴着翡翠冠子,还插上应景的首饰,力争插戴得十分漂亮,才出门游赏。可是现在呢,完全不同了。所以"如今"以下,又转回眼前。人,憔悴了,蓬头散发的,谁还愿意"夜间出去"呢?还"不如向、帘儿底下,听人笑语"算了。这一结,不但有今昔盛衰之感,还有人我苦乐之别,所以更觉凄黯。

清照晚年的词,非常具体、生动地反映了她精神生活方面的变化,而对于她物质生活的变化,则涉及很少。这首词却给我们透露了一些。首先是她说"中州盛日,闺门多暇",这就反证了词人暮年,闺门少暇。归来堂中的赌书泼茶,建康城外的戴笠寻诗,恐怕早已被琐屑的家务劳动代替了。由于贫困,不得不亲自操作,就忙了起来,这是可以推知的。其次是她说"向帘儿底下,听人笑语",这不会发生在深宅大院、有重重门户的大户人家,也绝不是上层妇女的行为。只有一般市民,住宅浅狭,开门见街，妇女才有垂下帘子看街上动静和听行人说话的习惯。而她竟然也如此，则其生涯之潦倒，就可想见了。

宋末刘辰翁曾和此词，小序云：“余自乙亥上元诵李易安《永遇乐》，为之涕下。今三年矣，每闻此词，辄不自堪，遂依其声，又托之易安自喻，虽辞情不及，而悲苦过之。”乙亥是公元1275年，到1279年，南宋就亡了。刘辰翁正是从这首词中以小见大，即从其所写的个人过元宵节时的今昔之感，看到国家的兴亡、广大人民丧乱流离的痛苦。

（徐有富）

武 陵 春

李清照

风住尘香花已尽，日晚倦梳头。物是人非事事休，欲语泪先流。　闻说双溪春尚好，也拟泛轻舟。只恐双溪舴艋舟，载不动、许多愁。

鉴赏

绍兴四年（1134）九月，金人又纠合伪齐刘豫，发兵南下。为避难从临安（今杭州）出发，溯富春江而上，经严滩，抵金华。此词作于绍兴五年（1135）春天，词人时年五十二岁。

词的首句写盛开的繁花受到狂风的袭击已委身于尘土。次句写由于所见如彼，故所为如此。日色已高，头犹未梳，虽与她《凤凰台上忆吹箫》中“起来慵自梳头”语意相同，但那是生离之愁，这是死别之恨，深浅自别。三、四两句点明一切悲苦的由来，都是“物是人非”。而这种“物是人非”又绝不是偶然的、个别的、轻微的变化，而是一种极为广泛的、剧烈的、带有根本性的、重大的变化，无数的事情、无尽的痛苦，都在其中，故以“事事休”概括。这真是“一部十七史，从何说起”，所以正要想说，眼泪已经扑簌簌流了下来。

下片“闻说”“也拟”“只恐”六个字，传神地表现了诗人的内心活动，而其归宿则在最后两句。清照特别喜欢划船，少女时代，她曾“兴尽晚回舟，误入藕花深处”；少妇时代，她也曾“轻解罗裳，独上兰舟”。而今为了摆脱那许许多多伤心事,而且双溪还是金华的风景区,于是她又打算泛舟。但由于担心自已的忧愁太沉重了轻舟载不动,这回她终于没有出游。李后主《虞美人》云:“问君能有几多愁?恰似一江春水向东流。”只是以江水之多比愁之多而已。秦观《江城子》云:“便做春江都是泪,流不尽、许多愁。”则愁已经物质化,变为可以放在江中、随水流尽的东西了。李清照又进一步把它搬上了船,于是愁竟有了重量,不但可随水而流,并且可以用船来载。由此可见,清照在诗歌语言方面不断创新的探索精神。

(徐有富)

怨 王 孙

李清照

帝里春晚,重门深院。草绿阶前,暮天雁断。楼上远信谁传?恨绵绵。　　多情自是多沾惹,难拚舍,又是寒食也。秋千巷陌人静,皎月初斜,浸梨花。

鉴赏

本词写闺怨。首两句先点出地点、时间。“帝里”,指京师,柳永《戚氏》就有“帝里风光好”之句。时值春晚,虽然京师之地十分繁华,而她却独处小楼,真是“庭院深深深几许”。这样的环境使她感到孤寂苦闷,以下就描写她的怀人心情。“草绿”两句,通过景物来衬托出她的内心活动。见到阶前萋萋绿草,不禁联想到远方游子,“露堤平,烟墅杳,乱碧萋萋,雨后江天晓……接长亭,迷远道。堪怨王孙,不记归期早”(梅尧臣《苏幕遮》)。“雁断”是说他久久不归,音讯杳然,使她怅望暮云,无限惆怅。“楼上”两句,接“雁断”而来,雁儿不见,她的一片深情又将托付给何人传递呢?真是此恨绵绵、难以断绝了。

下片以“多情”接“恨绵绵”。“多情”两字,词中多见使用,柳永《雨霖铃》有“多情自古伤离别”之句,秦观《满庭芳》亦云:“多情行乐处。”“多沾惹”“难拚舍”,是对“多情”而言。“多沾惹”,指被绵绵情思所牵缠;“拚舍”,即抛弃。这里突出她多情善感,因而不能忘却往事,丢弃远方恋人。杨慎评此句曰“至情”,所评甚是。“又是”句点出节令,寒食清明,是春游之时,“正艳杏烧林,缃桃绣野,芳景如屏。倾城,尽寻胜去……盈盈。斗草踏青,人艳冶,递逢迎”(柳永《木兰花慢》)。而她,却是逢佳节而倍增怀人之感。叶韵用“也”字,也很新鲜。《草堂诗余正集》云:“元人乐府率以‘也’字叶成妙句,殆祖此。”末尾三句,以景作结。张先《木兰花》下片就是写寒食节游春人归以后的情景:“行云去后遥山暝,已放笙歌池院静。中庭月色正清明,无数杨花过无影。”梨花开时,适逢寒食节令,入夜人静月明,别是一番景致。“缓入都门,斜阳御柳,醉归院落,明月梨花。”(《东京梦华录·清明节》)《花草蒙拾》云:“皎月、梨花,本是平平,得一‘浸’字,妙绝千古,与‘月明如水浸宫殿’同工。”“浸”字写出月华如水、梨花似雪,一片晶莹澄澈,而闺人的“至情”,在这宁静的气氛中更显得谐和而又启人深思。

(潘君昭)

蝶恋花　　李清照

上巳召亲族

永夜恹恹欢意少,空梦长安,认取长安道。为报今年春色好,花光月影宜相照。　　随意杯盘虽草草,酒美梅酸,恰称人怀抱。醉里插花花莫笑,可怜春似人将老。

鉴赏

古人有上巳修禊的习俗。在阴历三月上旬巳日(自魏时固定为三月三日)召宴亲友,临水插花,祓除不祥。本词开端点明,这次的“上巳召亲族”乃在一个非常时期。就是说,在“永夜恹恹”“空梦长安”之际。“恹恹”,形容人之精神不振的样子,或形容夜之久滞、天色未明的光景。《诗·湛露》“恹恹夜饮”,李商隐《楚宫词》“秋河不动夜恹恹”,两处都形容夜的永长。这里则以“永夜恹恹”象征国家一蹶不振、黯淡无光的局面,并由此而引出“空梦长安,认取长安道”的沉痛语言。长安是汉、唐京都,这里代指北宋京都汴梁(今河南开封)。建炎元年(1127)五月,赵构即帝位。九月,赵明诚起知建康(今南京市)。建炎二年春,清照南下到建康任所。建炎三年春夏,赵明诚罢官。八月,赵明诚病逝。清照此后孤身飘泊,再无力召饮亲族。夫妻"上巳召亲族",当在建炎二年或三年春季。那时,汉族人民掀起抗金高潮,朝廷文武腾起和战之议,女词人"空"有乡关之思,"空"存恢复之志,在长夜漫漫、乡梦沉沉的情况下,权且遵守习俗,聊作应节之宴。"为报今年春色好,花光月影宜相照","报"字,"宜"字,不无透露女词人应时纳俗、强颜欢笑的内心痛苦。据宋张端义《贵耳集》载:"清照南渡以来,常怀京洛旧事。"她在词中,往往以跌宕之笔,对照之境,抚今追昔,百感交集。本词上片正反两层,跌宕昭彰,和《武陵春》词"闻说双溪春尚好,也拟泛轻舟;只恐双溪舴艋舟,载不动许多愁",《永遇乐》词"落日熔金,暮云合璧,人在何处"笔调是一致的,极曲折起落之致。

下片描摹此时此境的感受:杯盘草草,以酒浇愁,"醉里插花",倒也"恰称(chèn)""怀抱"。不意忧国怀乡,兜来心底。杜甫有诗句"感时花溅泪";清照感时,便提出"花莫笑"的无理要求,借以掩饰"人欲泪"的愁恨情绪。结句"可怜春似人将老",与开端点出非常时期相呼应,与作者另首《临江仙》词"春归秣陵树,人老建康城"一联相契合。春"老",喻春意阑珊;人"老",指欢情减少。明是伤春,实是自伤。"可怜"二字,把春的命运与人的命运绾在一起,是对人的飘零、春的消失,一概不由自主的喟叹!清照此时的亡国哀思,已和北宋人民的思想感情融合为一了。

(杨敏如)

声 声 慢

李清照

寻寻觅觅,冷冷清清,凄凄惨惨戚戚。乍暖还寒时候,最难将息。三杯两盏淡酒,怎敌他、晓来风急。雁过也,正伤心,却是旧时相识。　满地黄花堆积,憔悴损,如今有谁堪摘?守着窗儿独自,怎生得黑!梧桐更兼细雨,到黄昏、点点滴滴。这次第,怎一个愁字了得!

鉴赏

在谈正文以前先要交代两点。第一,古人以词为诗余,这当然不完全对。即使承认词为“诗之余”,那也应该只限于小令。至于慢词,光论字数,也比律诗和绝句多出一倍到几倍,怎么能说是“诗之余”呢?我以为,词中的慢调实是赋之余。赋的特点是铺叙,慢词的特点亦正复相同。汉代的赋,“铺采摛文”有余,“体物写志”不足;进而为六朝小赋,逐渐向写志方面发展,却又转化为“律赋”,形成了新的条条框框,虽匀整而失之死板。唐宋古文学家以散文为赋,而词家实以慢词为赋。夫慢调讲格律,能配以乐调,有律赋匀整之长,却更有着律赋所没有的蕴藉与流利的特色;且较律赋篇幅短,变化多,称之为“赋之余”,是一点也不为过的。因此,不熟读六朝小赋,填慢词必不易工。退一步说,至少亦须长于作骈文,始能工于为慢调。两宋词人以慢词擅胜场者,南渡后的史达祖、吴文英、张炎、周密、王沂孙辈专以咏物为工者固无论矣,即使是抒情写景之作,如北宋之柳永、苏轼、秦观、周邦彦,南宋之李清照、辛弃疾、姜夔诸家,其慢词亦多以能近似赋体者为工。即如李清照这首《声声慢》,脍炙人口数百年,就其内容实质而言,简直是一篇《悲秋赋》。亦唯有以赋体读之,乃得其旨。

第二,李清照的这首词在作法上是有创造性的。原来的《声声慢》的曲调,韵脚押平声字,调子相应地也比较徐缓。而这首词却改押入声韵,并屡用叠字和双声字,这就变舒缓为急促,变哀婉为凄厉。我不同意把李清照划归婉约派词人,至少不应该把这首词列入婉约体。因为此词以豪放纵恣之笔写激动悲怆之怀,既不委婉,也不隐约。如果连这样直往直来、了无假借的作品也称之为“婉约”,那恐怕再也找不到非婉约体的词了。

前人评此词,对开端三句多以用一连串叠字为特色。当然,这与乐调音节是有关的;但只注意这一层,仍不免失之皮相。词中写主人公一整天的愁苦心情,却从“寻寻觅觅”开始,可见她从一起床便百无聊赖,恍如有失,于是东张西望,仿佛飘流在海洋中的人要抓到点什么才能得救似的,希望找到点什么来寄托自己的空虚寂寞。所以这句应用分号点断。下文“冷冷清清”,是“寻寻觅觅”的结果,不但无所获,一种孤寂清冷的气氛袭来,反使自己感到凄惨忧戚。于是紧接着再写了一句"凄凄惨惨戚戚"。仅此三句,一种由愁惨而凄厉的氛围已笼罩全篇,使读者不禁为之屏息凝神。这乃是百感迸发于中,不得不吐之为快,所谓"欲罢不能"的结果。

"乍暖还寒时候"这一句,也是此词的难点之一。"乍……还……"的句式正如现代汉语中"刚……又……"的说法。"乍暖还寒"如译成口语,当作"刚觉得有点儿暖和却又冷了起来",这是什么样的天气呢?此词作于秋天,自无疑问;但秋天的气候应该说"乍寒还暖",只有早春天气才用得上"乍暖还寒"。我以为,这是写一日之晨,而非写一季之候。秋日清晨,朝阳初出,故言"乍暖";但晓寒犹重,秋风砭骨,故言"还寒"。至于"时候"二字,有人以为在古汉语中应解为"节候"。但柳永《永遇乐》云:"薰风解愠,昼景清和,新霁时候。"由阴雨而新霁,自属较短暂的时间,可见"时候"一词在两宋时代已与现代汉语无殊了。"最难将息"句则与上文"寻寻觅觅"句相呼应,说明从一清早自己就不知如何是好。

下面的"三杯两盏淡酒,怎敌他、晓来风急","晓",通行本作"晚"。这又是一个可争论的焦点。俞平伯先生《唐宋词选释》注云:"'晓来',各本多作'晚来',殆因下文'黄昏'云云。其实词写一整天,非一晚的事,若云'晚来风急',则反而重复。上文'三杯两盏淡酒'是早酒,即前录《念奴娇》词所谓'扶头酒醒';下文'雁过也',即彼词'征鸿过尽'。今从《草堂诗余别集》、《词综》、张氏《词选》等各本,作'晓来'。"这个说法是对的。说"晓来风急",正与上文"乍暖还寒"相合。古人晨起于卯时饮酒,又称"扶头卯酒"。这里说用酒消愁是不抵事的。至于下文"雁过也"三句,却与作者前期所作的《念奴娇》里的"征鸿过尽"云云略有差别。盖《念奴娇》作于春日,是清明前夕,所以有"宠柳娇花寒食近"之句;那么彼词的"征鸿过尽"乃指南雁北飞。当时李清照的丈夫赵明诚在汴京,作者居南,所以说"万千心事难寄"。而《声声慢》是南渡后之作,秋日北雁南飞,作者所指,正是往昔在北方见到的"征鸿",所以说"正伤心,却是旧时相识"了。俞《选》说:"雁未必相识,却云'旧时相识'者,寄怀乡之意。赵嘏《寒塘》:'乡心正无限,一雁度南楼。'词意近之。"其说是也。

上片从一个人寻觅无着,写到酒难浇愁;风送雁声,反增加了思乡的惆怅。于是下片由秋日高空转入自家庭院。园中开满了菊花,秋意正浓。这里,我认为"满地黄花堆积"是指菊花盛开,而非残英满地。“憔悴损”是指自己因忧伤而憔悴瘦损,也不是指菊花枯萎凋谢。正由于自己无心看花,虽值菊堆满地,却不想去摘它赏它,这才是“如今有谁堪摘”的确解。然而人不摘花,花当自萎;及花已损,则欲摘已不堪摘了。这里既写出了自己无心摘花的郁闷,又透露了惜花将谢的情怀,笔意比唐人杜秋娘所唱的“花开堪折直须折,莫待无花空折枝”要深远多了。

从“守着窗儿”以下,写独坐无聊,内心苦闷之状。比“寻寻觅觅”三句又进一层。“守着”句依张惠言《词选》断句,以“独自”连上文。秦观(一作无名氏)《鹧鸪天》下片:“无一语,对芳樽,安排肠断到黄昏。甫能炙得灯儿了,雨打梨花深闭门。”与此词意境相近。但秦词从人对黄昏有思想准备方面着笔,李词则从反面说,好像天有意不肯黑下来而使人尤为难过。“梧桐”两句不仅脱胎秦观,而且兼用温庭筠《更漏子》下片“梧桐树,三更雨,不道离情正苦;一叶叶,一声声,空阶滴到明”词意,把两种内容融而为一,笔更直而情更切。最后以“怎一个愁字了得”句作收,也是蹊径独辟。盖自北朝庾信以来,或言愁千斛万斛,或言愁如江如海(分别见李煜、秦观词),总之是极言其多。这里却化多为少,只说自己思绪纷茫复杂,仅用一个“愁”字如何包括得尽。妙在又不说明于一个“愁”字之外更有什么心情,即戛然而止,仿佛不了了之。表面上有“欲说还休”之势,实际上已倾泻无遗,淋漓尽致矣。

这首词大气包举,别无枝蔓,逐件事一一说来,却始终紧扣悲秋之意,真得六朝抒情小赋之神髓。而以接近口语的朴素清新的辞句谱入新声,又确体现了词家不假雕饰的本色。其难能可贵而终于至今传诵不衰,良有以也。

(吴小如)

点绛唇　　李清照

寂寞深闺,柔肠一寸愁千缕。惜春春去,几点催花雨。　倚遍阑干,只是无情绪。人何处?连天芳草,望断归来路。

鉴赏

这应该是李清照前期的作品,写的是和丈夫分别后的感受。

上片第一句点出“寂寞”二字,为以下写法的开展定下了基调。第二句承得很重,“肠一寸”“愁千缕”,这一鲜明的对比,说明“寂寞”给作者的感受是如何深重!事实上这种数量上的对比是不可能的,但感情上却是可以有的。正因为如此,读者从新鲜的对比上也就能理解到作者的心情是如何沉重!三、四两句是说,“惜春”而又留它不住,它还是去了,而“几点催花雨”就好像是为它送行似的。这两句似乎是想把一、二两句所表示出的伤感,解释为由于节序的变换而惜春之去。这种表面上的原因也是读者能够理解的,但更多的是在期待着作者作出实质性的解释,而这也就是有待于下片的进一步展开的。

下片第一句“倚遍阑干”似乎来得有点突兀,但仔细一想,作者已经看到“几点催花雨”,说明她早倚上了阑干,而且是“倚遍”。“倚阑干”是远望的意思,“倚遍阑干”而仍然“只是无情绪”,则说明她远望的目的物没有看到,这就意味着她要看的不是晚春的景色,而是另有所指了。在这样的语气之下,第三句提出“人何在”的问题,就令人有如闻其声之感。也就是说,“倚遍阑干”,还是使她完全失望了。所看到的只是“连天芳草”,把行人“归来”的“路”也遮得看不清楚,从而也就“望断”了。这又一次有把望不见那“人何在”的罪过归之于“芳草”也就是季节变换的缘故,这就更难说得圆到了。就其所以要如此说,可以说是含蓄的表现;而就其有意让读者了解此说不够圆到,则似乎又可以说是显豁的表现了。含蓄也好,显豁也好,在本词里面,是交相为用的,也是李清照的多数词作所具有的特点。

(张志岳)

摊破浣溪沙

李清照

病起萧萧两鬓华,卧看残月上窗纱。豆蔻连梢煎熟水,莫分茶。　　枕上诗书闲处好,门前风景雨来佳。终日向人多酝藉，木犀花。

鉴赏

这一首是清照晚年自况。小词平淡入妙，浑朴见深，看出作者于词已达炉火纯青之境。“病起萧萧两鬓华”勾勒出女词人历尽艰辛的衰老形态。她的《清平乐》有句“今年海角天涯，萧萧两鬓生华”，《永遇乐》有句“如今憔悴，风鬟雾鬓，怕见夜间出去”，都是在今非昔比之时，以两鬓生华描写凄凉晚景的。这里说“病起”，是指明诚逝世后，清照大病，《金石录后序》谓“仅存喘息”。词中所云，恐怕未必专指那场大病的愈后，而是泛指在大灾难与大悲痛之余，女词人带病进入相对安定与宁静的老年。看她老年晚景，如何排遣？一、进豆蔻熟水。“熟水”，《事林广记》别集载有“造熟水法”条，内云：“夏月，凡造熟水，先倾百煎滚汤在瓶器内，然后将所用之物放入，密封瓶口，则香倍矣。”这次所投之物是“豆蔻”。它是药物，连枝梢生长。唐杜牧诗：“豆蔻梢头二月初。”宋张良臣词：“蛮江豆蔻影连梢。”《事林广记》别集还载有“豆蔻熟水”条，内云：“白豆蔻壳拣净，投入沸汤瓶中，密封片时用之，极妙。每次用七个足矣，不可多用，多则香浊。”豆蔻性温，能去寒湿。清照用此饮料，是她病体所需，因此接下面三个字“莫分茶”。“分茶”，或说“布茶”，宋人书中常见。原指一种沏茶的技巧，这里就是沏茶的意思。茶能缓解豆蔻的药性，因此不宜沏茶。饮茶原是明诚夫妻的共同嗜好。南渡以前，他们曾在青州归来堂，校勘签题金石书画。工余饭罢，烹茶、赌茶，“指堆积书史，言某事在某书、某卷、第几页、第几行，以中否角胜负，为饮茶先后。”清照常胜，“中即举杯大笑，至茶倾覆怀中，反不得饮而起”（《金石录后序》）。他们在淄州时，赵明诚从当地一位邢某得到白居易书《楞严经》真迹，因上马疾驰归，与清照共赏，时已二鼓下矣。酒渴，烹大龙团，相对展玩，狂喜不支（缪荃孙《云自在龛笔记》）。两次提到饮茶，都伴随着幸福。而在这首词中，病骨支离的她，只有饮着豆蔻煎水，“卧看残月上窗纱”了。二、枕上看书：“枕上诗书闲处好”。过去看书，为的是工作、抱负和梦想，现在看书，只为消遣，女词人却偏要说闲处更好。三、门前观景：“门前风景雨来佳”。

过去游春盼晴天,“日高烟敛,更看今日晴未?”(《念奴娇》)现在观景在门内,作者风趣地道:有雨最佳。何况,养怡之福,还有个“终日向人多酝藉”的“木犀花”呢!“酝藉”,同“蕴藉”,含蓄有余的意思。“木犀”,俗写作“木樨”,是桂花的别名。女词人以前写过一首咏桂花的词:“何须浅碧深红色,自是花中第一流”;这时她又盛赞桂花的“酝藉”。清照多情,往往把一些美妙的品德和情思交付给花儿,却反过来说花自多情,花自有品,“不知酝藉几多时,但见包藏无限意!”(《玉楼春》)这“花中第一流”的木犀花,“包藏无限意”的木犀花,难道不正是蕴藉的清照在成熟的晚年的写照吗!

(杨敏如)

采桑子

吕本中*

恨君不似江楼月，南北东西。南北东西，只有相随无别离。　　恨君却似江楼月，暂满还亏。暂满还亏，待得团圆是几时？

作者

*吕本中(1084—1145)，字居仁，号紫薇，人称东莱先生，寿州(今安徽寿县)人。靖康初官祠部员外郎，绍兴六年(1136)赐进士出身，历官中书舍人，权直学士院。因赞成恢复，倡政治清明，忤秦桧而罢职，提举太平观卒。诗学黄庭坚，曾作《江西诗社宗派图》。有《东莱集》《紫薇诗话》。其词今传二十七首。

鉴赏

今人钱钟书在《管锥编》中提出“比喻有两柄亦有多边”的命题，他说：作为喻体的某一事物，“或以褒，或以贬，或示喜，或示恶，词气迥异”，此为喻之“两柄”；又因其“非止一性一能，遂不限于一功一效”，以月为例，“形圆而体明”，意蕴甚多，“立喻者各取所需，每举一而不及余”，此为喻之“多边”。据此我们发现，吕本中这首《采桑子》，竟十分巧妙地将月喻之“圆”与“明”二边相互对立，成为相反的“两柄”，又和谐地统一在同一艺术整体中，创造出一首优美动人的爱情词，钱先生的论点在这里也得到了有力的佐证。

词描画了这样的情境：一位思妇，夜不能寐，独立江边楼头，遥望当空明月，寄情远人，亦怨亦慕，从心底发出一番深沉的浩叹：“恨君不似江楼月，南北东西。南北东西，只有相随无别离。”你看那轮明月，多像一位忠诚的伴侣，日日相随，依依不舍，而我的夫君却总是别家他去，让妾独守空房，踯躅江楼。在这里,月亮作为喻体,是正面形象,它温情脉脉,反衬出那位夫君的薄情。词的下片依然就月设喻,却掉转笔锋,另辟新境:“恨君却似江楼月,暂满还亏。暂满还亏,待得团圆是几时?”这位思妇从分离的经久,又想到欢会的短暂,夫妻恩爱、厮守相对的时辰总是稍纵即逝,恰如月亮的阴晴圆缺,一月之中,缺有八九,团团当空,又能几时?在这里,月亮作为喻体,又成为反面形象,同样衬托出那位夫君的薄情。这互为矛盾的两种相反的意象,都被一条感情的纽带紧紧联结在一起,那就是上下片开端的那个“恨”字。这是民歌中“冤家”“对头”一类的所谓“冤亲语”,责詈声中更加重感情的分量。女主人公思夫不得,便寄情明月,正说反说,俱是愁痕,而“恨”之愈切,则“思”之愈深。

这首词写思妇怀远,就其内容而言已属司空见惯。作者选取的明月这一意象,也因被历代诗人们反复吟咏,多方立意,而近乎俗滥了。但是,艺术的高手就正在“用常得奇”处见真功夫。作者借喻之多边,正反设譬,又借词之分片,互为对比,除凡去俗,点铁成金,使得明月这一古老的意象重新焕发出新鲜的光彩,而思妇那一腔怨恨而又祝祷、渴望而又无奈的复杂心绪,也在月光的映照下被凸现得十分鲜明。“若无新变,不能代雄”(肖子显《南齐书·文学传论》)。只有生生不已的艺术创新,才能不断打破窠臼,为文艺百花园增添新的奇葩。吕本中的《采桑子》再次说明了这条定律。

(蔡　毅)

南　歌　子

吕本中

驿路侵斜月,溪桥度晓霜。短篱残菊一枝黄,正是乱山深处、过重阳。　　旅枕元无梦,寒更每自长。只言江左好风光,不道中原归思、转凄凉。

鉴赏

这首词一题“旅思”,可知是写羁旅行役之感的。“驿路侵斜月，溪桥度晓霜。”词起笔便勾勒出主人公起早贪黑、披星戴月赶路的苦况。作者在这里运用了古典诗词特有的“凝缩”手法。乍看词句主谓宾似乎搭配不当，细涵咏之，却能看到这样的情景：山间驿路，溪上板桥，斜月西隐，寒霜满地，一个“侵”字，一个“度”字，生动而传神地描画出一个风尘仆仆的行路人的身影。“短篱残菊一枝黄，正是乱山深处、过重阳。”在山间早寒、一片萧瑟的秋景中，作者别具匠心地缀以一枝黄花，鲜艳夺目，唤起一种愉悦的美感。这种手法，在词家术语中叫做“刷色”，沉闷灰暗的氛围中透出些许亮色，便使画面显得丰盈多姿。然而，作者的真正用心，还在借“黄花”引出“重阳”。节逢重阳，却身在“乱山深处”，那就“别是一般滋味在心头”了。为什么呢？古人习俗，在九月九日重阳节这天，要登高、饮酒、赏菊，而这些活动，都是在家人团聚的境况下进行的。王维《九月九日忆山东兄弟》诗中的名句“独在异乡为异客，每逢佳节倍思亲”，传达的正是那种深厚的手足之情。作者从悦目的秋菊，联想到自己孤身跋涉，从而引发出对家乡欢乐往昔的回味和向往，对家人深切的关怀和思念。这种浓郁的乡愁，作者并没有直接道破，只借“重阳”二字轻轻点出，并把它作为伏笔，埋了下来。

换头仍以“旅”接前，时间却由昼入夜，有承有转，引出下片。“旅枕元无梦，寒更每自长。”“元”，同“原”。“寒更”，秋夜的更声。夜投旅舍，久未入梦，孤寂单调的寒更声声入耳，更感长夜难挨。日间旅途所见不觉浮现眼前：“只言江左好风光。”“江左”，江东，这里泛指东南地区。东南山水奇绝，风光秀美，曾使多少骚人墨客驻足流连，赞叹不已。但作者却没有那份情趣和兴味，如同三国时王粲在他乡登楼感叹“虽信美而非吾土兮，曾何足以少留”（《登楼赋》），词在歇拍处也终于一语道破真情：“不道中原归思、转凄凉。”原来作者的故乡寿州，此刻正在金人南侵铁骑的蹂躏之下，他有家难归，满腔悲凉。我们再联系上片对山中重阳的感喟，恍然悟到：词中之“旅”，乃是作者在避寇南徙；词中之“思”，乃是深切的家国之恨。结末这凝练而又含蓄的一笔，犹如灵睛一点，使题旨豁露，情景俱出，整首词一并活了起来。而前面的种种描写，不过是铺垫、衬托而已，都是为末句的陡转做准备的。这就叫“卒章见志”，这就使该词与一般羁旅之作有了区别，打上了他那个动乱时代的鲜明烙印。至此，我们不禁为作者精巧的构思拍案叫绝，同时也更深切地沉浸到他创造的艺术氛围中去,感受到他那一片爱国热忱。

宋王朝南渡之际,面对国家残破、民族危难的严重局面,爱国词在词坛上大放光彩。作为这一词派的主旋律,当然是那些金戈铁马、踔厉奋发之作。但如吕本中《南歌子》一类低沉哀婉的作品,也能从一个侧面反映当时人们的爱国情绪,因而具有一定的认识意义。至于其在艺术上的创造,则更有值得借鉴之处。

(蔡　毅)

酹江月　　胡世将*

秋夕兴元使院作，用东坡赤壁韵

神州沉陆，问谁是、一范一韩人物？北望长安应不见，抛却关西半壁。塞马晨嘶，胡笳夕引，赢得头如雪。三秦往事，只数汉家三杰。　试看百二山河，奈君门万里，六师不发。阃外何人回首处，铁骑千群都灭。拜将台欹，怀贤阁杳，空指冲冠发。阑干拍遍，独对中天明月。

作者

*胡世将(1085—1142)，字承公，常州晋陵(今江苏武进)人。崇宁五年(1106)进士。累官兵部侍郎、四川安抚使、川陕宣抚副使、端明殿学士。力主抗金，曾击败金兵，收复陇州一带失地。卒谥忠献。《陕西通志》卷九十七录词一首。

鉴赏

宋高宗绍兴十年(1140)五月，金兀术分兵四路攻宋，南宋各地局势紧张。其中金将撒离合带领一路攻入关中，陷长安。当时，胡世将任川陕宣抚副使，与吴璘同心，调动诸将出击抵抗。在六、七月间，打了一些胜仗，遏制了金兵的攻势。同时，刘琦、岳飞、韩世忠诸将，也在中原地区重创金兵，形势大有好转。但到八、九月时，南宋朝廷却任用秦桧，力主和议，罢斥一批抗战人物，将淮河至大散关以北土地拱手让给敌人。这首词当作于同年的秋季，作者痛感和议误国，朝廷失计，借词抒发其愤懑之情。题目中的“兴元使院”，指川陕宣抚使衙门。用东坡赤壁韵，即次苏轼《念奴娇·赤壁怀古》词韵。

上片开头即以极度愤激的语气提出：眼看中原沦于敌手，哪里有范仲淹、韩琦式的人物，能抗击敌人、收复国土呢？“神州”，这里指中原。“沉陆”，即陆沉，指国土沦丧。宋仁宗时，范仲淹、韩琦曾主持陕西边防，西夏不敢骚扰。当时《边上谣》曰“军中有一韩，西贼闻之心胆寒；军中有一范，西贼闻之惊破胆。”“北望”二句具体说明形势的严重性：不仅长安失守了，连函谷关以西的关中大半土地也沦陷了。“长安”，借指北宋首都汴京，也就是指已被金人占领的中原大地。两句的概括力很强，即指出：不仅北宋亡了，连南宋的大片土地也保持不住。用“应不见”“抛却”字样，语含讥讽，情极沉痛。下面笔触一转，写到自身。“塞马晨嘶，胡笳夕引”，表明他多年生活在军营里，也表现他的战斗生活：清晨骑上战马出征，傍晚伴随着胡笳声宿营。军营的生活是那么紧张，每天迎送“塞马晨嘶，胡笳夕引”，最后只落得满头白发。言外之意是说，有人倡导和议，破坏抗战，令有志报国者“等闲白了少年头”。愤慨之情，溢于言表。结二句宕开，收复陕西一带的事，在历史上有过，但那只属于汉初三杰：张良、萧何、韩信。当年项羽入咸阳后，把关中分封给秦降将章邯、司马欣、董翳，试图阻止刘邦打出汉中，后因称关中为三秦。刘邦用韩信的计策，一战收复关中。辛弃疾《木兰花慢》词中的“想剑指三秦，一战东归”，指的也是这事。这里用典，一来说明，收复陕西失地是完全有可能的，历史上有前例；二来说明，刘邦之所以能成功，是他能够任用张良、萧何、韩信。句中用“只数”轻轻一点，表明不论收复关中，还是刘邦之能用人，都已成为过去的事。这几句起承上启下的作用。

下片开头分三层。第一层，先指出关中形势险要，完全可以防守。“百二山河”，语出《史记·高祖本纪》。形容关中形势险要，二人扼守，可敌百人。接下一转：可是，无奈朝廷远在万里之外，不肯发兵。这里原注有“朝议主和”，点明朝廷不肯发兵的原因，是由于主和派的阻挠，矛头直指以秦桧为首的卖国贼。“六师”，古时天子六军，指中央军队。第二层，以无人关心富平之败，进一步揭出主和派的罪行。高宗建炎四年(1130)，张浚合五路兵马与金兀术战于富平(今甘肃灵武)，诸军皆溃。在一片议和声中，人们忘记了过去的耻辱，变得麻木不仁了。第三层，喟叹徒有人才，而朝廷不能任用。拜将台，在陕西南郑，刘邦拜韩信为大将时所筑之台。怀贤阁，在陕西凤翔东南,是宋代为追怀诸葛亮而建的。以"台歃""阁杳"形象地表现当今对人才的轻视和糟蹋。这里语带双关,大有已谋不用的孤愤。结句,说想至愤激之处,"拍遍阑干",无人理会。只有空中的明月,照着我孤忠一人。

词写得慷慨激昂,对于"朝廷议和",表示了极大的愤慨,可和岳飞的《满江红》、辛弃疾的《木兰花慢·席上送张仲固帅兴元》并读。它富于政治色彩,引用汉代与关中有关的历史事实,论证宋朝完全可以扼守取胜,强有力地批驳了和议的荒谬误国。采用直抒胸臆式的写法。不讲究细节和意境,而讲究用典来丰富词意。风格沉郁悲壮,激人斗志。

(张文潜)

满　江　红

赵　鼎*

丁未九月南渡，泊舟仪真江口作

惨结秋阴，西风送、霏霏雨湿。凄望眼、征鸿几字，暮投沙碛。试问乡关何处是？水云浩荡迷南北。但一抹、寒青有无中，遥山色。　　天涯路，江上客。肠欲断，头应白。空搔首兴叹，暮年离拆。须信道消忧除是酒，奈酒行有尽情无极。便挽取、长江入尊罍，浇胸臆。

作者

*赵鼎(1085—1147)，字元镇，解州闻喜(今属山西)人。宋徽宗崇宁五年(1106)进士，官开封府士曹。高宗朝，官至尚书左仆射，同中书门下平章事，兼枢密使。以争与金和议事，忤秦桧，被出知泉州、漳州(皆在今福建)，移置潮州(今广东潮安)。再移吉阳军(今广东崖县)，知桧欲加害，绝食死。孝宗朝，谥忠简。词颇疏朗豪健。有《忠正德文集》。

鉴赏

丁未，是宋钦宗靖康二年(1127)，这一年春，北宋亡国。夏五月，高宗即位南京(今河南商丘)，改元建炎；十月，移驻今江苏扬州。九月，赵鼎自中原南渡，泊舟仪真江口而作此词。仪真，今仪征，在江苏长江北岸，靠近扬州。

上片，写泊舟仪真所见。“惨结秋阴，西风送、霏霏雨湿。”写秋天阴雨气候。以“惨结”二字概括其情态。“结”更见阴寒凝积之久。“惨”，则气候、人心打成一片。起两句是总写，笼括全词；以下分写，逐层描摹。“凄望眼、征鸿几字，暮投沙碛。”环顾四周，心情本已难受，再仰望天空，依然是凄凉一片，只有几行飞鸿，斜掠而下，向水边沙际投宿。这一层分写天空雁阵。“凄”字上承阴雨，下领雁阵，既指景的“凄凉”，又指情的“凄切”。远飞的大雁，又排有“几字”，投宿的空间是“沙碛”，时间是“暮”，不只落实“凄”字，还补充上文“惨”字。“征鸿”给人以飘零之感，但它还能成字阵飞，向晚还有固定的栖息之处；与之对比，作者奔亡异乡，栖泊无定，倍增孤独与思乡情绪，故接着写：“试问乡关何处是？水云浩荡迷南北。”妙在不直接写思乡，而以问语出之；不直接回答，而以写景出之。水云“浩荡”，故“南北”皆“迷”，既“迷”则乡关自然无法望见，只有徒思而已。“南北”，近指泊舟所在的大江南北，远兼故乡、故都所在的黄河南北。这里以境的开阔，写愁的“浩荡”；以水云之“迷”，写“乡关”之远。这一层分写水云。从眼前景看，水云实写，乡关虚写；从心中情看，水云虚写，乡关实写，虚实相生。“但一抹、寒青有无中，遥山色。”这一层分写遥山。上面各层，写景都分明结合抒情，这一层似专门写景；唯着一“但”字，表示望乡不见，“只能”见到山色，景仍从情带出。上一层写景逼真，以开宕见笔力；这一层写的是若有若无的隐约之景，以缥缈见神韵。词句从王维《汉江临眺》诗的“山色有无中”，秦观《泗州东城晚望》的“林梢一抹青如画，应是淮流转处山”化来，用笔极轻，取境极美；“一抹”二字，能把上文的水云之“迷”，与此句中的山之“遥”与青之“寒”，融合体现出来，取神尤远。各层写景，都围绕作客与思乡之情，虽景有不同，笔有变化，而情的线索不变，所以最后的美景，仍然带着开头的愁情。

下片，直接抒情，由隐约含蓄转入明白倾吐。“天涯路，江上客。肠欲断，头应白。”四个三字句，一气直下；又分成两个对仗，一个对仗叙事，一个对仗抒情。流走倾泻中有节制严整的顿挫。用《满江红》词调填此四句，常有弱句、凑句；这里的四句，则锤炼浑成，不弱不凑，立即把下片的情调带向激扬。“空搔首兴叹，暮年离拆”说上面的遭遇，无法改变。这时作者只有三十四岁，并未真正进入“暮年”，只因家国残破，前路渺茫，便有壮志难酬的“烈士暮年”之感；加上与北方故土、亲人的“离拆”，无可奈何之中，便只能“搔首”而“兴叹”了。这里的“叹”，不是个人的叹老嗟卑，是个人命运与家国不幸连在一起的感叹，意境才显得深沉。一“空”字，对“叹”又作否定，表示不甘、也不能依靠它来消愁，然而事实又只能如此，终于否定不了，益发加重“叹”的可悲程度。“须信道消忧除是酒，奈酒行有尽情无极。”“兴叹”无益，只能相信通常说法，借酒“消忧”，可是“行”杯喝酒，其量有限，又怎能消除“无极”的愁“情”呢？只好“便挽取、长江入尊罍，浇胸臆”。这于生活为强烈的幻想，于艺术为大胆的夸张，但有其逻辑的必然：哪怕愁情分量多大，江水总能把它浇消得了；有其现实的联系：作者身在舟中，面对的正是滔滔不竭的长江流水。幻想也好，夸张也好，都是来自眼前事物的“起兴”，契机自然，有逾于间接的想象。“须信道”二句，一句翻腾，一句反跌；“便挽取”二句，倒挽作结，笔势盘旋夭矫，如神龙掉尾，力量巨大。这样，词的后半片，就以高亢的音节、丰富的想象、奇矫的笔力，使整首的基调进入雄健豪迈。

这首词以描写南方客地的凄迷景物，抒发怀念北方沦陷河山的沉痛心情，是南宋初年一篇出色的豪放词作，风格颇接近张孝祥的《念奴娇·过洞庭》一词。

（陈祥耀）

鹧鸪天　　赵　鼎

建康上元作

客路那知岁序移，忽惊春到小桃枝。天涯海角悲凉地，记得当年全盛时。　花弄影，月流辉，水晶宫殿五云飞。分明一觉华胥梦，回首东风泪满衣。

鉴赏

据《宋史》赵鼎传，赵鼎南渡后累官至端明殿学士、签书枢密院事，一度罢官，以后又知平江府，不久又改知建康府，又移知洪州府。据《建炎以来系年要录》，赵鼎奉命知建康府（今江苏南京）在高宗绍兴二年（1132）九月，到任在十二月，转知洪州在三年（1133）三月。这样，赵鼎知建康府时在那里过了一个上元节。但这首词却不是在这个上元节写的。因为这时赵鼎身居地方官重任，据《系年要录》载，那时孟庾都督江淮荆浙诸军事，韩世忠任江南东路宣抚使，都驻军建康，鼎以“刚正之风”，协助整肃二府军纪，使“民既安堵”，“商贾通行”；威望颇重，政绩甚著，与词中的“客路”之事和孤独之感都不相合。味其情感，疑是建炎元年(1127)他从北方到仪真之后，又自仪真到建康，二年(1128)上元在建康所作。

上片，写初到建康。“客路”二字，表示行程暂歇、征尘才拂之概，是初到口气。作者这次到建康，不是游览，不是一般行旅，是因北方国土沦陷，仓皇流亡而来的。心情痛苦，旅况艰难，“那知岁序移”，便不是纯粹夸张。第二句写看到枝上“小桃”初开，才晓得冬去春来，节序已换，叙事中既烘托作者心情，又点缀建康春意，微微渲染词的色调；“忽惊”二字，尤能曲传由茫然到陡觉的神情，有助于表达逃难作客的境况。“天涯海角悲凉地，记得当年全盛时。”从自己写到建康。建康在东南江滨，结合中原流亡者的心情，故称之为“天涯海角”。隋、唐、北宋，都城都在北方，建康比较冷落，读王安石《桂枝香·金陵怀古》、周邦彦《西河·金陵怀古》等词，就可约略窥见，故称之为“悲凉地”，当然“悲凉”二字也是结合着作客者的心情的。眼前“悲凉”，“全盛”只在“当年”，即是建康的“六代豪华”的时期。“记得”此事，徒伤客子之情，何况可伤的又不只建康一地？

下片，上元忆旧。“花弄影，月流辉，水晶宫殿五云飞。”有花，有月，有宫殿。“五云飞”，五色彩云流动，形容上元夜花灯光采夺目。这是写建康吗？不是。这是回忆过去汴京上元夜灯月交辉的盛况。“分明一觉华胥梦，回首东风泪满衣。”用《列子·黄帝》所写黄帝梦游华胥国的典故，以指北宋繁华已像梦境般地消逝，人们从表面升平中“一觉”醒来，虽惊心动魄，而天下事已不可挽救，亡国的命运已无法避免。面对建康今日的上元，回顾汴京往日的“东风”，自北到南，抚今追昔，不胜盛衰兴亡之感，自然要泪落“满衣”了。上三写景，尽作绚丽；下二句写情，倍感悲凉，以对比突出意境。

这一首词以建康节日所见所感，寄寓北宋亡国之痛，用笔轻淡而含情深挚，与作者的《满江红·丁未九月南渡，泊舟仪真江口作》一词，思想感情相近而笔调有异。

(陈祥耀)

汉宫春　　李　邴*

潇洒江梅，向竹梢疏处，横两三枝。东君也不爱惜，雪压霜欺。无情燕子，怕春寒、轻失花期。却是有，年年塞雁，归来曾见开时。　　清浅小溪如练，问玉堂何似，茅舍疏篱？伤心故人去后，冷落新诗。微云淡月，对江天、分付他谁。空自忆，清香未减，风流不在人知。

作者

*李邴(1085—1146)，字汉老，济州任城(今山东济宁)人，徽宗崇宁五年(1106)中进士，累官翰林学士。南渡后擢兵部侍郎，兼直学士院。高宗绍兴初拜参知政事、资政殿学士，上战阵、守备、措画、绥怀各五事，不报，内心忧郁，闲居十七年。卒于泉州寓所，谥文敏。有《云龛草堂集》百卷，不传。《宋史》有传。

鉴赏

此为咏梅怀人之作，通过对江南梅花的描写，表达对友人的慰藉与鼓励，抒发内心的痛苦与不平。

起三句写梅花疏朗之美与高洁品格。她高高地向竹梢疏处横斜出两三枝条，挺拔刚劲，气韵飘逸，潇洒脱俗，不同凡响。“东君”两句，写司春之神却不怜惜她，任“雪压霜欺”，风刀霜剑，恣意摧残，真不公正至极。可是寒梅偏不低头，斗雪怒放，铁骨铮铮，高风亮节。“无情”两句写在这种不正常情势中，“燕子”害怕了，“轻失花期”，不敢与梅花照面。“无情”二字予燕子以嘲讽与贬抑，倾向鲜明。“却是有”三句礼赞塞外鸿雁。它能“年年”在梅花播馨季节，准时“归来”，珍惜友情，恪守信义，有极高之操守。上阕咏梅，但有所寄托。写梅花之疏影与志趣，正以表友人之品节，进而写友人遭打击后，亲朋好友之态度，有“无情”离去的，也有“年年”怀想、忠贞不渝的。作者以“鸿雁”自况，由梅及人，思念友人。

下阕明抒怀念之情。沈义父《乐府指迷》云：“过处多是自叙。若才高者方能发起别意，然不可太野，走了原意。”作者深知个中三昧，所以换头三句承上阕交代梅花生长的所在，亦即怀人之地点，开拓词境，妙在发起新意。“清浅”句暗用林逋《山园小梅》诗“疏影横斜水清浅”句，谓山野之地也。“何似”，即“怎比得上”，谓玉堂梅花不及茅舍疏篱梅花也。“伤心”两句交代原因，原来作者自好友离去，伤心至极，研讨乏人，切磋无方，兴味全无，再也写不出“新诗”。妙语传情，催人联想，他的这位“故人”也是梅花的好友，亦是极富才华的。“微云”两句进一步抒发难以抑制的思念。作者面对片片云彩，淡淡月色，追忆友人含冤莫诉的不幸，感慨万端，发出浩叹，满溢难言的哀怨与不平之情。“空自忆”三句写对友人的安慰与勉励。作者伫立树下，“暗香浮动月黄昏”，嗅到清幽的梅香，想起友人品节未变，便从内心深处发出“风流不在人知”的深情呼唤。他相信友人一定会“零落成泥碾作尘，只有香如故”的。既勉友人，亦自励也。

《汉宫春》词牌一般只用于咏物，张先的“咏梅”即为典型。李邴却跳出前人樊篱，既描写出梅花淡雅、幽静、秀美的形象，刚健的风骨，高洁的志趣，又以之喻人，进而抒发了对友人的深切怀念。对其横遭“欺压”的同情心及相互劝勉、共同砥砺的深情。这是难能可贵的。作者开拓了咏梅词的领域，将它从孤芳自赏、逃避人寰的格调中解脱出来。这一点对后来洪皓、陆游、姜夔、刘克庄等人以梅花为题材的创作产生了一定影响。王应麟《小学绀珠》云：“南渡三词人：李邴、汪藻、楼钥也。”这一提法是有根据的。全词感情诚挚，起伏激荡；情景交炼，风格柔曼。前后连属，词境逐步开宕；语言清丽，注意环境渲染；一韵到底，抒发内心激情。艺术上颇有特色，故徐釚《词苑丛谈》谓：“一时脍炙人口。”关于李邴词的用韵，王灼《碧鸡漫志》云：“李汉老富丽而韵平平。”予以微词。但这首词选用平声“支”韵，在《词林正韵》中属平上去声十四部之三，却是妥帖的。“支”韵属细微级，为平声韵中最低者之一，正与全词深静低回、一咏三叹之情调相符，加强了表达效果。

（顾　启　姜光斗）

阮 郎 归　　向子諲*

绍兴乙卯大雪行鄱阳道中

江南江北雪漫漫，遥知易水寒。彤云深处望三关，断肠山又山。　　天可老，海能翻，消除此恨难。频闻遣使问平安，几时鸾辂还？

作者

*向子諲（1085—1152），字伯恭，号芗林居士，临江（今江西清江）人。钦宗靖康元年（1126）任潭州（今长沙）知州。高宗建炎三年（1129）冬，金兵自江西攻入湖南，他“率军民死守”，“督兵巷战”。绍兴初年任徽猷阁直学士、户部侍郎，主张抗金，清廉有德。兼任平江（今苏州）知府时，金使议和入境，不拜金诏，忤秦桧意而免官。卜居清江五柳坊，号所居曰芗林。退闲十五年。有《酒边词》，以南渡为界分成“江北旧词”与“江南新词”两部分。前者清丽，后者悲慨。《宋史》有传。

鉴赏

这首怀念故国的名作写于高宗绍兴五年（1135）。当时由于名将岳飞、韩世忠、吴玠等多次打败金军与伪“大齐”军，南宋是有力量收复中原的。可是高宗、秦桧等屈辱求和，使北伐化为泡影，被金兵虏获的帝后不可能南返。作者于江州任上冒着大雪行进在鄱阳道上，有感国事，满怀激愤地写下此词。

起两句写壮丽雪景，大江南北隐没在茫茫大雪之中，寒冷彻骨，作者不由得想起身陷白山黑水间的帝后了。他们怎能忍受漠北的苦寒？作者是钦圣肃皇后的再从侄，因而更具特殊感情。“遥知易水寒”有两层含意，一则对江州来说，“易水”在遥远的北方，彼有更甚于此者,帝后幽禁处之酷寒可以想见。二则帝后被掠已近九年,朝廷却不许英雄领兵北伐,收复失地,救回他们。历史上的荆轲似乎成为遥远的过去了。起句不凡,表达了作者深广的忧虑。“彤云”两句写内心极大之痛楚。作者伫立于阴云深处,身披大雪,极目眺望北方的三个重要关口:宋金交界处信阳军(今河南信阳南)一带的平靖关(西关)、武胜关(东关)与黄岘关(百雁关),都是北伐必经的隘口。可惜只见到山峰连着山峰,绵亘不绝,却见不到北伐的一丝动静。国土破碎,何时“还我河山”?作者以“断肠”二字倾吐自己肝胆欲摧的痛苦与悲愤!

下阕换头三句,转写极度的忿恨。“天可老,海能翻,消除此恨难。”要“天老”,使“海翻”,这些古人认为根本办不到的事情,作者认为即使这些事能办到,而要自己“消除此恨”即忘记家国之仇,也根本不可能。作者继承了乐府《上邪》的表现手法,运用对比,故作顿挫,尽情抒发了“靖康耻,犹未雪;臣子恨,何时灭”的强烈感情。填此词时,北方人民生活在金奴隶主贵族的铁蹄之下,宋徽宗也已囚死于五国城(在今黑龙江省),所以作者才会如此忿恨。“频闻”两句是对南宋小朝廷的讽刺。以赵构为代表的主和派,害怕抗金胜利,无法控制抗金派将领,也怕二帝回驾,从而失去权力;又担心抗金失败,南宋就会灭亡,既得利益将化为乌有。因此他们把妥协求和作为不可动摇的国策。于是每年向金贡银献绢,拜倒在女真贵族的脚下。为了掩人耳目,也为了压制抗金的呼声,他们于建炎三年(1129)五月、绍兴二年(1132)、绍兴四年分别派出金国通问使洪皓、潘致尧与章谊,频繁地去向徽、钦二帝问候。作者嘲弄地问小朝廷:何时帝后才能返回南方呢?“鸾辂”,指天子之车,这里借代帝后。这结句极好,以问作结,更能表达含蓄不尽之情,比作直叙语更有力量。张砥中说:“凡词前后两结,最为紧要。……后结如众流归海,要收得尽,回环通首源流,有尽而不尽之意。”(《古今词论》)作者从大雪落笔,翻腾到北望失地,再推开写自己的忿恨,最后归结到问小朝廷何时救出帝后。以问语振起,“篇终出人意表”(《白石诗说》),发人深思。

这首词表达了作者因帝后被俘、国耻未雪而产生的深仇大恨和对小朝廷屈膝求和政策的强烈不满。作者于伤心中不忘有为,使全词蕴含力量,纪昀说他“以枯木之心,幻出奇华”,实乃卓见。又,冯煦《蒿庵论词》说:“《阮郎归》一阕为二帝在北作也。眷恋旧君,与鹿虔扆之'金锁重门'、谢克家之'依依宫柳',同一辞旨怨乱。不知寿皇见之,亦有慨于心否?宜为贼桧所嫉也。'终是爱君'独一'琼楼玉宇'之苏轼哉?彼以词骀宕不可为者,殆第见屯田、山谷诸作,而未见此耳。"均予以高度评价,对我们领会本词的思想与艺术颇有助益。这首词章法起伏,感情深沉,纵横捭阖,气势恢宏,给辛弃疾、陈亮等人的爱国壮词以一定的影响。

(顾　启　姜光斗)

秦　楼　月

向子諲

芳菲歇,故园目断伤心切,伤心切。无边烟水,无穷山色。　　可堪更近乾龙节,眼中泪尽空啼血。空啼血,子规声外,晓风残月。

鉴赏

这是一首写家国之思的小令。上阕抒望乡之情,下阕发国破之悲。起两句写百花凋零,春天归去,作者不由得想起自己在中原的家园,不知那里的树木花卉是什么样儿了;可是他极目"望断",却不可能看到故乡的一丝倩影,这不仅是因为相隔太远,更重要的是因为"故园"早已沦陷在金人手里了。作者在《西江月》小序中说:"建炎初……中原俶扰,故庐不得返。"他虽是江西清江人,但在中原有"故庐",北宋覆亡,他来到江南,山河破碎,就不能返回"故园",空自目击心伤,悲切难忍,泪水涌出。《蕙风词话》云:"起处不宜泛写景……必须笼罩全阕。"此词一开头就给全篇笼罩上苍凉的气氛。接着将"伤心切"重叠一次,加深伤心悲切程度,并引出"无边烟水,无穷山色"两句,将境界推拓开去。一来北望中原,看不到"故庐",只见到一片苍茫的山水,进一步渲染悲切之情,使抽象的感情化为可触之形象;二来"木犹如此,人何以堪",在作者眼中,中原无边无际的山山水水都伤心透了,一一低首,暗泣呜咽。这样就将"伤心切"的感情抒写得淋漓尽致。《艺概》云:"上意本可入下意,却偏不入,而于其间传神写照,乃愈使下意栩栩欲动。”这首词的上阕正为下阕作了极好的铺垫。

下阕换头两句“可堪更近乾龙节,服中泪尽空啼血”,承上阕用“更”字加深一层,抒写内心更大之痛苦。“乾龙节”,四月十三日,钦宗诞辰之日,可是他正被金人禁闭于五国城的土牢中。国土沦丧已够悲切,更何况时近钦宗生日,作者不由得“眼中泪尽空啼血”,足证对国耻家仇的极大悲恸。“空”是表情态副词,作者炼出此字,显然含有自己的这一深情不易被他人理解、小朝廷昏昏吾独醒之义,也包容着他的无穷哀怨。接着将“空啼血”重复一次,加深对中原沦亡的悲痛之情,并引出“子规声外,晓风残月”两句。在暮春的清晨,词人伫立于残红丛中,迎着一阵阵的晓风,耳闻杜鹃悲鸣,眼看残月西斜,一派清冷,一片寂寥,而又无可奈何,真是肝肠欲裂,不胜感慨!这两行结句,再次将词境宕开,从章法与效果看,作者仍然是通过具体的景物,烘托不易表达的抽象之情,使这种感情形象化地出现在读者想象之中,好像就在耳目之前,又似远在千里之外,语尽意未尽,映带通篇,增添光彩,给人以美的享受。《填词杂说》云:“填词结句,或以动荡见奇,或以迷离称隽,着一实语,败矣。”子谭此词以景语作结即妙在清灵虚空,留给读者想象的广阔天地。

这首词从春尽花谢落墨,联想到中原“故庐”,再推及整个沦陷的北方,更想到身陷异地的钦宗帝后,最后以悲凉的景语作结,情景交融而又一波三折地抒发了作者对故居的怀念,对中原沦丧的痛心和对小朝廷不思收复失地的不满。全词构思巧妙,用心极深;景语情语,水乳交会;基调悲抑,蕴含力量。结句意境深远,催人深思,尤为难得。从词律看,选用入声韵,短促急藏,对表达词旨、发抒悲壮之情、增加诵读与演唱的艺术效果,皆极有助益。叠句有似和声,不仅加强了音调和谐之美,而且发挥了承上启下的勾连作用。

(顾　启　姜光斗)

浪淘沙

幼卿*

目送楚云空，前事无踪。漫留遗恨锁眉峰。自是荷花开较晚，孤负东风。　　客馆叹飘蓬，聚散匆匆。扬鞭那忍骤花骢。望断斜阳人不见，满袖啼红。

作者

＊幼卿，女，宋徽宗宣和时人。

鉴赏

这首词有其本事。《能改斋漫录》云，宋徽宗宣和年间，有题于陕府驿壁者云："幼卿少与表兄同砚席，雅有文字之好。未笄，兄欲缔姻。父母以兄未禄，难其请，遂适武弁公。明年，兄登甲科，职教洮房（今甘肃临潭），而良人统兵陕右，相与邂逅于此。兄鞭马，略不相顾，岂前憾未平耶？因作《浪淘沙》以寄情云。"在这首词中，幼卿倾吐了对表兄的真挚爱情与婚姻不得自主的愁苦，表达了对以功名利禄作为婚姻基础的封建礼法的怨恨。全词如泣如诉，哀婉动人，是抒情名作。

上阕写对往事的追忆。起两句"目送楚云空，前事无踪"，以飞逝的白云比消失的往事，作者"目送"楚云悠悠而去，很自然地寻觅"前事"。说"无踪"正是有终生难忘的踪迹萦回心头。原来她童年跟表兄青梅竹马，两小无猜；后来又和他一起读书，切磋诗书礼乐，"雅有文字之好"，感情融洽，两情依依；她未到十五岁"及笄"之年，表兄就爱慕她，向她的父兄提亲。可惜她父兄势利，因表兄没有考中进士、未能做官，就以幼卿年幼为由，严加拒绝。于是双方的精神均受到摧残，两颗心皆如刀剜。表兄负气而走，再未回返。如烟的往事，甜蜜的回忆，爱情的激动，都像天上的云一样消失得无影无踪。可是这么多年来，这纯洁的感情无时无刻不在心头冲动，抒情女主人公回忆消失了的一切，真是"此恨绵绵无绝期"。现在邂逅相遇，自己已成武官之妇，只得强行压抑早年的感情、多年的晨思暮想，"漫留遗恨锁眉峰"，默默地独个儿忍受愁绪的煎熬了。"自是荷花开较晚，孤负东风。"这是自怨自艾，她痴痴地想，如果当年自己年龄大一点，或许父兄就无借口来推却表兄的好意了。幼卿是天真、善良的女子。

下阕写重逢的悲恸。"客馆叹飘蓬，聚散匆匆。"双方飘泊天涯，像蓬草一样随风翻飞，偏偏冤家路窄，却在这陕府"客馆"中匆匆见面。这一刹那间，如大江开闸，幼卿压制在心灵深处多年的纯洁感情、巨大痛苦与无数冤屈，一下子冲决而出。但是表兄并不理解她的这种痴情，甚至对她仍有误解，有怨气，竟扬鞭而去，再也不肯回首一顾了。这无疑在幼卿那滴血的伤口上又加了一刀，她深尝到人世间的凄凉与悲苦了。此时的幼卿感情复杂：她埋怨表兄"扬鞭那忍骤花骢"，怪他太绝情，竟忍心催青白色坐骑速速离去。静心思之，又怪自己这种埋怨与责怪太过分了，表哥本来是深爱自己的，遭到那次打击后，他痛苦万分，现在"前憾未平"，倒是能谅解的。幼卿是多么关心人、体贴人，"于细微处见精神"，正是在这些所在，抒情女主人公剖露胸怀，显示出我国妇女的传统美德与高尚情操。她决心独吞苦果，饮恨终身："望断斜阳人不见，满袖啼红。"深情地目送心上人消失在残阳夕照之中，暗泣声飘在荒原之上，伤心泪浸透衣袖。望着这一悲剧形象，读者心弦受到强烈震动，不能不对封建婚姻制度发出强烈的指责！

这首词包含着一则婚姻悲剧故事，细腻地表达了作者在特定环境中所产生的不能明言而又难以排遣的身世之悲、飘零之苦、对爱情的坚贞和对恋人的谅解，客观上也暴露了封建礼教的罪恶。这些在今天仍有认识意义与教育作用。

作者注意表达曲折复杂的内心世界，发出饱经忧患的低沉的倾诉。人物与环境十分调和，在景物描写中加进自己的感情色彩。从语言看，作品明白如话，不事雕琢，通俗自然，哀婉动人，取得了强烈的艺术效果。

（顾　启　姜光斗）

减字木兰花　　蒋兴祖女*

题雄州驿

朝云横度，辘辘车声如水去。白草黄沙，月照孤村三两家。　飞鸿过也，百结愁肠无昼夜。渐近燕山，回首乡关归路难。

作者

*亡其名，宜兴（今属江苏）人，能诗词。其父蒋兴祖于钦宗靖康年间任阳武（今河南原阳）令。

鉴赏

北宋靖康元年（1126），金兵直指都城汴京，第二年京城陷落，徽、钦二帝被掳北上。但是各地官兵、百姓奋力抗金的不乏其人。本词作者的父亲时任阳武令，当阳武城被金人围困时，他坚决抵抗，至死不屈，他的妻子和儿子也都殉难。蒋兴祖女当时年方十七八岁，姿容甚美，被金人掳掠北上，道经雄州（今河北雄县）时，在驿站上写下了这首词，叙述了她北上途中的所见、所闻及所感，表现了对故土的深切眷念之情。

“朝云横度”系作者从驿车车窗向远眺望所见，一方面交代了出发的时间为清晨，一方面又渲染了战乱的气氛并表现了作者北上时的沉重悲苦的心情。“辘辘车声如水去”，点明全词的视点是在车内，这样以下景物、场面的变换推移就有了依据。“辘辘”既是车声的生动摹拟，又是其内心悲苦的回响。“如水去”表明车声之绵延不断，更见其悲苦之无尽。第三句写白天之所见。“白草”“黄沙”，极写北地之风沙迷漫、白草飞卷的景象，一个被掳的年轻的弱女子置身于此景之中，其精神之痛苦可想而知。第四句写夜晚所见。村而为孤已见其荒凉，三两家之孤村又为清冷之月光所笼罩，更增凄清冷漠之感。一切景语皆情语，这些是现实的描写，更是内心的投影。上片选择早晨、白天、夜晚三个方面的景物，写出一天之行程，句句都蕴藏着凄恻悲苦、眷念故园之情，下片便将此景中之情抒发出来，手法是对景抒情。

忽然大雁飞过，向南而去，自由自在，而自己被掳北上，身不由己。相形之下，自己的命运尚不及天上的飞雁，何悲苦以至于此！雁向南飞，本可托它传书，然亲人皆亡，何书可传！想到这些，怎不令她“百结愁肠无昼夜”呢？“愁肠”已见愁之深曲，“百结”又见愁之难解，“无昼夜”更见愁之无尽，层层转折，愈转愈深。至此为止，尽管是“百结愁肠无昼夜”，但似乎对归家仍存有一线希望，而至临近金人地域时，则自知归家希望全无，人至绝望，其痛苦可想而知，结末两句“渐近燕山，回首乡关归路难”就是绝望之人的无可奈何的嗟叹，读来催人泪下。

况周颐《蕙风词话》说这首词“寥寥数十字，写出步步留恋、步步凄恻”。为什么呢？主要是因为作者的情感极其真实，写作手法也很高明。上片是寓情于景，下片是对景抒情，上下片都达到情与景的和谐统一。

（曹文彪）

江梅引　　洪皓*

忆江梅

天涯除馆忆江梅。几枝开？使南来。还带馀杭、春信到燕台。准拟寒英聊慰远，隔山水，应销落，赴诉谁？　空恁遐想笑摘蕊，断回肠，思故里。漫弹绿绮，引三弄、不觉魂飞。更听胡笳、哀怨泪沾衣。乱插繁花须异日，待孤讽，怕东风，一夜吹。

作者

*洪皓(1088—1155)，字光弼，鄱阳(今属江西)人。政和五年(1115)登进士第。建炎三年(1129)使金，逼降不屈，流放冷山，常以敌情辗转上达，希宋兴师恢复失地。被扣留在金国前后共十五年，绍兴十三年(1143)才得回宋。后又触犯秦桧，南谪岭表九年。有《鄱阳词》一卷，《彊村丛书》录其词十七首，几乎全是咏梅和留金怀归之作。《全宋词》又从《永乐大典》辑得四首《忆仙姿》，是作者在故乡游园时所作。

鉴赏

洪皓词保留到现在的，仅二十一首，其中倒有七首是咏梅词，占三分之一。洪皓为什么如此酷爱梅花呢？是不是像宋初隐逸诗人林和靖那样具有“梅妻鹤子”的雅兴呢？不是。他在《临江仙·怀归》词中写道：“冷落天涯今一纪，谁怜万里无家？”他被扣留在金国已经十多年，多么渴望回到万里外的家乡故国去啊！“何时还使节，踏雪看梅花！”原来梅花是家乡的风物，故国的象征，怎能不对她怀有深挚的感情呢？梅花，作为独特的感情纽带，把作者和故国紧紧地联系在一起了。明白了这一点，再来读这首词，就能够由其形而得其神了。

《江梅引》共有四首,这是第一首。关于这组词的写作背景和过程,作者原有小序叙述得很详细:“顷留金国,四经除馆(使馆),十有四年,复馆于燕(今北京,当时为金国都)。岁在壬戌(绍兴十二年,1142 年),甫临长至(刚到夏至),张总侍御邀饮。众宾皆退,独留少款。侍婢歌《江梅引》,有‘念此情、家万里’之句,仆曰:‘此词殆为我作也。’又闻本朝使命将至,感慨久之。既归,不寝,追和四章,多用古人诗赋,各有一‘笑’字,聊以自宽。如‘暗香’‘疏影’‘相思’等语,虽甚奇,经前人用者众,嫌其一律,故辄略之。卒押‘吹’字,非‘风’即‘笛’,不可易也。此方无梅花,土人罕有知梅事者,故皆注所出。”由此可见,这组咏梅词是在特殊的时地背景中产生的。五十五岁的诗人被扣留在金国已达十四年之久,他历尽了苦难,却始终坚贞不屈,故国家园、亲人君王,日思梦萦,感情蓄积已久,忽然受到张总侍御家侍婢歌唱《江梅引》的触发,感情的闸门一旦被打开,感情的潮水便汹涌澎湃,一发而不可收,他便借梅寄意,托梅传情,一口气写了四首脍炙人口的《江梅引》,北人争相传抄,并称之为“四笑”《江梅引》。

开篇紧扣题目,写自己身在万里之外的异国使馆中忆念江南的梅花,不知她如今开放了几枝。这一发端,表达了作者对故园故国深挚的忆念之情。善于写情的唐代大诗人王维曾写过一首脍炙人口的忆念故乡的《杂诗》:“君自故乡来,应知故乡事。来日绮窗前,寒梅着花未?”王维以询问朋友的口气,关怀故乡的梅事,从“寒梅着花未”这一亲切而细腻的探询中,表达了他对于故乡浓烈的思念之情。洪词的发端,显然受到了王诗的启发,但又改变了角度,不再是询问朋友,而是出于自己内心的猜度、想象。想象江南故国的梅事,寄寓自己怀恋祖国的心情。在这“无花只有寒”的北方异国,只要一想起江南故国灿烂的梅花,顿时仿佛从身上暖到心头,寒意减去了许多。接着设想,祖国的使臣从南方北来的时候,一定会把杭州城春天的信息带到北方来。“馀杭、春信”表面上仍然指的是杭州城中的梅事,自注用的是白居易《忆杭州梅花》诗中“三年闲闷在馀杭,曾为梅花醉几场”的典故,实际上是“取资于自然风景,无知物类,听睹所及,曲写毫芥,而身世家国之怀亦寓焉”(詹安泰《宋词散论·论寄托》)。作者另一句自注“车驾时在临安”,即透露了这一消息。顺着这一思路,作者又进一步设想,使臣一定会带几枝故国的梅花来聊以慰劳远在异国他乡的人——也就是词人自己，可是又担心隔山隔水，路途如此遥远，梅花一定会在路途中枯萎凋落，又向谁去倾诉这种难堪的情怀呢？柳宗元诗句“欲为万里赠，杳杳山水隔，寒英坐销落，何用慰远客”（《早梅》），仅是借梅花的销落来抒写对于远方友人的浓郁思念之情，而洪皓则在柳诗的启发下进一步借梅花的销落来倾泻他对于故国的深挚怀念之情，内涵更深而程度更浓，真乃“青出于蓝而胜于蓝”！

张炎《词源·制曲》中说：“最是过片不要断了曲意，须要承上接下。”此词以“空恁遐想笑摘蕊”过片，完全符合承上接下的要求。“空恁遐想”既指宋使南来折梅慰远不过是一种主观空想，实际上是宋使不知何时北来，即使北来也不会真的折梅慰远，这是承上；同时也指对“摘蕊牵花来并笑”（江总《梅花落》）的故国佳人（即作者之妻妾）只能遐想不得见面的悲哀，这是接下。并且通过这一过渡句，极其自然地使词意从上片的重点忆念故国转入下片的重点忆念家园。于是，顺理成章地引出了“断回肠，思故里”这样感情浓烈的短句。这两个短句中仍然隐含着梅事，原来词人隐括了高适名句“遥怜故人思故乡”“梅花满枝空断肠”（《人日寄杜二拾遗》）的意思在内，这是多么巧妙的化用啊！思故乡之梅花而不见，终于使词人肝肠寸断，只好漫弹绿绮琴，奏出《梅花三弄》曲，聊以抒怀。词人的心神，已随着优美的琴曲声，飞越关山，飞过千山万水，返回故园去了。忽然哀怨的胡笳声把词人惊醒，使词人回到了现实，想起自己使金被扣已达十四年之久，而返回祖国依然遥遥无期，终于悲从中来，滚滚的泪水沾湿了衣襟。然而词人并没有绝望，他早已听到“本朝使命将至”的消息，词人深信返回故国的希望总有一天将成为现实。尽管“安得健步移远梅，乱插繁花向晴昊”（杜甫《苏端薛复筵简薛华醉歌》）的愿望实现须等待“异日”，但毕竟这是一种强烈的诱惑，美好的希望，对词人的鼓舞是很大的。应该说，词写到这里，感情已达到了最高昂的水平线上。可接着三个短句：“待孤讽，怕东风，一夜吹。”又急骤地降了下来，形成感情的波澜：词人想通过孤吟来表达对于故园梅花的忆念之情，可又担心一夜东风，把梅花吹成空枝！词写到这里，也就戛然而止，把词人对于国事和自己前途的担心，放在语言文字之外，让读者自己去领会。

（姜光斗　顾　启）

水调歌头　蔡伸*

时居莆田

亭皋木叶下，原隰菊花黄。凭高满眼秋意，时节近重阳。追想彭门往岁，千骑云屯平野，高宴古球场。吊古论兴废，看剑引杯长。　感流年，思往事，重凄凉。当时坐间英俊，强半已凋亡。慨念平生豪放，自笑如今霜鬓，漂泊水云乡。已矣功名志，此意付清觞。

作者

*蔡伸(1088—1156)，字伸道，自号友古居士，莆田(今属福建)人。著名书法家蔡襄之孙。政和五年(1115)进士。宣和中，太学辟雍博士、知潍州北海县，通判徐州。历知滁州、徐州、德安府、和州。后任浙东安抚司参议官，秩满，提举台州崇道观。与著名词人向子諲曾同官彭城，时常相互唱和。词风雄健俊爽，接近苏轼和贺铸。有《友古词》一卷，存词一百七十余首。

鉴赏

这是作者晚年闲居故乡莆田时抚今思昔之作。上阕追忆青年时代率兵北援燕山的戎马生活，壮心激烈，豪情满怀；下阕感叹英俊凋亡，繁鬓如霜，凄凉抑郁。

词从写景开始：水边的平地上，树叶已开始凋落，野外低湿处一片黄灿灿的菊花，鲜明耀眼。登高远眺，秋意萧萧，重阳佳节即将来临。这一片秋景，触发了词人一段美好的回忆。据作者《小重山》词序，在宣和四年(1124)，词人曾以徐州通判的身份率领过一支部队北上援救燕山，跟辽兵战斗，第二年方回。“追想彭门往岁”，“彭门”指彭城，为徐州治所，以这一句领起下文，引出对当年战斗生活的回忆：“千骑云屯平野，高宴古球场。吊古论兴废，看剑引杯长。”这时词人三十七岁，正当壮盛之年，英姿飒爽。豪情满怀，具有为国建功立业的宏大抱负。然而在词中并没有具体描写战场厮杀的场面，只是在兵马如乌云密布于原野的辽阔背景下，描写了一个在古球场欢宴的场景。杜甫《夜宴左氏庄》诗有云：“检书烧烛短，看剑引杯长。”这里借用杜诗成句，写出壮士们一边喝酒，一边抚剑，一边在议论古今兴亡之事。宋王朝自建国一百六十余年以来，积贫积弱，多年受西夏和辽的侵扰，如今金又坐大，将成为威胁朝廷的心腹之患，壮士们于酒酣耳热之时，忧念及此，怎能不热血沸腾呢？

换头处以三个短句承上启下：“感流年，思往事，重凄凉。”情绪上，从上片的激昂慷慨转入下片的萧瑟凄凉；内容上，从上片的热烈回忆转入下片的深沉喟叹。过渡转变极其自然。其喟叹共有三层：一曰“当时坐间英俊，强半已凋亡”，慨叹亲朋零落，英俊凋亡。当时有一批志同道合的朋友，议论时事，批评朝政，主张抗金，慷慨陈词。像向子諲，曾亲自率兵抗击金人，几乎遇难。如今这些英雄人物大半已经凋亡，而宋王朝也只剩下了半壁江山，怎能不引起词人的深沉喟叹呢？二曰“慨念平生豪放，自笑如今霜鬓，漂泊水云乡”。词人自述平生性格豪放，也主张抗金，并希望能在抗金的壮丽事业中建立功勋，可是在那个抗金有罪的时代里，词人怎能有好的遭遇呢？如今只落得两鬓如霜，在江南水乡漂泊而已。三曰“已矣功名志，此意付清觞”。词人的壮志，到晚年已消磨殆尽，一腔悲愤，无处发泄，只好借酒来浇愁。这种消沉的情绪，在他的词中屡有表现，如《蓦山溪》云：“老来世事，百种皆消尽。荣利等浮云，谩汲汲、徒劳方寸。花前眼底，幸有赏心人，歌《金缕》，醉瑶卮，此外君休问。”似乎词人已完全心灰意冷，其实表面的消沉掩不住骨子里的悲愤，另一首《蓦山溪》就透露了这一信息：“区区恋豆，岂是甘牛后？时命未来间，且只得、低眉袖手。男儿此志，肯向死前休？无限事，几多愁，总付杯中酒！”此词的结尾，正包孕着这种悲愤在内。

此词上下阕形成鲜明的对照：上阕从眼前实景的描写引出对过去实境的回忆，显得英姿飒爽，豪情满怀；下阕纯用虚笔议论，就今昔变化之大发出深沉喟叹，显得萧瑟凄凉，愤慨不平。在雄健俊爽之中蕴藏着凄凉抑郁的情味。

（姜光斗　顾　启）

忆王孙　　李重元*

春　词

萋萋芳草忆王孙，柳外楼高空断魂，杜宇声声不忍闻。欲黄昏，雨打梨花深闭门。

作者

*李重元，约1122年前后（宋徽宗宣和年间）在世，生平不详，工词。南宋黄昇《唐宋诸贤绝妙词选》卷七录他的《忆王孙》词四首。

鉴赏

李重元所作四首《忆王孙》的词题分别为“春词”“夏词”“秋词”“冬词”。四首各以富于季节性特征的景物，衬托思妇的内心活动，表现忆念远游未归的王孙的共同主题。这首词一发端就点明忆王孙的主题。《楚辞·招隐士》赋：“王孙游兮不归，春草生兮萋萋。”词的首句即化用其意。“王孙”在这里指游子。“萋萋”是形容春草茂盛。春草茂盛，春光撩人，而伊人未归，不免引得思妇登楼伫望，希望能奇迹般地看到所怀念的人归来。可是烟柳外的高楼却挡住了她的视线，这使她感到失望，感到伤心！韦庄《春愁》诗：“自有春愁正断魂，不堪芳草思王孙。”意思与此相似。“杜宇声声不忍闻”，“杜宇”，即杜鹃鸟，鸣声凄厉，好像劝说羁旅的人“不如归去”。女主人公正在失望伤心时，偏偏听到杜鹃“不如归去”的鸣声，可是所怀念的人并未归来。这不禁使她越听越烦，以致不忍再听了。“欲黄昏，雨打梨花深闭门。”黄昏来临，暮色苍茫，雨点摧残着梨花，这一切多么容易触发起美人孤寂、迟暮之感啊！写花实则写人，亦花亦人。上面“杜宇声声”是“不忍闻”,此处“雨打梨花”则简直是不忍看了。“深闭门”这一动作细节,正是不忍闻不忍看的心理写照。全词到此戛然而止,然而她内心的孤寂愁苦,却不是“深闭门”所能驱赶的。黄昏过后,继之而来的是比白天还要难熬的漫漫长夜,她究竟如何度过?这不尽的余味,就留给读者去思索去想象了。

这首词虽然短,但一位怀人念远的思妇形象却活现在读者面前。其艺术上的奥秘之处就在善于借景抒情,寓情于景。全词只撷取萋萋的芳草、楼外的烟柳、哀鸣的杜鹃、黄昏时节雨打梨花的景象,组成一幅昏暗凄迷的图画,渲染出女主人公孤寂愁苦的伤离意绪,显得深婉含蓄,耐人寻味。

这首词一作秦观作,见《类编草堂诗余》卷一,其词字句全同,而李重元词见于《唐宋诸贤绝妙词选》,为宋人选本,所以此词当系李重元所作。

(陈文发)

鹧鸪天　聂胜琼*

寄李之问

玉惨花愁出凤城，莲花楼下柳青青。尊前一唱《阳关》后，别个人人第五程。　　寻好梦，梦难成，有谁知我此时情？枕前泪共帘前雨，隔个窗儿滴到明。

作者

*聂胜琼，东都名妓，性聪慧，善填词，为宋朝礼部属官李之问所爱恋，后嫁李之问。

鉴赏

这是一首送别词。《绿窗新话》卷下引《古今词话》载："李公之问仪曹，解长安幕，诣京师改秩，都下聂胜琼，名娼也，质性慧黠，公见而喜之。李将行，胜琼送之别，饮于莲花楼，唱一词，末句曰：'无计留春住，奈何无计随君去。'李复留经月，为细君督归甚切，遂别。不旬日，聂作一词以寄李，名《鹧鸪天》。李在中路得之，藏于箧间。抵家为其妻所得，因问之，具以实告。妻喜其语句清健，遂出妆奁资募。后往京师取归。琼至，即弃冠栉，损其妆饰，奉承李公之室以主母礼，大和悦焉。"这一段记载，详尽地保存了聂胜琼创作这首词的来龙去脉。聂胜琼因送李之问，写下这篇缠绵悱恻的词篇。她虽然是东都名妓，遇人很多，但这首词的词意何等真诚和专一。词的上阕写离别时刻的景象，下阕记述别后的孤单和凄清，既写临别之情，也写别后情思，全篇以《阳关曲》穿插其间，文情并茂，表达了依依的离情愁绪。

起句以送别入题，"玉惨花愁出凤城"，"玉"与"花"喻己，

"惨"与"愁"显示她凄恻的内心世界。"风城"指京都。"莲花楼"是送别地点,楼下青青的柳色,正与离别宴会上回荡的《阳关》一曲相应:"渭城朝雨浥轻尘,客舍青青柳色新。劝君更尽一杯酒,西出阳关无故人。"凄婉的曲调,更加触动离人的心绪。"莲花楼下柳青青"句,是因"客舍青青柳色新"的意境,触及了当时的送别人的情怀,因而以眼前客观景物的凄清色彩来传达送别人的主观感受;《阳关》离曲的哀怨歌声,颤动着离人的心弦。何况"一唱《阳关》后",心中的人马上就要起程了。"别个人人","别",离也;"个",此也;"人人",昵语,犹今"人儿",指李之问。"第五程"极言路程之远。在唱完一曲《阳关》之后,就一程又一程地远远离开她了。离别是痛苦的,但别后更苦;词的下阕,叙写别后思念的情意。想见为难,所以寻梦甚切,更令人悲哀的,是难以成梦,所以更加难堪。"寻好梦,梦难成"句,极写相恋之深、思念之切,以至彻夜难眠。词人把客观环境和主观感情相结合,以大自然的夜雨衬托离人的凄苦。寻梦而不可得,黑夜漫漫,"况谁知我此时情",长夜中词人感受到了强烈的孤独感。"枕前泪共帘前雨,隔个窗儿滴到明"的气氛的渲染,又是何等深沉。这里显示了词人独特的个性,也突现了这首词的独特的美。"帘前雨"与"枕前泪"相衬,"共"字极写离泪如夜雨,无法抑止,"隔个窗儿滴到明",以无情的雨声衬托悲愁的泪滴,窗内的离人泪,窗外的夜雨,共同滴到天明。前此,温庭筠《更漏子》一词的下阕,曾描写过雨声:"梧桐树,三更雨,不道离情正苦。一叶叶,一声声,空阶滴到明。"而万俟咏的《长相思·雨》:"一声声,一更更。窗外芭蕉窗里灯,此时无限情。梦难成,恨难平。不道愁人不喜听,空阶滴到明。"都写雨声对内心感情的触动。聂胜琼这首词对夜雨中情景交融的描绘,更显得深细,她把人的主体活动与雨夜的客体环境紧密结合在一起,以"枕前泪"与"帘前雨"这两幅画面相联相叠,而"隔个窗儿"更见新颖,也更深化了离别之苦,因为这里所刻画的"滴到明",不仅是"帘前雨",而且也是"枕前泪"。难怪李之问妻读到这首词时,"喜其语句清健"。她欣赏作者的艺术才华,被作品中的诚挚情意所感染,因而毅然决定,出奁资将聂取归,让她能遂其愿。

(唐玲玲)

蝶 恋 花

李弥逊*

福州横山阁

百叠青山江一缕，十里人家，路绕南台去。榕叶满川飞白鹭，疏帘半卷黄昏雨。　　楼阁峥嵘天尺五，荷芰风清，习习消袢暑。老子人间无着处，一尊来作横山主。

作者

*李弥逊(1089—1153)，字似之，号筠溪翁。连江(今属福建)人，居于吴县(今属江苏)。大观三年(1109)进士。曾任校书郎、起居郎、户部侍郎等职。主张抗金，反对与金议和，为秦桧所排斥。晚年归隐连江西山。著有《筠溪集》。

鉴赏

李弥逊是南宋初年的一个颇有志节的官吏，为人耿介。据《宋史》本传记载，他早年"以封事剀切，贬知庐山县"。"宣和末，知冀州。金人犯河朔，诸郡皆警备，弥逊捐金帛，致勇士，修城堞，决河护堑，邀击其游骑，斩首甚众。兀术北还，戒师毋犯其城"。在国祚危殆之时，他曾提出"练兵以壮国势，量用以备军食，收民心以固根本，择守帅以责实效"的战略主张。南宋初，又因坚持抗金，为秦桧所忌恨，遭到排斥，抑郁不得志。晚年乃归隐连江，不复有仕宦意。此作写于隐居时。

这首词是词人登览横山阁(在今福州市区西南隅乌石山上)时有感而作。登临送目，远山近水，尽收眼底，荡人胸怀，怡人情性，难怪词人的诗兴勃发，挥毫命笔。本词首句就有吞吐万物之力："百叠青山江一缕"，极为概括地将福州一带的特有景物采入词中。簇聚的山峦，层层叠叠，势如万马攒集。由西北流入福州境内的闽江之水,蜿蜒伸展,东注入海,由高处望,犹如一线横陈。这是远距离景物的摄取。随着目光的转移,又转入对近景的描绘。“十里人家,路绕南台去”,以极简省的笔墨,勾画出地处城南、临闽江而立的南台山(一名钓台山)十里长街、房舍栉比、人烟辏集的繁闹景象。上面几句,词人以粗笔浓墨,铺染出一幅辽阔雄浑的画面。下面则转入细笔勾勒:“榕叶满川”二句,近似电影艺术中的特写镜头,使纷纷坠落的枫叶、翩翩起飞的白鹭这些细小景物突现,同时给这静态的画面增添了动的色彩。“疏帘半卷黄昏雨”,显然是化用王勃《滕王阁序》“朱帘暮卷西山雨”,点出了南方多雨的气候特征,画面又由动景转入静景,层次分明,错落有致。词人壮怀吐壮语,连他笔下的山川景物也呈现出奔纵豪放的气势。

登高才能望远,下片里词人很自然地将笔触转到写横山阁高峻之势。“楼阁峥嵘天尺五”,这句以夸张的手法,将横山阁拔地而起、雄杰特出的奇观展现出来,给人以“高阁逼诸天,登临近日边”(岑参《登总持阁》)之感。“天尺五”,即去天只有一尺五寸,谓离天很近,这是从汉代谚语“城南韦杜,去天尺五”而来。本来不是很高的横山阁,在词人的笔下却是那么高大奇伟,这与词人的磊落壮怀不无关系。“荷芰风清,习习消袢暑”,那带有菱荷香气的清风轻轻吹来,凉爽宜人,使人感觉不到夏日酷热的威胁,故言“消袢暑”。“袢(fán)暑”,即闷热之意。词人流连忘返,似愿终老于是乡。“老子人间无着处,一尊来作横山主”,其寄情山水、放浪形骸的情态跃然纸上,看去似有玩世不恭之意,实则不然。在他放荡的言词中,分明郁积着一股不可遏止的不平之气。天地之大,何故独独无作者一人安身立命之所?联系其备受投降派打击的境遇来看,这里面的确融进了他徒怀壮志、无从施展的积愤。

这首词描绘了横山阁一带的壮观景色,表现出作者对祖国大好河山的由衷热爱。同时,也流露出他屡受排斥、被迫退隐、政治理想不得实现的苦闷和愤慨。本词的上、下片,分别写登横山阁之所见所感。“见”与“感”巧相连接,密合无痕。由“见”触发思机,引起所感;“感”则发之于“见”,以抒情作结,深化了词的内容。粗粗看去,本词是满心而发,肆口而成,为不经意的吟咏山水的即兴之作。其实,它是借托对山川景物的描绘,抒发了身世的感慨和对南宋统治集团排斥异己、推行投降政策的不满。激愤之情，以快语出之，愈见深沉痛切，正所谓“愈质愈厚”。

（赵兴勤）

菩萨蛮

李弥逊

江城烽火连三月，不堪对酒长亭别。休作断肠声，老来无泪倾。　风高帆影疾，目送舟痕碧。锦字几时来？薰风无雁回。

鉴赏

南宋初年，金兵大举南下，逼近长江，情势异常危急。为避兵灾，词人送别妻子去南方，并作本词以志其事。

这首词的首句，采用杜甫《春望》诗中“烽火连三月”成句入词，点出了离别的特定环境。杜甫于唐肃宗至德二年（757）陷入安史叛军之手，被拘长安，家却远在鄜州，欲归不得，音讯隔绝，但这是始料未及的。这里的夫送妻、妻别夫，则是情势所迫，不得不作生离，所以说“不堪对酒长亭别”。下面的“休作断肠声，老来无泪倾”二句，则从双方别离时的动态神情入手，描绘出一幅凄凄惨惨的离别画面。词人劝慰妻子的辛酸话语，则从侧面烘托出其妻涕泪交颐、哽咽出声的情态，也折射出词人内心不堪其悲的难言之隐。值此夫妻分别之际，词人却自称“无泪倾”，是饱经忧患后，满腹的忧伤已熬干了他的泪泉，还是其以极大的毅力控制自己的感情，不让泪水外流，故作旷达之态，以慰妻子别怀？或许二者兼有吧！

下片词人以渗透感情浪花的笔墨，铺染出伤别的图景：“风高帆影疾，目送舟痕碧。”妻子乘舟离去，心绪怅然的词人，凝望着舟船过后留下的波痕默默无语。在这静态的图景里，分明有词人感情的潮水在澎湃奔涌，蕴含了多少未曾出口的撕人肺腑的辛酸话语啊！丈夫不放心妻子只身远去，妻子也不愿抛丈夫于锋刃之间。立于船头的妻子，柔肠百折，满面戚容，顾盼含情，不胜伤悲。而站在岸上的丈夫，翘首凝目，五脏俱焚，步履蹒跚，失魂落魄。这就是词本身所提供给人们的感情的画图。“风高帆影疾”，既真实地展现了当时帆借风势、旋即离去的情景，也不能排除这可能是由于词人错综复杂的精神状态而产生的心理错觉。其实，“风”不见得“高”，“帆影”也并不一定“疾”，只是他不忍心妻子乘坐的船只很快地消失在烟波浩渺的水面，表现了对妻子的依恋之情。末二句“锦字几时来？薰风无雁回”，化用了“雁足传书”和“织锦回文”的典故。“薰风”，指南风。意思是说，眼下时值初夏，南风乍起，鸿雁早已飞往北地，妻子即使写就家书，也无法投寄。这两句近乎绝望的话语，透露出词人埋藏在心底的前程未卜的隐忧。此间分手，能否重得团聚，也难以预料，故而他想得更多、更远，虽然没有“未登程先问归期”，倒是早想着“锦字几时来”了。

这首词以铺叙和白描的手法，描述了送别妻子的全过程。以“烽火连三月”开头，创造出送别的浓郁悲剧氛围，以真情实感为意脉，统贯全词，层层铺叙。词人将自己的内在感情，“一毫不隐瞒，一毫不修饰，照那感情的原样子，迸裂到字句上”（梁启超《中国韵文里头所表现的情感》），故而能激动人心，催人泪下。

（赵兴勤）

水调歌头　王以宁*

呈汉阳使君

大别我知友，突兀起西州。十年重见，依旧秀色照清眸。常记鲒碕狂客，邀我登楼雪霁，杖策拥羊裘。山吐月千仞，残夜水明楼。　黄粱梦，未觉枕，几经秋？与君邂逅，相逐飞步碧山头。举酒一觞今古，叹息英雄骨冷，清泪不能收。鹦鹉更谁赋？遗恨满芳洲。

作者

*王以宁，字周士，湘潭(今属湖南)人。生卒年不详。靖康初征天下兵，以宁走鼎州乞师入援，解太原围，由太学生任鼎澧帅。建炎中以宣抚司参谋兼襄邓置制使。升直显谟阁。后因事被贬台州、永州、潮州。至绍兴十年(1140)复右朝奉郎，知全州。有词一卷。

鉴赏

王以宁是北宋、南宋之际的爱国词人。他曾为国奔波，贡献自己的力量。但后来被贬闲置，壮志难酬。这首词是为献给知汉阳军事(词中的“汉阳使君”)而写。这位知汉阳军事是何许人，无从知晓，从词意中揣测，他是王以宁志同道合的老朋友，阔别十年又相会了，面对大别青山，感慨万端，因此写下这首慷慨激昂的词章。

词的上阕，写大别山的秀美景色及与挚友之间的深情。起句“大别我知友”，表示他对汉阳使君的亲切感情，他满怀友情呼唤出：我在大别山的知心的朋友啊。“突兀起西州”又是对朋友的赞美。“突兀”，高貌。“起”，耸出。

这里是说，你高高地被任命作西方州军(指汉阳)的长官。“西州”非实指，意指西面的方位。十年前，他们曾见过面，而十年后的今天，他们又在大别山重逢，感情特别亲切，因而有“十年重见，依旧秀色照清眸”之语。“依旧”言十年中山色秀气如故。“秀色照清眸”，既写山，又写人。“秀色”是指山的秀丽，“清眸”是指登山者清明的眼眸，“照”字把“秀色”与“清眸”联系在一起，把主体与客体相结合，秀色照于清眸之中，而“清眸”又以明亮有神的目光，表达诗人与朋友的逸兴豪情，把人与自然融合为一了。下面笔锋转入对十年前的往事的回忆。“常记鲒碕狂客，邀我登楼雪霁，杖策拥羊裘”，寥寥几笔，他朋友的性格便呈现在读者面前，“鲒碕狂客”，已点出这位汉阳使君的豪逸狂放，“杖策拥羊裘”，着意描写朋友的外表，是拄着杖穿着羊裘，一派隐士装束。《后汉书·逸民传·严光》写“披羊裘钓泽中”的“男子”是指隐士严光，这里“鲒碕狂客”并非说他的朋友是一位隐士，而是通过外在形象刻画出朋友的旷达。十年前，他们是在一次雪刚停之后上山登楼的，大别山的迷人夜景是“山吐月千仞，残夜水明楼”，在千仞群山中，月亮慢慢升起。“山吐月”，是说月亮从山头冒出，“水明楼”，写明月照水，水光反映于楼台。写景极为形象，运意也极空灵。“残夜水明楼”一语，出自杜甫的《月》诗，又曾被苏轼赞美为绝唱，王以宁用其语意，再现了与故友同游的美好回忆：雪天月夜的大别山，景色何等清秀明澈，两位挚友登山的逸兴又是何等豪放！

词的下阕，写久别重逢的激荡情绪。十年的漫长岁月，国家的盛衰兴废，个人的宦海浮沉，这一切都好像黄粱一梦。“黄粱梦，未觉枕，几经秋”，过片承上启下，与上阕的“常记鲒碕狂客”一起登楼望月相衔接，表现了这次重游的思想动态。“与君邂逅，相逐飞步碧山头”，从感叹转入重游大别山的叙写，与“邀我登楼雪霁”又遥相呼应。过去“杖策拥羊裘”登上山头，这次老友“飞步”，表现豪兴不减当年。“碧山头”指大别山巅。巍峨的大别山，又一次迎接这两位老朋友。他们在“碧山头”举杯痛饮，畅谈古今。两人都壮志未遂，悲愤填膺，“举酒一觞今古，叹息英雄骨冷，清泪不能收”，这一韵写重游大别山的种种感慨，叹息过去“英雄骨冷”，现在想来清泪难收，古代是如此。当今又如何呢？他从汉阳鹦鹉洲联想到祢衡作《鹦鹉赋》的故事，以“鹦鹉更谁赋，遗恨满芳洲”结束全词。东汉末祢衡不被曹操所容，后来终为黄祖杀害，他曾在汉阳的鹦鹉洲写下《鹦鹉赋》，抒发怀才不遇的愤慨。这里说，还有谁作《鹦鹉赋》呢！在这芳草萋萋的鹦鹉洲上，只有满腔遗恨。作者借《鹦鹉赋》为喻，道出了胸中的郁积。

词意是"呈汉阳使君"，记叙作者与这位朋友的深厚情谊，上下阕写两游大别山，第一次逸兴遄飞，还没有受压抑的痛苦。第二次"飞步碧山头"，则经历了世事，感慨万端。词篇比拟形象，境界宏大壮阔，大别山气象雄壮磅礴，大别山间的月色又清丽动人。作者在写景中运用化静为动的艺术手段，使词篇达到了情景结合的高妙境地。

（唐玲玲）

临 江 仙

陈与义*

高咏楚词酬午日,天涯节序匆匆。榴花不似舞裙红。无人知此意,歌罢满帘风。　　万事一身伤老矣,戎葵凝笑墙东。酒杯深浅去年同。试浇桥下水,今夕到湘东。

作者

*陈与义(1090—1138),字去非,号简斋,洛阳(今属河南)人。宋徽宗时举进士,任太学博士、符宝郎,后谪监陈留酒税。靖康之变后,他辗转至临安,任吏部侍郎,累官至参知政事。他是江西诗派后期的重要诗人。诗风畅朗,南渡后,趋于沉郁悲壮。有《简斋集》。

鉴赏

这首词为咏端午节而作。据《宋史·陈与义传》:"及金人入汴,高宗南迁,遂避乱襄汉,转湖湘,逾岭峤。"《简斋先生年谱》:"建炎三年己酉(1129),春在岳阳,四月,差知郢州,五月,避贵仲正寇,入洞庭。六月,贵仲正降,先生复从华容还岳阳。"可见建炎三年,陈与义的活动地点是在湖南、湖北这一带。这首《临江仙》,是在端午节日凭吊屈原,伤时怀旧,抒发自己爱国情思之作。"高咏楚词酬午日,天涯节序匆匆",在端午节日,他感怀诗人屈原的高洁品格,因此吟咏楚辞来度过节日,但是当时陈与义避乱湖湘,远离亲人和故乡,因而有"天涯节序匆匆"之感。"节序"是节令,"匆匆"言时间流逝,他在间关流离之际,踽踽东南,产生无穷的感触。在另一首抒写端午节的《忆秦娥》词中,陈与义也写过:"鱼龙舞,湘君欲下潇湘浦。潇湘浦,兴亡离合,乱波平楚。独无樽酒酬端午，移舟来听明山雨。明山雨，白头孤客，洞庭怀古。"靖康之变以后，国破家散，在端午节兴起无限怀古之思，这是很自然的。同样，这一首词也是高咏楚辞以酬节日。"榴花不似舞裙红"一句，既是写景，也是抒情。五月的榴花，鲜艳灿烂，但在作客他乡的词人眼里，想到的却"不似舞裙红"，回忆过去春风得意的生活，那曾经名重一时的情景。宣和四年(1122)，陈与义因《墨梅》诗为徽宗所赏识，名倾朝野，诸贵要人争相往来，酒宴高会，观舞听歌的频繁可想而知。而现在流落江湖，"兵甲无归日，江湖送老身"(《晚晴野望》)，榴花触动了对旧日的怀念，但是"无人知此意，歌罢满帘风"，有谁能理解他此刻的心情呢？长歌楚辞之后，满帘生风。慷慨悲壮的楚歌，诗人屈原的爱国激情，使陈与义在伤时怀旧之中，心情激荡，在"高咏"中寄托了深厚的家国之感。

词的下阕，所发的感慨更加深沉。"万事一身伤老矣"，一声长叹，包含了对国家离乱、个人不幸遭遇的多少怆恨。人老了，一切欢娱都无分了。正如在他的诗歌中，"老矣身安用，飘然计本疏"(《桂林使作书问其地之安危》)，"孤臣霜发三千丈，每岁烟花一万重"(《伤春》)，都是这种感时伤老愁思的表现。"戎葵凝笑墙东"一句，是借蜀葵向太阳的属性来喻自己始终如一的爱国思想。墙边五月的葵花，仍然是向着东边的太阳"凝笑"，戎葵与榴花，都是五月的象征，作者以艳丽夺目的五月之花反衬自己颓唐落寞的情怀。"戎葵"为无情之物，而"凝笑"二字，则赋予葵花以生命，从而更深刻地表达了作者的感情色彩。他虽然年老流落江湖，但爱国抱负始终不渝。这"凝笑"二字，正是他自己的写照，具有强烈的艺术感染力。最后三句，深化了此时此刻的心绪，满腔豪情，倾注于对诗人屈原的怀念中，"酒杯深浅去年同"，言酒杯深浅与去年一样，一年一度的端午节虽然依旧，而"试浇桥下水，今夕到湘东"句，则深深表达他对屈原的凭吊。诗人把酒浇到水中，表示对屈原的祭奠。这水中的酒，今夜就会流到屈原的死地汨罗江。借湘江上的祭酒的虔诚动作，深化了"高咏楚词酬午日"的思想感情，对诗人屈原的怀念。从高歌其辞赋到酹酒江水，其强烈的爱国感情也表现出来了。

胡薇元《岁寒居词话》指出："陈与义简斋《无住词》才十八首，而首首可传。……其词吐言天拔，无蔬笋气。"这首《临江仙》，不同于另一首《临江仙·夜登小阁忆洛中旧游》的艺术意境的优美；而酣畅超旷，其沉郁的豪情壮志，另是一种风格。宋人黄昇称《无住词》语意超绝，可摩坡公之垒。以此评论陈与义这首词是十分恰当的。

（唐玲玲）

临 江 仙

陈与义

夜登小阁忆洛中旧游

忆昔午桥桥上饮，坐中多是豪英。长沟流月去无声。杏花疏影里，吹笛到天明。　　二十余年如一梦，此身虽在堪惊。闲登小阁看新晴。古今多少事，渔唱起三更。

鉴 赏

这首词约作于绍兴五年(1135)前后，是词人对于二十多年前“洛中旧游”的回顾以及所生发的身世悲慨。洛阳城南十里的午桥，是佳胜去处，亦是词人和旧友们的相聚之所，遂成为词人历久难忘、频频回顾的触发点。“忆昔”领起上阕的意境和意趣的描述，把时域和空域一下子推展开去。最能激发词人思旧之绪的是“午桥桥上饮”的情景。以“坐中多是豪英”作为画面的结构中心，配之以声情并茂的描述，构成一幅幽美而富情韵的夜饮图。“长沟流月”的天上地下的空间配置，使境界开阔舒展。月光临照，投影水中，“沟”前以“长”字修饰，使画面空间感得到延伸。而“月”色如何迷人，词人不着一字，只是以平实的描述起到指引想象之路的作用。“去无声”点染“长沟流月”的独有特征。“无声”显其静寂，而静寂之态，又是为了显示幽美之境。长长的流水簇拥着凄迷的月光，静寂无声，流向远方。静谧的声态中又分明有着悠长的情韵。词人远送水月无声而去，视线落在桥畔，却是“杏花疏影”的迷离景象。于是，午桥的景象在“杏花”的点缀中得以丰富，“杏花”所暗示的春夜特征又得到说明。妙在“疏影”的淡勾轻勒，它吻合午桥的区域景象特征。切近月夜的时域特征，唯其是月夜，不甚分明，才会所见朦胧，杏花扶疏。更重要的是，词人的审美重心是绘出一幅淡墨画,而非繁彩竞丽地满纸涂饰。“无声”的描述,并不是目的,而是突出“有声”,果然,“吹笛到天明”,振起词意。情寄笛声,声传情韵。吹笛竟达天明,一句写尽旧游的盛况、旧友的豪情。起首只略点“豪英”,尔后宕开一笔,写桥下流水,桥畔杏花,最后才为“豪英”作了注释。“豪英”们午桥夜饮,酒酣耳热,自有其英姿情态,但词人不饰一笔,单以“吹笛”一特征性行为加以描述。于是,二十余年来难以释怀的旧游图便绘写出来了。由起句逼入回忆中心,仅取夜饮一事,再进入环境描绘,终至收毫在“吹笛到天明”上,词意、词境几经转折。长沟流月、杏花疏影,诚然是“洛中”所“忆”的动人景象,而悠扬笛韵在春夜沉沉中通宵达旦地竞吹,就更是不可忘怀。这是因为这幅夜饮图动静皆备、光影满目、声情并茂。唯其有水月无声之静,才益见横笛长吹之动;唯其有杏花扶疏之影,才益见月色空明之光;唯其有春夜鸣笛之声,才益见坐中豪英之情。桥下、桥畔、桥上不同的空间方位,又以桥中豪英为中心,构置成远近相配、情景一体的图画,具有层次分明且疏落有致的立体空间感。由“无声”到“有声”的转换,是格调、氛围由静谧到昂奋的波澜变化,沈际飞《草堂诗余正集》曰:“流月无声,巧语也;吹笛天明,爽语也。”由“巧语”到“爽语”正显示出这种情绪变化的轨迹。

当词人的笔锋盘旋在“吹笛到天明”的昂奋情绪中,陡然过片,“二十余年如一梦”的感伤,形成情绪的跌宕。政和三年(1113)贬谪以来的辛酸,特别是汴京失陷后,“避乱襄汉,转湖湘,逾岭峤”的颠沛流离,恍若梦幻。其中的无限艰难、无限苦痛,尽付于这一声长叹之中。历尽劫波,尚能保全性命,又实在是够惊异的了。其中饱含着劫后余生的痛定思痛,往事如梦的不堪回首。“闲登小阁看新晴”一句点题,对应了上片“忆洛中旧游”的由来。雨霁初晴景,映照了长沟流水景。一“闲”字,却不可等闲视之。它蕴含着生活环境的乱后始定和内心心境的创伤初愈的复杂内容。只有在这里,词人才能在“闲”境中有其“闲”情,一个“闲”字,包含着多少历史和个人的感伤!这个“闲”字,虽是轻轻拈出,形似旷达,但愈淡愈浓,愈是显示感伤的浓重。在这样的意绪中,不期然地忆起“洛中旧游”,而旧游之忆,不仅没有造成心境的平衡,反而在未愈的伤口上撒了把盐,更见疼痛。往事的热烈、作彻夜饮的胜致,加强了眼前的情境、心境的反衬、对比,是“豪情”演化为“闲情”的陡起陡落，词的意脉千回百转而又纵横排奡。词人往事千端万绪的簇涌形成新的转折：“古今多少事，渔唱起三更。”一切尽付之于歌唱古今兴亡的渔歌之中了。情调是悲咽、衰飒的，形成苍凉的氛围和意境。这种情调是词人个人的，也是动乱的时代所赋予的，因而是典型的。

（吴功正）

贺　新　郎　　张元幹*

寄李伯纪丞相

曳杖危楼去。斗垂天、沧波万顷，月流烟渚。扫尽浮云风不定，未放扁舟夜渡。宿雁落、寒芦深处。怅望关河空吊影，正人间、鼻息鸣鼍鼓。谁伴我，醉中舞?
　　十年一梦扬州路。倚高寒、愁生故国，气吞骄虏。要斩楼兰三尺剑，遗恨琵琶旧语。谩暗涩、铜华尘土。唤取谪仙平章看，过苕溪、尚许垂纶否? 风浩荡，欲飞举。

作者

*张元幹(1091—1170?)，字仲宗，号芦川居士，又号真隐山人，福建永福人。徽宗宣和七年(1125)任陈留县丞。靖康元年(1126)，金兵南侵，张元幹为李纲幕府僚属，协助抗金。后李纲被罢，他也因而获罪。绍兴元年(1131)，以将作监丞致仕，先后闲居二十多年。其间因作词送李纲、胡铨，遭秦桧迫害，于绍兴二十一年(1151)下狱被削籍。晚年漫游江南，客死异乡。其词风豪放，慷慨悲壮，但亦有不少清新、婉丽之作。著有《芦川归来集》和《芦川词》。

鉴赏

宋高宗绍兴八年(1138)，宋向金屈辱求和已成定局，但李纲仍上书反对秦桧议和，后罢官长乐(今属福建)。张元幹与李纲交往密切，在北宋末年，曾为李纲属官，积极协同李纲抗金。此时虽已休官还乡，寓居福建，但闻讯后怀着满腔的爱国激情，写下这首忠义奋发的词作，以表达他对李纲的支持与同情。

这首历来被认为代表张元幹词风艺术特色的爱国词作，写得慷慨悲凉,风格沉郁,其艺术表现手法主要是“外放”,是直接抒发胸中郁积的忠愤不平之气。

这首词的上片侧重写景,融情入景;下片着重抒情,抒写词人之所感。词的开头以作者拖着拐杖,独自登楼遥望来领起下文,接着对夜景加以铺叙。起笔境界阔大,笼罩全篇。在静谧的画面上,远处的北斗星悬挂在辽阔的天空上,月光倾泻,可以看到烟雾迷蒙的水中有一块陆地;近处因风大使得夜晚的渡口不能开船,还有那一群南来的飞雁露宿在芦苇深处。这是一片多么冷落、寂静的秋夜景象!“怅望”以下四句,词人笔锋陡转,从凄冷的境界中抒发自己深切的感受和怅惘孤独的心情。“鼍”,水中动物,俗称猪婆龙。《诗经·大雅·灵台》:“鼍鼓逢逢。”这里写人们深夜酣睡,寓寄着“众人皆醉我独醒”的感慨。接着借用晋祖逖与刘琨夜半同起舞剑的故事。《晋书·祖逖传》:“逖与司空刘琨俱为司州主簿,情好绸缪,共被同寝。中夜,闻荒鸡鸣,蹴琨觉曰:‘此非恶声也’。因起舞。”词人借古喻今,说明除了李纲,还有谁能这样同我情投意合呢?这里由景及情,表达作者想得到像李纲这样坚定抗金的知心人,感情也由开头的平淡而渐趋激越。

下片联系北宋灭亡、金兵南侵的史实,进一步抒发爱国壮志受到压抑的悲愤。换头“十年一梦扬州路”,化用杜牧《遣怀》诗句,借指十年前,即建炎元年(1127),金兵分道南侵。宋高宗避难至扬州,后至杭州,而扬州则遭金兵焚毁。“扬州路”,江苏扬州,宋属淮南东路。十年后,宋金和议已成,主战派横遭迫害,抗金事业没有希望,收复失地成了梦想。如果说,上片大段写景,由景及情,抒写孤寂的心境,那么,这里“十年一梦扬州路。倚高寒、愁生故国,气吞骄虏”三句,吐露爱国情思,可以说是直抒胸臆了。作者倚高楼仰望明月,想起中原失地至今未能收复,满腔悲愤,再也抑制不住,只能喷薄而出。这里用直笔把真实的感情深刻地表达出来,更加强了艺术效果。“气吞骄虏”,这是多么豪壮的气概!“骄虏”,指骄横的金兵。陆游《谢池春》:“壮岁从戎,曾是气吞残虏。”那种激昂慷慨的豪迈词风,显然是受到了张元幹词作的影响。

下面作者引用两个典故,借古喻今,抒发抗金的雄心壮志和报国无路的悲愤。“要斩楼兰三尺剑”,是用汉代傅介子的故事。楼兰是汉西域国之一,汉武帝时曾派使者通大宛,楼兰挡道,经常攻击汉朝使者。汉昭帝时派遣傅介子出使西域,斩其王,以功封侯

(《汉书·傅介子传》)。这里以楼兰比喻金统治者,又以傅介子比喻李纲,表示坚定抗金的志向。其二是"遗恨琵琶旧语",用汉代王昭君出塞和亲的故事。相传王昭君善于弹琵琶,琵琶曲中的《昭君怨》即她所作。唐代大诗人杜甫《咏怀古迹》云:"千载琵琶作胡语,分明怨恨曲中论。"这里用来写宋向金国屈辱求和的遗恨,也可以说是抒写中原未复而抗金将领被弃置不用的遗恨。紧接着写"谩暗涩、铜华尘土",这是以物比人,表面写宝剑弃置不用,生了锈,失去了光泽,实际上写李纲等主战将领被屏弃,受打击,英雄无用武之地,同时也把作者的愤愤不平之气烘托了出来。

"唤起"二句,进一步表明了作者的态度,又深化了词的主题思想。请李纲评论筹商一下,在金兵侵占中原,祖国山河破碎的形势下,是否可以在浙江苕溪归隐呢?因为李纲曾经说过:"余既居梁溪,有田园可乐,又生平爱钱塘湖山之胜,常欲治书室湖上……往来苕、霅间。"(李纲《梁溪全集》卷二十一)作者的意思是说,李纲不能退隐,应该出来抗金。"再造邦基固,中兴大运隆",这是张元幹《李丞相(纲)生朝》诗句,可以作为本词结句"风浩荡,欲飞举"的一个注脚,就是热诚地希望李纲能为抗金事业再建立功业。这里不仅思想感情很浓烈,而且深化了词的抗金爱国的主题。

(曹济平)

贺新郎　张元幹

送胡邦衡谪新州

梦绕神州路。怅秋风、连营画角,故宫离黍。底事昆仑倾砥柱,九地黄流乱注?聚万落千村狐兔。天意从来高难问,况人情老易悲难诉。更南浦,送君去!

凉生岸柳销残暑。耿斜河、疏星淡月,断云微度。万里江山知何处?回首对床夜语。雁不到、书成谁与?目尽青天怀今古,肯儿曹恩怨相尔汝?举大白,听《金缕》。

鉴赏

本词作于宋高宗绍兴十二年(1142)。胡邦衡即胡铨。四年前,枢密院编修官胡铨曾上书请剑,欲斩主和者秦桧等人,遭到迫害。是年,秦桧又指使他的爪牙诬陷胡铨,把他除名,由福州押送新州(今广东新兴县)编管。“一时士大夫畏罪钳舌,莫敢与立谈”(岳珂《桯史》卷十二),而他的“平生亲党避嫌畏祸,唯恐去之不速”(蔡戡《芦川居士词序》)。当时张元干寓居三山(今福州市),不顾个人安危,写这首词送给他,并与之饯别。这不仅表现了词人刚正不屈、坚持正义的斗争精神,而且通过独特的艺术构思,抒发作者的“抑塞磊落之气”,构成了沉郁悲壮的词风。

在词的发展史上,不知有多少词人写过送别词。其中比较著名的如柳永《雨霖铃》和周邦彦《夜飞鹊》,抒写男女别离之情,融情入景,真切感人,但社会意义不强。张元干这首词却不同,通篇扣住送别的词题,又充满强烈的时代气息。从艺术表现手法来看,如果说《贺新郎·寄李伯纪丞相》侧重写景抒情,直抒胸臆,那么这一首是运用曲折含蓄的手法,表达沉郁悲壮的感情,愈转而愈深。

词的开头从“梦绕神州路”起笔,形象地概括了北宋灭亡的历史事实,揭示了时代背景。北宋京都(今河南开封)早已被金兵占领,怅望中原地区,金兵军营相望,军号声凄厉,由于金兵的破坏,故宫已是一片荒凉。“故宫离黍”,是用《诗经·王风·黍离》中“彼黍离离”的诗句,借梦境以表现故国之思,感情极为沉痛。接着笔锋一转,“底事昆仑倾砥柱”,提出了疑问。这里词人连用了三个比喻:以昆仑山天柱倒塌比喻北宋王朝的覆没,以黄河洪水泛滥比喻金兵的猖狂进攻,以狐兔占领千万村落比喻中原一带的荒凉景象。词人提出为何造成这种现象的问题,但没有直接回答,也不便于直说。其实,作者心里很清楚,他在《建炎感事》诗中明白地指出:“议和其祸胎,割地亦覆辙。”到绍兴年间,祸国害民的宰相秦桧屈膝求和,当然罪责难逃,但是,“误国当时岂一秦(桧)”,南宋最高统治者宋高宗就是主和的。在这样一个复杂而又重大的问题上,作者只能用曲折的手法,把笔锋转到“天意从来高难问”。这里是化用杜甫《暮春江陵送马大卿公恩命追赴阙下》“天意高难问,人情老易悲”的诗意。陈廷焯

《词则》谓此句“情见于词,即悠悠苍天之意”。这里是借以表示南宋王朝最高统治者的意旨是无法窥测的,何况年老易悲是人之常情,但如今这种悲痛是难以倾诉的。当然词中的“悲”,不仅是指人老易悲,而且还包含着两层意思:一层意思是北宋割地议和而灭亡的可悲;一层是因南宋王朝让主和派秦桧掌权,迫害主战派胡铨而悲愤。这两层意思从“悲难诉”中透露出来。所以,这两句举重若轻之笔,构思巧妙而有胆略,既是对宋高宗苟且求和表示不满,又为坚决抗金的胡铨遭贬而鸣不平。这样就又转到胡铨贬谪新州与今夜的送别。上片结句用江淹《别赋》:“送君南浦,伤如之何!”使作者郁积胸中的悲愤感情显得更加深沉。

词的下片开头点明了送别的季节是在初秋残暑。接着铺写夜景,天空片片白云飘动,疏星淡月,银河斜转,表明夜色已深。从词意的连贯上说,似乎应该接下去写当夜的叙谈,但作者的笔锋却转到“万里江山知何处”。祖国山河残破,中原仍被金兵占领,何处去寻求呢?这里曲折含蓄地指出胡铨被贬新州后,投降派得势,收复中原就没有希望,只能从梦中去寻求了。这又与上片“梦绕神州”相呼应。“回首”一句,不明写今夜的长谈,而采取从过去的长夜深谈想到以后回想起今夜的曲折手法,不仅深刻地反映了他们之间的深厚友谊,而且进一步表达了他们对国事的无比感慨。这种表现手法,前人也用过,比如李商隐《夜雨寄北》“何当共剪西窗烛,却话巴山夜雨时”,就是这样曲曲折折地抒写思念之情意。不过,这里写今日相聚送别的悲伤,不仅感叹国事,哀伤远别,而且想到别后的书信来往很困难,作者的心情更为沉重。这时词人的用笔又转到了当夜的话别,尽管胸中有千言万语,感情悲沉郁积,但又不能像小孩子们那样,说个不停,依依难分。韩愈《听颖师弹琴》:“昵昵儿女语,恩怨相尔汝。”词人不肯学小儿女,不讲个人恩情,显然是为了关注国事,是要“目尽青天怀今古”,展望天下而胸怀古今,思想内容的表达更深一层。然而朝廷主和派执政,国事艰危,这样又联系到上片“天意从来高难问”,而且在这里把作者满腹悲愤的感情,通过层次井然的多次转折,推进到最高点——举起酒杯痛饮消愁,听唱这一曲词吧。这可以说是一结悲壮,余韵不尽。

张元幹送李纲和胡铨的两首《贺新郎》,堪称先后辉映的姊妹篇,都写得慷慨激昂,音调凄凉悲壮,深刻地表现了作者的爱国主义思想。尽管张元幹因作此词后被秦桧以他事"追赴大理削籍"，但是，他那种不畏风险、坚持正义的斗争精神，为人所共仰。《四库全书提要》称这两首词"慷慨悲凉，数百年后，尚想其抑塞磊落之气"。可见张元幹这两首词不仅震动南宋初期的词坛，而且对后世词作产生了积极而深远的影响。

（曹济平）

满 江 红　　张元幹

自豫章阻风吴城山作

春水迷天，桃花浪、几番风恶。云乍起，远山遮尽，晚风还作。绿卷芳洲生杜若，数帆带雨烟中落。傍向来、沙嘴共停桡，伤飘泊。　寒犹在，衾偏薄。肠欲断，愁难着。倚篷窗无寐，引杯孤酌。寒食清明都过却，最怜轻负年时约。想小楼、终日望归舟，人如削。

鉴赏

此词在宋黄昇《花庵词选》题作"旅思"。元至正、癸未刊本《妙选群英草堂诗余》作"离恨"，而明刻《草堂诗余》作"春晚"。据《芦川归来集》卷九《跋楚甸落帆》云："往年自豫章下白沙，尝作《满江红》词，有所谓'绿卷芳洲生杜若，数帆带雨烟中落'之句。此画颇与吾眼界熟，要是胸次不凡者为之，宁无感慨？"可见本词是作者于徽宗宣和元年（1119）离京都（今河南开封）返乡途中，自豫章（今江西南昌）下白沙（南昌市东北）时所写。

《满江红》词调，一般都写豪放激越的声情，而这一首却写得婉约情深。词的上片侧重写景，由景入情。开头"春水迷天"二句，紧扣入题，点出了时令天气，而着一"迷"字，把狂风急雨的无数次袭击的意象展现出来了。"桃花浪"，指旧历三月，春暖冰消，水位上涨，此时正值桃花盛开。杜甫《春水》诗："三月桃花浪，江流复旧痕。""云乍起"二句写天际乌云密布，远山被遮盖，而傍晚时刻又刮起了大风。一个“还”字,既写出了令人讨厌的狂风急雨作恶时间很久,又说明船只不能行驶,不得已靠岸停泊。紧接着“绿卷”二句,先写词人所见的岸边景色,长满一片葱绿的香草;次写行舟为大风所阻,在烟雨迷蒙中靠岸落帆。“傍向来”二句由景入情,极写旅途阻厄之忧愁心境。“沙嘴”,指沙洲。“停桡”即停船。晏几道《玉楼春》:“停桡共说江头路。”这里不是写“共说江头路”的兴味,而是写另一种凄然伤神的情绪。“向来”,指示时间之辞;此处犹言适来。风雨时停还作,何时方能驾舟启程呢?词人感到茫然,顿时一股自伤飘泊的愁绪涌上了心头。上片通过时令、天气和旅人心境的刻画,勾勒出一幅有立体感的风雨中落帆停泊的画面。

换头即景抒情,直言愁肠之由。“寒犹在”以下四句,承上写暮春三月,停船夜宿,寒气袭人。船上的被子太薄,难以抵御春寒;归期不定,相思愁肠欲断。紧接着“倚篷窗无寐,引杯孤酌”二句,写词人蛰居舟中,春寒与愁思使他夜不能寐。“引杯孤酌”,既写羁旅愁苦之情,又表现出孤独凄寂的境界。“寒食清明都过却,最怜轻负年时约”二句,文笔宕开,由眼前的境况转入想象之中。寒食、清明,都是古代的节气。《荆楚岁时记》:“去冬节(冬至)一百五日,即有疾风甚雨,谓之寒食,禁火三日。”这里是借以说明春天游赏的美好季节都过去了。“最怜”,犹言最可惜。萦绕在词人脑海里的是与佳人的约会,如果轻易失约,那是最可惜的,令人懊丧不已的。因此,词人的归思难收,而想象的翅膀一下子又飞到了心上人的身边,大概她也在急切地盼望着自己归来。

最后“想小楼”二句,笔力极为深婉。这两句是从柳永《八声甘州》“想佳人妆楼凝望,误几回天际识归舟”的词句中脱化来的。而且吸取了柳永化虚为实的写法,写“佳人”在小楼阁上整天呆望着自远而近的归帆。然而,“过尽千帆皆不是”,所以只有肠断小红楼了。结处的“人如削”,一个“削”字写得妙极,它通过人体消瘦的形象把难以捉摸的情思表达得更加缠绵,更富有真情实感。这里既写“佳人”在家思念自己的痴情,又表达词人思归怀人的热切心情。

这首《满江红》词的结构比较严密,层次也很分明。《草堂诗余隽》谓:“上言风帆飘泊之象,下言归舟在家之思。”从词中所表露的物象思绪来看,这样的理解是切合词作原意的,而上下片的意脉相连,自然组合成和谐统一的整体。在层次方面,如上片前六句写景，先写春水迷天，次叙乌云翻滚、远山遮盖，又写傍晚狂风再起。这种多层次的描写，脉络非常清楚。而所写情景又是在旅途中常遇到的现象，读来格外感到真实。后二句即景生情，由此生发“伤飘泊”的旅愁心情就显得十分自然，非常真切，使词中的气氛渲染更为协调。

（曹济平）

兰　陵　王　　张元幹

春　恨

卷珠箔，朝雨轻阴乍阁。阑干外，烟柳弄晴，芳草侵阶映红药。东风妒花恶，吹落梢头嫩萼。屏山掩，沉水倦熏，中酒心情怕杯勺。　寻思旧京洛。正年少疏狂，歌笑迷着。障泥油壁催梳掠。曾驰道同载，上林携手，灯夜初过早共约。又争信飘泊？　寂寞，念行乐。甚粉淡衣襟，音断弦索。琼枝璧月春如昨。怅别后华表，那回双鹤。相思除是，向醉里、暂忘却。

鉴赏

这首词题“春恨”，在黄昇《花庵词选》中作“春游”，其实是作者身经亡国丧乱之痛，借“春恨”以寄托国事之恨。全词共三片，明李攀龙云：“上是酒后见春光，中是约后误佳期，下是相思如梦中。”从词的组织结构来说，这样理解是可以的，但从思想深度来探测，又感到隔了一层。此词作于南渡后，读者透过含蓄的笔墨，能体会到词人寓寄的黍离之悲，故不能拘泥于泛泛的“春恨”。

词的开头“卷珠箔”二句，点出了环境与天气，而且笼罩全篇。“乍阁”即初停，这是化用王维《书事》“轻阴阁小雨，深院昼慵开。坐看苍苔色，欲上人衣来”的诗意。接着写楼上眺望窗外的景象：烟雨中蘸水的柳条，飞絮弄晴，阶下绿油油的青草，映着芍药，呈现出一派充满生气的盎然春意。然而，这里“烟柳弄晴”，并非专事咏柳，而是从飞絮中引起词人的悠扬情思。折柳送别，在汉唐以来已形成了一种社会风俗。周邦彦的《兰陵王》“柳阴直，烟里丝丝弄碧”，就是借咏柳而赋别情。眼前的柳丝依依有情，似乎又是送别之态。紧接着“东风”二句陡转，出现了另一番景象，强劲的东风把刚长出来的花吹落了。“屏山掩”三句，与上文目中所见回应，由景生情，抒写词人之心境。“屏山”，屏风。“中酒”，醉酒。这里表现词人害怕饮酒的心理状态，蕴含着极其复杂的思想感情。

第二片追思昔日游乐。换头“寻思旧京洛”，承上接下，从当前的伤春伤别，很自然地回想往日在汴京游乐的情景。“京洛”，班固《东都赋》：“子徒习秦阿房之造天，而不知京洛之有制。”东周、后汉两朝皆建都洛阳，故称京洛，此借洛阳以指汴京。张元幹在《次友人寒食书怀韵二首》：“往昔升平客大梁，新烟燃烛九衢香。车声驰道内家出，春色禁沟宫柳黄。陵邑只今称虏地，衣冠谁复问唐装。伤心寒食当时事，梦想流莺下苑墙。”诗中所写思念故国的沉痛感情，在词里则写得含蓄婉转。比如“寻思旧京洛”的“旧”字，非同小可，它有着特殊的时代社会含义。因其时中原已沦陷，“陵邑只今称虏地”，所以宋翔凤《乐府余论》中说：“南宋词人系心旧京，凡言归路，言家山，言故国，皆恨中原隔绝。”斯言可谓中的。这里从中原隔绝之恨引起下文“往昔升平客大梁”的游乐情景，更增添黍离之悲。

“正年少”三句，词人追忆当年在汴京春游的盛况，士女倾城，妓女歌笑若狂，外出的车马已准备好，只是催促着快一些梳妆。“障泥”，马鞍下的布垫，用来挡土，此代指马。“油壁”，用油漆涂饰的车壁，此代指车。“曾驰道”三句，进一层写出游的时间、地点。“驰道”即御道，皇帝车行之路。“上林”，秦汉时期为皇帝的花园，故址在今陕西省长安县西，周围数百里，此借指汴京的园林。从“正年少疏狂”至此，一路写来，都是热闹欢快的气氛。可是约后如何呢？词中没有正面作答，好像断了词意。但紧接着“又争信飘泊”，突然结束了上面的回忆，似断又续，使人仿佛从梦幻中回到了清醒的现实，感情跌宕流美，极尽顿挫之妙。“争”，同怎。是的，词人怎么能料想到往昔升平的汴京如今陷落敌手，而自己又过起飘泊离乱的生活呢？这种哀伤的感情，由于是从上面和畅的欢乐景象中转来，用欢愉的笔墨映衬离别后的孤寂，词境显得格外凄楚。

第三片从回忆转入写别后相

思，主要抒写离恨。“寂寞，念行乐。”这两句紧承上文的“飘泊”，又引起下面的深切思念。“甚粉淡衣襟”三句，寓意深厚。这里用一“甚”字领起，真是衣襟上的脂粉气消散了，音讯也中断了，表示与美人分离的时间已久，也可以说与中原阻隔、远离故国很久了。“琼枝”一句造语工巧精美。“琼枝璧月”，形容花好如玉，月圆如璧，比喻美好生活。然而这一切都随着时光流逝，只有春色依旧，但神州陆沉，旧迹湮没，怎不令人感到怅惘？“怅别后华表”二句，词人借用典故，抒发沧桑之变、好景不长的感慨。“华表”，设在陵墓或宫殿、城墙等前面的石柱。《搜神后记》谓丁令威，辽东人，后化鹤归辽，集辽东城门华表柱上。时有少年举弓欲射之，鹤乃飞，徘徊空中而言曰：“有鸟有鸟丁令威，去家千年今始归；城郭如故人民非，何不学仙冢累累？”

最后“相思除是”三句，用口语写情，深婉真挚。“向醉里、暂忘却”，犹如众流归海，不仅感情深沉，而且言外含有眷念故国的无穷隐痛。这与李清照《菩萨蛮》“故乡何处是？忘了除非醉”的情意相近，而有异曲同工之妙。

张元幹这首抒情含蓄而感人至深的爱国词作，写得情韵兼胜，深婉流美。词的组织结构严密，上、中、下三片，用“别恨”一气贯串。作者从眼前伤春到追忆往昔，再转入现实相思，有铺排，有转折，环环相扣，逐层深入。过片处意脉不断，而且情致婉转曲折。尤其是寓别恨之情于清旷的境界之中，使蕴藉的词境显得既沉郁又婉丽，代表了张元幹词作中的婉约风貌。

（曹济平）

石州慢　　张元幹

寒水依痕，春意渐回，沙际烟阔。溪梅晴照生香，冷蕊数枝争发。天涯旧恨，试看几许消魂？长亭门外山重叠。不尽眼中青，是愁来时节。　　情切。画楼深闭，想见东风，暗消肌雪。孤负枕前云雨，尊前花月。心期切处，更有多少凄凉，殷勤留与归时说。到得再相逢，恰经年离别。

鉴赏

本词是作者晚年离乡思归之作。词的上片着重写景,即景生情;下片主要抒情,笔力委婉含蓄,寓意深远。

词的开头三句,化用杜甫的诗句。"寒水依痕"是用杜甫《冬凉》:"花叶惟天意,江溪共石根。早霞随类影,寒水各依痕。"后二句是化用杜甫《阆水歌》:"正怜日破浪花出,更复春从沙际归。"这里借以描写春回大地的自然环境:冬日天寒,溪水下落的痕迹虽然与从前一样,但从沙际迷茫开阔的景象中,词人感觉到一股和暖的春意。

"溪梅"二句承上抒写报春的信息——梅花的开放。在和煦的阳光照耀下,溪边梅树疏落的枝条上已绽开出朵朵的梅花,散发着诱人的清香。这是冬去春来的美好象征,也是对气节最高的梅花的赞美。然而,撩拨词人心灵的并不是这种欢悦的景象,而是离愁的意绪。

"天涯旧恨"二句,词人运转笔锋,由写景转入抒情。一个"旧"字,传达出词人心中郁积的无限离愁别恨,用笔空灵蕴藉。"几许",这是估量之词。"消魂",是用江淹《别赋》:"黯然消魂者,唯别而已矣!"这里用设问的句式领起下文。"长亭门外"以下三句进一层铺写"消魂"的景色。在那长亭门外,词人极目所见,映入眼帘的唯有望不到尽头的重重叠叠的青山。连绵不断的青山,犹如心中无穷的愁绪。

下片换头"情切"二字,承上转下。词人宕开笔力,由景物的描写转而回忆昔日夫妇之情,如今虽然离别远行,但绵绵情思却是割舍不断的。"画楼"以下三句,采用虚景实写,设想佳人独居深楼,因日夜思念丈夫,久盼不归,形体渐渐地消瘦下去。"孤负"二句,词人借用典故以写夫妇情意。"孤负"即"辜负"。"枕前云雨",宋玉《高唐赋》序大意说楚王梦中与神女相会高唐,神女自谓:"旦为朝云,暮为行雨,朝朝暮暮,阳台之下。"后指男女欢合,此指夫妇之情欢。"心期切处"三句,写词人内心的期望是等到归来时与妻子诉说埋藏心底的无限凄凉。然而,"到得再相逢,恰经年离别"。词人更深一层抒写到了再相逢之日,却又是常年离别的时刻。这正如李商隐《无题》诗中所说"相见时难别亦难"了。歇拍以别情收结,极言其不堪离别的凄苦情思。

这首词从表象上看，似乎抒写夫妇间离愁别恨的感情，但词中运用比兴寄托，确寓有深远的意念。黄蓼园在《蓼园词选》中云："仲宗于绍兴中，坐送胡铨及李纲词除名。起三句是望天意之回。'寒枝竞发'，是望谪者复用也。'天涯旧恨'至'时节'，是目断中原又恐不明也。'想见东风消肌雪'，是远念同心者应亦瘦损也。'负枕前云雨'，是借夫妇比喻朋友也。因送友而除名，不得已而托于思家，意亦苦矣。"

自从常州词派论词强调寄托以来，对后世的影响颇大。据吴梅《词学通论》云："所谓寄托者，盖借物言志，以抒其忠爱绸缪之旨，《三百篇》之比兴，《离骚》之香草美人，皆此意也。"又云："惟有寄托，则辞无泛设，而作者之意，自见诸言外，朝市身世之荣枯，且于是乎觇之焉。"至于这首词作的寄托寓意，从张元幹后期抑郁不平的身世来看，他处在南宋朝廷屈辱求和，权奸当道而主战有罪的黑暗险恶的社会环境里，内心有着难以明言的隐衷，故"借物言志"，寄意象外，黄蓼园所云并非纯主观臆断，但是否要这样分解而落到实处，不是没有异议的。谭献说："作者之用心未必然，而读者之用心何必不然。"还是让我们"仁者见仁，智者见智"吧！

按：此首《草堂诗余隽》误作周邦彦词。

（曹济平）

石州慢　　张元幹

己酉秋，吴兴舟中作

雨急云飞，惊散暮鸦，微弄凉月。谁家疏柳低迷？几点流萤明灭。夜帆风驶，满湖烟水苍茫，菰蒲零乱秋声咽。梦断酒醒时，倚危樯清绝。　　心折。长庚光怒，群盗纵横，逆胡猖獗。欲挽天河，一洗中原膏血。两宫何处？塞垣只隔长江，唾壶空击悲歌缺。万里想龙沙，泣孤臣吴越。

鉴赏

这首词作于宋高宗建炎三年(1129)。这一年,女真统治者的兵马又大举侵宋。高宗赵构先是从扬州过江逃至临安(今杭州),到了秋天,金兵又渡江南侵。在这国事危急之际,高宗只顾逃离临安至越州(今浙江绍兴),后来又转移至明州(今浙江宁波)。此时,张元幹正在吴兴(今浙江湖州)避难。他怀着对金兵猖狂入侵的极大愤慨和“壮志深忧国”的满腔悲愤,写下了这篇动人的词章。

词的上片写景,下片抒情。上片由景及情,展现了一幅秋日雨后、湖面月下的苍茫凄切的画面。开头三句写自然景色,一场秋风急雨,惊散了傍晚的乌鸦;雨后,天色豁然明朗,一轮清冷的月亮高挂在天空。接着由景及人,写作者泛舟湖上所见的岸边景物:“谁家疏柳低迷?几点流萤明灭。”在暮色迷茫中,岸上人家宅园的柳枝稀疏,景色已模糊不清。只见几只萤火虫飞来飞去,忽明忽灭。“夜帆风驶”三句,词人又把笔锋转到写湖面的景色。作者驾舟扬帆在烟波茫茫的湖面上,夜色一片朦胧,耳边只听到秋风吹动水中杂乱的菰蒲而发出的凄切的声响。这里词人体物极为细微,上写眼见之小景,此言耳闻之细声,二者交织在一起,使刻画的境界更显得清冷寂寥。

“梦断”二句承上,进一层写景中人的心绪。在梦断酒醒后,孤独地依偎在高耸的桅杆旁边,内心蕴藏着无比深沉的悲愁。这里人物的心情,是否是为个人长期漂泊而犯愁呢?看来并不是这样,那么,具体的思想感情指什么呢?词人没有明写,正是为下片完全抒情蓄势。

下片直抒胸臆,词人郁积在胸中的满腔悲愤,喷薄而出,一气呵成。“心折”比喻伤心至极。南朝诗人江淹的《别赋》里,用“心折骨惊”来形容离别的伤心。作者用“心折”是为国事而伤悲。他在《建炎感事》诗中说:“三吴素轻浮,伤弓更心折。”换头“心折”一句,既是承上,又是启下。“长庚光怒”三句,写出了国事危急的严重局势。一方面南宋小朝廷出现了叛乱。在建炎三年三月,苗傅、刘正彦发动兵变,逼宋高宗传位太子,后失败被杀。同时,各地农民起义的斗争也风起云涌。另一方面,金兵猖狂南侵,南宋朝廷无法抵御,高宗逃亡飘泊于江海之间。在这内忧外患严重的危难时刻,天空的长庚星(即金星,又名太白星,古代认为主兵戈之事)如今似乎放射出愤怒的光芒，壮志忧国的词人怎能不感到“心折”呢？“欲挽”二句，大声疾呼，豪气浮纸。这是作者爱国抱负的直接抒发。杜甫在《洗兵马》诗中说：“安得壮士挽天河，净洗甲兵长不用？”这里是说用天河水来洗净中原地区人民惨遭屠杀的血污，反映了词人欲击退金兵、收复中原的壮志。这种慷慨悲壮的音调，使无数的爱国词人受到感染，引起共鸣。南宋著名爱国词人辛弃疾的《水调歌头》之“要挽银河仙浪，西北洗胡沙”显然是受到张元幹爱国词作的影响。

“两宫何处”三句，进一步抒发作者伤时忧国的悲愤。“两宫”，指宋徽宗、钦宗。靖康二年（1127），两帝被金兵掳去，北宋灭亡。这幕沉痛的历史悲剧，正是由于北宋王朝的极度腐败以及对金屈辱求和的必然结果。张元幹在《建炎感事》诗中说到了这一点：“议和其祸胎，割地亦覆辙。”这是十分沉痛的历史教训。可是，眼前的形势又如何呢？南宋小朝廷仍然处在金兵的严重威胁之下，南宋与金的边界只隔了一条长江。面临着这种严峻的现实，作者的抗金壮志难酬，报国无路，怎能不使他感到忧心如焚呢？在这里词人运用了“唾壶”的典故。《世说新语·豪爽》：“王处仲每酒后，辄咏‘老骥伏枥，志在千里。烈士暮年，壮心不已’，以如意打唾壶，壶口尽缺。”王处仲所吟咏的是曹操《龟虽寿》的诗句。词人借用这个典故，表明自己虽有“一战灭胡尘”的壮志，但也不过和王处仲那样，白白地击碎唾壶，空下决心而已。这样更进一层抒发了作者悲壮激越的心情。

最后“万里想龙沙”二句直写词人在江浙一带漂泊避乱，但想到宋徽宗、钦宗囚禁在遥隔万里的塞外沙漠地区，情不自禁地为国事多艰、君王遭难而痛哭流涕。“龙沙”，白龙堆沙漠，泛指西北塞外，这里借指宋徽宗、钦宗囚禁之地。“万里想龙沙”，与南宋爱国诗人陆游在《金错刀行》诗中所写“一片丹心报天子”一样，都是在特定历史条件下表现的对君主的忠心。末句以痛语作结，更显得其爱国之情的悲切、深沉。

这首《石州慢》是作者从前期“绮罗香泽”的情调转变为寄慨国事的慷慨悲壮之音的代表作。全词语言豪壮遒劲而又流畅通达，侧重写景抒情而又兼叙事议论，构成了豪迈悲壮的艺术风格。全词用仄声韵，上片五个入声韵：月、灭、咽、绝。下片五个入声韵：折、獗、血、缺、越。这些短促的音节，有助于表现悲愤的思想感情，使音调更加慷慨激昂、沉郁悲壮，读之令人感奋。

（曹济平）

水调歌头

张元幹

追　和

举手钓鳌客，削迹种瓜侯。重来吴会三伏，行见五湖秋。耳畔风波摇荡，身外功名飘忽，何路射旄头？孤负男儿志，怅望故园愁。　梦中原，挥老泪，遍南州。元龙湖海豪气，百尺卧高楼。短发霜粘两鬓，清夜盆倾一雨，喜听瓦鸣沟。犹有壮心在，付与百川流。

鉴赏

本词大约作于绍兴二十三年(1153)前后。其时词人年过花甲，两鬓斑白，这与词中所写的自我形象相符合。这首词运用赋体，纵笔直书，思念故国，语言不假藻饰而又句句重大。

词的开头"举手"二句破空而来，暗示出了作者沉浮的身世。这主要借助于典故来表述。"钓鳌客"，指李白。宋赵德麟《侯鲭录》卷六："李白开元中谒宰相，封一版，上题曰：'海上钓鳌客李白。'"至于"钓鳌"的出处，见《列子·汤问》。这是一则神话传说。大意是说：古代渤海东面有五座山，常随波漂浮。上帝就命十五只巨鳌用头把山顶住，这样才固定下来。可是龙伯之国有位巨人，他举足数步就到达五山之上，一钓而连六鳌，负而回国。于是岱舆和员峤二山就流于北极，沉入大海。因此，后人常用来比作豪迈的壮举。张元幹早年也有凌云壮志，在金兵南侵的动乱年代里，他追随李纲抗金，呕心沥血，满腔热肠，然而功业未成，罪名加身。尤其是南宋朝廷长期苟和偷安，不思收复，使张元幹壮志难酬，浪迹江湖之上，而发出"纵有垂天翼，何用钓连鳌"(《水调歌头》)的感叹。

第二句"削迹"，指匿迹，表示隐居。"种瓜侯"，指邵平失侯种瓜的故事。《史记·萧相国世家》云："召(邵)平者，故秦东陵侯。秦破，为布衣。贫，种瓜于长安城东。瓜美,故时俗谓之‘东陵瓜’。”陶渊明《饮酒》诗中有“衰荣无定在,彼此更共之。即生瓜田中,宁似东陵时”,用来感叹世事不定。词中这两句表面看来似乎是有矛盾的,其实,这种既抒壮志豪情,又写隐居不仕的形象,正是南宋世事动乱不定的反映,是动乱现实的折光凝聚在张元幹身上的一束投影。

紧接着“重来”二句,承上并点出了地点和时间。词人从绍兴元年辞官归隐到这次重游吴县,泛舟太湖之上,其间已经过去了二十多年的漫长岁月。“吴会”,即吴县。“耳畔”三句宕开,从眼前实景展现“重来者”内心深处对国事的无限感慨。“旄头”,星名,即昴宿,古代当作胡星。李白《经乱离后天恩流夜郎忆旧游书怀赠江夏韦太守良宰》:“安得羿善射,一箭落旄头?”如果说李白诗中的“旄头”比喻安禄山叛乱军队,那么这里是用来比喻进犯的金兵。但是,南宋王朝执意主和,使他无法“射旄头”。词人行舟在微波荡漾的太湖水面上,想到自己壮志未酬而功名飘忽,心中埋藏多少不易倾诉的苦衷!“孤负”二句,直抒报国壮志难以伸展的悲愤,故只能怅望故园,愁生故国了。

下片换头“梦中原”三句,从上片“怅望”而来,词人借梦抒情,深沉地倾吐国土沦丧之悲痛。“元龙”二句,词人的笔锋,从梦萦中原的悲哀气氛中转写陈元龙的英雄豪气。《三国志·魏书·陈登传》谓东汉人陈登字元龙,有英雄气概。传中说刘备与许汜共论天下英雄,许汜提到陈登说:“陈元龙湖海之士,豪气不除。”并抱怨他拜访陈元龙时,陈元龙与他不多言谈,而且自己睡大床,让他睡在下床。刘备听了,批评许汜胸无大志,指出他只知道求田问舍,作个人打算。并且说:“假如是我的话,那么我就睡到百尺高楼上,而叫你许汜睡在地上。”词中以此表达作者忧国忘私的豪情至老未衰。

“短发霜粘两鬓”三句,词人陡转笔锋,从心中所想转而描写眼前实景,出现了另一片新的画境:在风雨交加的秋夜,一位华发苍颜的老人,思绪翻腾,难以入眠,但却怀着喜悦的心情听着倾盆大雨流淌在屋瓦沟里发出的声响。这里着一“喜”字,是以动宕之笔写万千心绪:想到元龙豪气则听雨亦喜,思念中原未复又彻夜难眠。

“犹有壮心在”二句,以抒情作结,与首句用事前后照应,令人咀味。“百川流”,形容壮心随水东流,这是愤激的比喻,而言外含有无限的感慨。清沈祥龙《论词随笔》谓“感时之作,必借景以形之”。这首词借景抒怀,托物寄兴,表露了作者对国事日非而壮志未酬的忧愤之情,言近旨远,感慨深沉。

(曹济平)

点绛唇　张元幹

呈洛滨、筠溪二老

清夜沉沉,暗蛩啼处檐花落。乍凉帘幕,香绕屏山角。　堪恨归鸿,情似秋云薄。书难托,尽交寂寞,忘了前时约。

鉴赏

本词写作的时间不详,但从题目来看,大约作于绍兴十八年(1148)前后。张元幹在《精严寺化钟疏》一文中提到:"岁在戊辰(绍兴十八年),僧结制日,洛滨、最乐、普现(即筠溪)三居士,拉芦川老隐过其所而宿焉。""洛滨",指富直柔,字季申,北宋宰相富弼之孙,河南洛阳人。靖康初赐进士出身,高宗建炎四年官至端明殿学士、签书枢密院事。后因主战为秦桧所忌,不久落职。晚年徜徉山泽,与叶梦得、张元幹等交游唱和。绍兴二十六年(1156)卒。"筠溪",即李弥逊,字似之,自号筠溪翁。徽宗大观三年进士,南渡后以起居郎迁中书舍人,后因主战,反对秦桧议和,不久被落职。绍兴十年(1140)归隐福建连江西山,与张元幹、富直柔等交游唱和。绍兴二十三年(1153)卒。

这首小令的组织结构是上景下情。上片着重写景,寓情于景;下片主要抒情,运用比喻,曲折地表达对世途险恶的不满和因中原未能收复的怅惘情绪。词的开头二句,点明了时令季节。在一个深秋的晚上,夜色深沉,只听见蟋蟀在屋檐前落雨的地方发出一阵阵鸣叫的声音。这种幽寂的意境,读来宛然在目,如闻其声。以上两句是化用杜甫《醉时歌》"清夜沉沉动春酌,灯前细雨檐花落"诗句。杜诗原注云"赠广文馆博士郑虔",这里借以表述他与富直柔、李弥逊之间的深厚友情。

"乍凉帘幕"二句承上,从户外之情景转入写室内之物象。大意是说,夜已深,靠近帘幕就感到一股初秋的凉气透出，屋内香炉里散发出来的轻盈的烟缕，袅袅直上，萦绕在屏风的上端。这是一幅多么清幽、孤寂的画面。词人由远及近，刻画具体入微，把听觉、感觉、视觉三者融合在一起，极力渲染秋夜清冷的气氛和孤寂的境界。

下片抒情，倾吐蕴藏内心深处的难以直言的心绪。“堪恨”二句，以“归鸿”作比喻，说明心事难寄。古代有鸿雁传书信的说法。但这里写征鸿的情意犹如秋云那么单薄，不肯传书，所以显得可恨。这与李清照《念奴娇》“征鸿过尽，万千心事难寄”的意境相接近。不过，这里着一“恨”字，感情色彩更为浓烈。“秋云薄”是用杜甫《秋霁》“天际秋云薄，从西万里风”的诗句。朱敦儒《西江月》亦写过：“世事短如春梦，人情薄似秋云。”因此，词人埋怨征鸿情薄，蕴含着纷繁的人生仕途之风波。

“书难托”三句，从上“堪恨”而来。正因为征鸿不肯传信，而中原阻隔，书信难寄，又有谁能理解其中的万千心事呢？张元幹在《兰陵王》词中写过：“塞鸿难托，谁问潜宽旧带眼？”在这恼人的岁月里，既然无法寄声传语，那就让人忘了过去的约会，任凭自己寂寞无聊吧！

这首小令虽寥寥四十一字，但在艺术手法上确有特色。主要是寓情于景，用笔疏隽；写景则静中有动，抒情又委婉曲折。而以景衬情，尤为高妙。如词的开头写秋夜沉寂之景，虽是古代诗词中常见的景物，但词人用蟋蟀的声音作陪衬，着一“啼”字，不仅词的境界静中有动，而且把“客愁连蟋蟀”的清冷心境也刻画出来了。这蟋蟀的鸣叫声，已不是悦耳动听的乐章，而仿佛是山河残破的凄切悲鸣，从而产生情景相生的艺术效果。诗人所抒发恨不见中原的爱国情意，正是通过倾听蟋蟀之声，目见秋雁断音的景象中透露出来的。这种情藏景中的写法，由于作者化无情之物为有情物态，更富有感情色彩，因而立意也更为高远。

（曹济平）

渔家傲　张元幹

题玄真子图

钓笠披云青嶂绕，橛头细雨春江渺。白鸟飞来风满棹。收纶了，渔童拍手樵青笑。　明月太虚同一照，浮家泛宅忘昏晓。醉眼冷看城市闹。烟波老，谁能惹得闲烦恼？

鉴赏

本词题中“玄真子”，即唐代诗人张志和，唐颜真卿撰《浪迹先生玄真子张志和碑铭》中说他曾“献策肃宗，深蒙赏重，令翰林待诏，授左金吾卫录事参军，乃改名志和，字子同。寻复贬南浦尉，经量移不愿之任，得还本贯。既而亲丧，无复宦情，遂扁舟重纶，浮三江，泛五湖，自谓烟波钓徒。”他著书十二卷，号《玄真子》，人亦以此相称。“玄真子图”，即玄真子像。张志和有《渔歌子》五首，其中“西塞山前白鹭飞”一首最为人称道。宋人以此为题材的词作甚多，而直接提到玄真子像的，以黄庭坚为最早。他在《鹧鸪天》词序中说：“玄真子咏《渔父》……宪宗时，画玄真子像，访之江湖不可得，因令集其诗歌上之。”不过，他的词作只是在张志和词的上下片各凑二句，别无新的意趣。所以苏轼读到黄庭坚这首词后，很幽默地说：“鲁直（黄庭坚）乃欲平地起风波耶？”因为黄庭坚词中有“人间欲避风波险，一日风波十二时”句。其实，张志和《渔父》是一幅笔墨洗练、色彩鲜明的山水景物图画，如果再在画面上任意添补，当然会使人产生一种画蛇添足的感觉。

张元幹这首词的艺术构思则不同，他不采用成句添补，而是独辟蹊径，描绘一位不求功名利禄、流连山水自然的渔翁形象，给人一种艺术美的享受，这就克服了上述的弊端。

词的上片主要写景，由景入情；下片着重抒情，融情入景。开头“钓笠披云青嶂绕”二句，勾勒出一幅远山春水、渔翁独钓的优美图画。画面上,一位头戴箬竹叶编成的斗笠,身穿蓑衣的渔翁,坐在一只小船上,悠然自得地在青山环绕、春雨绵绵的一望无际的江面上垂钓。“橛头”是船名。据南宋胡仔《苕溪渔隐丛话后集》卷三十九:“张仲宗有《渔家傲》词,余往岁在钱塘,与仲宗从游甚久,仲宗手写此词相示,云旧所作也。……余谓仲宗曰,橛头虽是船名,今以雨衬之,语晦而病。因为改作‘绿蓑细雨’,仲宗笑以为然。”

“白鸟飞来”三句,生动地描绘了渔家生活的无穷情趣。读者仿佛看到一群白鹭从远处飞来,斜风细雨吹刮满船。可是稳坐在小船上的渔翁,慢慢地把钓鱼的丝线收缩,猛地用力一提,一条泼刺跳动的大鱼被钓上来了,这时渔童和樵青都高兴得拍手欢笑。如果说张志和的《渔父》词是一幅斜风细雨垂钓图,表现了作者沉浸在江南春色的自然美的境界中的欣快心情,那么张元干这首词所写则是静中有动,如闻喧闹之声,是一幅细雨迷蒙的江面垂钓的有声画,表现了词人对充满诗情画意的江南景色的喜爱,以及对自由自在的渔家生活的热情讴歌。“渔童”和“樵青”是张志和的奴婢。颜真卿《浪迹先生玄真子张志和碑铭》载:“肃宗尝赐奴婢各一,玄真配为夫妻,名夫曰渔童,妻曰樵青。人问其故,曰:‘渔童使捧钓收纶,芦中鼓枻;樵青使苏兰薪桂,竹里煎茶。’”这在词里作了形象化的体现。

下片“明月太虚同一照”,承上写渔翁时刻生活在船上,天光月色,照映小船,境界由动入静,清幽淡远。“太虚”,此指天空。这里反映了作者不愿与世俗相交往的高逸情致。紧接着“浮家泛宅”一句,进一层写以船为家的漂泊生活,显露出孤傲、清高的性格。“浮家泛宅”,据《新唐书·张志和传》云:“颜真卿为湖州刺史,志和来谒,真卿以舟敝漏,请更之。志和曰:‘愿为浮家泛宅,往来苕、霅间。’”所以,后人称舟居为浮家泛宅。

“醉眼”三句,由叙述舟居生活情景转入抒发词人不慕功名利禄、摆脱世俗烦恼的超然物外的旷达情怀。“闲烦恼”,指一种没有多大关系的烦恼。南宋沈瀛《水调歌头》:“枉了闲烦闲恼,莫管闲非闲是,说甚古和今!”不过张元干是用来表露自己愿终身浪迹江湖之上,过着“烟波钓徒”的生活,这样也就不会引起闲是闲非的烦恼了。末以隐逸之情作结,真切自然,与首句所描绘的垂钓景象相融合,构成情景交融而又和谐统一的意境,给读者留下极为深刻的印象。

南宋罗大经《鹤林玉露》卷三谓此词“语意尤飘逸。仲宗年逾四十即挂冠,后因作词送胡澹庵(铨)贬新州,忤秦桧,亦得罪。其标致如此,宜其能道玄真子心事”。明沈际飞《草堂诗余正集》赞同此说,并认为语意尤“洒然出尘”。张元幹这首词的笔力高妙之处在于,他对张志和的垂钓,“志不在鱼”,而在山水之乐,领略得比较深切,取其神而不取貌,故能道出玄真子的心事,又借以表达出自己的真情。所以这首词名曰《题玄真子图》,实际上是作者内心世界的真实写照,其潇洒出尘的飘逸情致,内含丰富,更耐人咀味。

(曹济平)

瑞 鹧 鸪 　　张元幹

彭德器出示胡邦衡新句次韵

白衣苍狗变浮云,千古功名一聚尘。好是悲歌将进酒,不妨同赋惜余春。　风光全似中原日,臭味要须我辈人。雨后飞花知底数,醉来赢取自由身。

鉴赏

这首词的小序很重要,它点出了复杂的政治背景。胡邦衡即胡铨,在《贺新郎》(梦绕神州路)词中已作介绍。胡铨贬谪新州以后,仍然写了一些寄慨国事的词作。这些新句通过彭德器传到了张元幹的手中。他读后感慨万千,情不自禁地写下了这首词作。据南宋王明清《挥麈后录》卷十记载,胡铨在新州尝赋《好事近》词,当时的郡守张棣收缴上报,权奸秦桧知道后大怒,在绍兴十八年又把胡铨送吉阳军(今海南岛南部)编管。不过,张元幹次韵的新句,并非此首《好事近》,而是《瑞鹧鸪》,但在现存的胡铨词中未见收录,恐怕原词已经散失了。

词题中所说彭德器,据胡铨《澹庵先生文集》卷十二《与彭德器书》称“德器学士”,又云“吾友平生磊落”,乃知为胡铨好友,然不详其生平事迹。彭德器又与张元幹交游唱和,元幹有《病中示彭德器》和《彭德器画赞》等。元幹在《彭德器画赞》中称赞他“气节劲而议论公,心术正而识度远”。

可见他们都是志同道合的好友，因此才敢于冒风险为胡铨传递新句。

这是一首抒写世事变迁的感愤之作。词的开头“白衣苍狗”一句，借用杜甫《可叹》“天上浮云如白衣，斯须改变如苍狗”的诗句，直写世事的变幻莫测。起句不仅用语峻峭，而且蕴含着极为深广的社会内容，引起人们无穷的联想。天上的朵朵云彩，一会儿像件白色的衣裳，一会儿又变得像只黑色小狗。这不正是世事变幻无常的绝妙的比喻吗？

“千古功名一聚尘”句，由世事变幻转入抒写心中的感喟。在那战乱不定而是非颠倒的年代里，壮志抱负难以伸展，因此把千古功名看作像一堆尘土。这种愤激的语言是有时代典型意义的。岳飞在《满江红》中也大声疾呼：“三十功名尘与土”。但“一聚尘”是借用黄庭坚《出城送客故人东平侯赵景珍墓》诗中“意气都成一聚尘”的句意，以此来表现内心压抑的无比悲愤。

“好是”二句，词人进一步借用古人诗文来抒发政治上遭迫害的深沉愤慨。“将进酒”，汉乐府铙歌曲调名称，内容大都写饮酒放歌。李白写过著名的《将进酒》诗，人们不禁想起李白诗中“君不见黄河之水天上来”的豪迈气概，而且诗里“与君歌一曲，请君为我倾耳听”的意境，也使人感到那种抑郁不得志的一腔怨愤。“惜余春”是指李白的《惜余春赋》。李白在《赋》中写道：“试登高而望远，极云海之微茫。魂一去兮欲断，泪流颊兮成行。”又说：“惜余春之将阑，每为恨兮不浅。……春不留兮时已失，老而衰飒兮逾疾恨。”词里所写“不妨同赋惜余春”，正是暗用此赋，而语意双关，倾注着作者对胡铨远贬的深切怀念，以及时不再来而又无可奈何的悲哀心情。

下片“风光全似中原日”一句承上接下，词人的笔锋由眼前情景联想到过去中原的风光。今昔对照，景物依旧，而局势却发生了巨大的变化。“臭味要须我辈人”一句，抒发情意，感慨不尽。“臭”，通嗅。“臭味”，气味，此指气味相同，志趣相投。“要须”，总须的意思。这两句是说，尽管眼前的景色与昔日中原的自然风光相似，然而世态剧变，那种气味相同、志趣相投的情谊，总须要我们这一辈人。

“雨后飞花”一句是化用杜甫《曲江》“一片花飞减却春，风飘万点正愁人”的诗意，抒写暮春季节落花无数的惋惜之情，也寓寄着对南宋小朝廷前途暗淡的忧虑。末句“醉来赢取自由身”，以情收束，含意深远。“醉来”，并非真写醉意,而是借酒醉以忘世忧。“自由身”是指不受拘管之意。五代李珣《定风波》:“此时方认自由身。”其时,胡铨已编管新州,失去自由。这里的“自由身”虽然是从酒醉可逃世网中引申得来的,但也可以说是对胡铨身遭编管而不得自主的一种宽慰。

这首小词构思新颖,融人事于风景之中,以景衬情,而语言自然流畅,凝练精妙。尽管词人的笔墨含蓄,但从写景抒情、寄慨深沉的意境中,读者仍然能够领略到词篇所反映的悲剧时代和深刻的社会意义。

(曹济平)

薄　幸　　吕渭老*

青楼春晚。昼寂寂、梳匀又懒。乍听得、鸦啼莺弄，惹起新愁无限。记年时、偷掷春心，花间隔雾遥相见。便角枕题诗，宝钗贳酒，共醉青苔深院。　怎忘得、回廊下，携手处、花明月满？如今但暮雨，蜂愁蝶恨，小窗闲对芭蕉展。却谁拘管？尽无言、闲品秦筝，泪满参差雁。腰支渐小，心与杨花共远。

作者

*吕渭老，一作滨老，字圣求，秀州嘉兴(今属浙江)人。生卒年不详。宣和、靖康间朝士，曾为徽、钦北迁作忧国诗、痛伤诗、释愤诗，因而著名。诗亡佚，今存《圣求词》一卷。其词婉媚深窈，刻画工丽。也不乏平易朴素之作。

鉴赏

这是一首恋情词，写一个"偷掷春心"的少女对远在他乡的恋人的怀念与愁思。这首词的中心是写"愁"。作者在起调处就开始捕捉这位少女的"愁"的形象。以"春晚"点出节候，暗寓伤感。晚春是百花零落的时候，遍地残红，是"愁"的象征。"昼寂寂、梳匀又懒"，承"春晚"而来，是这位少女孤单寂寞、百无聊赖的心理状态的外露。她虽然梳头、匀面，但却只有独坐"青楼"，独消永昼。"乍听得"两句，转写动景，亦承"春晚"而来。鸦啼莺弄，本当赏心悦目，可在她，却"惹起新愁无限"。用反跌之笔，深刻地揭示出这位少女心灵深处的"愁"。一切景物无不染有观者的主观感情色彩。至此，始露一个"愁"字，而又借莺声引出，是作者用笔婉转生姿处。这是全词的第一个层次，写少女的愁态、愁情，一片愁云，笼罩全词。“记年时”，是全词的第二个层次，以回忆的笔调，从刻画形象、剪裁画面入手，写这位少女由初恋至热恋的全过程。这是插入的一段叙事。“记年时”的“记”是个领字，一字领起下边五句，这五句，层次分明，连珠而下，从中似乎可以觉察到这位少女在恋爱过程中紧张、愉快的心情节奏。这五句所表达的内容层次是：先写初恋的时间。“年时”，即去年。“偷掷”两句，则是写与恋人初次相见时的情态。作者在“相见”前连用“花间”“隔雾”“遥”三语，把这次相见写得极富情致。“遥”，是说“相见”时的距离较远；不仅远，而且是在花丛之中，借着花枝作掩护；尤其是还隔着那轻纱般的雾。这就活画出这位少女在恋情（“春心”）萌动、决心一试时的羞涩与紧张，与“偷掷”的“偷”字极相配搭。自然，作者把这次相见置于如此美妙的环境之中，也不无象征爱情美好的用意。然后写恋情的发展：角枕题诗——宝钗贳酒——共醉青苔深院。“角枕题诗”，“角枕”，用兽角装饰的枕头。这里是用《诗经·唐风·葛生》“角枕粲兮，锦衾烂兮”诗意，表明相爱之深。“宝钗贳酒”，“贳(shì)酒”，即赊酒。用金钗换酒来“共醉”，益见浓情蜜意。这里的“便”，也是领字，有“于是，就……”的意思。在“记”字领辖范围中，再用一领字，意在加强下三句的句间关系，三句层层递进，表现了双方恋情的迅速发展。同时，用“便”字把“记”字所领起的五句，在感情节奏上分为上二下三，使下三句成为上二句的自然发展，上二下三之间，“便”字成了联系的纽带。领字之中有领字，使结构疏密有致，节奏鲜明，由此可见作者驾驭语言的深厚功力。下片换头处以“怎忘得、回廊下，携手处、花明月满”，紧承上片，并为上片的美好回忆作缩结。紧接着，用“如今但”作有力的转折，开拓出全词的第三个层次，转入层层凄凉的画面。这一层，与上片所写对爱情的美好回忆，正好互为反衬，从而更加有力地表现出这位少女心灵深处的凄凉，同时也揭示了这位少女“愁”的根源所在。这正是作者的曲折用笔、巧妙安排。“但”（“只有”的意思）在这里也是个领字，领起“暮雨”“蜂愁蝶恨”“小窗闲对芭蕉展”三句。这三句，一句一个画面，景中寓情。“暮雨”再配上“春晚”“昼寂寂”，进一步表现了少女心情的凄苦与纷烦；“蜂愁蝶恨”，承“暮雨”而来，明写蜂蝶，暗写少女；"小窗"云云，则是明写少女了。三句内容的胪列，由物而人，由晦而显，然后再以"却谁拘管"直抒幽怨，同时也暗示出她那美好的爱恋，已如流水落花，不堪收拾了，为最后一层意思预作安排。最后一个层次，是词的歇拍："尽无言、闲品秦筝，泪满参差雁。腰支渐小，心与杨花共远。"这是全词抒情达意的结穴，几句写尽少女愁极而悲、悲极而转幽忧的复杂情态。"筝"，《隋书·乐志》说始于秦，故称"秦筝"；筝声哀，故称"哀筝"。李峤咏筝诗有"莫听西秦奏，筝筝有剩哀"；岑参《秦筝歌》有"汝不闻秦筝声最苦""闻之酒醒泪如雨"等句。筝十三弦，弦柱参差（贾彬《筝赋》："列柱参差"），列阵如雁行，故刘禹锡称其"玫瑰宝柱秋雁行"（《伤秦姝行》）。这位少女本想强打精神"闲品秦筝"以排解愁绪，可是一看到筝上的"雁柱"，不禁悲从中来，以致"泪满参差雁"。由筝上的"雁柱"，联想到自然界的"雁"，又由自然界的雁转入怀念、盼望远离的恋人，睹物伤情，婉转缠绵，意深而语新，一句写尽少女相思之苦。"腰支渐小"，化用柳永"衣带渐宽终不悔"的句意，是愁苦悲痛的必然结果。"心与杨花共远"，借杨花飘逝以写少女愁绪的悠远、渺茫，心犹杨花，杨花似心，寸心千里，情深而句秀，有"有余不尽之意"（张炎《词源》），深得词家结句之法。且杨花亦晚春之物，用以结句，遂使全词首尾照应，回环往复，浑然一体，亦作者匠心独运之处。

（邱鸣皋）

好 事 近

吕渭老

飞雪过江来，船在赤栏桥侧。惹报布帆无恙，着两行亲札。　　从今日日在南楼，鬓自此时白。一咏一觞谁共？负平生书册。

鉴 赏

这是一首抒情小词，写作者在风雪之中渡江回到南方，闲居家乡，孤单愁苦，有志难展，报国无路，辜负了平生读书的志向。玩其词意，似为南渡后的作品。词的上片，写安全渡江。起句说“飞雪过江来”，而系船于“赤栏桥侧”。尽管江上风雪，气候险恶（或有国家政治形势险恶之寓意），词人仍能安全渡江，故须亲笔写信，向关怀他的人报告“无恙”。“布帆无恙”，指归人安全。《晋书·顾恺之传》：“（殷）仲堪在荆州，恺之尝因假还，仲堪特以布帆借之，至破冢，遭风大败。恺之与仲堪笺曰：‘地名破冢，真破冢而出。行人安稳，布帆无恙。’”李白《秋下荆门》诗有“霜落荆门江树空，布帆无恙挂秋风”之句。“着两行亲札”是“惹报布帆无恙”的补充句，也可以把这两句看作倒装句，是作者用笔变化处。下片悲悼自己的孤独寂寞，有志难展，是这首词的重点。换头以“从今”紧承上片，开启下文，使上片的叙事与下片的抒情纽结自然，浑然一体。“日日在南楼”，写闲居家乡，语似平淡，其实感慨很深，词人的寂寞忧愁、一筹莫展、百无聊赖，以及对无可奈何虚度光阴的痛惜，种种复杂情绪，尽在此句之中。这一句是下片内容的总提。“鬓自此时白”，侧重写渡江后困居南楼的穷愁潦倒，内心的痛苦。头发是年华的标志，如李白诗所云，“白发三千丈，缘愁似个长”，“高堂明镜悲白发，朝如青丝暮成雪”，词人的“鬓自此时白”，正是他穷愁潦倒、内心痛苦的表象。“一咏一觞谁共”，则侧重写词人的孤独寂寞。“谁共”，正是无人与共，其间流露了对志同道合的朋友的思慕。结句“负平生书册”，是痛心疾首之言，既对自己的坎坷遭遇感慨伤怀，又对自己徒怀经纶之才而不能为国建功立业，自疚自惭，感慨之至，亦沉痛之至，同时也暗寓对当时社会现实的批判，思想感情是复杂的。

作者写这首词的目的，在于自抒郁愤。全词虽无壮怀激烈之语，却感情深沉、真实。况蕙风说：“真字是词骨，情真，景真，所作必佳。”（《蕙风词话》）此词便得词家一个“真”字，真而不矜，指事抒情皆真率赤诚，不矫揉造作，不忸怩作态。所以语虽平淡，读者却可以摸到词人的脉搏，感受到词人那复杂的感情。词人的这种感情，他被压抑的深沉的家国之忧，是当时特定历史时代的产物，具有一定的代表性。

（邱鸣皋）

小重山　　岳飞*

昨夜寒蛩不住鸣，惊回千里梦，已三更。起来独自绕阶行，人悄悄，帘外月胧明。　白首为功名，旧山松竹老，阻归程。欲将心事付瑶琴，知音少，弦断有谁听？

作者

* 岳飞(1103—1142)，字鹏举，相州汤阴(今属河南)人。出身贫寒，二十岁应募为“敢战士”，身经百战。屡建奇功，是南宋初期的抗金名将。绍兴十年(1140)统率岳家军大破金兵于郾城，进军朱仙镇，准备收复中原失地。但朝廷执行投降政策，勒令其退兵。后被赵构、秦桧以“莫须有”的罪名杀害。岳飞流传下来的作品不多，但都是充满爱国激情的佳作。有《岳武穆集》，为后人所编。

鉴赏

绍兴七年(1137)，正当抗金前线捷报频传，凯歌高奏，士气民心大振，收复中原失地胜利在望的时刻，宋高宗赵构不顾朝野上下的反对，再次起用汉奸秦桧为枢密使。次年又拜右仆射、同中书门下平章事兼枢密使。从此秦桧独揽大权，极力推行投降卖国政策。广大军民抗金救国的积极性受到严重的压制和摧残，主战派赵鼎、王庶、张戒、曾开、胡铨等人都因反对“议和”，触怒秦桧，相继被排斥出朝廷，遭到贬谪、流放和编管。岳飞坚决反对秦桧的倒行逆施。绍兴八年(1138)，当宋金双方遣使谈判议和条件时，他曾公开指责秦桧说：“金人不可信，和好不可恃，相臣谋国不臧，恐贻后世讥。”(《宋史·岳飞传》)同年他在写给枢密副使王庶的信中又说：“今岁若不举兵，当纳节请闲。”(同上)可见自秦桧当权以后，岳飞和许多爱国志士一样，受到投降派的压制，深感自己杀敌报国的理想难以实现，内心充满了忧愤和抑郁。从这首词的情调看，很可能是绍兴八年秦桧任宰相以后所作。

上片寓情于景，写作者思念中原、忧虑国事的心情。“昨夜寒蛩不住鸣，惊回千里梦，已三更。”开头三句写秋夜梦回，意境含蓄而深沉。那是一个深秋的夜晚，词人梦见自己正率部转战千里，向阔别的故土胜利挺进。眼看驱逐敌寇、光复河山的理想即将实现，多么令人兴奋和激动呵！可惜好梦不长，终于被不停鸣叫的蟋蟀声惊醒。醒来的时候，正是半夜三更。“起来独自绕阶行，人悄悄，帘外月胧明。”接着三句写梦醒后的失望和徘徊，反映了现实和理想的矛盾。作者在夜深人静之时，独自披衣起床，绕着台阶来回踱步，抬头一望，只见朦胧的月色正照在窗帘之上。这里借景物的描写烘托内心的孤寂，用平静的语气叙述不平静的思想活动，显得曲折深婉，寄寓着壮志难酬的忧愤。

下片抒写收复失地受阻、心事无人理解的苦闷。“白首为功名，旧山松竹老，阻归程。”换头三句，慨叹岁月如流，家乡长久沦陷，归期遥遥无望。作者自二十岁从军，出生入死，与金兵浴血奋战，决心“迎二圣归京阙，取故地上版图”（《五岳祠盟题记》），为国家建立丰功伟业。可是十多年已经过去，头发也白了，仍未能返回故园，实现“还我河山”的伟大抱负。每当他想到这里，怎能不义愤填膺、忧心如焚呢？所谓“阻归程”，实际并非指山高水深，道路遥远，难以归去，而是暗喻着对投降派屈辱求和、阻挠抗金斗争的不满和谴责。因为当时正是秦桧弄权，气焰十分嚣张的时候，作者不便明言，所以用含蓄的表现手法，弹出弦外之音，让读者去体会。“欲将心事付瑶琴，知音少，弦断有谁听？”结拍三句，用俞伯牙与钟子期的典故，表达自己处境孤危，缺少知音，深感寂寞的心情。据《吕氏春秋·本味》，春秋时俞伯牙善鼓琴，唯有钟子期能从琴声中体会出他的心事。后来“钟子期死，伯牙破琴绝弦，终身不复鼓琴”。秦桧上台后，迎合赵构的旨意，对坚持抗金的主战派进行无情的打击和迫害，将他的亲信和爪牙安置在朝廷的重要位置上，以便实现其卖国求荣的罪恶目的。这三句表达了作者抱负难以实现的痛苦，反映了投降派统治下南宋的黑暗现实。

这首《小重山》写得比较含蓄委婉，与后两首《满江红》的格调有所不同，但在思想内容方面仍有其内在的统一性。后两首表现的是抗击金兵,收复中原;这首表现的则是不满“和议”,反对投降。这两方面的主题是完全统一的,统一的基础就是岳飞反对民族压迫、反对投降主义的坚定立场,热爱国家、热爱民族的深厚感情。由于写作的时间和历史背景不同,因而在情调和风格上产生了差异,这也是可以理解的。

(喻朝刚)

满江红　　岳飞

写怀

怒发冲冠,凭栏处、潇潇雨歇。抬望眼、仰天长啸,壮怀激烈。三十功名尘与土,八千里路云和月。莫等闲、白了少年头,空悲切!　　靖康耻,犹未雪。臣子恨,何时灭?驾长车踏破、贺兰山缺。壮志饥餐胡虏肉,笑谈渴饮匈奴血。待从头、收拾旧山河,朝天阙。

鉴赏

岳飞的《满江红·写怀》是一首气壮山河、传诵千古的名篇。词中表达了作者抗金救国的坚定意志和必胜信念,体现了大无畏的英雄气概,洋溢着爱国主义的激情。几百年来,在群众中广为流传,产生了非常深远的社会影响。

这首词大约作于宋高宗绍兴初年。当时由于广大军民奋起自卫反击,金兵连连受挫,战争形势发生了有利于南宋方面的变化,驱逐敌寇、收复失地的可能性正在出现。词中所表达的那种对敌人的无比愤怒和仇恨,对还我河山、振兴宋朝充满信心的壮志豪情,集中反映了当时的时代精神。

上片抒写作者渴望为国杀敌立功的情怀和抱负。开头五句起势突兀,破空而来,胸中的怒火好似火山一样猛然爆发。一阵急风暴雨刚刚停歇,词人独自登楼凭栏眺望。想到中原沦陷,山河破碎,二帝被虏,生灵涂炭,不由得不“怒发冲冠”“仰天长啸”“壮怀激烈”。这几句一气贯注,仿佛一组特写镜头，揭示了作者汹涌澎湃的心潮，描绘出一位忧愤国事、痛恨敌人的民族英雄的光辉形象。接着四句激励自己珍惜时光，努力奋斗，早日完成统一祖国的神圣事业。“三十功名尘与土”，回顾过去。意思是说：自己虽然已到而立之年，但对国家的贡献还很小很小，功名、事业犹如尘土，微不足道。这是作者的谦逊之辞。岳飞自从军以来，在抗金战争中英勇无敌，威名远扬，但他从不居功自傲，曾多次上表辞谢朝廷的封赏嘉奖，并再三申明：“将士效力，飞何功之有！”（《宋史·岳飞传》）受到同僚和部下的普遍尊重和称赞。这句正表现了他虚怀若谷、严于律己的美德。“八千里路云和月”，瞻望前程，下定决心。大意是说：北伐战争是十分艰苦的，任重而道远，尚须披星戴月，日夜兼程，准备长期作战，才能“北逾沙漠，喋血虏廷”（《五岳祠盟题记》），赢得最后胜利。“莫等闲、白了少年头，空悲切！”这两句堪称千古至理名言。既是作者的自勉之辞，同时对坚持抗金救国的广大军民也是巨大的鼓舞和有力的鞭策。

下片申述作者雪耻复仇、重整乾坤的豪情壮志。换头四句以短促的句式，吐露其爱国忠君的思想感情。靖康大耻（“靖康”为宋钦宗年号，靖康二年金兵南下攻陷汴京，虏徽、钦二帝北去，北宋从此灭亡），至今未雪；臣子之恨，何时泯灭？这里用反诘句以加强语气，表达其与敌人不共戴天的深仇大恨。“驾长车踏破、贺兰山缺”，表示自己要挥师北伐，驾着战车，踏破重重险关要塞，直捣敌人的巢穴。这里的贺兰山是泛指，而非实写，和南宋爱国诗人陆游的“壮图万里战皋兰”一样，不过是借以抒发抗金的决心和雄图而已。“壮志饥餐胡虏肉，笑谈渴饮匈奴血。”这两句是作者的愤激之语，进一步表达对女真贵族蹂躏中原、荼毒生灵的切齿之恨，以及彻底消灭强敌的决心。结拍两句是说等到失地收复、江山一统之后，再收兵回朝拜见皇帝，重过太平生活。

这首词情辞慷慨，悲壮激昂，既是战斗的誓言，又像进军的号角，充分体现了作者的英雄性格和雪耻复仇的坚定信念，具有极大的鼓舞作用，对后世影响极大。故陈廷焯在《白雨斋词话》中说：“千载下读之，凛凛有生气焉。”

（喻朝刚）

满 江 红　　　岳 飞

登黄鹤楼有感

遥望中原,荒烟外、许多城郭。想当年、花遮柳护,凤楼龙阁。万岁山前珠翠绕,蓬壶殿里笙歌作。到而今、铁骑满郊畿,风尘恶。　　兵安在?膏锋锷。民安在?填沟壑。叹江山如故,千村寥落。何日请缨提锐旅,一鞭直渡清河洛?却归来、再续汉阳游,骑黄鹤。

鉴赏

此词为岳飞手书墨迹,见近人徐用仪所编《五千年来中华民族爱国魂》卷端照片,词下并有谢升孙、宋克、文徵明等人的跋。唐圭璋先生收入《全宋词》中。

据《宋史·岳飞传》,宋高宗绍兴三年(1133)秋,伪齐刘豫政权在金统治集团指使和支持下,派叛将李成进犯襄阳、唐、邓、随、郢诸州及信阳军。次年,岳飞奉命率兵进讨李成,收复襄阳等六郡,授清远军节度使、湖北路、荆、襄、潭州制置使,屯兵鄂州(今湖北武昌)。岳飞认为北伐时机已到,于是上书朝廷,奏请"以精兵二十万,直捣中原,恢复故疆"。本篇可能为作者此时登临黄鹤楼的抒怀之作。

上片描绘中原大好河山在敌骑铁蹄蹂躏下的凄惨景象。开头两句写登楼远眺。词人纵目北望,只见一片荒草寒烟,远处隐约呈现出故国的山川城郭。这两句表达了作者念念不忘中原的深情。接着四句追忆金兵入侵前故都汴京的繁华盛况。"花遮柳护",形容风光如画;"凤楼龙阁",赞美宫阙壮丽。"万岁山前""蓬壶殿里"两句,极写当年宫廷内的豪华生活。"万岁山",即艮岳,宋徽宗时在京城开封东北建的御园假山。"蓬壶殿",疑指北宋汴京皇宫内的蓬莱殿。"到而今"两句,从回忆转入描写现实,感叹京城惨遭敌军践踏,战乱频仍,形势十分险恶。上片由"遥望"起兴,然后通过今昔对比反映了中原地区遭受战争的巨大破坏,寄托了作者忧虑国事的悲愤之情。

下片分为两层。前六句是一层,紧承上片结句“风尘恶”,进一步说明国家正处于危急存亡之秋。“兵安在”四句,写广大军民为抗金斗争付出了惨重的代价。大意是说:战士们在哪儿呢?他们的鲜血沾满敌人的刀剑,为国英勇捐躯;百姓们又在哪儿呢?他们被金兵无辜屠杀,尸体填满了深沟溪谷。接下两句,叹息山河虽然依旧,而人世却已全非。万里河山,满目疮痍,怎能不令人慷慨生哀?后四句是一层,作者化悲痛为力量,希望朝廷早日决策北伐。自己愿率一支精锐部队,挥鞭渡江,扫清敌寇,光复中原,实现祖国的统一。那时再驾着黄鹤,飞回汉水之滨,重续今日之游。

(喻朝刚)

临江仙　　李石*

佳人

烟柳疏疏人悄悄，画楼风外吹笙。倚阑低唤小红声。熏香临欲睡，玉漏已三更。　　坐待不来来又去，一方明月中庭。粉墙东畔小桥横。起来花影下，扇子扑飞萤。

作者

*李石(1108—?)，字知几，号方舟子，资阳盘石(今四川资中北)人。绍兴二十一年(1151)进士。历官起居郎、太学博士、成都学官、都官员外郎等。通判彭州，历知黎州、合州、眉州。有《方舟集》，从《永乐大典》中辑出。

鉴赏

在李石现存三十九首词作中，以"佳人"为题的有三首，而以《临江仙》为最佳。作者一落笔就把佳人吹笙的环境、时间、地点，依次点清。"烟柳疏疏"，吹笙的环境。柳线低垂，柳行疏落，在淡淡的月光中摇曳飐拂，故曰"烟柳"。"人悄悄"，夜已深，人已静，此吹笙之时间。"疏疏""悄悄"两叠字，构成了轻松、爽朗的情调。"画楼"，乃佳人吹笙之处。上两句，勾画出一幅佳人夏夜吹笙图。何以知为夏？末句有"飞萤"之故。吹笙既久，继以"倚阑"，倚阑沉思，似有所待。所待者，乃"坐待不来来又去"之人。待到玉漏三更，伊人未见，无可奈何，只好"熏香""欲睡"。就在这个时候，只听得"低唤小红"的声音，知道是所待之人来了。"低唤"的"低"字，十分传神，试思：在封建社会里，违反礼教的青年男女私会，能明目张胆、高声呼唤吗？何况在更深人静之时呢。

相待已久，伊人乍来，来之不易，得见维艰，当然有无限情愫要互相吐诉的。可是，“坐待不来”，来又即去，多情反似无情了。“坐待不来来又去”一句，读者可以体味出“小红”心中有多少幽怨啊！作者在此关捩之际，却淡淡一笔，干净利落，“心中无限事，尽在不言中”，突破一般作品描写情人约会难舍难分缠绵悱恻的窠臼。伊人去远，只见明月中庭，“小红”当然有难堪的寂寞，寂寞之余，只注视着如水的月华中清晰可见的粉墙东畔斜横的小桥了。“小桥”，是伊人来去之路。会见匆匆，心曲未尽，眷恋伊人而及小桥，“一方”“坐待”两句虽非言情，而情自见；不写依恋，而依恋更深。细细咀嚼，余味无穷，正所谓“此时无声胜有声”了。李石词笔，清淡之至，含蓄之至。正当写到“小红”浸沉于刚才短暂会见的温馨之时，作者笔锋一转，以生动、明朗、简洁的笔调，写出另一幅画面：花影重重，流萤飞度，“小红”轻拈纨扇，追扑流萤。一位不知愁的闺中少女的形象，写得栩栩如生，跃然纸上。“起来花影下，扇子扑飞萤”，何等美妙的一幅花影扑萤图啊。

在我国古代词作的艺苑之中，描写情人约会的何止千百。像李石这样写恋情，写得清淡、自然、轻松、愉快，不着一绮罗香泽之语的，实不多见。

（杨宝霖）

喜 迁 莺

康与之*

秋夜闻雁

秋寒初劲。看云路雁来,碧天如镜。湘浦烟深,衡阳沙远,风外几行斜阵。回首塞门何处?故国关河重省。汉使老,认上林欲下,徘徊清影。　江南烟水暝。声过小楼,烛暗金猊冷。送目鸣琴,裁诗挑锦,此恨此情无尽。梦想洞庭飞下,散入云涛千顷。过尽也,奈杜陵人远,玉关无信。

作者

*康与之,字伯可,号顺庵,洛阳(今属河南)人。生卒年不详。少时从晁说之学于嵩山。南渡初,高宗驻跸维扬,上《中兴十策》,有名于时。绍兴中,谄事秦桧,为秦门下十客之一。桧死,被劾除名,编管钦州。约卒于绍兴末。词风婉丽,除应制之作外,亦间有怀古思人之作。著有《顺庵乐府》五卷,今不传,有赵万里辑本。

鉴赏

这首词写一个女子对流落在北方的亲人的怀念,表达了作者对北宋沦亡、人民流离失所的哀痛之情。从康与之的生平来看,这首词大约是南渡初期的作品。

词的上片,紧扣“秋夜闻雁”的题目,以及秋天雁从北方飞向南方的特点,抒发了对故国山河的关注之情。“秋寒初劲”,点出了节令和气候,在这秋风劲吹的季节,抬头望处,在月光如镜的蓝天之上,大雁列阵而来,雁叫声声,引起了词中抒情主人公的注意。它飞往哪里去呢?“湘浦烟深,衡阳沙远”——它飞往烟水迷茫的湘水之滨,飞往那遥远的衡阳水边的沙滩！它是从哪里飞来的呢？“回首塞门何处？故国关河重省”。“故国关河”一句，是全词的主旨所在。女主人公回首北方，茫无所见，她想到在那遥远的北方，羁留在金国的亲人，像汉代的使节苏武一样，经历了痛苦的岁月，已经憔悴变老，大雁从北方飞来的时候，大概在上林苑的上空徘徊不定，想要捎来亲人的音信吧？这种由雁及人，对亲人的思念之情，实际上却表现出对祖国山河分裂、金人占领北方的愤懑。因为正是这一点，才使得亲人不能团聚。

词的下片进一步抒发了女主人公对亲人的深切思念。在那江南水乡烟水迷蒙的晚上，大雁嘹唳着从她所住的小楼上经过。房间里呢，摇曳着昏暗的烛光，金猊里，香已燃尽，没有一点热气。她目送大雁南飞，弹琴寄托落寞的情怀，她又写了一行行的诗句，来抒发自己无尽的“恨”与“情”。这里，“挑锦”是用前秦窦滔妻苏氏织锦回文以寄窦滔的典故，女主人公“裁诗挑锦”，想把自己的寂寞、痛苦和思念之情寄与亲人，而这种感情又是无穷无尽，写也写不完的！她想起，飞过的大雁要往洞庭湖边落下，消失在千顷的云涛之中。女主人公送目远望，一直到大雁过尽，这时才想起了自己的亲人并未让雁足传书，带来一点儿信息。亲人在遥远的北方，“人远”而“无信”，信息都不通，更不知何年何月才能够相聚在一起！“杜陵”，地名，在长安城南，这里借指汴京。“玉关”，即玉门关，在甘肃敦煌西，这里代指北方。到词的最后，女主人公的感情进入高潮，词也就戛然而止，引起人们无限的遐想。

南渡初，康与之还是希望能恢复中原、中兴宋室的，所以他会上《中兴十策》，而有名于时。这首词也以婉丽的笔调表达了这种家国沦亡之痛。可惜的是不久之后他便谄事秦桧，变得不足取了。

（朱宏恢）

诉衷情令　　康与之

长安怀古

阿房废址汉荒丘，狐兔又群游。豪华尽成春梦，留下古今愁。　　君莫上，古原头，泪难收。夕阳西下，塞雁南飞，渭水东流。

鉴赏

这是一首怀古伤今的词，当作于南渡之前。

阿房宫是秦代的建筑，它已经“楚人一炬，可怜焦土”，成了废墟了，秦代子孙万世的基业也同时垮台。长安还是汉代的都城。那巍峨的宫殿，玲珑的台阁，如今也成了荒丘。在这“废址”和“荒丘”之上，狐兔又结群而游。这里的“又”字表明，已经不止一次地“狐兔群游”了。历史上的朝代几经兴亡，长安这座古代的都城，也一再地变化。当然作者还没有认识到“兴，百姓苦；亡，百姓苦”（张养浩《山坡羊》）的道理，但他真切地感受到，历史上朝代的兴和亡是必不可免的，任何一个统治者想永享荣华富贵、独霸江山，那是不可能的。“豪华尽成春梦，留下古今愁”。宋代的统治者不也正是如此吗？生当北宋末年的康与之，已经深切地预感到北宋也行将灭亡，真是内忧外患，山雨欲来风满楼的形势啊！作为北宋的臣民，他又怎能不感到哀愁呢？

下阕，作者将这种哀愁的感情注入四周景色的描写之中：“君莫上，古原头，泪难收。”我们仿佛看到词人站在长安的乐游原上，凝望着“夕阳无限好，只是近黄昏”的景色，夕阳的余晖洒在古原上，一片金黄；塞北的大雁已经南飞，这是充满肃杀之气的晚秋。秋风阵阵，雁叫声声，只见浩荡的渭水，正滔滔东流。这气象是何等的壮阔，又是何等的悲切！作者浓重的哀愁之情洋溢于字里行间。

这首词以晓畅明白的语言、融情入景的手法表现出作者深沉含蓄的感情，在艺术上是成功的。如果作者在南渡后有机会到长安，而能写出“狐兔又群游”的句子，那思想意义就更大了。

（朱宏恢）

青玉案　　黄公度*

邻鸡不管离怀苦，又还是、催人去。回首高城音信阻，霜桥月馆，水村烟市，总是思君处。　浥残别袖燕支雨，漫留得、愁如缕。欲倩归鸿分付与，鸿飞不住，倚栏无语，独立长天暮。

作者

*黄公度(1109—1156)，字师宪，莆阳(今福建莆田)人。南宋绍兴八年(1138)进士第一，签书平海军节度判官。任满，召赴行在。为时相秦桧所恶，罢归。桧死，复起，官至尚书考功员外郎。著有《知稼翁集》。

鉴赏

这是一首旅途寄内(旧时代男子称妻为内人或内子)的作品。上片写旅途中对爱人的想念，下片诉旅途中孤寂的心情。身在旅途，"邻鸡"三句却从回忆写起。晨鸡啼晓，本来无关人事。"催人去"三字实际渗透着作者的主观情感，即不愿离家而又不得不离的矛盾心情。"回首"句束上启下，转入旅途思家的叙写。"高城"语用唐欧阳詹诗"高城已不见，况复城中人"，才离开家，为什么"回首高城"就感到音信阻隔呢？这是把不愿离家的心情作进一步的渲染，使其色调更浓。下面"霜桥月馆"化用温庭筠《商山早行》"鸡声茅店月，人迹板桥霜"诗句，描述途中早行的情景，"水村烟市"，则指旅程中投宿的处所。这八个字合起来是朝朝暮暮、随处随时的意思。"总是思君处"是结束句，极写思家情切，为不愿离家的心情描写再一次加强色调。

过片以下转入对旅途愁苦的叙写。"浥残别袖燕支雨"是说：分别时沾染在襟袖上的爱人的泪水已经只存痕迹。这首先说明他和家里的亲人已经"相去日以远"了,而同时这又和上片"音信阻"一语遥相呼应。人阻高城而泪痕宛在,"漫留得、愁千缕",正由这泪痕引起。泪痕勾起离愁,离愁希望倾诉,最后三句写的就是这种心理。"欲倩归鸿分付与",可是"鸿飞不住",只好"倚栏无语,独立长天暮",独自等待着暮色的降临。

读完这首词,读者可能会问,不过是离家几天罢了,为什么竟这样依依不舍呢?据有关记载,词人刚登第的时候,丞相赵鼎很赏识他,他到平海军后,还彼此通信。秦桧和赵鼎是对头。作者既见重于赵鼎,因而为秦桧所嫉恨。他这次离家,正是平海军判官任满,前往临安改官。而这时赵鼎已被秦桧排挤去位,大权归秦独揽。因此他料定此行必然没有好结果,但诏命出于皇帝,又不能拒命不行。所以怕离家尚非真情,对前程心怀忧惧,才是他当时真实的内心世界。不过他不愿明说,采用了言在此而意在彼的手法,极写对家庭的依依不舍,从侧面衬托出他对仕途的栗栗危惧。其所以把离愁写得如此浓烈,正是要引出读者的疑问,由疑问引向探索,从而理解其言外之意。清代有些词人以"意内言外"作为论词的原则。这一说法虽然稍嫌偏颇,但证以宋代(尤其是南宋)某些词人的创作实践,也有一定的道理。

(赵继武)

霜天晓角 韩元吉*

题采石蛾眉亭

倚天绝壁，直下江千尺。天际两蛾凝黛，愁与恨、几时极？　　暮潮风正急，酒阑闻塞笛。试问谪仙何处？青山外，远烟碧。

作者

*韩元吉(1118—1187)，字无咎，号南涧，许昌(今属河南)人，晚年徙居信州(今江西上饶)。宋孝宗初年官至吏部尚书。他力主抗金，与张孝祥、范成大、陆游、辛弃疾等常以词相唱和。《花庵词选》称："南涧名家文献，政事、文学为一代冠冕。"有《南涧诗余》一卷，其《焦尾集词》一卷已佚。

鉴赏

韩元吉作此词的时间，史无明载。近代诸家说法不一，然皆出于推测。臧维熙同志以为写于1161年10月采石之战前不久，"金兵已占和州之时"；而徐育民、赵慧文两同志则以为写于采石战役之后，但未指明年月。考韩元吉于隆兴(1163—1164)间任吏部尚书，甲申岁闰月(1164年11月)游镇江金山，尝作诗，有"杀气淮南望中见"等语，与此词"酒阑闻塞笛"之句似出同一机杼。当时，金兵正越境南侵，已入滁州一带，焦山、采石等地都成了前线。因此，我疑此词即作于此时前后。

采石矶，在安徽马鞍山市区西南七公里的翠螺山麓。原名牛渚矶，因相传古时有金牛出渚而得名；又因盛产采石，东吴时遂改今名。它与南京的燕子矶和岳阳的城陵矶合称为"三矶"，历来都是防守长江的要地。此词虽名为题咏山水之作，但显然寓有作者对时局的感慨，流露出他对祖国河山和历史的无限热爱，向来被认作是咏采石矶的名篇。

词的上片，采用动态描写手法，作者边走边看，随步换形。起句“倚天绝壁，直下江千尺”，气势就不凡。先是见采石矶矗立身前，作者抬头仰视，只觉峭壁插云，好似倚天挺立一般。实际上，采石矶最高处海拔才131米，只因横空而来和截江而峙，方显得格外奇峻。待作者登上峰顶的蛾眉亭后，再低首俯瞰，便又是另一幅图景。只觉悬崖千尺，直逼江渚。这开头两句，一仰一俯，一上一下，雄伟壮丽，极富立体感。

“天际两蛾凝黛，愁与恨、几时极？”作者骋目四望，由近及远，又见东、西梁山（亦名天门山）似两弯蛾眉，横亘西南天际。《安徽通志》载：“蛾眉亭在当涂县北二十里，据牛渚绝壁。前直二梁山，夹江对峙，如蛾眉然。”作者由此引出联想：黛眉不展，宛似凝愁含恨。此愁此恨，无穷无尽。其实，这都是作者的情感外射，把审美主体的感受强加于审美客体上。

充当审美主体的作者究竟愁恨什么呢？韩元吉一贯赞成抗金，主张恢复中原，但反对轻举冒进。他愁的应该是金兵进逼，南宋当局抵抗不力，东南不保；恨的是北宋覆亡，中原故土至今沦落，未能收回。“几时极”三字，把这愁恨之情扩大、加深，用时间的无穷无尽，状心事的浩茫、广漠。

如果说上片是由景生情，那么下片则又融情入景。“暮潮风正急，酒阑闻塞笛。”“暮”，点明时间，兼渲染心情的暗淡。又正值风起潮涌，急骤非常；风鼓潮势，潮助风威。作者虽未明言这些景象所喻为何，但从中我们完全可以感受到作者爱憎的强烈。“酒阑”，表示人已清醒。“塞笛”，羌笛之类，用“塞笛”更切合战争的背景。当此边声四起之时，作者在沉思什么呢？

“试问谪仙何处？青山外，远烟碧。”作者很自然地想起了李白。这不仅因为李白在历史上跟采石矶发生过密切关系，为它写下过著名诗篇，在人民口头还流传着许多浪漫以至神奇的故事，如捉月、骑鲸等；而且李白一生怀着“济苍生”和“安社稷”的政治抱负，希望能像东晋谢安那样“为君谈笑静胡沙”（《永王东巡歌》其二）。但他壮志不酬，最后病死于当涂，葬于青山之上，迄今已数百年。此时作者但见青山之外，远烟缥碧而已。韩元吉虽然身居吏部尚书之职，但在当时投降派得势掌权的情况下，也无法实现自己的理想。读者从缥碧的远烟中，已能充分领悟到他此刻的激愤心情了。

此词含意深长。它以景语发端，又以景语结尾；中间频用情语作穿插。但无论是景语、情语，都饶有兴致。怪不得元代吴师道认为在题咏采石娥眉亭的词中，没有一篇能赶得上这首词。此词收在韩元吉的词集中。另周密《绝妙好词》选此篇，题为刘仙伦作，不知何据。但就风格而言，此词确与韩元吉他词近似，而不像是以学辛词著称的刘仙伦的作品。

（蔡厚示）

薄　幸

韩元吉

送安伯弟

送君南浦，对烟柳、青青万缕。更满眼、残红吹尽，叶底黄鹂自语。甚动人、多少离情，楼头水阔山无数。记竹里题诗，花边载酒，魂断江干春暮。　　都莫问、功名事，白发渐、星星如许。任鸡鸣起舞。乡关何在？凭高目尽孤鸿去。漫留君住。趁酴醾香暖，持杯且醉瑶台露。相思记取，愁绝西窗夜雨。

鉴赏

这是一首送别之作。尽管此词采用了通常送别之作由景而情的手法，但仍有其独到之处。

词的上片着力写送别时的典型环境，达到了细致入微的程度。首句“送君南浦”点明地点，紧接着便画出了一幅声色皆备、有动有静的生动图画。烟柳、残红、黄鹂及树叶是作者精心选取的景物，共同组成了这幅暮春图景。从色彩看，柳丝之“青”、花朵之“红”、鸟儿之“黄”，再加上树叶之绿，五彩缤纷。从声的角度看，在诸多无声之景中，黄鹂却不停鸣啭，无声中的有声，更见突出，显示出“鸟鸣山更幽”的意境。从动静的角度看，“烟柳”等看似静物，实际上暗含动态：杨柳随风飘拂，残红片片飘零，树叶婆娑，黄鹂雀跃。作者所描绘的每一样景物，都能引起读者诸多联想：古人折柳送别，万缕青柳，增强了离情别绪；残红委地，平添凄凉情景，离人见之，陡增感伤情怀；黄鹂自语，是忧是喜？是忧则倍增离情之凄凉，是喜则更衬出喜中之忧。

每一种景物，都有着寄托。到这里为止，词中都是让典型事物自己来说话。“甚动人、多少离情，楼头水阔山无数”句，则是直接表述离情。暮春是送别的时令节候，而“楼头水阔山无数”则是离别的地点，这个地点是经过高度概括和典型化的，山、水、楼是古人送别时不可或缺的典型性地点。山、水、楼，动静互相映衬搭配，动者动而静者静，正像送者与被送者一样。青山永驻，危楼高耸，而江水长流不息，增强了永恒与暂忽的对比感，也增强了久居与远徙的对比感，这也许就是古人总是写在高山、流水、危楼下离别的缘故。前面是由景到情。这句又由情回到景上，是与通常写法不同处。接着词中笔锋一转，用一个“记”字，由现实场景拉到回忆中去，但却没有多费笔墨，仅写“竹里题诗、花边载酒”两句，而“诗”“酒”两字一以当十，足以表现送者与被送者之间平时的亲密交往。全片最后用“魂断江干春暮”六字，仿佛电影一样，将镜头拉回到现实中来，结句干净利索，“魂断”结情，“江干”结地点，“春暮”结时令，既是对前面内容的照应，又是全片全部内容的收束。

下片以抒情为主，大致可以分成两个层次。第一个层次到“凭高目尽孤鸿去”止。这一层显示出它不同于一般的送别之作。古人的送别之作多局限于个人情感，但这首词却将这种情感加以升华，上升为对国家前途命运的忧虑以及愿为国尽力、却壮志难酬的愤懑。这就具有较为重大的思想意义，具有辛派豪放词的特色。韩元吉是积极主张抗战的，但在当时主和派权奸当道的情况下，他只能空怀壮志，报国无门。词中“功名事”不仅是个人想建功立业，也渗透着对国家存亡的深切关注。“白发渐、星星如许”发出烈士空老的感慨。“任鸡鸣起舞”句用祖逖、刘琨闻鸡起舞的典故，直接表露空有壮志、无所作为的惆怅，而“乡关何在”包含着对丢失中原大片土地的痛惜。这里的每一句都相对独立，包含着极其丰富、复杂的感情。含蓄表露的强烈爱国主义感情，使这首词具有动人的光彩。“凭高目尽孤鸿去”，采用由情到景的手法，种种感情都寄托于主人公登高望断孤鸿这一动作中，将前面的直述一变而为含蓄。主人公望断孤鸿时的种种复杂心情，读者是完全能够理解的。从“漫留君住”到结束，是第二个层次，也是全词的结束。“酴醾”是花，“瑶台露”是美酒，这一层充满了借酒浇愁的意味，实际上同样反映了主人公无法排遣的苦闷心情，想借杯酒消去心中的块垒。这里换用了另一种手法。结句“相思记取,愁绝西窗夜雨”,化用了李商隐《夜雨寄北》的诗意:“君问归期未有期,巴山夜雨涨秋池。何当共剪西窗烛,却话巴山夜雨时?”用以表达怀念故里、有家难归的强烈感情。从字面上看,这一层似乎有些意气消沉,但作者将个人情怀扩大为忧虑国家前途命运,将个人之念与国家之念交织在一起,却是难能可贵的。下片的两个层次互为照应,写同样的感情,一明朗,一含蓄;一直接,一委婉。不同的艺术手法,收到的效果是不一样的。

(李泽平)

好　事　近　　韩元吉

汴京赐宴,闻教坊乐有感

凝碧旧池头,一听管弦凄切。多少梨园声在,总不堪华发。　　杏花无处避春愁,也傍野烟发。惟有御沟声断,似知人呜咽。

鉴赏

宋孝宗乾道八年(1172),宋派遣礼部尚书韩元吉、利州观察使郑兴裔等出使金国,贺次年的万春节(金主完颜雍生辰,为三月初一),路过金人统治下的汴京。这里北宋时称东京开封府,南宋使者路经此地,金人总得赐宴留住。南宋爱国者咏汴京的诗词特多。韩元吉在宴席上听奏过去北宋的宫廷音乐,百感交集,怆然有怀,写了这首《好事近》。

“凝碧旧池头,一听管弦凄切。”这里用了王维的故事。据计有功《唐诗纪事》等书记载,天宝十五载六月,安禄山入长安,玄宗奔蜀。诗人王维为敌所获,拘于菩提寺中。一天,他的好友裴迪前来探望,说到安禄山在凝碧池大宴,命唐玄宗的宫廷乐队梨园乐工演唱。梨园弟子们刚一举声便一起泪下。乐工雷海青掷掉乐器,向唐玄宗所去的西蜀方向大哭,被肢解于试马殿。王维听了大为感动,随口吟成七绝、五绝各一首。七绝为:“万户伤心生野烟,百官何日再朝天?秋槐叶落空宫里,凝碧池头奏管弦。”诗中充满思君思国的哀痛。韩元吉出使金国，来到已经沦陷了四十六年的北宋旧都，处境、心情与王维有相似之处，因此借凝碧池故事抒情。“梨园”，唐玄宗曾选乐工三百人，宫女数百人，教授乐曲于梨园，亲自订正声误，号“皇帝梨园子弟”（《新唐书·礼乐志》）。这些子弟和他们所奏的音乐自然容易使人想起离京远去的玄宗。被金人掳去北上的宋徽宗，是一个和唐玄宗有些相似的风流皇帝，词中写到梨园之声，既是取用王维诗意，也寓藏着对于靖康年间徽、钦二宗被金人俘虏这一国耻的纪念。当时，北宋破亡不到半个世纪，人们很容易读懂词中的意思。“总不堪华发”，是指作者呢？乐工呢？两者都有，但主要是指自己。指自己不堪听故国之乐，听之则华发增生。这就表现了作者因中原长久不能恢复的深沉哀痛。

上阕写人，下阕写景。换头句“杏花无处避春愁，也傍野烟发”，承接上阕，用王维“万户伤心生野烟”诗意。作者以一种淡淡的哀愁写植根于此处的杏花无处逃避，无可奈何，只好逢春开花，这自然使读者想到久在金人统治之下的北方人民，他们“万户伤心”，过着无可奈何的生活。最后两句：“惟有御沟声断，似知人呜咽。”借御沟流水声音，明述作者极度悲痛的心情。“御沟”，指流经皇宫的河道。沟中的流水，曾照宋家君臣，现在却照着异族统治者，在诗人的心中，它便成为历史的见证和悲哀的象征。物是人非，人去楼空，使人睹物伤情。诗词中常用这种借物抒情的写法。俞平伯说：“下片作意略同杜甫《春望》：‘感时花溅泪。”（《唐宋词选释》）

韩元吉和辛弃疾词风比较接近，但更多一些凄切悲凉。这与作者的个性有关，也和他的身世经历有关。这首词作于汴京，在当时那种特殊情况下，自然不免呜咽悲凉，这是可以理解的，不应厚责。唐圭璋说此词“起言地，继言人；地是旧地，人是旧人，故一听管弦，即怀想当年，凄动于中。下片，不言人之悲哀，但以杏花生愁、御沟呜咽，反衬人之悲哀。用笔空灵，意亦沉痛”（《唐宋词简释》）。麦孟华说：“赋体如此，高于比兴。”（《艺蘅馆词选》）他们从不同的角度道出了这首词的一些写作特点。

（张　中）

六州歌头　　韩元吉

桃　花

东风着意，先上小桃枝。红粉腻，娇如醉，倚朱扉。记年时。隐映新妆面，临水岸，春将半，云日暖，斜桥转，夹城西。草软莎平，跋马垂杨渡，玉勒争嘶。认蛾眉，凝笑脸，薄拂燕脂。绣户曾窥，恨依依。

共携手处，香如雾，红随步，怨春迟。销瘦损，凭谁问？只花知。泪空垂。旧日堂前燕，和烟雨，又双飞。人自老，春长好，梦佳期。前度刘郎，几许风流地，花也应悲。但茫茫暮霭，目断武陵溪。往事难追！

鉴赏

唐代崔护《题都城南庄》诗云："去年今日此门中，人面桃花相映红。人面不知何处去，桃花依旧笑春风。"此后诗人（包括词人）追念旧日恋情，大都喜欢引用这个典故。这首词虽然未正面涉及崔护情事，但用了崔诗的意境和字面，以叙写作者自己对美好往事的追忆。

"东风着意，先上小桃枝。红粉腻，娇如醉，倚朱扉。"东风送暖，酿就一片春光。小桃开于正月，春意从其枝条上流泻出来。这又光艳、又娇娆的粉红色桃花，如痴似醉，盛开在红漆的大门前，诗人逐步把桃花拟人化，为后文过渡到写追怀人面做好准备。昔日的人面，不正像今日的桃花一般，倚门傍户，沾惹春光吗？

"记年时。隐映新妆面，临水岸，春将半，云日暖，斜桥转，夹城西。草软莎平，跋马垂杨渡，玉勒争嘶。"这一大段描写，目的在渲染氛围，为伊人审美形象的出现制造一个典型的环境。记当年，伊人"新妆宜面下朱楼"（刘禹锡《春词》），隐隐与桃花相映于临水的岸边。时值春半,风和日暖。在过斜桥转弯处,在夹城之西,在草软、莎平和垂柳成荫的渡口旁,有多少公子、王孙骑着玉勒雕鞍的宝马,来这儿驰逐(跋,作驰解)啊!诗人写得如此铺张,全在借物咏人。词中声色交互,动静相错。加上韵里藏韵(如在"时"与"西"两韵之间,紧押了五个仄声韵字:面、岸、半、暖、转),急管繁弦,使读者生五音繁会之感。某些词句,既像是咏桃花,又像是咏人面。但总而言之,咏桃花为虚,写人面是实。

"认蛾眉,凝笑脸,薄拂燕脂。绣户曾窥,恨依依。"到此,终于点明了题意。"蛾眉",指人面;"凝笑",谓凝目而笑;"拂燕脂",谓轻抹胭脂。真个是桃花似人面,人面也似桃花,二者渐渐地融为一体了。"绣户曾窥",指昔日到过的伊人住所,今日已不可复见。因此,怨丝恨缕,依依不绝。

下片,诗人从回忆中又返回现实。"共携手处,香如雾,红随步,怨春迟。"在昔日携手共步的地方,如今桃瓣落如雾雨,落红(即飞花)随步,只怨春光迟暮而已。但值得注意的是:此词开头"东风着意,先上小桃枝",是写初春;接着说"春将半",是叙往年的仲春;这里说"怨春迟",则分明是写暮春了。时间不断地流逝,季节不断地变化,诗人的回忆也随之不断更换。这种时空流转的写法,乃是中国古典诗词的一大特色。

"销瘦损,凭谁问?只花知。泪空垂。旧日堂前燕,和烟雨,又双飞。"到此诗人掉过笔来写自己:人消瘦煞,靠谁问寒问暖呢?看来除了桃花外无人懂得。桃花为什么懂呢?原来诗人为追怀往事,经常在此花下盘桓以诉心曲。而今落花缤纷,一如为诗人垂同情之泪。诗人就这样把主观感受物化,通过一连串审美客体来寄寓自己的感情。哪怕眼见烟雨中双飞的燕子,也不禁引起今昔之感。恰似刘禹锡《乌衣巷》诗所咏:"旧时王谢堂前燕,飞入寻常百姓家。"同时,借飞燕之成双,衬出己身之孤独。

"人自老,春长好,梦佳期。前度刘郎,几许风流地,花也应悲。"诗人老了,虽然好春仍似当年,佳期却只能求之于梦里。诗人像"前度刘郎"(用刘禹锡《再游玄都观》诗故事),当年是多么风流倜傥啊!以今比昔,桃花也应该为之悲哀吧?从"佳期""前度刘郎"等字面和典故看,很可能诗里另有政治上的寄托。因为用芳草美人之思,以比喻君臣之间的遇合,在中国古典诗词里是很常见的。只是我们无法找到足够的史料作旁证,因此只能存疑而已。

“但茫茫暮霭，目断武陵溪。往事难追！”结尾处用陶渊明《桃花源记》中的“武陵溪”作典故，与通篇咏桃花之事也很切合。韩元吉当然也有自己心目中的桃花源；但在一片茫茫的暮霭中，他望穿了武陵溪水，也找不回他已经失去的美好憧憬。最后，“往事难追”一语，乃是他从回忆之波底泅出后濒于绝望的哀叹。

宋程大昌《演繁露》说：“《六州歌头》本鼓吹曲也……闻其歌，使人慷慨，良不与艳词同科。”证之于贺铸、张孝祥诸人之作，此话不假。韩元吉却偏偏用它来写艳情（姑不论有无寄托），自不失为一种勇敢的尝试。今天，词的乐谱绝大部分已失传，声情与文情之间的矛盾更逐见减少，因此更无妨利用词的旧格式以抒写更多现实的新主题。

（蔡厚示）

谒金门　朱淑真*

春　半

春已半，触目此情无限。十二阑干闲倚遍，愁来天不管。　好是风和日暖，输与莺莺燕燕。满院落花帘不卷，断肠芳草远。

作者

*朱淑真，号幽栖居士，浙江钱塘（今杭州）人。生卒年不详。从她的作品内容看，当为北宋末至南宋初人。出生于仕宦家庭，幼警慧，喜诗词，工书画，晓音律，为宋代著名女作家。少女时期，性格爽朗，曾有一段美好的恋情生活；继而父母主婚，与一俗吏结合，终因情趣不投，愤然离去；从此长期独居母家，悲愁伤感，忧郁终身。其人情操高洁，性格倔强；其作清新婉丽，情真意切，忧怨悲愤，跌宕凄恻。后人辑其诗词名曰《断肠集》。

鉴赏

这是一首伤春闺怨、春思离愁之作。它的主要意思是说：在这仲春时节，风和日暖，“莺莺燕燕”，想起离乡背井、远在天涯的恋人，不禁心神不定，愁绪万千。词的起首两句，以“春已半，触目此情无限”来写她那百无聊赖、无法排遣的心情，此句同李煜《清平乐》中“别来春半，触目愁肠断”句颇为相似，凄切婉丽，深得五代人神髓。继而又以“十二阑干闲倚遍”来写千方百计设法摆脱这种苦恼，但又有何用！进而以“愁来天不管”的无可奈何的怨天之言来为上阕作结，结得很雅致，从而委婉曲折地刻画出春思如麻、春愁撩乱的情景。下阕以“风和日暖”四个字来概括仲春的美丽景象，但是春景虽好，自己却不如莺燕那样成双成对地享受大自然的美好风光。然后急转直下,以“满院落花帘不卷”来写即将面临的凄惨景象,最后以“断肠芳草远”收尾,收得清空婉丽,余味无穷。

朱淑真同她恋人分别之后,写了许多思念的诗词。如《寄情》与“三别”(《寄别》《伤别》《恨别》)、“四愁”(《供愁》《诉愁》《旧愁》《愁怀》)等篇,都是写离情别绪之作。《寄情》云:“欲寄相思满纸愁,鱼沉雁杳又还休。分明此去无多地,如在天涯无尽头。”《寄别》云:“如毛细雨霭遥空,偏与花枝着意红。人自多愁春自好,天应不语闷应同。吟笺漫有千篇苦,心事全无一点通。”《伤别》云:“生怕子规声到耳,苦羞双燕影穿帘。眉头眼底无他事,须信离情一味严。”《恨别》云:“调朱弄粉总无心,瘦觉宽余缠臂金。别后大半憔悴损,思情未抵此情深。”《晚春有感》云:“却扇羞花春已空,扫红吹白任颠风。断肠芳草连天碧,春不归来梦不通。”由此可见,朱淑真是一位十分钟情的女子,自从与恋人分别后,无时无刻不在想念之中。她甚至认为:团圆不成有个音信也好,倘若鱼沉雁杳没有音信,能够做个梦,在梦中相会也好,但是都落空了。结果是人不见,梦不成,信不通,剩下的只是“怨”“愁”“病”“酒”了。因此,在她的诗词中,写“愁”的辞句特别多。如“欲寄相思满纸愁”“自如春来日日愁”“年年对景倍增愁”“危楼十二阑干曲,一曲阑干一曲愁”“万景入帘吹不卷,一般心做百般愁”“不须问我情深浅,钩动长天远水愁”“鸣窗夜听芭蕉雨,一叶中藏万斛愁”,举不胜举。从所谓“一点愁”“一种愁”“一曲愁”“一段愁”,到“倍增愁”“许多愁”“满眼愁”“满镜愁”“满纸愁”,又到“字字愁”“日日愁”“百般愁”“万斛愁”等等,在她的眼里,简直是一片愁世界,人间处处皆是愁。无怪她在此词中写道:“十二阑干闲倚遍,愁来天不管。”至于她那写怨、写恨、写病、写酒、写泪的句子,也是不胜枚举的。她的《得家嫂书》可以说是她这种生活的极好概括:“倾心吐尽重重恨,入眼翻成字字愁。添得情怀无是处,非干病酒与悲秋!”这四句诗,真切地反映出她那“悲”“愁”“恨”“病”“酒”五字生涯,也抒发出她此时此地无可奈何的心情。从这里便可看出词中所说的“愁来天不管”“断肠芳草远”的真实含义了。

(张　璋)

江城子　　朱淑真

赏　春

斜风细雨作春寒，对尊前，忆前欢。曾把梨花，寂寞泪阑干。芳草断烟南浦路，和别泪，看青山。　昨宵结得梦因缘，水云间，悄无言。争奈醒来，愁恨又依然。展转衾裯空懊恼，天易见，见伊难。

鉴赏

这首词，题曰“赏春”，实为“怨春”。朱淑真用极其深沉的语调，概述了她恋情的始末，最后写出了爱情的悲局，发出了绝望的心声。这首词，在她那悲惨的身世中占有重要的位置，值得详加品析。

首先看它的内容。这首词的前后阕，共分四个段落：第一段写忆旧，第二段写别离，第三段写梦幻，第四段写绝望。她先以“斜风细雨”来衬托气氛，在这春寒之中，对着酒杯，忽然想起恋情往事：曾手把梨花，眼泪纵横。此处借用白居易《长恨歌》中“玉容寂寞泪阑干，梨花一枝春带雨”诗意，来描写像梨花春雨般的悲伤痛哭的情景。接着又借用江淹《别赋》中“春草碧色，春水渌波，送君南浦，伤如之何”的语句，以芳草烟断、泪看青山的形象语言，来描写她送别恋人的情景。进而写到梦里的因缘，相会于云水之间，用“悄无言”三字来说明梦中相会极其兴奋喜悦的情景，并引出醒来后依然凄寂愁恨难以忍受的苦楚心情。最后于绣衾之中辗转反侧，懊恼惆怅，得出“天易见，见伊难”的结论，从而了结了她的恋情生涯。

朱淑真的恋情，大体可分三个阶段：第一阶段，是少女时期的欢恋；第二阶段，是分离后的思恋；第三阶段，是处于绝境的失恋。就词而论，倘若《清平乐》是她恋爱初期的代表作，《眼儿媚》《谒金门》《蝶恋花》是她惜别、思恋时期的代表作，而《江城子》则应是她失恋绝望时期的代表作。这三个时期作品的情调是不同的，各时期的作品，都有各自的特征。一般说，初期之作，热情而缠绵;末期之作,深沉而悲痛;中期之作,则介于两者之间,既有愁,又有盼;既反映当前的别离的苦闷,又抱有重逢团圆的希望。这一时期的作品时喜时悲,充满着矛盾心理,表现出来往往是用清新婉丽之笔,蓄思含情地写怨写愁,结果必然是怨而不恨,愁而不哀。

《江城子》一词,当是她第三阶段的作品。此时她的恋情已到了失望的境地,从而发出"天易见,见伊难"的悲鸣。无怪,她在《恨春》中写出"几许别离多少泪,不堪重省不堪流",在《后庭花》中写出"至今犹恨隔江唱,可惜当时枉用情"等悔恨交加、悲痛不已的语言。真有"往事不堪回首""一江春水向东流"之感!

朱淑真是先有情人而后由父母做主结婚的。由于婚配不当,她毅然决然地结束了夫妇关系,返回母家,从此更加重了她对过去情人的爱恋。她从少女时期的初恋,分别后的思恋,直到晚期的失恋,是始终如一的。因此朱淑真的爱情是纯洁的,并不因她被迫结婚、跟着当官的丈夫过了一段名义上的夫妇生活而有所减损。她的不幸,她的痛苦,完全是封建制度造成的。她是封建制度的受害者,她的处境应当引起人们的同情。某些古人说她有"桑濮之行",甚至贬为"泆女",那是封建思想对她的诬蔑。今天,我们应该正确地对待她的爱情和婚姻问题,应该对她的悲惨一生作出公允的评价。

(张　璋)

减字木兰花　　朱淑真

春　怨

独行独坐,独唱独酬还独卧。伫立伤神,无奈春寒着摸人。　此情谁见?泪洗残妆无一半。愁病相仍,剔尽寒灯梦不成。

鉴赏

朱淑真的诗词一般以清新婉丽著称,但是这首词的风格却大不相同。一上来就写走也不是,坐也不是,卧也不是,自唱自酬,自言自语,全不是。心烦意乱,无法排遣,好像一团烈火在胸中燃烧，大有肝肠欲断、五脏俱裂之势。经过一阵烦乱，终于平静下来，只是凝神伫立，独自伤神，从而自己在折磨着自己。接下去，以“此情谁见”相问，来加重孤独之感。进而又写愁病缠身，独自对着寒灯哭泣，弄得满面泪痕，悲伤不已；即使把灯花剔尽，仍是不能入睡。她用泼辣之笔，把个悲伤若狂的女子孤夜难眠的一举一动、一情一景，写得十分生动逼真。

她这首孤夜难眠的小词，确实别具一格，很有特色。她在情节的提炼上、字句的净化上，都下了极大功夫，使这首短小精悍的四十四字小令，字字跳跃纸上，构成一幅银幕般的画面。特别是在词的结构上，起、中、结都安排得很恰当。她异笔突起，浓笔开场，起首在十一个字中接连用了五个“独”字，真是愁云密布，紧锣密鼓，以浓厚的气氛，突出而形象地描绘了深更寒夜孤独烦闷之状。跟着是“伫立伤神，无奈春寒着摸人”，由动到静，戛然而止。当中又以“此情谁见”来承上启下，使上下阕之间，连接紧密而又妥帖。继而从伤神到哭泣，最后以画龙点睛的笔法，淡淡一收，点明了“梦不成”这一主题。从而把一个愁病交加、伤感已极的难眠之夜，写得活灵活现，十分感人。总之，这首词构思巧妙，结构谨严，浓笔开锣，淡笔收场，把一个烦闷女子的失眠之夜写出了电影般的效果，实是难能可贵！

（张　璋）

眼儿媚　　朱淑真

迟迟春日弄轻柔，花径暗香流。清明过了，不堪回首，云锁朱楼。　午窗睡起莺声巧，何处唤春愁？绿杨影里，海棠亭畔，红杏梢头。

鉴赏

朱淑真以轻松明快的笔调来写春愁，写得幽雅、巧丽。词的开始，尽情描写美好的春景。温暖的阳光，和煦的春风，轻轻地抚弄着杨柳；满苑的鲜花，幽静的小径，飘逸着芬芳的花香，春日的景色是多么迷人啊！可是清明过后，云雾笼罩着华丽的小楼，楼中女子，回首往事，思绪万端。下阕写午睡醒来，听到窗外黄莺的婉转叫声，本来是很好听的，可是这位感伤女子，却被唤起了春愁。这唤起春愁的鸟儿究竟在哪里呢？是在绿杨影中，是在海棠亭边，还是在红杏枝头？这首词，写得惟妙惟肖，结得清而婉，巧而奇，独出心裁，别具一格。

朱氏的这首词，从头到尾着意于景色的描绘。上阕写风和日暖，杨柳轻柔，小苑幽径，芳菲暗流；下阕写莺声百啭，杨柳飘影，海棠亭畔，红杏梢头。末尾借用了宋祁《木兰花》词"红杏枝头春意闹"的名句，很有情趣。这样，把一派生机的盛春景象描绘得有声有色，像是一幅春光明媚的画图，展现在眼前；又好像是一首首鸟语莺歌，萦纡于耳际。这样美好的景色，谁不为之陶醉！可是对一位伤心的女子来说，这种美的刺激，不仅不能使她得到美的享受，相反，却勾起了她对往事的回忆，惆怅不已。

朱淑真的这首词，大概写于同恋人分离不太久的时刻，她虽然也在写春愁，但还未到达极度伤感的程度。因此这一时期写的诗词，尚有轻快、风趣的特色。如《问春》诗云："春到休论旧日情，风光还是一番新。莺花有恨偏供我，桃李无言只恼人。粉泪洗干清瘦面，带围宽尽小腰身。东君负我春三月，我负东君三月春。"这首诗与此词相仿，都是以轻快的笔法来写春愁，特点是文浅意深，辞淡情浓。特别是最后一联，用一反一正语句作结，结得干净利落，颇有情趣。她还有一首《恨春》诗，写她同恋人分别后的相思之情。"一瞬芳菲尔许时，苦无佳句纪相思。春光正好须风雨，恩爱方深奈别离。泪眼谢他花放抱，愁怀惟赖酒扶持。莺莺燕燕休相笑，试与单栖各自知。"这首诗写得天真烂漫，把一颗少女赤诚之心和盘托出。特别有趣的是末联，异想天开，妙趣横生，竟以"莺莺燕燕休相笑，试与单栖各自知"作结，可谓妙哉，妙矣哉！

女词人有丰富的生活体验，有超群的创作灵感，有勇敢的写实精神，有较高的文学修养，因此她常常运用白描的手法，借景抒情，写出许多格调非凡的作品。

（张　璋）

清平乐　　朱淑真

夏日游湖

恼烟撩露，留我须臾住。携手藕花湖上路，一霎黄梅细雨。　　娇痴不怕人猜，和衣睡倒人怀。最是分携时候，归来懒傍妆台。

鉴赏

朱氏的这首《清平乐》，是有关恋情之作。这首词的主要意思是：她于含烟带露的黄梅季节来到湖上，在与恋人相见后，被留下一块游玩。正在两人携手漫步欣赏湖中的荷花时，突然下起了蒙蒙细雨。为了避雨，他们在极其僻静的去处停留下来，喁喁私语，相亲相爱，当他们的感情发展到高峰时，她娇柔妩媚，再也按捺不住内心的爱情烈火，随即不顾羞怯地倒入恋人的怀抱，这时默默不语，如痴似醉地享受着人间美好恋情的幸福。一度欢乐之后，天已不早，最后不得不分手了，这时难舍难分，是最难过的时刻。回到家中，总觉空空荡荡，百无聊赖，连妆台都懒于靠近，哪里还有心思去梳妆打扮！总之，这首词，从湖上相会，写到携手漫游；又从携手漫游，写到旖旎缱绻的欢聚高潮；最后从甜蜜的欢聚，再写到痛苦的分离和归来后的百无聊赖的心情。这样根据情节的自然发展，由低潮写到高潮，再由高潮写到低潮，层次分明，排比有序，把一个夏日湖上小游的恋情幽会，写得有声有色。

在这首词中，过去议论较多的是“娇痴不怕人猜，和衣睡倒人怀”两句。宋代另一位女作家李清照，亦善写闺情，有“眼波才动被人猜”之句，惟妙惟肖地写出了少女的矜持与敏感；而朱淑真的“娇痴不怕人猜，和衣睡倒人怀”，则更是一种近似放荡的爱情表白，写得淋漓尽致，毫无保留。在那个时代，一个女子敢于写出这样的词句，无疑也体现了她在爱情上的勇敢和在写作上的大胆。有人认为词的下句是后人改过的，原文应为“娇痴不怕人猜，随群暂遣愁怀”。倘若如此,这首词的主题就变了。且仔细揣摩,两句词意不太协调,上句写“娇痴”,下句写“愁怀”,两者根本搭配不起来。就词的意境和文辞的安排来看,也有不伦不类之感。倘若采用“和衣睡倒人怀”句,虽然有人认为“句劣”,但毕竟与上文之“留我须臾住”“携手藕花湖上路”“娇痴不怕人猜”及下文之“最是分携时候”等句方才谐和。至于有人认为朱淑真的“娇痴不怕人猜”句,出自李清照的“眼波才动被人猜”,这也很难说。因为她们两个人的生卒前后,说法不一,在没有确切的考据结论之前,最好不谈谁学谁的问题。

(张　璋)

蝶　恋　花

朱淑真

送　春

楼外垂杨千万缕,欲系青春,少住春还去。犹自风前飘柳絮,随春且看归何处?　　绿满山川闻杜宇,便作无情,莫也愁人苦。把酒问春春不语,黄昏却下潇潇雨。

鉴赏

这是朱淑真的一首惜春词。她以柳条系春而留春,柳絮随春而送春等生动的想象,将“春”作为少女青春而人格化。上阕写春天到来,杨柳低垂,千万缕细丝,似乎想系住春天不让它离去,但是春天还是稍作停留,又匆匆地去了。继而杨柳生絮,随风飘荡,似乎要随春而去,探寻春的去处。这样,层次分明,步步推进,把春来春去的脉络,写得生动活泼,以暗示人生短促,来去匆匆,形象地说明了青春的可贵!下阕写待到春深,绿满山川,杜鹃哀鸣,鸟儿虽无情,尚知人的愁苦,叫出人的悲痛心声。词人最后还若有其事地“把酒问春”,这样以“不语”而“雨”作结,结得淡而雅,实而虚,凄凄然,茫茫然!实在耐人寻味。

朱淑真为什么对青春如此留恋?为什么对人生短促、青春易逝如此感叹不已?因为她的一生是悲惨的一生,只有短暂的青春时代是幸福的。

朱氏的少年时代,生活优裕,性格爽朗,从小受到文学艺术的熏陶,终日赏花吟月,赋诗抚琴,过着天真烂漫的少女生活。因此,反映在她的作品中,也充满着轻松明朗的气氛、美丽欢畅的情调,从她初期所写的四时景色诗中即可窥见一斑。如春诗:“春园得对赏芳菲,步草黏鞋絮点衣。万木初阴莺百啭,千花乍折蝶双飞。牵情自觉诗毫健,痛饮惟忧酒力微。穷日追欢欢不足,恨无为计锁斜晖。”(《春园小宴》)夏诗:“淡红衫子透肌肤,夏日初长水阁虚。独自凭栏无个事,水风凉处读文书。”(《夏日游水阁》)秋诗:“疏雨洗高穹,潇潇滴井桐。润烟生研底,凉气入堂中。翠锁交竿竹,红翻落叶枫。抚琴闲弄曲,静坐理商宫。”(《小阁秋日咏雨》)冬诗:“温温天气似春和,试探寒梅已满坡。笑折一枝插云鬓,问人潇洒似谁么?”(《探梅》)再看她那首选婿诗:“初合双鬟学画眉,未知心事属他谁?待将满抱中秋月,分付萧郎万首诗。”(《秋日偶成》)像这类作品,在她全部诗词中占有一定分量。这些作品,是她少女生活的写照,也是她少年生涯的见证。再加上她少女时期的恋情,怎么能使她不留恋青春呢?事实证明,她绝不是生来就悲愁伤感的,而是由后来的不幸生活遭遇造成的。

(张　璋)

烛影摇红 张抡*

上元有怀

双阙中天，凤楼十二春寒浅。去年元夜奉宸游，曾侍瑶池宴。玉殿珠帘尽卷，拥群仙、蓬壶阆苑。五云深处，万烛光中，揭天丝管。　　驰隙流年，恍如一瞬星霜换。今宵谁念泣孤臣，回首长安远。可是尘缘未断？漫惆怅、华胥梦短。满怀幽恨，数点寒灯，几声归雁。

作者

*张抡，字材甫，号青莲居士，开封（今属河南）人。生卒年不详。南渡故老，绍兴、淳熙间在世。曾为知阁门事，兼客省四方馆事。词多写山水景物，风格清雅。

鉴赏

“上元”，节名，时为阴历正月十五日，俗称元宵，又叫灯节。上片述往日过节的盛况。起句写宫廷殿宇之壮丽。“双阙中天”，“双阙”，宫殿门外两边的楼观。“中天”，形容宫殿楼观之高峻，丽日中天。“凤楼十二”，极言禁内宫殿楼观之多。鲍照诗：“凤楼十二重，四户八绮窗。”“春寒浅”，言早春气候。三、四两句谓去年此时侍奉皇帝欢度灯节，宫中宴饮，恍若游于仙境。“瑶池”，神仙居处。《列仙传》：“西王母所居宫阙，在龟山昆仑之圃，阆风之苑，左带瑶池，右环翠水。”“玉殿”两句写宫苑豪华。“拥群仙”，谓宴会时后妃及宫女盛装，如神仙然。李白诗：“宫女如花满春殿。”杜甫诗：“中堂有神仙，烟雾蒙玉质。”写的也是这类盛况。“蓬壶”，一名蓬莱,是古代传说中海上三神山之一。“阆苑”亦仙境,即上引之“阆风之苑”。“五云”,指呈现五彩的祥瑞之云。连同下两句,极写往日元夜君臣欢娱游乐、声响彻天的盛况。“揭天丝管”,谓管弦乐声响彻云霄。“揭”,举也。

上片写景叙事极其华艳。过片忽转抒情,今情凄婉,大有一落千丈之慨。上下片映照,对比强烈,足以荡人心魄。“驰隙流年”,岁月如流,似白驹过隙。恍然一瞬之间,年光又换。“星霜”,星一年一周天,霜每年而降,故称一年为一星霜。柳宗元文:“星霜屡移。”“今宵”两句,极沉痛。作者亲见徽宗盛时,又身历靖康之难,南渡故老,孤臣危涕,黍离之悲,情何能已。“谁念泣孤臣”,即谁念孤臣泣。“谁念”二字,极哀婉。“回首长安远”,长安是汉唐故都,此处借指北宋京城汴梁(今河南开封)。今宵引领北顾,凤城远沦,真是不堪回首!两句颇合古拙重大之旨。“可是”两句词意又转进一层,“尘缘未断”,“尘缘”佛家语,指自己所接触的外界事物,这里谓对国事未能忘怀。“漫惆怅、华胥梦短”谓徒然悲伤往事如梦,弥深感慨。“漫”,作徒或空解。“华胥”,《列子》:“黄帝昼寝,梦游华胥氏之国。”煞拍以景结情,“数点寒灯,几声归雁”,情景惨淡,格外衬托“满腔幽恨”的难以为怀。与上结景语对比,简直不忍卒读。沈际飞评此词“前段追忆徽庙,后直指目前,哀乐各至”(《草堂诗余正集》)。词写盛衰异象,笔致浓艳凄忱,兼而有之,抒情诚挚真切,高于豪放词中的叫嚣之作。

(王明孝)

踏 莎 行　　张 抡

山　居

秋入云山,物情潇洒,百般景物堪图画。丹枫万叶碧云边,黄花千点幽岩下。　已喜佳辰,更怜清夜,一轮明月林梢挂。松醪常与野人期,忘形共说清闲话。

鉴赏

张抡作有《踏莎行·山居》十首,此为第七首。上片写秋天山景,下片写秋山赏月。起首三句总写秋入云山的美景。第一句先以"秋"字点出季节,然后以"入"字写出秋来的动态,再以"山"字指明"秋入"的处所,前面着一"云"字,点明山势高峻,云绕其上。通过此句四字,把本词描写秋山秋景的意旨交代出来。第二句写秋入云山所带来的景态变化。"物情"二字,指山中景物的情态。"潇洒"二字,乃清秀爽丽之貌。这两个字最宜于表现秋天景物秀逸的风韵。杜甫就曾写过:"万籁真笙竽,秋色正潇洒。"张抡说"物情潇洒",不只是写到秋之于物的作用,而且写出景物之情。仿佛山中草木有知有情,秋来之际显现出潇洒的姿容。而从物情的潇洒之中,又可见出诗人潇洒的笔意、词家之清韵。景中有我,我在景中,情深意远,极尽赏爱之意。第三句紧承第二句,以"百般景物堪图画",赞美物情的潇洒之美。"百般",极言景物之多,千姿百态,争艳斗奇,蕴含着无限的诗情画意,故而说"堪图画"。这可以说是以画入诗,诗中有画。山中秋景胜绝,无处不美,无物不美,要有一番选择,用最典型的景物写出秋山之美。于是诗人以生花妙笔写出丹枫、黄花两景:"丹枫万叶碧云边,黄花千点幽岩下。"这是一对精美绝伦的偶句。"丹枫",亦称霜叶、红叶,谓枫叶经霜而红,色艳如丹。"万叶",极言枫叶之多、枫树之多。"丹枫万叶"四个字合起来,就点染出层林尽染、万山红遍的优美景色。"碧云",指青缥色的云气。句尾缀上的"边"字,是个忽视不得的字眼。丹枫的位置、山势的高耸均由此字点出。说明火红的枫叶层层叠叠,依山而上,一直铺展到碧云旁边,描绘出碧云与红叶相映,山色与青空交辉,丹枫似锦,万山如绣的秀丽景色。唐代诗人杜牧写过一首《山行》绝句:"远上寒山石径斜,白云生处有人家。停车坐爱枫林晚,霜叶红于二月花。"后两句也是极写枫林霜叶之美和赏爱不尽的情趣,向为脍炙人口的名句。杜牧用比喻写霜叶之红,张抡则以碧云映衬丹枫之色,各有千秋,异曲而同工。但是,杜牧只写了霜叶,而张抡在丹枫之外还写了"黄花千点幽岩下",景观的样态就丰富多了。所谓"黄花",即菊花。"千点",是远而望之,言其小而多,也表明分布之广。"幽岩",乃清幽寂静的山岩。有岩而幽,说明风景富有幽美感。“下”字,点出黄花的位置,在山岩深幽之处。你可以想见,无数的菊花,点点洒洒,如散金碎黄,镶嵌在霜林丛中,显得分外明丽耀眼,生动地描画出岩壑含翠、金英秀发的清幽景色。古来写丹枫、黄花的诗词,车载斗量,不可胜数。但分而言之者多,兼而写之者少。即使兼写,也很难找到能与张抡这两句相媲美的。朱庆馀《观涛》写过“高楼晓望无穷意,丹叶黄花绕郡城”,可谓秀美而有意趣,但比起来,终嫌略逊一筹。张抡这两句词,就所构成的画面来说,突出的主体景物是丹枫、黄花而分别以碧云、幽岩作为陪衬。高远处,在淡彩素墨的背景中,抹出浓烈之色;深幽处,在重笔濡染的衬底上,点出鲜明之色。淡中见浓,浓中有淡,明暗变化,对比强烈,构成一幅色彩斑斓、意境高远的秋山画卷,充分显示出诗人摹写景物的艺术才能。

词的下片,开头三句写中秋月景之美。中秋,是一年一度的中秋佳节,人人欢度,故而曰“已喜”。又逢天气爽朗,夜空碧清如洗,因而格外高兴,故曰“更怜”。而“清夜”是由明月而得,所以第三句写出“一轮明月林梢挂”。月圆如轮,高挂林梢,银辉流洒,清光烛地,正是把酒赏月闲聊的好辰光,故而末结两句云:“松醪常与野人期,忘形共说清闲话。”所谓“松醪”,是用松膏酿制的酒。李商隐诗云:“赊取松醪一斗酒,与君相伴洒烦襟。”“忘形”,语出《庄子·让王》:“养志者忘形,养形者忘利。”杜甫《醉时歌》云:“忘形到尔汝,痛饮真吾师。”张抡这两句写他常与山野之人相约饮酒,情欢意洽,不拘形迹地在月光下谈天说地,淡泊的心境与清幽的月色交融在一起,表现出闲适惬意、怡然自得的山居乐趣。

这首词,上片着重写景,下片着重抒情,情景交融,意境很美。在语言上,也是很有特色的,清丽秀润,亲切自然,不假雕琢,全是淡淡写来,山居乐趣自从笔端流出。

(臧维熙)

点绛唇　　赵彦端*

途中逢管倅

憔悴天涯，故人相遇情如故。别离何遽，忍唱《阳关》句？　我是行人，更送行人去。愁无据。寒蝉鸣处，回首斜阳暮。

作者

*赵彦端(1121—1175)，宋魏王廷美七世孙。字德庄，号介庵。鄱阳(今属江西)人。绍兴八年(1138)进士，官至直宝文阁、知建宁府，终左司郎官。有《介庵词》。《全宋词》收他的作品共一百五十七首。

鉴赏

此词不知作于何时、何地；管倅是谁，也不详(倅，宋时州通判称"倅")。我们仅从词中所叙的情况得知：管倅与作者是老朋友，他们在途中相逢，不久又分手。作者别中送别，格外感到凄怆，便写了这首词。

"憔悴天涯，故人相遇情如故。""憔悴"，困苦貌。"天涯"，这里指他乡。俗话说："久旱逢甘雨，他乡遇故知。"特别是当双方都处在困苦的境遇中，久别重逢，深情似旧，其乐可知。作者极言相遇之乐，目的正在于更深地跌出下文所写的别离之苦。这叫做"欲抑故扬"，乃一种为文跌宕的妙法。

"别离何遽，忍唱《阳关》句？"乍见又匆匆别离，历来最为诗家所苦。唐代诗人李益《喜见外弟又言别》云："别来沧海事，语罢暮天钟。明日巴陵道，秋山又几重？"司空曙《云阳馆与韩绅宿别》云："乍见翻疑梦，相悲各问年。……更有明朝恨，离杯惜共传。"都细致地表达出那种因乍见时大喜过望而反使别离时加倍悲苦的心情。赵彦端也不例外。他联想起王维《渭城曲》中"西出阳关无故人"的著名诗句。但此时他连唱《渭城曲》的心情也没了,为什么呢?因为他别中送别,比王维居长安送友人西行时还更多了一层愁苦。因此,很自然地引出下片开头"我是行人,更送行人去"的喟叹了。

"愁无据。寒蝉鸣处,回首斜阳暮。""无据",即无端,有无边无际的意思。这无边无际的愁苦,该怎样形容呢?诗人不借重于比喻,而是巧妙地将它融入景物描写之中,用凄切的寒蝉声和暗淡的夕阳将它轻轻托出。"寒蝉鸣"为声,"斜阳暮"为色;前者作用于听觉,后者作用于视觉。这样通过声、色交互而引起读者诸种感觉的移借,便派生出无穷无尽的韵味来。清人吴衡照说得好:"言情之词,必借景色映托,乃具深沉流美之致。"(《莲子居词话》卷二)否则,若一味直溜溜地说"愁呀愁呀"不休,就难免有浅露、粗俗之患了。

纪昀评赵彦端《介庵词》说:"多婉约纤秾,不愧作者。"(《四库全书总目》卷一九八)说赵彦端的词"婉约"是不错,但说它"纤秾"则不全是。如此词通篇未用一纤秾词语,但是它"说得情出,写得景明"(李渔《窥词管见》),不失为一首风格淡雅兼委曲的好词。

(蔡厚示)

生查子　　姚宽*

郎如陌上尘，妾似堤边絮。相见两悠扬，踪迹无寻处。　　酒面扑春风，泪眼零秋雨。过了别离时，还解相思否？

作者

*姚宽(？—1162)，字令威，号西溪。嵊(今浙江嵊县)人。官至权尚书户部员外郎、枢密院编修官。除"博洽工文"外，兼擅书法及工技等。有《西溪丛语》传世。《全宋词》收其词五首。

鉴赏

姚宽现存的五首词，主题都是闺情，即写闺中女子思念所爱男子之情。此词也是这样。所不同的是其余四首都是叙述体，用的是第三人称；而此首却是代言体，用的是第一人称，即采用女主人公自述的方式。

"郎如陌上尘，妾似堤边絮。"词一开头便用了两个明比，而且郎和妾对举。为什么这两个比喻物("陌上尘"和"堤边絮")对女主人公产生了如此的"心理对位效应"呢？显然是她从审美客体中发现了某些对应点，使她"产生一种心理上的相符感觉"。譬如：男方对爱情的不专一，使她感到像陌路上漫天飞扬的尘土；己身爱情上的不幸，使她感到像堤岸边四处飘荡的柳絮。很可能她还觉得：男方的行为卑劣，有如尘土；而己身之操守高洁，有似杨花。诸如此类，都任凭读者广泛联想，任凭读者从自己的心灵中去寻求对位的审美效应。

"相见两悠扬，踪迹无寻处。""悠扬"，就时间而言，指其久长；就空间而言，指其广远。这里显然是就后者而言。这两句的意思是说:女方欲与男方相见,而两人相隔遥远,甚至连男方的踪迹都无处寻找。这样把审美空间拉开、推远,便使读者觉得女方相思的分量跟着加重了。

下片转回到女主人公自身上着笔:“酒面扑春风,泪眼零秋雨。”从逻辑上说,这两句应该写成“春风扑酒面,秋雨零泪眼”才是。诗人却倒宾语为主语、主语为宾语。这除了为适合词律的要求外,应该说还另有审美的需要。因为“酒面”和“泪眼”都是审美主体之物,它作为宾语提前,就突出了它的地位,强调了它的存在。它表明女主人公因相思无法排解而醉酒,因所欢远出不归而垂泪。这样再添上春风之吹扑和秋雨之飘零,便加倍渲染出自春徂秋、毋论风雨,女主人公的愁思深广。

“过了别离时,还解相思否?”末尾这么一问,又把词的意境推进了一层。别离时,男方必定信誓旦旦,表示决不相负;而今时过境迁,难道他就连女方在思念自己都不懂吗?女方并不要求男方立即回到自己身边,而只是希望“换我心,为你心,始知相忆深”(顾敻《诉衷情》)。这么一点起码的要求,表明女主人公已是情渴如火、近于说痴话了。

南宋著名哲学家叶適的《西溪集跋》称姚宽的诗“流丽哀思……绝去尖巧”。就此词而论,这一评语也很恰切。姚宽不用尖巧的词语,不用怪僻的典故,而能如此委婉、流丽地叙述女主人公的哀思,真不愧为“一代博洽工文之士”(纪昀《四库全书总目提要》)。

(蔡厚示)

南　乡　子　　绍兴太学生

洪迈被拘留，稽首垂哀告敌仇。一日忍饥犹不耐，堪羞！苏武争禁十九秋？　　厥父既无谋，厥子安能解国忧？万里归来夸舌辩，村牛！好摆头时便摆头。

鉴赏

在宋词中这是一首别具一格的作品。它从小处落笔，触及时政，通过对一个没有骨气的封建官吏可笑形象的勾画，无情地揭露了南宋统治者及其权贵在金人面前奴颜婢膝的丑态。根据《宋史·洪迈传》的记载：宋高宗末年曾派遣翰林学士洪迈使金，最初洪迈要求以对等的国礼晋见金主，不肯自称“陪臣”，金人便把他锁禁在使馆里，“自旦至暮，水浆不进”，在金人的威胁下，洪迈屈服了，便向金主跪拜称臣。诗人选取这一历史事实，生动勾画，巧妙点染，代表广大人民群众宣泄了胸中的郁愤。

在艺术上，这首词有三个特点。首先，它运用白描手法，勾勒形象。作者以简约洗练的语言，抓住人物的本质特点，寥寥几笔，快笔速写，便把洪迈的形象神态毕肖地活画了出来。“稽首垂哀告敌仇”七个字就是一幅画，一个对金主屈膝跪拜、苦苦哀求的软骨头，被描绘得跃然纸上。洪迈在金人面前是一副嘴脸，出使归来，又是一副面孔，明明是做了有失国格、人格的丑事，回来后却不知羞耻，摆头晃脑，夸夸其谈。“万里归来夸舌辩”，“好摆头时便摆头”，便是这一情景的生动写照。据罗大经《鹤林玉露》记载，洪迈“素有风疾，头常微掉”，这首词中描写他“好摆头时便摆头”，既是实写他掉头的毛病，也妙语双关地讽刺了他回宋后洋洋自得的丑不知羞的行为。词长于描绘典型景物，抒写典型情绪，但在一首词中，能够如此生动地描写出一个典型人物来，这在宋词中还是不多见的。其二,运用对比手法,映衬烘托。真、善、美的东西总是同假、恶、丑的东西相比较而存在的,事物只有通过对比才能分辨出真伪和是非。在这首词中,作者把相反相对的事物放在一起,进行对照比较,使它们相互映衬,从而给人以鲜明突出的印象。洪迈使金,不能够保持一个使者的坚贞节操,经受不住艰苦环境的考验,他的变节行为理应遭到人们的唾弃。诗人写道:"一日忍饥犹不耐,堪羞!苏武争禁十九秋?"在这里,把洪迈和苏武作了鲜明的对比。汉武帝时,苏武以中郎将出使匈奴。单于要他投降,苏武大义凛然,不肯屈节,居北海荒原牧羊,受尽种种折磨,在匈奴生活了十九年才回来。一个是,一日饥渴不堪忍受;一个是,十九年磨难不变其志,两者相比真是不可同日而语。词的下阕,作者又将洪迈父子作了对比描写。据《宋史》本传记载,洪迈的父亲洪皓使金,也曾被禁留,十五年后始得归宋,宋高宗称他"苏武不能过"。洪皓虽然待在金国束手无策,但毕竟还算是一个不失"忠节"的人,洪迈同父亲相比,显然又大大差了一截。词中说:"厥父既无谋,厥子安能解国忧?"通过两相绾合,指出像洪迈这样的无能官吏是不能为国家消除忧虑的。对比手法的恰当运用,突出了人物形象,深化了作品的主题。其三,运用讽刺手法,嬉笑怒骂。作者对于自己要批判否定的对象,没有采用正面出手、直言怒斥的方式,而是冷嘲热讽,极尽调笑挖苦之能事。"堪羞""村牛"一类口头俗语的插入,都增添了作品的讽喻力量。同时,作品写得风趣、幽默,充分显示了作者的智巧。清代的戏剧家李渔在《闲情偶寄》中说过:"'机趣'二字,填词家必不可少。机者,传奇之精神;趣者,传奇之风致。少此二物,则如泥人土马,有生形而无生气。"他讲的虽然是戏剧创作,但也适用于其他文学形式,这首词之所以写得如此生动活泼,是同诗人的"机趣"分不开的。

(徐荣衔)

水调歌头

袁去华*

定王台

雄跨洞庭野，楚望古湘州。何王台殿？危基百尺自西刘。尚想霓旌千骑，依约入云歌吹，屈指几经秋。叹息繁华地，兴废两悠悠。　　登临处，乔木老，大江流。书生报国无地，空白九分头。一夜寒生关塞，万里云埋陵阙，耿耿恨难休。徙倚霜风里，落日伴人愁。

作者

*袁去华，字宣卿，豫章奉新（今属江西）人。生卒年不详。绍兴十五年（1145）进士。曾任善化（今湖南长沙）知县等职。有《适斋类稿》《宣卿词》。

鉴赏

定王台，在今湖南省长沙市。相传西汉景帝之子定王发为望其母唐姬的陵墓而筑，故名。袁去华的这首怀古词，大概作于他任善化（县治在今长沙市内）县令期间。其时，南宋著名爱国词人张孝祥知潭州（乾道三年至四年春夏间，即1167—1168）。此词"见称于张安国（孝祥），为书之"（陈振孙《直斋书录解题》卷十八），是《宣卿词》中最好的一首爱国主义词章。

"雄跨洞庭野，楚望古湘州。"开头写定王台所占据的地理形势。"楚望"，楚之望地。形胜富庶的地区称"望"。"湘州"，东晋永嘉初置，唐初改潭州，词中指长沙而言。定王台雄踞于洞庭湖之滨、楚之望地古湘州地界。两句出语奇峻，气势宏大，描述定王台辽阔壮丽的背景，还给它笼罩上一层历史悠久的神奇色彩，这为词描绘刻画定王台豪华繁盛的过去作了充分的准备。“何王台殿?危基百尺自西刘”两句呼应题目。出以问答句形式,是为了唤起回忆,追溯它的历史。“西刘”,西汉刘姓王朝,直点定王台的建造时代和它的主名。“危基百尺”,形容定王台高大坚实的基础。时代这么悠久,遗址尚且如此巍峨宏阔,它兴盛时期楼台亭阁、雕梁画栋、飞檐彩壁的景象隐然浮现在我们的眼前。“尚想”三句即由上两句引出,意谓还可以引发我们想象得出当时刘发在此游冶时的繁盛情景:旗帜犹如云霓,斑斓多彩,千骑簇拥,前呼后卫,仪仗盛大极了;歌舞弦管之声,高亢嘹亮,仿佛传入了云霄。但这种繁盛景象并未持续多久。“屈指几经秋”,指出繁华短暂,容易消逝,深寓着盛衰无常的感慨。词从上面追忆赞美定王台往昔的繁华,一落千丈,跌入深沉悲痛的伤今意绪中。“叹息繁华地,兴废两悠悠。”收束前文。“兴废”二字在结构上承上启下,在意蕴上有双重作用,既指定王台的兴废盛衰,也指作者所处的宋王朝国土沦亡、衰朽腐败。词人在借古伤今。后者由前者触发而来,却是词的主旨所在。

换头继上片末句运笔。“登临处,乔木老,大江流。”写定王台的衰颓,但并不就台殿本身如何零落来写,而以登临所见到的杈桠枯干的老树、浩浩荡荡向东奔流的大江等冷落萧瑟、渺茫寥廓的景色,渲染环境,衬托出台殿的残破荒凉。这种颓败苍凉的景象,实际上就是南宋王朝满目疮痍、国脉如缕的形象写照。这样,以下撇开定王台而写由国家璧碎瓯残而生的愤恨,报国无门的感慨,就显得非常自然。“书生报国无地,空白九分头”,“空白”句化用陈与义《巴丘书事》“腐儒空白九分头”的诗句。自己怀有报国壮志,却无法施展,虚度岁月,徒然白首。袁去华早年就有志恢复,“记当年,携长剑,觅封侯”(《水调歌头》)。老来一无所成,这是因为南宋统治集团对外一直奉行屈辱投降政策、内部权奸当道的缘故。这两句表达的有志难酬、无路请缨的悲愤心情,是当时爱国人士所共有的,有着鲜明的时代色彩。“一夜”三句以形象的笔墨叙写外族入侵、北地沦亡、国家分裂的报国内容。“一夜寒生关塞”,以一夜之间关塞特地生寒,比喻金人猝然从北方挥师南侵。“万里云埋陵阙”,在古代,京都城阙、皇帝陵墓是否完好,均是国家存亡的象征。阴云万里,掩埋了神州故国的诸帝陵寝。对此,作者耿耿于怀,悲愤填膺,不能平息。他感到报国理想无法实现,国家分裂的局面不知何时能够结束，情绪低落，哀愁无尽。“徙倚霜风里，落日伴人愁。”徘徊于秋风里，只有黯淡无光的落日伴人发愁，更加重了人的沉痛悲伤。词在低沉的喟叹中结束。

这首词的显著特色是情景交融，虚实结合。描写定王台，其盛处从“危基百尺”展开想象，以定王当年的游赏盛况来侧写旁透，用笔空灵；其衰处则就登临所见，以环境背景的渲染烘托来表现，都极有思致。词中的景物，是一幅阔大而苍茫的画面：“雄跨洞庭野，楚望古湘州”“登临处，乔木老，大江流”。赞叹吟唱它的景中人则是一个胸有宏大抱负而无法实现，心境激楚悲凉的爱国志士，这就使词构成了意境雄浑苍凉的特色。

（王锡九）

瑞鹤仙　　袁去华

郊原初过雨，见败叶零乱，风定犹舞。斜阳挂深树，映浓愁浅黛，遥山眉妩。来时旧路，尚岩花、娇黄半吐。到而今，唯有溪边流水，见人如故。　无语。邮亭深静，下马还寻，旧曾题处。无聊倦旅。伤离恨，最愁苦。纵收香藏镜，他年重到，人面桃花在否？念沉沉、小阁幽窗，有时梦去。

鉴赏

这首词的本事和写作年代都无法考定。它的主题是离恨，写与所爱女子别后相忆之情事。

“郊原初过雨，见败叶零乱，风定犹舞。斜阳挂深树，映浓愁浅黛，遥山眉妩。”词人以写景开篇，为下文转入抒情创造气氛。在郊外平原上，刚下过一场秋雨。秋风、秋雨，向来逗人生愁，何况见败叶凋零，风定尚纷纷坠落，更勾起词人心里的烦恼。宛似屈原《九歌·湘夫人》中的著名诗句“袅袅兮秋风，洞庭波兮木叶下”，用飘坠的树叶衬托出思人纷乱不安的心情。只不过此词意境像南朝谢贞的诗句“风定花犹落”，乃静中见动景象；而与屈原所作前两句纯为动态描写略显不同。以上三句，兼示各种声响（雨声、落叶声和断断续续的风声）。接下去才着力勾画斜阳、深树和远山等静物，从中渲染出一段“浓愁”。因为斜阳使人生迟暮之感；深树隐映，益见暗淡。远山一抹深青色，恰似佳人眉黛呈妩，更逗人相思，更添人愁苦。

“来时旧路，尚岩花、娇黄半吐。到而今，唯有溪边流水，见人如故。”词人不禁回顾来时的旧路，见岩前的黄花仍含娇半吐，只不见人面何处。随着时间的流逝，事物都发生了变化；到而今不变的，似乎只有溪边的流水，待人如故。这当然纯属词人的主观想法，并不符合流水的实际情况。但词人目的在于强调一切事物都在变化；而流水之所以不变，乃由于它专于情。从这里我们可以看出：词人的审美判断完全取决于感情的需要；一切物象都透过词人感情的三棱镜而折射出种种奇光异彩。这是词人们不同于科学家们的所在。

下片开头，词人用“无语”二字承上启下。“无语”，既是上片回思万千而不得其解的结果；又是下片种种行为、思考和感慨的契机。“邮亭深静，下马还寻，旧曾题处。”这就是词人“无语”后的第一个行动。“邮亭”，是古代传递函件和书信的地方。而今它静悄悄，说明伊人音信杳无。词人往日可能曾偕伊人一同在此题写过什么；而今她既然杳无音讯，词人便退一步想寻得往日题写的所在，以访伊人旧踪，以当重晤。结果他寻见没有呢？词中并未明言。读者自可任意思考。但事实是，无论词人寻得与否，都无补于他心灵的空虚。因此词人深深感到：“无聊倦旅。伤离恨，最愁苦。”后两句六个字，便是此词主题；也是词人在百无聊赖的倦游中所作出的唯一内心告白。

“纵收香藏镜，他年重到，人面桃花在否？念沉沉、小阁幽窗，有时梦去。”“收香”“藏镜”，暗用了两则典故。前则用晋韩寿故事：韩寿年少貌美，为贾充的女儿所爱。贾充的女儿暗把皇帝赐给贾充的西域奇香送给他。此事后来被贾充发觉，贾充无可奈何，只好将女儿嫁给韩寿。后则用陈徐德言和乐昌公主的故事：徐德言娶了陈后主妹妹乐昌公主。在陈亡之前，他们把一面镜子破成两半，各执其半以为信物。陈亡之后，他们终因破镜相合而得重圆。词人反用这两则典故，目的在强调即使信守前盟，他年重到，也未必就能会合。正如崔护《题都城南庄》所咏：“人面不知何处去，桃花依旧笑春风。”因此词人的思念越来越沉重，渐渐地进入梦境，有时梦到伊人所住的小阁之上和小窗之内了。词人用梦境结束全词,说明除了梦境之外,他的企求在现实中是没法实现的。

此词风格委婉、含蓄,语言却甚流畅。虽然接连用了好几个典故,但不致使人感到晦涩难解。综合袁去华现存全部词作,足以看出其风格是多样的。他的词有些近于豪放,有些近于婉约;而豪放不至于粗,婉约不至于晦。在南宋初期的众多词人中,袁去华显然据有一个虽小却颇为独特的席位。

(蔡厚示)

剑器近

袁去华

夜来雨,赖倩得、东风吹住。海棠正妖娆处,且留取。　悄庭户。试细听、莺啼燕语。分明共人愁绪,怕春去。　佳树,翠阴初转午。重帘未卷,乍睡起、寂寞看风絮。偷弹清泪寄烟波,见江头故人,为言憔悴如许。彩笺无数,去却寒暄,到了浑无定据。断肠落日千山暮。

鉴赏

袁去华在周邦彦之后,姜夔之前,喜自度新曲。这首《剑器近》就是他用旧曲创制的新声,系截取宋教坊《剑器曲》中之一段为之(见龙榆生《唐宋词格律》)。它的体制,"上中两片,字句声韵皆同,是亦双拽头也"(唐圭璋《唐宋词简释》)。既造新声,又用这种三叠词中的特殊形式,可见袁词的创新精神。

这是一首思念恋人的作品。上片写风雨之后的春景,渐渐地引逗出怕春归去,怨人不归,为伊憔悴的情思。春天的夜间,一场细雨潜入大地,滋润万物,唤醒生灵,但被和暖的东风吹停息了。末二句写雨后春景。"夜来风雨声,花落知多少"(孟浩然《春晓》)。只有盛开的海棠花,姑且留存着。它是那样的娇艳美丽,成了春天还在人间的象征了。字里行间,既流露了主人公对美好春色的亲切赞美,也表现了他对春光消逝殆尽的深沉惋惜。而对春雨，却表现了一种厌恶情绪。词中说：完全仗着请来了东风，才把突然袭来的“夜来雨”吹住。为什么对春雨这样不满呢？就是因为“春雨断送春归去”（宋话本《碾玉观音》），是它把春天带走了的缘故。这就极其自然地将词过渡到中片的伤春。

中片先写雨后庭院寂静。“悄”字形容刻画庭户沉寂凄清，和春雨后海棠妖娆、一派生机的景色很不协调，深婉曲折地传达了人的伤春情怀，使她对外界事物产生了异常的感觉。细细听去，洋溢着春天气息的莺啼燕语，分明和人一样，只是它们愁绪的表现，倾诉怕春归去的心曲，哪里是为赞美春天而歌唱呢？人不是赏心快意地去享受明媚春光，反倒担忧它的凋零消逝。对乐景生哀思，其悲哀往往深藏在景物之外。词潜气内转，很自然地过渡到下片剖露人的心迹上来。

下片开头遥承中片的首句，写庭院翠阴转午之幽静。次写人睡起之无绪和念远怀人之凄楚，则承中片所说的伤春意绪而推进深化。佳木茂盛，繁荫浓密，时届中午，庭户被掩映在“翠阴”之下，显得深黯凄寂。伤春的人孤独无聊，恹恹入睡。待到一觉醒来，更觉得心神不定，怨怀无托，急切地透过重重窗帘窥看随风飘散的柳絮。这里蕴含的感情颇为复杂。刚刚睡醒，百无聊赖，“看风絮”表现了怕春归去的深沉痛惜之情；风絮的飘零聚散，象征着人的离别和撩乱的心境。词意在此有了转化，以下写怀远的感情。“偷弹”三句，因极度相思，人已憔悴，所以将暗暗落下的泪水托付给烟波，愿它随着悠悠流水见到蓬转四方的故人，代人诉说减围宽带的刻骨相思。寄泪烟波，这是异常悲伤的表现。悠悠流水，随地赋形，无往不至，在人的心目中，它可以尾随着漂泊者，能够胜任使者的任务，表现了人将其感情附丽于流水传达给对方的想象。“彩笺”三句，再写思远之情。“到了”，到底、毕竟。这三句意谓：恋人曾从远方寄给我许多书信，每一封信里都向我问寒问暖，但他行役到何方，究竟何时才能归来，却没有告诉我一个准确的话。而我千思万念，说到底就是盼望他早点归来啊！离别之久，思念之深，盼归之急切，都可以体会得到。“断肠落日千山暮”，以景结情。思念远人，情致哀伤，眼前又正是斜阳西坠，暮色沉沉，远处的群山笼罩在朦胧的雾气中，这迷离苍茫的凄黯景色，更叫人百结愁肠，寸寸欲断，伤心透了。这种寓情于景的写法，客观景物和人的心境相融合，最能表达人的情怀，使词具有意蕴深广的韵味。

这首词上中下三片，前两片层层深入地写伤春情怀，末片怀人，表达方式很符合“双拽头”的特点。三片之间，起承转合自如圆转，细针密线，照应得当。环境气氛由轻清而重浊，情致由凄婉幽怨而悲哀直露，全词一气贯注，舒卷灵动，有吞吐抑扬之妙。

（王锡九）

安公子

袁去华

弱柳丝千缕，嫩黄匀遍鸦啼处。寒入罗衣春尚浅，过一番风雨。问燕子来时，绿水桥边路，曾画楼、见个人人否？料静掩云窗，尘满哀弦危柱。　庾信愁如许，为谁都着眉端聚？独立东风弹泪眼，寄烟波东去。念永昼春闲，人倦如何度？闲傍枕、百啭黄鹂语。唤觉来厌厌，残照依然花坞。

鉴赏

这首《安公子》写行人思念恋人，伤离意绪，抒写得很凄婉深厚。

上片开头，写早春景色，形声色俱有，点染入画。千万条纤细柔软的嫩黄色柳丝，参差披拂，婀娜多姿，鸦鸟不时地在柳丛中发出阵阵鸣叫声。这是一幅洋溢着春天气息的画面。“匀遍”，均匀地涂染遍。南北朝以来，女子有以黄粉涂额的妆扮。丝丝杨柳的嫩黄色，好似用女子画眉的黄粉涂抹成，多么新鲜艳丽！说鸦啼之处杨柳变成嫩黄色，生活实际却是柳色抽芽变黄，吸引了鸦鸟来树间转徙鸣叫。词中的写法，出人意表，把春天的活力和盎然生机透脱地写出来了。早春的气候是不稳定的，一番风雨过后，春寒料峭，试装的罗衣便觉得单薄不能御寒。客子对环境的冷暖变化最敏感，极易惹起他的忧喜悲戚。词潜气内转，由景及人，抒发其思念恋人的悲怀。“问燕子”三句，借向燕子发问，暗示双方音讯不通。因为古代有燕子传书的说法。“人人”，情人的昵称。作客异乡，因山高水远，空间阻隔，使双方无法传书问讯。见到远道归来的燕子,不免要探听一下它可曾在路途中见到那人,她的近况如何。这种发问,虽不可能得到什么回答,但深沉地表现了行人渴望知道一点对方情况的心情。“料静掩云窗,尘满哀弦危柱。”燕语呢喃,不足依凭。思念之情无法遏制,因而客子就揣度猜测。楼阁遮掩于云雾之中,绮户疏窗紧闭。女方伤情无心绪抚琴(哀弦危柱,乐器上的弦和支柱。哀、危分别形容弦声的高亢和支柱的端直),琴弃置残破,积满灰尘,她孤身一人,留居在这样极为凄寂的空荡荡的楼台里。这一幅想象中的对方生活情景,有对对方的深沉思念,也有对别离之后他们双方孤独寂寞生活的痛惜,还有对他们过去共同生活的美好追忆,思想感情很复杂,包蕴的内容很丰富。

过片,抒写自身漂泊在外的苦况以及与之相伴随的思念之情。“庾信愁如许”,北朝的庾信曾写过《愁赋》,今已失传。宋代诗词中常用此典。如姜夔《齐天乐》:“庾郎先自吟愁赋。”刘辰翁《兰陵王·丙子送春》:“更江令恨别,庾信愁赋。”以庾信自比,以明愁绪之多。“为谁都着眉端聚?”究竟为谁愁成眉峰颦蹙的模样?自设疑问,不须回答,所问可知,表达感情亦深厚。接着写怨怀无所寄托,愁绪无法解除而独自临风落泪,伤心至极,无人传递消息,不得已只好请东去的流水将相思之意带给对方,相忆之深,自在其中。进而转写客况寥落,难以度日。“念永昼春闲,人倦如何度?”“念”是领字。词中的领字除使词一气贯注以外,往往具有转换或推进词意的作用。这儿的“念”字是将词意从写别情转化到抒发自身苦况上来。春天的白昼特别长,最易惹起人的闲愁。精神疲惫、惆怅迷惘的人怎么才能挨过去呢?这时下片再用问句,出语倍加沉痛深刻。“闲傍枕”二句是“如何度”的具体写照。随便傍靠着枕头躺下,百无聊赖地谛听黄鹂的啼啭歌吟,希冀用它圆润流美的歌喉来消遣散心。听着听着,昏昏然进入了梦乡,这样才算熬过了一段短短的时光。“唤觉来厌厌,残照依然花坞。”黄鹂的巧啭催人入睡,又把人从睡得不稳、不香甜的梦中唤醒。醒来后,更觉得精神委靡不振,很不是滋味;春日迟迟,斜阳的余晖依然照着坞中的花草,原来天色仍然未晚。应上“永昼难度”。结句是从贺铸《薄幸》“厌厌睡起,犹有花梢日在”的词句化来。语句相似,意境亦复相同,都是以景结情。花坞残照的景物,造成迷离惝恍的氛围,衬托出怀人之情的凄婉郁结。

这首词以写景开始，又以写景结尾，前后照应。中间写对情人的思念，由“问”而“料”，再到“愁”，因愁而觉度日如年，层层深入，曲折婉转。词的起结写景和中间怀人，都写到春天里很活跃、很有生气的鸟儿。起处以鸦啼形容刻画春天的蓬勃生机；中以燕子作为抒情的触媒和过渡；结以巧啭的黄鹂来消磨时光，它甜美的歌声和人的孤寂心境，互相映衬对照，倍觉伤情。它们在词中所起的作用各不相同，穿插在词里，使词跌宕多姿，富有感染力。

（王锡九）

南乡子　陆游*

赋归

归梦寄吴樯，水驿江程去路长。想见芳洲初系缆，斜阳，烟树参差认武昌。　愁鬓点新霜，曾是朝衣染御香。重到故乡交旧少，凄凉，却恐他乡胜故乡。

作者

*陆游(1125—1210)，字务观，号放翁。山阴(今浙江绍兴)人。孝宗隆兴初，赐进士出身。历任县主簿、州通判、知州、礼部郎中、秘书监。晚年以太中大夫、宝谟阁待制致仕，封渭南伯。终年八十五岁。他生当宋、金两国南北对峙的年代。其时国土分裂，战争频繁，朝政黑暗，人民痛苦。因此，他一生以诗文为武器，反复呼吁国家统一、整顿朝纲、减轻赋税、发愤图强。可惜一直遭受当权派的沮抑和谗毁，不可能实现他的政治抱负。他的诗歌艺术创作，继承了屈原、陶渊明、杜甫、苏轼的优良传统，是我国文化史上一位具有深远影响的卓越诗人。主要著作有《渭南文集》《剑南诗稿》《放翁词》《南唐书》《老学庵笔记》。

鉴赏

此词，夏承焘先生《放翁词编年笺注》据陆游《诗稿》卷十《头陀寺观王简栖碑有感》诗自注“庚寅过武昌”，定为宋孝宗淳熙五年(1178)由四川东归江行途中作。时陆游五十四岁。他四十六岁入川，至此已历九年。

起调写东归之路。江程千里，归思逐“吴樯”而发。唐卢纶《晚次鄂州》诗起句：“云开远见汉阳城，犹是孤帆一日程。”俞陛云《诗境浅说》以为“作客途诗，起笔须切合所在之境，而能领起全篇，乃为合作”。词亦如之。陆词与卢诗，同为江行途中之作，但卢诗写于路近汉阳之时，故有此语。诚如俞氏所云:“言江天浩莽,已远见汉阳城郭;而江阔帆迟,尚费行程竟日。情景真切,句法亦纡徐有致。”陆词殆写于征帆初发之际,去武昌尚远。江天怅望,归程难计,故有“水驿江程去路长”之叹。同样“情景真切”,而句法更为“纡徐有致”,耐人寻味。“想见”以下句,写想象中的事,亦即“归梦”中的事。“芳洲”,当然是指鹦鹉洲。崔颢《黄鹤楼》句:“芳草萋萋鹦鹉洲。”盖祢正平被杀处。“武昌”,《入蜀记》谓为“吴所都”,“亦要害”。其地其事,都为作者所系念。而其时则为“初系缆”这一片刻,斜阳在水,江天欲暮。其地乃于“烟树参差”这一鲜明特点上辨认出来。这就隐含“日暮乡关何处是?烟波江上使人愁”之意,而下片于此逗起。如仍以与卢纶诗比较观之,则诗写远望中的汉阳,写实见;而词乃写想象中的武昌,写梦到,意更郁悒惝恍,语亦更凝练而富有情致。

换头以下设想到家情景,而又先下一跌宕、顿挫之笔,点出这次到家,将不是添得欢趣,而是充满愁思。作者此时本已进入老境,而这次又带着一腔愁思东归,所以说两鬓又添“新霜”。而下面忽来一逆挽句:“曾是朝衣染御香。”唐贾至《早朝大明宫呈两省僚友》句:“衣冠惹得御炉香。”王维和句:“香烟欲傍衮龙浮。”陆游入蜀前,值孝宗即位,以三十八岁入为枢密院编修官。当时,孝宗颇思振奋,陆游亦当盛年,故于个人与国家前途都怀有希望。但不久,便是“浮云蔽日”“长安不见”。“曾是”句,实发自无限痛楚的回忆。下写故乡重到,本应首先想到与家人相聚,以“生还”相庆等等;但作者却撇开这些,而想到“交旧少”。于是,一阵“凄凉”之感突然袭来。言外自有意在!这里说的“交旧”,当不是一般的朋友,而是友谊建立在爱国思想的基础上的知交。随着时间的消逝,这样的知交相继零落。共同关心国家命运,不时相与谈论心曲的人也不易找到了。这真是大可悲的事!“却恐他乡胜故乡。”这一歇拍,当然出自杜甫《得舍弟消息》句:“乱后谁归得?他乡胜故乡。”但亦深含陆游自己的无限酸楚。它道出了一个爱国知识分子当国家破败时期告老还乡所怀有的一种典型的感情。

纵观全词,上半阕写一梦境,其特点是一片黯淡,景语含情;下半阕则写一种悬想,其特点是凄戾,纯作情语。词中虚词“曾是”“却恐”,都留给读者许多可以推想得之的东西。思归而又怯于到家的矛盾心情交织在一起。这不徒基于个人身世，抑且关乎国家命运。这就是这首词的艺术感染力量的最重要的基本因素。

（彭　靖）

好　事　近　　陆　游

秋晓上莲峰，高蹑倚天青壁。谁与放翁为伴？有天坛轻策。　　铿然忽变赤龙飞，雷雨四山黑。谈笑做成丰岁，笑禅龛榔栗。

鉴赏

想象或梦游华山的诗，陆游写了不少，大多是借来表达收复河山的思想。这首词，也是写神游华山，但主题在于抒写对人民生活的关怀。

上片，作者奇想破空地持着天坛藤杖（天坛，天台山，产藤杖。策，杖），乘着清爽的秋晨，登上莲花峰顶，踏在倚天峭立的悬崖上。只“谁与放翁为伴”一句，不仅给华山，而且给自己写下了一个俯视人间的形象。又从可以为伴的“天坛轻策”，很自然地过渡到下片。

在下片里，可以看到作者的化身——龙杖在雷雨纵横的太空中飞翔。据《后汉书·费长房传》载，东汉费长房从壶公学仙，辞归，壶公给他一竹杖，说：骑它可以到家。长房到家后把杖投入葛陂，杖化为龙。“铿然忽变赤龙飞”，意思是，（天坛杖）铿地变成一条赤龙腾空而起，顿时雷声大作，四周的山峰一片漆黑。可是他一点也没有忘怀人间，他要降及时雨为人们造福，让人们过丰衣足食的好日子。而这种出力为人的事业，在自己看来，是完全可以办到的，不经意的谈笑之间，人们得到的好处已经不小了。对照一下那种逃避现实、只知为己钻营的人，同持一杖，作用大有不同。“禅龛”，供设佛像的小阁子。这里指禅房。“榔栗”，指手杖或禅杖。作者的鄙夷一笑，体现了他“所慕在经世”的积极思想。

这首词的艺术风格，是雄奇豪迈的，它强烈地放射了积极浪漫主义的光芒。陆游词派的继承者刘克庄,在《清平乐》里,幻想骑在银蟾背上畅游月宫,“醉里偶摇桂树,人间道是凉风”,分明是《好事近》一词精神的再现。

（钱仲联）

鹧　鸪　天　　陆　游

家住苍烟落照间,丝毫尘事不相关。斟残玉瀣行穿竹,卷罢《黄庭》卧看山。　　贪啸傲,任衰残,不妨随处一开颜。元知造物心肠别,老却英雄似等闲!

鉴赏

这首词从语气上看,当是罢官家居时所写。全篇基调,是用任情适性、潇洒豁达的笔触,婉转表达其不能为国效力、惆怅失意的心情。寓情于景,物中有我。

开头两句:“家住苍烟落照间,丝毫尘事不相关。”这就是对那时昏暗朝廷、恶浊社会的厌弃和否定,用以概括全篇,领起下文。陆游家居绍兴城西南十里的鉴湖之滨,是有名的风景区。门前碧波清澈,在晚风斜照之下,苍烟摇曳,更觉柔媚宜人。它能荡涤隐士的尘心,对世俗一切纷扰,都可置之不闻不问。下面紧承两句:“斟残玉瀣行穿竹,卷罢《黄庭》卧看山。”由远及近,是前两句在意境上的延伸,使客观存在的景物和内心世界的感受更加协调完美。第一句着重写酒兼及于竹。词章家写酒,常有两种寓意:一是写乐,所谓“衔觞赋诗,以乐其志”。有时也借它以助诗兴,如“李白斗酒诗百篇”。一是写愁,所谓“胸中垒块,故须酒浇之”,即借它消除胸中不平之气。这里的“斟玉瀣”(玉瀣,美酒名),语意双关,而以后者为主。这样的美好环境、安适生活,如果是一个真的隐士,不是很合理想吗?但对作者来说,心灵深处却含蕴着“壮志不伸”的痛苦,这有待于歇拍来点明。“竹”,高标直节,晋人推为“何可一日无此君”,着字亦非虚泛。第二句着重写“经”兼及于“山”。浪漫气息中饶有现实意义。《黄庭》用来代表道书,作者家富藏书,即以道书一类来说,就有二千余卷,而且作者自少年时代就饱览无余,对他的世界观起着不小的影响。特别当他仕途失意、理想幻灭的时候，笔下往往流露出消极遁世之语，这也无须讳言。“山”，指卧龙山，望中可见。晋人谓“西山朝来，致有爽气”，用以回点“丝毫尘事不相关”。

过片“贪啸傲，任衰残，不妨随处一开颜”，承上转下，在结构上起过渡作用。表面上仍然宁静，实际是促节急弦、悲歌变徵的前奏。“啸傲”之上着一“贪”字，“衰残”之上着一“任”字，“开颜”之上着“不妨”二字，仔细品味，都隐寓着在现实生活里不愿如此而又不得不如此的慨叹。文势推移，不可遏制，歇拍两句乃应声而出：“元知造物心肠别，老却英雄似等闲！”“造物”，这里是代指宋王朝昏暗庸懦的君臣。“心肠别”，揭示他们以苟安求全为基本国策，以横征暴敛为享受基础。而冠以“元知”二字，乃是作者身丁忧患、备受挫折的小结，含意极深，也流露出造物的这种“心肠别”必然不肯轻于改变。英雄志士，是国家的精华，他们对时代担负着更大的责任，对社会应该作出更大的贡献。然而在这一基本国策下，他们的归宿只有相将“老却”；而造物对此却等闲视之，以此为得计，还有什么话可说呢？至此，云破月来，主旨立明，曲终奏雅，有一唱三叹的余韵。

这首词多含蕴之笔。通首选用了“苍烟”“落照”“斟残”“卷罢”“啸傲”“衰残”“老却”“等闲”等词，给闲情逸致的生活情趣笼罩上低沉、暗淡的色彩。它们互相映照，互相补充，不落“浅露”“率直”的窠臼。但由于情真景真，依然具有境界开朗、萧然物外的艺术感染力。王国维说：“能写真景物、真感情者，谓之有境界。”（《人间词话》）这首词又多平实之笔。能做到以小见大，物中有我。《鹧鸪天》虽分上下阕，但通篇只有五十五字，仅等于两首七绝。由于体制短小，对景物的描摹摄取，必须有精到的选择和严格的控制，以平实取胜，不以渲染为工，才能小处见大。如“苍烟落照”，只四字，就把湖天暮景的时空感包罗殆尽。“行穿竹”“卧看山”，不但小处见大，而且物中有我。王国维又说：“有我之境，以我观物，故物皆着我之色彩。”（同上）因此，作者既活动于景物之中，又超然于景物之上。而歇拍两句，显示出英雄老却，报国无门。恰似画龙壁上，鳞爪鳍鬣，无一不备，最后双睛一点，风雷振动，夭矫攫拿，破空而去。“诗词者，物之不得其平而鸣者也。”陆、辛之词，应多以此意领会它。

（于北山）

钗头凤 陆游

红酥手，黄縢酒，满城春色宫墙柳。东风恶，欢情薄。一怀愁绪，几年离索。错、错、错！　　春如旧，人空瘦，泪痕红浥鲛绡透。桃花落，闲池阁。山盟虽在，锦书难托。莫、莫、莫！

鉴赏

这首词大约是陆游三十岁左右时的作品。据周密《齐东野语》等书记载，陆游初娶表妹唐婉，“伉俪相得”，“琴瑟甚和”。然而不如陆母之意，以至听信谗言，强迫夫妻离异。后陆游另娶，唐氏也改嫁赵士程。几年后的一个春日，陆游心怀郁闷踽踽独游，至城南禹迹祠附近的沈园，恰遇唐氏与其夫亦来游览。唐氏遣人送酒肴致意，陆游满怀伤感，“借酒浇愁愁更愁”，挥毫在园壁上题下这首《钗头凤》。唐氏见后曾和词一首，不久便抑郁而终。词中记述的正是这一不幸的爱情悲剧和陆唐沈园相会时的伤感情绪。

开端三句再现陆唐久别重逢时的情景。“红酥手”以手喻人，写唐氏之美，语中充满爱怜。“黄縢酒”即黄封酒，一种官酿名酒。“满城春色宫墙柳”既点明了相逢的时间、地点（绍兴原为越国故都，南宋亦作陪都，故有宫墙之称），又暗喻唐婉如宫墙内的杨柳，可望而不可即。“宫墙”二字使红（手）、黄（酒）、绿（柳）三种明艳的色彩顿时黯然，以往的情人虽美丽依旧，却早已另适他人；美酒虽然芬芳醇香，却饱含着二人的血泪；宜人的春色更映衬出相会的凄苦。下四句紧承“宫墙柳”的喻义展开。“东风恶”指陆母迫令休弃新妇一事，揭示了悲剧的原因。一个“恶”字，画出了封建家长的冷酷和可憎。结果是恩爱夫妻被无端拆散，欢情苦少，离愁恨多。这里有对悲剧制造者的怨恨，有对自己软弱无能的内疚和悔恨，有当年“倡予和女”（《诗经·萚兮》）闺房乐趣的回忆，有别后相思的倾诉。接着，“错、错、错”三字和着血泪喊出，一字更比一字沉重。究竟谁之错？自己乎？唐婉乎？陆母乎？

命运乎？当初乎？今日乎？作者无须写明，他要表达的正是这种呼天无路、欲怨不能的悲愤压抑之情。

过片之后仍写重逢。春风依旧，但离别的痛苦、相思的熬煎却使伊人枉自瘦损了红颜，今日虽终于相逢，已是“物是人非事事休”。着一“空”字，突出了对命运无可奈何的慨叹。相思无用，消瘦无益，不该相思，不该消瘦，却又不能不相思，不能不消瘦。于是，只能是“相顾无言，惟有泪千行”了。不写自己的泪，而写对方的泪，含怜香惜玉之意。以下笔锋一转，写词人透过泪眼相看，刚才的满城春色忽然变成一片花落人稀、萧条凄苦的景象。桃花飘落，池阁闲置，给人以人世飘零、凤去楼空之感，进一步烘托词人悲苦无告的心境。离愁虽苦，总还有重逢的希望；死别虽哀，却也可对亡灵尽诉衷肠，而这里写的是生离死别之外的一段。原本是举案齐眉，如今却咫尺天涯，连锦书也无法托寄，这是多么残酷的现实，怎不令词人断续哽咽，肝肠寸断！心中的愁绪剪不断，理还乱，只能是欲说还休、欲说还休，发出绝望无奈的叹息：“莫、莫、莫！”莫再提？莫相思？莫怨恨？劝慰对方？怜惜自己？抑或后悔已晚？都留给读者去心领神会。

这首《钗头凤》最动人处是真情。作者通过与旧日情侣不堪的重逢，描写了二人深挚而无告的爱情和难以解脱的愁怀，表达了对封建礼教及其代表者的不满和抗议。字字血，声声泪，令“闻者为之怆然”。无此伤心之事，断无此伤心之语。这段辛酸的往事，成为词人终生的隐痛，直到白发晚年尚有《沈园》诸诗伤悼。正因为有这样一颗赤子之心，爱之深、痛之切，肺腑之言，信手成篇，遂成千古绝唱。

在艺术上这首词也是匠心独运的，仅六十字的体制，夫妻恩爱、家母相逼、劳燕分飞和沈园邂逅无一不写到，容量可谓大矣！但这一切都放在沈园相会时唐婉遣人敬酒的片刻去表现，落笔便写高潮，然后忽而往事，忽而眼前，忽而景物，忽而人事。这样的结构正便于抒发委婉哀怨、缠绵悱恻的情感，显得迂回跌宕，顿挫舒卷。为了冲破体制的局限，作者锤字炼句，惜墨如金。词中很少用动词，而多用最富感情色彩的形容词，与名词组成偏正词组做句子，高度浓缩，表现力强，又精炼隽永，词味醇浓。语言的跳跃性还使词的意境如断山云雾，迷离惝恍，富有摇曳之美。上下片末句都用叠字作结，更是悲竹哀丝，凄恻销魂。通篇语言质朴而含蓄，写景写情皆平易自然，

"无一语不天成",读来如泣如诉,如歌如怨。因此多少年来一直脍炙人口,传诵不衰。

(杨　杰)

秋　波　媚　　陆　游

七月十六日晚登高兴亭望长安南山

秋到边城角声哀,烽火照高台。悲歌击筑,凭高酹酒,此兴悠哉。　　多情谁似南山月,特地暮云开?灞桥烟柳,曲江池馆,应待人来。

鉴赏

陆游是杰出的爱国诗人,也是著名词人,他的表现爱国激情的词,并不比诗逊色。一种雄豪爽朗的风格,和辛弃疾、陈亮是同一流派。不过他的词作,数量上仅有诗作的百分之一二,尤其是因为被他的诗名所掩,在词史上的地位没有像诗那样突出。

陆游一生,怀抱着抗金救国的壮志。四十五岁以前,长期被投降派所排挤压抑。四十六岁才出任夔州通判,次年任满,他接受了四川宣抚使王炎的邀请,到汉中的南郑,以幕僚身份,度过了九个月的从军生活。南郑是当时抗金的前线,王炎是抗金的重要人物,主宾意气十分相投。"高兴亭",在南郑内城的西北,正对南山。"南山",秦岭。"长安南山",长安以南的南山,是秦岭的主峰。陆游在凭高远望长安诸山的时候,收复关中的热情更加奔腾激荡,不可遏止。集中有不少表现这样主题的诗,但多属于离开南郑以后的追忆之作。而这首《秋波媚》词,却是在南郑即目抒感的一篇,情调特别昂扬,充分显示了爱国词人的乐观主义精神,值得我们重视。

上片从角声烽火写起,高歌击筑,凭高洒酒,引起收复关中成功在望的无限高兴。从而让读者体会到上面所写的角声之哀,歌声之悲,不是什么忧郁哀愁的低调,而是慷慨悲壮的旋律。

下片从上片的"凭高"和"此兴悠哉"过渡,全面表达了"高兴"的"兴"。作者把无情的自然物色的南山之月,赋予人的感情,并加倍地写成谁也不及它的多情。多情就在于它和作者热爱祖国河山之情一脉相通，它为了让作者清楚地看到长安南山的面目，把层层暮云都推开了。这里，也点明了七月十六日夜晚，在南郑以东的长安南山头，皎洁的月轮正在放射光华。然后进一步联想到灞桥烟柳、曲江池台那些美丽的长安风景区，肯定会多情地等待收复关中的宋朝军队的到来。长安当时在金占领区内。词中没有说到收复失地的战争，但从角声烽火一直到长安景物等待宋军前去，都暗示着作者所主张的抗金正义战争的前景。全词充满着乐观气氛和胜利在望的情绪，这在南宋爱国词尤为少见。

（钱仲联）

卜算子 陆游

咏梅

驿外断桥边，寂寞开无主。已是黄昏独自愁，更着风和雨。　无意苦争春，一任群芳妒。零落成泥碾作尘，只有香如故。

鉴赏

被誉为傲骨奇干的梅花，向来以洁白孤高的化身出现在古代文人的诗作中。爱国诗人陆游是咏梅的能手，在《剑南诗稿》中，保存着为数不少的梅花诗。

陆游笔下的梅花，和一般文人所写颇异其趣。它不是“雪满山中高士卧”（高启《梅花》）的象征，而是“精神每遇雪月见，气力苦战冰霜开；羁臣放士耿独立，淑姬静女知谁媒？摧伤虽多气愈厉，直与天地争春回”（《故蜀别苑……》）那样地富有坚强的战斗性格。当然，在他词中的梅花形象，也正是诗人“十年走万里”（《雪后苦寒……》）受投降派排挤的身世和“思为君王扫河洛”（《弋阳道中遇大雪》）壮志未就的心境的鲜明写照。《卜算子》就是这样。

乾道二年（1166），陆游因“力说张浚用兵”的罪名，被罢免了隆兴通判的官职。在山阴寂寞地度过了四个年头，便开始了西行万里的远游。这首词的上片，以梅花独放于饕风冷雨的寒冬昏夜，寂处于驿外断桥边，隐喻词人的不幸遭遇和不得志的心情。词人饱经忧患，可敬的是始终保持着他的爱国情操，不屑跟排挤他的官僚们争夺荣华。

词的下片，便以“春”“群芳”隐喻当时的官场，并表现词人不愿同流合污的品格，更有力地表现了词人在黑暗的环境里坚持战斗，虽粉身碎骨而此志不移的精神。正因为如此，词中尽管有“寂寞”和“愁”等字面出现，而总的意义却不是消极的。

咏物词，能抒写作者的主观情思，做到词中有人，不同于单纯写物的试帖诗，这固然是主要的，但如果只是单纯写个人主观情思，而不能做到词中有物，主客观统一，情寄于物，物因情见，并体现出客观对象的特殊性，也就不能算是咏物的上乘。这首词的特色，正在于物我融洽，突出梅花的特性。桥边驿外，黄昏风雨的背景，无意争春，俯视群芳的标格，切定梅花，移用于他花不得。通首不出现梅花字面，却不脱不粘地传出了梅花之神。特别是末二句，更是言简意深，给读者留下了非常广阔的想象余地。

（钱仲联）

汉宫春　　陆游

初自南郑来成都作

羽箭雕弓，忆呼鹰古垒，截虎平川。吹笳暮归野帐，雪压青毡。淋漓醉墨，看龙蛇、飞落蛮笺。人误许，诗情将略，一时才气超然。　何事又作南来，看重阳药市，元夕灯山？花时万人乐处，欹帽垂鞭。闻歌感旧，尚时时、流涕尊前。君记取，封侯事在，功名不信由天。

鉴赏

乾道八年（1172），陆游活动在南郑的王炎幕府，对抗战的前途怀着胜利的希望。但因南宋小朝廷坚决主和，八年冬，王炎被召还都，陆游也被调到成都任安抚司参议官。他调到后方以后，拏云心事，不得舒展，极为苦闷，而要收复河山的信念，仍然是坚定不移。在不少诗篇和词作里，往往激发着慷慨昂扬的声音。

这首《汉宫春》，就是他到成都以后所写的。题目说是“初来”，词中又写到元夕观灯、花时游乐等，应该已是九年(1173)春。

词的上片，表明作者对南郑时期的那段从军生活，是如此珍视而回味着。他想到在那辽阔的河滩上，峥嵘的古垒边，手搏猛虎，臂挥健鹰，是一幕多么惊人的“百骑河滩猎盛秋”(陆游诗《醉歌》其二)的场景；晚归野帐，悲笳声里，雪花乱舞，兴酣落笔，草下了龙蛇飞动的字幅和气壮河山的诗篇，又多么值得自豪！可是卷地狂飙，突然吹破了词人壮美的梦境。成都之行，意味着抗金愿望暂时不能实现。文才武略，何补时艰？“人误许”三字，真是沉痛入骨。这不是谦词，而是对南宋投降派埋没人才的愤怒控诉。

下片跟上片作鲜明的对照。在繁华的成都，药市灯山，百花如锦，是有人在那里沉醉的。可是，在民族灾难深重的时代里，在词人的心眼里，锦城歌管，只能换来尊前流涕了。“何事又作南来”一问，蕴藏着多少悲愤在内！词人最后的回答是：破敌功名的取得，要靠人的力量，不是由天决定。这里，说明词人的意志，并没有因为环境的变化而消沉，而是更加坚定了。这样满怀希望的词笔，分明迸射着浪漫主义精神的火花。

(钱仲联)

夜 游 宫

陆 游

记梦寄师伯浑

雪晓清笳乱起，梦游处、不知何地。铁骑无声望似水。想关河，雁门西，青海际。　睡觉寒灯里，漏声断、月斜窗纸。自许封侯在万里。有谁知？鬓虽残，心未死。

鉴赏

陆游有大量抒发爱国主义激情的记梦诗,在词作里也有。这首《夜游宫》,主题就是这样。师伯浑是陆游认为很有本事的人,是在四川交上的新朋友,可谓同心同调,所以把这首记梦词寄给他看。

上片写的是梦境。一开头就渲染了一幅有声有色的关塞风光画面,雪、笳、铁骑等特定的北方事物,放在秋声乱起和如水奔泻的动态中来写,有力地把读者吸引到作者的词境里来。中间突出一句点明这是梦游所在。先说是迷离惝恍的梦,不知是什么地方;然后进一步引出联想——是在梦中的联想,这样的关河,必然是雁门、青海一带了。这里,是单举两个地方以代表广阔的西北领土。这样莽苍雄伟的关河如今落在谁的手里了呢?那就不忍说了。作者深厚的爱国感情,凝聚在短短的九个字中,给人以一定要恢复河山的激励,从而过渡到下片。

下片写梦醒后的感想。一灯荧荧,斜月在窗,漏声滴断,周围一片死寂。冷落的环境,反衬出作者报国雄心的火焰却在熊熊燃烧。自许封侯万里之外的信心,是何等执著!人老而心不死,自己虽然离开南郑前线回到后方,可是始终不忘恢复中原。“有谁知”三字,表现了作者对朝廷排斥爱国者的行径的愤怒谴责。梦境和实感,上下片呵成一气,融为一体,使五十七字的中调,具有壮阔的境界和词人希望为国献身的思想内涵。

(钱仲联)

渔家傲　　陆游

寄仲高

东望山阴何处是?往来一万三千里。写得家书空满纸。流清泪,书回已是明年事。　　寄语红桥桥下水,扁舟何日寻兄弟?行遍天涯真老矣。愁无寐,鬓丝几缕茶烟里。

鉴赏

这首词，是陆游宦游西蜀时所作。仲高，名升之，作者的从兄，当时很有文名，人们称赞他"词翰俱妙"（诗词、书法都好）。这首词全篇的旨意即在抒写离家远游、思念亲人的真实感情，笔调低沉深挚，表现了作者思想、生活的另一个侧面。

开头"东望山阴何处是？往来一万三千里"，先突出家乡之"远"。这包含两层意思：一是暗示这次远游，等于"流放"，虽是做官，实有不得已的苦衷；一是点明路程遥远，山川间隔，难卜归期。句首着一"望"字，归心似箭，灼然可见。诗词的体制短小，路程遥远，多不实写，这里却具体写明里数而不觉拖沓，实因能和"望"字呼应，对空间才有实感。读者不禁想到：在那帆船鞍马作主要交通工具的时代，这是多么遥远的路程啊！同时，又和下文"书回已是明年事"暗相关合。"写得家书空满纸。流清泪，书回已是明年事。"写家书的人，总认为写得越详细越好；盼回信当然是越快越好。但前句"家书""满纸"之间着一"空"字，便说明这是徒劳、白费事。你想，家书往返，经年才到，即使写满信笺，已是事过境迁，彼此都难明真相了。因此，两句中嵌以"流清泪"三字，正表现出内心的无限痛苦。上半阕主要是写"远"，远游，历来是天涯客子和他的亲人们心情愁苦的一个重要因素，因而也就理所当然地成为古代许多诗词（包括民歌在内）里常见的主题。

下片主要是写"情"，突出愿望和现实矛盾的苦闷。"寄语红桥桥下水，扁舟何日寻兄弟？""红桥"，地名，在山阴县西七里，是家乡的象征，极目"东望"时想象的所在。桥下流水，什么时候才能载我的归舟和弟兄重聚，这一"寄语"极妙，赋无情以有情，虚空一点，焦急渴盼的心情便跃然纸上。而且流水之外，茫茫宇宙，谁又能够同情自己、理解自己、作出满意的回答呢？怅惘孤独，意在言外。还有，家乡万里，往来都靠扁舟，由扁舟自然联想到"红桥桥下水"，两句虽写怅惘情怀，但这是"遐想"而不是"空想"。作者固然处于"流放"的地位，但与那些贬谪编管、名在罪籍的人毕竟不同，这是通篇中微有开拓、振作气氛的所在。"行遍天涯真老矣"，包含着空间和时间的双重折磨。而"真"字下得特别有分量，和上片"流清泪"语相映照，更觉凄切动人。歇拍"愁无寐，鬓丝几缕茶烟里”,“无寐”,说明愁的深度。频年处于无聊的远宦生活中,词人已经是长夜失眠了,“无奈夜长人不寐”,何时是个了局呢?而眼前景,心中事,鬓边白发又添了几许?只有在茶烟袅袅中坐遣年华的消逝而已。这是用杜牧“今日鬓丝禅榻畔,茶烟轻飏落花风”的诗而变化为词心、词句。

全篇主旨是写远望家乡,思念亲人,感情深沉,忧思无端。看来作者所表达的,除了远游思家的忧闷情怀之外,还兼寓光阴虚掷、壮志难伸的悲愤。后代读之,自然会同情作者的处境和遭遇。

(于北山)

双头莲 陆游

呈范至能待制

华鬓星星,惊壮志成虚,此身如寄。萧条病骥,向暗里消尽,当年豪气。梦断故国山川,隔重重烟水。身万里,旧社凋零,青门俊游谁记? 尽道锦里繁华,叹官闲昼永,柴荆添睡。清愁自醉,念此际付与、何人心事?纵有楚柁吴樯,知何时东逝?空怅望,鲙美菰香,秋风又起。

鉴赏

这首词作于宋孝宗淳熙三年(1176),时年52岁。范成大,字至能,号石湖居士。他和尤袤、陆游、杨万里共称“南宋四大诗人”,也称“南宋四大家”,和陆游原在杭州为同事、朋友。这时范任成都帅(知成都府、四川制置使),陆游成为他的幕僚(制置使司参议官)。《宋史·陆游传》:“范成大帅蜀,游为参议官。以文字交,不拘礼法。”在这一时期,二人诗词酬唱较多,这首《双头莲》就是其中之一。

陆游一生大量的诗作,多为积极向上的、富有战斗气息的作品,这首词何以写得这样消沉呢?这是冷酷的社会现实和他追求的理想的矛盾日益加剧的反映。陆游志在收复中原,统一南北。并希望赵氏王朝能励精图治、国富兵强。这本是受他的家学影响，也就是说继承了王安石的政治理想和抱负（《宋元学案》把他列入“临川学派”，和“濂、洛”不同）。但他在四川，政治上屡次遭受朝廷小人的打击和压抑，在五年多的时间里，虽然也有官职（州通判和帅司幕僚），实际上处于投闲置散地位，不可能有所建树。而范氏此时帅蜀，官位已高，他深知朝廷意在苟安，不敢有所论谏。二人之间，只存在官场上的周旋敷衍，谈不上推心置腹，共济时艰。所以这首词并不只是向范氏发泄牢骚，而是含有政治表态的深刻意义。

开头三句，“华鬓星星，惊壮志成虚，此身如寄”，首先就提出“壮志”的问题，而今已成虚空幻影。着一“惊”字，点出对现实的失望和内心的痛苦。瞧瞧自己，鬓添白发；看看当前，触目惊心；想想将来，也不过寄生天地之间，有何志趣可言？这和他诗作名篇《书愤》“早岁那知世事艰，中原北望气如山”同样，开头就否定了自己的壮志和壮气。拨弦定调，统摄全篇。所以“惊”字为句眼。下承三句：“萧条病骥，向暗里消尽，当年豪气。”以害病的千里马自喻，形象而贴切。豪气消尽，着“暗里”一词，更见炼字之工。如鱼饮水，冷暖自知，兼有“不足为外人道也”的意思，这就加强了感叹身世的深度。“梦断故国山川，隔重重烟水”，由“壮志成虚”，转为思念家乡，不是题旨的游离，而是聊以自宽的推宕之语，并和结尾相呼应，具见针线绵密。“身万里，旧社凋零，青门俊游谁记?”“旧社”，指绍兴末在杭州与诸友的文酒之会。“俊游”，指当时共游的才俊之士，成大即其中之一。用疑问句式表达，“现在谁还记得这些文采风流的往事呢”？不但旧友凋零可叹，而病骥的“萧条”也更可知。

过片，“尽道锦里繁华，叹官闲昼永，柴荆添睡”，“锦里繁华”和“官闲昼永”为对比，只有掩起柴门，以睡眠为事。这和苏东坡的“平生睡足是黄州”的贬谪生活有什么不同呢？“志士凄凉闲处老”，不能不让人想到作者这一诗句了。“清愁自醉，念此际付与、何人心事?”睡眠之外，惟有独饮消愁。满腔心事，又将付托给什么人呢？实际上，他在四川，也有“酒徒诗社尽豪英”的知己，但也多是沉沦在社会上的闲官或布衣，他们同样受不到朝廷的重视。“纵有楚柁吴樯，知何时东逝”，这和上片的“梦断故国山川，隔重重烟水”相照应。在无可奈何的情况下掉转笔锋，把整顿山河的“壮志”，缩小为远客思乡的感情，笔势亦跌宕生姿。“楚柁吴樯”,源于杜诗,以喻东逝的归舟。歇拍“空怅望,鲙美菰香,秋风又起”,是借用晋代张翰见秋风起,乃思吴中菰菜、莼羹、鲈鱼鲙的故事,表示归心的迫切。但又没有张翰的“此身为我有”的自由,孤怀怅惘,含义更深一层。

这首词明标“呈范至能待制”,对当时秩高禄厚的范氏,似也有暗施针砭之意。范氏不是当年“青门俊游”之一吗?为什么而今竟不能“付与心事”呢?范氏深于此道,当然能参透其中消息,但他是无能为力的。

此作虽然着重抒写消沉抑郁的情怀,可是低吟感慨,怨而不怒,哀而不伤,也具有厌弃世俗、洁身高蹈的超爽意境。

(于北山)

鹊桥仙　　陆游

华灯纵博,雕鞍驰射,谁记当年豪举?酒徒一一取封侯,独去作、江边渔父。　　轻舟八尺,低篷三扇,占断蘋洲烟雨。镜湖元自属闲人,又何必、官家赐与!

鉴赏

此词写作年代不详,当为晚年罢官家居时所作。开头用倒叙手法,回忆“当年”旧事。从“华灯纵博,雕鞍驰射”两个对偶句,知所谓当年是指在南郑从军一段时期(为四川宣抚使王炎幕僚,时年四十八)。他对这一时期的“豪举”生活,印象极为深刻,后来多次见于吟咏。这是因为:一、他到了抗金前线,亲身经历了许多激动人心的事件,如射猎、检阅等。二、扩展了视野,丰富了生活,激发了爱国热情,获得了大量的创作题材,奠定了“诗外功夫”的理论。完全可以说,南郑从军,对他的诗歌艺术具有划时代的意义,他曾有诗说:“华灯纵博声满楼,宝钗艳舞光照席。”“分骑霜天伐狐兔,张灯雪夜掷枭卢。”(博、枭卢,都是指一种赌博游戏)但“谁记”一词,已微露孤独、感伤意味。从此,下文分向“低沉”和“开朗”两方面开拓。“酒徒一一取封侯,独去作、江边渔父。”“封侯”“渔父”,是两种截然不同的人生遭遇,荣辱升沉,各有畔岸。“酒徒”,暗用刘邦时策士郦生故事,在这是指原来和自己比肩而后来逐渐爬上去的达官贵人(如范成大、周必大都位至宰执)。这里只作说明,并不见褒贬或感叹的痕迹。但也不禁使人发问:那些酒徒,是怎样取得封侯的?自己又为什么落拓江湖做一个钓徒渔父呢?但这不能说,也不必说了。诗词语言,有它的特色,留有余味,让读者自去咀嚼和解答,这就是“言有尽而意无穷”的妙处。还应看到,去做渔父,有他的天惠条件,门前宅旁,江湖满地,烟水迷离,是渔父生涯最理想的环境。无怪他在词作里常常提到。此篇而外,如《渔歌子》五首、《鹊桥仙》(一竿风月)、《长相思》五首,都是歌颂渔钓生活的清丽超爽之作。当然,这里也许微寓《楚辞·渔父》“举世皆浊而我独清”的惋叹吧。

过片三句:“轻舟八尺,低篷三扇,占断蘋洲烟雨”具体写小船,表现出诗人对渔钓生活的喜爱。“占断蘋洲烟雨”,情景交融,韵味殊胜。蘋洲之上,烟雨迷蒙,水云之乡,为我独占,逍遥容与,可以尽情领略,心境何等旷远!况周颐说:“善言情者,但写景而情在其中。”(《蕙风词话》卷二)只此一句,真抵得张志和全篇《渔歌子》,这应该视为“当年豪举”在意境上的升华。

歇拍:“镜湖元自属闲人,又何必、官家赐与!”用贺知章告老还乡、唐玄宗诏赐镜湖一曲的故事,本地风光,信手拈来,工稳贴切。第二句翻新入妙,更见境界高远,笔势空灵,虽用熟典而不落陈套。

后人论辛、陆诗词,谓“时时掉书袋,要是一癖”(刘后村语)。其实用事只要贴切自然,有什么不可以!近代词人、词论家况周颐指出,必欲得天然妙语,“其道有二。曰性灵流露,曰书卷酝酿。”可谓知言。杨慎评此作:“英气可掬,流落亦可惜矣!”杨慎于此拈出“英气”二字,于消沉遁世的基调中看到开朗超拔的一面,具见法眼。在任何时代,作为一个诗人的气质来说,这种“英挺之气”断不可少。这是在品格和艺术创作中的间架和脊梁。

此作用笔蕴蓄,颇见炼字炼句之功。如开头只用八个字,就概括了南郑从军多方面的“豪举”。“酒徒”二句,指出持身不同,遭逢各异,亦自言外有意。“占断”一句,只用六字,诗情画意,境界全出。赵翼曾谓:“放翁功夫精到,出语自然老洁,他人数言不能了者,只在一二语了之。”看来确是如此。若姚范说他“苍黯蕴蓄之风盖微”,并非公允之论。

(于北山)

鹊 桥 仙　　　陆 游

一竿风月，一蓑烟雨，家在钓台西住。卖鱼生怕近城门，况肯到、红尘深处？　潮生理棹，潮平系缆，潮落浩歌归去。时人错把比严光，我自是、无名渔父。

鉴赏

这是一首借渔父生涯来抒写词人隐居生活和心情的词作。唐代张志和的《渔歌子》写渔父的自在生涯，传诵人口。陆游这首词在此基础上加以深化。

“一竿风月，一蓑烟雨”两句形象地表现出渔父的生活环境。“风月”“烟雨”概括了天气自然的几种情况。而“一竿”“一蓑”则是渔父不离身手的工具服饰。既简括又形象，可见作者笔力千钧。“钓台”指严光钓台，在今浙江省桐庐县富春江畔。这一句既点明渔父的住地，又暗地与严光联在一起，和结语紧相呼应。下面两句写出渔父的高尚情操。从常情说，卖东西都拣人多处，人越多，价钱越可能卖得好。但是这位渔父，连城门都生怕靠近，何况是城中闹市呢？“红尘深处”即指人们争名争利的中心所在。这里从城门引出“红尘”，就是从一般意义的怕热闹，扩展到对名利官场的深恶痛绝，“生怕近城门”，就是怕受“红尘”沾染。如果说“一竿”两句是一般渔父的共性，那么“家在”一句即从一般渔父点出这个特定的渔父。“卖鱼”两句写出这个渔父远离名利的高尚情操。

换头处又与开头“一竿”句呼应。“潮生”时出船打鱼，“理棹”指划船出发；“潮平”时“系缆”，停船捕钓；潮落回家，着上“浩歌”二字，见出优游自得的情怀。潮水的“生”“平”“落”都是有规律的，乘潮而出，乘潮而归，渔父一天如此，天天如此。因为远离红尘，自食其力，自得其乐，所以每天潮落时总是“浩歌归去”。这样已经从日常的生活中写出渔父的高尚情怀。题目的内容已经写足了。但是稍微细心一点，上面“钓台”二字还没有交代。所以结尾就从这个意思出发，把渔父的品格和严光联系起来。“旁人错把比严光”，是对上面的总结，因为这样的生活，这样的情操，和严光相比毫不逊色。这是用“旁人”来间接赞扬渔父，但作者在句中着一“错”字，自然引出末句。“我自是、无名渔父”，自占身份更高。严光把老同学刘秀做了皇帝看得非常平淡，自己仍然是垂钓过活，这是历史上有名的“渔父”，“我自是、无名渔父”似乎比严光还高一筹。因为韩偓《招隐》诗里说：“时人未会严陵志，不钓鲈鱼只钓名。”韩偓也许错会了严光的意思，但不管怎样，严光虽然逃脱了富贵的羁绊，却没有隐掉自己的姓名。这个渔父却连名也隐了，岂不更胜一筹！所以结尾两句是全词的顶点。

语言上朴素自然是这首小词的特色，而尤其值得注意的是重复用字，上半片的两个“一”，下半片的三个“潮”字，映带生情。上下片的收束都是用推进一层的办法，“况肯到”，“我自是”，但上片用反诘，下片用直陈，整齐中又有变化。

（周本淳）

鹊桥仙　　陆游

夜闻杜鹃

茅檐人静，蓬窗灯暗，春晚连江风雨。林莺巢燕总无声，但月夜、常啼杜宇。　　催成清泪，惊残孤梦，又拣深枝飞去。故山犹自不堪听，况半世、飘然羁旅！

鉴赏

这是陆游中年感慨漂泊无依的一首令词。杜鹃一名杜宇，又名子规，它总在春末时候叫，人们相传它的叫声是“不如归去”。这首词借杜鹃的啼声写自己半生飘荡、功业无成、岁月虚度的感慨。“茅檐人静，蓬窗灯暗”，点明题目中的“夜”字。“春晚连江风雨”点明季节。“春晚”就是“晚春”，春天将尽的时候，“风雨连江”，更加速了江畔百花的凋谢。试想在此情境，何以为怀？春天爱听的“林莺巢燕”都被风雨声压住了。“林莺”，野外之鸟。“巢燕”，梁上之禽，对举以概百鸟。“总无声”，把上面连江风雨带来的难堪之情景又加重一笔。这样就为杜鹃声音的出现，创造了凄凉的背景。“但月夜、常啼杜宇”一句陡然一转入题。风雨一停，却只听“杜宇”催归。这一句承上启下，点了题又为下面生了根。

“催成清泪，惊残孤梦”表现题中“闻”字，写听者的感受，也就是杜鹃啼声的效应。“催”和“惊”是杜宇的动作，“清泪”“孤梦”是听者的感受。已经把他乡羁旅之情含在其中。“又拣深枝飞去”表面写杜鹃，暗中在写人，清泪催成，孤梦惊残，耳闻目睹，都被杜鹃吸引住了。所以一直看着听着直到杜鹃飞到深林中去。这样杜鹃飞走了，也听完了。但是上文的“孤梦”还没交代，最后用翻进一层的写法，表现羁旅情怀之不堪。“故山犹自不堪听”，表明杜鹃啼声的悲惨，就是在故乡听了也够难受的，何况是在异乡？更何况半辈子在外乡漂泊？这样就从杜鹃声惨自然写出羁旅愁深。戛然而止，令人感慨不尽。

这首词的结构是通常的方式，上阕写闻鹃，下阕写闻鹃的感慨。但在写法上，上半阕重在层层烘托，先写夜深人静，再写春暮风雨，气氛非常浓重，有声有色。接着用“林莺巢燕总无声”反引出“但月夜、常啼杜宇”这个令人凄断的声音来。下半阕先专写杜鹃，而人的感情融入其中。“催成”两句从鹃到人。“又拣”句从人写鹃，啼鹃已去，人犹难堪。结尾两句用“故山犹自不堪听”来加重他乡漂泊之难堪，“半世”写漂泊羁旅之久，年光虚度、功业无成的这样一些感慨，就让读者从“况”字句里去体会。一“犹”一“况”两个虚字呼应，将上面的景物气氛一齐归结成这个深沉的感慨。读者犹自凄然，作者何以为情！这首词的感人效果就在此中。听杜鹃这类题材是诗词里面习见不鲜的，很容易浮泛落套。这首词因为有作者的深沉身世之感融会其中，所以寻常的题材却使人有不寻常的感受。结尾两句真算得画龙点睛之笔，不可轻轻放过。

（周本淳）

诉衷情　　陆游

当年万里觅封侯，匹马戍梁州。关河梦断何处？尘暗旧貂裘。　　胡未灭，鬓先秋，泪空流。此生谁料，心在天山，身老沧洲！

鉴赏

陆游出生的第二年，北宋便为金人所灭。陆游青壮年时期一心向往北伐中原，收复失地。四十八岁那年他曾经到西北前线南郑(今陕西汉中)，在川陕宣抚使王炎公署里参与军事活动。这是诸葛亮当年北伐的地区。但是因为朝廷缺乏诸葛亮那样坚持北伐、收复河山、一贯主战的人物，主和苟安，所以他的理想和愿望只能变成满腔忧愤，时常在诗词中表露出来。这首词便是晚年退居山阴以后抒写上述情怀的名篇。

一起两句，从今天追忆当年，无限感愤。“匹马戍梁州”，即指南郑从军生活。“万里觅封侯”，暗用班超事。两句写出当年意气之盛，以为可以为国立功万里之外。“关河梦断何处”，从当年落到今天。“关河”“何处”关合上文“万里”“梁州”。当年想立功封侯，今天只落得一场梦幻。不但成了梦幻，而且自己也像当年苏秦一样，功业一无所成，而“黑貂之裘敝”，落魄潦倒。这上片四句，两句过去，两句今天，大开大合，感慨无端。

“胡未灭，鬓先秋，泪空流。”换头处，三个三字句，形式排比，意思贯珠。“胡未灭”联系上片。“万里觅封侯”，就是为了消灭敌人，但是“胡未灭”自己却已老了，双鬓都斑白了。秋天木叶黄落，预示着一年将尽，此处引申为年老衰残。本来应该壮岁从戎，气吞胡虏，现在敌势依然，而自己却老了，这一句联系上片的三四两句。“泪空流”，白白流泪，无补于时。三个字承上两句，无限悲痛。“此生谁料，心在天山，身老沧洲。”结语更加深沉。“心在天山”虽用薛仁贵三箭定天山的典故，重点仍在照应上片“万里”“梁州”，天山在西北，出兵西北，北定中原，自己念念不忘。但是此身却终老江湖，对国事无能为力。过去从政的人，以归隐沧洲为晚岁从容乐境，陆游从“胡未灭”着笔，却始终“心在天山”，而“身老沧洲”和“心”的矛盾无法解决，始终在这种主观想建功立业，客观却是终老家园的矛盾中度日。谁能料到这一生竟如此矛盾？谁愿意过这样矛盾的日子？这个结语自然唤出“画外之音”。当时的人都能明白，后世了解这段历史的人也都明白。这是朝廷屈辱投降政策的罪恶。不直接说出，用问话，更能发人深思。

这首词在结构上不同于一般。一般上下片各占一半，上片过去，下片今天。这首词上半片两句过去，两句今天。下半片句句今天，而又关合过去。不能用普通的对分法来分。在用语上强烈对比，开合动宕，正好体现作者情绪的激越。词里大量用典，但都融会得使你不觉其为典，如“万里封侯”“尘暗貂裘”“心在天山”“沧洲”，这些你不知是用典，也能理解词意；知道是用典，领会就分外亲切。这是在语言上值得玩味的地方。

（周本淳）

谢池春　陆游

壮岁从戎，曾是气吞残虏。阵云高、狼烽夜举。朱颜青鬓，拥雕戈西戍。笑儒冠、自来多误。　功名梦断，却泛扁舟吴楚。漫悲歌、伤怀吊古。烟波无际，望秦关何处？叹流年、又成虚度。

鉴赏

这首词应该稍早于《诉衷情》，陆游怀着为国驱驰建功立业的雄心壮志，到过西北前线，然而由于朝廷屈辱投降政策占上风，几年戎马，却一无所成。人已渐老，伤怀国事，无可奈何，只好发出“流年虚度”的感慨。

“壮岁从戎，曾是气吞残虏。”陆游到王炎幕府是四十八岁，那时很想干一番事业。“曾”字很重要，写当时的壮年气盛，“曾是气吞残虏”，领起上片，既然说“曾是”,就暗含“今日不是”了,这又和下片相关合。“阵云高、狼烽夜举”,写当年的战争气氛之紧张,反衬意气之盛。“朱颜青鬓”由“壮岁”来,“拥雕戈西戍”点明从戎方位,为西方前线,即指参加王炎幕府事。这两句正面写“壮岁从戎”的豪举。“笑儒冠、自来多误”,杜甫《奉赠韦左丞丈二十二韵》一开头就说:“纨绔不饿死,儒冠多误身。”是牢骚语。这一句陆游用杜甫诗可以有两层意思。一是当时从戎得意,以为功业指日可就,不像那些儒生皓首穷经、老死牖下。二是引起下片,说自己也是属于“儒冠多误身”的类型,而“儒冠误身”正是书生的共同悲剧,可笑自己也重蹈这个覆辙。这第二层意思更重,领起下片。

“功名梦断”是总束上片“壮岁从戎”的几句。“却泛扁舟吴楚”指今天的归老江湖,和上片的生活恰成对照。“漫悲歌、伤怀吊古”写今天的满腔悲愤。吊古就是为伤今。吊古而悲歌伤怀,正因为眼看朝廷不思进取,坐失良机,将来半壁河山也根本保不住。吴楚扁舟,满眼兴亡陈迹,不由得不怀念当年前线的战斗气氛。“烟波无际,望秦关何处”,这里的“秦关”是和上面的“拥雕戈西戍”相呼应。“望秦关何处”表面上是说山河远隔,望而不见,实际上是惋惜那样的战斗气氛不可再得。“叹流年、又成虚度”,一结感慨万千。重点在一“又”字,表示年年希望有所建树,却年年是一场清梦,今年又是虚度。上面的“梦断”“悲歌伤怀”“望秦关”等等都收束到这“又成虚度”几个字上,令人不忍卒读。

这首词用今昔对比来抒发自己的悲愤。上片写过去壮岁从戎的豪迈气概,一往无前。下片写今天归老江湖的寂寞心情,万般无奈。上片的末句转出下片,下片“功名梦断”又总束上文,过片的交代非常清楚紧密。上片多实写,借景物着色,“狼烽”“朱颜青鬓”“雕戈”等,使人如见其跃马立功的勃勃英姿。下片却一片愁绪融入“烟波无际”之中,多用直抒情怀的唱叹。上下片的呼应除上片末句、下片起句外,“曾是”“又成”中的“曾”和“又”两个虚字含有无限内容,省却许多笔墨。“却泛”的“却”,“漫悲歌”的“漫”,一表出乎意外,一表无可奈何,这几个虚字的传神作用,也是读这首词必须注意的地方。

(周本淳)

南柯子

范成大*

怅望梅花驿，凝情杜若洲。香云低处有高楼。可惜高楼，不近木兰舟。　　缄素双鱼远，题红片叶秋。欲凭江水寄离愁。江已东流，那肯更西流！

作者

*范成大（1126—1193），字至能，自号石湖居士。吴郡（今江苏苏州）人。宋高宗绍兴二十四年（1154）进士。历官至参知政事。以诗著称。有《石湖集》。

鉴赏

据杨长孺《石湖词跋》，此词作于成大任四川制置使期间（1174—1176），且是“先生（指成大）之最得意者”。刘克庄《后村诗话·续集》卷四移录了这首词，也把它看作石湖词的代表作之一。

词的上片写离别的男子盼望情人的消息，表达了对她的深沉思念。“怅望梅花驿”，用南朝陆凯《赠范晔诗》“折花逢驿使，寄与陇头人。江南无所有，聊赠一枝春”之典，说欲得伊人所寄之梅（代指消息）而久盼不至，因而满怀惆怅。词中的这位离人因为很久没有得到对方的消息了，所以翘首盼望，但一次又一次地落空。尽管现在仍在盼望，却不免担心仍会落空。“怅望”二字极为含蓄地写出了屡次盼望来书的过程和在这些过程中因每每落空而产生的怅惘之情。“凝情杜若洲”，用《楚辞·九歌·湘君》“采芳洲兮杜若，将以遗兮下女”的句意，欲采杜若（香草，也指消息）以寄伊人，也无从寄去，徒然伤情。这两句固然是用前人的成句，但又切合客中生活的实际情景。两者之间融化无迹，是用典和白描手法极浑成的结合。“香云低处有高楼”，他得不到对方的消息，心驰神往，想到她的居处。那雾气迷蒙、香烟缭绕的高楼，就是她的居处所在啊。“低”字是很见功夫的句眼，表现了他怀念对方，神思萦绕，沉郁凝重的感情。“可惜高楼，不近木兰舟。”“木兰舟”，相传鲁班刻木兰树为舟（见南朝梁任昉《述异记》），后用作船的美称。这两句呼应开头两句，暗含两层意思。我临水她不近水，她无法寄书给我，所以我的盼望落空了。我也没法给她捎信回去，因而也就只能对天遐想，深深地思念她而已。这是可以从“可惜”的慨叹中体会出的。

下片写家居的女子怀念远人的愁绪。开头两句：“素”，白色生绢，古代常用来写信，后即代称书信。“双鱼”，指装信的函。古代常用刻有鱼形的两块木板，一盖一底，而把信件夹在中间系紧寄出。词化用汉乐府《饮马长城窟行》“客从远方来，遗我双鲤鱼。呼儿烹鲤鱼，中有尺素书”的诗意。“题红”用唐范摅《云溪友议》记述的宫人韩氏红叶题诗、托物寄情的故事。两句说双方相隔遥远，书信难通，欲借一片红叶题诗，表达深沉不已的思念之情。这两句的意脉紧承上片结句，用典准确贴切。鱼和水有着极密切的关系，红叶题诗也是借助流水传达感情的。她本不近水，却偏偏采用流红寄远的方式，这种反拨，不仅照应了上文，而且包蕴着她为克服“不近木兰舟”的困难所可能会采取的种种行动。再者，这也很形象地写出了她临水抛红叶，目送它飘然流去，心与俱远的神情以及缥缈的希冀。这都生动曲折地表现了她的思念深情。“欲凭”句说凭借江水寄离愁的方式，这本来是不困难的。但是，江水东流，而对方则在“奔流到海不复回”的大江的上游——西方，江水不会倒流，我能再有什么传情达意的可行方法呢？“那肯”的反问语气中流露出她因再也想不出法子传情时的懊丧、痛苦的情绪。

词上下片的开头两句都是用典，言简意赅；末两句又都以叹惋结束，似直而实曲，韵味悠长。全词遣词造语简古质朴，而意蕴醇真深厚。写的虽是相思之情，却一洗剪红刻翠、镂金错彩之法，很有创造性，不愧是作者颇为自负的佳作。

（王锡九）

水调歌头　　范成大

细数十年事，十处过中秋。今年新梦，忽到黄鹤旧山头。老子个中不浅，此会天教重见，今古一南楼。星汉淡无色，玉镜独空浮。　敛秦烟，收楚雾，熨江流。关河离合，南北依旧照清愁。想见姮娥冷眼，应笑归来霜鬓，空敝黑貂裘。酾酒问蟾兔，肯去伴沧洲？

鉴赏

作者《吴船录》卷下有一大段文字，详细记叙了本词的创作经过和他的思想情绪，可与词参看。

开头四句，作者略叙自己十多年间的行止。“十年”“十处”均是约举成数。从乾道元年(1165)至淳熙四年(1177)的十三年，他数次改官，曾供职京师，南到桂林，西至成都，迁徙漂泊，在十处度过中秋。现在(1177)作者从成都回朝入对，途经武昌，登临形胜黄鹤山，又在一个新的地方度过中秋夜晚，并填写了本词。这十多年，作者在政治上不甚得意，“细数”句回忆这期间的历历往事，包蕴丰富，沉吟唱叹，很有凄凉之感。“十年”“十处”并举，还有“忽”字，写出他四处流寓的“不胜漂泊之叹”(《吴船录》，以下引语，不注出处者均同此)。他认为这许多年好像是在做梦，做了一个又一个的梦。“新”字绾合着今昔新旧之梦。“老子”三句写中秋赏玩的豪兴。老子句，词人自谓，老夫于此中(吟赏烟霞之事)的兴味很浓。东晋庾亮镇守武昌时，曾同僚属殷浩等人秋夜登南楼，并说“老子于此处兴复不浅”(《世说新语·容止》)，他们一块吟诗宴饮，谈笑甚欢。这个典故蕴含着他们聚会的热烈场面和快乐兴致，作者借用来描绘自己此次登南楼的情形。诗人和庾亮虽相隔数百年，但都是秋夜宴集南楼，情景相同，可以相比美。所以他说老天又叫这种盛会重见，一今一古都是发生在这个南楼上。对自己登南楼度中秋夜晚击节叹赏。“星汉”二句描写南楼眺望中的夜景。万里无云，夜空晴朗，银河浅淡，只有一轮皎洁的圆月挂在高空中。

过片三句，仍写望中景色。前是仰观，这里是俯瞰。北方的秦地，南方的楚地，在月色笼罩下，烟气雾霭，收敛净尽，毫无阴翳，大江波浪不惊，十分平静。这几句写景，作者“天无纤云，月色甚奇，江面如练，空水吞吐，平生所遇中秋佳月，似此夕亦有数”数语是极好的注脚。词以下转入对月抒怀，共有三层。“月”是抒情的凭借。“关河”二句由圆月千里，普照中华大地，想到山河南北分裂的惨痛现实，不胜惆怅。“想见”三句以想象、揣度的手法，表现作者自己十多年来南北奔波，蹉跎岁月，壮志无成的沉痛感慨。似乎天上的嫦娥对我冷眼相看，嘲笑我归来时一事无成，人却变老了，鬓发如霜。“空敝黑貂裘”用《战国策·秦策》的故事。苏秦游说秦王，十次上书未被采纳，资用乏绝，所穿的黑貂皮衣服也破旧不堪，只好离开秦国回到家乡。这里比喻作者的事功理想未能实现。末二句，作者因无所成就产生退居归隐的想头。斟上酒，请问月中的蟾兔，你们肯伴着我在隐居之地（沧洲）过寂寞的生活吗？古人往往在功业不就的时候，托迹烟霞，寄兴湖山。这里作者流露的是真实思想。他说：“余以病丐骸骨，傥恩旨垂允，自此归田园，带月荷锄，得遂此生矣。”作者在上下片中分别以“玉镜”“姮娥”“蟾兔”代指月亮，运笔灵活，发挥了借月抒情的最大功效。

这首词对中秋月色和大好河山的赞美，洋溢着作者强烈的爱国主义精神；痛惜关河离合，南北分裂，含蕴着他志在恢复的抱负。但终究虚无成就，不得已而想到退居山林，潇洒度日月。这是作者的悲剧，也是当时爱国人士的普遍悲剧。词风在豪放、婉约之外，独具特色。并不过分豪迈悲壮，也不流于绮靡，确是一种变徵之声。激奋中带有苍凉之感，很准确深刻地反映了作者追求理想的热望幻灭以后的凄黯逼仄的情怀。

（王锡九）

秦楼月

范成大

楼阴缺，阑干影卧东厢月。东厢月。一天风露，杏花如雪。　　隔烟催漏金虬咽，罗帏暗淡灯花结。灯花结。片时春梦，江南天阔。

鉴赏

《秦楼月》，本名为《忆秦娥》。相传为李白所作的《忆秦娥》有"秦娥梦断秦楼月"的句子，故又作此题。这首词继承了唐五代词多吟咏本题的传统，写女子怀念远方的情人。

上片写夜间楼外的景致。"楼阴缺，阑干影卧东厢月。"月色下，栏杆的影子穿过高楼背光部分的空缺处投下来，横躺在东厢旁的地面上。这说明月光倾斜，夜已经很深了。不直接写楼本体，而细致逼真地写其栏杆横卧在地面上的情景，这不仅收到了入手擒题，开篇就紧扣"楼""月"做文章的效果，而且将月夜里的楼写得更饶有趣味，还渲染出了环境的幽美静谧，给全词创造了一个与离别相思的人孤寂落寞的心境极相谐和的氛围。重叠的"东厢月"三字在词中起结构上的过渡作用，下片"灯花结"的重复作用与此相同。"一天风露，杏花如雪。"在满天风露的润泽下，白色杏花绽开蓓蕾怒放。它与溶溶月色构成一幅极融和的春夜图。

下片转入写室内。换头两句写室内景色和人不能入眠。漏是古代计时器具。"金虬"即铜龙，装置在漏器上的饰物，以龙头嘴里吐水来计算时间。隔着迷蒙的雾气，听着从漏器的龙嘴里吐水的呜咽声响；灯烛结花，光焰微弱昏黄，罗帐屏风上笼罩着一层黯淡的色彩。这所见所闻，饱含着深夜无法入睡的人的黯然神伤。"催"字是极好的炼字。人因思远辗转反侧，愁思不眠，更觉长夜漫漫，太难煎熬，盼着天快明，在这种感情的支配下，似乎铜龙也因嫌夜长而"催"着本是极有规律的漏器加快出水的速度，以结束长夜。通过人主观感情的作用，将无情之物感情化，将人的感情表达得非常深挚婉曲。旧时把灯烛结花、喜鹊叫和蜘蛛结网三种现象，都当做某种吉祥的征兆。在词中“灯花结”却是反笔。“兰灯空结花”（王筠《杂诗》），含有“送喜何曾有凭据”（《敦煌曲子词·鹊踏枝》）的意味。这格外增添人的懊丧苦恼、惆怅迷惘之情。郑文焯指出，“片时春梦，江南天阔”两句是用岑参《春梦》“枕上片时春梦中，行尽江南数千里”的诗意（《绝妙好词校录》）。这是不错的。隐括岑诗，简洁省净，别具风味。岑诗意思是说，片时春梦即经历了江南广阔的数千里大地，抒发对友人的深切思念之情。词同样也是这个意思。江南水长天阔，道路悠远，在梦幻中倏忽而过，游子漂泊在何处，滞留于何方，根本无法寻觅，更不要说晤面了。短短的八个字中，蕴含着远人归期难卜，思人极度怀念，情致怅惘等丰富的内容。这是由于“江南天阔”景象的辽阔苍茫，梦境的虚幻缥缈，与伤离情致极为融洽，浑涵一体的缘故。讲究炼字，文字精美，言简意赅，表情达意深婉曲折，细腻空灵，是本词的特色。在《石湖词》中，这是具有婉约风格的上乘之作。

（王锡九）

鹧　鸪　天

范成大

休舞银貂小契丹，满堂宾客尽关山。从今袅袅盈盈处，谁复端端正正看！　　模泪易，写愁难。潇湘江上竹枝斑。碧云日暮无书寄，寥落烟中一雁寒。

鉴赏

作者另有《次韵宗伟阅番乐》诗，尾联说：“绣靴画鼓留花住，剩舞春风小契丹。”番乐“小契丹”应即是契丹族的舞蹈。契丹，古代北方的一个少数民族，居住在西辽河上游（今属内蒙古巴林右旗）一带，曾建立契丹国，后改国号“辽”，是北宋主要的敌国之一，为宋、金所灭。在亡国的遭遇上，北宋和它有相似之处，只是宋朝保住了江南的半壁残山剩水，而辽完全覆灭罢了。这首《鹧鸪天》就是作者观看辽朝的“小契丹”舞蹈，抚事生悲，抒写亡国忧愤的作品。

“小契丹”大概是一种武乐。

词并未描写其舞蹈场面，只点了一下舞者身着貂皮服装，其壮观的场面，刚毅健拔的舞姿，则栩栩如生地浮现在我们的眼前，收到了以虚传神的效果。这样写符合作者借观舞寄慨的创作意图，他并非要叙写舞蹈本身。开头两句语气激愤，劈头就说，不要再舞这种戎装打扮的“小契丹”了，满堂观舞的人都是来自边防前线。身处关山、屡经战斗的人观看武乐，应有一种亲切感，以亢奋激昂的心情来欣赏它才是。为什么会如此沮丧，不忍再目睹它呢？舞蹈表现出一种尚武精神，其发源地辽国是一个凶悍善战的国家，这和它为金所灭的历史事实形成强烈的对照，而作者的国家宋朝也差不多同时为金所败，只留下东南一隅。观舞时会很自然地联想到这些，一种亡国的伤痛之感不禁怃然而生，所以不忍再观舞。况且作者所处的时代，统治集团仍然对金奉行妥协投降、屈辱卖国的政策，继续走着亡国的老路，边防前线的危急形势和雄壮的舞姿截然相反。作者是爱国志士，面对现实，“黯销凝”，又不禁悲愤填膺，更不忍再观舞了。这两句蕴含着作者丰富复杂的思想活动。袅袅盈盈，形容摇曳轻柔的舞姿。端端正正，形容观者聚精会神地欣赏歌舞的情状。三、四句推进一层。因为看了“小契丹”，激起了满腔悲愤之情，从今以后，再也不能心安理得地欣赏那些绮靡娇艳的歌舞，表现了作者可贵的爱国精神，决心振作起来，为恢复事业而奋斗，而不是沉溺于灯红酒绿、轻歌曼舞的颓废享乐生活中。这与其说是作者的自誓自励，毋宁说是他对当时不事救国，只贪图醉生梦死的享乐生活的统治集团的愤怒指责。那一班无耻之徒，对敌人一副媚态，屈辱求生，但他们何曾把国事放在心上，又何曾放弃过寻欢逐乐的糜烂生活！他们还对爱国人士极尽打击迫害之能事，使得爱国者虚度岁月，蹉跎无成。这是作者所处时代的严酷现实。词人生活在这样的时代，感到壮志难酬，心情压抑又无处倾诉。词下片就转到抒写忧愤和感慨上来。

换头二句直抒胸臆。人们表现流泪比较容易，至于要把内心深处的愁恨充分地表现出来就很难了。通过“易”“难”的对写，说明心中忧愤的深广郁结。下面的一句，用神话传说，具体描写刻画“愁”。相传舜南巡死于苍梧之野，他的两个妃子娥皇和女英追至湘水边，洒泪在湘竹上，竟然使竹子呈现出泪斑。这是何等的悲痛啊！末二句写景和用典结合。暗云凄断，暮色苍茫的寥廓天穹里有一只大雁飞过，它虽可以传递书信，而我却无信可请它捎带。

意谓心中的悲痛无处倾诉，只好压抑在心头。这正是时代现实政治的反映。眼前的烟雾迷蒙、斜晖黯淡的景色，就是当时国家形势的生动写照，它是作者产生怅惘悲伤感情的社会原因。

本词上片激昂慷慨，悲壮苍凉，下片则幽愁暗恨，低徊消沉，真实形象地表现了作者以及当时一般爱国人士的理想和现实之间的尖锐矛盾，壮志难酬的深沉悲痛，是一首充满爱国激情的作品。

（王锡九）

霜天晓角　范成大

梅

晚晴风歇，一夜春威折。脉脉花疏天淡，云来去，数枝雪。　胜绝，愁亦绝，此情谁共说？惟有两行低雁，知人倚，画楼月。

鉴赏

这首咏梅词，没有采用“歌咏物体之空间的形象”（青木正儿《中国文学概说·诗学》）和“只仿佛形容”（《童蒙诗训》，《宋诗话辑佚》本）——这两种常见咏物方法（前者把捉题目，后者空际盘旋而游离于所写对象），而是采用了若即若离、映带晕染之法来表现早春初开梅花的姿态，富有空灵蕴藉之趣。

上片写梅。开头两句交代梅花绽蕾的环境。春寒料峭，往往是冷风在作祟。傍晚时分，天色晴明，风又停息，春寒的凛冽威势就大为减却。虽说气温仍然较低，但它已不能恣意肆虐，扼杀生机了。“折”字用得讲究，很有分寸。梅花是一种能够凌寒独开的花卉，现在严寒又有所敛迹，它正可以吐露幽姿逸韵。以下三句即写梅花。今夜，初放的白梅只有稀稀疏疏的几枝，高朗的天空也只有几朵飘飘荡荡的白云。在如水的月光下，天上地下，两种景物显得非常融和，好像它们还含情脉脉地遥相眷顾呢。作者巧妙地将二者结合起来写。从句法上分析，“脉脉”句合写梅和云，“云来去”应“天淡”，“数枝雪”应“花疏”，分合有致。从意境上看，写云是为写梅服务的,飘忽的淡淡白云,空灵透脱地刻画出了梅花萧散疏朗的生动形象。白云超绝人寰,一尘不染,又是对梅花超脱世俗的气韵的极好映衬。咏梅的诗词虽不胜枚举,这样的写法却不多见。

换头,"胜绝",赞叹梅花极为秀逸。"愁亦绝",则是触景生情,产生了无限的愁思。观下文,它是相思离别之情。古典诗词中,梅是极富思致的事物。王维通过独问"寒梅着花未"(《杂诗》其二)来表达深切的乡思;卢仝《有所思》说:"相思一夜梅花发,忽到窗前疑是君。"梅成了思念情感的象征和所思之人的化身。愁思有地方倾诉,这就可以减轻它,甚至消释掉。但现在却只身孤寂,向谁去诉说呢?这只能使愁思倍增。只有低低飞过的两行大雁,知道人凭倚着月光沐浴下的高楼栏杆时孤独凄黯的心情。人的内心世界被不通人情的大雁探知,不近情理的写法再一次突出人的愁思的深长。"两行低雁",描绘大雁成双成对的形象和互相接近、互相关心体贴的脉脉温情,与人独倚楼头形成对照。对比之中将其"愁亦绝"升华到顶点,具有言尽意远的特色。

词以"胜绝,愁亦绝"为转捩,不仅胜景、愁思的密切关系自然写出,而且它们是承上启下的关键词句。"胜绝"承上片,用赞叹之笔结束对梅花倩姿淑态的描绘;"愁亦绝"开下文,落笔千钧,变飘逸为凝重,以下则直说曲写,倾诉黯然销魂的愁绪。全词咏物抒情两相结合,构思精巧,颇具特色。

(王锡九)

满　江　红

范成大

清江风帆甚快,作此,与客剧饮,歌之。

千古东流,声卷地,云涛如屋。横浩渺、樯竿十丈,不胜帆腹。夜雨翻江春浦涨,船头鼓急风初熟。似当年、呼禹乱黄川,飞梭速。　　击楫誓,空警俗。休拊髀,都生肉。任炎天冰海,一杯相属。荻笋蒌芽新入馔,鹍弦凤吹能翻曲。笑人间、何处似尊前?添银烛。

鉴赏

小序中的"清江"是江西赣江的支流,即指代赣江。范成大于乾道八年(1172)冬知静江府(今广西桂林),次年春过此并填写了这首词。舟行赣江,顺风急驶,作者的心情很好,和客人开怀痛饮,并唱此词侑酒。本词作者的"览物之情",表面上"其喜洋洋者矣",实则"长歌当哭",抒写报国无路、理想成空的愤懑情绪。

词的上片,在"清江风帆甚快"数字上运笔铺衍。赣江水滚滚东流,古来如斯。巨大的波涛声像是席卷大地,翻腾的浪花犹如涌起的重重叠叠的高大房屋。江水浩渺,横无际涯,十丈高大的桅樯,也承受不了张开的船帆。"帆腹"用苏东坡《八月七日初入赣过惶恐滩》"长风送客添帆腹"的诗语。船帆因受风而张开,故云腹。惶恐滩是赣江滩名。成大渡赣江,想到东坡诗,极为自然。"夜雨"二句,加倍写此行趁时行舟,风帆速度之快超过一般。夜来春雨,翻江涨浦,水位增高;风向刚定,击鼓开船,顺风而行,就如猛虎添翼、骏马注坡,一发而飞驶不止。"风初熟"又用东坡诗《金山梦中作》"夜半潮来风又熟"语。风初起时方向不定,待至风向不再转移,谓之风熟。成大文学创作受东坡影响,这里一再引用东坡诗句,就是显例。"似当年"三句,"呼禹",呼唤大禹的名字,流露出崇敬和怀念的神情。禹是古代治理洪水造福人民的英雄,怀念他,表现了作者的事功理想。此次舟行之速,恰似当年追想着大禹的业绩横渡黄河(乱,横渡江河。黄川,黄河)时一样的快如飞梭。"当年",指乾道六年(1170)。该年,成大出使金国,交涉收复北宋陵寝及更改南宋皇帝向金使跪拜受书之礼的事宜,表现出大无畏的民族气节,赢得了朝野上下的称道。呼禹渡越黄河,写出了作者出使北上途中希望为国家和民族建立功勋的强烈愿望和坚定决心。而他现在出守桂林,则是因为在朝廷上和统治集团的政见屡次相左,被孝宗冷落,外放为地方官的。尽管此次渡赣江,风帆之快与那次渡河不相上下,但心情却完全不同。那时正获得了一个为国立功、施展抱负的良机,现在却处于理想受挫、不能如愿以偿的情况下。"似"字值得玩味。似是表面的,不似才是实质的。这种对比之中,有作者的渴望,有愤懑,也有无可奈何的喟叹。下片,词人即借酒杯浇胸中块垒,抒发理想幻灭的感情。

下片开头四句,用两个典故写作者理想付诸东流的愤懑、哀痛之情。"击楫"用东晋祖逖事。《晋书》本传载,祖逖渡江北伐,中流击楫而誓曰:"不能清中原而复济者,有如大江。"后用以比喻收复失地的决心。两句作者自谓本有满腔的爱国热情和坚定的恢复之志,现已成空,当年徒然惊动众人而已。"休拊髀"二句用三国刘备事。《三国志》本传载,刘备寄栖刘表幕下,一次如厕,见髀(大腿)肉生,慨然流涕。刘表见状惊问何故,刘备说:"平常身不离鞍,髀肉皆消。今不复骑,髀里肉生。日月若驰,老将至矣。而功业不建,是以悲耳。"这里抒写作者被投闲置散,功名之想已化为云烟的愤恨。词人因壮志成空而激愤,又因激愤而睥睨一切,狷狂兀傲,似乎是否能够建立功业,都不必放在心上。"任炎天冰海,一杯相属。""炎天",南方。"冰海",北方。这既指作者当年北上出使,现在南下出守桂林的行止,也暗寓那次功名可望,此次无路请缨的情形。任随南北奔波,不管勋业如何,只有与客举杯同饮(相属,互相劝饮)方是乐事。这是愤激之词。以下写"与客剧饮"的豪纵行为。"荻笋"二句写饮食新鲜,音乐动听,增添了痛饮的豪兴。芦芽和初生的蒌蒿,既是河豚的食物,又可作为鱼羹调料(张耒《明道杂志》)。这里意思是说菜肴烹煮讲究,滋味可口。"新"字更强调了食物是应时鲜货。"鹍弦",指琵琶,用段安节《乐府杂录》载开元艺人贺怀智以鹍鸡筋作琵琶弦事。"凤吹",指箫。《列仙传》说,春秋时萧史善吹箫,能为凤鸣之声。"能翻曲",犹言能够新翻曲调。饮食异常鲜美可口,音乐又是如此美妙动听,使人忘怀一切,沉溺于无穷享受的兴味之中。此时此刻,人间的一切,真可付之一笑,有什么能抵得上把酒尊前,燃上新烛,添酒回灯,开怀畅饮的陶陶乐趣呢?作者由于仕途受挫、功业不建所产生的愤懑、郁结情绪,在词中却发之以狷狂兀傲、胸无芥蒂、眼空一切的形式,颇有一点"破罐子破摔"的意味。其实这是正话反说,即人们通常所说的"气愤话"。唯其如此,才能把他失意时的激愤,仍存希冀的渴求表现得淋漓尽致。因其理想具有强烈的爱国主义精神,所以这种诡谲态度的本身,就是对当时压制打击爱国志士的统治集团的猛烈抨击。

这首词用典较多,但都准确贴切,自然灵动。如大禹是历史上的治水英雄,因渡河而想到他,又由他的治水业绩联系到自己的事功愿望，不仅自然，而且意蕴丰富。用祖逖、刘备事，也颇善融化，把自己所处的环境和心情表现得很好。“荻笋”二句把与客宴饮的菜肴的佳美、音乐的悦耳动听、酣畅尽欢的情怀等等，无不充分地描绘渲染出来。像这些都发挥了典故概括集中、蕴涵丰富的功能。

（王锡九）

好　事　近

杨万里*

月未到诚斋，先到万花川谷。不是诚斋无月，隔一庭修竹。　　如今才是十三夜，月色已如玉。未是秋光奇绝，看十五十六。

作者

*杨万里（1124—1206），字廷秀，号诚斋，吉水（今属江西）人。宋高宗绍兴年间进士，做过四朝的官。曾任秘书监等职，官至宝谟阁学士。谥文节，赠光禄大夫。学者称其“诚斋先生”。杨万里主张抗金，有民族气节。他能诗亦能文，其诗初学江西派，后师法王安石及晚唐诸家，自成一家，时称“诚斋体”。词数量不多，然风格清新活泼，自然洒脱，近于其诗风。有《诚斋乐府》传世。

鉴赏

这是一首清奇俊爽的即兴之作。

描写月亮的文学作品，历代不乏佳作。的确，皓月当空，清辉遍洒，最易唤起人们的诗兴。无论是满月如盘，还是新月如钩，都各具其美。它是那样触人生情，又那样发人深思。因此，古往今来，月亮和文学艺术可以说是结下了不解之缘。于是，与月亮有关的文学作品就相当可观了。在这众多的作品中，杨万里的这首《好事近》可谓别具一格。作者并没有去翻脱古人之趣，而是别具手眼，写出了全新的自我感受，格调浑朴明快，韵味清新淡泊，正是所谓“兴到自来，不以力构”。难怪人们称赞杨万里“不特诗有别才，即词亦有奇致”（《历代诗余·词话》引《续清言》）。看来这绝非溢美之词。

这首词艺术上最突出的特点是，作者有意无意造成一种蓄势，间有延宕，忽而又以平中出奇之笔,层层晕染,甚至“以客行主”,使笔不景物恍如画境。

首句“月未到诚斋”,令人一怔,写月而不见月,若何?且慢,这其实是一种蓄势。接下来一句“先到万花川谷”,使读者豁然开朗。“万花川谷”乃作者自名其花圃。圃地虽不大,而栽花甚多,故云。《彊村丛书·诚斋乐府》原题就作《七月十三日夜登万花川谷望月作》。这里用“到”和“未到”以增强月亮的动势,其实月亮是跟着作者的视野移动的。

三、四句又是一句延宕,一句出奇:“不是诚斋无月,隔一庭修竹。”至此,方解开“月未到诚斋”的真正原因——为庭院中的竹林所掩蔽,难怪月光照不到作者的书房中去。

词的后片进一步运用先平后奇的手法,给读者留下不尽余意。十三之夜,月色已如此皎然如玉了,可现在还不是月色奇绝之时,若到十五、十六,月色将更加令人倾倒。写十三月色之美是实写,而十五、十六月色之奇绝是留待读者自己去想象,笔不到而意无穷,读后叫人欲罢不能。整个后片实则是为前片画幅留下一段意到笔不到的空白处,唯此空白虚处,方显出灵气和智慧。

值得我们注意的是,作者写了月、花、竹,虽是随手画出,且极饶情趣,宛如一幅淋漓酣畅的水墨画,富于色彩层次(墨在中国画中也是色),但并不华贵,整个调子是淡雅的。作者称得上是“得画家三昧,亦得词家三昧”的丹青妙手!试想,月光洒在暗香弥漫的山谷中,色彩斑斓的野花仿佛笼罩在淡黄色的云雾中;月光散在疏影横斜的翠竹丛中,碧绿的竹叶犹如被镀上金色的边沿,逆光的花、竹,色彩该是何等的奇异和清晰!然而,作者不加任何形容词去修饰,不加任何带有强烈色彩感的藻绘,一味只是用墨,想象余地十分开阔。这正是作者的高明之处。如将此词意境与周美成《解语花》中写月的意境作一番比较,显见完全不同的格调。美成的“桂华流瓦,纤云散,耿耿素娥欲下”,自是华贵精巧,而诚斋写月则别是一番淡雅清奇的韵致,一是错彩镂金,一是水墨淋漓,个中消息,判然有别。

还应该提到,作者活泼自然、朴实流畅的语言艺术,在词家也是罕见的。看似平白如话,却情、景、意、趣俱佳。特别是后半片,简直是信手拈来口语入词。通篇无一丝凿痕,毫无造作之嫌,淳朴中透出明媚,淡泊中味终奇妙。这正是清人先著所谓的“轻而不浮,浅而不露,美而不艳,流而不动,字外盘旋,句中含吐,小词之能事毕矣”(先著《词洁》)。

(王星琦)

卜算子　　严蕊*

不是爱风尘，似被前缘误。花落花开自有时，总赖东君主。　　去也终须去，住也如何住？若得山花插满头，莫问奴归处。

作者

*严蕊，字幼芳，南宋前期台州（今属浙江天台）妓。洪迈《夷坚志》庚卷第十："台州官奴严蕊，尤有才思，而通书究达今古。"周密《齐东野语》称她"善琴弈歌舞，丝竹书画，色艺冠一时。间作诗词，有新语，颇通古今。善逢迎，四方闻其名，有不远千里而登门者"。

鉴赏

严蕊是一个多才多艺而又十分不幸的女子。她善于弹琴、下棋、唱歌、跳舞，会多种乐器，并能书善画。唐与正做台州知州时，命严蕊在酒宴上赋红白桃花，严蕊作为一名营妓，岂敢不遵？即席写成（也许是当场唱出）一首《如梦令》："道是梨花不是，道是杏花不是。白白与红红，别是东风情味。曾记，曾记，人在武陵微醉。"歌词写得清新、流丽，还有几分俏皮。唐与正大为赏识，赏给她双缣。七夕（七月初七），是牛郎织女相会的节日。唐与正在府中设宴，招待宾朋。座中有位叫谢元卿的豪士，久闻严蕊才名，就请严蕊以他的姓（谢）为韵，即席赋词。酒方行，严蕊已经按要求写出一首《鹊桥仙》，既切合牛女故事，又颇有新意，显示出少有的才情与机智。谢元卿看了，"为之心醉"，把她留在家中半年，"尽客囊橐馈赠之而归"。没想到官僚文士们这些风流韵事，竟成了严蕊这个弱女子的罪过。后来，著名道学家朱熹以使节行部至台州,想要寻找唐与正的过错,就指斥他和营妓严蕊关系不正常,将严蕊抓起来,关在监狱里一个多月。严蕊"虽备受棰楚",但始终没有一句话牵涉到唐与正。狱吏诱她招供,她严词以答。"于是再痛杖之,仍系于狱。两月之间,一再受杖,委顿几死。"可是,她始终不肯诬陷他人。不久,朱熹改官,岳霖继任。严蕊名声很大,岳也同情她,"怜其病瘁",便趁贺节之际命她"作词自陈"。严蕊"略不构思",就当场吟出这首《卜算子》。岳"即日判令从良"。(见宋周密《齐东野语》)

这是一首饱含血泪的歌词。"不是爱风尘,似被前缘误。""风尘",古时称妓女为风尘中人。"前缘",前世因缘。严蕊在牢狱中受尽了皮肉之苦,但坚决不肯为了自己少受刑辱而诬陷他人。新长官既然命她作词自陈,就已经分明带有赞赏她、同情她、准备释放她的意思。严蕊是个聪明女子,不会不明白这一点。可是,她并不一味地诉哀乞怜,反而"略不构思",脱口而出,一开头就为自己提出严正的抗辩:并不是我自己喜欢这种风尘生涯,这大概是前世因缘有错吧!斩钉截铁的"不是"二字,看似委婉的一个"似"字,既表现出作者的自信,又表现出她的委屈和愤怒。"花落花开自有时,总赖东君主。""东君",司春之神,这里借指主管官吏。这句含意很丰富,既表明我的一切行为我自己不能做主,我只是一个任人摆布的女子,我无法掌握自己的命运,又包含有请求新长官为自己做主之意。作者真是一个聪明人。下阕前两句表现出对于往昔生活的哀怨和厌弃,而后两句则写出了对于自由生活的美好憧憬。岳霖看了这首词深为感动,所以即日判严蕊从良。

这是一首天籁之作。词中既有对不幸生活的抗争,又有对美好未来的希冀,整首词写得轻灵、自然,恰到好处地表现出一个年轻女性的才情与个性。

(张　中)

六州歌头

张孝祥*

长淮望断，关塞莽然平。征尘暗，霜风劲，悄边声。黯销凝。追想当年事，殆天数，非人力，洙泗上，弦歌地，亦膻腥。隔水毡乡，落日牛羊下，区脱纵横。看名王宵猎，骑火一川明。笳鼓悲鸣，遣人惊。　念腰间箭，匣中剑，空埃蠹，竟何成！时易失，心徒壮，岁将零。渺神京。干羽方怀远，静烽燧，且休兵。冠盖使，纷驰骛，若为情。闻道中原遗老，常南望、翠葆霓旌。使行人到此，忠愤气填膺，有泪如倾。

作者

＊张孝祥（1132—1169），字安国，号于湖居士，历阳乌江（今属安徽和县）人。绍兴二十四年（1154）进士第一。曾任中书舍人、显谟阁直学士，又任建康（今南京）留守，因赞助张浚北伐而被免职。后知荆南兼湖北路安抚使，治有政绩，遭罢。乾道三年（1167）起知潭州（今长沙），后致仕归芜湖，卒葬建康。他的词作，既饱含深厚的爱国思想内容，又写景抒情、挥洒自如。词风接近苏轼，气势豪迈，境界阔大。著有《于湖居士文集》和《于湖词》。

鉴赏

这首词作于孝宗隆兴元年（1163），是张孝祥任建康留守时所写。是年，南宋出师北伐的军队，在符离（今安徽境内）战败，朝野震动。孝宗的抗金意志一时动摇，朝廷中的主和派得势，并派人至金议和。在一次宴席上，孝祥对此义愤填膺，即席赋写这篇词章。这首词作，一气呵成，音调苍凉悲壮。上片着重写沦陷区的凄凉景象，下片抒发壮志未酬的忠愤之气。

词的开头“长淮”二句，从望远生愁落笔，起势苍莽，笼罩全篇。“长淮”即淮河。在绍兴和议时，宋与金的分界线，东以淮河为界。这里本是宋朝的腹地，如今成了边塞前哨。词人举目远望，淮河一带，草木茂密，已经高及关塞了。“征尘暗”三句，承上写景，勾勒出一幅荒凉肃杀的秋日画景。“黯销凝”以下七句直抒国土沦丧的无限感慨。“追想当年事”，这是从黯然伤神的意态中引发出来的。“当年事”，指靖康之难，徽宗、钦宗两帝被掳北去的可悲史实。这天翻地覆的历史大变动，大概是天意所定，不是人力所能挽回的。“洙泗”即洙水、泗水，流经山东曲阜。孔子曾在此地讲学，后借指文化教育发达的地区，包含中原一带。“膻腥”，本是牛羊的腥臊气味，这里是说昔日的文化之地如今被敌人占领糟蹋了。

“隔水”以下三句，由追想当年转写淮河北岸的情景。仅仅是一水之隔，淮河北岸到处是驻扎金兵的毡篷。“落日”句借用《诗经·王风·君子于役》“日之夕矣，羊牛下来”的诗意，写暮色苍茫中一群牛羊归来的情景，这是金人游牧生活的真实写照。“区脱”，指土室，古代北方民族在边境上所筑，以供军事上侦察之用。这里是写金兵的防守工事。那里布满了纵横交错的哨所，防守严密。“看名王”四句，进一层写敌人的嚣张声势。一个“看”字，领起下文。“名王”，泛指金兵的将领。他们在夜间行军出猎，一队队骑兵举着火把，把淮河之水照耀得通明。一阵阵笳鼓的声响，随着凄厉的秋风吹进对岸人们的耳朵里。“遣人惊”三字，笔力深重。一面是南宋朝廷置边境军备松懈于不顾，而急于遣使求和；另一面是敌人的哨所遍布，军势威武。这种鲜明对比怎不使人惊心动魄呢！

换头词人抒发报国无路的满腔悲愤。“念腰间箭”以下七句，直抒壮志难酬的感慨。此处用“念”字领起，直贯“岁将零”。由于朝廷执意求和，所以“腰间箭”与“匣中剑”，都成了闲置不用之物，白白地被蠹虫蛀蚀，积满灰尘。一个“空”字，倾注了词人心中的无比愤慨。“渺神京”以下四句，揭示出旧京收复的艰难在于签订可耻的和议。“神京”，指北宋都城汴京。着一“渺”字，极言渺茫遥远，又包含收复旧京的遥遥无期。“干羽方怀远”一句，借用典故来影射南宋朝廷。“干羽”（干，盾；羽，雉尾）是古代舞蹈者手中的道具。“怀远”是以礼乐来安抚怀柔远方的意思。传说虞舜时大修礼乐,不久有苗族部落前来归顺。这里是借以讽刺朝廷的妥协求和,从而暂且休兵,得以苟安一隅。“冠盖使”三句,大胆地揭露了宋、金互通使者,频频往来的勾当。“若为情”一语透露出作者对此感到难以为情,也表达了有民族正义感的人们的心声。“闻道”二句,词人的笔锋转向中原遗民,但用传闻的方式来表达。这在南宋诗歌里表露得更充分,如陆游《秋夜将晓出篱门迎凉有感》:“遗民泪尽胡尘里,南望王师又一年。”然而久不见王师的现实使他们热切的心愿化为痛苦的失望。

歇拍三句,以情收结,忠义奋发,悲壮淋漓。陈廷焯《白雨斋词话》称此阕:“淋漓痛快,笔饱墨酣,读之令人起舞。”

这首词的感人之处就在于,作者面对严峻的现实,披肝沥胆,直抒情怀。词人形象地描写了当时的政治和军事的局势,深刻地揭示了广大人民渴望收复失地的意愿,使词境具有一种悲壮之美。宋无名氏《朝野遗记》云:“张安国在建康留守席上赋此阕,魏公为罢席而入。”“魏公”即当时抗金统帅张浚。他读此词而感动得为之罢席,足见这首声情激壮的词作现实意义是多么强烈,至今读来仍震撼着人们的心灵。

(曹济平)

水调歌头　　张孝祥

泛　湘　江

濯足夜滩急,晞发北风凉。吴山楚泽行遍,只欠到潇湘。买得扁舟归去,此事天公付我,六月下沧浪。蝉蜕尘埃外,蝶梦水云乡。　　制荷衣,纫兰佩,把琼芳。湘妃起舞一笑,抚瑟奏清商。唤起《九歌》忠愤,拂拭三闾文字,还与日争光。莫遣儿辈觉,此乐未渠央。

鉴赏

乾道二年(1166),张孝祥在广西桂林任上,遭谗言而落职,不久放归。大约在是年六月下旬,词人泛舟于浩渺湘江之上,吟诵着屈原的诗句，纵笔放情，写下这首即景抒怀而独具匠心的词篇。

词的上片写行舟过湘水的情景。“濯足夜滩急”二句，既写出驾舟远行者的表象动态，又借以抒发自己高洁的情怀，并且贯穿全篇。这二句化用陆云《九愍·行吟》“朝弹冠以晞发，夕振裳而濯足”的诗意。“濯足”，洗脚。《楚辞·渔父》：“沧浪之水浊兮，可以濯吾足。”“晞（xī）发”，指晒干头发。《楚辞·九歌·少司命》：“与女沐兮咸池，晞女发兮阳之阿。”“北风凉”，这是用《诗经·邶风·北风》“北风其凉”的诗句。

“吴山楚泽行遍”二句，叙写自身舟行的路程。作者的足迹，从东南的杭州到广西的桂林，似乎行遍了南方的山山水水，可是唯独没有到过湖南著名的湘江。“潇湘”，湖南的潇水与湘水，二水合流处称为潇湘。这里指湘江。

“买得扁舟归去”三句，承上意而写此次舟行过湘江的心境。“天公”，本来是对天的尊称。“沧浪”，水名，一作汉水，此借指湘水。这里所说“天公付我”，从表象上看，大概是写天公为我作美，令我有此际遇，驾舟在久已向往的湘江之上。其实，作者是因谗言而罢官北归，词人此刻的心绪是异常复杂的，透过这幽默诙谐的词语，我们可以体察到词人埋藏内心的人生苦涩滋味。

“蝉蜕尘埃外”二句，自抒放浪江湖而清高闲远的情致。“蝉蜕”，即蝉出土后蜕去外壳。《史记·屈原贾生列传》：“蝉蜕于浊秽，以浮游尘埃之外，不获世之滋垢，皭然泥而不滓者也。”伟大诗人屈原身处浊世而不同流合污，这种高尚的人品正是作者的自喻。“蝶梦”，即梦蝶。《庄子·齐物论》：“昔者庄周梦为胡蝶，栩栩然胡蝶也。”“水云乡”，古代多指隐者所居。苏轼《和章七出守湖州》：“方丈仙人出渺茫，高情犹爱水云乡。”

下片即景抒情。作者荡舟湘江，脑海里浮现出屈原的形象。屈原忠愤忧国的情操，优美多姿的诗句，撼动着词人的心扉。他情不自禁地运用《楚辞》中的诗句注入词篇，而落笔又是那么灵活自然，别开生面。“制荷衣”，用《楚辞·离骚》“制芰荷以为衣兮，集芙蓉以为裳”的句意。“纫兰佩”，用《楚辞·离骚》“纫秋兰以为佩”的句意。“把琼芳”，用《楚辞·九歌·东皇太一》“瑶席兮玉瑱，盍将把兮琼芳”之意。

“湘妃起舞一笑”二句，由撷取成句到感情升华，由丰富的联想而产生飞动的意象。“湘妃”，指湘夫人，湘水中的女神。从《史记》到《水经注》以及张华《博物志》等书中都有关于二妃的记载，大意是说，虞舜南行，当时二妃没有同往。后来追踪到洞庭湖,得知舜已死于苍梧的信息,悲恸不已,乃溺于湘江。后人立祠祭祀,视为湘水女神。“清商”,清商曲,此指悲哀的声调。屈原《九歌》是一套组合民间祭祀神的乐歌,音乐与舞蹈并用,所以这里既写“湘妃起舞”的场面,又有“抚瑟奏清商”的舞曲。

“唤起《九歌》忠愤”三句,是进一层从屈原作品到人品的热烈颂扬。《九歌》,屈原所作,从《东皇太一》到《礼魂》共十一篇。南宋朱熹在《楚辞集注》中曾指出“以寄吾忠君爱国眷恋不忘之意”。这是词里所写“忠愤”的深刻含义。“三闾”,即三闾大夫,屈原最后所担任的官职。“三闾文字”是泛指屈原的作品。“与日争光”,《史记·屈原贾生列传》:“屈平之作《离骚》,盖自怨生也。……推此志也,虽与日月争光可也。”

结尾“莫遣”两句,寓怨愤于欢乐的气氛之中,余韵不尽。“儿辈觉”,王羲之曾对谢安说:“但恐儿辈觉,损其欢乐之趣。”(《晋书·王羲之传》)苏轼《与毛令方尉游西菩提寺》:“人生此乐须天赋,莫遣儿曹取次知。”“未渠央”,即未遽央。《诗经·小雅·庭燎》:“夜如何其?夜未央。”结尾两句是说,不要让儿辈知道纵情山水的无穷乐趣。

这首词作主要隐括《楚辞》成句,但独具匠心。词人运用时空交错手法,把六月下湘江的现实景象与湘妃起舞的超现实的虚幻之境组合成一种清旷高洁的优美境界。词中不仅变换奇横,富有浪漫色彩,而且表达婉转曲折,以清刚之笔写绵邈情思,深切地展示了作者忠愤、高洁的胸怀。

(曹济平)

水调歌头　张孝祥

金山观月

江山自雄丽,风露与高寒。寄声月姊,借我玉鉴此中看。幽壑鱼龙悲啸,倒影星辰摇动,海气夜漫漫。涌起白银阙,危驻紫金山。　表独立,飞霞佩,切云冠。漱冰濯雪,眇视万里一毫端。回首三山何处,闻道群仙笑我,要我欲俱还。挥手从此去,翳凤更骖鸾。

鉴赏

本词题宋乾道本作“与喻才子同登金山,江平如席,月白如昼”,明汲古阁刊本作“舟过金山寺”,或作“咏月”。此据《全宋词》。

金山在江苏镇江。宋时矗立在长江之中,后经泥沙冲涨,遂与南岸毗连。山上之金山寺为著名古刹。张孝祥在乾道三年(1167)三月中旬,舟过金山,登临山寺,夜间观月。江水平静,月色皎洁,如同白昼。如此景色,触发词人心中的种种情思,写下了这首著名的词篇。

词的上片描写雄丽的长江夜景。“江山自雄丽”二句,既写出江山雄伟、壮阔的气势,又点明夜间登临的风露与春寒的感觉。

“寄声月姊”二句,用笔不凡。“玉鉴”,指玉镜。词人置身于雄丽江山之中,驰骋着奇幻的想象:他对月倾吐心声,欲借用她那珍贵的玉镜来瞭望这美妙的景色。“幽壑鱼龙”三句,承上意而具体描绘登山寺所见的各种物象。也许是借助着宝镜的神威吧,词人的视角不仅看到天上的无数星辰倒影在浩渺的江面上,随着微波摇动;山下的烟雾,一片迷漫,而且还能窥视躲藏在深水沟壑里的鱼龙不停地悲啸,大概是江中没有骇涛惊浪为之戏耍吧。

“涌起白银阙”句,进一层写月随波涌的奇特物景,就像一座精美的水上宫殿。“白银阙”,此指月宫。苏轼《开元漱玉亭》:“荡荡白银阙,沉沉水精宫。”“危驻紫金山”句,“危驻”,指高驻。“紫金山”,此指金山。山在江中,寺在山上,亦如水中涌起。

下片由自然景象描写转而抒发富有浪漫气质的感情。“表独立”三句,既是作者的自我形象素描,又是词人心胸的袒露。“表独立”化用屈原《楚辞·九歌·山鬼》“表独立兮山之上”句意,表现出词人屹然独立在金山之巅的潇洒出尘的神态。“飞霞珮”,韩愈《调张籍》:“乞君飞霞珮,与我高颉颃。”这是从服饰上加以描述。“切云”,古代一种高冠的名称。《楚辞·涉江》:“冠切云之崔嵬。”“漱冰濯雪”二句,承上进一层抒写自然外景沁入词人内心的感受。作者沉浸在犹如冰雪那样洁白的月光里,感到整个世界是那么广阔洁净,又是那么夐高幽远,似乎在万里之外的细微景物也能看得很清楚。

“回首三山何处”三句,由上面不同凡俗的气象,引出古代传说中的三神山。“三山”,古代传说中的三座仙山。《史记·封禅书》中记载渤海中有三座神山,即蓬莱、方丈、瀛洲。但这里不是李清照《渔家傲》词中"风休住,篷舟吹取三山去"的意象,而是把内心浓郁的感情移进虚拟的物象中,转化成为心灵的情致,创造出另一种艺术境界:听说神山上的群仙,一个个都在向我招呼,满面笑容地邀我去遨游那缥缈虚幻的世界。

最后两句分别化用李白《送友人》"挥手自兹去,萧萧班马鸣"和韩愈《送桂州严大夫》"远胜登仙去,飞鸾不暇骖"的诗意。这里由不暇骖转化为骖鸾腾飞,登仙而去了。"翳凤",以凤羽作华盖。"骖鸾",用鸾鸟来驾车。词中结尾的虚拟与首起的实景,相辅相成,构成一个虚实相间、情景相融的整体。

陈应行在《于湖先生雅词序》中说:张孝祥"所作长短句凡数百篇,读之泠然洒然,真非烟火食人辞语。予虽不及识荆,然其潇散出尘之姿,自然如神之笔,迈往凌云之气,犹可以想见也。"所谓"非烟火食人辞语",大体都指这一类词作。但是这首词的艺术构思,匠心独运。词人面对如此雄丽的江山、洁白的月色,心物感应由外在的直觉,渐渐地发展到内在的融合,相互渗透,从而创造出一种更为浪漫的飘然欲仙的艺术世界,显示出作者的奇特英气和旷达心胸。

(曹济平)

水调歌头　　张孝祥

和庞佑父

雪洗虏尘静,风约楚云留。何人为写悲壮,吹角古城楼?湖海平生豪气,关塞如今风景,剪烛看吴钩。剩喜燃犀处,骇浪与天浮。　忆当年,周与谢,富春秋。小乔初嫁,香囊未解,勋业故优游。赤壁矶头落照,肥水桥边衰草,渺渺唤人愁。我欲乘风去,击楫誓中流。

鉴赏

此词题宋乾道本作"闻采石战胜"。题中"庞佑父",一作庞佑甫,生平事迹不详。他与张孝祥、韩元吉等交游酬唱。韩元吉有

《水调歌头·和佑甫见寄》词,惜庞氏原作已佚。

本词作于绍兴三十一年(1161)冬。据《宋史·高宗本纪》:“绍兴三十一年十一月,虞允文督建康诸军以舟师拒金主亮于东采石,战胜却之。”采石之战是关系到南宋安危存亡的重要战役,是一次振奋人心的重大胜利。孝祥得知战胜信息,满怀激情,写下了《辛巳冬闻德音》诗和这首词。

此词的主题是一曲豪迈悲壮的胜利凯歌,但艺术构思别具一格。作者没有运用彩笔浓墨来描绘战争的壮观,而是通过写景、记叙、抒情和借古颂今的手法,热情洋溢地讴歌战争的胜利,同时抒发爱国豪情。

开头“雪洗虏尘静”一句,笼罩全篇,概括了采石战胜。“雪洗”,指洗刷。这对靖康之耻来说也是一次洗刷。这次交战偏偏又在冬十一月,正是风雪交加的时节,故用雪字,又是即景写实。“风约”句是说风儿和云儿却把我留在了此地。一个“留”字,细致委婉地表述了词人未能参战的遗憾心事。他在《辛巳冬闻德音》诗中直率地道出:“小儒不得参戎事,剩赋新诗续雅歌。”

“何人为写悲壮”二句,叙写欢庆胜利的情景。“悲壮”,此指悲哀雄壮的战绩。“吹角”,本指奏军乐,这里象征着胜利凯歌。“悲壮”与“吹角”,上下相关联,渲染气氛,使一种充满胜利欢快的情绪,跃然纸上。

下面词人借用典故以自抒壮怀。一是“湖海”句以陈元龙自比。据《三国志·魏书·陈登传》的记载,陈登,字元龙。许汜说他是“湖海之士,豪气不除”。二是“如今风景”用《世说新语·言语》中周颉的故事。西晋末年,五胡作乱,中原人士相继过江避难。他们经常相邀新亭(今属南京),坐在草地上饮宴。周颉在聚宴中感叹说:“风景不殊,正自有山河之异。”满座皆相视流泪。这时唯独王导脸色变得很严肃,说:“当共戮力王室,克复神州。何至作楚囚相对?”词人运用这两个典故,正是借以形象地表述自己渴望收复中原的心愿。“吴钩”,古代兵器。相传吴王命国人制作,后来的宝剑也泛称吴钩。韩元吉在《水调歌头·和庞佑甫见寄》中亦写过“长啸起舞看吴钩”。这里是词人从夜间剪烛抚剑的实景中,进一层抒发收复神州的豪情。

“剩喜”二句,承上而来,落到采石战场。“燃犀处”,指牛渚矶,即采石矶。“燃犀”是用《晋书·温峤传》中的故事。大意是说,温峤至牛渚矶,水深不可测,人们都说水下面有许多怪物,于是温峤点燃了犀角照射水中。一会儿,只见水族中的各类怪物都着了火,奇形异状。后借指照妖。这里把金兵比作妖魔,以燃犀照妖比喻作战的胜利。

下片由写实景转入抒情。"忆当年"三句,文笔宕开。词人用一个"忆"字,引发出历史的遐想。三国的周瑜和东晋的谢玄都是作者所崇敬的历史人物。"春秋",此指年龄。想当年周瑜在赤壁大战时年仅三十四岁,谢玄在淝水之战时年仅四十一岁。他们正处在大有作为的青壮之年。

"小乔初嫁"三句承上进一层叙写周、谢。三国乔公有二女,皆国色。大乔嫁于孙策,小乔嫁给周瑜。苏轼《念奴娇》:"遥想公瑾当年,小乔初嫁了,雄姿英发。""香囊未解"是指谢玄少年时的故事。据《晋书·谢玄传》说:"玄少好佩紫罗香囊,(谢)安患之,而不欲伤其意,因戏赌取,即焚之于地,遂止。"这二则旧事,即是上句"周与谢"的延伸,又落到他们从容不迫地为国建立勋业方面,并以此来比拟虞允文。因此词人不是随意撷取,而是借以抒发宏大的抱负。

"赤壁"三句,由回忆历史转入当前。"赤壁"是当年周瑜大败曹操的地方,在今湖北蒲圻县。"肥水"即淝水,是谢玄、谢石在此击败前秦苻坚大军的地方,在今安徽省。周瑜与谢玄都曾建立过不可磨灭的功勋,但现已成为历史的陈迹,如今的赤壁矶头夕阳斜照,淝水桥边一片衰草。这些冷落萧瑟的景象,引起了人们的无限愁绪。

"我欲"二句承上收束,悲中有壮。"乘风去",见《南史·宗悫传》。宗悫少年时胸怀大志,曾对叔父表白自己的志愿说:"愿乘长风破万里浪。""击楫誓中流",见《晋书·祖逖传》。祖逖统兵北伐时,渡江至中流,击楫而发誓说:"祖逖不能清中原而复济者,有如大江!"那种声色壮烈的神情,使部下人人叹服。词人借用这个典故是表明自己的豪情壮志。词末以"击楫誓中流"作结,既回应上片"风约楚云留",又用积极奋发的音调振起全篇,使整首词有一种慷慨悲壮的"裂竹之声"。

这首词作及时地反映了具有历史意义的采石之战,使词篇的现实精神闪耀着时代的光彩。从艺术特色来看,词人在写景抒情中,展开丰富的想象,引出历史上的无数英雄豪杰,如周瑜、谢安、祖逖等。他们都是与战争的胜利联系在一起,因而融入词篇,用来衬托采石之战的重大胜利,不仅显得自然贴切,而且运笔层层递进,舒卷自如,充分发挥用典语言以少胜多的作用。

(曹济平)

念 奴 娇　　张孝祥

过 洞 庭

洞庭青草，近中秋、更无一点风色。玉界琼田三万顷，着我扁舟一叶。素月分辉，明河共影，表里俱澄澈。怡然心会，妙处难与君说。　　应念岭海经年，孤光自照，肝胆皆冰雪。短发萧骚襟袖冷，稳泛沧浪空阔。尽吸西江，细斟北斗，万象为宾客。扣舷独啸，不知今夕何夕。

鉴赏

自屈原以来，不知有多少诗人、词人吟唱洞庭湖的优美、宏伟和广阔。然而张孝祥这首词作却不落前人窠臼，写出了另一番奇特的境界。

这首词的上片写洞庭湖光月色交相辉映的壮丽的自然景色，下片抒发作者怡然心会的坦荡高洁的胸怀。这正是词人心迹的生动写照。张孝祥在乾道元年(1165)知静江府(今广西桂林)。据《宋史》本传说他"治有声绩，复以言者罢"。由于遭受攻讦而落职，心中充满愤恨不平，但又感到自身光明磊落。乾道二年(1166)八月，他罢官北归，路过洞庭湖，写下这首著名词篇。

开头"洞庭"二句，点明了地点与季节。"青草"，即青草湖，在岳阳市西南，与洞庭湖相接。杜甫《宿青草湖》："洞庭犹在目，青草续为名。"时近中秋的洞庭湖月夜显得格外皎洁而宁静。"更无一点风色"，寥廓的湖面上没有一丝儿风；皓月当空，也没有一块纤云，周围呈现出一片明净的世界。这里以"一点"来形容湖中无风，笔力甚奇。

"玉界琼田"二句，进一层写湖面壮阔之美。前人有不少描写洞庭湖之气势壮阔的诗篇，如孟浩然《临洞庭》："八月湖水平，涵虚混太清。气蒸云梦泽，波撼岳阳城。"这里是化用夏竦《雪后赠雪苑师》"玉界琼田万顷平"的诗句，加个"三"字，更突出湖面的宏伟、壮阔。在这一望无际的湖面上置放一只小舟，以大与小上下对举，又表现出一种空阔的境界，一幅意象的画面。

"素月分辉"三句抒写月光映照湖面的美妙景色。"明河"即银河。"表里"指上下。作者在《观月记》中说："余以八月之望过洞庭，天无纤云，月白如昼。"这里的描写既是自然实景的刻画，又是心灵造境的写照。"怡然心会"二句，由景入情，收束上片。词人沉醉在大自然的优美环境之中，兴会洋溢。此中妙谛确是难以言传的。

换头"应念岭海经年"三句，承上转下，表明自己曾在广西仕宦一年，这次经过洞庭湖乃是罢职。"孤光"指月光。词人借助月光自照，深感仕途失意而心中纯洁。"肝胆皆冰雪"一句，既与上片"表里俱澄澈"相照应，又显示出心胸坦荡，襟怀洒落。

"短发"二句转写眼前夜深清冷的景物与感受。"萧骚"，本指萧条凄凉，这里形容头发的稀疏。紧接着"尽吸西江"三句，奇峰突起，可谓神来之笔。"尽吸西江"，这是借用佛教禅宗语来写饮酒的豪迈胸怀（《景德传灯录》卷八）。"细斟北斗"，是把天上的星斗想象为人间使用的酒斗。这种富有浪漫色彩的想象，在屈原《九歌·东君》中就有"援北斗兮酌桂浆"的诗句。不过词人的奇特构思在于把洞庭月夜的景物幻化了，就像着了魔似地听候着主人的支配。宇宙万物顿时成了宾客，应邀前来细斟畅饮。满座的来客用天上的北斗斟酒，饮着长江之水，呈现出多么气势非凡的景象。这豪迈的气概，表明了作者早已把人间的富贵荣辱抛之九霄云外，正如南宋魏了翁在《跋张于湖念奴娇词真迹》中所写："方其吸江酌斗，宾客万象时，讵知世间有紫微青琐哉。"（《鹤山题跋》卷二）

歇拍"扣舷"二句，总括上文，写湖上独自长啸。"不知今夕何夕"，是借用苏轼《念奴娇》"起舞徘徊风露下，今夕不知何夕"的词句，而这里更达到一种物我两忘的超尘绝俗的境地，故王闿运在《湘绮楼词评》中说："飘飘有凌云之气，觉东坡《水调》犹有尘心。"

这首词具有独特的艺术造就，在孝祥词集中也较突出。正如魏了翁所说："洞庭所赋，在集中最为杰特。"（《鹤山题跋》卷二）这种"杰特"之处主要在于：一是"通篇景中见情，笔势雄奇"（唐圭璋师《唐宋词简释》）。词人在景中抒情，注入了更多的感情色彩。作者"从舟中人心迹与湖光映带写，隐现离合，不可端倪；镜花水月，是二是一。自尔神采高骞，兴味洋溢"（《蓼园词选》）。二是运笔空灵而富有神奇的幻想。词人抒发内心郁积的感情，既不忘"岭海经年"而仕途蹭蹬的现实，又展开想象的翅膀，把无形的心境化为超越现实的物象。"尽吸西江，细斟北斗，万象为宾客。"这种奇特的幻境，正是词人轩昂豪迈、飘逸情怀的自然流露。以上所展示的敻绝尘寰的境界和浪漫手法。都足以与苏轼《水调歌头》中秋词相比美。

（曹济平）

浣　溪　沙

张孝祥

霜日明霄水蘸空，鸣鞘声里绣旗红，淡烟衰草有无中。　　万里中原烽火北，一尊浊酒戍楼东。酒阑挥泪向悲风。

鉴赏

此词原无题，乾道本题作"荆州约马奉先登城楼观塞"。这首词是孝宗乾道四年（1168）秋在荆州（今湖北江陵县）时作。是年，孝祥知荆南兼荆湖北路安抚使，秋八月至荆州。在宋、金对峙时期，荆州处于南宋国防的前线。故《宣城张氏信谱传》称："荆州当虏骑之冲，自建炎以来，岁无宁日。公（孝祥）内修外攘，百废俱兴，虽羽檄旁午，民得休息。"词中只是通过登楼城观塞的感触，抒发作者不忘中原失地的深沉的爱国思想感情。

起句"霜日明霄水蘸空"，从远处落笔，境界阔大。词人登城楼放眼眺望，秋日的天空，万里晴朗；远处的水面，在阳光照耀下，仿佛蘸着天空似的，水天一色，太阳显得更加明亮。这里虽没有"大漠孤烟直，长河落日圆"的塞上雄浑景象，但着一"蘸"字，形象鲜明地勾勒出一幅秋日明丽壮阔的自然画景。接着词人由远而近，写所见城楼下之情景。"鸣鞘声"，指用力挥动马鞭发出的声音。这里有声有色地描绘了"塞下秋来风景异"的雄壮场面：军营中的红旗挥动，战马奔驰，不断地传来马鞭的声响。这既符合当时荆州所处的战争环境，又表现了词人观塞所激起的情怀。然而南宋朝廷自隆兴和议以来，将军不战，空临边塞，给词人的心灵蒙上了一层阴影。"淡烟衰草"的凋零冷落的自然景物，正烘托了这种悲愤的心境。

过片“万里中原”二句，对偶工巧，而词境一大一小，对比更为强烈。词人由上片的衰草冷落的景象联想到遥隔万里的中原地区。那里沦陷已有四十多年了，人民渴望收复，“遗民忍死望恢复，几处今宵垂泪痕！”（陆游《关山月》）而朝廷只求乞和苟安，根本不想收复中原。作者登楼观塞，思念及此，不禁黯然伤神。“一尊浊酒戍楼东”，在此痛饮浊酒一杯，聊以消愁吧！但是。“举杯消愁愁更愁”，酒已尽而愁未除。末以情收结，“酒阑挥泪向悲风”，看似情调低沉，实则寓壮于悲，振动全篇。这里，我们仿佛看到词人独立在萧瑟、悲凉的秋风中，一腔忠愤，满腹忧愁，禁不住的眼泪直掉落下来。这是爱国激愤的升华，既表现了极度悲愤的心理状态，又回荡着一股英雄报国无路的浩然正气。

这首小词以景起，以情结，景中寓情。词人通过“霜日”“绣旗”“衰草”“烽火”“悲风”等物景意象的转换，自然流露出深沉的爱国情思。全词自抒悲愤，但写得干练利落，苍凉悲壮，在南宋前期词坛上亦不多见。

（曹济平）

念奴娇

张孝祥

风帆更起，望一天秋色，离愁无数。明日重阳尊酒里，谁与黄花为主？别岸风烟，孤舟灯火，今夕知何处？不如江月，照伊清夜同去。　船过采石江边，望夫山下，酌水应怀古。德耀归来虽富贵，忍弃平生荆布？默想音容，遥怜儿女，独立衡皋暮。桐乡君子，念予憔悴如许！

鉴赏

此词在宋本《于湖集》中未载，《全宋词》据陶湘景宋本《于湖先生长短句拾遗》收录。

这是一首送别女子的词作，但历来难以索解。宛敏灏先生据1971年江苏江浦县发现的张同之夫妇墓志进行考证，认为“词里送行者就是孝祥自己，而被送者是李氏和同之。出发的地点在建康（今南京），目的地是安徽的桐城。别离原因是遣返，大约作于绍兴二十六年（1156）的九月”。这个推论是符合词作实际的。

张孝祥与李氏是一对少年情侣，后来同居生下长子同之。这种违反封建礼教的风流韵事，他们一直隐瞒着，但是随着时光的流逝，又不得不分离。词中的离情别绪，正反映了作者的真挚爱情生活遭受压抑的痛苦心情。

开头“风帆更起”三句，点出了季节，也暗示送别地点。在南京江边送女子远行。词人无论怎样依恋惜别，小船终要扬帆行驶。一个“望”字，不仅刻画出送行者仰望寥廓秋色的神态，而且表现出不胜离愁之苦的心境。“明日”二句，由景入情。“黄花”，比喻李氏。这既符合重阳时令，又借以抒发“风里落花谁是主”的感慨。这句化用苏轼《九日次韵王巩》“明日黄花蝶也愁”的诗意。词人想起明日就是重阳佳节，而自己却不能与亲人团聚，共赏菊花。不日菊花便要凋落，又有谁来为她做主呢？心中更添一层愁绪。“别岸风烟”三句，由眼下的送行转向别后途中的情景。词人目送孤舟飘泊，已感到凄然欲绝，更何况随着江风雾霭远去的行舟，今宵还不知停靠在何处呢？正是恋情缱绻，实难忘怀。

“不如”二句进一层抒写内在的思绪。词人仿佛置身在皎洁的月光映照下，心潮起伏。他多么想化身为江上的明月啊！张先《江南柳》词中写过：“愿身能似月华明，千里伴君行。”可是他自恨不如江月，不能清夜照着情人伴随同行。上片至此，极力渲染离别的愁绪，写得委婉缠绵，一往情深。

下片换头“船过采石江边”一句，承上转下。“采石”，即采石矶，在安徽当涂县西牛渚山下。这条上水船要经过采石矶。“望夫山下”二句，词人推想李氏到此一定会勾引起怀古的情思。望夫山在安徽当涂，靠近采石矶。这里有着美丽动人的民间传说——望夫化石的爱情故事。也许她会从这感人的真挚爱情传说中联想到自己被遣送的不幸命运，不堪悲苦吧！“德耀归来”二句，揭示词人内心深处难以明言的苦楚。他和李氏私下结合的时候，自己还是一位未沾功名的微贱的书生，可是她并不嫌弃，相敬相爱。“德耀”，德业光耀也，谓已中进士归来。他们之间恩爱情深，而如今自己虽然有了官职，算是富贵了，但怎能忍心抛弃这位曾经同甘共苦的贤妻呢？这是内心痛苦的呼唤，也是对遣返李氏的悔恨自责。虽然，他不忍心抛弃荆钗布裙之贤妻，但是在封建礼教的束缚下，终于无可奈何地忍痛分离了。“默想音容”三句，写词人独立在暮色苍茫的江边高地上，凝望着远去的行舟，脑海里浮现起她那音容笑貌，悲恨的脸色；遥念着幼稚的儿女，心里感到无比的惆怅恼恨。

最后“桐乡君子”二句，情意萦纡，缠绵悱恻。“桐乡”这里是暗示桐城。由于孝祥对遗弃李氏讳莫如深，所以不能用当时的地名来泄露她的真实去处。词人唯一的希求是：桐乡的君子，想到我在这心身憔悴而能体谅被迫拆散的苦衷。

这首送人词一气舒卷，倾诉词人被迫与恩爱情侣分离的哀怨愁恨，具有扣人心弦的艺术魅力。这不仅表现在词人从江边送别到明日重阳的时空转换，加深了离愁的思维深度，而且是感情真挚，柔肠百转，吐露心中的种种离恨，回肠荡气，如怨如慕，如泣如诉，感人肺腑。

（曹济平）

西江月　张孝祥

丹阳湖

问讯湖边春色，重来又是三年。东风吹我过湖船，杨柳丝丝拂面。　世路如今已惯，此心到处悠然。寒光亭下水如天，飞起沙鸥一片。

鉴赏

本词原无题，此据南宋周密《绝妙好词》本增补，而厉鹗笺注则作“题溧阳三塔寺”。宋王象之《舆地纪胜》谓丹阳湖在当涂县东南六十九里。当时为建康和宣城之间内河交通的必经航道。黄昇《花庵词选》题作“洞庭”，显系疏误。按岳珂《玉楮集》有诗题《三塔寒光亭张于湖书词寺柱吴毅夫命名后轩》，所云“张于湖书词”，当指此篇。

这首词大约是绍兴三十二年(1162)春，张孝祥自建康还宣城途经溧阳时所作。三年前，孝祥在临安兼权中书舍人，后为汪彻所劾罢。不久知抚州(今江西临川)，一年后又罢归。这样前后三年之内，两次遭罢。宦海风波，磨去了他那“少年气锐”的棱角，使他的心中蒙上了一层暗淡消沉的阴影。“一梦经年归去好，宦情全薄此情深”（《在临川追忆昭亭昔游用寄卍庵韵》），正是这种心境的自我写照。这与词中所吐露的人世感慨是相一致的。

词的上片写景，景中有情；下片抒情，融情入景。开头以“问讯”起笔，但并不是问人，而是问“春色”。“问讯湖边春色”一句把自然界季节春天人格化。这种拟人化的手法虽然不乏先例，但写得别有情味。北宋王观《卜算子》：“若到江南赶上春，千万和春住。”黄庭坚《清平乐》：“春归何处？寂寞无行路。若有人知春去处，唤取归来同住。”晁补之《水龙吟》：“问春何苦匆匆，带风伴雨可驰骤。”这些都是用拟人手法写留春不住的感受。这里不是写送春、留春，而是借问断肠春色，暗示着光阴荏苒，不觉又遇上了春光。紧接着“重来又是三年”，这是“问讯”的自答，但又不是一般地记叙故地重来的时间观念，而是蕴含着词人经受仕途坎坷后的十分复杂的感情。不过，他此刻的心绪不是在泄露自己的愤慨不平，也不是描述超脱尘俗的遐想，而是以一种消闲淡泊的态度自处，因而在他的笔端显露出清静美妙的自然景象：“东风吹我过湖船，杨柳丝丝拂面。”词人驾舟荡漾在广阔的湖面上，迎面扑来一股和暖的春风；湖边轻柔如丝的杨柳枝条，随风飘舞，不时地拂弄着面颊。境界是多么宁静优美，充满了诗情画意。

下片“世路如今已惯”二句，词人由景入情，直抒埋藏内心的深沉感慨。仕途升沉的遭遇，使他谙练人情世态，也已习惯世路的艰辛。但是对世事的淡泊不等于心境的平静。“宦情全薄此情深”，在闲淡自适中带有几分感慨的意绪从心中宕开，而与自然界的景物交融在一起，悠然自得。

最后“寒光亭下水如天”二句，以景收结，轻灵异常。“寒光亭”，在溧阳三塔寺内。在江南风和日丽的春天，词人泛舟湖面，只见寒光亭下水天一色。蓝天碧水，群鸥飞翔。这是一幅多么令人陶醉的美丽如画的景象！这种景语也就是情语，词人尽情地领略大自然清丽风光的恬淡心境，与陶渊明《归园田居》诗中所写“久在樊笼里，复得返自然”的情怀是一脉相承的。

（曹济平）

西　江　月

张孝祥

阻风三峰下

满载一船秋色，平铺十里湖光。波神留我看斜阳，放起鳞鳞细浪。　　明日风回更好，今宵露宿何妨？水晶宫里奏《霓裳》，准拟岳阳楼上。

鉴赏

这首词是在孝宗乾道三年(1167)作者离官潭州(今湖南长沙)时所作。明《百家词》题作“黄陵庙”，词句亦有数处小异，此据《全宋词》本。

张孝祥在给友人黄子默的信中说：“某离长沙且十日，尚在黄陵庙(在湖南湘阴县北的黄陵山上)下，波臣风伯，亦善戏矣。”(《于湖居士文集》卷四十)此词就是抒写作者离开长沙后途中为风雨所阻的情景，但却写得婉转清丽，想象丰富而饶有情趣。

词的上片写景，下片抒情，但是匠心独运，艺术构思新颖别致。词人没有正面描绘舟行所遇狂风恶浪的险境，而是侧重写怒涛渐息后的奇妙遐想。开头“满载”二句写孤舟所经的十里湖光。秋风萧瑟，烟水茫茫。在一望无际的广阔湖面上，有一叶扁舟在行驶。这里词人把秋色化为物质的东西满载一船，文思较新颖。紧接着“波神”二句，作者采用拟人化的手法，下笔更不同凡响。这里的“波神”赋予了人的主观想象，是人化了的自然，而在写法上也很别致。词人不直说行船为大风浪所阻遏，而是写波神风伯非常好客地邀请他留下来共赏湖面的动人景象：夕阳斜照在水面上，微风掠过，掀起鱼鳞般的片片细浪。这种奇妙的想象，也生动地表现了词人的旷达心境。

下片由写景转入抒情。“明日风回”一句，承上启下。从时间的观念来说，由上片的傍晚之景写到今夜露宿；从意脉的连贯上看，则是行舟待发。由于风浪的平息，夕阳的美好，词人设想明日的天气会更好，风势会更顺，因此心中更感到快慰。这样引出下句“今宵露宿何妨”显得非常自然而真实。正因为有着美好的明天，所以即使今夜露宿湖面，备受秋凉的侵袭，内心也是觉得惬意的。

“水晶宫里”二句，词人又展开想象的翅膀，造境奇特。“水晶宫”，此指古代传说中的水府。《霓裳》，即《霓裳羽衣曲》，是唐代流行的一种歌舞曲。这句从上片“波神”而来，前后照应。在那寂静的秋夜，湖水拍打着木船，发出阵阵声响，词人倾听这美妙的波涛音响，仿佛是欣赏水晶宫里演奏着的动人乐章。

末以“准拟岳阳楼上”作结，别有深情。“岳阳楼”，在湖南岳阳市西，俯视洞庭湖，历来为游览胜地。该楼在唐初为张说所建，北宋时滕宗谅贬官岳州，曾经重加修缮，范仲淹写了著名散文《岳阳楼记》。作者表示一定要登上岳阳楼观赏洞庭湖的美丽景色。这不仅是因为岳阳楼“北通巫峡，南极潇湘，迁客骚人，多会于此”，而且范仲淹记中“先天下之忧而忧，后天下之乐而乐”的名句，深深地印在作者的脑海里。这种远大的理想抱负撼动着词人的心灵。

这首词作是一幅情景交融的有声画。词人运用丰富的想象，雄放的笔力，化景物为情思，写得虚实相生，情景相融。词中既有“十里湖光”“鳞鳞细浪”的景物描写，又有“波神留我”“水晶宫里”的奇妙想象，使人们在领略宁静的湖光水色时，似乎听到波涛的声响。这种静中有动的艺术效果，带有神奇的色彩，显示出词人所独具的艺术风貌。

（曹济平）

水调歌头　　张孝祥

过岳阳楼作

湖海倦游客，江汉有归舟。西风千里，送我今夜岳阳楼。日落君山云气，春到沅湘草木，远思渺难收。徙倚阑干久，缺月挂帘钩。　　雄三楚，吞七泽，隘九州。人间好处，何处更似此楼头？欲吊沉累无所，但有渔儿樵子，哀此写离忧。回首叫虞舜，杜若满芳洲。

鉴赏

张孝祥平生多次经过岳阳楼，这首词作于何时？需略作说明。据词中的行向与时序，本词应作于乾道五年（1169）三月下旬。是年，孝祥请辞侍亲获准后，离开荆州（今湖北江陵），乘舟沿江而东归。当时他曾写过《喜归作》诗："湖海扁舟去，江淮到处家。"归途中，阻风石首，滞留三日。同行诸公都填了词，孝祥亦用其韵作《浣溪沙》，词中有"拟看岳阳楼上月，不禁石首岸头风"云云。这些都与本词的意境相吻合。

词的开头"湖海倦游客，江汉有归舟"二句，从自身落笔，横空而起，抒发词人湖海漂泊而怀才不遇的情思。"倦游"，仕宦不得意而思退归。他曾在《请说归休好》诗中吐露过脱离官场的复杂心情："请说归休好，从今自在闲。"又说："田间四时景，何处不开颜？"这种宦海浮沉而从今归休的深切感受，贯穿全篇，使这首境界阔大、宏丽的词作中带上了沉郁的格调。

"西风千里，送我今夜岳阳楼。"承上意写作者经过长途的江面飘荡，终于来到了游览胜地岳阳楼上。"日落"三句，词人纵笔直写登楼远眺的景色：蔚蓝的天空，万里无云，夕阳斜照在广阔的洞庭湖面上，波光粼粼；沅水、湘水汇合处两岸的草木呈现出一片葱绿的春色。"岳阳楼上对君山"（黄庭坚《雨中登岳阳楼望君山》），那洞庭湖中君山四周萦绕着暮霭云雾。映入眼帘的这些春日明媚的自然景象，引起词人内心的深长感触，思绪翻滚，难以平静。"徙倚阑干久"二句，从傍晚到月夜的时空转换，更深一层地刻画词人倚栏凝思的种种意绪，而含蓄的笔墨又为下片直抒胸臆积蓄了情势。

换头"雄三楚"三句，承接上意而掉转笔锋，描绘岳阳楼的雄伟气势，由实入虚，跌宕飞动。范仲淹《岳阳楼记》云："予观夫巴陵胜状，在洞庭一湖。衔远山，吞长江，浩浩汤汤，横无际涯；朝晖夕阴，气象万千。此则岳阳楼之大观也。""三楚"，战国时期楚国地域广阔，有西楚、东楚、南楚之称，后泛指长江中游今湖南一带地方。"七泽"是泛指楚地的一些湖泽。"人间"二句概括了登岳阳楼而触发起古往今来人间悲喜的无穷妙谛，又有别处所不可企及的独具的地方特色。

"欲吊沉累无所"三句，进一层抒写凭吊屈原的深切情意。

爱国诗人屈原执著追求“举贤才而授能”的进步政治理想，遭到楚国腐朽的贵族统治集团的仇恨与迫害，长期流放，后来自沉于汨罗江。“沉累”，即指屈原赴湘而死，亦曰“湘累”。无罪被迫而死曰“累”。西汉贾谊平生遭遇和屈原相类似，曾写过著名的《吊屈原文》。司马迁在《史记·屈原列传》里说：“自屈原沉汨罗后百有余年，汉有贾生，为长沙王太傅，过湘水，投书以吊屈原。”词人对屈原身处浊世而坚贞不屈的斗争精神，有着心心相印的关系。他欲敬吊屈原而不知其处所，心中虽没有陈与义《登岳阳楼》“白头吊古风霜里，老木苍波无限悲”那样沉痛，但有打鱼砍柴者那种自在闲散的情味。作者想到自己此次退归，犹如贬官外放，也将渔樵于江中沙洲之上，内心充塞着无限辛酸悲苦。写离忧，正是抒写这种郁结心中的不平情绪。

结末“回首叫虞舜，杜若满芳洲”二句，化用屈原《楚辞·九歌·湘君》的句意，别有韵味。帝舜与二妃是远古时期传说中的人物。《水经注·湘水》：“大舜之陟方也，二妃从征，溺于湘江，神游洞庭之渊，出入潇湘之浦。”在屈原写作《九歌》的时代，已经把民间神话传说湘水之神依附在他们身上，融化进诗篇里并表现出生离死别的爱恋之情，具有忧伤哀怨的悲剧气氛。《湘君》：“采芳洲兮杜若，将以遗兮下女。”“芳洲”，指长着芳草的水洲。“杜若”，一种香草。“下女”，指湘君身边的侍女，希望她一通情愫。在这里词人借助屈原诗篇而展开了奇妙的遐想：如今芳洲已长满了令人喜爱的杜若，赶快叫虞舜来采撷赠送以寄深情吧！这使忧伤的气氛里渗透出一种对美好生活的向往。

这首词写旅途登临的感受，语极悲壮。上片写登楼所见之景象，下片抒发吊古伤今的情怀。吊古是明写，伤今则见于言外。因为词人不是一般地抒写古今人事兴衰的感慨，而是从眼前“日落君山”的景物铺写，联想到屈原的政治遭遇和不同流合污的高贵品质，引起敬吊之情。

（曹济平）

南柯子　　王炎*

山冥云阴重，天寒雨意浓。数枝幽艳湿啼红。莫为惜花惆怅，对东风。　　蓑笠朝朝出，沟塍处处通。人间辛苦是三农。要得一犁水足，望年丰。

作者

*王炎(1138—1218)，字晦叔，号双溪，婺源(今属江西)人。乾道五年(1169)进士，曾任崇阳主簿。张栻帅江陵，檄其入幕府，秩满授潭州教授，改知临湘县。官至军器少监、中奉大夫，封婺源县男。有《双溪诗余》，存词五十二首。

鉴赏

这是一首反映农村春耕时节农忙情景的词作。词人几次任地方官，对农民的生活和心理要求有着较为深切的了解，故而此类内容在他的作品中时有出现。

词一开始，就以“山冥云阴重，天寒雨意浓”二句，描绘出令人欣喜的雨前征象：山色昏暗，浓云密布，气温骤降，使吹面不寒的杨柳风也带有了寒意。这里的布景设色，全为降雨作铺垫。春日是百花盛开的季节，在“云阴重”“雨意浓”的特殊自然环境下，那艳丽夺目的花儿也呈现出色沉光暗的特异风采。“数枝幽艳湿啼红”，写花极具特色，突出了气候特征对花之色彩的影响，显得非常妥帖、形象。而且运用拟人化的手法，勾勒出浓重水汽中花之情态。雾气凝聚的水珠，在花瓣间滚动，闪烁着微弱的光亮，与那含颦娇啼、珠泪莹莹、顾盼生辉的香闺少女何其相似。赋予静态的花以生命的活力。很自然地引出下句：“莫为惜花惆怅，对东风。”古代的一些文人，不关心民生疾苦,而流连光景,或闻风起而喟叹,或见落花而感伤,叹不遇,惜流年,所留心的是个人荣辱升沉。这里,显然对此类文人流露出不满的情绪。

田间劳作的农民,当然无暇"为惜花惆怅",他们也没有这个闲情逸致。相反地,却会为"好雨知时节,当春乃发生"而暗自庆幸。"蓑笠朝朝出,沟塍处处通",词人以赞羡的笔调,活画出一幅冒雨耕作图,写出了广大农民不避风雨、不辞劳苦、辛勤耕种的动人场景。"人误地一时,地误人一年",世代以土地为生的农民,当然会不失时机地乘春雨而耕作。"人间辛苦是三农",是词人目睹农村春耕繁忙景象而发的慨叹。如果对农村生活无所体察和了解,如果对农民没有同情心,他绝对写不出这样和农民贴心的词句。"三农",是指的春耕、夏耘、秋收。这是一年农事的三个中心环节,而春耕又是最关键的。词人熟悉农村生活,所以能准确地表现出来。末句的"要得一犁水足,望年丰",则写出了降雨前农民的普遍心理,与临风惆怅的士大夫恰形成鲜明对照。这一现象说明,哪怕是对自然气候的正常变化,生活在不同阶层的人们所产生的心理情感也会各不相同。

词人反对"字字言闺阃"的满纸脂粉铅华的柔媚之作,认为是"语懦而意卑"的下乘作品,而"不溺于情欲,不荡而无法",则是他填词的准绳。在吟风弄月风气特盛的南宋中期,词人像辛稼轩那样,能独辟蹊径,将笔伸向农村生活,还是难能可贵的。

词人写词往往以浓醇如酒的语言,表达深沉厚实的内容。他的真情实感,不靠壮语抒发,而是借助于画面的对照,让褒贬之意寄寓于其中,此作即是如此。它先描绘出欲雨未雨之时的自然景象,继而又写出自然景物在不同人身上所产生的不同反应,对不关心民生疾苦的文人略有微词。同时,还在对农村春耕场面的描绘中,写出了农民的希求和愿望。全词情和景的融合妥帖自然,毫无生涩之感。

(赵兴勤)

·

摸 鱼 儿

辛弃疾*

淳熙己亥,自湖北漕移湖南,同官王正之置酒小山亭,为赋。

更能消几番风雨,匆匆春又归去。惜春长怕花开早,何况落红无数!春且住。见说道、天涯芳草无归路。怨春不语。算只有殷勤,画檐蛛网,尽日惹飞絮。

长门事,准拟佳期又误。蛾眉曾有人妒。千金纵买相如赋,脉脉此情谁诉?君莫舞。君不见、玉环飞燕皆尘土!闲愁最苦。休去倚危栏,斜阳正在,烟柳断肠处。

作者

＊辛弃疾(1140—1207),字幼安,号稼轩,山东济南人。青少年时期生活在金兵占领的北方地区,二十多岁组织一支两千多人的队伍,投奔耿京领导的农民起义军。担任掌书记,积极抗金。南渡后历任建康府通判、江西提点刑狱以及湖南、江西、福建安抚使等职。曾多次上书朝廷,主张收复中原,统一国土,不但未被采纳,反而遭到压制和打击,后被免职,闲居江西农村达二十年之久。开禧年间,韩侂胄倡议北伐,辛弃疾曾一度出任浙东安抚使和镇江知府,不久又被弹劾落职,后因忧愤成疾而死。辛词题材广阔,内容丰富,意境深远,风格以豪放悲壮为主。他的爱国词作情辞慷慨,爱憎分明,艺术感染力很强。他还以多彩的画笔反映当时的社会生活,描绘农村风光,咏赞壮丽河山,进一步扩大了词的表现范围,推动了南宋前期词风的变化,对后世产生了深远的影响。著有《稼轩长短句》,存词六百多首。

鉴赏

淳熙六年己亥(1179),作者以湖北转运副使改任湖南转运副使。作者的同事、湖北转运判官王正之(名正己)在鄂州(今湖北武昌)的小山亭饯别,席间作者写了这首《摸鱼儿》。

整个上片是写暮春的景物:风雨接二连三而至,经不住风雨的吹打,春天就又匆匆归去了。这个意思,作者是用设问开头的。"更能消"三字,表达了词人对春光的留恋和爱惜之情,非常恰当准确,是词人的传神之语。紧承此意,作者写道:因为惜春,总怕百花提前开放,何况而今已经满地落红!听说天边芳草丛生,归路已断,春天最好就此留步。白居易曾有咏草诗,其中"远芳侵古道"一句,也是说古道生草。本篇就是用这个意思,抒写对春光的挽留之情。但是,春归已成定局,并不理会词人的深情厚谊。春意阑珊,词人也为之扫兴。眼下还能看到的,就只有画檐下的蜘蛛网,整天招惹些杨花柳絮罢了!苏轼有《虚飘飘》诗:"虚飘飘,画檐蛛结网,银汉鹊成桥。"比喻不坚牢的事物。辛词也用此为喻,其用意却显然不同。

过片为抒情。词人援引汉武帝陈皇后失宠的典故作比拟,来表达他的失意。当年陈皇后曾因宫中姬妾的嫉妒,一度失宠,别居于长门宫,但她终以千金买得了司马相如的《长门赋》,靠它感动了汉武帝而复受宠幸。这个故事见载于《文选·长门赋序》。然而词人自己呢?"准拟佳期又误",希望总是落空。纵有相如的感人辞赋,因受冷遇而产生的凄苦心情,又能够向谁倾诉呢?词中的"蛾眉"指美色,用《离骚》"众女嫉予之蛾眉"句。词人对宫中宠妇的行为十分愤恨,不禁要发出警告说:你们且不要得意忘形,试看那骄恣一时的杨玉环、赵飞燕,不是都没有好下场吗?杨玉环是唐明皇的妃子,赵飞燕是汉成帝的皇后,都是历史上有名的美女,都专宠惑主,最后皆因此而败亡。作者用这两个人来比拟他心目中那些当权得势的小人。词人最后又因眼前景物而抒发感慨:"闲愁"已够令人痛苦,不要再去凭栏远望了,夕阳正沉没在令人伤感的烟雾凄迷的杨柳之间!

这首词具有深刻的政治背景:宋孝宗即位后曾一度对金采取攻势,只因任用了徒具虚名的张浚,轻敌冒进,结果经符离一战宋军大败,破坏了大有希望的恢复局面。"惜春长怕花开早"二句，正是对草草用兵的批判。符离战后，孝宗为失败情绪支配，虽曾表示要整军备战，而朝中却常常被主和派所把持，孝宗徘徊于和与战之间，难以抉择，正如天涯芳草欲归无路。主战的虞允文当政，却也只能向金遣使求地，表现了政治和外交上的软弱，而对金采取的这些举措在作者看来，不过是杨柳飞絮，似花非花，仅仅装点春光而已。及至淳熙改元(1174)之后，南宋内部阶级矛盾加剧，农民起义迭起，南宋政府的注意力更集中在巩固统治方面，无暇顾及恢复大业了。作者这时由湖北调往湖南，他对南宋面临的严重局势分外担心，整个上片的词意，尽与此有关。下片是作者的自述。他充分认识到自己的险恶处境，曾在他抵达湖南后所上的《论盗贼札子》中有所披露："臣孤危一身久矣，荷陛下保全，杀身不顾。"又说："生平则刚拙自信，年来不为众人所容，顾恐言未脱口而祸不旋踵。"可知词中"蛾眉曾有人妒""脉脉此情谁诉"当确有实事。他为实现恢复中原的理想，不顾个人安危，大声疾呼，警告那些误国奸邪；通过对斜阳烟柳的惨淡景象的描绘，更使人感到作者对南宋国家前途和命运的关切。本词的艺术特色是：首先，比兴手法的运用。作者继承了《离骚》以"香草美人"为比喻的传统技巧，塑造了一个屡遭迫害打击的宫女形象，写她在春归之后的苦闷，以及悲恨难诉的情感。这个形象其实是作者坚持理想而又孤立无援的化身，在当时是具有典型的时代意义的。其次是语言的艺术感染力很强。宋人罗大经说这首词"词意殊怨"，清人黄蓼园说它"辞意似过于激切"，近人梁启超说它"回肠荡气，至于此极。前无古人，后无来者"，都指这首词语句哀婉缠绵，深切感人。这首词可以称为稼轩词中兼具"情致缠绵"与"词意激切"两种风格的代表作。

（邓广铭　辛更儒）

沁　园　春

辛弃疾

带湖新居将成

三径初成，鹤怨猿惊，稼轩未来。甚云山自许，平生意气；衣冠人笑，抵死尘埃。意倦须还，身闲贵早，岂为莼羹鲈脍哉！秋江上，看惊弦雁避，骇浪船回。
东岗更葺茅斋。好都把轩窗临水开。要小舟行钓，先应种柳;疏篱护竹,莫碍观梅。秋菊堪餐,春兰可佩,留待先生手自栽。沉吟久,怕君恩未许,此意徘徊。

鉴赏

这首词写于淳熙八年(1181)秋天,其时,词人仍在江西安抚使任上。几年来,辛弃疾在官场上一再升迁,"顷列郎星,继联卿月;两分帅阃,三驾使轺"(《新居上梁文》),已经成为南宋王朝的封疆大吏。但他因力主抗战,受到主和派的忌恨,经常遭到谗言诽谤,他深感仕途艰险可怖。两年前他已感到自己"孤危一身","年来不为众人所容。顾恐言未脱口而祸不旋踵"(《论盗贼札子》)。于是他准备归隐,在江西上饶北郊的带湖营建别墅,题名为稼轩,并自以为号,还特地请洪迈写了一篇《稼轩记》。就在写这首词的同年十二月,他果然被人弹劾而罢官,从此在带湖的稼轩别墅内闲居了十余年。不过,写这首词的时候,词人尚未退隐,词中写的是对官场生活的厌倦、向往隐居生活但又有用世之心的矛盾心理。所以《花庵词选》题作"退闲"是错误的。

上片首句就开门见山,点题。"三径"原指小路。汉代蒋诩隐居时,在院内开了"三径",从此人们常用"三径"代指隐士居住的田园。如陶渊明《归去来兮辞》:"三径就荒,松菊犹存。"就是指将要隐居的田园。这里即指带湖新居。词人身在朝廷而"三径"已成,表明退隐之志已决,既然新居落成,主人自然就要回去。可是词人却用了反挑之笔:"鹤怨猿惊,稼轩未来。"这是用孔稚圭《北山移文》中说的话:"蕙帐空兮夜鹤怨,山人去兮晓猿惊。"不过孔稚圭的原意是讽刺假隐士周颙贪图爵禄而抛弃隐居生活。辛弃疾的入仕当然绝不是贪求荣华富贵,而是为了挽救国难。但是既然早想退隐却又留恋官场如此之久,也就难免使山中相伴的猿鹤要惊怨主人不回来了。所以这个反挑的正意实际上是说自己的退隐势在必行。接着以"甚"字领起,承接前三句。"意气",志趣。"衣冠",指做官的人。"抵死",总是。意思是说,自己平生志趣以隐居山林自期,但客观境遇却总是陷入污浊的尘世,因此被名士们所嘲笑。前面说猿鹤惊怨主人不归,这里说名士嘲笑自己不实践平生志趣,前后照应,都表达出事与愿违的苦恼情绪。至此,已把在官场留恋时间太久这层意思写足。下面便转出另一层意思,提出一个问题:厌倦了官场生活,就必须归家隐居,而且贵在趁早,不能迟疑。那么,这难道真像西晋张翰说的那样,退隐是为了贪图享受美味吗?据《晋书·张翰传》记载,张翰在洛阳做官,看见秋风起,想起家乡吴中的美味菰菜、莼羹、鲈鱼脍,说:"人生贵得适志,何能羁宦数千里以要名爵乎?"于是弃官而归。这里辛弃疾故意提出这个问题,用意在于他明明知道张翰之所以退隐,主要原因还是为了避祸,因为当时西晋政权内部矛盾斗争很激烈,他不愿做无意义的牺牲品。所谓莼羹和鲈鱼脍,不过是托辞而已。所以歇拍三句便回答了这个问题:正像秋江上的雁儿都懂得要躲避突然射来的冷箭,船夫也知道遇到凶险的浪涛必须把船撑回,辛弃疾也是为了避祸啊!这三句说得非常沉痛。试想,作为抗金英雄的辛弃疾,他来到江南一心想为祖国统一事业作出贡献,当时他一心报国,曾在《水龙吟》(楚天千里清秋)中说过:"求田问舍,怕应羞见、刘郎才气。"认为在祖国还没有统一之前,只顾自己安乐,做个人打算,那是可耻的事。可是如今他自己居然在带湖买田置屋,并自己取名稼轩,这不是很矛盾吗?这实在是因为这些年来现实中的教训使他懂得:国事,他插不上手,在地方官任上,又遭到不少人的指责和反对,而且还有更可怕的迫害在等待着他呢!现实迫使这位英雄走上了自己不愿走的路。这个不得已的无可奈何的做法,对辛弃疾来说该有多大的痛苦!词中提出问题和回答问题,在结构上恰是一转一结,密合无缝。

上片在结构上起承转合,层次分明,又曲折有致。下片换头后则放笔直写:在东岗上再盖一座茅屋,最好把门窗都开在朝水的一边。为了便于将来划着小舟到这里垂钓,还应该先在岸边种上垂柳。竹林也要用篱笆保护起来,但不要妨碍观赏梅花。过去大诗人屈原曾说过,秋菊可餐,春兰可佩,那就留待我住下来亲手栽种吧!以上都是具体描绘带湖新居的环境布置,在行文上一气呵成。这里有茅屋、小舟、垂柳、竹林、梅花,都显示出词人高洁淡雅的品格。但最后三句,却来了个大转折:"沉吟久,怕君恩未许,此意徘徊。"表面上说的是考虑再三,担心皇帝恩深,不会让自己退隐,所以思想上犹豫不决。实际上反映了词人用世和退隐思想之间的矛盾。辛弃疾毕竟是个英雄,祖国尚未统一,中原失地尚未收复,人民需要他为国出力,所以他在新居将成时思想斗争很激烈:究竟继续在仕途上艰难地奔走呢,还是就此辞官闲居?他自己也不知道怎样才好了。由此可见,这首词深刻地展示了辛弃疾用世和避世思想的矛盾以及由此造成的苦闷心情。

这首词写出后,辛弃疾的朋友赵无咎(善括)当时也写了题为《和辛帅》的两阕《沁园春》(《应斋杂著》卷六)。词作写得激昂慷慨,大有"匈奴未灭,何以家为"的思想,同时对辛弃疾的遭遇也表示十分同情。

(郁贤皓)

水龙吟

辛弃疾

甲辰岁寿韩南涧尚书

渡江天马南来,几人真是经纶手?长安父老,新亭风景,可怜依旧。夷甫诸人,神州沉陆,几曾回首!算平戎万里,功名本是,真儒事,公知否?　况有文章山斗,对桐阴、满庭清昼。当年堕地,而今试看,风云奔走。绿野风烟,平泉草木,东山歌酒。待他年整顿,乾坤事了,为先生寿。

鉴赏

甲辰为淳熙十一年(1184),这年的五月十二日为作者友人韩南涧六十七岁生日。南涧字无咎,名元吉,祖籍开封,移居信州(今江西上饶),所居之前有涧水,因自号南涧。他曾任江东运判、吏部尚书。淳熙六年被劾,罢官家居。作者定居信州之后,与韩南涧居地相邻,往来唱和频繁,这首词就是为南涧所作的祝寿词之一。

南宋自高宗渡江,至淳熙十一年,偏安江左已近六十年。在此期间,到底有几人真正算得上是经略天下、治理国家的人才?一起就以有力的发问开头。接下六句,用三处典故。《晋书·桓温传》载,桓温北伐,进军至长安灞上,绝大多数当地人都持牛酒欢迎桓温,父老感泣道:"不图今日复见官军!”《世说新语·言语》载,东晋过江士人,常在新亭聚会,周顗曾在席间叹息:“风景不殊,正自有山河之异!”众人也都为之流泪。《桓温传》又载,桓温自江陵北伐,过淮泗,与部属登楼船眺望中原,慨然说:“遂使中原陆沉,百年丘墟,王夷甫诸人不得不任其责!”夷甫就是王衍,西晋朝官尚书令、太尉,他虽居台辅之位,为人望所归,然而却祖尚虚浮,侈谈庄老,当西晋末年,唯求自安之计。所以桓温认为,中原沦丧,百年社稷化为丘墟,王夷甫等西晋名士是不能推脱责任的。这六句词是说明不能任用具有真正才能和爱国抱负的人,所造成的严重后果:国土陷落,中原父老日夜盼望南宋北伐;大多数士大夫却只是伤心叹气,无所作为;而当权的人物却像王夷甫一样,高谈阔论,全不肯正视神州陆沉的现实。上片最后三句,作者总结说:论起平戎万里的大功名,本来就是由“真儒”来完成的(意思是:王夷甫之流和碌碌无为的士大夫们担负不了恢复中原的重任),这您是早知道的。“真儒”之义,当出自《荀子·儒效篇》:“大儒者,……用百里之地,而千里之国莫能与之争胜;笞捶暴国,齐一天下,而莫能倾。”作者用“真儒事”勉励友人,希望他能担负起“平戎万里”的重任。

下片“文章山斗”三句写出对韩南涧的敬仰之意。据《新唐书·韩愈传》,韩愈死后受到学者的尊敬,比之为学术界的“泰山北斗”。颍川韩氏盛于北宋,在其汴京居第门前桐树甚多,故韩南涧著《桐阴旧说》记其家事。“堕地”三句,方落笔到生日上来。傅玄《豫章行》有句说:“男儿当门户,堕地自生神。雄心志四海,万里望风尘。”苏轼《王大年哀辞》也有句说:“骥堕地走,虎生而斑。”据上引二诗,可知作者用“堕地”“奔走”的意思是:既然生下来就不平凡,壮岁又曾为国事奔走,现在则更应为恢复中原而大显身手。最后,作者连用三个历史名人的隐居故事:唐朝宰相裴度在东都作别业,号绿野堂,景物幽胜;李德裕在东都也有平泉庄,花木台榭,如入仙境;东晋宰相谢安隐居会稽,高卧东山。作者举述这三人放浪歌酒、纵意园林诸事的用意是说:韩南涧目前虽也像他们那样栖居山野,但将来也同样会像他们那样承担国家重任的。等到他把天下事整顿完好之日,那时就更要为他祝寿了。

本篇是体现作者爱国思想的杰出篇章之一。作者不仅以恢复中原的事业自勉,而且鼓舞、激励他的朋辈,以整顿乾坤的事业相期。所以字里行间跃动着奋发壮健的进取精神。他借王衍来斥责南宋当权者和社会上层人物，指责他们不关心国家的命运前途，无所作为，对他们进行了尖锐的批评。慷慨激昂，笔端也爱憎分明。作者借寿词表达他争取实现北伐的迫切意愿，并通过祝寿策勉友人和他共同担负这一历史重任，说明作者无时不在考虑恢复大计。把重大的国家大事写入祝寿的作品中，而且又写得具有非常强烈的艺术感染力，这在诗词创作中是非常难能可贵的。

（邓广铭　辛更儒）

水龙吟

辛弃疾

登建康赏心亭

楚天千里清秋，水随天去秋无际。遥岑远目，献愁供恨，玉簪螺髻。落日楼头，断鸿声里，江南游子。把吴钩看了，阑干拍遍，无人会，登临意。　　休说鲈鱼堪脍，尽西风，季鹰归未？求田问舍，怕应羞见，刘郎才气。可惜流年，忧愁风雨，树犹如此！倩何人、唤取红巾翠袖，揾英雄泪！

鉴赏

这首词是辛弃疾于宋孝宗乾道四至六年（1168—1170）通判建康府时写的。当时，他南下已有七八年了。由于南宋王朝主和派长期当政，压制抗战力量，因此，他一直备感压抑。这首词正是抒写他因壮志未酬、国事日非而抑郁悲愤的心情。

建康即今南京市。赏心亭是建康西面城楼上的一个亭子，面临秦淮河。作者登临北望，祖国半壁河山，尚为金贵族统治者所蹂躏，这不能不引起诗人的感叹和愤慨。词的开头两句就写作者登高远望，一目千里。天高云淡，滚滚长江向天边流去，秋色一望无际。古代长江中、下游各省均属楚国，这里的“楚天”泛指南方的天空。上句从四周景况落笔，极写江天的辽阔；下句视线慢慢集中到江水上去，极写其秋色无边。这两句是写景，但那开阔的境界，清朗的气氛，对下文所写的那深广的感慨起了有力的映衬作用。而“遥岑远目”三句既是写景，又是抒情。作者极目北望，远处的山峰，看起来很像美人头上的碧玉簪和青螺髻那样的美观，可是它却偏偏引起人们的愁恨。“遥岑”，即远山。山哪懂得“献愁供恨”！这是拟人化的手法。“愁”“恨”是人的感觉而已。但作者这样写，含义深远。言外之意就是说，沦陷区的山川在向人们倾诉它在金贵族统治者铁蹄蹂躏下的“愁”和“恨”。山犹如此，人何以堪！而偏安江左的南宋王朝却不图收复中原，这就不能不引起爱国志士的“愁”与“恨”了。作者写的是山，其实是人；写的是沦陷区人民的“愁”“恨”，其实也是南宋爱国人民的“愁”“恨”。这里作者巧妙地把情和景融合在一起，毫无痕迹。

接着，作者笔锋一转，就直接抒发他的不可遏止的愤懑之情了。他空怀报国之志，到而今，只能悲伤地站在赏心亭上，看落日西沉，听孤雁哀鸣。这就是所谓“落日楼头，断鸿声里，江南游子”。“落日楼头”三句，渲染出一种苍凉、悲壮的气氛。看似景语，实则情语。通过夕阳西下，暗喻南宋局势的危殆；通过离群孤雁的哀鸣，暗喻自己身世的飘零。“江南游子”，是作者自指。这几句充满了作者的家国之感，失意之悲。只因寓情于景，所以不易看出。这种感情的进一步发展，就是“把吴钩看了，阑干拍遍，无人会，登临意”几句了。“吴钩”，是古代吴地出产的一种宝剑。看刀抚剑，已足够表现他杀敌立功之意，再加上拍遍阑干，他的那种“报国欲死无战场”的愤愤不平的神态，便跃然纸上了。在苟且偷安的南宋朝廷里，那些醉生梦死的统治者，谁能够理解他登亭望远的感受呢？这就使他不能不喊出“无人会，登临意”了。前两句和鲍照《行路难》“拔剑击柱长太息”句意境相似，同样是表达其愤懑之情。但鲍作是表达其对黑暗现实的不满，而辛作却是饱含着家国之忧、杀敌报国的怀抱无从施展的义愤，同时寓有对南宋统治者的强烈谴责。

上片借景物抒写他怀念中原、报国无路的悲愤。下片则转入借历史人物抒发他抑郁的情怀，失意的悲痛。“休说”三句出自《晋书·张翰传》，说张翰见秋风起，因思吴中菰菜、莼羹和鲈鱼脍，便辞官归里。这里，反用其意，旨在说明自己并不像张翰那样贪图家乡风味，表达了他抗敌的决心。至于底下三句，则含有对现实的不满，不仅仅是表白自己了。它出自《三国志·魏书·陈登传》，说许汜见陈登，陈登自己上大床睡，叫许汜卧下床。后来许汜把这事告诉刘备，说："陈元龙湖海之士，豪气不除。"刘备对他说："你没有忧怀家国之意，只是求田问舍，语言无味，你若来看我，我要自己睡在百尺楼上，叫你睡在地上。陈登这样对你还算客气的呢！"这里作者引用这一故事，意思是说，像许汜那样只知购置田产房舍、做个人打算、毫无忧国救世之心的人，是应该被有才能气魄的刘备所耻笑的。但是，只要我们联系当时的现实来看，就觉得涵义并不止此。南宋偏安后，土地兼并还不断地进行，官僚地主阶级大肆霸占荒田，以贱价收买官田，用各种非法手段侵夺农民土地，造成南宋境内土地空前集中。如大将张俊岁收租六十四万斛；大将杨沂中女得子，沂中赠田千亩，就可见其一斑。同时，他们又大兴土木。临安到处是高楼台阁，宋高宗在临安大造宫殿，仅花园就多到四十余所。那么，辛弃疾责问求田问舍的人应羞见刘郎，难道与此无关吗？

辛弃疾始终怀着收复中原的雄心。他表示绝不像张翰那样贪恋家乡风味而弃官还乡，也不像许汜那样不顾家国而求田问舍。可是，自从南归以来，何曾有机会施展这一抱负呢？这就使他不得不像桓温那样深深叹息："木犹如此，人何以堪！"所谓"可惜流年，忧愁风雨，树犹如此"就是这个意思。这种英雄迟暮之感，深刻地体现了作者对国家命运和中原失地的关怀，体现了作者反对民族压迫的坚决意志和高尚精神。"树犹如此"句，出自刘义庆《世说新语·言语》："桓公（桓温）北征，经金城，见前为琅琊时种柳，皆已十围，慨然曰：'木犹如此，人何以堪！'攀枝执条，泫然流泪。"

结句更表现出作者沉重的悲愤："倩何人、唤取红巾翠袖，揾英雄泪！"这几句意思是说：要请谁来叫歌女为我揩干这英雄失意的眼泪呢？这是一个胸怀大志而沉沦下僚的英雄人物，面临着国事艰危，不免热泪盈眶，深感英雄报国无路的慨叹。这慨叹是和国家民族命运联系在一起的。因此，它给读者的印象更多的是激动而不是伤感。

由上看来，这词主要是抒写作者恢复祖国山河的抱负无从实现的感慨。它相当深刻地揭示了一个英雄志士壮志难伸、抑郁悲愤的苦闷心情。而这不仅仅是作者个人的感情，对当时有民族气节的知识分子来说，是有普遍意义的。可说是抒发了他们的共同情怀。词的社会意义就在这里。

（郑孟彤）

满 江 红 辛弃疾

送李正之提刑入蜀

蜀道登天，一杯送、绣衣行客。还自叹、中年多病，不堪离别。东北看惊诸葛表，西南更草相如檄。把功名、收拾付君侯，如椽笔。　　儿女泪，君休滴。荆楚路，吾能说。要新诗准备，庐山山色。赤壁矶头千古浪，铜鞮陌上三更月。正梅花、万里雪深时，须相忆。

鉴赏

这首词是淳熙十一年(1184)冬，辛弃疾闲居信州时，为送别友人李正之入蜀赴任而写的。此时作者被弹劾罢官已经三年，自己失去了报国的机会，却频频嘱咐友人为北伐抗金、振兴宋朝作出贡献。可见他绝不因个人地位的改变，而动摇其收复中原、统一祖国的信念。

开头两句，用李白“蜀道之难，难于上青天”诗意，以友人的去向发端，接着点明送别题旨，文字十分简练。大意是说：入蜀的道路像登天那样艰难，请喝一杯酒，为你这位远行的提刑官送别。“绣衣行客”，汉武帝时设绣衣直指官，其职责与宋代提刑有相似处，故以此代称李正之。接着两句回笔写自己：可叹我人到中年，且又多病，难以忍受离别的痛苦。这里既表达了作者与李正之的深厚情谊，也流露出自己政治上不得意的苦闷心情。“东北看惊诸葛表，西南更草相如檄”，这两句气魄宏大，体现了词人忧国忧民的思想感情。李正之入蜀赴任，作者便以蜀中的两位著名人物来勉励他：希望你像诸葛亮那样，坚持北伐抗金，使东北方面的敌人闻风丧胆；还要像司马相如那样，体察民情，安抚百姓，巩固后方。这一联对偶工稳，用典妥切，意蕴很深。“把功名”两句，称赞对方才能出众，相信他一定能在抗金救国的斗争中建立不朽的功业。

下片着重就旅途来说，要友人一路之上注意寻访名胜古迹，写下歌唱壮丽河山的诗篇。“儿女泪”四句，承上启下，安慰友人不要因暂时的离别而悲伤；你所经过的“荆楚路”我很熟悉，让我来给你说一说。接着四句，分别列举了庐山、赤壁、襄阳三处地方，希望李正之不要错过机会，到这些游览胜地去看一看，并把它们描绘在你的新作中。这样的转折十分自然，既开拓了新的意境，也表现了词人热爱祖国山河、历史的情怀。结拍两句，照应开头，补叙送别的季节，并重申友情；待到梅花盛开、万里雪飘之时，我们天地各一方，但愿今后时时刻刻互相怀念。词中寓友情于时事，抒发了作者热爱国家、不忘抗战的思想感情。全篇以送别友人入蜀为中心线索，既有抒情、写景，也有叙事、议论，纵横古今，大开大阖，风格遒劲豪壮，不同于一般的应酬之作。

（喻朝刚）

满 江 红

辛弃疾

江行，简杨济翁、周显先

过眼溪山，怪都似、旧时曾识。还记得、梦中行遍，江南江北。佳处径须携杖去，能消几两平生屐？笑尘劳、三十九年非，长为客。　吴楚地，东南坼。英雄事，曹刘敌。被西风吹尽，了无尘迹。楼观甫成人已去，旌旗未卷头先白。叹人生、哀乐转相寻，今犹昔。

鉴赏

淳熙五年（1178）春，辛弃疾由南昌调往临安（今浙江杭州），任大理少卿。同年秋天，又被派到武昌为湖北转运副使。赴任途中，他曾在扬州会晤杨济翁和周显先，并且写词互相唱和。离开扬州后，作者又在船上写成此阕，寄给杨、周二位友人。

自淳熙三年（1176）以来，在两年多的时间里，辛弃疾先后五次调任，来去匆匆，很难有所建树，内心十分苦闷。这首词即景生情，抒发了不能久任、壮志未酬的忧愤。上片感叹人到中年，岁月蹉跎，倦于宦游，不如归卧溪山。开头四句，叙述江行所见。词人伫立船头，两岸的青山和小溪不断从眼前掠过。令人感到奇怪的是，这儿的山山水水，好像从前都在哪里见过似的。啊，记起来了，我曾在梦中走遍了祖国的大江南北。这里既流露出作者对祖国山河的热爱之情，且以往事为梦境，寄托了无限的惆怅。"佳处"两句，承上启下，表明自己已经厌倦官场生活。大意是说，我真应该拄着手杖到那些风景优美的地方去游玩游玩，这一生还能消耗几双登山的木屐呢？由于作者的抱负不得施展，因而产生了对现实的不满。这两句说他想去游山玩水，实际是一种牢骚。"笑尘劳"三句，回顾自己的前半生。虽然风尘劳碌，东奔西走，但一事无成，虚度岁月，如今年近四十，依然飘泊他乡，长期在外做客。这也是壮志难酬的愤激之语。

下片缅怀古代英雄，抒发自己不能为国建功立业的愤懑之情。"吴楚地"四句，照应上片起处，由舟中所见壮阔景象，而联想起三国时代的孙权。辛弃疾对孙权十分向往，曾多次在词中称赞过他。此次作者由杭州去武昌赴任，所经之地都是当年东吴的领土，所以自然想到了这位赫赫有名的历史人物。"英雄事，曹刘敌"，词中没有点明孙权，而是以他的对立面作为反衬，意思是很明白的。辛弃疾称赞孙权继承父兄遗业，敢于与强敌曹操、刘备争雄，建立了不朽的业绩。这仅仅是怀古吗？当然不是，而是通过怀古表达他对南宋朝廷的屈辱投降政策的不满。接着两句笔势一转，从遐想中又回到现实："被西风吹尽，了无尘迹。"词人站在船上，溯流西行，纵目四望，搜寻遗踪，一无所得，不禁发出了深深的慨叹：昔日的英雄和他们的业绩，都像秋风扫落叶一样，被吹得干干净净，没有留下一点点痕迹。这里既流露出某种虚无思想，同时也潜藏着向往英雄、思念英主而不可求的遗憾心情。"楼观"两句，直抒胸臆，写出心中的愤恨和不平。作者以工整的对偶句概括了南渡以来自己的经历和遭遇，吐露出抗金救国理想不能实现的忧虑和郁闷。这里的"楼观"是比喻，以建筑楼台亭阁泛指收复中原、统一祖国的事业，同时也是化用苏轼"楼成君已去，人事因多乖"诗意。这两句大意是说：楼阁刚刚建成，主人已经被迫离去；抗战的旗帜还没卷起，北伐尚未成功，我的鬓发却早已花白。如果说上句比较含蓄，那么下句就十分率直了。这不仅仅是感叹个人年华虚度，更主要的是对南宋统治集团扼杀抗金人才的斥责。最后两句以低沉的情调结束全篇：可叹人世间的悲哀与欢乐，总是循环交替，现在和从前都是如此。作者这种人生哀乐循环的思想，说明他还没认识到产生这一时代悲剧的根源，也反映了他对南宋黑暗的政治现实失去了信心，只好用宿命论的思想来安慰自己。

南宋当权者对抗金战士一贯采取不信任政策，经常频繁调动他们的任职，使其不能有所作为。早在绍兴末年，诗人尤袤就曾赋诗对此表示不满："维扬五易帅，山阳四易守。……彼席不得温，设施亦何有？"（转引自《三朝北盟会编》卷二二九）乾道元年（1165），辛弃疾在《美芹十论》中，也曾建议孝宗对主战派要"信之专""任之笃"，不应"轻移遽迁"。可是他的建议并未被采纳，因为这条扼杀人才的组织路线，是服从南宋统治集团投降主义的政治路线的。辛弃疾自淳熙元年（1174）离滁州任，至本年调任湖北转运副使，四年多内先后担任过江东安抚司参议官、仓部郎官、江西提点刑狱、京西转运判官、江陵知府、隆兴知府、大理少卿等职，每任平均半年左右。这种走马灯似的调转，如何能有所建树呢？本词"楼观甫成人已去，旌旗未卷头先白"的慨叹，就是针对这一现实的，既概括了作者近几年间政治上的遭遇，也唱出了许多与他经历相似的爱国志士的共同心声，可见其主题思想具有相当的深度。

（喻朝刚）

念奴娇　　辛弃疾

书东流村壁

野棠花落，又匆匆过了、清明时节。刬地东风欺客梦，一枕云屏寒怯。曲岸持觞，垂杨系马，此地曾轻别。楼空人去，旧游飞燕能说。　闻道绮陌东头，行人曾见，帘底纤纤月。旧恨春江流不尽，新恨云山千叠。料得明朝，尊前重见，镜里花难折。也应惊问，近来多少华发？

鉴赏

在辛词中，虽然豪放词占绝大多数，但他也有少量的婉约风格的词作。这首《念奴娇》便是此类作品中的名篇，亦是辛词中抒情性较强的佳作。

辛弃疾于宋孝宗淳熙五年(1178)春天，从江西调往京城临安任大理少卿，途经东流县(在今安徽)，写了这首词，题在东流某村墙壁上。这是写怀念一个歌女的作品。古人写诗作词，常用赋比兴的手法。辛弃疾这首词，主要是用赋和比的手法。

上片述说作者故地重游，回忆当年曾与一个歌女在这里分别时的情景。而今他重来此地，已是人去楼空，物是人非，深有冷落和孤寂之感。前两句点明这首词的写作时间是在暮春。花开花落，这本来是自然界的一般规律，但由于人们的身世、经历和情怀的不同，它也会引起人们的不同联想。对于那些饱经世事的人们，它往往能勾起对往事的回忆。这里，作者通过“野棠花落”，一方面是表现时光的流逝，而更主要的则是感叹美好事物的消失。这样词一开头就蒙上一层怅惘的思绪，为下面抒情怀人创造气氛。

三、四两句，与前两句一样，是采用赋的手法，在感情表现上比较平和。但这两句，已经接触到作品的主题，是写作者故地重游的孤寂和冷落之感。词人住在客馆里，夜里寒冷的春风，惊醒了他的梦境，他躺在床上看见云母屏风，感到寒气逼人。“一枕云屏寒怯”句是心理描写，它在反映词人的心理状态方面是颇为成功的。令人深思的是，作者为什么这样流连梦境呢？下面三句就作出了回答。

“曲岸”三句，是回忆的镜头，似乎使我们看到：当年作者离开此地时，他把所乘的马匹系在垂杨上，在弯曲的小河边，美丽的歌女举起酒杯，为他饯行，祝他一路平安。这好像是一幅优美的送别图，洋溢着诗情画意。“经别”，是说随便地就分别了。“轻”，一作“经”。若作“曾经别”，就没有作“曾轻别”好，含有惋惜之意，感情色彩较浓，内容比较丰富。

“楼空人去，旧游飞燕能说”两句，又使作者从对昔日的回忆中，转到今日的现实中来。他满腹离愁别恨，无处诉说，只有把燕子当做知音。他看见当年那个歌女居住的楼房，已物是人非，不知她去向何方。好像只有年年到这里飞来飞去的燕子，还能叙说出他们过去深厚的情谊。这是一种推进的笔法,使作品的思想感情,逐渐推向高峰,表现了作者内心深处的极端痛苦。这两句的构思含蓄蕴藉,颇有余味。但调子比较低沉,流露了感伤的情绪。苏轼也曾写过“燕子楼空,佳人何在。空锁楼中燕”(《永遇乐·彭城夜宿燕子楼……》)的名句。辛弃疾在写这两句词时,可能受到苏词的启迪,不过作者还是花费一番心思的,仍然有其独创性。所以,谭献用“俊逸清新,兼之故实”(《谭评词辨》)来评价这两句词。

下片紧接上片的构思及其感情的深入发展,用夸张的手法,贴切的比喻,表现作者思念那个歌女的极其复杂的心情。

“闻道”三句,作者说闻道行人曾见,这并不是他随便听来的消息。因为他特别思念那个歌女,他来到此地之后,想必是到处打听她的下落,然后才得知她还仍然居住在这里。所以这里的“闻道”二字,与一般的道听途说不同,其中饱含着浓厚的感情。“纤纤月”,原指柔和的新月,后来用它形容女人的眉毛,代指美女。唐代罗虬《比红儿》诗:“初月纤纤映碧池,池波不动独看时,凝情尽日君知否,真似红儿罢舞眉。”他也是把“纤纤月”比作眉毛。而辛弃疾在词里直接用来比喻那个歌女。这里作者还省略了这样的意思:即使她还住在此地,但她已经嫁作他人妇,我们是不可能再续旧情了。

紧接上面省略的意思,作者又写出“旧恨春江流不尽,新恨云山千叠”两句,这是作者经过千锤百炼而锻造出的警句。它采用夸张和比喻的手法,说明作者的旧恨新怨之多,就像春天滚滚东流的长江之水,无穷无尽;又像天空中高耸的云山,千层万叠。异常明显,这里表现出了作者无法抑制的强烈痛苦,感情达到了最高潮。辛弃疾所谓的“旧恨”显然是指昔日与那个歌女轻易分别,而“新恨”,当是指今天难与她重续旧情而言。

“料得”三句,是假设句,纯属幻想镜头。它的意思是说:即使明天在宴席上,看见那个歌女,也像镜中之花一样,可望而不可即了。言外之意是说,思念得这样痛苦,想得这样许多,又有什么用呢?表现出作者极其复杂的矛盾心理。“镜里花难折”的比喻,含意深刻,形象鲜明,生动准确,恰如其分地表达了作者的苦闷心情。

最后两句,作者把感情的闸门戛然关上,猛然刹住那汹涌澎湃、一泻无穷的旧恨和新怨的思潮,却笔锋一转,去写那个歌女的思想活动了。它是作者的一种想象,思绪还是接着上面三句写来,表面上是写歌女的问话，实际上还是写自己沉浸在思念的痛苦之中而不能自拔。作者用这两句结束全词，的确收得巧妙，有临崖勒马、力挽狂澜之势。如若不是辛弃疾这样的词坛老手，就很难有此等功力。

这首词从开头到结尾，都在抒发强烈的感情。开头“野棠花落”四字，是借写景拉开抒情的序幕。最后又用“近来多少华发”一句，以假设的问话，抒发作者思念的愁苦之深。从全词来看，作者感情的抒发，是由借景抒情到直接抒情，由幻想到现实，由浅到深，笔笔入情，层层深化，如层波叠浪，卷地而来。作者以抒情起笔，又以抒情收笔，其中没有一句是对风景物情的无关紧要的描写，可以说是一首非常典型的抒发怀念之情的词作。其中“楼空人去，旧游飞燕能说”“帘底纤纤月”“旧恨春江流不尽，新恨云山千叠”“镜里花难折”等名句，除了具有浓郁的抒情色彩以外，还有含意深刻、比喻生动的特点，因此能够深深地烙印在人们的脑海之中。

应当指出的是，在封建社会里，知识分子家里有歌妓、姬妾陪伴，那是普遍的社会现象，是时代和阶级的局限。所以，对辛弃疾这样的爱国词人，也不能用今天的道德标准去苛求于他。

有人认为，联系辛弃疾始终不渝坚持抗击金兵、收复中原的理想，及其受议和派打击、志不得伸的愁苦，此作可能寄寓着他欲言难言的政治思想。如梁启超说：“此南渡之感。”（《艺蘅馆词选》）此论，亦可备一说。

（陆永品）

念 奴 娇

辛弃疾

登建康赏心亭，呈史留守致道

我来吊古，上危楼赢得、闲愁千斛。虎踞龙蟠何处是？只有兴亡满目。柳外斜阳，水边归鸟，陇上吹乔木。片帆西去，一声谁喷霜竹？　却忆安石风流，东山岁晚，泪落哀筝曲。儿辈功名都付与，长日惟消棋局。宝镜难寻，碧云将暮，谁劝杯中绿？江头风怒，朝来波浪翻屋。

鉴赏

宋孝宗乾道四年(1168),辛弃疾任建康(今江苏南京)通判。当时,他南渡归宋后,已经度过七个年头,而他向往的抗金救国事业,却一筹莫展。南宋朝中议和派当权,不仅不图恢复,反而排斥和打击抗金爱国志士。辛弃疾是坚定的抗金派,所以便成为他们打击的对象。由于此种原因,词人在一次登赏心亭时,触景生情,感慨万千,便写了此作,呈送建康行宫留守史致道,以表达对国家前途的忧虑,对议和派排斥爱国志士的愤懑。全词在写景时,寓情于景,感情色彩极其浓郁;在抒情时,吊古伤今,笔调极为深沉悲凉。

为了表现吊古伤今的主题,词作分以下几个层次下笔:建康古来的地理形势,如今的败落景象;并用东晋名相谢安的遭遇自况,表达词人缺乏知音的苦闷;最后用长江风浪险恶,暗喻南宋岌岌可危的局势。

开头三句,是全词的序曲,开门见山,直接点明主题,如万丈高楼拔地而起,为下文设下悬念。然后再围绕主题,一层一曲地舒展开来。"上危楼赢得、闲愁千斛",是说词人登上高楼,触景生情,引起无限感慨。"闲愁千斛",是形容愁苦深重。所谓"闲愁",是作者故作轻松之笔,其实是他关心国事的深忧焦虑。

四、五两句,采用自问自答的方式,把"吊古伤今"落到实处。作者为何提出"虎踞龙蟠何处是"的询问呢?据《金陵图经》载,石头城在建康府上元县西五里。诸葛亮谓吴主曰:"秣陵地形,钟山龙蟠,石城虎踞,真帝王之都也。"正因为如此,建康才成为六朝的国都。在辛弃疾看来,这座古城,昔日六朝的帝王,曾凭借它那"虎踞龙蟠"的险要形势,做过一番大的事业。但今天它已经徒有空名,留下来的只是一片衰败的历史陈迹。言外之意,是谴责南宋朝廷不利用建康有利的地形来抗击金兵、收复中原。"兴亡满目",其中"兴亡"二字是偏义词,侧重于"亡"字。

"柳外斜阳"五句,是描写建康如今的景象,把"兴亡满目"落到实处,渲染一种悲凉凄楚的气氛。这里描写的景象是:夕阳斜照在迷茫的柳树上,水边觅食的鸟儿急于飞回窝巢;田垄上的乔木,被狂风吹打,飘落下片片黄叶;一只孤零零的小船,漂泊在秦淮河中,匆匆地向西边驶去;不知何人,吹奏起悲凉的笛声。为什么映入词人眼帘的,都是这种迷茫凄楚、仓皇急促、孤寂悲凉的景象呢?不言而喻,这与作者当时的心境有关。从构思而言,上片三个层次,层层递进、环环紧扣,衔接极为严密。而每个层次,又都从不同的角度,加深和强化主题。

上片十句侧重于"吊古伤今"。下片十句则侧重于表现词人志不得伸、无法实现抱负的愁苦及其对国家危局的忧虑。下片亦分为三个层次:前五句为一个层次,是曲笔;次三句为一个层次,是直抒胸臆;最后两句为一个层次,是比喻。各个层次的笔法虽不相同,但能相辅相成,各极其妙。"却忆安石风流"以下五句,是使用谢安受谗被疏的典故,借以自况,曲折地表达词人遭受排斥,无法实现理想的苦闷。前三句写谢安(字安石)早年寓居会稽,与王羲之等知名文人,"渔弋山水""言咏属文",无处世之意。晋孝武帝司马曜执政,他出任宰相,后来遭谗被疏。"泪落哀筝曲",是写谢安被疏后,孝武帝有一次设宴招待大将桓伊,谢安侍坐。桓伊擅长弹筝,他为孝武帝弹一曲《怨诗》,借以表白谢安对皇帝的忠心,声节慷慨,谢安深受感动,泪下沾襟。孝武帝颇有愧色。词人使用这个典故的目的,在于借古人之酒杯,浇自己之块垒,曲折隐晦地表达志不得伸的情怀。"儿辈"两句,是写谢安出任宰相未被疏前,前秦苻坚率九十万大军南犯,东晋国势十分危险。谢安派弟弟谢石和侄儿谢玄领兵八万,迎战苻坚,在淝水一战,大败苻坚,即历史上有名的"淝水之战"。当捷报传来时,谢安正在和别人下棋,他看完捷报,扔在床上,了无喜色,仍下棋如故。别人问他战况时,他才漫不经心地答道:"小儿辈(指谢玄而言)遂已破贼。"这段历史,本来说明谢安处理国事,沉着镇静。可是辛弃疾改变了它的原意,把词意变成:建立功名的事,让小儿辈干吧,我只有整天下棋消磨岁月了。不难看出,词人改变这段典故原意的目的在于抒发自己壮志未酬、虚度年华的愁苦,同时也对议和派进行了极大的讽刺。

"宝镜"三句,笔锋又从历史镜头转到现实,词人用寻觅不到宝镜,夜幕降临,无人劝酒,来暗喻理想难于实现,美人迟暮,缺乏知音的苦闷。隋朝王度《古镜记》谓"宝镜"为"照妖镜",辛弃疾把它当做实现理想的象征,化腐臭为神奇,恰到好处。正如刘熙载说:"稼轩词龙腾虎掷,任古书中理语、廋语,一经运用,便得风流,天姿是何夐异!"(《艺概·词曲概》)的确如此。"宝镜"三句,格调虽悲愤沉郁,但词意却含蓄蕴藉,优美动人。

最后两句，意境幽远，寓意颇深。写词人眺望江面，看到狂风怒号，便预感到风势将会愈来愈大。“朝来”，即从早晨以来。“波浪翻屋”，谓浪倒若房屋之圮。只要联系当时南宋面临金兵压境、虎视眈眈的危局，这两句词暗喻什么，不是不言而喻了吗？

“吊古”之作，这在古典诗词中，是能够经常见到的。古人凭吊古人古事，并非无的放矢、无病呻吟，他们大都借以抒感慨或鸣不平。辛弃疾这首“吊古伤今”的词作，感人至深，写得尤为成功。《宋史》本传称他“雅善长短句，悲壮激烈”，即说明辛弃疾此类词作的豪放风格。

（陆永品）

丑奴儿近　　辛弃疾

博山道中效李易安体

千峰云起，骤雨一霎儿价。更远树斜阳，风景怎生图画？青旗卖酒，山那畔、别人有家。只消山水光中，无事过这一夏。　　午醉醒时，松窗竹户，万千潇洒。野鸟飞来，又是一般闲暇。却怪白鸥，觑着人欲下未下。旧盟都在，新来莫是，别有说话？

鉴赏

这是一首写景词。“博山”，据《舆地纪胜》记载，在永丰（今江西广丰）西二十里，古名通元峰，因为形似雕刻成重叠山形的香炉——博山炉，故改名博山。辛弃疾闲居上饶时，经常往来博山道中。今集子里存有《清平乐·独宿博山王氏庵》、《丑奴儿·书博山道中壁》三首、《清平乐·博山道中即事》等。“李易安”，即著名女词人李清照，号易安居士。她的词善于白描，用寻常语言，随手拈来，度入音律，生动细腻地描写景物和心理状态。辛弃疾此词注明“效李易安体”，就是用白描的手法，通俗的语言，描写博山道中的景色。

上片开头两句是说，词人正在博山道中赶路，群峰间乌云翻滚，倾盆大雨突然地倒了下来。“一霎儿”，一瞬间，形容时间极为迅速，加上一个语尾助词“价”字，使读者仿佛亲眼看到了这场暴雨。夏天的雨来也迅猛,去也利落。所以"一霎儿价"包含两层意思:一是突然下雨,一是突然停止。接着用"更"字领起,说斜阳正挂在远方的树梢上,博山道中的景色本来就很美,词人在《清平乐·博山道中即事》词中曾有过生动的描绘,不过那是写春天的夜景。这里写夏天的风景,经过一阵骤雨清洗,自然更显得清新、爽朗,娇丽多姿。但词人不说这风景如何美,却说这风景怎样才能用图画画出来?苏轼在《念奴娇·赤壁怀古》中赞景色之美曰"江山如画",赤壁的风光就像图画一样美。当然,这"画"是指人们看到过的印在头脑中的最美的画。辛弃疾在这里更进一层,用"怎生"二字反问,意思是说,这里的风景是任何图画都画不出来的,把景色之美推向极点。同时,这"怎生"也是李清照爱用的词汇,如她在《声声慢》中就有"守着窗儿,独自怎生得黑"的句子。这也说明词人在"效李易安体"。接着再用一个特写镜头,点出在这幽美的青山边,还有挂着青色酒旗招揽顾客的酒舍,有了人家,特别是酒家,使词人对这青山有了更深的感情。"卖酒"二字不但是写景,也为下片的"醉"埋下了伏笔。同时,也正是有了"青旗卖酒",才使词人在歇拍两句中用议论笔调写出自己的思想:只希望在这样美好的山光水色中,悠闲地消遣,度过这整整一个夏天。

过片承接上片"卖酒",说自己在午前喝了酒,有点醉了。一觉醒来,环顾四周,一切景色都使自己心旷神怡。下片放笔直写,一气呵成。门窗外的松竹,经过骤雨清洗,千姿百态,显得格外清幽洒脱。还有一只不知名的鸟儿飞过,似乎要与词人做伴,它的悠闲的样子又跟自己一般模样。奇怪的是词人的老朋友——那些洁白的鸥鹭,却偷偷地瞧着词人,想下来而又没有下来。词人初到带湖闲居时,与鸥鹭相处得非常亲热,曾写过一首《水调歌头·盟鸥》,词中说:"凡我同盟鸥鹭,今日既盟之后,来往莫相猜。"就是说,词人与鸥鹭早就结为盟友,约定互相不猜疑,亲密到底的。如今鸥鹭欲下不下,显然是对自己有些猜疑了。所以词人风趣地说:我跟你们结盟的旧约如今还好端端地放着,这次你们飞来莫不是有了别的想法要跟我说吗?言外之意是说,难道你们要悔弃前约,不愿做我的盟友吗?此用"鸥鹭忘机"(《列子·黄帝》)典而宛若天成。

全词不叠用典故,不堆砌辞藻,纯用寻常语言,白描手法,描写了博山道中见到的难以图画的山光水色和作者热爱山水的情态。

意境清新、明朗、洒脱,形象鲜明生动,语言风趣流畅,笔调轻松活泼,是辛词中别具一格的好词。

(郁贤皓)

菩　萨　蛮

辛弃疾

书江西造口壁

郁孤台下清江水,中间多少行人泪!西北望长安,可怜无数山。　　青山遮不住,毕竟东流去。江晚正愁余,山深闻鹧鸪。

鉴赏

此词写于宋孝宗淳熙三年(1176)春,当时作者任江西提点刑狱公事(主管司法兼理军政),驻所在赣州。郁孤台是赣州西北隅田螺岭上的名胜古迹,赣江从台下流经万安县的造口,朝东北方向过南昌入鄱阳湖。据《宋史·孟后传》、《康熙万安县志》卷三和《乾隆赣县志》卷三十四记载,宋高宗建炎三年(1129)十月,金兵侵入江西,隆祐太后(高宗的婶母)从洪州(今南昌)沿赣江南奔,先乘船逃到造口,再由陆路流亡到赣江。金兵追太后御舟至造口,这一带遭到了侵略者的蹂躏,百姓被屠杀劫掠,情况悲惨。四十多年后辛弃疾来到这里,抚今追昔,填了这首词。上片愤怒地控诉金兵的侵略罪行,从赣江清澈的流水联想到人民遭受苦难的血泪("行人"是指流离失所的人民群众),对沦陷敌手的北方领土和抗战军民表示了深切的怀念。下片即景抒情,指出青山虽然遮断了人们仰望中原故都的视线("长安"是借指北宋的都城汴京),却挡不住赣江奔腾向前的流水。作者把大江东去比作不可抗拒的历史潮流,来说明抗战的意志不可阻挡。最后以鹧鸪鸟"其志怀南"的形象比喻自己,深刻地表示了作者从沦陷区投奔南宋,为国献身的崇高志向。

这是一首忧国爱民的充满着爱国主义精神的作品。本词的艺术特征主要是表现在比兴手法的运用上。作者以赣江的流水起兴,联想到四十多年前的民族苦难,特别是以鹧鸪自比,借以抒情明志,更是匠心独运。关于鹧鸪的喻义,过去的注本往往解释为:鹧鸪的叫声"行不得也哥哥"比喻抗金大业难以实现。其实,这是一种误解,笔者曾对此作出新解(见《南京大学学报》1980年第3期),认为鹧鸪鸟的叫声古人所拟的谐音计有五种,是随着时代的发展和人们感情的变化而产生的,宋以前最通行的谐音是"但南不北"。据汉杨孚《异物志》记载:"鹧鸪其志怀南,不思北,其鸣呼飞,但南不北。"所以李白、郑谷等诗人的作品中常把它比作"离北南来"的"迁客游子",辛弃疾是青年时代从济南沦陷区"决意南归"的爱国志士,所以本词中的鹧鸪,正是作者的自比,是正面形象。因此,本词最后两句的解释应是:天色已晚,词人在江边正为国事担忧的时候,忽然从春山中传来鹧鸪"但南不北"的叫声,使词人立刻想起了这种鸟儿"其志怀南"的可爱形象。作者感到即使自己的恢复大计尚未实现,但也一定要像鹧鸪一样留在南方,决不能北去向金人屈膝。于是他更坚定了当初南归报国的志向!

(吴新雷)

木兰花慢

辛弃疾

席上送张仲固帅兴元

汉中开汉业,问此地,是耶非?想剑指三秦,君王得意,一战东归。追亡事,今不见,但山川满目泪沾衣。落日胡尘未断,西风塞马空肥。　　一编书是帝王师,小试去征西。更草草离筵,匆匆去路,愁满旌旗。君思我,回首处,正江涵秋影雁初飞。安得车轮四角?不堪带减腰围。

鉴赏

张仲固名坚,高宗朝参政张纲之子,镇江人,淳熙七年(1180)由江西转运判官改知兴元府(今陕西汉中)兼利州东路安抚使。这年秋天,张仲固赴兴元任,特地到潭州(今湖南长沙)与正任湖南安抚使的辛稼轩相晤,稼轩设宴迎送,本篇就是席间之作。

汉中是西汉王业肇兴之地。想当年汉高祖刘邦曾在此拜韩信为大将，东进三秦，击败项羽所立三王（即雍王章邯、塞王司马欣、翟王董翳），三尺宝剑所指，一举平定关中，进而与项羽争夺天下。刘邦所以能如此志得意满，其原因之一，就是他得到了人才，又能重用人才。《史记·淮阴侯列传》载："（韩）信数与萧何语，何奇之。……信度何等已数言上，上不我用，即亡。何闻信亡，自追之。……居一二日，何来谒上，上且怒且喜，骂何曰：'若何亡也？'何曰：'臣不敢亡也，臣追亡者。……如信者，国士无双，王必欲长王汉中，无所事信；必欲争天下，非信无所与计事者。顾王策安所决耳！'王曰：'吾亦欲东耳，安能郁郁久居此乎！'"这就是著名的"萧何追韩信"的故事。词人在回顾这一段历史之后，感慨万端，所以笔下一转，从怀古转向现实。"山川满目"以下三句，大意是说：今天汉中以北的大片土地都已沦入敌手，落日西风中，敌军战尘滚滚；而南宋面临着军事威胁，却甘心据守半壁河山，不思进取。秋天正宜对敌作战，然而战马白白养肥了，却不让它驰骋沙场。面对大好河山，目睹此景，不能不令人伤心落泪！

下片的开头，称友人张仲固虽像张良那样有帝王师的才干（《史记·留侯世家》载张良曾遇一老父传授一编《太公兵法》，老父说"读此，则为王者师矣"），而去帅兴元，只能说是小试身手，而绝不是大展长才。这句话虽对张仲固而发，内涵却不限于张氏一人。在薄酒粗肴的别筵上，想到友人即将匆匆离去，旌旗所向，征程千里，作者既为一代英豪不得其用感到惋惜，又怀着他日能使他们施展本领的期望，忧国忧民之情与个人的离愁别绪融合在一起，以致不禁"愁满旌旗"。

当行人远去，回头瞻望，秋江之上，天光水影，征鸿初起。"安得车轮四角？不堪带减腰围"，既然车轮不可能生出四角来把你留下，我就只好忍受腰带日以缓的苦况了。陆龟蒙《古意》"愿得双车轮，一夜生四角"句，杜甫《伤秋》"艰难带减围"句是这两句的出典。

这首词，歌颂汉高祖刘邦雄才远略，延揽英雄，在汉中开创大业，这反映出作者希望汉中成为进取中原的大好基地。然而，这种愿望，同南宋当局不思进取的现实，差距太大了，使得英雄人物和有为之士十分痛心，所以作者在下片用较多笔墨所抒写的离愁别绪，实际上都是与忧国之情交织在一起的，因而同样具有感染读者的力量。

本篇结构颇为紧凑。例如上

片只有两层意思，其间以“今不见，但山川满目泪沾衣”过渡，既感慨再也见不到汉初风云际会、君臣相得的盛况，又痛惜眼前山河分裂、神州陆沉的现状。这样，就使怀古与伤今浑然联成一体，可以全面地表达词人炽烈的爱国之情。下片在结构安排上也有相似之处，即从张仲固写起，以“回首处”二句过渡，接写作者的愁怀。其次，本篇语言也颇为精练，这包括运用古人的现成诗句。例如“山川满目泪沾衣，富贵荣华能几时”原是唐代李峤的诗句，但词人却能翻出新意，一扫原诗物是人非、富贵易失的消极情绪，用来描绘爱国志士目睹故国山川、热泪纵横的情景，恰到好处，足见作者驾驭语言的高度能力。

（邓广铭　辛更儒）

木兰花慢

辛弃疾

滁州送范倅

老来情味减，对别酒，怯流年。况屈指中秋，十分好月，不照人圆。无情水，都不管，共西风只管送归船。秋晚莼鲈江上，夜深儿女灯前。　　征衫，便好去朝天。玉殿正思贤。想夜半承明，留教视草，却遣筹边。长安故人问我，道愁肠殢酒只依然。目断秋霄落雁，醉来时响空弦。

鉴赏

宋孝宗乾道八年(1172)春，辛弃疾调任滁州(今属安徽)知州。秋，滁州通判范昂奉诏进京，辛弃疾写此词送行。范倅，即范昂。“倅”，副职。通判是知州的副职，故称范昂为范倅。1162年初，辛弃疾怀着在抗金斗争中为国建立功业的强烈愿望渡江南归。但南渡后的十多年中，只做了几任地方官，其雄才大略无法施展，雄心壮志无法实现。这首词借送别范昂，抒发了作者壮志难酬的苦闷情绪。

上片写惜别之情。首三句“老来情味减，对别酒，怯流年”意思是，老来兴致趣味逐渐衰减，对着送别的酒，为年华的流逝而感到吃惊、害怕。作者写此词时，年龄不过三十出头，按理似不应称“老”，以至“情味减”的。但细想，词人“而立”之年已过，却依然屈居下僚，壮志难伸，他怎能不抑郁、烦闷？作者同作于中年时期的《满江红》（过眼溪山）词中，也曾发出“旌旗未卷头先白”的慨叹。这里称“老”，也就是可以理解的了。在这样的心境中同朋友分手，当然会更加令人寂寞、难受，这就引出了“对别酒，怯流年”二句。“对别酒”，点出送别，同时触发出作者因年华虚掷而产生的惊恐之感。这里既委婉表达了对朋友的深情厚谊，也暗含作者时值中年而功业无成的感叹。次三句“况屈指中秋，十分好月，不照人圆”，它是说，况且屈指算来，中秋节就要到了，纵使月亮十分圆好，也照不见我们的欢聚了。“况”字把惜别之情推进了一层。这里借想象月圆而人不圆的情景，道出了依依难舍之情。“无情水，都不管，共西风只管送归船”二句，是设想之词。无情的江水是不理会人们分别的痛苦的，它只管和西风一起，硬是把归船送走。水、风是自然之物，是不应有情或无情的。这里词人用拟人手法，以水、风的无情，反衬出人的有情，从而加浓了离别的气氛。沿着这个思路，作者进而又想到回归途中和到家以后的情景：“秋晚莼鲈江上，夜深儿女灯前。”这是对范昂的良好祝愿。希望他能吃到家乡的美味食品，希望他早日到家，和儿女们在灯下团聚叙谈。“莼鲈”，指莼菜做的羹和鲈鱼脍。张翰曾因思莼羹鲈脍而弃官归吴中，这里借莼鲈指家乡的美味。词人设想范昂和儿女们灯前团聚的欢乐情景，不仅是对朋友的祝愿，也寓有作者自己的感慨。家乡被金人占领而不得归，南北分裂，山河破碎，亲人们何时才能真正团聚呢？一种难以忘怀国事的深情，尽在不言之中。下片转而写对范昂的期望和自己壮志未酬的苦闷。换头首句“征衫，便好去朝天”，意思是，你穿着旅行的衣服，正好去朝见皇帝。征衣不脱便去朝见天子，是对朋友一到京城应立即去请缨报国的殷切希望，字里行间也透出词人对国事所表示的深切关注。下一句“玉殿正思贤”，是说朝廷正渴求贤能的人才。这是在送别宴上，对朋友的激励。紧接着词人用一“想”字领起下三句“夜半承明，留教视草，却遣筹边。”“承明”，即承明庐，文学侍臣值宿办公之处。“视草”，为皇帝草诏。既然当前正是国家急用贤人之际，想必你深夜还会留在承明庐，起草各种重要公文，参与筹划边防军务事宜。这里作者用想象之词表明对范昂进京后一定能立即得到皇帝重用的祝愿，同时也期望他能充分施展自己的文才武略，在收复失地、统一中国的斗争中作出贡献。词人身处抗金前哨的滁州，一时一刻也忘不了沦陷了的北方故土。在其《声声慢》（征埃成阵）中，就有"凭栏望，有东南佳气，西北神州"的句子。所以，即使在送别、酒宴一类应酬题目中，词人也难以忘怀"筹边"的军机大事。对范昂的期望是如此，对自己呢？"长安故人问我，道愁肠殢酒只依然"。意思是，京城里的老朋友如果问起我，你就说，他还是借酒浇愁的老样子。"长安"，今西安，汉唐故都，这里借指南宋京都临安（今杭州）。"殢酒"，为酒所困扰，即喝醉酒。这一句由范昂上调而引出作者自己心头郁结的苦闷。在当时就被称为"有文武材，伟人也"（崔敦礼《宫教集·代严子文滁州奠枕楼记》）的辛弃疾，一直得不到朝廷重用，他的整顿乾坤、建立功业的理想也难以实现。这样，他就不得不借酒消愁了。"愁肠殢酒"所表达的，正是这样一种牢骚之情。不过，饮酒，特别是常常为酒所困扰，也使人从酒醉中见其不满，这实际上是词人反抗投降派压抑的一种手段。结两句"目断秋霄落雁，醉来时响空弦"，词人借历史上更嬴空弦射雁的典故，把词又推进了一层。它的意思是说，极目远望，即使醉了，也能拉响空弦，惊落秋空的孤雁。"响空弦"，只拉响空弦，不发箭。《战国策·楚策》载，更嬴与魏王在京台下看见天空有一只雁飞过，更嬴引弓虚发，雁就栽落下来。魏王问其原因，更嬴说，这是一只受伤的孤雁，对弓箭十分害怕，所以听到弓弦一响，就用力高飞，结果伤口破裂，便应声落下。结句的"醉"字，承"殢酒"而来。词人并非整日沉湎于酒中而不能自拔。醉中尚且抚弄弓箭，可见他渴望奔赴战场杀敌报国的愿望多么强烈。沈祥龙《论词随笔》云："结句有数法，或拍合，或宕开，或醒明本旨，或转出别意。"细品此句，当是"醒明本旨"结句法。但作者并不直说，而是以典言志，所以显得含蓄深刻，耐人寻味。

辛弃疾善用送别、酒宴等日常琐事以抒爱国情、言报国志。这首词是其成功的一例。这类作品又甚委婉曲折，含蓄隽永，其忧国的深情，报国的夙愿，尽在意中言外。清人陈廷焯说辛词"气魄极雄大，意境却极沉郁"（《白雨斋词话》），用于这首词，可谓中肯。

（王延梯　胡景西）

祝英台近

辛弃疾

晚　春

宝钗分，桃叶渡。烟柳暗南浦。怕上层楼，十日九风雨。断肠片片飞红，都无人管，更谁劝、啼莺声住？鬓边觑。试把花卜归期，才簪又重数。罗帐灯昏，哽咽梦中语。是他春带愁来，春归何处？却不解、带将愁去！

鉴赏

此词写作时间无确考。黄苏《蓼园词选》说是“借闺怨以抒其志”，是可信的。一般认为辛弃疾词的主要风格是豪放，而这首词却表现了另一种：委婉！沈谦《填词杂说》谓“稼轩词以激扬奋厉为工，至‘宝钗分，桃叶渡’一曲，昵狎温柔，魂销意尽。才人伎俩，真不可测”。故自来用此词说明辛词风格的非一。

起调两个三字句，点明分别的地点，是追忆语。“宝钗”“桃叶”，用了两个典实，给词着了一层艳彩。分钗赠别，古所习见。白居易《长恨歌》有句：“惟将旧物表深情，钿合金钗寄将去。钗留一股合一扇，钗擘黄金合分钿。”“桃叶渡”，原指因晋王献之送别其妾桃叶而得名的一个渡口，在南京秦淮河与青溪合流处。这里是借指，亦以暗示送别的人。“烟柳”句，点明时序的变化。春色已晚，而人尚未归。别离日久，思念之情与日俱增。“怕上”两句紧承“烟柳”句而来。三春即逝，更着以连朝风雨，则芳菲都歇，自可想见。但教人肠断的事，尚不在落红片片；而在此凄清时候，无人与共。但词人并不这么直写，而说“片片飞红”“都无人管”；芳菲已歇，莺声不住，更无人能劝！萧瑟江关，情何以堪！语极委婉、缠绵，亦以见其人之值得怀念、追慕。故接着便有“断肠”两句和“更谁”两句。“怕上层楼”，最怕的便在这里！这是从心理上写，层次分明，而又一层深似一层。

换头转写动作。偷视鬓边，把插入发髻的花，取来占卜行人归家的日子。取下又簪上，簪上又取下，不知数过了多少遍。动作虽小，极富特色。词至此，写怀远之情可说已到山重水复的境地。而作者却从时间的推移上，引出一段梦语，即以作结。赵德庄《鹊桥仙》句云：“春愁元自逐春来，却不肯、随春归去。”李汉老《洞仙歌》词云：“蓦地和春，带将归去。”稼轩此语陈鹄《耆旧续闻》以为“善能转换”，是于艺术上有所窥探。王君玉《祝英台》句：“可堪妒柳羞花，下床都懒，便瘦也教春知道。”张侃《拙轩集》以为辛词“欲春带愁去”，王词“欲春知道瘦”，“近世晚春词，少有比者”。不知王词乃无病之吟，而辛词则有所为而发。而其语，错杂缀来，的如梦中哽咽。其人之如醉如痴，亦可概见。写别愁而至如此凄婉，说是有所托，不为无见。

词的上下片分别围绕着一个“怕”字和一个“愁”字写来。江山风雨，怯于登览；而知音不至，愁无可诉。势将抱此深愁以终古！昔人用词来写伤春怀远之情者，不一而足；而写得如此浓烈、深致而又如此委婉者，确不多见。我们如果联系作者的整个身世来理解，则一脔之尝，其味更堪咀嚼了。

（彭　靖）

青　玉　案　　辛弃疾

元　夕

东风夜放花千树，更吹落、星如雨。宝马雕车香满路。凤箫声动，玉壶光转，一夜鱼龙舞。　蛾儿雪柳黄金缕，笑语盈盈暗香去。众里寻他千百度。蓦然回首，那人却在，灯火阑珊处。

鉴赏

这首词题为“元夕”，描绘了元宵佳节满城灯火，游人如云，彻夜歌舞的热闹场面，记叙了一对意中人长街巧遇的情景。词中那位独立“灯火阑珊处”的女子，也许并非实有其人，不过是作者“理想”的化身。

上片状景，铺叙元夕满城灯火、尽情狂欢的景象。开篇两句运用夸张和比喻，展示出一幅火树银花，斗艳争奇的瑰丽画面。“花千树”“星如雨”，形容五光十色的彩灯缀满街巷，无计其数。好像一夜之间被春风吹开的千树繁花一样；又如满天星斗被风吹落，似万滴晶莹的水珠洒在夜空。前句化用岑参“忽如一夜春风来，千树万树梨花开”（《白雪歌送武判官归京》）诗意；后句是比喻，也是纪实。据吴自牧《梦粱录·元宵》载：“各以竹竿出灯球于半空，远睹若飞星。”这两句从大处着笔，总叙元夕全景，突出灯节灯多。接着四句，写人们欢度良宵的种种活动。词中没有直接描写人物，而是通过车马、道路、乐声和舞灯等等画面，烘托出游人繁盛、气氛热烈、场景壮观。看吧，贵族之家的“宝马雕车”驶过来了，在他们经过的道路上，散发出阵阵浓郁的香味；听吧，清脆悦耳的箫声在夜空中回荡，实在令人心旷神怡；月亮已经西沉，可是大街小巷还在表演着各种各样的灯舞，一定要玩个通宵达旦。作者在上片极力描绘元夕繁华热闹的场面，是为了反衬结拍“那人”自甘寂寞的孤独情怀。

过片“蛾儿”“笑语”两句，用特写镜头描绘一群妇女结伴上街观灯的生动情景：她们装扮入时，头戴蛾儿、雪柳等装饰品，一个个笑逐颜开，向人群中走去，只有衣服上的幽香犹在暗中飘散。这两句既是对上片倾城欢庆元宵的补叙，作为两片之间的过渡，也是为下文作铺垫。“众里”以下四句，是全词的核心，寄托了一种不同流俗的情怀。词中的抒情主人公走遍大街小巷，穿过熙攘的人群，东瞅西望，焦急万分，一遍又一遍地寻找着意中之人，忽然回头一看，竟在那灯火稀落的僻静去处发现了她。真是踏破铁鞋无觅处，得来全不费工夫。惊喜之情，溢于言表。全词以和婉的笔调、优美的意境收束，给读者留下回味和联想的广阔余地，情韵深长，引人入胜。

本篇是稼轩词中属于婉约风格的作品之一。作者笔下的“那人”，不慕繁华，自甘寂寞，与世人情趣大异，是一个富于象征性的形象。词人对“她”的追求，寄托了深刻的寓意，表达了不愿随波逐流的美好品格。梁启超曾评论说：“自怜幽独，伤心人别有怀抱。”（《饮冰室评词》）这是很有见地的。

（喻朝刚）

清 平 乐

辛弃疾

茅檐低小,溪上青青草。醉里吴音相媚好,白发谁家翁媪? 大儿锄豆溪东,中儿正织鸡笼。最喜小儿无赖,溪头卧剥莲蓬。

鉴赏

此词《花庵词选》题作“村居”,辛弃疾在江西上饶带湖闲居时所作。这时作者不为小朝廷所容,落职居家,以稼名轩,借带湖风月遣送壮岁年华,山鸟山花,连云松竹,农村野老,欢然相处。离开了险恶的仕途风波,他暂时从淳朴和谐的田园生活里觅得了安慰。格调优美清新的农村词,一首首从他的胸中笔底倾泻了出来。

全词不用“人在画图中”的咏叹来直接抒发主观感受,而是置身局外,静处闲看,客观摹状,阿堵传神,在美好风物应接不暇的带湖佳处,摄取了特具画意诗情的人物活动镜头,组合成了江南农村的清秋风景画和劳动风俗画。

词的上片,先画农家全景,茅檐低小,容膝易安,青草溪边,目涉成趣,侧重写的是一对白发翁媪,使用倒装句法,先闻其声,再出其人。吴侬野语,醉里欢容,谈笑相悦的柔和乡音,饱含着平淡朴素却又亲密无间的夫妇之情,也暗示着单纯恬淡的自给自足之乐;白发翁媪,不知谁家?这是似曾相识的溪那边人家,是不足为外人道的普通农户。设一问语,便觉声情摇曳,意趣平添。

下片实写农村劳动生活的具体片断,几笔白描,一幅速写,勾摹出各个不同的人物姿态和神情。画面远处有大儿锄豆,近处有次儿编织鸡笼,不远不近处有小儿在卧剥莲蓬。这一幅饶有生活气息的三男动作描摹,流水行云,横生姿态,俞平伯先生以为从汉乐府《相逢行》“大妇织绮罗,中妇织流黄,小妇无所为,挟瑟上高堂”化出,可谓深会作者匠心。那最传神的两句“最喜小儿无赖,溪头卧剥莲蓬”,固然融化了“小妇无所为”的神理,但妙手偶得的好句,归根到底却是从生活中来。

写农村小儿，读者首先大概会想到“童孙未解供耕织，也傍桑阴学种瓜”一类的模式，这里的结句却偏偏出人意外地说，调皮的、不老实的小儿，什么活也不干，偷偷躲到溪头，躺在那里尝新莲子去了。我们试再读稼轩的《清平乐·检校山园书所见》“西风梨枣山园，儿童偷把长竿。莫遣旁人惊去，老夫静处闲看”，便更可体会此处忙里偷闲的笔意，感到那顽皮小儿瞒人的举动、天真的心思实在逗人喜爱。

小小画幅中，有清溪一水萦回映带。从青草溪边的茅屋、大儿锄豆的溪东到小儿剥莲蓬的溪头，意脉连绵，情思不断。长留在稼轩诗卷里的这溪流，该是一条不出奇的清浅小溪吧，然而它却欢快地载着多少读者，行过了一段美妙的航程。

（顾复生）

清　平　乐　　辛弃疾

独宿博山王氏庵

绕床饥鼠，蝙蝠翻灯舞。屋上松风吹急雨，破纸窗间自语。　　平生塞北江南，归来华发苍颜。布被秋宵梦觉，眼前万里江山。

鉴赏

辛弃疾闲居带湖期间，常到信州（今江西上饶）附近的名胜之处鹅湖、博山（今江西广丰县西南）等地游览。一个清秋的夜晚，作者来到博山脚下一户姓王的人家投宿。这儿只有几间破旧的小草庵（茅屋），屋后是一片松林，环境十分荒凉冷落。词人即景生情，百感交集，在夜深人静的时候，写成了这首寄寓很深的小令。

上片描绘环境，渲染气氛。开头两句写室内所见：夜幕刚刚降临，一群群饥饿的老鼠便窜出洞外，来到床下，奔驰追逐，寻觅食物。蝙蝠也闯进屋中，围着昏暗的灯光上下飞舞。接着两句写耳中所闻：松林里寒风呼啸，夹着雨点，不断向茅屋袭来。窗户纸被风吹破，发出呜呜的响声，好像有人在低声悲泣、自言自语。这四句以动态的景物、喧闹的词语，反衬环境的孤寂冷清，写得心事沸腾，为下片中的抒情及刻画心理活动，作了有力的铺垫。

换头两句，抚今追昔，感慨万千。辛弃疾出生在北方沦陷区，少年时代曾“两随计吏抵燕山，谛观形势”(《美芹十论》)，准备乘机起义。完颜亮南侵时词人在家乡济南附近，组织领导农民义军，和金兵进行过浴血奋战。率众南归之后，足迹遍及吴楚，积极为抗金救国奔走呼号。“平生塞北江南”，即为词人回顾自己前半生的经历。“归来华发苍颜”，是就目前的境遇而言。如今被弹劾罢官，退居农村，闲着双手，抱负难以实现，不知不觉头发花白、容颜苍老，已经快到暮年了。这两句自叙生平遭遇，语气是舒缓平静的，笔端却凝聚着无比深沉的愤慨。读到这里，人们自然会发出这样的质问：像辛弃疾那样文武双全，志在收复中原、统一祖国的英雄豪杰，为什么要把他闲置山林，不让其发挥自己的才智呢？这层意思虽未明言，但读者是不难体会到的。“布被秋宵梦觉，眼前万里江山。”结拍两句为全篇思想的核心，充分表达了词人念念不忘恢复中原、统一祖国的伟大抱负。深秋的夜里，作者从梦中醒来，眼前还浮现着祖国壮丽的万里河山。这里不仅刻画出一位坚贞不渝的爱国英雄的光辉形象，同时也表现了一种“烈士暮年，壮心不已”的可贵精神，从而提高了全词的思想境界。

这首词感情浓烈，语言平淡，纯用白描，环境气氛的渲染非常出色，抒情主人公的心理描写和形象刻画是十分成功的，在稼轩的爱国作品中别具一格，具有很强的艺术感染力。

（喻朝刚）

贺新郎

辛弃疾

陈同父自东阳来过余，留十日，与之同游鹅湖，且会朱晦庵于紫溪，不至，飘然东归。既别之明日，余意中殊恋恋，复欲追路，至鹭鸶林，则雪深泥滑，不得前矣。独饮方村，怅然久之，颇恨挽留之不遂也。夜半投宿吴氏泉湖四望楼，闻邻笛悲甚，为赋《贺新郎》以见意。又五日，同父书来索词，心所同然者如此，可发千里一笑。

把酒长亭说。看渊明、风流酷似,卧龙诸葛。何处飞来林间鹊,蹙踏松梢残雪,要破帽、多添华发。剩水残山无态度,被疏梅、料理成风月。两三雁,也萧瑟。

佳人重约还轻别。怅清江、天寒不渡,水深冰合。路断车轮生四角,此地行人销骨。问谁使、君来愁绝?铸就而今相思错,料当初、费尽人间铁。长夜笛,莫吹裂!

鉴赏

淳熙十五年(1188)冬,陈亮自浙江东阳来访问辛弃疾,两人纵论抗战大事,情投意合。住了十天,又同游鹅湖(山名,在今江西铅山县东北,山上有湖,晋朝人龚氏曾养鹅于此,故名鹅湖),他们还约朱熹(号晦庵)到江西和福建交界处的紫溪(今江西铅山县南)相会,可能是朱熹和他们的政治观点不同,所以没有来。于是陈亮告别东归,次日,辛弃疾心中很恋念陈亮,又上路想追他回来,到鹭鸶林,因雪深泥滑,不能前进,只得在方村独饮,难过了很久,悔恨没有能留住陈亮。半夜里在吴家泉湖四望楼借宿,听到邻居吹笛,声音很悲凉,触动心事,写了这首《贺新郎》。五天后,陈亮果然写信来要词,两人所想的如此相同,作者认为可在千里之外,共同发出会心的一笑。这首词的序言,说明了这次聚会和创作此词的经过。

这首词从长亭饯别说起,古时在大道上设亭供行人休息,通常是十里一长亭,五里一短亭,人们送行时总在长亭饯别。所以一说到长亭,总有一种依恋不舍之情。唐代大诗人李白说得好:"天下伤心处,劳劳送客亭。"这里首句说长亭饯别,就点染了一种依恋惆怅的气氛。接着,作者把陈亮比作陶渊明和诸葛亮,意思是说,你那不愿做官、向往自由的品格很像陶渊明,而你那风流潇洒的风度和杰出的政治、军事才能,又实在像当年高卧隆中、人称卧龙的诸葛亮。其实,这并非溢美之词。陈亮在政治、军事上确有卓越见解,他曾三次向孝宗上书,主张改革内政,抗击金兵,收复中原。在《中兴十论》中,还具体规划了收复中原的政治和军事策略。从这些方面看,陈亮确实可与当年隆中对策的诸葛亮相比。

长亭饯别本来够惆怅的了，何况又是与这样不平凡的人分手，留恋之情自然更深了。接着三句是回想两人分手前畅聚的愉快心情，但却只用旁笔描绘当时的环境：两人正谈得亲切，不知从哪片林子里飞来几只喜鹊，把松树梢上的积雪震落下来，点点落在我们的破帽上，好像故意要使我们增添一些白发。这里寥寥几笔，不但点明了季节，而且把两位知友当时在松林雪地中倾心交谈的神态和愉悦的心情生动地烘托了出来，笔调灵活风趣，使人回味无穷。虽无正面描写聚会情况，但气氛已足。所以下面笔锋一转，写出一片萧瑟景象：举目望去，寒冬的山水凋枯得不成样子，失去了姿态和神情，幸亏还有几株梅花装点一番，勉强点缀成一番景致。在天空中，虽有两三只飞雁南鸣，也毕竟是萧条凄凉啊。这上片歇拍前的四句，表面上是写景，实际上是用比兴手法，有着象征意义。所谓“剩水残山”，显然是暗喻祖国大好河山支离破碎，中原的大片土地被金兵占领，南宋王朝偏安一隅。而那挺立在风雪中凌寒开放的梅花，岂不是包括陈亮、辛弃疾在内的少数抗金志士支撑危局的象征吗？是他们为国家“料理”“风月”，使山河发出了一些光彩。然而，正如空中的两三只孤雁，抗战的力量实在太单薄了，仍然挽救不了大局，环境依然冷清、凄凉。歇拍调子的低沉，表达了作者对国事难为的沉痛心情。

下片换头以“佳人”（英雄豪杰之士）称陈亮，推许他“重约”（重然诺），但微怨他“轻别”（急于告归）。这是作者对陈亮依恋不舍心情的表现，与上片似断未断，过片这种写法堪称妙笔。接着便具体描绘作者追赶陈亮的情景：他恼恨天气寒冷，江面冰封，无法渡过；道路被积雪阻断，车轮好像长出了四个角，不能转动前进。在这种境地，确实使人十分愁苦、伤心（销骨，犹销魂，神伤）。下面作者虚拟设问：那么是谁使你如此愁闷呢？作者自己回答：只能怪自己。“铸就而今相思错，料当初费尽人间铁。”这里借用唐末罗绍威的话。据司马光《资治通鉴》卷二六五记载，朱温帮罗绍威平息了魏博的牙军及反叛势力，他的军队留在魏博半年，罗绍威提供了大量粮草并赠给了无数钱财。等到朱温离开时，罗绍威的积蓄全用光了。罗绍威后悔说：“合六州四十三县铁，不能为此错也。”“错”，原指错刀，亦指错误，作双关语用。这两句的意思是说：铸造我今天这样刻骨相思的错刀，想来当初一定是把人间的铁都用尽了。极写对陈亮的深刻思念，表达两人情谊极为深厚。

最后结句又用旁笔,更加深一层:在漫长的冬夜里,邻家的笛声如此悲凉,可不要把竹管吹裂了。表面上是说不要把笛子吹裂,实际上却是说悲凉的笛声使相思人的心肠更加愁烦,快要撕裂了。这样,把思念战友之情写得非常含蓄,而又入木三分。

词的上片赞美陈亮的才华,描绘了两人畅谈的情景,抒发了对山河残破的感慨和叹息抗战力量薄弱的悲凉心情。结构上层次分明,表现手法上用明喻、暗喻、比兴。下片抒写作者对战友的无限依恋和思念之情,层层深入。风格沉郁悲凉,是辛词中的佳作之一。

(郁贤皓)

贺新郎

辛弃疾

同父见和,再用前韵答之

老大那堪说。似而今、元龙臭味,孟公瓜葛。我病君来高歌饮,惊散楼头飞雪。笑富贵、千钧如发。硬语盘空谁来听?记当时、只有西窗月。重进酒,换鸣瑟。　　事无两样人心别。问渠侬,神州毕竟,几番离合?汗血盐车无人顾,千里空收骏骨。正目断,关河路绝。我最怜君中宵舞,道男儿、到死心如铁。看试手,补天裂。

鉴赏

这首词写于淳熙十六年(1189)的春天。辛弃疾将前一首《贺新郎》寄赠陈亮后,不久就收到他的和词《贺新郎》(老去凭谁说),共同的战斗友情,激发了辛弃疾豪迈的词兴,又回忆起他们去年冬天“鹅湖之会”的情景,于是又写了这首词给陈亮,所以这首词是前一首的续篇。

上片首句说:自己年纪老大而无成就,没有什么值得一说的了。辛弃疾在淳熙八年(1181)被弹劾罢官后已闲居了八年,此时已四十九岁。这一句把被迫虚度年华的愤懑情绪倾吐了出来。接着两句写作者当时处境孤单,知音极少。“似而今”即“而今似”；“元龙”是三国时性格豪爽的忧国志士陈登的字，“孟公”是西汉时性情放纵而又好客的豪侠陈遵的字，两人都姓陈，性格又相似，所以用来暗指陈亮。“臭”，气味，意气。这两句意思是说，如今自己好像只与陈亮气味相投，保持着亲密的联系。这与陈亮词中所说的“只使君、从来与我，话头多合”意思相同，表示当时只有他们两人完全志同道合，舍此便没有别的人了。下面叙写陈亮来访与作者畅谈的情景。陈亮到上饶铅山的时候，作者正在病中，一看到知心朋友，立即精神振奋。两人一起讨论抗战大计，饮酒高歌，激昂慷慨，似乎把楼头的飞雪都惊散了。这里极写当时欢聚的热烈气氛，酣畅淋漓。当时他们嘲笑那些热衷利禄者视富贵千钧重，而自己却把富贵看得轻如毛发。两位志士一心担忧国事，从来不慕荣华富贵。可是，作者笔锋一转：“硬语盘空谁来听？记当时只有西窗月。”韩愈《答孟东野》诗：“横空盘硬语。”说的是语言刚劲有力，在空中盘旋。这里指两位志士力主收复中原的激昂言论，本来这是国家大事，是正义的事业，可是在主和派掌权的南宋朝廷中，他们的主张被看做不合时宜，所以只能说是“硬语”。在当时，尽管两位志士的激昂言论响彻云霄，又有谁来听呢？只有西窗外的月亮听了他们的主张放出一片光彩。言外之意是，人间已无人理睬收复中原之事了。歇拍两句写得极为凄凉、沉痛：只好频频喝着闷酒，听听音乐，借酒浇愁，以瑟抒恨。充分表现出无可奈何的苦闷心情。

下片换头提出一个结论性的词题：“事无两样人心别。”对待同一件事情，各人思想看法却大不相同，这是作者多年来观察得到的体会，这主要是指在对待金贵族占领中原的态度问题上，抗战派力主收复中原，而主和派却只求苟且偷安，辛弃疾认为这是由于各人的心思不一样。接着，作者愤慨地质问主和派：“问渠侬，神州毕竟，几番离合？”吴方言称他人为“渠侬”，这里指朝廷中的主和派。“离合”，这里是偏义复合词，强调“离”，意思是说：试问他们，中国历史上究竟有多少时间是分裂的？含意当然是说：历史上祖国统一是长期的，分裂是暂时的。作者用质问的形式，引起人们思考，起到了强调和加深印象的作用。这问题是针对当时主和派叫嚷“南北有定势，吴楚之脆弱不足以争衡于中原”“恢复不可图”等谬论而发，也是对这些谬论严正有力的驳斥。下面又引出一个问题，既然历史上的分裂是暂时的，那么这次中原被金兵占领为什么直到如今仍然不能统一呢？辛弃疾认为并不是没有收复中原的人才，主要原因是：“汗血盐车无人顾，千里空收骏骨。”让骏马去拖笨重的盐车而无人理会，使一匹匹千里马白白死去，徒然用重金买骏马之骨。这里的“汗血”是古代良马名，即天马。《汉书·武帝纪》应劭注说，西域大宛国产的天马，从前肩髆出如血的汗，一日能行千里。《战国策·楚策四》说，良马老了，还拖着盐车上太行山，负荷太重而上不去。伯乐遇见，攀车而哭。古代常以骏马拖盐车比喻埋没人才。这里也是借喻英雄豪杰被当权者抑制、打击，使英雄无用武之地，受到屈辱的待遇。“骏骨”指千里马的尸骨。《战国策·燕策》中有个故事：燕昭王初即位，用重金求贤。郭隗对燕昭王讲了一个寓言：古时有个国王想买千里马，三年没有买到。后来他的侍从用五百金买了一匹千里马的尸骨。国王非常恼火。侍从说，死马尚且用五百金，天下人一定认为你是真心买骏马，千里马就一定会来了。果然，不到一年，就买到了三匹千里马。辛弃疾在这里反用其意，说的是南宋当权者高喊招纳贤才，可是真正有才能的人却不予重用，将他们投闲置散。所以迄今还是“正目断，关河路绝”。这句表面上是写眼看大雪塞途，道路不通，实际上是说：纵目远望，金兵至今还占领着中原，南北分裂，山河隔断。这是对南宋朝廷长期苟且偷安迫害抗战志士造成山河破碎的严厉谴责，字里行间流露出作者极大的愤懑。接着，笔锋一转，写出对陈亮的敬佩：“我最怜君中宵舞，道男儿到死心如铁。”这里用了祖逖的典故：东晋时，抗战派祖逖与刘琨非常友好，同被共寝，半夜鸡鸣，祖逖把刘琨叫醒，两人拔剑起舞。辛弃疾把陈亮比作祖逖，表示最敬重陈亮那种激昂慷慨的战斗精神、为祖国统一而奋斗的钢铁意志以及至死不变的誓言。最后用女娲炼石补天的神话，以豪迈的壮语作结：“看试手，补天裂。”看我们亲试身手，把分裂的祖国重新统一！这一结，两个慷慨悲歌、引天下为己任的爱国志士的形象耸立在读者面前，我们仿佛可以看到，两位英雄正骑着骏马，拉着弯弓，驰骋在中原战场上……

（郁贤皓）

贺新郎　　辛弃疾

用前韵送杜叔高

细把君诗说。怅余音、钧天浩荡，洞庭胶葛。千丈阴崖尘不到，惟有层冰积雪。乍一见、寒生毛发。自昔佳人多薄命，对古来、一片伤心月。金屋冷，夜调瑟。

去天尺五君家别。看乘空、鱼龙惨淡，风云开合。起望衣冠神州路，白日消残战骨。叹夷甫、诸人清绝！夜半狂歌悲风起，听铮铮、阵马檐间铁。南共北，正分裂！

鉴赏

这首词用前两首《贺新郎》的韵，当是同一时期所作，约写于淳熙十六年(1189)春。可能是这年春天杜叔高到上饶访问辛弃疾，临行时辛弃疾用前韵赋词送别。杜叔高，名斿，金华兰溪(今属浙江)人。其弟兄五人都博学工文，人称金华五高。端平初，叔高以布衣与辛弃疾之婿范炎及刘克庄等八人同时受召，由此可知杜叔高当是辛弃疾晚辈。他善于写诗，陈亮曾称赞他的诗“如干戈森立，有吞虎食牛之气，而左右发春妍以辉映于其间”。

词的上片有两层意思：一是对杜叔高的诗作进行评价，二是对他不得志的遭遇表示同情。首句交代词意：让我仔细地评说你的诗作。接着从两个不同角度进行品评：前三句品评诗作的声韵。你的诗不同凡俗，宛如神话中天上的美妙音乐，余音浩荡，回旋在深远的洞庭之滨。这里的“怅”，是恍然、好似的意思。“钧天”是“钧天广乐”的简称。《列子·周穆王》：“王实以为清都紫微，钧天广乐，帝之所居。”《史记·赵世家》记载赵简子梦后醒来说，我到了天帝的住处，与各神仙在钧天广乐中游览，九奏万舞，与三代之乐不同，声音振动人心。“洞庭”也是用典，《庄子·天运》说，黄帝在洞庭湖的旷野，命令演奏古代的《咸池》之乐，那声音能柔能刚，长短变化,曲尽其妙。“胶葛”是形容音响深远的样子。这三句用天宫的神奇音乐来比拟叔高诗作的韵味,可见评价极高。接着三句是品评诗作的风格。你的诗犹如纤尘不杂的千丈阴崖(背阳的山崖),洁净得只有层冰积雪,初一看就使人毛发生寒。这显然是指诗作的风格幽深冷峭。这两方面的评说,都是对杜叔高诗作的高度评价,说明杜叔高是个有才华的人。下面就转到有才能的人的遭遇上来。按理有才能的人就能为国家办大事,前程无限。可是词人却说“自昔佳人多薄命”,“佳人”本指美女,而且“佳人命薄”“红颜薄命”确是从古代千千万万个美女的不幸遭遇中概括出来的成语,下面的“金层”也是美女的典故:据《汉武故事》记载,汉武帝刘彻幼年为胶东王时,他的姑母问他是否愿意娶她的女儿阿娇做妻子,他说:“若得阿娇作妇,当作金屋贮之也。”后来阿娇嫁给武帝,被立为皇后。但不久就失宠,被废居在冷落的长门宫。这词里说,美丽的佳人往往命运不好,自古以来都是如此。多少佳人在不眠的长夜,往往孤独地对着冷落的金屋弹瑟诉怨,陪伴她的只有一片凄凉的月光。作者以此借喻有才华的人通常会遇到冷落的境遇,劝慰杜叔高不必为自己怀才不遇过于悲伤,充分表现了作者对杜叔高的同情和关怀。

下片换头点明杜叔高的家世,“去天尺五君家别”。住在长安城南的韦、杜两姓,自古以来就是最受统治者宠信的名门望族,势力很大。《辛氏三秦记》说:“城南韦杜,去天尺五。”极言与皇帝距离很近,很高贵。词的意思是说:杜家原是有名的世家大族,人才很多,这与别的人家不一样。因此,词人鼓励杜叔高要振作精神,努力奋斗:“看乘空、鱼龙惨淡,风云开合。”应该像鱼龙那样辛苦经营,以期飞腾上空,促使风云变化,开创新局面。这是作者对杜叔高的勉励,希望他不要因个人失意而消沉下去。接着,作者又向他指出,目前正是国难当头,决不能做一个清谈误国的人;站起来遥望一下,当年中原衣冠士人避难南迁的道路上,多少战死者的尸骨暴露在光天化日之下,无人掩埋,如今日晒雨淋已快朽烂完了。可叹的是朝廷的当权者还像当年西晋宰相王衍那样,一味崇尚清谈,置国家大事于不顾(王衍字夷甫,西晋宰相,当匈奴贵族起兵南侵时,王衍却还在空谈玄理,不管政事,致使国家残破)。南宋朝廷当时不谈收复大计,却在士大夫中提倡理学,趋尚清谈。陈亮在《上孝宗皇帝书》中曾明确指责朝廷重用道学家,贻误国事。辛弃疾在这里也表示非常愤慨。接着作者用自己的思想武装杜叔高:"夜半狂歌悲风起,听铮铮阵马檐间铁。"我夜半难眠,经常起来慷慨高歌,但觉悲风四起,屋檐下的铁马在铮铮作响,似乎已骑着战马正在杀敌的战场上驰骋。这两句充分展示了词人渴望重上战场跃马杀敌、实现祖国统一的理想和心情,也是对杜叔高的引导和激励。但是,最后词人又不得不回到痛心的现实,向杜叔高指出:"南共北,正分裂!"请记住:目前祖国正处于南北分裂状态,作为一个有志之士,不应计较个人得失,必须承担为国效劳的责任啊!这不但是对友人的激励,也是作者的自勉。作为抗金英雄的辛弃疾,他时刻铭记着收复中原自己责无旁贷。用这六字结束全词,言尽而意不尽。

上片评价友人的诗,运用比喻手法来表现;对友人怀才不遇的同情和安慰,则用隐喻、象征来表达,含蓄不露,意味深长。如果说,上片只是消极的同情和安慰,那么,下片则完全是积极的启发、引导和激励。结构上是层层深入,步步堆高,把激励友人和自励的感情推向最高峰。构成了上片沉郁、下片豪放,两者有机结合而统一的风格,在辛词中别具一格。

(郁贤皓)

水龙吟

辛弃疾

过南剑双溪楼

举头西北浮云,倚天万里须长剑。人言此地,夜深长见,斗牛光焰。我觉山高,潭空水冷,月明星淡。待燃犀下看,凭栏却怕,风雷怒,鱼龙惨。　　峡束苍江对起,过危楼,欲飞还敛。元龙老矣,不妨高卧,冰壶凉簟。千古兴亡,百年悲笑,一时登览。问何人又卸,片帆沙岸,系斜阳缆?

鉴赏

南宋光宗绍熙三年(1192)春,闲居了十年之久的辛弃疾,被起用为福建提点刑狱。次年秋,升任知福州兼福建安抚使。但在绍熙五年(1194)秋天又被谏官弹劾罢官。归途中经过南剑州,登上双溪楼,写了这首词。

“南剑”,宋朝州名,州治在今福建南平。《南平县志》说:“双溪楼在府城东。又有双溪阁,在剑津上。”这里的双溪楼是指剑津上之双溪阁。“双溪”,指剑津和樵川。据《舆地纪胜·南剑州》载:“剑溪环其左,樵川带其右,二水交流,汇为澄潭,是为宝剑化龙之津。”据王嘉《拾遗记》及《晋书·张华传》记载,西晋时大臣张华在晚上常见有紫气上冲到天空斗和牛两星座(斗、牛都是古代天文学上二十八宿之一)之间,便问雷焕。雷焕说,丰城(今属江西)正在斗、牛星座相应的地区,那里一定有宝剑埋藏在地下,紫气就是宝剑的光焰。后来雷焕做丰城县令,果然从地下挖出两把宝剑,两人各藏一把。张华的一把在他被诛后忽然消失,不知所踪。雷焕的一把在他死后由儿子雷华佩戴,雷华去南平做官,路过延平津(即剑溪,晋时南平为延平县),宝剑忽然从腰间跃出落入水中。雷华急忙派人下水寻找,没有找到宝剑,只见两条蛟龙缠绕在潭中,目光如电。顷刻间,水面上光彩照人,波翻浪涌。

词的上片写登楼所引起的联想。词人抬头向西北方遥望,只见天空全被飘浮的乌云所遮蔽,词人想到,《庄子·说剑》曾提到利剑可以“上决浮云”,宋玉《大言赋》说过“长剑耿耿倚天外”,于是他想象必须有一把倚天万里的长剑,去抉开浮云,使西北重见天日。这里是用比兴手法,暗喻中原被金兵占领,作者决心要扫荡敌人,收复中原。接着三句承“剑”而来:人们传说这楼前潭水中深夜常见宝剑的光焰上冲斗、牛两个星座。这里巧用雷华宝剑落水的故事,承接得天衣无缝。既然这里是隐藏宝剑的地方,词人幻想只要在延平津中找到宝剑,自然就可“上抉浮云”了,于是接着就写找剑。可是词人笔锋一转,却说他自己觉得,这里山特别高,水特别冷,剑潭空荡不见剑,月虽然明亮,但斗、牛两个星座却很暗淡。这里,把自然环境的气氛写得阴暗凄凉,实际上正是词人对社会环境感觉的投影。环境既然阴暗看不清,词人就幻想如当年温峤那样,燃起犀牛角,照明水下情况。但却害怕惹得风雷发怒、鱼龙残酷凶虐,于是又靠着栏杆犹豫起来。据《晋书·温峤传》记载,东晋江州刺史温峤在建康(今江苏南京)平定苏峻叛乱回武昌,途经采石矶(在今安徽马鞍山市),听说这里水中多妖怪,温峤就燃起犀牛角下照,许多奇形水怪就起来灭火。词人用这典故,以“风雷”“鱼龙”以及水中妖怪暗喻南宋朝廷中掌权的主和派，意思是说，词人收复中原的决心和行动，遭受到主和派的重重阻碍和深刻忌恨，使之无法实现。于是，上片开头的豪迈气概到歇拍又变成了无可奈何的低沉情绪。

下片写景，但也寄寓感慨。换头写得很有气势：滔滔江水受到两山夹峙的约束，穿过高楼时，想奔腾飞泻，但终于不得不收敛住。我们也不妨理解为这是词人处境的象征，这江水正如词人的志向受到主和派的限制而不能奋飞。所以接着三句就写自己的消沉情绪：辛弃疾这时已五十五岁，他转而一想，自己虽然保持着当年陈登（字元龙）那样扶世济民的志向，但如今年纪已老，也就不妨高卧凉席，畅饮凉水，过过幽闲清淡生活。然而词人毕竟是个豪气不减当年的英雄，当他一登上高楼，纵览天下，千古兴亡、百年悲欢的历史事迹就一幕幕地映现在脑际，使他的心情不能平静。最后词人又用写景作结，把读者引向远方：遥看斜阳下的沙岸旁，不知是谁又卸下了扁舟的风帆，系了绳缆。这结语暗点这次罢官归家，但写得含蓄、混茫，一种无可奈何的情绪回荡在言外，给人以无穷的遐想。

上片把收复中原的决心、受到主和派的阻挠和迫害，巧妙地与神剑的故事紧密结合，全用比兴手法。想象丰富，比喻奇特。下片通过写景寄寓感慨，深沉含蓄，蕴含着词人的满腔悲愤，却写得曲折多变。全词文势跌宕，反映出词人感情的波澜起伏。典故的恰当运用，深化词的主题，是此词的显著特点。此词亦为辛词中的佳作。陈廷焯《白雨斋词话》却以“剑拔弩张”批评此词，实在是不得当的。

（郁贤皓）

鹧鸪天　　辛弃疾

代人赋

陌上柔桑破嫩芽，东邻蚕种已生些。平冈细草鸣黄犊，斜日寒林点暮鸦。　　山远近，路横斜，青旗沽酒有人家。城中桃李愁风雨，春在溪头荠菜花。

鉴赏

这是一首著名的农村词，大约也是词人带湖闲居时期的作品。

上片写的是充满诗情画意的农村景物：田头的桑树已冒出嫩芽，邻居家养的蚕已经孵化出幼蚕了。“些”，句末语气助词。在长满细草的平坦山坡上，关了一冬的小黄牛乍见春草，欢快无比，一抹斜阳，照着略带春寒的树林，几只寻找栖宿之处的乌鸦正在林子上空飞翔。在这里，柔桑、嫩芽、幼蚕、细草、黄犊，都欣欣向荣，充满了生机和活力，从这些景物可以使人联想到农村男耕女织的劳动生活，为全词奠定了基调。因此，作者虽然在词中也写了斜日、寒林、暮鸦，但却没有萧瑟的气象。恰恰相反，由于词人把这些景物巧妙地组合在一起，使全词生活气息更加浓郁，从而十分逼真地描绘出了一幅江南农村的图画。

过片虽然仍为写景，但大处落墨，笔势跌宕。远近连绵的山峰，眼前纵横曲折的道路。这两句信口说来，表现出词人在山间悠然信步、游赏美景的神情。“青旗沽酒有人家”，可以以酒助兴，也是景色中不可缺少的一笔。最后两句，用城中桃李与溪头荠菜作对比：城里的桃花、李花生怕风吹雨打、飘零殆尽，因而老是发愁；而农村的荠菜却生机旺盛，迎着春风，把白色花朵开遍溪头，明媚的春光只有在这里才充分地显露出来。表面上看这两句仍属写景，实际上显然有着象征意义，含蓄地点出了这首词的主题。不但赞美农村比城市有生气，而且表达了这样的思想：在朝廷上做官，享受荣华富贵，就像桃花、李花那样娇弱，经不起风雨打击，经常担惊受怕；倒不如在农村里闲居，就像野荠菜那样不怕风吹雨打，自由自在，才是有生命力的。联系这首词作于辛弃疾被谗罢官以后，更可见出词人豁达乐观的处世态度。词题作“代人赋”，可能有劝慰别人的意思。但主要是作者以此自慰。这两句是辛词中的名句，兼议论、抒情于写景之中，意味深长地表达了词人的志向和胸怀。

整首词洋溢着浓烈的农村生活气息和青春的活力。如果没有亲身的经历和对农村的热爱，是写不出来这样的农村词的。全词都用白描手法，上片细腻描绘，下片粗线条勾勒，粗细结合，跌宕多姿。结尾用对比、象征手法，意味深长。是稼轩农村词中的佳作。

（郁贤皓）

西 江 月 　辛弃疾

夜行黄沙道中

明月别枝惊鹊，清风半夜鸣蝉。稻花香里说丰年，听取蛙声一片。　七八个星天外，两三点雨山前。旧时茅店社林边，路转溪桥忽见。

鉴赏

这首词写的是在一个月色皎洁的夜晚，作者行走在江西上饶黄沙岭（今江西上饶县西四十里）途中，所看到的乡村景物及其所感受的情绪。

词的上半阕勾画出一幅幽美的农村夏夜图。明亮的月光，照到那边枝上巢里的鹊儿，使它们都被惊动起来。鹊惊时常啼，这里不说啼而啼自闻。这是一种很细致的写实，凡是在乡村生活过的人都有这种常识：鹊儿对光线的感觉是很灵敏的，它们在黑暗中一遇到明亮的光线，往往乱飞乱啼。这一句所写的情景和苏轼《次韵蒋颖叔》诗"月明惊鹊未安枝"的境界十分相似。下句，是写"半夜鸣蝉"。大概是清风吹动树梢，惊醒了蝉儿，或是惊鹊飞鸣惊动了它，蝉儿也声声相应地叫了起来。在清风徐徐吹拂的夜里，突然间惊鹊离枝飞啼，蝉儿应声而鸣，这是多么清幽的景色啊！可是作者似乎还不满足，又欣赏了另一美景："稻花香里说丰年，听取蛙声一片。"这两句点明了季节是在夏天，正是稻谷扬花的时候。在整首词中这两句给人的印象最为鲜明深刻。看，那清凉的南风送来了一阵阵的"稻花香"和一片片热闹的蛙声，像是在争说即将到来的丰收景象。这是一个多么富于诗意的想象啊！作者把蛙拟人化，写蛙懂得"说丰年"，既生动地渲染出连蛙也为之欢唱的丰年景象，也映托出人逢丰年的喜悦。

下半阕的局面有些变化了，更侧重于夜行人感情的抒写。"七八个星天外，两三点雨山前。"看来，天气已起变化，这是描写雨来前的景象。上句是写夏雨来前，天空已起了乌云，在云层之外很远很远的边际只看见七八颗星星。为什么天起乌云了,还有星星呢?南方每到夏天,有一种所谓"过云雨",并不需要整个天空都起乌云,只要头顶上有几片乌云就可以下起雨来。所以,在那时候天际往往尚有星星。这一句所写的就是这种情况。天已起云,预示了雨意。所以下句紧接着写在山前飘来了两三点雨。从语言的组合形式来说,"七八个""两三点",既给人以虚疏的感觉,而"星"和"雨"又像是矛盾的,这就构成了一种淡远奇特的境界,给人以深刻的印象。雨对夜行人无疑是一个威胁,写雨之来,就已暗示出夜行人的焦急。而结尾两句则进一步写其焦急的心情。这景乃行人眼中所见,词人用快速移动的镜头取景,侧面透露出行人在匆匆赶路。"忽见"两字很有分量,它把夜行人急寻不着而突然见到的惊喜神态全都表现了出来。

这首词,上片写农村的夏夜,月白风清,送来阵阵稻花香味,处处蛙声相应,一片丰年景象,它给行人带来无限的喜悦。下片写天外疏星,山前飘雨,溪回路转,茅店忽见。笔调灵活、轻快,反映出作者的愉快心情。

(郑孟彤)

木兰花慢　　辛弃疾

中秋饮酒,将旦,客谓前人诗词有赋待月无送月者,因用《天问》体赋。

可怜今夕月,向何处,去悠悠?是别有人间,那边才见,光景东头?是天外,空汗漫,但长风浩浩送中秋?飞镜无根谁系?姮娥不嫁谁留?　谓经海底问无由,恍惚使人愁。怕万里长鲸,纵横触破,玉殿琼楼。虾蟆故堪浴水,问云何玉兔解沉浮?若道都齐无恙,云何渐渐如钩?

鉴赏

稼轩的明月词构造了另一种明月世界。他不作全景描写，而选取窄角镜头，只就月落生发联想，作一般意象的创造。

辛词与苏词一样，都是写中秋之月，并都是饮酒达旦后的产物。苏轼作全程描写，从月升写到月落。稼轩则只截取月落这一段做特写，不写待月而写送月，不写月升却写月落，全从月落生发，这正是辛词独到处。苏词是由月及人，由自然意象到社会意象，浪漫幻想与执著现实作了艺术上的统一。辛词则只就明月生发，并全从探索追问中构造意境，构造明月世界，全不顾及社会人间，这是辛词的又一独到处。

辛词以一连串的探索追问（所谓“天问体”），使用横向罗列（并置）意象，构成并发共存的艺术结构。词由黎明前的西落之月发问：“可怜今夕月，向何处，去悠悠？”美丽的中秋明月，你悠悠飞去，将飞向何方？对西落之月的去处表示关切。“是别有人间，那边才见，光景东头？”这是词人对西落之月的去处的第一层设想：你是否进入另一个世界，在那个世界刚好看见你从东方冉冉升起，光辉明亮——这边月儿西落，那边正是明月东升。辛弃疾在这里涉及了天文学上一个重大问题，“词人想象，直悟月轮绕地之理，与科学家密合，可谓神悟”（王国维《人间词话》）。这不是什么神悟，是词人在对月亮与地球这一对自然天体进行观察与思索后的大胆的合理的想象。

“是天外，空汗漫，但长风浩浩送中秋？”这是“向何处，去悠悠”的第二层设想——或是，你飞往天外无垠的宇宙，宇宙长风吹动你照临人间，送来中秋佳节！这是词人由眼前的时空（中秋）生发出的幻想：中秋佳节是明月送给人间的礼物。接下两个六字短促的问句：“飞镜无根谁系？姮娥不嫁谁留？”因中秋而及明月，因明月而及月中姮娥，在奇妙的探索设问中表现出对明月的关注与体贴之情。高空明月，飞跃中天，是谁把它系住不坠？它系在什么地方？是怎么系住的？嫦娥独居月宫，久久不嫁，是谁把她留住了呢？词人在远古神话传说基础上，就眼前中秋景色，作了新的奇妙的生发联想，意象生动，逸趣横生。

过片“谓经海底”七句承“向何处，去悠悠”的探问作第三层设想：有人说你西落之后曾从海底经过，虽然这说法无从查问根由，令人恍惚。

曹操说“日月之行，若出其中；星汉灿烂，若出其里”，他说日、月、星汉都出入于大海之中。词人在这里也就这古老的传说作想象，听人说明月出入大海，那么大海中的长鲸，怕不要撞破月宫中的玉殿琼楼？这是一个想象，表现一种关切。月经大海，月中的虾蟆是不怕水的，可是玉兔该怎么办？这是又一个想象，表现出又一种关切。想象奇丽，想象中生发想象，环环相生，累如贯珠，在多层次的想象叠印中，表现出想落天外的艺术特色。

从别有人间到天外，从天外又到海底，词人笔下明月世界显得五彩斑斓、多彩多姿。词从月落这一特定的时空出发，熔铸神话传说与艺术想象于一炉，贯穿着词人对明月的关注与体贴；在表面的无感情线索（理性）的叙述（探索）中，包含着词人对明月的无限深情。

“若道”二句承上诸问作总的发问与收结：如果说上述这一切都使你明月完整无缺，安然无恙，那么为何你渐渐变成弯钩？说“若道”，有针对性地做退一步想，形成深一步的层次，并在自然意象中隐括着社会意象，在浪漫奇想中加进了现实因素。明月经历了“别有人间”“天外”“海底”，道路坎坷，路途遥远，如说会安然无恙，可却渐渐如钩，事实说明它的艰难经历，说明它的身心遭受严重创伤。

收尾照应开端“向何处，去悠悠”，写黎明时的一轮圆月，并就这一轮圆月作总的收束。承上，既作为上述诸问的探索的基础，又是诸问的总结，揭示出自然现象的盈虚消长之理。从月升到月落，从月圆到如钩，明月世界的多彩的变动，正表现了词人对中秋明月的赞叹与怅惘之情，显然其中寄托着词人极为深沉的隐晦的家国之悲。

苏词由眼前景生发，由月及人，由月之圆而及月之缺，由人之离而及人之合，按词人的情感与月之运行构成结构线索，借中秋圆月以祝福人生。

辛词以神话传说为材料，因人及月，人间、天外、海底，在跳跃动荡与多彩多姿的明月世界的构造中，借月落以寄慨。在对明月的探索中，探索明月的运行规律、明月主人的命运、明月的安危，表现出词人对明月的无限深情与诚挚的关注。

辛词较苏词更富有浓重的浪漫色彩，纵横驰骋，奇想天外。苏词由实构虚，虚实结合；辛词全从虚处设想，虚中带实，在一连串的探索中借神话传说材料构造具体意象，赋明月以新奇而浪漫的境界。

（张碧波）

八声甘州

辛弃疾

夜读《李广传》，不能寐，因念晁楚老、杨民瞻约同居山间，戏用李广事，赋以寄之。

故将军饮罢夜归来，长亭解雕鞍。恨灞陵醉尉，匆匆未识，桃李无言。射虎山横一骑，裂石响惊弦。落魄封侯事，岁晚田园。　谁向桑麻杜曲，要短衣匹马，移住南山。看风流慷慨，谈笑过残年。汉开边，功名万里，甚当年、健者也曾闲？纱窗外，斜风细雨，一阵轻寒。

鉴赏

李广是西汉抗击匈奴的名将。他一生转战疆场，战功卓著，被称为“飞将军”。但其经历坎坷，很不得志，最后被迫含愤自杀。辛弃疾十分景仰李广，对他的不幸遭遇深表同情。作者闲居带湖期间，一次夜读《史记·李将军列传》，联想到自己的遭遇，不禁感慨万千，心潮难平，于是在窗下挥笔写下这首词，以借古讽今的手法，表达了对南宋统治集团排斥、打击抗金志士的强烈不满。

词的上片咏史，从李广一生中选出两个小故事加以艺术概括。“故将军”五句，叙述李广闲居终南山时，夜过灞陵，受辱亭尉一事。据《李将军列传》载，李广一次夜出，和朋友在田间饮酒，深夜归来，行至灞陵，被喝醉了酒的亭尉训斥阻止，不让通过。李广的随从说：“这是从前的李将军。”亭尉回答道：“现任将军尚且不得夜行，何况是从前的将军！”于是命令李广宿于亭下。李广有许多可歌可泣、富于传奇色彩的故事，词人都略而不提，开篇却从他罢官后受辱亭尉写起，这就为全词定下了基调：慨叹英雄末路的悲哀，抒发壮志难酬的愤懑。“桃李无言”，引用民间谚语赞美李广，言简意赅，含而不露，深刻隽永。“桃李无言”即民谚“桃李不言，下自成蹊”的略语。意思是说：桃花和李花虽不会说话，但来看花的人却很多，以至树下自然踩出了一条小路。司马迁在《李将军列传》结尾曾引用这个谚语来赞美李广虽不善言辞，却受到天下人的景仰。“射虎”二句，歌颂李广勇猛无畏的豪迈气概。据《李将军列传》载，李广任右北平太守时，一次出猎，看见草丛中有块石头，误认为虎，便开弓放箭，结果箭头深深地射进了石头之中。作者通过这一故事赞美李广勇武过人，同时也为下文描写他的悲剧性命运做了有力的铺垫。“落魄”二句，词意一转，叹息李广功高盖世，威名远扬，却屈沉下僚，不得封侯，晚年被迫退隐田园。词人的遭遇与李广何其相似，可见写李广“落魄”，也暗示出作者政治上不得意的心情，这就是借古人酒杯浇自己胸中的块垒。

词的下片抒怀。“谁问”五句，隐括杜甫《曲江三章》诗意，并回答约他“同居山间”的晁楚老和杨民瞻。杜甫诗说：“自断此生休问天，杜曲幸有桑麻田。故将移住南山边，短衣匹马随李广，看射猛虎终残年。”这首诗表达了杜甫无比景仰李广的心情，说他如果与李广同时，也要穿上猎装，骑着骏马，跟随左右，去看李广射杀猛虎，度过晚年。辛弃疾化用杜诗，说明自己虽然与李广的遭遇相似，却得不到人们的同情和理解。这五句大意是，有谁像当年杜甫追慕英雄李广那样，也来看看我赋闲之后，如何在慷慨悲歌、谈笑声中度过寂寞的晚年呢？“汉开边”三句，是由读《李广传》而引起的感想和议论：汉朝对外开疆拓土，本来需要人们到万里边塞去建功立业，可是为什么像李广那样的健儿也曾经被闲置不用呢？这是为李广鸣不平，也是斥责南宋当权者扼杀人才。结拍三句，融情于景，意在言外，发人深思。词人读完《李广传》，站起身来，只见窗外黑夜沉沉，斜风夹着细雨，一股寒气袭来，不觉打了一个冷颤。此处通过环境描写，烘托悲凉的心情。

本篇用一个历史人物贯穿始终，夹叙夹议，以古喻今，针对性很强，表达了当时许多爱国志士共同的思想感情。序言中虽说是一时戏作，但却蕴藏着十分深刻而严肃的主题，具有强烈的艺术感染力。

（喻朝刚）

贺新郎　　辛弃疾

别茂嘉十二弟

绿树听鹈鴂，更那堪、鹧鸪声住，杜鹃声切。啼到春归无寻处，苦恨芳菲都歇。算未抵人间离别。马上琵琶关塞黑，更长门翠辇辞金阙。看燕燕，送归妾。将军百战身名裂。向河梁、回头万里，故人长绝。易水萧萧西风冷，满座衣冠似雪。正壮士、悲歌未彻。啼鸟还知如许恨，料不啼清泪长啼血。谁共我，醉明月？

鉴赏

这是一首送别词。辛茂嘉是稼轩的族弟，刘过《龙州词》有《沁园春·送辛幼安弟赴桂林官》，知茂嘉因事贬官桂林。此词约作于嘉泰三年(1203)左右，稼轩对其族弟茂嘉贬官桂林感慨很深，更对自己长期遭贬怀着强烈的悲愤，借茂嘉事以抒写自己的身世之感与家国之悲。

词为送别，当从眼前送别之环境景致引出，故开端五句连举三种鸟声，勾勒眼前之环境气氛。"鹈鴂(tíjué)"，一说是杜鹃，一说是伯劳，辛弃疾取伯劳之说，故在词题下自注："鹈鴂、杜鹃实两种，见《离骚补注》。"《离骚》："恐鹈鴂之先鸣兮，使夫百草为之不芳。"杜甫《杜鹃》："杜鹃暮春至，哀哀叫其间。我见常再拜，重重古帝魂。"白居易《山鹧鸪》："山鹧鸪，尔本此乡鸟。生不辞巢不别群，何苦声声啼到晓？啼到晓，惟能愁北人，南人惯闻如不闻。"张咏《闻鹧鸪》："画中曾见曲中闻，不是伤情即断魂。北客南来心未稳，数声相应在前村。"稼轩也多次写道："不堪鹈鴂，早教百草放春归。"(《婆罗门引·用韵答赵晋臣敷文》)"落花时节，杜鹃声里送春归。"(《婆罗门引·别杜叔高》)这都是写鸟鸣关乎人心，关乎人情，关乎人的处境。

《广韵》："䳏鴂，关西曰巧妇，关东曰鸋鴂，春分鸣则众芳生，秋分鸣则众芳歇。"《禽经》:杜鹃"夜啼达旦,血渍草木,凡鸣皆北向也"。鸣声若"不如归去"。《埤雅》:鹧鸪"多对啼,志常南向,不思北徂"。这是写因听鹈鴂之鸣,联及"但南不北"的鹧鸪,"不如归去"之杜鹃,这些鸟鸣都与离别有关,都与南来北人的心境有关。鸟鸣标示时间,又勾画空间。词人说:从绿树丛中听到鹈鴂啼叫,又加上鹧鸪鸟刚刚叫过,杜鹃鸟鸣声悲切。这些鸟连续悲鸣真真使人不堪卒听,啼得春天归去,而且连春天的影子都找不到了;最令人痛心的是百花凋谢,芳菲全歇。词中的鸟类意象与作者的身份、处境、心绪具有暗示性的内在联系;而在共存的时空关系下,这连续性的鸟鸣形成一种气氛,一种环境,一种唤起某种特定的感受但又不须说明的境界。

词从自然意象开端,从听觉的连续移动构成特定的时空环境,而鸟鸣的凄戾与芳菲都歇的意象叠印融合——眼中之景与身处之境以及特定的心情意绪,处处为送别设色,又处处为时代设色。这是春天已暮、百草不芳的时代缩影。作者显然在个人的悲欢离合的感受之上,又加进了深沉的家国之悲。

春天,在词人笔下是真实的,又是象征的;在稼轩词中,春光往往用以比喻抗金复国的时机、祖国的复兴以及抗金壮志等内容。在这首词中,说"鹈鴂",说"鹧鸪",说"杜鹃",这些鸟都与时代、与一个南来的北人有内在联系;它们的鸣叫触动这位南来的北人的心灵,引起他的无限联想。春天在鹈鴂、鹧鸪、杜鹃的连续啼叫声中归去,春被其啼归,芳菲被其啼歇;鸟啼振动着词人的心灵。词正是从自然意象上,从听觉的连续振动上开篇,构成悲剧环境,渲染悲剧气氛;并从外界的感受引出社会人事。

"算未抵人间离别"一句总绾,由景入情,由鸟之悲鸣,转到人之离别。词以景物之凄清与人间离别相映衬,将感情深化一步,直述景物之凄清比不上人间生离死别之苦。词以鸟之鸣的意象连续叠印构成重力,但"算未抵"三字把这重力轻轻带过,从客观进入主观,从自然意象转入社会意象,用以突出社会意象。以下连用五事,前用三妇人:昭君、陈皇后、庄姜故事;下片接用三男人:苏武、李陵与荆轲故事。所谓"上三项说妇人,此二项言男子,中间不叙正位,却罗列古人许多离别,如江文通(江淹)《别赋》,亦创格也"(许昂霄《词综偶评》)。词人在这里表面上是用人们熟知的离别典故,排列组合,构成词的外在结构;实际上在这些典故的背后，具有当时现实政治的某些折光。

“乐莫乐兮新相知，悲莫悲兮生别离”，离别是人生之一悲剧。词人与族弟别离中，尚有政治上遭贬失意的内容在。词人选择历史上与离别有关的典故加以铺陈排比，这是用多样事物铺陈离别之悲伤痛楚，以写人间离别之悲剧——开端以三种鸟的连续悲鸣构成环境与气氛，接下以五种离别场面的排比铺陈，层层翻进，构成悲剧性的境界，揭示了悲剧的时代特征，把词的悲剧气氛渲染到最高度。从纵向看，三鸟加五事，累如贯珠，层层翻进，步步加深；从横向看，三鸟、五事，齐头迎面扑来，大有泰山压顶之势，形成一种独特的艺术力量，表现了词人心中无限的郁积与悲愤。

三鸟悲鸣是勾画时空环境的，五事只是在离别这一点上有共同性；三鸟与五事以及五事之间没有内在的联系。在艺术构思上，词人加以铺陈排比的三鸟和五事虽无内在联系，却在连续性的(各不相属、甚至互不相关的)叠印中形成了浓重的悲剧力量。似乎人生到处是悲剧，而且从前朝到而今，就是一部充满悲剧的历史。对这部历史，料想只有啼鸟还有所了解，故曰“还知如许恨”。最后词人以“啼鸟还知”遥应开篇，以鸟起，以鸟结，首尾回旋，化无情为有情，鸟尚知恨，人何以堪！末以问句作收，顿挫跌宕，余意不尽。说“还”，说“料”，化客观为主观，写鸟知恨，正说人知恨；而问句的结尾，集中表现了词人的最大的孤独，最高度的悲愤。

全词上片开端因景起兴，由景到人，直落离情，列举古事，过片不变，以“人间”启下，以“如许”结上，结尾收落到自身。此词用典之多，思路之广，为宋词中罕见。送别乃借题发挥，主旨实是借历史悲剧以概括个人身世之悲与家国兴亡之感，从而勾画出悲剧的时代面貌。

(张碧波)

贺新郎

辛弃疾

邑中园亭，仆皆为赋此词。一日独坐停云，水声山色竞来相娱，意溪山欲援例者，遂作数语，庶几仿佛渊明思亲友之意云。

甚矣吾衰矣！怅平生、交游零落，只今余几？白发空垂三千丈，一笑人间万事。问何物、能令公喜？我见青山多妩媚，料青山见我应如是。情与貌，略相似。

一尊搔首东窗里。想渊明、《停云》诗就，此时风味。江左沉酣求名者，岂识浊醪妙理！回首叫、云飞风起。不恨古人吾不见，恨古人不见吾狂耳。知我者，二三子。

鉴赏

这首词是辛弃疾闲居铅山县瓢泉时所作。词序中说他写作此阕是仿效陶渊明的《停云》诗，以表达对亲友的思念，实际上抒发了作者从福建再次罢官归来以后寂寞愤慨、寄情山水的思想感情。

上片感叹老大无成，知音稀少，只能与情貌相似的青山为侣。起句"甚矣吾衰矣"，用《论语·述而》中孔子的话"甚矣吾衰也，久矣吾不复梦见周公"，悲叹岁月流逝，年迈力衰，抱负未能实现。"怅平生"两句，痛惜知交零落，好友相继谢世。此词大约作于宋宁宗庆元年间，当时词人谪居多年，好友陈亮、韩元吉等均已离开人世，使他在黑暗的现实中更加感到惆怅、孤立，因而发出了深深的叹息。

"白发"两句，用李白"白发三千丈，缘愁似个长"（《秋浦歌》）诗意，言其虚度岁月，壮志未酬，对人世间的一切，只有付之一笑。"问何物"句，词意一转，用设问句承上启下。大意是：你终日忧心忡忡，愁闷不已，请问有什么能使你高兴呢？这里的"公"是作者自称，自问自答，引出下文。"能令公喜"，语出《世说新语·宠礼》："王恂、郗超并有奇才，为大司马（桓温）所眷拔。恂为主簿，超为参军。超多须，恂短小。荆州为之语曰：'髯参军，短主簿，能令公喜，能令公怒。'"作者信手拈来，以人喻物，颇富情趣。

"我见青山"四句，回答上句的设问，大意是：我看见青山姿态美好，可亲可爱；料想青山看见我也应当产生同样的感觉。因为我和青山情感相同、面貌相似。词人将青山拟人化，说明虽然"交游零落"，但在大自然中却不乏知己。深感孤独寂寞的人，偏不说孤独寂寞，反以有青山为知交而感到宽慰,可见其性格之倔强。

下片写他因饮酒而引起的种种联想和议论,同时表示自己不甘寂寞,渴望报国但又无人理解的矛盾心情。

换头句"一尊搔首东窗里",化用陶渊明的《停云》诗。由于词人当时独坐停云堂,所以有此联想。陶诗说:"静寄东轩,春醪独抚。良朋悠邈,搔首延伫。"作者只用一句话便简括了这四句诗的意境,并暗示出"思亲友"的题旨。大意是说,我坐在东窗之下,等待友人,心烦意乱,频频举杯自饮。"想渊明"两句,以陶渊明自况,将他引为异代知己,说他写《停云》诗时的心情,和我现在的体会大概差不多吧?

"江左"两句,由歌颂高洁之士转而批判那些沽名钓誉的小人。词中以南朝比南宋,讽刺所谓江左名士不过是一些追名逐利之徒。他们纵酒颓废,意在欺世盗名,哪里懂得饮酒的奥妙!辛弃疾对那些醉心于名利的人深恶痛绝,嗤之以鼻。在辛弃疾同一时期的其他作品中,也对这类庸俗之辈进行了辛辣的嘲讽和揭露。例如:"俗人如盗泉,照影成昏浊。高处挂吾瓢,不饮吾宁渴。"(《生查子·简吴子似县尉》)"有个尖新底,说底话非名即利。说的口干罪过你。且不罪,俺略起,去洗耳。"(《夜游宫·苦俗客》)说明他虽处昏浊之世,却保持着高尚的品德和节操,不愿与以名士自居的"俗客"同流合污。"回首叫、云飞风起",这句是下片的转折处,词境为之一变。大意是说,我回头引吭高歌,唱得那漫天白云飞舞,狂风怒号。这是借刘邦《大风歌》"大风起兮云飞扬",以表达自己统一国土的豪情壮志。

"不恨"两句,抒写作者抱负不得实现的狂放心理和情态。这两句也是用前人的话而稍加改动。据《南史·张融传》:"融常叹曰:'不恨我不见古人,所恨古人不见我。'"辛弃疾引张融之言以表达世无知音、言行不被理解的苦闷和怨恨。大意是:我不恨自己看不见古人,只恨古人没能看见我的豪放和疏狂。作者的笔锋所向是针对黑暗的现实,但却说得很含蓄曲折,耐人寻味。结拍两句"知我者,二三子",照应开头"怅平生、交游零落,只今余几",进一步说明自己晚年孤独的处境和寂寞的心情。全词感情浓烈,波澜起伏,在悲凉的气氛中表现了豪放不羁的风格,给读者留下了许多值得思考的问题。

本篇为稼轩的得意之作,常在客人面前自诵其警句:"我见青山多妩媚,料青山见我应如是""不恨古人吾不见,恨古人不见吾狂耳"。这两联托物言志、以古喻今,虽属用典,却能翻新出奇,反映了作者在孤独的环境中不甘寂寞,与青山为侣,在古人中寻觅知音的精神状态,挥洒自如,意蕴很深,为全词生色不少,确实是难得的佳句。

(喻朝刚)

汉 宫 春

辛弃疾

立 春 日

春已归来,看美人头上,袅袅春幡。无端风雨,未肯收尽余寒。年时燕子,料今宵、梦到西园。浑未办、黄柑荐酒,更传青韭堆盘。　却笑东风从此,便薰梅染柳,更没些闲。闲时又来镜里,转变朱颜。清愁不断,问何人、会解连环?生怕见、花开花落,朝来塞雁先还。

鉴赏

稼轩写了许多以春为题的词,其中以这首写立春的《汉宫春》及写暮春的《粉蝶儿》(昨日春如十三女儿学绣)为其代表。

《汉宫春》是一首迎春词,实为春愁词。上片写迎春。词一开头说冬去春来。这里没有说春天到来,而是说"归来",说已经归来,春天真真实实地回到了人间,回到自己的身旁了。喜悦之情溢于言表。春天已经归来,不仅感受到,而且亲眼看到她的到来。词以意象叠印手法,以连续变换的具体意象,层层罗列,构成春已归来的总体意象:美人头上的春幡,乍暖还寒的春寒,西园的春燕,迎新的春酒。

"看美人头上,袅袅春幡",你看那美女头发上插戴的春幡,在迎风飘舞。《岁时风土记》:"立春之日,士大夫之家,剪彩为小幡,或悬于家人之头,或缀于花枝之下。"又《苕溪渔隐丛话》:"《荆楚岁时记》云:'立春日悉剪彩为燕子以戴之。'故欧阳永叔诗云:'不惊树里禽时变,共喜钗头燕已来。'郑毅夫云:'汉殿斗簪双彩燕,并知春色上钗头。'皆立春日帖子诗也。"由上可见,"春幡",有为"小幡",有为"彩燕"。严酷的冬天已经过去，明媚的春天已经到来，人人欢迎她，热爱她，人们满面春色，春色上钗头，就连妇女的头上也闪动着春天的光彩，飘荡着春天的气息。这全从眼中看出：通过具体而形象的画面生动地描写了春已归来，并给春已归来作了气氛上的渲染。

“无端风雨，未肯收尽余寒”，这是写春寒，是春已归来的第二个具体意象。春天虽已到来，但初春季节，冬天的余威尚未彻底消除，乍暖还寒，正是这个季节的特点。没有来由的春风春雨，冬天剩余的寒威还没有全部收尽。春寒料峭，但春天毕竟到来：由寒到暖，由冬向春，这是自然界的规律。词人正是捕捉住了初春的季节特点——“未肯收尽余寒”，在这一点上点染着春意。而说“无端”“未肯”，把春寒人格化，把带有寒意的初春感情化了——气候、节气本是无情之物，在这里词人化无情为有情，把可感受而不可言说的春寒意象化了，这是使用了移情手法。

“年时燕子，料今宵、梦到西园”，这是写春燕。词从眼前的西园春燕推开一步，不写眼前，而写“年时”（过去）；不是飞到西园，而是梦到西园，正极写盼春之情。想去年的春燕，在今天夜晚会梦魂飞到西园的吧。说“料”，是设想，说去年，带出今年。这是使用转进一层的手法：今年春来早，去年春来迟。去年今日，春燕迟归，只有魂牵梦萦了；今年春日，春燕可以径飞西园了。这里借春燕“梦到西园”，极写万物迎春之情态。写燕子迎春，正是写人的迎春，写人对春天的渴望与热爱。

“浑未办、黄柑荐酒，更传青韭堆盘”，这是写春酒。“浑未办”直承“年时”，遥应“春已归来”。年年盼春，时时盼春，而当春天到来时，自己又感到措手不及、毫无准备，故曰“浑未办”。“浑未办”，即全未办。今年春来早，自己还未准备好黄柑果酒，怎能传递迎新菜盘。《遵生八笺》：“立春日作五辛盘，以黄柑酿酒，谓之洞庭春色。故苏（轼）诗云：‘辛盘得青韭，腊酒是黄柑。’”《本草纲目·菜部》：“五辛菜，乃元旦、立春，以葱、蒜、韭、蓼蒿、芥辛嫩之菜杂和食之，取迎新之意，谓之五辛盘。”韩鄂《岁华纪丽》卷一：“盘号五辛，觞称万寿。”这里的“青韭堆盘”即指五辛盘。春天到来，本应备办五辛盘以迎新祈福，但词人以“浑未办”“更传”的摇曳委婉的句式与犹疑踌躇的口气，在拍转自身时，揭出在春已归来之时产生的复杂矛盾的心声，由欢乐透出迟疑，为从迎春转入春愁作艺术上的准备。

春幡，春寒，春燕，春酒，全从“春已归来”上生发，从全景镜头——春已归来转入窄角摄入，焦点集中在一个个具体意象上：一、四是人事意象，二、三是自然意象，由人到自然，又由自然到人，在意象的反复叠印与转换中，构成春光春色无处不在的总体意象。

词的下片写春愁。“却笑东风从此，便薰梅染柳，更没些闲”三句遥应上片首句“春已归来”，对春之到来做铺叙，并从初春写到仲春，在春天的时间运动中揭出人事，表达感受。春风吹遍大地，万象更新，梅花绽开，柳絮飘飞，春风正忙，没有一点空闲。这全是正笔，但加一“却笑”，则全成反面文字。笑它东风无事忙，只忙一些薰梅染柳、装点门面的事。这正是词人讥笑的地方，其中包含着愤慨与失望。

“闲时”二句由梅柳转入自身。上句说“更没些闲”，写春风忙于装点自然风光，顾不得人事，只是在忙里偷闲中想到人事：“又来镜里，转变朱颜。”从人盼春来，写到我愁春至，因其暗换韶光，老却多少朱颜翠鬓。人之衰老，从照镜时可自我发觉。这里以散淡之笔，写悲愤之情，看似不经意，却流露出浓重的悲哀。春天到来曾给人们以希望，人们在这希望——失望的反复回旋中浪费掉多少大好时光，朱颜转换，年华在春风中老去，壮志在春风中消磨殆尽。词以淡淡之笔写浓浓之愁，相互反激；由欢乐到愁情，由希望到失望，正是在这种回旋激荡中逼进主题。

“清愁不断，问何人、会解连环”，一句总结，一句顿挫。承上把“却笑”“闲时”等内在感情表面化，从迎春直落怨春。“旧恨春江流不尽，新恨云山千叠”，不断的清愁，正指这旧恨与新恨——国难家仇，旧恨连新恨，新恨接旧恨，这不断的清愁，像个玉连环一样，环环相套，环环相生呵！词人以“问何人、会解连环”的反问句式，把他的极端悲愤之情作了激烈的表达，声情激越，震撼人心。“解连环”典出《战国策·齐策》：“秦昭王尝遣使者遗君王后玉连环，曰：‘齐多智，而解此环否？’君王后以示群臣，群臣不知解，君王后引锥椎破之，谢秦使曰：‘谨以解矣。’”这个典故的背后隐藏着国事，词人的不断的清愁正在于国事；而春天又与国事相关联，词的象征意义也因此而逐渐显现。

“生怕见、花开花落，朝来塞雁先还”，最怕的是看见百花开过，众花凋零，清晨里塞雁先期飞还北方。这里是以花开花落，塞雁先还的景物描写作结，由仲春到暮春，写春之归去，照应开端“春已归来”，描写了春天的整个发展过程。“生怕见”，以假设语气,由春已归来,设想春之归去。而“生怕见”,是就春之来带来欢乐,写到春之归去的失望悲伤;“花开花落”,是就花写春,花开——春已归来,花落——春之归去,此处重在花落,重在春归。迎春而又怨春,喜春而又怕春,正曲折地表现了词人的复杂委曲的心情。“塞雁先还”,因景生情,构成联想,塞雁迎春北还,由个人春愁引出家仇国难。说“塞雁”,勾起词人对北方失地的联想;说“先还”,此地春归,而北方沦陷区正是春来,可这是叫人“生怕见”的“春来”呀。“塞雁先还”,雁先于人而还,雁还而人未还;壮志不酬之感、国耻未复之憾都蕴含其中了。这正是词人“生怕见”之所在了。“生怕见”照应开端“看美人头上”,本是看到春已归来,又看到春之归去,而春之归去,本眼中实景,却出以“生怕见”,由实入虚,跌宕顿挫,摇曳生姿。

上片说“年时燕子,料今宵、梦到西园”,下片则说“生怕见、花开花落,朝来塞雁先还”,从年时燕子到今朝塞雁,从今宵到朝来,从江南春燕到塞雁北还,在意象的急剧转换中,开合起落,写整年的春情,写一夜春情,从怨春又转入恋春,以担心春天的逝去收结,把他因春天而产生的复杂曲折的思情表达得淋漓尽致。

从春已归来,设想春之归去,从个人的愁情引出国难家仇,迎春、怨春、恋春,反复回旋,深沉委曲,就是这首词的艺术构思特点。

(张碧波)

太常引　　辛弃疾

建康中秋夜为吕叔潜赋

一轮秋影转金波,飞镜又重磨。把酒问姮娥,被白发欺人奈何!　　乘风好去,长空万里,直下看山河。斫去桂婆娑,人道是、清光更多。

鉴赏

这是一首咏中秋明月的小词,为友人吕叔潜而作。吕叔潜事迹始末已不可考,仅据《庚溪诗话》知吕氏名大虬,又据汪应辰的《与吕叔潜书》,知其与高宗末、孝宗初的一些著名人物有所交往,其余就不清楚了。作者曾于乾道四年(1168)、淳熙元年(1174)两次居官建康(今江苏南京),这首词的确切写作时间,已难具体指实。

词意比较浅直:上片是说,中秋的圆月,撒下一片金色的月光。圆月就像刚刚打磨一新的铜镜悬挂在天上。作者不禁举起酒杯向月中嫦娥问道:我的白发已经丛生,在亮光高照之下,更要显露出来了!(意同"等闲白了少年头"。)词的下片,作者又遐想道:在这样的光照下,如能乘风飞上万里长空,俯瞰美丽山河,该有多好!如果像人们所说的那样,把月中婆娑弄影的桂树斫掉,使月光更加清澈,那自然就更好了。(意思是希望君主更能明察一切。杜甫《一百五日夜对月》诗有"斫却月中桂,清光应更多"句。)南宋自孝宗即位后,意欲改变高宗坚守和议的被动局面,颇有发愤进取的气势,给朝野抗战派人士一度带来希望。作者同友人月下对酌,心情振奋,月到中秋也分外明亮。但是当时的政治背景是,宋孝宗虽有恢复中原的意愿,却常为朝中主和派所左右,致使英雄人物常常不得其用。作者自身虽还不曾有所作为,却已是白发丛生了,所以在兴奋之余,颇有一种惆怅之感,故把希望寄托在君王能洞察一切上。

作者在词中运用丰富的想象,尽情抒写祖国山河的壮丽,表达了作者的美好愿望。杜甫原来诗句创造了"斫却月中桂"的奇特意境,本为抒发思乡之情,辛词却用来写爱国情思,意境更为开阔,因而它的意义就显得更加深刻了。

(邓广铭　辛更儒)

贺　新　郎

辛弃疾

赋　琵　琶

凤尾龙香拨。自开元、《霓裳》曲罢,几番风月?最苦浔阳江头客,画舸亭亭待发。记出塞、黄云堆雪。马上离愁三万里,望昭阳宫殿孤鸿没。弦解语,恨难说。　辽阳驿使音尘绝。琐窗寒、轻拢慢捻,泪珠盈睫。推手含情还却手,一抹《梁州》哀彻。千古事、云飞烟灭。贺老定场无消息,想沉香亭北繁华歇。弹到此,为呜咽。

鉴赏

这是一首咏物词。词题为“赋琵琶”，是一首琵琶小史，就琵琶故事生发开去，述说人生种种不幸，并由人生之不幸引出千古史事的兴亡感慨。在这一点上，它与《贺新郎·别茂嘉十二弟》是相似的。

这首词全从前人关乎琵琶的诗情生发，以琵琶（史事）的变化带出人世的变迁来。“凤尾龙香拨”一句写琵琶之华丽名贵。“唐天宝中宦官白秀正使西蜀回。献双凤琵琶，以逻娑檀为槽，以龙香柏为拨，润若圭璧，有金缕红纹蹙成双凤。杨贵妃每自奏于梨园。”（《明皇杂录》）李后主《琵琶》诗：“天香留凤尾，余暖在檀槽。”苏轼《听琵琶》诗：“数弦已品龙香拨，半面犹遮凤尾槽。”知古人以此极写琵琶之名贵不凡，并带出琵琶主人。“自开元、《霓裳》曲罢，几番风月？”白居易新乐府《法曲》注：“《霓裳羽衣曲》，起于开元，盛于天宝。”《长恨歌》：“渔阳鼙鼓动地来，惊破霓裳羽衣曲。”这一句推向历史，作追叙笔法。“开元《霓裳》曲”，直点李隆基、杨玉环。“曲罢”，隐括李、杨荒淫误国和天宝末年的安史叛乱，唐王朝由盛转衰，一代盛世已成历史。“几番风月”，是反诘，是伤悼，是凭吊，把词引入历史兴亡的感慨之中。帝妃之离情，历史之见证，皆概括在“几番风月”的反诘之中。而说“几番”，又概括了李、杨之后的种种兴亡史事（包括靖康国耻在内），说得沉重，写得悲怆。

“最苦”二句，用白居易《琵琶行》诗意。《琵琶行·序》云：“元和十年，予左迁九江郡司马。明年秋，送客湓浦口，闻舟中夜弹琵琶者，听其音，铮铮然有京都声。……予出官二年，恬然自安，感斯人言，是夕始觉有迁谪意。”诗云：“浔阳江头夜送客，枫叶荻花秋瑟瑟。主人下马客在船，举酒欲饮无管弦。”辛弃疾全用白居易的诗意，并作了集中概括，他说：最痛苦的莫过于那浔阳江边的客子，兰舟待发，忽闻水上琵琶声，勾起他满腔怨愤，就在这个夜晚里才深深感到被贬谪的痛苦。说“最苦”，遭贬为最苦，天涯沦落为最苦，这是借古人之不得意写自己的不得意，写天下人的不得意，古今同慨。

“记出塞”五句，用昭君出塞故事。词人说：记得昭君出塞时，天上黄云，地上堆雪，远去离家三万里的塞外，回望汉宫，只见孤雁飞翔在天边尽头。琵琶虽能传达自己的心绪，心中苦恨却难以说清说尽。

上片历数帝妃之离别，游子之沦落，昭君之出塞，全用追叙手法，从历史往事入手，借历史典故的多面暗示性，用琵琶之经历写历史兴亡之感慨。

过片“辽阳驿使”三句转入征夫思妇的怨思。沈佺期《独不见》：“九月寒砧催木叶，十年征戍忆辽阳。”李白《忆秦娥》：“乐游原上清秋节，咸阳古道音尘绝。”司空图《偶题三首》：“辽阳音信近来稀，纵有虚传逼节归。”稼轩化用前人诗意：北国辽阳信使断了音信，琐窗寂寥孤寒，弹奏琵琶诉说衷肠，泪流满面。

“推手”二句，承上描写琵琶演奏。白居易《琵琶行》：“低眉信手续续弹，说尽心中无限事；轻拢慢捻抹复挑，初为《霓裳》后《六幺》。”元稹《连昌宫词》：“逡巡大遍《梁州》彻，色色龟兹轰录续。”欧阳修《明妃曲》：“推手为琵却手琶，胡人共听亦咨嗟。”这里是说推手、却手，弹奏《梁州》（即《凉州》）这首哀怨曲调。词人继续化用前人诗意，写思妇借琵琶诉说心中怨思。

“千古事、云飞烟灭”一句，承“自开元、《霓裳》曲罢，几番风月”作结：千百年的往事，如过眼云烟，都消失了。这表达了词人因千古兴亡盛衰而生的感慨。不论帝妃的生离死别，还是游子的沦落，不论明妃出塞，还是思妇的哀思，都在琵琶声中消失了。在历史兴亡的感慨中，加进了普通人的离情，使这种历史感慨具有了普遍性，具有更为广阔的内容，使词的内容得到升华。

“贺老”二句：琵琶国手贺怀智不见踪迹，没有消息，想来沉香亭北也失去了往日的繁华，一片孤寂。李白《清平调》：“解释东风无限恨，沉香亭北倚阑干。”元稹《连昌宫词》：“夜半月亭弦索鸣，贺老琵琶定场屋。”这两句照应开篇，由“曲罢，几番风月”的追怀、凭吊、咨嗟，到“无消息”“繁华歇”的衰飒凄凉，就连琵琶的弹奏者都不见了、消失了，剩下的只是一片荒寥，满目衰败的景象。

从《霓裳》曲到《梁州》曲，正表现了对一代盛世衰微的哀悼之情，但这里似乎尚有更深的内容在。唐人眷恋西陲，讥弹时事，多出于诗。李益《边将》：“莫笑关西将家子，只将诗思入《梁州》。”张籍《凉州词》：“边将皆承恩主泽，无人解道取凉州。”杜牧《河湟》：“唯有《凉州》歌舞曲，流传天下乐闲人。”韩琮《凉西即事》：“秋草河、兰起阵云，《凉州》惟向管弦闻。”高骈《宴犒蕃军》：“满眼由来是旧人，那堪更奏《梁州》曲。”又据任半塘先生《唐戏弄》引明顾景星《蕲州志》：“楚俗尚鬼，而傩尤甚。蕲有七十二家。……黄袍、远游冠，曰唐明皇；……其徒数十，列幛歌舞，非诗非词，长短成句；一唱众和，呜咽哀惋。……须臾，二蛮奴持緤盘辟，有大狮，首尾奋迅而出。奴问狮何来？一人答曰：'凉州来。'相与西向而泣，作思乡怀土之状。"从"《霓裳》曲罢"，盛唐衰落，到"一抹《梁州》哀彻"；从对盛唐衰落的凭吊，到弹奏《梁州》曲悲，表达思乡、怀土之情，隐括其抗金复国以及壮志不得实现的悲愤，这就逼出了主题，揭出词情。所以，词的最后"弹到此，为呜咽"，直接抒发作者无比深沉、悲愤之情。

从《霓裳》曲到"一抹《梁州》"，从凭吊盛唐之衰落到借纪念唐明皇抒发思乡、怀土之情，首尾回环，构成一完整的大节奏，中间则插入贬谪、出塞、征戍作铺垫，作点染，这些都与思乡、怀土相关联。在历史兴亡盛衰的整体性的感慨中加进了思乡、怀土之情，丰富了词的内容，提高了词的意境，增强了词的个性，寄寓着词人的强烈的时代感受。这就是此词的构思特点。

（张碧波）

水调歌头　　辛弃疾

赵昌父七月望日用东坡韵叙太白、东坡事见寄，过相褒借，且有秋水之约；八月十四日余卧病博山寺中，因用韵为谢，兼寄吴子似。

我志在寥阔，畴昔梦登天。摩挲素月，人世俯仰已千年。有客骖鸾并凤，云遇青山赤壁，相约上高寒。酌酒援北斗，我亦虱其间。　少歌曰：神甚放，形则眠。鸿鹄一再高举，天地睹方圆。欲重歌兮梦觉，推枕惘然独念，人事底亏全？有美人可语，秋水隔婵娟。

鉴赏

这首词的创作缘起，是为了答谢赵昌父一个月前的赠词和约访，兼寄吴子似。词题一作："用东坡韵书太白、东坡事答赵昌夫。"全词用东坡丙辰中秋词《水调歌头》原韵，押天、年、寒、间、眠、圆、全、娟韵脚。赵昌父、吴子似，与辛弃疾均有较深友谊，稼轩词中屡见相互间酬答唱和之作。当时作者已移家铅山瓢泉，“秋水”指新居中的一所建筑——秋水观。

这首《水调歌头》，以高旷绝尘的笔墨，发登天揽月的遐思，凭虚御风，遗世独立，一片神行，无边汗漫；而歌残梦觉，秋水伊人，又不免深深牵触人事难全之怅。梦与现实，判然迥异；人间天上，无路相通。矛盾的情绪、起落的心潮，赋予这首临风高唱的人生狂想曲神放而形眠的独特节奏。

词上片自由挥洒，任意驰骋，极写志寥廓、梦登天的高朗空明境界，意象超越了巨大的时、空，把茫茫大千世界、浩浩历史长河纳入词章，天上玩月一夕，世间俯仰千年。接着出现了飞行绝迹的游仙伴侣：“有客骖鸾并凤，云遇青山赤壁，相约上高寒。”东坡在丙辰年中秋对月唱出：“我欲乘风归去，又恐琼楼玉宇，高处不胜寒。”而稼轩词抒写跨凤乘鸾之客，相约青山（以青山墓地指代李白）、赤壁（以赤壁篇名指代东坡），共上高寒，豪气浓情似又出昔人之上。重霄碧落，援北斗以酌酒，厕身于诗仙词伯之间，睥睨尘寰下界，气概何等超迈，用词亦十分奇特（“虱其间”，寄生混迹其间。字面上是自谦之词。用韩愈《泷吏》诗中语）。下片先以“少歌”（楚辞的乐章音节名）微吟，说明虽有放怀寥廓、落想天外之志，然此身则卧病寺中，只能因歌寄意，恍若鸿鹄飞举，远睹高天厚地以自适而已。方欲重歌再举，而清梦已断，仙游莫续，“惟觉时之枕席，失向来之烟霞”。从美好梦境跌落人间以后，作者惘然独念，愤愤问天：人事为何有亏有全，难以圆满？结句“有美人可语，秋水隔婵娟”，惋惜美人娟娟隔秋水，兴有约无缘、可望而不可即之叹（可意美人、婵娟佳态，均形容吴子似），与上片的有志寥廓、订约高寒相照应，同时暗寓人生怀抱难开、现实何能如意的感喟，寄慨遥深。

稼轩词意境和语言的承袭、化用是多方面的，广参博取，旁推交通，而又一以贯之，按自己的需要来融化改造前人的思想艺术材料。从这首词中可以看出，作者从楚辞中汲取了幽远瑰异之致，如登天之梦，取自屈原《九章·惜诵》；援斗酌浆之灵，取自《九歌·东君》；“少歌”的形式，源于《九章·抽思》；鸿鹄高举之志，化自贾谊《惜誓》。从苏词里汲取了恣肆旷逸之情，如相约上高寒之愿、人事的亏全之问、秋水隔婵娟之思，均自苏词脱化而来。另外，流露在篇章中的一种泠然、洒然的神气，与略早于稼轩的南宋豪放词家张孝祥的作品亦有相似之处。如张孝祥《念奴娇·过洞庭》“尽挹西江，细斟北斗，万象为宾客”、《水调歌头·金山观月》“挥手从此去，翳凤更骖鸾”等句，皆可与本篇对读。但是就基调的总体而言，稼轩式的“星斗撑肠，烟云盈纸，纵横游戏”的独特笔墨，却永远也不致与别的作家等同混淆。

（顾复生）

破阵子

辛弃疾

为陈同甫赋壮词以寄之

醉里挑灯看剑，梦回吹角连营。八百里分麾下炙，五十弦翻塞外声。沙场秋点兵。　马作的卢飞快，弓如霹雳弦惊。了却君王天下事，赢得生前身后名。可怜白发生！

鉴赏

这首词是辛弃疾的名篇之一。此词大概写于作者闲居江西带湖之时。从题目看，是寄给好友陈亮，抒发抗金壮志的。陈亮(1143—1194)，字同甫，号龙川，浙江永康人，著名的爱国词人。辛弃疾和陈亮同属主战派，又同遭投降派的打击迫害。他们的友谊，是建立在抗金、反对投降基础上的战斗友谊。1188 年，陈亮到带湖访辛弃疾，一对志同道合的战友，促膝畅谈，共同研讨战胜敌人的方略大计，准备着杀敌机会的到来。南渡近三十年，词人梦寐以求的就是能指挥百万雄师，驰骋疆场，为国建立功业。然而他的美好夙愿，直到两鬓斑白，也没能实现。他寄给陈亮的这首词，正是表达了这种复杂的思想感情。

这首词题为“壮词”，的确是名副其实的。壮就壮在它形象地描绘了抗金部队的壮盛军容、豪迈意气，道出了英雄的一片壮心。“醉里挑灯看剑，梦回吹角连营。”词人在喝醉酒的时候，还拨亮灯火，深情地端详着心爱的宝剑，在迷离恍惚的醉态中，英雄酣然入梦，一梦醒来，各军营里连续响起了雄壮的军号声。词的开头情景交融,不胜感慨。“醉里”点明是在酒醉之中。此时词人闲居已久,胸中块垒,唯有以酒浇之,而醉时,又触发了他无限的感慨。“挑灯看剑”是写动作和神态。这显示出词人在刀光剑影中抗战杀敌的愿望是多么迫切!首句是现实生活的写照,由“梦回”写到来日破晓。“吹角连营”,正是召唤战士出征杀敌的号角,它意味着士气的高涨,军心的振奋。“八百里分麾下炙,五十弦翻塞外声。”意思是:部下的官兵分食烤熟的牛肉,军乐队奏出雄壮的战歌。“八百里”,牛的代称。《世说新语·汰侈》载,王恺有一头牛,他非常喜爱,名叫“八百里驳”。“五十弦”,瑟有五十弦,这里泛指多种乐器。“翻”,演奏。“塞外声”,反映边塞征战生活的乐曲。这两句进一步渲染军中的战斗气氛。部队有充足的给养,官兵同甘苦,共食“八百里炙”,军乐队“翻塞外声”以鼓舞斗志。这场面是何等壮观、热烈!“沙场秋点兵”,写出了这支士气高昂的队伍的赫赫军威!秋天在战场上检阅军队,秋高马肥,正是用兵杀敌的好时节。五个字,把雄壮威武的阵容,写得栩栩如生。上片以此单句作结,收束有力;而“点兵”二字,也透出激战即将开始。此时,词人难以抑制内心的激情,下片开始便直承上片词意抒写:“马作的卢飞快,弓如霹雳弦惊。”这两句是说英雄骑着快如“的卢”的良马,用着很有力量的弓,飞驰战场,英勇杀敌。“的卢”,良马名。据《世说新语》记载,刘备遇危难,走渡襄阳城西檀溪水中,溺不得出,他骑着的卢马一跃三丈,脱离险境。后来常用“的卢”形容善战的良马。“霹雳”,比喻弓弦的响声如雷。《南史·曹景宗传》:“景宗谓所亲曰:‘我昔在乡里,骑快马如龙,与年少辈数十骑,拓弓弦作霹雳声,箭如饿鸱叫……此乐使人忘死,不知老之将至。’”这两句连用两个比喻,生动描绘了惊险激烈的战斗场面,进一步刻画了冲锋陷阵、杀敌报国的抗战英雄的形象。这个英雄形象正是“以功业自许”的词人的化身。他早年是耿京抗金义军的掌书记,是抗金部队的领导者之一。这两句实则是词人早年战斗生活的反映。“了却君王天下事,赢得生前身后名。”“天下事”,指收复失地,统一祖国的大业;“生前身后名”,意谓生前死后都留下个为祖国、民族建立不朽功勋的美名。字里行间洋溢着爱国激情。这两句道出了英雄的理想,大功告成的喜悦,使词的感情沸升到最高点。结句“可怜白发生”,笔锋陡转,使感情从最高点一下跌落下来,尽吐壮志难酬的无限感慨,揭示了理想与现实的尖锐对立。这一句自成一段,它和首句“醉里挑灯看剑”相呼应,都是写现实生活,而与中间梦境形成强烈对比,有力地表现了报国有志志不伸的悲愤。

这首“壮词”,基调豪迈高昂,大气磅礴。从结构上看,构思奇特,富有创造性。一般填词规律,大抵上片写景,下片抒情,或者下片开始转入新意,使上下片之间有一个明显的界限。这首词则不然。它首尾两句写实,“梦回”以后进入梦境,过片不变,使不可遏制的激情直泻而下,打破了常规的分片写法。这种创造性的突破,是由内容决定的,它显示出辛弃疾在艺术上的独创精神。

(王延梯　胡景西)

鹧鸪天　辛弃疾

有客慨然谈功名,因追念少年时事,戏作

壮岁旌旗拥万夫,锦襜突骑渡江初。燕兵夜娖银胡䩮,汉箭朝飞金仆姑。　追往事,叹今吾,春风不染白髭须。却将万字平戎策,换得东家种树书。

鉴赏

辛弃疾二十一岁便毅然投笔,“鸠众二千,隶耿京,为掌书记,与图恢复,共籍兵二十五万,纳款于朝”(《美芹十论》)。绍兴三十二年(1162),辛弃疾奉耿京命,往南方见高宗。不久,耿京为叛徒张安国所杀。他在归途中得悉这一消息后,“乃约统制王世隆及忠义人马全福等,径趋金营。安国方与金将酣饮,即众中缚之以归。金将追之不及。献俘行在,斩安国于市”(《宋史·辛弃疾传》)。这时,辛弃疾才二十三岁。这首词上阕所写的就是对当年这些英勇战斗的回忆。

词的开头两句是说,我在年轻时代曾经率领过上万的军队,而跟随我一道渡江的都是穿着锦衣的精锐骑兵。上句写的是他在家乡鸠众起义的事,下句是写他生擒张安国后带领一部分起义军渡江回南宋时的情景。“燕兵”两句就具体描述了战斗场面,辛弃疾自从“鸠众二千,隶耿京”,一直到南渡时所经历的种种惊险战斗都概括在这两句里，特别是他突入金营五万军中生擒张安国时的战斗情况，更使他永不忘怀，自然流露笔端。这两句意思是说，金兵夜里都忙于准备箭筒，修筑工事，应付战斗，而宋兵一待拂晓就发起进攻，向他们袭击。其实，这两句是互文见义，双方都在准备，都在互相攻打。而“夜娖”和“朝飞”互文，又显见其战争的频繁，连续不断。虽然，这里没有正面描写双方的激战，但激战已从此反映出来了。同时这两个词也寓褒贬于其中，所谓“燕兵夜娖”“汉箭朝飞”，无疑是给读者这么一个印象：金兵被动，忙于应付；宋军主动，勇于杀敌。这样，既暗示出金兵外强中干的虚弱本质，也充分表现了宋军勇敢战斗的英雄气概，而两者又恰恰形成鲜明的对照。

辛弃疾在少年时代确实干过一番事业，有杀敌报国的雄心。然而南渡后他却未被重用，尽管屡次进呈《美芹十论》等章奏，审时度势，出谋划策，但都不为南宋王朝所采纳。甚至从宋孝宗淳熙九年（1182）至宋宁宗嘉泰三年（1203），除了中间出任福建提刑和安抚使不足三个年头外，在将近二十年的漫长岁月中，完全被弃置不用。这样，下阕转入写自己当前的处境，就不免发出英雄老矣、壮志未酬的感慨了。“追往事，叹今吾，春风不染白髭须。”回想起过去的事情，未免感叹今天的我——年老了，已经白了的胡子，不能再被春风染成黑色了。一句话，不平凡的少年时代已一去不复返了。“春风”句是一种借喻手法，是说春风能吹绿草木，但不能染黑自己的白胡子。这一借喻，别有风味。欧阳修《圣无忧》词：“春风不染髭须。”正辛词所本。

辛弃疾为什么发出人生短促的慨叹？这并非他贪图享乐而恐此命不长的哀叹，而是另有原因，结尾两句就表达了这意思。“平戎策”，指的是作者的《美芹十论》和《九议》等陈述抗敌的意见书。作者是怀着满腔的爱国热情而竭尽心血来献策的。但是，到头来“平戎策”所“换得”来的，不过是让他跟东边邻居学学栽花种树的玩艺罢了。这样，作者被闲置不用的不合理就已通过这些具体、形象的对照，明显地表达出来，给读者以深刻的感受了。这里充满了辛弃疾抑郁不平的情绪，这种情绪是由于他的驱除金兵、整顿乾坤的理想不能实现所产生的。唯其如此，辛弃疾的悲叹和一般的叹老嗟卑不同，它是英雄志士的失意的悲愤。个中牢骚感慨遥深。

（郑孟彤）

西江月　辛弃疾

遣　兴

醉里且贪欢笑，要愁那得工夫。近来始觉古人书，信着全无是处。　昨夜松边醉倒，问松我醉何如？只疑松动要来扶，以手推松曰去！

鉴赏

这首词大约是辛弃疾后期闲居瓢泉时所作。词人一生立志报国，希望亲上前线杀敌，完成祖国统一大业，可是这志向一直未能实现，却被两次罢官，前后闲居了近二十年。这二十年中，词人该有多少愤慨、多少忧愁？过去诗词中常用山之高、水之长来形容忧愁之多，如杜甫的"忧端齐终南"、李后主的"问君能有几多愁，恰似一江春水向东流"，等等。可是辛弃疾在这里完全舍弃了传统写法，却说没有工夫发愁。明明是闲居，怎么会没有工夫？词人说忙在喝酒"贪欢笑"。可是用了一个"且"字，就从字里行间流露出这"欢笑"比"痛哭"还要悲哀：词人无法排解内心的苦闷和忧愁，姑且想借酒醉后的笑闹来忘却忧愁。这样，把词人内心的极度忧愁深刻地反映了出来，比用山高水长来形容愁显得更深切，更形象，更可信。接着两句进一步抒写愤激的情绪。孟子曾说过："尽信书，则不如无书。"说的是书上的话不能完全相信。而词人却说，最近领悟到古人书中的话都是不可信的，如果相信了它，自己便是全错了。表面上好像是否定一切古书，把古人都骂倒了。其实这只是词人发泄对现实的不满情绪而故意说的偏激话，是针对南宋朝廷中颠倒是非的状况而说的。辛弃疾主张抗战，反对投降，要求统一祖国，反对分裂，这些本来都是古书中所说的正义事业和至理名言，可是被南宋朝廷中的当权派说得全无是处，这岂不是说明古书上的道理现在都行不通了吗？词人借醉后狂言，很清醒地从反面指出了南宋统治者完全违背了古圣贤的教训。

下片则完全是描绘一次醉态。先交代一句:时间发生在“昨夜”,地点是在“松边”。这次醉后竟与松树对话,问松树自己醉得如何,这是醉态之一。以松树为友,可见知音极少。自己醉后摇晃,却以为松树摆动;明明是自己扶着松树站起来,却说松树要扶他,这是醉态之二。最后是用手推开松树,命令它走开。表现独立不倚的倔强性格,这是醉态之三。这些醉态写得非常逼真,可谓惟妙惟肖。但这不拘形迹的醉态,实际上也都是表现对当时现实的一种反抗。题目曰“遣兴”,也说明这是在抒写情怀。词中曲折地表达了自己的思想情绪。

此词语言明白如话,文字生动活泼,表现手法新颖奇崛,体现了作者晚年清丽淡雅的词风。

(郁贤皓)

永遇乐　　辛弃疾

京口北固亭怀古

千古江山,英雄无觅,孙仲谋处。舞榭歌台,风流总被,雨打风吹去。斜阳草树,寻常巷陌,人道寄奴曾住。想当年,金戈铁马,气吞万里如虎。　元嘉草草,封狼居胥,赢得仓皇北顾。四十三年,望中犹记,烽火扬州路。可堪回首,佛狸祠下,一片神鸦社鼓。凭谁问,廉颇老矣,尚能饭否?

鉴赏

此词写于宋宁宗开禧元年(1205),辛弃疾六十六岁,在镇江任知府。当时韩侂胄执政,正积极筹划北伐。辛弃疾支持北伐抗金的决策,但认为应当做好充分准备,绝不能草率从事,否则难免重蹈覆辙,使北伐再次遭到失败。辛弃疾的意见非常正确,可惜没有引起南宋当权者的重视。一次他来到京口北固亭,登高眺望,怀古忆昔,心潮澎湃,感慨万千,于是写下了这篇千古传诵的杰作。

上片即景生情,由眼前所见而联想到古代两位著名的英雄人物。“千古江山”六句，追忆三国时的吴帝孙权，感叹山河长存、人世沧桑。辛弃疾十分仰慕孙权，曾多次称赞他具有雄才大略，敢于和强敌曹操、刘备抗衡，确保父兄基业，使东吴政权得以巩固。京口一度作为吴国的都城，是在孙权称帝后才发展起来的。作者于此怀古，首先想到的自然是他。这六句的大意是：雄伟壮丽的江山千秋万代依旧如故，可是却无处寻找孙仲谋那样的英雄人物；当年的歌舞楼台经过长期风吹雨打早已荡然无存，英雄的业绩也随着时光的消逝而无影无踪。悼古意在伤今，言外之意是说当前无人能够力挽狂澜，振兴宋室，抵御外侮。“斜阳草树”六句，缅怀东晋时的刘裕，盛赞其北伐时的雄姿和声威，暗示出自己杀敌报国的决心。刘裕于东晋末年挥师北伐，先后灭南燕、后秦，曾一度收复洛阳、长安等地。京口是刘裕（寄奴乃其乳名）的出生地，也是他起兵的地方，所以作者接着又想到了他。这六句的大意是：夕阳映照着荒草杂树，一条普普通通的街巷，人们都说刘寄奴曾经在这里住过。遥想当年，他统帅雄师北伐，横戈跃马，气吞山河，转战万里，势如猛虎下山。以上两段怀古，都与京口有关，由当地风光引出历史人物，将写景、叙事、抒情融为一体，笔调沉雄凄婉，意境苍凉悲壮，寄寓了作者对国事的感慨和忧虑，意蕴深远。

下片换头“元嘉草草”三句，用宋文帝刘义隆失败的故事，告诫南宋当权者对北伐应当做好充分准备，切不可轻敌冒进，草率出兵。据《宋书·王玄谟传》，南朝宋文帝曾对殷景仁说：“闻玄谟陈说，使人有封狼居胥意。”于是在元嘉二十七年（450）派王玄谟进攻北魏，结果由于准备不足，料敌不明，而导致惨败。又据《宋书·索虏传》，元嘉八年（431），宋文帝因滑台失陷，曾作诗说：“惆怅惧迁逝，北顾涕交流。”词中用三句话概括刘义隆的失败，言简意赅，目的在于以古鉴今，提醒主持朝政的人吸取历史教训，不要让“仓皇北顾”的悲剧重演。这充分说明辛弃疾深谋远虑，老成持重，对形势有着清醒的估计和认识。可惜他的忠告并未引起南宋当局的重视，结果“开禧北伐”最终遭到惨败，重蹈“元嘉草草”的覆辙。这三句借古喻今，凝聚着词人对国事的隐忧，针对性是很强的。“四十三年”三句，宕开一笔，由怀古而转入忆昔。回想四十三年前，金主完颜亮大举南侵，曾占领扬州等地，造成严重的破坏，这情景至今记忆犹新。可是如今局面还是和当年一样，山河破碎，中原未复，祖国仍未统一，而自己却由“壮岁”进入了暮年，怎能不使人无比悲痛、感慨万端呢?“可堪回首”三句,再推进一层,由回忆自身的经历而转入描写当前的时事。词人站在北固亭上,仿佛看见江北瓜步山上乌鸦乱飞,听到社鼓咚咚,人们正在佛狸祠下迎神赛会!词中所展示的这幅画面含义很深,耐人寻味。作者的意思是说,拓跋焘(佛狸)本是外族入侵者,人们竟在他的祠庙前祭祀,鼓乐喧天,闹得不亦乐乎,说明在百姓心里民族意识已经模糊。这都是由于南宋统治集团苟且偷安,执行妥协投降政策造成的恶果。“可堪回首”,一语千钧,不但使后两句的画面具有了深刻的政治内容,而且也表达出作者忧时伤世的强烈感情。结拍三句,以老将廉颇自喻,概括了自己一生的坎坷遭遇,表明如今虽然年纪老大,但雄心犹在,尚能为国杀敌立功,但朝廷是否了解我的一片忠心而加以重用呢?实在难以逆料。全篇以疑问句结束,反映了作者虽然被重新起用,但仍感到不受重用,难以尽展其才的苦闷心情。

这首词写得沉痛悲壮,语言精练深刻,虽然用典较多,但都关合时事,用得十分贴切,艺术感染力很强。词的结构严密,层次井然,既有写景、叙事,又有议论、抒情,纵横开阖,一气贯注,思想性和艺术性达到了高度的统一,是稼轩词中很有代表性的作品之一。

(喻朝刚)

南　乡　子　　辛弃疾

登京口北固亭有怀

何处望神州?满眼风光北固楼。千古兴亡多少事?悠悠,不尽长江滚滚流。　　年少万兜鍪,坐断东南战未休。天下英雄谁敌手?曹刘。生子当如孙仲谋。

鉴赏

本词是作者嘉泰四年(1204)到开禧元年(1205)知镇江府(三国吴时始于镇江置京口镇,故镇江又称京口)时所作。北固亭(又称北固楼)在镇江北固山头,下临长江,形势险峻。此亭建于东晋,后来废毁,孝宗、光宗时,守镇江府的官吏又先后在旧址上进行了重建。作者晚年登北固山,感慨历史的兴衰,于是写下这首词。

自南宋与金国划淮水为界之后,京口便成了长江下游的军事重镇。作者在这里的山巅登楼远眺,他日夜都想恢复的中原之地(神州),却全然望而不见。南北的交争,列朝的兴亡,这种永无休止的变化,正如奔腾东下的长江之水一般。这是作者囊括了时间和空间的全局,从宏观上发出的一种感慨。

《三国志·吴书·蜀先主传》曾载曹操的话:“今天下英雄,唯使君(刘备)与操耳。”《三国志》又载曹操赞叹吴主孙权驭军有方的话:“生子当如孙仲谋,刘景升儿若豚犬耳。”(刘景升即刘表,其子琮举荆州降曹,为曹所鄙视)孙权十九岁继承父兄业为江东主,时曹操已四十六岁,刘备三十九岁。

京口是三国孙吴建都之地,作者在下片便把笔锋集中在三国这一特定时期和当时的几个特定人物身上。吴主孙权年未满二十,便已做了上万战士(兜鍪,战士的头盔)的统帅。他并不满足于占有东南半壁江山,一直在不停地出战争雄。尽管与他对阵的是曹操、刘备那样的一世之雄,但他也满不在乎。终令曹瞒也不得不赞叹道:“生子当如孙仲谋!”作者的言外之意是:而今宋朝也只是占有东南半壁,而在掌握军政大权的人物中,可曾有一个能与孙权相比的吗?

本篇在写作技巧上有三个特点。一、是把写景与抒情、议论密切结合起来,而且都是围绕着“登北固楼”的主题,大处落墨,视野开阔:远眺只写风光无际,近处只写滚滚流水(是用杜甫《登高》诗中“不尽长江滚滚来”、苏轼《次韵前篇》诗中“长江滚滚空自流”句);抒情则只集中于慨叹“千古兴亡”的悠远难追;议论则也仅仅赞扬在京口开创伟业的少年英雄孙权,气魄极其宏大雄壮。能在小令中包含如此重大的题材内容,气势又如此壮阔,古今词中实不多见。二、是全词的层次极为分明。整篇三问三答,自相呼应,创前所未有的意境。三、是融化古人语言入词,曹操的两句话被巧妙地安排在下片,很自然地形成一问一答,活用典故成语,毫无斧凿痕迹。融经铸史,驱遣自如,原为稼轩词的一大特点,而在这首词中,更达到了出神入化的境地。

(邓广铭　辛更儒)

千　年　调　　　辛弃疾

蔗庵小阁名曰卮言，作此词以嘲之

卮酒向人时，和气先倾倒。最要然然可可，万事称好。滑稽坐上，更对鸱夷笑。寒与热，总随人，甘国老。　少年使酒，出口人嫌拗。此个和合道理，近日方晓。学人言语，未会十分巧。看他们，得人怜，秦吉了。

鉴赏

这首《千年调》，借题发挥，指桑骂槐，愤世嫉俗，泄发一肚皮不合时宜，极嬉笑怒骂之能事，在稼轩词中别具一格。“蔗庵”，是郑汝谐居官信州时在当地城隅山顶所建的一所宅第，辛弃疾词作中共有三首与它有关。稼轩、蔗庵，气味相投，诗酒过从。郑氏的小阁取名“卮言”，辛弃疾的这首讽刺词就由此生发开去。

“卮言”始见于《庄子·寓言》：“卮言日出，和以天倪。”陆德明释文引王叔之云：“卮器满则倾，空则仰，随物而变，非执一守故者也。施之于言，而随人从变，已无常主者也。”辛弃疾正是巧妙地抓住了卮这种酒器随人俯仰、因物而变的特点，施之于言，鞭辟入里地揭露当时上层社会那种见风使舵、已无常主的习气，刻画阿谀苟且之徒的嘴脸。

上片以连类而及的铺叙笔调，列举酒卮、滑稽、鸱夷等酒器，赋其性状，论其特质，而以寒热随人的“甘国老”小结。“卮酒向人”，倾倒出“谦谦君子”的一团和气；最要紧的是唯唯诺诺、什么都行（《庄子·寓言》：“无物不然，无物不可。”），“万事称好”，一概言佳；宾筵坐上，尤其要像“滑稽”（一种“转注吐酒，终日不已”的流酒器）对着“鸱夷”（“腹如大壶”的革制酒囊）那样，笑口常开，圆转无穷，传杯不歇；如此冷热随人，方能成为“调和使诸药有功”的甘草（号称甘国老）。

下片，进一步针砭世俗庸流的这种“和合”之道，树起了他们的对立面——因酒任性，出口违俗，未会学舌，不谙迎合的正面形象。最后作者冷眼向洋,愤激地呼出:"看他们,得人怜,秦吉了。"这种鸟,"耳聪心慧舌端巧,鸟语人言无不通"(白居易《新乐府·秦吉了》),阿谀学舌,得宠于时,它们的媚腔妖调甚嚣尘上之时,便是国家民族危机深重之日!词的上下片,分别以"甘国老""秦吉了"歇拍,一击两鸣,前呼后应,憎恶之情又递进一层。

熔经铸史,驱使百家,笼万物于笔端,化腐朽为神奇,稼轩笔力,罕有其匹。读此词大可体会他用事的特长。词中以器物而言,则有酒卮、滑稽、鸱夷;植物有甘草;动物有秦吉了;神人有和合(民间传说中的"和合二仙",一持荷花,一捧圆盒,象征和谐好合。宋时杭城腊日祭祀此神,亦称"万回"。见《西湖游览志》)。以成语而言,直接引用的有"万事称好"(用黄庭坚诗);改组化用的有"然然可可"(用《庄子》)等。一首短调之中,博喻巧譬,新辞旧典,拈来信手,一气呵成,不平之鸣,随处辄发,所嘲对象的表现和特性,于是剖露无余,情伪毕见。

(顾复生)

粉　蝶　儿

辛弃疾

和晋臣赋落花

昨日春如十三女儿学绣,一枝枝、不教花瘦。甚无情,便下得、雨僝风僽。向园林、铺作地衣红绉。

而今春似轻薄荡子难久。记前时、送春归后。把春波都酿作、一江醇酎。约清愁、杨柳岸边相候。

鉴赏

赵晋臣是敷文阁学士,写有落梅词,辛弃疾写这首词相和。

词的上片写"昨日春",下片写"今日春",在上下片的对比描写中,以多重比喻构成意象,并形成意象的多重暗示性。

"昨日春如十三女儿学绣,一枝枝、不教花瘦",词以十三女儿学绣的形象比拟,描绘了昨日梅花丰盛、肥大、烂漫的春光美景。说"十三女儿学绣",十三岁的女孩儿,天真烂漫,充满幻想,活泼调皮,热爱生活,无拘无束;她看样学样,虽然歪歪扭扭,却尽力绣去,绣得热烈丰满,不拘一格。在这形象化的比喻和拟人化的手法中,通过描画梅花的怒放,把烂漫的春光形象化了——梅花怒放本是自然形态,但词人偏说是“十三女儿学绣”,把自然形态化为人事形态,把自然意象化为人事意象,在这之中寄寓着词人的热烈愿望与生活理想。想象奇丽,比拟奇绝,跳跃动荡,充满活力。

“甚无情,便下得、雨僝风僽。向园林、铺作地衣红绉”,承上比拟转入写实。老天无情,竟然叫风雨摧残,落红遍地,园林中好像铺上了一层带有绉纹的红色地毯。风吹雨打,遍地落红,一派春归景色。说“甚”,说“便下得”,说“铺作”,在暮春景色刻画中流露出浓重的惋惜哀伤之情。

上句比喻虚拟,这句眼中实景,点题落花,由虚入实,由梅花怒放到梅花凋落,写昨日春景春情。在比拟本身与比拟对象之间,词人注意到了它们间的双关与联想的对立统一关系,也注意到了它们间的空间距离与某种相似点的对立统一关系。

下片,“而今”二字承上由昨日春转入今日春的描写。“而今春似轻薄荡子难久”,这是又一个奇特的比拟。浪荡子弟,轻薄无情,难以久留,使人悲痛,令人伤情。轻薄荡子,漂泊不定,人生失意,无情无绪,用来比拟今日春光之短暂难留。

“昨日春如十三女儿学绣”,“今日春似轻薄荡子难久”,两个比喻,两种意象,比拟的具体性与选择性,它们本身所显示的特点及其强烈对照性;昨日春之热烈与今日春之冷淡,昨日春之充满生气活力,今日春之消沉颓唐,昨日春之希望与今日春之失望,以及两种意象的内在无限容量,都给人以多重暗示。词人不仅写自然的春天,春天在这里已具有更为丰富更为复杂的内涵。

“记前时、送春归后。把春波都酿作、一江醇酎”,一个“记”字,是追记,是回叙,是关注,也是重心转移,由昨日春愁转为今日春愁。昨天与今天,历史与现实,昨日之热望与今日之失望,统统连成一片,作了统一的表达。“送春归后”,是叙述春归情景:这个情景印象太深了、太重了,久久难以忘怀,故曰“记”。“把春波,都酿作、一江醇酎”承上难忘作深入抒写。一江春水都化作浓酒,这里以酒之多如江水,反射愁之浓重,使用了艺术上的反射手法,也是又一次使用比喻构成意象的手法。前人多以水拟愁:“问君能有几多愁,恰似一江春水向东流。”这是以春天江水喻愁情无限;“春去也,落红万点愁如海”,这是以海之幽深喻愁情深重。稼轩一反传统的比喻手法,不说愁情如江如海，而说销愁的浓酒多如江水，以酒之多而且浓反射并比拟愁情之深而且重，在转进一层的形象比拟中把愁情写足，使抽象的愁情形象具体，并具有可感性，这是稼轩在艺术上的又一创新。

水与愁情，酒与愁情，酒与江水，从以具体事物比拟抽象愁情到具体事物之间的相比拟、相比照——这之中略去抽象的愁情，实际上是在更高一级的具体性的比拟中构造意象，创造了意象的无限性。

“约清愁、杨柳岸边相候”，直说“清愁”，由迎春写到春愁。“清愁”本不可约，这里不仅说约，而且还要在“杨柳岸边相候”，把“清愁”写成情人，写成挚友，写成知己，与词人共饮一江醇酎，共同饮酒解愁，与“清愁”一起解愁。上句不说愁情而说醇酎，醇酎就是春愁；这里直说清愁，却又相约，共饮醇酎，是醇酎，是清愁。酒与愁本为一，这里又分为二，而相约会饮，又是合二而一。词在酒与愁、人与酒、人与愁的相分相合中收结，结得余意不尽，表达了词人极深婉又极浓重的悲愤之情。

词由昨日春愁引出今日春愁，从昨日的烂漫春光引出今日的春光难留，从今年的春愁想到去年的春愁，在一连串的形象比喻描写中，在昨日春与今日春的强烈对照描写中，甚至在比喻本身的艺术对比中，揭示了词人对春天的热爱与悲伤的复杂感情。

清人陈廷焯在《白雨斋词话》中评此词：“稼轩《粉蝶儿》起句云‘昨日春如十三女儿学绣’，后半起句云‘而今春似轻薄荡子难久’，两喻殊觉纤陋，令人生厌。”他对辛词中的两个比喻作了否定性的评论，这正反映了陈的美学观点的封建性与保守性，我们认为这两个比喻不仅贴切逼真，真朴生动，而又极富创造性；就因为有这两个极富创造性的比喻，才使这首词具有不拘一格的灵动之气。

这首词在概括对比的描写中，以多重比喻构成意象，形成意象的多重暗示与联想，表达词人对春天的热望与失望的复杂感情。又以粗笔，将春天人格化为十三女儿、轻薄荡子，春天活脱脱地在你身旁，她有个性，有喜怒哀乐，甚至满怀忧愁。

春天在稼轩词中已不只是自然意象，而具有更为广泛的象征意义——从自然意象转化为社会意象，具有抗战时机、祖国复兴、抗金壮志等意义在。

（张碧波）

水调歌头　赵善括*

渡　江

山险号北固，景胜冠南州。洪涛江上乱云，山里簇红楼。堪笑萍踪无定，拟泊叶舟何许？无计可依刘。金阙自帷幄，玉垒老貔貅。　　问兴亡，成底事，几春秋？六朝人物，五胡妖雾不胜愁。休学楚囚垂泪，须把祖鞭先着，一鼓版图收。惟有金焦石，不逐水漂流。

作者

*赵善括，字无咎，号应斋，隆兴（今江西南昌）人。生卒年不详。宋孝宗朝登进士第。乾道七年(1171)知常熟县。八年(1172)通判平江府，又为润州通判。淳熙六年(1179)知鄂州，放罢。十六年(1189)差知常州。后主管建宁府武夷山冲佑观。诗词骏迈，风格似辛弃疾。有《应斋杂著》六卷。

鉴赏

这是镇江怀古抒情之作，应是赵善括通判润州时的作品。

南宋国势险危，中原沦陷于金人，词中以雄伟的气魄，悲壮慷慨的笔调，倾吐了渴望渡江收复失地的爱国豪情。上阕从极目所见抒发个人身世之悲。“山险号北固，景胜冠南州。”江山险要，胜景冠绝，开篇从赞叹北固山着笔，颂扬北固山的天险，赞美北固山美丽的景色超过长江以南各州。“洪涛江上乱云，山里簇红楼”，具体描绘北固山的胜景。长江滚滚的波涛与乱云连成一片，北固山头红楼簇簇，大自然的风光，点缀着美丽的建筑物，构成一幅具有特色的画面。“洪涛”与“乱云”的客观景色，又象征着国势的动荡不安。面对如此江山,作者心绪很不平静,因国家的危难和个人的生活感到不胜凄凉。“堪笑萍踪无定”,以无根的浮萍比喻自己的漂泊。他说,可笑我漂泊各处,好像无根的浮萍任水冲来荡去,无处栖息。“拟泊叶舟何许”,像一叶小舟一样能在何处停泊呢?“无计可依刘”,极言自己无依无靠,无处投奔。他以东汉末年的王粲自况,而在这战乱的年代连肯收容王粲的刘表也找不到。这种“萍踪无定”的“堪笑”是何等凄凉的苦笑!而个人的不幸在于国家所遭受的灾难。赵善括是皇族的后代,他是太宗第四子商王元份六世孙,除了国难,还有他特有的家难,比别人更深了一层。“金阙自帷幄,玉垒老貔貅”,“金阙”指朝廷。“帷幄”本是帐幕,这里说定计。《史记·高帝本纪》记汉高祖刘邦对群臣说“运筹策帷帐之中”,因此“帷幄”有作出最高决策的意思。“玉垒”,军营,“貔貅”指战士。这两句是说,南宋朝廷长期不作出决策,使得待命作战的战士在军营中消磨时日而衰老了。这一系列的抒怀,都是从“景胜冠南州”的险要的北固山引起的。词的下阕是缅怀古人而作澄清天下之计。过片以“问兴亡,成底事,几春秋”的感慨转入怀古,作者以强烈的感情反问:多少年来,老听说要恢复山河,有什么成效呢?当前国家处在一种怎么样的局面?作者在反问之后又自设答语:“六朝人物,五胡妖雾不胜愁。”南宋偏安江南,金人占领了黄河流域,跟六朝、五胡割据的政权相似,是动荡、分裂的历史局面的再现。作者以“六朝人物”比衬南宋人物,在六朝时,固然曾有过立志还我中原、恢复统一的英雄,但更多的是醉生梦死、苟安偷乐的帝王将相和风流名士,现在南宋不是也一样吗?词中又用“五胡”割据黄河南北、中原笼罩于妖雾之下和今日金人相比,历史的重演令人“不胜愁”。接着,作者陈述他的爱国理想,对民族和国家的力量充满信心。他并没有让愁情弥漫开去,而是鼓励大家在严酷的现实面前积极奋发,为统一国家而努力。“休学楚囚垂泪,须把祖鞭先着,一鼓版图收。”铿锵的句子,充满着决心和力量。“休学”句用《世说新语》王导批评周𫖮等人新亭对泣之语:“丈夫当戮力王室,何至作楚囚相对?”应该学祖逖一样,抢在别人前面建功立业,一鼓作气收回国土。最后以金山和焦山之石来比喻恢复中原的坚强意志,“惟有金焦石,不逐水漂流。”长江中金山和焦山之石,坚定地屹立江中,不随波逐流,爱国志士的统一国家的意志,也如金山、焦山之石,永不动摇。雄伟的气魄,激昂的豪情,回荡于词篇之中。

这是一首具有强烈爱国精神的词章,全篇紧紧围绕着"渡江"的主旨,以怀古的形式达到咏今的目的,抒发了作者对收复河山的热切愿望。词中奔涌着作者抑制不住的豪情,表现了他坚定不移的恢复国土的宏伟怀抱,风格沉郁顿挫,笔力刚劲雄健。篇中大量运用典故,非常曲折而又贴切地表达了作者的理想和抱负。气势磅礴,境界开阔,颇具辛词的风格特征。

(唐玲玲)

水调歌头　　赵善括

饯吴漕

浩叹对青史,循吏久无闻。二年江右,赖公华节布阳春。才自搴帷问俗,无复埋轮当道,一路尽澄清。多少攀辕意,不待及瓜人。　驻青车,迟祖帐,倒离尊。满庭桃李绿阴,何处不深恩?此去玉音应问,底事金围微减,忧国更忧民。造膝一言语,四海入洪钧。

鉴赏

赵善括的词,风格骏迈。这首《水调歌头》,是为饯别吴漕而作。宋代所设置的各路转运使,管理一路民政、财政、司法等,一般习惯称为"漕"。词中有"二年江右",所以吴漕当是一位姓吴的江西转运使。在他离开江西时,赵善括写这首词为他送行。他歌颂这位转运使的政绩,说他为人民造福,并预计他到国都杭州之后,一定受到皇帝的慰问。是一篇歌功颂德的词章。

开篇从宏观着笔,用历史眼光审视现实,并用否定的意态入题,然后才进一步引起下文的颂歌。"浩叹对青史,循吏久无闻",面对史册而浩然喟叹。为什么呢?因为守纪爱民的好官吏很久不被称道了。这首词的创作必要性,因此有了历史的、客观现实的依据;他挥笔直书,称赞吴漕的德政,并向社会广为弘扬,正是必要的。这种笔法,比正面叙说推进一层,有力地领起下文。接着就是颂扬吴漕政绩:“二年江右,赖公华节布阳春。”指吴任江西路转运使有两年时间,这一带的人仰仗着他的治理如浸润于阳春的德泽中。“华节”,符节,汉代皇帝派到地方的使者,持有皇帝所给的符节作为凭证。以后大行政区的长官,受皇帝之命管理地方政事,虽不持符节,但仍用“持节”一词。“华”是光辉之意,属赞美之词。“布阳春”即遍布和暖的春意。这里用阳春比喻仁政使人民生活美好,这是概括的描写。那么,他是如何使人民受益的呢?词意又深入一层,然后一件一件地列举德政的具体内容:“才自褰帷问俗,无复埋轮当道,一路尽澄清。”先是他能深入到老百姓当中去,了解风土民情和庶民的生活状况,亲自接近人民。“才自褰帷”,谓刚到任,下车伊始。“褰帷”,掀开车帘。“问俗”,询问风俗,了解人民的生活情况。由于他有细察民情的好作风,奸险邪恶的人就不敢横行霸道了,“无复埋轮当道”,是说再用不着为锄去奸恶而使人埋住车轮了。汉代的张纲埋下车轮(以示不战胜坏人决不离开)是因为豺狼当道,现在作恶者销声匿迹,所以说“一路尽澄清”。这样的循吏,当然是受到老百姓的拥护和挽留,因此,词意很自然地转入写他离开时的情景:“多少攀辕意,不待及瓜人。”“攀辕”是挽留之意,指人们攀住车辕,不让他离开,表示对他的爱戴和留恋。“及瓜”,事出《左传》,齐襄公派连称等戍守葵丘,瓜时而往,及瓜而代,此处“及瓜人”指继任者。“不待及瓜人”是要求他再继续在当地治理下去,不要等待来接替的官吏,这就把老百姓对吴漕的热爱和他们的愿望充分地表露了出来。词作写吴漕的政绩,并非一味将所要称赞的人和事孤立地渲染夸张,而是把“官”与“民”结合在一起,把人和事放在送行的过程中加以描写,用不断转换视角的艺术手段,使作品的立意达到一定的深度和广度。写到这里,一位刚直不阿、忠于职守而热爱老百姓的循吏的形象,就显露在读者面前了。词的下阕,写送别时的深情厚谊。过片“驻膏车,迟祖帐,倒离尊”,紧紧扣住题目的饯别,饯别宴会上的盛况,在这里见出一个侧面。“膏车”指在车辖上涂了油膏的车,使车在旅途中行驶得更快。“祖”是饯行,“祖帐”指为饯行摆酒而设的帐幕。“离尊”是送行的别酒。这里以“驻”“迟”“倒”三个动词形象地表现送行人的情意,停下了车,延长了饯别宴会的时间,斟酒在送行宴会的酒杯里。这一切,都表示对吴漕的尊敬和惜别依依。情意从何而来呢？“满庭桃李绿阴，何处不深恩”，以桃李的茂盛比喻吴漕推荐而成才的人数众多，哪一地方的人不受到他深厚的恩惠呢？他培养的人才已经桃李成荫，人们在心上热爱他，感激他。接着，笔调跌宕，写作者的想象和祝愿，强化前面所抒写的深情，“此去玉音应问，底事金围微减，忧国更忧民”，这里宴会上送别者对吴漕的预期，大家说，像你这样的循吏，这次回国都去，皇帝一定会关怀及询问你，你为什么比过去消瘦了，是因为忧国忧民吧？“玉音”指皇帝说的话，“金围”是指古代贵宦腰上所系的金带。“微减”言因政事劳累而稍微消瘦，这里叙说他的政绩皇帝早已知晓，并给予褒奖。最后以“造膝一言语，四海入洪钧”二语作结，意思是说，你在皇帝身旁进言，能使普天下的百姓都得到好处。作者以满腔的热情，希望吴漕还要为全国老百姓造福。

这首词写得豪放酣畅，内容虽是送别，但没有一般饯别词那种悲愁哀叹的气氛，却洋溢着得意昂扬的情调。词中通过细节的刻画，塑造了一位循吏的形象，寄托了人民对官吏的希望。上下片意脉贯通，笔势豪放，用典贴切。更可贵的是，作者把这一历史人物放在整个历史长河中去比较，在历史的视野中去考察，吴漕的政绩就更显得可敬。

（唐玲玲）

水龙吟　　程垓*

夜来风雨匆匆,故园定是花无几。愁多怨极,等闲孤负,一年芳意。柳困花慵,杏青梅小,对人容易。算好春长在,好花长见,元只是、人憔悴。　回首池南旧事,恨星星、不堪重记。如今但有,看花老眼,伤时清泪。不怕逢花瘦,只愁怕、老来风味。待繁红乱处,留云借月,也须拚醉。

作者

*程垓,字正伯,号书舟,眉山(今属四川)人。生卒年不详。以词名,有《书舟词》一卷。

鉴赏

本篇是触景怀旧之作,兼寓词人的羁旅之愁。

词人选择在一夜风雨过后的清晨落笔:“夜来风雨匆匆,故园定是花无几。”在古代词人的笔下,风雨往往是送春的使者。辛弃疾不是有“更能消几番风雨,匆匆春又归去”(《摸鱼儿》)的感慨吗?李清照不是因为一夜雨疏风骤,而触发出“绿肥红瘦”的感伤吗?此刻,身处异乡异地的词人,在风消雨歇之际,生出故园之思,他猜想故居的庭院定是一番落英满地、残红狼藉的景象了。关心花事,透露出词人伤春惜时的情绪;故园之思,意味着羁旅之愁的难耐。于是在种种忧愁的缠绕与煎迫中,词人发出了“愁多怨极,等闲孤负,一年芳意”的慨叹。“孤负”即辜负。“等闲孤负”两句,谓正因自身“愁多怨极”,所以无心赏花,白白辜负了一年的春意。这里既有惋惜对方流芳易谢、红颜暗老的伤感,又含有词人自己年华老大、蹉跎迟暮的苦闷。“柳困”三句,词人的视线伸出户外,看到困乏的柳条,慵倦的春花,青青的杏儿,小小的梅子。倦柳、慵花是暮春的景物,梅、杏在春末夏初成熟,它们是季节转换的象征。春天虽然在悄悄退走,节候虽然在暗暗转移,而自然界不断变换的风光仍然呈现出千姿百态的生机。正是“人生易老天难老”,在这充满无限生机的大自然面前,词人不得不发出无可奈何的慨叹:“算好春长在,好花长见,元只是、人憔悴。”

换头转入怀旧。“池南”,当是词人与情人当年欢会的处所,至少也是二人情意绵长的见证。然而往昔令人心驰神往的一切已只是星星点点、依稀恍惚地出现在词人记忆的屏幕中,而且它们已经是不堪回首了。时间像无情的流水,冲刷了词人美好的回忆,也一去不返地载走了他青春的年华。抚今思昔,感慨难平。心神憔悴的词人不禁洒下一掬伤时的清泪。“如今但有”三句,明白如话,但其中含有无限的悲凉与辛酸。词人说,他怕的还不是红衰翠减的暮春景象,怕的是眼前这一切所引起的衰颓、迟暮之感。“不怕逢花瘦”两句补足了上面的意思,说尽了词人无比凄凉的晚景。最后,词人表示,他要在落红飞舞的残春,趁着美好的风月,来它个一醉方休。“留”“借”二字,使伤春惜时的愁情意绪黯然现于纸上。这几句化用周邦彦“拚今生、对花对酒,为伊泪落”(《解连环》)的词意。表面旷达,实含无限凄怆于其中,是悲感至极之语。

这首词先写故园之思,次写忆旧之情,结写借酒浇愁,见出无限沉痛,伤春惜春的迟暮之感贯注全篇。全词意脉清晰,包孕丰富,蕴藉含蓄,在众多的羁旅词中独具特色。

(章继光)

渔家傲　　程垓

彭门道中

独木小舟烟雨湿,燕儿乱点春江碧。两岸青山随意觅。人寂寂,落花芳草催寒食。　　昨夜青楼今日客,吹愁不得东风力。细拾残红书怨泣。流水急,不知那个传消息。

鉴赏

这是一首纪行词，写的是词人行经彭门道中的所见所感。“彭门”，亦名天彭山，在四川彭县西北。词人此行的背景不得而知，然词中情景刻画真切，足堪品味。

上片写道中所见之景。细雨霏霏，江面之上，词人乘坐的独木小舟，载着一川烟雨在孤零零地飘荡。这一川凄迷的烟雨多么像词人心中交织着的离愁别绪，这孤独的小舟寄托着游子飘泊异乡孤独、落寞的情怀。然而就在这霏霏雨幕中，在那一碧澄清的江面上，轻捷的春燕在自在地点水嬉戏。舟行江上，两岸青山可随意饱览。这是以乐景衬哀情，词人以自得其乐的春燕烘托出自己羁旅之愁的无穷苦闷。空旷的山野悄无人声，落英飘零，芳草萋萋，词人骤然意识到已是寒食将近的暮春时节了。孤独难耐的情思加上伤春惜时的迟暮之感，更加深了词人的羁旅之愁。整个上片全是景语，描绘了一幅暮春时节的图景，但其中渗透了词人主观的情感、意绪。那烟雨迷茫中的独木小舟，那随意飞舞的春燕，凋残的落英与萋萋的芳草，都使读者感受到词人不平静的感情脉搏。

如果说，在上片中词人的感情还是轻掩在景物的纱幕后面，那么在下片，它们就是以直接的形式倾吐出来了。词人回首，昨夜还在青楼与情人欢聚，可蓦然之间竟风烟万里，羁旅天涯。这是何等的怅恨！春风轻拂，词人多么想让风儿一股脑儿将满腔愁绪吹散，但当此群芳凋落的时节，东风也显得困倦无力了。在愁思难遣之际，于是词人仔细拾捡地上的残红，在上面一一记下自己的愁绪，倾吐一腔的哀怨，寄托不尽的相思。但此情何由寄达呢？面对湍急的江水：“流水急，不知那个传消息。”这一歇拍韵味深长，含不尽之意见于言外，委婉、深沉地展现了词人痛苦无告的心境。唐代韩氏《题红叶》诗：“流水何太急，深宫尽日闲。殷勤谢红叶，好去到人间。”女诗人愿红叶载着自己向往自由的幻想流向人间。而程垓却反用其意：湍急的流水不是寄托情思的凭借，而成为阻遏自己与对方沟通情愫的障碍物。词人利用眼前的景物从另一角度表达了对恋人强烈的渴念。

这首词刻画羁旅之愁、离别之思十分动人，结处尤含蓄，正如陈廷焯所评“有深婉之致”（《白雨斋词话》）。同时全词用短音促节的入声韵，使凄切痛楚之情得到更好的表达，加强了哀婉动人的韵味。

（章继光）

酷 相 思　　程 垓

月挂霜林寒欲坠，正门外、催人起。奈离别、如今真个是！欲住也、留无计。欲去也、来无计。　马上离魂衣上泪，各自个、供憔悴。问江路、梅花开也未？春到也、须频寄。人到也、须频寄。

鉴赏

这首词写的是作者与恋人离别的痛苦，读者从《酷相思》这一词牌，便足以感受到这种痛苦具有非比寻常的分量。

上片重在写拂晓离别时词人痛苦的心情。起句点出离别的节令与时间。"寒月""霜林"都是秋天特有的景物。"欲坠"，说明月影西斜，黎明将至。这秋天早晨特有的景物为离别烘托出一种凄清的氛围，婉曲地传达出词人感伤、悲凉的心境。这时，门外传来了催人启程的叫喊声。面临此刻，词人徒唤奈何。"奈离别"，即无计对付离别，不得不离别的意思。"如今真个是"，用语沉痛而意蕴丰富，似有千言万语包藏其间，表达出难舍难分、不可言状的痛苦。词人此时的心情矛盾极了："欲住也、留无计。欲去也、来无计。"他无法久留，只得作别：但担心此去，从此失却了重逢的机会。他陷入了不能自拔的矛盾与怅惘之中。

下片写离别时对对方的叮咛与期望。"马上离魂衣上泪"这一句在时间、情节上承上片而来：词人终究带着一腔惆怅登马上路了。"马上离魂"是写自己。它活画出一位神思恍惚、失魂落魄的痴情男子神态。在这里，词人以自己的深切感受将"黯然销魂者，惟别而已矣"（江淹《别赋》）这一千古以来催人泪下的名句化为真实感人的艺术形象。"衣上泪"，是写对方挥泪送别，涕湿衣襟。"供憔悴"，是说双方各自呈现出一副憔悴的面容，表明了这种销魂般的痛苦是如何地在啮咬着双方的心灵。词人写到这里，在下面来了一个小小的转折："问江路、梅花开也未？春到也、须频寄。人到也、须频寄。"这里化用了南朝乐府《西洲曲》中"忆梅下西洲，折梅寄江北"的诗意。词人瞻望前程，问江路梅花是否开放。显然，这问得有些唐突，因为现在还是秋季，梅花开放还不是时候。这种急切的愿望，正说明了词人对恋人的一往情深、如醉如痴。"春到也、须频寄。人到也、须频寄。"词人用反复咏叹的手法表达了临别前的千种叮咛、万种嘱托，表达了对女方深切的期望，也表白了自己的一片至诚。可以想见，在那芳霏满眼、群梅绽开的早春时节，词人捧着对方寄来的梅枝，将在爱情的甜蜜回忆与美好遐想中深深地陶醉。

关于这首词的本事，杨慎《词品》说：程垓"与锦江某妓眷恋甚笃，别时作《酷相思》"。此事未必确真，而且它与一般轻薄文人的狎妓词也未可并论。它所表现的是专一、执著的酷恋与真诚不渝的相思。该词抒写离别相思之情真率、自然，以明白、浅近、不假雕饰的语言刻画诚挚的深情，令人感到亲切。前人称"《酷相思》以白描擅长"（李调元《雨村词话》），"此之谓本色"（许昂霄《词综偶评》），均是深中肯綮之语。

（章继光）

眼 儿 媚

石孝友*

愁云淡淡雨潇潇，暮暮复朝朝。别来应是，眉峰翠减，腕玉香销。　　小轩独坐相思处，情绪好无聊。一丛萱草，几竿修竹，数叶芭蕉。

作者

*石孝友，字次仲，南昌人，乾道二年(1166)进士。以词名，有《金谷遗音》。

鉴赏

这是一首怀人的词，可能是旅中忆内之作。杜甫《月夜》是忆念鄜州妻儿的一首诗，其中有云："香雾云鬟湿，清辉玉臂寒。"这里的"别来应是，眉峰翠减，腕玉香销"数语，与杜句的措辞虽不尽相同，而命意不无相似。循此意以观全作，上片写忆念，着眼于所思；下片诉旅愁，着笔于自己。词意显明，无待深说，稍稍需要寻索的是结尾三句。上面说："小轩独坐相思处，情绪好无聊。"下面接上这三句，罗列着小轩外面的三种花草，这是什么意思呢？原来这三种花草，并非信手拈来，而是摘取自前人作品，用以表达自己与前人相同或近似的思绪。《诗经·卫风·伯兮》："焉得谖草（谖同萱），言树之背（同北，指北堂）。"旧说以为萱是忘忧之草，故思树之于北堂，使人忘忧。这里的"一丛萱草"，因此意而反言之，意谓空对轩前萱草，却难使我忘忧。《卫风·竹竿》："籊籊竹竿，以钓于淇。岂不尔思，远莫致之。"旧说以为这是嫁给别国诸侯的卫国女子思归不得而作，淇为卫地，故自恨不能以淇上的竹竿往钓淇上。这里的"几竿修竹"即借此意寄慨，意谓虽有竹竿，徒然引起我"远莫致之"之叹。唐李商隐《代赠》："芭蕉不展丁香结，同向春风各自愁。”诗中芭蕉为一方，丁香为又一方，同向春风而皆罹愁苦，写相思之情，亦兼所怀者而言。这里的“数叶芭蕉”，言虽不及丁香，意实赅两句之全体。意谓我这里愁肠不展，想见我所怀念的人也是离情如结吧！通过这样的理解，可见这三句正是对“情绪好无聊”一语的具体解释。不过这种解释不是出以直述，而是用的“据事以类义，援古以证今”（《文心雕龙·事类》）的方法。用这种方法，不但避免直率，耐人寻味；读者如联系援据来玩索，会获得更深刻的感受。

（赵继武）

浪淘沙

石孝友

好恨这风儿，催俺分离。船儿吹得去如飞。因甚眉儿吹不展，叵耐风儿。　　不是这船儿，载起相思？船儿若念我孤栖，载取人人篷底睡，感谢风儿。

鉴赏

这首词字句浅明。全词所说，不过是离愁别苦、一般作品中常见的题材，但它的表达方式却比较特殊。“风儿”两个字贯串全篇，先是对它“好恨”，中间嫌它“叵耐”（不可耐、可恨），最后从设想中又对它“感谢”。过片以下四句是这种设想的展示，意谓这船儿不是“载起相思”，而是体会到我的孤栖之苦，“载取人人（从意同伊人、那人）篷底睡”，那就“感谢风儿”了。

从字面看，这首词的意思就是如此。但作者的离愁别苦为什么如此强烈？“人人”究何所指？则当求之言外。作者的生平，我们知道得很少。但考按本集（本词收于《金谷遗音》），如云“谨贽诗文一卷，仗仙风、吹到蓬瀛”（《满庭芳·上张紫薇》）、“凤池波里求余润，蚖肆泥中岂久蟠”（《鹧鸪天·冬至上李漕》）等等，可见其人是有志于世事的。然而“万里羁孤困一簞，平头四十误儒冠”（同上），行年四十而仍未有闻。他虽然慨叹“浮云富贵何须羡”（《鹧鸪天》），但又怅然于“回望玉楼金阙，正水遮山隔”（《西地锦》）；虽然感到“暮去朝来缘底事，不如早早还家”（《临江仙》），但又不免于“试询补衮弥缝手，真个曾添一线无”（《鹧鸪天·冬至上李漕》第二首）。从这些词里可以大体看到作者沦落不偶的生平和他的傲岸不平的意态。然后再从这个总体印象出发，反观他的具体作品，对它的意蕴所在，就能略得其消息。像这首词里称所眷曰“人人”，可知其为脂粉中人。在那样的封建社会里，知识分子不得志，往往托知己于风尘，即柳屯田的所谓“幸有意中人，堪寻访”（《鹤冲天》）了。所以这首词所眷虽在风尘，而所伤实关身世。然而作者又不是柳永一路的人物，他是以傲岸的态度对待现实的。反映到作品里，不仅意气迈往，有时形式上也很难律以常规。如此词语言快利通俗，简直像一首民歌小调，比起刘过《天仙子》词中“马儿只管去如飞，牵一会，坐一会”和“去也是，住也是，烦恼自家烦恼你”等句，真是无独有偶。这类词虽有语淡情浓的特点，但亦如清人贺裳评上引刘词所说的一样，是“不可无一，不可有二者”（《皱水轩词筌》）。

（赵继武）

谒金门　　赵师侠*

耽岗迓陆尉

沙畔路，记得旧时行处。蔼蔼疏烟迷远树，野航横不渡。　竹里疏花梅吐，照眼一川鸥鹭。家在清江江上住，水流愁不去。

作者

*赵师侠，一作师使，字介之，燕王德昭七世孙，新淦（今属江西）人。生卒不详。淳熙二年（1175）进士，淳熙十五年（1188）为江华郡丞，宦迹及于湘、赣、闽中一带，与叶梦得、徐俯有交往。有《坦庵长短句》一卷，摹景状物，自然淡远。

鉴赏

赵师侠是宗室子弟，长期浮沉于州县下僚，却高标脱俗，志趣雅洁，无心仕途，思慕山林。

这首词写于淳熙十三年（1186）初春，词人当时在其从弟吉州（今江西吉安）知州赵师羼幕府，久客思乡，词便是“一掬归心万叠愁”的吐露。

这首思归之作写法巧妙，浓浓的愁思，却用轻快的笔墨来勾写，歇拍处，方轻轻一折，浮露出一缕淡淡的忧愁。意在象外，韵在情中。

“耽岗”，在吉州城南，岗下是平阔的赣江。“迓”，迎。一天傍晚，词人去耽岗接一位陆姓县尉。陆尉许是坐船来的，还未到，词人便沿着江边的沙滩小路信步徐行。

江上岸边的种种景物，引起了词人的沉吟：“沙畔路，记得旧时行处。”起句就跌入回忆。接着“蔼蔼”两句描写勾起回忆的景色：夕阳西下，暮霭四起，远方的小路显得迷蒙不清了;荒野渡口,小船横漂,四周一片寂静。词人暗用韦应物"野渡无人舟自横"的诗意,淡笔白描,轻快地勾勒出江畔晚景。

这是一幅宁静的画面。画面中,还飘然步行着一位静默回忆的词人,与景物气氛谐和;然而这位貌似闲静的词人内心深处是不平静的。他在追忆,在遐思,感情在暗暗起伏。环境是宁静的,而词人的内心是活动着的,脚步、视线也是移动的,画面的静与画外的动,构成了矛盾的统一体,造成一种深沉强烈的艺术效果。

过片继续写景。词人去接客人,目光随脚步徐徐前移:"竹里疏花梅吐,照眼一川鸥鹭。"岸边翠竹丛中,不时冒出几株梅花,昂首怒放,争相报春。竹密花疏。相映成趣;竹绿花红,相得益彰。虽是早春季节,春意实已盎然。竹外的大江之上,洁白的沙鸥白鹭,或翔或游,或散或集,群集江面;江清鸥白,照人眼明。过片这两句,笔法有致。

上片宁静的画面,在移动中突然扑入如此生机勃勃的动态:红梅吐艳,鸥鹭游翔,(梅)红(竹)绿(水)清(鸥)白,四色分明,不禁令人视线一亮,心头一振。过片在作法上要求似承又似转,这儿经营得很成功,画面承上片而来,然而视觉、心情暗中都转了。

"家在清江江上住"。"清江",江西袁江与赣江合流处。词人的视线由鸥鹭落到滔滔东去的江水上,眼前的赣江与清江相通,"清江江上是吾家",江水的那头就是亲爱的故乡。突然一股强烈的愁意袭来——"水流愁不去",江水流走了,愁却没有能载走。全词一气贯下,词人一直用闲适而喜悦的目光观赏景物,至此突然挑出一个"愁"字,情绪急转而变。"滚滚闲愁逐水流,流不尽,许多愁。"是什么愁,那么沉重、繁多?从师侠另一首和赵师罴的词中,可以知道原来是归愁,"归兴新来不浅,勾引闲愁撩乱。"词人在思念故乡。歇拍一个转折,挑明了全词的主旨。末句五字三平二仄,后两字又用一入一去,吟读时倍觉顿挫忧伤,曲声戛止而余音不绝。词人的思归之愁与他对仕途的厌倦相一致。因厌倦而思归,因不得归而生愁。

通观全篇,"愁"为词眼,虽露于后,实藏于前。词人信步沙畔路,眼前似曾熟悉的景色勾起他的回忆。他心中暗叹:这多像"旧时行处"。那么"旧时行处"指哪里呢?至"家在清江江上住"句,才领悟到,原来指他的家乡,眼前景物像他所喜爱的家乡风光,因而触景生情,怀愁思归。也才领悟,前面六句,貌似轻快,其实喜悦的背后潜蓄着浓愁:起句"记得",便是在愁绪支配下生发的;"迷远树"的"迷",不仅指视线迷茫,亦暗示心情的迷惘,远路通往故乡,有"故乡不见令人愁"之意;梅竹鸥鹭等旧盟的描写,也大有深意,趣本高远,无奈现实相违。歇拍轻轻一折,挑明"愁"字,愁意轰然涌上,淡淡一缕,越化越浓,将原有的喜悦冲得烟消云散。

(周少雄)

水调歌头 陈亮*

送章德茂大卿使虏

不见南师久，漫说北群空。当场只手，毕竟还我万夫雄。自笑堂堂汉使，得似洋洋河水，依旧只流东！且复穹庐拜，会向藁街逢。　尧之都，舜之壤，禹之封。于中应有，一个半个耻臣戎。万里腥膻如许，千古英灵安在，磅礴几时通？胡运何须问，赫日自当中。

作者

＊陈亮(1143—1194)，字同甫，学者称为龙川先生。婺州永康(今属浙江)人。其学以读书经济为事，黜空谈性命之说，主张义利双行，王霸杂用，为永康学派的代表。在南宋孝宗朝，陈亮曾多次上书，力主抗金，反对和议，一生所作文字，几无一篇不言恢复者。光宗绍熙四年(1193)策进士，擢第一，授签书建康府判官厅公事，未至而卒。有《龙川文集》三十卷。其词慷慨豪放，与稼轩为近。原有《长短句》四卷，已佚。今人辑《龙川词》，仅得七十四首。

鉴赏

这首词是陈亮淳熙十二年(1185)十一月写的。当时，宋朝南渡已近六十年，南宋向北方女真贵族金王朝称侄求和也已二十余年。北伐大计，早已无人提及。满朝文武大抵苟且偷安，无复恢复之志。面对这种现状，陈亮忧心忡忡，焦虑万分。他虽身为匹夫，而胸怀天下，无时不关心国家兴亡大事。他的友人章森，字德茂，这时是大理少卿，试户部尚书。陈亮对这位年长于自己约二十岁的忘年之交十分敬重，听说他奉命使金，贺金主完颜雍生辰(万春节)，就写了这首词赠别，以壮其行，而寓己心志。

开篇首句“不见南师久”，开门见山，点出龟缩于江南久不发兵的南宋现状，为下文铺路。接下一句“漫说北群空”，是对当时普遍存在的错误观点的反驳。这里引用了“伯乐一过冀北之野而马群遂空”（韩愈《送温处士赴河阳军序》）的典故，反其意而用之，以骏马为比，强调当今南宋并不乏人才。再以“当场只手，毕竟还我万夫雄”对上句加以补充，使之具体化。这两句既是赞扬也是属望于章森，预祝他能以万夫莫当的英雄气概，只身出入金庭，完成使命，不辱国家。接下来“自笑堂堂汉使，得似洋洋河水，依旧只流东”，已不是送别之辞，而是借机阐发自己对国家形势的忧愤和对当权者的怒斥了。自绍兴九年（1139）秦桧与金签订有宋以来最屈辱的“和议”之后，南宋开始向金称“臣”，迄今数十年未变。作者认为，“堂堂汉使”岂能如河水永远向东流那样长此屈辱地俯伏跪拜在金庭阶墀之下？在这里，他以两个对立的事物，一边是万夫之精英的堂堂汉使，一边是派出这汉使的积弱的国家，两相对比，十分矛盾，映衬出南宋可悲的社会现状，提醒人们警觉。因此，前句句首所用“自笑”二字，不是讥笑汉使，而是对上述矛盾现象发出来自内心的愤怒苦笑。“且复穹庐拜”，写的是严酷的现实。“穹庐”，是北方少数民族居住的圆顶毡房。这里既指章森此行代表宋朝皇帝为金主拜寿一事，又影射南宋向金屈膝求和的权宜之计。“会向藁街逢”则是写理想。作者指出一个胜利歼敌的必然前景。汉代京都长安有一条专供外国使臣居住的街道——藁街。《汉书·陈汤传》曾载陈汤斩匈奴郅支单于后奏请“悬头藁街”，“以示万里明犯强汉者，虽远必诛”。用这个典故，作者借以表达自己抗敌必胜的决心和信心。这两句话一反一正，一虚一实，恰好写出作者的现实生活和他梦寐以求的政治理想之间无法调和的矛盾。试想，而对无情的现实，能坚持这种理想是多么不容易！

那么，作者是否在不切实际地幻想？在下片中，“尧之都，舜之壤，禹之封。于中应有，一个半个耻臣戎”，回答的就是这个问题。“耻臣戎”指以向金称“臣”为耻的人。这里所说的“一个半个”并非言其少，主要在于说“于中应有”，以示肯定相信其必有这种人之意。而其所以如此坚信，则是因为北方领土为古代圣帝明王所治理，在他们哺育下的后代人民定会继承其光辉业绩，而不肯沦为戎狄奴隶。既然南有“万夫雄”，北有“耻臣戎”，光复祖国应该是指日可待了。然而事情并非这样简单。陈亮深知最大阻力来自统治集团。他曾不止一次地进谏孝宗皇帝“不可苟安以玩岁月”，可见他对统治者并未抱什么幻想。不过，无论现实多么严峻，他抗战的决心和恢复之志始终未动摇过。虽然他也有愤怒和失望，却从未颓废过。就在这种复杂的情感中，他执著地追求了一生。“万里腥膻如许，千古英灵安在，磅礴几时通？”道出作者发自内心的、饱含忧患却又不无希望的呼声——江山沦陷，而千古英雄如今何在？浩然正气何时才能内外贯通？心中的怅惘和感愤不言而喻。因金人尚处于游牧社会，“膻肉酪浆，以充饥渴”，故作者用“腥膻”指代对方。结尾二句“胡运何须问，赫日自当中”，是作者对自己和友人的鼓励。这不是浮夸之辞，而是他周密分析形势后得出的结论。在《中兴论》里，他就曾以金朝统治集团存在的“庸懒”“政令日弛”“日趋怠情”等腐败迹象说明其对中原的统治不会久长。因此，作者最后以斩钉截铁的语气断言：金朝失败的命运无须再问，宋朝定会红日当空，国运中兴！

这首词语言率直、朴素无华，既抒发了作者时现实的忧愤之思，也表达了他一贯的抗战必胜的信念。它“精警奇肆，几于握拳透爪，可作中兴露布读”（陈廷焯《白雨斋词话》），不仅为《龙川词》的代表作，也是南宋爱国词中特出的篇章。如果用“词以婉约为主”的传统观点来衡量，它当然会被评为“非高调”。但是，词既为诗之一体，何事不可入？何情不可言？此词慷慨激昂，既言恢复之志，复抒爱国之情，充分体现了词人的性格形象，确实是情辞俱壮的优秀作品，比之其好友辛弃疾，亦未多让，不可用旖旎香泽的艳词标准来妄加评价。

（姜书阁　姜逸波）

念　奴　娇　　　陈　亮

登多景楼

危楼还望，叹此意、今古几人曾会？鬼设神施，浑认作、天限南疆北界。一水横陈，连岗三面，做出争雄势。六朝何事，只成门户私计？　　因笑王谢诸人，登高怀远，也学英雄涕。凭却江山，管不到、河洛腥膻无际。正好长驱，不须反顾，寻取中流誓。小儿破贼，势成宁问强对。

鉴赏

用词来议论国家大事，在宋代词坛上，陈亮是最为突出的。他的充满爱国激情的词作，为宋词那群星璀璨的大千世界增添了异彩。这首《念奴娇》就是以此而脍炙人口的。

隆兴和议之后，南宋统治者散布一种以长江为界，"南北定势"的谬论，欲借此麻痹人民斗志，让人民放弃北伐的要求，以遂其苟安江左的卑劣目的。陈亮对此极端反对，大不谓然。为了取得切实有力的事实依据，陈亮于淳熙十五年(1188)春，特地前往长江沿岸的建康(今江苏南京)、京口(今江苏镇江)一带，考察了那里的山川形势和民心所向。回到京都临安(今浙江杭州)后，他便第四次上书孝宗，重申自己的北伐主张，企图说服孝宗再度抗金。这首词就是在京口时写的。

作者首先从登上京口北固山甘露寺内的多景楼写起。"危楼"，即高楼。登高极目，观察长江下游这一带的形势，他立即感到这里具有极其重要的战略地位，对抗金复土十分有利。遗憾的是，古往今来，竟无人了解这一点。被赶到江南的历代小朝廷都只顾防守，却不知利用它来进攻。南朝的宋、齐、梁、陈因此而终至覆亡。数百年后的今天，南宋又在重蹈覆辙。"叹此意、今古几人曾会"，叹的就是这个并不复杂的问题至今很少有人理解。作者在起句"危楼还望"四字下，并没有说什么就跟着来了个"叹此意"，难免令人感到突兀，不知"此"字何所代，"此意"何所指。然而就作者来看，"此意"蕴蓄已久，并曾多次上书论及，讲得已是极熟的，只是没有几个人能真正理解罢了。如此写来，才特别警醒有力。下边再加申说，便自然会引起读者深思，易于领悟。"鬼设神施，浑认作、天限南疆北界"，就是针对朝廷糊里糊涂地放弃这天赐的有利地形，错误地承认南疆北界，划江自限的做法而言的。"一水横陈，连岗三面，做出争雄势"，镇江北面横贯着波涛滚滚的长江，东、西、南三面都连接着起伏的山冈，这样的地理形势，可攻可守，是足以与北方强敌争雄的形胜之地。词人赋予山川生命和感情，也赋予它伟大的斗争意志。这里，无形中把长江与前面"浑认作"一句的主语——南宋统治者这两个本无内在联系的事物对立地写出来，产生一种两相比较的效果：长江如此伟岸，出卖民族利益的当权者的人格就显得十分卑琐低下了。而后,作者再借六朝各代偏安江左的往事,对当今权贵龌龊的内心世界进行尖刻的剖判:六朝本是历史上有名的政治腐败时期,南宋之委靡不振殆又过之。自南渡以后数十年中,每年献给金朝巨额的绢帛金银,并与金签订"和议",丧失大片领土,妄冀以此换取江南暂时的平静。而金人的欲壑难填,反更启其"立马吴山"的并吞之心。"六朝何事,只成门户私计",明言六朝,暗指当今统治集团不顾国家存亡的大事,只管各自谋取私利。这就戳穿了"南疆北界"的欺骗性。

下片紧承上片,仍借六朝故事说现实政局。"因笑王谢诸人,登高怀远,也学英雄涕",借用《世说新语》"新亭对泣"的故事,讥嘲当代那些醉生梦死的豪门贵族。国难当头,这些人既不敢抵抗入侵之敌,又要假惺惺地装扮出"英雄流涕"的爱国志士模样。一个"学"字,刻画出投降派的丑恶嘴脸,真是惟妙惟肖,入木三分!一个"笑"字,表达出作者对他们虚伪面目的蔑视和憎恶,更是传神。"凭却江山,管不到、河洛腥膻无际",是作者对以上数句的小结。通过此前层层论证,终于得出结论:没有清明朝政,只凭天险是阻止不住金兵的。不过,陈亮长期生活于普通百姓中间,他时刻感觉到有一股潜在的力量存在。他曾预言"灭地之正气抑郁而不得泄,……其势必有时而发泄矣。苟国家不能起而承之,必将有承之者矣"(《上孝宗皇帝第一书》)。这就是希望所在。作品在最后两句连用二典,描绘出一幅北伐胜利的理想图景,将作品的思想境界推向高峰。当年,东晋大将祖逖北伐渡江,船至中流而击楫发誓:不破敌誓不回头!辞色壮烈,士气大振。陈亮对此十分向往,他发自肺腑地大声疾呼:"正好长驱,不须反顾,寻取中流誓。""正好""不须"二词,浓缩了作者要求北伐刻不容缓的迫切心情和毫不游疑的自信心;"寻取中流誓"有对先辈的追忆和赞美,更多的却是对当今抗金将士殷切的期望。全句有极强的号召力和鼓动性。最后一笔顺势写下东晋谢安名言"小儿破贼,势成宁问强对",以轻松的模拟语气再现谢安抗敌得胜时的大将风度,表达了作者豁达的胸襟、无畏的胆识和豪迈的气魄。当然,这也是他对北伐事业的前景作出的结论。

(姜书阁　姜逸波)

贺新郎　　陈亮

寄辛幼安,和见怀韵

老去凭谁说?看几番、神奇臭腐,夏裘冬葛。父老长安今余几?后死无仇可雪。犹未燥、当时生发。二十五弦多少恨,算世间、那有平分月?胡妇弄,汉宫瑟。　树犹如此堪重别?只使君、从来与我,话头多合。行矣置之无足问,谁换妍皮痴骨?但莫使、伯牙弦绝。九转丹砂牢拾取,管精金、只是寻常铁。龙共虎,应声裂。

鉴赏

陈亮与辛弃疾(字幼安)同为南宋前期著名的爱国词人。二人志同道合,意气相投,友谊极笃,但各以事牵,相见日少。淳熙十五年(1188)冬,陈亮约朱熹会于紫溪(在赣闽交界处)。陈亮先从浙江东阳到江西上饶,访问罢官闲居带湖的辛弃疾,然后同往紫溪,在那里盘桓十日,而朱熹不至。陈亮乃飘然而归。别后,辛怅恨怀思,乃作《贺新郎》一首以寄意。后五日,恰好收到陈亮索词的书信,辛便录寄。这首词就是和辛"见怀"词的原调原韵的。而后两人又用同韵互相唱和,各得词二首,成为词史上的一段佳话。

上片主旨在于议论天下大事,言世事颠倒变化,雪仇复土无望,令人痛愤;下片则说二人虽已老大,但从来都是志同道合的,今后还要互相鼓励,坚持共同的主张,排除一切障碍,奋斗到底。首句"老去凭谁说"是写知音难得,而年已老大,不唯壮志莫酬,甚至连找一个可以畅谈恢复大业的同道都不容易。这是何等痛苦的事!作者用此一句,引出以下的全部思想和感慨。

词人先借《庄子·知北游》中"臭腐复化为神奇,神奇复化为臭腐"和《淮南子》中所说的"冬日之葛""夏日之裘"来说明世事的不断反复变化。而越变越颠倒错乱,越变对国家越不利,人们日渐丧失了复仇的希望。且看,南渡已数十年了,那时留在中原的父老,今天所剩已寥寥无几;而如今活着的,那时大都是胎发未干的婴儿。作者指出,朝廷数十年蜗居江南,不图恢复,对人们心理上有极大的麻痹作用。经历过"靖康之变"的老一辈先后下世,后辈人从"生发未燥"的婴幼时期便习惯了南北分裂的现状,并视之为固然,自必形成了"无仇可雪"的错误认识,从而彻底丧失了民族自尊心和战斗力。这才是令人担忧的问题。上片最后说,陷于中原的妇女,以汉宫之瑟弹出多少亡国之恨,那些恨集中到一点,就是"算世间、那有平分月",完整的国土怎能与胡人南北平分呢?这里用乌孙公主及王昭君与异族和亲的故事,暗示南宋统治者出卖民族利益,屡次与金人屈辱求和的现实。读到这里,再回头去看"老去凭谁说"一句,益感作者一腔忧愤、满腹牢骚都是缘此而发的。

下片转入抒情。而所抒之情,正与上片所言之事一致。作者深情地抒写了他与辛弃疾建立在改变南宋屈辱现实这一共同理想基础上的真挚友谊。过片"树犹如此堪重别",典出《世说新语·言语》,桓公(温)北征时,见当年移种之柳已大十围,叹息道:"木犹如此,人何以堪!""堪重别"即"怎堪重别"的省文。陈、辛上饶一别,实成永诀,六年之后,陈亮就病逝了。虽然他当时无法预料这点,但相见之难,却是早就知道的。"堪重别"一句话并非突如其来,而是承"老去凭谁说"之意自然引出的。下句"只使君、从来与我,话头多合"又正是对"堪重别"原因的注脚,也与词首"老去"一句遥相呼应。这句正面肯定只有辛弃疾才是最能理解他的唯一知己。据辛词《贺新郎》题下小序记,此次陈亮别后,辛弃疾曾追赶到鹭鸶林,因雪深路滑无法前进,方怅然而归。"行矣置之无足问"一句,就是针对此事宽慰这位远方友人的,也是回答对方情意切切的相思。句后缀以"谁换妍皮痴骨",意为谁也不会改变对我们"妍皮痴骨"的看法。"妍皮痴骨"出自《晋书·慕容超载记》。慕容超在后秦时,怕被姚氏拘捕,故意装疯行乞,使秦人都贱视他。惟姚绍见其相貌不凡,便向姚兴推荐他。慕容超被召见时,故意隐藏起自己的才识风度。姚兴见后,果然大为鄙视,对姚绍说:"谚云'妍皮不裹痴骨',妄语耳。""妍皮",谓俊美的外貌;"痴骨",指愚笨的内心。此谚意谓:仪表堂堂者,其内心必不愚蠢。姚兴以为慕容超其人虽貌似聪隽,而实则胸无智略，便说谚语并不正确。作者借此来说明，即使被认为是“妍皮痴骨”而遭到误解和鄙视，他们的志向也永不会变。正因为如此，这种友谊乃愈可贵，所以就自然地发而为“但莫使、伯牙琴绝”的祝愿，将两人的友谊与爱国复仇的共同志愿联系到一起，使这种感情升华到圣洁的地步。然后话题一转，写出“九转丹砂牢拾取，管精金、只是寻常铁”。这两句话明言丹药，实际说的还是救国之道。看到这里，我们怎能不为作者那种“一息尚存，此志不容稍谢”的精神所感动！这里，作者随手拈来历来相传的炼丹术中所谓经过九转炼成的丹砂可以点铁成金的说法，比喻只要坚定信心，永不懈怠，抓住一切时机，则救国大业必能成功。最后，再借龙虎丹炼成而迸裂出鼎之状，以“龙共虎，应声裂”这铿锵有力的六个字，刻画胜利时刻必将到来的不可阻止之势。至此，全词方戛然而止。这最后几句乃是作者与友人共勉之辞，也是二人的共同心愿。

陈亮善用典故，这使他的作品在有限篇幅内的容量大为增加。他之用典，一般不囿于原来的故事，而是取其一端，死事活用，以烘托自己欲达之情。因此，读他的词，便须反复咏味，方能得其微旨，这首词便是如此。

（姜书阁　姜逸波）

贺新郎　　陈亮

酬辛幼安，再用韵见寄

离乱从头说，爱吾民、金缯不爱，蔓藤累葛。壮气尽消人脆好，冠盖阴山观雪。亏杀我、一星星发！涕出女吴成倒转，问鲁为齐弱何年月？丘也幸，由之瑟。

斩新换出旗麾别。把当时、一桩大义，拆开收合。据地一呼吾往矣，万里摇肢动骨，这话霸、只成痴绝。天地洪炉谁扇鞴？算于中、安得长坚铁！淝水破，关东裂。

鉴 赏

这首词是陈亮与辛弃疾唱和的第二首《贺新郎》。写作时间较前一阕稍迟,大约在淳熙十五年(1188)冬或十六年(1189)春。此阕仍继承前词"极论世事"的宗旨,针对朝廷以银帛贡献代替边备兵戈,致使天下士气消铄的现实,尽情发抒自己的愤懑情绪,其明白又胜过前首。

也许作者出于对前首词所提及的"后死无仇可雪"问题的积虑,这首词"离乱从头说"一句蓄意提起人们早已忘却的往事,以引出回忆。"爱吾民、金缯不爱,蔓藤累葛"是追述自宋初以来长期的耻辱外交。早在北宋王朝第三代皇帝真宗赵恒时,便以"澶渊之盟"向辽国岁赠白银十万两、绢(即"缯")二十万匹,换取中原的暂时和平,首开有宋以来向外族纳贡的先例。其子仁宗赵祯时,年贡辽银、绢又各增十万。此后,辽亡金兴,北宋王朝又转而向金纳贡,数额有增无已。这种做法,不但没有换来和平,反而更引起异族统治者的觊觎,得寸进尺。于是河洛尽失,宋室不得不南渡,以求苟安。最令人吃惊的是,统治者竟至把这种屈辱说成是爱民。仁宗曾宣称"朕所爱者,土宇生民尔,斯物(指银缯)非所惜也"(魏泰《东轩笔录》),真是以罪为功,恬不知耻!陈亮在这里说"爱吾民、金缯不爱"即指此事。虽然作品并未罗列上述史实,只用"蔓藤累葛"四字,已足将百余年来历次丧权辱国、妄冀苟安的罪责揭露无遗。下一句进而再揭露统治者多年来在"爱吾民、金缯不爱"的幌子掩护下推行投降政策所造成的恶果。就全局来看南宋形势,是"壮气尽消人脆好"。以这样温顺脆弱、消铄殆尽的民气,将何以对付强敌的进逼?其结果就只有"冠盖阴山观雪"——珠冠华盖的堂堂汉使到金庭乞和。可是,他们的交涉不能取得任何胜利,唯有陪侍金主出猎阴山,观赏北国雪景而已。作者想到这里,不禁感叹道:"亏杀我、一星星发!"言其把头发都等白了,等到的竟是这个耻辱的现实!下面再借用历史故事来批判现实:春秋时,中原大国齐国的国君景公畏惧处于南夷之地的吴国,只好流涕送女与之和亲;鲁国也曾遭受强齐欺凌而不予反抗,遂日衰一日。往事可鉴。对照今日宋朝屈服于金,甘受欺辱而不加抵抗这种违反常理的怪事,其后果如何,不问可知。作者这里用一"问"字,并非有疑而问,乃是用肯定语调发出的谴责和质问。写到此,话题和情绪同时一转，以重新振作之态，写出“丘也幸，由之瑟”六字。《论语·述而》载孔子语：“丘也幸，苟有过，人必知之。”又，孔子的学生子路弹瑟发勇武之音，被认为是不合雅、颂，孔子曾说“由之瑟奚为于丘之门”（《论语·先进》）。作者各取此二语中前三字为句，表达了这样的意思：今日幸有如吾二人这样坚毅的志士，虽举国悉以北伐为过，但我们仍持之不懈。以此结束上片，并为下片定下基调。乍一看，这两句来得突兀，似乎显得生硬。其实不然。这是陈亮一贯的词风。他好为“硬语盘空”，这种风格，恐怕与他在南宋那一片黑暗之中努力焕发起斗争到底的精神不无关系。

下片是写设想中的救国行动。《新唐书·李光弼传》曾记李光弼代郭子仪统兵之事：“其代子仪朔方也，营垒、士卒、麾帜无所更，而光弼一号令之，气色乃益精明。”辛弃疾早年曾建立过有名的“飞虎军”，金人为之震慑。作者设想，若由辛弃疾带兵，定会出现“斩（崭）新换出旗麾别”的新局面。这种设想，也许早在鹅湖之会时二人就商议过，因此，这里所谓“把当时、一桩大义，拆开收合”指的可能就是这件事。“拆开收合”，即解剖分析。基于此，“据地一呼吾往矣，万里摇肢动骨”便是作者想象自己投奔这支抗敌新军后大显身手的兴奋情景。因留恋“鹅湖之会”、向往二人共同描绘的理想图景而产生上述想法，这是很自然的。继而，语势却忽然一落千丈，接一句“这话霸（即话柄）、只成痴绝”，明说这一切只不过是幻想。这种语气上的大起大落，恰恰说明作者情绪跌宕起伏，他虽然残酷地宣告自己幻想的破灭，却又极其冷静地指出了事实。“只成痴绝”四字虽然饱含着作者的失望和痛苦，却又是他理智的反映。“天地洪炉谁扇鞴？算于中、安得长坚铁！”是发自幻灭后的感叹。他有感于《庄子·大宗师》中所谓天地是大熔炉的说法，想到人生犹如铁在洪炉之中，扇鞴（鼓风吹火的皮袋）鼓风，火力顿炽，顷刻即将消熔，深为生死不由己，年寿无几多而感慨。不过，作者的这种幻灭感，并不是对理想产生了什么怀疑和失望，而是深为人生有限而感到惋惜。但他又不是单纯地留恋人生，而是为不能亲见理想实现而抱恨。关于这点，在结尾的“淝水破，关东裂”两句中可以得到印证。这里作者再一次运用他在《念奴娇·登多景楼》一词中已用过的谢安于淝水之战中大破苻秦八十万大军的典故。但这不是雷同，正说明这个对历史了如指掌的爱国志士对英雄业绩的向往和对胜利的憧憬。

（姜书阁　姜逸波）

贺新郎　　陈亮

怀辛幼安，用前韵

话杀浑闲说。不成教、齐民也解，为伊为葛。尊酒相逢成二老，却忆去年风雪。新着了、几茎华发。百世寻人犹接踵，叹只今、两地三人月。写旧恨，向谁瑟？

男儿何用伤离别。况古来、几番际会，风从云合。千里情亲长晤对，妙体本心次骨。卧百尺、高楼斗绝。天下适安耕且老，看买犁、卖剑平家铁。壮士泪，肺肝裂。

鉴赏

这首词虽与前二首一样，仍沿用辛词《贺新郎》原韵，而且也是写给辛弃疾的怀念之作。但题曰“怀辛幼安”，显然不是赓续前词的酬答，而是陈亮自我萌思，别有感发。故话头也不必与前词相接。不过在时间上既是承续的，而且相去不久，从词中“却忆去年风雪”一句即可断定，它的写作时间当为淳熙十五年冬陈亮与辛弃疾鹅湖既别之后第二年——淳熙十六年(1189)。所以此章的思想感情仍与前两篇有着千丝万缕的联系。

这是一首抒情词。陈、辛之间的友谊，是建立在以抗金复土为共同目标这一崇高事业基础上的最纯真的友谊。虽然二人的社会地位相差悬殊：陈亮年已四十七岁，还仍是一个白衣寒士；而辛弃疾则早已在湖北、湖南、江西、浙江等地任过大官，此时虽罢官闲居，但其社会地位仍是很高的。而他们的关系完全是志同道合的肺腑之交，毫无富贵势利之念存乎其间。在他们各自眼中，都把对方看作自己最为钦佩的知己。陈亮认为辛弃疾“眼光有棱，足以照映一世之豪：背胛有负，足以载四国之重”(《龙川文集·辛稼轩画像赞》)。而辛弃疾则认为“同父(陈亮字)之志，平盖万夫。横渠少日，慷慨是须。拟将十万，登封狼胥”(《辛稼轩诗文钞存·祭陈同父》)。他们以坦荡豪迈、推心置腹的胸襟作为友谊的纽带,这在当时那种蝇营狗苟、趋炎附势的社会风气中,是极为可贵的。了解这一点,再来读这首词,便较易理解作者的情怀与气度。

上片集中写思念友人之苦。一开始,作者开门见山地说:你我虽以古之贤相伊尹和孔明自许,但那只不过是好友闲谈,何曾想得到世人的理解与承认呢?三句话不过十几个字,却夹用了许多当时的口语词汇,如“话”(闲话、故事)、“杀”(同“煞”,用如“虽”)、“浑”(直是)以及“不成教”等等,使人读来如当面对话,不假思考,脱口而出,极自然,又极亲切。中间夹着“不成教、齐民也解”这么一句,就更能把他们与他们之外的碌碌世人之间的差别分得清清楚楚,从而反衬出二人友谊之纯笃完全是建立在救国济世的共同大业上的。由此自然联想到“去年风雪”中“鹅湖之会”的旧事。那是多么难得的一次会面呵:“尊(酒杯)酒相逢成二老”——久别重逢,昔日少壮,今皆老大,两人都多了一些白发,俨然是二老对坐,尊酒话旧。此情此景,迄今不能忘。作者将离别的漫长岁月和短促的会面两相对照,极言相见之难而突出离别之苦,这也是“新着了、几茎华发”的原因。乍看起来,这三句似乎不合语言逻辑,前后颠倒;然而反复玩味,便知道这自是感情意识自然流露的本来顺序,如此写法,才富有奇突跌宕之致。下面是从上文中“二老”的孤独寂寞、世罕同俦这一思想境界生发出来的,借用了《战国策·齐策》的成语“百世而一圣,若随踵而至也”,说“百世寻人犹接踵”,深为自己能得到辛弃疾这样的知音而感到快慰。可叹的是虽有知音,不能朝夕聚首,而“隔千里兮共明月”,二人分居两地,以天上明月为中介,“两地三人月”,而成为三友。这与苏东坡《水调歌头》中以“千里共婵娟”写离别孤独为同一机杼。因此,上片最后六字“写旧恨,向谁瑟”不仅说出了作者自己的苦闷,实也是他与辛弃疾共有的心声。

下片写二人的心心相印。作者有感于前所说“百世寻人犹接踵”的道理,悟出“况古来、几番际会,风从云合”,即人世上的际遇自古以来就是变幻莫测,不可强求的;而有时却风云际会,不期而至。他从这里开拓出一个与上片全然不同的新境界。他以“男儿何用伤离别”这样豪放豁达的语言宽慰友人,也使自己从凄苦中得到解脱。再以“千里情亲长晤对,妙体本心次骨。卧百尺、高楼斗绝”三句,进一步写出他与他那识量高远的好友虽远隔千里,却如长相晤对一样情亲意洽,相知无二。这才是极可欣慰的。“斗绝”,即陡绝,形容楼高。作者借《三国志·魏书·陈登传》中刘备的一句话“如小人,欲卧百尺楼上,卧君于地”,盛赞友人才识清远,品格高尚。能得到这样朋友的理解,还有什么可哀伤的!写到此,作品似乎可以结束了。然而,意犹未尽,作者笔锋一转,上承“为伊为葛”旨意而另辟蹊径,写出“天下适安耕且老,看买犁、卖剑平家铁”两句。“平家”与前“齐民”意近,均指平民。两句意谓:方今天下苟安,国仇未报,而世人早已卖剑买犁,妄冀求田问舍,过太平日子。想到这里,怎不使“壮士泪,肺肝裂”!真的,男儿到此心如铁,哪里还有闲情来伤离惜别呢?正是这最后六个字,把作者的感情推向顶峰,又使作品的主题得以升华,把全词引向高潮,戛然而止。

这首词一波三折,陡转乍合,看似向东,却忽而转向了西,一若不可捉摸。但是,无论它东说西说,读者都能感觉到它那如狂涛悬瀑般的感情浪潮的起伏,并为其万钧之力所鼓荡而不能自已。这是它最成功的地方。

(姜书阁　姜逸波)

鹧鸪天　　陈　亮

怀王道甫

落魄行歌记昔游,头胪如许尚何求?心肝吐尽无余事,口腹安然岂远谋!　　才怕暑,又伤秋。天涯梦断有书不?大都眼孔新来浅,羡尔微官作计周。

鉴　赏

古人怀旧之作,通常好用赞誉的口吻表达对朋友的思念,这是合乎人之常情的,因为深印在人们记忆中的,往往是他认为最美好也最值得回忆的东西。但陈亮的这首抒情小令,却是以讽刺的笔调表达对老朋友的批评意见,这确是别开生面,而情谊愈显得真挚深厚,在前人诗词中实属罕见。

王自中,字道甫。因“少负奇气,自立崖岸”(《宋史·王自中传》),所以陈亮自青少年时即因意气相投而与他结为刘琨、祖逖之交。可惜王自中登第后,长期屈居微职,夙志渐灰,两人的晚节末路,遂不免异向。因此,陈亮在这首怀念之作中,便对他提出了语重心长的责问与嘲讽。

首先,作者回忆昔日从游之乐。当时他们二人虽同处于困厄落魄的境地,但志在恢复,意气豪迈,携手行歌,视人间富贵如无物。这是多么值得留恋的往事!然而,"头胪如许尚何求?"意指岁月荏苒,韶华易逝,转眼发白,今日尚复何求?这是陈亮自述衷曲,但既然是对王自中说的,那么词人的意思是:我们二人昔日志同道合,今天仍然应该采取同样态度,不应易志变节,随俗浮沉。"心肝吐尽无余事,口腹安然岂远谋!"正是说自己多年来屡次上书,披肝沥胆,力陈救国大计,说尽了心中欲吐之言,虽不见纳,无以自效,但总算尽心了,再也没有别的什么事值得挂怀了。至于衣食温饱,那是很容易满足的,何须为此而长计远虑、到处奔竞呢!这确是陈亮的真实思想。《宋史·陈亮传》载:"书既上,帝欲官之,亮笑曰:'吾欲为社稷开数百年之基,宁用以博一官乎!'亟渡江而归。"他是心口如一、言行一致的。这句话明写自己,实为写给王自中,借以反衬汲汲于利禄的行为之可鄙。这里表面是自述胸臆,而实则意在责问对方,冀其有所省悟。

下片仍承上意,却不直接指责对方,转而先说老友久别,几历春秋,相思相忆,书信罕通,但友情时萦怀抱。那么,为什么近来会时时想念你呢?作者自问自答道:"大都眼孔新来浅,羡尔微官作计周"——词人不无讽刺地说:大约近来我目光短浅,也羡慕起你虽官低位卑,却善为自己谋划了。这既是正话反说,又是假己责人。正因为作者在上片中明明说自己主张"口腹安然岂远谋",认为大丈夫应当尽瘁国事,不要为自身温饱萦心,这里却又说自己忽然羡慕起对方"微官作计周"了,这当然不是作者本意,而其本意只在于责讽对方新来"眼孔浅",为了那"微官"而"作计周"罢了。这里既有为王道甫怀才不遇、长期官微职卑的处境抱不平,又有对他背弃理想、只顾为生活温饱处心积虑的惋惜。这种对友人的交织着爱与恨的感情,正是这位一贯以严肃态度对待人生的政治家所特有的、建立在原则基础上的对友人的诚挚友情。

这首词语言虽较它篇略为婉转,然其中的刚直愤激之气,固已跃然纸上,仍不失龙川本色,而成为他独具风格的小令的代表作。

(姜书阁　姜逸波)

好　事　近　　　陈　亮

咏　　梅

的皪两三枝，点破暮烟苍碧。好在屋檐斜入，傍玉奴吹笛。　　月华如水过林塘，花阴弄苔石。欲向梦中飞蝶，恐幽香难觅。

鉴赏

借物咏怀，即假物寄心、写怀述志，是自屈原《橘颂》及阮籍《咏怀》诗以来，许多身处乱世不能直抒胸臆的诗人所常采用的手法。"咏梅"更是历来诗词作家写得滥熟的。梅的芳洁为人所共知，若只从这点着眼，自不能不落前人窠臼；但若离开这一突出的特点，又失掉咏梅的重要意义。因此，这类常见的题材是很难写的。如何从这里别觅蹊径，自出新意，那就看诗人的本领了。陈亮这首小令，从字面上看，既无惊人之语，又未多用典事，似乎寄寓不深。但仔细玩味，便可感到它乃是以新的手法表达新的意趣，并未蹈袭前人旧套，实得独创之美。

词的上片，作者用简练的画笔似乎毫不经意地就点染出屋角檐下那两三枝每天都见到却并未留心过的梅的幽姿清韵。"的皪两三枝，点破暮烟苍碧。""的皪"，是鲜明的意思。用这两字点出梅花的秀洁，但只有"两三枝"，故虽美却并不繁艳，而在"苍碧"的暮烟衬托下，却还是十分醒目。作者特用"点破"二字，以示不凡。接下来，词人用带有主观情意的"好在屋檐斜入，傍玉奴吹笛"一句，让这梅介入人事，并赋予它以人的灵性。本来，此景应该说是"玉奴倚梅吹笛"，但在词人眼中恰恰相反，而是这梅有意地循屋檐斜入过来，陪傍着吹笛的玉奴。作者这样写，不但化无情为有情，而且突出了梅的形象，吹笛的玉奴反成为陪衬了。

词的下片更以抒情为主。换头两句"月华如水过林塘，花阴弄苔石"不仅有承转作用，而且极力渲染夜色，造成一种优美静谧的境界，为写朦胧梦境创造条件。继而，作者别出心裁地以梦中化蝶、追踪香迹抒发自己对梅的喜爱和追求之情,乃更出新意。再续以"恐幽香难觅"一句,却言梦中虽可化蝶穿花,却因无法再寻觅到梅的幽香而若有所失,写出对梅可望而不可即的微妙心理。如此虚虚实实,或梦或醒,既真切而又恍惚,把梅的品格和词人心境交织在一起,表达得曲折尽意,饶有余味。

(姜书阁　姜逸波)

一丛花　　陈　亮

溪堂玩月作

冰轮斜辗镜天长,江练隐寒光。危阑醉倚人如画,隔烟村、何处鸣榔?乌鹊倦栖,鱼龙惊起,星斗挂垂杨。

　　芦花千顷水微茫,秋色满江乡。楼台恍似游仙梦,又疑是、洛浦潇湘。风露浩然,山河影转,今古照凄凉。

鉴赏

宋人每赞王维的山水诗为"诗中有画",实则一直以来大家的山水佳作都在一定程度上具有这一特点。陈亮这首以"溪堂玩月作"为题的名作,虽不能算专写山水的作品,但亦得诗画之妙。它紧扣"玩月"这一环节,从不同角度多层次地描绘出月下江南水乡的立体景观,在这种强烈的空间感中,渲染出凄清苍凉的意境,也体现了作者悲凉孤寂的心情。

月夜,登楼倚栏,很自然地人们的目光首先会凝注于明月。上片一开始,作者便落笔于写月,这是合乎事理的。对于月,一般好用"玉"来形容它,如"玉兔""玉盘""玉轮""玉钩"等等,这是人们抓住了月洁白晶莹的特征。作者弃"玉"而用"冰",避旧从新,不但同样写出月的表面色调,还给人以"冷"的实感。同时,"冰"字也为全词定下冷寂凄清的基调,避免了"玉"字带来的绮靡华贵的气息。以下各句都因"月"而起。"江练隐寒光"一句既写了江水的静态和全貌,又照顾到月下隐约可见的水波闪烁的动态和细节,它与首句共同构成这幅月夜水乡图的主体部分。“江练”，取自谢朓名句“余霞散成绮，澄江静如练”（《晚登三山还望京邑》），形容大江静如素帛。然后，再写倚栏人酒醉之后眼前产生的朦胧意象，让人感觉“人如画”。这种感觉不但为倚栏人所独具，也为读者所共有。同时，再为画面配上“何处鸣榔”的音响——传入耳中惊鱼的榔声，这不但突出了夜深人静——因夜静，故“隔烟村”的榔声即使不大，连栖息的乌鸦也未惊动，却能传得很远；也增添了画面凄厉的气氛。“鱼龙惊起”是作者由闻鸣榔而引起的假想，并非实见。词中既有“何处鸣榔”之问，可见隔烟村的江中即使有鱼因惊跃起，也是无法看到的。

在上片反复渲染而得出的月色惨淡、万籁沉寂而鸣榔凄厉的意境中，下片接写人的感受。“芦花千顷水微茫，秋色满江乡”两句，以作者感到的肃杀秋气与上片“冰轮”“寒光”相照应。而“楼台恍似游仙梦”又较上片“人如画”更深一层。“人如画”只不过描绘出人的外表静态，而“恍似游仙梦”却进一步刻画出主人公对景生情的内心思维活动。继而以“又疑是、洛浦潇湘”一句虚写“游仙”的梦境，也借以实指溪堂风景。“洛浦”是曹植《洛神赋》中所写的洛水之神宓妃居住地；“潇湘”则是屈原《九歌》中湘水之神的居处。两地皆为清幽的水乡。以此写梦，更添几分神秘而幽美的色彩。最后三句从作者肌肤所感的“风露浩然”与目之所见的“山河影转”终至点出全词主旨——“今古照凄凉”。这里明为写月，实为抒己衷怀。本来，月光常照，今古依然，并无凄凉与否的差别。作者之所以会产生“今古照凄凉”的感觉，不是真因月色凄凉，而是因为溪堂玩月的人心境凄凉。这就是作者采用的“托物咏志”或“移情”之法了。

（姜书阁　姜逸波）

水龙吟　　陈亮

春　恨

闹花深处层楼，画帘半卷东风软。春归翠陌，平莎茸嫩，垂杨金浅。迟日催花，淡云阁雨，轻寒轻暖。恨芳菲世界，游人未赏，都付与、莺和燕。　寂寞凭高念远，向南楼、一声归雁。金钗斗草，青丝勒马，风流云散。罗绶分香，翠绡封泪，几多幽怨！正销魂，又是疏烟淡月，子规声断。

鉴赏

陈亮词一般以雄放恣肆、慷慨豪健著称于世，所以人们往往容易忽视他那些委婉含蓄的作品。实则作为一个大家，他也和他的挚友辛弃疾一样，也有以婉约之笔抒情的别具风格的作品，如这首《水龙吟》便是。

这首词借春日登楼有感，抒发思念中原失地的怀远之情。一开始，作者便用秾丽的彩笔勾勒出一个繁花似锦而又深远幽静的居处，为词中主人公凝思沉想创造条件。首句"闹花"二字虽取意于宋祁名句"红杏枝头春意闹"，作者用意却不在写盛开的春花，而是要用它来衬托"层楼"的深邃。"深处"二字将层楼与喧嚣的人世隔离开来，此花愈"闹"则其深处之层楼便愈隐蔽愈幽静。接写"画帘半卷东风软"，虽未点出主人公，而实是用以刻画楼中人在此景物中所产生的感觉与心境。然后，作者极尽铺陈之能事，以赋的笔法来描绘这大好春光："春归翠陌，平莎茸嫩，垂杨金浅"是目之所见；"迟日催花，淡云阁雨，轻寒轻暖"是心之所感。从客观的描写环境，转而再写"春恨"，这才是作者欲表现的主题。为写此，"恨芳菲世界，游人未赏，都付与、莺和燕"三句，在词意上来了一个大转折。清刘熙载说这话"言近指远，直有宗留守大呼'渡河'之意"(《艺概·词曲概》)，言其意与抗金名将宗泽临死时还大呼"渡河，渡河"一样，无时不想到北伐收复失地的夙愿。

下片径承上片之意，言“恨”之所来，却又把作者与楼中人合而为一：“寂寞凭高念远，向南楼，一声归雁。”既惝恍迷离，又明白无隐。首先，对篇首“闹花深处层楼”加以补充，前句写楼，这句写楼上之人；而此人正处“闹花深处”，远离人世，故而“寂寞”；加之视线不能远至，就只好以心代目，“凭高念远”了。春季大雁回归北方，从“一声归雁”四字可以推知，楼上之人的“念远”是思念北方的中原故国。这里所用“南楼”一典，乃是用东晋元老重臣庾亮镇守武昌，秋夜登南楼的故事，暗取其抵御外侮之意。明乎此，再回头来看上片所铺叙的春景，便可明白原来作者笔下所写的并非江南水乡春雨融融的景致，而全然是一派中原春回大地的景象。那迟迟未落下的“淡云阁雨”，那长满莎草的平原，还有那中原举目皆是的“垂杨”……这些，都是作者“寂寞凭高念远”所想到的，也正是“恨”“游人未赏”的“芳菲世界”的真景实物。然而，“恨”还不止于此。“金钗斗草，青丝勒马，风流云散”和“罗绶分香，翠绡封泪，几多幽怨”是两组相对偶的排比句，它们以对比的方式表现出登楼人离乱前留下的美好记忆和如今的痛苦心情。大意是：当年赌以金钗的斗草游戏和勒马春游，那是何等惬意；如今，只有赠别的罗带尚存余香，翠绿的丝巾还残留有离别的泪痕，其他均烟消云散，唯余无限幽怨而已。这无疑是借男女别情来抒发自己对故国的怀念与怅恨。最后三句从“念远”回到现实之中，用烟月迷蒙、杜鹃声断的春夜景色烘托作者此时寂寞魂销的凄苦心情，给读者留下无可名言的幽想余思。

在这首词中，作者与抒情主人公时分时合，或虚或实，不能确指，也无须严为区别。总之，都是为抒发作者情怀而设。正因如此，作品更显得格外隐约曲折、耐人寻味。这在《龙川词》中是较为特殊的。清人徐釚评道：“陈同父开拓万古之心胸，推倒一世之豪杰，其《水龙吟》词，乃复幽秀。”(《词苑丛谈》)正是指此而言。

（姜书阁　姜逸波）

虞美人 陈 亮

春 愁

东风荡飏轻云缕，时送萧萧雨。水边台榭燕新归，一口香泥、湿带落花飞。　　海棠糁径铺香绣，依旧成春瘦。黄昏庭院柳啼鸦，记得那人、和月折梨花。

鉴赏

这是一首不甚被人注目的抒情小词，因为它在作者那些慷慨激昂的豪放词中显得格外娴雅，不属同一风格，因而便不为选家所重。但平心而论，此词之婉曲清丽，即使放在秦观《淮海集》中，也不失为佳作。当人们高歌其“不须反顾，寻取中流誓”那样雄壮的歌辞后，再来曼吟低唱这首小令，倒也别有情趣。

词的上片极力从客观景物中选取可以引逗春愁的细事来创造典型环境。如这里所写的“萧萧雨”(萧萧，同潇潇，指雨声)便是古人常用来写寂寞心境的。但事物是客观存在的，并不因人、因时、因地而有所不同；故其所以不同，乃是因人的心情有异，感于外物，所生之情遂不尽相同。就说这潇潇雨吧，李清照的“潇潇微雨闻孤馆”与岳飞的“潇潇雨歇”则两种心肠。陈亮所写的“萧萧雨”，又别有一番滋味。他写的是在“东风荡飏轻云缕”中不时地被送到愁人耳边的春雨声。闺中人闻雨更添愁思，茫然伫望，只见“水边台榭”旧燕新归，正忙于衔泥筑巢，虽不言双，而双意自在其中。“湿带落花飞”，那双燕衔着带有落花的香泥。“双燕飞来细雨中”自然会引起闺中人的无限愁思了。上片只写客观景物，由主人公耳之所闻及目之所见，并且都得之于无意之中，这显然没有直接写主观的情思。

下片由景及情。作者从眼前铺满落花的小径写到传入耳中的柳上啼鸦，然后转到主人公所思念的“那人”。既无一句不是写景，也无一句不是抒情。换头承上片“落花飞”而特写“海棠糁径铺香绣”，突出了海棠花落的暮春景色。“糁”，是米粒，这里用来形容落花铺地之状。春乃无形之物,本无所谓肥瘦。这“依旧成春瘦”一句,既取暮春花落,春光减色,如人消瘦之意,也由花及人,想到年华流逝,不免伤春瘦损。这已够闺中人凄怆的了,作者再加“黄昏庭院柳啼鸦”一笔:鸦啼本非悦耳之声,啼于黄昏时,啼于庭院内,更添几分惨淡气氛。这愈使思妇倍感孤独,因而引起对昔日朝夕相处的欢乐时光的回忆。“记得那人、和月折梨花”,以皓月之光和如雪的梨花这一片洁白为基色托出“那人”在自己记忆中的形象,虽带几分凄惨色彩,却已呼之欲出了。然而,这毕竟只是记忆中的影像,如何不令人思念无已呢?

这首词不但风韵婉约,情深意密,音韵也极其和谐。依律,《虞美人》每两句换一韵,且上下片各押两仄两平,声本和美。陈亮此调又颇得南唐冯延巳之遗韵,殊不类其余作。周密曾言“龙川好谈天下大略,以节气自居,而词亦疏宕有致”(转引自《词林纪事》卷十一),大约即指此类作品而言。

(姜书阁　姜逸波)

水调歌头

杨炎正*

把酒对斜日，无语问西风。胭脂何事，都做颜色染芙蓉？放眼暮江千顷，中有离愁万斛，无处落征鸿。天在阑干角，人倚醉醒中。　　千万里，江南北，浙西东。吾生如寄，尚想三径菊花丛。谁是中州豪杰？借我五湖舟楫，去作钓鱼翁。故国且回首，此意莫匆匆。

作者

*杨炎正(1145—?)，字济翁，庐陵(今江西吉安)人。庆元二年(1196)登进士第。嘉定三年(1210)，除大理司直；七年(1214)，知藤州(今广西藤县)，被论放罢。又曾知琼州(今海南岛)。其词"不作妖艳情态"，"俊逸可喜"(毛晋语)，曾与辛弃疾等人唱和。有词集《西樵语业》。

鉴赏

当一个人的政治理想得不到实现，报国之心得不到理解的时候，内心是十分苦闷的。自然而然地，就会萌生出进退出处的种种想法。有的人甘愿隐居，不问世事，避祸全身；有的人却百折不挠地为实现自己的理想而斗争——即使他感受到万般的忧愁和苦闷，但他最终会从这忧愁和苦闷中解脱出来。杨炎正这首词，就是后一种人的思想的表白。

在一个秋天的傍晚，作者登临送目，把酒浇愁。对着西斜的落日，让西风尽情地吹拂，却说不出一句话语。为什么会"无语"？作者没有明说，但在读者的心目中，已经留下了一个有着深沉的忧思的词人的形象。对于一个心情烦闷的人来说，美好的景色，反而会引起他的烦躁不安。于是他责怪胭脂，为什么“都做颜色染芙蓉”？这一问，问得实在不近情理，却唯其如此，才能真切地反映出作者内心的苦闷。这开头四句，没说一个“愁”字，却处处在渲染“愁”情。接下三句，极尽夸张之能事，把千顷暮江之中的万斛江水，都看做是离愁，连征鸿都无处落脚了。离愁是那样的深沉，以至于“无语”，以至于错怪，以至于江水都成了愁水，简直是触处成愁，“怎一个愁字了得”！这三句可以看做是上阕的一个小小的高潮，而接下去两句，便是十分耐人寻味的余波：“天在阑干角，人倚醉醒中。”抬头望去，天似乎就在阑干的一角之上，压得人透不过气来；而人呢，是喝醉了还是醒着？又好像醉了，又似乎醒着。本想借酒浇愁，可是“愁更愁”，人却是清醒得很！上阕几句，极力渲染愁情，然而这“离愁”究竟包含了多少内容，为何而发，却还没有做具体的说明，这个任务，就留给了下阕。

天地是如此的阔大：“千万里，江南北，浙西东。”可是当一个人不得意的时候，仿佛如此阔大的天地也容不得他存在，他觉得自己似乎是浮生若寄，做不得命运的主宰，便由此而产生了归隐的念头：“尚想三径菊花丛。”“三径”用的是汉代蒋诩隐居的典故。汉代蒋诩隐居时，于舍前竹下开了三条小路，只与求仲、羊仲两人往来，后来遂以“三径”作为隐士居所之称。陶渊明《归去来兮辞》也说：“三径就荒，松菊犹存。”可是隐居的生活也得有安定的形势作保障才行啊！所以说，“谁是中州豪杰”，能够把金人驱逐走，保障国土的安全，让我在五湖的山光水色之中，任情地垂钓呢？“五湖”即太湖，这里用范蠡功成隐退事。所以说，虽然想的是隐居，却还想到了“中州”——黄河中下游地区，希望能有“豪杰”的出现，而并非一味地不问世事。这样就逐渐地过渡到了最后两句全词的点睛之笔：“故国且回首，此意莫匆匆。”中原故国，让我再回头看看吧，那辽阔的疆土，丰盛的物产，被蹂躏的人民……想起这一切，我能就如此匆匆而去隐居逸乐吗？“此意莫匆匆！”隐居当然可以避去许多烦恼，但不，我暂时还不能这样做！到这里，再回过头去看上阕，便可明白上阕的愁，主要是愁局势的不安定，政治抱负的不能实现，表达的是出处的矛盾心理。上阕做了大量篇幅渲染的愁，竟完全成了“故国且回首，此意莫匆匆”两句的铺垫，让人们的感情一下子从低沉进入兴奋，推向了高潮，留下了一片光明的前景。

（朱宏恢）

蝶 恋 花　　杨炎正

别范南伯

离恨做成春夜雨,添得春江,刬地东流去。弱柳系船都不住,为君愁绝听鸣橹。　　君到南徐芳草渡,想得寻春,依旧当年路。后夜独怜回首处,乱山遮隔无重数。

鉴 赏

这首词,写和友人的惜别之情。

范南伯,是作者的友人。名如山,字南伯,邢台人。与辛弃疾一样,他也是从北方来到江南的一位爱国志士。张栻帅荆南时,辟为辰州卢溪令,后改摄公安令。其妹嫁与辛弃疾,他与辛弃疾相处亦甚欢。作者是与辛弃疾相唱和的词人,与范南伯相交当也是很深的。

这一次范南伯要离开作者而去南徐(今江苏镇江),夜晚正值春雨淅沥,下个不停。作者便随手拈来:"离恨做成春夜雨。"这春天夜里下个不停的雨,是我们不尽的离恨做成的吧!这比喻确是十分巧妙、贴切,因为它和此时此地人物的心情、人物所处的环境十分切合,而不是硬拉来的。这春夜之雨,流到哪里去了呢?"添得春江,刬地东流去。"李后主说"问君能有几多愁,恰似一江春水向东流",而这里作者却嫌一江春水还不够表达离恨,让春雨把春江添得满满的,而这春江水也似乎并不理解离别之人的心情,无端地、平白无故地东流而去,不为愁人住少许。在把这种离恨渲染透了之后,作者说:我想用柔嫩的柳枝把你的行船系住,可是系不住,只好为你的离去感到愁绝。在这愁绝的境界中,更一声声地听到咿咿呀呀的摇橹的声音,那声声的橹声,似乎在撕扯着我的心,使我更加感到哀愁!

接着作者想到范南伯要去的南徐,过去他们曾经一起在那里寻春游玩。在那芳草萋萋的渡口,想来你去寻春,依旧走的是我们当年走过的路吧?对往事的回忆和对未来的想象,往往能勾起美妙的感情,因而加重友谊的分量。作者深深地知道这一点,所以在下阕,一方面忆往事,一方面想今后,让人们从对比之中更理解作者的心情。今后又是如何呢?“后夜独怜回首处,乱山遮隔无重数。”回首相望,却被无重数的乱山遮隔。这又是多么的孤独呀!和过去一起寻芳斗胜相比,不可同日而语了。一种难以言喻的感情,通过形象化的比喻,传达给了读者。

(朱宏恢)

水调歌头　　杨炎正

登多景楼

寒眼乱空阔,客意不胜秋。强呼斗酒发兴,特上最高楼。舒卷江山图画,应答龙鱼悲啸,不暇顾诗愁。风露巧欺客,分冷入衣裘。　　忽醒然,成感慨,望神州。可怜报国无路,空白一分头。都把平生意气,只做如今憔悴,岁晚若为谋!此意仗江月,分付与沙鸥。

鉴赏

这是较能代表杨炎正作品风格的一首词,抒写他报国无路的感慨。淳熙五年(1178),杨炎正与辛弃疾等同舟过镇江,登多景楼而作此词,辛弃疾也有和作。

天气也似乎有意欺人。在感到寒意的眼中,只看见江天空阔,一切的景色都显得杂乱无章。作客他乡的词人,心意中怎么忍受得了秋天的悲愁呢?开头两句“寒眼乱空阔,客意不胜秋”便点出了自己的愁意。究竟自己为什么会有这样的愁意呢?这里没有明说,但明眼人一望便能体会出来。为了消愁,作者强呼斗酒,打足精神,特意上了最高层楼。可是入目的万里江山,必然会使人想起中原的半壁河山,这“愁”又如何能“消”呢?作者此时似乎又听到了大江中的鱼和龙一唱一和地悲啸,他感到,虽然有一种哀愁在催促着自己作诗,但也无心吟咏了。从中可以清楚地感受到作者的内心世界。结尾两句“风露巧欺客，分冷人衣裘"，意思更深一层：秋寒之中，不管是谁，都会受到风露的侵袭，都会感到冷意，可是作者却认为是"风露巧欺客"，似乎风露也乘人之悲，来"欺"他一下，使他衣裘之中比别人更冷一些。这里，"巧"和"分"这两个字用得很精警，使人从自然界的对所有人都一视同仁的"风露"，想到了社会生活中也的确有特别善于"巧欺客"的"风露"，它乘人之危，无孔不入。

下阕对自己感情的表达就直露了一些。"忽醒然，成感慨，望神州。可怜报国无路，空白一分头。"这短促有力的节奏，使人们充分体会到一个报国无路的英雄志士的感慨。神州陆沉，中原腥膻，对于卖国投降的人来说，确是不算什么，他们只顾门户私计，什么国家的前途、民族的存亡，都不在考虑之中。可是关心国家命运的人对此却感到极度的悲愤。有志不获骋，有力无处使，怎不令人感慨万分？何况年岁渐高，两鬓渐霜，一事无成！这几句激昂慷慨的声音，在晚秋的天空中回荡，确是发人深思啊！接下去的情绪便稍有低落，"都把平生意气，只做如今憔悴，岁晚若为谋！"平生的意气，都促使自己现今更加憔悴，往后怎么谋划残余的岁月呢？年轻时都报国无门了，年老了更有何用？"凭谁问，廉颇老矣，尚能饭否？"在投降派当权的朝廷里，剩下的只有一条出路："此意仗江月，分付与沙鸥。"归隐吧，把自己的余生，交给沙鸥，凭仗江上清风、山间明月，和沙鸥一起过闲散的生活。作者是饱含着眼泪，无可奈何地这样说的。这一点，和那些不问世事，一味追求逸乐的隐居生活的人是根本不同的。

整首词，显得十分悲壮苍凉，很有感染力，即使放在辛词中，也毫不逊色。

（朱宏恢）

菩　萨　蛮　　张　镃*

芭　　蕉

风流不把花为主，多情管定烟和雨。潇洒绿衣长，满身无限凉。　　文笺舒卷处，似索题诗句。莫凭小阑干，月明生夜寒。

作者

＊张镃(1153—?)，字功父，号约斋，西秦(今陕西)人。宋名将张俊之曾孙。曾任司农寺主簿、司农少卿等职。坐事追两官送广德军居住。后又坐扇摇国本，除名象州编管。卒。有《南湖集》《玉照堂词》。今存词八十六首。

鉴赏

这是一首咏物词。上片集中刻画了芭蕉跟其他一些花卉草木同中有异的风姿和品性。在人们的眼光中，“风流”“多情”“潇洒”是许多花卉草木所共有的，然而词人之所以特别欣赏和赞美芭蕉，却是由于它那与众不同的独异风姿。芭蕉并不以色彩斑斓、绚丽多姿的花朵来显示它的“风流”和“多情”，它那下垂的穗状花序毫不起眼，它也不在丽日和风中与群芳争妍。到了烟雨空濛和雨滴拍打的时刻，那些在丽日和风中以娇艳的花朵展露风流和多情的花木都黯然失色了，芭蕉，这才以一身潇洒的绿衣，显示出它那特有的风韵和情致，吸引人们观赏，撩拨人们的情思。一切繁喧炽热都跟芭蕉无缘，它浑身上下透出的是无限清凉。这样，我们从芭蕉的风姿中，依稀感受到词人的心灵。词人是赞赏芭蕉的，他从“满身无限凉”的芭蕉，观照出了一个风流、多情、潇洒而又清雅高洁的文人的形象。

过片顺着“绿衣长”“满身

凉”的拟人化的描写发展，从外形深入到心灵。词人观赏芭蕉，情为之动；芭蕉得遇知音，也动起感情来了。看，那一片片开张伸展的硕大绿叶，就像是在我面前铺开的文笺，要请我在上面题写诗句呢！但我又能写什么呢？这时，明月已升到中天，清辉泻在芭蕉那略被白粉的绿叶上，好像生出了一层薄霜似的，袭来一阵又一阵寒气。唉，别再倚着阑干痴看了，还是回屋去吧！“莫凭小阑干，月明生夜寒”两句，淡淡地透露出词人在此情此景下若有所思、若有所悟的感触。词人的内心究竟在想些什么呢？是芭蕉的清高与索句的催迫使他感到自愧弗如、无辞以对？是眼前的清冷触使他想到了趋炎附势的尘俗世风？还是“以其境过清”（柳宗元《小石潭记》），“凛乎其不可久留”（苏轼《后赤壁赋》），而只得悄然离去呢？词人没有明白说出，却留下了让读者充分联想、揣测的余地，读来更觉低回不尽，余韵无穷。

在诗词中，芭蕉常常同孤独忧愁，特别是离情别绪相联系。李清照曾写过：“窗前谁种芭蕉树？阴满中庭。阴满中庭，叶叶心心舒卷有余情。伤心枕上三更雨，点滴霖霪。点滴霖霪，愁损北人不惯起来听。”（《添字丑奴儿》）把伤心、愁闷一股脑儿倾吐出来，对芭蕉甚至还颇为怨悱。张镃这首词的感情抒发却相当蕴藉含蓄。他的哀愁和悲凉并没有直接倾吐，而是在雨丝烟雾里，在寒夜月色中，朦胧地流露出来。一缕淡淡的哀愁回肠九曲，大有欲吐又吞、含而难露的况味。词人通过对芭蕉独特风姿富有自我心灵观照的描写，使得所咏事物形、神、意兼备，具有丰富的象征意蕴，也增强了那一缕淡淡的哀愁的力度。

（程中原）

满庭芳　　张镃

促织儿

月洗高梧，露溥幽草，宝钗楼外秋深。土花沿翠，萤火坠墙阴。静听寒声断续，微韵转、凄咽悲沉。争求侣，殷勤劝织，促破晓机心。　　儿时曾记得，呼灯灌穴，敛步随音。任满身花影，犹自追寻。携向画堂戏斗，亭台小、笼巧妆金。今休说，从渠床下，凉夜听孤吟。

鉴赏

根据姜夔《齐天乐》(庾郎先自吟愁赋)小序的记述,在宋宁宗庆元二年(1196)深秋的一个夜晚,张镃同姜夔一道在张达可家饮酒,听到屋壁间有蟋蟀的声音,感触良多,便提议和姜夔都以蟋蟀为题写词,当场交给歌伎演唱。张镃先完成,就是这首《满庭芳·促织儿》。

蟋蟀作为歌咏的对象,最早见于《诗经·豳风·七月》。它对蟋蟀的活动规律观察得相当细致:"七月在野,八月在宇,九月在户,十月蟋蟀入我床下。"那时古人已经觉得蟋蟀的鸣声同织机的声音相仿,时令又届深秋,因而就跟促人纺织,准备冬衣,以至怀念征人等联系了起来。蟋蟀被直接呼唤为"促织",在古诗十九首中就已出现("明月皎夜光,促织鸣东壁")。到了唐代,从宫中以至民间,蟋蟀已经成为一种玩物。先是"听":"宫中妃妾皆以小金笼闭蟋蟀置枕函畔,夜听其声。民间争效之。"(《开元天宝遗事》)以后是"斗":"斗蛩之戏,始于天宝间,长安富人镂象牙为笼而蓄之,以万金之资,付之一喙。"(郑文焯校《白石道人歌曲》引《负暄杂录》)这种习尚,一直延续下来。在张镃生活的南宋,蟋蟀仍然身价百倍,"好事者或以三二十万钱致一枚,镂象齿为楼观以贮之"(姜夔《齐天乐》小序)。要听,要斗,当然要捉,习尚相沿,后来甚至发展到限令民间上交,不交问罪。清人蒲松龄笔下出现的成名之子化身蟋蟀的悲剧故事,就是这一现实的形象反映。不过,如果在蟋蟀之戏中去掉宫廷奢靡、官僚压榨、市侩暴利等现象,单就民间业余爱好特别是儿童玩乐来说,确是一项别有情趣、愉悦身心的活动。

张镃这首词既是由听到蟋蟀的声音而触发,当然从"听"写起。上片开头五句,描绘了一幅深秋月夜图。月明如水,高高的梧桐落尽了叶子,像被月光洗刷过一般,显得干净清亮。露水很浓,沾满幽深之处的草丛,在月光下隐约闪出晶莹的光泽。在画栋雕梁的楼上饮酒,感到楼外已经是深秋时节了!再看那边,翠绿的苔藓顺着墙根伸展,萤火虫就在那墙脚阴暗处飘忽起落。这五句,将深秋月夜的幽美、静谧,描写得十分细腻。这是蟋蟀鸣叫的环境,而蟋蟀的鸣声则已经传到了楼上,使饮酒的宾主不觉将视线集中到了墙根。接着便写词人凝神"静听"所得的印象及感受。

"寒声断续""凄咽悲沉",既写出了促织声音的特点,又抒发了词人闻声有感的心情,物我融合,流露出词人伤时的感喟。这是听到促织的寒声微韵后的直觉。当词人从这种情绪中慢慢缓解过来,又产生了一系列的联想:蟋蟀的清音,是寻找伴侣的爱情之歌,还是劝勉思妇不要偷懒,及早准备寒衣,让她一直纺织到黎明呢?陆机《毛诗疏义》便云:"里语曰:'趣(同"促")织鸣,懒妇惊。'"

由于词人的情绪渐渐离开静听时直觉的悲凉感受而向相反方向流动,这样,儿时玩蟋蟀的愉悦生活就在脑海里逐渐苏醒过来,引出换头以后一段生趣盎然的回忆。啊,小时候听到蟋蟀的鸣声时是多么欢欣雀跃呀!听准了声音,蟋蟀就在这个洞里呢。快拿灯笼来照着啊!又忙将满盆、满桶的水往洞里灌进去。哟,蟋蟀跳出来了!快,捂住,灯照好了!唉,竟给它跑了。听,这不是,那机灵的东西在前面叫呢。我们屏住气,一点儿不出声,蹑手蹑脚,跟着它的声音去捉。一路追寻过去,直到夜深了,月光弄着花影,洒满一身,也不罢休,终于逮到了它。然后带到画堂上去戏斗,亭台虽小,但金丝笼子可精巧呢!这一"捉"一"斗",或详或略,写来情态毕肖,栩栩如生,感情炽热,似乎到了忘情的境地。就在这感情的顶峰上,词人的思想又陡落下来,回到了眼前的现实:"今休说,从渠床下,凉夜听孤吟。"且不说中原沦丧已经八十余年,就是自己也已冉冉老大,在这深秋凉夜,听那蟋蟀的孤吟,哪里还会有孩提时代的那种情趣呢?儿时那段欢乐的回忆,只能徒然反衬出眼前的悲凉罢了。

这是一首咏物词。《历代诗余》引用周密的评语是"咏物之入神者"。词人写蟋蟀,对其形体并没有着一字,而只是从蟋蟀生活的环境和它那"凄咽悲沉"的鸣声落笔,并使两者有机地融合一处。这样,即使未见其形,蟋蟀那活蹦乱跳的形象就已进入读者的心田了。这正是词人手法高超之所在。"争求侣"三句,更作进一步的联想,让蟋蟀也富有人情味,甚至进入了人们的日常生活之中,这就不仅丰富了蟋蟀的形象,而且能使读者一道展开遐想的翅膀。词人写到了赏玩蟋蟀的各种方式,他的感情也经过了一番忧而喜、喜而忧的起伏回旋,但全词一点没有散杂之感,因为无论是写"听"的不同感受,还是写"捉"和"斗"的无穷愉悦,都是为了对比与反衬出词人在此时此地不可更易的心情,别人儿时和自己儿时感情的异向的以至逆向的流动,愈显得词人此时此地感情之流的深挚真切。词人在这里是做到了“杂多的统一”，运用了“相反相成”的原理。

词句的运用也有较高的造诣。写“捉”与“斗”的动作，不仅描摹细腻，形神毕肖，而且还让读者通过动作触摸到人物的心灵，如“呼灯灌穴”时的兴高采烈，“敛步随音”时的紧张神秘，“犹自追寻”时的专注执著，“画堂戏斗”时的怡然自得，都写得活灵活现，极富生活情趣。

（程中原）

沁园春

刘过*

寄辛承旨。时承旨招，不赴

斗酒彘肩，风雨渡江，岂不快哉？被香山居士，约林和靖，与东坡老，驾勒吾回。坡谓西湖，正如西子，浓抹淡妆临镜台。二公者，皆掉头不顾，只管衔杯。

白云天竺去来，图画里峥嵘楼阁开。爱东西双涧，纵横水绕；两峰南北，高下云堆。逋曰不然，暗香浮动，争似孤山先探梅。须晴去，访稼轩未晚，且此徘徊。

作者

*刘过(1154—1206)，字改之，号龙洲道人，吉州太和(今江西泰和)人。多次应试不第，屡陈恢复方略不报，长期流落江湖以终。其词师法稼轩，多慷慨悲壮语，然于狂逸之中自饶俊致，足以自成一家。著有《龙洲词》。

鉴赏

这首词写于嘉泰三年(1203)，时作者流寓杭州。“辛承旨”，即辛稼轩，因其曾于开禧三年(1207)被任为枢密院都承旨而得名。不过那时刘过已死，“承旨”二字可能是后人加的。嘉泰三年，辛稼轩在绍兴任浙东安抚使，刘过诗满天下，名震文坛，稼轩得知他在杭州，便派人去约请他，刘过适以事不及行，便效稼轩体填了这首词作为回答。由于这首词构思新奇，模仿逼真，稼轩“得之大喜，致馈数百千，竟邀之去，馆燕弥月”(岳珂《桯史》)，然后遣之。全词运用对话方式，大开大合，融写景、叙事、抒情和议论于一体，酣畅淋漓地表达了他对辛稼轩的倾慕与友谊。

上片写他说去赴招实际并不去赴招的矛盾心理。开头三句写他想去赴招，但他没有直说，而是通过两个动作来表达的。一是他设想在辛处大吃痛饮。“彘肩”，猪前肘。一是他愿意在狂风大雨中渡过钱塘江(去绍兴)，虽没明言赴招，其赴招之意已在其中；然后用“岂不快哉”一点，便把他乐于赴招之意明确地表达出来了。其中“风雨”二字暗含尾腔“晴”字，“岂不快哉”一句着一“岂”字，又跌出下文不去赴招之意。细针密线，陡健有力。“被香山居士”四句，写他在即将成行的时候，不料事与愿违，白居易(号香山居士)、林逋(字和靖)和苏轼(号东坡居士)三人亲自出面，硬把他拉回来了。白、林、苏三人既是著名诗人，又先后在杭州做官或隐居，是杭州的“居停主人”，由他们出面强留，自然是不好走的。行文至此急转直下，明确地点出他暂时难去赴招，为全词立下主旨。接下来概括白、林、苏三人诗意，假托三人争辩，具体说明他之所以不赴招的理由。苏轼两次出守杭州，写了不少歌咏西湖的诗篇，最出名的当然是《饮湖上初晴后雨》。全诗是：“湖光潋滟晴方好，山色空蒙雨亦奇。欲把西湖比西子，淡妆浓抹总相宜。”“坡谓”三句，化用这首苏诗，说明苏轼劝他留下，同大家一起去游西湖，共同欣赏它那美如西子的湖光山色；同时又指出白、林二公只顾喝酒，对苏东坡的提议丝毫不感兴趣。上片至此，辞尽而意不尽，巧妙而又自然地过渡到下片去。

下片写他暂不赴招和以后一定赴招的态度。换头六句接着写白居易的建议。白居易在杭州做郡守时，写过不少歌咏杭州的名句，如“楼殿参差倚夕阳”(《西湖晚归回望孤山寺赠诸客》)，又如“湖上春来似画图”(《春题湖上》)，再如“东涧水流西涧水，南山云起北山云”(《寄韬光禅师》)等。“白云”六句，化用上述白诗，用“爱”贯串，为天竺勾勒出一幅美妙动人的风景画卷：天竺山高耸入云，天竺寺雄踞山巅；东涧和西涧碧水长流，纵横交错；南高峰和北高峰遥相对峙，隐没云中。整个天竺层楼复阁，山环水绕，宛如仙山一般。由于白居易“在郡六百日，入山十二回”(《留题天竺灵隐两寺》)，对天竺特别喜爱，所以他劝刘过莫去西湖，随他一同游览天竺去。谁知林逋又不同意。林逋长期隐居西湖孤山，喜欢养鹤，更喜爱种梅，人们说他以梅为妻，以鹤为子。他在《山园小梅》里称赞梅花“疏影横斜水清浅，暗香浮动月黄昏”，道前人所未道，成为千古咏梅名句。“逋曰”三句,化用林诗,说明由于林逋酷爱梅花,故劝他莫去天竺和西湖,先随他到孤山探梅去。三位诗人各持己见,争论不休,写得像是煞有其事,其实不过是表示作者跻身于历代大诗人之列,迷恋于“西湖歌舞”之中,故作姿态,以显示自己狂放不羁而已。结尾三句,一方面指出“须晴去,访稼轩未晚”,回应开头,表示待天气好转以后将去赴招;一方面表示还得在杭州徜徉一段时间,眼下不能到绍兴去。这话看似刘过自白,又像是三位诗人相劝,恍惚迷离,饶有情趣。

这首词在艺术上也是很独特的。第一,它通体采用了对话方式。辛稼轩《沁园春》词(将止酒,戒酒杯使勿近),采用他同酒杯对话的方式,说明饮酒的危害和自己对止酒的态度,笔调诙谐,文字自由,体现了稼轩以文为词的风格。刘过模仿辛词,又有自己的创造,这种创造主要表现是扩大了对话的人数,突出了对话的作用,用对话叙事,用对话写景,用对话抒情,用对话结构全词,层次清楚,形象生动,感情强烈,而又浑然一体,故《词林纪事》说“此词虽粗而局段高”。第二,想象奇特、大胆。这首词的独特之处不仅在于通体采用对话方式,还在于他把不同时代的三位诗人拉在一起,让他们赛诗,让他们辩论,借古诗人之口,言自己心中之事,议论虽然多了一点,但由于采用了概括三位诗人吟咏杭州景物的佳句,不但不显得枯燥无味,反而使人觉得富有理趣。这种超越时空的手法,使人感到作者的想象非常大胆、奇特、美丽,而不会觉得荒唐可笑。当然议论过多,令人稍嫌不足。

(薛祥生)

沁园春　　刘过

张路分秋阅

万马不嘶,一声寒角,令行柳营。见秋原如掌,枪刀突出;星驰铁骑,阵势纵横。人在油幢,戎韬总制,羽扇从容裘带轻。君知否?是山西将种,曾系诗盟。

龙蛇纸上飞腾,看落笔四筵风雨惊。便尘沙出塞,封侯万里,金印如斗,未惬平生。拂拭腰间,吹毛剑在,不斩楼兰心不平。归来晚,听随军箫鼓,已带边声。

鉴赏

邵晋涵《龙洲道人诗集序》说:“宋自和议既成,士大夫皆厌厌无生气,独龙洲以布衣慷慨游历兵间,不忘恢复,伏阙上书,指陈无顾忌,有国士之风。”“路分”,即路分都监,掌管本路(相当于明清的省)禁旅屯戍、边防、训练等军务的官员。南宋初年,多以诸路帅臣兼任。各路分每岁阅兵一次。“张路分”,姓张的路分都监,生平事迹不详,大约是作者的诗友。他秋阅时,约请刘过观看。刘过有感于张路分军威的雄壮,便借写秋阅之机,陈恢复之计。

词的上片主要写秋阅。开头三句使用倒装句式写秋阅前军营的严整情形。按动作的顺序说,应当是“一声寒角,令行柳营,万马不嘶”,作者把“万马不嘶”倒置在句首,旨在突出张路分号令严明,确实做到了“犯(用)三军之众,若使一人”(《孙子·九地》),可以和周亚夫相比。周亚夫是汉代名将,以严于治军著称,他曾驻军细柳,因称其军营为柳营。汉武帝亲去劳军,没有他的命令也不得进入营门。作者把张路分的军营比作周亚夫的柳营。既说明了张路分军营的严整,又暗示出张路分也是一位严于治军的将领。“见秋原如掌”四句,写秋阅。“秋原”点阅兵的地点,在平坦如掌的原野上检阅军队,见其阅兵规模之大。“枪刀突出,星驰铁骑”,写步兵、骑兵动作迅速,拼杀凶猛,见其士卒武艺之精。如果说“枪刀突出”是写比试武艺,而“阵势纵横”则是写演习阵法。“纵横”二字点出了阵势变化无穷。作者用“见”字贯穿四句,把他所见到的威武雄壮的秋阅情景生动而准确地表现出来了。接下去写秋阅的指挥者。据《晋书·羊祜传》记载,西晋羊祜出镇襄阳十年,常身不披甲,轻裘绶带,有儒将之风。“人在油幢”三句,说明张路分和羊祜一样,既精通韬略,又风流儒雅,能“运筹帷幄之中,决胜千里之外”,充分显示了他的大将风度与才能。他的军事才能从何而来?作者指出和他的家世是分不开的。《汉书·赵充国传赞》说:“秦汉以来,山东出相,山西出将。”张路分大约是山西人,因此“君知否”三句用设问句式,指出他具有高超的军事指挥艺术并非偶然,因为他是“山西将种”,是将门之后。而“曾系诗盟”一句,既点明张路分是文武全才,还喜欢写诗,缴足“羽扇从容裘带轻”之意,同时又领起下文,起到了承上启下的作用。

词的下片主要写张路分杀敌报国之壮志。《七颂堂词绎》说："中调长调转换处,不欲全脱,不欲明粘。"换头二句先运用李白"时时只见龙蛇走"(《草书歌》)诗句,写张路分书法雄浑遒劲,而不言写诗,避免了与上片明粘;同时又运用杜甫"笔落惊风雨,诗成泣鬼神"(《寄李十二白二十韵》)和"高谈雄辩惊四筵"(《饮中八仙歌》)诗句,赞美张路分诗才惊人,和"曾系诗盟"遥相呼应,防止了和上片全脱,通脱灵活,足见作者艺术手段之高明。"便尘沙出塞"四句写张路分不怕风沙扑面,愿意统兵出塞作战,既不是为了博取"万里侯"(因立功异域所封之侯)的封号,也不是为了"取金印如斗大,系肘后"(《世说新语·尤悔》)以炫武功。"未惬平生"四字紧承上文,既含蓄地点出张路分不计较个人名利的优秀品质,又为下文留下发挥的余地。《汉书·傅介子传》说,西域楼兰王勾结匈奴,多次杀害汉使,汉昭帝元凤四年(前77)派傅介子出使西域,设计刺杀了楼兰王。"拂拭腰间"四句,运用傅介子的典故,写张路分经常抚拭腰间吹毛可断的利剑,以示敌人未灭,壮心不已,充分显示了张路分杀敌报国的壮志。这是作者对张路分的期望,也是作者的自我期许。末尾三句,写阅罢归来。"归来晚",写秋阅时间之长;"已带边声",写杀敌报国的气氛给人印象之深,总收阅兵与御边二意,回应开头,结束全文。

(薛祥生)

念奴娇　　刘过

留别辛稼轩

知音者少,算乾坤许大,着身何处?直待功成方肯退,何日可寻归路?多景楼前,垂虹亭下,一枕眠秋雨。虚名相误,十年枉费辛苦。　不是奏赋明光,上书北阙,无惊人之语。我自匆忙天未许,赢得衣裾尘土。白璧追欢,黄金买笑,付与君为主。莼鲈江上,浩然明日归去。

鉴赏

这首词大约作于嘉泰三年(1203)。辛稼轩是刘过好友之一,刘过对他非常敬重,曾写诗说:"但得稼轩一题品,春风侠骨死犹香。"(《呈稼轩》)因其过从甚密,当时社会上还流传着他们交往的一些趣事,如《山房随笔》说刘过欲结识稼轩,稼轩令其赋诗面试,又比如《江湖纪闻》说刘过客稼轩,因母病告归,囊橐萧然,稼轩为其筹款万缗,买舟送归,刘过因赋此词留别。这些传说虽有某些讹误,但基本事实不会有多大出入。在这首词中,刘过倾诉了自己怀才不遇的苦闷,反映了南宋统治集团的黑暗腐朽,表达了他愤然归隐的思想。

词的上片写刘过落拓不遇的生活。开头三句,写世无人知的苦闷。"知音者少"兼包作者与稼轩两人而言,是说他们要求恢复中原,社会上却无人理睬,因而发出"乾坤许大,着身何处"的叹息。以"许大"状乾坤,说明天地无限广阔;以"何处"说自身,说明天地虽广却着身无地。两相对比,便把他们落拓无依的境况写出来了。这两句既为"浩然归去"设下伏笔,又对"知音者少"做了具体发挥。辛稼轩在同期写的《汉宫春》词中借用"四时之序,功成者去"的典故,写过"功成者去,觉团扇、便与人疏"的词句,表达他对弃置不用的焦虑。"直待功成"二句,针对稼轩的忧虑,劝他急流勇退,不要等待功成名遂,因为那一天是等不来的。这两句是开,是明写别人,暗写自己。"多景楼前"三句是合,是把笔收拢来直抒胸臆。"多景楼",在今江苏镇江北固山甘露寺内(今仅存遗址),是唐代名胜之一。刘过曾多次登楼眺望中原,写下"西风把酒闲来游,木叶渐脱人间秋。烟尘茫茫路渺渺,神京不见双泪流"(《题润州多景楼》)等怀念中原的名句。"垂虹亭",在江苏吴江县垂虹桥之上,为当地名胜之一,王安石在《送裴如晦宰吴江》诗中曾说"他日散发处,最爱垂虹亭"。刘过之所以要在垂虹亭、多景楼"一枕眠秋雨",固然和两地景物优美又可眺望中原有关,更主要的还在于他科场失意,政治上遭受压抑。他在诗中不止一次说过"十载长安五往来,立谈无语口慵开"(《谒易词谏》)、"十年无计离场屋,说着功名气拂胸"(《上袁文昌知平江》),这里所说的"虚名相误,十年枉费辛苦",既概括了他落拓不遇的生活,又反映了他对遭受压抑的不满情绪。

词的下片承"十年枉费辛苦"

而发，从正反两个方面写他落拓不遇的原因。“不是奏赋明光”三句，从反面落笔，说明他所以不遇，既不在于他没有诗才，不能像汉代辞赋家那样在明光宫（汉代宫殿名，武帝时置）向皇帝奏进辞赋，也不在于他不能诣北阙上书，陈述治国安邦的良策，以打动人主之心。“我自匆忙”二句，正面说明他之所以不遇，主要在于皇帝不重用他。早年，刘过曾向皇帝上书，向宰相陈述抗金方略，均未被采用，故云“天未许”，也就是没得到皇帝的赏识。“赢得衣裾尘土”，是说自己到处奔波，毫无结果，只不过落得满身灰尘而已。这几句揭露统治集团压抑人才的罪恶，可谓笔无藏锋，痛快淋漓！“白璧”三句，是留别辛稼轩的话。古代皇帝、大臣对下属有所赏赐，常用“白璧一双”。崔骃《七依》曾用“回顾百万，千金买笑”，形容美人之笑难得。这里运用这些材料，说明不论给予“白璧一双”的赏赐也好，还是纵情声色，千金买笑也好，他都无兴趣，还是交付给皇帝享用吧！末尾作者运用张翰的典故，说明自己不慕名利，决心归隐，同时又用“浩然归去”回应开头，并表明自己在归去的时候，正气凛然，决不向腐朽势力低头的高洁品质。

从风格上讲，这首词是属于直率一类的，这主要表现是直抒胸臆，一泻无余。词的开头，郁积在作者心头的愤懑之情就像一股清泉喷薄而出，激荡着读者的心灵。接着沿流溯源，指出自己为“虚名相误”，十多年来枉费了许多心力。然后明确指出自己所以不遇，不在于无才无识，而在于皇帝不重用自己。最后明确表示自己要“浩然归去”，用通俗的语言，明快的旋律，把满腔的怨愤向朋友倾吐出来，丝毫不加掩饰，生动活泼，情致缠绵，具有很强的艺术感染力。

（薛祥生）

糖 多 令　　刘 过

安远楼小集，侑觞歌板之姬黄其姓者，乞词于龙洲道人，为赋此《糖多令》。同柳阜之、刘去非、石民瞻、周嘉仲、陈孟参、孟容，时八月五日也。

芦叶满汀洲，寒沙带浅流。二十年、重过南楼。柳下系舟犹未稳，能几日、又中秋。　黄鹤断矶头，故人今在不？旧江山、浑是新愁。欲买桂花同载酒，终不似、少年游！

鉴赏

姜夔《翠楼吟》词题说安远楼建成于淳熙十三年(1186)冬,可知此词当作于是年之后。刘过生当宋室南渡之际,二十年前曾抱着收复中原的理想来游武昌。武昌为荆湖北路首府,扼南北交通要冲,系“用武之国”,敌我纷争之地。二十年后重过武昌,中原不仅未复,自己反而憔悴不堪。于是借重游安远楼之机,感慨时事,写下这首“楚中歌者竞唱之”的名词。

这是一首登临之作。它含蓄地反映了作者抑郁不平的心情,表达了作者关心国事的思想。词的上片主要写重过南楼的时间和登楼所见的景色。“芦叶”二句,写景。汀洲上长满芦苇,浅浅江流蜿蜒如带,从沙滩旁流过,到处是一派凄凉的景色。“满”字说明枯槁的芦叶遍地皆是,“寒”字说明沙洲给人的凄凉的感受。言景即是言情,游人心情何等悲凉,可想而知。“二十年”一句点时,是说二十年后的今天重过武昌,景物如此萧条冷落,实在难与二十年前相比,作者虽未明言,昔是今非之感已隐见言外了。“柳下系舟犹未稳”三句,慨叹时光易逝。“系舟犹未稳”,说明重来武昌的时间极其短暂;“能几日、又中秋”,又说明岁月无情,转瞬即逝,使人发愁。这几句词一方面为“欲买桂花同载酒”设下伏笔,同时又借季节与时间的描写,象征国事与个人均已进入冷落时期,流露出一股悲凉情绪。

下片主要写重过南楼的感慨。“黄鹤”二句,化用崔颢《黄鹤楼》“昔人已乘黄鹤去,此地空余黄鹤楼”诗句,写物是人非,对当年同游故人表示了深切的怀念。“旧江山、浑是新愁”是全词的警策,写旧地重游的深沉感慨。作者不言“旧地”而言“旧江山”,暗示新愁不单单是故人不在之愁,也包括了国家之愁;“新愁”之前加“浑是”二字,又说明新愁触处皆是,简直无法用语言把它表达清楚。诚如《草堂诗余隽》所语:“因黄鹤楼再游而追忆故人不在,遂举目有江山之感,词意何等凄怆!又云‘系舟未稳’,‘旧江山、浑是新愁’,读之下泪!”“欲买桂花同载酒”三句,紧扣中秋饮桂花酒,谓纵欲载酒同游,但终究不似少年时之所游,盖心境已不同了。“多少伤心事,尽在不言中”,含蓄蕴藉,耐人回味。前人称这首词为“小令中工品”(《左庵词话》),这不仅仅因为它表现了作者的国家之感,而且还在于作者没作淋漓尽致的正面铺叙，而是借助于形象描写，把他重游武昌的复杂感情曲折含蓄地表达出来，词旨清越，亦见含蓄不尽之致。故唐圭璋先生说："冯梦华谓龙洲学稼轩，'得其豪放，未得其宛转'。然若此词，固豪放宛转，兼得稼轩之神者。"

（薛祥生）

贺新郎　刘过

弹铗西来路。记匆匆、经行十日，几番风雨。梦里寻秋秋不见，秋在平芜远树。雁信落、家山何处？万里西风吹客鬓，把菱花、自笑人如许。留不住、少年去。

男儿事业无凭据。记当年、悲歌击楫，酒酣箕踞。腰下光芒三尺剑，时解挑灯夜语。谁更识、此时情绪？唤起杜陵风月手，写江东渭北相思句。歌此恨，慰羁旅。

鉴赏

刘过是位志在报国的志士。早年，他往来于杭州、苏州、金陵、东阳之间，投书献策，希图仕进；之后，他又从金陵溯江西上，经采石、九江、武昌，直至西北重镇襄阳，劝说诸路帅臣，致力于收复中原，但均未奏效。这首词大约是他中年以后溯江西上时写成的。

词的上片写他流寓他乡，抑郁不平的心情。"弹铗西来路"四句，运用冯谖弹铗客孟尝君的故事，叙写自己不顾风吹雨打，从金陵匆匆西上，依人作客，很不得意的情况。"经行十日"，写旅程的漫长，"几番风雨"，写旅途的艰苦，把他"弹铗西来"的窘迫状态表现出来了。古人说"寂寂守空城，悠悠思故乡"，依人作客的窘状诱发了他的思乡情绪。"梦里"二句，写思乡，但作者并没直说，而是说"寻秋"。"寻秋"二字，一则点明了"弹铗西来"的时间不是在春天，而是在秋季；同时化用许浑"客散他乡夜，人归故国秋"诗意，巧妙地点出了思乡之意。"梦里寻秋"，见其思乡之切；寻而不见,见其失望之甚。“秋在平芜远树”,化用欧阳修《踏莎行》词“平芜(草地)尽处是春山,行人更在春山外”之意,说明家乡遥远,欲归难得。“雁信落”二句,写家中杳无音信。古人传说大雁可以为人捎带书信,“落”字关合“雁”字,说明雁信沉落,一点消息也没有;紧接着用“家山何处”一点,便把他热切盼望归乡而又书信难得的惆怅之情烘托了出来。“万里”二句自叹衰老。“万里西风”极写秋色无际;“吹客鬓”三字,既点出他客居异乡,又引出“把菱花”之句。宋玉说:“悲哉,秋之为气也。”时届秋季,已使人悲伤;而自己又“渥然丹者为槁木,黟然黑者为星星”(欧阳修《秋声赋》),揽镜自照,人已衰老,能不叹息?故接下去说“留不住、少年去”,透露出他对事业无成、年华虚度的深沉的忧虑。

下片追忆年轻时期的远大理想及其无法实现的愤慨。“男儿事业”四句,承“留不住、少年去”而发,极写少年时代的远大理想与豪迈气概。古人说,男子生而志在四方。刘过在《盱眙行》诗中也说:“何不夜投将军扉,劝上征鞍鞭四夷。沧海可填山可移,男儿志气当如斯。”移山填海,整顿乾坤,这就是他所说的“男儿事业”的真实含义。但是,对于他这样的抱负,在当时既无人理解,也无人支持,因而也就无法实现,故云“无凭据”。《晋书·祖逖传》说,逖统兵北伐,渡江,中流击楫而誓曰:“不能清中原而复济者,有如大江。”“悲歌击楫”,运用祖逖的典故,说明自己年轻时代就立下不澄清中原决不罢休的壮志。刘义庆《世说新语·简傲》说,三国时,魏国著名诗人阮籍在大将军司马昭的宴会上,“箕踞(把膝头稍微曲起来坐,形状如箕,叫箕踞)啸歌,酣放自若”。“酒酣箕踞”运用阮籍的典故,写自己当时虽“客诸侯之门”,但酣放自若,有不可一世的气概。“腰下”二句,写自己强烈要求杀敌报国的愿望。腰悬三尺宝剑,暗示他随时准备出征杀敌。陆游在《长歌行》中说“国仇未报壮士老,匣中宝剑夜有声”,借用宝剑发声表达自己从军杀敌的愿望。作者在这里说宝剑“时解挑灯夜语”,同样是用拟人手法描写自己时时不忘杀敌报国的心情。“谁更识、此时情绪”,用设问句式,一方面同“无凭据”三字遥相呼应,另一方面又深刻地反映出报国无路的悲愤。“唤起杜陵风月手”四句,以李白自比,希望杜甫再世,能用他那“笔落惊风雨,诗成泣鬼神”(《寄李十二白二十韵》)以及“渭北春天树,江东日暮云。何时一樽酒,重与细论文”(《春日怀李白》)的优美诗句,放声歌唱报国无路的悲愤，慰藉自己这个旅居在外的人。用字虽然不多，却把他报国无路的悲愤淋漓尽致地表达了出来。

这首词用典较多，但用得较好。比如“弹铗西来路”写自己“厄于韦布，放浪荆楚，客食诸侯间”（《桯史》）的窘迫情况，用冯谖在孟尝君处作客，因不受重视，弹铗而歌，表示要离去的典故，既说明了自己依人作客，又表示自己不甘心受人冷落，非常恰切。再如“记当年、悲歌击楫”一句写自己北定中原的壮志，用祖逖渡江击楫，发誓澄清中原的故事，不仅内容切合，而且情味相似，信手拈来，巧妙之至。此外如“唤起杜陵风月手”二句，化用四句杜诗入词，如同已出，毫无斧凿痕迹，笔力甚峭，亦见作者熔铸古代词语的高度功力。

（薛祥生）

六州歌头　　刘过

题岳鄂王庙

中兴诸将，谁是万人英？身草莽，人虽死，气填膺，尚如生。年少起河朔，弓两石，剑三尺，定襄汉，开虢洛，洗洞庭。北望帝京，狡兔依然在，良犬先烹。过旧时营垒，荆鄂有遗民，忆故将军，泪如倾。　说当年事，知恨苦，不奉诏，伪耶真？臣有罪，陛下圣，可鉴临，一片心。万古分茅土，终不到，旧奸臣。人世夜，白日照，忽开明。衮珮冕圭百拜，九泉下、荣感君恩。看年年三月，满地野花春，卤簿迎神。

鉴赏

《宋史·岳飞传》说，宋孝宗时诏复飞官，以礼改葬，并建庙于鄂，为岳飞恢复了名誉。宋宁宗嘉泰四年（1204），追封岳飞为鄂王。本词题为“题岳鄂王庙”，可知此词当作于嘉泰四年或稍后。当时正值开禧北伐前夕，韩侂胄当政，起用了辛弃疾、陆游等一批爱国人士，撤换了那些醉心和议的人，追夺了汉奸卖国贼秦桧的王爵，到处充满了抗战气氛。这首词就是在这种形势的鼓舞下写成的。它热情赞扬了岳飞的英雄业绩，揭露了秦桧陷害岳飞的罪行，反映了广大人民群众和爱国志士对岳飞的无限爱戴与景仰的思想感情。

词的上片概述岳飞的生平事迹，抒写他怀念岳飞的心情。开头二句，用设问句式，强调指出岳飞是南宋中兴名将，杰出的民族英雄，国家的精英，为全词定下鲜明的基调，有力地带起了全词。"身草莽"四句，写岳飞虽死犹生，英名长存。"身草莽"三字，点明岳飞遇害，葬身草莽，和普通人没有什么两样；"尚如生"三字，则指出岳飞死得很有价值，永远活在人们心里。为什么他人虽死"尚如生"呢？作者认为这是由于岳飞为民族利益而死，胸中充满了浩然正气，而正气是长存的。俗话说"丹青难画是精神"，刘过仅用"气填膺"三字便把岳飞的崇高精神写出来了，可谓神来之笔。"年少起河朔"六句，追叙岳飞的生平与事迹。岳飞，字鹏举，相州汤阴（在今河南省）人。北宋末年，在真定（今河北正定）应募入伍，屡立战功，声威日著，所以说他"年少起河朔"。"起河朔"者，在河北崭露头角也。"弓两石"二句，是说他能拉开两石（古制，每石为一百二十斤）硬弓，善用三尺龙泉宝剑，武艺高强，本领出众。"定襄汉"三句，写岳飞的功绩。岳飞的功绩是多方面的，而作者认为主要的有三项："定襄汉，开虢洛，洗洞庭"。其中"洗洞庭"指的是镇压以洞庭湖为根据地、以杨么为领导的农民起义，这是他的历史污点。作者把它当做岳飞的功绩，这是作者的历史局限。岳飞真正的历史功绩实际上只有两项：一是绍兴四年（1134）他统兵打败了金人和伪齐的联合进攻，收复了被金兵占领的襄阳及唐、邓、随、郢诸州，这就是"定襄汉"；一是绍兴九、十两年（1139、1140），他率兵北上，大破金兵，进驻朱仙镇，派诸将向虢（在今陕西）、洛（在今河南）一带进军，从而开拓了北伐战争的新局面。这几句以高度概括的文笔，描写了岳飞的勇武，肯定了他的历史功绩。"北望帝京"三句，写中原未复，良将先烹的叹息。古语云："飞鸟尽，良弓藏；狡兔死，走狗烹。""狡兔依然在"二句反用古训，说明两京未复，良将已亡，字里行间流露出对岳飞之死的无限同情与惋惜。"过旧时营垒"四句，写作者对岳飞的凭吊。刘过本是江西太和人，因他早年生活于襄阳，故词中用"荆鄂遗民"自指。"泪如倾"三字，写他访问岳飞旧时营垒时激动的心情，字里行间洋溢着他对岳飞的崇高敬意。

下片主要写岳飞的冤狱和人民群众对他的爱戴。换头用“说当年事”起笔,把读者引入了对往事的深沉的回忆中去。接着用“知恨苦”一点,既表明他对岳飞的愁恨与痛苦是理解的,同时又暗示出岳飞被害是冤枉的。然后使用疑问句式,说明所谓“不奉诏”,不过是秦桧编造的谎言,单刀直入地揭露了秦桧陷害岳飞的罪行,指明了岳飞之死纯属冤狱。岳飞为什么会含冤而死?作者认为秦桧固然要负主要责任,但宋高宗赵构也难辞其咎。因此,他接着写道:“臣有罪,陛下圣,可鉴临,一片心。”这就是说,假使岳飞真有所谓“抗诏”之罪而陛下圣明的话,应当能够洞察出他所以不愿班师,是出于一片“精忠报国”的诚心。言外之意是说,陛下不察,反而把他杀了,不正说明陛下昏庸吗?这几句词把批判矛头直指当时的最高统治者——皇帝,可谓有胆有识。“万古分茅土”三句,采用抛开当前而说过去的写法,说明历史是公正的,自古以来,分茅胙土(古时分封诸侯,用白茅裹着泥土授予被封者,象征着授予他土地和权力,叫分茅土),赏赐功臣,从来也没有那些奸臣的一份儿,这既表示了他对奸臣们的憎恨,又暗示岳飞必将受到封赠和赏赐。“人世夜”三句,运用比喻手法,说明正如黑夜必然要被白天代替一样,岳飞的冤抑终必变为荣封,如日中天,扬眉吐气。“衮珮”三句,是说岳飞已荣封鄂王,身着衮服(古代王侯穿的礼服),腰悬玉珮(佩带的装饰品),头戴冕冠(古代王侯的礼帽),手执圭璧(古代王侯举行隆重仪式时所用的上尖下方的玉制礼器),端坐在庙堂中央,接受万众朝拜,如岳飞死而有知,九泉之下也要“荣感君恩”,照应词题,点出“题岳鄂王庙”之意。最后三句,是说人民群众对自己的民族英雄是无限怀念的。每年三月当他们祭扫祖墓的时候,总是用祭奠王侯的大礼(卤簿)祭奠岳飞的神灵,以寄托民族的哀思。“满地野花春”五字,情景交融,含蓄地说明岳飞的英灵犹如满地春花,将永远留在人们美好的记忆里。

这首词在写作上也是颇具特色的。作者怀着强烈的感情,用明快的语言,急促的节奏,多变的旋律,时而叙事,时而说理,时而抒情,大笔振奋,一气贯注,酣畅淋漓地描述了岳飞的业绩和人民群众对这位英雄无限崇敬的心情,慷慨激昂,字字千钧,读之使人神往。

(薛祥生)

六州歌头　　刘过

镇长淮，一都会，古扬州。升平日，珠帘十里春风、小红楼。谁知艰难去，边尘暗，胡马扰；笙歌散，衣冠渡，使人愁。屈指细思，血战成何事，万户封侯。但琼花无恙，开落几经秋。故垒荒丘，似含羞。　怅望金陵宅，丹阳郡，山不断，郁绸缪。兴亡梦，荣枯泪，水东流，甚时休？野灶炊烟里，依然是、宿貔貅。叹灯火，今萧索，尚淹留。莫上醉翁亭，看蒙蒙雨、杨柳丝柔。笑书生无用，富贵拙身谋，骑鹤来游。

鉴赏

扬州是座古老而繁华的城市，自古为淮盐总汇，商业发达。南宋初年，金兵两次南下，使这座繁华古城顿时变为一片废墟。刘过多次赴杭州应试，均未被录取。下第之后，有时就“臂弓秣马长淮去”（《西湖别舍弟润之》），在扬州一带游历。他目睹兵后扬州的残破景象，不禁怆然，伤时感怀，写下此词。他愤怒地揭露了南宋统治集团的腐朽，谴责了金兵的破坏罪行，婉转地表达了报国无路的悲愤。

词的上片写扬州经过“胡马扰”乱后的萧条景象。开头六句，极写扬州旧日的繁华及其重要地位。古城扬州，宋时是淮南东路的首府。它雄镇淮河流域，是长江的门户，抗金的前进基地。作者使用“镇长淮（指淮河）”三字，便突出了扬州的战略地位。“升平日”三句，极写扬州昔日的繁华。“升平日”，即太平时代，也就是金兵南下以前的日子。“珠帘十里春风、小红楼”，用杜牧“春风十里扬州路，卷上珠帘总不如”（《赠别》）诗句，写昔日扬州十里长街，春风吹拂，雕梁画栋，珠帘掩映，那繁华景象真叫人倾慕。欲抑先扬，自然地过渡到对萧条景象的描写上去。“谁知”六句，写胡马窥江与宋室南渡。“谁知”二字统领以下六句，意谓变出意外，使人诧异。“艰难去”三字，是说艰难困苦的日子到来了，这是对胡马窥江和宋室南渡的总写。“边尘暗，胡马扰”二句，通过对边塞上尘土飞扬，天昏地暗，胡人兵马四处骚扰景象的描写，点出金兵对扬州一带的骚扰破坏，谴责了金兵烧杀掳掠的罪行。“笙歌散”，说明歌妓四处逃散，回应“珠帘”两句，写扬州繁华的消歇。“衣冠渡”，是说面对敌人的侵扰，朝廷官员纷纷渡江南逃，置国家安危、民族生存于不顾。“使人愁”三字，直抒胸臆，道出了作者对国事的忧虑。“屈指细思”三句，揭露南宋统治集团的腐朽，指出在民族危亡的关头他们不仅渡江南逃，而且乘机谋私，把广大爱国军民的流血牺牲当成他们“万户封侯”的阶梯，由愁到愤，感情逐渐强烈起来。“但琼花无恙”四句，强调指出除了后土祠旁那株唐人栽种的琼花没有遭到摧残，年年照旧开落以外，一切都被破坏了。那旧时的营垒，荒芜的丘园，见到诗人好像羞愧得无地自容一样。以拟人的笔法，表现了作者因无力保卫国土而使它惨遭蹂躏的羞愧感情和对“胡马扰”的愤怒。

下片写兴亡之恨。“怅望金陵宅”六句，写山河之恨。“金陵”“丹阳”，唐代都指现在的江苏镇江。镇江，和扬州隔江相望，地理位置极其优越，陈亮曾称赞它“一水横陈，连岗三面，做出争雄势”（《念奴娇·登多景楼》），完全有条件作出兵北伐收复中原的前进基地。作者用“怅望”二字领起，对南宋统治集团不知利用镇江依群山傍大江的优越的地理条件抗金，表示无限惋惜。“兴亡梦”六句，承以上六句写历史的兴衰与个人荣枯的感慨。辛稼轩《南乡子·京口（即镇江）北固亭有怀》词说：“何处望神州，满眼风光北固楼。千古兴亡多少事，悠悠，不尽长江滚滚流！”的确，镇江是王朝兴衰、南北纷争的历史见证。东吴孙权，曾凭借它争霸中原；南朝刘裕，也曾依靠它出兵北伐，他们都曾因建立过英雄业绩而煊赫一时，但又都相继灭亡了，成了历史的陈迹。作者化用辛词，说明历史的兴衰，个人的荣枯，一代接着一代，无穷无尽，正像那滚滚东流的江水，不知何时是个尽头！这几句交织着国家兴衰之感、个人身世飘零之恨，情深意真，非常感人。“野灶”三句，是说从扬州向北望去，炊烟袅袅，军营遍地，敌人依然驻扎着大批部队，被灭亡的威胁并没有消失，进一步对“兴亡梦”作了具体申述。“叹灯火”三句，是说回视扬州，人家稀少，市面萧条，而自己却不能投笔从戎，报仇雪耻，反而淹留在这座空城里，心情十分沉痛，又对“荣枯泪”作了确切的解释。“醉翁亭”，此指平山堂，在扬州西北的蜀岗上,为北宋欧阳修所建。欧阳修《朝中措》说:“手种堂前杨柳,别来几度春风。”苏东坡《水调歌头·黄州快哉亭赠张偓佺》说:“长记平山堂上,欹枕江南烟雨,杳杳没孤鸿。”“莫上醉翁亭”三句,运用欧、苏词意,说明不要去平山堂眺望那烟雨迷茫的景色,因为它会使人惆怅不已。“笑书生无用”三句,是愤激之言。殷芸《小说》说:“有客相从,各言所志。或愿为扬州刺史,或愿多赀财,或愿骑鹤上升,其一人曰‘腰缠十万贯,骑鹤上扬州’,欲兼三者。”刘过很喜欢使用这个典故,如“心期处,算世间真有,骑鹤扬州”(《沁园春·送王玉良》),又如“书生不愿悬金印,只觅扬州骑鹤钱”(《上袁文昌知平江》)。作者在这里运用这个典故,说明自己没有本事,不像那般官吏,善于谋取富贵,只好骑鹤来游扬州。回应开头,暗含讥讽,结束了全词。

这首词写景比较成功,其主要特点有二:一是善于把写景同抒情结合起来,融抒情于写景之中。比如上片用“珠帘十里春风、小红楼”写扬州昔日的繁华,用“但琼花无恙,开落几经秋。故垒荒丘,似含羞”写今日扬州的残破,前者表现作者的喜悦心情,后者衬托作者的悲凉况味,都恰到好处。二是写景富有诗意。比如下片的“蒙蒙雨、杨柳丝柔”二句,不光写出了登上平山堂所看到的江南烟雨迷茫的景色,还能在景物中透露出作者忧心国事、惆怅失意的情思,形象具体,真挚动人,饶有情味。

(薛祥生)

西　江　月　　刘　过

贺　词

堂上谋臣尊俎,边头将士干戈。天时地利与人和,燕可伐欤曰可。　　今日楼台鼎鼐,明年带砺山河。大家齐唱《大风歌》,不日四方来贺。

鉴赏

这首词大约写于嘉泰四年(1204),为贺时相韩侂胄生日而作。韩侂胄,字节夫,相州安阳(今属河南)人,他力主伐金,在当时得到许多爱国人士的支持。这首词借祝贺生日预祝北伐胜利,思想境界较高,非一般寿词可比。

词的上片写北伐的条件业已全部具备。中国古代认为战争制胜的条件有三:一是天时,二是地利,三是人和,人和为最重要。首二句即写人和。刘向《新序》说:“夫不出于尊俎之间,而知千里之外,其晏子之谓也,可谓折冲矣。”能于筵席之上打退敌人的进犯,这是善于运筹决策的人。朝廷里有折冲尊俎、制胜敌人的谋臣,边防上有枕戈待旦、准备出击的将士,上下一心,这是“人和”。“天时”二句,写另外两个条件。孟子说:“天时不如地利,地利不如人和。”(《孟子·公孙丑下》)又说:“沈同以其私问:‘燕可伐欤?’孟子曰:‘可。’”(同上)“燕”,这里借指金朝。这两句是说“淮北流民愿归附”(《宋史·韩侂胄传》),金国已有“必乱必亡”的苗头,得天时;金陵“龙蟠虎踞”,又有长江天险,进可攻,退可守,得地利。这说明“天时地利与人和”三者兼备,只要出兵北伐,就一定能取得胜利。以上四句表面上是分析北伐胜利的条件,实际上是对韩侂胄议定伐金表示支持。

下片预祝韩侂胄伐金胜利。“楼台”二句,祝韩侂胄积功晋升。“楼台”,指相府。古时把宰相治理国家比作鼎鼐(炊器)调味,故以“鼎鼐”喻相位。《史记·高祖功臣侯年表序》说:“封爵之誓曰:‘使河如带,泰山若厉(通“砺”,磨刀石),国以永宁,爰及苗裔。’”意思是说黄河不会狭如衣带,泰山不会小如砺石,封国也不会灭绝。这两句运用上述典故,说明今年韩是当朝宰相,明年战胜敌寇,将晋升更高的爵位,很自然地点出祝寿之意。“大家齐唱”二句,预祝北伐胜利。《史记·高祖本纪》说:“高祖还归,过沛,留……酒酣,高祖击筑,自为歌诗曰:‘大风起兮云飞扬,威加海内兮归故乡,安得猛士兮守四方!’令儿皆和习之。”这两句运用刘邦《大风歌》的典故,说过不了多久,中原就要收复,国势就要强盛,四方都来朝贺。这是一首豪放词,运用经史语言描写时事,慷慨激昂,不可羁勒,和稼轩词风十分接近,因而有人认为它是辛词。在用典方面,能紧切题意,用较少的字句表达丰富而深厚的思想感情,没有晦涩难懂的感觉。

(薛祥生)

减字木兰花　　卢　炳*

莎衫筠笠，正是村村农务急。绿水千畦，惭愧秧针出得齐。　　风斜雨细，麦欲黄时寒又至。馌妇耕夫，画作今年稔岁图。

作者

*卢炳，字叔阳，自号丑斋。生卒年不详。宁宗嘉定七年(1214)曾出守融州(今广西融水苗族自治县)。被论凶狠奸贪，放罢。有《哄堂词》一卷，现存词六十余首。集中多用周邦彦韵，其咏物山水风景诸作，细腻熨帖，间有可观者。

鉴赏

乍暖还寒时节，麦浪欲黄，秧针嫩绿，这是江南农村最繁忙的时候。卢炳这首农村词，给我们描绘了一幅江南的春忙图。首二句，写农村春忙的景象。“莎衫”，即蓑衣，用草或棕制成的雨具。“筠笠”，青竹篾编成的斗笠。“村村”，言其广泛，不是少数几个村庄。“急”，言农事繁忙。杜甫《春日江村》：“农务村村急。”为此句所本。千村万落的农夫身着莎衫，头顶青青的斗笠，紧张地忙碌在田头。“绿水千畦”二句，似化用苏轼《浣溪沙》“惭愧今年二麦丰，千畦(一作岐)细浪舞晴空”句。“惭愧”，难得之义。“秧针”，形容秧苗颖细如针，“针”字用得逼真生动。千畦绿水间，难得秧苗长得细嫩修长，齐整茁壮。字里行间流露出欣喜的心情，写得十分轻松，十分愉快。下片，词人接着写道：“风斜雨细，麦欲黄时寒又至。”斜风细雨，千重麦浪青里带黄，这是一个时晴时雨，微风吹拂，有时又带有些些寒意的节候。雨丝中，在田畴耕作的是农夫，匆匆来往送茶送饭的是农妇。“馌妇耕夫，画作今年稔岁图。”现在虽然只是春忙，而麦子却长势好，秧苗又出得齐整，人又那么勤快，但不妨先把它画下来，这难道不是一幅预示今年将是个丰收年的好画图吗？

这首反映春忙的农村词，写得十分清新，富有生活气息，莎衣、青笠、绿水、翠苗、黄麦，色调鲜明和谐，是活脱脱的一幅农忙图。语言自然朴实，写得一点也不费劲，像是随手拈来，但颇见功力。

（陈庆元）

点绛唇　　姜夔*

丁未冬过吴松作

燕雁无心，太湖西畔随云去。数峰清苦，商略黄昏雨。　第四桥边，拟共天随住。今何许？凭栏怀古，残柳参差舞。

作者

*姜夔(1155？—1221？)，字尧章，号白石道人，饶州波阳(今属江西)人。在他所处的时代，南宋王朝和金朝南北对峙，民族矛盾和阶级矛盾都十分尖锐复杂。战争的灾难和人民的疾苦使姜夔感到痛心，但他由于幕僚清客生涯的局限，虽然为此也发出或流露过激昂的呼声，而凄凉的心情却表现在一生的大部分文学和音乐创作里。姜夔深刻地细致地描写了自己的经历、心情和所见景物，推敲文字，斟酌声律，作品素以空灵含蓄著称。但他笔下刻意描写和飘忽的想象，有时使人有"雾里看花"之感。

鉴赏

"丁未"，宋孝宗淳熙十四年(1187)。姜夔自湖州往苏州见范成大，道经吴松。范成大在南宋是一个富有爱国精神和改革精神的人物。他从淳熙九年(1182)请求解职退休，回到苏州，卜居石湖别墅。这时，宋孝宗早期的那一点振作精神已经完全没有了。南宋这个小朝廷的前途一片黯淡，而范氏也走到了生命的最后阶段。

起调说"燕雁无心"，实为有心。不然，于号称"天下绝景"的太湖，为什么毫无留恋而竟随云以去呢？这就是以无限伤感的笔调笼住全词。北来之雁都"随云去"，剩下的只是几个"清苦"的山峰耸立在黄昏里，酿造着一天雨意。"数峰"而着以"清苦"，没有感觉的东西而竟有了感觉。这当然是词人感情的投射。“商略”二字,卓人月《古今词统》以为“诞妙”。或以“数峰”为主语,言其酝酿着雨,恍如商量降雨,或雨之来何以自处;或以“燕雁”为主语,言其于“数峰”之间,黄昏雨来之际,商量着去留问题,而最后是“无心”恋此,“随云去”。倒转为辞。周邦彦《西河·金陵怀古》句:“燕子不知何世……相对如说兴亡,斜阳里。”史达祖《双双燕·咏燕》句:“还相雕梁藻井,又软语、商量不定。”亦不能说无据。读者自然也可以这样去想。然而,谓为“数峰”酿造一天雨意,在读者面前展开一个无限凄苦的境界,遥遥唤起欷拍,也许更为通达,留给读者的想象更多。陆游《卜算子·咏梅》上片云:“驿外断桥边,寂寞开无主。已是黄昏独自愁,更着风和雨。”其境似之。“梅”与“数峰”,都为静者,而陆词于“梅”,纯从静处写;姜词于“数峰”,则翻从动处写,各反映了一种富有时代和词人个性特征的心理状态,因而各臻其妙。

换头二句是设想,是放开写。自号“天随子”的陆龟蒙,也是个关心民瘼的人物,他处唐末,隐居吴江,外示旷达而内怀危惧。作者曾以陆氏自比。《除夜自石湖归苕溪》有句“三生定是陆天随,又向吴淞作客归”。但在这里,亦可以指居近“第四桥边”的范成大,说明作者向往之意。“今何许”陡然把笔锋收转,唤起欷拍,以示“共天随住”而未能。“凭栏”所见,如以与“数峰”两句所写者并观,则是:黄昏时候,燕雁已去;一天雨意,弥漫于“清苦数峰”之间;参差残柳,在暮色苍茫中,随风飘舞。这是何等的令人不知为怀!陈廷焯《白雨斋词话》以为“通首只写眼前景物,至结处……感时伤事,只用‘今何许’三字提唱。‘凭栏怀古’以下,仅以‘残柳’五字咏叹了之。无穷哀感,都在虚处。令读者吊古伤今,不能自止,洵推绝调。”这是说得颇为中肯的。有人以为陈氏“特别赏识”的,只是姜词“清空”的特征,“因而对这首空泛的怀古词评价过高”。不知其于空灵中见沉郁,未为知言。

（彭　靖）

鹧鸪天　　姜夔

元夕有所梦

肥水东流无尽期，当初不合种相思。梦中未比丹青见，暗里忽惊山鸟啼。　　春未绿，鬓先丝，人间别久不成悲。谁教岁岁红莲夜，两处沉吟各自知。

鉴赏

这是一首怀人词，据考，作于宋宁宗庆元三年(1197)，此时，姜夔四十多岁。作者二十多岁时，曾来往江淮间，在淮南的合肥逗留过。当时的文人，都有青楼调笑的习尚，作者在勾栏中认识了一对善弹筝琶的姊妹，由于“为大乔能拨春风，小乔妙移筝”(《解连环》)，擅长音乐的作者与之相处甚欢。后来，大概是由于生计问题，作者不得不离开合肥而另谋他往，终于分手了。在以后的日子里，虽间有来往，但姜夔旅食于人，终难厮守。十多年后，青年时代的情侣亦离开合肥，作者惆怅地写下了“卫娘何在？宋玉归来，两地暗萦绕”(《秋宵吟》)。从此，分飞的劳燕始终动如参商，但心中的隐情却难以忘却。宋光宗绍熙二年(1191)之后，姜夔无复有合肥踪迹，但青年时的情事亦屡见于词，六年之后的元夕，故人又入梦中，作者在梦醒之后写下了这首《鹧鸪天》。

距初遇已有二十多年了，往事却又涌上心头，当初合肥的相爱，恰如种下了会结出红豆的相思树，爱情应该像东流入巢湖的淝水一样绵长。可是，水流虽无尽期，红豆也会春来发新枝，但我们相见无期，早知如此，真后悔当初的相见相识啊！久别难见，只能梦中重逢，梦中容颜依稀，尚不如画中之清晰可见，况且这依稀梦境又被山鸟啼声所扰，鸟惊人梦，梦亦不能久留。下片由元夕而想到春尚未至，好景未及睹，但鬓丝已白，这大概是别久愁深所致吧！离别“使人意夺神骇，心折骨惊”(江淹《别赋》)，此处却说“别久不成悲”。难道是心情变得鲁钝冥顽了吗？不！每年元夕花灯满城之时(红莲指花灯，欧阳修、周邦彦等人词中都曾写到)，依然触景生情，两地沉吟,作无穷怀想。

在这首词中,丝毫没有低下的情趣,作者一改《花间集》以来的绮靡格调,以清幽之笔写深挚之情,造就独特的面貌。词的首句既是点明初遇地点的实写之笔,又是亦兴亦比之意,水流无尽,而重见难期,反激起"不合种相思",但欲罢不能,而有"梦中"之句,以应题面,山鸟惊梦,又回到现实。下片"岁岁红莲夜",则进一步照应"元夕"题目,"两处沉吟",结于有余不尽之中。全篇以短语写长情,确是"清虚骚雅,每于伊郁中饶蕴藉"(陈廷焯《白雨斋词话》)。其转换之妙,也确是去留无迹。

(邓乔彬)

踏 莎 行

姜 夔

自沔东来,丁未元日,至金陵,江上感梦而作

燕燕轻盈,莺莺娇软,分明又向华胥见。夜长争得薄情知?春初早被相思染。　　别后书辞,别时针线,离魂暗逐郎行远。淮南皓月冷千山,冥冥归去无人管。

鉴赏

这首词与前一首《鹧鸪天》同一题材,但写作时间要早十年,从小序看,作于宋孝宗淳熙十四年(1187)元旦。在前一年冬天,姜夔随萧德藻(他妻子的叔叔,著名诗人)离开湖北,前往浙江湖州。小序中提到的沔州,即现在湖北武汉一带。他从沔州东部出发,乘船沿长江东下,丁未元旦时,道经金陵,在此遥望合肥,感梦而作,遂成此词。

首二句的"燕燕""莺莺"出于苏轼赠张先的诗句:"诗人老去莺莺在,公子归来燕燕忙。"借"莺""燕"以喻所爱的女子。"轻盈",言其体态;"娇软",言其声音。"分明又向华胥见",这姿态、声音,却是梦中所见(《列子》载,黄帝昼寝,梦游于华胥氏之国,后多以"华胥"代梦)。长夜无眠,薄情人怎知?当此元旦的初春之时,被相思所染,此情终入梦中。这两句从对方言自己深于情,又从正面表其感梦之情。过片的

"别后书辞,别时针线",是作者之所念、所珍,更是爱人所牵、所挂,否则,为什么会"离魂暗逐郎行远",入于江上梦境呢?如今,离魂追逐郎行(情郎那边。行,háng)而相会梦中,但归程如何呢?途中一片阴暗的夜色,无人相伴,只有淮南上空的一轮皓月,她洒下的清光给千山带来冷意,照着爱人离魂的归路……

这首词上片所写的是自己的相思,因相思至深而入梦,而"夜长争得薄情知"一句,表现的是自己的怨。下片写爱人离魂逐己而入梦,而又怜其远行、独归,将怨转为深深的爱怜,"冥冥归去无人管"一句,则可见极为温厚的体贴、怜惜之意。全篇可谓在无理之中见有情,表现了真正是魂牵梦索的缠绵深情。

这首词很可见姜夔善以健笔写柔情的特点。"燕燕""莺莺""轻盈""娇软",未免些有软媚。但"又向华胥见"的以梦点明,则又化实为虚,转为清健。而"别后书辞,别时针线",实是深情出以淡语,远无苏轼"春衫犹是,小蛮针线,曾湿西湖雨"(《青玉案》)的缱绻,当然更异于柳永、秦观、周邦彦等人的绮艳风格了。近代学者王国维认为姜夔词"隔","惜不于意境上用力",于姜词只爱"淮南皓月冷千山,冥冥归去无人管"二语。我们说,前者未免失之偏颇,后者则可见其识力。因为这两句造就的是清幽之极而又颇见阔远的意境,表现的是怜念至深之情,而一"冷"字,更使词人的孤凄心境与外物相合,令全篇增色。

(邓乔彬)

庆宫春

姜夔

绍熙辛亥除夕,予别石湖归吴兴,雪后夜过垂虹,尝赋诗云:"笠泽茫茫雁影微,玉峰重叠护云衣。长桥寂寞春寒夜,只有诗人一舸归。"后五年冬,复与俞商卿、张平甫、銛朴翁自封禺同载诣梁溪,道经吴松,山寒天迥,云浪四合,中夕相呼步垂虹,星斗下垂,错杂渔火,朔吹凛凛,卮酒不能支。朴翁以衾自缠,犹相与行吟,因赋此阕,盖过旬涂稿乃定。朴翁咎予无益,然意所耽,不能自已也。平甫、商卿、朴翁皆工于诗,所出奇诡,予亦强追逐之。此行既归,各得五十余解。

双桨莼波，一蓑松雨，暮愁渐满空阔。呼我盟鸥，翩翩欲下，背人还过木末。那回归去，荡云雪、孤舟夜发。伤心重见，依约眉山，黛痕低压。　采香径里春寒，老子婆娑，自歌谁答？垂虹西望，飘然引去，此兴平生难遏。酒醒波远，正凝想、明珰素袜。如今安在？唯有阑干，伴人一霎。

鉴赏

宋光宗绍熙二年（1191）姜夔从合肥归湖州，在归途中拜访范成大，赏雪观梅，写成《暗香》《疏影》两首自度曲，范为之激赏，赠以家妓小红。除夕夜，姜夔带着小红乘船回家，沿途作成《除夜自石湖归苕溪》十首七绝。在经过吴江著名的利往桥的垂虹亭下时，面对茫茫太湖、蒙蒙山峦、微微雁影，姜夔写下了春寒的寂寞。五年以后，作者与杭州的进士俞灏（字商卿）、南宋名将张俊的孙子张鉴（字平甫）及铦朴翁（即葛天民，字无怀，初为僧，名义铦，后还俗）等诗友从封山和禺山（今浙江德清西南）到无锡（别称为梁溪），途中经过吴松（即今吴淞江，源出太湖），又遇寒夜中清幽至极的境界，四人对景微吟，归家之后，各得五十余首。而姜夔这首《庆宫春》，竟是花了十多天时间才修改定稿，堪称力作。

词的上片写了垂虹桥的雪夜。“双桨莼波，一蓑松雨，暮愁渐满空阔”，写船的双桨荡起波浪，浪中还带着莼叶（莼菜浮生水面），词人披着蓑衣，看着烟雨迷蒙的景象，觉得入暮的轻愁渐渐弥漫于空阔的江面。“呼我盟鸥，翩翩欲下，背人还过木末”，说的是呼叫鸥鸟（居水乡似与鸥有约，故称盟鸥），翩然翻飞欲下，但转瞬又越人而过，飞过了树梢。“那回归去，荡云雪、孤舟夜发”，想起那年与小红除夕夜归去之时，一叶孤舟漂荡于云雪之间，这苍茫景象仍似在眼前。“伤心重见，依约眉山，黛痕低压”，此时重见这烟水云雪，远山如眉，暮色中似黛痕低压，颇使人伤心。下片从眼前所见转为悬拟之景，并发出兴衰之感。“采香径里春寒，老子婆娑，自歌谁答?”从垂虹桥下的烟水，想起苏州香山旁的采香径（小溪，吴王夫差曾让人在香山种香，使美人泛舟溪中采香）的碧波，我也曾在这里徘徊不去,引吭高歌。"垂虹西望,飘然引去,此兴平生难遏。"而此时,船儿正飘然往东,西望渐渐远去的垂虹桥,真使人逸兴遄飞,难以遏止。"酒醒波远,正凝想、明珰素袜。如今安在?唯有阑干,伴人一霎。"酒醒之时,去程已远,水波之逝,亦令人想起人世沧桑,那些采香径的明珰(女子耳饰)素袜的美人,如今又在哪儿呢?兴亡犹如幻梦,只有那垂虹桥上的栏杆,还能给人倚凭,陪伴人一会儿。

姜夔一生漂泊,对晚唐隐逸诗人陆龟蒙(号天随子)仰慕不已,"沉思只羡天随子,蓑笠寒江过一生"(《三高祠》),这两句诗是他的志趣所在。他厌倦尘嚣而深爱自然,太湖玉洁冰清的雪夜,更是荡尽胸中尘垢。这首词写了在乘舟徐行过程中,体味雪景,饮酒啸傲的浩然胸次,表现了超然物外、遗世独立的出世思想,在怀古之情中流露了淡淡哀愁,这种飘然山水、怡情歌酒的高士生活纵然无益于社会,但不愿混迹官场、同流合污,亦不无可取。

姜夔词大多幽韵冷香,高远峭拔,而又以这首《庆宫春》为最。序中的"山寒天迥,云浪四合","星斗下垂,错杂渔火,朔吹凛凛",颇近《枫桥夜泊》笔致,是清超之极的意象,可见作者极工散文,此序曾被周密收入《澄怀录》中。姜夔极善移情于自然,因而自然物多具人的情感、姿态。鸥鸟亲切,远山依约美人眉黛,自是拟人妙笔;"暮愁渐满空阔",亦可见感情移注之后的自我感觉,是情景交融的好例。姜夔在理论著作《诗说》中,主张作诗要"有气象、韵度",要"深远清苦",这首词就是理论的实践。全篇具有清幽而开阔的气象,飘逸而蕴藉的韵度,展现出的寒江、雪夜、远山、孤舟,以及通过时空大跳跃的怅想表现的兴亡之感,确实造就出深远清苦的意境,而这种意境又是晚唐绝句与江西诗风结合的果实,既有绵邈的风神,又瘦硬劲峭,仅许以"清空"是难以尽赅的。这首词很可见姜夔烹炼字句的技巧,"莼波""松雨"云云都可谓修饰甚奇。当然,感情的忽而愁苦、伤心,忽而逸兴难遏,亦似起伏太大,语句也使人费解,此亦不必讳之。

(邓乔彬)

齐天乐　姜夔

丙辰岁,与张功父会饮张达可之堂。闻屋壁间蟋蟀有声,功父约予同赋,以授歌者。功父先成,辞甚美。予裴回茉莉花间,仰见秋月,顿起幽思,寻亦得此。蟋蟀,中都呼为促织,善斗。好事者或以三二十万钱致一枚,镂象齿为楼观以贮之。

庾郎先自吟《愁赋》,凄凄更闻私语。露湿铜铺,苔侵石井,都是曾听伊处。哀音似诉。正思妇无眠,起寻机杼。曲曲屏山,夜凉独自甚情绪?　西窗又吹暗雨,为谁频断续,相和砧杵?候馆迎秋,离宫吊月,别有伤心无数。《豳》诗漫与。笑篱落呼灯,世间儿女。写入琴丝,一声声更苦。

鉴赏

南宋大词人姜夔的作品不仅以"清空"名世,还以"精妙"著称。黄昇的《花庵词选》和纪昀的《四库全书总目提要》对此有基本相同的评价。所谓"精妙",不外指他的风格精炼生动,凝而不滞,清而不浮。之所以"精"者,体物之微;之所以"妙"者,善于运用语言节奏传达出词人心情和作品意境的节奏,善于运用巧妙的比兴手法咏物见志,从而使读者透过作者的心灵奥区和遥深寄托领略到意在言外而脉脉相通的美感。这种意在比兴和寄以情韵的手法,在中国诗歌中本有其长期传统;不过,到了南宋时期,就更被词人较多地使用,终于在艺术实践中有所丰富,有所发展。这正如蒋敦复所说:"词原于诗,虽小小咏物,亦贵得风人比兴之旨。唐五代、北宋人词,不甚咏物;南渡诸公有之,皆有寄托,白石、石湖咏梅,暗指南北议和事;及碧山、草窗、玉潜、仁近诸遗民,《乐府补题》中龙涎香、白莲、莼、蟹、蝉诸咏,皆寓其家国无穷之感,非区区赋物而已。"(《芬陀利室词话》)这首《齐天乐》正是"寓家国无穷之感”的一首精妙的咏物词。

这首词是姜夔四十一岁客杭州时所作。其时为宋宁宗庆元二年(1196),上距靖康之变整整七十年。南宋小朝廷心存苟安,本就没有光复失地的雄图。再加上宋光宗死后出现了一场政变,作为最高统治阶层的诸大臣相互间,出现了严重对立,比较有作为的一位右丞相赵汝愚受到排挤,朝政愈益动荡阽(diàn)危。这正是陆游所引为深忧并写下了“春残桃李尽,风雨闭空馆”(《雨夜书感》)的时节。就在这一年秋天,姜夔和他的朋友张镃在南宋都城杭州会饮之余,徘徊之际,沐浴着秋月清辉,闻到了阵阵茉莉花香,加上同饮的挚友张镃,又恰是抗金名将张俊之曾孙。此时此地,饱含着凄切商音的蟋蟀鸣声传到耳畔,词人又如何能不引起残山剩水的家国之愁呢?

蟋蟀的鸣叫,本无所谓悲愁,然而当它被一向有感于“黍离之悲”的姜夔听来,它便成为“凄凄”“私语”,从而愁上添愁了。

《齐天乐》这首词,通体就是写这一个“愁”字,是蟋蟀之愁,是姜夔长期漂泊中所深感的离人思妇之愁,也更是与陆游的沉郁有依稀仿佛之处的风雨如磐之愁;不同的只是陆游咏的是春残,而姜夔写的是秋声。

忧愁情绪在词中是层层加深,也是通过含蓄手法加以抒发的。开头先从听蟋蟀的人写起,像孤云出岫般地点出愁郁的词人自我。词人原来就已经为读了充满乡关之思的庾信的《愁赋》触动情怀,现在,再听到凄凉私语的蟋蟀鸣声,自然就更是加深了一层愁。前有“先自”,后有“更闻”,这正是体现诗人清空洒脱风格的遣词运句之法。紧接着,“露湿”“苔侵”“都是”三句,从听蟋蟀人之愁转入蟋蟀声之愁,再转而为主客体之愁融会为一。从“哀音似诉”到“夜凉独自甚情绪”,表明姜夔的章法结构的开合灵动。为了拓宽蟋蟀鸣声给听者带来的愁思的幅度,作者有意把笔触推开,写出了一位缅念远人的女性闻声后的惆怅,一种微妙的难以排遣的情绪。从思妇的感觉和含愁的意象说来,是“哀音似诉”;从思妇的含愁的行动说来,是因为睡不着觉,而起来找寻纺织工具,企图排遣忧愁的情绪;而当她看到了画着重重远山的屏风时,则更加深其离愁别恨,不由产生了一种难以言传的辗转反侧之情。一路写来,蟋蟀鸣声和听蟋蟀人的描写,大体有个分工:前五句侧重蟋蟀;后五句侧重听蟋蟀的人。但二者却又都是融成一气的。意境的脉络显得婉转流畅,一层层递进,加深了愁意的渲染:起初是“凄凄”“私语”,后来是“哀音似诉”,再后来则是“夜凉独自甚情绪”。既是思妇的自语,也是她喷发着激越之情的问天。

上片到此,愁情的抒发应该说已经非常饱满,那么,下片要进一步深化,就不能仅仅停止在骚人、思妇的境界了。这就需要极大程度地开拓,过渡到词中的核心部分,发掘那曾经长期萦绕在词人心底的家国之愁。

这究竟是怎样的一个过渡呢?原来是作者把有关蟋蟀声的烘托推开一步:从室内引往室外。如果说上片还只是思妇彷徨于织机、屏风之间,那么,现在却是转移到西窗之外、溪流之边,使人们依稀想象到,在“夜凉”“暗雨”中,听到断断续续的捣衣声与蟋蟀鸣声相应和。也正因为这样,作者就更可以扩大蟋蟀愁鸣的天地:让它以愁鸣迎来充满离情的客馆之秋,也让它以愁鸣凭吊着曾为皇帝驻跸而目前业已荒凉的行宫之月。此情此景,此夜此声,词人的悲痛该是多么一言难尽啊!“别有伤心无数”,确乎是十分沉痛凄恻的感情升华,绝不寻常,并非一般离愁别恨可比。它很容易使人们联想到靖康之难和蟋蟀鸣声两种意象的重叠。在那次天崩地拆中,使臣被拘禁,皇帝被幽囚。这样的“候馆”,这样的“离宫”,引起了的“伤心无数”,自然绝不是“庾郎”和“思妇”的愁怀所可比拟了。写到此处,词情极紧,可作者却故作腾挪,虚宕一笔,来个“《豳》诗漫与”,表示他受了《诗经·七月》篇有关蟋蟀描写的触发,故尔即景填词,率然命笔,极跌宕曲折之妙。说他率然而成,自然也是对的,因为他的“黍离之悲”本非一朝一夕,情动于中,结果就不期而然地表现于外了。你看,结尾安排的这么一个插画也确乎是“漫与”之笔:“笑篱落呼灯,世间儿女。”原来孩子们提着灯笼翻泥打洞地去捉蟋蟀,是那么兴高采烈,可他们又哪里知道词人内心的痛苦呢?以乐衬愁,其愁愈甚。不过,这斜枝横逸的一笔,落墨并不多,很快就又归结到“愁”的主旋律之上:“写入琴丝,一声声更苦。”这就显然表明被作者谱成乐曲的弦声,比起原来的“凄凄私语”更为哀恻了。这已经不只是上片开头的“愁吟”,而是“更苦”了。

(吴调公)

满 江 红　　姜 夔

《满江红》旧调用仄韵，多不协律。如末句云"无心扑"三字，歌者将"心"字融入去声，方谐音律。予欲以平韵为之，久不能成。因泛巢湖，闻远岸箫鼓声，问之舟师，云："居人为此湖神姥寿也。"予因祝曰："得一席风径至居巢，当以平韵《满江红》为迎送神曲。"言讫，风与笔俱驶，顷刻而成。末句云"闻佩环"，则协律矣。书以绿笺，沉于白浪，辛亥正月晦也。是岁六月，复过祠下，因刻之柱间。有客来自居巢云："土人祠姥，辄能歌此词。"按曹操至濡须口，孙权遗操书曰："春水方生，公宜速去。"操曰："孙权不欺孤。"乃撤军还。濡须口与东关相近，江湖水之所出入。予意春水方生，必有司之者，故归其功于姥云。

仙姥来时，正一望、千顷翠澜。旌旗共、乱云俱下，依约前山。命驾群龙金作轭，相从诸娣玉为冠。向夜深、风定悄无人，闻佩环。　　神奇处，君试看。奠淮右，阻江南。遣六丁雷电，别守东关。却笑英雄无好手，一篙春水走曹瞒。又怎知、人在小红楼，帘影间。

鉴赏

这首词的序很长，对前面所讲的音律问题可暂置而不作深究。作者说，他很想将仄韵的《满江红》改为平韵，但久未能成，此词之成，得之于泛巢湖之时，序中讲此事，颇有神话色彩。序中提到，作者在泛舟巢湖时，听到远岸的箫鼓声，问船夫，知道这是居巢（古邑名，《左传》作巢，《史记》始称居巢，在今安徽巢县东北）老百姓为湖神行祝寿礼。作者也为之祷祝，并许"以平韵《满江红》为迎送神曲"，结果不仅行程得神助而一帆风顺，词也顷刻而成，并抄以绿笺,沉在白浪中,这是绍熙二年(1191)正月最后一天的事。当年六月,又经过圣姥庙,将这首词刻在庙柱之上,结果居巢的老百姓在祭祀湖神时都能唱此。作者又说:当年曹操统兵伐吴,到濡须口(濡须为古水名,源出巢湖,东南流入长江,因为地当江、淮间交通要道,成兵争要地。曹兵侵吴前一年,孙权令人在此筑堡坞以拒之),孙权致信曹操,以"春水方生,公宜速去"晓以利害,用"足下不死,孤不得安"的奉承语满足曹操的虚荣心,于是曹操借梯下台,撤兵而还。宋龚相《濡须坞》诗:"南北安危限两关,迅流一去几时还。凄凉千古干戈地,春水方生鸥自闲。"即用此事。姜夔在词序中说,"春水方生"以令曹军退,当归功于巢湖圣姥,于是合史载的战事及自身体验,写了这首《满江红》。

词一开头,即从"春水方生"着笔。"仙姥来时,正一望、千顷翠澜。"这两句展现了很开阔的境界:这位女神与一望无际的绿色波涛共至。"旌旗共、乱云俱下,依约前山。"因为圣姥庙在巢湖北岸,与湖中姥山相对,仙姥从姥山而来,因而隐约见旌旗与乱云俱下。"命驾群龙金作轭,相从诸娣玉为冠。"仙姥以群龙驾车,龙脖子上套着金制的轭,侍从女子都戴着玉冠。原词在"相从诸娣玉为冠"句下有自注云:"庙中列坐如夫人者十三人。""向夜深、风定悄无人,闻佩环。"仙姥降临后,夜深风定,悄无人语,只听得佩玉的声音。上片所写是仙姥降临的场面、气势,下片转写她的神威。"神奇处,君试看。奠淮右,阻江南。"这位巢湖女神有什么神奇之处呢?她奠定了淮西的胜局,阻遏了北兵向江南进发。"遣六丁雷电,别守东关。"还派遣火神(六丁,道教神名,火神),掌管雷电,守护东关(疑指濡须城)。"却笑英雄无好手,一篙春水走曹瞒。"曹操(小字阿瞒)虽是一代英雄,终被女神鼓起的浩荡春水驱走了。"又怎知、人在小红楼,帘影间。"谁能知道,这样一位驱风赶雷的英雄,她的塑像竟是安置在小红楼上,展现在帘影间!

姜夔讴歌的这位仙姥是怎样的一位女神呢?巢湖神话有这样的传说:巢湖古为巢州,某年巢州陷而为湖,有焦姥母女二人登山避水,母登之山后称姥山,女登之山称孤山。后来,当地百姓建庙以祠,尊焦姥为神,庙始建于唐,称圣姥庙或圣妃庙,与姥山隔湖相峙。晚唐诗人罗隐游此,曾赋《登巢湖圣姥庙》诗:"临塘古庙一神仙,绣幌花容色俨然。为逐朝云来此地,因随暮雨不归天。眉分初月湖中鉴,香散余风竹上烟。借问邑人沉水事,已经秦汉几千年。”最初登山避水的焦姥，在罗隐笔下一变为花容月貌的仙女，为什么到姜夔词中竟成为无敌的复仇女神、胜利女神呢？应该说，作者写此词非仅祭神，而是有曲折反映现实的企图。既然当年仙姥能驱春水而“走曹瞒”，金兵南侵时又岂无巾帼英雄击败顽敌？建炎二年（1128）秋，金兵分三路攻宋，金兀术所统领的一路下徐州、陷扬州，渡江而克建康、破杭州，但建炎四年（1130）春北返时，就在黄天荡遭韩世忠军截击，被困四十八天，在这一战斗中擂鼓督战的梁红玉，可谓战功赫赫，她难道不是现实中的巢湖仙姥吗？作者面对着“小红楼、帘影间”的神像，定然感慨良多，他多么希望仙姥能重新呼唤风雷，造就“奠淮右，阻江南”的抗敌局势啊！

《满江红》原用仄韵（且多入声），声情激越，姜夔改为平韵，则一变为舒缓昂扬，确为一个创造，声情、文情可谓高度统一。此词与作者常见的高旷清劲之作不同，气象开阔，充满浪漫主义的激情和色彩，节奏快捷，对仗工稳，设色明丽，确是姜词中别具一格的作品。

（邓乔彬）

念奴娇　　姜夔

予客武陵，湖北宪治在焉。古城野水，乔木参天，予与二三友日荡舟其间，薄荷花而饮，意象幽闲，不类人境。秋水且涸，荷叶出地寻丈，因列坐其下，上不见日，清风徐来，绿云自动。间于疏处窥见游人画船，亦一乐也。朅来吴兴，数得相羊荷花中。又夜泛西湖，光景奇绝。故以此句写之。

闹红一舸，记来时、尝与鸳鸯为侣。三十六陂人未到，水佩风裳无数。翠叶吹凉，玉容销酒，更洒菰蒲雨。嫣然摇动，冷香飞上诗句。　日暮，青盖亭亭，情人不见，争忍凌波去？只恐舞衣寒易落，愁入西风南浦。高柳垂阴，老鱼吹浪，留我花间住。田田多少，几回沙际归路。

鉴赏

姜夔为人清高,他的同时代人称他“襟期洒落,如晋宋间人”(陈郁《藏一话腴》),后人读他的词,认为是“一洗华靡,独标清绮,如瘦石孤花,清笙幽磬”(郭麐《灵芬馆词话》),甚至有“幽韵冷香”(刘熙载《艺概》)之评。由于襟怀高洁,行近隐逸,读其咏物之作,可见姜夔所爱,常在梅荷二花。梅荷虽有冬夏之异,但前者斗风傲雪而不屈,后者出污泥而不染,都堪称孤高有节,这首《念奴娇》在写景状物之中,便流露了作者的情怀襟抱。

词序颇长,前面追述湘中之游,后面益以浙中之盛,所说均在于荷花。作者说,当年作客武陵(今湖南常德),在荆湖北路提点行狱的官署所在地,“古城野水,乔木参天”的环境,使他常起游兴,尤爱荡舟,靠近荷花饮酒,面对幽景,心意亦闲。秋水干竭之时,见荷叶离地有近一丈之高(寻,八尺),游览者排列着坐于其下,像伞盖般的荷叶挡住了阳光,清风缓吹,荷叶如绿云摆动,有时于缝隙中窥见人与小舟,颇得其乐。来到吴兴(今浙江湖州)之后,多次得以徜徉荷花中,又继而游览杭州,夜泛西湖,更感景色奇绝。作者由湘而浙,均深感荷花可爱,故写成这首词。整篇小序侧重于描绘环境,这样就能使词集中写荷,且亦荷亦人,以寄身世。

“闹红一舸”,词人以破空而来之笔写泛舟赏荷之举,“记来时、尝与鸳鸯为侣”,击水之时,对对鸳鸯与船儿做伴。“三十六陂人未到,水佩风裳无数。”这许许多多水塘(三十六陂是虚解,非实地。陂,池塘)尚是人迹未到,只见水叶风荷无数(李贺《苏小小墓》“风为裳,水为珮”,写美人装饰,这里指荷叶、荷花)。“翠叶吹凉,玉容销酒,更洒菰蒲雨。”翠绿的荷叶散发出清凉,荷花似美人的脸,酒意才消,尚带微红,当水草上洒上细雨之时,荷花、荷叶就为之增色了。“嫣然摇动,冷香飞上诗句。”荷花摇动,似美人的笑容,带着凉意的清香被写入了诗句。上片写荷之盛,下片转写其衰。“日暮,青盖亭亭,情人不见,争忍凌波去?”日暮之时,青青的荷叶像伞一样亭亭耸立着,像美人般的荷花,尚未见到情人,怎么忍心凌波而去呢?这里用拟人写法曲折地写荷花将残。“凌波”,出曹植《洛神赋》“凌波微步,罗袜生尘”,形容女子步履轻盈。“只恐舞衣寒易落,愁入西风南浦。”就怕像舞衣般的荷花花瓣易于凋零，这时愁思伴着西风来到南浦这送别之地了。“高柳垂阴，老鱼吹浪，留我花间住。”因盛时已去，花容已难于留人，此时，连垂荫的大柳树、吞吐浪花的大鱼，都知道劝人留步花间。“田田多少，几回沙际归路。”而游人呢？虽因日暮而不得不归，但几回游赏，沿着水畔踏着归路回去时，总会想起那田田的荷叶来（古乐府《江南曲》：“江南可采莲，莲叶何田田。”）：盛时的“水佩风裳无数”，衰时又剩多少呢？

姜夔在人们心目中似闲云野鹤，确实，他不是汲汲于功名的人，但并非没有怀才不遇之感，“少小知名翰墨场，十年心事只凄凉”（《除夜自石湖归苕溪》之九），因此常咏物而兼寄怀。这首《念奴娇》之咏荷，在盛衰对照，写众芳零落之时，隐隐寄寓了美人迟暮之感，因而读者可以体味由此生发出的作者身世之叹。

与之相应，这首词的艺术手法很值得称道。首先，写荷并不侧重于描形而是传神，在不粘不脱之中，通过应用拟人手法，给人以亦花亦人之感，从而诱发读者较为宽泛的联想。咏物之作，高者传神，次者描形，姜夔确不失为此中高手，词中不见直接写形、写色之句，却用拟人手法，以“水佩风裳”“玉容”“嫣然”“冷香”“亭亭”“凌波”“舞衣”等语，传递荷之“态”与“神”，不是画工之笔而有“化工”之妙。而“争忍凌波去”“舞衣寒易落”等语，由花而美人、而作者，使人悟到“心事只凄凉”之叹。其次，作者避直而取曲，非平面而立体，收创意新奇、清超绝伦之效。词中不是直写荷花的幽香，而是以“嫣然摇动，冷香飞上诗句”，变被动为主动，这是“取曲”的一例。又如不直接说荷花将残，却委婉出以“情人不见，争忍凌波去”，这是又一例。荷花衰残，魅力自减，词以“高柳”“老鱼”的主动相留来侧写；又以归途中“田田多少”的萦念来逆写，这样的多角度确使荷花形象和人的感情更为鲜明、丰满，既反复缠绵，又新奇有致。读罢此词，我们并无“映日荷花别样红”的生机蓬勃的印象，而是一种由审美静观带来的远寂清旷之感，而这，正体现了姜夔词一贯的特有的风神。

（邓乔彬）

扬州慢　　姜夔

淳熙丙申至日，予过维扬。夜雪初霁，荠麦弥望。入其城，则四顾萧条，寒水自碧，暮色渐起，戍角悲吟。予怀怆然，感慨今昔，因自度此曲。千岩老人以为有《黍离》之悲也。

淮左名都，竹西佳处，解鞍少驻初程。过春风十里，尽荠麦青青。自胡马窥江去后，废池乔木，犹厌言兵。渐黄昏，清角吹寒，都在空城。　杜郎俊赏，算而今、重到须惊。纵豆蔻词工，青楼梦好，难赋深情。二十四桥仍在，波心荡、冷月无声。念桥边红药，年年知为谁生？

鉴赏

扬州自隋唐以来，即处于大运河和长江航运的枢纽地位，也是对外贸易港口之一，商业发达，市肆繁华。唐末著名诗人杜牧曾为淮南节度府掌书记，淮南道的治所设在扬州。他在这里写的诗篇，给姜夔留下了深刻的印象。

宋朝在这一带设淮南东路和淮南西路，扬州是淮南东路的治所。南宋建炎三年（1129），金兵大举南侵，攻破扬州、建康（今南京）、临安（今杭州）等城，烧杀掳掠，此后仍然不断地发动对南宋的进攻。绍兴三十一年（1161）、隆兴二年（1164），金兵又大举进犯淮南地区，烽火连年，扬州自然受到影响。淳熙三年（1176）冬至这一天，在一场大雪之后，姜夔路过扬州。他说："入其城，则四顾萧条，寒水自碧，暮色渐起，戍角悲吟。予怀怆然，感慨今昔，因自度此曲。千岩老人（萧德藻）以为有《黍离》之悲也。"繁华的城市已变为一片断井颓垣。姜夔看到山河残破，不禁产生了《诗经·黍离》所反映的情感。他自比为周代的大夫，在西周颠覆之后，看见宗庙宫室的废墟上长满了庄稼，心里感到悲痛。

"予怀怆然，感慨今昔。""今"，

指眼前的扬州。“昔”，指杜牧笔下的扬州。姜夔用对比、衬托的方法，描绘出扬州的荒凉景象。扬州，唐城有两部分：子城（即内城）是官署区，在蜀岗上；罗城（即外城）是住宅区和商业区，在蜀岗下。两城毗连。杜牧《扬州》诗说：“街垂千步柳，霞映两重城。天碧台阁丽，风凉歌管清。”《题扬州禅智寺》诗说：“暮霭生深树，斜阳下小楼。谁知竹西路，歌吹是扬州。”又《赠别》诗说：“娉娉袅袅十三余，豆蔻梢头二月初。春风十里扬州路，卷上珠帘总不如。”这座富庶的城市，楼阁林立，丝管纷纷，但到姜夔前来游历时已经面目全非。上阕说：“淮左名都，竹西佳处，解鞍少驻初程。”“淮左”，指淮南东路。“竹西”，指竹西亭，在蜀岗上禅智寺附近。词中首先指出扬州是淮南的著名都城，而竹西亭又是景色宜人的去处，衬托出姜夔在开始的旅程中驻马暂停，本来是抱着很大的希望来观赏古城的。但实际情况却是：“过春风十里，尽荠麦青青。”当年垂柳夹道、春风弥漫的十里街衢，如今却是一片自生的荠菜和野麦，青色无限。这又衬托出，这里的居民大都在战乱中死亡或逃散，几乎看不到人们活动的迹象。这是什么缘故呢？“自胡马窥江去后，废池乔木，犹厌言兵。”“胡马”，指金朝的骑兵。“窥江”，指两次打到长江北岸。从此以后，扬州也只剩下荒废的池塘和高耸的古树，而劫后幸存的人们至今感到愤恨，不愿再提起这种残暴的战争。姜夔有这样的体验：凡是有创巨痛深的经历的人，常常不愿意提起这种经历，因为怕引起痛苦的回忆，自己的心灵重新受到一次折磨。“犹厌言兵”，表示对这种战争的极端憎恶，这一句话刻画出创巨痛深的人们的复杂心理状态。至此，我们也才知道扬州还有幸存的居民，当姜夔和他们谈话时，他们做出了上述痛苦的表情。景况如此萧条，而暮色又悄悄降临。“渐黄昏，清角吹寒，都在空城。”“清角”，指发音凄凉的号角。戍楼上号角吹出的使人感到阵阵寒意的声浪，震荡着空城。号角的声音更显出这座空城的可怕的寂静。作者的痛苦心情层层增添，达到了高潮。

下阕说：“杜郎俊赏，算而今，重到须惊。”“杜郎”，指杜牧。姜夔认为他具有极高的鉴赏能力和写作技巧。但料想他如今重来，看到古城的沧桑变化，也必定大吃一惊。这几句衬托出，扬州所遭受的破坏远远超出姜夔的意料，因而在精神上受到强烈刺激，心潮起伏，难以平静下来。“纵豆蔻词工，青楼梦好，难赋深情。”上引杜牧《赠别》诗中有“豆蔻梢头二月初”之语，以初春枝头的豆蔻花比喻美丽的少女。杜牧的另一首《遣怀》诗说：“落魄江湖载酒行，楚腰纤细掌中轻。十年一觉扬州梦，赢得青楼薄幸名。”“青楼”，指妓馆。杜牧的这两首诗是写他在扬州的荒唐生活的。现在有些词学家指出，姜夔在这里所说的“豆蔻词工，青楼梦好”，是指杜牧的才华和作诗的表达能力而言。姜夔对这时复杂的情感，自己认为已经不能表达了，即使杜牧重来，也难以为他表达出来。姜夔虽然没有亲身经历这场灾难，但心情同样是创巨痛深的。夜晚，姜夔在月光下徘徊。“二十四桥仍在，波心荡，冷月无声。”“二十四桥”也见于杜牧《寄扬州韩绰判官》诗：“青山隐隐水迢迢，秋尽江南草木凋。二十四桥明月夜，玉人何处教吹箫。”“二十四桥”，桥名。当年的明月夜，有多少人在桥上赏月，不时听到美人吹箫的声音；而今桥仍然存在，水中微波正环绕着月影荡漾，但冰冷的月亮却默默无声。还有谁来欣赏月光！多么寂寞的月亮！“念桥边红药，年年知为谁生？”可怜桥边的红芍药，仍然每年盛开，还有谁来欣赏呢？多么寂寞的芍药！物尚如此，人何以堪，悲痛的心情又达到一个高潮。

本词层次清晰，语意含蓄，言有尽而意无穷。既控诉了金朝统治者发动掠夺战争所造成的灾难，又对南宋王朝的偏安政策有所谴责，它有一定的积极意义。

（阴法鲁）

长亭怨慢　　姜夔

予颇喜自制曲，初率意为长短句，然后协以律，故前后阕多不同。桓大司马云：“昔年种柳，依依汉南；今看摇落，凄怆江潭；树犹如此，人何以堪！”此语予深爱之。

渐吹尽、枝头香絮。是处人家，绿深门户。远浦萦回，暮帆零乱向何许？阅人多矣，谁得似长亭树。树若有情时，不会得青青如此。　　日暮，望高城不见，只见乱山无数。韦郎去也，怎忘得玉环分付？第一是早早归来，怕红萼无人为主！算空有并刀，难剪离愁千缕。

鉴赏

这首也是惜别合肥情侣之作，写作时间大概与《淡黄柳》同，词人春天到合肥之后，东归忆别，写下此词。小序言先率意作词，然后协律作曲，可知是自度曲。再引庾信《枯树赋》的句子，突出“树犹如此，人何以堪”。合肥多柳，此处因柳而生情：昔年在汉水之南种下依依杨柳，如今在江畔潭边看到杨柳飘摇零落，同样为之凄怆。由树而及人，当年两下情笃正似树之初荣，现在人过中年，天各一方，而树的摇落之悲又岂非旧情难再之感，这就不难理解“此语予深爱之”了。

词一开头就点明了柳絮将被吹尽的暮春时节。继而写了地点：门户深隐在绿柳之中的人家。从《淡黄柳》小序所说合肥“唯柳色夹道，依依可怜”，我们可推知这是写合肥。“远浦萦回，暮帆零乱向何许”两句写景：远处的流水盘绕而去，入暮之时，孤单的帆影纷乱地向何处去呢？“阅人多矣，谁得似长亭树。”古时五里一短亭，十里一长亭，人们多于长亭折柳送别，因而长亭的柳树确是“阅人多矣”。“树若有情时，不会得青青如此。”这是翻用庾信赋中语，树若有情，目睹行人的伤离惜别，也应为之忧伤憔悴，不会如此青翠。下片作了时空的大转换，从伊人所在的合肥转为自己现在所在之地，从昔时转为今日。“日暮，望高城不见，只见乱山无数。”此时天色正晚，远望高城已不可见，只有乱山重叠，难以尽数，既然高城都不可见，更何况城中之人呢？此处暗用唐人欧阳詹《赠太原妓》诗：“驱马渐觉远，回头长路尘。高城已不见，况复城中人？”“韦郎去也，怎忘得玉环分付？第一是早早归来，怕红萼无人为主！”此处“韦郎”“玉环”系用韦皋与玉箫之事。据《云溪友议》载：韦皋游江夏时，与青衣侍女玉箫相识并有情，分别时，玉箫将玉指环赠送韦皋，二人相约在七年后再会。到八年后，韦皋未到，玉箫绝食而死。经多年后，韦皋又得一歌姬，容貌极似玉箫，中指间似有戴过玉环的隐印。“算空有并刀，难剪离愁千缕。”想起这些，即使有锋利的并州（今山西太原）剪刀，也剪不断这千丝万缕的离愁别恨啊！

这首词所写的情事可谓宋词的传统题材，可贵之处在于用情深挚，这在前面已多有分析，此处，不妨侧重将它的艺术性探究一番。宋人为词，使事用典可谓一条途径，尤其南宋词颇善于此，辛弃疾更是其中代表。姜夔词颇受辛弃疾影响，使事用典即是一端。这首词上片贯以桓温的“木犹如此，人何以堪”，并翻用庾信《枯树赋》语意，在写别离之中处处关合柳树，而柳树又是合肥所有，因此历史与现实圆满结合。至若桓温北伐时，因柳已十围而引起时光易逝的政治感慨，以及庾信的摇落之悲，在姜夔词中又表现为爱情转义的自然，这些都可以看出作者的创造力。在紧扣柳树以抒别情时，又能推人及物，使树带上人的心理，无情之物遂成有情，读来更觉缠绵。如果说词的上片用典而出新意，那么下片使事亦非袭旧，且收情韵兼胜之效。韦皋与玉箫的故事在诗词中常用，但姜夔用在这里并非浮浅，而是极其贴切。因为韦皋识玉箫发生在江夏（今湖北武昌），姜夔久居汉阳，常过江游武昌，因此合肥情事借武昌的故事，自是顺手拈来。作者写此，在一气贯注之中实可见感情甚深，在“强携酒、小桥宅”之后，离别而更觉相见之可贵，遂由冷而转热，成为难以遏止之情，真是缠绵婉转。非仅如此，前面的“望高城不见，只见乱山无数”，暗用了欧阳詹的诗句，乱山阻隔，连高城都难见，更何况人呢？情思悠远而韵味深长。而并刀难剪离愁，实是李煜“剪不断，理还乱，是离愁”词句的翻新，给人留下体味的余地。

这首词在结构和语言上也很有特色。佛家有“扫处即生”之说，此词亦有此特点。开头的“渐吹尽、枝头香絮”，似是柳已无甚可写，过片的“日暮，望高城不见”，亦似是难以再纵笔为之，但能另出别意，生发新句，曲折顿宕，引人入胜。至若“谁得似长亭树”三句，更被词论家推崇，如孙麟趾《词径》就评其为“路已尽而复开出之，谓之转”。全篇虽颇多曲折，但又流转自如。姜夔词本以语言琢炼著称，但这首词的一些句子被认为“不雅”“率”（如先著《词洁》所评），但正可以看出他在此词中有意使用自然朴素的语言，“玉环”的“分付”如果换为典雅的语言，难道能收到语愈浅易而情愈深切的效果吗？

（邓乔彬）

淡黄柳　　姜夔

客居合肥南城赤阑桥之西，巷陌凄凉，与江左异，唯柳色夹道，依依可怜。因度此阕，以纾客怀。

空城晓角，吹入垂杨陌。马上单衣寒恻恻。看尽鹅黄嫩绿，都是江南旧相识。　　正岑寂，明朝又寒食。强携酒、小桥宅。怕梨花落尽成秋色。燕燕飞来，问春何在，唯有池塘自碧。

鉴赏

这首词是抒发客中情怀之作。从小序中可知，此时姜夔客居合肥南城赤阑桥西，据考，该词作于宋光宗绍熙二年(1191)。合肥赤阑桥是作者情侣的住地，他后来在《送范仲讷往合肥》这首七绝中写道："我家曾住赤阑桥，邻里相过不寂寥。君若到时秋已半，西风门巷柳萧萧。"从诗中可见，此时伊人已去，因而过去的"不寂寥"变成"柳萧萧"了。但写此词之时，情侣尚在，远道来此，又得相聚。久别相逢，重叙旧情，理应充满温馨的气息，但词中却不然！大概是因为往事如烟，如今天各一方，为旅食而流寓各地，回忆少年情事，唯觉怅惘而已。因而，红色栏杆的小桥亦激不起喜悦，旧时熟悉的巷陌，只见一片凄凉。由于宋金政权以淮河为界，作为"边城"的合肥，当然未及江南繁荣，"与江左异"四字实是含有家国之感在，唯觉路边垂柳，同于江南，新绿依依，不胜可爱，于是因柳而自度曲，写成这首《淡黄柳》，以解除客中的幽寂情怀。以上是对这充满诗意的小序的串释。

词的起头二句，已见凄凉：既然扬州被金兵侵掠两度，邻近的合肥当然也遭扰，因此这座边城人烟稀少而近于空城，清晨的号角吹入城南的街道。"马上单衣寒恻恻"，写自己骑马走在城南路上，未感到东风送暖，却是凄凉的景象使人尤觉寒风剪剪，轻寒恻恻(晚唐韩偓《寒食夜》："恻恻轻寒剪剪风")，单衣为之难耐，此句可谓外感与内情的高度结合。"看尽鹅黄嫩绿"，开始拍合本题，写出一路所见新柳的颜色。“都是江南旧相识”，句意一转，此柳色尚无异于江左，杨柳虽如旧相识，但终是异地，难免羁情，暗中实又未转。换头“正岑寂”三字，造就了一片冷清寂寞的气氛(《文选》鲍照《舞鹤赋》:“去帝乡之岑寂。”注:“岑寂，犹高静也。”)，承上启下，客观的氛围与主观的情怀相合。“明朝又寒食”，转入时令，因为寒食节禁火而食，更难得欢趣。景色与心境既是凄凉，岂能兴致高扬？因而只能“强携酒、小桥宅”，一访故人(乔姓本作“桥”，《三国志·吴书·周瑜传》中，“乔”作“桥”)，此处“强”字一转。然强遣客怀，难驱凄寂，故“怕梨花落尽成秋色”，词意再转:恐眼前芳菲，很快寥落成秋。结尾“燕燕”三句，更推一层，为之加重，谓双燕来时，寻春无着，唯见池塘碧水而已。此处虽未言愁，但景语即情语，空濛之中荡漾着深深的荒寂寥落的愁意。而寻春燕子到此边城，唯见池塘碧水，岂非“二十四桥仍在，波心荡、冷月无声”(《扬州慢》)之意？其寓意确又出于一己羁愁与怅念旧情之外了。

这首词六十五字，属中调，姜夔精通音律，因词而度曲，写来纵送自由，因而在结构上很可见转折腾挪的技巧。首二句写所闻，第三句写所感，第四句写所见，关合柳树，上结在前面亦景亦情的基础上，化实为虚，转之为情。换头承上启下，情思荡漾，继而转为时令。“强携酒”又转，“怕梨花”再转，“燕燕”三句推而加重，情余景外。此词非仅善转，且上片写今日，经“正岑寂”的过渡，自“明朝”以后，转为拟行之事与悬想之景，以腾挪跌宕之笔，造就了超妙深隽的意境。明出以个人情怀，暗寓有时势之憾，暗中着力，不易觉察，却耐人寻味。

姜夔本为江西派诗人，后虽出于江西之外，但此词仍可见江西宗风。“怕梨花落尽成秋色”，系改李贺诗句“梨花落尽成秋苑”末一字而成，“小桥宅”的弹筝小妹住处系典出《三国志》，“燕燕”之出于《诗经·邶风·燕燕》的“燕燕于飞”，都可见夺胎换骨、点铁成金之妙。

(邓乔彬)

暗　香

姜　夔

辛亥之冬，予载雪诣石湖。止既月，授简索句，且征新声，作此两曲。石湖把玩不已，使工妓隶习之，音节谐婉，乃名之曰《暗香》、《疏影》。

旧时月色，算几番照我，梅边吹笛？唤起玉人，不管清寒与攀摘。何逊而今渐老，都忘却、春风词笔。但怪得、竹外疏花，香冷入瑶席。　江国，正寂寂。叹寄与路遥，夜雪初积。翠尊易泣，红萼无言耿相忆。长记曾携手处，千树压、西湖寒碧。又片片吹尽也，几时见得？

鉴赏

南宋绍熙二年(1191)冬天，姜夔在大雪中到苏州探访老诗人范成大(号石湖居士)。范家有花圃，“深院寂静”，“有玉梅儿树”(《玉梅令》词小序)。姜夔在这里写成《暗香》《疏影》两首赞赏梅花的著名词作。词学家历来对这两首词的含义有不同的理解，多数人认为是姜夔怀念情人之作，这个说法比较合理。姜夔关于他的爱情故事的叙述，总是隐隐约约，语意闪烁，但那个人的影子却常常出现在姜夔的作品中。姜夔在这两首词里巧妙地运用一些和梅花有关的历史掌故，并参酌或凝缩一些著名作品的佳句，从不同的角度来描写梅花的特色，从而寄托自己对情人的怀念。他觉得梅花是情人的象征，情人是梅花的化身，这种感觉在这两首词中表现得比较清楚。清代学者刘熙载认为姜词的特点是“幽韵冷香”。在姜夔心目中，梅花可能就有幽韵冷香的气质。“幽韵”，指幽静的神韵；“冷香”，指清冷的香味。如果借用刘熙载的语言来分析这两首词，也可以说，《暗香》着重写“清冷”的气质，《疏影》着重写“幽静”的气质。姜夔在观赏梅花和写作时似乎有点如醉如痴，完全沉浸在艺术境界中。

上阕说:“旧时月色,算几番照我,梅边吹笛?”一开头就指出词人旧梦重温的沉重心情。旧梦带来的也许是一点欣慰,但更多的却是悲伤。“唤起玉人,不管清寒与攀摘。”可见姜夔和美人一起攀摘梅花,是在深夜寒气袭人的时候,而冷月、梅花更加重了清寒的气氛。但这样相聚的日子并不太长,姜夔就和情人分离了,各奔东西,从此造成姜夔的终生遗憾。“何逊而今渐老,都忘却、春风词笔。”南朝梁诗人何逊有《咏春风》诗:“可闻不可见,能重复能轻,镜前飘落粉,琴上响余声。”又有《咏早梅》诗:“衔霜当路发,映雪拟寒开……应知早飘落,故逐上春来。”他善于描写景物,刻画离情别绪。姜夔自比为何逊,但由于年老而且终日忧郁,赏梅的兴致本来已经淡薄了,完全忘记了赞赏春风寒梅的生花笔。大概词人也怕因赏梅而勾起使人痛苦的对往事的回忆吧。“但怪得、竹外疏花,香冷入瑶席。”无奈竹林外边稀疏的花朵,却偏偏把芬芳和寒意送入幽雅的坐席,触动了词人消沉的心情,而本来希望忘怀的往事又涌上心头。

下阕说:“江国,正寂寂。叹寄与路遥,夜雪初积。”“江国”,指江南水乡。雪下得正紧,一片沉寂。这是草木刚刚萌动、只有梅花独放的时节。词人希望折一枝寄到远方,但夜雪又开始聚积,令人叹息。这只是词人的想象,当时在现实生活中折梅远寄的事情是没有的,但反映了词人的寂寞和怀念远人的深切感情。“翠尊易泣,红萼无言耿相忆。”“翠尊”,指翡翠酒杯。“红萼”,指红梅花。对着酒杯,忍不住流下眼泪,红梅花默默无言,也沉浸在心情沉重的怀念中。当年和情人离别的情景,这时又出现在词人的回忆中。“长记曾携手处,千树压、西湖寒碧。”宋代杭州西湖的孤山上有一片梅林,梅花盛开时,笼罩着寒凉碧绿的湖水。碧波荡漾,好像花山摇动,要倾压下来。“又片片吹尽也,几时见得?”梅花花瓣一片一片地吹落了,言外之意是和情人终于分离了。姜夔《鬲溪梅令》词说:“漫向孤山山下觅盈盈,翠禽啼一春。”任凭小船漂向孤山下边去寻觅情人的倩影,但到那里只听到翠羽鸟鸣啼,不见人影。触景伤情,不知道什么时候才能再和情人携手赏梅。

(阴法鲁)

疏　影

姜　夔

苔枝缀玉，有翠禽小小，枝上同宿。客里相逢，篱角黄昏，无言自倚修竹。昭君不惯胡沙远，但暗忆、江南江北。想佩环、月夜归来，化作此花幽独。　犹记深宫旧事，那人正睡里，飞近蛾绿。莫似春风，不管盈盈，早与安排金屋。还教一片随波去，又却怨、玉龙哀曲。等恁时、重觅幽香，已入小窗横幅。

鉴赏

这首词和《暗香》是互相配合的，赞赏梅花的幽静、孤独、美丽的气质。

上阕说："苔枝缀玉，有翠禽小小，枝上同宿。""苔枝"，指绿苔封裹的梅枝，苔梅是梅花中较名贵的品种。朵朵梅花都像用美玉雕刻出来，系连到苔枝上的。这一句话就使读者看到一枝美丽的梅花，苔枝上有一对小小的翠羽鸟互相依偎着。翠羽鸟一方面暗示古代传说中的梅花神，一方面引出姜夔对情人的怀念。

"客里相逢，篱角黄昏，无言自倚修竹。"这几句写梅花的寂寞。唐杜甫《佳人》诗："绝代有佳人，幽居在空谷……天寒翠袖薄，日暮倚修竹。"姜夔撷取这首诗的意境，改佳人为梅花，实际上如前面所说的，他认为梅花就是佳人，都有孤高的特点。词人在异乡看到篱笆角落里的梅花，背靠着高高的翠竹，正默默地度过寂寞的光阴。这正是姜夔暗淡心境的写照。

"昭君不惯胡沙远，但暗忆、江南江北。"汉元帝时，宫女王昭君奉命嫁给匈奴单于，住在北方沙漠地区。姜夔设身处地，认为她不习惯远居沙漠，总是暗暗地怀念大江南北的故土。"想佩环、月夜归来，化作此花幽独。""佩环"，原指妇女的装饰品，这里借指王昭君。唐杜甫《咏怀古迹》第三章《咏王昭君》诗："一去紫台连朔漠，独留青冢向黄昏。画图省识春风面，环佩空归月夜魂。"姜夔深深地同情王昭君的遭遇，料想必是她在月光皎洁的夜晚悄然归来,变成了梅花,这样地幽静孤独。姜夔也会想到,他在远方的情人也和梅花一样,正默默地度过寂寞的光阴。

下阕说:“犹记深宫旧事,那人正睡里,飞近蛾绿。”古代相传,南朝宋武帝的女儿寿阳公主,有一天在檐下躺卧,梅花飘落在她的眉心里,留下了花瓣的印痕。宫女们争相仿效,称为“梅花妆”。“蛾绿”,指女子的眉毛。蚕蛾的眉毛都细而长,所以以“蛾眉”形容女子的眉毛。“绿”,指画眉的颜料。这个美丽的故事是以梅花为中心而形成的,梅花就是美的标志。姜夔念念不忘的事情就是爱惜梅花。“莫似春风,不管盈盈,早与安排金屋。”“盈盈”,仪态美好的样子。“金屋”,华丽的房舍。凡是对梅花不利的事物,即使是春风,都在姜夔的诅咒之列。但“好花不与殢香人”(《鬲溪梅令》词),梅花不能永远属于爱花的人,最后总是会随着流水而去。

“还教一片随波去,又却怨、玉龙哀曲。”“玉龙”,笛名。笛曲《梅花》或称《梅花落》,是古代流行的乐曲。唐李白《听胡人吹笛》诗:“胡人吹玉笛,一半是秦声。十月吴山晓,梅花落敬亭。”最后一句即指《梅花落》曲。唐白居易《杨柳枝》词:“《六幺》《水调》家家唱,《白雪》《梅花》处处吹。古歌旧曲君休听,听取新翻《杨柳枝》。”诗中说到的乐曲有《梅花》曲。这个乐曲使人听了感到悲伤。唐皮日休《夜会问答》诗说听《梅花落》曲,“三奏未终头已白”。乐曲三段吹奏未完,而听者已经愁得头发都白了。宋教坊小曲中有《落梅花》,和唐代的《梅花落》应有渊源关系。姜词这几句的意思可能是,还是教一片落花随波漂流而去,梅花的飘落才引出了《梅花落》的乐曲,但这个乐曲又引起词人对落梅的惋惜,因此,它不能不受到埋怨。这时姜夔的心情极为烦乱。“等恁时、重觅幽香,已入小窗横幅。”“恁时”,即那时。如果不及时爱惜它,等到花落的时候,再去寻觅清幽香味,那就为时已晚,梅花已经进入小窗上边的图画里,只见疏影,不闻暗香。词人反复表示惜花的深情,也许这正是姜夔和情人离别之后即难以相会的遗憾吧!

姜夔在这两首词里,又多次运用了对比衬托的手法。对比应有一个共同基础,但具体情况不完全相同。如姜夔过去曾和情人携手赏梅,而此时一人在异乡赏梅,同是赏梅,心情不同,过去的欢乐衬托出此时的悲伤。词中有几处突出了颜色的对比:“翠尊”和“红萼”,孤山红梅和“西湖寒碧”,红梅和“翠禽”,红梅和“翠竹”,两者相映,颜色对比鲜明,但又柔和协调,分别构成了一幅幅画面,使人神清目爽,留下了非常深刻清晰的印象。

(阴法鲁)

翠楼吟 姜夔

淳熙丙午冬,武昌安远楼成,与刘去非诸友落之,度曲见志。予去武昌十年,故人有泊舟鹦鹉洲者,闻小姬歌此词,问之,颇能道其事,还吴为予言之。兴怀昔游,且伤今之离索也。

月冷龙沙,尘清虎落,今年汉酺初赐。新翻胡部曲,听毡幕元戎歌吹。层楼高峙,看槛曲萦红,檐牙飞翠。人姝丽,粉香吹下,夜寒风细。　　此地,宜有词仙,拥素云黄鹤,与君游戏。玉梯凝望久,叹芳草萋萋千里。天涯情味,仗酒祓清愁,花销英气。西山外,晚来还卷,一帘秋霁。

鉴赏

南宋淳熙十三年(1186)冬天,武昌安远楼建成,姜夔参加落成典礼时写成此曲词。安远楼是为庆祝抗金战争的胜利而修建的。上阕描写安远楼的豪华及贵族享乐的情景,下阕描写个人倦游思归的乡愁。有些词学家认为本词含有讽刺时政的意义,这是有道理的。南宋统治集团穷奢极欲,过着荒淫腐朽的生活。姜夔对那些骄横的官僚多次表示不满。如《观灯口号》诗说:“闹里传呼大官过,后车多少尽婵娟。”讽刺他们作威作福的行径。但姜夔对统治集团却又处处采取依附态度,以保持自己的生活条件。他是在这种矛盾心情中消磨他的凄凉岁月的。这首词也正是这种心情的反映。

上阕说:“月冷龙沙,尘清虎落,今年汉酺初赐。”“龙沙”,原指白龙堆沙漠,在今新疆罗布泊以东,这里借指江北的南宋边塞。“虎落”,护卫城堡的篱笆。“尘清虎落”,指城堡附近没有出现过由于战争而扬起的沙尘,即平静无声。“汉酺”，指大酺，即大饮酒，这种制度始于汉文帝时，所以称为汉酺。本词是指庆祝宋高宗八十寿辰时诸军大酺而言。“新翻胡部曲，听毡幕元戎歌吹。”“翻”，指传入或改编而言。“胡部曲”，指边地乐曲。“毡幕”，用毛毡制成的帐幕。“元戎”，带兵的主帅。元戎毡幕中传出歌吹的声音。以上六句说的是边塞情况，指出安远楼落成的意义。实际上，所谓边塞就在长江以北，并不远。边塞暂时平静，武昌便兴建安远楼，制造升平假象。

“层楼高峙，看槛曲萦红，檐牙飞翠。”曲折的栏杆绕成一带朱红，伸出的重檐飞起一片青翠。这种写法受了杜牧《阿房宫赋》的影响。杜赋说：“廊腰缦回，檐牙高啄。”走廊曲折，像缦带萦绕；房檐昂起，像鸟仰首啄食。姜词写得更生动，而且色彩斑斓。“人姝丽，粉香吹下，夜寒风细。”美人多么艳丽，从楼上吹下来脂粉香气。直至夜深天寒，微风习习，歌舞仍未停歇。杜赋用夸张的手法描写阿房宫宫女的生活说：“明星荧荧，开妆镜也；绿云扰扰，梳晓鬟也；渭流涨腻，弃脂水也；烟斜雾横，焚椒兰也。”姜词又在这些语句的基础上加以提炼概括。杜赋的结论说：“奈何取之尽锱铢，用之如泥沙！……使天下之人，不敢言而敢怒。”杜牧指责秦朝搜刮民财，不留一锱一铢（锱、铢都是极小的计量单位），而实际上是讽刺唐朝，希望引为鉴戒。姜夔对杜牧的这一层含义应当有所理解。那么，姜夔面对着安远楼，回想起阿房宫，百感交集，能不引起对杜牧的忧虑的共鸣？姜夔怀念在灾难中的人民。他说：“天边有饼（指月亮）不可食，闻产饥民满淮北。”饥民的苦难和安远楼中贵族的狂欢，形成了鲜明的对比。

下阕说：“此地，宜有词仙，拥素云黄鹤，与君游戏。”古代相传，有仙人子安曾乘黄鹤过武昌黄鹤山，山上有黄鹤楼。唐崔颢《黄鹤楼》诗：“昔人已乘黄鹤去，此地空余黄鹤楼。黄鹤一去不复返，白云千载空悠悠。晴川历历汉阳树，芳草萋萋鹦鹉洲。日暮乡关何处是？烟波江上使人愁。”姜词也受了这首诗的影响。姜夔说此处“宜有词仙”，但词仙已一去不复返，因此，安远楼的盛会便显得索然无味。“玉梯凝望久，叹芳草萋萋千里。”在高峻的石阶上凝神远望家乡，只见茂盛的芳草蔓延千里，何处是归程，使人有无限伤感。姜夔虽然有关怀人民的心愿，但由于脱离人民和现实斗争，而长年生活在士大夫阶层风花雪月的小天地里，他的心情是那么消沉脆弱。“天涯情味，仗酒祓清愁，花销英气。”他经常体验到漂泊的滋味，只好凭借饮酒来排遣凄凉的愁思,看花来消磨英雄的志气,陷溺在忧郁的深渊里不能自拔。“西山外,晚来还卷,一帘秋霁。”这里说到“秋霁”,就季节说,和作词的时间不合。刘斯奋认为,唐王勃《滕王阁序》有句云:“虹销雨霁,彩彻云衢。落霞与孤鹜齐飞,秋水共长天一色。”又云:“画栋朝飞南浦云,朱帘暮卷西山雨。”姜词结尾数语是由此隐括而来。刘斯奋还认为,姜夔是江西人,此数句是在安远楼忆想家乡之情形,用的设问句式。今按:姜夔常在作品中描写自己的活跃的联想,而这种联想在作品中有时似乎是不合逻辑的、和主题不统一的,但表达的却是自己的真情实感。刘斯奋的分析相当深刻,只是姜词末三句未必是设问句,而是姜夔触景生情,从内心深处闪现出来的一线归隐的希望,在他的思路上跳跃的跨度很大。黄昏窗帘卷处,西山外送来一片秋霞,雾开天霁。这是词人所憧憬的生活境界,也未必是专指王勃所说的西山。

(阴法鲁)

永遇乐　　姜夔

次稼轩北固楼词韵

云隔迷楼,苔封很石,人向何处?数骑轻烟,一篙寒汐,千古空来去。使君心在,苍崖绿嶂,苦被北门留住。有尊中酒,差可饮,大旗尽绣熊虎。　　前身诸葛,来游此地,数语便酬三顾。楼外冥冥,江皋隐隐,认得征西路。中原生聚,神京耆老,南望长淮金鼓。问当时,依依种柳,至今在否?

鉴赏

南宋统治集团偏安江南一隅,不顾民间疾苦,更忘记了北方在水深火热中的人民。坚决抗金的将领岳飞被杀害了,主张收复中原的志士如张浚、辛弃疾等,都无法施展自己的抱负。辛弃疾原是在金朝统治下的历城(今山东济南)人,在青年时代就组织过一支义军，辗转投归南宋，坚持抗金，但时时遭受南宋统治集团的打击，曾长期隐居山林。嘉泰三年(1203)，辛弃疾出任绍兴知府兼浙江东路安抚使时，姜夔就和他常来往，有互相唱和的作品。开禧元年(1205)，辛弃疾已六十五岁，转任镇江知府，即积极进行北伐的部署。他写的《永遇乐·京口北固亭怀古》词，表示了老当益壮的雄心。姜夔深受感动，写成《永遇乐·次稼轩北固楼词韵》词，对辛弃疾的政治主张表示热烈的支持和赞扬。“北固亭”，一名北固楼，在今江苏镇江北固山上，面临长江。次韵，即依次按原词的韵脚填写。姜夔这首词受了辛词的影响，一改缠绵凄凉的词风，而表现出慷慨激昂的气派。姜夔写词，喜欢用历史掌故，本词中用得更多。

上阕指出，由于辛弃疾镇守京口，抗金大业出现了转机和希望。开头说：“云隔迷楼，苔封很石，人向何处？”“迷楼”，在江苏扬州。登上北固楼，隔江可望扬州。江上烟云弥漫，所以说“云隔迷楼”。先点出京口形势的险要。“很石”，在北固山甘露寺中。相传三国时孙权曾坐石上和刘备共商攻打曹操的计谋。但此时石上青苔封裹，可见久已渺无人迹。姜夔在这里也暗暗指责南宋压制抗金志士，再没有人谈论收复中原的大业，文恬武嬉，苟且偷安。姜夔在这里采取了苏轼《念奴娇》“大江东去，浪淘尽、千古风流人物”词句的含义。“数骑轻烟，一篙寒汐，千古空来去。”“篙”，撑船的竹竿。“汐”，晚间的潮水。“一篙”，指江上稀疏的船影。这是大江两岸常见的情况。几匹马在路上扬起轻飘飘的尘土，黄昏时江上飘动着归帆，来来往往，年复一年，只是如此，没有什么变化。这暗示辛弃疾一到京口，情况就不同了。“使君心在，苍崖绿嶂，苦被北门留住。”“使君”，指辛弃疾。“苍崖绿嶂”，指辛弃疾隐居的山林。“北门”，南宋时镇江接近边界，已成为北方的重镇。这几句说，辛弃疾本来已经习惯于生活在青山绿水之间，但为了抗金，他不能不留在京口，准备北伐。“有尊中酒，差可饮，大旗尽绣熊虎。”《晋书·郗超传》记载：“徐州人多劲悍，〔桓〕温恒云，京口酒可饮，兵可用。”“差”，比较，略微。京口的酒还比较可饮，士兵大可饮用，已具有北伐的条件，而又有这样的统帅，战旗上绣着熊虎，迎风飘扬，何等盛大的军容！

下阕赞扬辛弃疾富有才略，出师必胜。“前身诸葛，来游此地，数语便酬三顾。”辛弃疾想必是三国时蜀国丞相诸葛亮的化身，现在来到京口，谈笑间完成了北伐的部署，报答了朝廷三顾茅庐之恩。诸葛亮先隐居隆中(在今湖北襄阳)草屋中,刘备三次亲临邀请,他才出山。这几句说,只要朝廷用贤,贤人即有所作为。“楼外冥冥,江皋隐隐,认得征西路。”“江皋”,指长江两岸高地。自北固楼远望,烟水茫茫,江岸隐隐约约,但当年桓温西征的道路是很清楚的。晋驸马部尉桓温西征成汉国,被封为征西大将军。本词所说的西征是借指辛弃疾北伐、收复中原而言。“中原生聚,神京耆老,南望长淮金鼓。”“生聚”,人口增多。“神京”,指北宋京城开封。“耆老”,老人。“长淮”,指当时宋、金边界淮河。“金鼓”,指出征的军队。古代作战,击鼓表示前进,鸣金(钲)表示停止。中原人民,故部父老,都期待着来自淮河以南的反攻的鼓声。词人对辛弃疾抱着多么急切的希望!“问当时,依依种柳,至今在否?”《诗经·小雅·采薇》:“昔我往矣,杨柳依依。”“依依”,枝条柔弱的样子。《晋书·桓温传》记载,桓温北伐,看到自己任琅琊太守时种植的柳树,都已十围,“慨然叹曰:‘木犹如此,人何以堪!’”姜夔在这里希望辛弃疾早日北征,待路过历城时,看看当年自己栽种的柳树是否仍然存在。这些话表示,胜利在望,北伐必然马到成功。老英雄,进军吧!

在辛弃疾的影响之下,姜夔眼前闪耀着一线光明,胸怀开朗了,作品也有了生气。但在现存的姜夔作品中,像这种气魄恢宏的诗词实在太少,而他的这种正视社会现实的思想也只是偶一闪现而已。因为距离现实社会太远了,距离人民大众太远了,他缺少吸收艺术营养的机会,自然缺乏旺盛的充沛的创作力量和克服忧郁的力量。游山玩水,虽然可以暂时得到一点安慰,但这点安慰是没有根基的,转瞬间便消逝,继之而来的仍然是无穷尽的“岑寂”和“清苦”。

(阴法鲁)

沁园春　汪莘*

忆黄山

三十六峰，三十六溪，长锁清秋。对孤峰绝顶，云烟竞秀，悬崖峭壁，瀑布争流。洞里桃花，仙家芝草，雪后春正取次游。亲曾见，是龙潭白昼，海涌潮头。
当年黄帝浮丘，有玉枕玉床还在不？向天都月夜，遥闻凤管，翠微霜晓，仰盼龙楼。砂穴长红，丹炉已冷，安得灵方闻早修？谁知此，问源头白鹿，水畔青牛。

作者

*汪莘（1155—？），字叔耕，休宁（今属安徽）人。早年屏居黄山，精研《周易》。嘉定中，曾以布衣三次诣阙上封事，均未果。后筑室于柳溪，自号方壶居士。诗词风格秀逸，有清丽之美。

鉴赏

在宋词中，写黄山的作品极少，而写得好的也只有汪莘这一首，可谓凤毛麟角，不可多得。词的上片，描绘黄山的清奇之美。开头三句，从大处落笔，描绘出黄山的总体画面。如词人在另外两首黄山词中所写：“仙峰六六，满堂峭峻，仙溪六六，绕屋潺湲。”“三十六峰云嶂，三十六溪烟水，三十六壶春。”云峰烟溪，千姿百态，景色清幽，长年凉爽如秋，故曰“长锁清秋”。接下去的四句，采取分镜头写法，描写黄山“云烟竞秀”“瀑布争流”的奇丽风光。在这四句中，领格字“对”字逆入有势，它将词人带进画面，使他面向黄山奇景。此字领起四个四字句，一二、三四句各为一组，分写孤峰绝顶云烟缭绕之美和悬崖峭壁瀑布倾泻之美。而一三、二四句又是隔句对仗，把孤峰云烟、悬崖瀑布的山水景观组合成奇妙的图画，极富山水意趣。词人爱黄山，屏居山中，随时游览，即使在春寒料峭的正月，也不曾间断，故而写了“洞里桃花，仙家芝草，雪后春正取次游”。第一句隐含着古代仙人浮丘公的故事。相传他曾在炼丹峰的炼丹洞里炼过仙丹，那里有两桃，毛白而色异，又有石花形似桃花。第二句暗点黄帝的故事。相传黄山轩辕峰下的采芝源，曾是轩辕黄帝采灵芝的地方。这里写洞里桃花、仙家芝草，既写出黄山异景，也点带出它不寻常的经历。深山灵秘，强烈地吸引着词人，所以在初春正月，雪过天晴，便踏雪乘兴游山了。那洞里桃花、仙家芝草已经很奇异了，而“龙潭白昼，海涌潮头”的壮丽景色更是令人叫绝，因着意用“亲曾见”三字点明是亲眼所见的实景，而不是耳闻虚传。所说的“龙潭”，指白龙桥下的白龙潭。在那里，白云溪受容众壑之水，泻入深潭。每逢大雨滂沱之时，潭中之水有如雷辊霆击，虎啸龙吟，其势汹涌腾跃，如同海潮翻滚，白浪蹴空，令人魂魄摇荡，不敢逼视。这种壮观场面，在春雪消融时也同样可以见到。词人的描写，虽只“海涌潮头”四字，但已写足它的巨大势头和声威，用笔简洁而形象生动。

词的下片，写黄山的神奇之美。过片两句，用“当年”二字提引，点明追述之意，仿佛黄帝、浮丘公确曾栖身黄山。相传，在遥远的古代，浮丘公曾来黄山炼得仙丹八粒，黄帝服其七粒，于是同浮丘公一起飞升而去。至今，在炼丹峰上，浮丘公炼丹所用的鼎炉、灶穴、药杵、药臼等依稀可辨，峰下的炼丹源、洗药溪仍然流水潺潺。灵山仙迹，神奇动人。可是，词人不问这些，而独独问起玉枕、玉床，大概别的灵迹都已看到，而枕卧之具却未曾寻得。想象之中，这本是应该有的，如今不见了，却不肯直说，而故意摇曳笔姿，问出“还在不（否）”三字，既亲切自然而又别有一种情趣。接着，词人冥思遐想，进入神话的浪漫境界，写出了“向天都月夜，遥闻凤管，翠微霜晓，仰盼龙楼”。前两句写天帝之想，后两句写蜃楼之景。这四句也是工巧的隔句对。天都峰是黄山主峰之一。其高度虽略低于莲花峰和光明顶，但它风姿峻伟，气势磅礴，拔地耸天，雄冠群山，相传是天之神都，是天帝会见神灵的地方。所以当词人遥对天都月夜，翘首凝望之时，隐约间似闻天乐凤管之声。后两句中的“翠微”，指黄山后海的翠微峰，为黄山三十六大峰之一。山上古木参天，修竹遍地，郁郁葱葱，苍翠可爱，故名之曰“翠微”。相传那里有巨蜃,能吁气作楼台城郭之状,谓之蜃楼、龙楼。所以当翠微霜天拂晓、晨光微曦之际,词人仰首遥望,盼望着能见到浮现于高空的“龙楼”。其实,这是多见于海上的海市蜃楼。大自然是神秘的,黄山也充满了神奇的色彩。然而这一切毕竟都是遥远的过去的事情。词人游黄山时,虽见灵宅仙窟遗迹犹存,可是已非昔日风貌。想到这里,自然有渺茫怅惘之感,于是写出了:“砂穴长红,丹炉已冷,安得灵方闻早修?”大意说:浮丘公提炼丹砂的石穴之色,虽依然长红,可是丹炉火尽,早已冷却了,又怎能得到灵丹仙方,早报修炼成仙的消息呢?问到这谜一样的事情,自然无人能答,似乎难以写下去。然而词人却别具艺术情思,点借仙物,写出最后三句:“谁知此,问源头白鹿,水畔青牛。”“谁知此”三字,是就上句所问再作一番绕旋,而不即刻作出回答,像是“千呼万唤始出来”,饶有韵味。究竟有谁知道这些服丹成仙的事呢?词人说只有去问源头的白鹿和水畔的青牛。显然,这白鹿、青牛定非寻常之物。原来,相传浮丘公曾在黄山石人峰下驾鹤驯鹿,留下了驾鹤洞、白鹿源的遗迹。词人所要问的源头白鹿,大概就是当年浮丘公驯化过的,它自然该知道仙人的灵秘。那么,水畔的青牛呢?它也不是人间的俗物。相传翠微峰下翠微寺左的溪边有一牛,形质迥异,遍体青色,一个樵夫看中了,想要前去牵回家,忽然间青牛入水,渺无踪影。从此,那条溪水便称为青牛溪,至今仍在。这头青牛,看来也应多少知道些仙人修炼的故事。可是词人却以拟问的语气点出白鹿、青牛,作为词的收结,就显得辞尽而意未尽,含有无穷的趣味。可以想见,词人饱览黄山风光,领略河山之美,冥想这些美丽动人的传说,也足以尽其诗兴游情了。

在这首词中,词人仿佛在读者面前敞开了一座神界仙山,想象丰富,情思卓异,笔端万象,现大千之景,作诡奇之语,令人目不暇接,耳不胜听。所写山水之景是实,神话传说是虚,虚实紧密糅合,使黄山山水充满神奇色彩,使神话传说宛然实有其事,妙趣横生,令人神往。明程敏政《游黄山记》说:“黄山之为景也,非太白之句不能当其胜,非摩诘之图不能尽其变。”汪莘这首辞采飘逸的黄山词,不在太白、摩诘之下,足可与名家相抗。

(臧维熙)

贺新郎　　刘仙伦*

题吴江

重唤松江渡。叹垂虹亭下,销磨几番今古!依旧四桥风景在,为问坡仙甚处?但遗爱、沙边鸥鹭。天水相连苍茫外,更碧云、去尽山无数。潮正落,日还暮。
　　十年到此长凝伫。恨无人、与共秋风,鲙丝莼缕。小转朱弦弹九奏,拟致湘妃伴侣。俄皓月、飞来烟渚。恍若乘槎河汉上,怕客星、犯斗蛟龙怒。歌欸乃,过江去。

作者

*刘仙伦,一名儗,字叔儗,号招山,庐陵(今江西吉安)人。生卒年不详。终生布衣。工诗词,词尤为人所称道。与刘过齐名,风格亦相近,时称"庐陵二士"。有《招山小集》。

鉴赏

"吴江",即吴淞江,亦名松江。它源出太湖,往东流经今江苏吴江、吴县、青浦、松江、嘉定等县,最后合黄浦江入海。浩浩吴江,风景如画,鲈肥莼美。作者在吴江边唤渡,思绪悠悠,遂有此作。这首词通过对日暮江天景色的描写和对古今人物的怀念,婉曲地表现出作者隐居山林、无与为伍的孤寂和怅惘。

起句说,作者伫立江边,像当年苏轼临流唤渡那样,又在这里呼船渡江。苏轼写过一首《青玉案》词,其中有"若到松江呼小渡,莫惊鸥鹭,四桥尽是,老子经行处"之句。江流依旧,人事不永,这个北宋的大文豪早已作古!“重唤”二字,表明时间的流逝,人事的变迁,隐含作者对景怀人的情思和寂寞怅惘之感。这句用事自然,笔重而意深,推出下面两句的感叹:“叹垂虹亭下,销磨几番今古!”“垂虹亭”,在江苏吴县吴江边垂虹桥上,因桥得名。苏轼曾偕词人张先等在亭上置酒吟咏。“今古”,指今古人物。垂虹亭下,江流不息,而在这里吟唱过、盘桓过的古今人物,亦随着逝水而消失。两句境界苍莽,上与“重唤”呼应,下引所怀念的人物,结构上起统摄全篇的作用。“依旧四桥风景在,为问坡仙甚处?但遗爱、沙边鸥鹭。”苏东坡不是说过“四桥尽是,老子经行处”吗?第四桥边,风景依然,而这位曾在江边呼渡、在垂虹亭上临风歌唱过的“坡仙”,如今又在哪里呢?他只把仁爱留给在沙滩上嬉戏、觅食的鸥鹭罢了!

以上皆由苏轼《青玉案》词生发,既切合眼前景物,亦正好抒写对这位词人的怀念。一“唤”、一“叹”、一“问”,笔势几番跌宕,词意步步推进。

下面笔势陡转,以舒缓的词笔,描绘出一幅日暮江天的景色:天水相接,茫茫无际;碧云散尽,群峰耸立;暮色苍茫,潮声隐隐。眼前的一切,美丽而清冷,旷远而迷蒙,作者伫立其中,在思索,在感叹,这碧云、群山、潮声、落日,无一不融进他怀人的情思,处处都透露出他的寂寞、怅惘的心境。

下片过拍之后,即转入对另一人物的怀念:“恨无人、与共秋风,鲙丝莼缕。”三句用西晋张翰由洛阳归田之典。十年到此,无与为伍,像张翰那样淡泊功名、热爱乡间生活的人再也找不着了。“恨”字,表现他怀人的深切,写出世无同调的感慨。三句承上片“销磨”句而来,词意又推进一步,主题至此而益明。

以下笔势腾飞,墨彩淋漓,终于唱出了词章的最高潮:“小转朱弦弹九奏,拟致湘妃伴侣。”古今人物既然杳不可寻,现实中又找不到同伴,于是他想起了化作湘水之神的虞舜二妃。他轻轻地转动着朱红色的琴弦,弹奏出虞舜的箫韶之乐,想把湘妃引来做伴。箫韶九奏,湘妃未降,江天还是那样旷远而寂寥。这时明月当空,薄雾横江,水中的沙洲罩在淡淡的烟雾之中,显得朦胧而缥缈。云烟飘过,皓月如飞,照临江渚。在薄雾、月色、波光之中,在这个半透明而神秘的夜里,他仿佛也在升腾、飞驰:“恍若乘槎河汉上,怕客星、犯斗蛟龙怒。”这是用海客乘槎到天河见织女的典故。(见晋张华《博物志·杂说》)他觉得自己好像传说中那个居住在海岛上的人那样，乘着木筏，到达天河——他怕真的进入天宫，冒犯了牛宿，把天河中的蛟龙惹怒。此句以丰富、奇异的想象，把自己的孤寂、怅惘的心境表现得淋漓尽致，显示出他高超的技巧。

最后以高歌过江作结，把江流、碧空、群山、皓月、烟渚，连同作者的浩叹、琴音和奇思异想留给读者，让他们去细细回味。

这首词从唤渡起，以过江结，“销磨”一语，引出古今人物，结构严整，脉络清晰。由“唤”而“叹”而“问”而“恨”，进而奏箫韶而致湘妃，若乘槎而犯牛宿，层层拓展。又上片一怀人、一写景，下片一怀人、一想象，笔势顿挫，波澜起伏，严整中而富有变化，是宋词的上乘之作。

（梁鉴江）

贺新郎 韩淲*

坐上有举昔人《贺新郎》一词，极壮，酒半用其韵。

万事佯休去。漫栖迟、灵山起雾，玉溪流渚。击楫凄凉千古意，怅怏衣冠南渡。泪暗洒、神州沉处。多少胸中经济略，气□□、郁郁愁金鼓。空自笑，听鸡舞。

天关九虎寻无路。叹都把、生民膏血，尚交胡虏。吴蜀江山元自好，形势何能尽语。但目尽、东南风土。赤壁楼船应似旧，问子瑜、公瑾今安否？割舍了，对君举。

作者

*韩淲(1159—1224)，字仲止，号涧泉，尚书元吉子。有《涧泉集》。

鉴赏

这首《贺新郎》在韩淲的《涧泉集》中属格调迥异、风致独特之作，显得十分突兀峥嵘。题中“昔人《贺新郎》一词”乃指张元幹《贺新郎·寄李伯纪丞相》(见本书)。

韩淲多写闲情逸致，很少慷慨激昂之音，鲜见幽愤沉雄之调。他的笔下常出现的是“云淡秋空，一江流水，烟雨蒙蒙”(《柳梢青》)的景色，“明月到花影，把酒对香红”(《水调歌头》)的生活，“一枕暑风外，事事且随缘”(《水调歌头·次韵载叔》)的情绪，唯独在这首《贺新郎》中，喷发出满腔的愤激，呼喊出收复故土的强音。这实际上是韩淲在特定环境中感情的自然流露。在宴会之上，酒酣耳热之际，血涌脉张之时，有人吟唱了一首前人“极壮”的《贺新郎》词，引发了他内心的积郁,因而词中也充溢着豪壮的气氛。

这首词上片与下片都借典寓意,以古喻今,发抒了北国陆沉而惜无收复故土之士的慨叹。词人放眼江山,回思历史,慷慨悲歌,沉雄苍凉。

上片写神州陆沉,祖逖、刘琨难寻。词开篇以“万事佯休去”领起,笼盖全篇,又直接开启下文。接着以“灵山起雾,玉溪流渚”写出江山变异。“灵山”“玉溪”,泛指北方大好河山。雾笼烟罩,水漫川流,与“神州沉处”相应。由于异族南侵,迫使北宋王朝“怅怏衣冠南渡”,激起了词人怀念古代爱国志士之情,想起了晋时的祖逖。《晋书·祖逖传》:“仍将本流徙部曲百余家渡江,中流击楫而誓曰:‘祖逖不能清中原而复济者,有如大江!’”词人说“击楫凄凉千古意”,中流击水是志士激昂之情,而今却说成“凄凉”之调,暗示着只见衣冠南渡,难有祖逖北伐的惆怅。自己觉得胸中颇有“经济略”,也就是经国济世的方略,但是英才难施,壮志难展,只得“郁郁愁金鼓”,情怀忧郁,不能挽既倒狂澜,起已沉神州,只得“空自笑,听鸡舞”。祖逖与刘琨都有恢复中原之志,他们“情好绸缪,共被同寝。中夜闻荒鸡鸣,(逖)蹴琨觉曰:‘此非恶声也。’因起舞。”闻鸡起舞,原说志士及时奋发,如今词人却“空自笑”,这是因为南宋朝廷文恬武嬉,“公卿有党排宗泽,帷幄无人用岳飞”(陆游诗句),词人感慨于敌人侵犯,朝廷昏庸,不见有人来挽回危局,自己又无路请缨,不得不“泪暗洒”。词人洒泪,其悲甚明。

词的下片写生民涂炭,子瑜、公瑾难找。一方面是叹无人驱敌,致人民受难。“天关九虎寻无路”,此用《招魂》“君无上天些,虎豹九关,啄害下人些”语,谓君门不可得至。一方面叹河山沦丧,山川蒙耻。“吴蜀江山元自好,形势何能尽语”,原来大好河山,人杰地灵,物华天宝,说不胜说,可是无人能保护它不受蹂躏,不致残破。词人哀叹人民受难,痛惜河山破碎,希望有抗敌的英雄救民于水深火热之中,涤荡大地上的阴风恶气,不由生怀古之情:“赤壁楼船应似旧,问子瑜、公瑾今安否?”“子瑜”,是诸葛瑾的字。“公瑾”,是周瑜的字。周瑜和诸葛瑾都是三国时东吴的将领,周瑜在“赤壁之战”中击败了想渡江南犯的曹操大军。词人于此表述了对抗敌英雄的希望。可是事实上并不能改变已成之局,所以煞尾处宕开一笔:“割舍了,对君举。”舍弃了那些不能实现的愿望吧,还是高举酒杯,以浇愁怀。

这首词上下片意念相同,但表现的角度互异。上片凄怆之气难折,下片愤懑之情吐露;上片用典隐含不显,下片用典明晰无翳。全词情绪抑扬跌宕,曲折有致,尤其首尾的一擒一纵,使词更见夭矫,确是韩淲词中难得之佳作。

(徐应佩 周溶泉)

鹧鸪天 韩淲

兰溪舟中

雨湿西风水面烟,一巾华发上溪船。帆迎山色来还去,橹破滩痕散复圆。　寻浊酒,试吟篇。避人鸥鹭更翩翩。五更犹作钱塘梦,睡觉方知过眼前。

鉴赏

这是韩淲缘兰溪赴钱塘(今杭州)舟中之作。兰溪在浙江中部偏西。这首词上片写舟行之景,下片言舟中之情。

"雨湿西风水面烟",以景语发端,新雨之后,澄宇如洗;水面轻雾,缥缈如烟,西风鼓荡其间,充满了清新怡人的情致。在这个背景中,人物登场了:"一巾华发上溪船"。"一巾",表明衣着简朴;"华发",表明年事已高。如此形貌装束,袒露出词人"一枕暑风外,事事且随缘"(《水调歌头·次韵载叔》)的胸怀。继写船行:"帆迎山色来还去,橹破滩痕散复圆。"这两句不仅对仗工整,而且写景极为生动。不说船行,而说"帆迎山色来还去",船行已可见。敦煌曲子词《浣溪沙》:"满眼风波多闪灼,看山恰似走来迎。子细看山山不动,是船行。"是船的前进,可是却使人产生好像山来迎的错觉。"山色来还去",则不仅写船行,且暗示着船行之速。"橹破滩痕散复圆",写船行时水面之状。船激水浪,使原来圆圆的滩痕散破了,船过了之后,滩痕又恢复原状。"山色",系眺望所见;"滩痕",乃平视所得。这两句以船行而引起客观景物的变化,极为生动细致地写出了船的轻快疾驶。词的上片写绮丽风光,不是平面的、静止的描绘,而是在动态中显示,因而别具韵致。

下片先仍写船之行,人在舟中饮酒吟诗,悠然自得,鸥鹭在溪边联翩飞舞,船行惊动了鸥鹭,可见原来是多么寂静。最后两句写入夜后，词人入梦了，想着前往的钱塘，待到一觉醒来，才发觉船已经过钱塘了。

韩淲词多写闲情逸致，很少慷慨激昂之音。这首词也是以清幽淡静取胜，轻轻落笔，淡淡敷墨，境界全出。如“帆迎山色来还去，橹破滩痕散复圆”两句，笔致灵动，情趣盎然，做到了状难写之景如在目前，为韩词中的佳句。

（徐应佩　周溶泉）

风入松

俞国宝*

题酒肆

一春长费买花钱，日日醉湖边。玉骢惯识西湖路，骄嘶过、沽酒楼前。红杏香中歌舞，绿杨影里秋千。

暖风十里丽人天，花压鬓云偏。画船载取春归去，余情付、湖水湖烟。明日重扶残醉，来寻陌上花钿。

作者

*俞国宝，临川（今属江西）人，南宋淳熙年间的太学生。其生平家世未详，著有《醒庵遗珠集》，词见《武林旧事》《阳春白雪》。

鉴赏

这是一首以杭州西湖春日游景为吟咏题材的纪游词作。南宋人周密的《武林旧事》，曾载有这样一段故事："淳熙间，寿皇以天下养，每奉德寿三殿，游幸湖山，御大龙舟……一日，御舟经断桥，桥边有小酒肆，颇雅洁，中饰素屏，书《风入松》一词于上。光尧（宋高宗赵构）驻目，称赏久之，宣问何人所作，乃太学生俞国宝醉笔也……上笑曰：'此词甚好，但末句未免儒酸。'因为改定云：'明日重扶残醉。'则迥不同矣，即日命解褐云。"由此可知这首词是创作于南宋朝廷偏安江南，祖国半壁山河沦丧的淳熙年间。淳熙本是宋孝宗年号，此时老皇帝高宗赵构仍然活着，包括他在内的最高统治集团，不顾国家的危亡，人民的苦难，置收复中原失地于不顾，只知整天游山玩水，花天酒地，过着轻歌曼舞、纸醉金迷的日子。太学生俞国宝被称作"醉笔"题在酒肆的这首《风入松》词，便形象含蓄地反映了南宋朝廷内外苟安偷生、纵情淫乐、寄生腐朽生活的真实景象。

词的上片，描绘都城临安人们春游西湖的活动情景。“一春长费买花钱，日日醉湖边。”开始便交代了游湖活动的时间和地点，表明来这里的游人，很会花天酒地，及时行乐。他们为了寻欢作乐，不惜挥霍浪费金钱。长此以往，“日日”如此，已经是整整“一春”了。“玉骢惯识西湖路，骄嘶过、沽酒楼前。”这是“日日醉湖边”情景的进一步写照。从所骑“玉骢”已经惯识西湖路途，更足证其主人游湖已是天长日久。又从费钱买花、玉骢骄嘶、作威作福、日日醉酒等情事，可见此等游人决非平民百姓，大都属于达官显宦、贵妇丽人者流，总之是有钱和有闲的阶级。上片末尾两句：“红杏香中歌舞，绿杨影里秋千。”有动有静，绘声绘色。摄取西湖游景，由近及远，由疏入密，已从特写镜头转为全景镜头，从而把西湖春游的热闹景象，推进到了顶点。

词的下片，继续描绘西湖的自然景象和游人动态。过片“暖风十里丽人天，花压鬓云偏”，读之不禁令人想起杜甫描绘唐代长安曲江春游景象的诗句“三月三日天气新，长安水边多丽人”。如花似玉的无数美人，麇集湖边，完全陶醉在暖风吹拂的“红杏香中”“绿杨影里”，处于流连忘返、乐而忘忧的情态之中。然而好景不长，盛筵必散。“画船载取春归去，余情付、湖水湖烟。”运笔跌宕，急转直下。感慨叹惜之意，寓于字里行间。意谓人们如此长游西湖，日复一日，已过一春。寄情山水，消磨时光，贪图享乐，无所作为。一切都如湖水流逝，湖烟消散。如今韶光易逝，画船已载取春归，人们啊，明日还将如何呢？“明日重扶残醉，来寻陌上花钿。”结尾和开头紧密关合，表明明日依然照样，过着花天酒地、醉生梦死的生活。“重扶残醉”本作“再携残酒”，这是高宗皇帝给改定了的。因为他嫌原词“未免儒酸”。其实贫寒儒酸是很符合作者的身份地位的。看来他穷愁潦倒，无钱“沽酒”，把已经饮剩的“残酒”，再携来消愁解闷，也是情理中事。再说携带“残酒”，来游览或浇奠这残山剩水，岂不益发可悲可叹！但改为“重扶残醉”，亦能充分暴露那位高宗皇帝的秽形劣迹，倒也恰合其身份地位。他可以淫逸享乐，穷奢极侈，酒池肉林，挥金如土，那是不必计较的，而且醉后，有人护“扶”，自然也不在话下。所以，这改词正表明了以皇帝为代表的最高统治集团偏安江南、昏懦苟活的生活实况。一个“残”字，更令人联想到高宗的残生，朝廷的残局，以及南宋苟延残喘的社会现状，真不啻一幅皇帝自我嘲讽的画像。

由上可见,这词好似"醉笔",率而成咏,其实作者清醒得很。词中分明有着作者对表面上虚假的歌舞升平景象,实际是危若累卵、朝不虑夕的南宋社会现状,以及那种沉湎酒色、苟安度日的反常生活现象的细致观察和深刻评判。只是作者没有正面道出、直抒胸臆罢了。总之,这首词无论描写景物,抒发感情,都很朴素自然,委婉真实。词之主旨含蓄,意味深长。它没有堆砌典故,并不生僻晦涩。作者还运用了以乐衬哀、以盛衬衰的表现手法,即在乐景中写哀,在盛况中写衰。词的语言风格,也很"流美"(《蕙风词话》),堪称词中佳作。

(周　蒙)

贺 新 郎

戴复古*

寄丰真州

忆把金罍酒。叹别来、光阴荏苒，江湖宿留。世事不堪频着眼，赢得两眉长皱。但东望、故人翘首。木落山空天远大，送飞鸿、北去伤怀久。天下事，公知否？

钱塘风月西湖柳。渡江来、百年机会，从前未有。唤起东山丘壑梦，莫惜风霜老手。要整顿、封疆如旧。早晚枢庭开幕府，是英雄，尽为公奔走。看金印，大如斗。

作者

*戴复古(1167—?)，字式之，号石屏，天台黄岩(今属浙江)人。因仕途不通，一生清苦，浪游了大半个南中国，最后隐居于故乡南塘石屏山下。他曾向陆游学诗，也受晚唐诗风影响，是江湖派的代表诗人。亦工词，其词工整自然，豪健奔放，不作蹈袭语，导源苏辛而能自具面目。有《石屏诗集》《石屏词》，存词四十余首。

鉴赏

丰真州是作者的朋友，曾任真州(治所在今江苏仪征)知州，生平不详。这首词就是作者寄赠给他的。上片，首先回忆他俩昔日共饮的情景。“金罍”，泛指华美的酒盏。接着以一“叹”字领起，描绘了别后境况。先写自己：“光阴荏苒，江湖宿留”，蹉跎岁月，潦倒穷途。但作者并未因此纵情山水，无意世事，而是忧虑地惦念着收复中原、统一祖国的“天下事”。故转而写道：“世事不堪频着眼，赢得两眉长皱。”南宋后期，不仅淮河以北收复无望，而且还受到金兵入侵的威胁,但南宋小朝廷仍在奇耻大辱中苟且偷生,坐销岁月。面对如此严酷的"世事",作者不忍多看。因为,此时此刻,他仿佛看见沦陷区的"故人"在翘首东望,期待收复;他亦凄然看见:在万木凋零的空旷山间,在寥廓清澄的苍穹天际,一队鸿雁翩翩北去,飞向中原,它们仿佛捎去了作者对沦陷区人民的眷念之情。作者于此怎能不"两眉长皱""伤怀久"呢?又怎能抑制住满腔悲愤不平之气呢?于是他情不自禁地大声发问:收复中原的"天下事",丰真州您该不会忘记吧?这一问,使全词由上片的感时叹己过渡到下片的勉友立功。

下片,作者从四个不同的角度来勉励丰真州为国立功。第一,从抗金形势着眼,指出:钱塘风月,西湖垂柳,虽然可爱可恋,但杀敌报国的机会更为难得,也就更应珍惜。第二,从历史经验着眼,劝勉丰真州不要像谢安早年那样过隐居生活,而要发挥"风霜老手"的作用,不失时机,抗金报国。"东山丘壑梦"一典出自《晋书·谢安传》。晋文帝时,谢安被召为著作佐郎等职,他以生病辞退,隐居会稽东山,与王羲之等人游山玩水,吟诗作文,被称为"放情丘壑","无处世意"。后出任宰相,做了很多大事。第三,希望丰真州这样的将才能入主枢密院(宋代朝廷中掌管军事的最高机关),并开设幕府,延揽人才,使天下的抗金英雄都云集麾下,为收复大业而奔走效力。第四,树立信心,以"金印如斗"预祝丰真州破敌立功,凯旋。据《世说新语·尤悔》,东晋大将军王敦举兵叛乱,周顗曰:"今年杀诸贼奴,当取金印如斗大,系肘后。"词中"看金印,大如斗"两句出于此。以上四层,环环相扣,步步递进,愈转愈深,作者的拳拳之心,每每溢于言表,而最后的殷切厚望又于结尾处深化了叹己勉友、抗金爱国的主题。

这首词是戴复古的代表作之一。其可贵之处在于:它生动地表现了作者的"一片忧国丹心"(《大江西上曲》)和一腔爱国热忱。戴复古是一介布衣,长期流浪江湖,生活相当清苦。但他与当时江湖派中许多诗人不同,身在江湖,心系世事,思图报国。不仅自己如此,而且还恳切勉励朋友:"要整顿、封疆如旧。"《四库全书提要》曾盛赞此词"豪情壮采",直逼苏轼。若将戴复古的其他词作与此词相印证,更可见其抗金爱国的坚定性和一贯性。

这首词在艺术风格上沉郁与豪放、幽怨与雄浑相结合。上片感时叹己,沉郁哀伤,忧心忡忡;下片勉友立功,笔力豪健轻快，气势旺盛雄浑。纵观全词，词人感情由抑郁渐转昂扬，由低沉趋于奔放，当情感迸发到顶点时，作者戛然而止，收结全词。这固然与他“负奇尚气、慷慨不羁”的个性有关，而更多的则是导源于苏辛词风，正如作者所说“诗家气象贵雄浑”（《论诗十绝》）、“歌词渐有稼轩风”（《望江南》）。其次，词中着意描写人物无声的细节动作，如“频着眼”“两眉长皱”“东望”“翘首”“送飞鸿”等，它们传神达情、渲染气氛、烘托主题，可谓恰到妙处。再次，“东山丘壑梦”和“金印如斗”两个典故的巧妙运用，含蓄而饶有深意地表达了作者对丰真州的劝勉和期望，从而贴切地点明了全词主题。

（潘百齐）

水调歌头 戴复古

题李季允侍郎鄂州吞云楼

轮奂半天上，胜概压南楼。筹边独坐，岂欲登览快双眸？浪说胸吞云梦，直把气吞残虏，西北望神州。百载一机会，人事恨悠悠。　　骑黄鹤，赋鹦鹉，谩风流。岳王祠畔，杨柳烟锁古今愁。整顿乾坤手段，指授英雄方略，雅志若为酬。杯酒不在手，双鬓恐惊秋。

鉴赏

自称“狂游四海，一向忘家”（《满庭芳》）的江湖诗人戴复古，也是一位有“一片忧国丹心”（《大江西上曲》）的词人。在那偏安东南、山河破碎的南宋后期，还热烈地追求着美的理想：“整顿乾坤”，统一中原。这首约作于宋宁宗嘉定十四年（1221）的《水调歌头》，就是词人对这种美好理想“上下求索”的真实写照，其中有希望的火焰，更多的是失望的泪水，奇想联翩，纵横古今，颇有豪放悲壮的风格，正所谓“歌词渐有稼轩风”（《望江南》）。“李季允”，名埴，曾任礼部侍郎，沿江制置副使并知鄂州（今湖北武昌）。

词上片的开头突兀而起，直写吞云楼的胜概："轮奂半天上，胜概压南楼。"吞云楼的奇景壮观好似天外飞来，又被词人当面拾得，用二三笔勾勒出来呈现在人们的眼前，令人怡情悦性。这里词人借用《礼记·檀弓下》中的话赞美它："美哉轮焉，美哉奂焉。"诚然，吞云楼高耸入云的雄壮气势足以"压"倒武昌黄鹤山上的"南楼"。既然如此，若是登上这吞云楼饱览一番壮美之景，有谁不赏心悦目、心旷神怡呢！然而，如此写来只不过是词人欲抑先扬的妙笔。词人首先高扬欣赏吞云楼美景的欲望，其后便以"岂欲"和"浪说"等两句对欣赏自然美景的欲望一"抑"再"抑"。"岂欲登览快双眸"，是一"抑"。"筹边"之事始终萦绕在李侍郎心头，登上此楼，独自坐定，只是想筹划边防之事、抗金大计，哪有什么心思来观赏一下景色呢！"浪说胸吞云梦"，又是一"抑"。据汉代司马相如《子虚赋》说，齐国的乌有先生对楚国使者子虚夸说齐地广阔，并且形容道："吞若云梦者八九，于其胸中，曾不蒂芥。"如此广阔雄壮的自然美景，词人却要且慢去说它，表示出无心欣赏之意。是什么原因促使词人一而再地抑制自己欣赏自然美的欲念呢？是"残虏"（指敌人）猖獗、权奸误国等社会原因。因而，词人将自己的欲念始终专注在当时最严重的社会问题上："直把气吞残虏，西北望神州。"北伐抗金，澄清中原，是他梦寐以求的壮美的社会理想。这是前面欲抑先扬手法的反用：先抑后扬，首先抑制自己欣赏自然美景的欲念，然后高扬追求美的社会理想的欲念，高扬爱国思想的热情。在戴复古的四十多首词中，不时地反映出这种追求美的社会理想的热情："要整顿、封疆如旧"（《贺新郎》）；"击楫长江……为国洗河湟"（《满庭芳》）。然而，要实现这种美的理想，真是"百载"难逢"一机会"。这是被"人事"所误：南渡百年以来，有多少北伐的大好时机都被投降派葬送了，终究使南宋一代爱国之士如词人戴复古者，"气吞残虏"的希望破灭，愁恨悠悠。上片以"人事恨悠悠"句束起，语已尽而意无穷。

下片承接"人事恨悠悠"，缅怀古人，追念先烈，感叹当今，抒写"古今愁"。古今之愁，悠悠之恨，这是古往今来历史长河中人们情感的积淀。"骑黄鹤"句，是写历史长河中积淀的"古今愁"的一个层次。当唐代诗人崔颢登上黄鹤楼时，写下"昔人已乘黄鹤去，此地空余黄鹤楼"，追求仙景理想的幻灭难免"烟波江上使人愁"（《黄鹤楼》）。"赋鹦鹉"，是写历史长河中积淀的"古今愁"的另一个层次。汉末文学家祢衡在《鹦鹉赋》中以拟人化的手法，写当时的有志之士憧憬着如同自由的鹦鹉那样"嬉游高峻，栖时幽深"，尽情领略高山幽谷的美景，然而汉末险恶的社会环境如同禁锢鹦鹉的牢笼，使有志之士如祢衡者追求的以高山幽谷的自然美景作比喻的美的社会理想破灭，陷入了委屈苦闷的深渊。"岳王祠畔"等二句，是写历史长河中积淀的"古今愁"的又一个层次。直到宋宁宗时才追封为鄂王的南宋前期的抗金名将岳飞，昔日竟然惨死在卖国求荣的秦桧一伙的手中，致使他"收拾旧山河"（岳飞《满江红》）的理想灰飞烟灭，遗恨无穷，真所谓"岳王祠畔，杨柳烟锁古今愁"。"古今愁"三字，既是这首词的点睛之笔，概括了古今有志之士理想破灭的旧恨新愁；又是承上启下的关键：由古及今，过渡到写今人之愁。"整顿乾坤手段"等三句，写词人寄于当今希望的破灭之愁。即将来任沿江制置副使的李季允素有远大的志向（所谓"雅志"），词人也寄厚望于当今这位追求"整顿乾坤"理想的有志之士。然而，纵然他具有"整顿乾坤手段，指授英雄方略"，也终究"雅志"难酬。"杯酒不在手，双鬓恐惊秋"，是写当今忧愁者的形象：如果没有杯酒来消除忧愁，秋风起处，恐怕当今"雅志"难酬者如词人戴复古和李季允等的鬓发都要愁白了。词下片结尾的这两句与上片的结句"人事恨悠悠"相呼应，同写有志之士理想破灭的愁和恨，而不同之处在于：上片的结句是情感的抽象化，下片的结句是情感的具体化、形象化，以双鬓愁白的爱国之士的形象加强了词的抒情色彩。

（陈书禄）

洞　仙　歌　　戴复古

卖花担上，菊蕊金初破。说着重阳怎虚过。看画城簇簇，酒肆歌楼，奈没个巧处，安排着我。　家乡煞远哩，抵死思量，枉把眉头万千锁。一笑且开怀，小阁团栾，旋簇着、几般蔬果。把三杯两盏记时光，问有甚曲儿，好唱一个。

鉴赏

戴复古长期浪游，足迹所至，遍及除四川之外的南中国各个重要地区。毛晋称其“性好游，南适瓯、闽，北窥吴、越，上会稽，绝重江，浮彭蠡，泛洞庭，望匡庐、五老、九嶷诸峰，然后放于淮、泗，归老委羽之下”。（《石屏词跋》）如此长期的漫游，既使作者“闻见益多，为学益高深而奥秘”，也给作者带来了落拓江湖、漂泊天涯的乡思客愁。此词便集中表现了作者的这种特定心境。

词的上片，描绘重阳景致，自叹无处安身。开头两句交代季节——金秋时节，接着又点明此日是重阳佳节。此时此地，城里花团锦簇，风景如画；歌楼酒馆，热闹非凡。这般情景，照例不应虚度。但偌大城市，似乎竟找不到一个合适的安身之地，着一“奈”字，活现出作者此时无可奈何的窘况。下片，描绘酒乐之欢，反衬乡思客愁。过片，旋即推出全词主旨：“家乡煞远哩，抵死思量，枉把眉头万千锁。”刻骨铭心的思乡之苦、无法排遣的羁旅之愁，时时紧锁作者的眉头。但这怎能减轻作者的愁苦之情呢？想到此，词人不禁心灰意懒，只得自寻快乐了：约上几个朋友，来到酒楼雅座，大家围坐一圈，一边品尝蔬果，一边听着曲儿，频频举杯，开怀大笑，以此打发时光。作者似乎在洒脱中变得玩世不恭了。

这首词以虚度重阳为线索，以乡思客愁为核心，处处扣合此点来展开层层描写，生动地表现了一个天涯行客的无限忧愁与满腹艾怨。尤其是作者把它放在悲秋季节，又是选在重阳佳节这个特定的气氛中描写，就显得更突出、更感人，真可谓秋情漠漠，客愁戚戚。唐代大诗人王维也曾在重阳作《九月九日忆山东兄弟》，如果说，王维之诗侧重于佳节思亲的话，那么，戴复古之词则不仅有佳节思乡之苦，还兼有此身何去之愁。在“画城簇簇，酒肆歌楼”的节日氛围中，作者竟感无处安身，即使“眉头万千锁”亦枉然，只得纵情酒乐，以此消忧，把酒楼小阁当做唯一去处。其实，这是更深程度上客愁的曲折表现、变态反映，因为这酒中含愁，醉中有悲。悲愁交加，便使作者发之于词、披之于声，正如他自己所说：“夫诗者，皆吾侬平日，愁叹之声。”（《沁园春》）联系作者的生平，再把这首词与作者的《减字木兰花》（阻风中酒）、《祝英台近》（泛杭川）等词相印证，我们就可进一步感受到：戴复古在《洞仙歌》中所表现的乡思客愁，分明饱含着迍邅坎坷、艰难多舛的身世之叹，也渗透着流落江湖、一事无成的惆怅，更郁积着不满朝政、忧国叹世的忠愤之气。因此，这是一种笼罩着时代阴影的乡思客愁，它反映了当时这一类知识分子的命运、境遇和心理，具有一定的社会意义和认识价值。

反衬手法的运用，是此词抒情艺术的特点。全词虽以客愁为描写中心，但处处以乐衬愁。上片用重阳乐景来映衬作者无处安身之愁。下片，作者看似旷达洒脱，快活无比，但这表面的酒肆之乐更能反衬出词人的内心之愁，它与"眉头万千锁"有异曲同工之妙。可见作者在词中是以乐衬愁，以愁寓乐，故乐中含愁，愈乐愈愁。

酒肆光景的生动勾勒，是此词描写艺术的特点。"一笑且开怀"等七句，真切地再现了宋代酒肆情景，其中"旋簇着（很快地铺设着）、几般蔬果""问有甚曲儿，好唱一个"数句，尤为生动、形象，使读者如临其境、如闻其声。若再配上"卖花担上，菊蕊金初破"、"画城簇簇，酒肆歌楼"的描写，便构成了一幅宋代重阳市井画，生活气息非常浓厚。

白描手法的运用，是此词语言艺术的特点。戴复古曾称赞陆游诗"入妙文章本平淡，等闲言语变瑰奇"。其实，作者的这首词就是以"等闲言语"写的"入妙文章"。它通篇没有典故，亦不尚藻绘。语言明白如话，毫无斧凿之痕，似乎是不假思索地信手写来，显得舒展自如；又仿佛自肺腑中流出，滔滔汩汩，韵味隽永。总之，词人能于质实中现风神，浑朴中出真情。

（潘百齐）

绮罗香　史达祖*

咏春雨

做冷欺花，将烟困柳，千里偷催春暮。尽日冥迷，愁里欲飞还住。惊粉重、蝶宿西园，喜泥润、燕归南浦。最妨它、佳约风流，钿车不到杜陵路。　　沉沉江上望极，还被春潮晚急，难寻官渡。隐约遥峰，和泪谢娘眉妩。临断岸、新绿生时，是落红、带愁流处。记当日、门掩梨花，剪灯深夜语。

作者

*史达祖（1163？—1220？），字邦卿，号梅溪，汴（今河南开封）人。他中年时期曾在扬州及荆江、汉水一带任过幕职。他颇具政治才干，但屡试不第，生活清贫，直至嘉泰年间（1201—1204）始入中书省为堂吏，曾随李壁使金。他力主抗金，很受太师韩侂胄赏识，以至“拟帖拟旨，权炙缙绅”。开禧北伐失败后，投降派政变，杀韩侂胄，史达祖受株连而流放。其《梅溪词》长于咏物，亦多抒发家国之恨及身世之感的作品，其描摹物态能尽态极妍，词句声韵圆转，字琢句炼，具有较高的艺术价值，对后世词坛有较大影响。

鉴赏

这首词咏春雨，它从不同的侧面描写春雨迷蒙的情状，抒发怀人情思。上片摹写春雨，暗示出怀人；下片抒发怀人情思，又紧扣春雨。层层烘托，咏物而不滞于物，情景交融，在艺术上很有特色。

词的开头不从正面落笔，而写春雨带来的寒冷欺负百花，用蒙蒙的雾气围困住青青杨柳。“做冷欺花，将烟困柳”，从感受和视觉上绘出浓密的雨意。“千里偷催春暮”既写春雨迷漫广阔，也写它连绵不断。这句点出季节，表露词人对时光暗中流逝的感叹。“欺”“困”“偷催”，渲染出阴沉郁闷的气氛，为以下怀人埋下伏笔。接下来正面写春雨：“尽日冥迷，愁里欲飞还住。”“尽日”句承“春暮”而来，“冥迷”给人以阴暗迷茫之感。明写春雨欲下还停，暗中带出怀人愁绪。“欲”“还”刻画多情而又无可奈何的情态，“摹写入神”（许昂霄《词综偶评》）。这与词人心情是一致的。以上用拟人手法写春雨，前一韵侧重在空间广，后一韵侧重在时间长，都是饱含感情之句。下面便从物与人对冥迷春雨的感受来写：“惊粉重、蝶宿西园，喜泥润、燕归南浦。最妨它、佳约风流，钿车不到杜陵路。”蝶“惊”、燕“喜”是实写。“西园”“南浦”则是泛指蝶燕飞归地点。蝴蝶因雨湿而惊讶翅上的蝶粉重了，飞向西园寻宿。燕子高兴地衔着春雨滋润的泥土从南浦归巢。这一韵描写极细，并扣住“春暮”的特点。“最妨它”以下是虚写。诗人感叹绵绵春雨，阻碍了与情人美好的约会。这里似从清真（周邦彦）的“最先念、流潦妨车毂”（《大酺·春雨》）化出，但意思表达比清真的更婉曲。这一设想，点出怀人。蝶惊、燕喜、人愁，都是受春雨的感发，而写物又是为了衬托人。

换头因情约不成，词人在春雨中眺望江上景色：“沉沉江上望极，还被春潮晚急，难寻官渡。”“沉沉”，既是描写春雨的阴沉昏暗，也是写词人沉重的心情，比上片“冥迷”的色泽更深、更浓。天色渐晚，官家设立的渡口被春雨带来的潮水淹没，很难寻找，又断了词人赴约的希望，心情是难堪的。这一句是化用韦应物《滁州西涧》“春潮带雨晚来急”诗意，浑然无迹。再向远处望去，“隐约遥峰，和泪谢娘眉妩”。“谢娘”是情人的代称。以情人含泪蹙颦时的眉峰比喻雨中远处的山影，这一句是化用卓文君“眉色如望远山”（《西京杂记》）的典故，这里却翻过来说远山似眉，显得新巧工致。从客观对象看，那隐约的远山非常优美；从主观心情看，因思念对方，由山色似眉黛，设想她也许正含泪在思念、等待自己，表达感情委婉真切。以上两韵写雨中远景，由水到山。“临断岸、新绿生时，是落红、带愁流处”则是写雨中近景。在春水渐涨的江岸边，漂走了片片带愁的落花，这里暗应上片伤春意绪，表达了对青春年华的惋惜与思念情人无可奈何的惆怅。这两句词姜夔很赞赏。除了它属对自然灵活、设色鲜明外，恐怕还在于摹写景物真切而有言外之意，能“融情景于一家，会句意于两得”（《词品》引姜夔语)。结尾推开,写美好的回忆:“记当日、门掩梨花,剪灯深夜语。”用过去在一起时春雨夜剪灯细语的场面以反衬此时愁苦心境,怀人情思至此表达得非常充分。“剪灯”句从李商隐《夜雨寄北》“何当共剪西窗烛,却话巴山夜雨时”诗意化出。

这是一首咏物名作,它虽然谈不上有深刻的社会意义,但描写春雨的淋漓润泽,生动形象;抒发怀人情思,真挚细腻。在艺术上,首先是能从不同侧面描写春雨,层层烘托,描摹精细。上片先从感受和视觉角度着笔,渲染浓密的雨意,然后写春雨“尽日冥迷”,再以物与人对它不同的感受加以烘托。下片从天色渐晚、雨意更浓写到雨中所见,由远到近,然后写回忆雨中情事,开拓境界,极有层次。对景物描摹工细精巧,富有情韵。其次是这幅“语语淋漓,在在润泽”(《草堂诗余隽》录李攀龙评语)优美传神的春雨图,表现怀人的感情形象完整鲜明。再次是善于融化前人诗意,翻用典故,丰富了词的形象内涵,创造出新的意境。这些都紧扣春雨,同时又直接或间接表达怀人情思。这种艺术手法真可与周邦彦、方回媲美。

(周念先)

双双燕　　史达祖

咏　燕

过春社了,度帘幕中间,去年尘冷。差池欲住,试入旧巢相并。还相雕梁藻井,又软语、商量不定。飘然快拂花梢,翠尾分开红影。　芳径,芹泥雨润。爱贴地争飞,竞夸轻俊。红楼归晚,看足柳昏花暝。应自栖香正稳,便忘了、天涯芳信。愁损翠黛双蛾,日日画阑独凭。

鉴赏

这是一首受后人推崇备至的咏物杰作。它以白描的手法,描绘春社过后,春燕归来,成双成对戏弄春光的神态,进而由燕的欢乐,反衬闺中人的寂寞孤独。这首词能摹画入神,尽态极妍;字字刻画,而又字字天然。

全词的意脉与分片并不一致,上片及下片的大部都用于描摹燕子的神态。“过春社了”三句,首先点明燕子到来的时间和地点。“春社”是旧俗祭祀土地神的日子,为立春后的第五个戊日,大约在春分以后,清明之前。相传燕子总是春社时到来,秋社时归去。周邦彦《满庭芳》中就有“年年,如社燕”,晏殊《破阵子》也有“燕子来时新社”的说法。春社已过,燕子该从南方飞回来了。闺妇们居住的红楼上,帘幕重重,去年以来已积满灰尘。这里的“度”,一般认为是燕子飞度,也可通。但作“揣度”“估计”解则更佳。有这三句作铺垫,燕子就已呼之欲出。这样用笔显得格外空灵、传神。这里的“去年”和一“冷”字,看似闲笔,其实不然。其本身既互相关合,为下文“入旧巢”和托燕传信埋下伏笔,也为“欲住”“试入”及“还”“又”张本,真所谓“草蛇灰线,伏脉千里”,同时,更暗寓今昔之感。从“差池欲住,试入旧巢相并”开始,燕子才正式飞出,其尾翼张舒不齐,在旧巢前徘徊不定。这里用一“试”字,把燕子辨认旧巢,踌躇不决,而终于落在旧巢之上的娇憨之态,写得活灵活现。一个“并”字,不仅写出了双燕亲昵的神态,也为后文反衬闺中人的孤寂,创造了极好的氛围。同时,还自然照应词题,暗示出不仅是咏燕,而且是咏双双之燕。句中“差池”二字出自《诗经·邶风·燕燕》:“燕燕于飞,差池其羽。”本含成双成对之意。“还相”二句进而摹写双燕在巢中的神态,一是“雕梁”,一为“藻井”,以二者并列,而前面加一“相”字(此处“相”有张望的意思),就把燕子活泼、好奇、东张西望的神态写出。人们往往有这样的体验,久别以后重游故地与初到一地同样新奇,前者睹今思昔,思想中迅速唤起对旧景、往事的记忆,展开对比,是一切依旧,还是今非昔比。从这对燕子的形态看似乎也正进行着这样的思索过程。“又软语、商量不定”,便道出燕子在用自己柔和的语言交换着彼此对旧巢环境变化的看法。“商量”,本指人对话,移用于双燕,格外形象,格外传神。真是神来之笔!明人王世贞称赏它:“可谓极形容之妙。”(《弇州山人词评》)说得是中肯的。这“商量”的内容,可能包括重到故地的感受,也包括对未来行动的打算。果不其然,“商量”完,这小两口就飞出旧巢,戏弄春光了。“飘然快拂花梢,翠尾分开红影”二句便写出燕子出巢后矫健、轻捷的形象。“飘然”二字,已有“轻盈”之意,再着一“快”字，便令人有一种快意之感。双燕轻快地从花梢飞掠而过，其绿色的尾羽像张开的剪子把花影剪开。有了这两句，双燕的形象更加突出，更加丰满了。

上结并未煞尾，换头紧承上文，写飞燕之路。“芳径”，是长满花草的小径，与上文之“花梢”“红影”是紧紧连贯的。“芹泥”，指水边生长芹菜的泥土。杜甫《徐步》诗云：“芹泥随燕嘴。”紫燕常用芹泥来筑巢。尽管芹泥经雨湿润，正好用来筑巢，可是燕子流连春光，高兴地贴着地面飞着，仿佛比赛谁更轻盈、更俊俏。这里用“爱”和“竞”，也赋予了燕子以人的心理。通过这三句，已对燕子贪玩好动的特点补足无余，把燕子写活了。正因贪玩，导致下文误了替红楼闺妇捎信。层层铺垫，丝丝入扣。至此，双燕的形象已大致塑造完成，故下文运用转笔：“红楼归晚，看足柳昏花暝。”这两句是极受后人称赏的炼句，王国维称它有“化工”之妙。写双燕很晚才飞回红楼，看够了外面明媚旖旎的黄昏景色。以上都是第一层次，单纯写燕，写其在各种情况下的神态动作及其顽皮活泼的性情。下文则一笔宕开，从写燕转而写人。

“应自栖香正稳，便忘了、天涯芳信。”“应”是猜度语气，敢情燕子在香巢中睡得太甜，忘记了给闺中人传达远方带来的信息。这两句也是匠心独具的。托燕寄书，最早见于江淹《杂体诗拟李陵》，其中有“袖中有短书，愿寄双飞燕”。王仁裕《开元天宝遗事》中更记载着一个动人的故事：唐长安女子绍兰，丈夫任宗经商湘中，数年不归，音信不达。她托双燕寄书，吟诗一首，细书其字，系燕足，竟达其夫。夫感动归来。这里用此典故，只是“远信还因归燕误”，这些贪玩好动的燕子，竟将捎信的大事忘了，以至“愁损翠黛双蛾，日日画阑独凭”。这两句写出闺中人念远的愁苦之情。古时女子用一种名为“螺黛”的青黑色矿物颜料画眉，故称眉为“翠黛”。“双蛾”，即双眉。这里都代指闺中人。燕子把捎信之事忘了，却苦了托书人的妻子，双眉都愁损了，还天天倚着阑干，等候远方丈夫的书信呢！这里，作者不以燕而以人来收束本词，出人意料。这就使所咏之物与咏物之人融而为一，增强了抒情效果。燕成双成对，相亲相爱，正好反衬出闺中人的孤寂。

沈祥龙《论词随笔》曾说：“咏物之作，在借物以寓性情，凡身世之感，君国之忧，隐然蕴于其内，斯寄托遥深，非沾沾焉咏一物矣。”这话说得颇有见地。前人认为：南宋词多黍离麦秀之悲，北宋词多北风雨雪之感，也说得极中肯。一切与国家民族同呼吸、共命运的作家,其作品不可能不打上时代的印记。与林则徐一起禁烟抗英的爱国将领邓廷桢便认为:“史邦卿为中书省堂吏,事侂胄久。嘉泰间,侂胄亟持恢复之议,邦卿习闻其说,往往托之于词。如《双双燕》(略)大抵写怨铜驼,寄怀毳幕,非止流连光景,浪作艳歌也。”邓廷桢可谓知梅溪者。陈匪石也认为“红楼归晚”以下六句:“讥不思恢复、宴安鸩毒之非,喻中原父老望眼欲穿之苦。”又说这种笔法,“微而显,志而晦,婉而成章,居然《春秋》之笔”。有寄托,是《双双燕》一词的特点,也是梅溪咏物词的主要特点之一。

这首词的艺术成就,可概括为以下三点:其一,不出题字而形神俱似。全词没有一字提到“燕”,但没有一句不在写燕,读者既可借“爱贴地争飞”“翠尾分开红影”等特征性的细节描写看出燕的形象,而且起句“度帘幕中间”,乃从稼轩词句“正值春光二三月,两两燕穿帘幕”化来,也暗示出所咏乃双双之燕。其二,此词声韵圆转。《双双燕》乃梅溪自度曲,为从回环中求变化,上下片句式、平仄多有不同。如前起“过春社了”为四字句,而过片“芳径”则为二字句。前后结虽同为六字句,但前结“翠尾分开红影”为仄仄平平平仄,后结“日日画阑独凭”,却用仄仄仄平仄仄,明显不同。在这首词中还有多处运用上去通押。全词十二个韵脚中,“冷、井、影、稳”为上声,“并、定、径、润、俊、信、凭”均为去声。上去通押,并未使音响效果受到影响。徐釚《南州草堂词话》便记载,有人唱起《双双燕》词,“宛转嘹亮,字如贯珠”。其三,词中讲究炼字和句法,使语言更加凝练,增强了概括力。如“红楼归晚,看足柳昏花暝”句中,“柳昏花暝”四字便具有极丰富的内涵,把词中没有写出的人事、景物都包容了进去。承接此句而来的“应自栖香正稳,便忘了、天涯芳信”,乃是讽刺当权的投降派耽于安乐,忘了沦陷区的中原父老。那么“柳昏花暝”四字,应包含住在朱楼中的王孙公子、达官贵人苟安奢侈生活的全部。这些事,在当时是不能明言而又不能不形之笔墨的,此处用“昏”“暝”二字便足以尽之。这四个字,也是对词人所处时代的极好写照:表面繁荣掩盖着腐朽没落的实质,南宋朝廷已一步步走向穷途末路。

毛晋说:“余幼读《双双燕》词,便心醉梅溪。”王士禛也说:“仆每读史邦卿咏燕词……以为咏物至此,巧极天工矣。”清人汪蛟门做梦时甚至梦见两位仙女也唱这首词,他自己还即席和唱。可见这首词深受人们喜爱。

(王步高)

三　姝　媚　　史达祖

烟光摇缥瓦。望晴檐多风，柳花如洒。锦瑟横床，想泪痕尘影，凤弦常下。倦出犀帷，频梦见、王孙骄马。讳道相思，偷理绡裙，自惊腰衩。　惆怅南楼遥夜。记翠箔张灯，枕肩歌罢。又入铜驼，遍旧家门巷，首询声价。可惜东风，将恨与、闲花俱谢。记取崔徽模样，归来暗写。

鉴赏

这首词描述了一个动人的爱情故事。词人早年与一妓女相爱，后因故久别。该妓对之思念不已，终于憔悴而死。词人归来重访故人，可是锦瑟虽在，弹瑟人却早已作古。听人介绍了她生前深于情、专于情的一幕幕往事，词人抚今思昔，写下这样一首情真意挚的悼亡词。

联系史达祖的身世，这首词可能作于他被黥面流放，遇赦重回临安之后。史达祖被贬流放到荆襄一带，是开禧三年（1207）冬。此后曾遇两次大赦：一是嘉定五年（1212），一是嘉定十二年（1219）。史达祖大概是在这两次大赦后回临安的。他以前也曾几次久离临安，但“一钱不直贫相逼”，而有“王孙骄马”的富贵气象，只能指任职中书省时期。

起首三句先用倒叙，交代词人重访故妓的时间、天气及其户外的景物。而天气与时间又是在写景中自然显示出来的。明丽的阳光映照在琉璃瓦上，烟光氤氲，柳絮飘飞。刘禹锡诗中曾说：“遥想敬亭春欲暮，百花飞尽柳花初。”（《酬宣州崔大夫见寄》）柳花飘飞，可见已是暮春时节。春和景明，也最容易勾起人的相思之情。词人就选择这样一个春日去访旧。

“锦瑟横床”，是当词人走进她的房间时留下的最突出的印象。这是实景，又含象征意义。李商隐《锦瑟》诗曾云：“锦瑟无端五十弦，一弦一柱思华年。”看到锦瑟，很容易使人引起对青春年华的回忆。同时,古人也称和美的夫妇为"琴瑟之好",见到"锦瑟横床",更易引起对爱情生活的兴会。锦瑟依旧横床,但物是人非,锦瑟的主人却不在了。由瑟思人,令人黯然神伤。以下四句,用一"想"字总领,均属虚写,其中固然有听来的成分,但更多是词人的想象。妓女思念词人,回忆共处时的前尘影事,而泪流不止。心绪不佳,知音不在,无心理琴,以至琴弦也常常除下。因为心知情人远贬他乡,不能前来,所以足不出户,终日守在闺帏之中。她唯一能寻求安慰的是她可以时常梦见情人骑马赴会的旧事。这几句中,作者注意锻句炼字。"常下""倦出""频梦",寥寥数字,境界全出,把这位妓女对词人的拳拳之心写了出来。淡淡几笔,便勾勒出这位忠实于爱情的女性形象。"讳道相思,偷理绡裙,自惊腰衩"三句,写出这位妓女压抑的心理。"讳""偷"二字,把这位女性细腻的心理活动刻画得十分深刻,而又很有分寸。史弥远政变以后,韩侂胄遇害,史达祖受株连而流放。史是罪人,他的直系亲属自不免遭难,家产也在嘉定元年(1208)被籍没入官。这位故妓虽痛心词人的不幸,这种相思之情却是不能明言,也无处可倾诉的。而压抑的悲痛对人体的损害往往来得更重,越是闷在心里,越是摧肝裂胆,所以她一天天消瘦了。有一天偷偷拿出旧时穿过的薄裙来比试,腰身是那么的宽松,吃惊自己瘦得太多了!词的上片,有记录旁人的介绍,也有丰富的想象。这种想象又是以对女性的个性、人品充分的理解为基础的,所以形象而逼真。

词的下片分三个层次。"惆怅南楼遥夜。记翠箔张灯,枕肩歌罢"这三句为第一层,插叙他们昔日的爱情生活。人们常有这样的经验,美好的事物、心爱的亲人失去以后,追忆往事,一件平平常常的事,亲人的一颦一笑,都觉得弥足珍惜。"惆怅"二字,把词人迷惘的心境画出,昔日欢会的情景记忆犹新,而情人却永远失去,这样的事使词人简直难以相信。当年,明烛高照,在翠色的帐箔中,妓女枕着词人的肩膀,曼声低唱,在南楼一起度过这欢乐的长夜。这本是写欢会,而冠以"惆怅"二字,却倍感沉痛。接着,词人笔锋逆转,把思路拉回现实中。"又入铜驼"以下为第二层,写自己从流放地返回临安,就到处打听这位情人的下落。"铜驼",本指洛阳的一条街,这里借指临安的街道。秦观《望海潮》中便有"金谷俊游,铜驼巷陌,新晴细履平沙"之句,故史达祖这里用"铜驼""门巷"均指妓女们出没的烟花巷。"声价",本指声名和身份地位,这里指消息、下落。到处打听的结果是:“可惜东风,将恨与、闲花俱谢。”“闲花”,本指野花、无主之花,后世喻指妓女。这里用双关的手法写出情人含恨而死。“东风”,指春风。就在春风送暖、百花盛开的季节,这朵野花却凋谢了。词人对妓女的人格是尊重的,对她的爱情是真挚的。写到这里,词人联想起一个与妓女相爱的故事:“记取崔徽模样,归来暗写。”这是第三层。据《丽情集》载:“蒲女崔徽与裴敬中善。敬中去,徽极怨抑,乃托人写真致意曰:‘为妾谢敬中,崔徽一旦不及卷中人,徽且为郎死矣。’”崔徽死之前还留下一幅肖像,而这位情人却没有,所以词人下决心“记取崔徽模样,归来暗写”。画出她的模样,为的是保持永久的纪念。结尾这两句,情深意长,缠绵悱恻,无限低回。

这首词在章法结构上颇似周邦彦的《瑞龙吟》。清真之作,吸收了魏晋以来辞赋家的手法,因而章法多变。词中通过种种回忆、联想等手法,前后左右,回环吞吐地描摹出他所要表达的东西。而梅溪这首《三姝媚》,有叙事,有写景,景中又虚实相间,看到的和想到的融于一篇。若干个画面交错穿插,正叙、倒叙、插叙,交替使用。头绪虽多,虚实变化,却又围绕爱情这一主线,故收纵绵密,而一气流贯。

(王步高)

蝶　恋　花　　史达祖

二月东风吹客袂。苏小门前,杨柳如腰细。蝴蝶识人游冶地,旧曾来处花开未?　几夜湖山生梦寐。评泊寻芳,只怕春寒里。今岁清明逢上巳,相思先到溅裙水!

鉴赏

这是一首写冶游情事的词。上片记重游旧地途中所见,透露出“寻芳”的迫切心情;下片从曲折的心理活动描写中抒发怀人情思。构思别致,情味隽永。

“二月东风吹客袂。苏小门

前,杨柳如腰细。"写出游所见,交代节候,点出情事。江南二月是百花开放、最宜游赏的时节。"客袂",词人自指,暗示客中出游,伏结尾的怀人。"苏小",南齐名妓苏小小。白居易诗:"若解钱塘寻小小,绿杨深处是苏家。""苏小门前",泛指杭州的青楼妓馆。词人经过这儿,见到了青青杨柳,产生了"如腰细"的联想。一般诗词中多用杨柳比细腰,这儿却反用。人们自然会由细腰联想起当年苏小小轻盈的体态和婀娜的舞姿。它把物与人联系起来,不仅东风中摇曳的杨柳更有情韵,而且摄取这一有代表性的景物形象,表现出西湖优美的春光。词人在游赏途中不仅见到杨柳,也见到翩翩的蝴蝶。他问:"蝴蝶识人游冶地,旧曾来处花开未?"竟然向蝴蝶发问,真是前人所谓的"无理而妙"。它妙在表现词人对花事关心,透露"寻芳"心情的迫切。"旧曾来处"其中有着对过去许多冶游情事的回忆。

下片开头,词人回顾几天以来的心情:"几夜湖山生梦寐。评泊寻芳,只怕春寒里。"有好几个晚上词人在梦中就见到西湖的山山水水,思量出来"寻芳",又生怕春寒花儿还未开呢! 可见这次出游早就是梦寐以求的了。担心春寒,更见"寻芳"的迫切。"今岁清明逢上巳,相思先到溅裙水!"词人又想到即将到来的清明节。"上巳",阴历三月上旬"巳"日,旧俗这天妇女要到水边嬉戏,或溅裙(洗濯裙子)以消灾厄。清明是当时临安王孙仕女春游最盛的时节,这天恰是上巳,在故乡,他所思念的人一定在水边溅裙,所以说"相思先到溅裙水"了。这样就含蓄地把客游中怀人情思点出,言尽而意不尽。

这首词构思别致,在于它避实就虚。它写"寻芳"与怀人,不重在实写景物情事,而是通过曲折的心理活动的刻画来表现的。首先借问蝴蝶花儿开了没有,表现其关心春事,就很婉曲;其次回顾重来前几天的想法,先说梦寐以求,继而又担心春寒迟迟未来,通过对矛盾心理的刻画,迫切"寻芳"之心跃然纸上。末尾设想清明逢"巳"日,由"寻芳"转到怀人,意在言外。这样曲折的多层次的心理描写,抒发感情委婉细腻,加上语言自然明白,读起来就使人感到情味隽永了。

(周念先)

湘江静

史达祖

暮草堆青云浸浦。记匆匆、倦篙曾驻。渔榔四起,沙鸥未落,怕愁沾诗句。碧袖一声歌,石城怨、西风随去。沧波荡晚,菰蒲弄秋,还重到、断魂处。　酒易醒,思正苦。想空山、桂香悬树。三年梦冷,孤吟意短,屡烟钟津鼓。屐齿厌登临,移橙后、几番凉雨。潘郎渐老,风流顿减,《闲居》未赋。

鉴赏

有人认为,南宋词坛应分为三大派,分别以辛弃疾、史达祖、姜夔为代表,其中史达祖则作为周邦彦格律词派在南宋时期的代表。此说未必允当,但史与周确实有着艺术风格的继承关系。清人戈载说:“予尝谓梅溪乃清真之附庸,若仿张为作《词家主客图》,周为主,史为客,未始非定论也。”《湘江静》一词情景交融,浑灏流转,语言与结构都与清真极相似,以至陈廷焯评它:“居然美成复生。”陈匪石先生更认为它:“置之《清真集》中殆将莫辨矣。”

这首词乃作者身为天涯迁客,言情说恨之作。大约作于其流放到荆汉时期。早年,他因科举失意,曾在这一带做过幕僚之类的小官。这次贬谪荆汉,乃是重返故地,但自身的处境比前次更不幸,不仅政治抱负难伸,而且行动没有自由,想归隐闲居亦不可得。这首词就是在这样的背景下创作的。

词的起句就交代了时间、环境,并为全词定下抒情的基调。这是一个秋天的傍晚,暮色苍茫,云层低卷,长着青草的小山包和停船的水口都笼罩在暮霭及云雾之中。接下去词人并未继续缘情布景,也不叙说现时心事,而突入对前情往事的回忆,记叙三年前客中遇艳。这一故事与当年白居易在浔阳江口巧遇琵琶女一事颇有几分相似。当时,词人也在客中,曾匆匆坐船路过这里,并作过短暂停留。“篙”,本用以撑船,借以代船。船停在江口,只听到渔人到处击起鸣榔，在驱鱼入网。沙鸥在空中盘旋，久久不肯落下，怕惊扰客中发愁的词人。“渔榔”绘声，“沙鸥”绘影，写出了词中愁境。“怕愁沾诗句”更新颖别致，不蹈袭前人，而“沾”字尤工致入妙，不仅赋予沙鸥以人的心理，而且也写出词人愁之深重，连沙鸥都不忍心为他客中添愁，这同时也暗示出他写词未成。这以上三句，既是对昔日艳遇环境的追忆，也投上了今日境遇的影子。“碧袖”以下三句，写与歌女的际遇。一个身着翠袖衣衫的女郎，唱着湖北一带的民歌，也是一个秋风萧瑟的日子，她与词人相遇了。此处“碧袖”二字便道出了女郎的身份乃是歌女。南朝乐府有歌名《石城乐》，相传为刘宋竟陵太守臧质所作。臧在城上眺望，见群少年欢乐歌唱，而作了这首歌。《旧唐书·音乐志》载：“石城有女子名曰莫愁，善歌谣《石城乐》，和中复有莫愁声，故歌云：‘莫愁在何处，莫愁石城西。艇子打两桨，催送莫愁来。’”《石城乐》本为欢乐之歌，词人这里改作《石城怨》，与本词的情调、意境更相一致。“西风”，即秋风。“随去”，照应前文之“匆匆”，同样道出了他们相处之短暂。因“一声歌”而相逢，因“西风”而“随去”，来也匆匆，去也匆匆。诗不成而闻歌，本为幸事，而唱歌之人竟又随西风而去，匆促、短暂，只留下令人“剪不断，理还乱”的离愁，摆脱不得。人固随西风而去，此后本不当重来。几年后的一个秋天，江波激荡，浅水中菰蒲都染上了秋色，在这样一个凄凉萧瑟的秋日黄昏，词人竟又重返故地。“断魂”，本有销魂神往之意，形容情深或哀伤。把旧日欢会之处称作“断魂处”，可见词人对那位不知名歌女的一往深情。两人尽管相处短暂，但“同是天涯沦落人，相逢何必曾相识”，两人情投意合，以至久别以后仍念念不忘。

过片“酒易醒，思正苦”六字，紧接“重到”，旧地重游，物是人非，令人断魂，只好借酒浇愁。无奈酒醉总有醒时，一醒来则愁更愁。“思正苦”三字，笼罩后片。这后片之九句，正是写词人之“苦思”的。“想空山”之“想”，承“思正苦”之“思”而来，“空山”之中“桂香悬树”，这是词人主观的想象。空山之中并无花繁叶茂、芳香四溢的桂子，只不过是企求归隐的词人美好的向往。他当时的处境恶劣。“三年”以下三句，便凝练概括地写出了与歌女分别几年来的生活：几年工夫，如同做了一场大梦。“三”，约数。目下，自己对爱情固然已经绝望，而独自吟诗（无歌声相伴），又才思不敏，没有意绪。“短”，不足。江淹《伤内弟刘长侍》：“长悲离短意，恻切吟空庭。”此化用其意。“烟钟津鼓”,即烟津钟鼓之互文。“津”,渡口。“钟鼓”,晨钟暮鼓,代表朝暮。联系史达祖的身世,这里似乎并不仅指他日夜奔走于水乡渡口,到处奔波劳碌,同时也有着朝廷晨钟暮鼓、旰食宵衣生活的投影。“屐齿”句承上说,似乎已厌倦登山临水的生活,其实这里也隐含词人的身世之感。史弥远政变,韩侂胄遇害,词人受黥面而流放。这段凄惨的遭遇,隐含在“移橙后、几番凉雨”一句之中。有人认为“移橙”乃化用杜甫“衰年催酿黍,细雨更移橙”诗句而来,其实不然,“橙”,同“凳”,一作“镫”,即马镫。“移镫”,意即离别。这离别后的几年中,词人曾经过“几番凉雨”,遭受屈辱打击以至被流放到这里。“三年”以下这五句,含蓄蕴藉,多少人世的风风雨雨,尽收缩在这短短的二十多个字中。沉郁顿挫,哀而不伤。结拍借潘岳《闲居赋》而抒发感慨。“潘郎”,即西晋大文学家潘岳。他三十二岁开始白头,年近五十时曾作《闲居赋》,词人此处以潘岳自比,当时他也已四十六岁以上,渐近老境,对男女情爱之事自然看得轻了,而还未能像潘岳那样闲居作赋。潘岳《闲居赋序》说:“拙者可以绝意乎宠荣之事矣。太夫人在堂,有羸老之疾,尚何能违膝下之色养,而屑屑从斗筲之役乎?”这也是词人心里想说的话,可是他身不由己,只好忍受屈辱,而无从归隐闲居。这三句中,“渐老”“顿减”“未赋”,浑厚重拙,感慨良深。

这首词最显著的特色表现在其结构方面。全词并不按时间或空间的顺序来安排,而多处交叉,却又处处关合,岭断云连。开头写重游故地,但从第二句即宕开许多感喟,不说现时的心事,却追溯与歌女相遇的情事,而“沧波荡晚”重又折回现实,与开头一句紧紧关合,同时领起后片。后片中“想空山”关合“思正苦”,“屐齿”句又照应“空山”句。章法完密,而又曲折多变。陈匪石在论及此词时曾说:“其转折皆在空际,为潜气内转之法,愈转愈深,愈转愈郁,此善学清真者。”我们读了《三姝媚》《湘江静》二首,于清真词在章法、结构上对梅溪的影响,应当看得比较清楚了。

(王步高)

八　归

史达祖

秋江带雨，寒沙萦水，人瞰画阁愁独。烟蓑散响惊诗思，还被乱鸥飞去，秀句难续。冷眼尽归图画上，认隔岸、微茫云屋。想半属、渔市樵村，欲暮竟燃竹。　　须信风流未老，凭持酒、慰此凄凉心目。一鞭南陌，几篙官渡，赖有歌眉舒绿。只匆匆远眺，早觉闲愁挂乔木。应难奈、故人天际，望彻淮山，相思无雁足。

鉴　赏

这首词抒写词人愁苦凄凉的心境，感叹深沉，疑是被贬逐后的作品。

上片写在"画阁"上眺望景物，下片主要写回忆与感叹。"秋江带雨，寒沙萦水，人瞰画阁愁独。"词的开始描绘了一幅清冷的图画：江上下着蒙蒙的秋雨，江水萦绕着清冷的沙洲。词人在画阁上俯瞰这空旷的景色感到愁苦而孤独。"人瞰画阁愁独"是全篇主句，词中所见所闻所感，都是围绕它来写的。"秋江"二句，重在渲染清冷孤寂的气氛，以突出词人"愁独"的心境。"烟蓑散响惊诗思，还被乱鸥飞去，秀句难续"，写江上所见。江中，渔翁披着蓑衣在烟雨中撒网，那响声惊起词人的诗思，但诗思又被惊飞的乱鸥打断了，续不上美好的句子来。感情的发展与景物的变化交织在一起，词人内心的孤独，通过这色彩清淡的图画表现出来。他再也无心吟诗了，把目光移向远处："冷眼尽归图画上，认隔岸、微茫云屋。"以"冷眼"看如画的景物，其心境可想而知。而江那边，只有"微茫云屋"，因为是"微茫"（隐约模糊），要"认"才能分辨清楚。"想半属、渔市樵村，欲暮竟燃竹。"这是由云屋的微茫引出的想象。他想，那边大半是渔市和樵村。在这傍晚时分，人们在烧着噼啪作响的竹子开始晚炊了。"渔市樵村"的联想，与看到江上的"烟蓑"、认出隔岸的"云屋"分不开。这儿活用了柳宗元《渔翁》“渔翁夜傍西岩宿，晓汲清湘燃楚竹”诗意。柳诗写于遭贬逐以后，词人当时处境可能与柳相似。这一联想点明“人瞰画阁”的时间，而“欲暮竞燃竹”的热闹气氛，更反衬出词人当时心境的孤寂。上片描写所见景物，由近而远，由清晰到迷茫，由实到虚，融入词人主观感受，意境广阔清冷，构图设色，都表现了淡远疏隽的特点。唐圭璋认为“写景神似白石”，确有见地。

下片换头便从自我宽慰写起。“须信风流未老，凭持酒、慰此凄凉心目。”“风流”，这儿指词人过去的那种风流情意。现在处于贬谪的环境中，只好自我安慰，说自信过去的风流情意尚未衰减，权且借酒浇愁。“一鞭南陌，几篙官渡，赖有歌眉舒绿。”“一鞭”，指骑马。“几篙”，代指泛舟。“歌眉”，歌女，同《阳春曲》中的“醉耳”一样用得新巧。“舒绿”，舒展翠眉，形象优美。一路上在南陌骑马漫步，在官渡泛舟游赏，幸有多情姣好的歌女伴随，因此不会感到孤独。“只匆匆远眺，早觉闲愁挂乔木。”他把目光匆匆移向远处，已经感到“闲愁”挂上了乔木。“闲愁”，莫名的愁苦，它包含词人此时的空虚、寂寞感。“挂”字表现闲愁的沉重，很形象。借酒浇愁，回忆美好的过去，都无法宽慰自己。看看现实景物，更惹愁思。于是想起了故人：“应难奈、故人天际，望彻淮山，相思无雁足。”“雁足”，从“雁足传书”来，事见《汉书·苏武传》，这儿指书信。词人望断淮山，想念天涯的故人，却未见来信，更感到难堪了。结尾两句遥应开头“人瞰画阁愁独”。下片抒情，开始写当前借酒宽慰，接着回忆过去风流冶游情事，把感情推向高潮。下面反跌到现实情境中来。由“慰此凄凉心目”到“早觉闲愁挂乔木”，愁思逐层加深，最后以感叹故人无信突出孤独愁苦，抒情跌宕起伏。所以陈廷焯说：“后半一起一落，宕往低徊，极有韵味。”（《白雨斋词话》）

（周念先）

齐天乐　史达祖

中秋宿真定驿

西风来劝凉云去，天东放开金镜。照野霜凝，入河桂湿，一一冰壶相映。殊方路永。更分破秋光，尽成悲境。有客踌躇，古庭空自吊孤影。　江南朋旧在许，也能怜天际，诗思谁领？梦断刀头，书开蚤尾，别有相思随定。忧心耿耿。对风鹊残枝，露蛩荒井。斟酌姮娥，九秋宫殿冷！

鉴赏

开禧元年（1205）初秋，史达祖奉韩侂胄之命随李壁出使金国，任务是"觇金国虚实"。他对于国家未能统一曾有过"楚江南、每为神州未复，栏干静，慵登眺"（《龙吟曲》）的慨叹。临行前他还说："今日征夫在道，敢辞劳、风沙短帽？休吟稷穗，休寻乔木，独怜遗老。"（同上）由此可见其心情与思想。离开临安，中秋到达了真定（今河北正定），词人住在荒凉的驿站里，睹月怀人，思念故旧心切，于是写下了这首词。词中含蓄地表达了忧国的情怀，是梅溪词中较有社会意义的作品。

上片写北国中秋之夜皎洁的月光与词人清冷孤寂的情怀。"西风来劝凉云去，天东放开金镜。"开头写月亮初升的情状。不说"西风吹散"而说"西风来劝"，新颖而有情致，"劝"字实际上表现词人希望看到圆月的心情。"天东"句，境界清朗、空阔。凉云已去，璧月澄澈，它"照野霜凝，入河桂湿，一一冰壶相映"。这三句写地上月光的皎洁。皎洁的月光照在原野上像凝结一层白霜，映在河中沾湿了月宫桂影，它们和天上的明月交相辉映。"霜凝""桂湿"扣中秋季节特征。写北国中秋之夜莹澈的月光，环境开阔而清冷，透露出荒漠悲凉的气氛，与词人的心情相应。"殊方路永。更分破秋光，尽成悲境。"由所见引出感慨。"殊方路永"，不仅是说现在远离故乡，也包含有对被金人占据的"殊方"辽阔土地的惋惜，因为真定在靖康之变以前是宋朝的疆土。“分破秋光”，除点明中秋节候外，还有另一层含义，即暗喻国家疆土被分割。南宋词人常这样用。如陈亮在《贺新郎》中就以“算世间、那有平分月”来表达其对国家未能统一的悲愤。这样，词人对月沉思怎么不会有“尽成悲境”的感叹呢！这一句总上启下。“有客踌躇，古庭空自吊孤影。”写徘徊于驿庭的自我形象。因为在“殊方”，所以说“有客”。“空自吊孤影”写词人对影自怜孤独，心中无限悲凉。广阔荒凉的背景与孤独悲伤的心情，两相映衬，给读者的印象极为深刻、鲜明。

下片写对沦陷区的关切。换头用反问，从设想对方情况落笔，写对故人的思念：“江南朋旧在许，也能怜天际，诗思谁领？”这三句说，江南朋友所在的地方，是否也有同情我这在天涯的，来引导我的诗思呢？词人徘徊古庭，思绪很乱，希望能得到江南朋友的引领，即希望能得到他们的慰藉。这种设想，婉曲地抒发了对故人的思念与自己难堪的心情。接下来进一步抒情：“梦断刀头，书开虿尾，别有相思随定。”“刀头”是“还”的隐语，诗词中常用，如南朝民歌：“何当大刀头，破镜飞上天。”因为古人佩刀头有环。“环”“还”同音，所以这么说。“虿（蝎类毒虫）尾”本形容女子头发卷曲如虿尾，《诗经·小雅》：“卷发如虿。”这儿形容书页卷起如虿尾，意谓久未读它了。“别有相思随定”，就是说除了思念故人外，另有相思萦回在脑海，这就是对沦陷区人民的关切。一个多月后，词人在归途中经过汴京后写道：“天相汉，民怀国。天厌虏，臣离德。趁建瓴一举，并收鳌极。”（《满江红·九月二十一日出京怀古》）可见他是主张趁此时机收复失地、统一国家的。“别有相思”正是词人关心沦陷区、关心国家统一的这种情思。这里含蓄地表达了他的爱国情怀。“忧心耿耿。对风鹊残枝，露蛩荒井。”写古庭徘徊时所见所闻所感。“耿耿”，不安的样子。“风鹊残枝”二句，既是实写，也形象地概括了沦陷区荒凉的情状，有某些象征意义。见到这种情景，词人忧思无端，以至引姮娥为知己：“斟酌姮娥，九秋宫殿冷！”此乃自杜甫《月》诗中“斟酌姮娥寡，天寒奈九秋”化来，以姮娥之孤独自喻。末尾仍写到月，遥应开头，以月起结，章法完密。下片先写思念故人，“梦断刀头”以下转到对国家、对沦陷区的关心。这些都是上片末“有客踌躇，古庭空自吊孤影”的原因。这首词环境景物的描写对表现词人的情怀起了映衬作用，自然贴切，融合无间。与此同时，他的朋友高观国在江南也写了一首《齐天乐·中秋夜怀梅溪》,有"归心对此,想斗插天南,雁横辽水。试问姮娥,有谁能为寄"之句。高词于清峻中见豪放,史词于悲凉中见沉郁,风格是不同的。就其思想内容看,高词仅停留在抒发思念故人上,而史词还含蓄地表达了爱国情怀,内涵较深,为高词所不及。

(周念先)

满　江　红　史达祖

中秋夜潮

万水归阴,故潮信、盈虚因月。偏只到、凉秋半破,斗成双绝。有物揩磨金镜净,何人拏攫银河决?想子胥、今夜见嫦娥,沉冤雪!　光直下,蛟龙穴;声直上,蟾蜍窟。对望中天地,洞然如刷。激气已能驱粉黛,举杯便可吞吴越。待明朝、说似与儿曹,心应折。

鉴赏

钱塘江潮是杭州胜景之一,每年以阴历八月最为壮观。宋人词中不乏咏江潮的词,像潘阆的《酒泉子》就是其中非常有名的。但以中秋夜潮为题材的,似乎只有梅溪这一首。这首词描绘了有声有色、雄伟壮阔的月夜江潮汹涌的情状,抒写了词人广阔的襟抱与豪迈的气概。

上片描写中秋夜潮的雄伟景象,下片着重抒写自己的感受。"万水归阴,故潮信、盈虚因月。""阴",本指低洼处,这儿代海。"故",本来。钱塘江潮是因海水上涨形成的,所以从"万水归阴"写起。潮汐现象与日月相互吸引力的作用有关,它的大小涨落主要随月的盈亏而变化。"故潮信、盈虚因月"说明了这一道理。第一韵以议论开头,概说月与潮的关系,与一般从写景抒情入手不同,而"万水归阴"一起气势壮阔。"偏只到、凉秋半破,斗成双绝。""凉秋半破",指秋天过了一半,点中秋。"斗成双绝",是说两臻妙境。中秋之月与钱塘之潮可称

"双绝"。接着用"有物揩磨金镜净,何人挈攫银河决"分别描绘"双绝"的情状。"挈攫",擎起。月光皎洁明亮,潮水壮阔汹涌,地上的潮水与天上的银河连接起来,仿佛有主宰能使它们这样奇绝。词人盛赞造化的功力,并由此联想到有关的神话传说:"想子胥、今夜见嫦娥,沉冤雪!"月宫嫦娥是人所熟知的古代神话,伍子胥忠魂化潮是历史传说。宋人观潮词中,很多提到了这一传说,如"胥神忠愤,贾勇助鲸波"(曹冠《蓦山溪》),"堪恨处,人道是、子胥忠愤终千古"(辛弃疾《摸鱼儿》),"属镂忠恨腾腾,要勾践城台都荡平"(陈人杰《沁园春》)。他们借议论子胥忠愤来抒发感慨。词人由"金镜"的揩净,联想到明镜高悬;由汹涌的怒潮,联想到子胥的冤气。潮水际天而来,那么子胥的忠魂也因此见到了嫦娥,千古沉冤一定得到了昭雪。这一联想再度深入。就描写景物说,它把月与潮联系起来,引起读者丰富的联想,使上片描绘的广阔境界更有了深度;就抒发感情说,这也有一定的现实依据。韩侂胄当国,积极进行北伐抗金准备,起用抗战人士,贬秦桧,追封岳飞以"风励诸将",词人由伍子胥"沉冤雪"产生联想,就不是泛泛的了。这一韵虚写景,实写情,伏换头的描绘。

"光直下,蛟龙穴;声直上,蟾蜍窟。"前两句写月光下照,后两句写涛声上闻。这两韵描绘月光明朗皎洁与江潮大声如雷的情状,与上片"有物揩磨金镜净"一韵不同。上片是分写,重在绘形;下片是合写而各有侧重,重在写声、色。两者相互补充,壮阔的境界、雄伟的气势,表现得非常鲜明突出。"对望中天地,洞然如刷。"总上转入抒情。"洞然如刷",既形容所见景物,也形容词人的心境。面对着天地间这样奇绝的景物,词人胸怀如洗刷过一样明净、澄澈,其他物念也为之消除。接下进一步写感受:"激气已能驱粉黛,举杯便可吞吴越!""粉黛",本喻美女,这儿指"胸中粉黛",即心中那种缠绵的儿女之情。这一韵遥应上片神话传说的描写,想起子胥忠愤之气,心中儿女之情已被驱走,胸怀无比广阔,仿佛举杯就可吞下吴、越两个争雄的国家。它把"洞然如刷"的心境更具体化了,极写词人沉浸在这一壮观景象中襟怀宽广,物念消除,以衬托中秋夜潮的雄浑壮阔。结尾以设想推开:"待明朝、说似与儿曹,心应折。""心折",出自江淹《别赋》"使人意夺神骇,心折骨惊"。"折""惊"互文。词人说,等到明朝把今晚见到的情景告诉儿辈,他们一定会心惊的。从设想儿辈"心折"间接表现江潮雄伟,它与潘阆咏潮词结尾“归来几向梦中看，梦觉尚心寒”，其手法是相近的。

这首词的上片先说月与潮的关系，进而写中秋的月与潮是“双绝”，然后就“双绝”分写月与潮的情状，并以神话传说丰富其内涵，描叙一层紧接一层。换头承上片末写月与潮的气势，转入抒情后，先概写感受，再应上片神话传说具体写词人此时襟抱，并设想儿辈闻之“心折”以印证。抒情也是层层衔接的。上下片均以虚结，加深读者对中秋夜潮壮观的印象。自首至尾紧扣题目，写月与潮有分有合，层次分明而又有联系，照应清楚，章法谨严。在手法上，高度的夸张，神话传说的运用，表现了强烈的主观抒情，创造出雄伟壮阔的意境。这样形成了它豪放雄浑而兼有警炼之长的特色。

（周念先）

满江红　　史达祖

九月二十一日出京怀古

缓辔西风，叹三宿、迟迟行客。桑梓外、锄耰渐入，柳坊花陌。双阙远腾龙凤影，九门空锁鸳鸾翼。更无人、擪笛傍宫墙，苔花碧。　　天相汉，民怀国。天厌虏，臣离德。趁建瓴一举，并收鳌极。老子岂无经世术，诗人不预平戎策。办一襟、风月看升平，吟春色。

鉴赏

这首词作于宋宁宗开禧元年（1205）。当时史达祖正作为权吏部侍郎李壁、广州观察使林仲虎的随员出使金国。他们七月初七从临安（今杭州）出发，八月二十七日到达金都（今北京），贺完天寿节（九月初一）后，返程途经北宋故都汴京（今河南开封），逗留三日后，于九月二十一日重新上路。词题中的“京”，即指汴京。南渡以后，宋人习惯仍称汴京为“京”，而以南宋的临时都城临安为“行在”。

史达祖是汴京人，所以此次

得返故都，他除了具有与其他爱国者共同的亡国之悲以外，还融入了自己对故乡家园的深刻依恋，所以这首词写得格外沉挚、悲凉。词题虽曰“怀古”，实为“伤今”。

词的上片，记叙出京时所见的凄清之景，抒发黍离之悲的感慨。当时正逢西风萧瑟的深秋季节。秋季在文人心中本来就是一个易于使人伤感的季节，加之惜别故都家园的沉痛悲凉的气氛，词人出京之际，心绪是相当不佳的。前起“缓辔西风，叹三宿、迟迟行客”二句。就以“缓辔”“迟迟”写出一种依恋不舍的感情。楼钥等其他使金者返程途经汴京，大都只留住一宿，次日赴宴以后便继续赶路，而史达祖一行却住了三夜，故称“迟迟行客”。在这句之前又加一“叹”字，更是意味深长，这一字是全词的“词眼”。抒发黍离之悲，抒发家国之恨，正是这“叹”字的内涵。“桑梓”，本是古代家宅旁边常栽的树木，后常用作“故乡”的代称。汴京正是梅溪的桑梓之地。词人出京，从城外回望京城，看到的却是“锄耰渐入，柳坊花陌”的景象。“锄”“耰”，都是种地的农具。昔日花柳交映的街道，如今却种上了庄稼。这是一种萧条景象。这与姜夔《扬州慢》中“过春风十里，尽荠麦青青”的立意是一样的。从城外向内城远眺，只见“双阙远腾龙凤影，九门空锁鸳鸾翼”。“双阙”，是宫门两侧的楼观。“九门”，古制，天子所居有九门，此处代指皇宫。“鸳鸾”，本为汉宫殿名。“翼”，指宫殿的飞檐。作者笔下的京都旧城也已是一片衰败的景象，只有远处的楼观还能见出飞龙舞凤的影子，使人睹此旧物，尚能联想起汴京昔日繁盛的景况。词中一“远”字，一“空”字，都属炼字，深含无限的感慨。前者有“往者事不可追”的叹息，后者含“今非昔比”的哀伤。况且词紧逼一句：“更无人、擪笛傍宫墙，苔花碧。”这里用了元稹《连昌宫词》中“李谟擪笛傍宫墙，偷得新翻数般曲”的典故。唐玄宗自己作曲，让梨园子弟演奏，却不料让“擪笛傍宫墙”的李谟偷学去了。宋徽宗也精于音律，他在位时，汴京宫中同样笙歌缭绕，也未尝不会有李谟那样的乐师来“擪笛傍宫墙”。如今，“九门空锁”，自然不再会有人来“擪笛傍宫墙”，故此句中“更无人”三字，包含无限感伤的情绪于其中。“苔花碧”，是设想宫墙外的景象，承接上句而来。由于宫墙外无人擪笛依傍，久绝人迹，苔藓已碧绿一片。皇帝和朝廷本是封建国家的象征。这时，徽钦二帝早已作为金人的俘虏而丧生异域，眼前的京都和宫廷已是一片破败。这一切对于一个爱国志士,只能激起他报国雪耻的决心。所以,词的下片转入议论时事,抒发自己的报国热情。

过片连用了四个三字句。知己知彼,方能百战不殆。史达祖深得其中三昧,故首先从“天意”“人心”两方面来进行敌我双方力量的对比。“天相”“天厌”,均出自《左传》,一谓“晋楚唯天所相,不可与争”;一谓“天而既厌周德矣”。“汉”,宋人惯以“汉唐”代宋王朝,而以“虏”表示对异族入侵者的鄙视。“天相汉”,指天意扶助宋人。“民怀国”,指沦陷区人民不忘宋朝。“臣离德”,指金奴隶主贵族内部离心离德。这后二者均有所指。宋罗大经《鹤林玉露》载:“嘉泰中,邓友龙使虏。有赂驿吏夜半求见者,具言虏为鞑之所困,饥馑连年,民不聊生,王师若来,势若拉朽……此必中原义士,不忘国家涵濡之泽,幸虏之乱,潜告我使。”同时,庆元三年(1197),沦陷区山东及山西泽潞间有万余农民起义抗金。“民怀国”由此可见。“臣离德”亦不乏其例。据《大金国志》载:1200年,金大通节度使爱玉完颜大辨据五国城叛变;1201年,金群牧使耶律德寿又聚兵数万叛变……形势对南宋是有利的。所以词人极力主张:“趁建瓴一举,并收鳌极。”“建瓴”,即高屋建瓴,喻势之易。“鳌极”,谓鳌鱼之脊。《一切经音义》载:“鳌,海中大龟也,力负蓬、瀛、壶三山。”传说以为中国九州均在鳌的脊背之上。此处“鳌极”,喻指天下,特别指沦陷区的失地。“老子”二句,既抒发了自己的政治抱负,又流露出不能被重用的愤懑。词人自信有经国治世的能力,而不能参与制定平戎之策,这与辛弃疾《鹧鸪天》词中“却将万字平戎策,换得东家种树书”的愤慨有所相似。但梅溪此时已开始得到韩侂胄的信赖,加之朝廷是主战派占主导地位,因而作者心情还是开朗的。其结句“办一襟、风月看升平,吟春色”,表示在祖国河山统一之后,预备以自己的诗章,歌颂升平气象,吟唱大自然的美景。王国维说:“词人者,不失其赤子之心者也。”作为一个战略家来要求,梅溪对北伐的困难显然是估计不足的,这一点也为两年之后开禧北伐的失败所证实。但是,这种高度的爱国热情,不失其赤子之心的精神,却是不能不予以肯定的。特别是在爱国呼声渐趋沉寂的南宋后期词坛,尤其显得难能可贵。

这首词与辛弃疾之《永遇乐·京口北固亭怀古》写于同一年,爱国热情也是共同的。“老子岂无经世术,诗人不预平戎策”,视稼轩词之“凭谁问,廉颇老矣,尚能饭否”也有着异曲同工之妙。这首词，与《梅溪词》中为数众多的那些“夺茗艳于春景，起悲音于商素”之作不尽相同。本词既沉郁顿挫，又激昂慷慨，把黍离之悲、家国之恨抒发得淋漓酣畅。这是时代打在《梅溪词》上的印记，也是史达祖受同时代豪放词风影响的结果。

（王步高）

少年游　　高观国*

草

春风吹碧，春云映绿，晓梦入芳茵。软衬飞花，远连流水，一望隔香尘。　　萋萋多少江南恨，翻忆翠罗裙。冷落闲门，凄迷古道，烟雨正愁人。

作者

*高观国，字宾王，山阴(今浙江绍兴)人。生卒年不详。史达祖的好友。有《竹屋痴语》一卷。

鉴赏

平凡而富于生机的草，诗人词客常常把它作为吟咏的对象，或以草直接抒情，或借草作为衬景，不乏名篇佳作。高观国的《竹屋痴语》中忧国忧民之作不多，吟花咏草之篇不少。他吟咏菊花、水仙、梅花、芙蓉、杏花、荷花、芹菜、木香、杨柳、秋叶、杜鹃等。在较多的咏花草词作中，以这首《少年游》写得最为淡雅空灵，很好地体现了高观国的美学观。这首词以草敷景，借草抒情，以草达意，写得清淡幽雅，含蓄蕴藉，足可玩味。

词的上片铺叙草的色、形、意，景中含情。“春风吹碧，春云映绿，晓梦入芳茵”，春风骀荡，大地吐碧，春云疏淡，与芳草相映，天空明净，地面清新，犹如那逗人晓梦的芳茵。“芳茵”，即床垫，草密、柔、广，给人以舒适之感，故以“茵”为喻。词人以两个“春”字叠出，再配以“风”“云”，使春意更为浓郁，由地上到天上的实写，与“晓梦”的虚拟，显出了草的色，状出了草的形，传出了草的神。“软衬飞花，远连流水，一望隔香尘”，衬飞花、连流水，仍是美景，可是因其“远”，与人之间有

"隔",便觉邈杳迷茫了。词也就在这悠远朦胧之中,隐含着怀人念远的幽情。词的开端即脱胎于"春草碧色,春水渌波。送君南浦,伤如之何"(江淹《别赋》),只是以景语含情,而未明言径说罢了。"凡写迷离之况者,止须述景"(贺裳《皱水轩词筌》),这比直通通说来更为有味。

词的下片概写草的态、境以及人,正面抒情。"萋萋多少江南恨",一语点破,直道恨如江南芳草。此语从秦观"恨如芳草,萋萋刬尽还生"(《八六子》)翻出。为何恨呢?因为"翻忆翠罗裙"。这从牛希济的《生查子》化出。牛词曰:"春山烟欲收,天淡星稀小。残月脸边明,别泪临清晓。语已多,情未了,回首犹重道。记得绿罗裙,处处怜芳草。"这儿正是用见草思人之意。最后,写人的愁思,仍然粘带上草,以"凄迷古道"的景象渲染愁思。这正如白居易《赋得古原草送别》中所说:"远芳侵古道,晴翠接荒城。又送王孙去,萋萋满别情。"这下半部分才直接点明了"恨""愁"的感情,愁人是见了绿草,想到翠裙,念及情人。

"咏物虽小题,然极难作,贵有不粘、不脱之妙。"(吴衡照《莲子居词话》)所谓"不粘",即不停留在一般的物貌、物性上;所谓"不脱",即又得处处顾及到物貌、物性。像这首题为《草》的词,全词未出现一个"草"字,而句句都不离草,将草的神韵融化在词中。因而这首词实是伤离念远之作,草只是作为言情的映托,尤其上片写得蕴藉,颇得深宛流美之致。相比之下,下片则嫌径直、浅露,又是"恨",又是"愁",使人一览无余。但总的说来,在用"芳草"写离愁的名篇中,如李煜的《清平乐》(别来春半),秦观的《八六子》,牛希济的《生查子》,高观国的这首虽有所借鉴,但还是有着自己的创造和特色的。

(徐应佩　周溶泉)

雨中花

高观国

旆拂西风,客应星汉,行参玉节征鞍。缓带轻裘,争看盛世衣冠。吟倦西湖风月,去看北塞关山。过离宫禾黍,故垒烟尘,有泪应弹。　　文章俊伟,颖露囊锥,名动万里呼韩。知素有、平戎手段,小试何难?情寄吴梅香冷,梦随陇雁霜寒。立勋未晚,归来依旧,酒社诗坛。

鉴赏

这首词系送友人史达祖而作。《四库全书总目》说高"与史达祖友善,常相唱和",冯煦《宋六十一家词选例言》也说"观国与达祖迭相唱和",并说他们两人的词齐名。论词者往往将他们并举,陈唐卿云:"竹屋(高观国)、梅溪(史达祖)词,要是不经人道语,其妙处,少游、美成不及也。"张叔夏云:"竹屋、白石(姜夔)、梦窗(吴文英)、梅溪,俱能特立清新之意,删削靡曼之词,自成一家。"高、史是经常一道吟咏的"社友"。

史达祖是韩侂胄的得力助手。韩侂胄于宁宗嘉泰四年(1204),接受部属建议,定议伐金,这就是著名的"开禧北伐"。韩侂胄曾派李壁为使臣,由史达祖陪同至金。史达祖出行时,曾写有《水龙吟·陪节欲行留别社友》,表现了对高观国等诗友的依恋和收复失地的愿望。"楚江南,每为神州未复,阑干静、慵登眺。今日征夫在道。敢辞劳,风沙短帽?"高观国除写了《雨中花》外,与之相关的还有《齐天乐·中秋夜怀梅溪》《八归·重阳前二日怀梅溪》。

这首《雨中花》在高观国的词作中,是和社会生活联系得较紧密的一篇,写得委婉曲折,颇有一唱三叹之致。

词的上片写出征时的盛况和词人寄予的希望。"旆拂西风,客应星汉",猎猎秋风之中,旗帜漫卷,绵绵不绝的随行人员,犹如银河贯空,描绘出这支出使队伍的声势。"行参玉节征鞍",跨征鞍,持玉节,肩负非常的使命。"玉节",玉制的符节,《周礼·地官·掌节》:"守邦者用玉节,守都鄙者用角节。"史达祖和李壁此行,即准备不久的北伐,持节前往,责任重大。"缓带轻裘",不仅显示了史达祖地位显要,身份高贵,而且有儒将风度。浩浩荡荡的队伍,儒雅潇洒的人物,引得人们"争看盛世衣冠"。"盛世衣冠",不仅言其装束为汉人衣冠,而且在"直把杭州作汴州"的环境中,这种衣冠也确有"盛世"气象,同时也未尝不包含有祝愿此行成功,迎来太平盛世的意味。接着写的是词人的感触,说史达祖"吟倦西湖风月,去看北塞关山"。"倦",针对史达祖一直在西湖畔吟风咏月而言。"看",透出了此行只是奉使往来,并非征战杀敌。缘"看"而来,说他见了"离宫禾黍,故垒烟尘,有泪应弹",故都宫殿都长了禾黍,故垒边残留战尘,怎不叫人痛心落泪？高观国后来怀念此去的史达祖，也想象他在那里“古驿烟寒，幽垣梦冷”（《齐天乐·中秋夜怀梅溪》），“料恨满、幽苑离宫”（《八归·重阳前二日怀梅溪》）。史达祖临行时也表示“休吟稷穗，休寻乔木，独怜遗老”（《齐天乐·陪节欲行留别社友》），他在途中也确是“一程烟草一程愁”（《鹧鸪天·卫县道中，有怀其人》）。从“去看”和“有泪应弹”均可见是对临行者的劝勉之意。

词的下片写对史达祖寄予希望，充满赞扬之意。一说他富文才，精韬略，“文章俊伟，颖露囊锥，名动万里呼韩”，文章劲健，犹如锥从囊中脱颖而出，使万里之外的敌酋也惊动，那么凭这威望也可使此行成功。一说他惯于对外斗争，此行成功更有把握。要乘着如今大好时机，及早立下功勋。说他“素有、平戎手段”，这不过“小试”一下，并不难成。高观国的这一番赞扬，既为史达祖壮行色，鼓信心，又是殷切的希望。词的最后，预想分别之后，有着不尽的思念，“情寄吴梅香冷，梦随陇雁霜寒”。“斗插天南，雁横辽水”时，仍然“遥怜倦客音尘”。同时预想出使成功，“归来依旧，酒社诗坛”，和往日一样，过着“歌里眼香，酒酣喝月，壮怀无挠”的生活。下片有对国事的关心，有对朋友的信任，也有着深情的表白，语如贯珠，情似温泉。

韩侂胄派李壁、史达祖出使金国，这在以史弥远为首的投降派甚嚣尘上的情势下，还是非常符合人民的愿望的，因此“开禧北伐”最初取得了胜利，后因没有全盘规划，用将不当，指挥错乱，加上投降派的破坏，终致失败。高观国对史达祖等此行寄予希望，加以赞扬，这思想还是积极的。这首词叙事和抒情融合，议论和赞扬相称，个人之情和爱国之情统一，语言圆熟，如弹丸脱手，格调清新，似清风拂水，无堆垒之病，无矫饰之弊，使词具有了较高的审美价值。

（徐应佩　周溶泉）

江城子　　卢祖皋*

画楼帘幕卷新晴。掩银屏，晓寒轻。坠粉飘香，日日唤愁生。暗数十年湖上路，能几度，着娉婷？　年华空自感飘零。拥春酲，对谁醒？天阔云闲，无处觅箫声。载酒买花年少事，浑不似，旧心情。

作者

*卢祖皋，字申之，又字次夔，号蒲江，永嘉（今属浙江）人。庆元五年(1199)进士。历官池州教授，吴江主簿。嘉定中为秘书省著作郎、将作少监、权直学士院。年五十一，卒于官。有《蒲江词稿》。

鉴赏

这是一阕伤春惜往、自伤寥落的词。当是卢祖皋在临安（今杭州）时的作品。

上片起首三句，言楼居而赏新晴。“画楼”，形容楼室雕饰之美。“银屏”，是设在门的前后不加画饰的素白屏风，与帘幕一样都是用来遮蔽内外兼以抵御风寒的。点出画楼、银屏，楼居的主人，显然是作者旧日的情侣，其身份大概是歌妓。一春多雨，忽得新晴，该多么使人高兴！于是，词人卷起画楼里的帘幕，索性把屏风也收合起来，好让朝晖彻照居室。首句的“卷”字，不单是说卷起帘幕，而是进一层指卷进了初晴时和煦的阳光。这与王勃“珠帘暮卷西山雨”的“卷”字用法相同。着一“卷”字，就整句言，较之陆游“曲房小阁赏新晴”之句，也显得生动多了。但季节毕竟还是乍暖还寒时候，晨风过处，仍不免微觉寒意。此言楼居所为、所感，是记初晴的欢畅之情。“坠粉飘香”二句，转言楼外情事，是伤春。入春以来，雨疏风骤，难得凭栏，转眼之间,不觉落红满径,花事阑珊了。这怎不教人触景生愁呢?这愁,是落花唤起的春愁,而且日日如此,则年华暗换,尽在言中。紧接"暗数"三句,由伤春进而伤两情之不得缱绻。屈指十年了,但年年忧愁风雨,试问那繁华如锦的西湖路上,究竟曾有几次与情侣共赏良辰美景之乐呢?不说简直很少,而出之以问语"能几度",文辞便曲折生波,更见情绪之怅惘。此片,以境言,由楼居而楼外而湖上;以时言,由一朝而日日而十年;以事言,则由赏晴而伤春而怨别。着笔无多,而意境逐次扩大,感情也逐步深化。其言外,且有国事日非,宋室也正处于风雨飘摇之中的意思。语意较之晏殊《浣溪沙》"落花风雨更伤春,不如怜取眼前人"更为委婉动人,其涵义也显得较为深刻。

下片过变"年华空自感飘零"之句,承上启下,一气贯注到底,是提挈全词的主柱。日日愁生,年年风雨,叹韶华之不再,伤身世之飘零,此时此境,词人是多么难以排遣啊!紧接"拥春酲,对谁醒"二句,其抒发愁绪,更深入一层。"酲"是病酒的意态,春光无主,词人只有借酒浇愁了。但终日病酒恹恹,有谁能曲加温存而解除他的愁绪呢?可见人去楼空,情人早就不在身边了。其下"天阔云闲"二句,更言其人杳无踪迹,无从寻觅。杜牧诗"二十四桥明月夜,玉人何处教吹箫"是词语意境和用字的出处。歇拍三语,归结全词。词人追念昔游,缅怀往事,情人,早离去了,而自己呢?也老大了,再也没有少年时那种买花载酒、倚翠偎红的心情了。"情怀渐觉成衰晚",至此,词人完全陷入怅惘之中,有不尽低回往复之感。

此词设境言情,一气流转,读来觉得自然而又深厚。况周颐《蕙风词话》以为此词后段与刘改之《唐多令》"欲买桂花重载酒,终不似,少年游"有异曲同工之妙。但刘词歇拍是"旧江山浑是新愁"的延伸,而卢词三语则是"年华空自感飘零"的归结。一则苍凉沉郁,以气概胜;一则委婉低回,以情致胜。虽则各尽其妙,而词的风格却很不相同。说来凑巧,此词上片"坠粉飘香,日日唤愁生"与赵令畤《蝶恋花》"坠粉飘香,日日红成阵"只差三字。这是卢词与之偶合还是有意加以变化呢?都很难说。不过,两词的"坠粉飘香"二语,在全词中都起承前启后的作用,各具韵致。那么,即使是卢词化用了前人的词语,但在意境上岂不是变化得别有新意而不落窠臼吗?

(张宪文)

贺新郎　卢祖皋

彭传师于吴江三高堂之前作钓雪亭，盖擅渔人之窟宅，以供诗境也。赵子野约余赋之。

挽住风前柳，问鸱夷、当日扁舟，近曾来否？月落潮生无限事，零乱茶烟未久。漫留得、莼鲈依旧。可是从来功名误，抚荒祠、谁继风流后！今古恨，一搔首。

江涵雁影梅花瘦。四无尘、雪飞风起，夜窗如昼。万里乾坤清绝处，付与渔翁钓叟。又恰是、题诗时候。猛拍阑干呼鸥鹭，道他年、我亦垂纶手。飞过我，共尊酒。

鉴赏

这一首借景抒情的词，是嘉泰二年(1202)卢祖皋任吴江县主簿时所作。吴江的南岸雪滩有三高亭，祀越范蠡、晋张翰、唐陆龟蒙(见宋龚明之《中吴纪闻》卷三《三高亭》)。又，《嘉靖吴江县志》载："钓雪亭，在雪滩，宋嘉泰二年(1202)县尉彭法(字传师)建。"词题将作词的缘由作了交代。词作即以凭吊"三高"起兴，描写了钓雪亭的风物，抒发了个人的怀抱。

上片开头三句，作一提问，起得突兀。词人问谁呢？问柳。问什么呢？问一千六百多年前的越国上将军范蠡近日曾否驾舟归来。《吴越春秋》《史记·越王勾践世家》记载：越灭吴后，范蠡功成身退，"乃乘扁舟，出三江，入五湖(太湖)"，"浮海出齐，变姓名，自谓鸱夷子皮"。词中"鸱夷、当日扁舟"，指的就是这一史实。"柳"，从来是与送迎行人有关的特殊事物，它自春至冬，参差起舞，任人攀折。在词人心目里，凡人世的悲欢离合，送往迎来，它是最清楚不过的。因而词人来到三高堂前，就挽住随风飘荡的残柳，首先向它打听范蠡的近日消息。这是不必问、无可问的事，答案自然是没有的。但，一个"挽"字，挽得若有其事，一个"问"字，也问得离奇古怪，但却把柳人化了，也把作者对范蠡的景仰之情，表达得十分充分。以下“月落潮生”三句，怅望千秋，笔锋一转，寄感慨于往事之中，写所见于迷离之际。《新唐书·陆龟蒙传》说，陆龟蒙居松江甫里，不当官，不与流俗交往，性嗜茗，常“升舟设蓬席，赍束书、茶灶、笔床、钓具”，往来于江湖之间，时人称之为天随子。又《晋书·张翰传》记，张翰官洛阳时，“见秋风起，乃思吴中菰菜、莼羹、鲈鱼脍，遂命驾而归”。这是张、陆二人的本事。词中“月落潮生”句为感慨语，是说自然界的月落潮生是平常的，永恒的，然而，它却包含了人世的无数次的沧桑之变。下二句，就眼前所见的“茶烟”“莼鲈”而追念张、陆。先说“未久”，再说“依旧”，似乎他们的韵事犹在目前。“漫”，空。“漫留得”，即空留得。此一语把词人的感受，带入了无限迷惘空虚的境界。虽说陆龟蒙烹茶煮茗的茶烟尚凌乱可见，张翰所醉心的莼菜、鲈鱼犹依然如旧，然而，毕竟是物是人非，高风难再了。词语沉郁顿挫，一波三折，值得体味。既然眼前风物依然，为什么却会高风难再呢？词人自问自悟，对此作了解答。“可是”，岂是。在词人看来，古往今来，许多人、许多事，难道不都是为追求个人的功名富贵所误吗？“从来功名误”，是此词的主眼所在。词人瞻顾荒祠，缅想三高，抚今追昔，不禁感慨系之，而深叹长期以来没有人能不慕功名而继承三高的高风亮节了。“今古恨，一搔首”二句，总结上片，把怀古的幽情，从“月落潮生无限事”的泛语，推进到一个更为深沉而搔首问天的境界。这里，所说“今古恨”，包括几层意思：前不见古人，后不见来者，是一层，这是对缅怀三高而说的；吴、越的先后覆亡，胥（伍子胥）种（文种）的相继被杀，西晋的南渡纷纷，晚唐的烽烟遍地，又是一层，是回顾历史的兴衰而言；再一层是忧时疾世，对朝政深为悲愤。词人慨士风之日下，顾国事之阽危，更不禁痛心疾首了。

过片，着笔描写钓雪亭，从俯仰今古的一片幽思转而大开大阖，展现出一幅江阔天低、雪飞风起的画面而引人入胜。词人一到钓雪亭，只见雁过长空，影沉寒水，梅花初发，瘦影横斜。“江涵雁影梅花瘦”一句，在字面上融化了唐人杜牧“江涵秋影雁初飞”的诗句，并一连串用了“涵”“瘦”“飞”“起”等动态字来渲染四顾无尘，夜窗如昼。这里，“夜窗如昼”并不是说词人到钓雪亭的时间是在夜里，而是推演其辞，预想在这一白无际的晶莹世界，即使是漫漫长夜，那钓雪亭的窗户之内，也会明亮得犹如白昼，以之映衬眼前雪景的奇美。以下“万里乾坤清绝处，付与渔翁钓叟”二语，切题点出钓雪亭。唐柳宗元诗：“千山鸟飞绝，万径人踪灭。孤舟蓑笠翁，独钓寒江雪。”是钓雪亭名所本，也是词语所本。自然界把万里乾坤的无比清澈都给了寒江上一叶扁舟的渔翁钓叟，则垂钓者的悠然自适，真使人太欣羡了。紧接一句“又恰是、题诗时候”，便把眼前所见之景与一己所感之情很自然地联结起来，正是词家所标置的景中有情，情中有我，情景交融，物我具见。清人张船山诗：“诗中无我直须删，万卷堆床只等闲。”也正说明诗词之作，只有有我，才能有血肉，有灵感。此句“又”字是个领字，用得很有情致。在这白雪世界里，词人既叹服柳宗元有绝唱在先，又关合自己今天复应赵子野之约来赋钓雪。该说什么呢？词人陷入了沉思之中。“猛拍”二句，是词人沉思之后突然迸发出来的炽烈之情。“鸥鹭”与“渔翁”是天然盟友，二者往往是互相联结的，这是从《列子·黄帝》海上狎鸥的典故演变而来。西塞山前，斜风细雨，一行白鹭，一个渔人。张志和的《渔歌子》就是很好的例证。词人猛拍阑干而呼鸥鹭，干什么？是和鸥鹭倾诉心情，求结盟约，毅然表明自己过些时候也将垂钓寒江，与之朝夕为伍，去作一个绿蓑青笠浪迹江湖的渔父了。歇拍二语，仍为词人呼鸥之语，谓自己日后也要来隐居垂钓的，它们不要闲猜，请放心地飞到词人身边来共饮尊酒。至此，词人之欲绝意功名，继踵三高，脱身尘网的思想情感，也就表露得淋漓尽致了。

（张宪文）

贺新郎

刘学箕*

近闻北虏衰乱，诸公未有劝上修饬内治以待外攘者。书生感愤不能已，用辛稼轩《金缕词》韵述怀。此词盖鹭鸶林寄陈同甫者，韵险甚。稼轩自和凡三篇，语意俱到。捧心效颦，辄不自揆，同志毋以其迂而废其言。

往事何堪说。念人生，消磨寒暑，漫营裘葛。少日功名频看镜，绿鬓鬅鬙未雪。渐老矣、愁生华发。国耻家仇何年报？痛伤神、遥望关河月。悲愤积，付湘瑟。　　人生未可随时别。守忠诚、不替天意，自能符合。误国诸人今何在？回首怨深次骨。叹南北、久成离绝。中夜闻鸡狂起舞，袖青蛇、戛击光磨铁。三太息，眦空裂。

作者

*刘学箕，字习之，自号种春子，隐居不仕，又号方是闲居士，崇安（今属福建）人。生卒年不详。他是理学家、爱国诗人刘子翚（1101—1147）之孙。有《方是闲居士小稿》二卷，存词三十余首。述怀词学辛弃疾，笔力雄健；景物词则较口语化，自然流畅。

鉴赏

词前小序，交代了写作这首词的缘由。淳熙十五年（1188）冬，陈亮过访辛弃疾，两人同游江西的铅山鹅湖。陈亮东归的次日，稼轩意殊恋恋，追至鹭鸶林，雪深而止，夜半闻笛，赋《乳燕飞》

(《贺新郎》别名)寄意。两人词作往返,稼轩自和凡三篇之多,激越顿挫,抒发了抗金的豪情壮志。刘学箕所处的时代,略晚于稼轩。南北分裂,当道都无抗金对策,有的还主张投降,对此,词人悲愤难平,写下这首步稼轩原韵的词,内容也仿效稼轩,继承和发扬了辛词的爱国传统。

起句“往事何堪说”。辛酸的往事那堪说起,靖康之耻,绍兴年间屈辱的和约,朝廷奸佞当道……“往事”,高度概括了北宋灭亡到作者赋词这一段时间的多少历史变故,多少国恨家仇。正因为不堪说,所以一说起便心境难平。词人虽也游历过江浙等地,但长期过的却是隐居不仕的生活。“念人生,消磨寒暑,漫营裘葛”,人生在世,徒然张罗衣食,追求温饱,不过是虚度年月而已。这里词人下了“消磨”二字,透露了不甘寂寞的消息。词人年轻时也有过报效祖国的理想,“少日功名频看镜,绿鬓鬅鬙未雪”。那时,他十分担心国仇家耻未报,便蹉跎了岁月,于是对镜频繁,满头乌发油黑,他唯恐年华早逝,未老先衰,致使壮志不酬。可是,由于朝廷“诸公”未能“修饬内治以待外攘”等原因,“渐老矣、愁生华发”,虽然才刚刚跨入渐老的年龄,却因为愁而早生了华发。愁什么呢?“国耻家仇何年报?痛伤神、遥望关河月。”“何年报”,何时报,什么时候才能报,不是不报,而是难报此仇,难雪此耻! 遥望北国关山河月,不觉令人黯然神伤。刘学箕和南宋其他爱国词人一样,对北宋的沦灭是痛心疾首的。不仅如此,他的曾祖父刘韐,北宋末年金人兵临京城,韐出使金营,不屈,自缢而死。所以,对刘学箕来说,国耻之外,还有家仇一层。中原沦灭后,学箕的祖父刘子翚有感于靖康之变,写下了二十首关于京都沦陷后景象的诗,题作《汴京纪事》,曾广为流传。这是一个有爱国传统的家庭。“悲愤积,付湘瑟”,写得十分沉郁。“湘瑟”,是湘灵所鼓之瑟。如今,多年积蓄的悲愤,国耻家仇难报,则只能通过湘瑟来抒发了。下片,词人高歌道:“人生未可随时别。守忠诚、不替天意,自能符合。”真是奇峰又起。人生一旦认定了一个正确的目标,就不得另有所图,别趋蹊径。这种忠诚于国家的决心才是不废天意、符合天意的。接着,词人转而怒斥投降误国的秦桧及当今朝廷的投降派,这伙人才是违反天意的:“误国诸人今何在?回首怨深次骨。”误国诸人如秦桧之流虽然不在了,但当今朝廷难道就没有误国者、投降派吗?“今何在”,用的是反问语气,耐人深思回味。“回首”,遥接开篇“往事何堪说”的“往事”。“次骨”,至骨。回首往事,令人恨之入骨。“叹南北、久成离绝”,投降派的路线酿就了中原失陷,南北离绝。一“久”字表达了词人沉痛的心情。回首往事,正是为了进一步鞭挞继续推行投降策略的统治集团。“中夜闻鸡狂起舞,袖青蛇、戛击光磨铁”。手持青光闪闪的长剑,学东晋祖逖中夜闻鸡起舞,发誓北伐收复中原。一“狂”字,淋漓尽致地写出词人热血沸腾的爱国豪情。可是在投降派当道的现实面前,这一切或许不过是“书生感愤不能已”罢了。词人最后写道:“三太息,眦空裂。”“三”,是虚数,指多次。太息以至于三,可见词人经常叹息,叹息不已。“眦裂”,形容盛怒;“空裂”,徒然裂,满腔豪情,含“有恨无人省”,壮怀不为人理解,志向不能实现之意。结句写得颇有余情。

刘学箕《糖多令·登多景楼》云:“欲把情怀输写尽,终不似、少年游。”可以设想,词人青少年时有更加豪壮的情怀。《贺新郎》词虽写于渐老之时,词人隐居不仕,但仍未能忘情。全词慷慨悲壮,抑扬顿挫,后人以为“悲壮激烈,忠孝之气,奕奕纸上,不愧轸之子孙,虽置之稼轩集中,殆不能辨”(《四库全书总目》卷一六二引刘淮《序》)。可惜此类词集中并不多见。

(陈庆元)

上西平　　吴　泳*

送陈舍人

跨征鞍，横战槊，上襄州。便匹马、蹴踏高秋。芙蓉未折，笛声吹起塞云愁。男儿若欲树功名，须向前头。　凤雏寒，龙骨朽，蛟渚暗，鹿门幽。阅人物、渺渺如沤。棋头已动，也须高着局心筹。莫将一片广长舌、博取封侯。

作者

*吴泳，字叔永，号鹤林，潼川（今四川梓潼）人。生卒年不详。嘉定元年（1208）进士。理宗时曾任秘书丞、秘书少监、起居舍人、兼直学士院，权刑部尚书等，终宝章阁学士，知泉州。为官直言敢谏，不避权贵。清人从《永乐大典》辑出《鹤林集》四十卷，有词一卷。

鉴赏

这是一首送友人赴任的词。题目中的陈舍人，不详，可能是作者的朋友。“舍人”，官名。

上片头三句，直写陈舍人赴襄阳上任。值得注意的是，把“跨征鞍，横战槊”放在开头，醒目突出。用以形容陈舍人，不难看出这是一副“横槊立马”的出征形象。尤其两句中各用“征”“战”分别形容“鞍”和“槊”，制造了十分强烈的战斗气氛。这是因为陈舍人所去的襄州，即今湖北襄樊市，宋时为襄阳府，在当时临近宋、金边界。陈舍人赴襄阳任，就带有上前线出征的意味。这也是作者对友人的鼓励和祝愿。因此，接下二句预祝对方在秋高气爽、草长马肥之时驰骋疆场，打击敌人。看来陈舍人动身是在秋天，所以作者才这样祝愿、鼓励他。“蹴踏”,踩踏。这把陈舍人驰骋疆场的英姿描绘得十分鲜明、突出。“芙蓉”二句,进一步说明陈舍人赴襄州上任,及作者鼓励他的原因,就是敌人骚扰,边塞吃紧。据《宋史纪事本末》载:宋宁宗嘉定十年(1217)夏四月,金人分道入寇。五月,侵扰襄阳、枣阳。这里用“芙蓉未折”点明时间。夏日五六月间,正是荷花盛开的季节,故说“未折”。“笛声”,指军营中号角之类的声音,借指发生战争,如同说“战争打响了”。“塞云”,即“战云”,指战争的局势。“塞云”是不会愁的,这里用拟人化的手法,表现战局的紧张,敌人骚扰带来的危急。结二句与开头呼应,用直接语气,鼓励陈舍人:国家危难之际,正是男儿杀敌报国、建功立业的好时机。

下片头四个三字短句,叙写襄阳历史上的著名人物。“凤雏”,即庞统,汉末襄阳人,其叔德公称之为“凤雏”,善知人的司马徽称他为“南州士之冠冕”。“龙”,指诸葛亮,曾在襄阳居住,司马徽称之为“卧龙”。“蛟渚”,晋邓遐斩蛟的地方。《晋书·邓遐传》载:襄阳城北沔水中有蛟,常为人害,邓遐拔剑入水截蛟数段。“鹿门”,在今襄樊市东南,唐代诗人孟浩然曾隐居在此。这四句,一方面表明襄阳是大有作为的去处,出现过不少著名人物;一方面表明那已成为历史陈迹。庞统、诸葛亮久已去世,尸骨已朽;蛟渚、鹿门等遗迹也已破败衰颓,不似当年了。对四位历史人物的写法,前两人直写名字,后两人以遗迹指代,笔法错杂多变。“阅人物”二句,轻轻一结。“阅”,数、计算,带有归结的意思。总之,历史人物已成为过去,像水泡一样地消逝了。“渺渺如沤”,比喻新颖生动。言外之意,现在就要靠你大显身手了。“棋头”二句,遥接上片“芙蓉未折”二句,是说既是战争已开始,那就要有高明的招数,去对付敌人,使之不得乱动。“棋头”,有双重意思,一即“旗头”,旗的顶端,队前掌旗的人,借指军队;一指弈棋,也就是指战事。“高着”,高明的招数。“棋高一着,缚手缚脚”,本指棋艺而言,后用以比喻技高一等,使对方不能施展本领。结句语重心长,谆谆叮嘱:不要学那些靠巧言利舌爬上高位的人。言外之意,讽刺那些鼓吹和议、苟且偷安者。“广长舌”,巧言利舌,语出《诗经·大雅·瞻印》:“妇有长舌,维厉之阶。”

词中抒写的并不是一般的离愁别恨,而是一种男子汉气概的壮别。结合当时宋、金对峙,金人侵扰的严重局势,结合襄阳历史上的著名人物,对友人作了一番勉励。希望他努力向前,杀敌报国,建功立业。当然,这也是词人自己的抱负和志向。全词没有离别的伤感,而是洋溢着一种男子汉干一番事业的豪气和壮志。风格遒劲,语言恳切、朴实,尤其下片结句,是很有意义的警句。

（张文潜）

祝英台近　岳　珂*

北固亭

澹烟横，层雾敛，胜概分雄占。月下鸣榔，风急怒涛飐。关河无限清愁，不堪临鉴。正霜鬓、秋风尘染。

漫登览。极目万里沙场，事业频看剑。古往今来，南北限天堑。倚楼谁弄新声？重城正掩。历历数、西州更点。

作者

*岳珂(1183—?)，字肃之，号亦斋，又号倦翁，汤阴人，居彰德，岳霖子。宁宗朝权发遣嘉兴军府，兼管内劝农事，有惠政，官至户部侍郎、淮东总领。尝居郡治西北金佗坊，痛其祖父岳飞为秦桧陷害，乃愤作《金佗粹编》。嘉定间，又为《吁天辩诬集》五卷、《天定录》二卷，上奏朝廷，伸张正气。又著有《宝定斋书法赞》《愧郯录》《桯史》《玉楮集》《棠湖诗稿》等。今传词八首。

鉴赏

岳珂有两首《祝英台近》，一为咏多景楼，一为咏北固亭。前一首作于春天，后一首是秋天写的。两词可能写于同一年，或相隔时间不远。登临观览，怀古伤今，堪称姊妹篇。此时作者任职淮东总领兼制置使，大约常驻镇江或扬州。北固亭在镇江城北的北固山上，下临长江，三面滨水，回岭斗绝，势最险固。晋蔡谟起楼其上，以贮军实，谢安复营葺之，即所谓北固楼，亦曰北固亭，这是诗人们最喜登临吟咏之地。

宋人登北固亭之作甚多，然月夜登览，尚属罕见。作者这次是在一个秋天的月夜来游览的。开头两句，先只用淡墨勾出一幅江山月景图。从高处看去，这时层雾已经消散,只剩下几缕淡淡的轻烟横卧在远近。一个"横"字,既写出烟的静止状态,又渲染了苍茫、寂静的月夜气氛。"胜概分雄占"一句,雄奇沉郁,笔势顿挫,为下文设下伏线,是一篇之警策。这句是说:这名胜而有气势的铁瓮城,历史上有多少英雄人物曾在此据守。但它现在的情景又怎样呢?在万籁俱寂中,作者只听见从江上不时传来渔夫的"鸣榔"声(鸣榔,以棒敲击船舷,使鱼惊入网)。一个"飐"字,充分显出风涛之急。"关河无限清愁,不堪临鉴。"山河清奇,使人触目生愁,自己更不敢照镜。如果说,前两句写"月下鸣榔",是江上实景描绘,那么这两句就是作者深重的感慨了。前为实,后为虚,虚实结合,妙笔生辉。在长江这面大镜中,作者自己这时的形象又怎样呢?"正霜鬓、秋风尘染。"何等苍凉,何其沉痛!所以说"不堪临鉴"。但作者的感情却不是消极的,这里毫无羁旅颓丧之情。换头处以"漫登览"一句承上启下,又开拓出一个新的境界。"漫",随意。作者在此风急凄清之夜,久久流连忘返,所为者何?"极目万里沙场,事业频看剑。"这就作了明确的回答。原来他不是来看风景的,登亭北望,从淮河沿线到西北边陲的大散关,那抗金的"万里沙场",这时仿佛一齐都奔现到他眼前。他不禁频频抚着随身携带的宝剑,把它看了又看。这一细节描写,把一位爱国者的形象很自然地刻画出来。观其行,揣其心,作者此时大有我虽年老还当奋发图强之意。这是作者的誓词,也是他对一切爱国志士的激励。"古往今来,南北限天堑",慨叹历史和今天的南北分裂,既是对上阕"胜概分雄占"一句的回应和深化,也是作者心灵深处所掀起的感情高潮。上下数千年,纵横数万里,在他眼前晃动,在他心中奔涌,一时都集中表现在长江这划分南北的天堑之中了。岳珂《鹤林寺》诗云:"未洗中原恨,谁消永日闲?西风动征隰,空愧鬓毛斑。"其志可见,可与此词并读。前人说岳珂词有其祖父岳飞壮烈之风,殆非虚语。词的结尾以写作者听到远处传来的笛声和更鼓声收束全篇,带来一片恬静而清雅的情调,表明作者这时已沉浸在深沉的思索之中,给人以积极、进取之感,可谓绝妙之笔。"倚楼谁弄新声","新声"有人在弄,作者倚楼聆听,特以问句出之,意在蕴藉,耐人寻味。"重城正掩",原来夜已深,人们都已进入甜美的梦乡,可是作者却还没有睡,他在很细心地数着那从西州方向传来的一声声的梆子声(西州是晋扬州刺史治所,在今南京)。这一声声更点，敲击着词人的心弦，使他想得很多很深很远。至此，全词所写风声、涛声、鸣榔声、笛声、更鼓声，仿佛构成一曲雄浑的交响乐。这是爱国词人岳珂的心曲独奏，也是南宋一切爱国志士的合唱“新声”。这乐曲刚而柔、雄而丽，而从月夜长江这辽阔而明亮的水面所折射出来的光和声，更给人以无限优美的想象和含蕴不尽的美学享受。

（洪　桥）

满 江 红　　　　黄 机*

万灶貔貅，便直欲、扫清关洛。长淮路、夜亭警燧，晓营吹角。绿鬓将军思下马，黄头奴子惊闻鹤。想中原、父老已心知，今非昨。　　狂鲵剪，於菟缚；单于命，春冰薄。正人人自勇，翘关还槊。旗帜倚风飞电影，戈铤，射月明霜锷。且莫令、榆柳塞门秋，悲摇落！

作者

*黄机，字几仲，一说字几叔，东阳（今属浙江）人。他主张抗金，始终怀着恢复中原的宏愿，而郁郁不得伸其志。他和岳飞之孙岳珂差不多同时，并多以长调与岳珂唱酬，还曾写词寄给辛弃疾。有《竹斋诗余》一卷。词近百首。

鉴赏

毛晋在《竹斋诗余·跋》中，只是称赞黄机的那些写花柳、莺燕一类婉柔词作，如同胡云翼先生所说，显然是“没有摸索到作者的长处”（《宋词选》）。黄机的长处在于气魄雄阔，骨力遒劲，悲歌慷慨之中，极尽苍凉凄楚之致。这首《满江红》集中代表了这种风格特色。这首词写出了开禧北伐前夕，南宋军民的爱国激情，其格调差近于传为岳飞所作的《满江红》。

先看词的上片。“万灶貔貅，便直欲、扫清关洛。”突兀而起，声势惊人，极写南宋大军的浩浩荡荡。“万灶”，是说军队之众多。“貔貅”，本为野兽名，在此作为勇猛的军旅的代称。“扫清关洛”，指收复陕西（关中地区）、河南（洛阳一带）等地的国土，消灭那里的敌寇。词的起势是不同凡响的。大军进发，排山倒海，攻关破城，陷阵冲锋，预示出开禧北伐初期，宋军节节胜利的大好形势，表现了必胜的信心和美好的愿望。接下来是进一步描写战争的气氛：在宋、金分界的淮河两岸地区（当时称淮南西路和淮南东路），夜烽火，晨号角，战争一触即发。至此，大战之前的气势已渲染得非常浓重了。

"绿鬓"二句，作者笔势一转，写在宋军势头威逼之下，敌方的惊恐万状：闻南宋大军骤至，敌将未及上阵就欲下马投降，敌兵闻风丧胆，风声鹤唳，敌军将士完全失去了战斗力。这里虽然也是想象之词，然却简洁生动，神情毕现。仅用了"思下马"和"惊闻鹤"两个特定动作，就把敌军一触即溃的颓势揭示出来了。"绿鬓"，指黑发，比喻壮年。"下马"，即投降。"黄头"，指戴黄色帽子的水军，"黄头奴子"，是对敌军兵士的蔑称。

"想中原"以下两句，是说想来中原父老也该知道，如今形势发生了变化，金国国势已衰，往日嚣张气焰已灭，应当抓住这一大好时机，揭竿而起，赶走金兵。

词的上片分为四层：第一层泛写大军北上的气势；第二层写烽火报警，号角催人，就比较具体了；第三层写敌军的惶恐，就更加细致；第四层说明把握战机的重要，鼓舞南宋军民和中原父老的斗志。层层深入，逐渐细微，结之以振奋人心的鼓动。

陈廷焯曰："情有所感，不能无所寄，意有所郁，不能无所泄。"（《白雨斋词话》）黄机久怀济世匡国之志，有感有郁，一伺形势有利于大宋朝，感即为之发，郁亦为之泄，这是很自然的。由于作者感触深切，积郁孳勃，因而其词感情色彩就相当强烈。对朝廷的热望，对中原父老的厚情，对金兵的仇恨，种种心迹，溢于词表。特别是贯穿在词中的理想色彩，体现了作者急切收复中原的强烈愿望。

再看下片。过片豪壮威武，充满必胜信念。"狂鲵"，指金国。"剪"，即剪除。"鲵"，即鲸鲵，古书中以喻不义之人吞食小国。"於菟"，虎之别称，在此亦指所谓虎狼之国的金国。剪灭狂鲵，缚住於菟，都是鼓舞斗志的豪言壮语。"单于"，指金主。"春冰薄"，是说金主的统治不会长久了，金国的气数将尽。"正人人自勇"二句，是战斗号召，也是人心所向，在"今非昨"的大好时机，军民应自告奋勇，同仇敌忾，拿起武器来冲锋陷阵。"翘"和"还"，在这里均用作动词，"翘"意同"举"，"还"同"旋"。"槊"，长矛。"翘关还槊"，也就是攻城陷阵、短兵相接的意思。"旗帜"二句，是直接描写战斗场面：仗着风力，行进的战旗翻飞抖索，如雷电闪烁；兵器在月光映照之下，锋刃明亮如霜。"铤"，矛一类武器。"锷"，指刀锋。

结尾"且莫令"等句，终于流露出一种顾虑和忧思，尽管仍充满热望，调子却显得沉郁忧伤：千万要把握时机，不能让中原父老和沦陷区人民失望呵！北方边塞多生丛榆、红柳，故有此言，"悲摇落"是说莫失良机，免得后悔莫及，意差近于"空悲切"。结句使全词一泻无余的情调有所变化，悲壮中又着些许沉郁。

（王星琦）

霜天晓角　　黄　机

仪真江上夜泊

寒江夜宿，长啸江之曲。水底鱼龙惊动，风卷地，浪翻屋。　　诗情吟未尽，酒兴断还续。草草兴亡，休问功名，泪欲盈掬。

鉴赏

黄机的这首小词写江边夜宿所见、所思、所感、所叹，乃是一首抚时念乱的浑厚沉郁之作。清人陈廷焯曰："雄阔非难，深厚为难；刻挚非难，幽郁为难。"（《白雨斋词话》卷七）此词称得上既雄阔深厚，又深挚幽郁，虽只寥寥数语，却写得悲慨苍凉。

"仪真"，即今江苏省仪征市，地处长江北岸，是南宋的前方，经常受到金兵的骚扰和侵占。作者怀着"万字平戎策"，奔走于大江南北，屡受挫折，志不得伸，情不可抑。当他夜泊于地处前方的长江岸边，面对滔滔江流，环视南北相隔，一时河山之感，家国之恨，万端慨叹，无限伤怀，便一泻于笔端。词的上片写得豪壮雄阔，下片则转而为呜咽悠扬，可谓积郁一发不可收，痛切心头放悲声！

首二句，点出时地和人的心境：江边夜宿，寒气袭人，久不能寐，揽衣伫立岸边，望江水奔腾汹涌，听涛声长啸裂耳，这一切，又恰与人的心潮澒洞相合拍。因此，鱼龙惊动，浪翻风卷，作者感受得特别强烈。"水底鱼龙"三句其实杂以作者浓重的感情色彩。江涛乎，心潮乎？是风卷浪翻，还是愁肠百转？似乎难以分辨。一腔郁勃不平之气，一寓乎景观之中。

过片起到了感情转换的过渡

作用。"草草兴亡",明显是受辛弃疾《永遇乐·京口北固亭怀古》中"元嘉草草"句的影响和启发,不过辛词用的是历史典实,而黄机却直涉南宋偏安之事,更切近,更明了。"休问功名,泪欲盈掬。"结于愁字,哀而动人。值得注意的是,黄机的所谓"功名"与一般封建士子追求的功名有所不同,主要是指济世报国,施展抱负,即希望使其所怀"万字平戎策"为统治者所赏识,以图恢复中原。这与辛弃疾的思想是有共同之处的。如果我们将黄机此词与辛弃疾的《永遇乐·京口北固亭怀古》对读,不难发现黄词师法辛词的痕迹。尽管辛词铺排张扬,抚今怀古,意境更阔大,而黄词只有寥寥数语,其蕴含不及辛词,但两词不仅个别句子的用意相近,更主要的是思想感情是相通的,悲慨苍凉的意绪也是相一致的。

黄词虽短,韵味却不薄,且涉笔言怀,感情色彩十分强烈。起句是那样自然,起伏跌宕又是那样有节奏而富于变化。感情转换看不到一丝接痕,浑然融化。结尾又含不尽之意,至哀至痛。况周颐云:"真字是词骨。情真、景真,所作必佳,且易脱稿。"(《蕙风词话》卷一)黄机此作,正是突出了一个"真"字,完全是有感而发,必然会自然真切。情真了,即使景中也含了强烈的主观色彩,也不失其景真。

(王星琦)

虞美人　　黄机

十年不作湖湘客,亭堠催行色。浅山荒草记当时,篆竹篱边羸马、向人嘶。　　书生万字平戎策,苦泪风前滴。莫辞衫袖障征尘,自古英雄之楚、又之秦。

鉴赏

黄机是一位关心国家兴亡、有济世匡国之志的词人。这就构成了他词作一个明显的特色:苍凉悲壮,慷慨生哀。他始终都没有放弃自己执著的追求。如他在寄给辛弃疾的词中写道:"有心事,笺天天许。绣帽轻裘真男子,正何须、纸上分今古?未办得,赋归去。"(《乳燕飞·次徐斯远韵寄稼轩》)壮志未酬,如何能像陶潜那样去隐居避世呢？他甚至向往绣帽轻裘去赴沙场，一刀一枪去平戎杀敌，认为那才是真正男子汉所为。他还在《六州歌头·次岳总干韵》中大声疾呼：“偏安久、大义谁明？”希望岳珂能平戎虏，复中原。为了这个目标，他颠沛流离，奔走呼求，足迹遍及大江南北，所谓“长年为客，楚尾吴头”（《木兰花慢·次岳总干韵》）。这首《虞美人》正写明了此种心迹。

首二句，写重来湖湘，仆仆风尘，行色匆匆。十年前作者曾来过这里，如今，旧地重游，心事悠悠。“亭堠”，即亭候，本指边境上监视敌情的岗亭，此泛指高坡或行止处。接下来是写满目萧索的浅山荒草，与十年前似乎面目全非了。“篆”，同筱，即细小的竹子。在作者眼里，细竹篱笆，瘦马嘶鸣，一切都是那样凄凉。上片写作者漂泊湖湘，心情惨淡，草木有情，满目悲凄。那么，何故只身茕茕，飘零海北天南，居无定所呢？

过片“书生万字平戎策”，回答了这个问题。胸怀凌云壮志，满腹平戎之策，求施展而不能，求投售而无门，壮志难酬，心情怅惘，于是痛心疾首，悲愤难平。“苦泪风前滴”一句，极写作者直欲呼天抢地的愤懑和痛苦心情。但作者却并不绝望，并没有因厄于困境而失去信心。“莫辞衫袖障征尘”，表示他并不后悔，仍然要坚持继续奔走，他相信终有知遇之时。自古英雄圣贤，不都是先受厄而后展抱负吗？哪个贤人志士不经历一番奔楚赴秦、困顿受挫的历程呵！结尾心长语凝，义无反顾，一片衷肠热血，表现出作者执著追求的决心和意志。

（王星琦）

鹧鸪天 严 仁*

惜 别

一曲危弦断客肠，津桥捩柁转牙樯。江心云带蒲帆重，楼上风吹粉泪香。 瑶草碧，柳芽黄。载将离恨过潇湘。请君看取东流水，方识人间别意长。

作者

*严仁，字次山，号樵溪，邵武(今属福建)人。生卒年不详。与严羽、严参称“邵武三严”。工词，极能道闺闱之趣。有《清江欸乃集》，不传。

鉴赏

这是一首写别情的词。

上片借眼前景物，寄托惜别之情。“一曲危弦断客肠。”“危弦”，指琴。作者客中作别，故自称“客”。这一句写楼上宴别情景：宴席将散，一曲哀弦，愁肠欲断。万种愁怀，借琴曲传出，令人魄荡魂销。首句给通篇罩上凄婉愁怨的气氛，为全词定下了基调。接着，词笔挪到河桥附近的帆船上：人已进船，船舵和桅杆开始转动，离别就在眼前了！“津桥”一句，沉着有力，一“捩”、一“转”，包含几许离愁别恨！这一句由将别而即别，词意推进一层，惜别的气氛更为浓厚。“江心”句，由即别转到方别。“蒲帆”，蒲织的帆，泛指船帆。帆随云动，似为云所“带”，一“带”字，写出方行欲止、临歧依依的心理。帆轻帆重，纯属词人的主观感觉。词人正在离别之际，看到所爱之人正在楼头伫立，泪眼凝望，随风飘来粉泪的香气。此时此刻，他心情沉重，故觉船帆亦重。“楼上”一句，从对方着笔，终于拈出一个“泪”字来。以上两句互为对偶，各写一方惜别之情，至为感人。

下片直接写别意。头两句仍是写景。“瑶草”，仙草，泛指芳草。碧草芳美，柳芽才黄，青春作别，倍觉魂销。两句以美好之景，反衬惜别之情。“载将”一句，从郑文宝《柳枝词》“载将离恨过江南”句借来，仅易二字。“载”字将看不见、摸不着的“离恨”写得具体而有分量，和李清照“只恐双溪舴艋舟，载不动许多愁”，可谓异曲同工。结拍从“请君试问东流水，别意与之谁短长”（李白《金陵酒肆留别》）化出，将绵绵别意，比作悠悠江水，使主题进一步深化。两句如“一曲危弦”，摇曳江天，令人回味不尽。

这首词上片借景抒情，层层推进，虽不以“惜别”点破，却蕴蓄着浓郁的别意。下片惜别之情滔滔而出，具体可感，显示出作者较高的艺术水平。

（梁鉴江）

玉楼春　　严仁

春思

春风只在园西畔，荠菜花繁蝴蝶乱。冰池晴绿照还空，香径落红吹已断。　意长翻恨游丝短，尽日相思罗带缓。宝奁明月不欺人，明日归来君试看。

鉴赏

这是一首闺情词。

上片写园中暮春景色，隐寓伤春、伤别之情。天气晴和，冰池水暖；春风吹拂，花径红飘，凋零已尽；一池碧水，映照着只有绿叶的枝条：一派暮春的零落景象！园子西边，却是另一番情景：荠菜花繁，一片白色；蝴蝶纷飞，成群成团。但是，这边的花繁蝶乱，并不意味着春意浓郁，而意味着春已阑珊，春色将尽——群芳凋尽，只剩荠花，尽管它开得正茂盛，但很快也会凋落。四句写景，分为两组，两组之景，看似不同，实则相通。它们互为映衬，互相补充，合起来组成一幅暮春画图——透过这幅画图，可以看到一个徘徊于花径池畔的伤春少妇的形象。

下片直接写她的相思之苦、离别之恨。冬去春来，春色欲尽，时光在孤寂中消逝，青春也将如落花一般凋谢。眼前的一切，惹起她的相思:“意长翻恨游丝短,尽日相思罗带缓。”“游丝”,蜘蛛等昆虫所吐的丝。周紫芝《踏莎行》词:“情似游丝,人如飞絮。”这里也用“游丝”喻情丝。她情笃意长,而他的爱情却如数尺游丝,飘忽于空,难以把握——要不,怎么至今仍不归来?害得她日益消瘦,罗带松弛。“恨”字,有憾,有怨,而更多的是爱。“长”“短”“缓”三字前后配搭,把主人公的相思之情刻画得形象而深刻,细腻而感人。结尾是她的自我表白:“我确是为相思而消瘦啊!梳妆盒里明如满月的镜子是不会骗人的,明日归来,你不妨看看吧!”语气急切而恳挚——她要用镜子来证明自己的“尽日相思”,以致形容憔悴。“明日归来”,只是一种愿望,亦足见她的痴心。最后两句是化用李白“不信妾肠断,归来看取明镜前”(《长相思》)诗意,而浑然无迹。

(梁鉴江)

水调歌头　葛长庚*

江上春色远,山下暮云长。相留相送,时见双燕语风樯。满目飞花万点,回首故人千里,把酒沃愁肠。回雁峰前路,烟树正苍苍。　漏声残,灯焰短,马蹄香。浮云飞絮,一身将影向潇湘。多少风前月下,迤逦天涯海角,魂梦亦凄凉。又是春将暮,无语对斜阳。

作者

*葛长庚,字白叟,自名白玉蟾,号蠙庵,一号海蟾,又号海琼子,闽清人,家琼州,后隐于武夷山。博洽群书,善篆隶草书,工画梅竹。嘉定中,诏征赴阙,馆太一宫,封紫清真人。有《海琼集》。

鉴赏

作者是一个虔心修道的人。他为什么修道?他在其他词作中有所流露。首先,他对朝政日益颓败,民心受辱,感到失望。"君知否,是民心襦裤,吏胆冰霜"(《沁园春·送王侍郎帅三山》)。其次,他认为自己"此生勋业无多"(《沁园春》),"叹折腰为米,弃家因酒,往之不谏,来者堪追。形役奚悲,途迷未远,今是还知悟昨非"(同上)。正是在这样的情况下,他选择了修道遁世的道路。他认为"仙家好,这许多快活,做甚时官"。但是在作者踏向太虚仙境的路上,并不是一下子抛掉对人间生活的留恋的,所以,这首飘逸着云烟气息的词作中,仍然散发着情意缠绵的未绝人间烟火的气息,这正反映了作者矛盾而复杂的思想感情。

"江上""山下",首句就标明方位在变化,意味着作者正在乘舟泛游。"春色远""暮云长",是从舟中望去,其景色之索然,神情之恍惚，开门见山地显现出来。“相留相送”，难分难舍，全然点明词人的思绪之由来，“时见双燕语风樯”，更使人觉得情意缠绵。面对江山景色，“满目飞花万点”，不能再见，既是写景，又是抒情。“回首故人”，已经相隔“千里”，只得以酒浇愁。“愁肠”二字是笼罩全词的基调。“愁”已道明其声、其情、其色、其景，都分外叫人感到婉转、凄凉、冷落、暗淡。回雁峰在湖南衡阳县南，是衡山七十二峰之首，相传雁至衡阳不过，遇春而回。雁犹能回，而词人却不能回，与故人相聚，怎不叫人伤心呢？山雾苍茫，更增添了这种凄凉的景色和心情的沉凝。当然，回雁峰在这里不一定是实指。

下片是上片的深化和继续。“漏声残，灯焰短，马蹄香”，是黑夜的纪实，有声、有光、有味，但是，听觉、视觉和嗅觉的综合，如同电影中的“蒙太奇”一样，一下子闪过去了，接下来给读者留下的形象是：词人凝视茫茫的月夜，浮想联翩，“浮云飞絮”，功名利禄，全是身外之物。词人无可奈何，只能“一身将影向潇湘”，仍然是执意飘拂远游。完全可以想象词人孤影孑然，一阵凉风吹来，词人把眼前的夜色、“回首故人”的回想和对未来生活的憧憬，三者结合在一起，发出低沉的吟唱：“多少风前月下，迤逦天涯海角，魂梦亦凄凉。”这实在是全词的结语，和首句“江上”“山下”相应，由“愁”诉说到“凄凉”，是全词的感情高峰。结句是余音，“又是春将暮，无语对斜阳”，又像是电影中的“闪回”镜头，把上片中的“双燕”“飞花万点”再次闪现，然而又倏然中止，好像乐曲中的休止符一样，一片寂静，其艺术效果是叫读者自己去体会。

全词情中景，景中情，情景相融，语辞清宛，情意凄切。如果我们联系词人的一生处境，不难发现，这种凄凉的心境，实在是隐匿着对现实的不满而又不能奋力抗争，只能是消极的逃遁；但是，词人在逃避现实的道路上，又怀念千里故人“相留相送”的情景，又不能不有所徘徊。作者虽虔心修炼，想过虚无缥缈与世隔绝的生活，但是，他又没忘记人间烟火的芳香。人的心情是多么复杂啊！这种复杂的思想感情，在当时，确实反映了一部分知识分子的思想状况，因而，是非常有代表意义的。

（俞润生）

沁园春　刘克庄*

梦孚若

何处相逢？登宝钗楼，访铜雀台。唤厨人斫就，东溟鲸脍；圉人呈罢，西极龙媒。天下英雄，使君与操，余子谁堪共酒杯？车千辆，载燕南赵北，剑客奇才。

饮酣画鼓如雷，谁信被晨鸡轻唤回。叹年光过尽，功名未立；书生老去，机会方来。使李将军，遇高皇帝，万户侯何足道哉！披衣起，但凄凉感旧，慷慨生哀。

作者

*刘克庄(1187—1269)，字潜夫，号后村居士，莆田(今属福建)人。以荫补官。淳祐六年(1246)赐同进士出身，官至龙图阁学士。著有《后村大全集》。他的词继承了辛派词人的爱国主义传统及其豪放风格，词集名《后村长短句》，又名《后村别调》。

鉴赏

这首词表面上是悼念亡友，实际上是词人借以抒发怀才不遇、报国无门的愤懑和悲哀。"孚若"，姓方，名信孺，与词人同乡，政治上主张抗金，并以使金不屈著名，与词人志同道合，但生前没有得到朝廷重用。词人另有"梦孚若"诗二首，作于淳祐三年(1243)，是方孚若死后二十一年，此词可能作于同时。

词的上片写梦境，词人把深挚的爱国情感，渴望收复中原的强烈愿望，通过梦境的描写表现出来。首三句，写词人梦中和方孚若同登"宝钗楼"，共游"铜雀台"。宝钗楼在咸阳，铜雀台则在河北，都在沦陷了的中原地区。词人的梦魂不游繁华的江南，而萦绕沦陷了的中原，这难道不正和陆游“铁马冰河入梦来”所表现的抗敌志向一样吗？“唤厨人”四句，接写梦境，厨师切好东海长鲸之脍，马夫牵来西极的良马。“鲸脍”是美食，“龙媒”是良骑，用以表现词人豪情焕发，逸兴遄飞，又为下三句作了铺垫。“天下英雄”三句，用曹操对刘备所说“今天下英雄，惟使君与操耳”的话，以英雄自许和以英雄许方孚若，写出了词人的豪壮气概。词人曾在《挽方孚若寺丞》诗中说：“诗里得朋卿与我，酒边争霸世无人。”和本词词意相同。这三句连同上四句，与下片词人功名未立、壮志难酬恰成强烈对比。“车千辆”三句，写词人与中原众多的英雄豪杰的交游。“燕南赵北”，代指中原地区。“剑客奇才”，指英雄豪杰。“车千辆”，形容他们数量之多。词人在梦中擂起了收复中原的战鼓，奏起了凯旋曲，是词人恢复中原的强烈愿望的曲折反映。

下片写梦醒后的现实。过片“饮酣”二句，写在梦里画鼓（即战鼓，因鼓上有画，故名画鼓）如雷而未被惊醒，却被晨鸡轻轻地唤醒了，刻画出词人壮怀未泯、志在恢复的爱国情愫。“晨鸡”，暗用祖逖中夜闻鸡起舞事，以祖逖自比。过片二句的由梦而醒，内容承上片而来，却点明上片所写，全是梦境。“叹年光”四句，方始换意，由梦境回到现实，直抒词人年华已过、壮志未酬的悲哀。它也是词人代亡友的呼喊，更是千千万万被南宋统治者弃置不用、老死牖下的爱国志士的遭遇的写照。“李将军”三句，借汉文帝对李广说的话：“惜乎，子不遇时！如令子当高皇帝时，万户侯何足道哉？”稍加隐括，进一步抒发词人生不逢时的愤懑。刘克庄生活的南宋时代，国势危殆，正是文臣尽力、武将效死之时，因此词人的生不逢时之感，实际是对不图进取、苟且偷安的统治者的谴责。结尾“披衣起”三句，写凄凉的现实，慷慨生哀的情怀，使词人中夜披衣而起，其中包含着词人多少悲愤的感慨！它语少意多，感情深沉，有很强的感染力。

词人在词的上片，驰骋他的想象，创造了一个适合发抒他的爱国热情的梦境，使他的抗敌制胜的雄心、收复中原的夙愿在梦境中得到了实现。下片从梦境回到了现实，抒发了词人壮志未酬、怀才不遇的悲愤。前后对比，虚实相生，把悲愤之情表现得深沉强烈，可以看出词人谋篇布局的匠心。

（许山河）

沁园春　刘克庄

答九华叶贤良

一卷《阴符》，二石硬弓，百斤宝刀。更玉花骢喷，鸣鞭电抹；乌丝阑展，醉墨龙跳。牛角书生，虬髯豪客，谈笑皆堪折简招。依稀记，曾请缨系粤，草檄征辽。

当年目视云宵，谁信道、凄凉今折腰？怅燕然未勒，南归草草；长安不见，北望迢迢。老去胸中，有些磊块，歌罢犹须着酒浇。休休也，但帽边鬓改，镜里颜凋。

鉴赏

宋南渡后一百余年，文恬武嬉，而刘克庄能不忘恢复，拳拳家国，其思想、志行略似于放翁。这首《沁园春》答友人词，感叹自己英雄老去，壮志未酬。其回忆少年在军幕，英姿勃勃，意气风发；老去后，忧国伤时，胸中磊块不平，真切感人。全篇风格苍凉悲壮，用典妥帖自然，“事词为一”(《石林诗话》)，是《后村长短句》中的代表性作品。开首“一卷《阴符》，二石硬弓，百斤宝刀”，以平易流走的语句，塑造了一个抗敌军人的形象：一手执《阴符经》兵书，一手把百斤宝刀，而身背二石硬弓，见得能文能武。这里，《阴符》、“硬弓”“宝刀”，壮其气势，而“一卷”“二石”“百斤”三个数量词的叠加连用，使语句浑动流走，极有助于气势的奔放。紧接一个“更”字，把当年军幕生活凝结在两个动态的形象里。“玉花骢”，青白相杂的名马、快马。着一“喷”字，其翘首鸣吼、渴望奔驰的气概，如闻其声，如见其形。接着一声鸣鞭，风驰电掣般驰骋向前。这是一个久受压抑而渴望战斗的爱国者的形象，人和马已经完全融而为一。“乌丝阑展，醉墨龙跳”，谓画有墨色界格的绢纸才一展开，便乘着酒后余兴，龙飞凤舞地草檄军书。《宣和书谱》引梁武帝评王羲之书法“如龙跳天门，虎卧凤阙”。“龙跳”所用即此典故。战马奔驰，照应了“硬弓”“宝刀”，是军中的戎马生涯；醉余奋扫，照应“一卷《阴符》”，说的是军幕中的文职工作。陆放翁所谓“上马击狂胡，下马草军书”，有似于此。但这四句十六字，更加形象飞动。“牛角书生”，用隋末英雄李密少年时牛背上读书遇杨素事。“虬髯豪客”，用虬髯客张仲坚遇李靖，折服于李世民事。三句豪迈地申述自己不是人们所认为的一介书生、一介武夫，而是有招致将士、使各路英雄折服的将佐之才。刘克庄“少时独步词场，引弦百发无虚矢”（《念奴娇》），可谓文武双全，因而志气宏远，自视甚高，初不以词人自域。青年时期即从军真州，以恢复为己任。这种志向，到老不衰。《沁园春·梦孚若》云：“天下英雄，使君与操，余子谁堪共酒杯？”又云：“使李将军，遇高皇帝，万户侯何足道哉！”极意气飞扬、不可一世之概。这些都应该看做作者恢复中原的宏图大愿，不徒以书生意气论之。“依稀记”三句，再应“文”“武”两道。“请缨系粤”，应“武”，说自己仿佛还记得当年在军中曾如汉终军“自请，愿受长缨，必系南越王而致之阙下”一样，也曾请求主动出击金人。而“草檄征辽”，应“文”，用虞世南为隋炀帝草《征辽指挥德音敕》事。上片写“昔”，从文才、武略两方面，回忆自己年少时从军建康前线的戎马生涯，充满了自豪感和爱国热情，显示出作者宽阔的胸襟和雄视一切的英雄气概，读之使人兴起，催人奋发。杨慎说他“壮语亦可起懦”（《词品》卷五），毛晋说“其雄力足以排奡”（《宋六十一名家词·后村别调跋》）。我们可以毫不夸大地说：刘克庄的优秀词作是南宋后期的“正气歌”，代表了当时中华民族的正气。

下片换头云：“当年目视云霄，谁信道、凄凉今折腰？”以当年眼界高远总上，转接写“今”。从“谁信”起，急转直下，把老去凄凉悲思之情和盘托出：个人折腰下拜，饱受屈辱都不在话下，最可叹是未能出击强敌，登燕然山勒石纪功，而草草南归故里。这里包含着一段史实，作者回忆及此，不无怨悔之情。史载，刘克庄从军建康李珏军幕时，由于前线泗上兵败，朝野皆主“以守易战”。刘克庄建议抽减极边戍兵，使屯次边，以壮根本，“主谋者忌之”（《行状》），即自行辞职归里。这就是词中所说的“南归草草”。由于这一次辞去军幕，使他一生未能再直接参与同敌人的战斗，所以每当追忆到这段军旅生活时，一方面总是十分留恋，同时又流露出“南归草草”的歉疚之意。作者用了一个“怅”字，准确地抒发了心中意蕴。但他一生所最“怅”

者,是"长安不见,北望迢迢"。当年在建康所赋《冶城》诗云:"神州只在阑干北,几度来时怕上楼"。就在当年,已怕上楼;如今年老,则只能"北望迢迢",怎能看见汴梁故都呢?心中怅怅,年复一年,积郁而成"磊块",即使长歌也未能解愁,又只好以酒浇之。《世说新语·任诞》:"阮籍胸中垒块,故须酒浇之。"但是,举酒浇愁无助于愁之解。无可奈何,只好作罢。"休休也",算了罢!鬓毛摧白,容颜苍老,正是"叹臣之壮也不如人,今何及"(《满江红·忽动从戎之兴》)!表面上怨叹流年,实际上是感喟壮志未酬,不能一展抱负,用的是反笔。

上下片昔、今对比十分强烈,豪放中有沉郁。刘克庄许多壮词都采用对比的手法,让豪放与沉郁相表里,极显痛快沉着之致,形成了他雄健沉挚而又婉曲的风格,实不可单以"豪放"二字概之。

(黄世中)

昭　君　怨　　刘克庄

牡　丹

曾看洛阳旧谱,只许姚黄独步。若比广陵花,太亏他。　旧日王侯园圃,今日荆榛狐兔。君莫说中州,怕花愁。

鉴赏

我国从唐朝起,就是"洛阳牡丹甲天下"。欧阳修《洛阳牡丹记》载:"姚黄者,千叶黄花,出于民姚氏家……魏家花者,千叶肉红花,出于魏相仁溥家。"到北宋末,姚黄、魏紫已十分稀少,非常名贵。李格非《洛阳名园记》说:"今牡丹岁益滋,而姚黄、魏花,一枝千钱,姚黄无卖者。"所以作者一开首便说曾读过旧时洛阳的牡丹谱之类的书,谱中记载只称许姚黄为独一无二。一个"旧"字,点明"谱"是南渡以前的,从而引出故国之思。三、四两句回到眼前,以广陵花与牡丹相比照。"广陵花"即芍药。据《花镜》载,广陵(今江苏扬州)曾是芍药胜地。北宋时曾有"洛阳牡丹""广陵芍药"并美之说。苏轼也说过,"扬州芍药为天下冠"。但是若以牡丹、芍药相较，则自古以来，“牡丹为花王，芍药为花相”。《洛阳名园记》“天王院花园子”条说：“洛中花甚多种，而独名牡丹曰‘花王’。”可是如今“花王”与“花相”的遭遇悬殊：一在中原沦陷区的洛阳，可谓“寂寞开无主”；一在南宋境内的扬州，公卿士宦人家赏芍药至举行盛会，可谓癫狂之至。如蔡繁卿守扬州时，即每年摘取芍药万枝，举行“万花会”，与吏民共赏乐。相形之下，作者感叹牡丹的不幸遭遇，所以说“太亏他”。造成牡丹、芍药遭遇迥异的原因，作者在下片作了申述：由于中原沦陷，旧时汴洛的王侯园圃，如今已荆棘丛生，狐兔出没，洛阳名园再也无人修葺，姚黄、魏紫再也无人栽植，寂寞冷落自是不免。紧接着作者以哀怨的笔触，含蓄地劝诫人们也用以自劝：不要再提中原旧事；多说无用，只会让牡丹多一层愁意。结尾写得绝妙，作者不说自己心中为中原未能恢复而忧愁，却说“怕花愁”。这里的“花”，既是牡丹，又是遗民的形象，人的愁思和花的命运完全融合在一起，而以痴语出之，情自深，以淡语出之，情却浓。

（黄世中）

满　江　红　　刘克庄

夜雨凉甚，忽动从戎之兴

金甲雕戈，记当日、辕门初立。磨盾鼻、一挥千纸，龙蛇犹湿。铁马晓嘶营壁冷，楼船夜渡风涛急。有谁怜、猿臂故将军，无功级。　平戎策，从军什，零落尽，慵收拾。把茶经香传，时时温习。生怕客谈榆塞事，且教儿诵《花间集》。叹臣之壮也不如人，今何及！

鉴赏

这首词值得注意的是刘克庄在小序中说的“忽动从戎之兴”这件事。此词上片追怀早岁从军，功名未立；下片慨叹废退消闲，年华已老，并没有正面提到“忽动从戎之兴”的问题，而且说“生怕客谈榆塞事”，似乎已作终老之想，无意复问边事，怎么转而“忽动从戎之兴”呢？作者自注岂不与通篇词旨呈现出不一致的情况吗？其实两者并不矛盾。如果仔细考查一下此词的写作时间和当时宋金关系及作者自身遭遇，就不难弄清其间的内在联系。词中上下片分明作今昔对比，时间跨度不算小。上片追记嘉定十一二年（1218—1219）建康军幕事，刘克庄时为三十一二岁。下片结句借烛之武语而发“今老矣”之叹，前后相去绝不仅止于三四年。说它是“嘉定十三年以后、十七年以前所作”，未免不合。按：宝庆初（1225）发生的“江湖诗案”中，刘克庄《南岳稿》《落梅》诗因有句云：“东风谬掌花权柄，却忌孤高不主张。”触怒了权相史弥远，诗遭劈板，人遭废弃，退居乡里十年之久，直到史弥远死后才得复出。词中下片所述，即是刘克庄在这十年间忧谗畏讥，莫谈国事，在茶经香传中蹉跎岁月的情状。又嘉定十七年（1224），金遣使通好，榜谕更不南侵，宋、金一度相安无事，实无以触发刘克庄的“从戎之兴”。至绍定六年（1233），蒙古与宋协议对金南北夹击，宋出师赴汴，谋复河南。这才有可能使刘克庄兴奋之余，产生了再度从军的愿望。上距任职建康军幕，已历十四年。这首《满江红》就当作于此时。但刘克庄废退之身，无路请缨，因而只能在词中正言反说，徒唤奈何了。

这首词重在抒发久遭废退、壮志消沮之恨。词的上下片实际上涉及宋、金之间最后阶段的两次重要的战争。嘉定十年（1217），金兵南侵，激战后为宋军击退，这是上片所写的背景。这次金兵南侵是为了摆脱困境。由于成吉思汗的凌厉攻势，金在北方全线溃退，迁都于汴后，仅能控制河南一地，遂采取向南扩张的策略，企图打开一条生路，金前锋游骑曾进抵采石杨林渡，建康大震，形势一度紧张。嘉定十一年（1218）六月，宋下诏伐金，刘克庄这时就参加了江淮制置使、江东安抚使、兼知建康府李珏的幕府。这是刘克庄前期很值得夸耀的一段从军经历。词以“金甲雕戈”三句发端，颇具军府初开、军容整肃、兵戈耀目的威武气象。“辕门”，军门，指李珏的帅府。李珏出任江淮制置使，节制沿江诸军，帅府设在建康。刘克庄在幕府掌文书，军书往来，文不属稿，援笔立就。“磨盾鼻”三句，自矜才气，除了表明自己是军中草檄、文笔飞扬的能手，还写出了书生从戎、壮志与才情相互激射的极为得意的精神状态（盾鼻是盾的纽，齐梁之际荀济入北，说当在盾鼻上磨墨作檄讨伐梁武帝萧衍，后即以“磨盾鼻”

喻军中作檄）。“铁马晓嘶营壁冷，楼船（战舰）夜渡风涛急”，概括了两年多的战斗生活。这两句虽胎息于陆游《书愤》一诗的名对“楼船夜雪瓜洲渡，铁马秋风大散关”，但融化入词，在辛弃疾之后再次为词注入壮阔的场面、亢爽的音调和肃杀的战斗气氛，仍不失其新意。刘克庄曾多次到前线视师。《后村大全集》卷一二八庚辰《与方子默佥判书》：“今春虏骑犯安、濠，攻滁，游骑已至宣化饮江。某与同幕王中甫辈至龙湾点视舟师，虏旗帜隔江明灭可数。”有着作者实际的参战经历为底子，就不是空泛之句。“有谁怜”二句，借用李广平生与匈奴大小七十余战而不得封侯的典故（李广臂长如猿，故曰猿臂；广曾为骁骑将军，因事降为庶人，因称“故将军”），说明自己终于无功而归，为上片作结。无功而归当然令人遗憾，但作者抚今追昔，回顾当年临战的营幕生涯，仍无限神往。上片的基调总的说是昂扬亢奋的。嘉定十七年（1224）宁宗死后，丞相史弥远废立皇子赵竑，改以赵昀（理宗）嗣位。时人作诗以刺，遂劈《江湖集》板，并下诏禁诗，史称“江湖诗案”。刘克庄即因《落梅》诗首遭其难，被摈斥废退。这给他的一生带来了重大的转折。到绍定六年（1233）蒙古灭金之际，宋师北上谋复河南，刘克庄尚在家乡投闲置散，这就是下片所写的背景。宋金之间的最后一战，无疑吸引了刘克庄“忽动从戎之兴”，但他此时如同被禁锢，稍涉时事的作诗权利尽被剥夺和禁止了，更何况复登军幕，再赴戎机！与上片初试身手、满怀兴奋不同，下片抒写的正是壮士失意的寂寞与悲哀。无论昔日的平戎方略、从军诗篇弃置不顾也好；焚香煮茗、消遣度日也好；不问边事，而让儿女风情的《花间集》来开导儿辈也好，无一不是他所处的特殊境遇造成的。换句话说，都是违心的和不得已的。因此，当他带着苦笑，摆出悠闲懒散的样子说着上述这些的时候，我们更应体会他内心的隐痛和愤慨。“听话听反话”，刘克庄的词有时不免“意伤浅露”，这首词却能正话反说，自伤沉沦而又回响着不平之鸣，比之正面书愤或许更具沉痛感。这是这首词的一个特点。篇末“叹臣之壮也不如人”，用春秋时郑大夫烛之武语（见《左传·僖公三十年》），意谓虽有“从戎之兴”，无奈力不从心，暗中仍寓有自负之意。至于作者别有怀抱、不甘寂寞的真实心情，在下片也隐然流贯其间。不然，怎么能和“忽动从戎之兴”合拍呢？

（吴熊和）

贺新郎　　刘克庄

送陈子华赴真州

北望神州路。试平章、这场公事，怎生分付？记得太行兵百万，曾入宗爷驾驭。今把作、握蛇骑虎。君去京东豪杰喜，想投戈、下拜真吾父。谈笑里，定齐鲁。

两河萧瑟惟狐兔。问当年、祖生去后，有人来否？多少新亭挥泪客，谁梦中原块土？算事业、须由人做。应笑书生心胆怯，向车中、闭置如新妇。空目送，塞鸿去。

鉴赏

刘克庄是南宋后期爱国词人之一，风格上属于辛弃疾一派。这首词，不仅是《后村长短句》的代表作，也是宋词中爱国精神特别昂扬的一篇。写词时作者四十一岁，正当意气风发的壮年，时正在知建阳县任上。"陈真州"，名铧，字子华，福建侯官人。宝庆元年(1225)，真德秀荐举子华。次年，命知兴化军(治所在福建莆田)。刚到任，四月，奉命移知真州。自兴化北上，经建阳与作者会面话别。真州在南宋属淮南东路所辖，治所在今江苏仪征，是靠近抗金前线的要地。为此，词中寄予了恢复失地的殷切希望。

词的上片首先提出怎样才能收复失地的问题，它着重指明依靠人民力量的重要性。本来，在女真族入侵黄河流域以来，宋王朝的一部分统治者，走着卖国投降或逃跑的路线；而英勇的南宋人民，则坚持了前仆后继的抗金斗争。太行山的八字军，就是一面鲜明的旗帜。他们推动了爱国的将帅和诗人们投入这一场民族斗争的高潮，并给以抗敌的力量。著名的抗金英雄宗泽，依靠了王善、杨进、王再兴等人民武装，捍卫了东京。辛弃疾早年就投奔义军首领耿京，合作抗金。而坚持与人民为敌、靦颜事仇的反动统治集团，则相反地把人民看做蛇虎一样的可怕，不敢也不想依靠人民去湔雪国家的耻辱。这首词的上半片，毫不含糊地划清了这二者不同的界线，认定抗金的人民是豪杰，是谈笑定齐鲁的基本力量。词人满怀希望，希望陈韡此去能继承宗泽的路线和策略，使京东义师“投戈下拜”，同心合作。词中所说“豪杰喜”的“喜”字，是深刻体会了人民的心情才能道出的，是作者的感情靠拢人民的表征，它扎根在爱国的立场之上。

下半片对照地鞭挞了偷安半壁的南宋统治者。当时沉醉在临安销金窟里的士大夫们，能像新亭名士那样抹眼泪的已经不算是坏，连做梦也不敢设想到还我河山。于此，作者不能不激动地喊出“事业须由人做”的呼声，给陈韡以有力的鼓舞。而自己不能同往前线，倒不免有些愤慨，而自笑为“书生心胆怯”了。当然，作者何曾胆怯！《后村集》里那些表示坚强抗敌的作品，对此正好作否定的回答。

（钱仲联）

贺新郎

刘克庄

九日

湛湛长空黑，更那堪、斜风细雨，乱愁如织。老眼平生空四海，赖有高楼百尺。看浩荡、千崖秋色，白发书生神州泪，尽凄凉、不向牛山滴。追往事、去无迹。

少年自负凌云笔。到如今、春华落尽，满怀萧瑟。常恨世人新意少，爱说南朝狂客。把破帽、年年拈出。若对黄花孤负酒，怕黄花、也笑人岑寂。鸿北去，日西匿。

鉴赏

这首词咏九月九日重阳，颇有新意。

重阳按习俗例行登山，但此词首先说为风雨所阻，不登山而登楼，这次百尺高楼上的登览气象或许还胜于登山。农历九月九日重阳节，通常时值秋晴，风雨中过重阳者并不多。北宋潘大临尝于重阳前闻搅林风雨声，欣然题壁曰：“满城风雨近重阳。”因吏催租败兴，仅此一句，遂成为佳话。此词开端曰：“湛湛（天色昏暗貌）长空黑，更那堪、斜风细雨，乱愁如织。”实含有风雨如晦、八表同昏之慨，隐隐寄寓着刘克庄对南宋末年时局险恶的深重忧虑。“老眼平生空四海”三句，在开头渲染低沉的气压和灰暗的色调之余，忽然宕开一笔，转出了眼前浩荡万里的“千崖秋色”。这个登高极目所见的景象，说明作者视野之宽和胸次之高，表现了他心高气广的神态。“欲卧百尺楼上”，本是刘备所说的英雄自许的话。志在天下的刘备鄙薄许汜徒负“国士”之名而汲汲于求田问舍，说若是由他来招待许汜，则自己高卧百尺楼上，而卧许汜于地（见《三国志·魏书·陈登传》）。刘克庄将这个典故用于九日登高，既怀“眼空四海”之豪，又对“千崖秋色”之壮，真有点目无余子、顾盼自雄的味道了。这三句音调上也由开始的低咽转向慷慨，先沉郁而后勃发，声调和情调表里一致。

春秋时齐景公登牛山，俯视国都临淄，喟然流泪道：“若何滂滂去此而死乎？”（《晏子春秋·内篇谏上》）杜牧《九日齐山登高》一诗即用其事：“古往今来只如此，牛山何必独沾衣？”改以旷达之怀来对待个人的生死得失问题。此后“牛山泪”这类感慨在重阳诗词中就较为常见。但此词以“神州泪”与“牛山泪”时举，表现了远为可贵的忧国忧时之心。“白发书生”四字，本来俯仰身世，叹息逝川，未免有衰飒感、沦落感。可是接着不承以“牛山泪”而承以“神州泪”三字，以白发书生的老眼热泪，为故国山河的沦陷不复而登临哀恸，顿然产生了一种具有庄严意味的悲壮感。“尽凄凉、不向牛山滴。”神州命运和个人生死得失两者看得如此轻重绝殊，进一步加强了这种悲壮感。比之齐景公的伤逝，杜牧的旷达，更显出其感情的炽烈与重量了。

东晋孟嘉于九日登湖北江陵之龙山，风吹落帽，浑然不觉，人们认为他意度从容，萧散自在。这个故事在重阳登高之作中可谓用得既熟且滥了。此词强调诗词须有“新意”，“常恨世人新意少，把破帽、年年拈出”（苏轼《南乡子·咏九日》：“破帽多情却恋头。”为“破帽”二字所本）。尽管他自感老来才华衰退，“春华落尽，满怀萧瑟”，也不愿摭拾这类陈陈相因的东西以虚应节序时令。同他“少年自负凌云笔”一样，讲到这一点时言下亦颇有自负之意。刘克庄作词也常“掉书袋”。这首词中就牵涉到九日当令的“登高”“牛山”“落帽”等一系列熟典。

但他的用法却有点与众不同：一不登山而登楼；二不伤逝而忧国；三不拾人余唾，附庸风雅，而是注意弃旧图新，翻出“新意”，无怪乎他有以自负了。“若对黄花孤负酒，怕黄花、也笑人岑寂（寂寞）。”这三句是把意思转了个弯子说出，直说就是对菊不可无酒，有呼酒就菊，以拚一醉之意。饮酒赏菊，其实也是重阳不可或缺之典，这里还暗用了陶渊明的一个故事。《艺文类聚》卷四引《续晋阳秋》说：“陶潜尝九月九日无酒，宅边菊丛中摘菊盈把，坐其侧久望。见白衣人至，乃王弘送酒也。即便就酌，醉而后归。”又杜甫《九日》诗说：“竹叶（酒名）于人既无份，菊花从此不须开。”“若对黄花孤负酒”三句正承此而来。不过刘克庄仅暗用其事，令人不易察觉，跟上面“牛山”“落帽”诸典用法又不同了。此词起结俱用景语。末句“鸿北去，日西匿”，与开头的“湛湛长空黑”首尾相应，也是隐喻宋末国势日下的话。实际上重阳是中秋时节，这时鸿雁南来，并非“北去”。说“鸿北去”犹云“心北去”，无非是北向中原、注目遥望而已。不过心犹北向，日已西坠，恢复神州之举越发渺茫无望，刘克庄的九日登楼也就在“满怀萧瑟”中度过了。

（吴熊和）

玉楼春　　刘克庄

戏林推

年年跃马长安市，客舍似家家似寄。青钱换酒日无何，红烛呼卢宵不寐。　易挑锦妇机中字，难得玉人心下事。男儿西北有神州，莫滴水西桥畔泪。

鉴赏

这首词，黄昇《花庵词选》题作《戏呈林节推乡兄》。“节推”，节度推官，钱仲联《后村词笺注》认为林节推可能就是刘克庄的同乡林宗焕。词题为戏作，词中亦有幽默、诙谐之句，但却寓庄于谐，在委婉批评林推官耽于游玩、饮酒、赌博、狎妓的荒唐生活之时，以“男儿西北有神州”进行劝勉。词人在词中把个人的行为和国家的患难联系起来，写进了无限家国之感，增强了词的社会意义。

上片首两句描写了林推官长年在外冶游的情景。“长安”本是唐时京城，此借指南宋的都城临安（今杭州）。这两句是说，林推官年年骑着马在京城里游玩，把客店当做家，而把家当做客店。家是常住的却“似寄”，客舍是暂住的却“似家”，这种以居住常暂的颠倒来表现林推官在外游荡情况，不仅语言幽默诙谐，也为过片“易挑锦妇机中字，难得玉人心下事”作伏笔。“青钱”两句，进一步写出了林推官日日夜夜沉湎于狂饮滥赌的荒唐生活，“青钱换酒”，无所事事（“日无何”出于《汉书·盖宽饶传》，意思是不做事，不管事），“呼卢”喝雉，通宵达旦。古时掷骰子，五子全黑叫做“卢”，掷得“卢”便获全胜，所以赌博时争着喊“卢”。这两句是说，林推官每天不干正事，只管花钱买酒喝，到夜里就在红烛下通宵达旦地赌博。“日无何”“宵不寐”语露讽刺，表现出词人对林推官的荒唐生活持严肃的批评态度，但他的批评是“绵里藏针”，有理有节。南宋虽只有半壁山河，但统治者偏安江左，依然过着醉生梦死的生活，南宋的许多词章中都对此有所反映，如文及翁《贺新郎·游西湖有感》云：“一勺西湖水，渡江来，百年歌舞，百年酣醉。”俞国宝《风入松》也说：“一春长费买花钱，日日醉湖边。玉骢惯识西湖路，骄嘶过、沽酒楼前。红杏香中歌舞，绿杨影里秋千。”而据说这首《风入松》，还使得宋高宗赵构“注目，称赏久之”（周密《武林旧事》）。所以上片对林推官荒唐生活的批评，实际上也是对南宋整个统治阶级的批评，但词在风格上于委婉之中寓有豪放之气，与那些用欣赏、羡慕的感情来写这种冶游生活的词有着根本的区别。

过片“易挑”两句，意承上片，词句却更为委婉含蓄。“锦妇机中字”，用窦滔妻苏氏织锦为回文诗以寄其夫的典故（《晋书·窦滔妻苏氏传》）。“挑”，是挑花纹。“玉人”，美人，这里指妓女。这两句是说，妻子的爱情是真挚的，她会一心一意地对待你，而妓女们的心意那就很难捉摸得住了，言外之意是规劝林推官不要再留恋路柳墙花。这两句照应了上片“客舍似家家似寄”，林推官为什么把客舍当做家而把家当做客舍？原来他是抛下了妻子在妓院里偎红倚翠。词人没有直截了当地说对方浪迹青楼，也没有声色俱厉地指斥，而是以委婉含蓄的词句进行规劝，既深得风人之旨，也使对方易于接受。

结尾两句是说，男子汉要时时想到西北方还有广大的中原地区没有收复，眼泪不要为妓女们而流啊。“神州”，指中原沦陷区。“水西桥”，指妓女住的地方。这两句感慨深沉，是全词的主旨所在，它在写法上类似白居易的“卒章显志”。上片所谓“跃马”“换酒”“呼卢”及过片对林推官的讽谏，实际上都是为此作的烘托和铺垫。词人心中时时想的是收复中原沦陷区，哪怕是对朋友的私生活进行规劝，也寄托着家国之感，体现了词人深沉、执著的爱国情感，所以冯煦评刘克庄词说：“其生丁南渡，拳拳君国似放翁，志在有为，不欲以词人自域，似稼轩。如《玉楼春》云：‘男儿西北有神州，莫滴水西桥畔泪’。”(《宋六十一家词选例言》)冯煦认为这首词的结尾体现了刘克庄“拳拳君国”“志在有为”，是深得词中三昧的。

（许山河）

卜算子

刘克庄

片片蝶衣轻，点点猩红小。道是天公不惜花，百种千般巧。　　朝见树头繁，暮见枝头少。道是天公果惜花，雨洗风吹了。

鉴赏

词中有问答体，或上片问、下片答，或随问随答，为常见的问答方式。这首词上片提出一问，下片复提出一问，上下片所问却是针锋相对，互不相容的，终于有问无答，显得非常别致。上下片提问的方式相同，都是用的反证法。如果把上下片分开来看，并不是有问无答，答案乃包含在所问之中。上片问：如果说天公不爱惜花，那么花片如蝶翅舞动，花朵如猩红（像猩猩血的鲜艳红色）照眼，千姿百态，争奇斗艳，岂不都是天公之所作成？其答案自当承认“天公惜花”。但下片接着反问：如果天公果真惜花，那么无端风雨，断送春花，树头繁花，一夕顿尽，岂不都是天公之所摧残？其答案又当承认“天公不惜花”。因此，上下片合起来看，两个答案竟是对立的与排他的，相互冲突，彼此否定。正确的答案，则当在它们两者之外。其实刘克庄这首词虽有点近乎游戏笔墨，但设问甚巧,所问的绝不是无关宏旨的花花草草的小事。他就冥冥之中的“天公”与花事的关系发生质问,推而广之,世间万物也莫不可作此一问,无异于一篇以花事为题的具体而微的“天问”。真正的答案既在词中,又在词外。岁岁花开,年年花落,花事的荣枯盛衰,一任大自然的客观运行,实无关乎“天公”的“惜花”与否。“万物兴歇皆自然”,这才是刘克庄本来想说,但在词中透露其意而未及明说,以留待读者说破并从中得出自己结论的真正的答案。

这首词诙谐风趣,具有幽默感,令人玩味有得。其写法或仿效苏轼。苏轼《泗州僧伽塔》诗记僧伽塔往来人都于此祈祷顺风,他就举了一个极为简单的道理来说明“神物有灵”的虚妄:“耕田欲雨刈欲晴,去得顺风来者怨。若使人人祷辄遂,造物应须日千变。”人们的地位、处境不同,愿望也往往相反。耕者、刈者、去者、来者,他们彼此对立、相互冲突的愿望,“造物”(“天公”)怎么能够同时一一给予满足呢?刘克庄此词就用了类似苏轼的手法,从揭露其内在矛盾来否定其本身存在。纪昀评苏轼《泗州僧伽塔》诗云:“极力作摆脱语,纯涉理路而仍清空如话。”涉及理路而轻灵自然,可谓刘克庄此词的特点。

(吴熊和)

清平乐　　刘克庄

五月十五夜玩月

风高浪快,万里骑蟾背。曾识姮娥真体态,素面原无粉黛。　　身游银阙珠宫,俯看积气蒙蒙。醉里偶摇桂树,人间道是凉风。

鉴赏

“月到中秋分外明”,在这团圆佳节,当人们凝视着穹远的碧海青天而产生遐想的时候,不能不因远古的神话传说——嫦娥奔月而为之神往。正因为雾鬓风鬟的月里嫦娥,永恒的是人间千百万美人的化身,所以长久以来,多少诗人词客,对她馨香膜拜,为她写下绝代销魂的名篇。这些名篇,也正像光辉的明月一样,留影山河，长无生灭。

但是，这美丽的题材，毕竟太熟了，写的人太多，就不免陈陈相因，很少新意。刘克庄的这首《清平乐》，可以说是突破了老框子的。

刘克庄词，属于辛弃疾词的一派。这首词的豪迈风格和浪漫主义色彩，较之辛词，几乎有出蓝之胜。试看辛弃疾的名作《木兰花慢·中秋饮酒将旦客谓前人诗词有赋待月无送月者因用天问体赋》，起六句是："可怜今夕月，向何处，去悠悠？是别有人间，那边才见，光景东头？"王国维《人间词话》赞叹为"词人想象，直悟月轮绕地之理，与科学家密合，可谓神悟。"可以说是词中的《天问》，但它还不能体现出词人宏伟的怀抱。显然，刘词所放射的积极浪漫主义光芒是更为强烈的。词的上片，作者奇想破空，乘着天风，跨上银蟾的背，认清了嫦娥的本来面目。只"素面原无粉黛"一句，不仅写出了月魄的皎洁无尘，绝代佳人的洗尽铅华，而且也告诉人们，一切真美的东西，包括诗词在内，总是"清水出芙蓉，天然去雕饰"的。

下片，词人继续驰骋想象，在寥廓的太空里俯瞰人间。他一点也没有忘怀人间，他要使人间化为清凉世界。"醉里偶摇桂树，人间道是凉风。"本来，伟大的事业，在英雄自己看来，并不认为是什么了不起的。不经意的偶摇桂树，给人们的好处已经不小了。杜甫"安得广厦千万间，大庇天下寒士俱欢颜"的精神，在这里分明得到了再现。

在载人宇宙飞船连续上天的时代，我们欣赏这首词，感到特别亲切有味。词人所驰骋的万里骑蟾去看嫦娥素面的想象，已经成为现实。这首绝妙好词，也就不仅是广寒玉宇的写照，而且可以移作人间天堂的法曲了。

（钱仲联）

忆秦娥

刘克庄

梅谢了，塞垣冻解鸿归早。鸿归早，凭伊问讯，大梁遗老。　　浙河西面边声悄，淮河北去炊烟少。炊烟少，宣和宫殿，冷烟衰草。

鉴赏

这首词借鸿起兴，抒发了对中原沦陷区人民命运的关切，表达了深沉的爱国感情。“鸿”，也称鸿雁、大雁。《诗经·小雅·鸿雁》：“鸿雁于飞，肃肃其羽。”《传》曰：“大曰鸿，小曰雁。”鸿雁是一种候鸟，人们称它为“知时鸟”。秋风起时，北雁南飞；春季则自南归北。当人们在春日洋洋或秋风秋云之下，决眦望其南来北往，很容易引发一种思念故国和怀旧的乡情。这是以鸿为题材的作品一般所具有的情韵。首句“梅谢了”，点明时令。梅花初春即放，正月下旬至二月初谢，可知这词作于春天。因为春天来了，所以说“塞垣冻解”。我们可以想象，作者于春日独立庭院，见梅花纷谢，想到北方边塞（这里应是泛指北方，即中原地区）冰河已经解冻了，中原父老在金人统治下，境况不知如何呢？于是他翘首北望，看见一群大雁正自南而北略略地飞去，心中不禁感喟唏嘘：大雁啊，你北归何其早？可是唯有你能回到中原大地，蛰居东南一隅的南宋君臣，又什么时候才能回去呢？鸿雁在诗词中常被当做信使，所谓“鸿雁传书情”“寸心凭雁足”。于是鸿雁又成为远方寄赠、深切怀念的象征。下文说“凭伊问讯”，就是由此而来。问谁？“大梁遗老”。“大梁”，战国魏都，即北宋时都城汴京（今河南开封）。“大梁遗老”，即中原父老、北宋遗民。可是向中原父老问什么呢？

词中事典，作为概念外壳的辞藻，由于典故出处及历代词人的反复运用，往往附有某种特定的感情和韵味。鸿雁，朱熹《诗集传》认为“流民以鸿雁哀鸣自比”。所以诗词中用鸿飞事，除远信凭寄、归思难收外，有时兼带有作寄者或收受者“哀鸣嗷嗷”的情韵义。因此，这里除寄托作者思念中原故土的感情外，还有凭借鸿雁慰问北国遗民在金人铁蹄下悲伤哀号地生活的意思。正如陆放翁诗所云：“遗民忍死望恢复，几处今宵垂泪痕！”

下片是上片的延续和转折。从境象上说是延续：鸿飞北去，先过“浙河西面”，再经淮河以北，再到“宣和宫殿”。从词意上说是转折，大雁北归，所见山河依旧而人事全非：“边声悄”“炊烟少”“冷烟衰草”。“浙河西面”，指宋时浙江西路，包括南宋前沿镇江一带地区在内。“边声悄”，谓鸿雁北飞，经过前沿阵地时，当看到边庭平静，毫无抗敌之声。对统治者无意恢复中原故土的揭露，自可于言外得之，旨微而婉。当时宋金以淮河为界，“淮河北去”即是金人占领区。那里的父老被摧残掳掠，所以作者寄语鸿雁：你再往北飞，当会看到一片渺无人烟的荒芜土地。最后说：你飞过故都宫殿的上空时，所见更是断垣残瓦、冷烟衰草而已。“宣和”，北宋徽宗年号，“宣和宫殿”借代故宫。词的结尾用凄凉迷茫的景色，饱含着对故国山河的无限悲思。故宫殿上，烟冷草衰，一片废墟。正如作者《北来人》诗所写，“试说东都事，添人白发多。寝园残石马，废殿泣铜驼……伤时念乱，可以怨矣”（冯煦《宋六十一家词选例言》）。

刘克庄词以豪放雄健著称，但仍不乏委婉之作。“我有平生《离鸾操》，颇哀而不愠微而婉。”（《贺新郎·席上闻歌有感》）刘熙载以为后村“自寓其词品”，实为有见。像这首词就不是“横绝六合，扫空万古”（刘克庄《辛稼轩集序》）的风格。杜甫《赠高使君岑长史》称高适、岑参诗有“意惬关飞动，篇终接混茫”的意象，移来评论这首词的结尾“宣和宫殿，冷烟衰草”，不亦是“篇终接混茫”的含蓄之作吗？

（黄世中）

鹊桥仙 赵以夫*

富沙七夕为友人赋

翠绡心事，红楼欢宴，深夜沉沉无暑。竹边荷外再相逢，又还是、浮云飞去。　锦笺尚湿，珠香未歇，空惹闲愁千缕。寻思不似鹊桥人，犹自得、一年一度。

作者

*赵以夫(1189—1256)，字用父，号虚斋，长乐(今属福建)人。嘉定十年(1217)进士。历官枢密都承旨、同知枢密院事、吏部尚书等。与刘克庄同修国史。工词，好《易》，有《虚斋乐府》、《易通》传世。

鉴赏

这是一首为友人写的伤离之作。

“翠绡心事，红楼欢宴，深夜沉沉无暑。”表明，时在初秋，天凉暑退，夜色沉沉，在她的小楼中，在七夕的欢乐的宴席上，她偷偷地赠给他一条碧色的丝巾，表达她内心的情意。这二句写初逢情事。按内容次序，当在下文，词中这样安排，既使句子顿挫有味，也能突出“翠绡”一句。“翠绡”，疏而轻软的碧色丝巾，古代女子每以馈赠情人。秦观《八六子》词：“素弦声断，翠绡香减。”也写由翠绡而忆及爱恋的女子。翠绡传情，故夜宴亦倍增欢乐，天气也仿佛格外清爽。那天晚上他沉浸在欢乐与幸福当中，一切都完整地、永久地留在心上。“深夜”一句，暗点“七夕”。

“竹边荷外再相逢”，这是暗通情愫之后的一次幽会。时间或许是次年的七夕吧，地点在荷塘附近的丛竹旁边一个美丽而幽僻的处所。席上初逢，虽有灵犀一点，也只能借物传情；这回则可以尽情地互诉衷曲了。但是,这句却只写了竹韵荷风的谈情说爱的环境,留下许多空白,让读者去联想和补充。以上写两次欢会,以“再”字相连,层次清楚,联系紧密。“又还是、浮云飞去”,往事匆匆,逝如浮云,无影无踪。三句把许多情事,比作天际浮云,令人顿生惆怅;结束往事的回忆,逗出下片的千缕“闲愁”,无限“寻思”。

“锦笺”二句,睹物怀人,叹惋无尽。“锦笺”,精致华美的信纸,是指她来的信笺。“尚湿”,是说墨迹未干。“珠”,指珍珠镶嵌的首饰,当是“再相逢”时的赠物。一“尚”一“未”,上承情事,下启愁怀。锦笺墨迹未干,珠饰还散发着她的香气,而往事云散,旧情难续。万种愁怀,由“空惹”一句道出。为什么说“空惹”?或许是因为信物尚存,难成眷属,“锦笺”“珠香”于事无补;“闲愁千缕”,也是自寻烦恼罢了。

但是,惹出“闲愁千缕”的,不仅是她的赠物,还有七夕这个夜晚以及跟它有关的神话传说。《岁华纪丽》卷三引《风俗通》:“织女七夕当渡河,使鹊为桥。”牛郎、织女一年一会,已属不幸,而他们连一年一会也不可能,该是多大的不幸啊!最后以牛郎、织女反衬,既切合题意,亦深化了主题。

这首词上片写欢情,下片写离恨,中间以“又还”二句过渡,铺排得体。上、下映衬,加上“鹊桥人”的对比,中心十分突出。全词笔淡而情浓,是一篇有特色的作品。

(梁鉴江)

念 奴 娇

吴 渊*

我来牛渚，聊登眺、客里襟怀如豁。谁着危亭当此处？占断古今愁绝。江势鲸奔，山形虎踞，天险非人设。向来舟舰，曾扫百万胡羯。　追念照水然犀，男儿当似此，英雄豪杰。岁月匆匆留不住，鬓已星星堪镊。云暗江天，烟昏淮地，是断魂时节。阑干捶碎，酒狂忠愤俱发。

作者

*吴渊(1190—1257)，字道父，号退庵，宣州宁国(今属安徽)人。嘉定七年(1214)进士，官至兵部尚书、参知政事。他在担任镇江知府、太平州知州、江西安抚使、江东安抚使等地方官时，积极从事抗金事业，是当时南宋统治集团中一个有作为的人物。有《退庵词》，今存六首。

鉴赏

牛渚山，在今安徽马鞍山市长江东岸，下临长江，突出江中处为采石矶。采石矶与城陵矶、燕子矶合称"长江三矶"，它尤以形势险峻、风光绮丽闻名于世。唐朝大诗人李白曾在此饮酒赏月，泛舟放歌，留下了许多脍炙人口的诗篇。采石矶一带，自古是兵家争战之地。绍兴三十一年(1161)，金主完颜亮大举攻宋，直抵长江，虞允文至采石犒师，激励将士，迎击金军，以海鳅船猛冲金船，大获全胜。采石之战，阻止了金人的南侵，主战派一时为之扬眉吐气。牛渚山和采石矶历来是文人名士登临的地方，这首词便是词人游览战场时的感兴之作。

上阕写作者登临牛渚时的所见所思。开头两句直抒胸臆，意思是说：来到牛渚，登上了这高高的山头，纵目远眺，旅途中的劳顿和寂寞一下子扫除净尽，顿时觉得胸怀开阔，心情舒畅。这样起笔自然而真实。吴渊作为一个有抱负的主战派人物，来到采石之战的旧地，面对浩荡的长江，精神怎能不为之一振！“客里襟怀如豁”，这既是登高眺远的瞬间感觉，也是词人博大胸怀的形象写照。接下去五句，写眼中所见：牛渚山上的燃犀亭高高地耸立，不知是谁把它安设在最奇险的地方，千百年来独自占有这高峻的地势，看到它的人无不感到极度的愁苦。从燃犀亭上放眼望去，长江中波涛翻腾，白浪相逐，犹如鲸鱼奔窜。江岸上牛渚至金陵一带，山势雄伟，好似猛虎盘踞，这种险要完全是自然形成，并非人工安排。词人写燃犀亭，写山，写水，笔力劲健，气势奔放，像舒展开一幅壮美的山水画卷，境界雄浑而阔大。这五句偏重于对客观景物的渲染和描绘，但从中表现出了词人的爱国激情。上阕的最后两句“向来舟舰，曾扫百万胡羯”，是从眼前山川形势引出的对历史事件的回顾。作者仅用十个字便概括了当年的采石之战。赫赫的战功，光辉的战例，是一曲民族正气的颂歌，它也鼓舞一切有为之士，投身到抗击金人贵族集团的斗争中去。

词的下阕，追怀古代英雄人物，抒发作者对当今的感慨。换头“追念”以下三句，紧紧承续上阕，由重大的历史事件联想到古代的英雄豪杰。“照水然（同‘燃’）犀”与上阕提到的“危亭”（即燃犀亭），用了同一个典故，都是指东晋温峤燃犀牛角照看采石矶下水怪的故事。据《晋书·温峤传》记载：温峤路经牛渚采石矶，听当地人说矶下水中多妖怪，温峤“遂燃犀角而照之，须臾，见水族覆火，奇形异状，或乘车马着赤衣者”。后人常用“燃犀”来形容洞察奸邪。温峤便是一个勇于诛除邪恶的人。当初他曾在北方抵抗刘聪、石勒的骚扰，南下后又与庾亮等讨伐王敦，平定苏峻等人的叛乱。词人登临采石，追念温峤，把他视为抗击外患、平定内乱的英雄，在这里征引典故，显然是“古为今用”。作者用典之后，接着便展开议论：要做一个堂堂的七尺男儿，就应当像温峤那样，做出一番定国安邦的轰轰烈烈的事业来。但是，在当时特定的环境和条件下，一切未必会尽如人愿，理想和现实之间总存在着距离和矛盾。词人在追怀历史事件和英雄人物之后，思想不能不回到痛苦的现实中来。至此，作品由雄壮转为忧愤。岁月流逝，人生易老，看一看自己鬓发已经斑白；再看一看当今形势，淮河流域，天昏地暗，烟云弥漫，战事未休,这正是令人极为哀痛的时候。“云暗江天,烟昏淮地,是断魂时节”三句,写得沉郁顿挫,这是词人对国势政局的形象化描述,也是词人忧心如焚的悲歌。在这里,作者运用的是一种低徊呜咽的笔调,看起来,它同上面的一些激越的语句似乎不很协调,其实,这正好表现出了词人感情的起伏。词的结尾两句,作者百感交集的情绪被推上了高峰:酒后以拳头猛烈地撞击着栏杆,来抒发心中的激愤。词的下阕,有描写,有议论,有抒情,意脉贯通,章法井然。作品时而激昂慷慨,时而掩抑跌宕,但无一处不回荡着词人的一腔真情。

(徐荣街)

西　河

王　埜*

天下事，问天怎忍如此！陵图谁把献君王？结愁未已。少豪气概总成尘，空余白骨黄苇。　千古恨，吾老矣。东游曾吊淮水。绣春台上一回登，一回揾泪。醉归抚剑倚西风，江涛犹壮人意。　只今袖手野色里，望长淮、犹二千里。纵有英心谁寄！近新来、又报胡尘起。绝域张骞归来未？

作者

＊王埜，字子文，号潜斋，金华（今属浙江）人。曾任两浙转运判官，于任上曾以察访使名义巡视江防，增修兵船。其后历任代理镇江知府、沿江制置使、江东安抚使等职，设置水师、水舰，致力于长江防务。理宗宝祐二年（1254），拜端明殿学士，签书枢密院事，封吴郡侯。不久，被劾，主管洞霄宫。存词三首。

鉴赏

这首词是王埜晚年之作。词人抚时感事，壮怀激烈，表现了国破心不破、身闲心不闲、年老心不老的忧国忧民情怀。全词分三个层次：一叹前人未能实现恢复中原之志而饮恨地下；二叹自己早年壮志未酬而今老躯抱恨；三叹自己虽然壮心未已而却被弃置乡野。词中充溢着建功立业之情、苍凉沉郁之气。

“天下事，问天怎忍如此！”起句既如奇峰突起，又似苍穹笼地。沈祥龙《论词随笔》：“诗重发端，惟词亦然，长调尤重，有单起之调，贵突兀笼罩。”这首词的发句就是如此。词人对天发问：怎忍心使“天下事”到这种地步？可见国事已不可为。这一问，冲决出词人对现实的难忍之情，导出下文。难忍的天下事之一，是多少豪杰心已灰，身成尘。“陵图谁把献君王？结愁未已”，献陵图事，《续资治通鉴》载：“朱扬祖、林拓以《八陵图》上进。帝（理宗赵昀）问诸陵相去几何及陵前涧水新复，扬祖悉以对。帝忍涕太息久之。”时在理宗端平元年(1234)。北宋的皇陵都在河南巩县，献陵图意在不忘故国，恢复中原。公元1232年蒙古军灭西夏后，进攻金人占领的开封，并遣使约宋共同灭金，答应成功后以河南地归宋。金主放弃开封，逃往归德。1233年五月，金主又逃往蔡州（今河南汝南）。十月，南宋应蒙古之约派孟珙率兵夹攻蔡州。1234年正月，蔡州城破，金哀宗完颜守绪自杀，金亡。也就在这时，因朱扬祖向理宗献了《八陵图》，曾由孟珙“与二使昼夜兼行，至陵下，奉宣御表，成礼而还”。这时王埜率邵武军在讨伐建阳的义军。王埜对于献陵图激起了理宗的抗敌情绪颇为怀念，而如今像朱扬祖、林拓一流人物不见了。朝廷昏聩，志士抱负难展，豪气化为尘，白骨委黄茅。志士仁人赍志而殁，自然无人献陵图，无人再行抗敌，怎不结愁不已！

“千古恨，吾老矣”，过片承上启下，“恨”乃“愁”的深化。“千古恨”，为永难弥平之恨。酿成恨的原因，在于“老”。年轻时虽也曾“中原北望气如山”，可是世事蹭蹬，岁月蹉跎，年老力衰了，悔恨当年无建树，怅恨如今难展志。遥想当年，雄心勃勃，豪情满怀，登临江宁府（今南京）城内的绣春台，每登每揾泪，远望淮北，沦于敌手，激情难抑。可是利剑虽在手，却难以去杀敌，只有借酒浇愁，对西风长啸，向江涛叹息。“登台”，勾起故国之思。“揾泪”，表明请缨无路之悲。“抚剑”，系忧愤难平之态。“江涛”，乃催人奋发之声。词人通过这一系列的动作，表现了自己的“少豪气概”。往事如云烟，如今已老迈，怎能不恨！

“只今袖手野色里，望长淮、犹二千里”，不仅年老了，而且失势了。如今被人弹劾，拿着洞霄宫主的干俸。自己身在后方，距淮水还有二千里，被迫身居局外，纵有收复领土之心，又能托付给谁呢！加之新近(1234)蒙古灭金后，背弃前盟，大举攻宋，一路攻四川，一路攻襄汉，一路攻江淮，更是危机重重。此时此刻，多么希望有个像张骞那样的人出来扭转危局啊！西汉时张骞于武帝建元二年（前139）奉命出使大月氏，相约共同夹攻匈奴，在外共十三年。词人提问“绝域张骞归来未”，多么希望有张骞那样的人能去联合外来的力量来击退蒙古军啊！

这首词袒露了一位爱国老人

的情怀。全词感情深沉，肌理缜密。“千古恨”为贯珠金线。“问天怎忍”，为天下事堪恨；前人白骨委黄茅，尚有余恨；自己年老，对往昔颇悔恨；失势丢权，无法退敌颇恼恨；胡尘又起，能人无求亦可恨。词人恨而不悲，而是恨而生愤，老而弥壮，失势不失志。这首词在起结上尤见特色。“填词结句，或以动荡见奇，或以迷离称隽，着一实语，败矣。”（沈谦《填词杂说》）本词以“绝域张骞归来未”收束，真是言有尽而意无穷，既有对现实的否定，又有对未来的希望，还有对将来的怀疑，动荡迷离，摇曳朦胧，意深味永，耐人品赏。

（徐应佩　周溶泉）

西　河

曹　豳*

和王潜斋韵

今日事，何人弄得如此！漫漫白骨蔽川原，恨何日已！关河万里寂无烟，月明空照芦苇。　谩哀痛，无及矣。无情莫问江水。西风落日惨新亭，几人堕泪？战和何者是良筹？扶危但看天意。　只今寂寞薮泽里，岂无人、高卧闾里？试问安危谁寄？定相将、有诏催公起。须信前书言犹未。

作者

*曹豳，字西士，号东亩，一作东畎，温州瑞安（今属浙江）人。宋宁宗嘉泰二年（1202）中进士，历任安吉州教授、秘书丞兼仓部郎官、左司谏等官。以能在皇帝面前说直话被称为"嘉熙四谏"之一。存词二首。

鉴赏

曹豳这首《西河》是对王埜（号潜斋）的《西河》（天下事）的和作。和词不仅与原词同牌，而且步其原韵字，同时内容也与原词相呼应，并加以发挥。这两首词可谓声气相应，情调相谐，珠联璧合。

这首词与王词相合之处在于都有一股炽烈的爱国情。本词也以"恨"为轴心，所列各辐均矢向这一中心。一恨山河破碎，生灵涂炭。"漫漫白骨蔽川原"，概述了战乱造成的惨相。这句从空间方面写出了死人之多，景象之惨。汉末王粲《七哀诗》中写人民离乱，也曾说"出门无所见，白骨蔽平原"；曹操也有诗："白骨露于野，千里无鸡鸣。"（《蒿里行》）词人更加以具体敷陈："关河万里寂无烟，月明空照芦苇。"冷月悬空，荒野无人，怎不叫人目惨神伤！"今日事，何人弄得如此！"诘问多么有力，锋芒何等犀利！二恨南宋当朝，文恬武嬉，误国误民。词人以"新亭对泣"的故实，谴责不以国事为重的奸佞。"西风落日惨新亭，几人堕泪？"如今就连遭新亭对泣的人也没有，已毫无故国之念，更谈不上"戮力王室，克复神州"了。至于那些帝王勋贵，战与和都无法决策，今日事就是这班人弄得如此！三恨那些报国志士，却被谗遭黜，"只今寂寞薮泽里"。国事至此，自然令他叹息"恨何日已"，感到"谩哀痛，无及矣"。曹豳的忧国忧民、想收复中原的愿望和王埜是完全一致的。

曹豳词和王埜词也有不同之处。王词写得委婉，曹词却爽直。王词写得空灵："天下事，问天怎忍如此！"曹词则直截了当地说："今日事，何人弄得如此！"矛头直指昏君庸臣。曹词比王词感情更强烈，王词由"结愁未已"进而为"千古恨，吾老矣"，曹词则由"恨何日已"演而为"谩哀痛，无及矣"。王词主要叹自己壮志未酬，曹词则揭露统治者昏庸误国。王埜对未来寄有希望，但究竟谁能扭转时局却无定准，而曹豳却直接动员王埜出山，要他像东晋谢安那样，干一番事业，大败秦王苻坚。这一点不同，是因为王埜虽有用世之心，苦无出仕之门，而曹豳既对王埜有深透的了解，又身为谏官，因而很自信地说"定相将、有诏催公起"。

曹豳这首和词，极具功力。唱和之作，较一般作品难度更大，不仅要严守原词牌的格律，而且还要步其原韵，往往窒息作者思想，束缚作者手脚。可是曹豳在这多重制约下，仍挥洒自如，游刃有余，毫无凑泊的痕迹。这是因为他们二人情谐意惬，知己明志，因而能写得如此自然熨帖。

（徐应佩　周溶泉）

念奴娇

王澜*

避地溢江，书于新亭

凭高远望，见家乡、只在白云深处。镇日思归归未得，孤负殷勤杜宇。故国伤心，新亭泪眼，更洒潇潇雨。长江万里，难将此恨流去。　遥想江口依然，鸟啼花谢，今日谁为主？燕子归来，雕梁何处，底事呢喃语？最苦金沙，十万户尽，作血流漂杵。横空剑气，要当一洗残虏。

作者

*王澜，蕲州(今湖北蕲春)人，乡贡进士。见《辛巳泣蕲录》。

鉴赏

宋宁宗嘉定十四年(1221)二月，金兵围蕲州。知州李诚之和司理权通判事赵与褰等坚守。由于援兵迁延不进，致使二十五天后城陷。金兵大肆屠杀，掠夺一空。李诚之自杀，家属皆赴水死。赵与褰只身逃山，写了一本《辛巳泣蕲录》，详述事实经过。这首词见于述古堂抄本《辛巳泣蕲录》。

题目说明作者因避灾祸，而移居溢江，在新亭上写了这首词。作者所避灾祸，即指蕲州失陷事。“溢江”，地名，在今江苏南京市。“新亭”，即劳劳亭，在今南京市南。

上片开头即直抒思乡情绪，凭高远望家乡，只见一片白云茫茫。六朝人已以“白云”为思念亲友的比喻。《新唐书·狄仁杰传》载：“仁杰赴任于并州，登太行，南望白云孤飞，谓左右曰：‘吾亲所居，近此云下！’悲泣，伫立久之，候云移乃行。”这里暗用此典，表现了强烈的思亲思乡的悲凄之情。接二句又补说：整天想回家乡,但回不去。语气表面平淡,内则极为悲愤,因为不能回去的原因,是那里被敌人占领了,白白辜负了杜鹃鸟"不如归去"的殷勤叫声。这是无可奈何的自我解嘲。实则在鸟的"不如归去"叫声中,更突出了有家不得归的悲凄感情。下面调转笔触写眼前:我正在新亭上为怀念家乡而悲凄流泪,亭外潇潇雨声,更增加了悲凉气氛。这里暗用"新亭对泣"的典故,表明不是一般的怀乡之情,而主要是悲叹国土沦丧。结三句大阖,眼前的长江,尽管有万里长,也难以流尽我这家国之恨。语极朴实,情极沉重。比喻形象,可与李煜的"问君能有几多愁,恰似一江春水向东流"媲美。

换头承上,设想蕲州目前的情景,江口依然跟当年一样,鸟啼花谢,可是地已易主,景是人非了。"江口",是蕲水在蕲州城流入长江的地方。这是由于上片结句写到长江,也是词人所面对的景色,自然而然引起的联想。以下六句,追述敌人侵扰带给蕲州的灾难。前后三句各有所侧重。"燕子"三句,通过燕子找不到旧巢,写城市被破坏的情景。不懂人事变化的燕子,照常飞来,可它们在呢喃低语:怎么往年筑巢的雕梁找不到了?这里用的是拟人化手法,暗示蕲州被金人烧杀掠夺一空,几成废墟。笔触极淡,感情却极为沉痛,且含有对敌人的强烈仇恨。"最苦"三句,则用直接描写的手法,写出当时人民被屠杀的悲惨情景。"金沙",据清嘉靖《蕲州志》载:"金沙湖,在州东十里,又名东湖。"这里指代蕲州。宋代蕲州在这次金兵侵扰前从未遭受过兵火,比较富庶,户口较多。说"十万户尽""血流漂杵",当非夸张,而属纪实。这是作者亲眼目睹的惨状,控诉了金兵的残暴。结句表示只要有凌云的壮志,一定会杀尽敌人,报仇雪恨,表现了必胜的信念,和对敌人的蔑视,铿锵有力,振起全词。

词抒发逃难在外、思念家乡的情绪,但不同于一般的怀乡之作,而是如实地反映了一次历史事件,揭露了敌人的暴行。艺术特点在于逻辑层次和感情层次的统一:由思乡而叹归不得,由归不得而忧国,由忧国而叹土地易主,由易主而至生灵涂炭,由生灵涂炭而至欲一洗残虏,构思缜密新颖。

(张文潜)

满　江　红　　华　岳*

庙社如今，谁复问、夏松殷柏？最苦是、二江涂脑，两淮流血。壮士气虹箕斗贯，征夫汗马兜鍪湿。问孙吴、黄石几编书，何曾识？　青玉锁，黄金阙。车万乘，骓□匹。看长驱万里，直冲燕北。禹地悉归龙虎掌，尧天更展鲲鹏翼。指凌烟、去路复何忧，关山隔。

作者

*华岳，字子西，号翠微，贵池（今属安徽）人。宁宗时被权相史弥远杀害，《宋史》入忠义传。有《翠微南征录》《翠微北征录》传世。词作或豪纵，或清新，风格鲜明。

鉴赏

宋宁宗即位后不久，实权逐渐落到韩侂胄的手里。韩准备对金用兵。开禧元年（1205），华岳上书宁宗，认为仓促用兵，会“不战自败”。这当然是对的。在这同时，他没有把韩和投降派区别开来，认为韩比金人还要危险，要求杀掉他，认识上有偏差。韩不懂得要取得用兵胜利，必须重用华岳这样有文武才的英雄豪杰，因而不能容忍华岳的过激言论。于是，华岳被贬到建宁（今福建建瓯）。开禧二年（1206）五月，韩对金用兵。这首词作于这以后不久，时在贬所。又不久，宋军以失败告终。这首词表达了作者对开禧北伐复杂而矛盾的心情。

上片写实。开头三句，忧心如焚，指出长时间以来形成的严峻局面。“庙社”，指社稷，即国家。“谁”，指当权者。“复”，形容时间已长。“夏松殷柏”，乃互文见义，为宗家庙内的古树。“谁复问”，即无人关心沦陷区的宋宗庙松柏今日如何了，亦即无人关心收复中原事。统治者长期不过问中原，现在却突然在没有准备的情况下对中原用兵，这就使得局面更为严峻。下面“最苦是”三句对严峻局面做了沉痛描叙。据史书记载，战争开始后，宋军也有胜利，然失利居多，老百姓“死于兵戈者，不可胜计”，二江（长江、汉水）涂脑，两淮（淮东、淮西）流血。在这种严峻局面面前，前方将士仍斗志旺盛，艰苦奋战。“壮士”二句，笔调转为激越昂扬。他们满腔浩气，凝成一道彩虹，与天上的箕、斗星相接；他们的兜鍪（盔）汗湿了，战马也大汗淋漓。按照常情，有如此将士，胜利应该有望。但是，胜利在很多情况下，往往取决于最高指挥者的战略战术。而发动这场战争的一些人，却是不识孙武、吴起、黄石公兵书的人。这就注定了战争的悲剧结果，军民的鲜血要白流。“问孙吴”三句，笔锋转为深沉愤慨，深刻地揭露了这种严重现实。

下片展望战局，充满浓厚的浪漫色彩。华岳反对轻率地用兵，但是，抗金战事既已发生，他就毅然站到抗战将士一边，这是真正的爱国立场。开始四句，采用了铺陈的方法。“青玉锁，黄金阙”，渲染皇宫和皇家，显示国家的声威和尊严。“车万乘，骓□匹”，显示军事力量的强大。“看长驱”二句，运用丰富的想象力，写出雄厚国力武装起来的强大队伍，所向无敌，直入燕北金统治中心。“禹地”二句，进一步想象到大军入燕后的新气象：贤明当位，人们可以自由地生活。“禹地”“尧天”，祖宗和故国的天地，指原金统治区。“龙虎”出自《易·乾》“云从龙，风从虎，圣人作而万物睹”，这里比喻为圣人和贤明，而他们乃应运而生。“鲲鹏”，出自《庄子》，常用以喻远大的抱负、志向。末三句，更显出英雄本色。“凌烟”，阁名，唐太宗图画开国功臣二十四人的像于阁。这里继续承上写出胜利后论功行赏，将士们的像将画入凌烟阁，他们的壮志定能实现，不应再忧虑关山阻隔。这意味着词人对北伐胜利的坚定信念。

作者在这首词中，对当前战局做了深刻的分析。对于胜利，虽然是想象，但建立在强大信念和要求献身精神的基础上，有鼓舞作用。他善于表达急遽变化着的复杂感情，用充满激情的笔调引导人们与他一起忧虑、欢快、愤怒。他具备了战士和诗人的两种气质。

（孔凡礼）

满　江　红　　赵希蓬*

劲节刚姿，谁与比、岁寒松柏。几度欲、排云呈腹，叩头流血。杜老爱君□谩苦，贾生流涕衣空湿。为国家、子细计安危，渊然识。　英雄士，非全缺。东南富，尤难匹。却甘心修好，无心逐北！螳怒空横林影臂，鹰扬不展秋空翼。但只将、南北限藩篱，长江隔。

作者

*赵希蓬，名亦作希逢。宋宗室。理宗淳祐间，以从事郎为汀州（治所在今福建长汀）司理。与华岳合撰《华赵二先生南征录》，已佚。词作风格与华岳略近。

鉴赏

此词为和华岳《满江红》（庙社如今）而作。韩侂胄发动开禧北伐，不久即以兵败身杀告终。嘉定元年（1208）九月，和议成，宋接受了更多屈辱条件。此词约作于嘉定和议后。

上片赞美华岳。作者恰当地把华岳比成具有"岁寒松柏"一样的"劲节刚姿"。华岳劲直无讳，能言人之所不能言，气节高尚；华岳遭受打击，继续斗争，显示出爱国志士坚强不屈的雄姿。他叩头流血，多次上书，想排开重重云雾，面见宁宗，把心腹中的话尽情倾诉出来。这当然是空想，一个"欲"字，表现了无限惋惜。他用杜甫、贾谊比华岳。杜甫要"致君尧舜上"，贾谊为国事痛哭流涕，结果只落得"□（当为'心'字）谩苦"（白费了一片心），"衣空湿"，抱负得不到施展。这一点，华和杜、贾一样。但有不一样处，杜、贾总算没有身陷囹圄。作者没有明写出来,但可以从比较中看出。作者在慨叹中倾注了满腔同情。"为国家"三句,继续用杜、贾衬托华岳,突出赞扬华岳超出常人的深远识见,而这是他为了国家安危经过深思熟虑得到的。这里,作者没有丝毫溢美。华岳开禧三年(1207)系统地提出过恢复措施——《平戎十策》,其中通盘考虑了人力、物力、战略、战术、组织、动员,体现出卓越的见解。至此,华岳这位爱国志士的形象,被粗毫健笔勾勒了出来。

下片揭露当权者。开始四句,自然承上。作者用不容置疑的口吻回答了那些对恢复大业丧失信心的人:我们有英雄人才,有丰厚物力,前途乐观。下面"却"字一转,矛头指向长期主和的当权者。一个"甘心",活画出他们恭顺地拜倒在金统治者面前的丑态,尽管美其名曰"修好"。一个"无心",说明这些人虽口头上偶尔唱唱抗战的调头,但并没有心思要把金人从北方驱逐出去。两下一对比,当权者的奴才兼伪善者的龌龊面孔就暴露了出来。这些人惯于迫害爱国志士。"螳怒"二句就揭露了当权者这方面的罪恶。"螳怒",出自《庄子·人间世》,说是螳螂"怒其臂以当车辙",被人讥笑为不自量力。这里把螳螂巧妙地比喻成力量敌不过当权者也要愤怒地与之斗争而不惜牺牲自己的人。这些人伸出自己的一双双臂膀,一片一片地像横卧在地上的森林的影子,要阻挡当权者的倒行逆施,这是就他们的牺牲精神讲的。就他们远大的抱负说,他们又像秋天晴空中的鹰。但是,螳螂臂被轧断,鹰不能展翅,都被扼杀了,当权者造成了严重恶果。那么,当权者要干什么呢?"但只将"三句做了回答。原来,他们只不过妄想依靠长江这道"藩篱",保住半壁江山。陆游在绍熙元年(1190)《醉歌》一诗中,已经斥责当权者"穷边指淮淝",把淮水、淝水作为最远的疆界,现在,时间不长,他们又后撤到长江了。这就进一步揭露了这些苟安者的卑劣灵魂。

这首词是南宋(特别是宁宗时期)主和和反主和两派斗争历史的缩影。诗有诗史,从诗中见历史。词也应有词史,这首词便属词史。作者在揭露当权者时,语句痛快淋漓,直截了当,运用了诗的议论方法,加强了力量。二者在宋词中均很少见。

(孔凡礼)

满 江 红　　吴 潜*

送李御带珙

红玉阶前，问何事、翩然引去？湖海上，一汀鸥鹭，半帆烟雨。报国无门空自怨，济时有策从谁吐？过垂虹亭下系扁舟，鲈堪煮。　　拚一醉，留君住。歌一曲，送君路。遍江南江北，欲归何处？世事悠悠浑未了，年光冉冉今如许。试举头、一笑问青天，天无语。

作者

*吴潜(1196—1262)，字毅夫，号履斋，宣州宁国(今属安徽)人。宁宗嘉定十年(1217)进士第一。曾任参知政事，拜右丞相兼枢密使。主张积极抗金，清除奸佞。但却因此受谗，被贬循州(今广东惠阳)，并死在那里。他与姜夔、吴文英等词人都有交往。著有《履斋诗余》三卷。

鉴赏

这首送行词，是作者赠给友人李珙的。李珙，字开伯，吴郡人，历官御带、国子司业，撰有借春秋以寓时事的《春秋王霸列国世纪编》一书。词的上片着重对李珙因报国无门而回乡隐居表示深切的同情。“红玉阶前，问何事、翩然引去?”“红玉阶”，红色玉石砌成的台阶，这里借代宫殿朝堂。老友离开朝廷，辞官归里，将去烟波江上过那种与鸥鹭做伴的隐居生活了，这究竟是何缘故呢？起句故作设问，引人遐想。接着便说出原因：“报国无门空自怨，济时有策从谁吐?”作者用一对句构成反诘句式，慷慨陈词：李珙虽是济时有策之士，但却报国无门，壮志难酬。显然，这里是为友人代抒愤懑，也是词人的“夫子自道”。由于心有报国壮志而不能实现，胸怀济时奇策而无处倾吐，兀自怨嗟又于世无补，于是他决意回乡隐居。今后，他将泛舟湖海之上，寄情山水之间，在垂虹亭下系住小舟，烹煮家乡的鲈鱼，品尝美味佳肴，过那逍遥自在生活。“垂虹亭”，在今江苏吴江县垂虹桥上。《吴郡图经续记》云：“吴江利往桥，庆历八年(1048)，县尉王廷坚所建也……桥有亭曰垂虹。苏子美尝有诗云：‘长桥跨空古未有，大亭压浪势亦豪。’非虚语也。”李珙，吴郡人，归隐乡里，这都是用其家乡景物、故事。“鲈堪煮”，是用西晋人张翰的典故。他在洛阳做官，见秋风起，思念家乡的莼菜羹和鲈鱼脍等美味，便弃官归隐(见《世说新语·识鉴》及《晋书·张翰传》)。整个上片，始则通过询问李珙为何要“翩然引去”，表达了词人对友人依依惜别而不愿其遽去的深情。继则指出他济时虽有策，报国却无门，这便表达了对友人离去的深深惋惜和对其怀才不遇、遭受压抑的深切同情。而词人对朝廷压抑有识之士的深致不满，也就尽在其中了。

词的下片，作者便就友人归隐抒发了自己因忧虑世事未了而不忍遽然退隐的感慨。这样，便将他对友人的劝慰之情更进一层地表达出来。过片以“留君住”与“送君路”对举，写出自己欲送还留的矛盾心情，词意便转深一层。词人何以既“送”之又“留”之呢？原来他有着与友人相左的看法。那就是：“遍江南江北，欲归何处？”李珙家在苏南吴郡，还乡归里应无关碍。因此词人这儿其实是说，请放眼大江南北吧：中原沦陷，山河破碎，对于志在“报国”、意欲“济时”之士来说，你究竟何去何从、“欲归何处”呢？“遍江南江北”一语，大有“更愿诸公着意，休教忘了中原”(宋李好古《清平乐》词)的深意存焉。而“欲归何处”的诘问，答案只有一个：此时若去归隐，其实是“欲归无处”的！“欲归何处”，这是令人深思的反问，更是促人猛省的劝诫，意在再次唤起友人对残破现实的关注，实是此词的主旨所在。承此反问，词人又以一组对句更进一层说道：“世事悠悠浑未了，年光冉冉今如许。”是的，世事悠悠，如白云苍狗，变幻无穷；而年光荏苒，如东流逝水，人忽垂暮。若再蹉跎岁月，岂不更难“济时”“报国”了？词人殷殷致语，词意愈转愈深。“试举头、一笑问青天，天无语。”歇拍处融情入景，收束得委婉、含蓄、凝重。“问青天”三字，回应起笔“问何事”；“天无语”三字，则有“此时无声胜有声”之妙，不禁使人想见两人在歧路道别时，相视默然、欲说还休的怅惘情景。

吴潜这首送行词，既洋溢着作者对友人的真挚情意，又借送客抒发了自身的怀抱。在表现手法上，这首词的特点是发抒感慨既逶迤洒落，又曲折回环，而且层层深入，有如剥笋。济时有策而报国无门的人，本自有一种苦闷、抑塞的心情。作者巧妙地设以四问，将其曲曲道来，显得张弛有致、摇曳多姿。一是"问何事、翩然引去"，结以归隐湖海。二是问"济时""报国""从谁吐"，结以泛舟煮鲈。三是问"欲归何处"，结以年光易逝。四是"笑问青天"，结以青天无语。针脚十分细密，而于一顿一挫之中，便写出了胸中感情的起伏变化。

（祝　诚）

满　江　红　　吴　潜

齐山绣春台

十二年前，曾上到、绣春台顶。双脚健、不烦筇杖，透岩穿岭。老去渐消狂气习，重来依旧佳风景。想牧之、千载尚神游，空山冷。　　山之下，江流永。江之外，淮山暝。望中原何处，虎狼犹梗。匀蠡规模非浅近，石苻事业真俄顷。问古今，宇宙竟如何？无人省。

鉴赏

"齐山"，位于安徽贵池县（宋属池州）东南，全山作伏虎昂首之状，山上怪石嶙峋，洞窟幽深，向以景色奇丽著称。"绣春台"，便在齐山峰巅。《齐山岩洞志》称：此山高虽不逾三十仞，周围不过十里，然有盖九华之秀，可与武夷、雁荡比美，故有"江南名山之胜"的称誉。历代名人，至此多有题咏。南宋抗金名将岳飞，出师之前屯兵池州，曾乘月夜登齐山翠微亭，并挥毫写下充满爱国豪情的诗章："经年尘土满征衣，特特寻芳上翠微。好水好山看不足，马蹄催趁月明归。"齐山的锦山绣水，更加激发了英雄报国的赤子之心。这次，吴潜沿着前辈攀跻的足迹，寻着自己昔日的游踪,再次登上了齐山绣春台。他追念古昔,遥望中原,也不禁浮想联翩,感慨丛生。

开篇平平而起:"十二年前,曾上到、绣春台顶。"交代时间、地点与事件。但接着便渐入佳境:"双脚健、不烦筇杖,透岩穿岭。""筇杖",即竹杖。"透岩穿岭",即翻山越岭,但出语新奇,而形象更加生动。原来那时是凭着一股少年狂兴,迈开轻健的双脚,奔赴台顶的。令人想见一个充满青春活力、洋溢壮志豪情的身影,正在齐山诸峰间登攀而上,流露出词人对往昔壮举的深情忆念。这一动情的回忆,正是今日旧地重游的一个明显比照:"老去渐消狂气习,重来依旧佳风景。"词人实写往昔,虚写今日。以实衬虚,以显今非昔比。这里所说的"狂",与苏轼所谓"老夫聊发少年狂"(见《江城子·密州出猎》)之"狂",意正相同,指的是一股年轻人的豪兴。回首往事,已生感喟;又对比今昔,更觉怆然;再目睹"风景""依旧"而人已颓然衰迈,便越发不能自持了。作者的感情就这样由起笔的兴致勃发一转而为此时的感慨无限。然而,"老去"只是"狂气""渐消",而不是"狂气"尽失,他毕竟是故地"重来"了。他神思飞越,念及前贤:"想牧之、千载尚神游,空山冷。"词人想起了四百年前在此任池州刺史的唐代诗人杜牧,曾于唐武宗会昌五年(845)的重阳佳节登上齐山,并写下了一首著名的《九日齐山登高》诗。杜牧在这首诗中,由自己登山,联想到了春秋时齐景公游于牛山,北望国都临淄而伤心落泪,感叹年华不能永驻之事。但杜牧要超脱得多。他认为:"古往今来只如此,牛山何必独沾衣!"人生无常,古往今来尽皆如此,我们何必要像齐景公那样独自伤感落泪呢?显然,词人引此旨在表明:当年杜牧尚且能神游千载,以达观态度看待人生,自己又何独不能!可见,词人于自己的"老去"是不甚介怀的。然而,残破的山河,严峻的现实,却使词人心境悲凉起来。所以他又想到:杜牧如果今日再次"故国神游",他也会像我一样,发现眼前是一座冷清肃杀的"空山"。在这里,"佳风景"是客观实景的描绘,而"空山冷"是国事日非的折光与词人主观心境的反映。正是出于对国事的关心,词人发出了"空山冷"的感叹。这一感叹,便把词意引入到了一个更其深邃的境界之中。

过片四句,紧承"空山冷"三字而来。词人放眼望去,只见齐山脚下江水长流,而江北淮山暮色笼罩。如虎似狼的敌人至今还盘踞在那里。"淮山",指淮水两岸的群山。宋金以淮水分界,故有此说。以暮色笼罩暗喻中原沦陷区暗无天日，见出词人对中原父老的深切同情。面对此景，词人借古史以喻今事，指出殷鉴不远："勾蠡规模非浅近，石苻事业真俄顷。""勾蠡"，指越王勾践和他的大臣范蠡。勾践曾大败于吴国，但此后他卧薪尝胆，不忘国耻，并用范蠡、文种等整顿朝政，经"十年生聚，十年教训"的长期努力，终于灭了吴国。"石苻"，指五胡十六国时的后赵石勒和前秦苻坚，后赵和前秦都是短命王朝。这里以"石苻"喻金，认为它的统治不会长久。词人一方面意在说明报仇须长期努力，另一方面也明示只要发愤图强，恢复是可能的。所可惜者，"问古今，宇宙竟如何？无人省。"恢复之事本大有可为，但由于古往今来，兴亡盛衰的道理无人理解，终不免落空。全词结以"无人省"三字，寄慨遥深。

吴潜在此词中表现了对国事的关切，对民瘼的同情，对收复失地的识见。全词慷慨而不消沉，悲愤而不衰飒，表现出一种悲壮豪放的风格。

（祝　诚）

满　江　红　　　吴　潜

豫章滕王阁

万里西风，吹我上、滕王高阁。正槛外、楚山云涨，楚江涛作。何处征帆木末去？有时野鸟沙边落。近帘钩、暮雨掩空来，今犹昨。　　秋渐紧，添离索。天正远，伤漂泊。叹十年心事，休休莫莫。岁月无多人易老，乾坤虽大愁难着。向黄昏、断送客魂消，城头角。

鉴赏

吴潜，是南宋末年著名的政治家，曾两度为相。他在国家危殆之时，仍企图有所作为。即使到了垂暮之年，他还说过："臣年将七十，捐躯致命，所不敢辞。"（见《宋史》本传）表达了对外积极抗敌，对内革除弊政的决心。但却因此受到奸臣贾似道辈的谗毁，以致在宋理宗景定元年（1260）再次罢相，贬谪建昌军（治所在今江西南城）。这首词，即作于贬谪途中，路经南昌之时。

"豫章"，汉代郡名，治所在今江西南昌市。"滕王阁"，旧址在今南昌市新建县西章江门上，西临赣江。唐永徽四年（653），唐太宗李世民之弟、滕王李元婴任洪州都督时所建造。原阁高九丈，共三层，"层台耸翠，上出重霄，飞阁流丹，下临无地"（见王勃《滕王阁序》）。历代骚人墨客登阁多有诗文题咏、图画写真。韩愈亦记云："江南多临观之美，而滕王阁独为第一，有'瑰伟绝特'之称。"于此可见声名之大。

此词上片，描绘登阁远眺所见的壮观奇丽的景色。"万里西风，吹我上、滕王高阁"，首两句活用唐代诗人王勃故事。传说上元二年（675）重阳佳节，洪州都督阎伯玙在阁上大宴宾客，原拟由其婿届时撰写阁序以炫才夸客。哪知王勃自马当乘顺风一夕而至南昌，这位不速之客欣逢盛会，席间乘兴秉笔疾书，撰成《滕王阁序》这篇千古传诵的佳作。后人遂称为"时来风送滕王阁"。然而，吴潜此时却正遭贬窜，所以不说是时来运转东风伴送，而说是"万里西风，吹我上"。气魄大则大矣，但已暗含时乖命舛、身不由己之意，为全词奠下了感情的基调：既雄浑，又悲壮。开篇交代登临之所。虽用典，却不使人觉其用典。接下便写目所见："正槛外、楚山云涨，楚江涛作。何处征帆木末去？有时野鸟沙边落。"此时正是风起云飞，江涛翻滚的肃杀季节。看远处，不知来自何方的征帆仿佛是从树梢轻轻掠过，又时见野鸟落在江畔沙滩之上。"楚山"，指西山，又名南昌山，在新建县西。"楚江"，实指楼阁之下的赣江，因古时江西地属楚国，故称。词人捕捉住"云涨""涛作""征帆""野鸟"等典型景物，描绘出了一幅豫章秋色图。看近处："近帘钩、暮雨掩空来，今犹昨。"词人发现，如今所见之景与昔日王勃所睹之景正相仿佛：暮雨潇潇，掩空袭来，化用王勃《滕王阁》诗"珠帘暮卷西山雨"句意，贴切而又自然。这场"暮雨"，给原已凄清的画面，又抹上了一层浓重的晦暗色调，而词人就置身于这一豫章秋色之中。

下片直抒胸臆。过片四句，先述眼前之事："秋渐紧，添离索。天正远，伤漂泊。"这是叹自己身世之苦。词人四处漂泊，贬谪他乡，本已伤感；如今秋色愁人，就更添凄苦。接下去，再忆往事："叹十年心事，休休莫莫。"这是叹心忧国事之苦。寥寥九字，言简意赅，寄寓着词人十年宦海浮沉的无限感慨。理宗淳祐十年

(1250),吴潜任参知政事,但次年就受到政敌萧泰来等的弹劾,说他“如王安石而又过之”,遂罢相。到开庆元年(1259),元兵渡江南下,国势阽危,吴潜这才又被任为左丞相。但翌年,即作此词之年旋又遭谗罢官。这两番浮沉,首尾共达十年。每念及此,词人胸中自有难言之隐,所以说“休休莫莫”,意即罢了罢了,不要再提了!语出司空图《题休休亭》:“休,休,休!莫,莫,莫!技两虽多性灵恶,赖是长教闲处着。”往事既不堪回首,今后又将如何呢?词人最后预测未来之事:“岁月无多人易老,乾坤虽大愁难着。”这是叹无处容身之苦。果不出所料,天下虽大,容不得正道直行之人。词人从此到处贬窜,颠沛流离。他先贬建昌军,继窜潮州(治所在今广东潮安),再贬循州(治所在今广东惠阳),不久终于死在那里。在这里,词人抒发了岁月催人老,政治理想难实现的愁恨。就这样,词人由现实反思往事,又预卜将来,其忧国之思、被贬之愁,便一层深一层地表述出来。临近黄昏了,词人在滕王阁上遥闻城头传来的声声号角,更逗引起了自己羁旅他乡、贬谪在外的无限愁恨,而且随着这号角在不断地扩散开来。歇拍两句融情入景,令人想见作者在滕王阁上感叹唏嘘、踯躅低回、欲说还休的情景。

(祝　诚)

水调歌头　　吴　潜

焦　山

铁瓮古形势,相对立金焦。长江万里东注,晓吹卷惊涛。天际孤云来去,水际孤帆上下,天共水相邀。远岫忽明晦,好景画难描。　　混隋陈,分宋魏,战孙曹。回头千载陈迹,痴绝倚亭皋。惟有汀边鸥鹭,不管人间兴废,一抹度青霄。安得身飞去,举手谢尘嚣!

鉴赏

"焦山",位于今江苏镇江市东北,长江之中。东汉末年,处士焦先隐居于此,因而得名。它砥柱中流,山势险峻,居高临下,可控扼交通,故又称谯山。自古以来,这座江岛不仅是游览胜地,而且也是兵家必争之地。所以,游客骚人到此常有题咏。吴潜曾以"户部侍郎、淮东总领兼知镇江府"(见《宋史》本传)。这首《水调歌头·焦山》词,可能即是写于任此职时。

上片写登临焦山、纵目眺望所见胜景。一开篇,词人就纵览全景,从大处落笔:"铁瓮古形势,相对立金焦。"镇江城形势险固,故有铁瓮之称,据《润州图经》载,始筑于吴大帝孙权。江中对峙的金、焦二山,高镇潮头,挺立中流。这是一笔总写。紧接着便转入山川形胜的分述。"长江万里东注,晓吹卷惊涛。天际孤云来去,水际孤帆上下,天共水相邀。"只见万里长江,浩浩西来,风卷惊涛,滚滚东去,呈现在人们眼前的,是一片壮阔而又雄奇、苍茫而又惊险的江景。天际虽有白云,却是"孤云";水际虽有风帆,却是"孤帆"。两个"孤"字,突现了江景的寥廓空旷。而大江与云、帆,形成鲜明的对比。这是大与小的对比,又是多与少的对比,更是闹与静的对比。加之水天相接,浑然一色,因而"天水相邀"。"远岫忽明晦,好景画难描。"词人纵目远眺,只见山峦起伏,山色明灭。面对空旷寂寥的江景和若隐若现的山景,词人不说"江山如画",而说"画难描",表现出词人对江山胜景的无限叹赏之情。

下片抒怀。过片回忆历史往事:"混隋陈,分宋魏,战孙曹。回头千载陈迹,痴绝倚亭皋。""混隋陈",是指隋灭陈,终于结束了三百七十年的南北分裂而统一了天下。"分宋魏",是讲南朝的宋与北朝的魏南北对峙;"战孙曹",是说三国时孙吴与曹魏的争战不休。历朝史事,由近及远,倒卷而出。寥寥九字,言简意赅,词人回想往古经由分裂割据而终至天下混一的史实,必然思及如今南北分裂的沉痛现实,怎能不感慨万千?"痴绝倚亭皋","痴绝"二字,把词人沉思默想、感叹低回的情态一笔勾出。上片景物的展望,使词人感到空间的辽阔;过片历史的回顾,又使词人悟到时间的邈远。这时空观的启迪,便自然唤起词人自身由于世道艰难而有志难伸的深喟。词人眼见"汀边鸥鹭",遂就近取譬,借用它们超然物外“不管人间兴废,一抹度青霄”的形象,逗起超脱凡尘、飞升成仙的幻想:“安得身飞去,举手谢尘嚣!”当词人感到恢复无望,正道直行不容于世时,出尘避世、隐迹遁去的念头便油然而生了。

此词题为《焦山》而实不专写焦山。焦山,仅仅只是词人观取胜景、回首史事和抒发情思的一处立足点而已。全词虽由写景、忆古和抒情三部分组成,然细绎词意,使人感到,不管是写景,还是忆古,究其深心,都是旨在衬托旷远放达的情怀。全词既脉络分明,又自然浑成。此外,这首词还十分注重字句的锤炼,如写水天一色,着一拟人化的“邀”字,就见出水天相近相亲的景象。写“汀边鸥鹭”腾飞碧霄,便用“一抹”来形容,令人想见其轻快敏捷的身影。而这些字词,又无不凝聚着词人的情愫。

(祝　诚)

减字木兰花　淮上女*

淮山隐隐，千里云峰千里恨。淮水悠悠，万顷烟波万顷愁。　山长水远，遮断行人东望眼。恨旧愁新，有泪无言对晚春。

作者

*淮上女，不知名姓。南宋嘉定年间被金人掳掠北上。

鉴赏

据元好问《续夷坚志》“泗州题壁词”条下记载：“兴定末，四都尉南征，军士掠淮上良家女北归，有题《木兰花》词逆旅间云云。”公元1220年前后，金人数度进犯淮、泗一带，大肆杀戮、掳掠，淮上女是深受其害者，是被掳掠的无数妇女中的一个。在诀别故乡之际，这个有一定文化素养的女子写下这首词，表达她对故乡、对亲人的无限眷恋和对敌人的深刻仇恨。

上阕四句，一山一水，两两相对，可以说是一副十分工整的对联，在词作中，它又是不很常见的隔句对。“淮山隐隐”，这位女子愈行愈远，淮山逐渐变得模糊了。“千里云峰”，是对淮山更大范围的描写，它绵延逶迤，云遮雾障，在作者眼中，好似充满无尽的愁恨。下面两句表情方式相同。悠悠淮水，万顷烟波，也似带上了无边的哀愁。“千里”“万顷”，这愁恨是何等深广！作者描绘山水，或说“云”，或说“烟”，使景物抹上了一层迷蒙暗淡的色调，这和词人前途未卜、凶多吉少的忧郁情绪正相吻合，景中含情。说山呈“千里恨”，水带“万顷愁”，又是词人移情于客观景物，让客观景物染上了浓厚的主观感情色彩。

词的下阕写她被驱赶向西，而她的心却一直向东。她思念朝夕相处的亲人，不断回望哺育过自己的故乡，即使“山长水远”“遮断”了视线，她也没有收回那顾恋的目光。她永别了亲人，永别了故土，旧恨新愁一齐涌上心头。然而她是一个弱女子，无力反抗暴力的裹胁，只能默默地对着暮春景物伤心落泪。她满腔悲苦，却无从诉说。这无从诉说的悲苦，在独自吞咽中只能更令她心碎色沮。这首词上阕是触景生情，融情入景，下阕叙事为主，于叙事中抒情。在下阕中作者用“山长水远”“恨旧愁新”，使之与上阕紧相照应，融为一体。

这首小词诉说的是一个被金人暴力胁迫的无力抗争的弱女子的遭遇与悲苦，凄恻动人，它能引起人们对女主人公的无限同情。词的形式又富有民歌的特色，写山写水，说愁说恨，回环往复，一唱三叹，读之令人回肠荡气。

（刘庆云）

湘春夜月

黄孝迈*

近清明，翠禽枝上消魂。可惜一片清歌，都付与黄昏。欲共柳花低诉，怕柳花轻薄，不解伤春。念楚乡旅宿，柔情别绪，谁与温存？　空尊夜泣，青山不语，残月当门。翠玉楼前，惟是有、一陂湘水，摇荡湘云。天长梦短，问甚时、重见桃根？这次第，算人间没个并刀，剪断心上愁痕。

作者

*黄孝迈，字德父，号雪舟。其词清丽绵密。今传词四首。

鉴赏

晚宋词人黄孝迈，有着卓越的艺术才能，可惜作品传世不多，而这首《湘春夜月》，则是他的代表作。

这首词所表现的，也只是古代诗词中习见的“伤春复伤别”的情绪，但是，对于时令，作者却与其他人有着不同的感受。就一般情形而言，人们大多只是到了绿暗红稀的暮春才会伤春，而黄孝迈却在春天刚返人间不久，万紫千红还没出现之时，就已经感到春之可伤了。这实际上是告诉读者，春天没有给他带来任何喜悦，春天是与他无缘的。于是，深悲积怨，触目惊心，便构成了《湘春夜月》的基调。

一上来两句，略写春景：“近清明，翠禽枝上消魂。”时近清明，春意渐浓，鸟儿声声啼啭，沉醉在一片春色之中，为这万象更新的大自然而消魂。

然而，面对这美好的春光，词人心中却有着完全不同的感受：“可惜一片清歌，都付与黄昏。”《世说新语·任诞》描述桓子野的精神状态时,有“每闻清歌,辄唤奈何”之语,“可惜”句可能由此得到暗示。这两句由极热变得极冷,全词格调亦随之逆转。在光明与黑暗交接之际的黄昏时候,一切都变得那样静寂。而翠禽消魂的清歌,便回荡在这种背景之中,没有共鸣,也没有和声,相形之下,越发显得孤独、凄清。词人感于此情此景,不禁沉重地叹了一声“可惜”,这里,有着那样深沉的怅惘和悲哀,读来似能触到作者那震颤不已的心灵。

“欲共柳花低诉,怕柳花轻薄,不解伤春。”翠禽所栖,便是柳枝,因此,续出柳花,不嫌突兀。这三句,实即“可惜”二句的另一种表达方式,意在进一步渲染孤独寂寞之感,所谓“言之不足,故嗟叹之”(《诗经·大序》)。“柳花轻薄”,本用以形容柳絮飘扬,而在这里,“轻薄”却是由形入质,带有贬义。作者不甘于这一片清歌无声无息地消失,他期待着知音,期待着感情交流。于是,他热切地寻找着,寻找着……当他看到那无所不在的柳花时,不禁心念一动:或许可以在柳花身上找到一点慰藉吧?但是,这一心灵活动只是一闪念,立刻便被他自己否定了。他敏感地意识到,柳花是不可信任的,它缺乏厚重,缺少内涵,那轻薄的特质怎能理解自己的伤春之意呢?这几句,表现了作者盼望理解、寻求知音而终于失望的瞬间心灵活动,写得愁肠婉转,幽恨重重。

“念楚乡旅宿,柔情别绪,谁与温存”三句,在境界和风格上,与周邦彦《琐窗寒》中“似楚江暝宿,风灯零乱,少年羁旅”三句很相似,显然是受了周词的影响,虽然有忆昔与感今之别。作者自己漂流楚乡的寂寞已表现在以上七句的描写中,至此,便以直抒胸臆的手法将对心灵安慰的渴求发泄出来。一“念”字有千钧之重,有力地生发了作者的感情。

过片三句“空尊夜泣,青山不语,残月当门”,是描写楚乡旅宿的情况,突出渲染了场景和气氛。“空尊夜泣”,出自姜夔《暗香》“翠尊易泣”,但比之姜词,却更朴实,更悲苦。将“翠尊”改为“空尊”,见出酒阑灯灺,无可奈何,而将“易泣”改为“夜泣”,则增强了具体性、生动性。正是在这种地方,我们看到了作者点化前人成句之妙。从黄昏到残月,时间已过了这么久,而词人仍然满腹心事,难以入睡。他本想不断地喝酒,以浇平心中的块垒,可是,酒有尽时,他的一腔愁怀却总是难以平息,因此,那空尊似也为此发出哽咽之声了。(酒尊当然不能哭泣,但姜词说“红萼无言”,黄词说“青山不语”,花又岂能言,山又岂能语呢？这都不过是借物喻人罢了，所以不应呆看。）下面“青山”二句，虽变换角度，但皆由此生发。户外，黑黝黝的大山沉默地矗立着，它闻空尊夜泣而惨然不语，似与词人的感情在无声地交流。而那一钩残月，悄悄地挂在门前，也像是见空尊夜泣而黯然神伤。此处的空尊、青山、残月，看似平列，实际上，空尊是主，青山、残月是宾。空尊是主，即人是主；青山、残月是宾，即物是宾。它们结合得如此紧密，如此融贯，真是情景交融的典范。

接下来的三句，仍是作者所在的眼前景物。“翠玉楼前，惟是有、一陂湘水，摇荡湘云。”“翠玉楼”，指华美的楼。“湘水”“湘云”，承前楚乡，交代特定的地点。而浮云摇荡于陂水之中，是他自伤旅况呢，还是怀念远方的她呢？这，在词中并没有明确点出。但是，那风起水摇、水摇云荡的情态，显然象征着内心的不平静，这一细节，含蓄而又丰富，细腻地表现出了作者的内心活动。

相思，由于现实的制约，常借梦来加以补偿。可是对于作者来说，即使有梦，又怎能排遣内心激情之万一呢？于是，他叹道：“天长梦短，问甚时、重见桃根？”“桃根”，晋王献之妾桃叶之妹，作者借指其所爱。此二句不用虚笔，直接写对心上人的思念，点出了全词的主旨，原来伤春是因为伤别。“天长梦短”，从《古诗》“愁多知夜长”化出，表现了对入梦愈长愈好的迫切愿望，也即表现了难以抑制的相思之情。然而，天是如此之长，梦是如此之短，每当醒来，寂寞和惆怅更加折磨着他，就像一个饿了多天的人，一点食物，反而更使他饥肠辘辘。于是，他从心底呼喊着、盼望着“重见桃根”。这“重见”，可能含有两层意思：第一，作者从梦中醒来，仍然深深沉浸在与“桃根”相会的情景之中。一场欢乐，转眼成空，他不禁深恨梦之短，也就盼望再次梦中相会。第二，梦中虽能见到爱人，聊解相思之苦，毕竟是虚幻的，只有真正的团聚才能给他带来真正的快乐。因此，“问甚时”一句，既是对梦境的回味，更是对重逢的向往。

但“重见桃根”不过是作者的愿望罢了，也自知这是难以实现的。于是，他深深感到，“这次第，算人间没个并刀，剪断心上愁痕”。“这次第”，犹言这许多情况，指上述种种。“并刀”，并州所产的剪刀，以锋利著称。杜甫“焉得并州快剪刀，剪取吴松半江水”（《戏题王宰画山水图歌》），首以并刀之快入诗，而此词的直接出处，则是陆游《对酒》之一的“闲愁剪不断，剩欲借并刀。”（《剑南诗稿》卷六十三）不过，词中对这种表现手法的借用却是反言之，意谓，这心上愁痕，即使寻遍人间，找到最锋利的并刀，也难以将它剪断。这样，就更有力地体现了离愁是何等的深广，何等的浓郁！

以上，我们对这首《湘春夜月》作了简单的分析，下面，我们想谈谈它的几点特色。

首先，这首词大量运用了拟人的手法。翠禽为春天的美好而消魂，奉献出自己的一片清歌；柳花纷纷扬扬，轻薄虚浮，难以与作者的心灵沟通；深夜，空尊似为作者的悲哀低低抽泣，而见此情景，青山默默无言，残月黯然失色……作者将所有这些景物，都赋予人的特征或感情，从而升华了抒情客体的特质。我国古代批评家非常看重景物描写中的感情抒发，认为情景交融乃是诗词的胜境。作者成功地运用了这一艺术手法，便集中突出了景中之情，使之更为鲜明，更为具体，更富于可接受性，从而使全词的强烈抒情性更完整地表现了出来。同时，由于这些景物是经过有倾向性的选择而集中起来的，它们所呈现的意象也就愈加丰满，多层次地充实了词作，并使得作者的环境也成为人格化的立体存在。这，显然更能引起读者的联想和回味。

其次，它在设色与抒情的紧密配合上，成就也是独特的。一个富于创造力的作家，一定有着自己独特的审美体验。他总是要选择那些最能够打动自己的、最能体现作品整体效果的东西来加以描写。黄孝迈创作《湘春夜月》时也是这样做的。他把新春的艳丽完全略去，而唯独选取凄清之色彩作为全词的基调，从而与他所要表现的感情紧密结合起来。词中，作者可惜翠禽的美妙清歌，无人欣赏，以至于都消失在黄昏之中。那冷寂、昏暗的黄昏，显然契合着作者的怅惘。轻薄的柳花，白茫茫一片，把淡漠带给世间，与作者的炽热心情，也恰好形成鲜明的对比。入夜，凄寒笼罩着一切，作者欲饮无酒，欲睡少梦，陷入深深的悲哀之中，这时，一钩残月，悄然上门，将朦胧、惨淡、昏黄的光，洒向大地，也洒向他的心灵，还有云、水……所有这些，都使我们看到，作者有意识地将这种冷淡之色彩构成一种感情氛围，对作品的抒情效果起到了有力的衬托作用。

最后，我们想讨论一下本词的比兴寄托问题。如文学史的大量现象所示，作品的形象是大于思想的。爱情词，当其扩大、深化后，便会远远超过它的主题，体现着更高的思想意蕴。因此，后世评论家一般都认为这首《湘春夜月》含有比兴寄托之意。如梁令娴《艺蘅馆词选》评此词时引麦孺博语云:“时事日非,无可与语,感喟遥深。”我们认为这一看法是正确的。联系作者的时代,体味词中的感情,它的确有无穷的“感喟”在内,这是其羁旅行役、伤别怀人的外表所不能掩盖的。如“可惜”二句,十分凄苦,作者显然必有所指。“欲共”三句所反映的凝重感情,也决非一般的春怨可比。“谁与温存”的感叹,倾注着作者巨大的失望和无限的伤心。而“空尊”三句,其深沉的哀怨,正是“哀以思”的亡国之音,使人们看到南宋灭亡前在文学中显示出来的征兆。“翠玉楼前”三句,特别强调了风起云涌的象征作用。华美的楼阁,立在摇荡的云水之中,它是平静的吗?末句通过比喻愁的郁烈和不可征服,不难使人嗅到浓厚的时代气息。以上我们对这首《湘春夜月》的潜在涵义的挖掘,绝不是凭空猜测,而是根据当时的形势来立言的。南宋后期,民族矛盾不断激化,整个国家处在生死存亡的紧要关头。而在这种局面下,南宋统治者仍一味偏安,社会上也充斥着淫靡的风气。宋末作家周密在所著《武林旧事》卷三中曾对南宋时期临安士人的生活状况作了生动的描写:“西湖天下景,朝昏晴雨,四序总宜。杭人亦无时而不游……贵珰要地,大贾豪民,买笑千金,呼卢百万,以至痴儿骏子,密约幽期,无不在焉。日糜金钱,靡有纪极。故杭谚有‘销金锅儿’之号,此语不为过也。”这样一种风气,身临其境的作者,虽然他寄旅楚乡,不在临安,但也不会没有感觉,不会不在作品中有所反映。我们是不是可以这样理解:轻薄的柳花,指社会上的偏安者,作者的伤春,是对国事的忧虑,而他对爱人的怀念,则反映了他因无人理解其忧国之心而产生的巨大痛苦。作者眼见局势日渐严重,心情非常焦急,而他踪迹所及,见到的竟大多是偏安逸豫之人,不禁使他由衷地感到自己的孤独,感到世风的腐败,感到国家的危亡。如此种种,他的一腔愁怀又怎能得到排遣呢?因此,作者正是以这种独特的文学样式,不期而然地展示了社会的风貌,浓缩了整个时代,使人们得到双重的审美感受。这样解释,虽不免有句句坐实之嫌,但通过“以意逆志”,似也离事实不远。

然而,我们以上所言,只是自己的见解,决不意味着是唯一的结论。一部作品的含义总是逐渐为接受者所发现的,它的接受状况不仅在不同的历史时期会有很大差异,便是在同一历史时期的不同读者群中,也会有很大差异。我国古代批评理论中所讲的“诗无达诂”和“作者之心何必然,读者之心何必不然”,虽然说得较为模糊，但实际上也就是这个意思。关键问题在于，这一类型的词中的成功之作，不管它寄托着什么，它所特有的艺术魅力是无可否认的，人们也完全可以根据自己的体会作出见仁见智的解释。沈祖棻在《清代词论家的比兴说》中论及此词时云：“如‘可惜’二句，可以认为他说的是可惜一片江山都付与暗淡的局势；也可以认为他说的是可惜一腔忠愤都付与昏乱的现实；这一腔忠愤，可以属于当时的贤臣，也可以属于作者自己；还可以认为是慨叹年华限于遭际，或者是惋惜爱情掷向空虚。又如‘欲共’三句，可以认为他说的是‘时事日非，无可与语’；也可以认为他说的是‘君门九重，叩阍无路’；还可以认为是知己难逢的叹息，或者是情人薄幸的烦忧。”这里对作者之心与读者之心的关系所作的阐发，对如何理解比兴寄托问题所作的论述，对词的弹性所作的解释，都是令人信服的。同时，也使我们看到，作者所给我们的，比他想给我们的还要多得多。

（程千帆　张宏生）

长相思

陈东甫*

花深深，柳阴阴，度柳穿花觅信音，君心负妾心！
怨鸣琴，恨孤衾，钿誓钗盟何处寻？当初谁料今！

作者

*陈东甫，生卒年不详。

鉴赏

这是一首闺怨词。它词意明畅，写一个妇女思夫的悲吟。

上阕言思妇的情痴、情真，下阕述思妇的情怨、情恨。"花深深，柳阴阴"，好一派繁花浓柳的景象，春意盎然。但词中的女主人公却视为愁红惨绿，因为春光虽好，然而不见自己的夫君归来，还有什么心情去观赏呢？"度柳穿花觅信音，君心负妾心"，她想着夫君也许会叫人捎来口信，也许会托人带来家书，于是走过了柳树林，又穿越在花丛中，看看会不会碰到什么人。可是，她失望了。人去日久，为什么杳无音信呢？她的渴思之苦不能为夫君所知道，于是便责怪夫君负心，把她遗忘了。一个"觅"字，表明了她要得到夫君信音的急切，写思之深，显出了情之真。"觅"而未能如愿，她就自叹夫君的负心，不免有些担心，写虑之远，显出了情之痴。她觉得夫君像是负心了，实际上是希望夫君不要对她存有弃心，可谓情真如镜，情痴若失。如果今天"君心"与"妾心"在"负"上拉开了感情的距离，她又怎能忘昨天也曾在"连"上亲密无间，这就很自然地叫她在"怨鸣琴，恨孤衾"中抒发难以排解的苦闷。她操琴，感于心而泄于声。一"鸣"，声声是怨；她单枕难眠，孤独得梦断魂销，故而一见床被就恨将起来。以往夫君与她如胶似漆地相爱过，想不到负心的夫君竟一去不归。“钿誓钗盟何处寻？当初谁料今。”“钿”“钗”，均是妇女发髻上的首饰。“钗盟”，这里是指女方的盟誓。两句的意思是：夫君和她各自都曾山盟海誓，这些表示永结同心的话到什么地方还能够再听到呢？在那时怎会料到夫君如今会忘情负心！一个“寻”字，表明了她坠入在“痴心女子负心汉”的绝望中的无限痛苦，写忆之甚，显出了情之怨。“寻”而更觉衾枕的寂寞凄凉，写爱之切，显出了情之恨。她想到，夫君与自己发尽千般誓愿，但只是相亲一时，不能恩爱长久，于是便自悔早知今日，何必当初，可谓情怨有由，情恨不尽。

全词的语言，轻舒徐缓，似幽咽泉流，扣人心扉，不借过多的藻饰与铺排，就把一个思妇的举态、心境描摹得如此酷肖逼真，颇见淡语写浓情之妙。它虽然没有用华辞艳语去形容思妇眉翠的消褪，鬓云的蓬乱，而却能使这些状貌进入读者的想象，因为上阕里的“觅”与下阕里的“寻”这两个动词，在通篇从室外写到房内，从眼前写到过去，架起了一座连接的桥梁，由此也就组成了人物从盼望到回想的心理活动的全过程，这样女主人公的上述容颜，就会于“象外之象”中出现。

（周溶泉　徐应佩）

沁园春　李曾伯*

饯税巽甫

唐人以处士辟幕府如石、温辈甚多。税君巽甫以命士来淮幕三年矣,略不能挽之以寸。巽甫虽安之,如某歉何。临别,赋《沁园春》以饯。

水北洛南,未尝无人,不同者时。赖交情兰臭,绸缪相好,宦情云薄,得失何知?夜观论兵,春原吊古,慷慨事功千载期。萧如也,料行囊如水,只有新诗。

归兮,归去来兮,我亦办征帆非晚归。正姑苏台畔,米廉酒好,吴松江上,莼嫩鱼肥。我住孤村,相连一水,载月不妨时过之。长亭路,又何须回首,折柳依依?

作者

*李曾伯(1198—?),字长孺,号可斋,覃怀(今河南沁阳附近)人,寓寄嘉兴。宝祐中进士。历官湖南安抚使、庆元知府兼沿海制置使、四川宣抚使等。主张抗金,留心军事。有《可斋诗余》九卷。词多长调,不作绮艳语,颇受辛弃疾影响。

鉴赏

税巽甫,不详,可能是词人的朋友。小序说,唐朝非官僚阶层知识分子被授予幕职者很多,如唐宪宗元和五年(810),河阳(治所在今河南洛阳)节度使乌重胤就授予石姓、温姓两处士官职。韩愈为此写了《送石处士序》和《送温处士序》两篇文章。可是现在，有名气的命士税巽甫来淮南西路衙门（当时设在濠州的行政和军事官府）谋事已三年了，却得不到任用。词人曾尽力引荐，但毫无办法。巽甫君虽不在意，可词人甚感歉意。饯别时，写这首《沁园春》以安慰对方，并表示不久自己也要归去。

上片开头三句即直接发议论和感慨，说我们江北跟当日石、温辈所在的洛南一样，不是没有人才。可是时代变了，石、温辈能得到知遇，而税巽甫却遇不到。“不同者时”，语气干脆有力，愤慨之情可见。“赖交情兰臭”四句，转到叙述两人的交往和友谊，实则赞扬对方的品德、志向和才能。意思说，我们两人志同道合，气味相投，都把做官看得像轻云一样淡薄，更何况做官的得失也难以预料呢？“兰臭”，语出《易·系辞上》“同心之言，其臭如兰”，即闻起来像兰草一样香。“臭”，同“嗅”。“夜观”三句，进一步叙述他们交往的具体情况：两人曾在夜间一同在楼观谈论军事，在春日的郊原上凭吊古人，慷慨激昂地以千秋功业互相推许。这里赞扬税巽甫是位关心国家大事、有志报国的有识之士，也表示他之所以谋求出仕，不是为了升官发财，而是为了报国。他们“论兵”，足以表现对当时宋、金对峙局面的关心，对国势的担心。可是，这种人却不被任用，流露了对当局的不满。结句说税巽甫清贫如洗，行囊里只有诗作。这一方面赞扬税巽甫的高洁，安于贫困；一方面也说明税巽甫的潦倒。

下片开头写得非常别致。作为送别，词人不是表示挽留，抒发惜别之情，而是用陶渊明《归去来兮辞》中的“归去来兮”，似乎在催促对方归去，还带点庆贺的意味。而这不仅仅指税巽甫，还包括词人自己在内，是承上片“宦情云薄”而来。意思是说，你先回去吧，这是我俩的共同愿望。所以下面紧接：我已备置好远行的船，不久也要辞官归去。这句补充上面的意思，也是过渡。“正姑苏”四句，描绘想象中家乡的美好情景：现在正是吴中米贱酒甘，吴松江上莼菜鲜嫩、鲈鱼肥美的时候。这里用晋张翰的典故。张翰，吴地人，在洛阳做官，见秋风起，便思念家乡的莼菜美和鲈鱼肥，说：“人生贵得适意尔，何能羁宦数千里以要名爵？”于是辞官回家。词人与张翰同为吴地人，但归去的目的不同。张翰是“贵得适意”，而词人却以表面豁达的话语，表现内心的不满与愤慨，也是对友人的安慰。言外之意是说，像税巽甫这样有才能、品德高尚的人不被任用，可见当政者的腐败无能。这样的政府有什么可以作为的呢？不如退隐吧。“我住”三句，进一步设想归去后，两人交往的融洽情景：我的住处和你的一水相连，不妨经常趁着月色乘船造访。这里不写其他交往情况，而只写月夜乘船。一来是本地风光，显示了江南水乡的特点；二来是以月色、水光为背景，表现两人退隐后的闲适自在的生活情趣和高洁的友谊。最后又归结到送别，紧承前面的意思，提出：既然不久即将相会，那么，在长亭折柳送别时，又何必回首依依不舍呢？

这是一首类似“壮行色”的送别词，特点是不伤别，反而鼓励归去。而词人的矛盾表现在：一方面为友谋官不得而歉疚，另一方面又安慰对方不当官也罢，我马上也回去了。在平淡的措辞中，隐含着对现实的极度愤懑情绪。

（张文潜）

水调歌头　　方 岳*

平山堂用东坡韵

秋雨一何碧，山色倚晴空。江南江北愁思，分付酒螺红。芦叶篷舟千重，菰菜莼羹一梦，无语寄归鸿。醉眼渺河洛，遗恨夕阳中。　蘋洲外，山欲暝，敛眉峰。人间俯仰陈迹，叹息两仙翁。不见当时杨柳，只是从前烟雨，磨灭几英雄？天地一孤啸，匹马又西风。

作者

*方岳(1199—1262)，字巨山，自号秋崖，祁门(今属安徽)人。绍定五年(1232)进士。累官至吏部侍郎，历知饶、抚、袁三州，加朝散大夫。南宋后期，他的诗名很大。最初学习江西诗派，后颇受杨万里、范成大影响。著有《秋崖先生小稿》。

鉴赏

这首词是方岳旅居扬州时作。平山堂在扬州城郊蜀冈上。词步苏轼《水调歌头·黄州快哉亭赠张偓佺》韵，一是因为此词情调与苏词相近，一是此词之中"山色倚晴空"语与苏词"长记平山堂上，倚枕江南烟雨，渺渺没孤鸿。认得醉翁语：'山色有无中。'"意趣相关。方岳为南宋关心国事的词人之一，不少词作表现了"明月芦花，共是江南客"(《蝶恋花·用韵秋怀》)和"莫倚阑干北，天际是神州"(《水调歌头·九日多景楼用吴侍郎韵》)的情怀。这首词写得字炼语醇，情深意雄，是方岳的力作之一。

词的上片叙秋雨后晚景，勾起了词人的乡关之思。"秋雨一何碧，山色倚晴空"，以丽语领起。秋雨一洗，川原皆碧，雨后放晴，山色清新。欧阳修《朝中措》词云:“平山阑槛倚晴空,山色有无中。”方岳即化用欧词之意,犹如己出。明丽之景,忽而转入暗淡之情:“愁思”“付酒螺”为一层,“归思”“寄归鸿”为二层,“遗恨”“托夕阳”为三层。一层进一层,愈转愈深。“江南江北愁思”,点明“愁”情,江南江北愁思无限,只有以酒消愁。“螺”是螺杯。词人之愁,一为思家,一为忧国,故继而分别写之。“菰菜莼羹一梦”,典出《晋书·张翰传》,张翰在洛阳做官,因思吴中菰菜、莼羹、鲈鱼脍,乃辞官还乡。方岳借用其事,另寓新意,是说家乡的风味虽美,可是战乱使得自己不得不离乡背井,回乡只是一梦而已。这种情绪在方岳词中时有所见。“君莫道,江鲈忆。吾自爱,山泉激。”(《满江红·和程学谕》)“菰菜莼羹,正自令人忆,归梦不知江水隔。”(《蝶恋花·用韵秋怀》)“唤起江南,一叶莼鲈兴。先自新愁愁夜永。”(《蝶恋花》)“横戈曾怒,张翰浮夸。笑鲈鱼虽好,风味争些。”(《满庭芳·劈蟹醉题》)从这些可见,祁门胜境时时在他胸中,秋崖风物常常萦回脑际,正如他自称:“待不思家,怎不思家!”(《一剪梅·客中新雪》)有家归不得,只有将一片乡思寄于归鸿。“醉眼渺河洛,遗恨夕阳中。”“醉眼”,回应“酒螺红”。“河洛”,指中原地区。词人抬醉眼瞭望中原,感叹至今仍未收复,故曰“遗恨”。上片以写景为主,以丽景衬悲情。

下片承上片时间的进展,主要抒发自己的感慨。“山欲暝”,交代已入暮。“敛眉峰”,指山色已逐渐暗淡下来。词人面对江山胜迹,想到人事沧桑,感叹历史变迁。宋张邦基《墨庄漫录》卷二载:“扬州蜀冈上大明寺平山堂前,欧阳文忠公手植柳一株,谓之‘欧公柳’。”欧阳修词《朝中措·平山堂》:“手种堂前垂柳,别来几度春风?”如今却是“不见当时杨柳,只是从前烟雨”,缘物生感,仙翁不存,英雄磨灭。“两仙翁”,指欧阳修与苏东坡。词人登临蜀冈,先由眼前景而驰想远方事,再由当时情追念昔日人,想象的空间广阔、时间悠远。最后,突然宕开一笔,“天地一孤啸,匹马又西风”,孤马在西风中长啸,实是词人发自内心的激昂呼喊。本篇结句,以动荡见奇,且余味不匮。

（徐应佩　周溶泉）

霜叶飞 吴文英*

重九

断烟离绪，关心事，斜阳红隐霜树。半壶秋水荐黄花，香噀西风雨。纵玉勒、轻飞迅羽，凄凉谁吊荒台古？记醉踏南屏，彩扇咽寒蝉，倦梦不知蛮素。

聊对旧节传杯，尘笺蠹管，断阕经岁慵赋。小蟾斜影转东篱，夜冷残蛩语。早白发、缘愁万缕。惊飙从卷乌纱去，漫细将、茱萸看，但约明年，翠微高处。

作者

*吴文英(约1212—1272)，字君特，号梦窗，晚号觉翁，四明(今浙江宁波)人。本姓翁氏而入继吴氏。他除三十多岁在苏州一度任仓台幕僚外，生平没有做过什么官，终身坎坷，曳裾王门，以至老死。长期居住苏州、杭州等地，足迹不出江浙二省。存词约三百五十首，有《梦窗甲乙丙丁稿》传世，是一个作品数量多，艺术上颇有特色的优秀词人。梦窗词语言冶炼，组织缜密，运意曲折幽深，然而个别词作也不免于隐晦。

鉴赏

此是梦窗节日忆亡姬之作。“断烟离绪”，起四字精练而形象，笼罩全词。全词就是写思念亡姬的断烟般的离绪。“斜阳红隐霜树”，是写重九日间风雨，因风雨，故傍晚还不见斜阳。它隐没于霜树之中。凄凉的心情，逢着凄凉的时节，已把满腔情怀初步端出。重阳佳节，正是菊花盛开之时，我从东篱折来数枝黄花，把它插在壶中，风雨中它的香气还在喷出。但是孤坐对着黄花，不免无聊，在此风风雨雨之中谁还会骤马去登上荒台吊古呢？“谁”，包括词人自己在内。“吊古”,则包括伤逝之痛。这样,又不禁回忆起当年与姬人重九登高相处歌舞之乐。“蛮素”,本谓白居易家歌妓樊素和小蛮,白诗中有“樱桃樊素口,杨柳小蛮腰”之句,此处乃借指姬人。当时她执扇清歌,扇底歌声和寒蝉而共咽(意谓其声悲凉),而我则酒酣倦梦,几乎忘却姬人在旁。上片写双双登高的情景如此。

下片转入今情。如今人已逝矣,事已去矣,对此佳节,还有什么赏心乐事?还有什么心情“传杯”饮酒?但无“传杯”的心情而仍复“传杯”者,无聊之极思也(参陈匪石《宋词举》)。“沉饮聊自遣,放歌破愁绝”(杜甫《赴奉先县咏怀》),但心灰意懒之极,自从姬亡之后,连未写完的歌词(断阕)也没有心情把它续完,何况重写新词呢!天气入夜已经转晴,月影斜照东篱,寒蛩宵语,似亦为人诉心事。“早白发、缘愁万缕,惊飙从卷乌纱去”。这是从杜甫《九日蓝田崔氏庄》“羞将白发还吹帽,笑倩旁人为整冠”二句脱化而来。重九日孟嘉落帽的故事,后世传为美谈。杜甫这两句的意思是:如果登高时风吹帽落,露出了满头白发,我就把帽子戴上来遮掩头上的白发,并且还会请旁人给我整理一下。这两句诗表现了杜甫的洒脱旷达的态度。但是梦窗这两句词意思和杜甫不同。梦窗已经不以风吹帽落,露出满头白发为可羞了,而觉得反正人亡身老,无一可欢,一切都随它去吧!这表现了词人极端沉痛的心情。结语“漫细将、茱萸看,但约明年,翠微高处”两句,也化用杜诗(同上):“明年此会知谁健,笑把茱萸仔细看。”杜诗之意谓今年重九,强乐自宽,但不知明年此会何如耳。梦窗今年未能登高,但空想明年能有机会。杜细看茱萸,梦窗虽也看茱萸,着一“漫”字就自觉无谓,那么明年翠微高处之约,也不过说说而已。杜甫逢佳节而强作欢笑,梦窗则欲强作欢笑而不能,其无聊沉痛,实更倍于杜甫,这也是时代、身世使他如此的。

吴梅《蔡嵩云〈乐府指迷笺释〉序》:“吴词潜气内转,上下映带,有天梯石栈之妙。”梦窗词脉络贯通,形象完整,上下映带尚是其形象的表面;潜气内转,则是其形象的里面;“天梯石栈”则说的是梦窗词的大起大落,突接突转,也有潜气在内沟通。在这一方面,陈匪石《宋词举》分析此词极细,他说:“‘霜树’‘黄花’,就‘传杯’前所见言之;‘蟾影’‘蛩语’,就‘传杯’后所遇言之:皆用实写,而各是一境。‘斜阳’‘雨’‘蛮素’‘翠微’,则均游刃于虚,极虚实相间之妙。‘断阕’与前之‘咽寒蝉'、后之'残蛩语','旧节'与前之'记醉踏'、后之'明年',线索分明,尤见细针密缕。"这些都可以说明梦窗词的"上下映带",脉络贯通。西方文论说:"美是杂多和整一的结合。"此于梦窗词可以证之。又如戈载《宋七家词选》说梦窗词"以绵丽为尚,运意深远,用笔幽邃。炼字炼句,迥不犹人。"在这一方面,《宋词举》分析此词说:"即'隐'字、'喫'字、'轻飞'字、'咽'字、'转'字、'冷'字、'缘'字、'从卷'字,亦各有意义。其千锤百炼,是炼意,非仅琢句,非沉晦,亦不质实。"梦窗不但炼字、炼句,而且它们都能和炼意相结合,这和李商隐等"藻采组织,而神韵流转,旨趣永长"相同。

(万云骏)

齐天乐　吴文英

与冯深居登禹陵

三千年事残鸦外,无言倦凭秋树。逝水移川,高陵变谷,那识当时神禹。幽云怪雨,翠萍湿空梁,夜深飞去。雁起青天,数行书似旧藏处。　寂寥西窗久坐,故人悭会遇,同剪灯语。积藓残碑,零圭断璧,重拂人间尘土。霜红罢舞。漫山色青青,雾朝烟暮。岸锁春船,画旗喧赛鼓。

鉴赏

吴文英词一向以晦涩见称,近世编撰文学史及词选的一些人,如刘大杰、胡适、胡云翼诸人,都曾经对吴词加以讥评,以为其所作"大半都是词谜",是"套语与古典"的"堆砌","他的长调几乎没有一首可读的"。但清代的一些词评家,却曾经对吴词备至推崇,如戈载之《宋七家词选》即曾称其"运意深远,用笔幽邃,炼字炼句,迥不犹人。貌观之雕缋满眼,而实有灵气行乎其间"。周济之《宋四家词选目录序论》亦称其"立意高,取径远,皆非余子所及",又云"梦窗奇思壮采,腾天潜渊,返南宋之清泚,为北宋之秾挚”。关于吴文英词之特色及成就，我以前写过一篇标题为《拆碎七宝楼台——谈梦窗词之现代观》的文稿（见《迦陵论词丛稿》），曾对之做过较详细的论述，以为吴词之往往予人以晦涩难解之印象，主要盖有二因：其一是在叙写方面往往以时间与空间做交错之杂糅，其二是在修辞方面往往但凭一己直觉之感受，再加之以喜欢运用生僻之典故，遂使一般读者骤读之不能体会其意旨之所在。但如果仔细加以研读，能寻得入门途径，便可发现吴词在“雕缋满眼”的“晦涩”“堆砌”的外表之内，是确实有一片“灵气行乎其间”，而且“立意”之“高”，“取径”之“远”，也是确实具有一份“奇思壮采”的。现在我们就以这首《齐天乐》词为例证，来对吴文英词略加赏析。

这首词既是题为“与冯深居，登禹陵”，我们就当先对题目中的冯深居及禹陵略加说明。冯深居，名去非，在南宋理宗宝祐年间曾为宗学谕，因为反对当时的权臣丁大全而被免官，与吴文英相交甚久。所以这首词中颇有言外之深慨，这是从冯氏之为人及其与吴文英之交谊而可以推知的。至于“禹陵”则为夏禹之陵，在浙江绍兴县东南之会稽山。吴文英为四明人，是禹陵固正在其故乡附近之地。所以吴氏对禹陵所流传之古迹名胜，乃别有一种亲切之感情，这也是可以理解的。何况夏禹王之忧民治水的精神，在中国古代帝王中又是功绩最为卓伟，用力最为勤劳的一位。而南宋的理宗之世则任用权臣，国事日非，感今怀古，吴文英在与冯深居同登禹陵之际，自当有无限沧桑之深慨。所以一开端便以“三千年事残鸦外”七个字，把读者引向了一片远古苍茫之中。所谓“三千年”者，一则为历史年代之实据，盖自夏禹之世至南宋理宗之世，固已实有三千数百年之久。再则“三”字与“千”字之数目，在直感上亦足以予读者一种久远无穷之感。而“三千年”之下又加一个“事”字，则千古兴亡之史迹，乃大有触绪纷来之势矣。而又继之以“残鸦外”三个字，就“残鸦”而言，固当是登临时之所见。昔杜牧《登乐游原》诗有句云“长空澹澹孤鸟没，万古销沉向此中”，此正为“残鸦”二字所予人之景象与感受。至于“外”字，则欧阳修《踏莎行》词有句云“平芜尽处是春山，行人更在春山外”。就梦窗此词而言，则是残鸦踪影之没固已在长空澹澹之尽头，而三千年往事之销沉则更在此已消逝之残鸦影外，于是时间与空间，往古与今日乃于此七字中结成一片，以无际之荒远寥漠之感，向读者侵逼包笼而来。其所以弥深此无可追寻之荒远之感者，盖因梦窗当日曾抱有无限追怀之一念耳。然则梦窗当日所登临者何地？则禹陵也；所追怀者何人？则禹王也。盖在我国远古帝王之中，就史书之所载，固以夏禹之功绩最为卓伟，而其用力亦最为勤劳。是禹王固正有其可以引人怀思追念者在也。夫在夏禹当世，人民之所患者，厥唯洪水猛兽而已；而禹王之所致力者，即正在消灭此一人类之大患。而人世之战乱流离、忧患苦难，乃有千百倍于当年之洪水猛兽者。然则今日之世，岂复能更有一人，如当日禹王之具有拯拔人类、消灭大患之宏愿伟力者乎？此正梦窗之所以望残鸦而追怀三千年之往事者也。

然而禹王不复作，前功不可寻，所见者唯残鸦影没，天地苍茫，则何地可为托身之所乎？故继之则云"无言倦凭秋树"。语有之云"予欲无言"，又曰"夫复何言"。其所以"无言"者，正自有无穷不忍明言、不能尽言之痛也。然则今日之登临，于追怀感慨之余，其所能为者，亦唯"倦凭秋树"而已。此处着一"倦"字，其疲倦之感，自可由登临之劳倦而来，此杨铁夫《笺释》之所以云"次句落到'登'字"也。然而此句紧承于首句"三千年事"之下，则其所负荷者，固隐然亦正有千古人类于此忧患劳生中所感受之恭然疲役之悲在也。是则于此心身交惫之余，岂不欲得一依倚栖傍之所？而其所凭倚者，则唯有此一萧瑟凋零之秋树而已。人生至此，更复何言，故曰"无言"也。其下继云"逝水移川，高陵变谷，那识当时神禹"，乃与首一句之"三千年事"遥遥相应，故知其"倦凭秋树"之时，必正兼有此三千年之沧桑深慨在也。曰"逝水移川"，则东流之逝水，其水道固已几经迁移；曰"高陵变谷"，则耸拔之高山乃竟沦为深谷。是禹王之宏愿伟力，虽有足以使千百世下仰若神人者，然而其当年孜孜矻矻所疏凿，欲以垂悠悠万世之功者，其往迹乃竟谷变川移、一毫而不可识矣，故曰"那识当时神禹"也。三千年事，无限沧桑，而河清难俟，世变如斯，则梦窗之所慨者，又何止逝水、高陵而已哉。

以下陡接"幽云怪雨，翠蓱湿空梁，夜深飞去"三句，貌观之，此等句固正不免于"雕绘满眼""堆垛""晦涩"之讥，盖以在此数句中之"翠蓱湿空梁"一句，极难索解也。夫"梁"者，固当为禹庙之梁。据《大明一统志·绍兴府志》载云："禹庙在会稽山禹陵侧。"又云："梅梁，在禹庙。梁时修庙，忽风雨飘一梁至，乃梅梁也。"又引《四明图经》："鄞县大梅山顶有梅木，伐为会稽禹庙之梁。张僧繇画龙于其上，夜或风雨，飞入镜湖与龙斗。后人见梁上水淋漓，始骇异之，以铁索锁于柱。然今所存乃他木，犹绊以铁索，存故事耳。”（嘉莹按：《尔雅·释木》：“梅，楠。”郝懿行《义疏》云：“梅或作楳……《诗正义》引孙炎曰：‘荆州曰梅，扬州曰楠。’《一切经音义》廿一引樊光云：‘荆州曰梅，扬州曰楠，益州曰赤楩，叶似豫樟，无子也。’……盖皆以梅楠为大木，非酸果之梅。”今所传梅梁，或当为楠木之属。）夫禹庙既在禹陵侧，则梦窗当日登临足迹之所至，或瞻望之所及，必会及于此庙，所可断言者也。至于禹庙之梅梁及张僧繇画龙于风雨中飞去之说，则以生为四明人之梦窗，必当极熟悉于此种种有关四明之神话及传说，故此词乃有“幽云怪雨，翠蓱湿空梁，夜深飞去”之言。“蓱”字原与“萍”字相通，然而“萍”乃水中植物，梁上何得有“萍”？及见《一统志》及《四明图经》所载，然后乃知此句必非泛指，原来禹庙之梁乃有如许神怪之传闻在也。则另一最可能之解释，当为梁上果然有水中之萍藻，而此萍藻则为飞入镜湖之梁上之神龙所沾带之镜湖之萍藻。然而此一说法必须有充足之根据始得成立。盖以就中国诗词中一般用事之习惯而言，皆必须谨守本事，不可妄自增改。据《一统志》及《四明图经》所载，则此神话之传闻中并无梁上有萍藻之记载，是则梦窗不得于此妄以“蓱”字为指梁间有镜湖之萍藻，读者更不得以个人之想象谓禹庙之梁间竟有镜湖之萍藻，这正是此句词之难于索解之故。其后我在美国哈佛大学燕京图书馆中查得一极珍贵之资料，即嘉庆戊辰重镌采鞠轩藏版之陆游序本南宋嘉泰《会稽志》，其卷六《禹庙》一条竟载有禹庙梁上有水草之记载，云：“禹庙在县东南一十二里……梁时修庙，唯欠一梁，俄风雨大至，湖中得一木，取以为梁，即梅梁也。夜或大雷雨，梁辄失去，比复归，水草被其上，人以为神，縻以大铁绳，然犹时一失之。”此条所叙，《大明一统志》、《大清一统志》、康熙《会稽志》并皆不载，然而欲以梁上有水草说此词，则必须得此一根据方为可信。然而嘉泰《会稽志》则又不载张僧繇画龙事，故必须以嘉泰《会稽志》与《四明图经》合看，然后方知梦窗此词之“翠蓱湿空梁，夜深飞去”数语乃真可谓无一字无来历矣。是此数句，乃正写禹庙梁上神龙于风雨中“飞入镜湖与龙斗”，“比复归，水草被其上”之一段神话传闻也。而梦窗之用字造句，则极恍惚幽怪之能事。盖“翠蓱湿空梁”一句，原当为神梁化龙飞返以后之现象，而次句“夜深飞去”方为此现象发生之原因，是神梁先飞去入镜湖与龙斗,飞返时始有湖中水藻沾带于梁上也;而梦窗却将时间因果颠倒,先置“翠蓱湿空梁”一句突兀怪异之现象于前,又用一不常见之“蓱”字以代习用之“萍”字。夫“蓱”与“萍”二字虽通用,然而一则用险僻之字始更增幽怪之感,再则“蓱”字又可使人联想及于《楚辞·天问》之“蓱号起雨”一句,乃大有“幽云怪雨”一时惊起之意。彊村先生于梦窗词校勘最精,且曾获观明万历年间太原张廷璋氏旧钞本,其校本之独取“蓱”字,自非无见。总之,此三句所予人之一片恍惚幽怪之感及渺茫怀古之思,固极为真切鲜明,读者正可自此数句中对此充满神话色彩之古庙生无穷之想象。盖梦窗之词所予人者,往往但重感受,而不重说明,神理意味极活泼而深切,唯不作明言确指耳。此正诋梦窗者之所以讥之为晦涩,誉梦窗者之所以称其词为“天光云影,摇荡绿波,抚玩无斁,追寻已远”者也。

后二句,则又就眼前景物寄慨。曰“雁起青天”,形象色彩均极鲜明,知此景必为白日而非黑夜所见,然后知前二句“夜深”云云者,全为作者凭空想象凭吊之言,并非实有也。此正前三句之运笔之所以出之以如许幻变神奇之故。而此句“雁起青天”四字,乃又就眼前景物以兴发无限今古苍茫之慨,故继之云“数行书似旧藏处”也。据《大明一统志·绍兴府志》载:“石匮山,在府城东南一十五里,山形如匮。相传禹治水毕,藏书于此。”又《大清一统志·绍兴府志》载:“宛委山,在会稽县东南十五里,会稽山东三里。上有石匮,壁立干云,升者累梯而上。《十道志》:‘石匮山,一名宛委,一名玉笥,一名天柱,昔禹得金简玉字于此。’《遁甲开山图》云:‘禹治水,至会稽,宿衡岭。宛委之神奏玉匮书十二卷,禹开之,得赤珪如日,碧珪如月,是也。’”是会稽之宛委石匮山,固旧传有藏书之说;虽然所传者有夏禹于此得书或于此藏书二说之不同,然而要之此地之传有藏书则一也。然而远古荒忽,传闻悠邈,唯于青天雁起之处,想象其藏书之地耳。而雁行之飞,其排列又正有如书上之文字,此在梦窗《高阳台·丰乐楼》一词中,即有“山色谁题,楼前有雁斜书”之句可以为证。是则三千年前当日所传之藏书固已渺不可寻;今日所见者,唯青天外之斜飞雁阵仿佛犹作当年书中之文字而已。时移世往,辽阔苍茫,无限沧桑之慨,正与开端“三千年事残鸦外”及“那识当时神禹”诸句遥遥相应,而予读者以无穷怅惘追寻之深痛。以上前半阕全以“登禹陵”

之所慨为主。

后半阕"寂寥西窗久坐,故人悭会遇,同剪灯语",始写入冯深居,呼应题面"与冯深居"四字。以章法言,固属用笔周至;而以意境言,则以下数句,乃合三千余年历史沧桑之感,与个人一己离合今昔之悲,融为一体,错综并举,而与前半阕之登临遥遥相应,于是而冯深居遂与吴梦窗同在此登临之深慨之中,而三千年往事乃亦倏然而来至此西窗灯下矣。此三句词,乃用李义山《夜雨寄北》"何当共剪西窗烛,却话巴山夜雨时"之诗句,自无可疑。夫西窗剪烛共话,原当为何等温馨之人事,而梦窗乃于开端即着以"寂寥"二字,又接以"久坐"二字,其所以久坐不寐之故,正缘于此一片寂寥之感耳。昔杜甫《羌村》诗有句云:"夜阑更秉烛,相对如梦寐。"其《赠卫八处士》又有句云:"人生不相见,动如参与商。今夕复何夕?共此灯烛光。少壮能几时?鬓发各已苍。"其如梦、参商之感,其少壮几时之悲,正皆为足以令人兴寂寥之感者也。故梦窗于"寂寥西窗久坐"之下,乃接云"故人悭会遇,同剪灯语";此情此景,岂非与杜诗所云"人生不相见"及"夜阑更秉烛"之情景,正复相似乎?此三句,一气贯下,全写寂寥人世、今昔离别之悲。

以下陡接"积藓残碑,零圭断璧,重拂人间尘土"三句,初观之,此三句似与前三句全然不相衔接,然而此种常人以为晦涩不通之处,实正为梦窗词之特色所在。盖梦窗词往往但以感性为其连贯之脉络,而极难以理性为明白之界划及说明。此种特色原为长于触发及联想之一类诗人之所独具。此词"积藓残碑,零圭断璧"诸句,一方面固全就感性抒写,予人以一片时空错综之感;一方面则又以灵气运转,使无数故实翩翩起舞生姿。兹就其所用之故实而言,所谓"积藓残碑"者,杨铁夫《笺释》以为"碑指窆石言",引《金石萃编》云:"禹葬会稽,取石为窆石,石本无字,高五尺,形如秤锤,盖禹葬时下棺之丰碑。"据《大明一统志·绍兴府志》载:"窆石,在禹陵。旧经云:禹葬会稽山,取此石为窆,上有古隶,不可读,今以亭覆之。"知杨氏《笺释》以碑指窆石之说为可信。昔李白《襄阳歌》云:"君不见晋朝羊公一片古碑材,龟头剥落生莓苔。"自晋之羊祜迄唐之李白,不过四百余年而已,而太白所见羊公碑下之石龟,则固已剥落而生莓苔矣。然则自夏禹以迄于梦窗,其为时既已有三千余年之久,则其窆石之早已莓苔满布,断裂斑驳,固属事之当然者矣。着一"积"字,足见苔藓之厚,令人慨历年之久;着一"残"字,又足见其圮毁之甚,令人兴览物之悲。而其发人悲慨者,尚不仅此也,因又继之以“零圭断璧”云云。前释“数行书似旧藏处”一句时,已曾引《大清一统志》,知有“宛委之神奏玉匮书十二卷……得赤珪如日,碧珪如月”之说。又据《大明一统志》载:“宋绍兴间,庙前一夕忽光焰闪烁,即其处劚之,得古珪璧佩环藏于庙。然今所存,非其真矣。”按:“珪”古“圭”字。是关于夏禹之陵庙既早有圭璧之传说,而在南宋当时,或者庙藏之中果然亦尚留有圭璧之遗物。夫圭璧者,原为古代侯王朝会祭祀之所用,而今着一“零”字,着一“断”字,则零落断裂,无限荒凉,然则禹王之功绩无寻,英灵何在?徒只古物残存,供人凭吊而已。故继之云:“重拂人间尘土。”于是前所举之积藓之残碑,与夫零断之圭璧,乃尽在梦窗亲手摩挲拂拭之凭吊中矣。“拂”字上更着一“重”字,有无限低回往复多情凭吊之意,其满腹怀思,一腔深慨,固已尽在言外。

然而此句之尤妙者,则在梦窗于前半阕自“三千年事”迄“旧藏处”,全写日间登临之所见、所感;后半阕开端“寂寥西窗久坐”三句,则全写夜间故人灯下之晤对;然后陡接“积藓残碑”三句,又回至日间之登临。全不作此层次分明之叙述与交代。于是,忽而为西窗之剪灯共语,忽而为禹庙之断壁残碑;忽而为黑夜,忽而为白昼;忽而为人事之离合,忽而为历史之今古。而梦窗之所以不为之作明白之划分者,正缘在梦窗之感觉中,此时空之隔阂固早经泯灭而融为一体矣。盖残碑断壁之实物,虽在白昼登临之陵庙之上,而残碑断壁之哀感,则正在深宵共语者之深心之内也。夫以“悭”于“会遇”之故人,于“剪灯”夜“语”之际,念及年华之不返、往事之难寻,其心中固已早有此一份类似断壁残碑之哀感在也。故其下乃接云:“重拂人间尘土。”“尘土”而曰“人间”者,正以其并不但指物质上之尘土而已,同时乃兼指人事间之种种尘劳之污染而言者也。夫人之一生,固曾有多少往事、多少旧梦、多少理想与热情,然而年去岁来,尘劳污染,乃渐渐磨损消亡,于今在记忆之中,亦不过一一皆如尘封之断壁残碑而已。而当故人话旧之际,此久经尘埋之种种,乃复依稀重现;然则岂非剪灯共语之际,亦复正即为拂拭尘土之时?是则“积藓残碑”三句,虽为日间登临之所见,然实亦正为夜语时心中之所感。此正所以梦窗乃以此三句陡接上三句,而全不作划分说明之故。于是乎一己之人事,乃因此而融会于三千年历史之中,而更加深广;而三千年之历史,亦因其融会于一己人事之中,而更加切近。此种时空交糅之写法，正为梦窗特长之所在，未可遽以晦涩目之也。

其后“霜红罢舞。漫山色青青，雾朝烟暮”三句，又以飞扬之笔，另开出一新境界。自情事之中跳出，别从景物着笔，而以“霜红”句，隐隐与开端次句之“秋树”相呼应。然此三句之妙，尚不仅在其承转呼应之陡峻灵活而已，而更在其意境所包笼之深远高妙。昔东坡《赤壁赋》有云：“自其变者而观之，则天地曾不能以一瞬；自其不变者而观之，则物与我皆无尽也。”梦窗此二句之意境，实与之大为相似。然而东坡仍只是理性之说明，而梦窗则全为意象之表现。“霜红罢舞”，其变者也；“山色青青”，其不变者也。彼经霜之叶，其生命固已无多，竟仍能饰以红之色、弄以舞之姿；唯此红而舞者，亦何能更为长久，瞬临罢舞之时，是则虽有无限流连爱恋之意，而亦终归于空灭无有而已。故曰：“霜红罢舞。”此一无常变灭之悲，而梦窗竟写得如此哀艳凄迷。又继之云“山色青青，雾朝烟暮”，则其不变者也。是无论其为雾之晨，为烟之夕，而此青青之山色，则亘古不变者也。又于其上着一“漫”字，“漫”字有任随、枉自之口气，其意若谓霜红罢舞之后，唯有任随山色之枉自青青于雾朝烟暮之中而已。逝者已矣，而人世长存，其间原已有无穷今古沧桑之感；而此二句，乃又正为禹陵所见之景色，而此景色又并不限于登临时当日之所见而已。霜红有一朝罢舞之时，山色无改其青青之日，其情意之深广，乃有包容千古兴亡之悲，而又跃出于千古兴亡之外之感。梦窗运笔之妙、托意之远，于此可见。

结二句“岸锁春船，画旗喧赛鼓”，初观之，亦不免有突兀之感。盖前此所言，如“秋树”，如“霜红”，明明皆为秋日之景色；而此句竟然于承接时突然着一“春”字，若此等处，唯大作者始能不为硁硁琐琐但知拘守之小家态，而后能有此腾跃笼罩之笔。如杜甫之《秋兴》八首，前七首皆从秋景着笔，而于第八首乃突然涌现一“佳人拾翠春相问”之句，翁方纲评杜甫此句曾有“神光离合……一弹三叹”之言。梦窗此句之妙，庶几近之。盖开端之“倦凭秋树”，乃是当日之实景；至于“霜红罢舞”，则已不仅当日之所见而已，而乃包容秋季之全部变化于其中；至于“山色青青”，则更于其中透出暮往朝来、时移节替之意。于是而秋去冬来，于是而冬残春至，则年年春日之时，于此山前当可见岸锁舟船，处处有画旗之招展，时时闻赛鼓之喧哗。然则此何事也，据《绍兴府志·祠祀志》载：“禹庙之建，起于无余祀禹之日。《吴越春秋》：‘无余从民所居，春秋祀禹于会稽。’……宋（太祖）建隆二年，诏先代帝王陵寝令所属州县遣近户守视，其陵墓有隳毁者亦加修葺。（太祖）乾德四年，诏吴越立禹庙于会稽，置守陵五户，长吏春秋奉祀。（高宗）绍兴元年，诏祀禹于越州。（光宗）绍熙三年十月，修大禹陵庙。”又《大清一统志·绍兴府志·大禹庙》载：“宋元以来，皆祀禹于此。”然则此词之“画旗”“赛鼓”，必当指祀禹之祭神赛会也。盖我国旧称祭神之会曰赛会，而于赛会中多有击鼓杂戏等之表演，故曰“画旗喧赛鼓”。“画旗”，当指舟船仪仗之盛。“喧”字，当指“赛鼓”之喧哗。然而梦窗乃将原属于“鼓”字之动词“喧”字置于“画旗”二字之下，作“画旗”与“赛鼓”中间一连系结合之字面，则画旗招展于喧哗之赛鼓声中，乃弥增其盛美之感，旗之色与鼓之声遂结合而为一矣。

而至于必曰“岸锁春船”者，虽然据《大清一统志》所载，历代之祀禹多有春、秋二次之祠祀，然而一则可能今岁秋祠之期已过，则继之而来者自当为明岁之春祠，故曰“春船”。此最浅拙之解释也。而且根据嘉泰《会稽志》卷十三《节序》条记载云：“三月五日，俗传禹生之日，禹庙游人最盛。无贫富贵贱倾城俱出，士民皆乘画舫，丹垩鲜明，酒樽食具甚盛，宾主列坐，前设歌舞。小民尤相矜尚，虽非富饶，亦终岁储蓄以为下湖之行。（原注：下湖，盖乡语也。）”是则年年春日禹庙前歌舞赛会之盛，犹可想见。此正所以上一句“岸锁春船”之必着一“春”字也。再则，此词通首以秋日为主，其情调全属于寥落凄凉之感，曰“残鸦”，曰“秋树”，曰“寂寥”，曰“霜红”，今于结尾之处突然着一“春”字，而且以“旗”“鼓”之美盛喧哗，为全篇寥落凄凉之反衬，余波荡漾，用笔悠闲，一若果然可以春日之美盛移代而忘怀此秋日之凄凉者；然而细味词意，则前所云“雾朝烟暮”句，已有无限节序推移之意，则春日之美盛岂不仍复有归于秋日凄凉之时，则此处之一“春”字，梦窗固于其中隐有无限盛衰更迭之感也。聊且更有言者，则今年于“秋树”“霜红”之时，梦窗固曾来此登临凭吊，然而明年春日之时，纵有旗鼓之盛，而此日登临之梦窗乃或者竟不知何往矣。故而荡开笔墨，遥遥着一“春”字，无限哀戚尽寄托于遥想之中，则年去岁来，春秋代序，此盛衰今古之悲乃层出而不穷，因之梦窗之所慨乃亦不限于此一日之登临而已矣。夫禹王不作，往迹难寻，而人世之陵夷迁替，乃正复如春秋节序之无常，此二句出语极闲远，一若悠然有忘愁之意，然而含意则极深切，足以包笼历史与人事种种之盛衰成败于其中。昔周济《介存斋论词杂著》称梦窗词云："意思甚感慨，而寄情闲散，使人不易测其中之所有。"观夫此词之结尾二句，其信然矣。

（叶嘉莹）

浣溪沙

吴文英

门隔花深梦旧游，夕阳无语燕归愁，玉纤香动小帘钩。　落絮无声春堕泪，行云有影月含羞。东风临夜冷于秋。

鉴赏

这是怀人感梦之词，所怀所梦何人，难以确考。旧日情人，一度缱绻，而今离隔，欲见无由。思之深故形之于梦，不写回忆旧游如何，而写所梦如何，已是深入了一层。"门隔花深"，指所梦旧游之地。当时花径幽深，春意浓郁，但二人即将分手，玉人纤手搴帘，送我出门，此情此景，宛然在目。此时夕阳无语，似添人惜别，燕子归宿，而人将远去，故它也像含愁无限。这上片是写梦境，这是伤心惨目，最不能忘的一幕，所以会经常于梦中出现。

下片抒写怀人之情。梦境是在傍晚，而下片写怀人则在月夜。"落絮"一联，形象丰满，情意绵邈。泪堕无声，落絮亦无声，这是以人的感情移入落絮；人堕泪，春亦堕泪。"无家对寒食，有泪似金波。"（杜甫《一百五日夜对月》）这是以人的悲感扩大到整个宇宙的深广程度。行云遮月，地上便有影子，云遮月似为了含羞，其实也包含妇女送别时的形象，以手遮面，主要还不是为了含羞，而是为了掩泪恐被人知，增加对方的悲伤。"别君时，忍泪佯低面，含羞半敛眉。"（韦庄《女冠子》）这一联固然写的是今日怀人的情况，但何尝不包蕴着别时的情况，即上片所写的梦境。所以有所思，故有所梦；有所梦，更有所思。无明无夜，度日如年，这刻骨相思是够受的。

如此心情，如此环境，自然完全感觉不到一丝春意，所以临夜的东风吹来，比秋天更萧瑟凄冷了。

陈廷焯《白雨斋词话》:"《浣溪沙》结句贵情余言外,含蓄不尽,如吴梦窗之'东风临夜冷于秋',贺方回之'行云可是渡江难',皆耐人玩味。"薛道衡《奉和月夜听军乐应诏》诗:"月冷疑秋夜。"韩偓《惜春》诗:"节过清明却似秋。"春天月夜风冷,是自然现象;加上人的凄寂,是心理现象,二者交织交融,就形成了"东风临夜冷于秋"的萧瑟凄冷的景象,这种气氛笼罩全篇,这是《浣溪沙》一调在结构上得力的地方。

(万云骏)

祝英台近　　吴文英

春日客龟溪,游废园

采幽香,巡古苑,竹冷翠微路。斗草溪根,沙印小莲步。自怜两鬓清霜,一年寒食,又身在、云山深处。

昼闲度。因甚天也悭春,轻阴便成雨?绿暗长亭,归梦趁风絮。有情花影阑干,莺声门径,解留我、霎时凝伫。

鉴赏

龟溪在浙江德清,作者曾多次来此。在梦窗集中,从词题可知写于德清的词共七首。这首《祝英台近》是他晚年重来作客时写的一首即景抒情之作。

词的起首三句写游园。因所游是一座废园,句中"幽""古""冷"三字,如杨铁夫在《吴梦窗词笺释》中所说,都"从'废'字想出"。而且,这三个字不仅显示外界景象的幽静荒凉,还透露了作者内心的凄清冷寂。下面"斗草"两句,写所见溪边的游女。"斗草",是古代主要在少女间进行的一种游戏,宋人写寒食的诗词常写到这一游戏。如李清照写寒食的一首《浣溪沙》中就有"海燕未来人斗草"句。这里,作者之写斗草,既是点明节令,引出光阴易逝的感慨,也是以少女嬉游的欢乐场面来反衬自己暮年作客的处境。紧接着,作者就以"自怜"三句由写景转入抒情,抒写因白首重来、客中独游而触发的年华之感、漂泊之恨。唐圭璋在《唐宋词简释》

中指出，这三句词有三层意思。“两鬓清霜”，叹人生易老；“一年寒食”，叹岁月不居；“又身在、云山深处”，叹此身远离故园。上两句以“自怜”二字领起，说明孤身作客，无人相怜，只有自我怜惜；下一句领以一个“又”字，则既说明过去曾来此地，今“又”到此，也说明一生惯在异乡漂泊，今“又”漂泊异乡。这过拍三句，由景入情。其自怜非一事，所感非一端，词意层叠，寄慨无穷。

下片换头以“昼闲度”一句承上启下：承上，是因自怜身世，触处伤怀，只得任大好春日等闲度过；启下，是因人之辜负春光，才引出“因甚”二句，抱怨天也吝惜春光，在此寒食踏青之日竟阴云笼日，终于成雨。句中的一个“也”字，是说人事已带来重重苦恨，而天公竟“也”使人生愁。它的另一含义是说忧愁的产生主要来自人事，阴雨天气只是“也”来添愁而已。这是加一层的写法，以见愁恨之纷至沓来，从而进一步表达其百端交集、感慨丛生的怅惘之情。

到此为止，词中写的幽香、古苑、竹径、溪边、云山深处、轻阴成雨，都是园内所见所感，词笔没有离开废园。下面插入“绿暗”一句，则把词笔突然宕开，写到远在视线之外的长亭，并想象其在绿荫覆盖之下。乍看，它似与上文不相承接，而这一词笔的跳跃却深化了词思，开拓了词境。这不在视野内、却进入作者心中的长亭，可以是来时告别之地的长亭，如柳永《雨霖铃》词中写的“对长亭晚”；而联系紧接这一句的“归梦”句，作者想的更可能是归路上的长亭，如李白《菩萨蛮》词写的“何处是归程，长亭更短亭”，曾允元《点绛唇》词所写的“长亭道，一般芳草，只有归时好”。此时，既望不到这条长亭道，更不知何时才能踏上这条长亭道，而一片还乡的幽梦，则似已逐空中飞扬的风絮而远去。这里，长亭与归梦相连，归梦又与风絮相连。上句中的一个“暗”字，除带有作者的感情色彩外，已预为归梦烘染气氛，下句中的一个“趁”字，则既显示柳絮之随风飘舞，也托出梦境之缥缈恍惚。诗词中，写飞絮的句子有韩愈的“天地阔远随飞扬”(《听颖师弹琴》)，写归梦的句子有王安石的“归梦不知山水长”(《葛溪驿》)，合写梦与柳絮的句子有晏几道的“梦魂惯得无拘检，又踏杨花过谢桥”(《鹧鸪天》)。以这些句子与这首词的“归梦趁风絮”句合参，更可领略其意境之妙。作者还有一首题为《重游龟溪废园》的《青玉案》，所写情景及所用词语有与这首词相呼应之处。其歇拍三句是：“幽香谁采？旧寒犹在，归梦啼莺晓。”三句中的"幽香"句固与这首《祝英台近》的首句似相呼应,而如果把两首词的写"归梦"句连起来看,可知其词意都是从苏轼写杨花的《水龙吟》词中"梦随风万里,寻郎去处,又还被、莺呼起"三句化出。

如果说,"绿暗"两句是游心于废园外,使归思随风絮而飞向未来归路上的长亭;那么,下面"有情"三句则如陈洵所说,又"钩转本位"(杨铁夫《吴梦窗词笺释》引)。上片末三句的前两句以"自怜"二字领起"两鬓清霜""一年寒食"两个四字偶句;这下片末三句的前两句也是以"有情"二字领起"花影阑干""莺声门径"两个四字偶句,从而化"花影""阑干""莺声""门径"这些无情之景为"解留我"的有情之物。结句的一个"留"字正把前面的"归梦"钩转,使词笔在空间上回到废园内,在时间上回到当前景。而对作者来说,纵为似若有情的景物所"留",也只是"霎时凝伫"而已。这一收尾在篇外宕出远神,句末的"凝伫"二字,如杨铁夫在《吴梦窗词笺释》中所指出,"有无穷之情思"。

(陈邦炎)

祝英台近　吴文英

除夜立春

剪红情,裁绿意,花信上钗股。残日东风,不放岁华去。有人添烛西窗,不眠侵晓,笑声转、新年莺语。

旧尊俎,玉纤曾擘黄柑,柔香系幽素。归梦湖边,还迷镜中路。可怜千点吴霜,寒消不尽,又相对、落梅如雨。

鉴赏

这是节日感怀、畅抒旅情之作。时值除夜,又是立春,一年将尽,新春已至,而客里逢春,未免愁寂,因写此词。

首三句写立春。"红情",指花。"绿意",指叶。旧时立春风俗,裁剪彩色纸、绸、金银箔等物以为花胜,妇女插戴钗头,以应立春节气,所以说花信上了钗股。"上"字形象。赵彦昭《奉和圣制立春日侍宴内殿出剪彩花应制》："花随红意发，叶就绿情新。"四、五句切合除夜立春。"残日"，一年将尽之日，是除夕。"东风"，意谓东风已在吹着，已是春天了。然而，虽是立春而一年未尽，故曰："不放岁华去。"二句细腻熨帖，切合除夕立春。六、七、八三句入人事，以他人除夕迎春之乐，反衬自己的羁旅无聊。邻家除夕守岁不眠待晓，嬉笑达旦，直至新年莺啼。自己如何呢？却不说，而读者自能体会其愁寂之状，这就是所谓意在言外。有人解释此三句，以为"有人添烛西窗，不眠侵晓"是指自己，"笑声转、新年莺语"，是指他人。这意虽可通，但既云"用'有人'领下"，则三句应连成一气，分成两橛，从文法说，似乎扞格难通。

上片结处，以他人暗逗出自己，换头以下就写自己。"旧尊俎"三句，回忆过去立春日家人团聚过节之乐。那时有玉人以纤手擘破黄柑，用以荐酒。"柔香"，是指黄柑所发出的香气。这一缕缕香气也带着玉人的柔情，至今系在心上不能忘记。不过已事过境迁，仅成回忆罢了。"归梦"二句，写思归心切，即所谓"每逢佳节倍思亲"者。月夜梦里归家，但至湖边迷了路，终于在梦里也不能归至家中。由于种种原因，词人在事实上不能归家，而即使梦里也不能归去，语极沉痛。结处三句塑造出一个羁栖凄绝之境："可怜"二字领下三句，"千点吴霜，寒消不尽"，指人；"落梅如雨"，指物。这"寒消不尽"的"寒"，意属虚实两边。年老而鬓白如霜；虽已立春而残寒尚在，因此玉梅乱落如雨，这是实写。鬓霜千点，霜是寒的，故觉寒气尚存，使人战栗，而落梅如雨，也倍增其凄冷，于是人情之冷和景物之冷，融成一阵阵袭人肌骨的寒意，这是虚写。因自己在已经立春的除夕，心头感不到春意，故结句着重写"不放岁华去"，即辛弃疾《汉宫春》所写"无端风雨，未肯收尽余寒"的意思。"可怜"者，除夕既已立春，东风亦既吹到，但不应该这样的落梅纷纷，寒消不尽也。笔意始终不脱离"除夜立春"，笔力雄大，而又能细切如此。杜诗云："毫发无遗憾，波澜独老成。"（《敬赠郑谏议十韵》）此词有焉。

此词的艺术特色，还可谈两点：一、切题切事切人。词要求切题，切题才有个性，而个性是词的生命。此词紧切"除夜立春"，虽"立春"而尚属"除夜"，虽"除夜"而已经"立春"。而重点放在一年将尽，残寒未退，"千点吴霜"，"落梅如雨"的茕独凄冷的处境上，这就使此词具有独特的不可复制的生动形象。二、此词前后两结是关键。"有人添烛西窗，不眠侵晓，笑声转、新年莺语。”写他人以反衬自己，以不言为言，可说是“不着一字，尽得风流”。后结“可怜千点吴霜，寒消不尽，又相对、落梅如雨”，则单写自己，但只写鬓上繁霜，窗外落梅，而不及人的心情，实则凄冷的心情已浓烈地渗透在写景之中，把情思化为兴象，这是高明的写法。前后两结都极警策，梦窗另一首《祝英台近》（采幽香）也是如此。

（万云骏）

风入松　　吴文英

听风听雨过清明，愁草瘗花铭。楼前绿暗分携路，一丝柳、一寸柔情。料峭春寒中酒，交加晓梦啼莺。

西园日日扫林亭，依旧赏新晴。黄蜂频扑秋千索，有当时、纤手香凝。惆怅双鸳不到，幽阶一夜苔生。

鉴赏

唐圭璋云：“此首西园怀人之作。”（《唐宋词简释》）良是。西园为词人寓居之地。梦窗词中屡提到西园，如《风入松·桂》：“暮烟疏雨西园路，误秋娘、浅约宫黄”，《莺啼序·咏荷》：“残蝉度曲，唱彻西园，也感红怨翠”，《浪淘沙》：“往事一潸然，莫过西园”。西园在西湖，是梦窗和情人寓居之处，而二人分手也在这里，故词中屡及之。

此词上片情景两融，所造形象意境有独到之处，勿泛泛读过。首二句是伤春，三、四句即写到伤别，五、六句则是伤春与伤别的交织交融，形象丰满，意蕴深厚。“听风听雨过清明”，有人说“清明”点时令，不错，但还应深入形象，探得词意所在。“清明时节雨纷纷”，寒食、清明凄冷的禁烟时节，连续刮风下雨，那是更够凄凉的。风雨不写“见”而写“听”，值得注意。日夜风雨，摧残鲜花，“林花谢了春红，太匆匆，无奈朝来寒雨晚来风”（李煜《相见欢》），这是说白天。“夜来风雨声，花落知多少”（孟浩然《春晓》），这是说晚上。白天对风雨中落花，不忍见，但不能不听到；晚上则为花无眠，以听风听雨为常。首句四个字就写出了词人在清明节前后，听风听雨、愁风愁雨的惜花伤春情绪，使读者生凄神撼魄之感。“愁草瘗花铭”一句紧承首句而来，五字千锤百炼，意密而情浓。落花满地，应加收拾，遂把它打扫成堆，给以埋葬，这是一层意思；葬花已毕而尚不惬于心，心想应该为它草就一个瘗花铭，庾信有《瘗花铭》，此借用之，这是二层意思；草（此用为动词）铭时为花伤心，为花堕泪，愁绪横生，故曰“愁草”，这是三层意思。但“愁草”的草，又可含双重意义，又可理解为含愁的草，那么，葬花，草铭，立石（或为木写的）之后，杂草在风雨中生长，把“花铭”都埋没掉了。词人为花而悲，为春而伤，情波千叠，都集中反映在此五字中了。“楼前绿暗分携路，一丝柳、一寸柔情。”接着写伤别。梦窗和情人分手，就在这里。“暮烟疏雨”的“西园路”，“感红怨翠”的西园，是词人终生不能忘的地方，所以说“往事一潸然，莫过西园。”这里是抓住依依杨柳来叙写别情。“红稀”自然“绿暗”，此二句和首二句仍有内在联系。杨柳是多情的东西，一枝柳含一寸柔情，万丝柳有千尺柔情，睹此柔丝婀娜的杨柳能不回想别时，痛伤别后！“料峭春寒中酒，交加晓梦啼莺”，二句可对可不对，此用对偶，意象更为密集。春寒病酒，是为春伤，意重伤春，但何尝不包括别情在内？晓莺破梦，是梦中惜别，是伤别，但也何尝不包括伤春在内。“料峭”“交加”用得好，病酒往往畏寒，而“料峭”的春寒又复侵袭之，真是“残寒正欺病酒”。“交加”，杂多重沓貌，此指梦境，亦指莺声。人迷困在杂沓的梦境之中，莺啼声声，时醒时梦，写出愁梦困扰情况，他手所不能到。上片是愁风雨，惜年华，伤离别，意象集中精炼，而又感人至深，显出梦窗词密中有疏的特色。

下片写清明已过，风雨已止，天气放晴了。但思念已别的情人，何尝忘怀？有一种写法，是因深念情人，故不忍再去园中平时二人一同游赏之处了，以免触景生悲，睹物思人。但梦窗却用进一层的写法，那就是写照样（依旧）去游赏林亭。“依旧”者，虽不忍去而仍不忍不去也。及其去后，见秋千索而思旧日荡秋千之人，但却不正面写，而从侧面写。写黄蜂因索上凝着荡秋千人纤手的香气而频频扑去。黄蜂如此，则人可知矣。这就是前人词话中常说的“不犯本位”（刘熙载《艺概·词曲概》）。谭献云：“此是梦窗极经意词，有五季遗响。‘黄蜂’二句，是痴语，是深语。结处见温厚。”（谭评《词辨》）怀人之情至深，故即不能来，还是痴心望着她来。“日日扫林亭”，就是虽毫无希望而仍望着她来。离别已久，秋千索上的香气未必能留，但仍写黄蜂的频扑，这是幻境而非实境。陈洵说：“见秋千而思纤手，因蜂扑而念香凝，纯是痴望神理。”(《海绡说词》)这也可说是词的真实和生活的真实的区别吧！结句“双鸳不到”(双鸳是一双绣有鸳鸯的鞋子)，明写其不再来而生出惆怅。而这惆怅之情，仍不抽象地说出，而用形象来表达。“幽阶一夜苔生”，语含夸张。庾肩吾《咏长信宫中草》：“全由履迹少，并欲上阶生。”李白《长干行》：“门前迟行迹，一一生绿苔。”梦窗此句似从上二诗句脱化而来。不怨其不来，而只说“苔生”，这就是谭献所说的“温厚”。又当时伊人常来此处时，阶上是不会生出青苔来的，现在人去已久，所以青苔滋生，但不说经时而说“一夜”，也见出二人双栖之时，欢爱异常，印象深刻，仿佛如在昨日，故云“一夜苔生”。这样的夸张，在事理上并不如此，而在情理上却是真实的，所以说“见温厚”。

(万云骏)

莺啼序

吴文英

残寒正欺病酒，掩沉香绣户。燕来晚、飞入西城，似说春事迟暮。画船载、清明过却，晴烟冉冉吴宫树。念羁情、游荡随风，化为轻絮。　　十载西湖，傍柳系马，趁娇尘软雾。溯红渐招入仙溪，锦儿偷寄幽素。倚银屏、春宽梦窄，断红湿、歌纨金缕。暝堤空，轻把斜阳，总还鸥鹭。　　幽兰旋老，杜若还生，水乡尚寄旅。别后访六桥无信，事往花委，瘗玉埋香，几番风雨。长波妒盼，遥山羞黛，渔灯分影春江宿，记当时、短楫桃根渡。青楼仿佛，临分败壁题诗，泪墨惨淡尘土。　　危亭望极，草色天涯，叹鬓侵半苎。暗点检、离痕欢唾，尚染鲛绡；亸凤迷归，破鸾慵舞。殷勤待写，书中长恨，蓝霞辽海沉过雁，漫相思、弹入哀筝柱。伤心千里江南，怨曲重招，断魂在否？

鉴赏

《莺啼序》是词中最长的调子,梦窗有三首《莺啼序》。此词集中地表现了他的伤春伤别之情。夏承焘说:"集中怀人诸作,其时夏秋,其地苏州者,殆皆忆苏州遣妾;其时春,其地杭州者,则悼杭州亡妾。"(《吴梦窗系年》)此词美不胜收,我们先从其抒情结构入手,串讲其大意。陈廷焯评《莺啼序》说:"全章精粹,空绝千古。"(《白雨斋词话》)陈洵评此词说:"通篇离合变幻,一片凄迷,细绎之,正字字有脉络,然得其门者寡矣。"(《海绡说词》)从篇章结构来说,此词实具有典范性,而陈洵的分析,也颇有中肯处。

全词分为四段:第一段是游湖,第二段是欢会,第三段是伤别,第四段是凭吊。

第一段闲闲叙起,"伤春起,却藏过伤别"(陈洵《海绡说词》),这是对的。因为把伤别放在伤春的情境中写,也可说在典型环境中表现典型情绪吧。时值春暮,残寒病酒,闭门不出,但燕子飞来唤我出游,好像说春天已快过去了。于是"驾言出游,以写我忧"。在湖中时,看到岸上的行行烟柳,不禁羁思飞扬起来。"念羁情、游荡随风,化为轻絮"三句是警句,不但为了束上生下的需要,也为了抒情造境的需要。试想伤春伤别,思绪万端,从何写出?现在写羁情把它融化在茫茫飞絮中,便觉对此苍茫,百感交集,所谓烟水迷离之致,所谓笔墨尽化烟云,就是指这样一种境界。词的承接处大都在前段之末或后段之前,多数用领字或虚字作转换。周邦彦和吴文英的词,常用实句作承转,不大用领字,这就是和其他词人不同的地方。作者写到这里,便有一片羁情,像轻絮一样随风游荡,随风展开,而下面三段所写内容,便都包含在此三句中了。

第二段便追溯别前情事,写初遇时的欢情。时节在清明,地点在西湖,这在吴词中屡次写到的。如《渡江云·西湖清明》:"旧堤分燕尾,桂棹轻鸥,宝勒倚残云。千丝怨碧,渐路入仙坞迷津。肠漫回,隔花时见,背面楚腰身。"地点在西湖的苏堤与白堤交叉之处,故云"旧堤分燕尾"。当时词人舍陆而舟,故云"千丝怨碧""宝勒倚残云",又云"桂棹轻鸥""渐路入仙坞迷津";而在此词中则云"傍柳系马",又云"溯红渐招入仙溪",也是舍马而舟,借锦婢传情示意,招入"仙溪"伊人居处。词人其他词中写此事还有的是。“倚银屏、春宽梦窄，断红湿、歌纨金缕”二句，是写初遇时悲喜交集之状。“春宽梦窄”，是说春色无边而欢事无多；“断红湿、歌纨金缕”，“断红”，指红泪，因欢喜感激而泪湿歌扇与金缕衣。“暝堤空，轻把斜阳，总还鸥鹭”三句，也是警句，是进一步写欢情，但含蓄不露，柳七、黄九的淫词亵语，不能犯其笔端，周邦彦写爱情也是如此，可见同样写男女欢情，品格也有高下之别。这三句用写景寓人事，意谓时间已近黄昏，暮色笼罩的湖堤上，游人尽去，而我幸得在“仙溪”留宿：“斜阳只与黄昏近”，斜阳原是添愁惹恨之物，如今却与我无分；斜阳啊，你还是伴着湖中鸥鹭，一同憩息吧！陈洵说：“炼风景入人事，则实处皆空。”这三句既蕴藉而又空灵，足供玩味。

第三段写别后情事。“幽兰旋老”三句，此和上片结处，从事实说，还有较大距离：如欢会之后，如何分手；分手之后，其人如何谢世，等等。但这些可放在第二段写的，却放在此段中写。先写暮春又至，自己依然客处水乡。这既与二段“十载西湖”相应，又唤起了伤春伤别之情。于是从别后重寻旧地时展开一片想象，在头脑中重现初遇、临分等难以忘怀的种种情景。“别后访”四句，是逆溯之笔，即一层层地倒叙上去。先是写花谢春空，芳事已付流水，“瘗玉埋香”，是写风雨葬花，实也暗示其人已经去世。这也是赋而比也，是写风景而兼写人事，所谓一笔而两面俱到的。于是逆溯上去，追叙初遇。“长波妒盼”至“记当时、短楫桃根渡”，这是倒装句，依文法次序应是：“记当时、短楫桃根渡”，“长波妒盼，遥山羞黛，渔灯分影春江宿”。这几句是写当时艳遇。伊人顾盼生情，多么艳丽，即使潋滟的春波，也要妒忌她；苍翠的眉样的春山，也要自愧不如，为之含羞啊！因为这是最难忘的事，所以在重访时思想中又会出现此印象。这几句于第二段为复笔，“短楫桃根渡”，即是“溯红渐招入仙溪，锦儿偷寄幽素”；“渔灯分影春江宿”，即是“暝堤空，轻把斜阳，总还鸥鹭”。复笔的妙处，在于事件复而意象不复，二段初遇未写那女子艳丽，此补写之。但那里是实写（虽然也是追叙），而这里是在生离死别的心情下的追写。还有，这里所写，又和第一段无一笔犯复，述事不殊，而形象各别，这是词人在艺术技巧上的非常高明之处。此段结处写临分，承上几句而是顺叙。第二段未写分手情况，此则为补写。着“青楼仿佛”四字，于是“短楫桃根”，“春江留宿”，俱一扫而空，仅供今日的凭吊而已。

第四段淋漓尽致地写对逝者的凭吊之情。此段感情更为深沉,意境更为开阔。因伊人逝去,已非一日,词人对她的悼念,也已经岁经年,但绵绵长恨,不随伊人的逝去和随自己的逐渐衰老、日久而有所遗忘,于是词人便在更长的时间中,更为广阔的空间内,极目伤心,长歌当哭,继续抒写他胸中的无限悲痛之情。这里是怅望:"危亭望极,草色天涯,叹鬓侵半苎"(苎,麻,色白;半苎乃半白);是寄恨:"殷勤待写,书中长恨,蓝霞辽海沉过雁";是凭吊:"伤心千里江南,怨曲重招,断魂在否?"但也有回忆:"暗点检、离痕欢唾,尚染鲛绡;亸凤迷归,破鸾慵舞。"陈洵说:"'欢唾'是第二段之欢会,'离痕'是第三段之临分。"这样论词,可谓心细如发。这词体现了吴词在结构上多方面的特点,如我们上面所说的时空安排、上下映带、突接突转等,无不具备。这是吴词的特点之一,也是周邦彦及许多优秀词人作品的特点之一。要了解、掌握这些特点,那么阅读周、吴等人的词时才不致如入宝山空手归了。

再谈一下梦窗词以密丽为尚的艺术特色问题。朱祖谋说:"君特以俊上之才,举博丽之典,审音拈韵,习与古谐。故其为词也,沉邃缜密,脉络井井,缒幽抉潜,开径自行,学者非造次所能陈其义趣。"(《梦窗词跋》)这里所谓"博丽",是说梦窗词彩的浓丽,所谓"沉邃缜密",是说梦窗词意象组织的绵密、含义的深刻。"缒幽抉潜,开径自行",是说梦窗词在结构方面,惨淡经营,独辟蹊径(这在上面已经说了)。现就梦窗词的遣词用语和形象塑造两个方面谈一谈它的艺术特色。

词为艳科,本不以辞藻艳丽为病。陈洵说:"飞卿严妆,梦窗亦严妆,惟其国色所以为美。"(《海绡说词》)梦窗能于艳丽的词语里面饱含着深挚激动的感情,达到情文并茂、情景交融的佳境。如本篇的"沉香绣户""娇尘软雾""倚银屏、春宽梦窄,断红湿、歌纨金缕""瘗玉埋香,几番风雨""长波妒盼,遥山羞黛""亸凤迷归,破鸾慵舞"等都是。况周颐说:"梦窗密处,能令无数丽字一一生动飞舞,如万花为春。"(《蕙风词话》)只要能有深挚的感情、生动的形象,那么丽语也好,淡语也好,不是说"淡妆浓抹总相宜"吗?

至于梦窗词中形象组织的绵丽,也表现了他的塑象造境的深刻锻炼工夫。梦窗词中的形象意境往往是丰富的、多侧面的。如上面已分析过的"念羁情、游荡随风,化为轻絮"。"羁情"和"轻絮"本是二物,互不相关。当"羁情"是羁情,"轻絮"是轻絮时,词人主观的心灵和客观的景物尚未契合,这时还没有词;但一经词人灵妙的心手,把二者"化为"一体时,便产生了极其鲜明、生动而丰富的形象,词也就出来了。此二句写词人游湖时所见湖边景物,一也。随风游荡、迷漫满空的柳絮,是羁情化为轻絮,还是轻絮化为羁情呢?二者已莫之能辨了。此是赋兼比兴,主客观的融合,二也。下面二、三、四段所写情景均是羁思的内容,均可纳入此二句之中,它是抒情塑象的警句,又是结构上的警句,一笔而三面俱到,是何等的笔力!

(万云骏)

惜黄花慢　吴文英

次吴江小泊,夜饮僧窗惜别,邦人赵簿携小伎侑尊,连歌数阕,皆清真词。酒尽已四鼓,赋此词饯尹梅津。

送客吴皋,正试霜夜冷,枫落长桥。望天不尽,背城渐杳,离亭黯黯,恨水迢迢。翠香零落红衣老,暮愁锁、残柳眉梢。念瘦腰、沈郎旧日,曾系兰桡。

仙人凤咽琼箫,怅断魂送远,《九辩》难招。醉鬟留盼,小窗剪烛,歌云载恨,飞上银霄。素秋不解随船去,败红趁、一叶寒涛。梦翠翘,怨鸿料过南谯。

鉴赏

这是吴文英饯别好友尹惟晓的一首词。"送客吴皋"二句,以实叙开头,点明"送客"。"长桥",即吴江垂虹桥,见《吴郡志》。"试霜""枫落",点出时间是在秋天霜夜枫落之时。唐崔信明有"枫落吴江冷"佳句传世,此用之,以此写出送别时的凄清景象,下面几句乃着意渲染之。"望天不尽"四句,以对偶形式出之,极写水行相送,伤离惜别的情景,情致绵邈。客船面向水天而去,而无有尽头,向后一望,则离城越来越远了。主客离别之处(离亭),已隐约可见,意味着分袂在即;而一水迢迢,充满离恨,也像水天远去的无尽。前"望天"二句写景,而景中含情;后"离亭"二句写情,而情中带景:深得景语、情语浓淡相间之妙。“翠香零落”以下五句,写水中、岸上所见景物,进一步描绘离情。“红衣”,指荷花,翠叶凋零,花老香消,情兼比兴。李璟《浣溪沙》有句云:“菡萏香销翠叶残,西风愁起绿波间。还与韶光共憔悴,不堪看。”王国维以为有美人迟暮之感。“残柳”是岸上之物,它枝叶黄落,愁烟笼罩,也似替人惜别。睹凋荷而伤年华,见残柳而添离恨,迟暮之嗟,离别之恨,于此交织交融,令人难以为怀了。“念瘦腰”三句,再从“残柳”生发,感旧伤今,今昔映衬,愈增离思。“沈郎”,原指沈约,用其瘦腰事此词人自喻。过去也曾小泊江边,傍柳系舟,但心情不同,以昔乐衬今苦,而离别黯然销魂之情状愈加突出。

上片写送客的情景,下片则写僧窗夜饮惜别的情景。饯别席上,当地人姓赵的主簿命小伎歌清真词侑尊,所唱可能有别词,如《兰陵王》(柳阴直)、《夜飞鹊》(河桥送人处)、《尉迟杯》(隋堤路)、《浪淘沙慢》(昼阴重)等都是。换头“仙人”三句,用萧史、弄玉吹箫,其后夫妇成仙事,但此只喻倚洞箫唱清真词的小伎,歌声美妙,好似弄玉吹箫作凤鸣一般。《九辩》传为宋玉所作,开头有“憭慄兮若在远行,登山临水兮送将归”之句。这里把弄玉、宋玉两个典故结合起来,意谓即使有像弄玉吹凤箫那样悲咽(即指小伎所歌清真词),作《九辩》的宋玉那样的才华情思,那也无法招取悲痛欲绝的送客断魂。这断魂,分天上地下两路随飞云、随寒涛流驶而去。一方面小伎之歌,载着离恨,飞上云霄(醉鬟,即指小妓,她也同情离别,故云留盼),这是说断魂化为歌云而飞上天去;另一方面,客人还是要乘船而去。“素秋”,指悲秋伤别之情景,不可能因客去而消失,只有一缕断魂,趁着寒涛败叶,一直跟客船远至天涯而已。写得真是离魂踯躅,别思飞扬。梦窗生花妙笔,善于把不能直觉感知的抽象的思想感情化为具体可感的甚至可以触摸的生动形象,所谓情景结合之妙,就表现在这些地方,读者如果仔细体会咀嚼,对我们今天写诗也有借鉴意义。结句“梦翠翘,怨鸿料过南谯”,更是神思缥缈。“翠翘”,指所思女子,可能词人因“醉鬟留盼”而联想到所思之情人。他梦想远方的情侣,但不能相见,我这颗离心恐也会随过南楼的悲鸿而远去呢!这化用赵嘏“乡心正无限,一雁过南楼”的诗意。陈洵《海绡说词》说此词“题外有事”,可能就是指这些地方。

此词幻与真结合,隐与显结合,虚与实结合。上片“送客吴皋,正试霜夜冷,枫落长桥。望天不尽，背城渐杳，离亭黯黯，恨水迢迢”，是实叙，写实景，故易懂。“翠香零落红衣老，暮愁锁、残柳眉梢”，寄离愁于枯荷残柳，已得情景交融之妙，已是虚实结合，似显而隐了。“念瘦腰，沈郎旧日，曾系兰桡”，不着重写今日的系柳小泊，而追溯旧日之在此系船，今昔映衬、虚实结合，表现灵魂深处隐微、复杂的感情，看似写旧日，实是加倍写今日。下片写僧窗惜别，是实，但别思飞扬，如“《九辩》难招”“歌云载恨，飞上银霄”“素秋不解随船去，败红趁一叶寒涛”等都是幻想飞翔而又不离实事实景。结句似乎离开了题目，想到自己身上去了，但此由自己与尹惟晓的离别之苦，联想到自己与情人久离之苦，在形象上还有其内在的联系。梦窗词往往幻多于真，醉多于醒，虚多于实，所以似乎隐晦，有些难读，但如反复吟味，注意其虚实结合处，那么不但可以自隐至显，由虚返实，而且其感情的脉络线索也是可以把握的。

（万云骏）

丑奴儿慢　吴文英

双清楼在钱塘门外

空濛乍敛，波影帘花晴乱，正西子、梳妆楼上，镜舞青鸾。润逼风襟，满湖山色入阑干。天虚鸣籁，云多易雨，长带秋寒。　遥望翠凹，隔江时见，越女低鬟。算堪羡、烟沙白鹭，暮往朝还。歌管重城，醉花春梦半香残。乘风邀月，持杯对影，云海人间。

鉴赏

在南宋，以“销金锅子”著称的西子湖，是不少词客们觞咏流连之地。说来也动听，他们是“互相鼓吹春声于繁华世界，能令后三十年西湖锦绣山河，犹生清响”（郑思肖《玉田词题辞》）。可惜的是大好湖山，就在这回肠荡气的玉箫声里断送了。吴文英，就是南宋后期为西湖写出不少词作的一人。

在梦窗所写的西湖词里，这首《丑奴儿慢》，要算是较有深刻的思想性并有高度艺术成就的一阕。这里，不仅给西湖作了妍丽的写照，而且也反映了当时多少人们生活在怎样一个醉生梦死的世界里。

上半片，从雨后风光写起：空濛的雨丝刚才收敛，风儿轻吹，荡漾得帘波花影，晴光撩乱。这一画境，已够浓丽。再以“西子梳妆楼上”“青鸾舞镜”作比拟，染成了异样藻彩。“西子”比西湖的山水，“青鸾舞镜”比西子，是比中之比。上面用了浓笔，“润逼风襟”二句，换用淡笔。它不仅把上文所渲染的雨气山光，一语点醒，而且隐然透示披襟倚阑，此中有人。“天虚鸣籁”三句，锤炼入细，写的是阴雨时节，而给人以秋寒感觉。

下半片扩展到隔江远望，以“低鬟越女”比拟隐约中的隔江山峰。接着把自己所企羡的往还自由的烟沙白鸟，跟沉醉于重城歌管的人们作一对照。在万人如海的王城，这种人不在少数，词人用“醉花春梦半香残”作嘲讽，当头棒喝，发人深省。于是意想突然飞越，自己要乘风邀月，对影高歌，云海即在人间。词人本身高朗的襟抱，跟醉花春梦者流，又来一个对照。

以“七宝楼台”著称的梦窗词，虽然以严妆丽泽取胜，但像这首词，就不是徒眩珠翠而全无国色之美的。

（钱仲联）

高　阳　台　　吴文英

丰乐楼分韵得“如”字

修竹凝妆，垂杨驻马，凭栏浅画成图。山色谁题？楼前有雁斜书。东风紧送斜阳下，弄旧寒、晚酒醒余。自消凝、能几花前，顿老相如？　　伤春不在高楼上，在灯前欹枕，雨外熏炉。怕舣游船，临流可奈清臞。飞红若到西湖底，搅翠澜、总是愁鱼。莫重来、吹尽香绵，泪满平芜。

鉴赏

宋时杭州涌金门外有座丰乐楼，《临安县志》上说它“据西湖之会,千峰连环,一碧万顷,柳汀花坞,历历栏槛间,而游桡画鹢,棹讴堤唱,往往会合于楼下,为游览最”。周密《武林旧事》记此楼“宏丽为湖山冠”。吴文英在杭州时,正值南宋后期,偏安半壁,时局日非,国运岌岌可危,而西湖上依旧轻歌曼舞,游人繁盛,“缙绅多聚拜于此”。他们置酒高会,席间分韵填词,吴文英得“如”字,他即景生情,触目伤怀,于是按谱依韵,写下这一篇佳制。

“修竹凝妆”“垂杨驻马”写此间游春欢会之盛。作者选取眼前两组好景。“凝妆”,指凝妆(整妆、盛妆)的佳人,语出杜甫《佳人》诗:“天寒翠袖薄,日暮倚修竹。”在凭栏人(作者自己)看来,这竹与人、杨与马相映生辉的好景只须浅浅几笔,轻描淡写即足以构成秀美图画,则其景色之宜人可知。

“山色谁题?”作者视线移高,望见青青山色,心情转为沉重。此时此际,吟诗题字者岂乏其人;但在他看来,对此青山,百感茫茫,那一腔愁思,无人领会,有谁能抒写?唯有天边雁字斜书,聊可作为山色的题词。那“斜书”的“斜”字下得好极,透出欹斜飞动、自然潇洒之势。这一构思设想甚灵妙:试想作者眼前那幅天然图画里、青山之上缀以数行雁阵,岂不似题诗的点点墨痕吗?

“东风”以下数句,可看出凭栏人心情更转悲凉。“紧送”之“紧”,既有凄紧之意,又有紧迫之意。白日西沉,伴有东风“紧送”,眼前好景无多,何况晚风吹醒酒意,身上感到春寒料峭。这寒是旧冬之余寒,故称“旧寒”。“自消凝”数句接得自然紧凑。人往往在黯然销魂、内心无限感伤之际,表面却寂然凝神。词人自比多才多情又多病的司马相如,感伤自己生命无多,还能有几个花朝月夕可流连?“顿老”与“紧送”相呼应,亟显示其衰飒紧迫之感。人之将老,国之将亡,种种感伤情愫,一一逗引而出。

过片“伤春不在高楼上”,承上启下,手法很不寻常。周济《介存斋论词杂著》指出吴文英的运笔之“神”:“梦窗每于空际转身,非具大神力不能。”陈廷焯《白雨斋词话》评此词说:“题是楼,偏说伤春不在高楼上,何等笔力!”大略是指梦窗词的章法结构的巧妙,不是平铺直叙式的,而是在关键处每每作一大顿挫,使之空灵动荡而生情致。“伤春”“在高楼上”,这是对上半阕的概括,加上一个“不”字,这就为下半阕开出无限地步,激发读者去想象。这一大推宕后,推出两个画面:“灯前欹枕”和“雨外熏炉”。这才是作者认为比在高楼上更加伤春的时刻,这里也概括了作者平时的生活场景。这灯前雨后,谙尽孤眠孤坐的滋味,真是寂寞中的寂寞了。"怕舣游船",怕游船附着岸边(舣,舟附岸),怕临水照见自己清癯消瘦的面影,则在家寂寞,出游也易感伤,伤春之情,无往而不在。

"飞红若到西湖底,搅翠澜、总是愁鱼。"这是吴文英式的警句:美丽、空灵,炫人心目;设色又如此艳丽:飞红、翠澜;而且是动态的美:红花在飘飞,碧波在摇动。"能令无数丽字一一生动飞舞。"(况周颐《蕙风词话》)应该说这并非作者眼前实景,乃是他想象中的图像,他的愁思随雁行织在青山之上,伴飞红、游鱼直到西湖之底。丰乐楼周围的碧水青山莫不被词中抒情主人公心中的愁思所萦绕。"愁鱼",造语颇新。既然"感时花溅泪,恨别鸟惊心"(杜甫《春望》),则鱼可愁也是不错的。同样用移情于物的手法。叶嘉莹先生认为"梦窗在杭州有不少悼他一位亡妾之作,则此一'鱼'字岂非更可能有悼亡的'鳏鱼'之联想"(《迦陵论词丛稿》),揣摩词中表现的孤寂之情"灯前欹枕"云云,可知此说是有见地的。还可以这样理解:"鱼""余"同音,"总是愁鱼",即"总是愁余"之意。这里可能用了双关语气。

"莫重来"三句结束,绾住全篇,首尾关合。艺术形象也仍然是美的,"落絮无声春堕泪"(吴文英《浣溪沙》),那"香绵"点点飘坠在平芜之上,不正是无声之泪吗?

陈洵《海绡说词》对全篇作这样分析:"'浅画成图',半壁偏安也;'山色谁题',无与托国者;'东风紧送',则危急极矣;'凝妆''驻马',依然欢会;'酒醒'人老,偏念旧寒;'灯前''雨外',不禁伤春矣;'愁鱼',殃及池鱼之意;'泪满平芜',城邑邱墟,高楼何有焉?"这样解词,句句落到实处,未免拘泥,但就其大意而言,是有参考价值的。当人们尚在偷安作乐之际,敏感的词人觉察到覆亡的阴影早已笼罩,预感到未来命运的更悲惨,这都是可能的。就中"伤春"之情,包含着个人身世之悲,亦有国家兴亡之感,总之是吴文英这位词人所特有的思想情感。更有借鉴意义的,是其表现手法的高明,试看词中"伤春"之情是如何愈演愈炽烈,由浅淡而转浓郁的。从"山色谁题"——"能几花前"——"可奈清臞"——"泪满平芜",其间三次设问,委婉传情,最后达到高潮,以其浓郁的抒情气息,深深打动和感染读者。

(徐永端)

八声甘州　吴文英

陪庾幕诸公游灵岩

渺空烟四远，是何年、青天坠长星？幻苍崖云树，名娃金屋，残霸宫城。箭径酸风射眼，腻水染花腥。时靸双鸳响，廊叶秋声。　宫里吴王沉醉，倩五湖倦客，独钓醒醒。问苍天无语，华发奈山青。水涵空、阑干高处，送乱鸦、斜日落渔汀。连呼酒，上琴台去，秋与云平。

鉴赏

“灵岩山即古石鼓山，在吴县西三十里，上有吴馆娃宫、琴台、响屧廊。山前十里有采香径，斜横如卧箭云。”（《彊村丛书·梦窗词集小笺》引《吴郡志》）梦窗这时三十余岁，在苏州为仓台幕僚，“庾幕”就是仓幕。这是梦窗游灵岩怀古之词。

此词虚实俱到，真幻结合，比兴兼陈，在艺术上，颇可代表梦窗词的特色。

“渺空烟四远，是何年、青天坠长星？幻苍崖云树，名娃金屋，残霸宫城。”一起掷笔空际，横绝古今，直追溯到千万年前未有灵岩之前。词人视野开阔，向四面八方极远地区望去，觉得天空无边无际，渺无点烟，于是生出幻想。这长形的灵岩山，是什么时候从青天掉下来的一颗星星呢？自有了这座灵岩，到了春秋末期，又有吴越争霸、盛衰兴亡的事。那时吴王夫差在“苍崖云树”之间建筑了宫殿，“名娃金屋”，即西施居住的馆娃宫，在此称王称霸，过着荒淫无耻的生活。之所以称为“残霸”，是由于吴越继春秋五霸之后，他们的霸业不过是余光返照而已。接着“箭径酸风射眼，腻水染花腥。时靸双鸳响，廊叶秋声。”承上面山树、宫城、金屋粗线条的轮廓勾勒，转入更为具体细致的形象刻画。“箭径”，即采香径，在灵岩山前，一水如矢，故亦名箭泾，是当年吴王宫女们濯妆洗垢的处所。箭径遗迹尚在，但早已荒废，只觉冷风射眼，眸子为酸。此是今天所见，是实写。

但虽然梦窗之世，距吴越已一千数百年之久，而在想象中，当时宫女如花、穷奢极侈的情状，还似在目前。所以箭径两岸之花，因被脂腻之水所染，也带着一股腥味。花香原是好闻的东西，现在化美为丑，对吴王荒淫亡国的讽刺，就在言外了。这是虚写。行近馆娃宫外的响屧廊，这是当年西施和宫女们穿着木屧走过的地方，如今这些美女早已烟消云散，但风吹落叶却在空廊中响着，仿佛是宫女们木屧所蹴起的响声呢！这二句又是实写和虚写的结合。

上片主要通过景物以寓怀古讽今之情，下片则主要通过人事以讽刺当世。"宫里吴王沉醉，倩五湖倦客，独钓醒醒。"这里明白提出吴王夫差，因沉迷酒色、任用权奸而被越王勾践所灭亡，他是一个沉醉不醒的人；而相对地说，辅助勾践灭吴兴越的范蠡，他却看出越王妒贤嫉能，可同患难，而不可共安乐，因此就功成身退，乘扁舟，游五湖，隐居去了，他是一个头脑清醒的人。梦窗处南宋季世，外则强敌压境，内则奸臣弄权，而时君昏庸，与沉醉的吴王无异。而自己则寄人篱下，忧国有心而报国无门，只能徒呼负负而已。"问苍天无语"，虽同屈子的搔首问天，但苍山不语，孤愤徒存；而且华发已生，渐近老大（主要是心情的衰老），大是无可奈何之日也。接下"水涵空、阑干高处，送乱鸦、斜日落渔汀"，其时天色将晚，遥望汪洋万顷的太湖之水上涵高空，向阑干高处，这是词人目光由下而上；再由上而下，目送带着斜晖的乱鸦飞落寒汀。这时词人游目骋怀，怀古忧时的思虑为之一扫。于是登上琴台，呼侣传杯，置身于绝顶之上，白云与秋色争高，豪情向天际奔驰。结处以转为结，另呈奇思壮采，这叫做空际歇步，梦窗往往有之。

（万云骏）

夜　合　花　　吴文英

自鹤江入京，泊葑门外，有感

柳暝河桥，莺晴台苑，短策频惹春香。当时夜泊，温柔便入深乡。词韵窄，酒杯长。剪烛花、壶箭催忙。共追游处，凌波翠陌，连棹横塘。　十年一梦凄凉。似西湖燕去，吴馆巢荒。重来万感，依前唤酒银罂。溪雨急,岸花狂。趁残鸦、飞过苍茫。故人楼上,凭谁指与,芳草斜阳?

鉴赏

这首词是一首抚今思昔、触景伤情之作。上阕追怀旧游的欢乐;下阕抒发重来的感慨。据杨铁夫《吴梦窗事迹考》,梦窗曾于理宗绍定五年(1232)入苏州仓台幕,寓苏约十二年,“幕中纳姬,同居于阊门西之西园”;至淳祐三年(1243)秋末,“卸幕职,挈姬迁杭”;次年暮春,“姬去归苏州”。这首词是旧地重来,泊舟葑门,因念昔游、怀去姬而作。

词的上阕,起三句泛忆昔年在苏游踪。前两句所写,切合当地风光。苏州多河流,多桥梁,首句中的“河桥”点出这一地方性特征;次句中的“台苑”,如杨铁夫《吴梦窗词笺释》所指出,“即姑苏台之苑圃”。两句中,还以“柳”和“莺”托出春日的景色,以“暝”和“晴”显示这幅画面的光影明暗。第三句中的一个“频”字,则说明所回忆起的不只是一次游赏,而是次数频繁的策马之游。四、五两句应词题“泊葑门外”,由当前的泊舟想到“当时夜泊”。句首的“当时”二字摄上统下,表明前三句和后七句写的都不是此时而是当时的景物情事。下句的“温柔乡”,出《飞燕外传》,用以点明所写的是与姬人共处的那些温馨缠绵之夜。后面“词韵窄,酒杯长”两句,则追忆舟中赋词、饮酒之乐。“剪烛花、壶箭催忙”一句,似江总《杂曲》之三所说的“鲸灯落花殊未尽,虬水银箭莫相催”,也似张华《情诗》之一所说的“居欢惜夜促”。以上,前三句写策马陆地,后五句写泊舟水面。下面过拍三句再总叙水陆之游:陆上则“凌波翠陌”,水上则“连棹横塘”。这里用了曹植《洛神赋》中形容宓妃步履轻盈的“凌波”二字,暗示当年不仅“夜泊”时与姬人同在舟中,那些岸上之游也是有姬人与共的。

上阕用了十一句话,把往日寓居苏州期间的游乐情事写得笔酣墨畅,神与俱往;而换头却以“十年一梦凄凉”一句把前面所写一笔扫去。此时泊舟旧地,回首前尘,一切河桥、台苑、翠陌、横塘的游踪,以及夜舟中狂欢、幽叙的场景,都已恍若一梦。人事无常,十年一瞬,剩下的只是一缕凄凉的回忆而已。这句末的“凄凉”二字,指此时的处境和心境,是以此时的凄凉之感回溯昔日的一场春梦，为这个本是欢乐的梦也染上了凄凉色彩。同时，这“凄凉”二字还与下两句“似西湖燕去，吴馆巢荒”紧紧绾合。作者此时之所以感到分外凄凉，更因一梦醒来，燕已去，巢已荒，姬人不返，“燕子楼空”（苏轼《永遇乐》梦盼盼词中语）了。杨铁夫在《笺释》中释此二句说：“上句证明姬去时在杭州，下句‘吴馆’即西园旧居。”这一解说虽嫌过于坐实，却也言之有据。这些往事之涌上心头，就自然引出“重来万感”一句。这句点词题中的“有感”二字，也与上阕“当时”句相同，是统摄上下的，说明下阕前三句和后七句所写都是重来之感，而其所感是纷至沓来、千头万绪的。接着，在“依前唤酒”句中，以“依前”二字拍合“重来”，以“唤酒”二字遥应上阕“酒杯长”句，并与之形成今昔的对比。后面的“溪雨急，岸花狂。趁残鸦、飞过苍茫”三句，则就眼前景物寄寓心中情思。这三句使人联想起冯延巳《鹊踏枝》词中的“雨横风狂三月暮”，“乱红飞过秋千去”。冯词写的是庭院景；吴词写的是河岸景，所展示的境界更为荒阔苍凉，与此时作者百感茫茫的心境是两相浃洽、融会为一的。最后，在歇拍三句中再致慨于姬人之不在。句首所称“故人”，即《古诗五首》中“上山采蘼芜”一首的“未若故人姝”，自是指去姬。篇末“芳草斜阳”一句，融情入景，词意空灵。俞陛云在《宋词选释》中评这歇拍三句说：“芳草斜阳，一片苍凉之感。惜故人不见，谁与诉愁？客子之幽怀，亦词家之妙笔也。”

这首词在写法上情景相间，两相汇合，有景中寓情、情中藏景之妙。更值得拈出的是：它的上阕写昔日的欢乐，笔调极轻快飞动之能事；下阕写今日的凄凉，就一变为感慨低回之音。其音调的抑扬随感情的起伏而变化，声情与词情是紧密配合、相为表里的。

（陈邦炎）

踏莎行

吴文英

润玉笼绡，檀樱倚扇。绣圈犹带脂香浅。榴心空叠舞裙红，艾枝应压愁鬟乱。　午梦千山，窗阴一箭。香瘢新褪红丝腕。隔江人在雨声中，晚风菰叶生秋怨。

鉴赏

这首词是端午节怀人之作，也是一首感梦之作。作者所怀念、所梦见的是他深深爱恋而后来离去的一位姬人。词的上片写梦境。多数梦境是迷离恍惚的，叙说梦境的诗词也往往给人以缥缈朦胧之感。而作者的梦中所见却异常清晰，词中也把梦中人的容貌、服饰描摹得非常细腻逼真，使人很难看出是在写梦。前三句着意刻画其人的玉肤、樱唇、脂粉香气及其所着纱衣、所持罗扇、所带绣花圈饰，从色、香、形态、衣裳、装饰来显示她的美艳。后两句，以“舞裙”暗示其人身份，以“愁鬟”透露两地相思，以“榴心”“艾枝”点明端午节令。上句的“空叠”二字，是感叹舞裙空置，料因无心歌舞；下句的“应压”二字，则瞥见发鬟散乱，想其应含深愁。这上片五句，句句写梦，却没有说破是梦。

直到换头“午梦千山”一句，才点出以上所写原来只是一场午梦，正如陈洵在《海绡说词》中所说，“读上阕，几疑真见其人矣。换头点睛，却只一梦。惟有雨声菰叶，伴人凄凉耳”。句中的“千山”二字，表明梦魂此去之遥远。这一句虽然与姜夔的《踏莎行》“淮南皓月冷千山，冥冥归去无人管”两句所显示的意境不同，却都是写山长水远，道路阻隔，只有梦魂才无远弗届。下句“窗阴一箭”，是慨叹光阴逝去之速，也就是作者在一首《西子妆慢·湖上清明薄游》词中所写的“欢盟误，一箭流光，又趁寒食去”。这换头两句刚写梦醒和醒后的感受，接着忽又承以“香瘢新褪红丝腕”一句，把词笔又拉回梦境，回想和补写梦中人的手腕。这一词笔的跳动，似在章法上颠倒错乱，忽此忽彼，但正是如实地写出了作者当时的心灵状态和感情状态。在这片刻，对作者说来，此身虽已梦觉，而此心仍在梦中。梦中，他还分明见到其人依端午习俗系着彩丝的玉腕及其腕上的印痕似因消瘦而宽褪。如果联系他另外写的几首端午忆姬之作，其《满江红·甲辰岁盘门外寓居过重午》中有“合欢缕，双条脱，自香销红臂，旧情都别”诸句，《隔浦莲近·泊长桥过重午》中也有“愁褪红丝腕”句，《杏花天·重午》中又有“竹西歌断芳尘去，宽尽经年臂缕”两句，似可说明其对伊人在端午日之以彩丝系腕一事留下了特别深刻的印象。这就无怪他在这次梦中也注意及此，并在梦醒后仍念兹在兹了。歇拍“隔江人在雨声中，晚风菰叶生秋怨”两句，则再从梦境回到现实，并就眼前景物，寓托其自“午梦”醒来直到“晚风”吹拂这段时间内的悠邈飘忽的情思和哀怨。

周济在《介存斋论词杂著》中形容梦窗词之佳者如“天光云影，摇荡绿波，抚玩无斁，追寻已远”。针对这一评语，王国维在《人间词话》中说：“余览《梦窗甲乙丙丁稿》中实无足当此者。有之，其‘隔江人在雨声中，晚风菰叶生秋怨’二语乎？”为什么连最不喜欢梦窗词的王国维也对这两句词加以赞赏，并称其足以当得起周济的那四句话呢？这不仅是因为这两句所摄取的眼前景物——“雨声”“晚风”“菰叶”，既衬托出、也寄寓着作者梦醒后难以言达的情思和哀怨，兼有以景托情和融情入景之妙；还因为这两句词的意境，空灵蕴藉，耐人寻绎，既合乎沈义父所说的“结句须要放开，含有余不尽之意”(《乐府指迷》)，也做到沈谦所说的“以迷离称隽”(《填词杂说》)。两句，从空间看是把词境推入朦胧的雨中，推向遥远的江外；从时间看是把词思推入凉风中的暮晚，推向感觉中的清秋。这就跳出了前面所展现的空间和时间，把所写的梦中之境一笔宕开，使之终于归为乌有。陈洵在《海绡说词》中也曾指出：“‘生秋怨’，则时节风物，一切皆空。”更从全词看，前面写了梦中人，最后写到眼前景。照说，前者是虚幻的，后者是真实的。但对作者而言，其感受正相反：追想梦中之人，其印象是如此亲切分明；怅望眼前之景，其心情是如此凄迷惝恍。因此，他在上片是以实笔来描摹虚象，写得形象十分真切；在歇拍却以虚笔来点画实景，写得情景异常缥缈。也许正因为幻而疑真，真而疑幻，所以具有“天光云影，摇荡绿波”之美，使人深为其境界所吸引，而又感其乍离乍合，难以追寻。《红楼梦》第一回中有一副对联是“假作真时真亦假，无为有处有还无”，不妨借来说明作者写这首词时的心态及其词中所显示的意境。

（陈邦炎）

望　江　南

吴文英

三月暮，花落更情浓。人去秋千闲挂月，马停杨柳倦嘶风。堤畔画船空。　恹恹醉，长日小帘栊。宿燕夜归银烛外，流莺声在绿阴中。无处觅残红。

鉴赏

这首词写杭州西湖的暮春景物，是一首景中见情的佳作。

词在发端处以“三月暮”三字领起全篇，点明季节；而象征暮春季节的，首先是红紫飘零、芳菲消歇的落花之景，起调后就再加上“花落更情浓”一句。杨铁夫在《吴梦窗词笺释》中解释这开头两句说，“春暮一层，花落又一层，故曰情浓”，并没有说明句中“情浓”二字指的是什么。这可以是指暮春的情味和它给人的感受，如李之仪在一首《谢池春》词中所说的“着人滋味，真个浓如酒”。当然，这一浓如酒的滋味，可以激发人们游春的情兴，也可以勾起人们伤春的情怀。但上阕词的后三句没有紧承这“更情浓”三字，或去描画车水马龙的游春场面，或是自述触景感怀的伤春意绪。在后三句中展现的，只是人去、马停、秋千闲挂、杨柳自垂、夜月东升、堤畔船空的景象。这里，一方面跳过了日间堤上湖中游人如织、笙歌沸天的春游场景，把这些都留给读者去想象，当做暗场处理了；另一方面也像谢逸《千秋岁》中“人散后，一钩淡月天如水”这两句词所显示的意境一样，给人以分外寂寞空虚的感觉，不待明说，其惜春、伤春的惆怅之情已自寓藏其中。

到换头“恹恹醉，长日小帘栊”两句，才遥承“更情浓”三字，进一步写到作者的情怀，表明尽管日间湖上游人如织，而他则终日病酒，独自关闭在帘栊之内，正如杨铁夫在《笺释》中所指出的，是“独处愁境”。其心情则如张炎在一首《高阳台》词中所说，“莫开帘，怕见飞花，怕听啼鹃”。这两句，如果与下一句和上阕的末三句合看，其意境似欧阳修《采桑子》的下阕“笙歌散尽游人去，始觉春空，垂下帘栊，双燕归来细雨中”；而如果与起句联系起来，又似出自韩偓的《春尽日》诗“把酒送春惆怅在，年年三月病恹恹”。这两句刚点到情，下两句又转而写景。但因长日在病酒中，独自在帘栊内，其所写就已不是日间之景，而是夜间之景；不是白昼所见，而是暮夜所闻。“宿燕夜归银烛外”句，似由温庭筠《初秋》“银烛有光妨宿燕”句翻出。燕宿之处既在烛光照射的范围外，也在帘栊外，身在帘栊内的作者是只听其飞来，未见其归巢的。下句“流莺声在绿阴中”的莺，应是喜鸣于月夜的夜莺，也就是柳宗元《零陵春望》诗中所写的“晚莺啼远林”。莺啼既在晚间，又在树荫中,当然也只闻其声,未见其形。这里写到归燕、啼莺而止,至于在帘栊之内、病酒之余的人,其闻燕听莺之际所触发的情思是尽在不言中的。歇拍“无处觅残红”一句,则既扣合上句的“绿阴”,又回应篇首的“花落”,从而写足了暮春三月之景。句中的“觅”字,与其理解为人觅,不如紧连上句,理解为莺觅。宋无名氏《如梦令》词有“莺嘴啄花红溜”句,而时至“三月暮”,则已无花可啄了。

这首词始终紧扣“三月暮”一句,上阕写花落、人去、马停、船空,下阕写帘垂、燕归、莺藏密树、残红都尽,总的给人以春事全空之感。词以写景为主,只在上阕以“更情浓”三字、下阕以“恹恹醉”三字轻轻点逗,而作者的情怀已自浮现纸上。

(陈邦炎)

唐多令

吴文英

何处合成愁?离人心上秋。纵芭蕉、不雨也飕飕。都道晚凉天气好,有明月、怕登楼。　　年事梦中休。花空烟水流。燕辞归、客尚淹留。垂柳不萦裙带住,漫长是、系行舟。

鉴赏

这是一首悲秋伤离的词。作者在苏州时曾有一位深深爱恋的姬人,后离去。这首词是因客居异乡、感触秋景,而追怀这位离去的姬人。在作者的词集中,这类感时序、念旧游、怀人、怨别的篇什占一定比重,多为这位去姬而作,足见其对斯人之缠绵缱绻,一往情深。

这首词的上片,运用疏宕摇曳之笔,一开头就凭空发问,揭出“愁”字,接着承以“离人心上秋”一句,作为对“愁”之“何处合成”的解答。这个答句,意含双关,主要说明作者的愁是由心中的离思与眼前的秋景会合而成,而“心”上加“秋”,又正好合成了一个“愁”字。第三句“纵芭蕉、不雨也飕飕”,则由第二句句末的“秋”字逗出,写作者对秋的感受。李煜《长相思》词“秋风多,雨相和,帘外芭蕉三两窠,夜长人奈何”,万俟咏《长相思·雨》"一声声，一更更，窗外芭蕉窗里灯，此时无限情"，都写秋夜蕉雨之为愁人添愁。这第三句袭用了这一词意而加以点化。下面"都道"句仍放笔写秋，把秋景写足。过拍"有明月、怕登楼"句，先纵后擒，自为开合，由秋月归到愁思。可以与这两句合参的有辛弃疾的一首《丑奴儿》词："少年不识愁滋味，爱上层楼。爱上层楼。为赋新词强说愁。而今识尽愁滋味，欲说还休。欲说还休。却道天凉好个秋。"对照来看，辛词说"天凉好个秋"，是愁人自道，是愁到难以言传时的遁辞或反语；吴词说"晚凉天气好"，是他人所道，不过用以反衬和托出离人的与众不同的感受。辛词说只有"不识愁滋味"的少年才"爱上层楼"；吴词则说出了辛词的言外之意，那就是"识尽愁滋味"的人是"怕登楼"的，而且，越是"天气好，有明月"，就越会对景伤怀，越会抚今思昔，对登楼一事也就越发怕了。至于作为离人，柳永在一首《八声甘州》词中也说过，更是"不忍登高临远"的。这两句词还表明，作者的愁虽然由离思与秋景二者合成，但一为内心情，一为外界景，在愁的合成过程中起主要作用的应是前者。外界事物总要通过内心感受才会成为愁的一部分；人都道好的晚凉天气以及明月当楼之景，也是通过作者的感受才成为怕登楼的原因。这个合成愁的秋是在离人心上的。

词的上片主要写秋，而最后以"怕登楼"三字透露愁意。下片就转而写离愁。换头"年事"两句，是追忆往年与姬人欢聚的情事恍若一梦，正如李清照在《一剪梅》词中所说，"花自飘零水自流"，已是一去不返了。下面"燕辞归、客尚淹留"一句，揭示了离愁的具体内容。它的上半句含有表里双重意思：表面上写燕子的春来秋去，从物候的变换说明作客之久，实则借物取喻，写的是姬人之辞去。虽然未必如俞平伯在《唐宋词选释》中所说，"梦窗有姬人名燕"，但作者在忆姬词中是惯常以"燕"指姬的，如《瑞鹤仙》词中的"流红千浪，缺月孤楼，总难留燕"，《夜合花》词中的"十年一梦凄凉，似西湖燕去，吴馆巢荒"，《绛都春》的词题"燕亡久矣，京口适见似人，怅怨有感"，都可以证明这上半句中的辞归之"燕"自是指他在分离后仍长久眷念的姬人。下半句中的"客"是作者自指，说明他目前的处境是滞留他乡。这上、下半句合在一起，不仅在句内形成层次，而且在句内形成对比：一方面是不愿其归而归，另一方面是欲归而不得归。在这无可奈何的事实面前，作者以无可奈何的心情，在歇拍“垂柳”两句中忽发奇思，把这一切归咎于眼前的秋柳，责怪它“不萦裙带住”，而偏偏去“系行舟”。似乎燕之归、客之留都由于柳丝把该系住的没系住，却把不该系住的系住了。这两句与前句紧相绾合。上句由“燕辞归”生出，“裙带”和“燕”一样，也是用作姬人的代称；下句由“客尚淹留”生出，“行舟”正是久客之人日思夜想的归舟。这里，作者对垂柳的责怪看似无理，却正是贺裳在《皱水轩词筌》中所说的“无理而妙”。

梦窗词以丽密深曲为其主要的风格特征，属于质实一派，这首词却以清空疏快见长，因而主张“词要清空”的张炎在《词源》中对之加以赞赏，并说：“此词疏快，却不质实。如是者，集中尚有，惜不多耳。”其实，在梦窗集中，这类明快之作，俯拾即是，为数不少。作为一个有才能、有造诣的作家，他的词作所呈现的并不是单一色彩，其风格是多样化的。

（陈邦炎）

贺新郎　　吴文英

陪履斋先生沧浪看梅

乔木生云气。访中兴、英雄陈迹，暗追前事。战舰东风悭借便，梦断神州故里。旋小筑、吴宫闲地。华表月明归夜鹤，叹当时、花竹今如此。枝上露、溅清泪。

遨头小簇行春队，步苍苔、寻幽别墅，问梅开未？重唱梅边新度曲，催发寒梢冻蕊。此心与、东君同意。后不如今今非昔，两无言、相对沧浪水。怀此恨，寄残醉。

鉴赏

“履斋先生”，即南宋后期重臣吴潜，与吴文英很有交谊。“沧浪”，指沧浪亭，在苏州。五代末年，此处为吴越中吴军节度使孙承祐别墅，后为北宋时苏舜钦所得，并建亭命名，后又为名将韩世忠别墅。此亭久历沧桑，“阅人多矣”，但吴文英只大书韩世忠事迹，以抒发自己家国之感并衬出吴潜的忠悃之情。

"乔木生云气"，发端嘹亮，高唱入云。此类从高处落笔，一开始即造成高远境界的句子在吴文英咏怀古迹一类的词中不为罕见，而尤以此首首句更切合主题，自然佳妙。那沧浪亭畔，清溪缭绕，水木清华，本有乔木巍然之实景，但加上"生云气"三字，陡然化实为虚，显出虎虎生气，仿佛眼前乔木高标，葱茏大树正是当年韩将军雄姿英发的身影。它的卓尔超群，挺拔不移，也似韩将军品德的一种象征。这引人联想、引人遐思的首句，极自然地带出"访中兴、英雄陈迹"句，即知"乔木"与英雄相映衬、相烘托。称韩世忠英雄，称世忠那个时期为"中兴"，均史家之笔，甚确切。当南宋初期，大将岳飞、韩世忠屡建奇勋，国家一度显出中兴气象。可惜好景未能久长，此后国运更是蹶而难振。如今百年过去，英雄早殁，陈迹犹存，睹物思人，景仰之情油然而不能已；且追念前尘影事，思绪如流，百喟丛生。"暗追"的"暗"字下得极准确，表现了此时此地访旧探梅者的外部神态和内在心情。他们在暗暗地追念韩王英雄业绩，恐怕并没有人高声议论，或慷慨陈词，气氛是肃穆的，情绪也是低沉的，而词人的艺术想象则十分活跃。

"战舰"两句，是作者追想。高宗建炎四年（1130），韩世忠在黄天荡大捷，出奇制胜，困住金兵四十八天。"东风悭借便"，用杜牧诗"东风不与周郎便"（《赤壁》），指这次战役虽告大捷，终未能获得最后成功，似乎是"天意"如此。这里面其实包含有无穷感慨。"梦断"，指韩王当年收复神州故土之梦终归破灭。"旋小筑"，指世忠不久卜居于此。"闲地"之"闲"，点出韩王最终结局是被投闲置散而不能有用武之地。

"华表月明"数句，是作者继续着力的想象，他想象韩王英灵未泯。他赍志而殁，长怀无已，乘月明之夜，化鹤归来。这里用了《搜神后记》中丁令威学道成仙，后化鹤归来的故事，如今韩王之魂化鹤站在华表柱上，他看到应是"城郭犹是人民非"吧？吴文英并没有完全照现成用法，他别翻新样使意境更美而幽深："叹当时、花竹今如此！"因为这里曾是韩王故宅，这里的花竹韩王曾经观赏过，也许还有他当年亲手种植的吧？如今都是这模样了，这便是韩王夜间的叹息，这里面又有多少今昔之感呀！吴文英的想象令人叹服，然而还不止于此。刘勰云："意翻空而愈奇。"（《文心雕龙》）下面就是愈出愈奇："枝上露、溅清泪。"作者眼前花枝上的露水，忽而化作夜来韩王魂游此地时溅上的感时之泪。这类想象使吴文英词带上神秘美的特色，使他的词更富有艺术魅力。

“遨头”，太守之谓。追陪太守（指吴潜）的一簇游春队伍“步苍苔、寻幽别墅，问梅开未”，显示出这位大官的雍容闲雅。“重唱”二句，指在梅边填词度曲，旨在催花早发，春早来，可以理解为吴潜在姑苏本想有所作为。“此心与、东君同意”，是大有深意的一句。“此心”，可以理解为“我们这些探梅者之心”，具体地说即吴潜和“我”的心。我们希望梅枝早发，这就与“东君”（司春之神）的心意相同。也可以有另一种理解，“此心”是“我”的心，“东君”指吴潜，吴文英作为门客，可以称他的主人为“东君”，意思是我的心意与你正相同，我们想到一起了。如果说这两层含义都包含在内，可知此句是承上启下的。吴文英词不像辛弃疾那样喜欢发议论，偶然议论极概括有力，“后不如今今非昔”，就是这样一句牢骚已极的话。他预感国之将亡，他只不过一介书生；另一位虽为重臣显贵，然而也“独木难支将倾的大厦”。于是“两无言”：一位“东君”，一位门客，都忧心忡忡，就这么无言相对。这“无言”中有千言万语，此时无声胜有声！“沧浪水”，接得这样自然，这样天衣无缝。他们默默地看着沧浪水，沧浪水也默默地流淌，沧浪水该是这“后不如今今非昔”的见证吧！

“怀此恨，寄残醉。”一切都不必说了，唯有借酒浇愁而已。陈洵《海绡说词》云：“要心与东君同意，能将履斋忠款道出，是时边事日亟，将无韩、岳，国脉微弱，又非昔时。”确乎如此，此词上片写韩王的影子，正为下片写行春太守忠悃之情的陪衬，使相互映发，令人抚今追昔，感慨万端。作者常把现实和过去、眼前实景与想象中虚景错综地写，令人恍惚迷离，造成层次多，意境深，且穷极变幻，令人回味无穷。

如吴文英这样一位婉约派词人，他的关怀国事之情，是这样表达的，虽然意绪消沉，但也表现出他的苦闷的灵魂的那一番挣扎，这类词很值得研究、鉴赏。

（徐永端）

后庭花　　许　棐*

一春不识西湖面，翠羞红倦。雨窗和泪摇湘管，意长笺短。　　知心惟有雕梁燕，自来作相。东风不管琵琶怨，落花吹遍。

作者

*许棐（？—1249），字忱父，海盐（今属浙江）人。嘉熙中隐居秦溪，藏书数千卷，广植梅树，自号梅屋。著有《梅屋诗余》等。

鉴赏

这首词写女子独守春闺，怀人伤别。

谈到杭州西湖的春景，会使人记起白居易《钱塘湖春行》等著名的诗篇，即使你未曾见过西湖，也会为美丽的诗境神驰心醉。可是，词中的女子却“一春不识西湖面”，因为当她想起那辉映于丽日晴岚下的滴翠流红，会感到“羞”“倦”。说“一春不识”，可知她在以往的芳辰，会去湖边流连淑景，似乎她的住处还靠近十里明湖。“翠羞红倦”反映了类似柳永《定风波》“惨绿愁红”的阴暗心理，使开篇氤氲起一种异常阴郁的气氛，弥漫全词。接着，以三幅仕女图在这氛围里陆续展出，从不同角度表现主题，并使之深化。

第一幅，窗外细雨廉纤，女子在窗前写信，泪湿莲腮。小字已满红笺，她还握管（湘管，是以湘妃竹为管的毛笔）沉吟，意犹未尽。人本怀愁，雨更添愁，雨与泪隔着窗儿点滴相和，怀人的情意更觉绵绵无尽。这幅画露出她心病的症结，还表现出杭地濒海多雨的特征。

第二幅，女子手托香腮，独对银釭；画梁上栖着一双燕子。燕子归栖，似来陪伴孤独的人，但它们虽能驱除人的寂寞，却也会以双柄刺戟寂寞的人心。“知心惟有雕梁燕，自来相伴”的言外之意，是埋怨知心人羁旅不归，使她孤居无侣。这种忧人的情绪，正反映了她生活的孤寂和相思的苦恼。

最后一幅，画中女子斜抱琵琶，对着满院飞花，秀眉微蹙，似有无限怨思。春残花谢，并非东风使然，可是，东风过处，却总有残红零落，这一自然现象，怎能为人情而改变呢？词中女子却深怨东风不知体贴人情，这怨，是多么不合情理！但当我们设身处地为她深思，怜悯之心却会油然而起：爱侣远别，使她辜负春色，虚度年华，她“一晌凭栏人不见，鲛绡掩泪思量遍”，只能独抱琵琶，抒散一腔幽怨。不料东风过处，落红如雨，又使她的心灵漾起一层涟漪。她仿佛从花的飘残，听到自己青春的足音在轻轻地远去，不禁迁怨东风冷酷无情。这悖理的怨，便深刻地反映出她的深沉幽恨，比之有理的申诉，其感染力倍觉强烈。贺裳《皱水轩词筌》所谓“无理而妙”，“愈无理愈妙”，就“妙”在这里。

此词因情设景，情景交炼：西湖春色不惬人意，而迷蒙的雨与迷惘的神思，琐碎的雨声与烦乱的心绪，燕的“相伴”与人的孤寂，落红阵阵与琵琶流怨却交融无间。陈郁《藏一话腴》：“写照非画物比，盖写形不难，写心唯难也。”作者写人，重在摄神，仅勾勒动态、揭示心理、渲染环境，疏疏几笔，即凄愁满纸，其人便气韵灵动，呼之欲出，加以语言洗净铅华，不假故实，风韵天成，便觉隽永醇厚，耐人品味。

（王一鹗）

喜迁莺

许棐

鸠雨细，燕风斜，春悄谢娘家。一重帘外即天涯，何必暮云遮。　钏金寒，钗玉冷，薄醉欲成还醒。一春梳洗不簪花，孤负几韶华！

鉴赏

声声鸠鸣，唤得一帘细雨，暗淡、迷蒙的上空，有燕子趁着风势斜飞，春天悄悄来到了谢娘的春院。“鸠雨”，出自古代“鸠呼雨”

的俗说（见陆佃《埤雅·释鸟》），陆游《喜晴》有“正厌鸠呼雨，俄闻鹊噪晴”句。“谢娘”，是唐宋诗词习见的女性代词，大致有两种含义：一种为以东晋女诗人谢道蕴喻其才情富赡；一种为以唐代歌妓谢秋娘喻其身份与色艺。从句式结构看，首两句是以“斜”“细”分别描状风雨，但因“风斜”是由燕斜而知，故“燕风斜”实从杜甫《水槛遣兴二首》“微风燕子斜”化出，以察物的细致反映观察者的寂寞、空虚。落笔开出静境，以“悄”字渗透全篇，鸠声从中起了“蝉噪林逾静，鸟鸣山更幽”的作用。

北宋李觏《乡思》：“人言落日是天涯，望极天涯不见家。已被碧山相阻隔，碧山又被暮云遮。”此词三、四句化用其意，设为思妇怀人之辞，以点出主题。两相比较，李诗是登高望远，故所见层次重叠；此词写室中女子隔帘而望，视野狭窄，故有“一重帘外即天涯”之感，这是指所思的人远役而言。也可理解为两人相距很近，因不得相见而成“咫尺天涯”。两种解释，不同程度地反映了封建礼教对女性的束缚。

春闺无伴的女子，在斜风细雨中思念离人，“柔肠一寸愁千缕”，她就饮起酒来。三杯两盏淡酒，使她困倦朦胧，直到金钏、玉钗凉侵体肤时，她才意识到未入醉梦之乡。过片两个倒装句，说明她酒后未及卸妆，就和衣而卧。“欲成”二字显见她饮酒是因不胜痛苦而追求麻木。这三句对人物情态作了生动、细致的刻画。

“一春梳洗不簪花”，即如《诗经·卫风·伯兮》“自伯之东，首如飞蓬，岂无膏沐，谁适为容”，表现女子心灵的纯洁、爱情的忠贞，又显示她精神的忧郁。她因春晚而感红颜易老，因离别而伤虚度年华，终于将三春寂寞，万般愁情并发作一声长叹：“孤负几韶华！”宛转悲怆，闻之凄绝！

（王一鹗）

南乡子　　潘 牥*

题南剑州妓馆

生怕倚阑干。阁下溪声阁外山。惟有旧时山共水,依然。暮云朝雨去不还。　　应是蹑飞鸾。月下时时整佩环。月又渐低霜又下,更阑。折得梅花独自看。

作者

*潘牥(1204—1246),字庭坚,号紫岩,闽县(今福建闽侯)人。宋理宗端平二年(1235)进士,历太学正,通判潭州。有《紫岩集》。近人赵万里辑有《紫岩词》一卷。

鉴赏

这是一首怀人的词。上片开头即冲口直说"怕倚阑干"。"怕"前加一"生"字,是只、最、很的意思,可见"怕"之甚。接写"怕倚"的因由:远方的山色和近处的溪水声无不引起他的感触。这也顺带写出了楼的地势:面临溪水之上,楼外是重叠的群山。环境幽美宜人。"惟有"二句,深入一层,慨叹今昔之变,是景物依然,人事全非的意思,加强首句中"生怕"的感情分量。词写到此,仍未点明"怕倚"的真正原因。直到结句,才直接呼出:由于所爱之人一去不返。"暮云朝雨",用宋玉《高唐赋》"旦为朝云,暮为行雨"句意,指代所思之人,并暗示其身份——神女,也就是歌伎一类的人物。词人与她有过一段恋情,而这次重游故地,却馆在人不在。也许"美人已属沙吒利"了,无由相会,触景伤情,在在不忍。由于前面一连讲"生怕""山水依然",而未点明原因,就为结句蓄势。因此,虽用直呼口气,而不嫌平直,反而有强烈的感染力。

下片开头,词人沉湎于对她的回忆中。“应是蹑飞鸾”句,“应是”,为猜测、比拟之词。把她比为踩着飞鸾从天上降落人间的仙子,体态那么轻盈美妙。这是从视觉方面来写她的美。“月下时时整佩环”,化用杜甫《咏怀古迹》诗“环佩空归月夜魂”句,说不时地传来她整理佩戴的玉环声,用声音表现她行动的轻盈美妙。这两句都是“略貌取神”的写法,只突出其体态、神采,而这比具体描写则更为动人。“月又”二句,陡折入当前。“月下”“月又”连用,意同晏几道《鹧鸪天》的“当时明月在,曾照彩云归”。同样的月色,当时曾照着她的倩影,而今只照我一人。“月又”句连用两“又”字,一方面暗示时间的推移,一方面表明词人倚栏之久,思念之切。尤其以月之西沉、霜之下降的环境气氛来烘托、强化其孤独的感受。结句有三层意思:一是补充前意,暗示当年和她曾在月下共同赏梅;二是说目前梅花依然,而她已“去不还”,要想折梅寄远,也不知她在何处;三是在无可奈何中,只好折梅自看,倍感凄切。先著在《词洁》中评曰:“折梅自看,太无聊矣。”

黄蓼园认为此词有寄托,说:“按溪山句,梅花句,似非忆妓所能,当或亦别有寄托,题或误耳。”这话有一定道理。“阁下溪声阁外山”,指的是山山水水,可以作为山河来看。这使人联想到李煜的“独自莫凭栏,无限江山。别时容易见时难”词句;再联系词人所处南宋后期的国势,有寄托的说法还是有根据的。下片把所忆之妓,形容为仙人;结句的“梅花独自香”,可以联系姜夔《暗香》词中“唤起玉人,不管清寒与攀摘”“叹寄与路遥”等句来看,在《暗香》词中,姜夔寄托了身世之悲和盛衰之感;本词亦或有国势日非、个人失意的感慨在内。

此词的基本情调不是哀愁,而是一种孤独感。题目虽为忆妓,但以溪声山色为背景,而不是放在画阁金屏中;以“蹑飞鸾”“整佩环”形容所忆之妓,而不是用“红袖”“翠黛”,所以“词致俊雅”,“不同凡艳”(黄蓼园《蓼园词选》)。词为小令,但写来转折多。上片数句一句一转,层层深入;下片“应是”二句忆昔,“月又”二句折到目前,结句又一转,意更深入一层。先著说:“此词有许多转折委宛情思。”

(张文潜)

浣溪沙　李彭老*

题草窗词

玉雪庭心夜色空。移花小槛斗春红。轻衫短帽醉歌重。　彩扇旧题烟雨外，玉箫新谱燕莺中。阑干到处是春风。

作者

*李彭老，字商隐，号筼房。据《景定建康志》，为淳祐中沿江制置司属官。

鉴赏

这首词是对周密（1232—1308）所作游春一类的词作所进行的评点。周密，自号草窗，其词格律谨严，清丽工巧。词风与吴文英（号梦窗）相近，合称南宋“二窗”。词的上阕三句，指出周密词的境界与内容。戈载《宋七家词选》云草窗词“尽洗靡曼，独标清丽；有韶倩之色，有绵渺之思”，意谓其词一扫柔弱之音，在清莹俏丽上是独树一帜的，色彩华美妍倩，情思绵邈深长。“玉雪庭心夜色空，移花小槛斗春红”，是说周密的词有如明月洁雪映照在庭院中心样的清朗爽眼，又如月夜清光耀空似的给人以幽逸的感觉。他的词春意荡漾，在南宋末期词坛上佼佼绝人，就像移放在栏杆下的鲜花与栏外的群芳斗艳。这是李彭老读草窗词后的深切感受，对其清新之意境的盛赞。“轻衫短帽醉歌重”，是指周密的词所描写的有关内容。“轻衫短帽”，系少女少男的借代；“醉歌重”，反映了他们边饮边歌的热闹情景。这些年轻人，趁着旖旎的春光，尽情享受着“醉歌”之乐，别是一番佳趣。看得出，李对周密词于此所作的笔渲墨染是颇为激赏的。

其下阕三句，指出周密的词

富有春意的特色。“彩扇旧题烟雨外,玉箫新谱燕莺中”,是说周密的词无论是“旧题”还是“新谱”,都擅长摹写春景。他的彩色扇面上的词作,有春雨迷蒙之意境;而歌吹箫鼓里的词韵,有燕莺啼鸣的春声。因此,读他的词也就有“阑干到处是春风”的印象,犹如凭栏远眺,呈示在面前的是满目春色。在这里,李彭老是借此说明:周密词,刻意追求疏朗清秀的风格,因而显得从容淡远,见其清真(周邦彦)气骨。

当然,周密词,即以此等篇什而论,是藏有寄慨的。他词中的意境,应视为主观的“意”与客观的“境”的融合,也就是作者的思想感情与社会环境、自然环境的统一,这种倾向性总要或隐或显地表现出来。李彭老对周密词评点时没有明指,但读者可细加领会。李彭老这首《浣溪沙·题草窗词》的本身,不是径直地抽象论词,而是带着对周密词风景仰的感情,以形象的画面来引导读者想象与理解周密的词境,写得清蔚可读。

(周溶泉　徐应佩)

酹江月　　张绍文*

淮城感兴

举杯呼月，问神京何在，淮山隐隐。抚剑频看勋业事，惟有孤忠挺挺。宫阙腥膻，衣冠沦没，天地凭谁整？一枰棋坏，救时着数宜紧。　虽是幕府文书，玉关烽火，暂送平安信。满地干戈犹未戢，毕竟中原谁定？便欲凌空，飘然直上，拂拭山河影。倚风长啸，夜深霜露凄冷。

作者

*张绍文，字庶成，南徐(今江苏镇江)人。生平事迹不详。存词四首，见《江湖后集》。

鉴赏

《酹江月》，即《念奴娇》，由苏轼《念奴娇·赤壁怀古》中"一尊还酹江月"句而来。题目中的"淮城"，泛指淮水两岸的城市，这里疑指寿州(今安徽寿县)。汉代淮南王刘长、刘安父子曾在寿州建都，在宋代，寿州属淮南西路。

淮水是当时宋、金对峙的前线。词人来到濒临淮水的城市，面对长期沦陷的中原，不禁感慨系之。词的上片开头三句，与辛弃疾《南乡子》"何处望神州，满眼风光北固楼"手法相似，以问答形式，表现对中原的怀念和收复失地的强烈愿望。辛词是自问自答，本词则为问月。而"举杯呼月"，是借用李白《月下独酌》中"举杯邀明月，对影成三人"诗意，狂态可掬，表现了词人的孤独和苦闷。无人可问，只好问月。"淮山隐隐"，是词人眼前见到的月下景色。在朦胧的月光下，不要说"神京"，连附近的淮山也只能隐隐约约地看到。这种带有象喻手法的回答,是令人十分失望的,更加激起了词人对中原的怀念。“淮山”,指八公山,在寿州附近。相传淮南王刘安与八公同登此山,埋金于地,白日升天成仙。“抚剑”二句,化用杜甫“勋业频看剑,行藏独倚楼”诗意,表现词人的报国宏愿和壮志难酬的失意心情。这二句在感情上的起伏很大。前句用“抚剑频看”的细节,表现要收复失地、干一番大事业的决心和行动,意气昂扬。这是承上面因见不到“神京”而来。一个“频”字,把词人的急切心情生动地表现了出来。后句用“惟有”二字,突出了自己忠心耿耿,却得不到支持的失意之情。想到此,词人不由愤慨地说:皇帝的宫殿被敌人的腥臊气玷污着,京城的衣冠文物也荡然无存,谁去收复失地,重整山河呢?收复中原的迫切心情,溢于言表。结句以弈棋作比,大声疾呼:一盘棋已经走坏了,必须赶快想出挽回败局的招数来。在个人抱负不能实现的失意情况下,词人并不泄气,而是更加积极地关心国家命运。这二句比喻极为生动贴切,是对当政者的当头棒喝。

下片开头,笔调突然转为冷静,是平心静气地讲道理:目前虽然前方暂时平静无事。“幕府文书”,指前方军事长官所发的公文。“玉关烽火”,指边地的战争。“玉关”,即玉门关,在甘肃,这里指代边界。这是退一步的说法,是为了更进一步紧逼。于是,紧接着提出:可是各地战争仍未结束,最终究竟谁去平定中原呢?这里是中原究竟属于谁的意思,也就是“鹿死谁手”。是被敌人永远占领呢,还是我们收复回来?词人不为眼前暂时平静无事的表面现象所迷惑,清醒地看到时局已坏,危机四伏。这也是提醒那些苟且偷安者,希望他们不要心存幻想。一想到国家命运危急,词人就忍耐不住,“便欲凌空,飘然直上,拂拭山河影”。一个“便”字,突出表现了词人急不可待的神情。与辛弃疾《太常引》“乘风好去,长空万里,直下看山河。斫去桂婆娑,人道是清光更多”相比,手法相同,而用意各有所侧重。两者都是运用隐喻手法,也都带有浪漫主义色彩,富于幻想。辛弃疾词侧重于要扫清朝廷的黑暗势力——主和派;本词则侧重于要赶走敌人,重整山河。浪漫主义的幻想展现了词人的理想和抱负,然而毕竟是虚幻的,现实却是冷酷的。面对现实,抱负落空,词人只有“倚风长啸”,以表达孤愤难平的孤独与狂放。可是,得到的回答却是:“夜深霜露凄冷。”表面是写词人对周围自然环境的体肤感觉,实际是对现实社会的内心感受。这更加突出了词人“孤忠挺挺”、愤慨难平的感喟。

(张文潜)

沁园春 陈人杰*

问杜鹃

为问杜鹃，抵死催归，汝胡不归？似辽东白鹤，尚寻华表；海中玄鸟，犹记乌衣。吴蜀非遥，羽毛自好，合趁东风飞向西。何为者，却身羁荒树，血洒芳枝？

兴亡常事休悲，算人世荣华都几时？看锦江好在，卧龙已矣；玉山无恙，跃马何之？不解自宽，徒然相劝，我辈行藏君岂知？闽山路，待封侯事了，归去非迟。

作者

*陈人杰（1218—1243），又名经国，号龟峰，福建长乐人。少时寓居临安（今杭州），曾以幕客身份浪游两淮、荆、湘等地，卒于临安。词多慷慨忧国，为宋末辛派词人。今存《龟峰词》一卷，共三十一首《沁园春》，多为其最后几年旅食临安时作。

鉴赏

这首词，从向杜鹃设问说起。——古代的一个神话传说：周朝末年，蜀君杜宇死后，他的魂魄化为杜鹃，鸣声凄哀，听来像频频说："不如归去。"词的首句就是说：杜鹃啊，你为什么拼命催人归去，而自己却不回蜀国去呢？下两句引用两个典故，说明人们总是怀恋家乡的。"似辽东白鹤，尚寻华表"二句，用《搜神后记》中说的丁令威这个人在灵虚山学道，后来化成仙鹤，千年之后还飞返家乡辽东，止息于城门前面的石柱（华表）上的故事。"海中玄鸟，犹记乌衣"，"玄鸟"即燕子，《摭言》上说，燕子有其家乡，名乌衣国。以下紧接首句“汝胡不归”,你从这里(指京城临安,即杭州,古为吴国的地方)返回蜀国,道路并不遥远呀;而且你还有完好的羽毛,尽可以乘着东风飞返西方。你为什么还要停留在荒凉的树林里,在枝上啼血呢?——上阕,借问杜鹃,极写自己应该归乡之情。

下阕一转,写自己不能归乡之理。首先陈述别人对他的劝告:每一个朝代都有它的兴亡,你何必为它的危殆而悲伤?一个人即使求得荣华富贵又能够享受多久呢?你看,锦江(在今四川)依然流淌着,可是被称为卧龙的诸葛亮早就没有了;玉山(即蓝田山,在今陕西)还是好好的,可当年“跃马而称帝”的公孙述(王莽时人),早就不知哪里去了。词的最后是作者的答复:你不用宽解我了,你的劝告也是徒劳的,我们这些人的志向你怎能理解呢!“闽山路,待封侯事了,归去非迟。”作者是福建人,“闽山路”,是说要踏上家乡的道路,要等到“封侯事了”,还不算迟啊!古人往往把成就功业和功名连在一起,如陆游《诉衷情》词云:“当年万里觅封侯,匹马戍梁州。”从陈人杰存下的词作来看,他是一个要拯救国家危亡的志士,而不是一个热衷于高官厚禄的人,因此,“封侯事了”这话,主要应从他要成就抗蒙功业来理解。

这首词的特点是作者自设问答,上阕问杜鹃,固然是虚的;下阕别人的劝告,也未必真有其事。可能是作者在归乡还是不归的问题上,有他自己内心的矛盾。有着这种内心的矛盾,就用自设问答这种形式来表达。显然,内心矛盾斗争的结果,是建功立业的决心取得了胜利。

(杨重华)

沁园春　　陈人杰

诗不穷人,人道得诗,胜如得官。有山川草木,纵横纸上;虫鱼鸟兽,飞动毫端。水到渠成,风来帆速,廿四中书考不难。惟诗也,是乾坤清气,造物须悭。

金张许史浑闲,未必有功名久后看。算南朝将相,到今几姓;西湖名胜,只说孤山。象笏堆床,蝉冠满座。无此新诗传世间。杜陵老,向年时也自,井冻衣寒。

鉴赏

自从司马迁在《报任安书》中历数古来圣贤身遭困厄、发愤著书以来,人们逐渐认识到杰出的著作,特别是优秀的文学著作总是与作者不幸遭遇联系在一起的,于是使得一些庸俗的士人视文学著作为不祥之物,认为它会导致灾难,即所谓“不有人咎,必有天殃”。因此北宋欧阳修在《梅圣俞诗集序》中说:“凡士之蕴其所有而不得施于世者,多喜自放于山颠水涯,外见虫鱼草木风云鸟兽之状类,往往探其奇怪;内有忧思感愤之郁结,其兴于幽刺,以道羁臣寡妇之所叹,而写人情之难言,盖愈穷则愈工。然则非诗之能穷人,殆穷者而后工也。”驳斥了诗能使人“穷”的论点,也解释了诗人为什么在“穷”时多能写出优秀作品。这里所指的“穷”是穷通之穷,即政治上没有出路。词人从这段话中受到启发,并结合自己的感受写下了这首词。

“诗不穷人,人道得诗,胜如得官。”词人指出诗并不使人“穷”——这个“穷”,可解释为穷通之穷,也可理解为穷富之穷。“得官”是显达和富有的标志,有人说得优美的诗句胜于得好官呢!这里是化用唐人郑谷名句“相门相客应相笑,得句胜于得好官”,词人对郑谷诗是充分肯定的。词的开篇就以简单而明确的语言,把作诗和做官对立起来,并且强调了诗和诗人的价值,这是我国古代优秀作家在各种艰难条件下能够坚持不懈地进行创作的一个重要的精神支柱。“有山川草木、纵横纸上;虫鱼鸟兽,飞动毫端。”此四句化用上述欧阳修之语,言诗人胸中蕴藏着广大世界,笔端能驱使山川草木、虫鱼鸟兽,万事万物无不可入诗篇。这里的“纵横”和“飞动”两个动词非常传神,把郁郁苍苍的山川草木和生意盎然的虫鱼鸟兽表现得十分充分,勾勒出气象万千的艺术形象世界。“水到渠成,风来帆速,廿四中书考不难。”“考”,吏部每年对官员考察,任满一周年为一考。“中书”,即中书令,唐代中书省最高长官,为宰相。唐中叶时郭子仪一身系国家安危者三十余年,累官至太尉、中书令,封汾阳王,号“尚父”,权倾天下,其中为中书令之时间最长,得二十四考。这些不仅为世俗的目光所羡慕,即在正统史家看来也是难能可贵,可是词人用“水到渠成,风来帆速”两个浅显而形象的比喻,言其为客观形势促使而成,即通常所谓“时势造英雄”，并不难至，也没有什么可珍异之处。对于传统上所公认的忠臣良将，词人尚如此看待，那么那些因人成事的宵小奸佞则更不在他的眼下了。词人如此用笔，目的还在于衬托诗人之难得，并进一步把为官和作诗来进行比较。做到大官都不难，什么才难呢？词人答道：“惟诗也，是乾坤清气，造物须悭。”“清气”，指俊爽超迈之气，曹丕在《典论·论文》中指出：“文以气为主，气之清浊有体，不可力强而致。”他认为文章随作者气质不同，分清浊二体。这里词人把秉沉浊之气者摒出诗人行列，认为诗是天地间清气的集中表现，因此，造物者是吝于给予的。言外之意是诗才难得，只有摆脱了世间的庸俗气息，才能得到天地间清气，写出清明澄澈的诗篇。词人把写诗与天地赐予联系起来，这就将世间富贵比垮了，把诗人举到了高峰。

过片又从世间权贵不足贵说起。“金张许史浑闲，未必有功名久后看。”金日磾、张汤之后，世为贵显，与外戚许氏、史氏相埒，是西汉宣帝时的四大家族，他们或是高官，或是贵戚，都曾煊赫一时，为人们所欣羡，而在词人看来简直平常得很，这些当时的大人物，被词人用“浑闲”二字一笔抹倒。的确，在当时炙手可热的人物未必有什么对社会、对人类有益的“功名”，他们随着时光一起流逝是完全合理的。“算南朝将相，到今几姓；西湖名胜，只说孤山。”这一韵把历史上的权贵和历史上的诗人作了对比。“南朝”，指宋齐梁陈，这些朝代都建都于建康（今南京），偏安江左，故称南朝。当时将相多为腐朽的高门士族，王、谢、庾、顾几大姓之间轮流执政掌权。他们当时活跃在政治舞台上颐指气使、不可一世，可是到今天有哪几个豪门贵胄为人们所记忆呢？这里（包括上韵的“金张许史”）说的虽是古代的权贵，实际上指南宋王朝的权贵奸佞如史弥远、贾似道者流，他们或是已死，或正在气焰熏天，世人为之侧目，词人认为这些人早晚要被人们所唾弃。与此相反，那位宋初隐居于西湖孤山、妻梅子鹤的诗人林逋，虽然他也没有什么“功名”，但就因为他不慕富贵，写下一些清丽的诗篇，因之便为人们永远记忆，他的居住之地也成为西湖名胜，为湖山生色。此韵和辛弃疾赞美陶潜的诗篇类似，“千载后、百篇存，更无一字不清真。若教王谢诸郎在，未抵柴桑陌上尘”，都是通过赞美为人类创造精神财富的诗人，以贬低功名富贵，抒发词人蔑视权贵的激情。到此词人意犹未足。“象笏堆床，蝉冠满座，无此新诗传世间。”“笏”，为古代官员上朝所执之手板，有事书此以备忘。“象笏”，为五品以上高官所执。唐玄宗时崔承庆一家，皆至大官，每岁时家宴，其子婿毕至，“组佩辉映，以一榻置笏，重叠其上”。后多用以形容官僚子弟为高官者众多，清代有传奇名《满床笏》。“蝉冠”，汉代皇帝侍从官员之冠以貂尾蝉文为饰，后作为显贵之代称。此二句言贵族之家尽可安排自己的子弟占有高位，盘踞要津，可以传给他们财富权势，但不可能给他们以才华（也许正相反，正如汉代疏广所说给子弟以财富，则使得子弟“贤而多财则损其志，愚而多财则益其过”）。他们不会有新鲜美好的诗句流传在人间，他们没有给人类增加精神财富。写到这里，词人充满了作为诗人的自豪感，这也是作为精神财富创造者的自豪，因之，他举出了最能引起诗人骄傲的杜甫，“杜陵老，向年时也自，井冻衣寒”。这位诗国的明星，精神财富创造者队伍中的巨人，他为人们留下无比丰厚的财富，他终生关注着国家的命运和人民的苦难，他把自己的一切都献给了诗，可是他在世间所得极少，一子一女冻饿而死，自己最后也死于贫病交加。词人所举出的诗句是杜甫被安史叛军困于长安之时，至德元载（756）之冬所作，他无衣无食，写下了这篇著名的《空囊》。其中有句：“不爨井晨冻，无衣床夜寒。”（诗人故意把辛酸说得很幽默，仿佛不是因为无钱无粮而不举火烧饭，而是因为天寒井冻之故。）与杜甫同时的有多少横行一时的“五陵少年”、公侯卿相，乃至风流天子，不都为人们所忘记了吗？可是这位当时只“留得一钱看”的诗人却以他对人类的贡献，在宋代就受到普遍的尊敬（宋有人将杜甫比喻为集大成的孔子），许多诗人以他为榜样。词人用这位诗国的权威压倒了人间（封建社会）以富贵势力为支撑的权威，使全词达到高潮，就此戛然而止。这三句不仅和词的起韵相照应，也表明词人最尊崇的诗人是热爱祖国、热爱人民的诗人。

这首《沁园春》看来是表达自己对诗歌的见解，论述诗人的地位，实际上是抒发自己在穷困潦倒之中坚持创作的激情，并且以贬低权贵作为陪衬以表明词人的坚定，全词充满了为诗歌创作的献身精神，表现出不为穷困压倒的豪情。词的基调是乐观的、昂扬的，其气势磅礴，笔意跳动。词人把诗人和权贵反复对比，而且一层深于一层，权贵越来越降级。“廿四考中书”的郭子仪真正是国家的功臣,平安史之乱,拒吐蕃入侵,勋劳卓著,而“金张许史”则半是功臣,半是外戚,功臣也只是忠诚于汉室,和安邦定乱关系不大,这比郭子仪就差了许多。“南朝将相”则祸国者多,定乱者寡,而且多是腐朽的士族。到“象笏”“蝉冠”,虽非确指,而是指托庇父祖之荫的纨绔子弟,这些更是等而下之不足数了。而用作对比的诗人,则从一般诗人(包括作者自己)到隐逸诗人林逋,再到杜甫,逐步升级。词人这种安排对突出主题起了很大作用。与表现内容相适,作者用词也掌握好了分寸,对郭子仪这样的功臣,只言达到也“不难”,只要客观条件具备。对“金张”等人则用“浑闲”,有轻视之意。对“南朝将相”则用了一个“算”字,有“何足算也”之意(算,数也,《论语》“斗筲之人,何足算也”)。对贵族子弟则一笔否定。由此看来,此词用字、用词虽然朴素、通俗,但却富于表现力。

(王学太)

沁　园　春　　陈人杰

丁酉岁感事

谁使神州,百年陆沉,青毡未还?怅晨星残月,北州豪杰;西风斜日,东帝江山。刘表坐谈,深源轻进,机会失之弹指间。伤心事,是年年冰合,在在风寒。

说和说战都难,算未必江沱堪宴安。叹封侯心在,鳣鲸失水;平戎策就,虎豹当关。渠自无谋,事犹可做,更剔残灯抽剑看。麒麟阁,岂中兴人物,不画儒冠?

鉴赏

蒙古灭金后,发兵南侵:遣阔端等入蜀,忒木䚟等攻襄汉,口温不花等犯江淮。宋军战多败绩,襄、汉、淮、蜀告急。宋理宗赵昀惊恐之余,命草诏罪己。但大片南宋土地,仍纷纷失陷。后幸有江陵、真州及安丰诸守将士卒奋力死战,暂挫敌军,淮右以安。这就是词题中“丁酉岁”（理宗嘉熙元年，1237）那几年的事。但其时南宋朝廷已腐败不堪，当权者终无良策以挽回危局。作者面对这种形势，深感痛心和愤慨。他写词猛烈地抨击了当道的误国，同时也抒发了内心渴望能为国请缨、杀敌立功的热情。

词的开头说：“谁使神州，百年陆沉，青毡未还？”意谓中原大片国土，沦于敌手，久久不得恢复，这究竟是谁的责任？理正辞严，大义凛然。这里用《晋书》中两个典故合在一起，极为妥当。“陆沉”，是无水而沉沦的意思，比喻土地被敌人占领。西晋时，王衍任宰相，正值匈奴南侵，他清谈误国，丧失了很多土地。桓温愤慨地说：“遂使神州陆沉，百年丘墟，王夷甫（王衍的字）诸人不得不任其责！”（《桓温传》）这话用来斥责南宋当权者正合适。又王献之夜睡斋中，有小偷进到他房里，偷了他所有的东西。献之慢吞吞地说：“偷儿，青毡我家旧物，可特置之。”小偷吓得跑掉了。（《王献之传》）这里以“青毡”喻中原故土，将敌人比作盗贼，说国土遭掠夺后，没有归还。反用典故，十分灵活。

接着，词由愤慨转为惆怅，对国事局势发表评议。他说，如今北方有志之士已寥若晨星，所存无几；南宋的半壁江山也如落日西风，难以久长。朝廷里有些人因循保守，懦怯无能，光会坐着空谈；有些人则又好说大话，妄取虚名，行事轻率冒进。这样，转眼间就白白丧失了克敌的良机。“东帝”，喻岌岌可危的南宋。战国时，齐湣王称东帝，自恃国力，不审时势，后被燕将乐毅攻破临淄，他在出奔中被杀。“刘表”，喻空谈的保守势力。三国时，曹操攻柳城，刘备劝荆州牧刘表乘机袭击许昌，刘表不听，坐失良机，后来悔之莫及。曹的谋士郭嘉说：“（刘）表坐谈客耳！”（《三国志·魏书·郭嘉传》）“深源”，是东晋殷浩的字（本作渊源，唐人因避高祖讳，改“渊”为“深”），他虽都督五州军事，但只会高谈阔论，徒负虚名。曾发兵攻前秦，想收复中原，结果所遣先锋倒戈，他便弃军仓皇逃命。（《晋书·殷浩传》）这里用比草率用兵的冒进者，也是很恰当的。《沁园春》是一个有淋漓酣畅特点的词调，在句式上，它要求有“领字”和特殊对仗。所谓“领字”，即以一字起头而统领数句。如这里用“怅”字领起（下阕中的“叹”字也是），直贯七句。这种一气流注的句法，用于议论，便有滔滔不绝之势，用于抒情，也足增悠悠难尽之致。对仗的特殊，在于这七句之中，除最后一句是散句外，余六句都要求对仗，而前四句（领字不算），在多数情况下，又要求用隔句的对仗（亦称扇对），即第一句“晨星残月”与第三句“西风斜日”对；第二句“北州豪杰”与第四句“东帝江山”对；然后五六句“刘表坐谈，深源轻进”自成对。下阕亦如此。用在这里，论说南与北的形势、战与和的失算，又恰好形成对照，有助于表达两难的困境。再用散句“机会失之弹指间”一结，遗憾怅恨之情弥深。

“伤心事，是年年冰合，在在风寒。”上阕末尾，词情再转而为哀伤。“在在”，即处处。“冰合”“风寒”，比喻南宋遭北方强敌的不断威胁和进攻，长期屈辱苟安，处于严酷的现实之中。这是恢复故地的机会丧失的必然结果。词中论说时事形势，多不实说某人某事，必用比喻借代。这倒不是因为实说有所顾忌，而是艺术表现上的需要，要尽量避免用语直露，力求含蓄有味。前面说北地英杰寥寥，南国江山可危，都从衰飒景物取喻。至于借“青毡”“东帝”“刘表”“深源”等典故史事讽今，用意也在于此。此外，造语次序亦有讲究。比如词人不顺着说“怅北州豪杰，（如）晨星残月；东帝江山，（如）斜日西风”，必倒装为“怅晨星残月，北州豪杰；西风斜日，东帝江山”，始语雅句健，曲折多姿。它与杜牧《阿房宫赋》中“明星荧荧，开妆镜也；绿云扰扰，梳晓鬟也”，语序相同。“年年冰合，在在风寒”的设喻，与“晨星”“残月”“西风”“斜日”均属同一门类事物，前后协调一致，用心十分细密；而在前面冠以“伤心事”三字，便不致产生歧义，不会使人误以为这是说自然界的冷空气南下。

下阕自抒抱负，但仍与上阕紧密关联。先以“说和说战都难，算未必江沱堪宴安”两句过片。出现和不能安、战不能胜的情势，固然由当时客观条件所决定，但当道者在和与战问题上，并无切实可行的主张，只是各执己见，争吵不休，不想真正有所作为，这也使有识之士无可施其技，不知如何才能说动他们，使之清醒起来。这样耽于安乐的局面是难以持久的。“江沱”，指代江南。“沱”，是长江的支流。语出《诗经·召南·江有汜》。“宴安”，享乐安逸。这两句起着承上启下的作用，下面就说到自己有志难酬。

“叹封侯心在，鳣鲸失水；平戎策就，虎豹当关。渠自无谋，事犹可做，更剔残灯抽剑看。”这是叹息自己空有建功雄心，而身处困境，无用武之地；想上书陈述恢复大计，无奈坏人当道，又有谁能采纳自己的意见？词人接着说，这是他们自己无能，没有办法挽救危局，其实，形势并未到绝望地步，国事尚有可为，当勉力图治才是。所以自己深夜里挑灯看剑，仍希望能为国杀敌立功。“封侯”，诗词中的常用语，本汉代班超投笔从戎时说过的豪言；它已成了从军立功的代词，并非真为谋求爵禄。陆游就说过：“当年万里觅封侯，匹马戍梁州。”（《诉衷情》）“鳣”“鲸”，都是大鱼，倘若离了江湖大海，它就会为蝼蚁所欺。贾谊《吊屈原赋》说：“彼寻常之汙渎（臭水沟）兮，岂能容吞舟之鱼？横江湖之鳣鲸兮，固将制于蝼蚁。”词正用此意。“平戎策”，即打败敌人的建议。《新唐书·王忠嗣传》：“因上平戎十八策。”“虎豹当关”，语出《楚辞·招魂》：“虎豹九关，啄害下人些。”“渠自无谋”，暗用打胜长勺之战的曹刿说过的话：“肉食者鄙，未能远谋。”（《左传·庄公十年》）这几句都用两两对照、一扬一抑的写法，文势起伏不定：“封侯心在”是扬，“鳣鲸失水”便抑；“平戎策就”扬，“虎豹当关”抑；“渠自无谋”抑，“事犹可做”扬。恰好能表达出作者内心感情波澜的激荡，而“更剔残灯抽剑看”一句，尤为精彩。全词在议论中抒情，虽有众多比喻，使语言不流于质直浅露，但毕竟还不能构成主体形象。有了这一句，一位深夜不寐，在灯下凝视着利剑、跃跃欲试的年轻爱国志士的英姿，才突然显现在我们眼前了。此句措词也精警，不减于稼轩的“醉里挑灯看剑”。“更剔残灯”四字，耐人寻味。被重新“剔”亮的，虽说是“残灯”，实在也不妨看做是心灵中本来暗淡了的火光。

词结尾说：“麒麟阁，岂中兴人物，不画儒冠？”汉宣帝号称中兴之主，曾命画霍光等十一位功臣的肖像于未央宫内麒麟阁上，以表扬其功绩。所以作者说，难道只有武将们才能为国家中兴立功，读书人（儒冠）的肖像就不能画在麒麟阁上吗？这与放翁诗说“切勿轻书生，上马能击贼”（《太息》），属同样的感慨。词的情绪由伏而起，最后再变而为奋发高扬，不信此生已矣，事不可为。作者写词时才二十岁，年轻人的锐气处处表露出来。一个布衣儒冠，却自比江海鳣鲸，还以万里封侯、图像麟阁自许，而极端鄙视朝廷中朱衣紫服的肉食者，所以在自述怀抱时，始终不离抨击当局的无能。全词上下阕内容前后呼应，有机地组成了一个整体。虽说作中兴功臣的豪语，在当时已无实现的可能性，它只不过是一种被爱国热情激发起来的幻想和愿望，但词的可贵也正在于有这种积极向上的精神。

（蔡义江）

沁园春

陈人杰

次韵林南金赋愁

抚剑悲歌，纵有杜康，可能解忧？为修名不立，此身易老；古心自许，与世多尤。平子诗中，庾生赋里，满目江山无限愁。关情处，是闻鸡半夜，击楫中流。

淡烟衰草连秋，听鸣鸩声声相应酬。叹霸才重耳，泥涂在楚；雄心玄德，岁月依刘。梦落莼边，神游菊外，已分他年专一丘。长安道，且身如王粲，时复登楼。

鉴赏

这是首咏愁的词，摅写“忧愁”是我国抒情诗的传统题材。汉乐府《古歌》中就有“秋风萧萧愁杀人，出亦愁，入亦愁，座中何人，谁不怀忧”的名句。但不同的时代，遭遇不同，其“愁”的内容也绝不会相同。从题目上看，这首词是应酬之作，但它抒发了作者的真情实感，并带有鲜明的时代色彩。“抚剑悲歌，纵有杜康，可能解忧?”词一开篇就使我们联想到战国时齐国孟尝君门客冯谖对待遇低不满因而弹铗(剑)作歌的故事。陈人杰也是个江湖游士，他出入豪贵之门，想也受够“朝扣富儿门，暮随肥马尘”的种种难堪，但这首词并没有就此申说，而是笔锋一转，反用曹操《短歌行》“何以解忧，惟有杜康(酒)”语意，言即有美酒，也不能销愁，反而是“举杯销愁愁更愁”，用此以表现自己的内心苦闷无法排遣，但这个否定句词人以疑问句出之，使词句摇曳多姿。“为修名不立，此身易老；古心自许，与世多尤。”“修名”，美名。“尤”，怨咎。这不是因某件具体事物引起的忧愁和悲哀，而是词人的整个人生态度与世俗发生了冲突。人们纷纷追求金钱财富、权势地位之时，而词人却追求建立美好的名誉，而且这种追求是在不合时宜的“古心”支配下产生的，它“顽固”而强烈，这必然要和实际可能相冲突。因此，词人感到自己可能如屈原一样“老冉冉其将至兮，恐修名之不立”(《离骚》)。另外以纯朴之心对待当时纷纭复杂的时世，不免会引起物议非难，而自己的追求又不可能改变，内外交攻必然会给词人带来无穷的痛苦，这种痛苦带有根本性质，一切烦恼皆由此产生，因为词人看不开，所以忧愁就不能避免。此韵表面上是写愁，同时也是揭露社会黑暗、人情之凉薄，因之对于正直的、有理想的人们不能容纳。“平子诗中，庾生赋里，满目江山无限愁。”“平子”，为东汉文学家张衡之字，张因当时政治衰败，郁郁不得志，为寄托其对国事的关怀和忧虑写下了著名的《四愁诗》。“庾生”，指南朝梁庾信，他为梁使臣出使北周，梁乱，庾则羁留北周，在北朝期间他无时无刻不怀念故国、故乡，写下了《愁赋》，描写自己不可摆脱的忧愁(此赋已佚，仅存残句)。词人用此二典以表明自己的“忧愁”是和国家多难、政治黑暗相联系的，因此，自然而然引出“满目江山无限愁”。国家多难，半壁江山尚沦于敌手，此残山剩水好像也为无限愁云所笼罩，其前途亦是岌岌可危，因此词人十分激动地写出：“关情处，是闻鸡半夜，击楫中流。”词中用了晋刘琨、祖逖之典，这两位爱国者在他们还没有成为著名将领时，中夜闻鸡起舞，以安定中原、匡扶晋室互相勉励。后祖逖率部曲百余家渡江，中流击楫而誓曰：“祖逖不能清中原而复济者，有如大江。”这是最能激起志士奋发有为之心的故事，词人借以表现自己的爱国激情，并表明他所追求的“修名”不仅是个人修养的纯美和品德的崇高，而主要是要通过报效国家、拯民水火而标名青史。上片在词人情感极其高昂时结束了，宛如一支乐曲在急管繁弦中戛然而止，其余音尚萦于耳。

“淡烟衰草连秋，听鸣鴂声声相应酬。”这是一幅秋光惨淡的画面，衰草连天，烟雾迷蒙，伯劳鸟声声不断，仿佛是相互唱和。“何处合成愁，离人心上秋。”在这无边的秋色中怎能不激起游子离人的愁怨呢？词人想起自己“弱冠”以来的生涯(弱冠，为二十岁，陈人杰只活了二十四五岁，写此词时约为二十三四岁)，他奔走澧闱，依人作幕，已经走了不少地方。“叹霸才重耳，泥涂在楚；雄心玄德，岁月依刘。”“重耳”，指春秋时五霸之一的晋文公，他在未为晋君之前飘零十九年，先后流亡在齐、楚、秦等国，用“泥涂”以形容其奔走道涂的艰辛。“玄德”，指刘备，三国时蜀汉的开国之君，他虽素怀大志，但在未成帝业时曾依靠刘表(荆州刺史)。这里用重耳、刘备之典，不仅用以形容其颠沛流离、寄人篱下之苦辛，而且用以表现自己报国之心和建立功业之志，照应上片所写的“满目江山无限愁”，并申说国家多难更激起自己对建功立业的向往与憧憬。但对于游子来说，家乡田园之思，也难以遏制，“梦落莼边，神游菊外，已分他年专一丘。”“莼”，为水葵之一种，可作羹，味道鲜美。西晋时吴人张翰在洛阳做官，秋风起而思念家乡的莼菜羹、鲈鱼脍，因之命驾而归，后遂用此典表现对家乡的怀念和对仕宦的厌倦。“菊外”，是用陶潜《归去来兮辞》“三径就荒，松菊犹存”语意。此韵前两句写词人乡思之强烈，家乡风物，梦萦魂绕，田园庐舍，神思常游。用“莼”“菊”二典，把乡思表达得十分具体而高洁，令人联想到江南水乡的旖旎秋色，和与竹篱茅舍相映衬的绿野青山。“已分”，言在意料之中。“专一丘”，指简朴的田园生活，语出《汉书·自叙传》“若夫严夫子者……渔钓于一壑，则万物不奸其志；栖迟一丘，则天下不易其乐”。宋王安石也有“我亦暮年专一壑”的诗句。将来归隐在意料之中，而眼下家乡只能形诸梦寐，用思想上的矛盾以表现词人痛楚之深。“长安道，且身如王粲，时复登楼。”此韵又转到当时的现实。“长安”，指临安（杭州）。“王粲”，为东汉末年文士，由于中原战乱，他避乱荆州，依靠刘表十多年，但也没有受到刘的信任与重用，因之他格外思念家乡，希望中原早日安定，并向往为此而立功，他把这些心情写入《登楼赋》，其中有句云：“惟日月之逾迈兮，俟河清其未极。冀王道之一平兮，假高衢而骋力。惧匏瓜之徒悬兮，畏井渫之莫食。”当词人登上楼时眺望“满目江山”，万感中来。因国家分裂而产生的悲痛，对偏安一隅而腐朽不堪的南宋小朝廷前途的忧虑，以及寄人篱下，理想不能实现的苦闷等等复杂心情都借“王粲登楼”一典充分表达出来，这不仅与开篇之“抚剑悲歌”相照应，而且总结了全篇，表现了咏愁之意。

此篇咏愁之词虽抒发的是个人愁思，但都围绕着国家的忧患，并把不能为国家建功立业看成是苦闷根源之所在，因此他的强烈而深广的忧愁就具有了深厚的基础，这首词之所以感人原因也在这里。

这首词几乎句句用典，似乎晦涩了些，这是因为词人思想感情矛盾复杂，在这短短一百多字的词里要得到充分的表现，必须通过用典方能做到。如词人思乡，感时念乱，对朝政的不满，对建立功业的向往，以及因不能实现理想而产生的苦闷等等很难一一说清楚，但词中用张衡、庾信、刘琨、祖逖、陶潜、王粲等人之典，就把这种忧愁描述得十分具体，表现得非常充分，这是用直抒方法很难做到的。词中用典虽多，但却十分流畅，作者能以充沛的情感调动这些典故，把用典和叙述、描写结合在一起，所以不给读者以破碎、生硬之感。

（王学太）

沁园春　陈人杰

南金又赋无愁。予曰：丈夫涉世，非心木石，安得无愁时？顾所愁何如尔。杜子美平生困踬不偶，而叹老嗟卑之言少，爱君忧国之意多，可谓知所愁矣。若于着衣吃饭，一一未能忘情，此为不知命者。故用韵以反骚。

我自无忧，何用攒眉，今忧古忧？叹风寒楚蜀，百年受病；江分南北，千载归尤。洛下铜驼，昭陵石马，物不自愁人替愁。兴亡事，向西风把剑，清泪双流。

边头，依旧防秋，问诸将君恩酬未酬？怅书生浪说，皇王帝霸；功名已属，韩岳张刘。不许请缨，犹堪草檄，谁肯种瓜归故丘？江中蜃，识平生许事，吐气成楼。

鉴赏

词人的朋友林南金咏完愁之后又写了一首咏无愁的词，陈人杰不同意“无愁”的说法。他指出：“丈夫涉世，非心木石，安得无愁时？”人生有愁是必然，但愁的内容却大有区别。杜甫一生潦倒不遇，四处漂泊，但他时刻担忧的是国家多难，很少为个人命运发愁。词人肯定了杜甫这种伟大的愁怀，鄙薄那些为了个人贫富而忧愁的人，因而他写了这篇与林南金唱反调的词。这首小序不仅表明了词人的立场观点，也反映他的胸怀与志向。

“我自无忧，何用攒眉，今忧古忧？”此韵是接林南金词而来，从“无忧”写起。通常所说的“愁”表现为思维活动的是忧虑、担心，表现为感情的是悲哀、悲痛。因林南金词为咏无愁，所以起句就说自己本来无忧无虑，自在快活，何以攒起眉来，忧今忧古呢？只三句便从“无忧”，过渡到有忧。“叹风寒楚蜀，百年受病；江分南北，千载归尤。”用“叹”字领其一组排偶，以描写“今忧”。“楚蜀”，指荆襄、两淮、四川一带，这些地区在南宋初年（十二世纪初）受到金朝南侵的破坏，现在（词人写此词时为十三世纪初）蒙古灭金后又分三路大军南侵，上述地区又饱受战乱之害，词人用“风寒”二字点明由战乱给地方造成的凄凉景象，并指出这种影响是长期的。“江分”二句，言宋金战争造成了南北分裂，它违背了中国传统的大一统观念，词人认为这段历史将永远为人们所责备。人们在抒发自己忧国忧民之情时，一般都是从国家、人民所受危害的角度给以关注或同情，而词人在这里是从历史责任感的角度去考虑战争的影响，以摅写自己的情怀，这是他的高明之处。“洛下铜驼，昭陵石马，物不自愁人替愁。”《晋书·索靖传》中说，索靖知道天下将出现大乱，曾指洛阳皇宫门前铜驼说：“会见汝在荆棘中耳！”“昭陵”，为唐太宗陵墓，其陵前有八骏马。传说唐玄宗时安史叛军攻打潼关时，唐军败退，忽有神兵助阵，后来发现昭陵石马浑身流汗，曾前往助战。人们把自己对国事的担忧注入了铜驼、石马这种无知物身上，因之给它们涂上悲哀的色彩。这三句是写词人的“古忧”，通过吊古而伤今。公元1234年蒙古与南宋联合灭金后，南宋日衰，蒙古日强，南宋正面临着崩溃的边缘，词人这种预感后来为历史发展所证实。对未来灾难的预感，对当前国事的忧虑，词人的愁化成了悲哀。“兴亡事，向西风把剑，清泪双流。”想到古往今来历史兴亡的教训，在一片西风萧瑟之中，临风把剑，悲从中来，热泪双流，把感情推到了高峰。

上片由“无忧”说到有忧，并一直写到悲痛之深，意思似已说完，过片宕开一笔，从抒情转到叙述：“边头，依旧防秋，问诸将君恩酬未酬？”“防秋”，指防止敌人侵扰，古代入侵中原的主要是游牧民族，他们用兵多在秋高马肥并能掠取秋收庄稼之时。此韵点明金人虽灭，但元人又虎视眈眈，边警并未除，而且日益紧急，词人用了“依旧”二字点明了当时的形势。“问诸将”一句，表现了词人对那些尸位素餐、擅权有方、御敌无术的将帅和当权者的嘲讽，体现了他对国事危急的忧虑。“怅书生浪说，皇王帝霸；功名已属，韩岳张刘。”南宋国事艰难之际，空谈性命的道学家受到一些有见识的书生的批评，他们多爱讲皇王帝霸之学，注重事功，如陈亮、叶适等人，这些人往往是身处江湖，或居卑位，没有建功立业的机会，其学说也往往流于空谈。功名事业，只能由武将如韩（韩世忠）、岳（岳飞）、张（张俊）、刘（刘锜）等人去建立。此韵虽是叙述南宋以来的政治局面，实际上也包含有词人的感慨，他本人就是好谈“皇王帝霸”的人，在咏愁的那首词中他说重耳，谈刘备，这些都是“皇王帝霸”。可是这些并不为统治者所重视，即便抗敌，他们也完全寄希望于武人。因此，词人的感情由怅惘转向激愤：“不许请缨，犹堪草檄，谁肯种瓜归故丘？”“请缨”，为汉终军故事，他曾对汉武帝说：“愿受长缨，必羁南越王而致之阙下。”后多用之称自请从军杀敌。“草檄”，起草檄文，檄文多为声罪致讨之用，这是军中文士所从事的工作。“种瓜”，为秦东陵侯召平事，秦亡后，他以种瓜为生，在长安东门外有其瓜地。此韵愤怒地质问统治者，为什么不许请缨杀敌，甚至作随军文士也不可，只能如召平一样归隐种瓜呢？统治者不肯重用坚决主战的人，不仅是轻视人才，而且是由他们畏敌如虎的投降主义路线决定的。词人的忧愁又转化为愤怒，这愤怒指向了南宋最高统治者。至此，词可以作结了，但笔锋又一转：“江中蜃，识平生许事，吐气成楼。”“蜃”，指大蛤蜊，海面上由于光线折射所形成的楼台城郭的幻影，古人认为是蜃吐气而形成的。由于报国无门，词人满怀愤懑，其怒气郁勃在胸，于是他忽发奇想，言如果江中之蜃知道了社会上种种不平之事和我壮志未伸的苦闷，也会十分抑郁，这些怒“气”如果倾吐出来必定化为楼阁，高高地插入云天，用江蜃替人发愁以形容其愁苦之广大，如庾信《愁赋》中的“愁城”终难攻破了。全词结穴在此，与杜甫《咏怀五百字》之结尾相似，和反“无愁”之题意相应。

此篇反林南金所咏“无愁”之意，阐明人生有愁，是一首带有论辩性质的词。但词人并没有把这个道理硬塞给读者，而是通过对当时岌岌可危的形势和自己报国无门遭遇的描写来表现这个道理的，词人想象那些无知物——铜驼、石马，它们本不发愁，而人见生愁，何况满怀报国愿望的书生？词人在叙述和描写中去论析人生不能无愁的道理，使读者不觉得是议论，因其带情韵而行，反而给人以痛快淋漓之感，词中把叙述、描写、抒情、议论很好地结合在一起，因而产生了较强的艺术感染力。

（王学太）

唐　多　令　　陈允平*

秋暮有感

休去采芙蓉。秋江烟水空。带斜阳、一片征鸿。欲顿闲愁无顿处，都着在、两眉峰。　　心事寄题红。画桥流水东。断肠人、无奈秋浓。回首层楼归去懒，早新月、挂梧桐。

作者

*陈允平，字君衡，一字衡仲，号西麓，明州（今浙江宁波）人。生卒年不详。德祐时授沿海制置司参议官。宋亡后，曾被征召至大都（今北京）。著有《西麓诗稿》一卷、《西麓继周集》一卷、《日湖渔唱》一卷。

鉴赏

作者的生活年代，正是由宋而元的改朝换代时期，所以他的作品里不仅流露了身世的感叹，而且渗透着时代的忧伤。这首词就属这样的作品。首二句，翻用古诗“涉江采芙蓉”诗意，极写秋江景色的寥落。《古诗十九首》之一曾说：“涉江采芙蓉，兰泽多芳草。”可现在已非复那一种景象。所以说“休去采芙蓉。秋江烟水空”。江山如旧，景物全非，这就是题日中所谓的“有感”了。“带斜阳、一片征鸿”，点明“暮”字，感慨愈深。这句话也有所本。《诗经·小雅·鸿雁》第三章说：“鸿雁于飞，哀鸣嗷嗷。”旧注以为“流民以鸿雁哀鸣自比”，自伤其离散失所。这里的“征鸿”二字即本其义。“一片”，是极言其多；“带斜阳”，是说日暮还在征途。全句是用哀鸿的无所栖止，喻当时人民的颠沛流离。总括言之，开头这三句表面是点染时令，意主悲秋；实际是言此意彼，暗伤时事。下面说:“欲顿闲愁无顿处,都着在、两眉峰。”其中的“愁”字就包孕着上述的这种复杂感情。

过片处用“红叶题诗”的故事引入身世之感。相传唐德宗时,宫中王才人的养女凤儿用红叶题诗置御沟中流,出为进士贾全虚所得。金吾(官名)奏其事,帝授全虚金吾卫兵曹,以凤儿妻之。这则故事记的是士人、宫女和皇帝三方以红叶为媒介的偶然际会。“心事寄题红”,即对于这种际会的憧憬。可是桥下的流水悠悠流逝,却不像御沟流水的与人方便,“画桥流水东”,即对于憧憬的失望。通两句言之,即政治上无人引进的感叹。“断肠人、无奈秋浓”一语,把身世的感叹和时代的忧伤又融为一体,使忧愤更加深广。肠何以断,意义自明。“秋浓”,意同秋深,即“岁将零”,亦即时危的隐喻。时危身困,我将奈何!全句所表达的就是这个意思。结尾二句,冶高楼暝色、心怯空房之感于一炉,进一步描述彷徨不安的心情,从而引起读者对这种沉忧的探索。

与作者同时的张玉田说:“词欲雅而正……近代陈西麓所作平正,亦有佳者。”例以此作,全阕无超忽之笔,生险之句,信手写情,情达即止。此即所谓“平正”。融情入景,即景写心,忧愤满中而言不罄激,能感人于不自觉,这就是它的佳处。这种风格在当时相当普遍。晚近评论家对他毁誉不一,见仁见智,不妨互参。

(赵继武)

贺新郎　　文及翁*

游西湖有感

一勺西湖水。渡江来,百年歌舞,百年酣醉。回首洛阳花石尽,烟渺黍离之地。更不复、新亭堕泪。簇乐红妆摇画舫,问中流、击楫何人是?千古恨,几时洗?

余生自负澄清志。更有谁、磻溪未遇,傅岩未起?国事如今谁倚仗,衣带一江而已!便都道、江神堪恃。借问孤山林处士,但掉头、笑指梅花蕊。天下事,可知矣!

作者

*文及翁,字时学,号本心,绵州(今四川绵阳)人,后迁居吴兴。生卒年不详。理宗宝祐元年(1253)进士。景定(1260—1264)间,因论公田事闻名朝野。德祐元年(1275),自试尚书礼部侍郎除签书枢密院事。宋亡,累征不起。有集二十卷,不传。存词一首。

鉴赏

这首《贺新郎》,以文为词,讥嘲时政,抒发了作者对国事的殷忧。词的风格酣畅恣肆,显示了议论风生、壮怀激烈的豪放特色。在表现手法上,为了振聋发聩,多用正论警俗的写法。

上片劈头三句,即作当头棒喝,揭露了宋室南渡后统治阶级在西子湖上歌舞升平、醉生梦死的生活。据《古杭杂记》载,文及翁是蜀人,及第后与同年在西湖游集,别人问他:"西蜀有此景否?"这就引起他无穷感触,赋此词作答。西湖面积并不小,作者为什么说只是"一勺"呢?或以为这是作者登高俯瞰时的一种视觉,其实不然。“西湖”,代指临安,临安又隐寓东南半壁。南宋统治者耽乐于狭小的河山范围之内,全然将恢复中原、统一全国的大业置之度外,作者有愤于此,故云“一勺”,亦犹昔人讽刺蜗角触蛮、井底之蛙,眼界狭窄,心志低下,明眼人不难看出选择这两个字中所寓托的讥讽愤激之意;接以“渡江来”两句,作者的用心更觉显豁。“回首”两句,由眼前所见遥想早已沦亡的中原故土。“洛阳”,借指北宋故都汴京,亦借以泛指中原。当年宋徽宗曾派人到南方大肆搜括民间花石,在汴京造艮岳,这是北宋灭亡的原因之一。北宋已矣,花石尽矣,如今只剩下了渺渺荒烟,离离禾黍。历史的教训是如此惨痛,然而如今“山外青山楼外楼,西湖歌舞几时休?暖风熏得游人醉,直把杭州作汴州”(林升《题临安邸》),连在新亭哀叹河山变色而一洒忧国忧时之泪的人也找不到了。刘义庆《世说新语·言语》记载说:“过江诸人(指晋室南迁后的统治阶级上层人物),每至美日,辄相邀新亭(三国吴时所建,在今南京市南),藉卉(坐在草地上)饮宴。周侯(周顗)中坐而叹曰:‘风景不殊,正自有山河之异。’皆相视流泪。惟王丞相(王导)愀然变色曰:‘当共戮力王室,克复神州,何至作楚囚相对!’”这里就是用的这个事典。“更不复、新亭堕泪”,语极沉郁。东晋士人南渡后,周顗等人尚因西晋灭亡,山河破碎而流泪,现在就是这样的人也没有,他们只知一味“簇乐红妆摇画舫”,携带着艳妆的歌妓,荡漾着华丽的游船,纵情声色于水光山色之中,还有谁人能像晋代的祖逖一样,击楫中流,誓图恢复呢?“千古恨,几时洗?”故意用诘问语气出之,其实则是断言当权者如此耽于逸乐,堪称千古恨事的靖康国耻便永无洗雪之日了。悲愤之情,跃然纸上,几于目眦尽裂。

换头三句转写自己和其他人才不被重用的愤懑之情,既与上片歌舞酣醉,不管兴亡,毫无心肝的官僚士大夫作鲜明的对比,又同上片“问中流、击楫何人是”一句相呼应。“余生”句用《后汉书·范滂传》事:“滂登车揽辔,慨然有澄清天下之志。”作者在这里自比范滂。“更有谁”两句,用姜子牙、傅说两人的事典。相传姜子牙隐居磻溪(今陕西宝鸡东南)垂钓,周文王发现他是人才,便用为辅佐之臣,后终于佐武王消灭了商朝。相传傅说在傅岩(今山西平陆)筑墙,殷高宗用为大臣,天下大治。姜、傅两人,在这里代表当代“未遇”“未起”的人才。三句意为当今人才多得是,问题在于统治者没有发现,没有起用而已。国势危殆,人才不用,统治阶层凭借什么来抵御强大的元蒙军队呢?“国事”两句,自问又复自答:只是倚仗“衣带一江”罢了。朝廷不依靠人才,徒然凭借长江天险,甚至还可笑地说是“江神堪恃”!这里再一次对当权者进行了无情的冷嘲热讽。朝廷重臣颟顸昏聩,像北宋初期梅妻鹤子、隐居孤山的林逋那样自命清高的士大夫们又如何呢?“但掉头、笑指梅花蕊”!问他们救亡之事,他们却顾左右而笑道:“你看,梅花已经含苞待放了!”作者对这些人深表不满之意,与有澄清天下之志,有姜、傅之才具的爱国志士又是一个对比。通过上述一系列的揭露、对比,最后逼出“天下事,可知矣”六字收束全篇,在极端悲愤之中,又发出了无可奈何的浩叹,读之令人扼腕,使人发指。

作者在词中表达了对国事的深刻的危机感,揭示了南宋小朝廷岌岌可危的现状,批判、讽刺了酣歌醉舞的南宋执政者和逃避现实的士大夫。这些揭露和鞭笞,是通过近乎议论散文的笔法,一系列的设问、发问,以及纵、横两个方面的反复对比,一层递进一层、一环扣住一环地表现出来的。明末张岱《西湖梦寻》康熙刻本王雨谦批语说:“宋室君臣不以精神注燕汴,而注之一湖。”南宋小朝廷的最终覆亡,其主要原因盖在于此。而词人处在宋亡之前,即已逆料到这一历史悲剧的不可避免,可见他在政治上还是很有预见的。

(顾复生)

谒金门　　李好古*

花过雨,又是一番红素。燕子归来愁不语,旧巢无觅处。　谁在玉关劳苦?谁在玉楼歌舞?若使胡尘吹得去,东风侯万户。

作者

*李好古,字仲敏。籍贯、事迹及生卒年均不详。宋末元初尚有作《碎锦词》之李好古。此词朱彝尊《词综》以为卫元卿作。

鉴赏

蒙古灭金和西夏之后,便南下取宋。蒙古军队先攻下今之四川,后又攻克大理(今云南),并曾到达鄂州(今湖北武昌)。景定元年(1260)宪宗蒙哥死,忽必烈自立为帝,遂沿江东下,全力攻宋。都城临安(今浙江杭州)岌岌可危,而统治者仍沉迷歌舞。这首词描写战争中家园破败的景象,表现作者对南宋统治者的斥责和对国事的忧虑。

"花过"二句,写春天景色:几阵春雨过后,百花盛开,红的白的,绚丽无比。春雨按节而来,春花依时而开,往年如此,今年也还是如此,所以说"又是"。乍一读之,似乎作者陶醉在如画的春色之中,倾心于群芳的美丽;细细品味,就会感到在这幅美丽的春天的画面背后,隐藏着词人的某种感慨。"又是"暗伏着"不是"——什么东西改变了呢?"燕子归来愁不语,旧巢无觅处。"回廊复馆,顿成废墟;归来燕子,旧巢难觅。蓬勃的春天,反衬出社会的荒凉、破败;绚丽的春花,只能惹起人们对往昔和平生活的联想。"燕子"二句,用拟人手法,把作者的满腔愁思表现得婉曲而深沉,加上"花过"二句的反衬,给人异常强烈的印象。“愁不语”三字，蕴含着作者的万语千言，无穷痛苦。

上片描绘战争所造成的家园破败的景象，下片则揭示其社会原因。“谁在”二句，是质问，是斥责，是揭露。“玉关”，玉门关的省称，代指边关。“玉楼”，华美的高楼，代指歌舞之地。在蒙古军队长驱直入之时，将士据关死守，艰苦备尝，而皇帝及其身边的人却仍在玉楼寻欢作乐。两句横空而起，对比强烈，揭露有力。作者很清楚：宋亡已定，势难逆转。既然他对统治者已不抱任何希望，在无可奈何之中，唯有作出奇思异想：倘若东风能把胡尘吹走，就封它为万户侯！结拍借眼前之物（东风）拟人，表现作者对时局的忧虑，对统治者的失望，语极沉痛。

这首词运用反衬、拟人、质问、对比等多种表现手法，主题突出，思想深刻，是很有特色的作品。

（梁鉴江）

柳梢青 刘辰翁*

春感

铁马蒙毡，银花洒泪，春入愁城。笛里番腔，街头戏鼓，不是歌声。　那堪独坐青灯？想故国，高台月明。辇下风光，山中岁月，海上心情。

作者

*刘辰翁(1232—1297)，字会孟，号须溪，吉州庐陵(今江西吉安)人。景定元年(1260)，补太学生，受知于国子祭酒江万里。景定三年(1262)中举，请为赣州濂溪书院山长。长期追随爱国相臣江万里，与江过从甚密。他反对奸佞，主持正义。入元后，隐居不仕，是一位具有民族气节的遗民。他的文章“卓然秦汉，巨笔凌厉”(王梦应《哭须溪墓》语)；他的词“风格遒上”，“情辞跌宕”(况周颐《蕙风词话》语)。他还撰有大量的诗文评点，开风气之先，在文坛上的声望颇高，时称须溪先生。卒年六十六。所著《须溪集》一百卷，明代已失传，现存《须溪集》十卷，系从《永乐大典》中录出。《须溪词》三卷原是集中的一部分，收入《彊村丛书》。

鉴赏

元宵佳节来临了，避乱山中的刘辰翁，目不见“火树银花合”的璀璨夜景，耳不闻咚咚的戏鼓和悠扬的笛声，怎能不感发兴会，思绪万千呢？他奋笔疾书，写下了这首《柳梢青》词，题“春感”，实际上是元宵节抒情。词人通过非常别致的艺术构思，将自己在临安陷落，宋王朝面临覆亡命运以后的愁绪、悲愤和一线希望，倾吐在自己的作品里。

这首词写于宋端宗景炎二年(1277)。词的前阕，描写元军占领临安后的第一个元宵节。唐宋时代的风俗，京师每逢元宵，守城的警卫不禁夜，任令百姓彻夜观灯嬉游。现在,情况发生了根本的变化。铁骑横街,戒备森严,完全破坏了节日清平欢乐的气氛,使临安变成了一座“愁城”。起句“铁马蒙毡”,写蒙元骑兵在城中奔突,渲染了一种恐怖气氛,具有鲜明的时代色彩,奠定了全词的基调。尽管春天悄悄地进入了临安,尽管今朝逢到节日,但在受尽凌辱的临安人民眼里,“火树银花”不再是欢快的色调和希望的光芒,它们洒下了数不清的烛泪,勾引起绵绵不绝的愁思。“笛里番腔”以下三句,进一步申足“愁”的意绪。人们喜闻乐见的具有南方汉民族特色的歌声,至今再也听不到了;笛里奏出的尽是蒙古族的歌曲,街头演出的也都是北方少数民族的杂戏。词作以“不是歌声”来收束前阕,真实地表达了汉族人民的感受:这种番腔和戏鼓,哪里算得是使人欢悦的动听歌声呢?寥寥四字,就把南宋人民对蒙元统治者无比憎恨、鄙视的心理充分表露出来了。

词的后阕,抒写故国之思并表达词人对抗元志士的向往。换头处“那堪独坐青灯?想故国,高台月明”三句,紧承前阕。在乱世之中,青灯之下,独自一人去萦念那陷落后的临安城,萦想临安的元宵节,这种痛苦,怎堪忍受呢?李煜《虞美人》“故国不堪回首月明中”,便是本词词意的出处。不愿去想,不堪回首,却偏偏会想。词人的思路,从遥想蒙元统治下的临安,引出一系列的意想:“辇下风光”,由今夜临安联想到昔日元宵节都城的繁华景象;又由临安而联想到“山中岁月”,自己避乱山中,虚度年华,因而愈益怀念南海的抗元志士。临安沦陷后,陆秀夫、张世杰等人于闽广沿海地区,拥立幼主赵昰为帝,继续举着赵宋的旗帜,抗击元军,南宋王朝,一脉尚存,这就牵动了无数爱国志士之心。“海上心情”,反映出词人心向着南海一隅的爱国将士,词人把恢复的希望和国家的命运,寄托在他们身上。

本词与一般诗词的抒情方式不同,既不是对景抒情,也不是触景生情,它根本没有描写词人眼前之景。全词以故国之思和爱国激情为线索,借助于飞动的艺术想象,超越时空的限制,将前后阕勾连起来,将后阕的乍看似乎各不相干的三个排比句贯穿起来,构成了一个完整的词的意境,从而把词人身处乱世中的心境,对故国的怀念、对抗元将士的景仰,愁恨和痛苦,深情和希望,凝聚在这首小词中,使全词呈现出匠心独具的艺术特色。

(吴企明)

兰　陵　王　　刘辰翁

丙子送春

送春去。春去人间无路。秋千外、芳草连天，谁遣风沙暗南浦？依依甚意绪？漫忆海门飞絮。乱鸦过，斗转城荒，不见来时试灯处。　春去。最谁苦？但箭雁沉边，梁燕无主。杜鹃声里长门暮。想玉树凋土，泪盘如露。咸阳送客屡回顾。斜日未能度。
　春去。尚来否？正江令恨别，庾信愁赋。苏堤尽日风和雨。叹神游故国，花记前度。人生流落，顾孺子，共夜语。

鉴赏

丙子岁，即宋恭宗德祐二年(1276)。这一年的二月，元军攻破临安，将投降了的恭宗、太后等君臣掳到北方去。正在虎溪(今江西吉水县境内)避难的刘辰翁得知消息，已是暮春时节，因以"送春"立意，写下本词。

用"春去"象征宋王朝国势衰落，始自辛弃疾，如他的《摸鱼儿》："更能消几番风雨，匆匆春又归去……春且住，见说道、天涯芳草无归路。"自此以后，南宋词人往往用此命题，抒写爱国情感。《须溪词》中有许多题咏"送春""春感"的词，都不是感伤春去之类的陈词滥调，而是纯熟地运用象征手法，寄托自己的故国之思和亡国之痛。本词尤为突出，陈廷焯《白雨斋词话》说，"题是送春，词是悲宋"，确是道出了本词构思的机杼。

全词三叠，都以"春去"起句，回环反复，一唱三叹，曲折幽婉地抒写了"悲苦"的心情。第一叠，总写"春去"的情势。春欲归去，人欲留春。但春去匆匆，毕竟是留不住的，给送春人留下一种难堪的悲苦，所以卓人月评曰："首句九字悲绝。"(见《词统》)那么，又是谁使送别的南浦迷漫着风沙呢？不言而喻，"风沙"乃是指蒙元统治者。"依依"二句，写词人于黑暗的缝隙中曾看到一丝光芒。临安陷落后，南宋一部分宗室、朝臣和军队，辗转于闽广沿海地区，集结抗敌力量，进行抗元斗争。词人曾把“留春住”的希望寄托在“海门”将士的身上，然而他清醒地意识到，这种希望之光是很微弱的，禁不住感叹道：“漫忆海门飞絮。”“飞絮”二字，出自稼轩词“算殷勤画檐蛛网，尽日惹飞絮”(《摸鱼儿》)，寓意亦复相同。“飞絮”，既有南海君臣辗转不定的象征意义，又有抗元力量微弱的比喻意义。“乱鸦过”三句，描写临安的荒凉残破，使“春去”的内涵更为具体化。“乱鸦”，比喻凶恶的敌人。临安经过敌人的一番洗劫，出现了“斗转城荒”的景况：北斗转了方位，时代发生巨大变化，京都荒芜，再也见不到华丽闪烁的彩灯。在一派凄苦的词境里，含蕴着词人无限的惆怅、忧虑和悲苦的意绪。

第二叠，刻画了春去以后心情最悲苦的几种人。“最谁苦”三字领起全段，写得十分沉痛。词人从四个方面，形象地回答了“最谁苦”的问题：首先是“沉边”的“箭雁”，比喻精神上受到创伤的被掳北去的君臣；其次是“无主”的“梁燕”，比喻被留在临安的南宋士大夫，他们凄惶终日，临安旧宫里，只听得杜鹃的哀鸣；再次是“凋土”的“玉树”(《世说新语·伤逝》载，庾亮死，何充把他比作埋在土中的“玉树”)，亦即为国捐躯的人，每当人们怀念他们的时候，泪水像承露盘里的露水那样多；第四，词意再度回到北行的君臣上，这里暗用了李贺《金铜仙人辞汉歌》“衰兰送客咸阳道”诗意，写出他们映着斜晖离开临安，频频回首，依恋难舍的心情。这种心情，在汪元量的《湖州歌》里也有过真实的反映：“北望燕云不尽头，大江东去水悠悠。夕阳一片寒鸦外，目断东南四百州。”

第三叠，写词人自己的感叹。“正江令恨别，庾信愁赋”二句下自注：“二人皆北去。”江淹曾为东武令，作《别赋》，故云“江令恨别”；庾信曾作《愁赋》，故云“庾信愁赋”。两人北去后，常常怀念乡国。本词喻指被元军掳去的一行人忆念故国的情怀。“苏堤”句，描写景色秀丽的西湖，终日经受狂风暴雨的侵袭，暗寓临安沦陷后受蒙元统治者惊扰的景况。接着，词人拈出两句人所熟知的东坡词和梦得诗，描写自己“神游”故都，重来西湖赏花，面对风雨飘摇中的苏堤，记起前度花团锦簇的繁华气象，真是感叹系之，眷恋故国的情思油然而起。写这首词的时候，刘辰翁正离家漂流在外，满腔的悲愤，又向谁去诉说呢？“顾孺子，共夜语。”只有儿子随侍左右，在灯下共话国家兴亡的大事，抒发自己“凄恻伤感，不忘故国”的情怀。

辛弃疾写“春去”，只是对南宋国势衰微的预感和忧虑；而刘辰翁写“春去”，表现的却是宋王朝覆亡前后的严酷现实。所以，须溪的词笔锲入遗民的心灵深处，反映了宋遗民的心理特征，比稼轩词更显得“情辞悲苦”。厉樊榭《论词绝句》评为“送春苦调刘须溪”，很有道理。为了适应反映现实、抒发情感的需要，词人采用了幽婉曲折、缠绵悱恻的抒情方式，将自己忠贞的胸怀，爱国的热忱，失国后的凄苦心境，委婉地表达出来，“曲折说来，有多少眼泪”（陈廷焯《白雨斋词话》）。与苍劲遒上的须溪词风相比，本词呈现出迥然异趣的艺术风貌来，这是《兰陵王》“送春”在艺术表现上值得令人注目的地方。人们读《兰陵王》，自然会体味到它有一种屈原“楚骚”的情致和韵味，甚至有人评曰：“悠扬悱恻，即以为《小雅》、《楚骚》可也。”（卓人月《词统》语）

（吴企明）

宝鼎现　刘辰翁

春　月

红妆春骑。踏月影、竿旗穿市。望不尽、楼台歌舞，习习香尘莲步底。箫声断，约彩鸾归去。未怕金吾呵醉。甚辇路、喧阗且止？听得念奴歌起。　父老犹记宣和事。抱铜仙、清泪如水。还转盼、沙河多丽。滉漾明光连邸第。帘影动，散红光成绮。月浸葡萄十里。看往来，神仙才子。肯把菱花扑碎？
肠断竹马儿童，空见说、三千乐指。等多时春不归来，到春时欲睡。又说向、灯前拥髻。暗滴鲛珠坠。便当日，亲见《霓裳》，天上人间梦里。

鉴赏

《历代诗余》引元人张孟浩的话说:“刘辰翁作《宝鼎现》词,时为大德元年(1297),自题曰:‘丁酉元夕。’”这一年正月,刘辰翁含恨告别人世。如果张孟浩的记载属实,那么这首词可算是须溪的绝笔之作了。

《宝鼎现》“春月”三叠,三层词意。第一叠,描写北宋汴京灯节的盛衰。月影下,竿上的旗帜穿过街市,盛妆的妇女,坐在香车宝马上,缓缓而行。歌楼舞台,望之不尽;美人舞步翩翩,香尘飞扬。情侣们在闹市相遇,为了说说体己话,他们便相约归去。通宵金吾不禁。为什么喧闹的辇路御道口突然安静下来?原来著名的歌妓正在纵声歌唱,大家被美妙的歌声吸引住了。本段铺叙了街市喧闹的场面和游人欢乐的情态,艺术地再现了宣和时代汴京灯节的繁荣景象。

第二叠过变处二句,熔铸李贺《金铜仙人辞汉歌》诗意,刻画汴京父老暗伤亡国的悲痛。词意至此戛然而止,“还转盼”以下的句子,笔锋很快转到临安。沙河塘上,望不尽碧瓦红檐的邸宅;烛光灯影,倒映在水中,晃动耀眼,多么绮丽!“帘影动”,语出元稹《连昌宫词》“晨光未出帘影动”,这是描写元夕灯光照在珠帘上,帘影动处,红光四射,织成彩色的绮罗。“月浸”三句,写西湖夜景,如葡萄一般深碧的西湖水面上,洒满了月光,来往的游人熙熙攘攘,才子佳人陶醉在这神仙世界里,又有谁肯把这幸福生活破坏掉?“菱花扑碎”,用孟棨《本事诗》里徐德言和乐昌公主各执半面破镜为凭信的故事。“菱花”,这里疑指西湖平静的湖面,也暗喻南宋的半壁江山。当时“神仙才子”是不肯自毁金瓯的,但他们酣歌醉舞,结果还是把半壁河山断送了。“肯把”一句,语极含蓄,又极其沉痛。这一段,细腻地刻画了临安灯节的旖旎风光。

前二叠,词人沉浸在美好的回忆中,但这不是现实人生。于是,词的第三叠回到了现实社会。词人写作本词的大德元年,上距北宋沦亡,足足一百七十余载,离临安陷落,也有整整二十个年头。因此,骑竹马的儿童,无法亲眼见到故国的繁华,他们只能听老年人讲述当时歌舞升平的景象,这不能不使作者感到“肠断”。“等多时”二句,前面一个“春”字是虚写,借指故国;后一个“春”字是实写,指鸟语花香的季节。多年来,人们盼望宋室中兴,但是,望眼欲穿,复国已经没有希望了。所以,尽管明媚的春光重来人间,却徒然昏昏欲睡,没有心绪去欣赏它。词意至此又一次急转,由上句的"欲睡",转入"又说向、灯前拥髻",一下子跳跃到对往事的回忆上。"灯前拥髻",事见《飞燕外传》,说的是伶玄买樊通德为妾,樊向伶玄详细讲述赵飞燕姊妹的宫廷生活,她讲完后,凝视烛影,以手拥髻,凄然泪下,不胜悲戚。须溪运用这个典故,借以表达自己诉说前事时的悲恸情怀。"便当日"二句,是遥承"肠断竹马儿童"而言的。《霓裳》,即《霓裳羽衣曲》,是唐玄宗天宝时代流行的歌舞曲。骑竹马的儿童,固然无法见到汴京、临安的盛衰,即便他们能亲自见到当日歌舞,而现在一切都已成为梦境。全篇结局"天上人间梦里",化用李煜《浪淘沙》"流水落花春去也,天上人间"语,暗示美妙的生活都随着"流水落花"一起消逝。全词至此收煞,倍觉伤心,词人无限的感慨和痛苦,交织在一起,在最后一句中迸发出来。杨慎的《词品》评这首词"词意凄婉"。确实,词人的这首绝笔之作,表现了他时刻萦念故国的深挚情感,也反映出他在追求和希望破灭以后的凄苦心境。

这首词在题材上与《柳梢青》《兰陵王》《永遇乐》等词有共同之处,它们都通过忆念临安的元宵节,抒发爱国情思。但是,整个词的艺术风貌、艺术表现,却与上述三词有很大的差异。首先,引人注意的是,词人一变"中锋突进"的抒情方式,全词只字不提灯节的主体——灯彩,却以侧面烘托的手法,铺述了京师元宵之夜游人嬉笑欢乐的场面,渲染了汴京、临安两地灯节的盛况。全篇不直言亡国的哀痛,也没有对比今昔的盛衰,只是在一、二处关键的地方(换头处、结尾处),稍作点染,这反而使人感到韵味深长。陈廷焯说:"黍离麦秀之悲,暗说则深,明说则浅。"(《白雨斋词话》)《宝鼎现》一词所以获得后代词论家的好评,这是一个重要原因。其次,词人一变苍劲质朴的风格特色,"通篇炼金错采,绚烂极矣"(《白雨斋词话》),着意锻炼艺术风格,形成全词婉丽的风格,写亡国之痛,与"乐景写哀"的手法一样,在情理上看似乎矛盾,但从艺术表现着眼,却起着一倍增其哀怨的效果。张孟浩评这首词说"字字悲咽"(《历代诗余》引),全词第一、二两叠,缅怀往事,极写北南宋辇下的旖旎风光,为什么也字字"悲咽"呢?只有明白这种艺术表现的特殊作用,才能体会到张氏评语的恰当。

(吴企明)

永遇乐 刘辰翁

余自乙亥上元诵李易安《永遇乐》,为之涕下。今三年矣,每闻此词,辄不自堪。遂依其声,又托之易安自喻。虽辞情不及,而悲苦过之。

璧月初晴,黛云远澹,春事谁主?禁苑娇寒,湖堤倦暖,前度遽如许。香尘暗陌,华灯明昼,长是懒携手去。谁知道,断烟禁夜,满城似愁风雨。 宣和旧日,临安南渡,芳景犹自如故。缃帙流离,风鬟三五,能赋词最苦。江南无路,鄜州今夜,此苦又谁知否?空相对,残釭无寐,满村社鼓。

鉴赏

新雨刚过,天色放晴,如璧玉一般的圆月,镶嵌在深蓝的夜空上,周围不时有一抹青绿色的云彩,淡淡地飘拂而过。面对着这清嘉的月夜,词人油然产生了“春事谁主”的意绪,因景生情,触发了他对昔日京师上元之夜繁华景象的深情忆念。前阕“禁苑娇寒”以下几句,都是词人对临安心驰神往的描写。白天,轻寒笼罩着禁苑,湖堤微暖,使人生出倦意;入夜,华灯照耀如同白昼,妇女的车子过后,香气和着飞扬的尘土,遮暗了街道。而今呢?还没有到寒食节,元军却下达了禁火的命令,连上元之夜也禁止通行。满城的繁华,满城的欢笑,变作满城的风雨,满城的愁苦。当“前度刘郎”今日重来,目睹如此迅疾的、惊人的变化,怎能不为之黯然神伤,“辄不自堪”呢?

词写到这里,似乎还没有和李清照的《永遇乐》联系起来。但是,我们细细品味一下本词的小序,很值得注意三个问题:一,为什么词人一诵易安词,就会“为之涕下”?二,为什么在三年后,每闻此词,仍然“辄不自堪”?三,为什么要“托之易安自喻”?李清照的《永遇乐》写于南渡以后,借怀念京洛旧事,以感发故国之思。本词写于宋端宗景炎三年(1278),上距易安词的写作时间,已有一百多年。尽管时代相隔一个世纪,而历史上惊人的重复却出现了,易安和须溪生活在相似的历史条件里,同样感受到了深沉的家国之痛,所以,李清照的《永遇乐》会对辰翁产生强烈的感染力。于是,他将两京(汴京、临安)的变迁,今昔之感慨,两人(易安和自己)的遭际,交糅起来,融为一体,以忆念故国命意,构成意境,写成本词。这是词人创作本词的匠心所在,也是他通过小序给人们鉴赏本词提出的有益启示。

词的前阕,侧重于表现临安今昔的变化;后阕,则由此生发开去,扩大了表现领域。换头三句,承上启下,由临安而联想到汴京,由眼前景、身前事而联想到宣和年间的开封和宋室南渡后临安的繁华景象。经过战火的洗劫,它们虽然失去了昔日的光彩,但是,"芳景犹自如故",唯独大自然的赐予,并不因为人间的沧桑迭变而表现出丝毫的吝啬之情。《世说新语·言语》载,东晋时,过江的许多名士,每逢良辰美景,常相邀至新亭宴饮,周顗在座中叹道:"风景不殊,正自有山河之异!"须溪暗用了这则典故。芳景依旧,而人事已非,词意至此遂陡然一转。"缃帙流离"以下六句,写乱世词人的境遇。前三句,从李清照着笔。"缃帙流离",写这位女词人在"靖康之难"后漂泊流离的生活中,所收书册、卷轴、古器全部散失(详见李清照《金石录后序》)。"风鬟三五",刻画她在元夕之夜鬓鬟不整、容颜憔悴的情状。易安为宋代第一能词妇女,她能深切体验和感受到时代的忧伤,民族的灾难,以及个人身世的悲戚,因而"赋词"也就最为"悲苦",具有鲜明的时代色彩。后三句,从词人自己着笔。江南大部分土地已被元军侵占,词人流落飘零,无路可走。离家三载,时刻思念着亲人,因而拈出杜甫《月夜》"今夜鄜州月,闺中只独看"的诗意,寄寓怀念妻子儿女的深挚情感。这一层国破家散的愁苦,又有谁知道呢?本词小序云"悲苦过之"。作为具有民族气节的知识分子,辰翁和易安有着共通的思想感情,他们都为祖国多难、民族受辱而忧伤苦恼。而辰翁的"悲苦",却超过了易安。易安悲叹的只是北方中原地区的沦陷和个人身世的飘零,而辰翁此时,宋王朝业已濒临彻底崩溃的境地,因而他的悲苦较之易安犹有"过之"。词人彻夜无寐,在满村的社鼓声中,独对残灯,思潮起伏,百感交集。煞尾三句,与开端三句遥相呼应,运用"乐景写哀"的手法,使悲苦之情倍增,而"春事谁主"的问题,也就不言而喻了。

须溪词固然“以中锋达意,以中声赴节”为主,但也偶有“轻灵婉丽”(况周颐《蕙风词话》语)之笔。小词中有,长调中也间或有之。如本词之“璧月初晴,黛云远澹”“禁苑娇寒,湖堤倦暖”“空相对,残釭无寐,满村社鼓”数句,在须溪词中可谓“别调”。刘辰翁自称“情辞不及”李清照,这并非是过谦之辞。李清照的《永遇乐》,语言流畅生动,词意含蓄而有余味,而须溪的这首作品,如“满城似愁风雨”“能赋词最苦”“此苦又谁知否”等句词意就稍嫌浅露。

(吴企明)

六州歌头　刘辰翁

乙亥二月,贾平章似道督师至太平州鲁港,未见敌,鸣锣而溃。后半月闻报,赋此。

向来人道,真个胜周公。燕然眇。浯溪小。万世功。再建隆。十五年宇宙,宫中赝。堂中伴。翻虎鼠,搏鹯雀,覆蛇龙。鹤发庞眉,憔悴空山久,来上东封。便一朝符瑞,四十万人同。说甚东风,怕西风?

甚边尘起,渔阳惨。霓裳断。广寒宫。青楼杳。朱门悄。镜湖空。里湖通。大纛高牙去,人不见,港重重。斜阳外,芳草碧,落花红。抛尽黄金无计,方知道、前此和戎。但千年传说,夜半一声铜。何面江东!

鉴赏

宋恭帝德祐元年(1275)二月,贾似道奉命都督诸州军马,抗拒元军,驻扎在太平州(今安徽当涂)的鲁港。元帅伯颜率领步骑沿江夹岸追击宋军,又派快船数千艘乘风顺流而下,进攻宋朝水军。伯颜用巨炮轰击宋步军,宋先锋将茂才正与元军接战,尚未分出胜负,而主将孙虎臣却先自乘舟溜走,动摇了军心。水军主将夏贵也仓皇逃遁,船过贾似道的坐舱时,高声喊叫:“敌众我寡,势不可支。”似道闻后,惊慌失措,立即命令鸣钲收兵,军阵大乱,被元军追杀,死伤无数。未战而败,充分暴露了贾似道的昏聩无能。

须溪这首词,写于贾似道兵败后半个月,是揭露并讽刺贾似道误国罪恶的篇章。前阕分三个层次。先讽刺贾似道妄自尊大,他自以为有胜过辅弼名臣周公的才能,有再兴宋室的万世之功。汉代窦宪破匈奴,勒石燕然山;浯溪石崖上元结的《大唐中兴颂》,记载了唐代中兴的功业。这些,比起自己的事业来,显得很渺小。“向来人道”一语,不说自以为是,却说他人称道,妙绝!“十五年宇宙”以下六句,总括他担任宰相十五年来的所作所为:毫无建树,徒得周公虚名;遇事推诿,真像唐代的伴食宰相卢怀慎。“翻虎鼠,搏鹏雀,覆蛇龙”,熔铸李白《远别离》“君失臣兮龙为鱼,权归臣兮鼠变虎”诗意,揭露贾似道专柄擅权、滥施淫威、任用小人、排斥贤能的罪恶。“鹤发庞眉”以下七句,将贾似道比拟成汉代的王莽。尽管贾似道已经“鹤发庞眉”,还奢望举办东封泰山的盛典,妄想一朝出现祥瑞,万民同声称颂。词人揭露贾似道心怀叵测,像王莽一样有着称帝的野心,以致朝野窃窃私议,不敢道他的姓名,只用“西头”来代替。(“怕西风”句下自注:“都人窃议者称西头。”贾字上半部为“西”,故云“西头”。)三层词意,从三个侧面,对贾似道作了多层次、多方面的揭露。

后阕,也写三层意思。首言贾似道的荒淫生活,词意从白居易《长恨歌》“渔阳鼙鼓动地来,惊破霓裳羽衣曲”诗句中隐括而出,以唐代的安史之乱,指称元兵侵扰宋土。“甚”,等于“正”“正值”,有“正当边尘起、渔阳惨”的意思。过片处着一“甚”字,巧妙地把上下词意绾结起来。“甚边尘起”,是对前阕词意的反拨,讽刺之意溢于言表,如果真有“万世功”的“周公”,“四十万人”同声称颂的相臣,岂会置边患于不顾?“甚边尘起”也总领了后阕词意,国难当头,他干什么去了呢?原来他正在西湖边葛岭的私第里(“里湖通”句下自注:“葛岭瞰里湖,无敢过。”),把满城的乐妓(“青楼杳”句下自注:“都城籍妓皆隶歌舞,无敢犯。”)都网罗过来,弦管交响,轻歌曼舞,寻欢作乐。“大纛高牙去”以下九句,描写鲁港之败。“大纛高牙”,主帅的标志;贾似道溃退以后,重重鲁港犹在,斜阳外,落花繁红,芳草依旧。而宋军呢?死的死,逃的逃,人迹杳渺。贾似道于鲁港战前曾派人到元营,纳币议和,伯颜不允;鲁港战败的事实说明:“抛尽黄金”,谋求一时的安定,根本不是良策。“但千年传说”以下三句,为最后一层,抓住小序中“鸣锣而溃”一语着笔,结束全篇。贾似道妄自尊大,专权擅政,荒淫无耻,不可一世,却落得个“误国误民还自误”的结局,换来“千古骂名”而已。前人记载:贾似道鲁港溃败以后,有人题诗曰:“丁家洲上一声锣,惊走当年贾八哥。寄语满朝谀佞者,周公今变作周婆。”(孙继芳《矶围稗史》)这首诗与须溪词有异曲同工之妙。

这首词的艺术构思很有特色。它不是就事论事,拘泥于鲁港一役。词人成功地运用了对照的手法,既有前阕与后阕的对照,即以描写贾似道的权势、野心和描写其荒淫、失败相对照;又有后阕的第一层次和第二层次的对照,即以贾似道的荒淫生活和狼狈溃败作对照。这种多层次的对比手法的运用,除了产生鲜明突出的艺术效果外,对词旨的深化开拓,以及扩大揭露贾似道的生活面,深入剖析贾似道的内心世界,深刻揭示贾似道鲁港溃败的真正原因等方面都起着有利的作用。全词寓愤激于诙谐之中,寄感慨于意象之外,耐人寻味,是《须溪词》中表现时事诸作的佳品之一。

(吴企明)

金缕曲　　刘辰翁

闻杜鹃

少日都门路。听长亭、青山落日,不如归去。十八年间来往断,白首人间今古。又惊绝、五更一句。道是流离蜀天子,甚当初、一似吴儿语?臣再拜,泪如雨。

画堂客馆真无数。记画桥、黄竹歌声,桃花前度。风雨断魂苏季子,春梦家山何处?谁不愿、封侯万户?寂寞江南轮四角,问长安、道上无人住。啼尽血,向谁诉?

鉴赏

临安,在南宋人心目中,是王朝的象征,故国的代表。刘辰翁在青少年时代,经常来往于庐陵、临安之间,考进士,任京官,往来临安十七八年。(词中自注:"予往来秀城十七八年。")宋度宗咸淳五年(1269),词人在京任中书架阁,夏,奔母丧离杭返回庐陵,自此以后有十多年没有再到临安。(词中自注:"自己巳夏归,又十六年矣。"己巳,即咸淳五年。)宋端宗景炎元年(1276),临安沦于敌手。须溪魂系梦萦,写了许多深情忆念故都的词作,寄托了爱国的情思。在离别杭州十六年之久的甲申年(1284),词人带了儿子刘将孙,一起来到杭州凭吊,以寄托故国之思和亡国之痛。就在回来的旅途上,听到杜鹃的哀鸣,刘将孙先赋了一首《摸鱼儿》(甲申客路闻鹃),情辞凄苦。刘辰翁读了儿子的《摸鱼儿》后,继作本词,用其韵而换了词牌,因为《金缕曲》"音韵洪畅",适宜表现"慷慨悲凉"的情韵。

客路听到杜鹃的啼鸣,最能牵动客心。但是,人们的心绪不同,处境不同,听到鹃声时的感受是不一样的。"少日都门路"以下三句,写出自己少年时代上都门游学、求取仕进的心情,地在长亭,时在薄暮,听到杜鹃的叫声,勾引起了羁旅之愁,产生了"不如归去"的意念,这与秦观《踏莎行》"杜鹃声里斜阳暮"的意境是相似的。十八年间,词人来往于"都门路"上;一眨眼,又有十六年没到过杭州,其间的变化,诚有隔世之感。词人用"白首人间今古",概括这种生活体验。昔日少年,今朝白首;人事沧桑有如"古""今"之变。"又惊绝、五更一句",一个"又"字,词意深进一层。"五更"句,指的是刘将孙《摸鱼儿》词里的句子:"今又古。任啼到天明,清血流红雨。"本来已在为世事的变幻而感叹不已,又哪堪忍受杜鹃一夜啼到天明,故曰"惊绝"。再说此时听到杜鹃声的感受,与少年时代的感受已迥然不同,既产生"黍离""麦秀"之感,又产生许多联想:由杜鹃联想到蜀天子杜宇,由杜宇联想到被掳北去的恭帝。恭帝在北方颠沛流离,与当年蜀天子的遭遇相似,故曰"道是流离蜀天子";而当初他在临安时讲的是吴语,故曰"甚当初、一似吴儿语"。"吴儿"乃吴地少年,以"吴儿语"形容杜鹃之叫声,即如小儿的哭声。前阕结尾二句:"臣再拜,泪如雨。"隐括杜甫诗意。杜甫《杜鹃》:"我见常再拜,重是古帝魂……身病不能拜,泪下如迸泉。"词人效法杜甫,把杜鹃当做流离北方的恭帝,遥遥再拜,泪如雨下。

上阕写闻鹃,下阕由此宕开,描写临安的凋敝和抗元英雄的牺牲。当词人"桃花前度",重来临安的时候,画堂依然,客馆无恙,但在画桥边哀民遍地,一派"黄竹歌声"。此用李商隐《瑶池》"黄竹歌声动地哀”诗意。过片这几句,因中有“记”这一领字衔接上下,又有“真无数”“画桥”“前度”等字样,见出所写乃临安沦陷前之景象,而非作词时所见之一片凄凉。以昔日之繁华,暗寓今日之冷落,语意极含蓄。“风雨断魂苏季子”三句,乃是以“苏季子”自喻。“苏季子”,即苏秦,他当年游说六国以抗秦,意欲封侯万户,后乃金尽裘敝,落魄而归。刘辰翁也有着建功立业封侯万户的雄心壮志,而故国沦亡,报国无路,客途又值风雨,思国想家,益觉断魂,故曰:“春梦家山何处?”建功立业,本是封建知识分子共同的愿望,“谁不愿、封侯万户?”但在国家多难的时候,勇于献身的人,虽不能封侯拜官,却更值得人们崇敬和怀念。“寂寞江南”二句,描写临安附近,人迹稀少。“轮四角”,语见陆龟蒙《古意》:“愿得双车轮,一夜生四角。”原意是希望车轮生角,不能转动,情人不能外出,此处指道路难行。“长安道”,即是本词首句的“都门路”,宋人的文学作品里,常借长安代指本朝的京城。江南寂寞,京都道上,人烟萧瑟,道路难行,仿佛车轮新生四角,于是家国之悲,并涌心头,从而逼出结句“啼尽血,向谁诉”,重又回环到“杜鹃”上,用拟人化的口吻,说杜鹃终日啼鸣,纵然啼尽鲜血,又向谁去诉说这一切人间的悲苦呢?结句有不尽之意,给读者留下充分的想象余地。

本词题为“闻杜鹃”,全篇词意都从“闻杜鹃”生发开去,由此发端,由此收煞,由此过变,由此转换。在羁旅者的耳中,杜鹃声声,犹如家人“不如归去”的催唤声;而在遗民的心灵上,杜鹃声声,却唤起了对旧帝、对抗元英雄、对苦难人民的深深忆念和同情。杜鹃声是贯串全篇的词脉。本词采用了总起分承的过变手法,将后阕看来似乎不相连属、与杜鹃毫无关涉的数层词意,绾合起来,具见作者的艺术匠心。

(吴企明)

摸　鱼　儿

刘辰翁

酒边留同年徐云屋三首(其一)

怎知他、春归何处,相逢且尽尊酒。少年袅袅天涯恨,长结西湖烟柳。休回首。但细雨断桥,憔悴人归后。东风似旧。问前度桃花,刘郎能记,花复认郎否?　　君且住,草草留君剪韭。前宵正恁时候。

深杯欲共歌声滑，翻湿春衫半袖。空眉皱。看白发尊前，已似人人有。临分把手。叹一笑论文，清狂顾曲，此会几时又？

鉴 赏

挚友久别重逢，将是何种心情？在国家沦亡后挚友重逢，又会有何种意绪？古人称同一年考取进士的人为“同年”。刘辰翁是在宋理宗景定三年(1262)考取进士的，这时，他已三十一岁；徐云屋同年及第，后来他们便成为挚友。今朝重逢，大家都成了“白发”人，自然是感慨万千，心潮翻动，不可阻遏。所以，词人在热情款待之余，一气呵成三首词，表达他在酒边挽留徐云屋多逗留几天的深情厚意。这一组词中，第一首具有总起的作用，因此写劝饮的地方不多，着重抒写了词人和挚友重逢后追忆往昔、感叹今晤的情怀。

前阕写相逢。“怎知他、春归何处”，相逢时，已是酴醾暮春(其第二首有“已是酴醾后”句)，首句一语双关。美好的春色，不知归于何处；也喻指南宋王朝的覆灭。面对这样的境况，挚友今日重逢，又能讲些什么呢？“且尽尊酒”，还是借酒浇愁，排除内心的苦闷吧。但是，愁何能解，恨何能消？“少年袅袅”以下二句，词意陡然一转，由眼前的尊酒，联想到少年时代在都城里的情景。翩翩少年，风华正茂，心存四海，志在天涯。在贾似道专权的情况下，怀抱兼济天下志向的仁人君子，常常失意潦倒，宏愿却成为遗恨，只能在漫步西湖的时候，把这种遗恨罥结在蒙蒙的烟柳之上。“休回首”，词人提醒自己，不要再去回想那些往事了。可是，理智的闸门，阻止不了感情的波澜，词人借助想象的翅膀，一下子又飞到了陷落后的临安。他神游西湖断桥，但是一片细雨蒙蒙，而人自临安归来以后，已是憔悴不堪。只有东风似旧，桃花依然。词人禁不住对花发问：你还认得我吗？词人姓刘，他巧妙地借用了刘禹锡“前度刘郎今又来”的成句，又糅进了崔护的“桃花依旧笑春风”的诗意，写成四句今昔对比、耐人寻味的词句来。前阕的写法，十分洒脱，词人并不粘着于“相逢”去遣词造句，却在起调后就宕开一笔，运用丰富的艺术想象力，转而描写少年时代的志向和抱负、失意和遗恨，也写出劫后神游西湖的感受,淡淡的哀愁与蒙蒙的烟柳、细雨交织在一起,构成了深邃、幽美的词境。

后阕,从身边事、眼前景着笔,“君且住”三字,点出题上的“留”意。“前宵”徐君突然来访,由于战乱,家境清贫,只得草草地用剪来的春韭招待客人,借杜甫《赠卫八处士》“夜雨剪春韭”诗意写实。“深杯欲共歌声滑”一句,言想用悦耳的歌声伴饮,使酣饮与高歌相得益彰。“滑”,在这里有两重意思,既是说杯酒下咽时爽快的情状,也是说歌声的优美流畅,故云“共滑”。白居易《琵琶行》有“间关莺语花底滑”之句,这里可能就是受到白诗的启发。由于既歌且饮,兴致极高,以致“翻湿春衫半袖”,极写尽情饮酒的神态,与前阕“且尽尊酒”遥相呼应。“空眉皱”,一顿一转,乐极哀来,逗出下面“看白发尊前,已似人人有”二句。欢饮高歌之际,忽见双方头上都有了白发,一种迟暮之感,不觉油然而生,真可谓“都来此事,眉间心头,无计相回避”(范仲淹《御街行》)了。古人云“别易会难”。李商隐说“相见时难别亦难”(《无题》),体验已经深入了一层。何况战乱的时代,相逢更是不易,“临分把手”,当然有难以忍受的苦楚,词人把这种生活体验写入词里:当挚友握手言别的时候,想起今宵言笑宴宴地讨论文学,放逸不羁地引吭高歌,此情此景,怎不使人依依不舍呢?“论文”,用杜甫《春日忆李白》“何时一尊酒,重与细论文”诗意。“顾曲”,用《三国志·吴书·周瑜传》“曲有误,周郎顾”的事典,后用以泛指欣赏音乐。最后传达出彼此分别时的复杂心情和再次会面的良好愿望。

全词在今与昔、盛与衰、老与少、聚与散的多层次的对照中,将词人于宋王朝衰亡后与挚友久别重逢、才逢又别时复杂而多变的情思,充分地表现了出来,从而使这首词呈现出表现力强、容量大的艺术特色。词人运用曲折递进、景色点染、隐括前人诗意等多种艺术手段,将飞驰的想象和跳跃的诗思糅合起来,编织成一幅完整的人生图画,形成全篇情辞跌宕、轻灵动荡的艺术风貌。

(吴企明)

曲游春　周密*

禁烟湖上薄游，施中山赋词甚佳，余因次其韵。盖平时游舫，至午后则尽入里湖，抵暮始出，断桥小驻而归，非习于游者不知也。故中山极击节余"闲却半湖春色"之句，谓能道人之所未云。

禁苑东风外，飏暖丝晴絮，春思如织。燕约莺期，恼芳情偏在，翠深红隙。漠漠香尘隔，沸十里、乱弦丛笛。看画船，尽入西泠，闲却半湖春色。　柳陌，新烟凝碧。映帘底宫眉，堤上游勒。轻暝笼寒，怕梨云梦冷，杏香愁幂。歌管酬寒食。奈蝶怨、良宵岑寂。正满湖、碎月摇花，怎生去得？

作者

*周密(1232—1298)，字公谨，号草窗，又号四水潜夫、弁阳老人、华不注山人。祖籍济南，流寓吴兴(今浙江湖州)。宋德祐间为义乌县(今属浙江)令。入元不仕。著有《齐东野语》《武林旧事》《癸辛杂识》《志雅堂杂钞》等杂著数十种。善书画音律，能诗，尤好藏弃校书。其词远祖清真，近法姜夔，风格清雅秀润，与吴文英并称"二窗"。词集名《蘋洲渔笛谱》《草窗词》。

鉴赏

据作者《武林旧事》卷三记载，南宋都城临安自从元夕以后，贵族子弟纷纷到郊外游玩，称为"探春"。寒食节前后游人最盛。西湖周围，尤其热闹。都人士女挤满了苏堤和白堤，几乎没有插脚的地方。湖面上画船像鱼鳞一样密集地挤在一起，无法移动。箫鼓歌喉之声，振动远近。这首《曲游春》词，就是写的禁烟时节的游湖盛况。

“禁苑东风外”三句，首先交代地点、季节、气候，由景及情。西湖附近风景韶秀，为皇宫禁苑所在。这里的“禁苑”，即指西湖一带。“东风外”，春风之中的意思。寒食节的西湖，春风拂熙，绿草发生，湖堤上丝丝垂柳，依依飘拂，引发人们的思绪，撩动人们的春情。“春思如织”是泛说，从春色到情思，词人巧妙地暗用了南朝民歌中的谐音表现手法：“暖丝”引起“春思”，“晴絮”谐音“情绪”，而且唯有如丝如絮，才能如织。南朝民歌《西曲歌·作蚕丝》：“春蚕不应老，昼夜常怀丝（思）。何惜微躯尽，缠绵自有时。”唐代诗人刘禹锡的《竹枝词》：“杨柳青青江水平，闻郎江上唱歌声。东边日出西边雨，道是无晴（情）却有晴（情）。”可以参读。“燕约莺期”三句，承“春思如织”而来，写西湖上的游人士女，语意双关。“燕”“莺”，借指女子。“翠深红隙”，借喻深闺。春光骀荡，最易撩动闺中女子的怀春之情，她们于是纷纷出门，乘上油壁小车，相约相候，前呼后拥地赶来西湖探春。由于道路上人车杂沓，腾起蒙蒙烟尘，故接以“漠漠香尘隔”一句。“沸十里、乱弦丛笛”两句，进一步描写湖上丝竹管弦之盛，达到了春游的高潮。词人综合了视觉、嗅觉和听觉几方面的感受，将西湖春游的热闹景象，精练而形象地融入了上片之中，使读者仿佛身临其境。鼻中，扑来阵阵草木薰香和妇女脂粉的香气；耳旁，丝竹歌管杂乱交鸣，沸沸扬扬，十里之外都能听见。“看画船，尽入西泠，闲却半湖春色”三句，接写春游高潮之后的静谧，结束上片。如果说“漠漠香尘隔”二句是从空间上展开游湖盛况；那么，这三句则是从时间顺序上捕捉游湖过程中最有韵味的一晌。“沸十里、乱弦丛笛”，是一幅人声嘈杂、鼓乐喧天的景象；而这里却笔锋一转，极写湖上的宁静，好像在一瞬之间，湖上的景色竟被人们闲置一旁。虽属写实，但因为“能道人之所未云”，所以不仅施中山为之击节，后人也公认其为千古丽句。

下片描写西湖的暮色。“柳陌”四句，写天色渐晚，游人散去，暮霭笼罩着湖堤上的垂柳，也映照着车帘内的女子和湖堤上骑马的游人。这别是一片宁馨而悄然的境界。“轻暝笼寒”五句，当作一气读：游人们早已按“抵暮始出，断桥小驻而归”的游程，结束了一天的狂欢。这时，淡淡的暮色仿佛包蕴着些许寒气，人们都各自回到家中唱歌奏乐来欢度寒食节了，词人不禁顿生遐想：游人去后，在春寒之夜的湖上，那灿若朝云的梨花在梦中是否感到清泠,那吐香的杏花是否为愁思所笼罩呢?尽管家家歌管,然而毕竟是闭户独乐,就是能够翩翩飞舞的蝴蝶也不能不埋怨这大好的春宵,未免过于寂寞了。用拟人化的手法想象花、蝶在春夜里不堪孤寂,这里将湖上白昼的热闹与夜晚的冷清作鲜明的对比,真是匪夷所思,匠心独具。“正满湖、碎月摇花,怎生去得?”总束全词,极写湖上月夜迷人的景色以及词人流连光景,不忍离去的心情,颇有余音袅袅之致。

词人擅长撰写野史杂著,他的词往往有记风俗的意味,这首词就是一个典型的例子。作者《武林旧事》卷三记载:“若游之次第,则先南而后北,至午则尽入西泠桥里湖,其外几无一舸矣。弁阳老人有词云:‘看画船,尽入西泠,闲却半湖春色。’盖纪实也。”可见,他的词既具有艺术观赏的价值,又具有史料参考的价值,符合张炎《词源》中所提出的那样一种标准:“不独措辞精粹,又且见时序风物之盛,人家宴乐之同。”后人马臻诗云:“画船过午入西泠,人拥孤山陌上尘。应被弁阳模写尽,晚来闲却半湖春。”(《西泠壮游》)说游湖盛况被词人写尽,后人难以赓续,足见其赞叹推崇之意。词人又善于绘画,他在词中运用了中国画的一种表现手法,虚实照应,疏密相间,远近交错,在空灵之中含有蕴藉之意,在写实之中复作奇特之构想,凡此种种,皆非大手笔不能为之的。

(肖　鹏)

长亭怨慢　　周　密

岁丙午、丁未,先君子监州太末,时刺史杨泳斋员外、别驾牟存斋、西安令翁浩堂、郡博士洪恕斋,一时名流星聚,见为奇事。倅居据龟阜,下瞰万室,外环四山,先子作堂曰“啸咏”。撮登览要,蜿蜒入后圃。梅清竹臞,亏蔽风月;后俯官河,相望一水,则小蓬莱在焉。老柳高荷,吹凉竟日。诸公载酒论文,清弹豪吹,笔研琴尊之乐,盖无虚日也。余时甚少,执杖屦,供洒扫,诸老绪论殷殷,金石声犹在耳。后十年过之,则径草池萍,怃然葵麦之感,一时交从,水逝云飞,无人识令威矣。徘徊水竹间,怅然久之,因谱白石自制调,以寄前度刘郎之怀云。

记千竹、万荷深处，绿净池台，翠凉亭宇。醉墨题香，闲箫横玉尽吟趣。胜流星聚。知几诵、《燕台》句？零落碧云空，叹转眼、岁华如许！　凝伫，望涓涓一水，梦到隔花窗户。十年旧事，尽消得、庾郎愁赋。燕楼鹤表半飘零，算惟有、盟鸥堪语。漫倚遍河桥，一片凉云吹雨。

鉴赏

本篇是词人早年的作品，写于宋理宗宝祐五年（1257）。他的父亲周晋在宝祐三年（1255）被朝廷起用为福建路汀州（今属福建省）的知州。大约就在第二年的年底，周晋在任上死去。词人在汀州住不下去了，只好起程北归（此行可能是将其父柩运回故乡湖州安葬）。宝祐五年夏、秋之际，他路过故地衢州，重访旧迹，写成了这首怀旧词。此词的写法较为单纯，直抒情怀，不起波澜。近代学人吴梅先生称它“用意明晰，措词娴雅”。（《词学通论》）

上片追忆往昔，领字“记”直贯到“《燕台》句”。明言这一层是写得年景象。起三句写景，次四句写人事。“燕台”句，原指唐李商隐的《燕台》诗，见李商隐《柳枝》诗序，这里泛指诗朋词友之间互相传诵的好诗句。“零落碧云空”两句，由回忆转入现实，由写景转入抒情。

“凝伫”，凝神久立，即小序中“徘徊水竹间，怅然久之”的意思。词人望着涓涓的流水想起十年以来，这里的琐窗，窗外的鲜花，不是常进入自己的梦境中吗？而今日旧地重游，当年的亭台楼阁竟变得这样的荒凉寂寞了！于是十年前的旧事，不由得再次浮现眼前，而且使词人深深地感到，这真值得同当年的庾信写《愁赋》一样再写一篇抒发满怀愁肠的诗赋啊！“燕楼鹤表半飘零”两句，仍是即景抒情。“燕楼”，即燕子楼，唐张愔死后，其妾关盼盼独居于燕子楼中，十余年不嫁。后来人常用这个典故抒发人去楼空，物是人非之叹。“鹤表”，《搜神后记》载，辽东人丁令威得道成仙，化身为鹤返归故里，栖息在城门华表柱上，看见当年的故人早已死尽，坟冢累累。词人借用这两个典故，形容当年的故人死的死，散的散，自己旧地重来,孑然一身,只有与人盟誓过的鸥鸟能够陪伴着自己。结尾二句,撇开愁情,写自己在旧地随意徙倚流连。虽故作旷达之语,但惆怅之情依旧溢于言表。吴文英《西子妆慢》结尾云:“最伤心、一片孤山细雨。”此词结构或由此脱胎,但含蓄似有过之。吴梅《词学通论》分析本篇的结构说:“千竹万荷,指啸咏堂也;醉墨题香、胜流星聚,指一时裙屐也;隔花窗户、燕楼飘零,指目前景物也。漫倚河桥、凉云吹雨,是直抒葵麦之感矣。此等词结构布局最是匀称。”言简意赅,鞭辟入里,可以参考。

这首词有两点值得注意:第一,是对比描写,上片写胜流星聚,反衬下片孑然一身,只有盟鸥堪语;上片写醉墨题香,闲弄箫管之乐,反衬下片独自凝伫,倚遍河桥的凄凉,通过今昔对比,以抒发作者盛衰之感。第二,这首词,包括它的长序,风格很像姜夔,是一篇清峻雅秀的佳作。但是,它的序文与词的内容基本相同,甚至还有共用一个典故的现象,不免使人有叠床架屋之感。清人周济曾经批评姜夔说:“白石小序甚可观,苦与词复。若序其缘起,不犯词境,斯为两美矣。”(《宋四家词选目录序论》)移作这首词的批评,也是非常恰当的。

(肖　鹏)

乳燕飞　　周密

辛未首夏,以书舫载客游苏湾。徙倚危亭,极登览之趣。所谓浮玉山、碧浪湖者,皆横陈于前,特吾几席中一物耳。遥望具区,渺如烟云,洞庭、缥缈诸峰,矗矗献状,盖王右丞、李将军着色画也。松风怒号,暝色四起,使人浩然忘归。慨然怀古,高歌举白,不知身世为何如也。溪山不老,临赏无穷,后之视今,当有契余言者。因大书山楹,以纪来游。

波影摇涟甃,趁熏风、一舸来时,翠阴清昼。去郭轩楹才数里,藓磴松关云岫。快屐齿、筇枝先后。空半危亭堪聚远,看洞庭、缥缈争奇秀。人自老,景如旧。

来帆去棹还知否,问古今、几度斜阳,几番回首?晚色一川谁管领,都付雨荷烟柳。知我者、燕朋鸥友。笑拍阑干呼范蠡,甚平吴、却倩垂纶手?吁万古,付卮酒。

鉴赏

本篇是作者"纪游抒情词"的代表作。景定五年(1264),作者与杨缵、张枢、李彭老等词人聚盟,结成西湖吟社,经常同游湖山,饮酒高歌,写下了许多流连山川、忘情世事的纪游抒情词。这首词作于咸淳七年(1271),是作者与社中盟友游湖州乌程的苏湾时写的。据作者《癸辛杂识》记载,苏湾在乌程县南,苏轼当年守郡时,曾筑堤其侧,因而得名。当时属于作者的词友赵菊坡的家园。其地"去南关三里,而近碧浪湖,浮玉山在其前,景物殊胜。山椒有雄跨亭,尽见太湖诸山。"词的小序记述了这次游玩的过程,介绍了创作这首词的动机。

上片一开始就记此次苏湾之游:先写水,后写山,再写水。"波影摇涟甃"三句,点出兹游乘的是"一舸",时间是飘拂"熏风"的一个初夏"清昼"。"甃",石砌的湖堤。"熏风",即和风,指东南风或南风。湖波摇荡着,涟漪倒映着湖堤,词人一舸来游,那醉人的熏风,翠绿的树荫,已经使人如入山阴道上,应接不暇了。写法与姜夔《念奴娇》发端的"闹红一舸,记来时、尝与鸳鸯为侣"数句相同,而描绘更加具体、形象,意境似更多彩多姿。"去郭轩楹"二句,既点出苏湾的地理位置,又从水上写到山上的"危亭"。"藓磴",长满苔藓的山径石阶。"松关",满山松树,宛如关隘。"云岫",白云舒卷的青翠峰峦。三者浑然一体,将危亭所在的山峦写得令人十分神往。如此美丽诱人的去处,怎能不使词人和他的游侣"快屐齿、筇枝先后",去攀山登岭,探胜访幽呢?"屐齿",有齿的木屐。南朝宋大诗人谢灵运酷好登山,史书上说他"寻山陟岭,必造幽峻。岩嶂千重,莫不尽备"。他特制了一种爬山的鞋子,上山时去掉前齿,下山时去掉后齿,以保持身体平衡。"筇枝",竹枝,可拄以登高。"快屐齿"一句,极写作者等人游兴之浓。可见他们终于舍舟登陆,攀登山峦,"徙倚危亭"了。"空半"两句,即写登眺时所见。"空半",犹言在半空之中。"危亭",建在高处的亭子。由于地势很高,所以能将远处的景物收入眼帘,连太湖中争奇竞秀的洞庭山、缥缈诸峰,也"皆横陈于前”,只不过是我“几席中一物”而已。由于词人不止一次来游,这次重游,风景依旧,而人已老大,故上片结尾由此兴怀。所谓“人自老,景如旧”,也就是小序中“溪山不老,临赏无穷”的意思。

换头紧承上片末二句而来,进一步抒发登临时的感慨。“来帆去棹”,泛指太湖上往来的船只。“问古今”两句有两层意思:一是泛说年去岁来,不知道游人在这里欣赏过多少次落日,又多少次依依不舍地离去,与张若虚《春江花月夜》“江畔何人初见月?江月何年初照人?人生代代无穷已,江月年年只相似”的感慨相近;二是说,今天我携侣来游,已是“暝色四起”,而我们仍“浩然忘归”,可是“溪山不老,临赏无穷”,我们终将同昔日的游人一样,带着依依不舍的心情离去。两层意思合在一处,自然就不仅抚今思昔,“慨然怀古”,并且进而叹息人去之后,如此美妙的晚色无人赏玩只能付之雨荷烟柳了。“晚色一川”二句,从姜夔《八归》词“最可惜一片江山,总付与啼鴂”之句化来,峻激不逮,而婉雅则似有过之。“知我者”一句,紧承上文而来,意思说,我很快就要暂时离开这儿了,然而我志在江湖,终将隐逸,此心唯有湖上的燕朋鸥友了解。“燕”“鸥”既是虚指,如辛弃疾《水调歌头·盟鸥》之类;同时又是实指,即针对吟社的朋友而言。作者《春日感怀寄修门从游》诗说:“华年锦瑟事谁论?燕社鸥盟半不存。”可证。“知我者”一句,用辛弃疾“知我者,二三子”(《贺新郎》)词意。“笑拍阑干呼范蠡”两句,再承上申言自己不问世事,志在隐逸。范蠡为越国大夫,他帮助越王勾践消灭了吴国之后,担心越王会诛杀功臣,就避往太湖,泛舟烟波。作者与朋友们谈起范蠡,忍不住手拍阑干大笑起来:当时正在平定吴国的时候,怎么却请这样一个身在魏阙、心在江湖的范蠡来筹划大计呢?弦外之音:如今要去做平定吴国这类军国大事,根本不需要找我们这些“渔樵于江渚之上,侣鱼虾而友麋鹿”的渔樵隐士。这里隐以后半生的范蠡自喻,表现了作者遗世独立、无意政治的消极处世思想。由于对作者写作此词时的真实内心活动不了解,因此其中是否有壮志未酬因而愤世嫉俗的因素,我们不得而知。末以“吁万古,付卮酒”两句作结,意谓在感叹“溪山不老,临赏无穷”之余,还不如且进杯中物吧!写法与吴文英《八声甘州·灵岩陪庾幕诸公游》的结句“连呼酒,上琴台去,秋与云平”相似,然吴词气势较为雄健,而此词情绪比较低沉。

这首词的词序非常优美,可视为一篇独立的小型游记散文。

它虽与词的内容有些重复，但对理解本词还是很有帮助的。从这方面来看，显然是继承了前辈词人姜夔的写法。近代学者吴梅把周密与姜夔并称，说他们的词序有如郦道元的《水经注》、柳宗元的山水游记（见《词学通论》）。此词的小序确实可以当之无愧，从此词本身来看，其风格有的地方接近稼轩，有的地方接近梦窗，而自其总体观之，则仍于白石为近，可谓以白石为躯干，而以稼轩、梦窗等人傅粉设色。杜甫《戏为六绝句》云："转益多师是汝师。"这首词也表现了作者博采广收的创作态度和功力。

（肖　鹏）

闻鹊喜　　周　密

吴山观涛

天水碧，染就一江秋色。鳌戴雪山龙起蛰，快风吹海立。　　数点烟鬟青滴，一杼霞绡红湿。白鸟明边帆影直，隔江闻夜笛。

鉴赏

喷雪轰雷、排山倒海的浙江大潮历来是诗人喜欢歌咏的题材。宋代的潘阆、苏轼、曾觌、辛弃疾等人都有咏潮的词。周密这首小令，有它自己的特色。吴山在杭州，是春秋时吴国和越国的分界山，它奇崿危峰、俯临江面。立于山上观看钱塘大潮，其景象可以想见。

词上片写海潮欲来和正来，下片写潮过以后。"天水碧"二句，有三层意思：天青水碧，浩渺无涯，天水相连，一派壮观景象，一也；词化用王勃的"秋水共长天一色"语意，点出序属三秋的季节，二也；同时，又渲染出海潮将至，天地为之变色的气氛，三也。"鳌戴雪山龙起蛰"两句，接着写海潮汹涌而来，那咆哮的潮头好像是神龟背负的雪山，又好像是从梦中惊醒的蛰伏海底的巨龙，还好像是疾速的大风将海水吹得竖立起来一般。词人接连用了几个形象的比喻，绘声绘色地将钱江大潮那惊心动魄的场面艺术地再现了出来。与枚乘《七发》中关于观潮一段的描写相比,虽铺采摛文不及,但精练则有过之。下片写潮过风息,江上又是一番景象。"数点"以下三句,分别描写远处、高处的景色。远处的几点青山,虽然笼罩着淡淡的烟霭,却仍然青翠欲滴。天边的一抹红霞,仿佛是刚刚织就的绡纱,带着潮水喷激后的湿意;黄昏临近了,白鸥上下翻飞,在还有一些亮光的远方,帆影矗立……词人选择了一些典型的景物,织成一幅五彩缤纷的图景,使人赏心悦目,如临其境。末句"隔江闻夜笛",以静结动,以听觉的描写收束全词的视觉描写。全词纯写景物,到这里才点出景中有人,景中有我,是极有余韵的一笔。隔江而能听到笛声,可见波平风静,万籁俱寂。写闻笛,其实仍是写钱塘江水。从时间上说,全词从白昼写到黄昏,又从黄昏写到夜间;从艺术境界上看,又是从极其喧闹写到极其寂静,将"观涛"前后的全过程作了生动、形象的描绘,读者仿佛观看影视片一样,一个蒙太奇接着另一个蒙太奇,一个特写镜头接着另一个特写镜头。由于词人又是一位画家,故能做到"以画为词"。尤其是"隔江闻夜笛"一句,似收未收,似阖未阖,颇有"余音袅袅,不绝如缕"之感,与唐人的"曲终人不见,江上数峰青"(钱起《湘灵鼓瑟》)同有"言有尽而意无穷"之妙。美学家宗白华称赞词人"能以空虚衬托实景,墨气所射,四表无穷"(《中国艺术意境之诞生》),的确不是溢美之词。

(肖　鹏)

一　萼　红　　周　密

登蓬莱阁有感

步深幽,正云黄天淡,雪意未全休。鉴曲寒沙,茂林烟草,俯仰千古悠悠。岁华晚,飘零渐远,谁念我、同载五湖舟?磴古松斜,崖阴苔老,一片清愁。　回首天涯归梦,几魂飞西浦,泪洒东州。故国山川,故园心眼,还似王粲登楼。最怜他,秦鬟妆镜,好江山、何事此时游!为唤狂吟老监,共赋消忧。

鉴赏

宋恭帝德祐元年(1275),宰相贾似道所率领的宋军大败于鲁港(今安徽芜湖附近),元兵沿江而下,进逼南宋都城临安(今杭州)。朝廷百官,先后遁逃,各地守将也纷纷望风投降。这时沉浮下僚将近二十年的周密,被朝廷起用为婺州义乌(今属浙江)县令。冬,他南下路过会稽(今浙江绍兴),拜访词友王沂孙,在那里逗留了一个月,然后前往义乌就任。第二年初,临安破,元兵统帅伯颜从湖州入临安,把太后、幼帝和图册宝物一齐掳掠北去。不久元兵继续南下,婺州等地相继沦没。周密悲愤地离开义乌,冬,再次路经会稽,造访王沂孙。一个寒意料峭的日子里,他登上当地名胜蓬莱阁,吊古伤今,泫然流涕,吟成了这首著名的亡国词。

词从登阁落笔。"步深幽",是说向那山环树拥的幽邃高阁走去。这个"步"不是闲庭信步,而是沉重、迟滞、犹疑不前的步子。词人的另一首亡国词《探芳讯·西泠春感》起句"步晴昼,向水院维舟,津亭唤酒",也是从步写起。登临之际,可见"云黄天淡,雪意未全休"的气候,这样写,暗示着作者的心情也和天气一样阴惨沉重。"鉴曲"三句,写登上蓬莱阁后的所见所感。"鉴曲",鉴湖水曲,唐代诗人贺知章告老隐居于此。"茂林",这里指会稽兰亭附近的景致。王羲之《兰亭集序》中有"此地有崇山峻岭,茂林修竹"之句。作者俯视四野,只见鉴湖水拍打着寒冷的沙滩,山间的烟霭笼罩着茂林与枯草,是幅阴惨肃杀的寒林图。"俯仰千古悠悠",由写景转而抒情。"俯仰",极言时间之短暂,犹须臾,此用《兰亭集序》"俯仰之间已为陈迹"意。作者看到这些凄凉的景象,再联想到古代名人的有关事迹,不觉感慨万千,不能自已,这就为下文进一步兴怀做好了准备,所以"俯仰"句在全词中是一大转折,起着承上启下的作用。"岁华晚"四句,先从正面描写自己的身世之感,有三层意思:岁云暮矣,一年又快到了它的尽头,可悲者一;不仅飘零他乡,而且愈走愈远,可悲者二;国家沦亡,想效法当年的范蠡泛舟五湖(太湖的别名)隐逸以终,又没有像西施那样的知音相随相伴,可悲者三。集此三悲,其悲可知,因而眼中所见之景物,无一不呈现着使人伤情的意态:石级是陈旧的,松树是倾斜的,山崖是阴湿的,苔藓是苍老的。这“古”“斜”“阴”“老”四字,既是实写所见景物,又染上作者主观感受的色彩,物我交感的结果,便酿就了“一片清愁”。由此收束上片,为下片的深入抒情做好铺垫。

下片由身世之感进而抒发家国之痛。换头“回首天涯归梦”三句,由上片“飘零渐远”生发开去。词人回想过去在外飘零,曾多次怀念绍兴(作者自注:阁在绍兴,西浦,东州皆其地。)。魂牵梦萦,涕泪涟涟。而今自己真的来到了绍兴,并且登上了这里著名的古迹蓬莱阁,按理说,夙愿已偿,心情应该是愉快的。可是出人意表,词人至此,却发出了“故国山川,故园心眼,还似王粲登楼”的浩叹!王粲是东汉末年一位著名诗人,他避乱荆州时写下著名的《登楼赋》。赋中说:“虽信美而非吾土兮,曾何足以少留!”江山虽美,非我所有,不值得留恋。词人在这里自况王粲登楼,用的是迫进一层的写法,意思是说,我从前一直把绍兴当做我的家乡一样朝思暮想,今天回到绍兴,由于江山易主,这里也被异族统治,因而自己反而产生了一种身处他乡的孤独、悲凉之感。但这里的一山一水仍然是这样的美好,并不因为人世的巨变而改换它们的容颜——秦望山依旧形似发鬟,鉴湖还是好像一面梳妆的镜子,可是为什么我要在这国破家亡的时刻来游此胜景呢?!感情发展到这里,已臻于升华的境地,真可谓“长歌之哀,过于痛哭”了。全词至此,痛极,悲极,几于搁笔。一般词人写到这里,往往宕开一笔,以景作结,“以淡语收浓词”。如李渔所说的“自首至终,皆诉凄怨,其结句独不言情,而反述眼前所见者,皆自状无可奈何之情”(《窥词管见》)。然而,作者在这里却推开一层,强自解脱:“为唤狂吟老监,共赋消忧”,幻想能够将大诗人贺知章从地下唤来,共同举酒痛饮,浇尽胸中的块垒;吟诗作赋,吐尽满腔的忧愁。这是词人在无可奈何时的幻想,意欲通过这一幻想使自己从家国之痛中解脱出来。可是“举杯浇愁愁更愁”,作者也只能以此自诳自慰而已。

这首词凄凉掩抑,沉郁悲壮,是周密的代表作。前人对它的评价很高,如陈廷焯就说,此词“苍茫感慨,情见乎词,当为草窗集中压卷,虽使美成、白石为之,亦无以过”(《白雨斋词话》)。全词感情浓烈,章法谨严。词中明明暗暗地化用、借用了许多与会稽有关的事典,但丝毫不觉堆砌、晦涩。

(肖　鹏)

高阳台　　周密

送陈君衡被召

照野旌旗，朝天车马，平沙万里天低。宝带金章，尊前茸帽风欹。秦关汴水经行地，想登临，都付新诗。纵英游，叠鼓清笳，骏马名姬。　酒酣应对燕山雪，正冰河月冻，晓陇云飞。投老残年，江南谁念方回？东风渐绿西湖柳，雁已还、人未南归。最关情，折尽梅花，难寄相思。

鉴赏

宋亡以后，陈允平被元朝当做“人才”征召到大都（今北京），后没有接受元朝的封官，被放回江南。北上前夕，作者为陈允平送行。陈允平北上一段时间后，作者写下这首词。这首词用意比较隐晦，从表面上看，作者是为陈允平赋词以壮行色，甚至还流露出一丝“企羡”的意味。这与作者义不仕元，当时人说他以“无所责守而志节不屈”著称（王行《题周草窗画像卷》），似有矛盾。有的词选则说这首词“对陈允平的仕元有所指摘”，“怀疑对方不知是否还有故国之思”，这一说法也不能尽如人意，在分析这首词之前，让我们先来读赵孟頫的一首诗《次韵周公谨见赠》：“池鱼思故渊，槛兽念旧薮。官曹困窘束，卯入常尽酉。简书督期会，何用传不朽？十年从世故，尘土荡衣袖。归来忽相见，忘此离别久。缅怀德翁隐，坐羡沮溺偶。新诗使我和，鄴里忘己丑。平生知我者，颇亦似公否？山林期晚岁，鸡黍共尊酒。却笑桓公言，凄然汉南柳。”赵孟頫为宋宗室之后，宋亡，他应元朝征召，入为兵部郎中，直集贤院，出守济南，作者一直与他保持着较密切的往来。这首诗，说明了以下几个问题：第一，这些应召出山的南士，心理非常复杂，大多抱有悲观、内疚和悔恨的情绪，盼望能够早日归隐；第二，周密始终与这些故友保持着友谊，并没有因为他们应召出仕而绝交；第三，他们觉得，周密能够理解他们内心的痛苦和矛盾，同情他们的尴尬处境，是真正的“平生知我者”。这三点，是理解这首《高阳台》词的关键。

词的起首五句写临行的场面。作者在道旁饯别陈允平，举目望去，在平沙万里的原野之上，尽是光彩耀眼的旗帜和准备入朝的车马，排场好不显赫热闹。陈允平身上系着漂亮的腰带，腰带上悬挂着金光闪闪的大印，在寒风之中，皮帽被吹得微微有点倾斜，服饰又是何等的华丽高贵。作者并没有描写陈允平此时此刻的表情和心情，而是用悬测的口吻，想象着对方踏上北行之途以后的情景：“秦关汴水经行地，想登临、都付新诗。纵英游，叠鼓清笳，骏马名姬。”真是大有“春风得意马蹄疾”的气概：既能在经过秦关、汴水时创作一首又一首新诗，又能在击鼓吹笳声中，骑上骏马，带着美女，纵情酣游。

下片继续展开想象。“酒酣应对燕山雪”三句，意谓陈允平到达大都后，朝廷必然设宴款待，在燕山飘雪、冰河月冻、晓陇云飞之际，与元朝统治者相对酣饱，谈笑应答。悬想之辞，到此戛然而止。在此之前都属追忆和想象的文字，分三层逐次写来：从发端到“尊前茸帽风攲”，写追忆饯别时的情景；上片其余部分是想象陈允平在北上途中的情景；下片开始至“晓陇云飞”，又是揣测陈允平到达大都后所受到的礼遇。三层意思显然分隶上下两片，但却联成一气，打破了两片分开写今昔的通常作法。王沂孙曾有同一词调的和章，题为：“陈君衡远游未还，周公谨有怀人之赋，倚歌和之”。可见以上所写都是作者的追忆和想象，而非作词时的实况。“投老残年”以下，词意陡转，由陈允平写到自己，以陈允平的“春风得意”反衬自己的孤独凄凉。又分以下几层申说。“投老残年”，是说自己年已老大，一可悲也。“江南谁念方回”，即“谁念江南方回”，以倒装句求全于词律平仄的要求。“方回”，指北宋著名词人贺方回，黄庭坚曾有“解道江南肠断句，世间唯有贺方回”（《寄方回》）之句。这里以贺方回自喻，说的是没有人能思念身在江南、风烛残年的我，二可悲也。“东风渐绿西湖柳，雁已还、人未南归”三句，写的是大雁已经南归，而故友陈允平却未归来，三可悲也。其实后两悲，都是针对陈允平而发，意谓陈允平北上之后，杳无音信，不但把我这个老朋友全然忘却，而且流连忘返了。在委婉其辞的哀怨之中，隐含着希望陈允平不要再在大都恋栈下去的意思，所以“最关情”三句，就从此意出发，并以之结束全篇。“折尽梅花”，说明相思之深，用的是陆凯摘梅寄赠的典故。“难寄相思”，说明音讯不通，虽有相思之情，也难以传到对方。所以两句之前，用了“最关情”三字概括。一片哀怨之中，又抒写了作者无可奈何的心情，读之令人恻然。将全词的字、词、句、篇章结构弄清楚之后，我们就不难看出，这首词主要是一篇“怀人之赋”，亦即怀念北上未还的陈允平的作品。上片以及下片的前三句，并没有任何“企羡”的意味，其目的在于通过场景的一系列的浓笔渲染，反衬出自己处境的孤独凄凉，以及对对方的相思之深和相思之苦。是否有对陈仕元的指摘和对陈是否还有故国之思的怀疑呢？从作者对赵孟頫等人的态度，特别是从王沂孙和词的小序来看，肯定没有指摘之意；与其说是“指摘”“怀疑”，倒毋宁说是担心陈允平在大都流连忘返更符合此词的实际。当然从“秦关汴水”“冰河月冻，晓陇云飞”以及“东风渐绿西湖柳”等字里行间，也不排除某种规劝的因素，不过就词的整体而言，企盼陈允平早日还家以重叙旧游之情毕竟还是主要的。我们只要读一读王沂孙的和词，便可以进一步理解这首词的中心旨意了。

（肖　鹏）

高　阳　台　　周　密

寄越中诸友

小雨分江，残寒迷浦，春容浅入蒹葭。雪霁空城，燕归何处人家？梦魂欲渡苍茫去，怕梦轻、还被愁遮。感流年，夜汐东还，冷照西斜。　萋萋望极王孙草，认云中江树，鸥外春沙。白发青山，可怜相对苍华。归鸿自趁潮回去，笑倦游、犹是天涯。问东风：先到垂杨，后到梅花？

鉴赏

本篇作于宋亡之后。“越中诸友”，指居住在浙江绍兴的词友王沂孙、唐珏、王易简等人（本篇王沂孙有和作）。词中，作者描绘了故都临安（今浙江杭州）的凄凉景象，抒发了对故友的强烈思念和对年华消逝的无可奈何的喟叹，最后又委婉地表示盼望故友到杭州来共倾心曲。上片,"小雨分江"三句,点出地点、季节、气候。词人伫立江边,细雨蒙蒙,隔断了视线;冬末春初,残存的寒气弥漫着江边;芦苇长出了新芽,露出初春的生意。以上是从远眺写到近见。接着,词人又转过身去,遥望故都:"雪霁空城,燕归何处人家?"天晴之后,大雪覆盖着杳无人烟的空城,词人不禁在想:旧时的燕子重新归来,能在谁家找到旧巢呢?前一句同姜夔《扬州慢》"渐黄昏,清角吹寒,都在空城"和该词小序有关部分的描绘十分相像,显然是受到白石的影响;后一句用刘禹锡《乌衣巷》诗:"朱雀桥边野草花,乌衣巷口夕阳斜。旧时王谢堂前燕,飞入寻常百姓家。"刘诗写当年煊赫一时的高门大族,如今已荡然无存,只见到处都是普通的百姓房舍。词人借用此意,翻进一层,说归来的燕子不仅看不到当年的帝苑宫殿,就连百姓房舍也遭兵燹平毁,难以寻找营巢之处了。"梦魂"二句,元陆辅之说它是"警句"(《词旨》),清人也说它"语意精警,未经人道"(《冰簃词话》)。面对荆棘铜驼的故都,词人有多少感慨想要倾诉!他盼望自己的梦魂能够跨山越水,飞到越中,与故友一晤,但又担心梦轻愁重,不能如愿。"感流年"三句,再由回望空城时引发的遐想感叹光阴的不断消逝。"夜汐",指钱塘江的落潮。"冷照",指月亮。词人此际似乎想起了孔子曾经这样站在水边,望着滔滔流去的河水时,发出"逝者如斯夫,不舍昼夜"的感慨。意谓日复一日,自然界的事物总是按照一定的规律交互变化,而随着时间的推移,自己已经老去,而故人仍然难以见面。这种弦外之音,到了下片,乃愈显明朗。

词的下片是上片的叠现和深入。"萋萋望极王孙草"三句,呼应此词发端三句,再次由遐想感叹落笔眼前,写自己站在水边,辨认行舟,期待幻想故人到来。淮南小山《招隐士》:"王孙游兮不归,春草生兮萋萋。"这个游不归的"王孙",当然是指那些远居越中,很久没有相会的"越中诸友";但下文中作者写自己"笑倦游、犹是天涯",可见这个客居杭州的白头遗民,何尝不是飘零未归的"王孙"!客中思人,此情更觉难堪。"云中江树",用谢朓《之宣城郡出新林浦向板桥》诗"天际识归舟,云中辨江树"之成句,极写盼望故人翩然重来的深情。"鸥外春沙",也是作者极目所至,形容期待、怀想之殷切。"白发青山"两句,是上片"感流年"的进一步描写。群山仍青,而人发已白,此情亦犹吴文英《八声甘州·灵岩陪庾幕诸公游》之"问苍天无语,华发奈山青"。"归鸿自趁潮回去"

三句,说的是眼中所见的鸿雁尚且能够随着潮水归去,而自己虽已倦于游宦(指不肯仕元),但杭州毕竟不是故乡,仍然不免有天涯飘零之感。“笑”,在这里并不是喜笑,而只是无可奈何的苦笑而已。最后,作者巧妙地写道:“问东风:先到垂杨,后到梅花?”表面上是在问春天,是先绿垂杨呢,还是先放梅花?实际上却含有与春天商榷的意味。大自然的顺序,当然是梅花先开,杨柳后绿;但作者却希望能先绿垂柳,后开梅花。古人有垂杨管别离、梅花寄相思的风俗。离别之际,折柳以示依依惜别之情。折梅寄相思,起于三国时代的陆凯,他曾经寄梅给远方的朋友范晔,并写诗说:“折梅逢驿使,寄与陇头人。江南无所有,聊赠一枝春。”词人是想说:希望春来之际,越中诸友能够来杭,畅叙情怀,不要让自己苦苦思念。

这首词,表现了作者对越中诸友久盼不来的深切思念,同时也反映了作者这一时期孤独寂寞的感情,而这种感情又是放在宗庙不保、有家归不得的背景下来抒写的,因此这首词与其他怀人一类的词作相比,就更有其深刻的社会意义。清人《冰簃词话》说:“《一萼红》、《高阳台》(指本篇),皆草窗词之沉雄悲壮、声情激越者。”多少窥见到了此词的真正内蕴。

(肖　鹏)

摸　鱼　儿

朱嗣发＊

对西风、鬓摇烟碧，参差前事流水。紫丝罗带鸳鸯结，的的镜盟钗誓。浑不记、漫手织回文，几度欲心碎。安花着蒂，奈雨覆云翻，情宽分窄，石上玉簪脆。　朱楼外，愁压空云欲坠，月痕犹照无寐。阴晴也只随天意，枉了玉消香碎。君且醉，君不见、长门青草春风泪？一时左计，悔不早荆钗，暮天修竹，头白倚寒翠！

作者

＊朱嗣发(1234—1304)，字士荣，号雪崖，乌程(今浙江吴兴)人。宋亡后，举充学官，不受。存词一首。

鉴赏

这是一位弃妇的自述，凄凄切切，情词哀怨，可看做《诗经》中《谷风》《氓》诸篇的遗音。

上片，追述往事，是她的一部压缩了的婚姻史。开头两句回忆往事："对西风、鬓摇烟碧，参差前事流水。"秋风送冷，吹拂着她鬓边的发丝，像流水一般逝去的往事，纷乱地涌上心头。这是经受过人情冷暖、世态炎凉的被遗弃女性的形象。她风鬟雾鬓，已无心修饰，任凭西风拂面，在沉思着自己的不幸身世。她也曾有过短暂的"黄金时代"："紫丝罗带鸳鸯结，的的镜盟钗誓。""镜盟"，用乐昌公主分镜事。"钗誓"，从白居易《长恨歌》"钗留一股合一扇，钗擘黄金合分钿"两句化出。她刚同那个男子结合时，又是带结鸳鸯，又是山盟海誓，对方的虚情假意欺骗了她。“的的”二字,带着怨恨的口气,有信誓旦旦、言犹在耳之意,想不到这么快就变心了!那个薄情人,他是“浑不记、漫手织回文,几度欲心碎”。他根本就不理会自己的一片深情。她像苏蕙一样,用织锦回文,寄托思念,为了他,柔肠寸断,简直连心都碎了。这一切,他全都忘了!这里的“浑”字,同样写出了内心的怨苦。报答她的一片痴情的,竟是这样的无情无义!不幸的结局终于无可挽回了:“安花着蒂,奈雨覆云翻,情宽分窄,石上玉簪脆。”这是说欲挽回关系之难,花已落,不可能重安蒂上。无奈他翻手为云覆手为雨!尽管我情深意挚,我们的缘分却太少,终于像摔在石头上的玉簪一样断裂了!以上,诉说了他们从结合到破裂的过程。末句,用白居易“石上磨玉簪,玉簪欲成中央折”(《井底引银瓶》)诗意,流露了她对关系断绝的痛惜。这是东方妇女的厚道和善良,同时也正是悲剧之所在。

下片,诉说自己的愁苦和追悔。“朱楼外,愁压空云欲坠,月痕犹照无寐。”这位被弃而独处的不幸女子,凝望着楼外:沉重的悲愁,简直压得空中的暮云也低低垂坠。到了晚间,一弯秋月升起,照得她彻夜难眠。“愁压云坠”,造语新颖而浑成,这是怎样铺天盖地的愁,一个弱女子如何经受得了?“犹照无寐”,着一“犹”字,意为满腔愁苦已经难堪,月亮还来照着她。此皆深得虚处传神之妙。面对着冷酷的现实,她又能怎么办呢?“阴晴也只随天意,枉了玉消香碎。”阴也罢,晴也罢,只好全随天意;她的命运好也罢,歹也罢,也只好任它去了。正是:“人生莫作妇人身,百年苦乐随他人!”(白居易《太行路》)可痛的是,自己的宝贵青春就这样轻易地白白断送,就此玉消香碎了。“玉消香碎”造语新警,乃从孙绰“枕流漱石”句法学来。“君且醉,君不见、长门青草春风泪?”她对自己说:你就不必多想了,不妨借酒浇愁,让自己醉昏昏的也好。你不知道吗?失宠的陈皇后也曾被幽闭在长门宫,也是一样地对着春风青草,流着辛酸的眼泪啊。更何况你呢?这一问,似乎是自我安慰,其实是对这古老悲剧的哀叹,是对妇女的不幸、人间的不平的抗议!最后,声泪俱下,归结到无穷的悔恨:“一时左计,悔不早荆钗,暮天修竹,头白倚寒翠!”只怪自己一时糊涂,打错主意,早知如此,宁愿布裙荆钗,坚守一生,也不嫁给他这种人。歇拍两句,化用杜甫《佳人》“天寒翠袖薄,日暮倚修竹”诗意,以收束全词。

这首词情调凄婉,作者很可能有所寄托,借弃妇之词,写难言之隐衷。但材料缺乏,其本事已难以确指。就词论词,作者深刻地写出了弃妇无可告慰的痛苦,心理刻画十分细腻。开头略作交代,以下全是弃妇的独白,一字一泪,如怨如慕,如泣如诉。一脉哀怨之情贯注全篇。随着感情的发展,愁、痛、悲、悔,纷至沓来。写到"一时左计",作变徵之音,简直是失声痛哭。全词以"头白倚寒翠"作结,说真该自守芳洁,永不嫁人。一个妇女从自己的身世中竟然得出这样的结论,她的痛苦之深不是可想而知吗?刘永济《词论》云:"纯作情语,比托情景中为难工也。"况周颐《蕙风词话》云:"此等语愈朴愈厚,愈厚愈雅,至真之情由性灵肺腑中流出,不妨说尽而愈无尽。"本篇正有此特色。大体上是直赋其情,如闻泣诉,自然深至,而无雕琢做作之迹。此种境界,非可易到。

(孙映逵)

满 江 红　　文天祥*

代王夫人作

试问琵琶，胡沙外、怎生风色？最苦是，姚黄一朵，移根仙阙。王母欢阑琼宴罢，仙人泪满金盘侧。听行宫、半夜雨淋铃，声声歇。　彩云散，香尘灭。铜驼恨，那堪说！想男儿慷慨，嚼穿龈血。回首昭阳辞落日，伤心铜雀迎秋月。算妾身、不愿似天家，金瓯缺。

作者

*文天祥(1236—1283)，字履善，又字宋瑞，号文山。庐陵(今江西吉安)人。宝祐四年(1256)进士第一。出知瑞州等地，又任湖南提刑。德祐元年(1275)元兵攻临安，以家产充军资，起兵入卫，为右丞相兼枢密使。翌年出使元军被拘，后脱险逃出，至福建聚兵，转战浙江、江西、福建。祥兴元年(1278)在广东被俘，解送大都。被囚四年间，元统治者利诱威逼，均遭严拒，最后被刑于柴市。有《文山先生全集》，诗文表现苦斗不屈的生涯和生死不渝的民族气节，感人至深。

鉴赏

词题中的王夫人是王清惠，她于宋末被选入宫当女官，宋亡被掳往大都，途中，在驿馆壁题《满江红》词。这首词传诵中原，文天祥不满意结尾三句："问嫦娥、于我肯从容，同圆缺。"认为"夫人于此欠商量"，因代作一首。全词和原韵，用王清惠的口气。

上片写被掳北行的痛苦和亡国之恨。先用出塞的昭君比喻清惠，想象她向琵琶自语：除却黄沙，别无风光物色，极写塞外的荒凉和心情的凄恻。再用名贵的牡丹(姚黄)被从仙宫里连根掘出，天上王母停止了瑶池欢宴,宫中的金铜仙人因被拆迁而泪满金盘(汉武帝在建章宫前铸铜人,手捧盛露盘。魏明帝命人把铜人从长安迁往洛阳,在拆迁时,据说铜人流下泪来),流亡的皇帝途中听到夜雨淋铃分外凄怆(唐玄宗在流亡途中听到夜雨淋铃,因悼念贵妃,采其声为《雨淋铃曲》以寄恨)等一连串比喻、典故,写社稷倾覆,皇帝、后妃、宫女被驱北行的惨状。

下片写对敌人的仇恨和坚守节操的决心。"彩云"六句说:云散香歇(喻繁华销歇),铜驼埋于荆棘(喻亡国。晋索靖知天下将乱,指洛阳宫门的铜驼说:"就要看见你埋在荆棘里。"),这种亡国之恨真令人要嚼穿龈血(唐张巡临战对敌大呼,常眦裂血面,嚼齿皆碎)。"回首"二句,用昭阳(汉宫名,喻宋宫)、铜雀(曹操所建台名,喻元宫)的代换和日落、月出的变化,写改朝易代、辞故迎新的惨变。结句坚决表示:皇朝倾覆,国土残伤,自己却要坚守节操。按王清惠词结尾三句是说:"请问嫦娥,你肯对我和缓一些(因为别的一切对她都太严酷了),让我到月宫去和你同住吗?"一个亡国贱俘,在忧疑恐惧莫可如何之际,仰首苍穹,寄情明月,表示她要逃脱屈辱、保持清白的心愿,这是写得十分真实的。文天祥大概认为"于我肯从容"是对敌人有所企求,有偷生的念头,这其实是误解。

王词是一首好词。文天祥代作的一首,却另有优胜之处。王词细腻描写宫廷的幸福生活来反衬亡国被掳的痛苦,固然凄切动人;文词用浓墨重彩概括改朝易代的惨剧,却更加震撼人心。王词写一个普通妇女的悲惨命运和合理愿望,足以使人同情;文词则表现了英雄人物生死不渝的民族气节和顽强斗志,更使人激昂奋发。文词比王词放射出更为夺目的思想光辉。

(王士博)

酹　江　月

文天祥

和

乾坤能大,算蛟龙、元不是池中物。风雨牢愁无着处,那更寒蛩四壁。横槊题诗,登楼作赋,万事空中雪。江流如此,方来还有英杰。　堪笑一叶飘零,重来淮水,正凉风新发。镜里朱颜都变尽,只有丹心难灭。去去龙沙,江山回首,一线青如发。故人应念,杜鹃枝上残月。

鉴赏

这首词写于1279年8月,是作者被俘解送大都途经建康(今南京)时与邓剡诀别之作。当时,邓剡与文天祥一同被俘,到建康后邓因病寓居天庆观(今南京市朝天宫)就医,留不行。而文天祥将被解北上,邓以《酹江月·驿中言别》词赠行,文天祥写此词相和。二词均用苏轼《念奴娇》(大江东去)原韵,结构上都是上片抒恨,下片言别。

此词起四句以蛟龙暂屈池中、终当飞腾于广阔的天地为喻,表示被囚不屈;同时又写秋风秋雨四壁寒蛩的囚徒生活是如何使志士心烦意乱,难于忍受。情绪复杂,壮而又悲。"横槊"五句,进一步悲叹自己成为囚徒,像曹操横槊题诗那样的英雄气概,王粲登楼作赋那样的文士风流,都成了往事;但是看到眼前长江滚滚,后浪催前浪,又肯定会有英雄继起,完成复国的大业。心潮起伏,由悲转壮,对国家、民族的前途充满了信心。词人以此回答了邓剡赠词中的悲观情绪。下片转入言别。"堪笑"三句,自嘲二人身不由己随秋风飘落在秦淮河畔,也写出诀别的时、地。邓剡赠词以坚守节操互相勉励,"镜里"二句以更加斩钉截铁的语言作了回答,表示此心此志至死不渝。"去去"三句,设想此去沙漠依依回首中原的情景。收处与作者《金陵驿》诗"从今别却江南路,化作啼鹃带血归"句意相同,当故友想念我的时候,听听月夜杜鹃的悲啼吧,那就是我魂兮归来了。生为民族奋斗,死后魂依故国,作者一片赤诚,满腔血泪,都凝聚在结句之中了。

王国维《人间词话》说:"文文山词,风骨甚高,亦有境界,远在圣与(王沂孙)、叔夏(张炎)、公谨(周密)诸公之上。"刘熙载也指出:"文文山词,有'风雨如晦,鸡鸣不已'之意,不知者以为变声,其实乃正之变也,故词当合其人之境地以观之。"(《艺概》)因为文词不仅是由血泪所凝成,十分真实,所以自有境界;而且反映了顽强的斗志和坚定的信心,表现了民族的精神,所以风骨尤高。比起王沂孙等遗民词人那些情辞过于哀苦低沉之作,确实高出一筹,对读者有强大的感染力和鼓舞教育的作用。

(王士博)

酹江月　　邓剡*

驿中言别

水天空阔，恨东风、不借世间英物。蜀鸟吴花残照里，忍见荒城颓壁！铜雀春情，金人秋泪，此恨凭谁雪？堂堂剑气，斗牛空认奇杰。　那信江海余生，南行万里，属扁舟齐发。正为鸥盟留醉眼，细看涛生云灭。睨柱吞嬴，回旗走懿，千古冲冠发。伴人无寐，秦淮应是孤月。

作者

*邓剡，字光荐，号中斋。一说，名光荐，字中甫。庐陵(今江西吉安)人。景定三年(1262)进士。临安失陷后，流亡入闽。祥兴时(1278)，任厓山行朝礼部侍郎。厓山兵败，投海殉国，为元兵救起俘获，后放还。有《中斋词》。

鉴赏

这首词是为送别文天祥而写的。邓剡与文天祥同里，早年相识，后来先后在广东被俘，在囚禁中重逢。文天祥被解送大都，又与邓剡同行，他们于1279年4月出发，6月12日至金陵。停留时期，文天祥囚禁在驿中，邓剡因病迁寓天庆观(今南京市朝天宫)就医。8月24日文天祥继续北行，邓剡获准留下。这一时期，彼此患难相依，论心恨晚。在金陵驿诀别时，邓剡作此词赠行。词上片抒恨。“水天”二句，由眼前长江联想到三国周郎得东风之助大破曹军的往事，而痛惜天意不助文天祥，恨天不助，言外之意是赞颂文天祥已经尽了人事。“不借”，即不助。“英物”，指文天祥。“蜀鸟”二句，实写金陵残破景象。“蜀鸟”即杜鹃，传说为蜀王杜宇所化,鸣声凄悲。"吴花",指吴宫花草,用李白吊古诗《登金陵凤凰台》"吴宫花草埋幽径"语意。"铜雀"二句,借喻亡国的悲痛。"铜雀"句,化用杜牧《赤壁》诗"东风不与周郎便,铜雀春深锁二乔"。"铜雀",为曹操所筑台。"二乔":大乔,孙策妻;小乔,周瑜妻。此句喻宋宫妇女被掳至元宫。以上层层惨相,打并在一起,逼出"恨"字:"此恨凭谁雪?"唯一可担当救国大任的文天祥又已失败被俘。"堂堂"句是倒文,意即:奇杰之士空自识得上冲于斗牛间的剑气,却只好听其沉埋地下,而不能发掘出来,用以实现报国的壮志。据《晋书》:张华和雷焕发现斗牛间有剑气,后来在丰城地下掘出宝剑。下片言别。"那信"三句,用不胜依恋的口吻追叙二人患难相依之情:"哪里会料到,我在投海未死、万里漂流之后,恰好能和你同舟北行!""正为"二句,先剖明自已心迹,表示别后将要隐遁起来与白鸥为友,留下老眼去看时局的变化和敌人的下场。"睨柱"三句,用蔺相如持壁睨柱威胁嬴政终于完璧归赵和"死诸葛走生仲达"的典故,激励战友,此去北廷,尽管在危亡之际,也能以正气压倒敌强。收处预想分手后独留金陵将不胜怀念和无限孤寂的情景。

文、邓金陵分手,实可以和易水之别相仿佛。"风萧萧兮易水寒,壮士一去兮不复还",此时此地此情此景,词人止不住痛惜英雄失败,深悲国家覆亡,追忆患难情谊,表明自已义不帝元,激励战友舍生取义。作者的情思如潮,鲜明的意象和恰当的典故奔来腕下,他们之间纯真的友谊,炽热的爱国之情,崇高的气节,也自然表现得真实感人。这是一首血泪凝成的悲壮之歌,非此人此时此情此景绝写不出来的。邓剡其他词作风格与此不同,原因就在这里。

(王士博)

唐多令　　邓剡

雨过水明霞,潮回岸带沙。叶声寒、飞透窗纱。堪恨西风吹世换,更吹我,落天涯。　　寂寞古豪华,乌衣日又斜。说兴亡、燕入谁家?惟有南来无数雁,和明月,宿芦花。

鉴赏

这首词写于1279年秋季与文天祥诀别前后。邓剡参加抗元救国,兵败厓山,投海未死,劫后余生,只身流落金陵。在清秋季节,这座经历过无数兴衰变幻、改朝易代的古城和城外滔滔东去的扬子江,使他的心灵在秋风中激荡、颤抖、哭泣。他不禁触景伤情,吊古伤今。这首词就写他此时此地的流亡之苦和亡国之恨。

起四句,极写秋景的凄清萧瑟。“潮回”句,暗用刘禹锡《石头城》诗“潮打空城寂寞回”的语意,大笔抹出荒凉空漠的远景,暗寓孤寂怅惘的情怀,定下了全词吊古伤今的悲凉基调。“叶声”句,由远而近,细写秋风吹落枯叶坠地有声,分外寂寞凄寒。在词人感受中,这秋声似乎具有特殊的穿透力,它透过窗纱,敲打着自己的心扉。词人用这种景中含情的写法,完成了对兴亡之地、落叶西风的客观景物描写,进而触景伤情,自然过渡到主观感受的抒发。古往今来,西风落叶最容易引发人悲凉索寞的情思。贾岛就曾用“秋风生渭水,落叶满长安”的诗句抒写在秋寒中惜别朋友的凄凉心情。不过邓剡此时此地心境之悲凉却远非贾长沙所能比了。他因西风换季而兴起改朝易代的悲哀,由落叶随风而深伤亡国漂泊的痛苦。这里用具有双关意义的“西风”来强化词的意境:“西风”不仅吹落叶,而且“吹世换”,更吹得人沦落天涯。凄情加上苦景,个人生死和民族的危亡连在一起,流亡的感受和亡国的体验交汇于胸中,其哀痛之切,悲恨之深,在人世间实在莫过于此了。

下片起四句化用刘禹锡《乌衣巷》诗:“朱雀桥边野草花,乌衣巷口夕阳斜。旧时王谢堂前燕,飞入寻常百姓家。”刘诗的历史容量已非寻常,而历史的长河还是不断把兴亡相继、山河易主的沉重筹码无情地加在一代代亡国者的心头。曾几何时,“后庭遗曲”,“秦淮酒家”,李唐王朝,赵宋江山,俱往矣!豪华终归寂寞,衣冠难免凋零。岂止是往事不堪回首,眼前这破败的家国不是更令人肝肠寸断吗!词人借前人诗意写眼前情景,进一步深化了词的意境,加重了沉挚悲凉的色调。末以群雁依旧南飞的景象作结,极有韵致。弦外之音,是说燕子尚知“说兴亡”,而大雁年年南归,目睹山河变色亦无动于衷,与李峤《汾阴行》"山川满目泪沾衣,富贵荣华能几时?不见只今汾水上,惟有年年秋雁飞"有异曲同工之妙。

全词意境完整。西风落叶中的寂寞古城是物境的中心,亡国和漂泊之痛是情境的焦点。作者通过四个层次不断深化主题,拓展意境,最后以凄凉哀婉的旋律结束了乐章,读之令人恻然。

(王士博)

一剪梅　　杨佥判*

襄樊四载弄干戈，不见渔歌，不见樵歌。试问如今事若何？金也消磨，谷也消磨。　　《柘枝》不用舞婆娑，丑也能多，恶也能多。朱门日日买朱娥，军事如何？民事如何？

作者

*杨佥判，其名不详。佥判即签判，官名，为"签书判官厅公事"的简称。度宗时人。

鉴赏

这首词见于陈世崇《随隐漫录》卷二。

词的上片指出襄樊战事的形势。"襄樊"，襄阳、樊城一带，今湖北襄樊市附近，为南北水陆交通要冲，是元兵进攻重地。度宗咸淳四年（1268）九月，元兵筑白河城，始围襄樊。九年（1273）正月，樊城破，二月，襄阳守将出降。"襄樊四载弄干戈"，襄樊战事迄今已经四年，可见词人作此词应在咸淳八年（1272），时城虽被围困，但仍未破。守城军民屡次向朝廷求援，但窃居相位的贾似道却置之不理。襄樊，是汉水流域的繁华之区，南朝以来，这里产生、流传了许许多多的渔歌、樵歌。唐代诗人王维不是也唱过"襄阳好风日"（《汉江临泛》）吗？李白也曾歌唱道："江城回渌水，花月使人迷。"（《襄阳曲四首》其一）可是，如今在元兵的重围下，"不见渔歌，不见樵歌"，和平安乐的生活被破坏，再也听不到动听悦耳的渔歌、樵歌，更不用说诗人们的吟唱了！"襄阳之围，食子爨骸"（《随隐漫录》），到处是一片悲哀的呻吟。四年的战事并不算久，但为了守城而耗费的钱粮不知多少！“金也消磨，谷也消磨”，除了这层意思外，还隐含着贾似道和元人密约，向他们输绢纳币的一层意思。向元人输金谷称臣求和，既不能挽救襄樊的命运，也挽救不了南宋朝廷的命运。下片，词人笔锋一转，尖锐地指出襄樊战事危如累卵，可能遭致失陷的根源，是因为奸臣贾似道之流“权奸方怙权妒贤，沉溺酒色”（《随隐漫录》）。“《柘枝》不用舞婆娑”，《柘枝》，舞曲名。据《乐苑》记载：“《柘枝》舞曲，用二女童，帽施金铃，抃转有声。其来也，于二莲花中藏，花坼而后见，对舞相占。实舞中雅妙者也。”《柘枝》舞婆娑，金铃莲花，童女对舞，本来美妙无比，然而词人却重重地下了“不用”二字，对于置前方战事不顾，成天沉溺于酒色的贾似道等人来说，曼舞轻歌正是他们的丑处、恶处。“丑也能多，恶也能多”，这真是一种够丑、够恶的行为了！“朱门日日买朱娥，军事如何？民事如何”，进一步揭露了这伙人的丑恶灵魂。“时襄阳围已急，似道日坐葛岭，起楼阁亭榭，取宫人娼尼有美色者为妾，日淫其中”（《宋史·奸臣传》）。贾似道之流劫买美女，把她们送入朱门深院，高筑楼阁，广置亭榭，歌舞婆娑，这是一方面；另一方面，襄樊被困，军事、民事如何！这是一种强烈感愤的语气，贾似道坐视不救，襄樊危在旦夕，军民命运可知。后方权臣的荒淫无耻，与前方战事的危急，形成异常鲜明的对比，从而强烈地表达了词人对战事、国事的焦虑，以及对当道者的罪恶所进行的尖锐的抨击。

这首词，文字直质。词人丝毫也不掩饰他的激愤之情，还很巧妙地运用《一剪梅》词上、下片二三、五六句同声同韵的特点，重叠地运用了“不见”“也消磨”“也能多”“如何”四个词组来加重语气和感情的深度，也使整首词更富有讽刺的意味。

（陈庆元）

传言玉女　　汪元量*

钱塘元夕

一片风流，今夕与谁同乐？月台花馆，慨尘埃漠漠。豪华荡尽，只有青山如洛。钱塘依旧，潮生潮落。万点灯光，羞照舞钿歌箔。玉梅消瘦，恨东皇命薄。昭君泪流，手捻琵琶弦索。离愁聊寄，画楼哀角。

作者

*汪元量，字大有，号水云，浙江钱塘人。约生于宋淳祐间，元至治前后尚在世。宋度宗时为宫廷琴师，元灭宋，随三宫被掳北上。以亲身经历，写下很多纪实诗词，人称诗史。后以黄冠放还江南，浪迹江湖以终。著有《水云集》《湖山类稿》。

鉴赏

宋德祐二年(1276)正月，元军进逼临安城下，宋太皇太后谢道清奉表乞降，元丞相伯颜率兵入城，指挥搜索宋廷宫女、内侍、乐官诸色人等，随宋少帝赵㬎、皇太后全氏北迁，并令隆国夫人黄氏、朱美人、王昭仪以下百余人从行，太皇太后谢氏因病暂留临安。此词当作于少帝北遣前夕的丙子元夕，作为南宋宫廷乐官的作者亦在从行之列，在即将远离乡土故国之际，抚今思昔，自不免离愁千种，感慨万端。

首句以反诘语发端，表露出今昔之异、兴亡之感。“月”“花”切合元夕时令，“台”“馆”指称临安大内。花自风流月自圆，而昔年赏花玩月之所已是“尘埃漠漠”，正如同作者在《杭州杂诗和林石田》(其十七)中所云：“江山犹昨日，笳鼓又新元。黑潦迷行路，黄埃入禁门。”此夕钱塘，又能乐与谁同呢？“豪华”二字，概括出销金锅内多少莺歌燕舞，而归降以后，尽皆荡然无存，只有青山还在，仍然像洛中一样。“洛”，本指河南洛阳，这里借指中原地区。这两句是从唐代诗人许浑《金陵怀古》“英雄一去豪华尽，惟有青山似洛中”化出。故国周遭，青山环绕，钱塘江潮，朝生暮落，湖山依旧，而人事已非，此夕又有何乐可同呢？上阕借青山、钱塘之景，抒兴亡之感；下阕则写元夕事，道离别情。“万点”句，暗应“豪华荡尽”，且不言灯光万点映照舞榭歌台已不可再得，而以“羞照”二字烘托出“感时花溅泪，恨别鸟惊心”的深沉含义，从而突现出宋亡后的元夕景象。“玉梅”句，借景怀人，梅姿“消瘦”，似暗指“鹤骨癯貌”的王昭仪以及三宫嫔御；“东皇”，司春的神。“东皇命薄”，谓无力回春。国亡家破，尽被遣送北去，而无限悲伤、满腔愁怨，只有诉诸琵琶弦索，直如当年昭君出塞。至此，所追忆的“同乐”之人，已隐隐勾出。结句借画楼哀角，聊寄离愁，总结全篇，既点明题旨，又暗合词牌《传言玉女》本意。

（杨积庆）

水龙吟　　汪元量

淮河舟中夜闻宫人琴声

鼓鼙惊破《霓裳》，海棠亭北多风雨。歌阑酒罢，玉啼金泣，此行良苦。驼背模糊，马头匼匝，朝朝暮暮。自都门燕别，龙艘锦缆，空载得、春归去。　目断东南半壁，恨长淮、已非吾土。受降城下，草如霜白，凄凉酸楚。粉阵红围，夜深人静，谁宾谁主？对渔灯一点，羁愁一搦，谱琴中语。

鉴赏

德祐二年（1276）二月，南宋少帝及全太后被元军遣送燕京，沿途押送的元兵戒备森严，少帝等每日三餐所进，只是不堪入咽的麦饭鱼羹而已。这种待遇，致使“宫女垂头空作恶，暗抛珠泪落船头”(汪元量《湖州歌》)。这首词就是北上的船只行经淮河,作者听到宫女弹奏的琴声后所写的。作者的另一首《湖州歌》也记叙了夜闻琴声这件事:“宫人清夜按瑶琴,不识明妃出塞心。十八拍中无限恨,转弦又奏《广陵》音。”

词的起句,借唐天宝时“渔阳鼙鼓动地来,惊破《霓裳羽衣曲》”事,对沉溺于醉生梦死生活之中、导致国破家亡的南宋朝廷进行谴责。正当徵歌逐舞的欢娱时刻,元军已是“鞞鼓喧天入古杭”了。谢太后向元军进了投降表,任你“玉啼金泣”,也敌不过“北师有严程,挽我投燕京”(汪元量《北征》)。以下则细写此行苦况。“驼背”二句,化用杜甫《送蔡希鲁都尉还陇右因寄高三十五书记》诗中“马头金匼匝,驼背锦模糊”句,写沿岸监送的元军声势。“自都门”以下,则写北去水程之苦。龙形的船、织锦的缆装载的是宋王朝灭亡的命运。“龙艘锦缆”是夸张的描写,实际上少帝等所乘的船,并不很豪华。上阕以“春归去”收束,一面顿结北上行程之苦,一面又逗起下阕国破家残之恨,不仅使上下阕环扣紧密,而且也使深情远意融贯全篇。“目断”二句,言东南半壁国土尽丧,淮河两岸也早已不是宋朝的土地,怎能不哀伤痛惜?而繁华非常的临安都城,自受降以后,“陵庙成焦土,宫墙没野蒿”(《杭州杂诗和林石田》),满目凄凉,令人心酸。眼前这满船所载的“粉阵红围”,不分宾主都成了“臣妾”,自身的生死,尽操纵在别人手中。“谁宾谁主”一语,苦之极,痛之极!江山改色、陵庙荒凉、俱成臣虏,这三桩恨事,正是“春归去”的具体内容,也是“闻宫人琴声”所触发的感慨中心所在。结语进一步点题,似在写宫人清夜琴声低诉,却又像是作者自己在谱写心曲,直如孤鸿哀唳,悲婉凄绝,令人不忍卒读。

(杨积庆)

莺啼序

汪元量

重过金陵

金陵故都最好,有朱楼迢递。嗟倦客、又此凭高,槛外已少佳致。更落尽梨花,飞尽杨花,春也成憔悴。问青山、三国英雄,六朝奇伟?　　麦甸葵丘,荒台败垒,鹿豕衔枯荠。正潮打孤城,寂寞斜阳影里。听楼头、哀笳怨角,未把酒、愁心先醉。渐夜深,月满秦淮,烟笼寒水。　　凄凄惨惨,冷冷清清,灯火渡头市。慨商女不知兴废,隔江犹唱《庭花》,余音亹亹。伤心千古,泪痕如洗。乌衣巷口青芜路,认依稀、王谢旧邻里。临春结绮,可怜红粉成灰,萧索白杨风起。　　因思畴昔,铁索千寻,漫沉江底。挥羽扇、障西尘,便好角巾私第。清谈到底成何事?回首新亭,风景今如此。楚囚对泣何时已?叹人间、今古真儿戏。东风岁岁还来,吹入钟山,几重苍翠。

鉴赏

汪元量逗留北方十二年之后,于至元二十五年(1288)南归,次年抵杭州。此词作于南归以后。德祐之变以前,他到过金陵,故题以"重过金陵"。

第一片,对比金陵今昔。头二句,赞美金陵最好,写昔日登临。因为金陵不仅是历史上几个朝代的都城,而且是南宋的留都。作者因而不用"故城",而用"故都"。还因为金陵有连绵相接的壮丽楼舍,气势壮阔,不同寻常。第三句自称"倦客"。汪元量南归以后,常用这个称呼,或曰"江南倦客",或曰"江淮倦客"。似乎历经劫难,厌倦世事,个人不过世间一过客。而实际则是,南归后他奔走各地,用他的深沉阅历观察社会,故国之念,没有淡漠。他重过金陵,就是明证。"倦客"一词,略寓自嘲于感伤之中,包含着对新朝的不屈服。四、五句写再登金陵高处,凭高望着槛(栏杆)外。"槛外"一词,出王勃《滕王阁诗》"槛外长江空自流"。作者此时当面江而立。江面已经冷冷落落,很少有诱人风景能够勾动起情怀。六、七、八句写向左右看,梨花落尽,杨花飞尽。原来,春也和人一样,老了,憔悴了,映衬出内心的悲凉。最后三句,写触目伤怀,唯有青山可以叙旧,向往三国、六朝时代的英雄人物和他们创造的业绩,照应首二句。

第二片,漫游金陵。"麦甸"三句,记所见。"麦",燕麦,野麦。"葵",兔葵,野菜。"麦""葵"并举,出自刘禹锡《再游玄都观诗序》。"甸",平地。"陵",丘陵。一路上,到处是长满野草的废墟;

一路上，到处是坍塌的台阁和残败的军垒，成群的鹿豕衔啃着干枯的野菜在这里奔跑：凄凉冷落。“正潮打孤城”二句，巧妙地运用了刘禹锡“潮打孤城寂寞回”的诗句，不着痕迹，点出天色将晚，继续漫游到石头城边，自然引出下文。听着城楼上笳和角哀怨的声音，想借酒浇愁，“未把酒、愁心先醉”，酒也喝不下去。作者继续漫游到秦淮河边时，已经渐渐夜深了。满月照秦淮，轻烟依旧笼罩着带着几分寒意的水面，令人怅惘。

第三片，秦淮抒怀。作者在秦淮停留下来，看秦淮，想秦淮。他恰当地引用了李清照《声声慢》的词句，表现了眼前灯火中的渡头市凄凉、惨淡、清冷的情景，有新意。江那边，商女（歌女）依旧唱着陈后主轻荡的《玉树后庭花》，透过水面，余音亹亹，长时间萦于耳际。这里和上片“月满”二句，引用了杜牧《泊秦淮》的诗意。杜牧感慨商女不知亡国恨，而眼前这个女子是亲尝了亡国恨的，时间不长，她竟忘了亡国恨！在汪元量，已经不单纯是感慨，而是“伤心千古，泪痕如洗”。秦淮一带，六朝时曾盛极一时。他来到东晋王、谢两大世族居住过的乌衣巷口，道路长满了青草，无人凭吊。王、谢馆第早已不在，倒是他们的旧邻里，还可以依稀辨认。也是在这一带，陈后主建起了豪华富丽的临春阁、结绮阁，与爱妃们享乐。现在，红粉（艳丽的女子）们早已成灰，二阁也早不存在了。白杨树发出飕飕的响声，眼前似乎一下子变得秋意萧条，好像大自然也在为秦淮感伤。

第四片，吊古伤今，归纳题旨。“因思畴昔”三句，写东吴。东吴想用铁锁横江阻挡晋军，铁锁枉沉江底，东吴灭亡了。“挥羽”二句，写东晋。庾亮权重，足以压倒王导。庾在石头（今南京市清凉山），王在冶城（今南京市朝天宫一带）。一天，大风扬起尘，王只是以羽扇拂尘，说庾那边的尘土弄得人不干净，没有采取对策。庾想东下，王说：如果他要来，我便戴好角巾（有棱角的头巾），回乌衣巷个人馆舍，不设防备。汪元量只是借用此事说明对敌对力量不能雅量，而不是评论引用事的本身。“清谈”五句，由东晋写至今。王衍谈老庄，不谈国事，周顗等人在离江不远的新亭上像楚囚（囚犯，指楚国钟仪被囚于晋事，见《左传》）那样哭丧着脸相对为国事流泪，但停留在口头上，也是清谈。现在，新亭风景依旧，而山河已经换了主人。清谈误国。“到底成何事”，揭露清谈误国之深。“何时已”，揭露清谈误国之久。从上述纷纭复杂的历史中，汪元量悟出一个共同的道理。东吴、东晋不谋从根本上增强国家实力,而只想依靠铁索和眼泪驱逐外患,实际是把国事当儿戏。把这个观察应用于南宋,德祐元年(1275)贾似道仓促上阵,遭到大败,德祐二年(1276)谢后仓促投降,也是把国事当儿戏。“今古真儿戏”一语,概括了东吴、东晋,特别是南宋亡国的惨痛教训,这就是题旨。结尾三句拈出“还”字,写钟山的层层山峰年年依旧苍翠。这是说出来了的。还有没有说出的,照应第一片“问青山”三句,钟山依旧是历史的见证。历史会不会重演,作者忧心忡忡地在这里暗示了这个问题,他当然希望人们能做出严肃的回答。耐人思索,余意无穷。

此词着眼于金陵的历史、人物、街巷、江河、城郭,抒写古今兴亡的大主题,寓南宋亡国的教训于其中,格调苍凉凄婉,意境深远,是作者的代表作,也超出了宋遗民的同类作品。全篇平铺直叙,近于赋体。

(孔凡礼)

望 江 南

汪元量

幽州九日

官舍悄,坐到月西斜。永夜角声悲自语,客心愁破正思家。南北各天涯。　　肠断裂,搔着一长嗟。绮席象床寒玉枕,美人何处醉黄花。和泪捻琵琶。

鉴赏

宋恭帝德祐二年、元世祖至元十三年(1276)正月,宋太皇太后谢氏举国投降元军,元军入临安(今浙江杭州市)。同年秋初,继恭帝之后,谢氏亦被俘抵大都,即幽州(今北京市)。汪元量随谢氏行。此词作于初到大都的九月初九日。

上片由景入情。作者初到大都,住在专为朝贡使臣所设并有专人陪伴的官方馆舍——会同馆内,带着几分监视。第一句中的“官舍”,即会同馆。“官舍悄”,不仅静悄,而且阴冷。第二句写守月长坐,心情寂寞。第三句引用杜甫《宿府》诗的一句,写漫漫长夜,远处不断传来悲凉的号角声,好像自言自语倾诉着什么。

杜甫此诗倾注了安史之乱后的思家情怀,而这也正是作者此时的情怀。这种情怀,原来深深地埋藏在心里,现在终于破露了出来。第四句中的"破"字,就揭示了这种隐衷。家在哪里?在南方。亡国贱俘,有家归不得。南方是天涯,北方也是天涯,眼前的会同馆也是天涯。举目无亲,好像在另一个世界里。作者的忧愤,远较杜甫深广。末句"各"字随手拈来,很富表现力。

上片抒情,着重个人角度。下片着重抒发怀念故国的情怀。第一、二句承上,写思家愁苦之极,肝肠断裂,烦乱之极,搔首长叹。作者终于在烦乱中理出了一个头绪,他仿佛回到了临安的宫殿。"绮席"(丰盛的筵席)、"象床"(用象牙做的床)、"寒玉枕"(用质地寒冷的美玉做的枕头),一幕幕从眼前闪过。这些东西本身的价值,在这里无足轻重,重要的是,它们体现了故国的具体形象。作者更为注念的是"美人",即君王(《离骚》有以美人喻君王之说)。从词句中,可以想象到,每年重九佳节,君王与臣下常常醉饮黄花(菊花)之下。现在,君王也成了阶下囚,无处醉黄花!这里,君王有两重意义。他是受难者,他已经失去权势,就这点说,和一般俘虏没有什么区别;但他又是遗民精神上的领袖,是故国的最高象征。后者更为重要。至此,个人、家、国融成了一体。眼前的现实,无法改变,无力改变,无可改变,只得和着泪水弹琵琶,多少抒发一点怀念故国的心情。

汪元量大都期间的词作,充满了乡国之思,而又往往和君王、宫女联系在一起。这就构成了他这一期间词作的特色。他和他们共同着命运。所作不事雕琢,自然真挚,哀恻动人,表达了遗民共同的心声。此词即其例。

(孔凡礼)

满　江　红

王清惠*

太液芙蓉，浑不似、旧时颜色。曾记得，春风雨露，玉楼金阙。名播兰馨妃后里，晕潮莲脸君王侧。忽一声、鼙鼓揭天来，繁华歇。　　龙虎散，风云灭。千古恨，凭谁说？对山河百二，泪盈襟血。客馆夜惊尘土梦，宫车晓辗关山月。问嫦娥、于我肯从容，同圆缺？

作者

*王清惠，生卒年不详。南宋度宗昭仪，宋亡，与谢后、全后等被押解至大都(今北京)，旋请求为女道士，号冲华。能诗词，与汪元量等有诗词唱和。

鉴赏

公元1276年春，攻陷了南宋都城临安(今杭州市)的元军正押解着太后、昭仪等一批后妃往大都驰去。一路上宫车辚辚，烟尘滚滚。她们经由江、淮到达汴京(今开封市)附近，驻宿于夷山驿中。王昭仪面对昔日蒙受君王宠，今日竟成阶下囚的巨变，百感交集，挥笔写下了这首《满江红》，将其题于驿壁之上。此词一出，“中原传诵”(文天祥语)，与之相和的有民族英雄文天祥、抗元志士邓剡、著名宫廷琴师汪元量等。现在让我们来看看这首词何以能引起人们如此强烈的共鸣。

词一开头，作者就运用比兴手法，暗示自己经受一场巨大的变故后形容憔悴，精神沮丧。“太液”，原是汉、唐时宫苑中的池名，这里借指南宋宫廷。“芙蓉”，即荷花，用以比喻女子姣好的面容。“太液芙蓉”取白居易《长恨歌》“太液芙蓉未央柳，芙蓉如面柳如眉”诗意以自况。“浑不似”这句是说完全失去了昔日鲜丽的容颜。这个开头用的是顿入法，显得突兀奇崛，然而这突兀奇崛却是从千回百折中来，词人落笔之前，即已有无限的痛苦，无限的屈辱，正所谓“笔未到而气已吞”。以下转入回忆，以“曾记得”三字领起，就“旧时”二字加以发挥。“春风雨露”，比喻君恩。“玉楼金阙”，泛指宫廷。这两句写自己曾得到君王的宠幸。下两句则写自己之所以能承受君恩是因为容貌出众，美名远播。前句从侧面着笔写自己貌美惊人，后句从正面写自己光艳动人的形象。“兰馨”，兰花的芳香。“晕潮莲脸”，是说美如莲花的面孔泛起了羞红的光彩。这两句也是对前面“旧时颜色”的具体描写。为了烘托“旧时颜色”，作者运用了“金”“玉”“兰”“莲”“春风”“雨露”等字眼，既鲜艳旖旎，又富丽堂皇。然而欢娱中正酝酿着灾难，终于乐极哀来。“忽一声”两句，急转直下，写出南宋王朝在元兵震天的进军战鼓声中（鼙鼓，军中的小鼓）结束了自己的统治，往日的繁盛随之消歇。它与词的开头相映照，揭示出二者之间的因果关系。值得注意的是，作者在这里用了一个“忽”字。此字看似平常，实则用得很妙。南宋灭亡前夕，贾似道独揽朝政，一意粉饰太平，对财政困难和边防危机一概隐匿不报。国家危在旦夕，而君臣仍“酣歌深宫，啸傲湖山，玩忽岁月”（汪立信给贾似道信中语）。当元军长驱直入，兵临城下时，他们才突然惊醒，然而为时已晚。这个“忽”字蕴含了多么丰富的历史内容和惨痛的历史教训啊！

读词的上阕，我们很容易联想起白居易《长恨歌》“缓歌慢舞凝丝竹，尽日君王看不足。渔阳鼙鼓动地来，惊破《霓裳羽衣曲》”的诗句来，它说明一个王朝的衰微或覆亡无不与“繁华竞逐”有关。但词作者的思想感情是复杂的，我们不排除她对历史有某种程度的理性批判，但这里流露的，更多的是对自己失去尊贵荣华的悲叹。当然，这里诉说的后妃之不幸，也就是国家的不幸，国家的不幸正是造成后妃不幸的原因，因此下阕更多地抒发了对国家沦亡的痛悼之情。

换头四句承“繁华歇”，以“龙虎（喻圣明之君）散，风云（喻贤能之臣）灭”明点宋室的灭亡。“千古恨”二句，宣泄了作者内心深沉的无可诉说的悲慨。一连四个三字句，节奏急促，感情强烈。“对山河百二”两句，进一步抒发神州陆沉之痛。“山河百二”，是说山河险固，可以二万之师抵挡对方的百万军队。作者面对江南形胜之地沦入元人之手，倍感痛惜，以致泪满襟袖。这“泪”哪里是泪，那是眼中流出的血！换头至此，虽说都是抒发感叹，但各有侧重：前四句重在追悼已经失去的繁华，后两句重在悲愤于国土沦丧的现实。悲愤之中似也含有作者对历史的思考：为什么“山河百二”不能固守？它的陷落究竟该谁负责？下面“客馆”二句一转，上句说夜宿驿馆，常被噩梦惊扰。“尘土梦”，指梦中重现途中被驱驰的劳苦与屈辱。下句说他们乘坐的车子清晨出发，车轮从洒满月光的大地上辗过。这两句是极精工的对仗，叙事兼写景，千里驱驰，晓行夜宿，劳顿，惊惶，辛酸，痛苦，全浓缩在这两句之中了。歇拍又一转，由眼前转想未来，由痛苦而生出希望。“问嫦娥”是由上句的“月”引发出来的，词人问：月儿，月儿，你可愿意让我从容地与你同圆缺度过余生？这一问表达了作者希求摆脱囚徒地位的愿望和对平安清静生活的向往。这个结尾从上下句关系言，转接自然；从表达内容言，是从极度痛苦中生出的一种微茫的希望；从整个词的凄怨的基调看，也显得和谐统一。

清人陈廷焯在《词则》中将这首词归入《放歌集》，并说，“放歌”取杜甫诗“放歌破愁绝”之意，郁郁不得志，情有所激，胥于词发之。王昭仪写这首词正是情有所激，如骨鲠在喉，不吐不快，因此感情真率。特别可贵的是，她并没有只停留于对个人悲苦的咀嚼，而是把眼光投向已经沦丧了的祖国山河大地，为之痛哭，为之心里滴血，表现了巨大的家国之痛和深厚的民族感情，哀怨中含愤激，沉痛中有深思，这正是词作具有震撼人心力量的原因。

这首词的魅力还在于词人善于把沉郁的感情熔铸在凄怨的基调和多变的节奏之中，顿挫中带流动，直率中不乏含蓄。词中叙事时间线索分明，但作者并不平铺直叙，或者今昔交错，或者自身与国事错杂，一层一转，一转一意，极尽顿挫之妙。有时又由于感情倾泻而下，略无滞碍（如“曾记得”三句，“龙虎散”四句），造成一种骏马注坡的艺术效果。从表情方式言，有直抒胸臆处，有婉曲传情处，二者完满结合，浑然一体。虽然当时和作甚多，然“无出其右”（陈廷焯评语）者。

（刘庆云）

天　香　　王沂孙*

龙涎香

孤峤蟠烟，层涛蜕月，骊宫夜采铅水。汛远槎风，梦深薇露，化作断魂心字。红瓷候火，还乍识、冰环玉指。一缕萦帘翠影，依稀海天云气。　几回殢娇半醉。剪春灯、夜寒花碎。更好故溪飞雪，小窗深闭。荀令如今顿老，总忘却、尊前旧风味。谩惜余薰，空篝素被。

作者

*王沂孙，字圣与，号碧山，又号中仙，又号玉笥山人。会稽(今浙江绍兴)人。生卒年不详。元至元中，一度为庆元路学正。有《花外集》，一名《碧山乐府》。碧山词多咏物，寄托遥深，哀婉动人。或以为“咏物词至王碧山，可谓空绝古今”(陈廷焯《白雨斋词话》)，洵非溢美之词。

鉴赏

这是王沂孙的一首极为著名的词，收录在他的词集《花外集》中，编录为第一首。所咏的是“龙涎香”，当然是一首咏物的词。关于咏物词之发展，此处不暇详论，不过王沂孙写作这一首咏物词的历史背景，却与我们评赏这一首词有很密切的关系，因此我们在评赏此词之前，就不得不先对其写作背景略加介绍。王沂孙大约生于南宋理宗之世(据夏承焘《唐宋词人年谱》)，正史无传，其所赖以传世者，不过仅有六十余首小词而已。当南宋灭亡时，王沂孙大约只有三十多岁，而他的故乡会稽又距离南宋之都城临安很近，所以王沂孙实在是一个曾经身历亡国之痛的南宋末代词人。

而在南宋灭亡后,元朝初年有一个总管江南浮屠的胡僧名杨琏真伽者,曾经盗发在会稽的南宋诸帝后之陵墓。据云当时理宗之尸,启棺如生,或谓含珠有夜明者,发墓者遂倒悬其尸树间,沥取水银,如此三日夜,竟失其首。其余惨状不及备述,而遗骨则委弃于草莽之间。有义士名唐珏者,闻而悲愤,遂与友人林德旸邀集里中少年,收诸帝后遗骸共葬之(可参看陶宗仪《辍耕录》之“发宋陵寝”一则及周密《癸辛杂识》中“杨髡发陵”一则之记述)。其后唐珏与王沂孙以及其他一些词人,如周密、张炎、陈恕可、仇远等共十四人,曾经结社填词,分咏“龙涎香”“白莲”“莼”“蝉”“蟹”等五题,借咏物之词以寄托遗民亡国之痛,结集为《乐府补题》,共收录了三十七首词。王沂孙的这首词被编录为《乐府补题》中的第一首,也足见他这首词之受人推重之一斑了。其后清代的端木埰曾经对于此词之托意作过一些猜测的解说(见王鹏运四印斋所刻《花外集》附录)。不过端木埰之说,有时不免过于穿凿比附,并不可尽信。而近世一些编撰词选及古代文学史的人,则又常指其为晦涩难解。我们现在将先就其艺术特色略加介绍,再从其艺术效果所予人的感发联想,对其所喻托的故国之思,略加阐述。至于对王沂孙词整体的评价,则我以前曾写过《碧山词析论》一文,已收入《迦陵论词丛稿》之中,读者可以参看,就不在此更加赘述了。

这首词之所以使一般读者觉得晦涩难解,第一是因为我们对龙涎香的产地、性质、制造和焚爇的过程通常都一无所知,第二是因为碧山对这种名贵的龙涎香又有着他自己锐敏而且独特的感受和想象,因而使人觉得对于词中的一些意象和修辞难以理解。现在就让我们把龙涎香先作一个简单的介绍。据《岭南杂记》的记载云:“龙涎于香品中最贵重,出大食国西海之中,上有云气罩护,则下有龙蟠洋中大石,卧而吐涎,飘浮水面,为太阳所烁,凝结而坚,轻若浮石,用以和众香,焚之,能聚香烟,缕缕不散。”又云:“鲛人采之,以为至宝,新者色白……入香焚之,则翠烟浮空,结而不散。”其实所谓龙涎香者,盖为海洋中抹香鲸之肠内分泌物,并非龙吐涎之所化。据《辞海》所载,抹香鲸为海上鲸鱼之一种,有长达五六丈者,鼻孔位于头上,常露出水面喷水,大概这就是其所以被人想象为龙,而且传说其上常有云气罩护的缘故。碧山此词开端三句“孤峤蟠烟,层涛蜕月,骊宫夜采铅水”,便是叙写词人对于龙涎所产之地以及鲛人至海上采取龙涎之情景的想象。“孤峤”实在指的就是传说中龙所蟠伏的海洋中大块的礁石，而曰“孤”曰“峤”，便立刻使读者对其所写之地增加了无数孤绝而奇幻的想象。至于“蟠烟”二字所写的蟠绕的云烟，当然指的就是传说中之所谓“上有云气罩护”，而碧山在“烟”字上用一“蟠”字，便使人又觉得“孤峤”上的云烟不仅是在其上萦浮罩护而已，更可以由“蟠”字的“虫”字边而想到龙蛇之类的“蟠”伏。短短的四个字，碧山已写出了他对于龙涎之产地，也就是蟠龙所居之海峤的无穷奇妙的想象。次句“层涛蜕月”，则是写鲛人至海上采取龙涎时之夜景。碧山又用了一个“蜕”字，也有着“虫”字边，同样可使人联想到龙蛇之类的动物，盖月光在层涛中的闪动，正如同自层层波浪的蜕退中吐涌而出，而层层波浪之蜕退，又正似龙蛇之类鳞甲的蜕退。此一“蜕”字，初看起来虽似觉颇为生涩，然而其实却既紧扣住了题目中“龙涎”所引起的对于“龙”之联想，也真切地写出了层涛浮动的海上月光闪动的情景，是用得极奇妙而又极为恰当真切的一个字。而且此一“蜕”字，正好与上一句的“蟠”字遥遥相对，在文法上造成了极工整的一联偶句，同样强烈地暗示着对于神话中所传说的“龙”之想象。直到下面的一个单句“骊宫夜采铅水”，碧山才加以较为叙述性的说明。“骊”字盖指骊龙而言，“骊宫”谓骊龙所居之地，遥应首句“蟠烟”的“孤峤”。“夜”字指鲛人采取龙涎之时间，遥应次句的“层涛蜕月”之夜色。然后继之以“采铅水”，才正式点明采取龙涎之事。而且用“铅水”以代龙涎，为读者提供了极为多义的暗示：其一，龙涎原非纯水，而是含有可以凝结为浮石之物质的一种液体，故曰“铅水”；其二，“铅”字又可使人联想到“丹铅”“铅粉”等物，既可暗示其白色，又可暗示其香气，且暗藏神话中采炼铅丹之想；其三，唐代诗人李贺之《金铜仙人辞汉歌》，曾有“忆君清泪如铅水”之句，李诗原借汉宫中金人承露盘被魏人移去之事寓写盛衰兴亡之感，碧山用于此句中，则既可暗示龙涎被鲛人采去永离其旧所依附之“骊宫”，也可暗寓碧山对故国之怀念。像这种丰富的联想和暗示，正是碧山词的一大特色。至于就章法结构而言，则从首句“孤峤”之写地，次句“蜕月”之写夜，至此句“采铅水”之写事，为一大顿挫。

龙涎既已被采离“骊宫”，于是次一句之“汛远槎风”便写其相去之已远。“汛”字为潮汛之意；“槎”字则用张华《博物志》“有人居海上，年年八月见浮槎去来不失期”的故事，暗指鲛人乘槎至海上采取龙涎，随风趁潮而远去，于是此被采之龙涎遂永离故居不复得返矣。继之以“梦深薇露”，则是接写此龙涎被采去以后之遭遇。“薇露”，盖指蔷薇水而言，据宋代陈敬所撰之《香谱》所载，于《蔷薇水》一则下云：“大食国花露也……以之洒衣，衣敝而香不灭。”而且蔷薇水又正为制造龙涎香时所需要的一种重要香料，也就是前引《岭南杂记》中所云“用以和众香”中之一种，据《香谱》云制龙涎香时须取龙涎与蔷薇水共同研和。然则此远离故土之龙涎当其在“薇露”之香气中共同研碾之时，对其过去之一切自当有无限之怀思，对其未来之一切亦当有无穷之梦想，故曰“梦深薇露”也。碧山既将龙涎视为如此有情之物，于是此有情之龙涎遂于经过一番研碾之后化而为“断魂”之“心字”矣。“心字”原来正是一种篆香的形状，明杨慎《词品》即曾载云：“所谓心字香者，以香末萦篆成心字也。”南宋的另一位词人蒋捷，在其《一剪梅》词中，即曾有“心字香烧”之语。南宋的名诗人杨万里在《谢胡子远郎中惠蒲太韶墨报以龙涎香》一诗中也曾有“遂以龙涎心字香，为君兴云绕明窗”之句，可见“心字”原为龙涎香被制成之后所可能实有之形状，只是碧山在“心字”前又加了“断魂”二字，则此“心字”便不仅是写实而已，且更象喻着有情之龙涎化为“心字”之形状以后的凄断的心魂了。自“汛远槎风”之遥远的追忆，经过“梦深薇露”之磨碾的相思，到“化作”“心字”的凄断的心魂，碧山又以其丰富的想象、深锐的感受，在同样的两个偶句、一个单句的形式中，表现了情意方面的又一段章法的顿挫。

以下“红瓷候火，还乍识、冰环玉指。一缕萦帘翠影，依稀海天云气”，则写龙涎被焙制成的各种形状，和被焚爇时的情景。据《香谱》所载，龙涎香之制，须用“慢火焙，稍干带润，入瓷盒窨”。“红瓷”当即指存放龙涎香之红色的瓷盒。“候火”则当指焙制时所需等候的适当之慢火。至于“冰环玉指”则当指龙涎香制成之形状，即《香谱》所载“造作花子佩香及香环之类”。当时与碧山同赋龙涎香的词人，如周密即曾有“宝玦珮环争巧”之句，唐艺孙亦曾有“金猊旋翻纤指”之句，其所谓“珮环”“纤指”便都是指被制成之龙涎香的各种形状。只不过周密和唐艺孙所写的都只是毫无感情的物之形状，虽极精巧却并不能使人动情。而碧山却把“冰环”与“玉指”连言，则恍如写女子之纤手玉环，遂使读者顿生无数多情之想象，何况前面还有着“乍识”二字，仿佛真有着初睹佳人之惊喜，层层幻出，极意以有情的笔法写出了龙涎香之珍贵难得及其形状之精美，而且由“乍识”二字引出了与龙涎香相对之人，为后半阕之写人事也预先做下了伏笔。这是碧山又一个章法的安排。于是继之以“一缕萦帘翠影，依稀海天云气”，才归结到龙涎香之开始被焚爇。这两句不仅真切地写出了龙涎香被焚时“翠烟浮空，结而不散”的实在的情景，而且更在帘前一缕翠影的萦回中，暗示了多少虽然经过磨碾焚烧而依然难以销毁的缱绻的相思，更在海天云气的依稀想象中，暗示了多少对当年海上的“孤峤蟠烟”的怀念。于是就在这一缕香烟的萦回缥缈中，碧山把对于龙涎香的叙写，从采取、制造到焚爇，做了一个总结的大停顿。

下半阕从“几回殢娇半醉”到“小窗深闭”，碧山则荡开笔墨，不再作对于龙涎香本身的叙写，而开始回忆起当年在焚香之背景中的一些可怀念的情事来。曰“几回”，便已是怀想之辞，谓当年曾有“几回”也。“殢娇半醉”的“殢”字，原为慵倦之意，此句写半醉时的娇慵之态，从叙写之口吻来看，自当为男子眼中所见女子之情态，然而碧山却只以客观之笔墨叙写所见之人，而并未及于男女感情之一字，因为碧山此词的主题，原在写“香”而并非写“人”，与其说焚香为当时人事之背景，毋宁说人事为焚香时情景之衬托。继之以下一句的“剪春灯、夜寒花碎”，仍以客观之笔接写女子之动作，质言之，原不过写一女子之剪灯花而已，然而“灯”则曰“春”，“花”则曰“碎”，便显出了无限娇柔旖旎之情调，衬以中间的“夜寒”二字，则以窗外之寒冷反衬窗内之温馨。故继之乃云“更好故溪飞雪，小窗深闭”，便正是写在窗外的严寒飞雪的反衬下，才更显得在“深闭”的“小窗”中“殢娇半醉”之人的“剪春灯”之情事之为“更好”也。曰“故溪”，可见此原为当日故园家居时所经常享有之情事，又遥遥与前面的“几回”相呼应。不过，碧山之所谓“更好”者，实在并不仅是在窗内剪灯之温馨的情事而已；他所谓“更好”者，实在乃是焚香在“小窗深闭”之中方为“更好”也。因为龙涎香之所以可贵，原在其有着一种“翠烟浮空，结而不散”的特质，《香谱》中载龙涎香的焚爇，即曾云当在“密室无风处”。可见此一段表面虽是写人事，而句句意中却都有龙涎香在，于是龙涎香遂在碧山笔下与往昔可怀恋之生活整个融为一体。作者此种用心，读者固不可不察，而在章法上，此一节之铺叙亦自为一大段落。

其后继之以“荀令如今顿老，总忘却、尊前旧风味”二句，则是一段突然的反接,把前面所着意描写的焚香、剪灯等温馨旖旎的情事,蓦然一笔扫空,有无限悲欢今昔之感在于言外。“荀令”,指的是三国时代曾做过尚书令的荀彧,据习凿齿《襄阳记》所载云:“荀令君至人家坐幕,三日香气不歇。”李商隐诗也曾有“荀令香炉可待薰”(《牡丹》)及“桥南荀令过,十里送衣香”(《韩翃舍人即事》)之句,可见“荀令”原以喜爱薰香著名。今碧山词云“荀令如今顿老,总忘却、尊前旧风味”,正谓如今之荀令已经老去,无复当年爱薰香之风情况味矣。“老”字前着一“顿”字,便写得光阴之消逝、年华之老去恍如石火、电光之疾速。又着以“尊前”二字,则正与前面之“殢娇半醉”相呼应,可见其温馨如彼之往事,固久已长逝无回,甚至在记忆中也难于追忆了,故曰“总忘却”也。然而从前面的叙写看来,则往事分明仍在心目,又如何便能遽尔“忘却”,可知此“总忘却”三字中,固有无穷之哀感在也。故继之以“谩惜余薰,空篝素被”八个字,写出了无限往事虽空而旧情难已的悲慨。“篝”字指的是薰香所用的薰笼,古人往往焚香于笼中,而置衣被等物于其上薰之。如今既已不复有薰香之事,是“篝”内已“空”矣,而犹张“素被”于其上,明知其无益而仍复为之者,则正因为对当日所残留的一缕香气之难以忘怀也。然而此“余薰”虽然尚在,而往事则毕竟难回,故曰“谩惜余薰”也。“谩”字,通“漫”,徒然无益之意;“惜”者,爱恋而珍惜之也。碧山此词,于结尾之处,对于一种难以挽回的长逝的悲哀,写得低回婉转、怅惘无穷,所写的主题虽然只是无生命、无感情的龙涎香,而且借用了许多典故来作为铺陈的资料,可是透过作者的感觉和想象以及组织和安排,却使“人”与“物”交感相生,把所咏之“物”生动地化为了有情。这种表现的技巧,是极为值得重视的。

以上我们对于这首词的“咏物”的一方面已作了详细的讨论,其次我们所要讨论的当然就是其中“托意”的问题了。我以前在《常州词派比兴寄托之说的新检讨》一文中,曾经提出过:“即使是对于确有寄托的词,如果在解说时采取字比句附妄加指实的态度,也是难以使人完全信服的。”所以我对于碧山这首词,就也决不愿像过去说诗一样逐句去猜测。不过,从我们在前面所讨论过的碧山之时代、身世以及《乐府补题》中一些咏物词的写作背景来看,这首词之有寄托之意,又确实是极有可能的。因此,我们所能做的,实在只该是就当时碧山之遭际来设想:当他在写这首词时,所可能引起的究竟有些怎样的情意呢？首先从题目的“龙涎香”来看，这种香料既相传为龙口中所吐之涎，其所可能引起的第一个联想，实在就是当时理宗之尸于被掘出后曾经为盗墓者倒悬于树间以沥取水银之事。因此，碧山词中的“骊宫夜采铅水”一句，除了表面所写的鲛人至龙宫中采取龙涎之事，便也可能有着理宗被人沥取水银并探取其口中含珠之联想，因为《庄子》中既早有“探骊得珠”之说，而且以龙来象喻帝王也原为中国古老之传统。不过，这种提示也只是说碧山当日或者可能有此一联想而已，读者却决不可也决不必依此一联想而去作逐句的推寻。再则，据夏承焘《乐府补题考》之考证，南宋诸陵之被掘，盖在元世祖之至元十五年（1278），当时陆秀夫正拥立帝昺于海上之崖山，次年便负帝蹈海而死。《补题》诸词当亦作于发陵之次年，因此，碧山此词中“孤峤”“槎风”“海天云气”等叙写，便也未始不可能暗中寓写了作者对崖山覆亡的一份怀思哀悼之情。至于此词后半阕所写的“殢娇半醉”等生活情事，表面上自然只是写作者自己对往事的追怀，然而这种今昔悲欢之慨，却也未始不可以有自个人而推及国家之更广的联想。据史书所载，南宋直到覆亡之前的不久，朝廷上下还耽溺在苟且的宴安享乐之中，因此，碧山在这首词中对往事的追怀，便也正反映了当时一般士大夫之习于宴安的生活情态。而此词最后在结尾时所表现的哀思怅惘，当然便也正是亡国后士大夫的叹息呻吟，徒有“漫惜”之情，而无奈“篝”之已“空”，往事也终于如被焚尽的香烟一样飘逝而不返了。

（叶嘉莹）

眉　妩　　王沂孙

新　月

渐新痕悬柳，淡彩穿花，依约破初暝。便有团圆意，深深拜，相逢谁在香径？画眉未稳，料素娥、犹带离恨。最堪爱、一曲银钩小，宝帘挂秋冷。　千古盈亏休问。叹慢磨玉斧，难补金镜。太液池犹在，凄凉处、何人重赋清景？故山夜永。试待他、窥户端正。看云外山河，还老尽、桂花影。

鉴赏

王沂孙处于宋末元初之时，经历了国破家亡的剧变，备尝了漂泊之苦和异族统治的屈辱。在元朝文网繁密的情况下，多借咏物词寓托亡国之痛、故国之思。这首咏新月词亦是如此。

唐人有拜新月之俗（如李端《新月》诗云："开帘见新月，即便下阶拜。"），宋人亦有对新月置宴之习（《后山诗话》载："太祖夜幸后池，对新月置酒。"）。国破之后，新月依旧，习俗相仍，然江山易主，故每于人月相对之时，自然勾起人们的兴亡之感。这首词就是在这样的历史背景和情感背景下创作的。

首三句由"渐"字领起，传神地写出新月初现后缓缓升起之态。新月纤细，如佳人一抹淡淡的眉痕，故云"新痕"。若易"痕"为"月"，不仅平仄不叶，与下句"淡彩"的对仗也不够工稳，且不能臻于形象生动。"新痕"与"淡彩"，虽同写新月，但一是扣紧其形，一是着笔于其色，故不觉重复，且颇得新月之神。新月渐升，悬于柳梢，淡淡的月色穿过花丛之中，于是，刚刚被暮色笼罩的天空和大地，仿佛又出现了一线光亮，然而这光亮是如此的轻淡，所以说是"依约破初暝"。这几句既写出了新月缓缓升起时的动态，又用静态的柳、花来加以烘托，所写意境更加轻柔、清新。人们一向是把新月作为月圆的先兆，故有拜月之俗，盼望月圆时人也团圆。"深深拜"三字，极写此时"团圆意"的殷切。由于当年一同拜月之人未归，词人不免顿生"相逢谁在香径"的怅惘，于是这殷切的期待一瞬间便蒙上了淡淡的哀愁。这句是全词的一大转折，由憧憬变为失望，因而不觉以离人之眼观月，更以离人之情来忖度新月之情，使物我融为一体。纤纤新月好像尚未画好的美人蛾眉，想是月中嫦娥正在颦眉伤离。"画眉"与下之"素娥"相呼应，均以拟人化的手法虚托出作者的感情。嫦娥伤离懒妆之态实是拜月人情态的投射。人有离恨，故料想月中嫦娥也有同恨（这里暗用李商隐《嫦娥》诗"嫦娥应悔偷灵药，碧海青天夜夜心"）。"最堪爱"三句，写拜月人带着满腹愁肠回到屋中，将帘幕挂起。可是那使人伤情的新月，此时却如一弯小小的银钩，偏偏又高高地挂在宝帘之上，使人顿生怜爱之心，不禁浮想联翩：新月穿帘窥户，莫不是离人即将归来的征兆？可是隔帘仰望，帘外竟是冰冷高漠的秋空，词人又不禁由失望而慨叹了。由此曲折顿挫之情，更以曲折顿挫之手法，转入下片更深一步的抒情。

换头以“千古”二字振起，语意苍凉。“千古盈亏”一语，概括了月亮亘古以来盈亏往复的变化规律；而月之盈亏，自然界的变化，又复寓托着人世盛衰兴亡的规律，言在此而意在彼，所以万端感慨便似江河之水滔滔而下，然而却偏偏又以“休问”二字突然咽住，这是欲擒故纵的绝妙手法，旨在表现作者沉郁顿挫的感情。所谓“休问”，并非是月亮盈亏的规律无须问，而是说不必问。因为月有阴晴圆缺，这是千古不变的自然之理，人人得而知之；人世有盛衰兴亡，这也是千古不变的社会规律，历史事实也已证明了这点。但在此时此刻，当词人真正处于亡国之时，而且的确感到国家恢复无望，就不能不用“休问”这一决绝之语来表达难言之隐痛，故清人陈廷焯评此句曰：“千古句忽将上半阕意一笔撇去，有龙腾虎卧之奇。”（《白雨斋词话》）然而这种被强压下去的感慨和悲哀，是终究要喷薄出来的。“叹慢磨玉斧”以下两句，便极写故国破碎，犹如缺月难修，金镜难补。一个“叹”字，真实地表达了词人此时悲痛欲绝、不能自已的感情。“慢磨玉斧”反用玉斧修月事。段成式《酉阳杂俎·天咫》云，郑本仁表弟游嵩山，见一人，言月乃七宝合成，有八万二千户修之，他也是其中之一。打开包袱，中有斤、斧、凿数把。这个神话意在说明，月有时亏损，但人力尚可修补，使之复圆。后人作诗填词屡用此事。如王安石《题扇》云“玉斧修得宝月圆”，曾觌《壶中天慢》亦有“何劳玉斧，金瓯古无缺”之句。碧山处于宋室既屋之时，深知复国已无希望，故反用此事，“慢”者，且慢修补也。故国还比不上眼前所见之缺月，即使磨砺玉斧，也难以修补使之复圆，言在此而意在彼，极苍凉凄楚之致。“太液池”三句，用太祖赏新月事，进一步作盛衰兴亡、物是人非的强烈对比，从而反衬现状的凄凉。陈师道《后山诗话》载：“太祖夜幸后池，对新月置酒”，当直学士卢多逊作应制诗，中有“太液池边看月时，好风吹动万年枝”之句。太液池本在汉武帝建章宫北，后往往借作宫苑池沼的通称。太祖赏月，卢多逊赋诗之时，正值宋初国势强盛；如今国虽破，而新月、废池犹在，它们是今昔物是人非、盛衰兴亡的见证者，人们由此引发无限哀伤之情，谁还有心情来重新赋诗呢？想着想着，不觉已是深更半夜了，故乡在漫漫长夜之中，词人却还在痴痴地期待着窥户的月亮缺而复圆（端正，犹言整齐美丽,指月圆)。明知此事不可为而强为之,故出以"试"字。对明知无法实现的事情,依旧抱着不能自已的渴望,这种执著的感情是极可悲悯、充满悲剧意味的。它与上文绝望的心情相比,又是一个顿挫。《酉阳杂俎》云:"佛氏言,月中所有,乃大地山河影也。"这里的"云外山河",即指月,亦指祖国山河。"桂花影",《初学记》卷一引虞喜《安天论》曰"俗传月中仙人桂树"。《酉阳杂俎》又有吴刚伐桂事。末两句的意思是说,倘能等到月圆之时,仰望月中的大地山河,恐怕月中的桂树已经十分衰老了。这里可能暗含"树犹如此,人何以堪"的意思,即当月缺复圆之时,月中的仙桂已衰老至于死亡,我当然也早已离开人世,不得再睹祖国的重光了。也可能是暗用李贺"天若有情天亦老"诗句,言月中桂树倘若有情,目睹反照到月中的人间大地山河发生这样巨大的历史悲剧,也会悲伤得容貌十分衰老了。不论作何意会,都是极为曲折地表达了作者故国永无恢复之望的沉痛感情。结句以景作结,将一切感慨沉痛,蕴藏在扑朔迷离的事典、形象之中,使人悲从中来,不能自已,确如陈廷焯《白雨斋词话》所评的"一片热肠,无穷哀愁"。在这首词中,由于作者准确地把握了月亮盈亏的自然规律与人世盛衰的社会规律的相类之处,故能言在此而意在彼,借咏新月寓托故国沦亡的沉痛感情;而思路则是由月之圆缺联想到人之悲欢离合,再由人之悲欢离合进一步衍伸到国家的兴亡。故谭献《复堂词话》云:"蹊径显然。"这首词又将新月和拜月之俗置于今昔盛衰的不同背景上,由望新月而及拜月,由拜月而盼望月圆,从而形成强烈的对比,使新月成为兴衰盛亡的见证者,具有深刻的悲剧意味,很有典型意义。

(王筱芸)

水龙吟

王沂孙

落　叶

晓霜初着青林,望中故园凄凉早。萧萧渐积,纷纷犹坠,门荒径悄。渭水风生,洞庭波起,几番秋杪。想重厓半没,千峰尽出,山中路,无人到。　前度题红杳杳。溯宫沟、暗流空绕。啼螀未歇,飞鸿欲过,此时怀抱。乱影翻窗，碎声敲砌，愁人多少。望吾庐甚处，只应今夜，满庭谁扫？

鉴赏

暮秋时节，时序代移，严霜摧逼，树叶由青转黄，由荣而枯，飘零坠地，是为落叶。从宋玉《九辨》对落叶的描写开始（“悲哉秋之为气也，萧瑟兮草木摇落而变衰”“颜淫溢而将罢兮，柯仿佛而萎黄，萷櫹椮之可哀兮，形销烁而淤伤”），到“汉武思怀往者李夫人不可复得，因赋落叶哀蝉之曲”（《拾遗记》），以至碧山此词，在历代诗人笔下，落叶总是同萧条、冷寂、时序换移、荣枯摇落、凄断飘零、永逝难返的事态、情态联系在一起。首句写昔日亭亭如盖的青林开始被覆上了秋霜，绿叶随之坠落，不复以往葱绿繁荣的景象。在这萧瑟之秋远眺，故乡想来早已是一片凄凉的景象。在此，人世的盛衰变故已借自然界时序代移的萧瑟景象隐隐传达出来了。随着霜打青林，冉冉扑面而来的，是萧萧有声、纷纷犹坠的落叶。落叶把昔日车马喧阗的门庭路径，掩埋得荒无人迹，是一片“门前冷落车马稀”的凄凉景象。“渭水风生”以下，从空间的想象转为时、空、地三者交织往复的想象描写，经过几番秋风秋雨之后，落叶覆盖了故都长安，落在浩渺的洞庭湖畔。陡峭的重崖，千峰间的小路上，游人再也不来观赏景物了。“渭水”句，化用了贾岛“秋风吹渭水，落叶满长安”。“洞庭”句，化用屈原《湘夫人》“袅袅兮秋风，洞庭波兮木叶下”。整个上片关于时间、空间、地域（包括山川、故都、故乡）的想象描写，全以落叶为感发的契机，并由落叶点染贯串其间，因此虽有纵横驰骋的想象，跌宕交错的转移，却能融为一体，刻画出一幅草木摇落之时，故国萧条冷寂的凄凉景象，并借此传达了词人的乡国之悲。陈廷焯评“想重厓半没”几句云：“笔意幽冷，寒芒刺骨，其有慨于厓山乎？”（《白雨斋词话》）“厓山”，在今广东新会县一带，是宋帝昺被元兵追迫，最后由陆秀夫背负蹈海之处。说作者在此词中有厓山之慨，证据总嫌不足，但从这种“笔意幽冷，寒芒刺骨”的意境中，有意无意地寄托作者的亡国之痛，却不是完全没有可能的。下片即由落叶引发出作者身世之感。

换头“前度题红杳杳”，仍从落叶兴起今昔强烈对比，抒发身世之悲。据范摅《云溪友议》载，卢渥应举之时，偶临御沟，见沟中一红叶载宫女之诗，卢即题诗其上以和，后来两人终成眷属。碧山此处反用其事。前度应举功名、宫沟题红的美好情事今日已成陈迹，只有暗流溯宫沟，着以“空”字，表现词人深切的哀思。字里行间，显然寓托了故都荒凉的禾黍之悲。此情此景，本已使词人沉痛之极，何况寒螀哀啼，大雁南归，更教人愁上加愁呢？“啼螀未歇”三句，进一步以景衬情，写得十分含蕴沉郁。然而词人的感情到此尚未进入升华境地，乃至入户又一次看到黄叶乱影在窗外摇动，听到落叶之声不断敲打着阶砌，这时真觉得九曲肠回，无处回避了。由此逼出结尾“望吾庐甚处，只应今夜，满庭谁扫”三句，点出词人正作客他乡，而前面的重笔、浓笔抒写，都是为此乡思作渲染铺垫，因此这里采用画龙点睛的手法，和盘托出词人此际对故乡的深深思念，就更觉感人。从结构上来说，又与此词发端两句呼应、绾合，极大开大阖之能事，而在情感上又更深一层。盖往年秋风落叶之时，自己总是在故乡庭前进行洒扫，此情此景至今犹在眼前。如今漂泊异地，又到了“望中故国凄凉早”的季节归不得，自己家中即使有满庭的落叶，自然也不可能去打扫。这种透过今昔两层写出的思念故乡之情，蕴藏着深深的身世飘零之悲和今昔悲欢之慨。由此我们也可以依稀感受到亡国的巨大历史悲剧笼罩在当时词人身世情感上的浓重阴影。

（王筱芸）

绮　罗　香　　王沂孙

红　　叶

玉杵余丹，金刀剩彩，重染吴江孤树。几点朱铅，几度怨啼秋暮。惊旧梦、绿鬓轻凋，诉新恨、绛唇微注。最堪怜，同拂新霜，绣蓉一镜晚妆妒。　　千林摇落渐少，何事西风老色，争妍如许？二月残花，空误小车山路。重认取、流水荒沟，怕犹有、寄情芳语。但凄凉、秋苑斜阳，冷枝留醉舞。

鉴赏

每到秋天，槭、枫、柿树的树叶经霜变成红色，最后才在秋风中坠落。一年一度，又是霜降时节，词人流连于南宋故地，目睹江畔孤零零的枫树，叶红如染，兴发起苍凉奇异的想象。这满眼枫叶流丹，枫红如彩的绚丽的颜色，当是用人世的丹彩染成。在词人笔下，这丹彩又非寻常之物，而是“玉杵余丹，金刀剩彩”。“玉杵”，即玉制的舂臼，据《传奇》记载：当年裴航在蓝桥驿与仙女云英一见钟情，为能与她相爱，裴航求得玉杵捣绛雪琼英之丹百日，吃后成为神仙，与云英同去。“玉杵余丹”，是指他升仙后遗下的绛红色丹丸。“金刀”，即金错刀，据《谈荟》载，是南唐李后主所创的一种画体。“金刀剩彩”，就是指他绘画所剩之彩。丹彩的主人虽早已随岁月流逝化为尘埃，但他们遗留的丹彩却年复一年地染红故地的枫叶。丹彩包含的富于传奇的人事，引起词人悠远苍凉的联想，而这丹彩染红的枫叶也因此被覆上了一层幽异奇瑰、苍凉迷离的色彩。在描写上，词人又用丹彩的绚丽反衬吴江孤树的冷寂（化用崔信明“枫落吴江冷”诗句），这种表面不协调的反衬手法，使意境产生了更强烈的艺术效果。然而枫叶的绚丽并不长久，几阵秋风过后，红叶便零零落落地坠落了。秋风飘坠的片片红叶，带着像从美人面颊滚落的粉泪一样，对无情秋风的怨艾，带着美人迟暮的悲伤。“朱铅”，即脂粉，美人面颊敷粉抹脂，眼泪沾着脂粉洒落，故云“几点朱铅”。“几点”与“几度”的应对，既从空间上生动地写出年年秋风落叶的自然景致，又从时间上写出随着阵阵秋风，时近岁暮，落叶凋零而引起的悲哀。接着词人又用拟人化的手法，益以奇特的想象，作进一步的描写。“惊旧梦”一句，设想红叶追怀往昔——那时它仿佛是一位满头绿鬓的少女，然而一到秋暮，黑发便轻易地凋谢，美好的旧梦，徒然使她心惊于时光的流逝和容颜的衰老；尽管“绛唇微注”，风韵犹存，总不免有美人迟暮之戚，所以要诉说“新恨”。词人在这里对红叶形态变化和心理活动的刻画，真可谓达到出神入化的境界。而“惊旧梦”与“诉新恨”两句对仗的工巧密丽，更使这种拟人化的手法增添了异彩。“最堪怜”三句，接着写词人以我观物所产生的感情。“怜”，这里是爱的意思。暮秋季节，各种花草同样遭到新霜的侵拂，唯有红叶以其靓丽的晚妆出现在明镜之中，令人为之妒羡不已。“怜”，出自词人；而“妒”，则来自他人，这就自然过渡到下片。

换头三句，写林中的红叶不断摇落，一天比一天稀疏。之所以凋零而“渐少”，完全是西风摧残所致。尽管凋零，尽管在西风的摧残下容颜已经衰老，然而红叶仍然要在新霜、西风之中“争妍”。词人用“何事”两字故作反诘，实则对红叶满怀着同情和敬意，其内容或有某种借红叶而自赞的意味吧。“二月残花”以下，写词人来山中踏访傲霜战风的红叶，化用杜牧《山行》“停车坐爱枫林晚，霜叶红于二月花”之句，同时点出以上所写，均是此次游赏时的所见所感。红叶虽胜似二月之花，但毕竟已经残凋，词人来此观赏，颇有相见恨晚之叹，所以说是“空误”。“重认取”以下，极写词人眷念红叶的情意。红叶既已凋落，皇苑御沟也是一片荒凉，然而就在这荒沟的流水之中，也许还漂流着当年题诗其上以寄深情的红叶吧？这里表面上用的是红叶题诗的爱情故事，而着以“荒”字，不正隐寓着词人故国沦亡，人世沧桑的慨叹吗！词人的爱情、身世之感与家国之恨至此齐上心头，并通过巧妙的遣词造句、使事用典不着痕迹地传达出来了。一个“怕”字，则表达了词人十分复杂的感情。词人明知无望却仍执著；虽然执著缠绵，一旦旧地重游身临其境之时，昔日情事扑面而来，不免感慨横生，想循迹追怀，却又不敢细寻深思，怕人物两非的再度失望，勾起更加哀痛之感的复杂情怀。笔意沉郁深厚，具有一种使人震颤的悲剧力量。以男女之情喻君臣、家国之感，是我国诗歌自屈宋以来的传统。在这首词里，词人以其独特的感受和丰富的想象，通过对红叶的描写，委婉地表达了这种思想感情，故陈廷焯评此句云：“笔意幽奇，得屈宋遗意。”（《白雨斋词话》）结句以“但”字领起，描写词人由怀抱一线希望而终于彻底失望，但词人自己的具体情怀怎样，词中并没有和盘托出，只是描绘了一幅秋苑斜阳、冷枝醉舞的凄凉图景，由读者自己去体会、思索蕴含于景中的真实感情。这种以景语结束全篇的写法，常常比那些直抒胸臆的结语更加含蓄，更加凄婉，从而也更能引导读者咀嚼回味，深长思之。

全词通过对红叶的吟咏，寄托了词人的身世之感和家国之恨，在华丽的辞藻，工妙的对仗，以及拟人手法的背后，隐含着作者凄婉欲绝的情思。形式与内容似乎颇有矛盾，甚至有些不和谐、不协调，但正是这种类似反衬的笔法，反而起到了出人意表之外，却又在人情理之中的效果，这也许就是艺术中的一种辩证法吧。

（王筱芸）

齐 天 乐

王沂孙

萤

碧痕初化池塘草，荧荧野光相趁。扇薄星流，盘明露滴，零落秋原飞磷。练裳暗近。记穿柳生凉，度荷分暝。误我残编，翠囊空叹梦无准。　楼阴时过数点，倚栏人未睡，曾赋幽恨。汉苑飘苔，秦陵坠叶，千古凄凉不尽。何人为省？但隔水余晖，傍林残影。已觉萧疏，更堪秋夜永！

鉴赏

萤，据《古今注》云：一名耀夜，一名磷，腐草为之。《易通卦验》亦云："立秋，腐草化为萤。"首句即从腐草化萤写起——池塘春草由一湾碧绿而腐化为萤。作者以简练的语言，将萤之生成、时序的推移一笔带过。"荧荧野光相趁"句接着写萤飞于野，时明时灭，宛如互相追逐、嬉戏，貌似热闹而境实幽冷。在这里，作者一反通常的腐草化萤之说，代之以碧痕春草化为萤的描写，夸大了其间时间的跨度。而时序换移的迅疾，荣枯变化之无常，也在景物交替滋变之中被暗暗传递出来了。杜甫《题郑县亭子》有"花底山蜂也趁人"之句，"趁"亦作追逐解。潘岳《萤火赋》云"熠熠荧荧"。"扇薄"三句，进一步写萤火，它们或如流星，或如滴露，或如飞动的磷火，是对流萤形象的生动刻画。然而作者并未停留于此，而是将这些如流星、滴露、磷火般的萤火置于特定的生活场景和社会背景之中，赋以更深一层的含义。"扇薄星流"，化用杜牧《秋夕》诗句"银烛秋光冷画屏，轻罗小扇扑流萤"。萤飞之处，少女手执薄扇轻扑，是一种轻柔悠闲的情境。"盘明露滴"，潘岳《萤火赋》有"彗如星移之云流……灼如堕珠"之句。碧山在此则暗用汉武帝造金铜仙人，手持承露盘承接天上的仙露，让他喝了可以长生不老的故事。以承露盘的明润光洁,衬托如滴露般的流萤的晶莹。“零落秋原飞磷”,写秋原之上,零落的流萤犹如鬼火一般。以上三句写腐草所化之萤,或飞入人家,或飞到宫苑之内,或零零落落地闪烁在秋原之上。虽然写的是词人眼前之所见,但从其遣词造句以及使事用典、精心刻画的萤火飞跃的生活场景的变化,却隐隐约约地寓托了物是境移、盛衰变化的感慨之情。“练裳”一句,开始逆入对昔日的追忆。“练裳”,熟绢制成的衣裳。此句是倒装句法。往昔夜中纳凉屋外,萤火暗中渐渐飞近人衣,瞬息之间它们又穿过千缕柳枝,冷光熠熠,使人感到凉意顿生;接着又飞过荷塘,宛如流星似的将暝色划破。这些生动的细节,由萤火带出,刻画精微而又栩栩如生,由“记”字插入领起,可见这一美好的往事,时时涌现在词人的记忆中。“误我”两句,继续追忆往事,言萤火飞去,不能笼以照我读完书本,耽误了我的学习,也耽误了我的功名。据《晋书》记载,车胤少年时恭勤不倦,家贫不常得油,用练囊盛数十萤火以照书,后成就功名。这里反用其事,借萤暗寓易代之后,个人当年进取的美好梦想也复幻灭。由此身世之感,自然转入下片,着力抒写亡国之恨。换头三句,承上启下,先写自己长夜难眠,看见几点萤火,又复因为追忆往事而兴幽恨之怀。这一襟幽恨已不再局限于个人的身世,而是由此感发追怀千古兴亡历史,从而为抒写亡国之恨作好铺垫。“汉苑”两句,化用刘禹锡《秋萤引》“汉陵秦苑遥苍苍,陈根腐叶秋萤光”。当年的汉苑、秦陵,已经变为一片荒芜,长满了苍苔,布满了落叶,只有几点冷萤在它们的废墟上飞来飞去,使人顿感千古兴亡,今昔无殊,不禁油然而生“凄凉不尽”之叹。然而此时此刻,又有谁能理解自己这种暗伤亡国的沉痛情怀呢?故以“何人为省”的反问句出之,大有“众人皆醉我独醒”的感慨,因而益觉沉痛悲愤。加之眼前所见,只有“隔水余晖,傍林残影”这一衰飒景象,暗示着一切憧憬和幻想都将归于泯灭,就如同这萤火一般终归于尽(这里化用杜甫《萤火》“随风隔幔小,带雨傍林微。十月清霜重,飘零何处归”诗句。)。此情此景,已觉萧疏不堪,何况还要忍受即将来到的漫长寒冷、黑暗压抑的秋夜呢?以上几句,通过对黄昏凄凉景色的刻画,极写秋萤悲怆的末路之境,同时暗寓作者和宋王朝的前途茫茫无望。感情衰飒沉郁,读之使人不觉潸然泪下。

这首词题为“萤”,但并不仅仅泥于物形的刻画。对萤火的纤微入细的刻画是同词人今昔相异的生活情境紧密联系在一起的，萤火暗近人衣的生动细节，既牵发着词人对昔日美好情事的追忆，秋萤悲怆无望的末路之境，也象征着词人相类的情境。基于此，词人得以寓家国之恨与身世之感于其中，使物、我、家国三者之间浑化无迹，融为一体。读者在哀叹秋萤不幸的同时，不能不由萤及人，由人更及家国，这正是碧山咏物词的一大特点。

（王筱芸）

齐天乐

王沂孙

蝉

一襟余恨宫魂断，年年翠阴庭树。乍咽凉柯，还移暗叶，重把离愁深诉。西窗过雨。怪瑶珮流空，玉筝调柱。镜暗妆残，为谁娇鬓尚如许？　铜仙铅泪似洗，叹移盘去远，难贮零露。病翼惊秋，枯形阅世，消得斜阳几度？余音更苦。甚独抱清高，顿成凄楚？谩想薰风，柳丝千万缕。

鉴赏

这首词在《乐府补题》中，于词调之下有一段短短的题序云："余闲书院拟赋蝉。""余闲书院"当然还是诸词人集会之所。至于此书院之主人，则夏承焘在《乐府补题考》中，以为乃王英孙。英孙为南宋少保王克谦之子，义士唐珏等皆其馆客，收葬六陵遗骸之事，出资主其事者实即王英孙。夏氏的考证似颇为可信。当时碧山在集会中所赋同题同调的词实在共有两首。不过在编辑的次第上，却并未被编列在一起。从词的内容来看，此两首词用辞和用意都有相近之处，似乎是同一题目的重赋，而二者并无相连贯的关系。这一首词的辞句在《花外集》中与在《乐府补题》中也微有不同。从这些迹象看来，碧山在写作此词时，似乎曾对之屡加修订，该是他一首极为精心结撰的作品。我们所抄录的是《四部备要》据四印斋本校刊的《花外集》的版本,是一般选本中最常见的版本。为了节省篇幅,我们不拟作详细的版本考订的工作,其有必须加以说明者,则将于以后分析此词时再予注明。现在就让我们先对这首词来略作欣赏和解说的分析。

此词之开端与前所举之《天香》一词微有不同,《天香》一词之“孤峤蟠烟”先从与龙涎香有关之想象写起,此词之“一襟余恨宫魂断”则先从与蝉有关之典故写起。据《古今注》载云:“牛亨问曰:‘蝉名齐女者何?’答曰:‘齐王后忿而死,尸变为蝉,登庭树嘒唳而鸣,王悔恨,故世名蝉曰齐女也。’”李商隐《韩翃舍人即事》诗即曾有“鸟应悲蜀帝,蝉是怨齐王”之句。可见此一则故实所予人的感受,原是表现人生之憾恨,其深切绵长有化为异物而依然难已者在,故曰“一襟余恨”也。“宫魂”,当然指的就是齐王后之魂。着一“断”字,既有悲哀使人断魂之意,也暗示了齐王后之魂魄在化而为蝉的一段过程中的凄断飘零。继之以“年年翠阴庭树”,则是接写其化而为蝉以后之生活情事。从表面看来,此断魂所化之蝉,既年年得在庭树之翠阴中栖息,原该是一件可以欣慰的事。然而李商隐《蝉》诗即曾有“五更疏欲断,一树碧无情”之句,盖庭树无知,对于哀蝉之遗恨,固不能为任何之慰解也,因此无边之翠阴遂尽化而为无边之寂寞矣。于是下二句乃接写此哀蝉在寂寞无情之翠阴中呻吟和挣扎,或者“乍咽凉柯”,在寒冷的高枝上呜呜,或者“还移暗叶”,移身向浓暗的枝叶下深藏。而无论其在凉柯之上或暗叶之中,总之余恨难已。追怀往事,空有离愁,故继之以“重把离愁深诉”也。曰“深诉”,曰“重把”,总之是极写其“离愁”之深切而且无有尽时。而“诉”字则也正是喻指蝉的“嘒唳而鸣”。把蝉的生态和齐王后断魂的长恨,透过了想象和修辞做了完美的结合,这正是碧山的特长。而从开端到此句,自前生之余恨直写到今日之愁诉,是此词之第一大段落。

下面“西窗过雨”一句,由大自然中一个小小的变化,引出了窗内之人对窗外之蝉的相对的想象。“过雨”之事,就蝉而言,自然是其生活中的一个打击和变故,而碧山则并不直接写此哀蝉在经过此一变故后的惊恐,却要借着窗内之人的感觉来暗示蝉之被惊起,故曰“怪瑶珮流空,玉筝调柱”。“瑶珮”和“玉筝”都是暗写蝉被惊起时振翅飞去的声音。“柱”,指筝上的弦柱。“调柱”,正谓蝉飞去之声如女子之调弄弦柱。“流空”,则谓蝉翼相触摩之音正如女子佩玉之相敲击的声音自空中流过也。着一“怪”字则表示窗内之人在听到此种声音后之惊怪。而此种声音既被人想象为女子之“瑶珮”“玉筝”矣，故下文乃继之以“镜暗妆残”，把蝉完全想象成了一个哀伤憔悴的女子。古人有“女为悦己者容”之说，如今则妆镜已因生尘而暗，人亦不复再妆饰为容，则女子之憔悴无欢可知。而下面碧山却突作反笔，接写了一句“为谁娇鬓尚如许”，在章法上表现了一个极大的转折和回荡。盖此一女子虽然悲伤憔悴无意于容饰，而其头上之鬓发则有无待容饰而自然娇美者在，盖极写此女子丽质天成之难以弃毁。然而娇鬓虽美而赏爱无人，故以“为谁”二字问之。自前句之“妆残”承以此句之“娇鬓”是一种反跌，以问句出之，益增其荡漾回旋之致。碧山之以“娇鬓”写此女子之美，一方面当然是承接着前面的“瑶珮”“玉筝”二句对女子之想象而来，而另一方面则其中实在更含有一则与蝉有关的典故。原来《古今注》曾载云“魏文帝宫人……有莫琼树，乃制蝉鬓，缥缈如蝉”，原谓女子之一种发型如蝉翼的样子，于是后世遂有人以“玄鬓”为蝉之象喻，如骆宾王《在狱咏蝉》一诗，即曾有“那堪玄鬓影，来对白头吟”之句，便是以“玄鬓”来喻指蝉的。碧山此句明明是用此一故实，然而却与前面对女子之联想完全打成一片，不着一点牵强之迹。而且“玄鬓”之典出于魏文帝之宫人，又正与开端齐王后尸化为蝉的传说也互相呼应，正所谓“隶事处以意贯串，浑化无痕”者也。于是前半阕对蝉之叙写，就在这种反折的疑问或慨叹中作了结束。

下半阕“铜仙铅泪似洗，叹移盘去远，难贮零露”，以典故与想象相结合，为断魂的蝉又写出了另一番可哀伤的境界。“铜仙”句，用的当然是李贺《金铜仙人辞汉歌》的典故，“铜仙”之“铅泪似洗”，正因其已被魏之宫官自汉宫之中移去。次句之“盘”，即指金铜仙人手中所擎之承露盘，已与“铜仙”同被移去，远离汉之宫殿，故今汉朝旧宫遗址中，既已无承露之盘，则又如何能贮存天上之零露乎？表面上似乎写此一则故实，好像与所咏之蝉全无干系，而其实碧山之用承露盘的典故，却原自蝉之相传以餐风饮露为生之一联想而来，而又暗中寓寄了盛衰兴亡之慨。总之，此哀蝉既已无露可饮，则其生命亦已危在旦夕，故继之乃云“病翼惊秋，枯形阅世，消得斜阳几度”。蝉翼本薄，而更加一“病”字，又继之以“惊秋”二字，则此病弱之薄翼，其不能经受秋日之凄寒可知。“形”而曰“枯”，则此蝉已面临着僵死之地，又继之以“阅世”二字，“阅”者，历也，“阅世”正谓经历人世时序推移盛衰冷暖之巨变，由此濒于僵死之枯形又何能堪此乎？故继之以“消得斜阳几度”。“消”者，禁受之意，谓如此之“病翼”“枯形”，又能禁受得几度斜阳日落之凄凉景况？盖极言其时日之无多也。

然而此生虽休而此心难已，故继之乃云“余音更苦”。“余音”者，生命将终前最后之吟唤也，则其悲苦自然更有甚于前半阕所写的“深诉”的“离愁”，故曰“更苦”。而碧山之所以从“深诉”直写到“余音”，还不仅只是因为这一种生命将终之哀感而已，更因为“嘒嘒而鸣”原是作为蝉这种生物的生命之特色。而在更苦的余音中，将要僵死的蝉遂对自己之一生作了一次最后的回顾，故继之乃云“甚独抱清高，顿成凄楚”。在这一句中“清高”的“高”字，有些选本多作“商”字。关于版本的问题，我在前面已曾提到过《花外集》与《乐府补题》多有不同之处，如：“翠阴庭树”，《补题》作“庭宇”；“离愁深诉”，《补题》作“低诉”；“西窗过雨”，《补题》作“西园”；“瑶珮流空”，《补题》作“金错鸣刀”；“镜暗妆残”，《补题》作“镜掩”；“移盘去远”，《补题》作“携盘”。如果以两种版本相较，则无疑地似乎都以《花外集》之版本为胜，如：“庭树”较“庭宇”更能切指蝉所栖息之地；“深诉”较“低诉”更为强烈有力；“西窗”较“西园”更可强调窗外与窗内的蝉与人之相对的关系；“瑶珮流空”较“金错鸣刀”更可显示出蝉飞过时双翼相触摩之声音的柔脆；“镜暗”之表现镜面尘遮较“镜掩”更为自然；“移盘”是就蝉而言，谓其可以饮露之盘已被移去，较“携盘”之就金铜仙人而言者，更切合咏蝉之主题。凡此种种，其为义之较胜皆属显然可见。意者《乐府补题》中所收，盖当年集会时碧山仓促之作，《花外集》所收者，则为经过碧山修改后之定本，故后世诸家选本多取《花外集》之本为据。不过其中却有一个字在诸家选本中多有异文，那就是此句的“清高”的“高”字，在诸选本中往往被刊作“清商”。初看起来，“清商”似正可与上一句之“余音”相承接，以描写其音调之凄清。然而仔细一想，则“清商”却实在有许多不妥之处：其一是在谈到声音曲调之时，一般很少用“抱”字作动词，而此句则云“独抱”，似非指向外播散之声音而言者；其二若作“清商”，仍指声音而言，则紧接着的下句之“凄楚”便也当指声音之凄楚而言，如此则自“余音”以下，三句都连着写音调，便显得既相重复又相矛盾，所以比较之下似仍以作

"清高"为胜。"清高"者,盖就蝉之生活言,既栖身于树枝高处,又复餐风饮露,不食人间烟火,则其所象喻之人品,自属于清高之一型。昔骆宾王《在狱咏蝉》一诗,便曾有"无人信高洁"之句。李商隐的《蝉》诗,也曾有"本以高难饱"及"我亦举家清"之句,都可以为证。此二句"甚独抱清高,顿成凄楚",便正是写蝉在对往事的追怀中,感慨于自己虽独抱清高之志节,然而匆遽间乃竟落得如此翼病、形枯之下场,故曰"顿成凄楚"。"顿"字,有骤然而意外之感。"楚"字,原指荆朴之刑具,引申为苦楚、痛苦之意。前面更着一"甚"字,是疑问之口气,意谓以"独抱清高"之志节,何以竟落得"顿成凄楚"之结果呢?盖极慨其所遭遇之悲苦,正与前面的"余音更苦"相承接。写到这里,此断魂所化之蝉固已哀伤至极,可是碧山下面却忽然承以"谩想薰风,柳丝千万缕",蓦然撇开眼前之悲苦,转而回忆起往日的欢欣,是笔法的又一次大转折,为这一首词的结尾留下了无穷荡漾低回之感。"薰风",指自南方吹来的和风,相传昔日帝舜曾作《南风之歌》,其辞曰"南风之薰兮,可以解吾民之愠兮",可见薰风之可以令人欣愉。何况随风起舞的还有着千万缕飘拂的柳丝,大可以作为蝉的栖身之所,对于蝉而言,那当然正是其生命中一段最美好的日子。而今则年华已逝,往事难寻,只有在余音的哀苦中,对当日的繁华欢乐作徒然的追想而已,故曰"谩想"也。这种转折荡漾的笔法,正为碧山词之一大特色,与前一首《天香》之结尾的"谩惜余薰"可相参看。

以上我们既讨论了这首词在咏物方面的一层意义,现在我们便也将要对这首词中的寄托之意作一分析。关于这首词的托意,在四印斋所刻的《花外集》后面,附有王鹏运的一篇跋文,曾引端木埰之说云:"'宫魂'字,点出命意。'乍咽'、'还移',慨播迁也。'西窗'三句,伤敌骑暂退,燕安如故。'镜暗'二句,残破满眼,而修容饰貌,侧媚依然,衰世臣主全无心肝,千古一辙也。'铜仙'三句,宗器重宝均被迁徙,泽不下究也。'病翼'二句,更是痛哭流涕,大声疾呼,言海岛栖流,断不能久也。'余音'三句,遗臣孤愤,哀怨难论也。'谩想'二句,责诸臣到此尚安危利灾,视若全盛也。"从这首词写作的时代背景,及词中所用的语汇和典故来看,其有托意,该是可以断言的。不过像端木埰之一字一句去比附,完全以猜谜的方式来作解说,当然便使得读者对之难以完全信服了。何况据夏承焘的考证,《补题》中所收咏物诸词,盖皆作于元世祖至元十五年之后，如此则端木埰所云“敌骑暂退，燕安如故”之猜测，当然就与当时之历史背景不尽相合。所以端木埰之说，无论就方法或内容而言，可以说都有不可信之处，这也正是其所以被胡适讥讽为“信口开河，白日见鬼”的缘故。可是，如果我们便把这首词中的托意完全抹杀不提，那当然也不是在评赏这一类词时所当取的态度。因此，我们便该把其中所可能有的联想和提示略作说明。首先，“宫魂”二字可能有两点提示：一则就用字而言，“宫”字可以暗示对朝廷覆亡的哀思；再则就用典而言，齐王后尸化为蝉的传说，也可使人联想到南宋诸后妃陵墓经过发掘后尸骨被弃于草野之悲惨。何况在当年掘墓时，还曾经相传于孟后陵曾得一髻，其上尚有短金钗云云。南宋有名的遗民诗人谢翱，还曾为此赋《古钗叹》一诗，其中有“白烟泪湿樵叟来，拾得慈献陵中髻，青长七尺光照地，发下宛转金钗二”之句。因此，碧山此词，便不仅可能有对于后妃陵墓被掘的悲慨，而且其词中之“为谁娇鬓尚如许”之句，便也可能有着对于自孟后陵掘出之发髻的联想。其次，“铜仙铅泪”三句，也可能有两点提示：一则就其用李贺《金铜仙人辞汉歌》之典故而言，当然可能含有一种盛衰兴亡的易代之悲；再则就当时之历史背景言，临安之沦陷，诸陵之被掘，事实上也的确有很多宗器重宝都曾经被迁夺而去。至于“病翼惊秋，枯形阅世”二句，则对于身经亡国之痛的碧山而言，当然更可能有着一份切身的悲慨。“斜阳几度”一句，也可以使人联想到南宋自临安之陷、帝㬎之被虏，继之以端宗之殁及帝昺之蹈海的节节败亡。而“独抱清高，顿成凄楚”二句，则也可以使人联想到南宋的一些士大夫，往往自命清高，空谈心性，而对于国事之险危则一无补救，一旦覆亡，亦不过但余凄楚而已。至于结尾的“薰风”两句，就其所表现之意象，以及有关帝舜之《南风歌》的联想而言，则当然很可能喻示有作者对于故国承平之日的一份怀恋。以上所言，只是为了给读者一些提示，说明以碧山之时代和身世，就其所用之词汇、典故以及作品中的意象，所可能引起的一些有关托意的联想而已。我们的这种解说方式，是完全以诗歌本身所具有之感发的力量为依据的，也就是说就诗歌本身所表现的感发之力而言，已足够提示我们，作者在写作时很可能更怀有一种表面之文字以外的感动，这种感动才是写寄托之词的一种基本要素。作者既不是以作谜语的方式去作词，说者也不可以用猜谜语的方式去说词,这一点是我们所必须分辨清楚的。而且感发所引起的联想,原可以有相当之自由,作者在一篇作品中便也可以有多种之托意;而说者所可能做到的,则只是把这种种托意的可能,就作者身世之经历及作品各方面之表现所可能引起的联想,提供给读者作为参考而已。

(叶嘉莹)

扫花游 王沂孙

秋声

商飙乍发,渐淅淅初闻,萧萧还住。顿惊倦旅。背青灯吊影,起吟愁赋。断续无凭,试立荒庭听取。在何许?但落叶满阶,惟有高树。　迢递归梦阻。正老耳难禁,病怀凄楚。故山院宇,想边鸿孤唳,砌蛩私语。数点相和,更着芭蕉细雨。避无处。这闲愁、夜深尤苦。

鉴赏

宋欧阳修《秋声赋》云:"其为声也,凄凄切切,呼号愤发……草拂之而色变,木遭之而叶脱。"碧山写作这首题为秋声的词章,是表达因秋声而触起的身世飘零之感。

上片虽是隐括欧阳修《秋声赋》而成,但其中寄托了碧山的身世之悲和羁旅之愁,使凄切的秋声与悲苦的人情交织一处,意境因而顿觉深入一层。首三句写西风乍起,秋声时断时续。"商飙",秋风。古代用五音方位配春夏秋冬四时,商声西方属秋,故云"商飙"。《秋声赋》云:"欧阳子方夜读书,闻有声自西南来者,悚然而听之……初淅沥以萧飒,忽奔腾而砰湃。"发端三句即由此化来,但琢句更为峭拔,也更为传神。"乍发",言秋声的突然发生。"淅淅""萧萧",皆是形容商飙音响的叠字。"初闻"到"还住",则写秋声的变化,与下文"断续"呼应。"顿惊倦旅",写词人闻秋声而感发的羁旅之苦,从而点出了这首词的主旨。"背青灯吊影"两句,进一步从羁旅之愁写到客居的索漠。倦旅已觉惊心,何况独对青灯,形影相吊?情动于中,发而为言,所以“起吟愁赋”,聊以遣忧了。“断续无凭”以下,呼应上文。上文是写无言之中听到秋声,这里则是写有意追寻秋声。但秋声已住,眼前只有满地黄叶和参天的高树,仿佛留下秋声过后的足迹而已,故曰“无凭”。下片具体描述因闻秋声而触发的伤怀,是上片“顿惊倦旅”的延续和铺陈。“倦旅”与“旧梦”是互为因果的:由于思乡情切,因而倦于羁旅;也由于倦于羁旅,因而思乡之情益切。可是“迢递归梦阻”,自己欲归不能,此情已自不堪,加之既老且病,闻秋声岂不更加伤怀?层层递进,将凄楚之怀写得淋漓尽致,使人不忍卒读。既然归梦受阻,有家不能归去,就只有在这异乡的秋夜遥想到故乡此时的情景,聊以慰藉相思之情。然而故乡今夜想必也是一片凄凉——孤雁在空中唳鸣,寒蛩在砌下哀吟,加上雨打芭蕉,与雁唳蛩吟声声相和,即使此际身在家乡,也不能不百感丛生,悲不自胜啊!客居固愁,归家也愁,而这闲愁正是由闻秋声而感发的。秋声既然无处不在,因而闲愁也就无有已时,故云“避无处”。末以“这闲愁、夜深尤苦”作结,将上述种种愁思缩合一处,又置于夜深人静、无可诉说的背景之中,所以说是“尤苦”。此情此景与张炎“无避秋声处,愁满天涯”(《八声甘州》)所表达的感慨颇有类似之处,而着以“夜深尤苦”四字,其悲苦之状较之张词尤有过之,因而更能打动读者的心弦。

由听秋声而动归思,前人的诗词往往有之。这首词之所以异于同类作品,盖在于它不仅描述了羁旅之愁,还设想即使回到家乡,也无法回避满怀的凄楚。这就给读者留下了充分的想象余地:这种“避无处”的慨叹,并不仅仅是因为闻秋声而“顿惊倦旅”,在倦旅思归的背后,应该还有更为本质的难言之痛。细味词中所表达的感情,似作于宋亡之后,倘如是,则此难言之隐痛当为亡国之恨,不过写得比较隐晦罢了。从写法上来看,全词大段从欧阳修《秋声赋》脱胎而来,然而这绝不是抄袭,而只是化用,亦即借他人之酒杯以消自己胸中之块垒,与前人批评江西诗派的夺胎换骨为“剽窃之黠者”,自不可同日而语。这种手法是值得我们细心体味的。

(王筱芸)

醉蓬莱　王沂孙

归故山

扫西风门径，黄叶凋零，白云萧散。柳换枯阴，赋归来何晚！爽气霏霏，翠娥眉妩，聊慰登临眼。故国如尘，故人如梦，登高还懒。　数点寒英，为谁零落？楚魄难招，暮寒堪揽。步屧荒篱，谁念幽芳远。一室秋灯，一庭秋雨，更一声秋雁。试引芳樽，不知消得，几多依黯？

鉴赏

归故山，即词人回故乡会稽。根据多处词意和词人经历所考，这首词很可能是碧山辞去庆元路学正之职，回到故乡时写的。首三句描写故乡秋景，笔致萧疏冷隽，是一幅寂寥的深秋家居图景。虽然如此，在字里行间仍隐约透露出初赋归来时的某种如释重负的情致。“柳换枯阴”，点明离家的时候，门前还是一片碧绿，曾几何时，它已换成一树枯枝，因此在欣慰之余，不禁兴起“赋归来何晚”的慨叹。这里借用陶渊明《归去来兮辞》文意，可以作为词人当时倦于游宦因而辞官归里的佐证，而“何晚”一词，又曲折地反映了词人当时不得已而出仕的复杂心情。“爽气”三句，写刚辞官归来的词人怀着闲散的情致遥望家山，远山在明净高爽的秋气中宛然起伏，山岚隐隐氤氲其间，恍如美人的娥眉，妩媚动人，使词人情不自禁地希望登高临远，聊以自娱。此情此景，真有几分当年陶渊明“采菊东篱下，悠然见南山”的闲适。“爽气”，此处指山岚，出自《世说新语·简傲》“西山朝来，致有爽气”。“翠娥眉妩”，指美人的娥眉，古人往往用来比喻逶迤起伏的山峦，如史达祖《绮罗香·咏春雨》的“隐约遥峰，和泪谢娘眉妩”之类。回到家乡之后，虽能悠游卒岁，然而故国的沦亡，出仕的遗憾，以及老友的离散，始终萦绕心头，登高而能赏心悦目，也只能使自己暂时摆脱一下上述种种的烦忧，姑作旷达之想罢了。可是一想到登高之后，“故国如尘，故人如梦”，反而会勾起他“国破山河在”的沉痛感慨，以及昔日同游风流云散的感伤，倒不如不去登高了。“登高还懒”四字，看似平淡无奇，实际上却反映了词人极其沉痛、又极端矛盾的心境，同“爽气霏霏，翠娥眉妩”的美好景色形成强烈的对照，与李清照《武陵春》“闻说双溪春尚好，也拟泛轻舟。只恐双溪舴艋舟，载不动、许多愁”的写法十分相似，而由于背景的不同，此词的沉痛似尤有过之。其中以“尘”喻破灭的故国，以“梦”喻离散的故人，用语精警且极富表现力，可谓出一字而境界全出。盖由尘土的飞散，可以形象地感知故国破碎，已成陈迹，不堪追忆；由梦境的虚幻，又隐含着故人阻隔已久，不仅旧游无凭，今后相逢也只能寄希望于梦境之中这几层意思。

过片以下六句，写词人“步屧荒篱”时的所见所感。“屧”，木鞋垫。“步屧”，即漫步之意。“寒英”，秋菊。时值深夜，小园之中已是一片荒凉，仅存的几点秋菊也全然凋零了。这一景象，使词人油然而生“为谁零落”的摇落之悲。陶潜《归去来兮辞》有“三径就荒，松菊犹存”的描写。碧山虽然终于能够辞官归来，获得解脱，但家园荒凉，连菊花都凋零不堪，触景伤情，较之当年的陶渊明，其沉痛不是有过之而无不及吗？“为谁零落”这一诘问，将秋菊这一本属无情之物人格化，仿佛它的零落正是因为目睹人世悲痛过于哀伤之故。明明感物自伤，却以物之不忍反衬人之不堪，却出以“为谁零落”，极得哀婉含蓄之致。“楚魄”两句，接着描写词人独步荒园之间，不觉暮色渐起，寒气袭人，归鸟还林的景象使词人由身世之感而触发亡国之痛，承上“故国如尘”而来。“楚魄”，鸟名，相传楚怀王与秦昭王会于武关，被秦所囚，不得归，死后化为鸟，每于寒食月夜，入楚地哀鸣（见《三体诗增注》）。屈原有《招魂》之赋，怀恋君王而招其魂归，诗中极言在秦之苦，归来之乐，中有“目极千里兮伤春心，魂兮归来哀江南”之句。这里字面上是写词人因岁暮秋寒，楚魄鸟再也招不回来了，实则“楚魄”一语双关，暗寓故国已经破灭，江南已成凄凉地，故君之魄难招，魂归也无立身之地了。“谁念幽芳远”一句反问，又从家国之恨转而抒发自己孤独凄凉的悲哀，承上“故人如梦”而来。“幽芳”自喻，写法颇类杜甫的“绝代有佳人，幽居在空谷”（《佳人》）。眼前暮色苍茫，寒气袭人，远在异地的故人有谁知道自己正独步荒园，“冷冷清清，凄凄惨惨戚戚”呢？“步屧荒篱”，触目兴怀，不能自已，于是反身入户，以求心境的宁静。然而

“一室秋灯，一庭秋雨，更一声秋雁”的哀景，或入于目，或闻于耳，使词人愈益百无聊赖，百感丛生。从字面上看，这三句只是对眼前景物进行白描，但包孕在景物之中的词人感情却比直接抒怀更为沉郁隽永。王国维在《人间词话》中说：“一切景语皆情语也。”碧山这三句可以算得是一个典型的例子。为了解脱孤寂之感，词人在几乎是走投无路的境况之下，企图借酒消愁：“试引芳樽，不知消得，几多依黯？”“试”，尝试。“举杯消愁愁更愁”（李白《宣州谢朓楼饯别校书叔云》），词人明知如此，又不得不姑且尝试一下，到底能够消除多少凄苦之情呢？词人自己也不知道，也没有什么信心，此时此刻，真所谓“都来此事，眉间心上，无计相回避”（范仲淹《御街行》）了。

这首词属于碧山词中清疏的一类，极少用典，但仍能以低回欲绝的笔致，写出他所特有的沉郁之情、顿挫之姿、宛转含蓄之态。从内容上来看，全词所写只是一日之内所历所感，而在章法上却是层层递进，步步深入，曲折跌宕，波澜起伏，乃至感情臻于升华的境地，全词便戛然而止，给读者留下了回味不尽的感觉，不愧为碧山词中颇具独特风神的一篇佳作。

（王筱芸）

长亭怨慢　　王沂孙

重过中庵故园

泛孤艇、东皋过遍。尚记当日，绿荫门掩。屐齿莓苔，酒痕罗袖事何限。欲寻前迹，空惆怅、成秋苑。自约赏花人，别后总、风流云散。　水远。怎知流水外，却是乱山尤远。天涯梦短，想忘了、绮疏雕槛。望不尽，冉冉斜阳，抚乔木、年华将晚。但数点红英，犹识西园凄婉。

鉴赏

此词写重过中庵故园所生发的感慨。或以为中庵是元代的刘敏中（号中庵，有《中庵乐府》），但据其存词和《元史》所载事迹来看,似与碧山无涉。疑此词中庵别是一人,是碧山的朋友,其事迹已不可详考。首句叙事,径写重访中庵故园。"孤艇",点出是独自重游。"皋",水边高地,这里指以往欢游之地。"尚记"以下四句,逆入旧事,写当年与中庵交游之情、景、事。当日中庵的园林是如此的幽静,绿荫之下,院门深闭,朋友来时,穿着登山的木屐,踏着满地的莓苔,经常在一起饮酒作乐,任凭酒痕沾湿罗袖。此情此景,是何等的欢乐。然而,如今"欲寻前迹,空惆怅、成秋苑",不仅往日的乐事已成陈迹,不可复追,而且人去园空,一片凄凉的秋意,怎能不使词人怅惘欲绝!"自约赏花人"句以下,更由前游之地而及前游之人。园已荒凉,人也风流云散,追往伤离,自然益觉难以为怀。换头承上进一步写怀人之情。"水远。怎知流水外,却是乱山尤远",表面上是实写眼前之所见,实则借山高水远来暗寓朋友之间两地阻隔,音讯杳然。由"远"而至"尤远",在字面的递进中蕴含了多少依恋和哀伤。欧阳修《踏莎行》云"离愁渐远渐无穷,迢迢不断如春水",这是"水远"。又云"平芜尽处是春山,行人更在春山外",这是"乱山尤远"。碧山此词似由此化出,虽缠绵之致不及,而感情的激切,文字的简练,似有过之。"天涯梦短"两句,叹人不归来。"绮疏雕槛",指华丽的中庵故园。词人在这里以揣测的语气,设想主人之所以不归,大约是因为对其故居已经淡忘,以至人在天涯,梦魂也不再飞回故园。语气之中,颇含怨艾。用"短"状"梦",真是匪夷所思。"望不尽"两句,再由悬想折入眼前情事。"冉冉斜阳",说明词人在中庵故园流连时间已久;"年华将晚",说明一年又将结束。"抚乔木"则暗用桓温北伐,经金城见前亲手植柳已十围,慨然曰:"木犹如此,人何以堪?"攀枝执条,泫然流泪事。细味此词,大约写于宋亡之后,所以也可能暗用"故国乔木"的典故(见《孟子·梁惠王下》)。日暮,岁晚,人老,国亡,这一切冷酷现实所引发的复杂感情,当词人重过中庵故园,徘徊久之而不忍离去之际,一齐涌上心头,然而又无可告诉,只能将此情寄予"数点红英",想象这本属无情的几瓣零落的红花,还能理解词人因人去园空而发出的喟叹吧。

这首词基本上用白描手法,直抒作者重过中庵故园时所兴起的怀旧之感。没有用什么绮丽的辞藻,也极少使事用典,然而在追怀昔游的同时,又寄托了物是人非、国破家亡等等不能自已的感伤,虽然语气十分委婉,却感人至深,在碧山词中别具一种风格。

(王筱芸)

一剪梅

醴陵士人

宰相巍巍坐庙堂，说着经量，便要经量。那个臣僚上一章？头说经量，尾说经量。　轻狂太守在吾邦，闻说经量，星夜经量。山东河北久抛荒，好去经量，胡不经量！

鉴赏

这首词见于《花草粹编》卷七，题作《咸淳甲子又复经量湖南》。“咸淳甲子”，即南宋理宗景定五年（1264）。“经量”，丈量土地。据《续资治通鉴》记载，为了增加赋税，景定五年九月，“贾似道请行经界推排法于诸路，由是江南之地，尺寸皆有税，而民力益竭”。这首词所写即此事。作者醴陵士人，当是一名了解民情、有强烈爱国心的下层知识分子。

上片开头写经界推排法的出笼。是南宋小朝廷的最高层作出了丈量土地的决定，并要下面立即执行。一入手就抓住关键，直刺要害，显示了作者的胆识和气魄。“宰相”，指贾似道，时因其姊为贵妃，官拜左丞相，专擅朝政。“巍巍”，高大貌，这里刻画出贾似道一副尊严若神、凛然不可冒犯的神态。二、三两句，进一步写出贾似道的心狠手辣和专横跋扈，见出经界推排法的推行有其不可逆转之势。那么，朝中臣僚作何反应呢？作者以没有“那个臣僚”敢“上一章”，说明他们都是奉承拍马、为虎作伥之辈，其唯诺谄媚之态令人作呕。“那个”一词下得考究，饱含诘谑、憎厌、轻蔑之意，值得细加品味，不宜轻轻放过。下片开头写地方官执行经界推排法的情形。“吾邦”（指醴陵，在今湖南）太守不过刚刚得到消息，便连夜行动起来。“轻狂”一词写出太守的忙碌奔窜之状，也写出他趋奉上司、躁竞浅薄的思想性格。执行命令如此坚决，只能雪上加霜，火上浇油，将百姓置于更加难堪困窘的境地。作者对此不胜其怒，以结尾三句发出了义正词严的责问。“山东河北”，泛指北方沦陷地区。“抛荒”，指田地荒芜，无人管理。女真贵族自占领华北后，大肆掠夺土地分配给从东北移徙来的女真人（名之为屯田军）。但由于大部分屯田军户不谙农业生产，不肯亲去耕作，遂使大量农田渐次抛荒。蒙古贵族入据华北后，又曾一度将大量农田废为牧场。这里指出这一事实，是对南宋小朝廷只知一味在江南搜刮、却不知收复北方失地的辛辣嘲讽和无情鞭挞。表现上，前面一路铺陈，这里突改作反诘口气，使满腔激愤喷薄而出，有力地深化了词境，表现了主题，加强了艺术感染力。

南宋小朝廷自偏安江左以来，一方面往往不把当时严重的民族矛盾和民族斗争放在心上，另一方面又往往以大敌当前为借口，对人民进行敲骨吸髓的压榨盘剥。贾似道在这方面就是一个典型。这首词通过对贾似道及其一伙的抨击，批判了南宋小朝廷所一贯奉行的基本国策，反映了当时民族矛盾和阶级矛盾都异常尖锐的严峻现实，体现了人民的爱国思想和斗争精神。以讽刺手法揭露各级官僚的丑形恶态，展示当时社会政治的畸形和矛盾，是这首词的突出特色。作品基本上是对历史的实录，所描写的社会生活现象在那个时代本是极寻常的，人们司空见惯，往往不以为怪。但由于其自身并不合理，可笑、可鄙而又可恶，作者予以集中概括，以冷嘲热讽的笔墨特别一提，就显得非常深刻动人。鲁迅说：“非写实决不能成为所谓‘讽刺’，非写实的讽刺，即使能有这样的东西，也不过是造谣和诬蔑而已。”（《且介亭杂文二集·论讽刺》）这首词正体现了这样的原则。当然，作品也并不是对生活作刻板记录。它以画龙点睛之笔使宰相、臣僚、太守各个神情毕现，从中可大体看出他们不同的地位、身份和性格；勾勒出了一幅官场上下勾结、沆瀣一气、无恶不作的丑行图；语言通俗、冷峻、诙谐，富于表现力，特别是在短短的篇幅中一共使用了八个“经量”，能各个合于特定人物的身份、口吻，表达特定的内容，读之不唯不觉重复，反觉意趣无穷，极富讽刺意味。这些都显示了作者艺术描写的功力。以词进行讽刺，丰富了词的表现手段，在唐宋词林中这不失为一篇别开生面之作。

（张亚新）

满 庭 芳

徐君宝妻*

汉上繁华，江南人物，尚余宣政风流。绿窗朱户，十里烂银钩。一旦刀兵齐举，旌旗拥、百万貔貅。长驱入，歌楼舞榭，风卷落花愁。　清平三百载，典章文物，扫地俱休。幸此身未北，犹客南州。破鉴徐郎何在？空惆怅、相见无由。从今后，梦魂千里，夜夜岳阳楼。

作者

*徐君宝妻，姓名不详，岳州（今湖南岳阳）人。据陶宗仪《辍耕录》载：南宋亡国时，她被元军虏至杭州。“其主者数欲犯之，而终以计脱”。后被迫投池自尽，临死前题《满庭芳》词一首于壁上，寄托自己的悲恨和哀思。

鉴赏

度宗咸淳十年（1274），元军大举侵宋，数年间便灭亡了南宋政权。蒙古贵族在进军江南的过程中，纵兵烧杀掳掠，给南方广大人民造成了深重灾难。这首词通过作者的亲身遭遇，反映了南宋亡国前后浸透了血泪的悲惨历史，表达了一位普通女子宁死不屈的精神及其对故国、家乡和亲人的无限怀念。

全词上下两片，共分四段，每段五句。开头五句回顾南宋亡国前的繁华景象。“汉上”，泛指江汉一带，因其处于吴蜀之间，当时具有重要的战略地位，经济十分繁荣，且为作者家乡所在之地，故开篇由此着笔，以见其热爱乡土之情。“江南人物”，指的是南宋士大夫。他们习于苟安，沉湎酒色，依旧保持着北宋覆亡前徽宗政和、宣和时期享乐靡费的种种流风余韵。正如《武林旧事》所载：南宋统治集团置中原失地于不顾，恣意挥霍民脂民膏，“大率效宣和盛际，愈加精妙”，终日酣歌艳舞，表面上呈现出一派升平气象，终于酿成了亡国大祸。“绿窗”二句，写城市的繁荣富庶。以色彩鲜艳的门窗和光亮耀眼的帘钩代指房屋的华丽、陈设的精美。这里既流露了词人对往昔的无限留恋，也暗寓着对南宋当权者误国行为的不满。接着五句叙述敌军入侵，痛悼国家沦亡。由于南宋统治者沉于宴安逸乐，致使边防空虚，军队毫无战斗力，因此当凶猛残暴的“百万”蒙古大军，“一旦刀兵齐举”，突然发动进攻，便势如破竹，长驱直入。美丽富饶的江南惨遭敌骑铁蹄蹂躏，南宋王朝顷刻间土崩瓦解，犹如风卷落花一样。一个“愁”字，表达了广大人民对国亡家破的沉哀巨痛。

换头三句陈述掠夺战争造成的巨大破坏：宋朝三百多年来所积聚的历史文化、典章制度，霎时间都化成了灰烬。接下两句，写自己的不幸遭遇。作者用“幸”“犹”二字，含蓄地透露出当时还有无数比她更为不幸的人。比起那些被屠杀、被掳掠北去的同胞来，自己虽然身陷魔爪，但尚未离开故国故土，还算是不幸之中的万幸。最后五句为作者投池自尽前，抒写对丈夫的深情怀念：徐郎，你在哪里啊？破镜重圆的希望落空了，夫妻再也不能相见。从今以后，我的孤魂天天晚上都要从千里之外，返回故乡，到岳阳楼上来与你相会，那时候我们再互诉衷肠吧！“破鉴徐郎”，用陈驸马徐德言事，而暗切其夫之姓，甚贴切之至。

这首词从国家、民族的不幸写到个人的悲惨遭遇，在广阔的历史背景下反映宋元交替之际广大人民所蒙受的巨大苦难，很有概括性。词人的感情深沉悲凉，笔调凄婉，读来令人心碎。

（喻朝刚）

贺新郎　　蒋捷*

秋晓

渺渺啼鸦了。亘鱼天、寒生峭屿，五湖秋晓。竹几一灯人做梦，嘶马谁行古道？起搔首、窥星多少。月有微黄篱无影。挂牵牛数朵青花小。秋太淡，添红枣。

愁痕倚赖西风扫，被西风、翻催鬓鬒，与秋俱老。旧院隔霜帘不卷，金粉屏边醉倒。计无此中年怀抱。万里江南吹箫恨，恨参差、白雁横天杪。烟未敛，楚山杳。

作者

*蒋捷，字胜欲，号竹山，阳羡（今江苏宜兴）人。南宋度宗咸淳十年（1274）进士，宋亡隐居太湖中竹山，人称竹山先生。元大德年间，有人荐举他做官，他不肯去，抱节以终。有《竹山词》传世，与周密、王沂孙、张炎并称“宋末四大家”。蒋捷词多抒发故国之思、山河之恸，风格以悲慨清峻、萧寥疏爽为主，多承苏、辛一路而兼有众长。刘熙载《艺概》称他为“长短句之长城”。其词对后世影响颇深，清初阳羡词派受其影响尤大。

鉴赏

蒋捷于度宗咸淳十年（1274）中进士后，还未及一展宏图，南宋王朝即在恭宗德祐二年（1276）覆亡。从此他恪守坚贞的民族节操，矢志不出仕元王朝，数十年湖海飘零，过着凄清的隐逸生活。随着岁月的流逝，郁结在他心底的家国之恨不仅未见消衰，反而是与日俱增地萦怀难去。于是，《竹山词》中抒写中年怀抱及晚境悲凉的名篇迭出，《贺新郎·秋晓》即为其一。

人到中年哀乐多，也许是带有普遍性的人生现象。可是对一个身际沧桑巨变、家国破败而痛定思痛的人来说，其中年怀抱的悲苦深沉无疑已不是通常的哀乐所能相比。更何况时光的淘洗，两鬓渐已皤然而白，衰暮之年逼近而来。一种浓重的失落感和坚定的节操自持的情志交杂纠结一气，构成了贯串于蒋捷后期词作中的特具的心理状态。现在，词人又临窗悄立，目送远天，在秋寒袭人的拂晓中感慨万千。

词以听觉、视觉及触觉先后相叠的表现手法点出又一个令人感伤的清秋之晨的来临。“竹几一灯人做梦”句乃从史达祖“一灯人著梦，双燕月当楼”（《临江仙》）化来，按词意脉理说，是情思发端处。一灯伴梦，古道嘶马，情景已是孤冷悲凉之极，气氛固然渲染而出，心境更是披露笔底。所以这还不仅是由梦而醒，或嘶马惊梦的过程描写——时序的表现。至于一灯照梦，做的是怎样的凄凉之梦，寄怎样的失落、幻灭了的希冀于梦中？诸如此类全可由品味者去辨其余韵的。唯其如此，这两句的安排在此，不仅是词牌格律的要求，而且还是情思折叠、起伏的必然。词人一起首说，啼鸣于夜阑凌晨的鸦声渐渐消失，弥漫在寥廓太湖水面上的寒意阵阵侵袭着陡峭的岛屿，啊，又一个秋晨了。词人晚年常常寄迹太湖里的小岛上，秋晓的寒意从肤发际透入，乃是写实，然而，外部世界的寒寂的敏锐感知，实在是因内心世界的凄寒凝结，这也就是为什么写法上从听觉（鸦声渐去）、视觉（辽阔湖面）、触觉（秋凉入骨）的感受表现之后又插上上述的“嘶马古道”这听觉（唤醒孤梦）的表现。接着搔首窥星，似乎是辨察天色（黎明时星星渐少）的动作描写，其实正是孤灯梦回后惆怅莫名的心情之形象化，是心态的外现。旧体诗词中搔首观星常被作为表现愁苦怅惘或感慨深沉的一种意境。

时间从“窥星多少”的踟蹰中渐向前移，曦色加亮，月色消淡，词人的视线从遥空转回近旁：秋晓是多彩多姿的，月影微黄，伴以篱边数朵青青的牵牛小花，清丽得很，再添上枣树之硕果殷红，正是浓淡相得，一派和谐的美景。请注意，通常词作的分析如上片写景、下片抒情的方法不适用于此词。无论是“渺渺啼鸦了”还是“嘶马谁行古道”固不是写景，“月有微黄篱无影”以下几句也仍不是为了写景。视觉上表现秋晓的艳丽，其意向是为了写出心境的寂历。秋色的绚烂与神色的黯淡是一种对照、映托。秋色太淡可以“添红枣”增浓些许，心魂的黯然如何得以调剂、平衡呢？试问以什么来冲淡黯然心伤的情怀呢？词人的辛酸情是那样浓烈。这样，词由上片非常巧妙地、从内在情思的回转中启开了寓寄于下片的感情闸门。

终宵孤梦难稳，惊醒后复怅然窥星，无不是愁思满怀、幽恨难断之故。词人说原期愁苦随着年齿增多可以“倚赖西风扫”，谁知一年一年秋风陡起反而愈发撩起绵绵愁思。“被西风、翻催鬓鬒，与秋俱老”，话语极沉痛。一种彻底失望、悲苦于此生已难排遣的心情表现得相当深重。这种愁苦显然已不是杯中之酒可以消解一二，所以连往昔垂帘深居、借酒以浇胸中块垒的“中年怀抱”亦已消失。渐入暮年的意兴阑珊不是更觉凄楚了吗？人最悲痛的是梦醒后无路可走，人极悲痛时借酒浇愁也已无法驱愁于万一。

前面已说到，人之愁恨乃有种种，词人愈堆愈高的愁与恨原非一己个人的恩怨所致，“万里江南吹箫恨”是全词点睛之笔，道出了“恨”的底蕴。此处借用春秋时期伍员在父兄被害于楚平王之后，含恨茹苦逃来吴国，“鼓腹吹箫”以乞食于市井的典故，拟喻自己的亡国流离之恨。江山万里，景物不殊而人事全非。旧巢已破，新枝拒栖，词人目击“白雁横天杪”——秋来南飞的雁群渐没于天边，去寻找自己的归宿时，能不激起肝肠寸断的恨与悲吗？人不如雁啊，秋雁尚能南飞，人呢？江南河山何在？恨参差横天之雁，无端迁怒于无辜之物是一种不合情理的思绪，而这思绪的不合理恰恰是莫名悲苦的最深刻的表现。艺术作品中心理变异的效果正在这里。结句“烟未敛，楚山杳”，烟雾蔽目，楚山杳杳难见，含蓄又浓重地抒发着家国何地、心事浩茫的情怀，词于此戛然截住，余味曲包。

蒋捷词善于体情达意地自创新格，词情明爽、脉络清晰而又意多转折，语多清新，这首词是有代表性的。

（严迪昌）

贺新郎　　蒋捷

梦冷黄金屋。叹秦筝、斜鸿阵里，素弦尘扑。化作娇莺飞归去，犹认纱窗旧绿。正过雨、荆桃如菽。此恨难平君知否？似琼台、涌起弹棋局。消瘦影，嫌明烛。　　鸳楼碎泻东西玉。问芳踪、何时再展，翠钗难卜。待把宫眉横云样，描上生绡画幅。怕不是、新来妆束。彩扇红牙今都在，恨无人、解听开元曲。空掩袖，倚寒竹。

鉴赏

这是蒋捷词的又一代表作。如果说《贺新郎·秋晓》是以疏写密，那么这一阕《贺新郎》则是密中见疏。前者以白描为多，直抒感受，尽管也运用有寄托比拟手法；后者则多用比兴，较为隐曲。清代浙西词派之所以把蒋捷词归入姜夔、张炎一派之列，大抵就是根据这阕《贺新郎》及其类似的部分作品来认定的。其实，运用屈原《离骚》以来的香草美人的比兴手法，是两宋词人常见的事。辛弃疾《摸鱼儿》（更能消几番风雨）《贺新郎》（绿树听鹈鴂）就是著名的比兴之词。只是宋末词人由于政治上的种种原因，托物起兴、借物寓情的作品更多些罢了。仅以手法，不能划定流派的归属，重要的还是辨察气韵风神。蒋捷此词从气势和韵味，以及风调、神貌上尤近于辛稼轩《贺新郎·赋琵琶》诸词格调，从"此恨难平君知否"到"恨无人、解听开元曲"，郁勃悲慨之情的喷薄激荡可以明显看出。

往事成烟、佳景难追的孤冷迷茫的失落感和幻灭感仍是这首词的意所在。起首"梦冷黄金屋"五字极写物是人非、梦亦难圆的悲凉。何谓"梦冷"呢？这原是心头的一种感知，一种悸动。只有体味到从"冷"字上透发出来的词人心灵颤动的痛楚，方始能理解梦破、梦难圆之心情的凄苦。"黄金屋"无疑是比拟昔日繁华的盛况，过去有论者解释为南宋宫垣，是否一定作如此确凿的笺注可以商讨，但以"黄金屋"寄故国之思当可肯定的。昔时"黄金屋"中种种欢愉和谐之境早已转眼成空，逝而不复，以至欲梦都不成，梦去也难圆了。如此心理状态不管在梦中还是梦醒之后，都令人寒栗不已、凄冷不已。不是吗，梦里所见只是一派尘封灰积、生意全无的景象，能不叫人悸栗？"秦筝"是择取的一个赖以寄意的物象，所以这一意象乃是以少总多，表现"黄金屋"凄凉全貌的。至于取"秦筝"而不取别物为寄意对象，是因为可以从"秦筝"联想起昔日屋中素手调弦的女主人，联想到高山流水的知音者,可以从“斜鸿阵”——一排排琴弦钮柱的形象联想及雁阵远飞早已音讯杳然……而后又与下片“恨无人、解听开元曲”前后呼应。由此足可见出词人心思极密,文理极细。还可补充一句的是,即“梦冷黄金屋”五字还表现出一个时间推移:这个追念旧时盛况的憔悴佳人(作者自喻)梦向“黄金屋”,又从凄凉的梦境中惊回。如上所说这“冷”字贯连着梦中和梦后两个境界,也就是说,一个“冷”笼罩着全词上下片。

“化作娇莺飞归去”以下三句提笔转折,凌空盘旋,是上片的奇警之句。从文字关联看,“娇莺”之喻来自“秦筝”,筝声原具莺啭浏亮的音乐美感,所以这拟喻不是生硬的铸造,与上文并不脱线。可是从词情、词意讲,作者此处既补足对“黄金屋”的旧日情景与目下现状的对照描绘,又化实为虚,奇妙地以“娇莺”比喻为由于日思暮想而构成的精魂,“她”的“梦冷黄金屋”就是“化作娇莺飞归去”的。前面“素弦尘扑”是“娇莺”所见——即精魂于梦中所见,现在“犹认纱窗旧绿”也是“娇莺”熟识的。“旧绿”是残存的痕迹,已凋落的盛况的见证。还有那一阵春雨过后簇发在残垣边的如菽(如豆一般圆润芳馨)的蓓蕾花苞。“荆桃”,在当年当然只是姹紫嫣红的花苑中的衬物,现今名贵花卉大都凋败,可生命力旺盛的如菽荆桃仍在春光中吐艳,也算是保留着一点旧迹的吧,在乍寒乍暖、凄凄的雨丝中!梦中的凄凉,梦回后的黯然神伤,不由得沉痛呼出“此恨难平君知否”。这一切变异之速,能不叫人觉得世事变幻无端似同“弹棋局”(古博戏的一种)一般吗?此恨又有谁知?处在如此愁苦心境中的“佳人”顾影独怜,憔悴消瘦之态在明烛相映下,愈发悲哀难抑。“嫌明烛”,一种落寞凄清心境在三个字里无遗地披露了出来。

下片承接着烛光下冷坐自哀的心情起伏而展开独白式的诉说,是“此恨难平君知否”的具体化。如果说上片是对“黄金屋”的今昔变幻的感伤,那么下片就集中对当日屋中人的深沉的追念痛悼了。“鸳楼碎泻东西玉”比拟生离死别,无可追踪。“东西玉”,原指代酒器,现在引申为杯碎酒泻不可收拾。“问芳踪、何时再展,翠钗难卜”,明言所思之人已不能重逢。词人既以“佳人”自比,又以追思的对象比拟“佳人”,均为屈赋手法。“待把宫眉横云样”三句说:昔日你的芳姿在我心底留下的是难以磨灭的印象,现今人已难觅,但尚能在生绡上描画你的倩影,以聊慰相思。可是,“怕不是、新来妆束”啊!你也一定苦艾不已,如我这样只剩风鬟雾鬓的"消瘦影"了。这三句为下片中的奇警曲折之句,以绘不成倩影极写对方之悲苦(实写自己之心境),正与上片的梦不见昔日之繁华的写法同。"彩扇红牙"两句点醒知音已失,物在人去。恨无人能解听"开元曲",则明言一腔怨恨全为的是故国沦亡。"空掩袖,倚寒竹"是借用杜甫"天寒翠袖薄,日暮倚修竹"的诗以"佳人"自见。唯"空掩袖"一句用掩面而泣的形象动作,愈见其"孤臣迟暮"(唐圭璋所释语)的内心的悲戚。

陈廷焯《白雨斋词话》评点此词说:"处处飞舞,如奇峰怪石,非平常蹊径也。"甚是。词藻虽颇丽而密,但灵动之气依然回转在折叠抑扬的章句中。谭献以为"词藻太密"有掩鲜妍自在处,似未细察词情,不是确评。这首词颇多创获语句,如"化作娇莺"以及画影难肖等,都是锤炼而不雕琢,密丽中见疏爽,情深意挚,明白不涩的。

(严迪昌)

贺新郎　　蒋捷

兵后寓吴

深阁帘垂绣。记家人、软语灯边,笑涡红透。万叠城头哀怨角,吹落霜花满袖。影厮伴,东奔西走。望断乡关知何处?羡寒鸦、到着黄昏后,一点点,归杨柳。

相看只有山如旧。叹浮云、本是无心,也成苍狗。明日枯荷包冷饭,又过前头小阜。趁未发,且尝村酒。醉探枵囊毛锥在,问邻翁、要写牛经否?翁不应,但摇手。

鉴赏

离别之怨,思乡之情,是宋词中屡见不鲜的题材,甚至可以说是词的传统之题。这类词一般都将哀怨或思念的情怀抒写得委婉轻柔,舒缓地流露,低沉地倾诉,节奏较慢,感情色彩较淡。蒋捷这阕《贺新郎》,在同类题材的作品中有其自己特点,这就是主要运用赋的手法，节奏跳跃快速，情思激越，抒情主人公直接在纸上表述自己的苦怨。又因为此词不只是抽发内心世界的积郁，而是把心头的愤懑痛苦与现实环境的萧条凋落交接为一，融汇一气来写，于是不仅容量扩大了，而且兼具叙事诗的风味。

蒋捷是宜兴人，“寓吴”也即离家客寓于吴地。而这客寓又是战乱动荡直接导致的，所以，词题中的“兵后”二字是全词情思表现的纽结点，离乱思家以至漂流落魄之情无不带有浓重鲜明的战祸的伤痕。词的上片以安定、恬怡的天伦乐与动乱、漂泊的客居苦作对比，紧扣住“兵后寓吴”的题旨。这两个对照层次写得极明爽、生动。往昔是“软语灯边，笑涡红透”，八个字写尽家人团聚的欢快，一“软”字、一“笑”字，音容如见，“深阁帘垂绣”的闺房温馨之情溢出纸端；而今呢？“影厮伴，东奔西走”，“厮伴”即相伴，孤影吊形，独处异乡，家常语透出心底无尽的辛酸意。择词都既简捷又准确，诚如《四库全书总目提要》所说：“捷词炼字精深，音调谐畅。”然而词情主要是写眼前，忆念往昔温馨软语原只是眼下愁苦触发起的，所以词的重心并非要写往日欢乐。“万叠城头哀怨角”两句既渲染“东奔西走”的孤独者的身处环境（包括季节、气候），同时也暗寓其流离失所的原因，写到了海立山崩的家国巨变。“角”，军营号角。“万叠”，极言号角此起彼伏，一遍一遍相叠，本来乐曲奏一遍叫一叠，此处已兼有无数相叠的意思。在这悲凉凄怨的哀角声里，西风劲起，霜花满袖。霜花本是袖上寒气凝结，说是“吹落”，形象之笔。同时也兼及前后因果关系，似乎这满袖寒气全因万叠哀角吹出来的。是呵，正是这场战乱，宁静的生活失却了平衡，团聚的家室，四散飘零，成了目下孤身只影。如果说本词一开头选择一两个细节，由此及彼，即小见大地写出已经逝去的家居生活，那么紧接来的这万叠怨角吹霜花两句则是采用了概述写法，这十三个字从时空的广度上渲染大动乱、大变异的现实。词的情韵也在强烈的对照中一变为昂起的悲壮味。词人在这满耳悲角的城头下，惘然了。“乡关知何处？”何处望乡关？而和自己“影厮伴”恰恰又成对比的是：“一点点，归杨柳”的寒鸦！前一个对比是已失落、已幻灭的追念，灯边软语不可得了；后一个对比却又似乎造物主在嘲弄，在揶揄，乌鸦尚且有群可依，有巢可归，而自己却形影相吊，无可归宿！“羡寒鸦、到着黄昏后，一点点，归杨柳”。“羡”字是极沉痛的落笔。人难比鸦，我已无巢；鸦能三五相处，我的妻琴在何处？这“羡”岂不酸涩之极，凄凉之极，孤寂之极。“羡寒鸦”云云，可以是触景生情的实写目击归巢之鸦，也可以是艺术构想，借此虚设之景来抒述心底的情思。而这种情思当然仍是实情。蒋捷原非无病呻吟，他的词与为供浅斟低唱而谱的莺声燕语般的淡淡清怨之作属于完全不同的类型。这是真正的抒情诗篇，一股无所依托的怨思满溢四涨在整首词中。

词的下片换头处以“相看只有山如旧”，而世上一切都如无心出岫的浮云那样，忽如白衣忽又改变如苍狗地发生着巨大变迁来承接上片，归结其“东奔西走”的感喟。同时又开启下文因世事日非，社会破败而疮痍遍地、耕稼全废的景象，词人则是在这民不聊生的社会现实中流浪。需要说明的是，“相看”句虽明白如话，实际上包蕴着风景不殊、人事全非的大内涵，又不着痕迹地翻用了旧典故。浮云之或为苍狗或成白衣原“本是无心”（陶潜《归去来兮辞》“云无心以出岫”），现实的剧变则远不是“无心”之举，世事的变化不是远过于白云苍狗的变幻吗？蒋捷于此毫不着力的笔调中已是用了“加一层法”的重笔刻写。这是竹山词往往不为人所注意的艺术手段。过去的词论家们常常贬蒋捷词为粗率，其实大都出于艺术审美习惯造成的门户偏见，或者就是读得粗率，未得要领。

下片的重心是沿着“东奔西走”的脉络展开了一幅荒村流落图。词人以带有幽默色彩的笔致，写出了战乱后一个文士（今所谓知识分子）的潦倒狼狈相，真是可悲可怜又可叹。“枯荷包冷饭”，在宋词中很少有这样似俗实雅的写法，物象具体，形态毕现，抒情主人公的寒伧贫困之状也生动跃现。以荷叶包食物，又是吴越之地的民俗常见事，带有特定的地方色彩。既然是文人，积习也难改，枯荷包裹冷饭去游荡，走过小土山（阜）时看看天色尚早，仍忘不了喝一盅“村酒”，这当然是浊醪，粗劣之酒。但酒毕竟可以略解气闷，还可以醉醺醺的酒意遮点羞。于是伸手（词中是“醉探”，可见在酒醉之后）向“枵囊”探去。“枵”，空空也，囊中别无他物，只有毛笔一枝。既然囊空如洗，只好“卖艺”了，文人无他技，所长在舞文弄墨。卖文已无出路，只能卖字，略可糊口（犹如今之摆摊代人写信之类）。他顾盼四周见有邻舍老翁一个，问“要写牛经否”。“牛经”，有关养牛的书。词人此次“卖艺”是否因尝“村酒”而无钱付账？还是他一直在作此营生？都可让读词人揣摩，总之其清贫如洗则是无疑的。然而生意清淡无主顾，回答他的是“翁不应,但摇手”。

结尾六字实系奇妙之笔。《贺新郎》词牌上下片都以“三、三”句结末,最不易安排,尤其是下片结处要有寸砣压千斤的力量,托得住全篇,并又需有余味,一泻无余、不耐咀嚼是犯忌的。此词的“翁不应,但摇手”用接连的形象动作(“不应”是一种表情,也是一个动作)收纳进许多让人思索的内容,看似平常,实际极凝重。村翁不予答应,是无话可说。这无话可说其实又正表现了一言难尽的苦衷:战后兵过,烧杀抢掠,村墟破败,人散牛亡,田垄荒芜(蒙古骑兵所到处,圈地放牧,农田废尽),还要“牛经”干吗?……也许这老翁在摇手不应之际,嘴角还流露一丝苦笑,笑这书生真呆而不省事理,如此兵荒马乱之际还问“要写牛经否”。迂极了!迂极了!看他脸上醉红微醺的样子,是不是被村酒灌糊涂了?“但摇手”,另一本作“但摇首”,我以为“手”佳,摇手,动作性强,而且面部表情与手的摇动配搭也和谐、丰富。但不管怎样地从鉴赏角度去再创造,读至此,一个近乎沿门乞讨的流浪文人在可感的背景、人物的映衬下,其酸寒清苦的可悲形象是确可呼之欲出的。

在两宋词数以万计的作品中,像这样的文学形象实属不多见。这首词能如此形象具体地表现内心世界的悲哀,形与神贴切地融合起来表现心灵的颤动,无疑应视为词中的上乘之作。这首词的艺术效果又是与叙事手法以及近乎绘画的透视法的表现分不开的,这当是蒋捷的又一点创新之处。

(严迪昌)

女冠子　　蒋捷

元夕

蕙花香也,雪晴池馆如画。春风飞到,宝钗楼上,一片笙箫,琉璃光射。而今灯漫挂。不是暗尘明月,那时元夜。况年来、心懒意怯,羞与蛾儿争耍。　江城人悄初更打。问繁华谁解,再向天公借?剔残红灺。但梦里隐隐,钿车罗帕。吴笺银粉砑。待把旧家风景,写成闲话。笑绿鬟邻女,倚窗犹唱,夕阳西下。

鉴赏

正月十五元宵节在宋代是个盛大欢乐的佳节，诚如李清照词中所说，人们“偏重三五”，那一晚朝野上下无不赏灯玩月，繁华之极。愈是在心头留下过深深的欢娱痕迹的情事，一旦鸿爪泥雪般全都成为过去，就愈发会在心底时时唤起无尽的忆念。至于一旦重新面对或置身于类似的境界而实在已是今非昔比、今昔异殊时，其心灵上的震撼、颤栗、哀伤、苦涩也就愈益强烈、愈益浓重。蒋捷这首《女冠子·元夕》就是在这样的心境里孕育出来、激发出来的。

写元宵，写国破家亡后的元宵，李清照的《永遇乐》(落日熔金)堪称一代绝唱。“人在何处”的怅惘，“春意知几许”的哀伤，“如今憔悴，风鬟雾鬓，怕见夜间出去”的孤寂凄凉，几乎写尽了遭际国难、家难而伤偶寡居的一代才妇的悲恸情怀。既有名篇在前，是最难措笔于同一题目了，可是蒋捷还是写出了情思百折、回转多韵的《女冠子》来。比较以李清照的《永遇乐》，蒋捷此词有两个可以自立于名篇之林，不雷同于前辈的特点。一是从情思上说，李清照的国破家败，毕竟还留下有江南半壁河山，所以她虽然忆念着“中州盛日”的“偏重三五”，可是当她“不如向帘儿底下，听人笑语”时，她所听到的究竟还不是“商女不知亡国恨”的欢言笑语声，尽管那是个“直把杭州作汴州”的苟安局面。其时李清照的蓬飞憔悴，“谢他酒朋诗侣”，更多的是家庭不幸，赵明诚亡故，自身流离失所的痛苦。而蒋捷所遭逢的大厦倾倒、旧巢覆败是彻底的，是全局而不是局部的山河沦亡，所以，他内心所怀的是一种深重的、无可挽回的亡国之痛。这种情感的深刻性，以及所蒙上的时代性特点，无疑较之前辈的作品自有其特具的独异性。二是在结构手法上，李词基本上是顺叙，只是在下片换头时进行倒叙。蒋词则在上下片中参差穿插着今昔对照。这样的安排容量显得更大些，因而可以夹叙夹议，情与理互为因果地将亡国之恨深寓其中。至于语言的特色，两首词都属“语多创获”的佳品，只是李词以白描口语胜，蒋词则颇施淡彩勾勒，虚实互见中较有藻采。

蒋捷是有匠心的。他一起手就以“蕙花香也”到“琉璃光射”六个句子极写元夕之盛：月色灯彩，花气箫声，渲染得声色俱臻妙境。试想,雪后圆月清辉,满地月光雪光,楼阁外犹如白昼;蕙兰花香溢满池馆之间,无数灯光照得上下通明,琉璃瓦在月光灯光的映耀下反射出晶亮的光彩,而一阵阵笙箫声飘扬在四周……完全是一派乐融融的、春风得意的气氛。尽管正月十五的江南气候尚深袭寒意,可现在春意浓浓,似乎预兆着大地已是春回了。这是何等样的令人陶醉的情景。词人并不点明这情景是今还是昔,他只是推出一组画面,让人去观赏,供人以移情。正当你为之神往,为之动情时,词陡然转笔,笔底倾泻出"而今……不是……那时元夜"。原来前面的真正的繁华早已云散烟消了,现今的"灯漫挂"的元夕不仅无法与往日盛况相比,而且更主要的是心境大异。"心懒意怯"之人连在"帘儿底下,听人笑语"的一点点冷漠兴致都没有了。这就是跌宕之笔。陈廷焯评此词至"而今"二字时说:"忽然一转,有水逝云卷,风驰电掣之妙",是深得词心之评。值得注意的是,一个"漫"字,一个"羞与蛾儿争要"的"羞"字。"漫"字不只点染"而今"之灯节萧条,与下片"江城人悄初更打"相照应,而且表示出对眼前应景之举的轻蔑,而这轻蔑又伴随有往昔盛况已不可复求的沉痛,心情极复杂。"羞"字所表现的心理状态较鲜明,即羞与为伍意。"蛾儿",许昂霄《词综偶评》解释:元宵有扑灯蛾,亦曰闹蛾儿,又曰火蛾,是指用彩纸剪成的小玩具灯。此处"蛾儿"也指妇女元宵节时头上戴的一种装饰物。"而今"灯节的小家子气,引申为轻薄儿的戏要。既然已不是"那时元夜",也就"羞与蛾儿争要"了。

下片从"而今"句继续深入,江城初更时刻已是人声悄静,与当年通宵车如流水马如龙怎样比法?同时在这句子里也透出了战后江南在元骑兵统治下的肃杀之气,很近于后来的"宵禁"景况。这是从外部世界写不如"那时元夜","问繁华谁解,再问天公借"所发问是内心深处的呐喊。向天公借繁华,当然不只是借"暗尘明月"——车马扬起飞尘,明月灯彩相映的香车宝马,灯火灿烂的表面繁华;而且是一种借回天之力,"重见汉官仪"的期待。"问繁华谁解"云云,显见词人也自知这是无望之希望。现实的可能只有剔残灯烛残灰,在梦里去追觅旧繁华了。于是,词人想到应该把"旧家风景,写成闲话",如同当年的《东京梦华录》一样,留给后人去追念吧!这种追念也许可以激起一点故国情思的,瞧,"邻女"全不知亡国之恨,而犹在"倚窗"而唱"夕阳西下"。这里有一个微妙的对比:正在"待把"——还未进行、准备进行,摊开“吴笺”(即苏笺,苏州一带出产的笺纸,上用光泽很好的银粉涂饰。砑,磨光)要写“闲话”时,传来了“邻女”的歌声。一愁一欢,愁的是别忘了往事,欢的是恰恰已忘却了往事。那么,词人的“闲话”是愤而疾书呢?还是慨然掷笔而止呢?我们可以深思下去的。

脉理极细,情思多转,得吞吐之妙,是《女冠子·元夕》的特点。它所特具的幽凄出于绚烂,悲慨寓于流丽的艺术美,正是借助这深细多转折的笔法来表现的。

(严迪昌)

瑞鹤仙　　蒋捷

乡城望月

绀烟迷雁迹。渐碎鼓零钟,街喧初息。风檠背寒壁。放冰蟾,飞到蛛丝帘隙。琼瑰暗泣。念乡关、霜华似织。漫将身化鹤归来,忘却旧游端的。　　欢极。蓬壶蕖浸,花院梨溶,醉连春夕。柯云罢弈。樱桃在,梦难觅。劝清光,乍可幽窗相伴,休照红楼夜笛。怕人间换谱伊凉,素娥未识。

鉴赏

前人评蒋捷词有“洗炼缜密”,“字字妍倩”一说,《瑞鹤仙·乡城望月》即其作品中属缜密妍丽一路的篇章。

蒋捷几乎是处在触目皆成愁的心境中。一草一木、一景一物,入目无不兴起今昔天壤之别的悲哀。现在见月于乡城,又浮想联翩,激发起故国之思来。词从暮色渐浓,夜初人静,寒意袭人写起,勾勒出“望月”的时令、气氛以及具体的现实背景。“绀烟”,红紫色的烟岚。“绀”,原指红青色,此处作为暮色变化中的色彩,当是由红渐渐紫、渐渐暗去的颜色。大雁的影踪是远去渐没在暮色中了,“迷”,视觉的感受,具有时间的推延和空间的展延感,视线渐渐模糊,雁迹渐渐模糊都是在时空中产生的。夜幕拉下了,耳边只听得“碎鼓零钟”,在这钟鼓声里但感到静寂得很。值得注意的是写落霞烟霭、光色渐暗,南飞雁消失在视线之外的这“迷”感,已渗出心上的迷惘之情。“碎鼓零钟”,一“碎”一“零”都带感情色彩,听觉的寂静同样流露了一种孤寂感。断钟零鼓来自枯庙寒寺,背景显得极清冷。再加上“风檠背寒壁”的风摇灯影于冷冰冰的小屋,凄凉幽寒气氛渲染已尽,而月亮正是在这样的情景下放出冷光(冰蟾,指代月光),从“蛛丝帘隙”透进这破败小屋的。这两个层次是镜头不断转移、缩小,最后停在特写上——“飞到蛛丝帘隙”。“蛛丝”,象征破落和生意索然的境界。只有极写眼前的“破”,才能反跌出昔日的“盛”。到这里为止,都属情中之景的描写,即渗透着情思的背景描写。词人在此处又是运用视觉、听觉、触觉来表现心头的难言的感觉的。“琼瑰暗泣”,是指月亮,月亮的精魂(如果有的话)在低低哭泣,这精魂其实合二为一地包括进了词人的神魂。月是旧时月,乡关也是旧时的乡关,可是而今从天上看下来,只见“霜华似织”,冷清萧条已极。“霜华似织”,多义并合的表现,满地寒月之光。“霜华”是月色;满地寒霜,是月下之霜映出的光华(也可说是霜花),“似织”是连绵一片。大地上别无所见,只见冷月之光与霜花之色,其破落凄凉已足见。这暗寓社会动乱后留下的遗迹。“念乡关”的“念”是月的人格化,自然的对象化,亦即词人的念,所以说“琼瑰暗泣”是人月之魂合一的情感表现。接着是“漫将身化鹤归来”,是人与月分离开来所“化”。“化鹤归来”,是用《搜神后记》中丁令威化鹤归来的典故。丁令威离家千年成了仙,重新归乡时只见“城郭如故人民非”。蒋捷在这里用意极明显:世道已变,物是人非。“忘却旧游端的”,即“端的忘却旧游”,确实忘记了“旧游”的种种实况。这句结束上片,启开下片,是勾连之句。

上片写眼前景,一切景语皆情语,也是写心头情:秋冬之夜月寒人静时的暗忖自伤,哽咽无声。从末几句可以确定,“乡城望月”写在词人流浪多年之后初归家乡时。他面对城郭、人事皆已非同皆比,不能不引起对“旧游”的追念。但这追念,又只是在梦幻中、心影里。所以下片全是抒情,在抒怀旧之情时感慨深沉地咀嚼着人生的“理”,特别是在那特定年代中处世立身的“理”!

下片起三句写“欢极”。怎样地欢极呢?——“醉连春夕”。前几阕词的赏析中已提到过这种择取典型意象以表现旧日盛况的问题。“蓬壶蕖浸,花院梨溶”都是概写“欢极”之情，一句写水上宴游，一句写陆上欢聚。“蓬壶”，水洲的指代。“蕖”，是荷花。梨花开在春，荷花开在夏，但都是泛写不是确指，所以下面用“醉连春夕”。接着一转，这一切皆成空梦了。“柯云罢弈”，用《述异记》中晋朝王质入山打柴，遇仙人对弈，弈（下棋）罢，斧头柄已烂，王质已百岁的故事比喻一切已如隔世。“樱桃在”，用《酉阳杂俎》中某人梦邻居女郎赠二枚樱桃，吃后，醒过来方知是梦，可是枕边却有樱桃核的故事，比喻陈迹尚可觅，但种种情事已成梦。“梦”，当然难以追觅了。到哪里再去寻春夜月夕，错觥交盏，以及云破月来花弄影的境界呢？于是，面对今夜月（仍扣住题目“望月”），词人发话相劝：“乍可（宁可）幽窗相伴”，还是与旧日的赏月人、也是当年的见证人为伴，切不要去“照红楼夜笛”，我担心您（“素娥”——月亮）不知道人间已换了曲调了。“换谱伊凉”，“伊凉”是指《伊州》《凉州》，皆大曲名。这几句实是词人情志的曲折表现，是他与新王朝坚决不合作的心声的流露。为什么“休照红楼夜笛”，那是新贵们欢娱之所，虽也鼓笛声声，然而那已是陌生的、不是汉家的乐声了。与蒋捷同时的名词人刘辰翁在《柳梢春·春感》词中说：“笛里番腔，街头戏鼓，不是歌声”，正可与这《瑞鹤仙》下片并读。他们想的都是故国旧朝。只不过刘辰翁还能想“高台月明，辇下风光，山中岁月，海上心情”，那时抗元力量还未全部灭亡，海上仍在战斗，现在蒋捷幽窗独坐时，连这点精神支柱也已失落。这一辨味，“琼瑰暗泣”的“泣”声之苦更清晰，“休照红楼夜笛”的“休照”之怨恨也更深重，而且是无可奈何之极的怨恨。

比起其他一些作品来，《瑞鹤仙》用典较多，但无不确切，故显得精炼，缜密之中有真意，不觉得有堆砌之感。

（严迪昌）

梅花引　　蒋捷

荆溪阻雪

白鸥问我泊孤舟，是身留？是心留？心若留时，何事锁眉头？风拍小帘灯晕舞，对闲影，冷清清，忆旧游。

旧游旧游今在不？花外楼，柳下舟。梦也梦也，梦不到，寒水空流。漠漠黄云，湿透木棉裘。都道无人愁似我，今夜雪，有梅花，似我愁。

鉴赏

蒋捷词素以风格多样著称，《竹山词》中既有激越悲慨，也有幽怨凄婉，更有明爽俊逸的格调。这首《梅花引》则以回环流转，舒缓凝重的情韵别具一格。

“荆溪阻雪”，旨在写一“阻”字，即抒写一种无法逾越、难以寻觅的阻隔感。虽然题为“阻雪”，词中倾述的实乃“心阻”的苦情。所谓“心阻”，即旧日欢快一去难返，已不可追觅。一种超越了时空，已不复存在于时空之间、谁也缩减不了间距的阻隔感，沉重而时时处处都压在词人心头。

词一开头就推出一对矛盾：“身留”与“心留”。白鸥的这一设问是单刀直入的，一问就问到关键上，旧时艺语称之为“寸铁杀人”，是艺术手法中的白刃战。能“心留”，则身虽未留也可神宁气爽，无所烦恼，这算是真正的“隐逸”；心未留时，即使身留于山林湖海，仍然神魂不宁。“留”，也即“闲”，能闲则随处可安，心神不闲就无处能心安。所以，从本质上讲，这是入世与出世、用世与遁世的矛盾。南宋亡以后，蒋捷被称为隐逸高士，其实，他的词充分表明：虽然他四海漂流，隐于湖山之间，心却无日可宁，无日安定，他并非是个真正的超然物外的遁世者。所以，白鸥的诘问愈尖锐，愈能见出他的情怀来：“心若留时，何事锁眉头？”词人是借白鸥之口抒述一己的愤懑的。“风拍小帘灯晕舞”，是一句背景描写，寒天风雪，拍打小帘。灯影昏黄，一片摇晃。可是这又不只是写身边景物、气候，也还是心情的表现：心绪不宁，心头黯然，心底寒苦。正是从此情此景，孤对“闲影”（形闲心不闲的身影），“冷清清”地，无可抑制地思念着旧时（南宋亡前）的友朋和欢乐境地。

“旧游”，应视为广泛的概念。在具体行文中只可能选取一二典型事例。封建时代文人生活，总离不开花朝月夕的征歌选舞。而这些在当时即使正直的、爱国的、有兼济天下情怀的文人也不免，大量史料证明了这一点。而且，他们笔下追念旧朝故国或升平盛况时，往往把莺歌燕舞式的场景作为稳定安乐的社会生活的象征，特别是在国家破败、江山沦亡后尤为突出。蒋捷在这里写上

"花外楼,柳下舟"都属往年旧情侣或旧诗友相聚之处,都是指代往事旧情的。现今追思"旧游",其苦已到了"梦也梦不到"的地步;以"梦也梦也"相叠,在表现心情的渴求上效果极好,"梦不到"则沉痛地自答了自问的"今在不"。连梦也梦不到,写尽了阻隔之苦。而且也足见其并非真是只追念"花外楼,柳下舟"而已。刘熙载《艺概》评蒋捷词说"其志视梅溪较贞",这"贞"字,正是指的他对南宋故国的难以忘怀的忠贞。在抒情主人公看来,现实中未能再寻觅到的东西,倘能从梦中见到、在梦中重逢,也还不失为一种欣慰、一种满足。虽然梦幻转空,毕竟也算是再现了的。可现在梦也难见,梦也落空,这心完全如浸透了空流的寒水一般,只觉阵阵冷意从心底涌起。云水打湿木棉衣裘,昏黄的雪云压在头顶,这都是从外面冷向里边,而词人实际的心寒感却是从内里透出的。

哀大莫过于心死,但如果心真死了,也许倒无所谓有痛苦了。心如枯井,一波不起,这样的人虽活着也已死去,那么,他也不必,不须再倾诉什么,抒写什么,也可不留文字在人间了。古代诗人们虽常表现出一种旷逸离世的情调,事实上这却是心未枯亡的表现,是他们兼济天下已不得实践时所抱的独善其身的宗旨。但那一般都还是宦海风波所导致的荣辱升沉。如果像蒋捷这样遭遇着"国破山河在"的时世,他的痛苦又远非前者可比拟,他的独善其身也远非前者能相提并论的。这就是他"身留"而难以"心留",愁深似海,类同雪夜梅花般满头白丝,满怀寒苦的情思的底蕴。"有梅花,似我愁",这愁是高洁的愁,傲雪的愁,坚贞不拔的愁!

《梅花引》词牌通常允许使用叠句回环和顶针格句式。这种风调在蒋捷词里被发挥得淋漓尽致,最为成熟。读时流转明畅,音调浏亮爽朗之极。到清初,蒋捷的故乡江苏宜兴一地词人辈出,阳羡一派争雄词坛,蒋竹山的这类情韵风格被其乡邑后辈所继承。如《词律》一书的编著者、著名词人万树运用此类体格尤为出色,发展为一种"堆絮体",通篇以复沓叠句和顶真句来表现情思,一唱三叹,别具特点。

(严迪昌)

一剪梅　　蒋捷

舟过吴江

一片春愁待酒浇,江上舟摇,楼上帘招。秋娘渡与泰娘桥,风又飘飘,雨又萧萧。　何日归家洗客袍?银字笙调,心字香烧。流光容易把人抛,红了樱桃,绿了芭蕉。

鉴赏

这是一首写在离乱颠簸的流亡途中的心歌。明艳的春光与凄楚的神魂在强烈地对照着,春深似海,愁深胜似海,在时光的流逝中,"春愁"却无法排遣。于是从看似清丽浏亮的声韵中我们听到了夹杂着风声雨声的心底的呜咽声。

词大致作于南宋亡后蒋捷飘零于姑苏一带太湖之滨的阶段。这里原是个山柔水软的江南秀丽地。一个彷徨四顾,前程茫茫,时光空抛,有家难归的游子置身在此境地里,怎能不惆怅莫名呢?词的上片初一看无非写春愁难解,借酒浇愁而已。略加细察,可以看出此中有大起伏,情思在跌宕中激越波荡。词人的一腔"春愁"待酒以浇的渴望,在"江上舟摇"的漂流中是得到瞬间的满足的。"楼上帘招",这江村小酒店的或许写有"太白一醉"字样的青布帘招知词人可来醉乡小憩。在这一"摇"一"招"之间,情绪是由愁而略见开颜了的。可是当江上小舟载着这薄醉之人继续行去,醉眼惺忪地在眼帘上映入"秋娘渡与泰娘桥"的景色时,风吹酒醒,雨滴心帘,只觉风入骨,雨寒心。转而"春愁"复涨,而且愈涨愈高了。情绪的起伏就是如此激转湍漩。"秋娘渡""泰娘桥"指的是吴江一带地名。蒋捷的《行香子·舟宿间湾》词就有"过窈娘堤,秋娘渡,泰娘桥"之句。词人在此处以"秋娘渡"与"泰娘桥"指代苏州吴江一带景物之美——秀婉妩媚令人愉悦的美。正是这美景愈触发其愁思,思念起了在家的"笑涡红透""软语灯前"的妻室。

“风又飘飘，雨又萧萧”的句式正是一种暗示法的句式，是某种特定心态借助意象的表现方法。它让人可以产生听觉上的风声雨声，视觉上的潇潇绵绵、飘飘扬扬，触觉上的寒意、潮意、湿润意，一直到心态上的感知：酸辛感、苦涩感……这手法在下片也出现的：“流光容易把人抛，红了樱桃，绿了芭蕉。”一“红”一“绿”，将春光渐渐消逝于初夏的来临中这个过程充分表现了出来。这是时序的暗示。但细加辨味，芭蕉叶绿，樱桃果红，花落花开，回黄转绿，大自然一切可以年年如此，衰而盛，盛而衰，可是人呢？绿肥红瘦对人来说意味着青春不再，盛世难逢。再进一步推去，家国呢？一旦破败，还能重见吗？“流光容易把人抛”的全过程，怎样抛的，本极抽象，现今以“红了樱桃，绿了芭蕉”明示出来。所以，如果说，暗示具体时序由春而夏，那是“实”的表现，那么将抽象的流光抛人揭示开来就是“虚”的具体化。这八个字真是妙极了的。至于色彩的自然绚丽，语言的准确性那是可以不言而喻的。

明白了这些，“何日归家洗客袍”之问就显得不只是一般的游子之家情了。从词的脉络说，这一句暗接上片的因风雨之声而强化了的触景生情，即使内心的愈发高涨的“春愁”由心底浮出来，具体化，外现。但从内在情思看，这“洗客袍”即结束漂流的不安定生活，重新过着由佳人相伴，素手调笙，烧起心字形清香的宁静怡乐的生活——可能吗？“何日归家”正是无望之叹！莫说有家难归，即使归家了，“客袍”洗涴得了吗？国已破，家难安！对一个忠贞之士来说，从此将是无尽的流亡生涯，往昔温馨雅事都已在“何日”之问中一去不复返。失落了这样的心境，也就结束了这样的情事，这是肯定的，所以“何日”之问，其实他已是自答了的。由此而读下去，“流光容易把人抛”已如前面分析，在这看似明畅的词句中包裹的是怎样的一颗紧缩的心，岂非一目了然。

我们有意把下片诸句倒过顺序来谈，又将“何日归家洗客袍”置于上下片的关联点上去理解，是想从具体的句式和情思上说明这首短词形似明快，实则苦涩，在艺术上具有似“流”实“留”的特点，情韵在回环周转地流荡，呈一种漩涡状。这种艺术手段最能将“剪不断，理还乱”的情意充分表达出来。“流”，是流畅少停蓄，而“留”则有顿挫，有吞吐，有抑扬之势。蒋捷确有一些词写得稍嫌“流”，但这首《一剪梅》却不属此类作品，不可匆匆浏览，不细辨味。

《一剪梅》词牌的特点是在舒

徐(七字句)与急促(四字叠句)的节奏较整齐的交替中显现动人的音乐性的。自周邦彦以来,有不少名句,如李清照"才下眉头,却上心头"等。后又经辛弃疾的创作,使四字叠句完全由散而整,构成排句重叠的规定性,音乐性更强了,而且往往突出画面的重叠或心境的重叠。到蒋捷手里,特别是这首《舟过吴江》传世,《一剪梅》的表现手法更为丰富,四组四字相叠的排句也往往写得灵动流丽,名篇更多了。

(严迪昌)

虞美人 蒋捷

听雨

少年听雨歌楼上,红烛昏罗帐。壮年听雨客舟中,江阔云低,断雁叫西风。　而今听雨僧庐下,鬓已星星也。悲欢离合总无情,一任阶前,点滴到天明。

鉴赏

《虞美人·听雨》是宋词中运用时空表现的艺术手法高度简练而又概括着人生道路的杰出名篇之一。词人向我们推出三幅画面:温软香艳的"歌楼夜雨图",凄风苦雨的"江舟秋霖图",孤独苦寂的"僧庐听雨图"。三幅图卷组成了少年风流、壮年飘零、晚年孤冷的特定的人生长卷,从而透现了社会从相对安定到动荡离乱、劫后荒凉的演变过程。时间和空间的跨度,无疑是数十年而千万里,现在全被压缩在四十个字中。形象明晰,背景典型,神情毕肖,心境跃现,这首词充分表现了语言艺术的高妙卓绝。

三种境界(人生的三个阶段)的心态,在表现过程中是渐渐浓化的。少年听雨歌楼时,只以"红烛昏罗帐"五个字写尽温馨、欢怡、缠绵的情怀,虽属灯红酒绿的追欢逐笑,可那毕竟是个无所忧虑悲苦的年月。一个"昏"字在朦胧色彩中丝毫没有暗淡昏沉的气氛,倒是显得红烛高烧,罗帐春浓,甜蜜之极。如果我们不去就事论事,而是把这视为一组意象构成的一种境界,那么或许不会简单地去计较是否醉生梦死、放荡不羁了。接着镜头一转，壮年听雨在客舟中了。此处正好凭借《虞美人》词牌到这一句规定为四、五分顿的九字句，用江阔、云低、断雁（孤雁）、西风四个意象构成的背景，充分渲染气氛，强调风雨飘摇中流亡江海的悲凉心境。这里虽然词笔清淡，可是情思却浓于“红烛昏罗帐”句。

词人在结构安排上以上片写少年与壮年生涯，纯以形象，不着议论，到下片单写“而今”听雨时，则夹叙夹议，力度陡增。在运用特定词牌的规定性时，既适应它又不去拘泥于规定性，这需要高度的匠心。可蒋捷写来似毫不用力，极其顺乎自然。老来听雨僧庐下，只用“鬓已星星也”点明“而今”年岁，与“少年”“壮年”相串联。“星星”之鬓，花白鬓发，暗示愁苦满怀亦满头。重心是“悲欢离合总无情”，是议论也是对自己一生经历、更是对人生的认识。“无情”，谁无情？命运之神还是历史老人呢？这一慨叹十分深沉，也是十分惘然的——别看好像说得很明确、很断然。“一任阶前，点滴到天明”，正是从“总无情”的认识中生发的“听雨僧庐下”的心态。

这是意味极深的内心独白：算了，既然命运无情，那就听任一夜滴雨到天明吧（少年以欢愉心情听雨，壮年以慨然心情听雨，现今没心思听，也不想听）。词句的文字表明了这样的心境，所以有的分析说是感情变麻木了，反而不再多愁善感了。这确有点消沉的味道，几乎是四大皆空似的。可是，再深一层想去，会发现词人的心境其实并非就是如此，透过现象去揣摩词心，是可以触摸到心底深处的激旋的情波的。试问：如果真正识透了“悲欢离合总无情”，看破了红尘一切而藏身僧庐的话，何以又彻夜听雨以至“点滴到天明”？如果不是彻夜难眠，满耳雨声，又怎知道“点滴到天明”？要是真正“一任”其雨下不止、不听不闻酣然而眠，无疑不会清醒地闻知“点滴到天明”的。“听雨”，是词的题旨，也是贯串全篇的筋络，情思的脉动是紧随“听雨”展衍开的。如果真的“一任”雨下而不听，那么“而今”老境的这一层词意就成了“不听雨”了。所以，还是继续听着夜雨，而并非充耳不闻。“听雨”，可以有两种境界：一是雅趣盎然的赏心乐事，雨声具有一种乐感，也就是美感；一种是悲苦而已，惆怅莫名，雨声淅沥，益增愁思。此词中，少年听雨属前者，壮年和“而今”听雨属后者，但在程度上“而今”之苦远胜“壮年”，已到难以言传的地步。“点滴到天明”实在是点滴到心头。壮年时，伴随雨声的还有涛声、雁声、风声，所以雨声的叩击心扉的力度没有“而今”僧庐孤寂之夜的雨声强烈。“而今听雨僧庐下”的雨打心头的寒苦酸涩的味道，正是形似解脱而心难以安的最严酷的境界，“一任阶前”云云实是无法听任、难以去怀的表现。尽管语似大彻大悟，超然欲出世而去，事实上心境依然解脱不了，世事难忘——国事难忘，家事难忘。在古典诗词中，超脱语往往是沉痛语，这词是又一例证。

蒋捷在意象运用上，具有准确、明朗而又不乏容量的特点。至于上面谈到的结构法，即时空跨度的组合艺术显然又是受辛弃疾的《丑奴儿》词“少年不识愁滋味……而今识尽愁滋味”的影响，但有了发展，更有变化，更丰富了。这样的结构法对后世影响甚大，即使当代新诗也有继承这手法的。

（严迪昌）

贺新郎　　蒋捷

乡士以狂得罪，赋此饯行

甚矣君狂矣！想胸中、些儿磊块，酒浇不去。据我看来何所似？一似韩家五鬼。又一似、杨家风子。怪鸟啾啾鸣未了，被天公、捉在樊笼里。这一错，铁难铸。　　濯溪雨涨荆溪水。送君归、斩蛟桥外，水光清处。世上恨无楼百尺，装着许多俊气。做弄得、栖栖如此。临别赠言朋友事，有殷勤、六字君听取：节饮食，慎言语。

鉴赏

才志之士处于濒危的末世，往往动辄得咎，而且还得蒙受“狂”“怪”之类的恶谥。这是理想与现实的矛盾激化，也是旧时正直的士大夫所崇尚的清流与世事的恶浊必然相冲突的一种典型表现。蒋捷这首《贺新郎》词就是为赠别一位与时俗乖背、忤逆了权势者的同乡才志之士所谱写的慷慨悲愤之篇。

这应该是蒋捷早期存留的作品之一。就是说，这词当作于词人中进士后,杭州被元军攻占前的时期里。他所饯行的这位乡士的"以狂得罪",所得罪的是南宋末季的权贵,触犯的是那帮昏庸无能又刚愎自用、倒行逆施的祸国之臣。尽管,词中没说明"得罪"的具体背景,但从词人以"韩家五鬼"与"杨家风子"相比拟,足见这是个才高而命穷(穷与达相对,达是亨通顺昌,宦海风顺;穷则逼塞阻厄,一筹莫展)却又不甘心于乐天知命,仍然锋芒毕露者。时当国力衰弱,风雨飘摇,一班权臣却依旧纸醉金迷,淫逸纵乐,粉饰太平。这个"狂士"显然是在重大国策见解上开罪了当道因而被遣送回原籍的。如果认为这首《贺新郎》是作于南宋亡之后,即蒋捷所送的是一个开罪于新朝的狂士,那么,至少有两点解释不了:一是蒋捷义不仕元,如果朋友中出仕了新王朝而又复开罪遭祸,词人怎会以"韩家五鬼""杨家风子"相比,一个抱节自守的前朝逸民怎会去对一个政见不同者相劝以"节饮食,慎言语"呢?二是如果这位"乡士"是因为民族意识方面的言行得祸于新王朝,是蒋竹山志同道合者,那么词中又不会有"被天公、捉在樊笼里。这一错,铁难铸"的惋叹之情,也不会发出"世上恨无楼百尺,装着许多俊气"的牢骚不平。一个不屑仕二朝的节烈之士,难道会对异族统治者抱有幻想,去憧憬爱贤若渴、才路广开的局面吗?所以,我以为可以认定此词为前期作品。

词一起首即以交杂有悲慨、惋惜而又赞叹、敬重诸种情味的"甚矣君狂矣"五字撼人心弦。悲慨的是其遭遇不公,惋惜的是其才华淹没,而赞叹敬重的是他正直不阿,敢于"狂言"(实乃直言而已)的品行。接着以"酒浇不去"的胸中磊块堆积表明这乡士的所以为"狂",实在只是心中有种种无法倾述、无法排遣的郁闷。这种积郁当然是出于对国事、政事、天下事眼看难以挽回的愤懑所致,并非只是由于一己的得失否泰。在古典诗词中用到"胸中磊块"一词,通常都不是指的个人得失恩怨或悲欢离合的儿女私情。所以,这"狂"非"轻狂""佯狂"或"狂妄"之狂。词接着强调其才志皆高而际遇不佳。韩愈《送穷文》中以"智穷""学穷""文穷""命穷""交穷"为五鬼。五代时杨凝式善于笔札而又敢于放胆纵言,结果被人称为"风子"(即疯子)。蒋捷运用这两个典故,非常简捷明确地勾勒出了这位同乡的形象线条,人物在纸上立起了。"怪鸟啾啾鸣未了"一句极妙,表明如此才士在昏暗之世终于颠三倒四地被视为"怪鸟",以其言论("啾啾鸣")为不吉之兆如同听到猫头鹰的鸣啼。于是,他"被天公、捉在樊笼里”去了！蒋捷的为人似较深稳，从他全部词作里可以感受到，他虽也激昂悲慨但并不锋芒皆露、气势凌厉，这是一个人的气质所定。何况还在南宋未亡之前。正因如此，他才有惋惜之情："这一错，铁难铸。”在他看来，如果不是过于刺激当道，也许还可以有所周旋，有所发挥才能之时的。

下片写罪已定，“错”已铸，现今遣回乡去了。上片突出“狂”字，写其狂之情、狂之言、狂之神态以及狂带来的结局，下片则着重写“送”，由“送”而申发种种情意。他们都是宜兴人，宜兴山清水秀，罨溪、荆溪都是当地著名的九溪之一。这是个宜于隐退的好处所，当年大词人苏轼就曾买田宜兴，拟种橘数百而归老于此。现在这位朋友就这样离开了政治中心被遣回这环境去了。可是，“送君归、斩蛟桥外，水光清处”这“斩蛟桥”是个惊顽立懦的地方啊！此处相传乃往昔周处斩蛟之处。蒋捷在此笔锋一转提及斩蛟桥显然不是随意写写的。意为宜兴虽僻处一隅是个归隐佳地，但那又是个曾出现为民除害的忠勇英才的家乡。这很有点如后来有人称绍兴为“复仇雪耻之邦”一样，有着激励意味。词至此是写“送”归的处所。接着慨叹了，宜兴虽有志士英才栖身，可是生当危世，政事浑浊，英才又能怎样呢？“世上恨无楼百尺”，现今已无可容有志天下事的英雄才志之士栖身之所，枉有一派才俊之气也只得栖栖不定、惶惶不安地被排斥、被摒弃啊！词情至此，顿挫跌宕，与上片“怪鸟啾啾鸣未了”数句相照应。这是写“送”友之时的形势、政局。既然处在如此局面前，那只能善自珍摄，好自为之吧：“节饮食，慎言语”！这是“送”别时赠言。蒋捷显然亦心知天下事已甚难为，只有善自慎处，以慎独之行来保存才士了。这劝慰是很辛酸的，愤懑而又无可奈何。

从文势看，这阕《贺新郎》具有湍急而多顿挫的韵味，是以词的形式作了篇古文中的赠序。《贺新郎》又名《金缕曲》《乳燕飞》《貂裘换酒》等。自苏轼最早谱此调（“乳燕飞华屋”）后，八九百年来填《贺新郎》的名篇佳制特多，这是个非常值得探究的词体发展史上的问题。这里只想提一下，苏东坡的那阕《贺新郎》（乳燕飞华屋）用的是比兴托意的手法，词情清婉幽怨，深具婉委之致。到辛弃疾之手，这一词牌他作有二十余首（今存首数），情韵也大变，振而为慷慨悲凉之调，抑郁沉雄的气韵随处激射。从此，这词调的音乐特性得到了充分的发展，力度大大增强。蒋捷这首词显然是承沿稼轩的“细把君诗说”(《赠金华杜仲高》)以及为其别墅中的停云阁赋的“甚矣吾衰矣”“鸟倦飞还矣”诸词风貌而来的。只是如前所说,蒋捷在继承时有了自己的发展,即更具有古文的赠序、答序以及书信体风味,语势也奇崛得多。这一变化不可疏忽,它对后世,特别是对清词、对阳羡词派的词人及其他清初词人都有大影响。著名词人顾贞观的《弹指词》中那两首脍炙人口的、与远戍宁古塔的吴兆骞酬答的《金缕曲》(“季子平安否”“我亦飘零久”),其以词代书的体势和情韵显然就是从蒋捷这一路衍变而来的。

(严迪昌)

水龙吟　陈德武*

西湖怀古

东南第一名州，西湖自古多佳丽。临堤台榭，画船楼阁，游人歌吹。十里荷花，三秋桂子，四山晴翠。使百年南渡，一时豪杰，都忘却，平生志。　可惜天旋时异。藉何人、雪当年耻？登临形胜，感伤今古，发挥英气。力士推山，天吴移水，作农桑地。借钱塘潮汐，为君洗尽，岳将军泪。

作者

*陈德武，三山（今福建福州）人，生平事迹不详。有《白雪遗音》，存词六十四首。少数怀古词作，感伤兴亡，情怀悲壮。

鉴赏

陈德武词多情调哀婉之作，这曲《水龙吟》却别开生面，以悲壮激越的歌唱汇入南宋末年辛派词的嗣响。有人认为这首词作于元灭南宋之后。然而综观全词，表现的是词人盼望能够洗雪南渡偏安的耻辱，昂扬奋发、励精图治的情怀。“天旋时异”，当指偏安江左，时势与北宋时不同，而不是借喻南宋为元所灭，因此，词人叹息无人“雪当年耻”，而不说“雪当今耻”。南宋末年，国势已处于风雨飘摇之中，而忠烈之士，仍在为挽救危亡而奔走呼号。此词当作于其时。

词的上片赞叹杭州西湖的繁华秀丽，为南渡君臣奢靡逸乐，消磨壮志，忘却恢复而扼腕叹息。开头两句入手擒题，总述杭州地理形势优越，西湖风光绮丽，而且自古已然。写西湖为主，写杭州是宾。柳永《望海潮》有句云：“东南形胜，三吴都会，钱塘自古繁华。”四印斋《草堂诗余》注曰：“仁宗御制：‘地有湖山美，东南第一州。’”是这两句所本。接下来的六句紧承“西湖自古多佳丽”展开铺叙。前三句侧重写繁华景况：临堤亭台楼阁参差，湖上画船往来如梭，游人处处，笙歌嘹亮，一派太平景象。看似礼赞，实寓讥讽，为下文的感慨作张本。后三句着眼于湖山胜概的描绘。“十里荷花，三秋桂子”，语出柳永《望海潮》，状西湖秋景确能勾魂摄魄。陈德武续以“四山晴翠”，成三对句，在更广阔的背景上展示了西湖湖山秀色。上片用点染法写景，把西湖的繁胜刻画得声色可感，历历如画。虽然参用了柳永的词意、笔法，用意却迥然不同。柳永以华美的色调烘托“竞豪奢”的行乐生活，倾注词中的是欣羡、欢愉之情。陈德武则以乐景反衬悲慨，翻出对人事的感喟。故上片结穴三句说，西湖繁胜，使南渡一百多年来多少著称于时的豪杰也为之沉迷，壮志沦丧！早在南渡前期，有识之士就对那些在国难当头之际，依然流连风光、醉生梦死的统治者作过辛辣的讽刺和抨击。林升的《题临安邸》写道：“山外青山楼外楼，西湖歌舞几时休？暖风熏得游人醉，直把杭州作汴州！”西湖名胜，竟成为使人堕落沉沦的温柔乡。词人以“百年”遥应“自古”，以见此风蔓延之长远；“豪杰”之上冠以“一时”，强调深陷不能自拔的，甚至还有那些曾经叱咤风云的人物，足见苟安积习为祸之深广。词人不禁兴起“都忘却、平生志”的浩叹。这六字是上片的词眼，出语沉痛、急促，对那些意志消沉者无疑是猛掌一击，催其觉醒，促其奋发。

下片感伤今古，议论纵横，哀情壮概纷呈。过片以“可惜”二字领起从历史到现实的沉思，作一顿挫，并从语气上加强了对时势忧心如焚的感情的表达。这一句是下片抒怀的出发点。“藉何人、雪当年耻”，又以反诘为顿挫，照应“都忘却，平生志”，翻进一层：一时豪杰，尚且颓唐，有谁能挽狂澜于既倒，一雪当年南渡偏安之耻？四顾茫茫，时无英雄。悲怆与孤愤交织，但失望中还蕴含着殷切的期待。再看“登临”三句。古人称险固之地为“形胜”，这里遥应“东南第一名州”，就杭州地理形势而言。江山形胜尚可凭恃，历史兴衰的教训值得记取，振兴国家的希望何在？在于激扬志士仁人的英雄才气！“发挥英气”四字是全篇的点睛之笔。这三句，承前，概括了登临所见所感；启下，统摄了结尾壮烈情怀的抒发。至此，词情也发生了大转折，哀婉、纡徐一变而为激昂、奔突，有如高峡急流，几经提顿蓄势，冲决了障碍，便成不可遏阻之势。以下六句便是这种激情淋漓痛快的倾泻。其中，“力士”三句写对神人神力的召唤。传说“天为蜀王生五丁力士，能徙山”。“天吴”，是海神。《山海经·海外东经》说：“朝阳之谷，有神曰天吴，是为水伯。”盼望力士、天吴推山移水，铲除罪恶的渊薮，把西湖改造为强国裕民的农桑之地。豪壮的气概渗透着愤激之情，深化了上片的感慨。“借钱塘”三句表达了强烈的雪耻的期望。岳飞是南宋初期的抗金名将，率军北伐，屡建奇勋，却遭秦桧诬陷致死。“岳将军泪”，是对奸佞误国的愤恨之泪，是壮志未酬身先死的遗恨，也兼指一切忧国之士的悲愤。钱塘潮汐为杭州形胜之一，要借此澎湃怒涛洗泪，词人以气挟风雷之笔即景抒怀，倾吐了荡涤污浊、扭转乾坤的宿志夙愿。豪壮之中同样渗透着深沉的忧愤。这也是全词的基调。

这首词从写景落墨，以议论、抒情收结，立意高远、雄放畅达，又切中时弊而不流于肤廓。情感的抒发也颇有层次。上片以西湖风光的渲染作为直抒感慨的铺垫和反衬，情由隐而观；下片言怀，于跌宕起伏中推进，由抑郁而趋雄豪，引发出正气凛然、气势磅礴的歌唱。这首词的议论不仅富有情韵，而且形象可感。“力士推山”、“天吴移水”、潮汐洗泪，均设想雄奇，恢阔刚劲的形象中熔铸着炽热的激情，句法也斩截矫健，故能以其崇高和壮美的艺术力量撞击读者的心灵。

（陈定玉）

南浦　　张炎*

春水

波暖绿粼粼，燕飞来，好是苏堤才晓。鱼没浪痕圆，流红去，翻笑东风难扫。荒桥断浦，柳阴撑出扁舟小。回首池塘青欲遍，绝似梦中芳草。　和云流出空山，甚年年净洗，花香不了？新绿乍生时，孤村路，犹忆那回曾到。余情渺渺，茂林觞咏如今悄。前度刘郎归去后，溪上碧桃多少。

作者

＊张炎(1248—?)，字叔夏，号玉田，晚又号乐笑翁，临安(今杭州)人。他是贵族后裔(循王张俊六世孙)，南宋亡前过着湖山清赏、诗酒啸傲的生活，是西子湖畔一名"雅词"词客。1276年元兵攻破临安，张炎家庭遭到巨大变故(祖父张濡被元人磔杀，家财被抄没)，张炎因此而漂流江湖，四方觅食。中间一度曾北上元都写经，未受官而返，以布衣终生。张炎词风承接周邦彦和姜夔而来，邓牧称他兼有二家之长而无其所短，尤以咏物词名重当时。入元后词风有所转变，其所作"往往苍凉激楚"，"备写其身世盛衰之感"(《四库提要》)。有词集《山中白云》及词学专著《词源》传世。

鉴赏

此词写作时间莫考。根据别本文字与此本有较大差异(如结尾二句别本作"试问清流今在否？心碎浮萍多少。")看来，此本或作于宋亡以前(据张惠言说)。全词咏写春水，兼怀旧游，为张炎咏物词中的名篇。

词分四层。首层先咏湖水。起头五字，即已点出"春水"二字。湖光粼粼，绿波荡漾，一"暖"一

"绿",就透出了春日温暖之意,写足了春水溶泄之状。下二句写燕归苏堤,前者仍补写"春"字而后者则暗写湖水(苏堤在西湖)。"鱼没浪痕圆",确是体物写景之妙语,极工细,极稳称,使人如见"细雨鱼儿出"(此处改为"鱼没")、波翻涟漪圆之状在目前。"流红"二句,仍扣"春水"二字,表面言流水带走落红,反而嘲笑东风之不能吹净缤纷之残花,实则还是在写春之阑珊和水之浩渺,不过是换一种写法而已。而在此春光骀荡之际,西子湖畔,游人纷纷,即使是荒僻冷落的小桥下、断绝不通的水滨中,也时见游舟翩翩撑出。周密谓"荒桥"二句"赋春水入画",是矣。

第二层继咏池水。南朝谢灵运曾有"池塘生春草"之名句,据说得自梦中。张炎借用旧典,翻出新辞,意谓今日池塘四周长满青草,绝似当年谢氏梦中所得之意境。由眼前所接之实境,引入梦幻所感之虚境,就使词情增添了若干朦胧之意氛。而"池塘青欲遍"之句,仍暗切"春水"("池塘生春草")二字,可谓成句活用,空灵有致。

第三层再咏溪水。"和云流出空山,甚年年净洗,花香不了",由湖水、池水而上溯到春水之源——溪水,又由今年之水载流红而联想到年复一年的水流花开,既拓宽了词的空间感和时间感,又为下一层之回忆旧游作了伏笔,草蛇灰线,行笔细密。即就词论词,此三句亦甚优美。古人尝谓:"赋水不当仅言水,而言水之前后左右。"此处即以云、山、花、香之类美不胜收的春景衬托出一曲溪水之可爱。

在上三层写足春水之状、春水之美后,词情即转到第四层的感怀旧游上来。昔日张炎曾与诸友,或孤村踏春,或郊野觞咏("茂林觞咏":晋代王羲之曾与谢安、孙绰等四十一人游于山阴之兰亭。其《兰亭集序》有云:"此地有崇山峻岭,茂林修竹","一觞一咏,亦足以畅叙幽情"),而今却都分散四方,因而即由眼前之春景而追写到往日之游:"新绿乍生时,孤村路,犹忆那回曾到";但盛时不再,因而又生唏嘘感叹之慨:"余情渺渺,茂林觞咏如今悄。"只得怀念起旧时相聚于其下的溪畔碧桃,如今不知怎样了。有人认为此处用一"刘郎归去"的字面,乃从刘禹锡"玄都观里桃千树,尽是刘郎去后栽"诗中化出,因而寓有家国盛衰之感。其实不必作此深解。因为友朋之聚散,本是生活之常事,所以见韶景而感叹光阴之易逝,也实在是旧时代文人墨客极常有之感情。观之别一本此末四句作"伤觞事杳,茂林应是依然好。试问清流今在否?心碎浮萍多少”,可知此处之“余情渺渺”乃言一般之友朋离情(苏轼《前赤壁赋》:“渺渺兮余怀,望美人兮天一方”),而别本之“心碎”云云,才可能是亡国之痛。

全词从咏西湖春水起,以追怀往日春游水滨之情结,处处绾合“春”与“水”,写得不粘不脱,活灵活现,文辞既美,词风又雅。特别其观察之细致、用字之工巧(如“波暖绿粼粼”“鱼没浪痕圆”等句),堪足令人称道。所以邓牧谓:“《春水》一词,绝唱千古,人以‘张春水’目之。”不过从抒情的内蕴来看,其实也只平常,并无太多的新意或挚情在内,故而末几句严格看来,似有“补凑”之嫌疑。从今天的眼光看,此词主要向我们显示了作者在体物、写景、用典、运语等方面的深厚功力和高妙技巧,其余则未足多道。

(杨海明)

高阳台 张炎

西湖春感

接叶巢莺,平波卷絮,断桥斜日归船。能几番游,看花又是明年。东风且伴蔷薇住,到蔷薇、春已堪怜。更凄然。万绿西泠,一抹荒烟。　当年燕子知何处?但苔深韦曲,草暗斜川。见说新愁,如今也到鸥边。无心再续笙歌梦,掩重门、浅醉闲眠。莫开帘。怕见飞花,怕听啼鹃。

鉴赏

张炎的这首词,从内容上看当写于南宋亡之后,作者北游燕、蓟,襆被南归,重游杭州西湖时所作。词人借题咏西湖,抒发自己亡国破家的哀感,全词内容凄凉幽怨,风格婉丽、空灵,是张炎的代表作。

词的上片,主要描写的是西湖的晚春景象。“接叶巢莺,平波卷絮,断桥斜日归船”三句,乃实写西湖,光景宛然,写景如画。那密集相接的树叶遮住了黄莺儿的巢窠,隐蔽了穿枝而飞的鸟儿,春潮水涨,湖水平稳的波浪将轻飏的柳絮漫漫卷入波心，斜阳照着断桥边的归帆，不言西湖，而西湖自见，点题开门见山。“接叶巢莺”，系截取杜甫诗句“卑枝低结子，接叶暗巢莺”（《陪郑广文游何将军山林》）而成。断桥在西湖孤山之侧，里湖外湖之间。从这几句的取景看，既切“西湖春感”的题目，又可看出作者的心情是比较暗淡的。

“能几番游，看花又是明年”，意甚哀愁，却淡淡说出，且点明是暮春时节，流露出惜春的情怀。“东风且伴蔷薇住，到蔷薇、春已堪怜。”又是一折，进一步描写暮春之感。“东风”即春风，不说春风吹拂着蔷薇，而说“东风且伴蔷薇住”，一个“伴”字，一个“住”字，用拟人化的手法，把所咏之物写活了，既形象而又富有诗意。“到蔷薇”是到了蔷薇花开的省文，蔷薇花开，连春接夏，至秋始谢。贾岛诗云：“蔷薇花落秋风起。”（《题兴化园亭》）蔷薇花开，预示着春天已至尾声，故说“春已堪怜”，这是惜春感情的又一次流露。但以上所写之景与惜春之感，还未见时代气息，下文“更凄然。万绿西泠，一抹荒烟”，暗寓宋亡之后，作为游览胜地的西湖，因遭元蒙统治者的蹂躏，已经日见荒凉，昔日万绿丛中的西泠桥（在孤山下），如今变成一抹荒烟了。这里透出一点讯息，词人的伤春是与伤亡联系在一起的。上片词，开头还较含蓄顿挫，结语就显得格外沉痛。

下片重点抒发重游西湖时的今昔兴亡之感。“当年燕子知何处？但苔深韦曲，草暗斜川”三句，暗写当时贵族的凋零。刘禹锡《乌衣巷》诗有“旧时王谢堂前燕，飞入寻常百姓家”之句，过片首句即用此意。“韦曲”，在长安，是唐代的游览胜地。“斜川”，在江西星子县，陶渊明曾写过《游斜川诗并序》。上片写西湖景象是实写，下片则用韦曲、斜川借指西湖，以“苔深”“草暗”四字形容胜地荒凉，无人游赏。张炎论词主清空，不主质实，借用典故又用借指法描写，当然比坐实描写要清空一些。“见说新愁，如今也到鸥边”以下至结尾，皆指作者，鸥鸟本来是自由自在的，忘机之鸟，本不知愁，听说如今也知道愁了，本是影写自身，却用“见说”（听说）二字虚提一笔，托之他人口气，故弄玄虚，这也是清空之处。“无心再续笙歌梦，掩重门、浅醉闲眠”两句，一面回忆西湖昔日的胜况，那处处笙歌的歌舞繁华，现在已成梦想，而且这种梦谁还有心再继续做下去呢？眼前只有关起门来喝点酒，睡个闲觉而已。言“浅醉”即不成醉，言“闲眠”即不成眠。个中苦况，是不言而喻的。

眼前是满目凄凉的景象，到

处是苔深草暗的惨景，昔日的繁华已成梦想，怎么办呢？词人采取闭目塞听的办法来逃避现实，所以结穴处说："莫开帘。怕见飞花，怕听啼鹃。"两个"怕"字，写出词人多愁善感、触物情伤而又无可奈何的心情。

这首词在艺术上的特点，由于作者在词的写作时主张"协音声"，重视"句法""字面"，讲究"虚字"的运用（见《词源》），所以这首词读起来，声情凄婉，音韵协和，朗朗上口，无"凝涩晦昧"之处。

此外，全词将写景、抒情与议论感慨融合在一起。因词题为《西湖春感》，咏物赋景，紧扣西湖暮春之景，又善于选择苔深、草暗的惨景，来增加景物的荒寒气氛。作者对景物，不作纯客观的描绘，处处注意突出一个"感"字，其中有惜春、伤春之感，今昔之感，家国兴亡之感。不过，由于作者主张"词要清空，不要质实"，对于所感，表现得比较含蓄和婉转，而缺乏慷慨激昂之气，这多少削弱了它的艺术感染力量。

（刘文忠）

壶中天　　张炎

夜渡古黄河，与沈尧道、曾子敬同赋

扬舲万里，笑当年底事，中分南北？须信平生无梦到，却向而今游历。老柳官河，斜阳古道，风定波犹直。野人惊问，泛槎何处狂客？　迎面落叶萧萧，水流沙共远，都无行迹。衰草凄迷秋更绿，惟有闲鸥独立。浪挟天浮，山邀云去，银浦横空碧。扣舷歌断，海蟾飞上孤白。

鉴赏

这首词，从词前小序和词中的"须信平生无梦到，却向而今游历"等句看，当写于作者北上漫游，第一次过黄河之时。又据张炎《甘州》一词小序说："辛卯岁（1291）沈尧道同余北归，各处杭、越"云云，此词约写于1290年与沈尧道北上同游燕、蓟的途中。

"沈尧道",即沈钦,汴(今河南开封)人,是张炎的词友,《全宋词》录其词仅一首。

在南宋末年到元初,从杭州至大都可由运河到通县,首句说"扬舲(带窗的小船)万里",即表明作者是沿运河北上的,当时的古黄河,与运河的交叉处在徐州东,从杭州到徐州附近并不足万里,说万里是言水程之长,举其成数而已。"笑当年底事,中分南北"两句,意思是说可笑当年为着什么事,让黄河把中国分成南北两部分呢?这两句词,虽为写实,但可能有弦外之音。南宋曾与元蒙南北对峙过,可是到头来元蒙入主中原而南宋王朝却灭亡了,这个"笑"字,含有讥笑时无英雄,南宋朝廷不思振拔,南北对峙了一阵,反使元蒙独霸中原了。这两句,增加了词的波澜。下文说:"须信平生无梦到,却向而今游历。"意思是说:古黄河是我平生梦想不到的地方,如今却亲自游历了。"老柳官河,斜阳古道,风定波犹直"数句,正面描写古黄河岸边的风物。老柳树夹着官河(指黄河)而生,斜阳照着古道,风静而犹显出一条条的波纹,一"直"字,见出作者炼字之功,写出了风平浪静时河水平直的波纹。黄河岸边的老百姓,看到他们要夜渡黄河而感到吃惊,问他们是何处来的?把他们当作浮槎夜渡的狂客。"泛槎",用《西京杂记·八月浮槎》的典故,明明是以浮槎客自比,却托之野人之口,避免了词人所反对的"质实"之病。古时传说,天河与黄河相通,夜渡黄河,自比浮槎客,更增加了神奇的色彩。

下片重在写夜渡之景。"迎面落叶萧萧,水流沙共远,都无行迹"三句,写夜渡时的感觉:秋风迎面而来,落叶萧萧而下,河水和着泥沙向远处流去,舟行水上,都没留下任何痕迹。"衰草凄迷秋更绿,惟有闲鸥独立","衰草"即秋草,古诗云"秋草萋已绿",谢脁《酬王晋安》"春草秋更绿","更绿"者,还有些绿意。"凄迷"二字,写夜间所见景色,迷迷蒙蒙,不甚真切。作者在夜渡之时,捕捉一个"闲鸥独立"的小镜头,用它来点缀夜渡之景,很有趣味。"浪挟天浮,山邀云去,银浦横空碧"三句,写夜间舟行的动感,十分逼真。"春水船如天上坐",舟行水中往往有挟浪浮天的感觉,山把云邀请去,"邀"字用得很妙,他把无情无知的云水,写得似乎有情有知。最后写向天一望,银河横空,呈现一条碧色,使天上的银河与地上的黄河相映成趣,境界开阔。

结穴两句说:"扣舷歌断,海蟾飞上孤白。"当扣船而歌告一段落的时候,海月飞上天空,如同孤轮白盘似的，挂在夜空。“飞”字状月的移动，“孤白”状月之孤独色白，海月飞上，当是下半夜的光景。

这首词在艺术上的成功之处主要在于景物描写。上片的写景，是夜渡古黄河前的所见之景，从“斜阳古道”句看，当是夕阳西下前的景物。下片的写景，纯为夜景，紧扣夜渡，“浪挟天浮，山邀云去”等句，给人以动感，突出了舟行的感受，写得真切细腻，词人把夜渡可见的景物：天上的银河和月亮，天边的云，远处的山，凄迷而带绿色的秋草，以及水中的闲鸥，都组织在一个画面中，绘出了一幅秋夜渡河的美丽图画。

（刘文忠）

甘　州

张　炎

辛卯岁，沈尧道同余北归，各处杭、越。逾岁，尧道来问寂寞，语笑数日，又复别去。赋此曲，并寄赵学舟。

记玉关踏雪事清游，寒气脆貂裘。傍枯林古道，长河饮马，此意悠悠。短梦依然江表，老泪洒西州。一字无题处，落叶都愁。　载取白云归去，问谁留楚佩，弄影中洲？折芦花赠远，零落一身秋。向寻常野桥流水，待招来不是旧沙鸥。空怀感，有斜阳处，却怕登楼。

鉴赏

张炎于南宋亡之后，久在东南一带飘荡。元世祖至元二十七年（1290），张炎与沈钦（尧道）、曾遇（心传）等人因赴京（元都北京）写经，由杭起程赴北。历尽北地艰险，冬日抵京，却于次年（辛卯岁）书经事毕后即匆匆南返。1292年，友人沈钦自杭来越（绍兴）探望张炎，相聚数日之后，又复分手。此词即作于此时。词中追写前年北游之景况，备抒今日别离之情和亡国之恸，百感横生，淋漓感慨。从词风看，大不同于张炎早年的婉丽风格，而显得波峭旋折、舒卷起伏，体现出“山中白云”的典型风味。

张炎本是生长于富贵温柔之乡的一介贵胄公子，所以他平昔作词的风格往往偏向于软柔一路。然而由于经历了北国之游，故此词就明显带有了刚健之风。开首第一字，着一去声的“记”字，并以此直贯下面五句，显得词情紧凑，词气劲拔，令人联想到柳永《甘州》词以“对”字领起“潇潇暮雨洒江天”等句。此五句即为上片之第一层，主要是追忆“北游”情景。五句之中，冷气阵阵，雪意浓浓，写出了北地苦寒的特征。有人认为“寒气脆貂裘”是化用苏秦求官不成、“黑貂之裘弊”的典故，意谓自己亦有“求官不遇的苦衷”。其实并不一定作如是解。此处言貂裘之冻裂，不过极言北地之酷寒（特别对南方人的感觉而言）而已。由于此行可能是被迫而去，所以心情黯然，因此他并不去写帝京之巍峨景象，而只写“枯林古道”之冷落和“长河饮马”之艰辛，在此种选择镜头的意向中，我们自不难窥见作者心中“不得不行”的“苦衷”。因此接着便用“此意悠悠”四字结束前四句之情意。《诗经·王风·黍离》有云：“彼黍离离，彼稷之苗。行迈靡靡，中心摇摇。知我者谓我心忧，不知我者谓我何求。悠悠苍天，此何人哉。”张词的“此意悠悠”正是抒写“不知我者谓我何求”的复杂而又痛苦的心情，似乎不必理解为“求官不遇”的“失意”。所以紧接“北游”五句，用一“短梦”折到南归，意谓噩梦一场终于过去，此身终于依然回到南方（江表指江南），无限辛酸的身世之感，尽于虚处传达出来，细心体会即可味出。不过作者南返时已经四十四岁，故而感叹人生之漂泊与故人之长逝，不禁老泪纵横。“西州”，暗用羊昙为悼念谢安而不入西州门的典故。张炎在他处也屡用此典，可能是有所指怀的——从广义而言，文天祥、张世杰等爱国志士此时俱已为国捐躯，张炎对他们既有“愧对故人”之感情，又有深切钦怀之感情，因此不免要发“老泪洒西州”之感叹。感叹既已极深，非笔墨所能形容，故言“一字无题处”（同时亦隐含难以直吐之苦衷在内）；加上时令已值深秋，落叶脱尽，难以用来题诗传情，所以他就把本身满怀之愁寄于落叶之上而言“落叶都愁”了。

上片追忆前年北游之情景和去年南返后彼此不通音讯之落寞凄愁，下片则转入此番重聚之后的再别景况。“载取白云归去”，用陶弘景诗“山中何所有？岭上多白云”之意，言沈氏将偕白云共隐。“问谁留楚佩，弄影中洲”，用《九歌·湘君》“捐余玦兮江中，遗余佩兮醴浦”及“君不行兮夷犹，蹇谁留兮中洲”之意，以此表示对于沈氏的惜别友情。“折芦花”以下七句,全系对于别后的悬想,共分三小层。第一层两句,言今日既别之后,他日度思君之时唯能折芦花相赠;君见芦花之零落萧瑟,即能想知我之凋零凄寂。“芦花”似人,人似“芦花”,使人似见作者孤凄之形象。第二层两句,写与沈氏别后,自已虽可能再交新朋,却已无旧友(沙鸥,喻志同道合的朋友),境况之落寞由此可见,对沈氏之深情亦隐寓其中。第三层三句,结出无限复杂之心情:“空怀感”之“感”中,意味深长,既有亡国破家之痛,又有身世飘零之苦,所谓甜酸苦辣,齐涌心头,所以只能以“有斜阳处,却怕登楼”二语含蓄表出。王粲《登楼赋》云:“步栖迟以徙倚兮,白日忽其将匿。”辛弃疾云:“闲愁最苦。休去倚危栏,斜阳正在,烟柳断肠处。”(《摸鱼儿》)张炎化用此二意境作结,真所谓“末句最当留意,有‘有余不尽’之意”,见于言外也。举凡友朋聚散、家国兴衰之无穷感触,尽藏于此结句之中。

从全词看,起得劲峭,结得悠远,一气直下,却又几见旋折,其中有劲气暗转之处,有顿挫腾挪之处,读来如睹白云舒展之状,深觉声情并茂之妙,是《山中白云词》中甚有力度之作。

(杨海明)

解连环　　张炎

孤雁

楚江空晚,怅离群万里,恍然惊散。自顾影欲下寒塘,正沙净草枯,水平天远。写不成书,只寄得相思一点。料因循误了,残毡拥雪,故人心眼。　谁怜旅愁荏苒?漫长门夜悄,锦筝弹怨。想伴侣犹宿芦花,也曾念春前,去程应转。暮雨相呼,怕蓦地玉关重见。未羞他双燕归来,画帘半卷。

鉴赏

大致来讲,两宋的“咏物”之作,北宋重在借物抒情(如苏轼《水龙吟》之咏杨花实抒闺情),南宋重在摹写物态(如史达祖《双双燕》之描摹双燕神态），而到了宋末元初，更朝着“比兴寄托”的方向发展而去。张炎此首“孤雁”之咏，即可谓是第三种情况的一首代表作品。它借孤雁的形象，曲折而又淋漓尽致地抒写了自己脱离了抗元斗争、却又不愿依附新朝的孤凄心情。

词题既是“孤雁”，全词词情的展开即紧扣这一“孤”字进行。通过对雁的孤独形象的多角度、多层次的刻画，词人本身那种孤凄的心境便和盘托出。故而此词的最大妙处即在于以物比人、二者之巧合而无垠。上片分两层进行描摹。第一层六句，尽力刻画孤雁本身的“孤”：首句“楚江空晚”，先为孤雁的出场布置了一个空阔而又暗淡的背景，在此背景的衬垫之下，主角孤雁登场矣。下句“离群万里”，承接上文之“空”字，言其无家可归的失群心情；而“恍然惊散”又暗合上文之“晚”字，言其刚脱灾难、余悸犹在之黯然心情，亦雁亦人，使人不由联想到作者家庭所遭的巨大变故及同时代广大汉族士人所经历的亡国悲剧。“恍然惊散”四字，触目惊心，真有一字千斤之力。以下具体描绘孤雁欲栖而无止身之地的徘徊和凄凉，前人有诗曰：“暮雨相呼失，寒塘欲下迟”（崔涂《孤雁》），又曰：“潇湘何事等闲回？水碧沙明两岸苔”（钱起《归雁》），张炎化用前人诗句而出以变化：“水碧沙明”变成了“水平天远”，而“两岸苔”则变成了“沙净草枯”；一片萧索枯荒的景象，使得孤雁欲下而不下，只得顾影自怜、孑飞哀鸣。元人灭宋之后，兵荒马乱、田园荒芜之状于此若隐若现。统览上述六句，虽未挑明“孤”字而意已写足，真可谓“不着一字，尽得风流”。第二层五句，则转入另一角度的描写。雁足传书，本是咏雁的极好材料，但因常人用得过多，易生滥俗之感。而张炎却能旧典新用、自萌新意。他把离群之孤雁排不成雁阵和雁足不能传书二事合成一体，先言它“写不成书”，然后“扫处即生”地引出下文：“只寄得相思一点”。此“相思”系何人所寄？接着又引出“误了”三句。意谓：尽管“残毡拥雪”者（此用苏武典，苏武被匈奴拘禁北地，被迫禁食，即啮雪与毡毛咽之。此可视为暗喻囚禁在北地的不肯屈服的南宋爱国志士）无法托雁传书带信，然其眷念故国之拳拳深情，却是关山不能阻隔断的。这一层次的作用就在于：一方面，继续写出雁之孤单，以强化上文的表达效果；另一方面，又展出新的内容，表明自己虽然未曾参加抗元斗争的队伍，而心却时时萦念着这辈高风亮节的故人。既不脱离词的本题，却又不作单调的重复，此足见词人擅长发展"意脉"之妙。

下片换头起以"谁怜旅愁荏苒"一问句,主体仍是孤雁而描写又进入一新的层次。"长门夜悄""锦筝弹怨"(晋桓伊抚筝而歌《怨诗》,曾使谢安泣下。筝柱斜列如雁行,故由雁及筝)皆人间哀事,而张炎以人间之哀事与孤雁联写,也是一种"不离不即""似花非花"的妙法(其源盖出乎白石之以促织与思妇、离人层层夹写),一则以人间的悲剧渲染孤雁羁旅孤况之愁绪,另一则又把词情从物推向人,暗示写雁最终还是写人。"长门"句似指宫室被掳之凄惨心理,"筝怨"句似指士人失国之哀痛心情。从雁及人,真有"不胜清怨却飞来"之致。此三句为一层。下七句则为全词的第四层,它从拟人的角度进一步描摹孤雁之"心情"。其情感发展之轨迹则由近而推远:先由自己之孤单联想到"伴侣犹宿芦花"的境况;再由自己思念同伴的心情而推想到它们悬念、企盼自己的心情;最后又幻想总有一天能够久别重逢——其时那种悲喜交加、百感交集的心情将是何等深浓!尽管彼此重见时都已憔悴、困穷不堪,但却决不羡慕那些依附在新贵人堂前的"双燕"。这是因为自己是"君子固穷"却坚持了自己的操守!故此层的写法,先由雁拟人("伴侣"之语即是证明),再又由人而复归到雁、燕的对比,其思想的内蕴既已深化,而咏物("孤雁")之外壳却始终未曾丢掉。所以综观全词,一方面既生动而深刻地刻画出了孤雁的物态(如"顾影欲下寒塘""一点"之类描写)和神情(如"怳然惊散"之类描写),达到了咏物词的基本要求;另一方面,又能以物喻人、托物言志,达到了咏物词的更高境界。这就使它在思想意义上超出了前期的"春水"之咏。而在艺术技巧上它却仍旧保持着以往状物精细的传统特色而又有所发展。像"写不成书,只寄得相思一点"之句,就曾被元人赞为警句而广为传诵。此外,如铸语之新警、用典之灵活,以及描绘之曲折层深,也都是本词之优点。

(杨海明)

月下笛　　张炎

孤游万竹山中,闲门落叶,愁思黯然,因动《黍离》之感。时寓甬东积翠山舍。

万里孤云，清游渐远，故人何处？寒窗梦里，犹记经行旧时路。连昌约略无多柳，第一是难听夜雨。谩惊回凄悄，相看烛影，拥衾谁语？　张绪归何暮！半零落依依，断桥鸥鹭。天涯倦旅，此时心事良苦。只愁重洒西州泪，问杜曲人家在否？恐翠袖正天寒，犹倚梅花那树。

鉴赏

从词前的小序看，这首词当作于张炎的晚年。他晚年寓居浙东，甬东积翠山在今浙江定海县。这是词人孤游万竹山时所作。“万竹山在(天台)县西南四十五里。绝顶曰新罗，九峰回环，道极险隘，岭上丛薄敷秀，平旷幽窈，自成一村。”(《赤城志》)词人独游此山时，看到山舍门庭冷落，落叶满地，不禁黯然伤心，有故宫黍离的亡国之痛。他怀念杭州，那里既是他的故国，又是他的第二故乡。他怀念旧日的朋友，但又不知他们在何处，他感到孤独。他怀念那些忘机友，更不能忘怀于“杜曲人家”(指凋零的南宋贵族)。结穴处所写的天寒时节“犹倚梅花那树”的翠袖佳人，大概是指杜曲人家中有节操的人，或指那些不肯在元朝做官的南宋遗民。

上片开头所说的“万里孤云”，当是作者的自况，他曾漫游三十年，汗漫数千里，正像漂泊不定的“万里孤云”。他的游踪遍及大半个中国，可谓“清游渐远”，他像个天涯漂泊的游子，当然会有孤独之感。昔日的朋友，风流云散，彼此天各一方，故发出“故人何处”的叹喟。现在他住在山舍，面对山舍的寒窗，在梦中，还能记起旧游之地，他不能忘怀南宋的故都杭州。故都今日怎样呢？“连昌约略无多柳，第一是难听夜雨。”“连昌”，即连昌宫，是唐代的别宫，在今河南宜阳县，宫中多植柳树，这里作者用来借指南宋故宫。这两句词，中间有些跳跃，上句是词人想到故都、故宫大概被元蒙统治者破坏得差不多了，想起这些事来，令人伤心，难以入睡；但睡不着觉，最怕听滴滴沥沥的夜雨之声，那一声声的雨点，好像打在自己的心头，更勾起无数的心事。且不要说现在梦醒夜悄，凄凉伤心，只身对着烛影，拥衾不眠,同谁诉说苦衷呢?歇拍的“谩惊回凄悄,相看烛影,拥衾谁语?”可以看到词人的孤独无偶和中夜悲凉。

下片换头云:“张绪归何暮!半零落依依,断桥鸥鹭。”这几句有几层意思。词人自比张绪,张绪是南齐人,少有文才,喜谈玄理,风姿清雅,风流可爱。“归何暮”,指归来何其晚矣,此句说自己漂泊之久,似无家可归,无国可投。“半零落依依”两句,是说西湖断桥的鸥鹭已经零落无多,剩下的见了人显出依依不舍的样子。鸥鹭为忘机之鸟,这里借指忘机之友。昔日的朋友现在已剩不多了。下文的“天涯倦旅”是作者自指。“此时心事良苦”,“心事”应指对故国、故人的思念,以及《黍离》之悲。“只愁重洒西州泪,问杜曲人家在否?”上句用《晋书·谢安传》的故事。羊昙曾为谢安所器重,谢安死后,羊昙辍乐弥年。因谢安扶病还都时曾经过西州门(在今南京市西),羊昙怕触景生悲,行不由西州路。一日,羊昙大醉,不觉至西州门,痛哭而去。这里是借羊昙事寄寓作者的家国之愁。下句的“问杜曲人家在否?”“杜曲”在长安,是唐时的名胜地区,这里借指南宋故都的风景区,“杜曲人家”喻指南宋贵族。结穴两句说:“恐翠袖正天寒,犹倚梅花那树。”此二句系化用杜甫《佳人》诗“天寒翠袖薄,日暮倚修竹”而成。前已指出,“倚梅花那树”的翠袖佳人,作者是有所指的。

这首词用典故较多,感情较沉痛,风格较凄婉。《四库全书提要》说:“炎生于淳祐戊申,当宋邦沦覆,年已三十有三(按:应为二十有九,引者注),犹及见临安全盛之日,故所作往往苍凉激楚,即景抒情,备写其身世盛衰之感,非徒以剪红刻翠为工。”张炎的《月下笛》,是苍凉激楚之作的代表。

这首词描写《黍离》之感的手法,比较含蓄,其所以感到含蓄不直露,与大量用典有关。张炎在《词源》中说:“词用事最难,要体认著题,融化不涩……用事不为事所使。”他主张用典要切题,要用得活。张炎此首词,凡五次用典,但每个典故均能切题,比如用连昌宫借比南宋故宫,就比较著题,因为连昌宫曾因战乱而荒废,其他像用“杜曲”借比南宋故都的风景区,用“西州泪”的故事伤知己旧友之亡,均能做到“体认著题,融化不涩”。

(刘文忠)

绮罗香　　张炎

红叶

万里飞霜，千林落木，寒艳不招春妒。枫冷吴江，独客又吟愁句。正船舣、流水孤村；似花绕、斜阳归路。甚荒沟、一片凄凉，载情不去载愁去。　长安谁问倦旅？羞见衰颜借酒，飘零如许。谩倚新妆，不入洛阳花谱。为回风、起舞尊前，尽化作、断霞千缕。记阴阴、绿遍江南，夜窗听暗雨。

鉴赏

此词无明确纪年，但据词情看，当作于1290年初冬，地在元都（北京）。其年张炎四十三岁，为应元政府写经之征召而被迫北行，栖止京都，举目有山河之异，遂借眼前所见之"红叶"，抒其家国身世之感慨。

"红叶"之意象，经前代诗人叠用，已含有相当丰富复杂之意蕴。杜牧诗"停车坐爱枫林晚，霜叶红于二月花"，此处之"红叶"含有傲风霜之品格；崔信明诗"枫落吴江冷"，贾岛诗"秋风生渭水，落叶满长安"，此处之"枫叶""落叶"象征着秋气之肃杀；而古诗中使用"红叶"字面者，则更多的是与"红叶题诗""红叶为媒"等香艳故事联结在一起的。张炎"红叶"之咏，既糅合了关于此方面的典故、成句，又加以改制和组合，做到了"用事（而）不为事所使"（《词源》），使它成为表达自己此时此地心情的特定的意象。

起首"万里飞霜，千林落木"二句，写气候之严冷与百卉之凋零，既见北地之苦寒，又令人联想到元朝统治的淫威。第三句"寒艳不招春妒"，承上而出，意有几层：时已深秋初冬，寒气袭人，一也（此承上而来）；越是寒冷，红叶却越见其"艳"（红），二也（此转出下文）；"艳"则易招人妒，然而此时春花早谢，无法相妒，三也；而从红叶本身来言，虽然"霜叶红于二月花"，其本心却实在并不欲与众花争艳斗妍，故春卉（似指那些投靠新朝而富贵者）大可不必生妒意，四也。

此句虽短,实为一篇中之主旨所在。但上文“寒艳”二字犹不足“缴足题面”,如红梅亦可称为“寒艳”,故下文即以“枫冷吴江”补点题目,兼抒“独客”(“独在异乡为异客”)之愁,由此而引出自南方初入京师之所见所感。“正船舣、流水孤村;似花绕、斜阳归路”,采用“流水对”的灵巧方法,既写出了船之行进、泊岸过程,又写出了目睹红叶飞舞似花而令人魂萦“归路”的心理活动,形神兼备,活而不滞。且把秦观名句“斜阳外,寒鸦万点,流水绕孤村”分拆暗藏于此中,作为描绘“红叶”的背景,显得既凄又丽,启人联想。船入京师,渐近“御沟”,由于作者心情之恶,故从其眼中看来,“御沟”只是一条“荒沟”,其中流泻着的红叶,早无艳情之诗题载于上而仅能载愁而去!张炎本擅抒写艳情之词,此处所说,只是反语而已,目的是为抒写自己凄苦已极的愁情服务,故不惜作“翻案”文字,此即善“使事”之处。以上为上片,主要写沿途及初入京城之景象。

下片写身在京都而生的家国身世之感,亦以自身与红叶层层夹写,显得自然浑化。换头先写自身。“长安谁问倦旅”,“长安”借指元都,“倦旅”之“倦”则暗示作者此行,决非“求官”而来,否则才至京师不久,正该上下奔走才是,何来倦意?“羞见衰颜借酒”,化用前人“衰鬓霜供白,愁颜酒借红”(郑谷),“发短愁催白,颜衰酒借红”(陈师道)诗意,为自己“画照”。其中暗藏“霜”与“红”二字,故下句即由人绾合到经霜而变红的落叶之上。“飘零如许”,不独人之酒面与叶同红,且人之飘零、憔悴身世亦同于落叶也。更可注意者乃下二句:“谩倚新妆,不入洛阳花谱。”“倚新妆”,语出李白诗“借问汉宫谁得似?可怜飞燕倚新妆”,指杨贵妃及牡丹(芍药)花之富贵、妍丽。然于其上,冠一“谩”(徒、空)字,意有反指,即:红叶虽“艳”,然其品格属于“寒艳”,而非“春艳”;且从严格意义上讲,红叶非“花”,故不入《洛阳牡丹记》《群芳谱》之类花谱,群芳自不必前来相妒。此句一则自负才华(张炎于诗、词、书、画皆有特长),二则自明其志(内心实不欲与新朝合作),三则也含讽刺新贵之意在内。红叶既不能讨“赏花者”之喜爱,则其身世之可怜宜然也,“为回风”四句即写其随风舞落于夕照晚霞之中的飘零遭遇。而于此四句之后,词情又作新的振起:“记阴阴、绿遍江南,夜窗听暗雨”,意谓:今日残败不堪之落叶,在昔(特别点出“江南”字面,意味深长)也自有过绿荫如盖的盛况,不过此种“承平”时的景象，早已逝去，只为今日“夜窗听暗雨”、雨打残叶之景增添万分的惆怅而已。今昔盛衰，故国兴亡之感，全借此红叶之咏曲折写出。

东坡咏杨花词(《水龙吟》)有云：“似花还似非花。”前人评其妙处在于“不离不即”(刘熙载《艺概》卷四)。张炎“红叶”之咏，亦深得其妙。红叶似花，却又非花，有群花之“艳”而无群花之“媚”，写出其身份虽卑而品性甚高(耐寒)之特点；“红叶”是物，却又是人，观其今昔盛衰之对比，何尝不是自身遭遇之缩影？故张炎此作，亦为咏物之佳构，《四库提要》谓之“即景抒情，备写其身世盛衰之感，非徒以剪红刻翠为工”者是也。

(杨海明)

长亭怨　张炎

旧居有感

望花外、小桥流水，门巷愔愔，玉箫声绝。鹤去台空，珮环何处弄明月？十年前事，愁千折、心情顿别。露粉风香，谁为主？都成消歇。　凄咽，晓窗分袂处，同把带鸳亲结。江空岁晚，便忘了、尊前曾说。恨西风、不庇寒蝉，便扫尽、一林残叶。谢杨柳多情，还有绿阴时节。

鉴赏

这一首词里，隐藏着张炎一生中最悲惨的一段遭遇。只有把它的本事挑明，才能比较深切地体会它的感情内容。

张炎出身于贵族世家。他的六世祖张俊，是南宋初期的显赫功臣，位至清河郡王(后追封循王)。直到南宋亡以前，这一家族的子弟们都还过着锦衣玉食的富贵生活。南宋末年，元朝发兵攻打宋军，其时张炎的祖父张濡正带兵驻守独松关(在临安西)。他的部下误杀了元主派遣来说降的使者廉希贤(官拜礼部尚书)等人，惹怒了元主，元兵因而一举攻克南宋京都临安。1276 年二月，廉希贤之子抓获张濡，把他磔杀。不久，又抄没张家资财以作廉家之抚恤（以上据《元史·廉希贤传》及《钱塘纪事》卷八）。这样一来，张炎一家就经历了一场灭顶之灾。张炎的父亲以及他的妻妾，就在这场变故中或被杀，或被掳（元人常把掳来的妇女转卖为奴隶或官妓），而他本人，可能因某种原因，得以事先逃脱而未罹灾，但已被弄得家破人亡、妻离子散。

世间最悲伤的事，当然是这种亡国破家的灾祸；但最难堪的感情，却又是重访故地、回想往事所引起的再度悲感。张炎这首重临旧居的词，写的就是这种不堪回首的痛楚心情。

张炎旧居即是有名的南湖（他的曾祖父张镃所营建），其地有花鸟泉石、亭台楼阁之胜。因此此词一开头就用"望花外、小桥流水"两句描摹出它的无比幽美；但马上又用了"门巷愔愔，玉箫声绝"两句跌出下文。熟悉宋词的读者读了这四句之后，马上会联想到周邦彦的那首名篇《瑞龙吟》的起首几句："章台路，还见褪粉梅梢，试花桃树。愔愔坊陌人家，定巢燕子，归来旧处。"但周词所写，是对一个旧日歌妓的重访，而且那位歌妓还活在人世；而张词所写，却是对于他那洒下过血和泪的"旧居"的重访，而且他所怀念的那位女主角（爱妾）早已死亡。"玉箫声绝"，就用一个哀艳的典故，追叙了他往日与她吹箫拍曲的旧情，又暗示了她人去楼空、物在人亡的不幸遭遇。所以下文紧接着又用了"鹤去台空"的典故以补足上文，并因此而发出"珮环何处弄明月"（杜甫曾写王昭君死后"环珮空归月下魂"）的深沉浩叹。"十年前事，愁千折"则点出此次重访，离开那次事变已有十年之遥，但十年时光之流逝，非但没有冲刷掉内心的哀怨，反而导致了今日重睹旧地时的愁肠千结、百感萦绕。"心情顿别"一语，就包含了这种十分复杂的今昔盛衰之感在内。"露粉风香，谁为主？都成消歇"，既是写昔日之花，也是借喻如花之人，它们全都已"玉殒香消"地变成了泉下之土。词的上片，即由初睹旧居而引出对于亡妾的悼念，在词风上体现出陈廷焯所谓的"凡交情之冷淡，身世之飘零，皆可于一草一木发之。而发之又必若隐若见，欲露不露，反复缠绵"的"沉郁"的意味（《白雨斋词话》卷一）。

下片继续申述上片之意。换头"凄咽"二字先作一小的顿挫，从而由上文之悲感而引出下文之回忆，可说是"不断曲意"且"承上接下"。下面两句便追忆最后一别时的情景:“晓窗分袂处,同把带鸳亲结。”这是一个多么情真意深、恋恋不舍的特写镜头,又是多么摧人肝肠的一个生离死别场面!她在亲结鸳鸯带、手斟别离杯时,还凄凄咽咽地对自己说了不少话,直到十年后“江空岁晚”的今天,犹未能忘(“便忘了”实是反说)。恨只恨当年的抄家灭门之变,来得太猝然、太惨烈,就像“西风扫落叶”一样冷酷无情,在它的猛烈“扫荡”之下,全家基本丧生、被掳,而自己也像一只寒蝉那样,再无定居栖身之地……“恨西风”四句,借着“比兴”的手法,写出了元朝统治者屠戮汉人的酷烈,使人于几百年后犹能感受其“余威”;也写出了身经其灾者的惊悸和可怜,读后令人不由生出同情之感。词情发展至此,已达高潮,故末尾几句,转入平婉。“谢杨柳多情,还有绿阴时节”,这两句前人释为“垂杨有转绿之时,而罗带无同携之日,王孙末路,亦杜牧重来也”(俞陛云《宋词选释》)。但这样解释,一个“谢”(多谢)字就无法落实。因此按照我的理解,应当是说,由于某种原因,张炎有可能赎回其故居中的一隅之室,作为重栖之地,因此他“多谢”“命运”给了他“杨柳重绿”的一线生机——这样说,虽无直接根据,却有一个间接的旁证,那就是同是张族的另一位子弟张模(他是张炎的族叔)曾经请人(戴表元)为他“失而复得”的“乔木亭”写过一篇《乔木亭记》(见戴表元《剡源集》卷一)。这个“乔木亭”就是张家产业之一。张炎是否也“失而复得”地收回过他房产的一部分?说不定还是有这种可能的。所以最后这两句,乃是一种“不幸中遇大幸”的惨然之言,也表现了他软弱忍辱的生活态度。

张炎词中写到旧居的作品还有好几首。而这首词,实主要是写园中之人,通过园在人亡、人去楼空的感叹,抒发了他悼念亡妾、追怀身世的无穷悲感。前已提及,旧地重睹的痛楚感是最令人难堪的。十年前的旧伤疤,今日重新划破,其痛之钻心可以想见。而在词风上,由于运用了反复缠绵和比兴的写法,也显出“噫鸣宛抑”(戴表元《送张叔夏西游序》)的特色。清人江昱题张炎词集有云:“落魄王孙可奈何,暮年心事泣山河。商量未是人间调,一片凄凉不忍歌。”从这首词的基调、着色、押韵(押入声韵)等方面来看,它确是一首“凄凉”之歌。

(杨海明)

清平乐　　张炎

候蛩凄断，人语西风岸。月落沙平江似练，望尽芦花无雁。　　暗教愁损兰成，可怜夜夜关情。只有一枝梧叶，不知多少秋声？

鉴赏

张炎于五十三岁(1300)飘荡到苏州吴江，栖身于其学生陆辅之家中。陆有一位“才色皆称”的歌妓，名唤“卿卿”。某个秋日，张炎为主人及卿卿作了一首《清平乐》词：“候虫凄断，人语西风岸。月落沙平流水漫，惊见芦花来雁。可怜瘦损兰成，多情只为卿卿。只有一枝梧叶，不知多少秋声。”(以上据《珊瑚网》卷八)但是现在见于《山中白云词》中的定稿，却有了较大的改动。细味一下此中的修改，大有深意存焉。原作之意，无非是写一点“花情柳思”(亦即词中“多情只为卿卿”一句所揭示的那种风流艳情)，但修改以后，却由艳情转向了“愁情”——这种令人“夜夜关情”的悲秋之感，说穿了，便是一种深沉的家国身世之感！两相比较，便可见出后者在主题方面的深化。

不过，身处异族统治之下，张炎的家国身世之感是不便明言的。好在词人有的是办法，因此他便借用传统的“悲秋”题材，明写其“秋感”之萧瑟，而暗写其心灵上蒙受的亡国破家之“愁感”。

前代诗文中写“悲秋”之名篇可谓多矣，比如宋玉的《九辩》与欧阳修的《秋声赋》即是。不过它们的写法都以铺叙见长。但小令却不能这样“形容曲尽”地写。它必得采用另一种精练、含蓄的笔调来写，而靠它特有的“风韵”来打动人心。张炎此作，就堪称“以少胜多”的佳篇。其上片选择了候蛩(即蟋蟀)的哀鸣，西风的衰飒，秋月的清冷，秋江的澄净，以及芦花的无雁……这样一些最能代表秋天的典型景物，为我们勾勒了一幅肃杀的“秋晓图”。凡是具有一定阅读经验和人生经验的读者就不难从中触发出悲秋的“共鸣”来。特别是上述“景语”已早为前人诗文所反复抒写过，因而其中所深藏的“历史积淀”经过读者的“再创造”,便会“释放”出巨大的感人“能量”来。上片“制造气氛”既足,下片换头两句即由此而点出“词眼”:“暗教愁损兰成,可怜夜夜关情。”“兰成”,南朝梁诗人庾信的小字。庾信本是南人,身陷北朝,张炎与他有着相似的遭遇。因此拈出庾信之“愁”,就使上文所写之“景语”统统“升华”“提炼”成了“情语”。故上文之耳闻蛩鸣,目睹月落,以及“望尽”等语,到此为止,也都由一条总的线索贯串了起来:原来这些景物全是由一位通夜失眠的人所感知着的,不然何其会观察、谛听得如此细切!陆机《文赋》中说:“立片言而居要,乃一篇之警策。”过片的这两句词,就可以说是“画龙点睛”的“警策”之言。不过若只点出这两句“情语”的话也尚嫌不够;就像一棵大树只画了主干还需添加枝叶一样,在它们之后,作者马上紧接了“只有一枝梧叶,不知多少秋声”两句渲染之笔,这就更使词情显得摇曳生姿、十分酣畅了。梧叶虽小,然其萌生秋感之作用却甚巨大:白居易《长恨歌》“春风桃李花开日,秋雨梧桐叶落时”,已把“秋雨梧桐”作为人间最易引起悲感的事来写;以后,温庭筠词“梧桐树,三更雨,不道离情正苦。一叶叶,一声声,空阶滴到明”(《更漏子》),又为它增添了更加丰厚的感情积淀。因之,张炎再次把它凝练成“梧桐秋声”的新语,且又放在篇末,就更使它显示出“有余不尽”的无限韵味来了。从主要为艳情而发的“秋感”,发展而为以家国身世之感为主的“愁感”,从中我们也不难看到张炎词风的一种转变。

(杨海明)

清平乐

张炎

采芳人杳,顿觉游情少。客里看春多草草,总被诗愁分了。　去年燕子天涯,今年燕子谁家?三月休听夜雨,如今不是催花。

鉴赏

古典诗词中,“伤春悲秋”一直是最常见的题材之一。如果说,前面一首《清平乐》是张炎的“悲秋”名篇的话,那么,这一首便是他的“伤春”名篇。一“秋”一“春”,尽管所写的景物不同,而其伤感、悲愁的情绪却是同出于一源的——那就是他所满怀的亡国破家之痛。

这首词的写法是建筑在“今昔对比”的基础上的。杭州本是张炎的故乡,而美丽的西子湖,又是他年轻时最喜盘桓游赏之地。那个时候,他“翩翩然飘阿锡之衣,乘纤离之马”,真是一个不知何者为“愁”的“承平贵游少年”(戴表元《送张叔夏西游序》)。可是,改朝换代之后,张炎重来故地,却已变成了一个“客子”!举目所见,山河不殊而生异代之悲。此种悲感,李后主曾用“独自莫凭栏,无限江山。别时容易见时难。流水落花春去也,天上人间”(《浪淘沙》)这样凄怆而奔放的词句来表达过,而张炎则又用他哀婉而含蓄的笔触再一次地给予了艺术的再现。

周密(他是张炎的朋友)在《武林旧事》里说过:“西湖天下景,朝昏晴雨,四序总宜。杭人亦无时而不游,而春游特盛焉。”每逢春光明媚之日,赏花踏青者“两堤骈集,几于无置足地”,甚至水中画楫,也“栉比如鱼鳞,亦无行舟之路”,可见其游赏之盛。但兵燹后,西湖却变成了“一抹荒烟”(作者《高阳台·西湖春感》)。因此本词一开头的两句“采芳人杳,顿觉游情少”,语虽简短,所包含的内容却是十分复杂的。特别是“顿觉”的“顿”字,写足了作者旧地重游、眼见西湖面目全非而生的痛楚、惊愕、惘然之感。昔日的“承平景象”哪里去了?以前的赏花人又到哪里去了?这些,作者都未说,也不必说,读者心里自然明白。

因为怀着这种苦痛的感情,作者自然无心再赏风景,草草一看之后旋即扫兴离去,心中却涌起了一阵辛酸的愁绪——因而他要作诗,他要作词,这种“诗愁”便凝结成了下面的四句句子。“去年燕子天涯,今年燕子谁家?”这是感叹自己如同飞燕一样羁泊无定,去年流荡在天涯海角,今年特地赶回家乡,谁知家乡也早改尽面貌,一样是无“家”可归(张炎的故家已被元人侵占)!这两句句子,前一句用了肯定句式,后一句用了反问句式,更显出词情的沉痛哀迫,读来使人鼻酸。接着,词人又用两句更为凄楚的句子来结束词情:“三月休听夜雨,如今不是催花!”“流水落花春去也”的“今昔对比”之感,便仗着这一番“妒花风雨便相摧”的“摧花”(而不是“催花”)之雨声,曲曲写出。有人评论此词说道:“羁泊之怀,托诸燕子;易代之悲,托诸夜雨。深人无浅语也。”(俞陛云《宋词选释》)此词的“深”就深在它感情的深沉和深挚上——而这种感情程度之“深”,不言而喻就是建筑在强烈的“今昔对比”基础上而显示出来的。

(杨海明)

沁园春

刘将孙＊

流水断桥，坏壁春风，一曲韦娘。记宰相开元，弄权疮痏；全家骆谷，追骑仓皇。彩凤随鸦，琼奴失意，可似人间白面郎。知他是、燕南牧马，塞北驱羊？
啼痕自诉衷肠。尚把笔低徊愧下堂。叹国手无棋，危途何策；书窗如梦，世路方长。青冢琵琶，穹庐笳拍，未比渠侬泪万行。二十载，竟何时委玉，何地埋香？

作者

＊刘将孙（1257—?），字尚友，庐陵（今江西吉安）人。刘辰翁之子。尝为延平（今福建南平）教官、临汀书院山长。有《养吾斋集》。学博而文畅，名重艺林。其词叙事婉曲，善言情，风格与其父相近。

鉴赏

作者在词题下有一段序言，说明他写这首词的原委。序言云："大桥名清江桥，在樟镇（今江西清江县）十里许，有无闻翁赋《沁园春》、《满庭芳》二阕，书避乱所见女子，末有'埋冤姐姐，衔恨婆婆'语，极俚。后有螺川杨氏和二首，又自序生杨嫁罗，丙子（宋恭宗德祐二年，1276）暮春，自涪翁亭下舟行，追骑迫，间逃入山，卒不免于驱掠。行三日，经此桥，睹无闻二词，以为特未见其苦，乃和于壁。复云：'观者毋谓弄笔墨非好人家儿女，此词虽俚，谅当近情，而首及权奸误国。'又云：'便归去，懒东涂西抹，学少年婆。'又云：'错应谁铸'。皆追记往日之事，甚可哀也。因念南北之交,若此何限,心常痛之。适触于目,因其调为赋一词,悉叙其意,辞不足而情有余悲矣。”从以上序言可知,此词是作者读了无闻翁和螺川杨氏题在清江桥壁上的词之后,“因念南北之交,若此何限,心常痛之”,才根据原作中的一首《沁园春》调所叙的事实“为赋一词”。杨氏是和无闻翁的《沁园春》词原韵,在二人的词中都有“婆”字韵脚可证;而刘将孙此词未用原韵。杨氏的词作于恭帝德祐二年(1276),两年后,宋朝的政权便结束了。从刘词歇拍“二十载”句推算,将孙读到杨词是元成宗元贞二年(1296),已是元朝统治,他在序言中不便明言政权更迭时人民所受的苦难,只用“南北之交,若此何限”一笔带过。所谓“南北之交”,就指从北面来的元军和偏安南方的宋王朝之间的政权交替;而“若此何限”一语,则谓如无闻翁和杨氏词中所写的悲惨情节,在“南北之交”时期该有多少!语极沉痛。于是凭他炽热的情感和丰富的想象力,运用熟练的写作技巧,完成了这首催人泪下的名篇《沁园春》词。

词的开头便点明所见到的清江桥的情况:这是一座古老的桥,桥壁已经破损,桥下有流水,而时令是春天,时有和风吹来。第三句“一曲韦娘”,指题在桥壁上的无闻翁和杨氏的词。“韦娘”,本是唐代歌妓,唐《教坊记》有杜韦娘曲。“韦娘”,也是曲牌名。词中“坏壁春风,一曲韦娘”两句,从唐代诗人刘禹锡在苏州席上作的诗句“春风一曲杜韦娘”化出。词在早期本是供演唱用的,所以作者用杜韦娘这个典故以代指桥壁上螺川杨氏的题词。“宰相”四句,是根据杨氏序言中说的“首及权奸误国”而加以发挥的。杨氏说的误国的权奸是指当时的奸相贾似道。而刘将孙则借用唐玄宗为避安史叛军,率领皇族和朝廷官员,仓皇逃往四川的故事相比拟。“开元”,是唐玄宗的年号。“宰相”,指杨国忠。由于杨国忠任宰相,利用职权胡作非为,致使天下疮痍满目,导致安史之乱。“痏”,即伤口。“骆谷”,地名,在今陕西周至县境内,是当年由陕入川孔道,唐玄宗一行就由此处逃往四川。“追骑”,指追兵。当年杨国忠弄权造成的局面,与今天贾似道弄权误国的结局,以及当年安史叛军进犯给人民带来的灾祸,和今天元军南下所加给人民的痛苦,都有相似之处,作者这样以古喻今异常贴切。以下“彩凤”二句,指女子所配不得其人而郁郁不乐。这是为被掳的当事人设想。“白面郎”句连收拍三句是反话,本意是所嫁的并非如意郎君,而是与自己生活习惯不同、在草原地带牧马赶羊的游牧者,这将使当事人情何以堪?作者善于体会人物的心情,所以写来极为真切。

换头两句,是写被掳的当事人来到桥上,想到自己的身世,不禁悲从中来,于是将泪和墨,拿起笔经过反复思虑,终于流着泪把一腔幽怨题在桥壁上。"愧下堂"三字,与"低徊"二字互相照应。"下堂"本作丈夫休弃妻子解。而这位当事人杨氏,据她的自序"生杨嫁罗",但她并未被丈夫罗某休弃,而是被掳失身。所以此处的"下堂"应作失身解释。当事人因此而"愧",以致"把笔低徊",迟迟不能动笔。刘将孙在这里刻画当事人的心理活动细致入微。以下"国手"四句,是作者自我发出的感慨。凡技艺达到国家最高水平的称国手,这里明指棋手,实指有特殊才干的能人。"无棋",指手无权力,不能施展抱负。"危途",指国家处于危难之际。作者深感自己不在其位,手无斧柯,眼见国势阽危而无从拯救。"书窗",是作者回忆当年受家庭教育,由乃父刘辰翁亲自课读的情景。如今自己已到中年,世路茫茫,回首当年,有如一梦。作者在这种特定环境下产生这种感情是合乎情理的,把这种感情写在词中更有助于主题的深化,所以是必要的。下面"青冢"三句,作者又引出历史上两个陷身匈奴的妇女,以衬托当事人身世的凄苦。"青冢琵琶"是王昭君的故事。她擅长弹琵琶,在匈奴死后,坟上青草茂密,称为"青冢"。"穹庐笳拍"是蔡文姬的故事。蔡文姬陷身匈奴期间,在穹庐中写成诗篇《胡笳十八拍》。作者认为,即便王昭君和蔡文姬的身世,也不及桥上题词的这个妇女的遭遇凄惨。作者如此安排,加重了行文的分量。结拍三句,是作者对当事人此生归宿的悬念。事隔二十年了,桥壁上墨迹尚存,其人已渺,谁知她是死是活,境况怎样。究竟死于何时,又葬于何地呢?"委玉"谓死,"埋香"谓葬。作者以设问语作结,给人留下无尽的回味余地。

刘将孙在此词中表现了卓越的写作才能,可以看出他善于使用素材加以概括,更善于刻画人物的心理活动,也善于用典,无堆砌之感。文词也极为洗练。更可贵的是他的感情充沛,字里行间凝聚真情实感,写成这首悲剧型的长调,令人不忍卒读。

(吴丈蜀)

水调歌头

无名氏

平生太湖上，短棹几经过。如今重到，何事愁与水云多？拟把匣中长剑，换取扁舟一叶，归去老渔蓑。银艾非吾事，丘壑已蹉跎。　　脍新鲈，斟美酒，起悲歌。太平生长，岂谓今日识兵戈？欲泻三江雪浪，净洗胡尘千里，不用挽天河！回首望霄汉，双泪堕清波。

鉴赏

莽莽滔滔的历史长河，大浪淘沙，冲没了多少翰墨篇籍，名家之作尚然，更何况无名氏？因此，就这个意义上说，尚能流传至今的无名氏作品，多是真正闪光的骊珠！

据曾敏行《独醒杂志》记载，宋高宗绍兴年间(1131—1162)有人在吴江(太湖支流)长桥上题下此词，然不具姓名。“后其词传入禁中，上(高宗)命询访其人甚力，秦丞相(桧)乃请降黄榜招之，其人竟不至。”在词作盛行的南宋，一首无名氏词竟不胫而入宫中，且引昏君奸相绞尽脑汁地查寻，原因何在呢？让我们在对这首词的剖析中去寻绎答案吧。

“平生太湖上，短棹几经过。”浩瀚无垠的太湖，对作者来说是颇为熟悉了，一生中曾数次泛舟其上，自也数次为那烟波浩渺的壮美景色所陶醉。然而，“如今重到”，感觉却迥然相反：“何事愁与水云多？”那万顷碧波，那长烟流云，带给他的，不再是胸臆鼓荡、心旷神怡，而只是愁，如水如云一样无边无际浸漫笼罩心头的愁。同样面对太湖，为何今日竟有如许愁情？作者似乎也深感不解，故以“何事”发疑。其实端倪已露其中。作者生活在南北宋相交之际，“短棹几经过”该是指有承平气象的北宋时期;“如今重到”则是中原沦陷、敌骑南侵、南宋小朝廷屈辱求和之日,非但中原收复无望,连眼前这半壁大好河山也危在旦夕,凡有爱国之心者,对此何能不愁?而太湖越美,则其愁越深。在首二句的衬垫下,这极为凝重、郁勃的一问,顿使愁情铺天凌空而至,其愁由也在不言之中悉数吐露出来,同时奠定了全词感情的基调。

虽愁情塞胸,但愁有何用?君不见,昏君奸臣、文恬武嬉,志士虽报国有心,却请缨无路啊!于是作者的感情在激烈的矛盾冲突中发生转折:“拟把匣中长剑,换取扁舟一叶,归去老渔蓑。”“长剑”,古人常佩之以示争取功名。此言无奈之下,只好准备忍痛放弃报国大志,乘一叶扁舟,终生归隐江湖之上。作者意犹未尽:“银艾非吾事,丘壑已蹉跎。”“银艾”,是银印和绿色像艾草的拴印的丝带。“丘壑”,指隐者所居的山林幽深处。这是说,执掌印信非分内之事,自己的初衷并无意于仕途,唯因一时羁绊,使那山水隐居之处空待了许多时间。以上五句看似达观超脱,实同样隐含着忧郁愤慨,但毕竟是对现实的消极退让,故使感情急遽沉入谷底。

如果作者感情一直沿此趋向发展,那么此词根本不会引起秦桧之流的骚动,且也许早为历史的波涛淹没,但下片的又一次转折,则使作品获得了熠熠闪光的生命力和撼人肺腑的战斗力。

“脍新鲈,斟美酒,起悲歌。”“脍新鲈”仍指隐居生活,其典故与辛弃疾《水龙吟》(楚天千里清秋)中“鲈鱼堪脍”相同。这三句承上而启下,化用曹操“对酒当歌”的句意,将“脍新鲈”了无痕迹地转到“休说鲈鱼堪脍”的心境上来:虽然可以过起隐居生活,但忧国之心怎能泯灭;虽然斟上美酒一杯,却是以酒浇愁愁更愁!“太平生长,岂谓今日识兵戈?”言自己虽曾生长于北宋未亡的承平时期,哪知道今天竟然见到了战祸?

至此,作者激愤雄豪的感情再也按捺不住,如大江奔腾喷薄而下:“欲泻三江雪浪,尽洗胡尘千里,不用挽天河!”“三江”,指吴淞江、娄江、东江这三条太湖支流。“挽天河”,即力挽天河之水。杜甫曾在《洗兵马》一诗中针对国家内乱唱出了“安得壮士挽天河,净洗兵甲长不用”的理想心声。此词系针对外患,故巧妙地反用其意。其意即要倾泻三江的洪涛巨浪,荡涤净洗千里中原的敌尘,收复失地,非此决不罢兵休战。“用”字又本作“为”,从句意看,似“用”字更切意。这三句既是抗敌救国的铮铮誓言,又是对投降派的有力回击,如同压空乌云中的一声巨雷,使人在沉重的心理压抑中受到震撼和激励。

当作者这番心情渐臻平静,重新面对朝廷屈膝偷安的现实时,汗漫绵邈的愁云又罩上心头,不由得泫然泪下,唱出颇为深沉凄恻而又寄慨遥深的结句:“回首望霄汉,双泪堕清波。”“霄汉”,即高空,暗喻朝廷。

由此可以看出,这首词主要抒发了作者收复祖国山河的雄心大志和斯志难酬的郁抑悲愤。这也是当时爱国知识分子的共同心声。它使投降派胆战心惊,故曾敏行一语道破秦桧“招请”作者的用心:“非求之,乃拒之也。”

全词融哀怆、激愤、雄豪为一炉,具有似矛盾而又统一的郁勃、沉雄的风格和悲壮美,可谓豪放词的典型作品。在艺术构思上也独具匠心:愁情于篇首突兀而来,骤然缚住读者的心灵,暗示出题旨,奠定了基调;尔后一笔宕开,在波澜起伏的曲线中表达复杂矛盾的心境;最后以其外在形象表现的忧愤作结,与篇首呼应,浑成一体。

(顾冠华)

采　桑　子

无名氏

年年才到花时候,风雨成旬,不肯开晴,误却寻花陌上人。　　今朝报道天晴也,花已成尘。寄语花神:何似当初莫做春。

鉴赏

这是一首深含寄托却又无寄托的小词。

说其有寄托,是指作者并非为写寻花而写寻花,而是“象外有象”“题外有旨”的。

花,是人们美好理想的象征。我们在许多伤花、惜花词中常可窥见到作者人生道路上的种种不幸和愁苦,那么,毕生苦苦寻花而又永远寻求不得的过程,不正是这位作者更为不幸的写照吗?

说其无寄托,是因作者将所托之意高度融化在空灵生动的艺术形象中,达到“浑化无痕”、沉厚蕴藉、似“无寄托”的境地。

而因其无寄托,“则指事类情,仁者见仁,智者见智”。(周济)本事无考的无名氏词更是如此。这位作者寄意象外的也许是前途偃蹇、怀才不遇的怨恨,也许是求爱不成、韶华逝去的哀叹,等等,但从更高的角度看,均是他对其美好理想受到命运残酷戏弄和毁灭的无可奈何的哀怨和凄楚呻吟,是其命运观念的形象写照。

我们来看看作品的艺术形象与这一底蕴是如何"表里相宜,斐然成章"的。

上片:"年年才到花时候"(有花)——"风雨成旬,不肯开晴"(无晴);下片:"今朝报道天晴也"(有晴)——"花已成尘"(无花)。作者的寻花过程,始终是"有"与"无"相生相伴的过程,其愿望与可能、理想与现实成了一对永远互相抵牾悖逆的孪生子!

作者年年思花盼花,而年年才到百花欲放时,天公便"风雨成旬"(一作"经旬",即十日,这里指时间很长),更像一个不可通融的恶作剧者一般不肯开晴。"年年才到""有",便产生了"无",确是一万个不幸!篇首四字突出表明作者一生思花的苦切及命运无时无刻不在显示它的冷酷无情,包含着无限的凄恻和怨恨。那么,在一万个不幸外,是否会遇上万一的侥幸呢?

机会似乎来了,"今朝"他终于盼到了实现愿望必需的另一个"有",然而,"花已成尘"又是"无"——命运残酷吝啬得连万一的侥幸也不肯施舍于他!

我们看到,整个形象体系都在作者似不经意的笔触中进行着严肃的对比,即两片之间"有此无彼""有彼无此",以及时机上"一万"(年年)与"万一"(今朝)的相反相成的对比。这样,其"象外之象"就从四面八方共同织就一副密密层层、永远逃遁不了的命运罗网。

在作者生活的特定时代,他对自己的不幸只能认为是神秘而难以战胜的命运所致,对此既深为不满又毫无办法,进而悔恨不该有此初衷,在创痛的心灵中遥告这已遭毁灭的理想:当初何必要开放点缀春色呢?结尾这极为空灵蕴藉的两句,充满了无可奈何的自我怨恨和深深的命运观念。

作品以寻花所遇寄托其不幸和命运思想,构思堪称新颖,也颇为缜密。它比一般的伤花、惜花词更具悲剧色彩,但较之古希腊表现命运观念的悲剧,它没有惊心动魄的场面及由此产生的巨大的痛感力度,而是通过含而不露、婉曲空灵的兴寄手法和清丽自然的语言,更多地发抒对命运的哀怨之情,其情调是凄婉、感伤、纤柔的,故其美感如雨后残红,显现出带有凄婉色调的优美。

(顾冠华)

长 相 思

无名氏

去年秋，今年秋，湖上人家乐复忧，西湖依旧流！
吴循州，贾循州，十五年间一转头，人生放下休！

鉴 赏

以词进行讽刺，这在唐宋词中较为鲜见，然在词这棵艺术之树上，它却是一朵散发异香的奇葩。读了这首词，我们就更有这种体会了。

南宋景定元年(1260)，奸臣贾似道等人谗毁宰相吴潜，使之被劾贬循州(今广东惠阳)，贾旋继为宰相；两年后又派人将吴潜毒死。贾似道为相期间，大肆搜刮民脂民膏，并在西湖建起奢华的别墅"后乐园"，供其终日淫乐。然好景不长，德祐元年(1275)，亦即他上台后十五年，在与元军对阵时求和不成，鼠窜逃回，恰恰也被罢贬循州；路经漳州(今福建漳浦)时，为县尉郑虎臣锤杀于木棉庵。这首词便是对贾似道恶行恶果的鞭挞和嘲讽及对效尤者的正色告诫，具有较强的人民性。

上片一开始，作者着意用两个"秋"字给全词罩上一层萧索、落寞的气氛：年复一年，一个个草木凋零的秋天过去了。这说明，"湖上人家"的"乐"原就是秋风瑟瑟、秋雨淫淫中的短暂荣盛；"湖上人家"的"忧"也正是"蝉鸣败叶，蛩响衰草"中的注定枯朽，暗示着"乐复忧"的必然性。作者抓住贾似道在西湖淫乐的别墅，轻蔑、戏谑地称其为"湖上人家"。四字落笔相当轻巧，而揶揄嘲讽的程度则更为尖利：想当初，那"湖上人家"驰骛钻营、飞扬跋扈，好不煊赫；看如今，直似秋风落叶、灰飞烟灭，何其不堪。然而，"西湖依旧流"！这变与不变的对比，固非作者对正义事业毁灭的慨叹，也非"兴废由人事，山川空地形"(刘禹锡)的沉思，而是对"湖上人家"的进一步嘲讽：面对这一切，西湖水依然故我，冷眼睥睨着这班丑类的喧嚣沉浮、恶行恶报——历史就是如此无情！

如果说上片用笔是曲中见直，那么下片则是直中含曲了。

"吴循州，贾循州"，这两个穿着同一衣冠的人物，既无动作，亦无语言,似很呆板,细味之,旋可见出一幕活生生的讽刺喜剧来。作者抓住两人恰恰同勍贬循州、同死于他杀这一极富戏剧性的相同,又抓住一救国图强反被奸臣所害、一陷害忠良终为志士所杀这一不同进行比照,从而彻底"将那无价值的东西撕破给人看"(鲁迅),凸现了贾似道的可憎可悲可笑。同时,贾似道的为相是基于吴潜的被贬,从不可一世的宰相到死于铁锤的循州,正与"乐复忧"相对应。贾某人伤天害理,以害人开始,然十五年荣华却似一转头的时间消失,落得个身败名裂,以害己告终。这是多么不值得! 故作者发出郑重告诫:"人生放下休!""休",系语气词。这句是从贾似道恶行恶果的鉴镜中反射而出,语意精警沉厚,不同于"古今将相在何方,荒冢一堆草没了"(《红楼梦》)这类消极的出世思想,求其旨归,当是以儆效尤:人生还是放开些吧,恶有恶报,不要挖空心思钻营谋私了!

全词基本是口语化,质朴生动,节奏感很强,饶具民歌风味;同时曲直兼并,言极凝练,意颇深刻,有"国风"现实主义的传统特色。

(顾冠华)

玉楼春　　无名氏

题铅山驿壁

东风杨柳门前路,毕竟雕鞍留不住。柔情胜似岭头云,别泪多于花上雨。　　青楼画幕无重数,听得楼边车马去。若将眉黛染情深,直到丹青难画处。

鉴赏

一位常问津于秦楼楚馆的多情男子,在羁旅途中仍然深情款款地眷恋着离别不久的情人。那别时的情、景、态,在他心中摇曳、荡漾,终于融汇成一个稍含凄婉、更多风流蕴藉的动人意境,从心扉飘荡到他旅途宿息的铅山驿站的墙上。

自然,只有男女双方的互相钟情才是爱情,因此,这一意境也与许多同类作品一样着意从男女双方来共同构筑;但其情、景、态不在"执手相看"时,而在双方刚刚分手并互不能见的那一刻。

他在怎样的景中有怎样的情和态呢?

"东风杨柳门前路",想来他已在情人楼上与之作过一番缠绵悱恻、难分难舍的话别,踟蹰来到门前。路边,东风轻拂着袅袅柳枝,使人想起古人折柳赠别之说,更撩拨着他伤别的心灵——这是一个充满离别气氛的景。接着,笔锋突然凭空一转,"毕竟雕鞍留不住"。"雕鞍",指马,实又指他自己。这里不言其欲留,只言留不住,尤其领之以语气绝重的"毕竟",这就婉曲且极传神地折映出他在门前长久延宕、徘徊不肯遂去的神态和欲去不忍、欲留不能的微妙心境。

他终于不得已跨上雕鞍,此时,心中"柔情胜似岭头云";脸上"别泪多于花上雨"。一情一态,两个比喻,不但对仗工整,且曲尽传神写照之妙。情是直抒——胜似始终笼罩缭绕在岭头的云(非来去匆匆的浮云);态是特写——伤别泪水比那爱情般的花儿上的雨珠还多。他流出的是泪,但何尝不是情?情是泪的内源,泪是情的外现,二者交融映衬,产生了巨大的艺术感染力。

那么她又在怎样的景中有怎样的情和态呢?

"青楼画幕无重数",这是一座深幽华美的青楼妓馆,那一扇扇雅致的画屏、一挂挂精美的帘幕,在向你显示这位名流歌妓的高雅;但她现在却非常恼恨它们,因为这密密重重的玩意儿遮住了她含情脉脉目送情人的视线,只好侧耳凝神:"听得楼边车马去。"这里着一"听"字,便将她焦急、屏息侧耳的形态出神入化地勾画出来,既"状溢目前",又"情在词外",且与上片"毕竟"句表里呼应。

"车马"之声远了,可她心中感情的弦索却响起更缠绵的回音。"若将眉黛染情深,直到丹青难画处。"无限痴情在这个奇特绝妙的想象中溢出了纸面:倘若能用画眉的黛粉将这缱绻情愫染到更深更浓的话,那我定把这忠贞情意的画图渲染到无法渲染时为止。多么空灵隽永!上句变虚为实,抽象的感情成了可染可画的形象体。下句既实又虚,"丹青"一指图画,二喻忠贞不渝(因丹青之色不易泯灭),至于何时才臻"难画处",则更要在你的不断体味想象中去寻觅了。

当然,她的这一切都是他心中的构想。

在构思笔法上,上下片既工稳对称,又珠联璧合。你看,各片皆景中有态,态中见情,情、景、态三者融为一体,使之既独成意境,形成鲜明的对称美;又互相融通辉映,共同构成浑一的整体意境,呈现出动人的和谐美。

(顾冠华)

浣 溪 沙

无名氏

瓜陂铺题壁

剪碎香罗浥泪痕，鹧鸪声断不堪闻，马嘶人去近黄昏。　整整斜斜杨柳陌，疏疏密密杏花村，一番风月更消魂。

鉴 赏

这首词是一位未留名姓的作者用篦刀刻在蔡州(今河南汝南)瓜陂铺的青泥壁上的。大约是词中流露的真情实感引起了许多过往墨客骚人的共鸣吧，这首无名氏的创作幸运地得到了流传，并被宋人吴曾收录在他的《能改斋漫录》之中。

词的上片是追忆与爱人别离时的情景。香罗帕，一般是男女定情时馈赠的信物，现在将它剪碎来揩拭离人的眼泪，真是悲痛之极。从"剪碎香罗"这种决绝的举动看来，这番别离不是暂时的分手，而是带有不忍分襟却又不得不诀别的性质，所以才用如此强烈的动作来表达这样强烈的感情。接下来两句用景物描写进一步烘托和渲染别离的悲痛。就在这剪碎香罗，泪眼相看，痛苦诀别之际，那"行不得也哥哥"的鹧鸪哀鸣，和着催人远行的声声马嘶，又在黄昏的沉沉暮霭中断续相和，更使得这一对多情的离人肝肠寸断。

下片写与爱人别离后在旅途之中的愁思。跟上片不同，他没有从正面着笔，而只是写一路风光。而妙处就在从这一路风光中不难体味这位可怜的朋友的愁思。那或直或曲的杨柳陌，那或疏或密的杏花村，一路走来，景色不可谓不美，可是在离开了心上人的男主人公的眼中，它们只能更加触发他对已经诀别的爱人的无限思恋。待到结束一天的旅途劳顿，投宿到乡间一所小铺歇息下来，虽有光风霁月，却丢失了花前月下的愉悦生活，真是感触万千，便迫不及待地拿起篦刀(看来他已无暇再去寻找笔墨了)，在青泥壁上刻下了内心的这一番感受。词人在下片短短的三句里，不仅通过以景写情的手法烘托、抒发别后的相思，而且还采用“以乐景写哀”的反衬手法，使词作产生了“一倍增其哀乐”（王夫之《姜斋诗话》中语）的艺术效果。

这首小令篇幅虽短，但上下两片的写法却随感情的变化有很大的不同。上片“剪碎香罗”“鹧鸪声断”“马嘶”“黄昏”等词的连缀，将动作、表情、声音、色彩都调动起来，有机地组合在一起，繁弦促拍的节奏，层层叠加的形象，将别离的痛苦压抑得人喘不过气来的情绪表现得淋漓尽致。跟别时痛苦的强烈不同，别后行旅的愁思，则是绵延不断的，其特点是深沉。所以下片的景物与环境描写，着笔于漫长曲折的道途，而经过一路愁思的积淀，到别有“一番风月”的晚间，达到了黯然销魂的顶点。节奏跟这种情调相适应，“整整斜斜杨柳陌，疏疏密密杏花村”，显得特别的舒缓、懒散，可以让你去慢慢回忆，细细联想，去感受那种“离愁渐远渐无穷，迢迢不断如春水”（欧阳修《踏莎行》）的况味。表现手法这样富有变化，在写离情别绪一类题材的短短小令中是比较少见的，于此也可以窥见词人的艺术匠心。

（程中原）

眼儿媚

无名氏

萧萧江上荻花秋，做弄许多愁。半竿落日，两行新雁，一叶扁舟。　惜分长怕君先去，直待醉时休。今宵眼底，明朝心上，后日眉头。

鉴赏

这是一首写离情别绪的词。

上片以江边送别所见的景物烘托别离时的愁绪。饯行的酒席大约是设在江畔，只见江上芦苇都已开满了白花，在萧瑟的秋风中摇曳，那无可奈何地随风晃动的姿态，萧萧瑟瑟的凄切的声响，好像是有意做弄出许多忧愁的模样，给已经愁肠百结的离人平添了许多愁思。抬眼望去，所见景物无不触目伤情。那西沉的太阳，恹恹地在落下去，只剩半根竹竿那么高了；那从天际飞来的两行新雁，愈飞愈远，飞往南方的老家去了；眼前停靠着的这一条船，你就要载着我的朋友(也许是郎君、心上人)别我而去了。

下片进一步分写别前、别时特别是别后的心理活动。我们之间的别离一直是我担心的事情,我常常怕你离我先去。眼下,别离无情地来临了,在这即将分手的时刻,只有拚一醉才能暂时解除心中的烦忧。今天晚上,我的眼前还是一个活泼泼的你;到了明天,你的模样就只能活在我的心里;到了后天啊,想你、念你而又看不见你、喊不应你,我只能紧蹙双眉,忍受无休止的离愁的煎熬了,这怎能不教人心酸肠断呢!

这首词没有采用夸张的手法,基本上用白描,只四十八个字,便将别离的愁绪倾诉得相当充分,很有感染力。透过悲切凄清的愁绪,可以感受到送别人与远行者之间深挚的感情。围绕一个"愁"字,词人用两种不同的方法写了别时、别前、别后三个不同时间的情绪。如果说,上片写别时之愁,是从空间落墨、用景物描写,那么下片写别前与别后之愁,则从时间着笔、用心理刻画。别前的"愁"是通过无限连续的"怕"(怕分别)来表现的,而这种心理体验,要靠"醉"这种剧烈的刺激来摆脱。至于别后之愁,则全用神态与心理相结合的写法。愁绪的表现从"眼底"而至"心上"而至"眉头",随着时间的推移,愈来愈强烈。如果说上片的景物描写采取了"近—远—近"的方法,那么这里的心理刻画是用了"外—内—外"的方法,手法变化而不落窠臼,足见作者的艺术匠心。

这首《眼儿媚》,数量词和时间词的运用很有特色。"半竿落日,两行新雁,一叶扁舟",数量准确,对仗工整(词律并不要求这三句对仗,下片末三句亦然),这使我们自然地联想起苏轼的名句:"春色三分,二分尘土,一分流水。"(《水龙吟》)还有"今宵眼底,明朝心上,后日眉头"三句,显然是化用了范仲淹的"都来此事,眉间心上,无计相回避"(《御街行》)和李清照的"才下眉头,却上心头"(《一剪梅》)的词意。但用"今、明、后"写时间的推移,配以"宵、朝、日"三字,则又有了夜晚、早晨、白天的变化,显示了作者化用前人成句而颇有创新的精神。

按:此词作者《阳春白雪》卷三作贺铸,《古今别肠词选》卷二作明人钟惺,《全宋词》据《于湖集词》作张孝祥,文字有出入。今据《词综》卷二十四作无名氏作品,文字亦从之。

(程中原)

青玉案　无名氏

年年社日停针线。怎忍见、双飞燕？今日江城春已半。一身犹在，乱山深处，寂寞溪桥畔。　春衫着破谁针线，点点行行泪痕满。落日解鞍芳草岸。花无人戴，酒无人劝，醉也无人管。

鉴赏

这是一首游子词，纯用白描手法，写游子飘零他乡的寂寞愁绪和思念妻子的感情。

词的上片勾勒了一幅简淡的游子出游图。时序正当“春已半”，燕子双双而飞，确是典型的春天景象。“一身犹在，乱山深处，寂寞溪桥畔”，点出身处山中水边的典型环境。读者可以看到一幅生动具体的图景：主人公孤身独立溪桥畔；背后乱山高耸，身旁流水潺潺，头上燕子双飞。心境如何呢？孤凄寂寞之感充塞心胸！这正是作者所表现的情景。为什么在时间上选取“社日”这一天，而且着意点明这一天的“停针线”？据张邦基《墨庄漫录》记载：“今人家闺房，遇春秋社日，不作组纫，谓之忌作。”“组纫”，即编织和针线之事。上片有意识没有交代，故意宕开一笔，悬而不答，留待下片解答。上片遣词上也很有特色，只有“怎忍见”及“寂寞”两词表露了情感，其余看起来都不带感情色彩，实际上却并非如此。“一身”与“双飞”成为对比，“双飞”反衬出“一身”的孤寂；“乱山”是主人公之感觉，显示出纷乱心绪。作者用词很浅淡，但所表达的情感颇深厚。

下片开首“春衫着破谁针线”句，将上片内容笼括一尽。主人公春衫穿破，却无人代为缝补，因而感慨系之。一个“谁”字，逗出所思念者。思念为自己缝春衫的妻子。这里既与词的首句“年年社日停针线”遥相呼应，又是上片游子孤寂之感的延伸。“针线”成为串连全词的重要关目，也是游子心境的极好寄托。这样写法，过片极其自然，似乎是水到渠成，显示出构思的精巧。这种“谁针线”与“停针线”的有意重复，既是呼应，又进一层。“点点行行泪痕满”句，是全词感情最外露，亦是最凄凉处，接下去感情又见含蓄。“落日解鞍”是游子行将休息。“芳草岸”与“溪桥畔”在地点上又是呼应的，但似难确定是否同一地点。然而唯其如此，益显构思巧妙。理解成同一地点，便成为反复强调；理解成不同地点，则显示出游子的飘忽不定，萍踪絮影，居无定所。无论作何种理解都能收到很好效果。结句“花无人戴，酒无人劝，醉也无人管”，几乎是从上面顺流而下，有意识地使用相似句型，用三个“无人”，造成复沓及反复咏叹的意味，正与晁补之《忆少年》词起处“无穷宫柳，无情画舫，无根行客”有相近似的诗味。前人对此句极其推崇，清贺裳称赞“落日解鞍芳草岸。花无人戴，酒无人劝，醉也无人管”是“语淡而情浓，事浅而言深，真得词家三昧”（《皱水轩词筌》）。评价十分恰当。浅浅道来，如家常语，毫无雕饰之痕，“清水出芙蓉，天然去雕饰”，正是这首词的重要特色。

这首词与孟郊《游子吟》有异曲同工之妙，都将衣服与“针线”作为重要关目来表达游子之情。只是一写思母，一写思妻。这首词也是借景抒情的，但却是情与景反，以春景、以燕子双飞来反衬游子之孤寂悲苦。这首词在结构上具有特别紧密的特色，主要是采用照应手法。如上片中“一身”与“双飞”是片中的照应，也有上下片之间的照应，如全词最后结句的三个“无人”，即是有意识地与上片的“一身”照应。又因这些全是词中关键性的词语，所以这种满含感情色彩的词亦使得全词在所表露的情感上处处照应，同一气氛笼罩全篇。所有这些，使得这首词读起来异常紧凑和谐，犹如行云流水，一气呵成。

（李泽平）

附 录

读词常识

夏承焘　吴熊和

词的特点与名称

一、词的特点

词是随着隋唐燕乐的兴盛而起的一种音乐文艺。它在自身的发展中形成了独特的体制和风格，成为唐宋时代与古、近体诗并行且有其质的差异的重要抒情诗体。唐宋词是中国文学发展的一个新阶段，是唐宋文学的光辉成就之一。

隋唐时代的音乐有着三个系统。宋沈括《梦溪笔谈》卷五："自唐天宝十三载(754)，始诏法曲与胡部合奏，自此乐奏全失古法。以先王之乐为雅乐，前世新声为清乐，合胡部者为宴(燕)乐。"雅乐是汉魏以前的古乐；清乐是清商曲的简称，大部分是汉魏六朝以来的"街陌谣讴"；燕乐结合"胡部新声"(主要是龟兹乐和西凉乐)，是唐代通过欧亚大道的国际交往和同西域各民族大融合而在音乐上推出的重大创造，划出了一个新的音乐时代。唐代音乐传至日本、朝鲜，被称为"唐乐"。词乐以燕乐为基础。词就是配合燕乐乐曲创作的，是可以歌唱的"歌诗"。

词在体制上和唐代近体诗有着一系列显著区别。词体的种种特点，部分是从诗体演化而来的，但主要则是由它作为燕乐曲辞的性质所决定的。词同曲之间有着非常密切的相互依存的关系。词的体制，即产生于它同曲的这种依存关系之中。由于词是"由乐以定词，依曲以定体"的，它同近体诗在形式上的不同主要有下列五点：

(一)每首词都有一个表示音乐性的调名，如《菩萨蛮》《水调歌头》《沁园春》等，称为词调。词调之名本是曲调之名。曲名除了表明其音乐内容，有时还表示曲调的性质和令、引、近、慢等乐曲类别。词调就依曲为名，而不根据词意另立词题篇名。每个词调"调有定句，句有定字，字有定声"，各各不同，这也是因所有曲调的节奏旋律各不相同而来的。

(二)一首词大都分为数片，每片作一段，以分两片的为最多。片，也就是"遍"。"遍"是个音乐名词，乐曲一段，叫做一遍。唐宋时词调的分片，即依乐曲的分段而来。唐宋曲调的结构，大都分为两段，即由两段音乐组成一曲。初期的小令短曲，乐止一段。少数长调慢曲，则多至三段、四段。一首词分成数片，就是由几段音乐合成完整的一曲。

（三）押韵的位置各个词调不尽相同，每个词调有它一定的格式。诗基本上是偶句押韵的，词的韵位则要依据曲度。唐宋时乐曲一遍，又分为若干小段，称为“均”。一均就是乐曲中一个相对完整的音乐单位，乐曲于此为“顿”“住”，词调则于此断句、押韵。所以词中韵位大都是音乐上停顿的地方。每个词调的音乐节奏不同，停顿之处不同，它们的韵位也就跟着不同。

（四）长短句的句式。诗也有长短句，但以五、七言为基本句式，近体诗还不允许有长短句。词则十之八九是句子参差不齐的。作词大量地使用长短句，是为了更能切合乐调的曲度。曲中有轻重缓急的“乐句”，词中就有随之变化的“长短句”。

五、字声配合更严密。词的字声组织基本上和近体诗相近似，但变化很多，而且有些词调还须分辨四声和阴阳。作词要“审音用字”，以文字的声调来配合乐谱的声调。在音乐吃紧的地方，更须严辨字声，以求协律和美听。

二、词的名称

“词”作为这种诗体的专称，是比较后起的。在唐五代时，这种新诗体原被称为曲子词，后来在发展过程中又有了诗余、乐府、长短句等别名。

（一）曲子词　　词是曲子词的简称，就是歌词的意思。在唐五代及宋初，还很少把词体单称为词的，一般都根据它的歌词性质称之为曲、曲子、曲词或曲子词。曲子词这个名称，确切地表明了词体的性质，表明了词与曲两者的依存关系。清宋翔凤《乐府余论》说：“以文写之则为词，以声度之则为曲。”清刘熙载《艺概》卷四说：“词即曲之词，曲即词之曲。”在乐曲歌辞中，词与曲常是合二而一，声辞并传的。最早以曲子词为定名，原很恰当。

唐末五代的文人词，又被称为“诗客曲子词”。西蜀欧阳炯《花间集序》说，《花间集》是“集近来诗客曲子词五百首，分为十卷”。在曲子词前加上“诗客”二字，是为了区别于教坊和民间的曲子词，表示是诗家的作品。

宋人又称词为“今曲子”，那是为了与古乐府相对而言，和称“近体乐府”是同样的意思。宋王灼《碧鸡漫志》卷一说：“古歌变为古乐府，古乐府变为今曲子，其本一也。”

词调中有一些调名带有“子”字，如《十拍子》《采莲子》《破阵子》等,“子”就是曲子的省称。

（二）诗余　　诗余的名称是晚出的,大约始于南宋,如南宋初廖行之的词集名《省斋诗余》、林淳的词集名《定斋诗余》(见宋陈振孙《直斋书录解题》)。如果说这些集名为后人所加,那么,至迟宋宁宗庆元年间编定的《草堂诗余》,已经表示诗余这个名称已经流行。

把词称为诗余,有两种解释。一种认为词是诗的降格,是诗的余绪剩义。这是轻视词的看法。清汪森《词综序》说:“古诗之于乐府,近体之于词,分镳并骋,非有先后;谓诗降为词,以词为诗之余,殆非通论矣。”另一种认为词乃出于唐人绝句,词用长短句是绝句的变格。清宋翔凤《乐府余论》说:“谓之诗余者,以词起于唐人绝句。如太白之《清平调》,即以被之乐府;太白《忆秦娥》《菩萨蛮》,皆绝句之变格,为小令之权舆。旗亭画壁赌唱,皆七言断句。后至十国时,遂竞为长短句,自一字两字至七字,以抑扬高下其声,而乐府之体一变,则词实诗之余,遂名曰诗余。”不过,这种说法并不完全符合词的产生过程和唐代歌诗的实际情况。

（三）乐府　　乐府本是西汉武帝时所设立的一个音乐机构,后来用来作为一种诗体的名称。汉魏六朝入乐的歌诗,包括采自民间的和文人创作的,都称为乐府。唐宋词是配合音乐可以歌唱的歌诗,从这个意义上说,也可称它为一种乐府诗。宋人词集题为乐府的,有贺铸的《东山寓声乐府》、康与之的《顺庵乐府》等。

但把词称为乐府,有的还由于“词出于乐府”这样一种认识。如宋胡寅《向芗林〈酒边集后序〉》说:“词曲者,古乐府之末造也。”近人王国维《戏曲考源》也说:“诗余之兴,齐梁小乐府先之。”其实汉魏六朝乐府在音乐上概为清乐,与唐宋词出于燕乐乃属两个不同的音乐系统,两者并没有直接的渊源关系。至于它们的协乐方式,则相去更远了。

宋人也有称词为“近体乐府”的,如欧阳修《欧阳文忠公集》有词三卷(卷一百三十一——一百三十三),题为“近体乐府”。加上“近体”两字,就表明了和古乐府的区别。

（四）长短句　　词和唐代近体诗在形式上最显著的差别,就是它打破了旧有诗歌五、七言的基本句式而采用长短句,所以后来也就把长短句作为词的别名。宋人词集题为长短句的,有秦观的《淮海居士长短句》、赵师侠的《坦庵长短句》等。

用长短句制作乐府歌词,从汉乐府到南北朝乐府都不乏其例。但把长短句填入词调,完全是由于合乐的要求。句子的长短，都须依照乐谱的节拍，即“依曲拍为句”，有着一定的准度。在唐代，五、七言近体诗也有很多被采作歌词以合乐，和长短句并行的，但这种整齐划一的诗句和参差多变的乐曲不能完全适应。到了宋代，就再也没有用律诗绝句来入词的了，词的句式全为长短句。

除了上面提到的这些名称外，词还有一些别名。如宋人词集还有称“乐章”的，如柳永《乐章集》、谢懋《静寄居士乐章》；有称“歌词”的，如鲖阳居士《复雅歌词》；有称“歌曲”的，如姜夔《白石道人歌曲》；有称“琴趣”的，如欧阳修《醉翁琴趣外篇》；有称“笛谱”的，如周密《蘋洲渔笛谱》、宋自逊《渔樵笛谱》；有称“语业”的，如《碧鸡漫志》卷二说：“陈无己所作（词）数十首，号曰语业。”杨炎正的词集名《西樵语业》。称乐章、歌曲也能表明词的歌词性质，称琴趣、语业就和词的本义没有多大关系了。

词　　调

一、制　　调

词调是由曲调转化而来。唐宋词调的来源，大约可分下列六类。

（一）来自边地或外域　　唐时西域音乐大量传入，它的某些曲调也随着到处流行，而被采作词调。如“菩萨蛮”，近人杨宪益《零墨新笺》“李白与菩萨蛮”条以为它是“骠苴蛮”的另一译法，是古代缅甸方面的乐调，由云南传入中国。又如唐代最有名的《霓裳羽衣曲》，是吸收了从西北传入的印度《婆罗门曲》，经过加工改制而成。敦煌曲子词有《望月婆罗门》，柳永词有《婆罗门令》，姜夔有《霓裳中序第一》，吴文英有《婆罗门引》，都与之有关。唐代有些词调还以所由传入的边地为名。宋洪迈《容斋随笔》卷十四说：“今乐府所传大曲，皆出于唐，而以州名者五：伊、凉、熙、石、渭也。《凉州》今转为《梁州》，唐人已多误用，其实从西凉府来也。”伊州为今新疆哈密地区，甘州治今甘肃张掖，凉州治今甘肃武威，熙州治今甘肃临洮，石州治今山西离石，渭州治今甘肃陇西，都是唐代的西北边州，位于西域音乐传入的通道。因此这些边州曲，或为胡乐，或有胡乐成分。

（二）来自民间　　词初起时，它的曲调很多来自民间。唐宋两代，民间作新声者甚众。有些曲调因文人爱好，填作词调，得到普遍流传。如《竹枝》，原是长江中上游民歌。唐刘禹锡《竹枝词序》说："余来建平（今四川巫山县），里中儿联歌《竹枝》，吹短笛击鼓以赴节。歌者扬袂睢舞，以曲多为贤。聆其音，中黄钟之羽，卒章激讦如吴声。"又如《麦秀两歧》，亦是民间曲子。《太平广记》卷二五七引《王氏见闻录》说，五代后梁时，"长吹《麦秀两歧》于殿前，施芟麦之具，引数十辈贫儿褴褛衣裳，携男抱女，挈筐笼而拾麦，仍合声唱，其词凄楚，及其贫苦之意。"宋代民间曲子尤其是市井曲子的创作很盛。宋张世南《游宦纪闻》卷三说："宣和间，市井竞唱《韵令》。"程大昌有《韵令》词，就是按照这个市井曲子填词的。柳永《乐章集》中的新词，有些就是市井曲子。

（三）创自教坊、大晟府等音乐机构　　唐玄宗设立教坊，宋徽宗设立大晟府，都是官立的音乐机构。开元、天宝间的教坊曲，共三百二十四曲，曲名备载于崔令钦《教坊记》。除采自边地外域和民间的以外，也有部分是教坊所创制。如《荔枝香》，《新唐书·礼乐志》说，玄宗"幸骊山，杨贵妃生日，命小部张乐长生殿，因奏新曲，未有名，会南方进荔枝，因名曰《荔枝香》"。宋柳永、周邦彦都有《荔枝香》词。北宋大晟府的任务是整理古乐和制作新曲，周邦彦曾提举大晟府。宋张炎《词源》卷上说："迄于崇宁四年（1105），立大晟府，命周美成诸人讨论古音，审定古调。沦落之后，少得存者，由此八十四调之声稍传；而美成诸人，又复增演慢曲、引、近，或移宫换羽，为三犯、四犯之曲，按月律为之，其曲遂繁。"大晟府所制曲调，如宋姜夔《徵招序》所说，"《徵招》、《角招》者，政和间大晟府尝制数十曲"。宋晁端礼《闲斋琴趣外篇》卷六有《并蒂芙蓉》《寿星明》《黄河清》《舜韶新》等词调，就是大晟府所制的徵调曲。

（四）创自乐工歌伎　　演唱乐曲是乐工歌伎的专业，其中懂得乐理乐律，精于此道的也能创制词调。由乐工制调的，如唐段安节《乐府杂录》说，《雨霖铃》为玄宗时乐工张野狐所制："《雨霖铃》者，因唐明皇驾回至骆谷，闻雨淋銮铃，因令张野狐撰为曲名。"由歌伎制调的，如《喝驮子》，宋王灼《碧鸡漫志》卷五引《洞微志》说："此曲单州营妓教头葛大姊所撰新声。"前蜀李珣《琼瑶集》有《凤台》一曲，注云："俗谓之《喝驮子》。"宋沈义父《乐府指迷》说，当时"秦楼楚馆所歌之词，多是教坊乐工及闹井做赚人所作，只缘音律不差，故多唱之”。

（五）摘自大曲、法曲　大曲、法曲是唐宋的大型歌舞曲，由许多乐曲组成，结构复杂，全部演奏很不容易。据宋王灼《碧鸡漫志》卷三说：“凡大曲有散序、靸、排遍、攧、正攧、入破、虚催、实催、衮遍、歇拍、杀衮，始成一曲，谓之‘大遍’。而《凉州》排遍，予曾见一本，有二十四段。后世就大曲制词者，类从简省，而管弦家又不肯从首至尾吹弹，甚者学不能尽。”词调中有“摘遍”一类，就是从大曲、法曲中摘取其美听而又可独立的一遍来单谱单唱。宋人词调，摘大曲、法曲之一段而成者，有《徵招调中腔》《钿带长中腔》《氐州第一》《法曲第二》《薄媚摘遍》《泛清波摘遍》《水调歌头》《六州歌头》《齐天乐》《万年欢》《梦行云》等。

（六）词人自度曲　唐宋词人中有不少懂得音律乐理的，他们都能够自己创制词调，如柳永、周邦彦、姜夔、吴文英诸人。他们是词人，又是音乐家，周邦彦还是大晟府的高级官员。他们的词集中就多自制的新调，如姜夔《白石道人歌曲》卷五有“自制曲”《扬州慢》等九首，卷六有“自度曲”《秋宵吟》等三首，加上卷三《鬲溪梅令》等令词四首，卷四《霓裳中序第一》慢词一首，共十七首，旁填工尺谱，是宋代流传下来唯一完整的宋词乐谱文献。

二、按谱填词

作词与作诗不同。除了偶有先撰词，后配谱的以外，一般都须先按律制谱，尔后配以歌词。“前人按律以制调，后人按调以填词。”所以作词叫做“按谱填词”。

按谱填词，按理说，作谱与填词的人都应该深谙乐理。在宋代，不少词人同时又是音乐家，他们能够创调制谱，又能够按照音谱填词。如姜夔的自度曲，歌谱和歌词皆出于他一人之手。但并不是每个词人都能作曲，一人独自作谱作词的究属少数。大多数词人只是根据前代或当代现成流行的乐谱填词；或者一人作谱，一人填词，共同合作。宋叶梦得《避暑录话》卷下说：“柳永字耆卿，为举子时，多游狭邪，善为歌辞。教坊乐工每得新腔，必求永为辞，始行于世。于是声传一时。”宋王灼《碧鸡漫志》卷二说：“江南某氏者，解音律，时时度曲。周美成与有瓜葛，每得一解（曲），即为制词，故周集中多新声。”柳永和周邦彦都是懂得音律的大词人，他们都同教坊乐工和作曲家密切配合，制词以填新腔。像这样歌谱与歌词分出于二人之手的，在宋词中不在少数。如《玉梅令》，姜夔《玉梅令》词序说："石湖（范成大的号）家自制此声，未有语实之，命予作。"又如《明月逐人来》，宋吴曾《能改斋漫录》卷十六说："乐府有《明月逐人来》词，李太师撰谱，李持正制词。"

但是也有先作了词，然后再配上乐谱的。姜夔《长亭怨慢》词序说："予颇喜自制曲。初率意为长短句，然后协以律，故前后阕多不同。"他的自度曲可能很多是先作词后谱曲的。又如《鱼游春水》一词，宋胡仔《苕溪渔隐丛话》后集卷三十九引《复斋漫录》："政和中，一中贵人使越州回，得词于古碑阴，无名无谱，不知何人作也。录以进，御命大晟府填腔，因词中语，赐名《鱼游春水》。"不过这种先有词后作谱的情况，还是比较少的。按谱填词，往往会为了迁就曲谱，在文字语句方面受到一些句法和声调上的限制，使作者的思想感情不容易充分、圆满地表达出来。所以宋王灼《碧鸡漫志》卷一说："今先定音节，乃制词从之，倒置甚矣。"先作词后配谱就可以不受拘束，如意表达。但这必须作词者同时又能作曲，或者和作曲家密切合作，才能使所作的词适宜于配上谐美的歌谱。

宋杨缵《作词五要》说："第三要填词按谱。自古作词者能依句者少，依谱用字者百无一二。词若歌韵不协，安取焉？"宋张炎《词源》卷下也感叹道："今词人才说音律，便以为难，所以望望然而去之。"宋代词人并不都是通晓音律的，能够完全依照音谱拍眼作词的，为数不多。何况一般词人作词，本来并不要求首首合乐歌唱，所以往往不甚协律。他们大都只是选取前人的作品为范例，依其字句声韵填之。这样，就把词的音律化变为词的诗律化，只是按照词的诗律而不是按照曲的音律来填词，这已不是原来按谱填词的意义了。

三、词调与文情

词调与文情有密切的关系。因为词是合乐文学，所以词的文情必须与调的声情相一致。唐宋词的歌法现在虽然久已失传，所有词调都无法按原谱歌唱，但是我们还能从文字上来辨别某些词调的声情。我们根据当时的记载和现存的作品（最好是根据当时知音识曲的词人的作品，或这个词调最初的作品），加以细致的分析体认，可以约略考知某些词调所表达的情绪究竟是悲是喜，是婉转缠绵还是激昂慷慨。我们可以从这些作品的句度的长短，语调的疾徐轻重，叶韵的疏密和匀称与否等等，多方面推求它们的声情与词式之间的复杂关系，这样就不难得出一个大致的结论。如《六州歌头》，从调名知道来自唐代的西北边地，当是高亢健壮的。宋人关于此调的记载，如程大昌《演繁露》卷十六说："《六州歌头》本鼓吹曲也。近世好事者传其声为吊古词，如'秦亡草昧，刘项起吞并'（按：此为李冠词）者是也，音调悲壮，又以古兴亡事实之，闻其歌使人怅慨，良不与艳词同科，诚可喜也。"鼓吹曲是军乐，"音调悲壮"就是《六州歌头》这个曲调的声情特点。除李冠词外，贺铸的《六州歌头》也是现存较早的作品，今举以为例：

少年侠气，交结五都雄。肝胆洞，毛发耸。立谈中，死生同，一诺千金重。推翘勇，矜豪纵。轻盖拥，联飞鞚，斗城东。轰饮酒垆，春色浮寒瓮，吸海垂虹。间呼鹰嗾犬，白羽摘雕弓，狡穴俄空，乐匆匆。

似黄粱梦，辞丹凤，明月共，漾孤篷。官冗从，怀倥偬，落尘笼。簿书丛，鹖弁如云众，供粗用，忽奇功。笳鼓动，渔阳弄，思悲翁。不请长缨，系取天骄种，剑吼西风。恨登山临水，手寄七弦桐，目送归鸿。

全首三十九句，其中二十二句为三言，最长也不过五言。三十四句押韵，又以东、董、冻平上去之声通叶。字句短，韵位密，字声洪亮。作者就是以这种繁音促节、亢爽激昂之声，写自己豪纵奔放的壮怀侠气，文情与声情完全一致。从歌词内容、句度、语调、叶韵等方面，完全可以肯定它是个"音调悲壮"的曲调。后来张孝祥、刘过、汪元量诸人填作此调，或吊古代兴亡之迹，或抒自己忠愤填膺之情，音调都是慷慨悲凉的。和《六州歌头》相近的，还有《满江红》《念奴娇》《贺新郎》等调，都适宜于写豪放的感情。唐宋人不少是按照所要表达的思想感情来选择词调的，读词时应该体会作者所用词调的声情和作品的文情之间的关系。

辨别词调声情的方法，约有下列几种：

（一）据唐宋人记载　唐宋人书中凡言及词调声情，大致都可信。如前引宋程大昌《演繁露》所记《六州歌头》的声情。又如宋毛幵《樵隐笔录》说："绍兴初，都下盛行周清真咏柳《兰陵王慢》，西楼南瓦皆歌之，谓之渭城三叠。以周词凡三换头，至末段，声尤激越，惟教坊老笛师能倚之以节歌者。"这也可见《兰陵王慢》末段的声情。

（二）据唐宋人作品　这可依《历代诗余》（清康熙时沈辰垣等所编的一部词的总集，将唐宋以来词依调分编）诸书，于一调之下的许多词中，分析总括它的内容情感，若有十之七八相同的，就大体可以推断此调是某类声情。如《满江红》《贺新郎》等调，就可用这种方法推断为豪放激越一类。虽有例外，大致不远。

（三）据调中字句声韵　若前人词情不易分析，或者许多作品具有不同情感，不易归纳，则只得于本调字句声韵中自行揣度。大抵用韵的位置疏密均匀的，它的声情必较和平宽舒；用韵过疏过密的，声情非弛慢则急促；多用三、五、七言句法相间的，声情较舒畅；多用四、六字句排偶的，声情较稳重；字声平仄相间均匀的，情感必安详；多作拗句的，情感必郁劲。如此综合揣量，大约可得十之七八。但是，有些词人选调能变化运用，就不能机械地看待了。

四、词调的分类和变格

（一）令、引、近、慢　词调主要分令、引、近、慢四类。在宋时称为小曲或小唱，以与大曲相对而言。

“令词”的名称当来自唐代的酒令，因唐人于宴会时即席填词，利用时调小曲当做酒令，遂称为令曲，又称为小令。唐五代文人词大部分是令曲。唐五代文人所以专工小令，不多用长调，其主要原因是小令和近体诗形式相近，唐代多以五、七言诗协乐，初步解放为长短句，文人容易接受；而唐代近体诗发达，作诗讲究声律对偶，民间小令入文人手中，也变成了格律词。他们不肯轻易放弃已经熟练的近体诗技巧而来作生疏的长调。所以在文人笔下先定型下来的是小令而不是长调。令词一般字少调短，字数最少的是《十六字令》，仅十六字；字数最多的是《六幺令》，有九十六字。又有《百字令》，有一百字，不过它是《念奴娇》的别名。明陈耀文辑《花草粹编》卷十二有《胜州令》，长至二百一十五字。

“引”，本是古代乐曲的一种名称。《文选》卷十八马融《长笛赋》：“故聆曲引者，观法于节奏。”李善注引《广雅》曰：“引亦曲也。”后来各种乐府歌曲常以“引”为名。唐宋大曲中的名目有“引”一类，它的次第是在大曲的首段“序”或“散序”之后，也是属于大曲的先头部分。称为“引”，就是在歌前的意思。所以词中的引词，大都应来自大曲，是裁截大曲中前段部分的某遍制成，如《清波引》《望云涯引》《柘枝引》等等。引词中最短的，是《翠华引》和《柘枝引》，都是二十四字；最长的是《迷神引》，九十九字。又有《石州引》，一百零三字（《石州引》又名《石州慢》）。后来南曲中有引子，其源即出于宋词。

“近”,又称为近拍,如《隔浦莲近拍》《快活年近拍》《郭郎儿近拍》等。近亦出于大曲。宋王灼《碧鸡漫志》卷六论列就大曲所制之调,以近列于慢曲之后、令曲之前,当是慢曲之后近于入破的曲调。近词中最短的,如《郭郎儿近拍》《隔浦莲近拍》,都是双调七十三字;最长的为袁去华《剑器近》,双调九十六字。近词和引词一般长于小令而短于慢词,明清时又称它们为中调。

“慢”,是慢曲子的简称,与急曲子相对而言。敦煌发现的唐代琵琶乐谱,往往在一个调名之内既有急曲子又有慢曲子。慢曲子大部分是长调,这是因为它声调延长,字句也就跟着加长。调长拍缓是慢曲的特点。宋张炎《词源·音谱》说:“慢曲不过百余字,中间抑扬高下,丁抗掣拽,有大顿、小顿、大住、小住、打、掯等字,真所谓‘上如抗,下如坠,曲如折,止如槁木,倨中矩,句中钩,累累乎端如贯珠’之语,斯为难矣。”这充分说明了慢曲在音乐上变化繁多和悠扬动听的长处。

慢词的产生并不后于小令。唐代已有一些慢词。它一部分从大曲、法曲截取而来,一部分则来自民间。敦煌词中已有长至百字以上的词调,如《云谣集》中,《内家娇》一百零四字,《倾杯乐》一百一十字。文人创作的慢词,见于《花间集》的,有薛昭蕴《离别难》,八十七字;见于《尊前集》的,有杜牧《八六子》,九十字;尹鹗《金浮图》,九十四字;李存勖《歌头》,一百三十六字。前人谓慢词创始于柳永,并不符合事实。但柳永是文人中第一个大量写作慢词的词人。苏轼、秦观等相继而作,慢词遂盛。慢词中最短的是《卜算子慢》,八十九字,比四十四字的小令《卜算子》已加长一倍以上。

宋张炎《词源》卷上《讴曲旨要》说:“歌曲、令曲四掯匀,破、近六均,慢八均。”又卷下《拍眼》说:“慢曲有大头曲、叠头曲,有打前拍、打后拍;拍有前九后十一,内有四艳拍。引、近则用六均拍……曲之大小,皆合均声。”这说明令、引、近、慢的区别,主要在于歌拍节奏的不同。不过《词源》中这段话的意义现在还难以作出圆满的解释。大概令曲是以四均为正,引、近以六均为正,慢曲以八均为正。一均有一均之拍。宋代慢曲一般为十六拍,一均就是两拍。

小令、中调、长调的分法是后起的,始见于明嘉靖时顾从敬所刻《类编草堂诗余》(旧刻《草堂诗余》无之)。清毛先舒《填词名解》谓:“五十八字以内为小令,五十九字至九十字为中调,九十一字以外为长调。”完全从字数多少来划分，十分机械。清万树《词律·发凡》曾加以批驳：“若以少一字为短，多一字为长，必无是理。如《七娘子》，有五十八字者，有六十字者，将名之曰小令乎？抑中调乎？如《雪狮子》，有八十九字者，有九十二字者，将名之曰中调乎？抑长调乎？”《词律》一书，即不分小令、中调、长调。但这种分法沿用亦久，也不能完全摒弃不用，只要不拘泥于字数即可。

（二）犯调　　词调的创制主要是自撰新腔和因旧曲造新声两种方法。但词调的增多繁殖还运用了犯调、转调、摊破、减字、偷声、叠韵等好多方法作为辅助。它们或移宫换羽，转换律调；或对原有词调增损变化，改组更张，使词调不断丰富起来。

犯调始于唐代，盛行于北宋。柳永、周邦彦所制乐调，有《侧犯》《尾犯》《花犯》《玲珑四犯》等。制作犯调是大晟乐府诸词家增演乐曲的重要方法之一。

犯调是一个曲子内两次以上转调，即一曲而用两个以上宫调。不同宫调之间，音高不一致，演奏时会发生冲突，所以称为犯调。运用犯调可以提高音乐表达的性能，有其积极作用。姜夔作《凄凉犯》，以“仙吕调犯双调”，他在杭州“以此曲示国工田正德，使以哑觱栗角吹之，其韵极美”。

犯调有一定的规则。姜夔《凄凉犯》词序说：“凡曲言犯者，谓以宫犯商、商犯宫之类。如道调宫‘上’字住，双调亦‘上’字住，所住字同，故道调宫中犯双调，或于双调曲中犯道调。其他准此。”住字又名杀声、结声或毕曲。每个宫调的住字都有一定。住字相同，方可相犯。

宋张炎《词源》卷上《律吕四犯》举出犯调有四类，即宫犯商、商犯羽、羽犯角、角归本宫。羽犯角、角归本宫于宋词未见实例，现在可考的只有宫犯商和商犯羽的词调。

属于宫商相犯的，如吴文英的《玉京谣》和《古香慢》。这两调都是他的自度腔，均自注：“夷则商犯无射宫。”夷则商与无射宫都是“下凡”住，故可相犯。又如《兰陵王》，宋王灼《碧鸡漫志》卷四说它是越调犯正宫。越调是无射商的俗名，正宫是正黄钟宫的俗名，两调均“合”字住。

属于商羽相犯的，如姜夔的《凄凉犯》，自注：“仙吕犯双调。”仙吕调是夷则羽的俗名，双调是夹钟商的俗名，二者均“上”字住。又如吴文英《瑞龙吟》，自注：“黄钟商俗名大石调，犯正平调。”正平调即中吕羽的俗名，与黄钟商均“四”字住。

上面所举都是两调相犯的。

宋人词中还有三调相犯的,如吴文英《琐窗寒》,自注:“无射商俗名越调,犯中吕宫,又犯正宫。”按:中吕宫与越调住字不同,当是中吕调之误。中吕调即夹钟羽,与无射商、黄钟宫均“合”字住,是为宫、商、羽三调相犯。

宋词中有些调名虽也有犯字,而实乃集合数调的句法而成,犹如元人的集曲。它们不是宫调相犯,而是句法相犯,与律调的住字无关。如吴文英的《暗香疏影》,是截取姜夔《暗香》的上片与《疏影》的下片合成;刘过的《四犯剪梅花》,是集合《解连环》《醉蓬莱》《雪狮儿》的句法而成。最多的是曹勋的《八音谐》,共集合了八个曲调中的句子组成。

(三)转调　　转调就是增损旧腔,转入新调。《词谱》卷十三说:“转调者,摊破句法,添入衬字,转换宫调,自成新声耳。”一经转调,即“转宫换羽”,不再属于原来的宫调。如宋王灼《碧鸡漫志》卷四说《虞美人》:“旧曲三,其一属中吕调,其一中吕宫,近世转入黄钟宫。”又卷五说《念奴娇》:“今大石调《念奴娇》,世以为天宝间所制曲……后复转此曲入道调宫,又转入高宫、大石调。”

词经转调后,有的字句还和原调相同,如《蝶恋花》与《转调蝶恋花》,字句全同,仅上片第四句及换头处两调平仄不同。姜夔转入双调的《念奴娇》与苏轼的《念奴娇》字句亦全同,仅二句句读不同。有的字句则和原调不同,如《踏莎行》原来只有五十八字,《转调踏莎行》则有六十六字;《丑奴儿》原来只有四十四字,《转调丑奴儿》则有六十二字。有的转调后用韵和原调不同,如《贺圣朝》本押仄韵,《转调贺圣朝》则押平韵;《满庭芳》本押平韵,《转调满庭芳》则有改押仄韵的。

(四)摊破、减字、偷声　　摊破是由于乐曲节拍的变动而增减字数,并引起句法、协韵的变化。摊破后的词在某些部分打破了原来的句格,另成一体。如《摊破浣溪沙》,即在《浣溪沙》的上下片末尾各增入三言一短句。又如《摊破丑奴儿》,即在《丑奴儿》的上下片末尾各增入二、三、三言三短句。

减字和偷声的原因和摊破相同,不过不是添声增字而是偷声减字。它们也都稍改原调的句法字数,另成新调。如《木兰花》本为八句七言,押仄韵;《偷声木兰花》则将第三、七句改为四言,并且两句一换韵,用两平韵、两仄韵;《减字木兰花》除同《偷声木兰花》外,又继续将第一、五句改为四言。

(五)叠韵　　叠韵就是将两片的词体,用原韵再加叠一倍。如《梁州令叠韵》,一百字,就是将五十字的《梁州令》加倍叠成。此外如《梅花引》叠为《小梅花》,《接贤宾》叠为《集贤宾》,《忆故人》叠为《烛影摇红》等,都是原调的加倍。

(六)联章　　令、引、近、慢等调都是普通杂曲,是寻常散词。如果把二首以上同调或不同调的词按照一定方式联合起来,组成一个套曲,歌咏同一或同类题材,便称为联章。诗体中也有联章,如《子夜四时歌》,唐王建《宫词》百首等,但没有词中的联章复杂多样。唐宋词中的联章体主要有普通联章、鼓子词和转踏三种。后来的诸宫调与元人的散曲联套就是词中联章体的发展。

1. 普通联章　　唐敦煌曲中已有联章体,如《云谣集》中的《凤归云》二首,内容演述汉乐府《陌上桑》中的故事,上首("幸因今日")写公子见慕,下首("儿家本是")写女子拒绝。五代词人写作联章词的,如和凝有《江城子》五首,演男女欢会事:第一首写理妆,第二首写等待,第三首写出迎,第四首写欢会,第五首写送别(见《尊前集》)。又如牛希济有《临江仙》七首,分咏七个传说中的神女:巫山神女、谢真人、弄玉、二妃、宓妃、汉水神女、君山湘君(见《花间集》卷五)。

2. 鼓子词　　是用同一曲调连续歌唱,以咏故事,在曲前有一段致语。如宋欧阳修有《采桑子》十一首,分咏颍州西湖景物,又有《渔家傲》十二首,分咏十二月景物(见《六一词》)。又如宋洪适有《生查子》十四首,分咏盘洲一年景物(见《盘洲乐章》)。宋人所作鼓子词中最有名的当为赵令畤的《商调蝶恋花鼓子词》,见《侯鲭录》,共十二首,演述唐元稹《会真记》故事。十二曲以一曲起,一曲结,中间十曲分叙张生崔莺莺本事,并在曲前分别插入《会真记》的原文,曲文即歌咏前列传奇中的情事。这样散韵结合,应是采用了当时民间说唱文艺的形式写成的。

3. 转踏　　又名传踏、缠达,是宋代的一种歌舞乐曲。它的体制是先用一段骈语作勾队词,接着陈口号,然后一诗一曲子相间,诗词同咏一故事。诗大都是七言八句,词多用《调笑令》。词的开头二字与前列诗的最末二字相叠,有宛转传递的意思。最后用七言四句的一首诗作为遣队词或放队词。

宋王灼《碧鸡漫志》卷三说:"世有般涉调《拂霓裳曲》,因石曼卿取作传踏,述开元天宝旧事。"石曼卿作今不传。现传宋人所作的《调笑传踏》,大都咏古代传说中的美人故事。如秦观有《调笑令》十首,分咏王昭君、乐昌公主等十个美人;毛滂有《调笑》八首,分咏崔徽、泰娘等八个美人；晁补之有《调笑》七首，分咏西施、宋玉等七个艳异故事。此外郑仅有《调笑》十二首，无名氏有《调笑集句》八首，皆见宋曾慥辑《乐府雅词》卷上。

宋人的大曲、法曲也可视为是一种联章，如董颖的《道宫薄媚》十遍，咏西施故事（见《乐府雅词》卷上）；曾布的《水调歌头》七遍，咏冯燕故事（见王明清《玉照新志》卷二）。但大曲、法曲是唐宋大型的歌舞剧曲，一部大曲、法曲往往有数十遍，它们的结构要远比上列三类来得严密和繁复。

（七）调同名异与调异名同

有些词调调名不同而实为一调，就是一调数名。其中一个是本名，其余皆为别名。别名有的可多至七八个。如《忆江南》又名《梦江南》《望江南》《望江梅》《江南好》《梦江口》《归塞北》《春去也》《谢秋娘》；《念奴娇》又名《百字令》《百字谣》《大江东去》《酹江月》《大江西上曲》《壶中天》《淮甸春》《无俗念》《湘月》等等。

词调的别名，大都取自这一调的某一名作。如《卜算子》，后人又因苏轼词有"缺月挂疏桐"句，于是又名《缺月挂疏桐》；秦湛词有"极目烟中百尺楼"句，又名《百尺楼》；僧皎词有"目断楚天遥"句，又名《楚天遥》；《玉照新志》卷二无名氏词有"蹙破眉峰碧"句，又名《眉峰碧》。宋代有些词人还喜欢为词调取新名以标新立异。如贺铸《东山词》中的词，都用他词中的语句立为新的调名。但这样也能使调名和词的内容有了联系。

有些词调调名相同而实非一调，就是数调同名。这可以分为下列三类：

1. 同一调名，或为小令，或为慢词，或为摊破、偷声、减字，往往篇幅长短迥异。如《西江月》五十字，《西江月慢》一百零三字；《诉衷情》三十三字，《诉衷情近》七十五字；《甘州子》三十三字，《甘州遍》六十三字，《甘州令》七十八字，《八声甘州》九十五字；《木兰花》五十六字，又有五十二字，《减字木兰花》四十四字，《偷声木兰花》五十字，《木兰花慢》一百零一字。

2. 两调的别名相同。如《相见欢》《锦堂春》俱别名《乌夜啼》，《浪淘沙》《谢池春》俱别名《卖花声》。

3. 一调的别名为另一调的本名。如《新雁过妆楼》别名《八宝妆》，而另有《八宝妆》正调；《菩萨蛮》别名《子夜歌》，而另有《子夜歌》正调；《一落索》别名《上林春》，而另有《上林春》正调；《眉妩》别名《百宜娇》，而另有《百宜娇》正调；《绣带子》别名《好女儿》，而另有《好女儿》正调。

此外还有一些词调调名差同,但也不是一调。如《巫山一段云》与《巫山一片云》,《望仙楼》与《望仙门》,《撼庭秋》与《撼庭竹》,《极相思》与《酷相思》,《沁园春》与《花发沁园春》等等。调名虽然差同,却是截然不同的两调,不容相混。

(八)调同句异与调异句同

有些词调一调而有数体,最多的可以多至五十多种别体。它们是同调异体,各体在字数、句读及用韵等方面都有着差异,有的甚至差异很大。《词律》和《词谱》两书都在每个调名之下罗列了所能找到的各种不同的词体,并选择其中时代较早或作者较多的一种作为正体。如《一落索》,《词谱》卷三列《梅苑》无名氏、吕渭老、毛滂、张先、秦观、严仁、陈凤仪和欧阳修等八体,并说:“此调以毛词及秦、欧二词为正体,其余皆变格也;而毛词此体,则宋人填者尤多。”又如《少年游》,《词谱》卷八列晏殊、李甲、柳永、周密等十四体,其中以晏殊所作时代最早,且调名亦因晏殊词有“长似少年时”句而得名,所以把晏殊一体作为正体。

唐宋词人不少是懂得音律的。他们逐弦吹之音作词,往往只遵音谱而不遵字句。所以虽然是同调的作品,也会在字数、句法及用韵等方面造成互异。一般词人虽然只是按前人作品的字句声韵填作,但也往往因为语句文理的需要而偶加衬字。于是造成众多的别体,给填词的人提供更多的选择余地。词调中大量的同调异体表明:填词还是允许有一定的自由,不必斤斤计较字句声韵的些微出入。

有些词调字句全同,但谱入音乐的腔调自别,截然为不容相混的两调。它们是体同调异。如《解红》《赤枣子》《捣练子》三调,都是五句;两句三言,三句七言,共二十七字。又都押平韵,平仄也差不多。但它们腔调不同,不能视为一调。又如《回波乐》《舞马词》《三台》和《塞姑》,都是六言四句;《渭城曲》《欸乃曲》《采莲子》《杨柳枝》和《八拍蛮》,都是七言四句;《怨回纥》和《生查子》都是五言八句,它们都是句同(叶韵、平仄并不全同)而调异,在腔调上各不相关。

五、词　　谱

每个词调都是有曲谱的。在唐宋时代,应该编有不止一个的集成性的曲谱,以供教坊乐工演唱和供文人从中择调填词。但这类曲谱都没有流传下来。唐崔令钦《教坊记》记录了玄宗时代教坊习唱的三百二十四个曲名,但没有同时把曲谱记录下来。因为较完备地记录和保存曲谱,应该是一些官立音乐机关的工作。

清光绪末年敦煌发现的卷子中有唐五代时的工尺谱一卷,载有《倾杯乐》《西江月》《心事子》《伊州》《水鼓子》《长沙女引》《撒金砂》《营富》等八个曲谱。另有舞谱二卷,载有《遐方远》《南歌子》《南乡子》《浣溪沙》《凤归云》《双燕子》等六谱。这是现在所能见到的最早的唐代歌谱和歌舞曲谱。但虽经中外学者详加考订,这些谱字和曲调一时还难以完全认识。

姜夔《霓裳中序第一》自序说:"于乐工故书中得《商调霓裳曲》十八阕,皆虚谱无辞。"所见的恐非全书。南宋末周密《齐东野语》卷十说他曾见一部"《混成集》,修内司所刊本,巨帙百余。古今歌词之谱,靡不具备。只大曲一类,凡数百解,他可知矣。然有谱无词者居半"。这部《混成集》在明时尚存。明王骥德《曲律》卷四说:"予在都门日,一友人携文渊阁所藏刻本《乐府大全》又名《乐府浑成》一本见示,盖宋元时词谱,即宋词,非曲谱。止林钟商一调中,所载词至二百余阕,皆生平所未见。以乐律推之,其书尚多,当得数十本。所列凡目,亦世所不传。所画谱,绝与今乐家不同。"《曲律》传录了其中《娋声谱》《小品谱》等三段。此书清初黄虞稷《千顷堂书目》犹有著录,既见于卷二乐类,又见于卷三十二词曲类,皆曰"《乐府混成集》,一〇五册",是清初书尚完好。

宋人词集中的自度曲,有的也旁注工尺谱。如姜夔词有十七首皆注旁谱,是现在所能见到的唯一完整的宋词乐谱。这些谱字经过近百年来许多学者的研究整理,已认识清楚。但十七个谱里都没有板眼符号,所以仍不能恢复宋时歌唱真相。宋张炎《词源》卷下说他的父亲张枢"晓畅音律,有《寄闲集》,旁缀音谱,刊行于世"。《寄闲集》所缀音谱方式当亦同于姜词旁谱,但此书早已亡佚。

音谱和歌法失传之后,词就完全诗律化。它只能从字句声韵方面来建立自己的一套格律。这样编撰起来的词谱就和近体诗的声调谱差不多,而和音乐完全脱离了关系。这类词谱始于明张綖的《诗余图谱》三卷。其谱分列词调,旁注平仄:用白圈表平,黑圈表仄,半白半黑的表可平可仄,但疏漏甚多。后经谢天瑞加以增广为《诗余图谱补遗》十二卷,徐师曾去图而著谱,到程明善又合为一部,刊入《啸余谱》中。《啸余谱》的错误仍然很多,如《燕台春》本即《燕春台》,《大江乘》本即

《大江东》,《啸余谱》根据错误的刊本,都列为两调。《念奴娇》与《无俗念》,《贺新郎》与《金缕曲》,《金人捧露盘》与《上西平》,本为一调的异名,也被分作两调。此外错乱句读、增减字数、妄分韵脚的例子也不少。同时《啸余谱》又把词调分类排列,有二字题、三字题、通用题、歌行、人事、声色、珍宝等类。这些分类都是随意取合,俱不确当。又每调分列第一、第二等体,也不根据作品的年代先后。所以清万树《词律·自叙》说它是"触目瑕瘢,通身罅漏"。清初有赖以邠辑《填词图谱》六卷。此书图仿《诗余图谱》,谱依《啸余谱》,考稽既疏,谬误仍多。至康熙二十六年(1687)宜兴万树的《词律》二十卷出,才算有了一部较完善的词谱。《词律》共收六百六十调,一千一百八十余体。订正前讹,发明新旨,有不少研究宋词声律的心得见解。但万树仍有考订偶疏,见闻未广之处,脱漏错误,诚所不免。后来徐本立作《词律拾遗》八卷,补一百六十五调,四百九十五体;杜文澜作《词律补遗》一卷,又补调五十,对原书皆有所订正。康熙五十四年(1715)王奕清等合编《钦定词谱》四十卷,列八百二十六调,二千三百零六体,并仿《诗余图谱》的方法,以黑白圈旁注平仄,在每调下又注明调名的来源,句法的异同,较《词律》更为完备了。但不论《词律》与《词谱》,还都应增补修订。例如敦煌曲的发现,其中很多词调就是这些书中没有的。又如《道藏》所载金代全真教道人的词,也有不少新调可据以增补。

词与四声

一、字声与词调的关系

自齐梁时代周颙、沈约等发明了四声(平、上、去、入),后来就把它的规律运用到诗歌创作上,创造了唐代的近体诗。但是近体诗只分平仄(上、去、入三声统称仄声或侧声),它的字声的组合基本上是两平两仄相间、对举使用。因为近体诗讲究声律不过是为了口吻协调,便于讽咏。作词则除了分平仄以外,有时还须分辨四声与阴阳;字声组合的方式也比近体诗来得复杂多变。因为作词谐声,还为了协于歌喉,播诸管弦。它是按照音谱的要求,审音用字。所以每个词调都对所用的字声有着比较严格的规定,而且各不相同。清万树《词律·发凡》指出:“平仄固有定律矣,然平止一途,仄兼上、去、入三种,不可遇仄而以三声概填。盖一调之中,可概者十之六七,不可概者十之三四。须斟酌而后下字,方得无疵。”词是合乐的歌词,要按谱填作。一调有一调的风度声响,作词须守平仄四声,就是以文字的声调来相应地配合乐曲的声调,以文字本身的音乐性来加强乐曲的音乐性。歌词的抗坠抑扬,全在字声的配合恰当。如果一首词的字声不能和乐谱密切配合,歌唱时必然发生困难,甚至有棘喉涩舌之病。宋代一般词人对审音用字都比较注意,紧要处往往一个字要几经改易。

现在词的音谱歌法虽然久已失传,无法歌唱,但因为词以文字声调表现音律,它的字声组合谐和调协,本身具有一种音乐美,所以读起来还是声调铿锵,比近体诗更美听。

二、字声的运用

1. 平仄

词中一般寻常通行的调子,大抵只分平仄。如唐五代时所创制的一些小令,不但三仄不拘上、去、入,单字(即每句的第一、三、五字)亦多可平可仄。它的平仄组合和近体诗的格律相差无几,大都是以两平两仄相间。所以在平仄的运用上,初期的词和近体诗并没有多大的分别。它们的句法很多也是从五、七言近体诗变化而来的,如白居易《忆江南》之类。那时有些词调,即使是同一作者作了几首,每首的平仄也互有差异。如张志和的《渔歌子》五首,王建的《宫中调笑》四首,韦庄的《清平乐》七首等都是。可见在当时词的声律还是比较宽的。

在唐五代,温庭筠是一个精通音乐的作家。《旧唐书》本传说他“能逐弦吹之音,为侧艳之词”。他的词开始严于依声,往往同调数首,字声都相同。凡在诗律中可平可仄的字,他都一律严守格调。现在举他的《南歌子》七首中的二首为例。

> 手里金鹦鹉,胸前绣凤凰。偷眼暗形相,不如从嫁与,作鸳鸯。
>
> 倭堕低梳髻,连娟细扫眉。终日两相思,为君憔悴尽,百花时。

“手”“倭”(乌果切)必仄,余五首作“似”“脸”“扑”“转”“懒”;“胸”“连”必平,余五首作“团”“眉”“呵”“娉”“休”;“偷”“终”必平,余五首作“帘”“歌”“鸳”“花”“罗”;“不”“为”必仄,余五首作“九”“隔”“月”“忆”“近”。七首每首五句二十三字,共一百六十一字，无一字平仄不合。

温庭筠词中又多拗句。如他的《定西番》三首，每首八句，拗句即占其半，凡拗处都一一相对。三首共一百三十五字，也无一字平仄不合。

2. 四声

唐五代的词只分平仄，不问四声。像温庭筠作词那样平仄不苟，已算是守律谨严的了。词中四声的运用，是有一段相当长的发展过程的。大抵词自民间转入文人手中之后，到温庭筠严分平仄；到晏殊渐辨去声，严于结句；到柳永分上、去声，尤谨于入声；到周邦彦用四声，变化最多，四声的用法遂趋精密，但也仅限于警句和结拍。到了南宋，方千里、杨泽民、陈允平诸人和周邦彦词，对于周词的四声，亦步亦趋，不敢稍有一些逾越。由于过分的拘泥，反而生出流弊。南宋末年，张枢、杨缵等人更提倡辨五音，分阴阳。这样过于严格的声律，能够遵守的作家实在很少了。

词调中须守四声的只是一小部分。一般通行的词调，如《贺新郎》《水调歌头》之类，并不作如此要求。至于《摸鱼儿》《齐天乐》《木兰花慢》等调，也只有数处仄声须分上、去，不必全首分四声。

词中须严守四声的地方，往往就是这一腔调的音律最为紧要、最为美听的地方，所以要求字声配合更严密，与歌腔完全切合。它的位置在词中没有一定，但以在结尾处比较多。清万树《词律·发凡》指出："尾句尤为吃紧，如《永遇乐》之'尚能饭否'，《瑞鹤仙》之'又成瘦损'，'尚''又'必仄，'能''成'必平，'饭''瘦'必去，'否''损'必上，如此然后发调。末二字若用平上，或平去，或去去、上上、上去，皆为不合。元人周德清论曲，有'煞句定格'；梦窗论词亦云某调用何音煞。虽其言未详，而其理可悟。"周德清《中原音韵》论作曲之法，也特别着重末句。他说前辈已有"某调末句是平煞，某调末句是上煞，某调末句是去煞"等分别，并分类举例说明。晏殊、周邦彦、吴文英诸家所作的词，都在结句严辨四声。可见结句大都是全词音律最吃紧处，所规定的字声，必须严格遵守。

除结句外，词中的"拗句"有时也须谨守字声，不能随意改"拗"为顺，因为这些"拗句"往往也是音律吃紧处，它们正是以"拗"为顺的。这在周邦彦、姜夔、吴文英三家词中尤多。周邦彦词如《瑞龙吟》的"归骑晚，纤纤池塘飞雨"；《倒犯》的"驻马望素魄"；《忆旧游》的"东风竟日吹露桃"；《花犯》的"今年对花最匆匆"；姜夔词如平韵《满江红》的"正一望千顷翠澜"；《暗香》的"江国，正寂寂，叹寄与路遥，夜雪初积”；《凄凉犯》的“怕匆匆不肯寄与，误后约”；《秋宵吟》的“今夕何夕恨未了”；吴文英词如《霜花腴》的“病怀强宽”“更移画船”等等，读时虽觉拗口，歌时当必须如此，方能合律。

平、上、去、入四声在词中的具体运用上各有不同。有些有特殊用法，有些可互相替代。下面就分别叙述。

(1)平声

宋张炎《词源》卷下和沈义父《乐府指迷》，都指出词中平声字可用入声字或上声字替代。

入声字用作平声字的在宋词中很多。其中“独”“一”“寂”“不”“碧”“亦”等字最为常见。其他如张先《踏莎行》“密意欲传”，“欲”作平声字用；黄庭坚《渔家傲》“系驴橛上合头语”，“合”作平；苏轼《如梦令》“寄语澡浴人”，“浴”作平；又“帘外百舌儿”，“舌”作平；周邦彦《瑞鹤仙》“正值寒食”，“值”作平；万俟雅言《三台》“饧香更酒冷踏青路”，“踏”作平；又如向子諲《卜算子》“令我发深省”，辛弃疾《千年调》“万斛泉”，韩玉《卜算子》“初过寒食节”，蒋捷《贺新郎》“节饮食”的“发”“斛”“食”“节”等也都用作平声字。

上声字用作平声字也是宋人成例。清万树《词律·发凡》解释上之作平是因为“上之为音，轻柔而退逊，故近于平”，并引元曲《清江引》等皆以上代平为证。其实在宋词中早有明证。姜夔《莺声绕红楼》“近前舞丝丝”，“近”字下自注“平声”；又其《解连环》“又见在曲屏近底”，“近”字他本亦有注“平声”的。其他如苏轼《醉蓬莱》“好饮无事”“为我西顾”，“饮”“我”作平；杨万里《好事近》“看十五十六”，“五”作平；张元幹《贺新郎》“肯儿曹恩怨相尔汝”，“尔”作平；舒亶《菩萨蛮》“忆曾把酒赏红翠”，“赏”作平等等都是。这些不见得都是乱用平仄。不过把上声字作平声字用，没有像把入声字作平声字用那样来得普遍。

(2)上声

词中上声字除可替代平声字外，阳上声字还可作去声字用(阳声就是浊声)。元曲字声，有“阳上作去”之例，如“动”读作“洞”，“似”读作“寺”，“动”“似”都是阳上声。元周德清《中原音韵》中把“动”“奉”“丈”“像”“市”“似”“渐”等阳上声字，都列于去声部。这种用法宋词里早有先例。如晏殊的词，结句都严辨去声，其中就有些是阳上作去的。如他的《诉衷情》六首的上片和下片的结句：

撩“乱”有啼莺

牵“系”人情

红“树”间疏黄
无“限”思量

和“露”泣西风
心“事”无穷

闲“共”柳丝垂
只“是”相思

齐“拜”玉炉烟
富“贵”长年

清“唱”遏行云
岁“岁”长新

每句第二字都用去声，其中“限”“是”两字则是阳上作去。又如他的《采桑子》七首，上下片结句的末第二字也必用去声：

依旧衔泥入“杏”梁
梦里浮生足“断”肠

把酒攀条惜“绛”蕤
满眼春愁说“向”谁

深入千花粉“艳”中
一片西飞一“片”东

几处风帘绣“户”开
慢引萧娘舞“袖”回

紫艳红英照“日”鲜
贴向眉心学“翠”钿

泪落春衫酒“易”醒
何处高楼雁“一”声

尚有山榴一“两”枝
待得空梁有“燕”归

其中“杏”“断”“户”“两”四字就是阳上作去（“日”“一”两字则是入作去，见《中原音韵》）。

(3)去声

宋沈义父《乐府指迷》于词中四音特别着重去声，认为“句中用去声字，最为紧要”。作词应该“将古知音人曲，一腔三两只参订，如都用去声，亦必用去声”。清万树《词律》根据这一提示，遂发明“有一要诀曰：各词转折跌宕处，多用去声”。因为“三声之中，上、入二者可以代平，去则独异。故余尝窃谓论声虽以一平对三仄，论歌则当以去对平、上、入也。当用去者，非去则激不起，用入且不可，断断勿用平、上也”。所以去声字在词中有着特殊地位。一调中音律吃紧的地方，大都须用去声。如《八六子》的双结，秦观词作“怆然暗惊”“黄鹂又啼数声”，其中“怆”“暗”“又”“数”等处必用去声。晏殊《珠玉词》中词，上下片结句十之八九用去声相对。

词中的去声字常和上声连用，作去上或上去。清万树《词律·发凡》说：“盖上声舒徐和软，其腔低；去声激厉劲远，其腔高，相配用之，方能抑扬有致。”如《齐天乐》，有三处必用去上声，周邦彦词作“云窗静掩”“凭高眺远”“但愁斜照敛”，其中“静掩”“眺远”“照敛”都是去上（“静”字阳上作去）。又《眉妩》也有三处必用去上声，姜夔词作“信马青楼去”“翠尊共款”“乱红万点”，其中“信马”“共款”“万点”都是去上。又《一枝春》，有八处用去上声。《词律》卷十四《一枝春》调下杜文澜校曰：“凡仄声调三句接连用韵，则中之四字必用去上。又后结五字一句而尾二字皆仄者，亦必用去上。如用入声韵，则用去入，各词皆然。此卷后之《扫花游》，用去上六处。卷十七之《花犯》，用去上十二处，为至多者。盖去声劲而纵，上声柔而和，交济方有节奏。近人歌曲去声扬而上声抑，平声长而入声断，同此音律也。”

上去连用的，如《尾犯》有两处必用上去声，吴文英词作“晚树细蝉”“偷赋锦雁留别”，其中“晚树”“锦雁”都是上去。又如《瑞鹧鸪》的上下片结句，柳永词作“纵得人同寝未同”“爱把鸳鸯两处笼”，“寝未”“两处”都是上去。

《词律》谓“各词转折跌宕处，多用去声”，大都指词中换韵处、承上启下的领句或上下相呼应的字。在这些地方用去声，方能振起有力。如姜夔的《扬州慢》中领字，“过”“自”“渐”“算”“纵”“念”都是去声。又如他的《长亭怨慢》：“树若有情时”，“第一是早早归来”，“算空有并刀”；《淡黄柳》：“看尽鹅黄嫩绿”，“怕梨花落尽成秋色”等，每句的领头处也都用去声。《词律》卷十五于《醉蓬莱》调下注说：“盖此一字领句必去声方唤得起下面也。”

词中该用去声字处，若代以他声字，歌唱时就会发生困难。宋沈义父《乐府指迷》说：“古曲亦有拗者，盖被句法中字面所拘牵，今歌者亦以为碍，如《尾犯》之用‘金玉珠珍博’（柳永词），‘金’字当用去声字；如《绛园春》之用‘游人月下归来’（丁仙现词，见《草堂诗余》，作《绛都春》。又见吴文英《梦窗词集》，当误入），‘游’字合用去声字之类是也。”这是因为字声关系音律，所以不许改用。

有些词调，今但以文字声调读之，也可以知道它必须用去声而不可改用平、上、入的。如陆游的《恋绣衾》：

> 不惜貂裘换钓篷，嗟时人谁识放翁。归棹借樵风稳，数声闻林外暮钟。　幽栖莫笑蜗庐小，有云山烟水万重。半世向丹青看，喜如今身在画中。

去声字都用在每句的韵脚之上，必非偶然。又《太常引》的两结，辛弃疾词一首作“被白发欺人奈何”“人道是清光更多”，又一首作“却弹作清商恨多”“且痛饮公无渡河”;杨果词作“直推上淮阴将坛”“道蜀道如今更难”,这些去声字都不可改用平、上、入声。

(4)入声

元曲没有入声,因为当时北方话中入声已经消失。元周德清《中原音韵》把入声分别派入平、上、去三部内。如“匹”“十”“匿”三字原来都是入声字,而“匹”读上声,“十”读去声,“匿”读平声。但语音的变化是需要一个长期的过程的,入派三声的现象早已开始,甚至可以上溯到唐代。敦煌词中已有把入声读作他声的,如《云谣集》中《渔歌子》“身心生寂寞”句,即以“寞”叶“悄”(上声)“妙”(去声)。这种例子在宋词中尤多。清戈载《词林正韵·发凡》说:“惟入声作三声,词家亦多承用。如晏几道《梁州令》‘莫唱阳关曲’,‘曲’字作邱雨切,协鱼虞韵;柳永《女冠子》‘楼台悄似玉’,‘玉’字作于句切;又《黄莺儿》‘暖律潜催幽谷’,‘谷’字作公五切,皆协鱼虞韵(按:此调当于‘催’字断句,‘谷’字非韵,戈氏误,下晁词同);晁补之《黄莺儿》‘两两三三修竹’,‘竹’字作张汝切,亦协鱼虞韵;黄庭坚《鼓笛令》‘眼厮打过如拳踢’,‘踢’字作他礼切,协支微韵;杜安世《惜春令》‘闷无绪玉箫抛掷’,‘掷’字作征移切,协支微韵;张炎《西子妆慢》‘遥岑寸碧’,‘碧’字作邦移切,亦协支微韵;又《徵招》换头‘京洛染缁尘’,‘洛’字须韵,作郎则切,协萧豪韵,此皆以入声作三声而押韵也。又有作三声而在句中者……诸如此类,不可悉数。”

有些词调规定必用入声,便不可改用他声。如周邦彦《红林檎近》下段“冷落词赋客,萧索水云乡”,他首作“步屐晴正好,宴席晚方欢”,“落”“索”“屐”“席”等处必用入声。又此词“夜长莫惜空酒觞”,他首作“放杯同觅高处看”,“惜”“觅”处也必用入声。这等皆不可忽略。

3. 五音及阴阳

词中辨五音,分阴阳,北宋已有。李清照论词,说“盖诗文分平侧,而歌词分五音,又分五声,又分六律,又分清浊、轻重”。五音是指发声部位,即唇、齿、喉、舌、鼻五类。五声是阴平、阳平和上、去、入三声。清浊就是阴阳,阴声字清,阳声字浊。李清照有一首《声声慢》,其中用舌音的十六字,用齿音的四十一字(○表舌音,△表齿音):

寻寻觅觅,冷冷清清,凄凄惨惨戚戚。乍暖还寒时候,最难将息。三杯两盏淡酒,怎敌他晚来风急?雁过也,正伤心、却是旧时相识。

满地黄花堆积,憔悴损,如今有谁堪摘?守着窗儿,独自怎生得黑？梧桐更兼细雨，到黄昏点点滴滴。这次第，怎一个愁字了得！

全词九十七字，而这两声字却多至五十七字，占半数以上，尤其是末尾几句：“梧桐更兼细雨，到黄昏点点滴滴。这次第，怎一个愁字了得！”二十多字里舌齿两声交加重叠，这应是有意用啮齿叮咛的口吻，写她郁抑惝怳的心情。

李清照的词也有细分阴阳声的，如《凤凰台上忆吹箫》的两片结句，拿它的上下片对校，有许多字声都相同（○表双声字，一表平声字阴阳相同的，︿︿表双声而又阴阳相同的）：

今年瘦，非干病酒，不是悲秋。

凝眸处，从今更数，几段新愁。

《壶中天慢》的两结亦复如此：

征鸿过尽，万千心事难寄。

日高烟敛，更看今日晴未。

这些都是她词论的实践。不过她的其他作品并不如此。

按词分五音、六律、清浊、上去之说，大抵起于乐工，而严于文士，柳永、周邦彦诸家的作品和张炎《词源》、杨缵《作词五要》等可见。而张炎、杨缵等宋末诸家，对五音及阴阳尤注音剖析分辨。

张炎《词源》卷下记他父亲张枢畅晓音律，“每作一词，必使歌者按之。稍有不协，随即改正。曾赋《瑞鹤仙》一词……此词按之歌谱，声字皆协，惟‘扑’字稍不协，遂改为‘守’字乃协。始知雅词协音，虽一字亦不放过，信乎协音之不易也。又作《惜花春起早》云：‘琐窗深’，‘深’字音不协；改为‘幽’字，又不协；再改为‘明’字，歌之始协。此三字皆平声，胡为如是？盖五音有唇、齿、喉、舌、鼻，所以有轻清重浊之分，故平声字可为上、入者此也”。按：张枢《瑞鹤仙》“粉蝶儿扑定花心不去”句改“扑”字为“守”字，可能是因“扑”字是唇音，“守”字是齿音。《惜花春起早》“琐窗深”句改“深”字为“幽”字，不协，又改为“明”字，可能是因“深”“幽”二字都是阴声，“明”字是阳声。作词协音要细到这种地步，实在太严，所以连专家张炎也叹为“信乎协音之不易也”。

总之，词是合乐的文学，所以必须择调、择腔，以配合音乐的律度。文人的作品严分字声的平仄、四声、五音、阴阳，目的是要用文字的声调来加强音乐的声调。这本来是宋词发展的一面。但是，词固然是合乐文学，更重要的，它是抒情文学。南宋人如方千里、杨泽民诸家因为要严守周邦彦的字声，结果妨碍了文学的内容情感，这就走上错误的道路了。我们研究词的声调，这是不可不注意的一点。

附带谈谈双声、叠韵。凡数字发声部位相同的，叫做双声。如“东”“第”同是舌发声，“东”与“第”就是双声字。数字收音相同的，叫做叠韵。如“央”“光”的收音都是 ang，同属诗韵的七阳，“央”与“光”就是叠韵字。诗歌中用双声、叠韵，《诗经》以来都有。有出于自然的，如“仿佛”是双声（同是唇音），“新陈”是叠韵（同属于诗韵的十一真）；有出于创造的，如“樽酒”“高冈”是双声，“所遇无故物”（《古诗十九首》中的诗句）五字同是叠韵。宋词句中用双声、叠韵的甚多。如姜夔《湘月》“一叶夷犹”，四字双声；又如吴文英《探芳新》“叹年端连环转烂缦”句，八字皆叠韵。清刘熙载《艺概》卷四主张“词中用双声、叠韵之字，自两字之外，不可多用”。近人王国维《人间词话》则主张作词“荡漾处多用叠韵，促节处多用双声”。词中多双声、叠韵能够帮助音节的美听，增强作品表达感情的效果，应该认为是好的。但若用之过多，或配搭不好，会成为像“吃口令”，如吴文英《探芳新》那样，读起来反而拗口，这是好奇之过了。

词韵的分部与协法

一、分　　部

词韵比诗韵较宽，因为词韵可以互相通转，又可以四声通协和借协方音。词创始于唐，在唐时并没有专为作词用的韵书。南宋以前，实无一部人人共守的词韵。北宋末年朱希真尝拟应制词韵十六条，列入声韵四部。其后张辑、冯取洽分别加以增释，至元时陶宗仪曾讥其混淆，想把它改定，但这些书都已久佚，其韵目也无从考见。无名氏的《词林韵释》（一名《词林要韵》），题为“宋菉斐轩刊本”。清厉鹗《论词绝句》说：“欲呼南渡诸公起，韵本重雕菉斐轩。”自注：“曾见绍兴二年刊《菉斐轩词林要韵》一册，分东、红、邦、阳十九韵，亦有上、去、入三声作平声者。”他以为即是宋人词韵。按：此书于平声立十九部，次列上去声，入声则分派入三声，不另立部，这实是为北曲而作，是曲韵而非词韵（有人说它是宋人为大曲而作,有人说是明代陈大声作)。清代著词韵的人很多。如清初沈谦著《词韵略》,毛先舒为之括略并注,同时赵钥、曹亮武亦撰《词韵》。其后又有胡文焕的《会文堂词韵》,李渔的《笠翁词韵》,许昂霄的《词韵考略》,吴烺、程名世的《学宋斋词韵》,郑春波的《绿漪亭词韵》,韵部分合,各有差异。后来戈载作《词林正韵》三卷,列平、上、去为十四部,入声为五部,共十九部,自谓"皆取古人之名词参酌而审定之",消除了在他以前的一些词韵著作的错误,于是论词韵的都以此书为准。

词韵与诗韵不同,但它的来源是出于诗韵,是把诗韵再加以分合。戈载《词林正韵》的韵目是以《集韵》为本。因为词盛于宋,《广韵》《集韵》都是宋代的韵书,而《集韵》的纂辑较后,收字也较多。今录《词林正韵》的韵目于下:

第一部

平声一东　二冬　三锺
上声一董　二肿
去声一送　二宋　三用

第二部

平声四江　十阳　十一唐
上声三讲　三十六养　三十七荡
去声四绛　四十一漾　四十二宕

第三部

平声五支　六脂　七之　八微　十二齐　十五灰
上声四纸　五旨　六止　七尾　十一荠　十四贿
去声五寘　六至　七志　八未　十二霁　十三祭　十四太半　十八队　二十废

第四部

平声九鱼　十虞　十二模
上声八语　九噳　十姥
去声九御　十遇　十一暮

第五部

平声十三佳半　十四皆　十六咍
上声十二蟹　十三骇　十五海
去声十四太半　十五卦半　十六怪　十七夬　十九代

第六部

平声十七真　十八谆　十九臻　二十文　二十一欣　二十三魂

二十四痕

上声十六轸　十七准

十八吻　十九隐

二十一混　二十二狠

去声二十一震　二十二稕

二十三问　二十四焮

二十六圂　二十七恨

第七部

平声二十二元　二十五寒

二十六桓　二十七删

二十八山　一先

二仙

上声二十阮　二十三旱

二十四缓　二十五潸

二十六产　二十七铣

二十八狝

去声二十五愿　二十八翰

二十九换　三十谏

二十一裥　三十二霰

三十三线

第八部

平声三萧　四宵

五爻　六豪

上声二十九篠　三十小

三十一巧　三十二晧

去声三十四啸　三十五笑

三十六效　三十七号

第九部

平声七歌　八戈

上声三十三哿　三十四果

去声三十八个　三十九过

第十部

平声十三佳$_{半}$　九麻

上声三十五马

去声十五卦$_{半}$　四十祃

第十一部

平声十二庚　十三耕

十四清　十五青

十六蒸　十七登

上声三十八梗　三十九耿

四十静　四十一迥

四十二拯　四十三等

去声四十三映　四十四诤

四十五劲　四十六径

四十七证　四十八隥

第十二部

平声十八尤　十九侯

二十幽

上声四十四有　四十五厚

四十六黝

去声四十九宥　五十候

五十一幼

第十三部

平声二十一侵

上声四十七寝

去声五十二沁

第十四部

平声二十二覃　二十三谈

二十四盐　二十五沾

二十六严　二十七咸

二十八衔　二十九凡

上声四十八感　四十九敢

五十琰　五十一忝

五十二俨　五十三豏

五十四槛　五十五范

去声五十三勘　五十四阚

五十五艳　五十六㮇

五十七验　五十八陷

五十九鉴　六十梵

第十五部

入声一屋　二沃

三烛

第十六部

入声四觉　十八药

十九铎

第十七部

入声五质　六术

七栉　二十陌

二十一麦　二十二昔

二十三锡　二十四职

二十五德　二十六缉

第十八部

入声八勿　九迄

十月　十一没

十二曷　十三末

十四黠　十五辖

十六屑　十七薛

二十九叶　三十帖

第十九部

入声二十七合　二十八盍

三十一业　三十二洽

三十三狎　三十四乏

作词韵的都是参酌、概括唐宋词而成,但唐宋词人所作,也常有越出旧韵书范围的,如洪希文《沁园春》以“红”协“纷”“辰”“精”,方岳《一落索》以“者”“也”协“小”“杳”,赵必瑑《念奴娇》以“朵”“火”协“岛”“帽”“小”,赵文《莺啼序》以“肯”协“见”“晚”,邓肃《菩萨蛮》以“远”协“冷”,这些或协方音,或由于协韵不很严格。因为他们作词的目的是为了抒情或应歌,自然不为当时的官韵所约束,我们更不能拿后人所定的词韵来限制它。

二、协　法

词的押韵方式比诗复杂,而且变化很多。大约可分下列十一类。

(一)一首一韵　和近体诗的押韵方式相同,一韵到底,这在词中居大多数。

(二)一首多韵　如李白《菩萨蛮》,用两仄韵两平韵,这在词中也是比较常见的。用韵最多的要算薛昭蕴的《离别难》,“鞍”“难”“寒”“干”为一韵,“媚”“里”为一韵,“烛”“曲”为一韵,“促”“绿”为一韵,“迷”“低”“西”“凄”为一韵,“别”“咽”“说”为一韵,“立”“急”为一韵,共七部韵,交互错杂,最为复杂少见。

(三)以一韵为主,间协他韵　如李煜《相见欢》,即以平韵“楼”“钩”“秋”“愁”“头”五韵为主,间入仄韵“断”“乱”二韵为宾。又如苏轼《定风波》,即以平韵“声”“行”“生”“迎”“晴”五韵为主,间入“马”“怕”二仄韵,

"醒""冷"二仄韵,"处""去"二仄韵为宾。

(四)数部韵交协　如陆游《钗头凤》,即以上片的"手""酒""柳"与下片的"旧""瘦""透"相协,又以上片的"恶""薄""索""错"与下片的"落""阁""托""莫"相协。

(五)叠韵　如《长相思》:

汴水流,泗水流,流到瓜洲古渡头,吴山点点愁。　思悠悠,恨悠悠,恨到归时方始休,月明人倚楼。(白居易)

叠二"流"字、二"愁"字。

(六)句中韵　句中协韵,《诗经》中已经有了,如《柏舟》的"日居月诸",《宾之初筵》的"有壬有林"等。宋词在句中协韵的例子很多。如柳永《木兰花慢》上下片的第六、七句:"云衢见新雁过,奈佳人自别阻音书","归途纵凝望处,但斜阳暮霭满平芜";又如《惜分飞》的上下片结句,毛滂作"更无言语空相觑","断魂分付潮回去";又如汪元量作"泪珠成缕眉峰聚","断肠解赋江南句"等等都是。

句中协韵有两三字一韵的,如苏轼《醉翁操》:"琅然清圆谁弹,响空山无言"。又如吴文英《三姝媚》过变:"春梦人间须断,但怪得当年,梦缘能短";又《高阳台》:"孤山无限春寒"。

(七)同部平仄韵通协　同部平仄韵,如"东"协"董""送","支"协"纸""寘","麻"协"马""祃"等是。此等在词中最习见者,有《西江月》《哨遍》《换巢鸾凤》等调。如苏轼《西江月》,"霄""骄""瑶""桥"四平韵,与"草""晓"二仄韵,都同在第八部。

这类平仄通协的词调,以平韵与上、去韵通协者为多,平韵与入韵通协者甚少。这是因为在宋词中入声韵往往独用,不与他韵通用。

(八)四声通协　上举各例平仄通协,只是举上、去协平的,此外还有入协上、去之例。王国维《人间词话》说:"稼轩《贺新郎》词:'柳暗凌波路,送春归、猛风暴雨,一番新绿。'又《定风波》词:'从此酒酣明月夜,耳热。''绿'、'热'二字皆作上、去用,与韩玉《东浦词·贺新郎》以'玉'、'曲'协'注'、'女',《卜算子》以'夜'、'谢'协'节'、'月',又开北曲四声通押之祖。"按词中四声通押,敦煌曲中已有。《云谣集》中有《渔歌子》(洞房深)一首,全首都是上、去韵,只有第三句"寞"字入声;又《喜秋天》(芳林玉露催)一首,全部是入声韵,只有末句"土"字上声。这二首可说是词中四声通押最早之例。但词中四声通押最多见的,是金、元人的词。

(九)平仄韵互改

1. 平韵与入韵　平入两韵，本可相通，所以又可以互改。如李清照论词说："近世所谓《声声慢》《雨中花》，既押平声，又押入声。《玉楼春》平声，又押上、去声，又押入声。"这些是平韵改入韵的。此外又有入韵改平韵的，如《满江红》本押入韵，姜夔始改押平韵。他的《满江红》词序说："《满江红》旧调用仄韵，多不协律。如末句云'无心扑'三字(周邦彦《满江红》词"最苦是蝴蝶满园飞，无心扑")，歌者将'心'字融入去声，方谐音律。予以平韵为之，末句云'闻佩环'，则协律矣。"

2. 平韵与上、去韵　改平韵为上、去韵的，如五代毛熙震有平韵《何满子》，北宋毛滂则改为上、去韵。又如辛弃疾《醉太平》，赵彦端《沙塞子》，杨无咎《人月圆》，晁补之《少年游》，宋祁、杜安世《浪淘沙》，曹勋《金盏倒垂莲》，陈允平《昼锦堂》等，都是把原调的平韵改用上、去韵。

改上、去韵为平韵的，如陈允平《永遇乐》自注："旧上声韵，今移入平声。"又《绛都春》自注："旧上声韵，今改平音。"此外如吴文英有平韵《如梦令》，平韵《惜黄花慢》；陈允平有平韵《祝英台近》；晁补之有平韵《尉迟杯》；赵彦端有平韵《五彩结同心》，这些词调本来都是押上、去韵的。

3. 入韵与上、去韵　改入韵为上、去韵的，在宋词中甚少。如《霜天晓角》，本协入声，辛弃疾、葛长庚、赵师侠三人却填作上、去。姜夔《疏影》本协入声，彭元逊改名《解佩环》，则改协上、去。不过这些都是前人偶误，不是通例。

(十)平仄韵不得通融　上例所举，都是平仄韵互改的，但有些词调决不能通融。清戈载《词林正韵·发凡》举出有些词调"用仄韵而必须入声者，则如越调之《丹凤吟》《大酺》；越调犯正宫之《兰陵王》；商调之《凤凰阁》《三部乐》《霓裳中序第一》《应天长慢》《西湖月》《解连环》；黄钟宫之《侍香金童》《曲江秋》；黄钟商之《琵琶仙》；双调之《雨霖铃》；仙吕宫之《好事近》《蕙兰芳引》《六幺令》《暗香》《疏影》；仙吕犯商调之《凄凉犯》；正平调近之《淡黄柳》；无射宫之《惜红衣》；正宫、中吕宫之《尾犯》；中吕商之《白苎》；夹钟羽之《玉京秋》；林钟商之《一寸金》；南吕商之《浪淘沙慢》，此皆宜用入声韵者，勿概之曰仄而用上、去也。其用上、去之调，自是通协，而亦稍有差别。如黄钟商之《秋宵吟》；林钟商之《清商怨》；无射商之《鱼游春水》，宜单押上声。仙吕调之《玉楼春》；中吕调之《菊花新》；双调之《翠楼吟》，宜单押去声"。

有些词调可以押平韵，又可以押仄韵，但若押仄韵则必须是入声，不可用上、去声。《词林正韵·发凡》亦有举例："如越调又有《霜天晓角》《庆春宫》；商调又有《忆秦娥》；其余则双调之《庆佳节》；高平调之《江城子》；中吕宫之《柳梢青》；仙吕宫之《望梅花》《声声慢》；大石调之《看花回》《两同心》；小石调之《南歌子》，用仄韵者，皆宜入声。《满江红》有入南吕宫，有入仙吕宫；入南吕宫者即白石所改平韵之体，而要其本用入声，故可改也。"

（十一）协韵变例　如辛弃疾有《水龙吟》"用些语再题瓢泉"一首，每句韵脚用一"些"字，而在其上一字押韵。这是学《楚辞·招魂》体。蒋捷亦有《水龙吟》"效稼轩体招落梅之魂"一首，协法与辛词同。又如黄庭坚有《阮郎归》"效福唐独木桥体作茶词"一首，"福唐独木桥体"不知何谓，此词共八韵，其中四韵都用"山"字。金元好问也有《阮郎归》独木桥体一首，协法与黄词同。黄庭坚又有《瑞鹤仙》一首隐括欧阳修的《醉翁亭记》，通首韵脚都用"也"字，这是独木桥体的一种变格。此后方岳、赵长卿都有全押"也"字的一首《瑞鹤仙》；石孝友有全押"你"字的一首《惜奴娇》；蒋捷有全押"声"字的一首《声声慢》；辛弃疾有全押"难"字的一首《柳梢青》；刘克庄有全押"省"字的六首《转调二郎神》。但这类词通首以同字为韵，实际上等于无韵。这种押韵方式，已经近乎文字游戏了。

词的分片与句式

一、分　片

词的体制和诗有很不相同的一点，就是它的分片。

绝大部分的词调，都是一首分为数段的。其中以分两段的为最多，也有分为三段、四段的；不分段的单片词，在全部词调里只占很小的一部分。这是词体的一个特点。在诗里，律诗、绝句原不分段，长篇的古诗虽然字句多，协韵屡换，前后文意或有许多变化，但总是自成一首。所以词的作法和读法是和诗不同的。

词的段落有专门的名称，一段叫做一"片"，一片就是一"遍"，就是说，音乐已奏过了一遍。乐奏一遍又叫做一"阕"（乐终曰阕),所以“片”又叫做“阕”(一首词也可叫做一阕)。两段的词我们通常称呼第一段为上片或上阕、前阕,第二段为下片或下阕、后阕。片与片之间的关系,在音乐上是暂时的休止而非全曲终了,在文辞上也就要若断若续有着有机联系。所以词的分片和《诗经》的分“章”,古乐府的分“解”,都是音乐上的关系。现代的歌曲也有叠唱一次两次合为一曲的,词的分片正和这种情形相似。

如果把词调按照它们的分段情况来加以区别,就可分为:单调、双调、三叠、四叠、叠韵等五种。

词仅有单片的称为单调。单调的词都是小令,而且在小令中也是字数最少的。单调的词起于唐五代,是在词初起时候的流行体,和近体诗也比较接近。词仅单片的有《竹枝词》《十六字令》《八拍蛮》《调笑令》《如梦令》《忆江南》等调。

词有两段的称为双调。双调的词在全部词调当中占大部分,令、引、近、慢各体都有。双调的词又可以分为上下片相同和上下片不同的两种。

上下片相同的,有《浪淘沙》《浣溪沙》《虞美人》《卜算子》《南歌子》《蝶恋花》《渔家傲》《生查子》《苏幕遮》等调。它们大都还是令词。其中有些双调词原来本是单调,后来把原来的单调加倍,也就成了双调。如《江城子》《何满子》《天仙子》等调,都是先有单调,后又变为双调。

上下片不同的,如《佳人醉》《六丑》等调,上下片字句全异。不过这种词调也是少数。大多数双调词是上下片有部分相同或相异。如《人月圆》,是上下片的字数全同而分句不同;如《行香子》,是上下片的句法全同而押韵不同;如《凤衔杯》,是两片中间数句全同而首尾不同;如《河传》,是两片结句相同而其余部分不同。

有些双调词原来虽有单调,但它不是把原来的单调再叠一遍而成。如《诉衷情》,毛文锡作的双调仅比韦庄作的单调多八字,字句也不同,上下片也就不同。

词有三段的称为三叠。三叠的词在词中很少,而且都是慢词。三叠的词又有双拽头和非双拽头二种。

双拽头就是三段中前两段字句全同的。这字句全同的前两段总是比第三段来得短,好像是第三段的双头,所以称为双拽头。双拽头的词有《瑞龙吟》《绕佛阁》《剑器近》等调。非双拽头的三叠词,有《兰陵王》《十二时》《宝鼎现》《戚氏》等调。

词有四段的称为四叠。四叠的词最少,现传仅吴文英《莺啼序》一调，有二百四十字，是最长的词调。

至于叠韵，前面已讲过，就是把双调的词用原韵再叠一倍。如《梁州令叠韵》，一百字，就是将五十字的《梁州令》加倍填成。

以上就形式方面说词的分片，下面再就内容文义方面来说。

一词虽分数片，但仍是一首。它的上下片的关系是同首，却又好像不是同首。以作法说，上片的末句要似合而又似起，下片的起句要似承而又似转。宋张炎《词源》卷下“制曲”条说：“过片不可断了曲意，须要承上接下”（所谓“过片”就是指下片的开头）。宋沈义父《乐府指迷》也说：“过处多是自叙。若才高者方能发起别意，然不可太野，走了原意。”姜夔的《齐天乐》词咏蟋蟀，是姜夔的名作。张炎举出这首词作为过片做得好的例子，说它过片“西窗又吹暗雨”一句能“承上接下”，“曲之意脉不断矣”。我们看他上下片用六种声音：吟声、私语声、机杼声、雨声、砧杵声、琴曲声来形容蟋蟀声，在这些声音里写出词人的秋思。但上下片的作法不同。上片是人物交绾，用人的吟诗、私语、纺织来比蟋蟀声；下片是哀乐相形，候馆、离宫是伤心之地，篱间寻蟋蟀则是儿女乐趣。两片所写都是实际的人事，而中间用“西窗又吹暗雨”一句空灵之笔拖作过渡，把它们联系起来；着一“又吹”的“又”字，和“为谁频断续”一问句，更摇曳生姿，又不“走了原意”，确是高手名作。

词中过片的作法也有些是比较特殊的，现在把它分作六类，举例如下：

（一）下片另咏他事他物的

如苏轼的《贺新郎》上片咏美人而下片另咏石榴。又如辛弃疾《感皇恩》“读《庄子》，闻朱晦庵（熹）即世”：

> 案上数编书，非《庄》即《老》。会说忘言始知道。万言千句，不自能忘堪笑。今朝梅雨霁，青天好。　一壑一丘，轻衫短帽，白发多时故人少。子云何在？应有《玄经》遗草。江河流日夜，何时了？

上片“读《庄子》”，下片“闻朱晦庵即世”，题与词皆分作两橛，似不相关，更为奇特。

（二）上片结句引起下片的

如苏轼《卜算子》“黄州定慧院寓居作”，上片结句逗“孤鸿”，下片专写鸿。又如苏轼《念奴娇》“赤壁怀古”一词上片的结句：“江山如画，一时多少豪杰。”引起下片“遥想公瑾当年……”一段；又苏轼《临江仙》“夜饮东坡醒复醉”一首，上片结句“倚杖听江声”，下片都写听江心情；辛弃疾《念奴娇》“赋傅岩叟香月堂两梅”,上片结句“试将花品,细参古今人物”,下片即引楚两龚(汉龚胜、龚舍皆楚人)、白居易、李白四人为比;谭宣子《浣溪沙》上片结句“藕花三十六湖香”,下片都咏荷花;也都同这样作法。

宋杨湜《古今词话》里录有无名氏《御街行》咏雁词(见明陈耀文辑《花草粹编》卷八引),其上片结句“雁儿略住,听我些儿事”,下片便接着写:

塔儿南畔城儿里,第三个桥儿外,濒河西岸小红楼,门外梧桐雕砌。请教且与、低声飞过,那里有人人无寐。

下片叮咛吩咐的话,即紧接上片结句,作法更明显。

(三)下片申说上片的　如辛弃疾《玉楼春》题序:“乐令谓卫玠曰:‘人未尝梦捣齑餐铁杵,乘车入鼠穴。’以谓世无是事故也。余谓世无是事而有是理,乐所谓无,犹云有也。戏作数语以明之。”

有无一理谁差别?乐令区区浑未达。事言无处未尝无,试把所无凭理说。　伯夷饥采西山蕨,何异捣齑餐杵铁?仲尼去卫又之陈,此是乘车入鼠穴。

下片二事就是申说上片“事言无处未尝无”的道理。

又如程垓《四代好》上片结句:“凭画栏,那更春好花好酒好人好”,下片说:

春好尚恐阑珊;花好又怕飘零难保;直饶酒好,酒好未抵意中人好;相逢尽拚醉倒,况人与才情未老。又岂关春去春来,花愁花恼。(文字依《词谱》)

下片申说春好花好酒好不比人好。这和前一类上片结句引起下片相近,但不完全相同。

(四)上下片文义并列的　如欧阳修《生查子》:

去年元夜时,花市灯如昼。月上柳梢头,人约黄昏后。今年元夜时,月与灯依旧。不见去年人,泪湿春衫袖。(或谓朱淑真作)

“去年”与“今年”,两片并列。

他如李元膺《茶瓶儿》上片起句“去年相逢深院宇”,下片起句“今岁重寻携手处”;李纲《江城子》上片起句“去年九日在衡阳”,下片起句“今年佳节幸相将”;王迈《南歌子》上片起句“家里逢重九”,下片起句“官里逢重九”,都和欧词作法相同。

又如吕本中《采桑子》:

恨君不似江楼月,南北东西;南北东西,只有相随无别离。　恨君却似江楼月,暂满还亏;暂满还亏,待得团圆是几时?

吕本中又有《浣溪沙》,上片

的结句是“迩来沉醉是生涯”，下片则说“不是对君犹惜醉，只嫌春病却怜他……”两例上下片文义相反，是此例的变格。

（五）上片问，下片答的　如刘敏中《沁园春》“号太初石为苍然”，上片问石，下片石答。又如李孝光《满江红》上片：“舟人道：‘官侬缘底，驰驱奔走？’”下片起句“官有语，侬听取”，也和此例相同。

（六）打破分片定格的　这是把上下片的界限完全混淆了，最著名的作品是辛弃疾《贺新郎》“别茂嘉十二弟”，从“马上琵琶关塞黑”到“壮士悲歌未彻”十句，平列了四件离别故事。过片不变，完全打破过片成法。他的《永遇乐》“京口北固亭怀古”，从开头“千古江山”到下片“赢得仓皇北顾”十四句，叠叙孙权及刘宋二帝故事，过片处也文义不变。又如刘过《沁园春》“风雪中欲诣稼轩，久寓湖上，未能一往，因赋此词以自解”，上下片铺叙三人言语，正是同辛词作法。又如蒋捷《虞美人》，上下片以“少年”“壮年”“而今”分别。许有壬《圭塘乐府》有《水龙吟》“可翁检点形骸，关心六事今犹可”一首，记他在病余还可读书、写字、步园、饮酒、食肉、听歌六事，每片各叙三事，作法也和这相同。

打破分片定格的最奇变的例子是辛弃疾的《破阵子》“为陈同甫赋壮词以寄之”，从开头到“赢得生前身后名”九句，写军中生活心情，写雄壮的军容，写投入战斗，写对功业的热望。九句虽然分属上下两片，文义却是一整段，是题目所谓“壮词”。“沙场秋点兵”处以下文义应断不断，已是越出规律，更奇的是，依题面说，前九句是“壮词”的正面文字，但是依作者的身世情感说，却全是反面文字；他的正面文字只有末了“可怜白发生”一句，这一句说出他自已年华虚度、壮志落空的沉痛心情。文情到末了，变雄壮为悲壮，这句也就否定了上面九句五六十字；若以文义分片，前九句应作一片，末五字一句应独作一片。宋词文义不依词调分片格式，以这首词最为突出的了。这是由于作者有很激动的生活情感，所以冲决了文学形式，我们不可以寻常格律来衡量它。

二、句　式

词是长短句的诗体，句式参差不齐，从一字句到十字句都有；这和近体诗以五、七言为基本句式的完全不同。现在把词中各种句式分述如下：

（一）一字句　词中一字、

二字、三字句叫做短句。一字单独成句的仅见《苍梧谣》(即《十六字令》)。

归,猎猎熏风飐绣旗。拦教住,重举送行杯。(张孝祥)

首句就是一字。但一字句通常用作领字,领字是并不断句的,大都用虚字,以一字为最多,二字、三字次之。在慢词中,领字用得最多,几乎一调数见;小令就很少用。一字作领字用的平声字很少,大都是去声字。元陆辅之《词旨》"单字集虚"条,举出词中常用作领字的单字有"任、看、正、待、乍、怕、总、问、爱、奈、似、但、料、想、更、算、况、怅、快、早、尽、嗟、凭、叹、方、将、未、已、应、若、莫、念、甚"等共三十三字。此外还有"怎、恁、又、这、你、渐、也、须"等字。

一字作领字的方式,有领单句的,如"对长亭晚"(柳永《雨霖铃》),"登孤垒荒凉"(柳永《竹马子》),"怅客里光阴虚掷"(周邦彦《六丑》),"怕梨花落尽成秋色"(姜夔《淡黄柳》)。有领偶句的,如"对宿烟收,春禽静"(周邦彦《大酺》);"仗酒祓清愁,花销英气"(姜夔《翠楼吟》);"念柳外青骢别后,水边红袂分时"(秦观《八六子》)。还有领排句的,如"渐月华收练,晨霜耿耿;云山摛锦,朝露团团"(苏轼《沁园春》)。但这些领字,都不能算是一字句。

(二)二字句　大都用在换头处或句中韵处。有平仄、仄平、仄仄、平平四种,以用平仄的为最多。

用于换头处的,如"江国,正寂寂"(姜夔《暗香》);"芳径,芹泥雨润"(史达祖《双双燕》)。用于协句中韵的,如"倾城,尽寻胜去,骤雕鞍绀幰出郊垧","盈盈,斗草踏青","欢情,对佳丽地,信金罍罄竭,玉山倾"(柳永《木兰花慢》)。

二字句还有用作叠句的,如"知否、知否,应是绿肥红瘦"(李清照《如梦令》);"明月、明月,照得离人愁绝"(冯延巳《三台令》)。叠句如协韵的,必然是叠韵。

二字句大都也被用作领字。宋张炎《词源》举出二字作领字的有"莫是、还又、那堪"之类。二字作领字的方式,有领单句的,如"休说鲈鱼堪鲙"(辛弃疾《水龙吟》),"何况旧欢新宠阻心期"(柳永《凤衔杯》)。也有领偶句的,如"那堪片片飞花弄晚,蒙蒙残雨笼晴"(秦观《八六子》)。

(三)三字句　除平平仄、仄仄平、仄平仄、平仄平等常见句式外,还有用仄仄仄的,如"共粉泪,两簌簌"(苏轼《贺新郎》);有用平平平的。如"今无裳"(史达祖《寿楼春》)。

三字句通常用在词的首句或

换头处。用于首句的,如“江南好,风景旧曾谙”(白居易《忆江南》);“宝钗分,桃叶渡”(辛弃疾《祝英台近》)。用于换头的,如“转朱阁,低绮户,照无眠”(苏轼《水调歌头》);“靖康耻,犹未雪;臣子恨,何时灭”(岳飞《满江红》)。

三字用作领字的,宋张炎《词源》举出有更能消、最无端、又却是之类。如“更能消几番风雨”(辛弃疾《摸鱼儿》);“更那堪冷落清秋节”(柳永《雨霖铃》);“最好是一川夜月光流渚”(晁补之《摸鱼儿》)等。

词调中三字句用得多的,如《江城梅花引》,接连三句三言;《厅前柳》,有十一句三言;《芳草渡》,有十四句三言;《六州歌头》,有二十二句三言;《三字令》则全首十六句都是三言(各调各体三字句多少不一,现在所举只是其中的一体)。

(四)四字句　四字句除分平仄外,有的须分四声。如周邦彦《六丑》“愿春暂留”,是去平去平;吴文英《莺啼序》“傍柳系马”,是去上去上;姜夔的《暗香》“几时见得”,是上平去入,一句四字兼有四声。

四字句以上下各二字的最多,如“大江东去”“故垒西边”(苏轼《念奴娇》)。但也有中二字相连的,如“揾英雄泪”(辛弃疾《水龙吟》);有上三下一的,如“倚阑干处”(柳永《八声甘州》);有上一下三的,则第一字是领字。

四字句是词的基本句式之一。除用作单句外,还常用作偶句和排句。如“欲说又休,虑乖芳信;未歌先噎,愁转清商”(周邦彦《风流子》);“望天不尽,背城渐杳;离亭黯黯,恨水迢迢”(吴文英《惜黄花慢》)。用四字句最多的,如《水龙吟》《透碧霄》等调接连六句四言;《凤归云》接连十句四言;《柳梢青》《盐角儿》等调上片六句全为四言;《人月圆》《喜团圆》等调下片六句全为四言。

(五)五字句　平仄格律大都同近体诗中的五言诗,句法也差不多,以上二下三为最多。如“明月几时有?把酒问青天”(苏轼《水调歌头》)。但也有上一下四的,如“有暗香盈袖”(李清照《醉花阴》);有上三下二的,如“写入琴丝,一声声更苦”(姜夔《齐天乐》),这两种句法诗中就没有。词中五字句还多拗句,如史达祖《寿楼春》首句“裁春衫寻芳”,五字都用平声。

词中五字句也有用作排句的,作法如五言律诗中的两联,如“高柳春才软,冻梅寒更香。暮雪助清峭,玉尘散林塘”(周邦彦《红林檎近》);“花径款余红,风沼萦新皱。乳燕穿庭户,飞絮沾襟袖”(李之仪《谢池春》)。

词中用五字句多者，如《赞浦子》，上片全为五言；《醉花间》，下片全为五言。《生查子》《纥那曲》《怨回纥》《一片子》等调，则全首为五言。

（六）六字句　　六字句平仄没有一定，但大都以两平两仄相间。

六字句通常用上二下四或上四下二的句法。如辛弃疾《永遇乐》上片结句“气吞万里如虎”，是上四下二；下片“一片神鸦社鼓”，是上二下四。但也有上三下三的折腰句，如陈亮《水龙吟》“恨芳菲世界，游人未赏，都付与、莺和燕。”又有上一下五的，如贺铸《青玉案》“凌波不过横塘路，但目送芳尘去”，则第一字是领字。

词中有全首为六言四句的，如《塞姑》《三台》《舞马词》《回波乐》。有全首六言六句的，如《何满子》。有全首六言八句的如《谪仙怨》《双鸂鶒》。有全首六言十句的，如《寿山曲》。

（七）七字句　　词中七字句的平仄大都和七言律绝的声调相同，但也有拗句，如“今年对花最匆匆”（周邦彦《花犯》），“东风竟日吹露桃”（周邦彦《忆旧游》）。句法有上四下三的，这种句法和诗句一样。但又有上二下五、上三下四、上一下六的，这几种句法，一般诗中却少有。如柳永《雨霖铃》“暮霭沉沉楚天阔”，是上四下三；“多情自古伤离别”，是上二下五；“杨柳岸晓风残月”，是上三下四；“念去去千里烟波”，是上一下六。至若姜夔《扬州慢》“二十四桥仍在，波心荡冷月无声”，竟像是上五下二的句法了。

词中有全首像七言绝句的，如《清平调》《渭城曲》《采莲子》《竹枝》《杨柳枝》《欸乃曲》《八拍蛮》等；有双调全为七言的，六句的如《浣溪沙》，八句的如《玉楼春》《瑞鹧鸪》。

七字以上的句子称为长句，在词中都较少见。八字句大都合三五成句。但如柳永《八声甘州》“对潇潇暮雨洒江天”，是一字领字的八字句；“误几回天际识归舟”，是三字领字的八字句；又《雨霖铃》“应是良辰好景虚设”，是二字领字的八字句。有些八字句中间还不能分读，如周邦彦《瑞龙吟》“探春尽是伤离意绪”，辛弃疾《永遇乐》“英雄无觅孙仲谋处”。

九字句大都合四五成句，但也不尽然。如辛弃疾《摸鱼儿》“算只有殷勤画檐蛛网”，是上三下六；“斜阳正在烟柳断肠处”，是上二下七。又《摸鱼儿》“见说道天涯芳草无归路”，“君不见玉环飞燕皆尘土”，都是三七合成的十字句。

了解词在句法上的特点，虽然不是为了填词，但对阅读和理解词也是必需的。

词学要籍简介

曹济平

说　　明

一、本编收录有关唐宋词总集、选集、别集和词论等著作，注明编撰者、版本、卷数，并简介善本、足本和通行本。新出点校本、笺注本附后，不另列目。

二、宋词别集，历来书目所载，卷数、词目多有异同，兹据唐圭璋先生《宋词版本考》择要叙述，以察其完缺，辨别优劣。

三、历代词话传本，唐圭璋先生《词话丛编》（中华书局出版）修订本已收录八十五种，较为完备，谨略述其书目版本、作者及卷数，间附散佚词话。

四、本编所录限收国内刊行著作，酌收未刊行之词籍抄本、稿本。

五、所收书目时限至1985年7月，台湾和香港等地区的书目暂缺。由于资料和水平限制，难免舛误，请读者批评指正。

一、词总集、选集及其他

百　家　词

南宋宁宗嘉定年间书坊汇刊词丛刻。据南宋陈振孙《直斋书录解题》卷二十一《歌词类》著录《笑笑词集》注云："自《南唐二主词》而下，皆长沙书坊所刻，号《百家词》。"按《直斋书录解题》所著录词集凡九十七家，一百二十八卷，为汇刊词集最多的一部丛刻，可惜宋长沙本今已不存。现传明吴讷《唐宋名贤百家词》，简称《百家词》，名同实异，不能相混。

典雅词

杭州陈氏书棚刊行。明文渊阁藏一部共三十册，后散失。清初朱彝尊始访得宋人钞写本六册。《曝书亭集》卷四十三《跋典雅词》云："《典雅词》，不知凡几十册……考正统中《文渊阁书目》，止著'诸家词三十九册'，而无'典雅'之名，疑即是书，著录者未之详尔。予所得不及十之二，然合离聚散之故，可以感已。"按：《文渊阁书目》卷十作"诸家燕宴词，一部三十册"。嗣后续有发现。清缪荃荪《艺风堂藏书续记》卷七著录《典雅词》五册十四家。傅增湘撰《藏园群书经眼录》卷十九集部著录《典雅词》十种，为清劳巽卿（权）手钞本。其列目：《梁溪词》补遗附，题《李忠定公长短句》；《抚掌词》后学南城欧良；《东泽绮语》补遗附，鄱阳张辑宗瑞；《清江渔谱》张辑宗瑞；《双溪词》冯取洽；《袁宣卿词》袁去华；《文简公词》程大昌；《燕喜词》曹冠；《拙庵词》赵磻老；《碎锦词》补遗附，李好古。是钞今藏北京图书馆。现存《典雅词》本去其复出，尚有宋词人十九家。

琴趣外篇

南宋福建书肆刻本。收词集部数不详。《四库全书总目·晁无咎词提要》云："此本为毛晋所刊，题曰《琴趣外篇》，其跋语称诗余不入集中，故名外篇……至《琴趣外篇》，宋人中如欧阳修、黄庭坚、晁端礼、叶梦得四家词皆有此名，并补之（晁无咎）此集而五。"又秦观《淮海居士长短句》，毛斧季校本，黄子鸿校语屡引宋本《淮海琴趣》。朱祖谋《彊村丛书》据汪阆源藏汲古阁钞本收录赵彦端《介庵琴趣》六卷补遗一卷。今存列入《琴趣外篇》丛刻的有上述七种。至于《永乐大典》卷三千零六《丑奴儿》（夜来酒醒清无梦）词注出《小山琴趣外篇》及《季沧苇书目》所引宋刻《真西山琴趣》，久已失传。

云谣集

自敦煌石室发现写本诸词后，此为我国今存最早的一部唐代民间词集，共收词三十首。其中法人伯希和窃走一卷十四首，今藏巴黎国家图书馆；英人斯坦因窃走一卷十八首，今藏伦敦博物院。两本有《凤归云》二首重复，刚好配合成一部较完整的《云谣集》。嗣后国内学者分别录归，龙沐勋辑《彊村遗书》时刻入，是书全本遂流传于世。

今人王重民汇录诸家藏本敦煌词，辑成《敦煌曲子词集》。1950年商务印书馆出版。全书分三卷：上卷为长短句，中卷为《云谣集》，下卷为乐府，合称曲子词。是书所辑录有一百六十一首，内七首残。书后有附录，收诸家所撰《云谣集杂曲子》三十首跋文。

花 间 集

后蜀赵崇祚编。赵字弘基，唐银青光禄大夫卫尉少卿。生卒年无考。是书选录自唐开成元年（836）至五代后晋天福五年（940），即后蜀广政三年以前的词家，计温庭筠、皇甫松、韦庄等十八家，共五百首，分十卷。书前有蜀人欧阳炯所写序文。书中选录词家除温庭筠外皆为蜀人，偏于蜀地，故南唐李煜、冯延巳词未收入。此书是文人词总集最早的一部，我国初期词家之作，赖此以传。

是书流传极广，版本亦多，今存有南宋绍兴十八年（1148）、淳熙末年和开禧刻本三种。后代均有仿刻本。此书前代未闻注本，近代研究校注者有今人李冰若《花间集评注》，开明书店出版；今人华连圃《花间集注》，商务印书馆出版；今人李一氓《花间集校》，人民文学出版社出版，书末附述诸版本源流，对研究《花间集》极有帮助。

尊 前 集

编者未详，然宋人王灼《碧鸡漫志》及胡仔《苕溪渔隐丛话》等称述该书，可知北宋时已有此集。是书收录词家三十六人，二百六十首。所录范围比《花间集》广泛。今传是书最早为明吴讷《唐宋名贤百家词》本，收录《尊前集》一卷。有明万历顾梧芳刻二卷本，有明梅禹金藏钞本一卷，朱祖谋据梅钞本收入《彊村丛书》。1984年江西人民出版社据《彊村丛书》本增校并附《金奁集》出版。

金 奁 集

宋时坊间本，一卷，收词一百四十七首。曹元忠《钞本金奁集跋》云："此为明正统辛酉（六年，1441）海虞吴讷编《四朝名贤词》本，而鲍渌饮从钱塘江氏借钞者。卷首题《金奁集》，次为温飞卿庭筠，与《渭南文集·跋〈金奁集〉》语相合。"是书编纂分宫调，为他词集及词谱所未有。所录温庭筠词六十三首，韦庄词四十七首，张泌词一首，欧阳炯词十六首。故知是书非温庭筠词专集。朱祖谋跋云："盖宋人杂取《花间集》中温、韦诸家词，各分宫调，以供歌唱，其意欲为《尊前》之续。"然朱氏刻入《彊村丛书》，列为唐词别集，实属词总集。1984年江西人民出版社出版朱祖谋校、蒋哲伦增校《尊前集》附《金奁集》。

乐府雅词

南宋曾慥编。是书有上中下三卷,《拾遗》二卷。绍兴十六年(1146)编定。是书按词人排列,选录欧阳修等三十四家,《拾遗》十六家,所选均宋人,未录唐五代词。卷上分《转踏》《大曲》《雅词》三类。《转踏》《大曲》都是研究唐宋歌舞曲的重要资料,其中无名氏《九张机》为别处所未见。《雅词》始选欧阳修词八十三首,终李清照词二十三首。是书选录以雅正为标准,故选欧阳修词不录其艳词,也未选柳永、晏殊等词作。编者不录苏轼词,因另编有《东坡词》《东坡词拾遗》。

此书为宋人选编宋词集传世的最早一部词总集。有明钞本、清秦恩复《词学丛书》和《粤雅堂丛书》刻本。《四部丛刊》据鲍廷博校钞本影印。诸本皆可取,唯有《四库全书》本于原书空缺之处,随意填补,故赵万里《校辑宋金元人词》时引《乐府雅词》,谓此本"最不可信"。

花庵词选

南宋黄昇编。全书二十卷,收词一千多首。前十卷为《唐宋诸贤绝妙词选》,卷一收唐五代词二十六家,其余九卷是宋词,禅林闺秀词亦入选,收一百零八家。后十卷为《中兴以来绝妙词选》,收南宋词人八十九家,其中吴激一家,唐圭璋先生已编入《全金元词》。是编书前有自序,集后附有自作词三十八首。

此编据家藏善本文集选录,博观约取,选录极精,向为后人辑词者所重。毛晋刻《六十名家词》、朱彝尊纂《词综》,采撷尤多。书中所选各家,系以小传,间附评语,或引录时人品评,既可考见词人身世,亦可探究各家词风流派,此为前人选本所无,亦较《乐府雅词》完善。是书选录宋词以苏轼、辛弃疾豪放词派为首位,其中苏轼词选三十一首,辛弃疾、刘克庄词各选四十二首,颇具特色,所选虽有疏误,如误收胡舜陟词为其子胡仔词,然仍不失为一部内容丰富而对词史研究极有参考价值的宋人词总集。

是书宋本已失传,今有明万历二年(1574)桐源舒氏刻本、明汲古阁刻本、《四库全书》收录。《四部丛刊》据明翻宋本影印,1958年中华书局上海编辑所即用此本断句排印。

草堂诗余

南宋何士信编。是书全称题作《增修笺注妙选草堂诗余》。何士信,字君实,福建人,生平事迹不详。此书四卷,分前集二卷,后集二卷。据《四库全书总目提要》

云:“旧传南宋人所选编。考王楙《野客丛书》作于庆元间,已引《草堂诗余》张仲宗《满江红》词。”可见此书编定于宋宁宗庆元(1195—1200)以前。

此书选录唐五代及宋词三百六十七首,以宋词为主,唐五代词甚少,其中以柳永、苏轼、秦观、周邦彦四家入选最多。此选本不依调分列,而按内容分为春景、夏景、秋景、冬景、节序、天文、地理、人物、人事、饮馔器用、花禽等十一类。在每首词下有词人姓名,但题名颇不一致,如苏轼,有题作苏子瞻,也有题为苏东坡或东坡。有的词句下加注,词后间附各家词话,然有舛误。可能编者随手写录,故体例不甚完善。但后世向来与《花间集》并称,不仅填词者奉为典范,而且也是研究宋词的一部重要参考书籍。

是编宋刊二卷本已佚。今传有元至正三年(1343)新刊庐陵泰宇书堂本,有元至正十一年(1351)孟夏双壁陈氏刊行本。明洪武二十五年(1392)遵正书堂本乃据元至正本重刻,吴昌绶双照楼影印。有《四部丛刊》本。1958年中华书局上海编辑所据双照楼影印本断句排印,但作阙名编。

《草堂诗余》的异本甚多,明嘉靖顾从敬刻《类编草堂诗余》四卷,题作武陵逸史编,毛晋汲古阁刊印,该书以小令、中调、长调编次,间采评语,与宋元刊本面貌不同,差误亦多,是为别本。此分调本既出,一般以词调长短区分较为方便,故旧本渐废。《四部备要》又据汲古阁本重印,这样分调本的流传更为广泛。

阳春白雪

南宋赵闻礼编。是编有正集八卷,外集一卷,共收词六百多首。《直斋书录解题》谓此书五卷,可见并非完书。

此编选录大都是南宋词家,而且是不知名的,极少选北宋词人。所选词人不以时代先后为序,也不以词作内容排列,而分散于各卷中,以词调分卷;每卷先录慢词,后录小令。此体例不为后人所沿用。是书《正集》选录以工丽精妙词作为主,但在《外集》中也选录张元幹、辛弃疾、刘过等悲壮激昂的爱国词篇。书中保存了一些不知名词人的作品,《四库未收书目提要》谓“宋代不传之作,多萃于是”。故对辑录宋人散佚词极有参考价值。

该书编成在《草堂诗余》之后,但后世发现甚晚,而对编者生平事迹亦不详,仅知赵闻礼,字立之,又字粹夫,号钓月,临濮(今山东濮县)人,有词集《钓月集》,不传。是书清初朱彝尊编《词综》和沈辰垣等编《历代诗余》均未见,故《四库全书》亦未采录。直至道光期间，江都秦恩复得一元代钞本才收刻入《词学丛书》。此外，有《粤雅堂丛书》本、清吟阁本、《宛委别藏》本、《丛书集成》初编亦收录。秦刻本于诸家词句读押韵不同者，条注于每句之下；至于错误不通者，空格以俟考补，较为谨慎。

绝妙好词

南宋周密编。周密(1232—1298)，字公谨，号草窗，又号弁阳啸翁、四水潜夫、华不注山人，晚号弁阳老人。词集有《蘋洲渔笛谱》，又名《草窗词》。著有《齐东野语》《癸辛杂识》《武林旧事》《志雅堂杂钞》《浩然斋雅谈》等。

此编专收南宋词家，始自张孝祥，终于仇远，共一百三十二家。全书分为七卷。共收词三百八十五首。是书选录标准注重清丽婉约词作，而不录忠愤激昂的豪放词，如辛弃疾仅选三首，姜夔则选十三首，吴文英词多至十六首。清焦循谓“周密《绝妙好词》所选皆同于己者，一味轻柔圆腻而已”(见《雕菰词话》)。此论较为公允。至于张炎《词源》说“近代词人用功者多，如《阳春白雪集》，如《绝妙词选》，亦自可观，但所取不精一；岂若周草窗所选《绝妙好词》之为精粹”云云，正是宋末注重音律形式的“雅词派”观点的反映。是书较突出的是，选录了许多不见史传的宋末词人之作，零珠碎玉，赖此书以传，其中不少词人与编者结词社唱和，从中可以窥见当时词坛不同词风的流行情况，为研究宋词风格流派的发展演变提供了极有参考价值的资料。

是书无宋版传世，亦无元明刻本。清初朱彝尊编《词综》时亦未见。后发现钞本于常熟钱谦益家(见夏承焘《词源》注)，有康熙三十七年(1698)钱塘高士奇重刻本。今传为查为仁、厉鹗合笺本，收入《四库全书》。又有《四部备要》本，内附《绝妙好词续钞》一卷。中华书局曾据此校订排印。

又，顾鹤逸藏汲古阁钞本《绝妙好词》，其中多出李肅一人。而他本将《清平乐》(乱云将雨)一首作者李肅误作李詠。

梅　苑

南宋黄大舆编。据宋王灼《碧鸡漫志》卷二云：“吾友黄载万……所居斋前，梅花一株甚盛，因录唐以来词人才士之作，凡数百首，为斋居之玩，命曰《梅苑》。”周煇《清波杂志》亦谓：“绍兴庚辰(1160)在江东得蜀人黄大舆《梅苑》四百余阕。”黄大舆，字载万，自号岷山耦耕，蜀人。是书卷首有自序称辑录于己酉之冬，乃高宗建炎三年(1129)编定。是编所录皆咏梅之词，起于唐代，止于北宋末南宋初,共十卷,以词调编次,先慢词,后引近小令,其中亦有不以此为序者,并不尽善。

是书有曹楝亭刻本;有武进李祖年圣译楼刊本,内附校勘记一卷;又有赵万里《梅苑》辑本一卷,校补更精。

乐府补题

元阙名辑。是书一卷,选录《天香》词八首,《水龙吟》十首,《摸鱼儿》五首,《齐天乐》十首,《桂枝香》四首,共三十七首,内容借咏物以抒写宋末遗民身世之感慨,或皆为杨琏真伽发六陵而作。所选词人有王沂孙、周密、王易简、冯应瑞、唐艺孙、吕同老、李彭老、李居仁、赵汝钠、张炎、陈恕可、唐钰、仇远等共十四家,内佚名一家,皆宋末和宋遗民词人。书前后无序跋,亦无目录,所选录词人署名也不同于一般选本。如李居仁,字师吕,号五松,书中署为"五松李居仁师吕"。所选词人大都不知名,不详其事迹,词作亦少,赖此书以存。朱彝尊《乐府补题跋》称此书:"大率皆宋末隐君子也。诵其词可以观志意所存,虽有山林友朋之娱。而身世之感,别有凄然言外者,其骚人《橘颂》之遗音乎?"

是书有明吴讷《唐宋名贤百家词》本,又有《知不足斋丛书》本及《彊村丛书》本。

中州乐府

金元好问编。是书一卷,为金代唯一的词总集。元好问纂有《中州集》十卷,毛晋汲古阁据明弘治本刻《中州集》,又刻乐府,遂合二书为一部。《中州乐府》彭汝寔序谓是书收录"凡三十六人,总一百二十四首,以其父明德翁终焉。人有小叙志之,中间亦有一二伶材者"。书中词人小传,汲古阁刻本因小传已见诗集中,遂删去乐府集中小叙,然其中亦有不见诗集之词家。

是书有元至大刻本,吴昌绶双照楼据此摹刻;有明嘉靖刻本,朱祖谋收入《彊村丛书》;有日本五山翻刻《中州集》后附乐府一卷,与元至大本相同。《四部丛书》据此本,又用傅增湘所藏元刊本校补影印。

名儒草堂诗余

元凤林书院辑刻,不著编者姓氏,共三卷。所选皆南宋遗民词,自刘秉忠以下,凡六十余家,二百余首。是书明人未知,清初始显。雍正二年(1724),厉鹗得一钞本过录,后以朱彝尊藏钞本校补。今传《粤雅堂丛书》和《读画斋丛书》本即用厉钞校本。傅增湘《藏园群书经眼录》卷十九集部著录有《精选名儒草堂诗余》三卷,元凤林书院刊本。现通称《元草堂诗余》或《凤林书院草堂诗余》,亦名《续草堂诗余》。

词林万选

明杨慎编选。是书四卷,选录唐温庭筠至明代高启词。据卷首任良幹序云:"升庵太史公家藏唐宋五百家词,颇为全备。暇日取其尤绮练者四卷,名曰《词林万选》,皆《草堂诗余》之所未收者也。"是书乃杨慎谪居云南时选编。后毛晋刻入《词苑英华》。杨慎博极群书,所撰词学著述甚多,然此书编录体例颇杂乱,如卷一有东坡词七首,卷四又有东坡词七首,而署名也不一致,有署名,又有署其字或别号的,甚至有误,如王观《卜算子》(水是眼波横)误作东坡。

是书有明嘉靖二十二年(1543)刻本,今传为毛晋汲古阁刻本。

花草粹编

明陈耀文编。是书十二卷,主要选录唐宋词,兼采元词。书前有明万历十一年(1583)自序和万历十五年(1587)李蓘序,并附刻沈义父《乐府指迷》。此编搜采广泛,援引繁富,大致以《花间》《草堂》为主,体例亦仿《草堂诗余》,以小令、中调、长调分卷,一至六卷为小令,卷七至八为中调,卷九至十二为长调,共选词三千二百多首,八百多调,是明人选唐宋词数量最多的一部词总集。清康熙时辑《历代诗余》即以是编为基础而加以扩充。所选每调有原题者,必录原题,无作者姓名的词篇则注明采自某书,间采词话于后,无可考及疑信参半者则依原本书字,亦有空缺。书中署词人姓氏,或名或字,先后不一致。如一卷中既署"秦少游",又用"淮海"。

此编传本甚少,书中不收明词,故后人亦有以耀文自序误作延祐四年(1317)陈良弼撰,并且将此书分割排为二十二卷。《四库全书》收录《花草粹编》二十二卷、附录一卷,并称"卷首乃有延祐四年陈良弼序"。即以讹入录。清咸丰七年(1857)金绳武以木活字印行,有"评花仙馆活字本",虽属罕见,然析十二卷为二十四卷,皆非善本。

是书有明万历刻本,1933年,陶风楼影印明刊本成巾箱本,自此流传始广。

唐宋名贤百家词

明吴讷编。是书辑录于明英宗正统六年(1441)。其时代较毛晋汲古阁刻词早二百多年,所见善本尚多,便于收集。此书内容自《花间集》起,终南宋郭应祥《笑笑词》,共为百家,现缺十家,实有九十家;今天津图书馆藏明红格钞本为天一阁旧藏，其中《笑笑词》重出，仅有九十九种，卷首吴讷序，钞本已缺。该书不录明人词，所收《稼轩词》丁集和袁易《静春词》，皆为他处所未见，甚为可贵。而南宋曾慥所编《东坡词》《东坡词拾遗》以及元阙名编《乐府补题》等，亦赖此书以传世。然其中也有误收明人词，如王达《耐轩词》，即明初人作。

是书有天津图书馆收藏的明钞本，有北京图书馆收藏梁启超传抄本，又有商务印书馆排印本，为林大椿钞校，文字与原钞本不尽相同。书前有"序例"和"词人小传"，可资参阅。

唐词纪

明董逢元撰。是书编于万历二十二年(1594)，共十六卷。所选以唐词为名，而五代十国之作约占大半，编排不以人序，亦不以调分，而是区分为景色、吊古、感慨、宫掖等十六门，其中又有以词名而分，漫无体例。卷首有《词名徵》一卷，略作解题，可供参阅。

是书有明万历刻本，《四库全书》收录。

宋六十名家词

明毛晋编。毛晋原名凤苞，字子晋，江苏常熟县人。家有汲古阁，珍藏书籍有八万四千册。传刻书籍甚多，其中较著名的有《十三经》《六十种曲》《文选》《乐府诗集》和本编等。此编共分六集、八十六卷，自北宋晏殊《珠玉词》至卢炳《哄堂词》，共六十一家，为宋以后所刻规模较大的词学丛编。每家词集后，均附以跋语。是书所刻词序，按得词集先后付刻，并非依照时代前后安排，而且随到随刻，也未尝有所去取。毛晋原拟先刻六集，以后再续刻其他词集，后因财力不足而停止。

是书付刻疏于校勘，故错误很多，而毛晋又往往将原刻卷数任意合并，如柳永《乐章集》原为三卷，毛刻则合为一卷。尤其是毛刻常有补遗词，也不可尽信，如秦观《淮海词》中补遗，大都非秦观所作，实则沿讹未考。是书刊刻后，其子毛扆，字斧季，曾与陆敕先、黄子鸿等人，取原刻精校，用力很深，弥补了毛晋原刻字脱句讹等缺憾。此校本今藏北京图书馆。毛刻是目前流行最广的词集之一，各种翻刻本较多。

宋元名家词钞

明钞本。是书共二十四册，自北宋苏轼《东坡词》起至《花间集》终，共抄录七十种词集。抄本版心下方有"紫芝漫钞"四字。是钞经毛扆用朱笔通体校过，亦有陆敕先校笔，大半为《宋六十名家词》所未收。是书亦有误收明人词集，如《履斋诗余》即明初李祯撰。

此钞本傅增湘《藏园群书经眼录》卷十九著录，今藏北京图书馆。

古今词统

明卓人月编。是书十卷。书前有明崇祯二年(1629)孟称舜序，又录何良俊《草堂诗余》序、杨慎《词品》序、王世贞《词评》序等。其《杂说》收《乐府指迷》，误沈义父作张玉田；又误杨缵《作词五要》为杨万里。此书明以后未见翻版本，可见流传不广。今存有明崇祯刻本，北京图书馆、南京图书馆皆有藏本。

词　　的

明茅暎辑。是书共四卷，所选以唐宋人词为主，兼采元明词，止于马浩澜。选录内容皆取俗艳之作，然多承前人之误，如孙光宪《浣溪沙》(兰沐初休曲槛前)，此编以为温庭筠作，乃沿袭《尊前集》之误。书中眉端略有评语，然并无胜义。

是书刻印尚精，传本极少，《四库全书》未收录，也未见藏书家著录。今有明刊词坛合璧本，藏北京图书馆。

历代诗余

清沈辰垣等编。是编一名《钦定历代诗余》，乃康熙四十六年(1707)命侍读学士沈辰垣等编定。所选自唐至明人词作，凡一千五百四十调，九千余首，分为一百卷；又词人姓氏十卷，词话十卷，共一百二十卷。是编选录次第，以字数多少为断，不沿袭《草堂诗余》所分小令、中调、长调之名称。是书收集繁富，内容浩瀚，凡柳永、周邦彦婉丽之音，苏轼、辛弃疾豪放之格，兼收并蓄。《四库全书总目提要》云此编“网罗宏富，尤极精详。自有词选以来，可云集其大成矣”。是书卷帙宏富，然编审尚未精详，书中有不少讹误需待订正。如周邦彦《风流子》(新绿小池塘)，是书卷八十六误作贺铸词。又如南宋词人萧泰来，号小山，所作《满江红》(七十人稀)，词题作寿大山兄，注作小山。此小山即萧泰来，该书编者不知而径改成北宋词人晏几道，号小山，其误甚明。

是书有清内府刊本，有上海出版石印本，近有上海书店影印本。

词苑丛谈

清徐釚撰。是书十二卷，康熙十二年(1673)至十七年(1678)编成。书前有丁炜、尤侗序和自序以及凡例，选录唐宋迄清初词人逸事、评笺等，分为体制、音韵、品藻、纪事、辨证、谐谑、外编等七目，或词以人传，或人因事显，引用书目达一百五十多种。然因随时钞录，书中援引资料出处没有旁注于下，不便于复检原书。

是书有康熙丁氏刊本，有《海山仙馆丛书》本和道光巾箱本。1982年上海古籍出版社出版唐圭璋先生校注本，足以弥补徐氏之遗憾。

词学全书

清查继超编。是书十四卷，编于康熙十八年(1679)。首录毛先舒《填词名解》四卷，次录王又华《古今词论》一卷，又录赖以邠《填词图谱》六卷，《续集》一卷，后录仲恒《词韵》上下卷，附《古韵通略》。四种汇刊一集，亦便于参阅。《四库全书总目提要》谓此书"无所发明考证"。1984年北京中国书店据木石居校本影印。误作查培继编。

词　律

清万树撰。是书二十卷，《四库全书》著录，编于康熙二十六年(1687)。自《草堂诗余》以小令、中调、长调分别列目，旧谱因之，以五十八字内为小令，五十九字至九十字为中调，九十一字以外为长调。然如《七娘子》，有五十八字体，有六十字体，分列入小令与中调均不相合，故是编则列诸调而不分三等之名，一字一句，皆取宋元名作排比而求其律，收唐、宋、元词六百六十调，一千一百八十余体。《四库全书总目提要》称"是编纠正《啸余谱》及《填词图谱》之误，以及诸家词集之舛异"。唐宋以来，倚声度曲之法，久已失传。故杜文澜《词律续说》称是书"作于宫谱失传之后，振兴词学，独辟康庄，嘉惠后者甚厚"。但编者疏于考证，书中脱漏错误，诚所不免，在自序及发凡中言之甚详。后人亦有所校订。同治十二年(1873)徐诚庵作《词律拾遗》八卷，其中一至六卷为补调补体，卷七至卷八则为订正原书之补注。光绪二年(1876)杜文澜为之校勘并有《词律补遗》一卷，《拾遗》之外，又得五十调。校勘记散附杜刻《词律》各阕之后。

是书有清刻本，1984年上海古籍出版社据光绪刻本影印。

十名家词集

清侯文灿编。是书十卷，编于康熙二十八年(1689)。选录南唐中主李璟、后主李煜和冯延巳三家，宋张先、贺铸、葛郯、吴儆、赵以夫五家，元赵孟頫、萨都剌、张埜三家，其中李璟、李煜合刊为《二主词》，共十种词集。书前有自序。

是书有康熙二十八年侯氏亦园刊本，今藏南京图书馆。

词　谱

清王奕清等奉敕编，亦名《钦定词谱》，四十卷，编于康熙五十四年(1715)。书前有陈邦彦序，称是书“详次调体，剖析异同，中分句读，旁列平仄，一字一韵，务正传讹”。所收唐、宋、元词共八百二十六调，二千三百零六体，以词调字数多少编次。间收北曲小令，而唐宋大曲则汇为一卷，缀于书末。是书编成于《词律》之后，搜采更为繁富，体例亦较完善，然书中仍有沿讹。

是书有内府刻本，1983 年北京中国书店据清康熙五十四年内府刻本影印。

词　综

清朱彝尊编，汪森增订。是书选辑唐五代宋金元诸家词三十卷，补选词家三卷，补词作三卷，后王昶又补纂二卷。合计三十八卷，其中朱彝尊辑三十卷，汪森增补六卷。清康熙十七年(1678)朱氏编选成书为三十卷，后经汪森等增补于康熙三十年(1691)刊印。全书收录唐词二十家，五代词二十四家，宋词三百七十六家，金词二十七家，元词八十四家，加上增补词人共有六百五十多家(不包括无名氏)，所录词作二千二百五十多首，是一部规模较大的词总集。所选词家下有词人姓氏、籍贯和重要著作，间附前人评述资料。书前有汪森序，有朱氏所撰《词综》“发凡”，详细地介绍作者所披览的词集一百六十余家，所参考的资料数十种之多。是编所录，网罗散失，别开生面，然校勘尚欠精审。陈匪石《声执》称“朱氏搜求佚书，不遗余力。凡明人未见之本，多经朱氏发见，例如专集之《山中白云》，总集之《绝妙好词》、元《草堂诗余》皆是”。朱彝尊在“发凡”中提出“词至南宋始极其工，至宋季而始极其变”的主张，并推崇姜夔为词家正宗，而史达祖、吴文英、张炎、周密、王沂孙等为之羽翼，遂开创“浙西词派”，对清词发展和词风改变皆有很大影响。然以雅正为宗，忽视苏辛豪放词风，亦属偏见。

是书有康熙三十年裘杼楼刊本，有《四部备要》本，有 1978 年上海古籍出版社版李庆甲校点本。

词　选

清张惠言选。是书编选于清嘉庆二年(1797)，为编者早年在安徽歙县教书时所选。书中选录唐词人李白、温庭筠、无名氏三家，词作二十首；五代词人李璟、李煜、韦庄等八家，词作二十六首；宋词人三十三家，词作七十首，共四十四家，一百一十六首，但柳永、吴文英都未能入选，时人感到选录偏而太严。张惠言卒后，其外孙董毅又编《续词选》二卷，续选词人五十二首，词作一百二十二首。

是选宗旨要求词有比兴寄托，以挽“浙派”之流弊，使词和诗、骚并列，以提高词的地位。是选对当时词坛和以后词风都产生了很大影响，开创了“常州词派”。陈廷焯《白雨斋词话》称此选“精于竹垞（朱彝尊）《词综》十倍，去取虽不免稍刻，而轮扶大雅，卓乎不可磨灭”。然选者以《说文》的“意内而言外谓之词”来解说“曲子词”，不够妥当。又因强调词的比兴寄托，对某些词作解说不免失之穿凿附会。

是选有清道光刊本，有《四部备要》本。1984年江西人民出版社刊有《百花洲文库》本，由许白凤校点。

词林纪事

清张宗橚辑。是书为编者晚年所辑，书前有乾隆四十三年（1778）陆以谦序。全书共二十二卷，辑录唐词一卷，五代词一卷，宋词十七卷，金词一卷，元词二卷，共收词人四百余家，并附有词人事迹、逸闻以及前人评语、考略等，引用书目三百九十五种，经编者三易其稿而成。此编搜采资料繁富，但引用书多随意删节，致失其真。书中又引许昂霄师说较多，间附编者按语，尚多精确，足资参考。

是书有清乾隆刊本，有道光十五年（1835）重刊本。1957年上海古典文学出版社用涉园张氏刻本校订重印，卷末附四角号码人名索引，尤便于读者寻检。

白香词谱

清舒梦兰（字白香）所编。是书选自唐李白至清黄之隽词共五十九家，各调代表词作一百首。所选百调较通行，旁注平仄。编次以小令在前，次及中调、长调，题下各系词人姓名。原本以词为主，故时代不分。是书初刻坊间盛行，后有谢朝征作笺，存词九十九首，编排以时代先后为序，删去声谱，并增入词人生平及有关本事资料，改变了原书面貌，但更便于读者阅览。

是书有原刻本。1957年古籍刊行社出版顾学颉校订《白香词谱笺》。1981年上海古籍书店据振始堂1918年版影印《考正白香词谱》。

词林正韵

清戈载撰。是书三卷，《发凡》一卷，编成于道光元年（1821）。是编据《广韵》二百零六部，“列平、上、去为十四部，入声为五部，共十九部，皆取古人之名词，参酌而审定”（《发凡》）。上海古籍出版社“说明”称是书“问世,精诣特出,于旋宫八十四调之旨,研讨至深,宜于《发凡》中缕述精核,一扫前人陋习,自当奉为金科玉律,实为填词家所不可少”。然书中仍有疏误。

是书有道光刊本,有《四印斋所刻词》本。1981 年上海古籍出版社据道光元年翠薇花馆本影印。

词　系

清秦玉笙编。是书共二十四卷,编定于道光年间。《天风阁日记》谓是书“都数十万言,以时代为次,首列宫调,次考调名,次叙本事,次辨体裁,末附案语”。又云“秦氏后人午楼者,欲付刊而无力”等。此书虽属词谱性质,然其中《词旨丛说》二卷录有明清词论资料,可供辑录。书中尚选录词人自李白至马致远,共有二百多家,所选词作以时代先后排列。

是书为清钞本,前人知者甚少,今藏北京师范大学图书馆。

宋四家词选

清周济编。此编不分卷,选录宋词人五十一家,内无名氏一家(按:《绿意》“荷叶”,乃张炎作)。书前有编者于道光十二年(1832)所撰写的《序论》。是选以周邦彦、辛弃疾、王沂孙、吴文英四家为主,其他各家附属于四家之后,共选词作二百三十余首。所选柳永、欧阳修、晏殊、秦观、辛弃疾、姜夔、史达祖、王沂孙、周密等词中,大都加有评笺,可资参阅。唯书中所立四家过于狭窄,不足以概括其他各家,而以姜夔附于辛弃疾之下,更不妥当。

是选《序论》阐述常州词派张惠言《词选》序的词论观点而有创见。谭献《复堂词话》云:“周氏撰定《词辨》《宋四家词笺》(即《词选》),推明张(惠言)之旨而广大之。”书中所提词要有寄托,“非寄托不入,专寄托不出”的主张,比张惠言所倡寄托论前进一步,对近代词学研究及词作影响颇大。然编者极力推尊周邦彦、吴文英,仍从艺术技巧着眼,忽略思想内容价值。

是选有清光绪刻本,有《滂喜斋丛刊》一卷本。1958 年上海古典文学出版社排印出版。

四印斋所刻词

清末王鹏运编。是书刻于清光绪十四年(1888),共六十二卷。选刻南唐词一家,宋词十六家,金词一家,元词一家;另刻有《词林正韵》一种,词选三种,词话一种,合计二十四种。光绪十九年(1893)又校刻《宋元三十一家词》,收刻宋词二十四家,元词七家,共三十一家。编者词学继承常州词派,所见宋元珍本词籍较多,所刻词籍校勘尤为精审,有功词坛。两种汇刻合在一起，词的材料搜集更多，可以说是晚清以来大规模刻词总集之始，对衰微已久的晚清词坛产生极大影响，深为词学界所重。

是书有清光绪刊本。

词　则

清末陈廷焯编。廷焯早期曾选《云韶集》二十六卷，所选词作三千四百三十四首。光绪十六年(1890)，因嫌旧选"芜杂"，另选《词则》四集，即《大雅集》六卷，计五百七十一首；《放歌集》六卷，计四百四十九首；《闲情集》六卷，计六百五十五首；《别调集》六卷，计六百八十五首。是书共二十四卷，总收唐、五代、宋、金、元、明、清词二千三百六十十首。唐圭璋先生在《后记》中称此编"凡七易稿而成书。上有眉批，旁有圈识，字迹工整，用力弥勤。同时著《白雨斋词话》，意图与《词则》相辅而行"。

是书有 1984 年上海古籍出版社影印本。

宋元名家词

清末江标辑。是书辑于光绪二十一年(1895)，是编者在湖南思贤书局所刻印的一部词总集，共十七卷。所收宋词人朱熹、杨泽民等十家，元词人萨都剌等五家。原书为彭元瑞所藏毛晋汲古阁未刻本，是刻可补毛晋《宋六十名家词》之缺。然因底本传钞，刊刻时又未认真校勘，故此刻远不及《四印斋所刻词》精审。

是书有清光绪刊本，近人傅增湘校本今藏北京图书馆。

景刊宋元本词

近人吴昌绶影印。全书六十一卷。这是吴昌绶在 1915 年影印的一部词总集。是书意图在于保存宋、元、明时刻本真面目，所印亦很精美。昌绶有室名"双照楼"，又称双照楼刊本。此本影宋词人十二家，金词人一家，唐、宋、金、元选集各一种，共计十七种。吴昌绶影印词集在我国词史上可谓空前之创举。1922 年武进陶湘，室名"涉园"，继此影印续刊《影宋金元明本词》七十一卷、补编九卷，可与吴刊本前后映辉。

是书有双照楼刊本。

彊 村 丛 书

近人朱祖谋辑。是书辑录唐五代金元词总集五种，其目为：《云谣集》《尊前集》《乐府补题》《中州乐府》《天下同文》。另辑唐词集一种，即题为温庭筠的《金奁集》。所辑宋词别集有一百一十二家，金词别集有五家，元词别集有五十家，共二百六十卷。这是晚近辑刻词学丛书最多的一种，为研究中国词史提供大量资料，并开辟了道路。

是书以网罗稀见善本为主，每种都注明采辑版本来源，其中大都经编者精校，于原本错误及不足之处，加以纠正或补充。每家后附有校勘记或跋语。如前人已刻善本，是编即不再收。然所收各家，也有不足不善的，如所辑宋王之道《相山居士词》，原用梅禹金藏明钞本，但此本讹脱最甚，未经校订，远不如《相山居士集》之善。

是书有1922年第三次校补本。

校辑宋金元人词

近人赵万里辑。是书七十三卷，校辑宋词人五十六家，金词别集二家，元词别集七家；宋元词总集二种，宋人词话三种，宋金元名家词补遗一卷，共计词人七十家，辑得词作一千五百多首。赵氏精于版本校勘之学，是书校辑之精，远胜前贤，而所补毛晋、王鹏运、江标、朱祖谋、吴昌绶刻本之佚词，附于各家之后。书中间附辑者按语，尤见精审。

是书有1931年排印本。

全宋词

今人唐圭璋编。是书综合前人诸家所刻，更广泛搜采宋人文集所附词及宋人笔记所载词，同时旁求方志、金石、书画题跋、花木谱录、应酬翰墨等词作，统汇于一处。原书分三百卷，计辑两宋词人一千余家，词作约一万九千首。1965年北京中华书局排印出版，除调整目次，改正小传，掉换版本及改正错误外，并补入二百余家，补词一千六百余首。全书共收录词人一千三百三十余家，词作一万九千九百余首，残篇五百三十余首。书中所采词集以善本为主，如毛晋刻本宋李之仪《姑溪词》八十六首，是编据《姑溪集》本增补八首。1978年又修订重印，后附校补。当然词山曲海，未见之作亦有。1981年中华书局出版孔凡礼辑《全宋词补辑》，共补辑词作四百三十余首，分属一百四十余人所作，其中四十一人已见《全宋词》。新见词人近百余人，为研究宋词提供了新的极有参考价值的资料。

是书有商务印书馆线装本，有1965年中华书局本，1978年修订本。

宋词三百首

近人朱祖谋编。原署上彊村民即朱祖谋自号。是编宗旨以浑成为主，也即况周颐所主张拙、重、大之意旨，凡涉小慧侧艳之词概不入选。故是编比张惠言选本全面，较朱彝尊选本精到。然由于编者崇尚吴文英，因此书中选录吴词二十五首，周邦彦词二十二首，而南宋爱国词人辛弃疾只选十二首。是书选录词作两宋并重,兼顾一般词人,共收八十一家,二百八十三首。编排首录帝王,末录女子,则系沿袭旧时体例。书中也偶有失考,如李甲《忆王孙》一首,据黄昇《唐宋诸贤绝妙词选》卷七乃李重元作。又如黄公绍《青玉案》,据赵闻礼《阳春白雪》卷五乃无名氏之作。是书刊印后,唐圭璋先生为之作笺,有神州国光社本,后又加注,成笺注本。唐先生博收广采,引用书目达二百余种,萃于一编,更有助于阅读。1958 年中华书局出版笺注本,后又多次重印。

二、唐五代词别集

金 荃 词

唐温庭筠撰。庭筠著述颇多,然其词集不见著录。据清康熙三十六年(1697)顾嗣立《温飞卿集笺注》云:“今所见宋刻,止《金荃集》七卷、别集一卷、《金荃词》一卷。”夏承焘《温飞卿系年》云:“《金荃集》既为诗集之名,又为词集之名。”通行有王国维辑《唐五代二十一家词》本《金荃词》一卷,有朱祖谋刻本。

香 奁 词

唐韩偓撰。偓有诗集《香奁集》,诸家著录。然唐人诗词尚未分界,曲子词亦入诗集。宋葛立方《韵语阳秋》卷五:“韩偓《香奁集》百篇,皆艳词也。”又云:“沈存中(括)《笔谈》云,乃和凝所作,后贵,悔其少作,故嫁名于韩偓。”并以集中纪年与偓序及《唐书》本传相合,考定为偓作。通行有王国维辑《唐五代二十一家词》本《香奁集》一卷。

浣 花 词

五代韦庄撰。庄词散见各书,向无专刻词集。今传有向迪琮辑《浣花词集》,王国维辑《唐五代二十一家词》有《浣花词》一卷。

1981 年中国社会科学出版社出版《韦庄词校注》本,刘金城校注,夏承焘审订。

红 叶 稿

五代和凝撰。沈括谓和凝有艳词名《香奁集》云云,实为韩偓作,详见《香奁词》条。据《词综》和凝小传有《红叶稿》。王国维辑《唐五代二十一家词》有《红叶稿》一卷。

琼瑶集

五代李珣撰。南宋王灼《碧鸡漫志》卷五:“李珣《琼瑶集》,有《凤台》一曲,注云:‘俗谓之《喝驮子》。’”《词史》云:“光绪初于苏州尝见秀水杜氏(杜文澜)所藏宋本李珣《琼瑶集》。”今宋本失传。通行有王国维辑《唐五代二十一家词》本《琼瑶集》一卷。

阳春集

五代南唐冯延巳撰。南宋陈振孙《直斋书录解题》著录一卷。卷首有宋嘉祐三年(1058)陈世修序。明清传本皆出自嘉祐本。今传有明吴讷《唐宋名贤百家词》本,有康熙二十八年(1689)侯文灿《十名家词》本,有《四印斋所刻词》本,有陈秋帆校笺本。

南唐二主词

南唐李璟、李煜撰。《直斋书录解题》著录为一卷。有明吴讷《百家词》本,有明万历吕远墨华斋刊本,有清康熙侯文灿《十名家词》本,有光绪十三年(1887)江阴金武祥《粟香室丛书》复刊本,有宣统元年(1909)沈宗畸《晨风阁丛书》本,王国维校补。有刘继增《南唐二主词笺》、唐圭璋《南唐二主词汇笺》、王仲闻校订《南唐二主词》、詹安泰《李璟李煜词》。

三、宋词别集

逍遥词

潘阆撰。是书一卷,有明钞南词本,善本书室藏明钞七家词本、明钞九家词本,皆为一卷。有《四印斋所刻词》本。

子野词

张先撰。《直斋书录解题》著录为一卷。是书明清后翻刻甚多,明钞本、明吴讷《百家词》本、清《十名家词》本皆作一卷。《四库全书》收录《安陆集》一卷,附录一卷。清乾隆五十三年(1788)鲍廷博得绿斐轩钞本,区分宫调,有二卷。鲍氏另辑补遗二卷,刻入《知不足斋刊书》。朱祖谋《彊村丛书》即用此本。通行有《四部备要》本。

珠玉词

晏殊撰。《直斋书录解题》著录为《珠玉集》一卷。《四库全书总目》引《名臣录》称殊词名《珠玉集》,张子野(先)为之序。又云:“今卷首无先序,盖传写佚之。"《珠玉词》有许氏鉴止水斋藏明钞本,有傅增湘藏明蓝格写本,有明吴讷《百家词》本,有毛晋汲古阁刊本。清咸丰二年(1852)晏端书刊印《珠玉词钞》一卷、《补钞》一卷。《补钞》从毛晋本辑录,较毛本多六首,不尽可信。有林大椿校本,有《四部备要》本。

乐章集

柳永撰。《直斋书录解题》著录为九卷,《文献通考》及《世善堂书目》《结一庐书目》皆同。《汲古阁珍藏秘本书目》谓"柳公《乐章集》五本。"注云:"今世行本俱不全,此宋版特全。"天一阁书目则称,《柳屯田乐章》一本。梅禹金藏明钞本、许氏鉴止水斋藏明钞本均作《柳屯田乐府》三卷。毛晋汲古阁《宋六十名家词》本合为一卷,其中讹脱最甚,有毛斧季校本。毛跋称:"卷末《续添曲子》一卷乃宋本所无。"有吴重熹刻本,据梅钞本重刻。《彊村丛刊》据毛校本,又兼采吴刻本及校本。

六一词

欧阳修撰。《直斋书录解题》著录为一卷。庆元初罗泌《欧阳文忠公近体乐府》跋语称欧阳修"为歌词,有《平山集》盛传于世"。此本今佚。今南京图书馆藏宋刊残本名《醉翁琴趣外编》。《传是楼书目》有《宋本醉翁琴趣》上下卷二本,双照楼景宋本有《近体乐府》三卷、《醉翁琴趣外编》六卷。明南词本、吴讷《百家词》本均为《六一词》四卷。毛晋汲古阁刊本合为一卷。《四库全书》用毛刻本,有《四部丛刊》本、《四部备要》本。

寿域词

杜安世撰。《直斋书录解题》著录为一卷。明钞本、南词本及吴讷《百家词》本均为一卷。毛晋汲古阁本多讹脱。《四库全书》收录。《全宋词》收毛刻本,据毛校本改正。

临川先生歌曲

王安石撰。明钞南词本、善本书室藏明钞本题为《半山词》。宋绍兴刊《临川集》本为《临川先生歌曲》一卷,朱祖谋收入《彊村丛书》,补遗一卷为朱氏所辑。

小山词

晏几道撰。《直斋书录解题》著录为《小山集》一卷。宋王灼《碧鸡漫志》卷二:"晏叔原(几道)歌词,初号《乐府补亡》。"有自序及黄庭坚序。天一阁藏钞本、星凤阁藏明钞本均为一卷,许氏鉴止水斋藏明钞本,分上下两卷。有明吴讷《百家词》本、毛晋汲古阁刊本。《彊村丛书》用赵藏明钞本。

东坡乐府

苏轼撰。东坡词版本颇多，今传有南宋绍兴二十一年(1151)曾慥编刻《东坡词》二卷，《拾遗》一卷，明吴讷《百家词》本收刻。南宋傅干《注坡词》十二卷，北京图书馆藏有抄本。有元延祐七年(1320)云间刊本《东坡乐府》二卷，先后经也是园、士礼居、海源阁收藏。《四印斋所刻词》借海源阁元本重刊，1957年古典文学出版社即以此本影印。通行本有毛晋汲古阁刊本《东坡词》一卷，《四库全书》采用毛刻本。朱祖谋《彊村丛书》用毛本校补元本，并为之编年。一二两卷编年，第三卷为不编年。1936年商务印书馆出版龙沐勋《东坡乐府笺》三卷，据朱本作笺，并录傅干注。

山谷词

黄庭坚撰。《宋史·艺文志》称黄庭坚"乐府二卷"，今已不存。《直斋书录解题》著录为《山谷词》一卷。有南宋闽刻《山谷琴趣外编》三卷本，陶湘《续景刊宋元明本词》，《四部丛刊》三编亦影印此本。有明钞本、明吴讷《百家词》本、毛晋汲古阁刊本，《四库全书》采用毛刻本。《彊村丛书》据劳巽卿校本移刻。1958年中华书局出版龙榆生校点《豫章黄先生词》一册。

淮海居士长短句

秦观撰。《淮海词》版本有单行词集本和全集本两种。宋乾道间杭郡《淮海全集》有《淮海居士长短句》三卷，《全集》今佚。《直斋书录解题》著录为《淮海词》一卷，亦佚。今存有宋乾道单刻本，原为滂喜斋藏书，后藏吴湖帆家。乾道《淮海集》本，有严秋水跋，今藏北京故宫，书有缺叶。有明嘉靖刻本、万历诸刊本，均为三卷。毛晋汲古阁刊本作《淮海词》一卷。《四库全书》词集用毛刻本。有《彊村丛书》本、《四部丛刊》本。日本内阁文库藏宋乾道高邮军学刊本，香港有影印本。1984年四川人民出版社出版杨世明《淮海词笺注》本，1985年上海古籍出版社出版徐培均校注《淮海居士长短句》。

晁氏琴趣外篇

晁补之撰。《直斋书录解题》著录为《晁无咎词》一卷。善本书室藏钞本为《晁无咎词》六卷。毛晋汲古阁刊本为《琴趣外篇》六卷，错误颇多。《四库全书》用毛刻而改名为《晁无咎词》六卷，略有校订。有双照楼影印宋本。1958年中华书局出版龙沐勋校点《晁氏琴趣外篇》，与《柯山词》合一册。

后山词

陈师道撰。《直斋书录解题》著录为一卷。《宋史·艺文志》称《后山语业》一卷。有明钞本、吴讷《百家词》本、毛晋汲古阁本。明弘治刊本《后山集》末卷收词，题为《后山长短句》一卷。有《四库全书》本，有《四部备要》本。

东堂词

毛滂撰。《直斋书录解题》著录为《东堂乐府》二卷。天一阁藏钞本、明钞本、吴讷《百家词》本均为《东堂词》一卷。毛晋汲古阁本讹脱甚多，有毛校本。《四库全书》用毛刻本。《彊村丛书》用吴写宋本。《诗渊》比各本多出二首，孔凡礼收入《全宋词补辑》。

闲斋琴趣外篇

晁端礼撰。《直斋书录解题》著录为《闲适集》一卷。赵辑宁校抄本为《闲斋琴趣外篇》六卷，黄荛圃旧藏，可补双照楼影印宋本之不足，今存北京图书馆。《诗渊》多出一首，收入《全宋词补辑》。

姑溪词

李之仪撰。《直斋书录解题》著录为《姑溪集》一卷。明钞本、毛晋汲古阁本均为《姑溪词》一卷。《四库全书》用毛刻。有《宋元名家词》本、《粤雅堂丛书》本、《四部备要》本。

东山词

贺铸撰。《直斋书录解题》著录为《东山寓声乐府》三卷。瞿氏铁琴铜剑楼藏宋版《东山词》残本，有上、下卷目录，词仅存上卷。陶湘涉园影宋本、侯文灿《十名家词》《四印斋所刻词》，皆据此本，别有补钞，然采辑颇乱，非为善本。《彊村丛书》本收《东山词》上一卷、《贺方回词》二卷、《东山词补》一卷，附有校记。

清真词

周邦彦撰。是书宋时别本甚多，编次亦迥异。有名《清真集》、又名《清真长短句》、又名《清真诗余》、又名《美成长短句》、又名《片玉词》等。吴则虞《清真集》校点本附《版本考辨》云："《清真词》在宋绍兴间已别行，今可考者，宋刻得十有一种。"今传有淳熙七年(1180)溧水刊本《清真词》二卷，一百八十二首，书前有强焕序。有嘉定四年(1211)本《详注周美成词片玉集》十卷，陈元龙注、刘肃序。另有元刊本、明钞本、吴讷《百家词》本、毛晋汲古阁本。陶湘涉园影宋本为《陈元龙注片玉集》十卷，四印斋刻元巾箱本《清真集》二卷、《集外词》一卷，《彊村丛书》校印陈注本，附有校记。有清咸丰六年(1856)劳权手抄本、傅增湘藏《片玉集》十卷《拾遗》一卷。有近人林大椿校《清真集》二卷,附《补遗》《校记》,商务印书馆排印本。有杨铁夫《清真词选笺释》抱香室自印本。有1981年中华书局出版吴则虞校点《清真集》。有1983年江西人民出版社出版蒋哲伦校编《周邦彦集》。有1985年齐鲁出版社出版《乔大壮手批周邦彦片玉集》一册。

石林词

叶梦得撰。《直斋书录解题》著录为《石林词》一卷,又载江阴曹鸿注叶石林词《注琴趣外编》三卷,不经见。有抱经楼藏钞本、吴讷《百家词》本、《宋元名家词》钞本,不分卷。毛晋汲古阁本作一卷,《四库全书》用毛刻本。有清道光刊本,又有叶德辉刊本,有《四部备要》本。

樵歌

朱敦儒撰。《直斋书录解题》著录为一卷。张端义《贵耳集》卷上谓朱敦儒词集曰《太平樵唱》。《宋史·艺文志》作《朱敦儒词》三卷。有明钞本、吴讷《百家词》本、毛晋汲古阁旧钞本。有光绪间梅里许氏刊《樵歌》三卷,书前有刘继曾序。有四印斋刻本、《彊村丛书》本。有古典文学出版社排印本,书后附录所辑参考资料。

赤城词

陈克撰。《直斋书录解题》著录为一卷。有林无垢校补旧钞本,《彊村丛书》用钞本,有赵万里校辑本。《全宋词》用赵辑本,又补二首。《诗渊》又多出四首,孔凡礼收入《全宋词补辑》。

竹坡词

周紫芝撰。《直斋书录解题》著录为一卷。有明吴讷《百家词》本,不分卷。天一阁藏本作《竹坡老人词》三卷。毛晋汲古阁刊本《竹坡词》三卷。书前有乾道二年(1166)孙兢序。《四库全书》用毛刻本。有《四部备要》本。

漱玉词

李清照撰。《直斋书录解题》著录为《漱玉集》一卷,注云:“别本作五卷。”黄昇《花庵词选》作三卷,《宋史·艺文志》著录《漱玉词》为六卷,并不经见。毛晋汲古阁用明洪武三年(1370)钞本刊刻。《四库全书》用毛刻本。有四印斋刊本,赵万里辑本。1962年中华书局出版《李清照集》。1979年人民文学出版社出版王学初(仲闻)《李清照集校注》。《诗渊》多一首,孔凡礼辑入《全宋词补辑》。

梁 溪 词

李纲撰。是书一卷，有四印斋刻四名臣词《梁溪词》本，附有嘉熙元年(1237)刘克逊跋。

壮 简 词

李光撰。是书一卷，有永乐大典《庄简集》本。有四印斋刻四名臣词《庄简词》一卷本。

得 全 词

赵鼎撰。《直斋书录解题》著录。《宋史·艺文志》作《得全居士词》一卷。有《忠正德文集》本，有四印斋刻南宋四名臣词本，有《丛书集成》初编本。

澹 庵 词

胡铨撰。典雅词本作《澹庵长短句》一卷。有皕宋楼藏汲古阁景写宋本，有四印斋刻南宋四名臣词本。

酒 边 词

向子諲撰。《直斋书录解题》著录为《酒边集》一卷。有明钞南词本、吴讷《百家词》本。毛晋汲古阁刊本为《酒边词》二卷，书前有胡寅序。《四库全书》用毛刻本。双照楼景本《酒边集》一卷。有《四部备要》本。

龟 溪 词

沈与求撰。有明刊《龟溪集》本。《四库全书》用集本。《彊村丛书》用集本名《龟溪长短句》一卷。

丹 阳 词

葛胜仲撰。《直斋书录解题》著录为一卷。有南词本、吴讷《百家词》本、《宋元名家词》本，不分卷。毛晋汲古阁本脱讹甚多。有永乐大典辑本，《四库全书》用毛刻本。有《四部备要》本。

鄱 阳 词

洪皓撰。是书一卷，有吴伯宛校补旧钞《鄱阳集》本，朱祖谋据此刻入《彊村丛书》。另有永乐大典辑《鄱阳集》本。

筠 溪 词

李弥逊撰。《直斋书录解题》著录为《筠溪集》二十四卷。皕宋楼藏旧钞本为《筠溪乐府》一卷。有单行本与集本两种。有知不足斋刊本、《四库全书》本。四印斋刻本有讹脱。有北京图书馆藏赵辑宁校抄本。

无 住 词

陈与义撰。《直斋书录解题》著录为《简斋词》一卷。有明钞南词本、吴讷《百家词》本。毛晋汲古阁刊本作《无住词》一卷,《四库全书》用毛刻本。《彊村丛书》用影宋钞本。有《四部丛刊》初编影宋本,有《四部备要》本。

紫薇词

吕本中撰。是书有赵万里校辑本。《全宋词》据赵本,又加辑一首。

芦川词

张元幹撰。《直斋书录解题》著录为一卷。《宋史·艺文志》称二卷。有明钞本、吴讷《百家词》本、《宋元名家词》本。双照楼影印宋本作二卷。毛晋汲古阁刊本为一卷,《四库全书》用毛刻本。有《四部备要》本。1978 年上海古籍出版社出版《芦川归来集》校点本,内有词二卷。

友古词

蔡伸撰。《直斋书录解题》著录为一卷。有明钞本、吴讷《百家词》本。毛晋汲古阁本卷数相同,《四库全书》用毛刻本。

逃禅词

杨无咎撰。《直斋书录解题》著录为一卷。有明钞本、吴讷《百家词》本。毛晋汲古阁本卷数相同,然脱讹颇多。有《四部备要》本。

顺庵乐府

康与之撰。《直斋书录解题》著录为五卷。黄昇《中兴以来绝妙词选》云:"书市刊本,皆假托其中,今得官本,乃其婿赵善贡及其友陶安世所校定。"宋本已佚,今传有赵万里校辑宋金元词《顺庵乐府》。赵辑本有陶安世序。

苕溪乐章

刘一止撰。《直斋书录解题》著录为《刘行简词》一卷。有吴讷《百家词》本。《宋元名家词》钞本作《苕溪词》,不分卷。《彊村丛书》以善本书室钞本付刻。

断肠词

朱淑真撰。《直斋书录解题》著录为一卷。毛晋汲古阁用明洪武间钞本,《四库全书》用毛刻本。四印斋刊本用况蕙风校刊本。有郑振铎藏旧钞本。

圣求词

吕渭老撰。《直斋书录解题》著录为一卷。有明钞本、吴讷《百家词》本。有毛晋汲古阁刊本,《四库全书》用毛刻本。有《四部备要》本。

栟榈词

邓肃撰。是书一卷,有明正德《栟榈文集》刊本、清道光文集本,均为《栟榈乐府》一卷。四印斋刻本为《栟榈词》一卷。

相山词

王之道撰。《直斋书录解题》著录为一卷。《宋史·艺文志》作《相山长短句》二卷。有明钞本、吴讷《百家词》本。梅禹金藏明钞本作《相山居士词》一卷,《彊村丛书》用梅藏钞本。有《四库全书》收《相山集》本,有劳巽卿校本。

王周士词

王以宁撰。《直斋书录解题》著录为一卷。明钞本、赵辑宁钞校本卷数相同。吴讷《百家词》本、《宋元名家词》钞本,不分卷。毛晋汲古阁四家词钞本亦不分卷。《彊村丛书》用毛钞本为一卷。

鄮峰真隐大曲

史浩撰。《四库全书》用天一阁进呈《鄮峰漫录》五十卷本。《彊村丛书》据《四库全书》本收录为《鄮峰真隐大曲》二卷、《词曲》二卷。有乾隆间继锦堂刊本。

华阳长短句

张纲撰。《四库全书》收录《华阳集》四十卷,词一卷。《彊村丛书》据善本书室藏钞本收刻。

归愚词

葛立方撰。《直斋书录解题》著录为一卷。有明钞本、吴讷《百家词》本。毛晋汲古阁刊本有脱讹。《四库全书》用毛刻本。有《四部备要》本。

莲社词

张抡撰。《直斋书录解题》著录为一卷。善本书室藏钞本、劳巽卿藏钞本卷数相同。黄荛圃藏旧钞本名《道情鼓子词》一卷,今藏北京图书馆。《彊村丛书》用劳钞本,四印斋刊本同。《诗渊》中较各本多十首,孔凡礼收入《全宋词补辑》。

樵隐词

毛幵撰。《直斋书录解题》著录为一卷。有明钞本、吴讷《百家词》本。有毛晋汲古阁刊本,毛校又从锡山孙氏钞本校,名为《樵隐诗余》一卷。有《四部备要》本。

惜香乐府

赵长卿撰。是书有明钞本十卷。毛晋汲古阁本十卷,用钞本共三百六十二首,其中少录《昭君怨》一首,以为秦观作而删,后毛校补入。《四库全书》用毛刻本。有《四部备要》本。

哄堂词

卢炳撰。《直斋书录解题》著录为一卷。有明钞本、吴讷《百家词》本。毛晋汲古阁刊本，有缺文，有衍文。集名"哄堂"亦作"烘堂"。《四库全书》存目为毛刻本。有叶遐庵藏精钞本，有《四部备要》本。

海野词

曾觌撰。《直斋书录解题》著录为一卷。有毛晋汲古阁刊本，毛校本分为上下二卷，集名《海野老人长短句》。《四库全书》本用毛刻本。有《四部备要》本。

孏窟词

侯寘撰。《直斋书录解题》著录为一卷。有天一阁藏本、《宋元名家词》钞本。毛晋汲古阁刊本脱讹较多，有毛校本。《四库全书》用毛刻本，颇多订正。有石莲庵山左人词本。《诗渊》中多一首，孔凡礼收入《全宋词补辑》。

知稼翁词

黄公度撰。《直斋书录解题》著录为一卷。有明钞本、吴讷《百家词》本、《宋元名家词》钞本。有毛晋汲古阁本，书前有曾丰序。《四库全书》用毛刻本。陶湘影印汲古阁钞写宋本。有清道光九年(1829)福建重刊本，有《四部备要》本。

绮川词

倪偁撰。是书一卷，有劳巽卿钞本，有赵辑宁钞校本，今藏北京图书馆。有四印斋刻本。

于湖词

张孝祥撰。《直斋书录解题》著录为一卷。《宋史·艺文志》作《张孝祥词》一卷。是书在宋有多种刊本，今传有宋刊《于湖居士文集》四十卷本，《四部丛刊》影印；有宋乾道本《于湖先生长短句》五卷，拾遗一卷，陶湘涉园景宋本据此。双照楼影印宋全集本，作《于湖居士乐府》四卷。有明钞本、吴讷《百家词》本。有毛晋汲古阁刊本，《四库全书》用毛刻本。有《四部备要》本。1980年上海古籍出版社出版徐鹏校点《于湖居士文集》。《诗渊》中多出一首，孔凡礼辑入《全宋词补辑》。

乐斋词

向滈撰。《直斋书录解题》著录为一卷。有明钞本、吴讷《百家词》本、《宋元名家词》钞本。有清侯文灿《十名家词》本。有毛晋汲古阁未刊本，江标辑刊入《宋元名家词》。

浮山诗余

仲并撰。是书一卷，有永乐大典辑《浮山集》本，《彊村丛书》据大典本。

卢溪词

王庭珪撰。《直斋书录解题》著录为一卷，今不传。明嘉靖刊本《卢溪文集》不收其词。今有赵万里校辑本，收词四十二首，附录一首。

信斋词

葛郯撰。《直斋书录解题》为一卷。有明钞本、吴讷《百家词》本、宋元名家词钞本。有侯文灿《十名家词》本。有毛晋汲古阁未刻本。有江标《宋元名家词》刻本。

东浦词

韩玉撰。《直斋书录解题》著录为一卷。有明钞本、吴讷《百家词》本、《宋元名家词》本。有毛晋汲古阁刊本，《四库全书》用毛刻本。有陶湘涉园影印汲古阁钞本。有《四部备要》本。

松隐词

曹勋撰。有《松隐文集》本，抱经楼藏明钞文集本作《松隐乐府》三卷，《彊村丛书》据此刻入并作校补，作《松隐乐府》三卷，补遗一卷，共收词一百八十三首。

介庵词

赵彦端撰。《直斋书录解题》著录为一卷。《宋史·艺文志》称四卷。吴讷《百家词》作《介庵赵宝文雅词》。有毛晋汲古阁刊本，《四库全书》用毛刻本。《彊村丛书》用汪藏汲古阁钞本作《介庵琴趣》六卷，补遗一卷。有《四部备要》本。

宣卿词

袁去华撰。《直斋书录解题》著录为《袁去华词》一卷。清初朱彝尊辑《词综》谓未见宣卿只字。今有皕宋楼藏旧钞本，四印斋刻本即从此钞本出。艺风堂有善本书室藏《典雅词》本，今藏北京图书馆。

梅词

朱雍撰。是书一卷，有毛晋汲古阁未刊本、劳巽卿藏精钞本、黄尧圃藏旧钞本。有四印斋刊本，收词二十首。

竹洲词

吴儆撰。是书一卷，有明钞本、吴讷《百家词》本、毛晋汲古阁未刊本。明刊《吴文肃公文集》，有词三十首。有清侯文灿《十名家词》本，有江标《宋元名家词》本。

南涧诗余

韩元吉撰。《直斋书录解题》著录《焦尾集》一卷。有《南涧甲乙稿》集本。吴伯宛校补词一卷，

《彊村丛书》用吴校本，卷末从他书补辑十六首。

雪山词

王质撰。《直斋书录解题》著录《雪山集》三卷，今佚。四库馆臣从《永乐大典》辑《雪山集》十六卷，有聚珍版《雪山集》末卷载词，《丛书集成》初编从此本出。《彊村丛书》从聚珍本刻词一卷。

竹斋词

沈瀛撰。《直斋书录解题》著录为一卷。有钞本、吴讷《百家词》本、《宋元名家词》钞本。《彊村丛书》用明钞本，删其《野庵曲》等四首，间有脱讹。《全宋词》用朱本，又据赵万里辑本补回朱删四首。

审斋词

王千秋撰。《直斋书录解题》著录为一卷。有吴讷《百家词》本、《宋元名家词》钞本。毛晋汲古阁本有脱讹，《四库全书》用毛刻本。有《山左人词》本。有《四部备要》本。

应斋词

赵善括撰。有诗文集《应斋杂著》，杨万里为之序。今有永乐大典辑本，《彊村丛书》用大典本录词四十八首。

晦庵词

李处全撰。《直斋书录解题》著录为一卷。有明钞南词本，有四印斋刻本。

燕喜词

曹冠撰。《直斋书录解题》著录为《燕喜集》一卷，朱彝尊辑《词综》谓其词只字未见。有宋淳熙刊文集本、《典雅词》本。毛晋汲古阁景写宋本，《四库全书》未收书目提要。有清道光刊《别下斋丛书》本，有四印斋刻本。

石湖词

范成大撰。《直斋书录解题》著录为一卷。有明钞本、毛晋吴讷《百家词》本、毛晋汲古阁钞本、《知不足斋丛书》本。《彊村丛书》收词一卷，补遗一卷。有陶湘涉园影印汲古阁钞本，《全宋词》增补三十四首。《诗渊》又多出八首，孔凡礼收入《全宋词补辑》。

和石湖词

陈三聘撰。是书一卷，有明钞本、吴讷《百家词》本。有毛晋汲古阁钞本，《彊村丛书》用毛钞本，陶湘涉园影印汲古阁钞本。有《知不足斋丛书》本。

金谷遗音

石孝友撰。《直斋书录解题》

著录为一卷。有吴讷《百家词》本、《宋元名家词》钞本、毛晋汲古阁刻本。《四库全书》编入存目。有叶遐庵藏清钞本、《四部备要》本。《诗渊》多出五首，孔凡礼收入《全宋词补辑》。

渭川居士词

吕胜己撰。是书向少著录，今传有抱经楼藏钞本，有陶湘涉园影印汲古阁钞本，有劳巽卿钞本，有铁琴铜剑楼藏钞本等。《彊村丛书》用丁藏钞本，又用他本校补。

龙川词

陈亮撰。《直斋书录解题》著录其文集四十卷，外集四卷，注云："外集皆长短句。"《宋史·艺文志》作《陈亮外集词》四卷。有明钞本、吴讷《百家词》本、《宋元名家词》钞本。有毛晋汲古阁刊本，《四库全书》本用毛刻本。四印斋刊本有《龙川词补》。有《四部备要》本。今有夏承焘《龙川词校笺》。1980 年人民文学出版社出版姜书阁《陈亮龙川词笺注》。

坦庵词

赵师侠撰。《直斋书录解题》著录为一卷。有《宋元名家词》钞本。有毛晋汲古阁刊本，《四库全书》用毛刻本。有叶遐庵藏清钞本，有《四部备要》本。

松坡词

京镗撰。《直斋书录解题》著录为一卷。《宋史·艺文志》作二卷。有明钞南词本，《彊村丛书》用此本。

客亭乐府

杨冠卿撰。有永乐大典辑录《客亭类稿》本，《彊村丛书》据此本入录一卷。

龙洲词

刘过撰。《直斋书录解题》著录为《刘改之词》一卷。有明钞本、吴讷《百家词》本。有毛晋汲古阁刊本，《四库全书》用毛刻本。有明沈愚刊本，此本为他本所无者三十一首，而他本有沈本无者十三首。《彊村丛书》用旧钞本，而未用沈本，收词不全。《全宋词》据沈愚本增补。有《四部备要》本。

稼轩词

辛弃疾撰。《直斋书录解题》著录为四卷，又注云："信州本十二卷。"《宋史·艺文志》作《稼轩长短句》十二卷。今传有元大德二年(1298)广信书院刊本十二卷，此刻从信州本出。辛词版本有两个系统，一为四卷本，分甲、乙、丙、丁集。吴讷《百家词》、毛晋汲古阁景宋钞本、汲古阁刊本均为四卷,《四库全书》用毛刻本。一为十二卷本,有元大德刊本,明嘉靖刻本据此,有万历复刻本。陶湘涉园景宋本为三卷,缺丁集。四印斋刻本用大德本。清嘉庆间辛启泰辑《稼轩词补遗》一卷,采自《永乐大典》,辑词三十六首,有重复和误收,《彊村丛书》用此本。有近人梁启勋编年本《稼轩词疏证》六卷。有邓广铭《稼轩词编年笺注》八卷。《诗渊》中多出三首,孔凡礼收入《全宋词补辑》。

放翁词

陆游撰。《直斋书录解题》著录为一卷。吴讷《百家词》本不分卷。有毛晋汲古阁刊本,《四库全书》用毛刻本。宋本《渭南文集》作《渭南词》二卷。有《四部丛刊》本,有《四部备要》本。1981年上海古籍出版社出版夏承焘、吴熊和《放翁词编年笺注》。

近体乐府

周必大撰。抱经楼藏旧钞本作三卷。毛晋汲古阁刊本为一卷,《四库全书》存目为毛刻本。《彊村丛书》翻宋刊《平园集》本。

诚斋乐府

杨万里撰。是书一卷,有日本旧钞《诚斋集》本,《彊村丛书》以此本入录。

书舟词

程垓撰。《直斋书录解题》著录为一卷。有明钞本、吴讷《百家词》本。有毛晋汲古阁本,《四库全书》用毛刻本。有《四部备要》本。

省斋诗余

廖行之撰。《直斋书录解题》著录为一卷。有明钞本、吴讷《百家词》本、《宋元名家词》钞本。《彊村丛书》用清姚文田邃雅堂藏钞本。

和清真词

方千里撰。是书一卷,有毛晋汲古阁本,《四库全书》用毛刻本。有劳巽卿钞校本,有《四部备要》本。

和清真词

杨泽民撰。是书一卷,毛晋汲古阁未刻词。有清侯文灿《十名家词》本。黄荛圃藏钞本,今藏北京图书馆。有江标《宋元名家词》本。

西樵语业

杨炎正撰。《直斋书录解题》著录为一卷。有明钞本、吴讷《百家词》本。毛晋汲古阁初刻本,沿误作杨炎,别号止济翁,后印本已改正。有《四部备要》本。

梅 溪 词

史达祖撰。《直斋书录解题》著录一卷，有张镃和陈造序。有吴讷《百家词》本、《宋元名家词》钞本。有毛晋汲古阁刊本，《四库全书》用毛刻本。有四印斋刻本，有《四部备要》本。

竹屋痴语

高观国撰。《直斋书录解题》著录为《竹屋词》一卷。有吴讷《百家词》本、《宋元名家词》钞本。毛晋汲古阁刻本作《竹屋痴语》一卷，《彊村丛书》用毛刻本。有《四部备要》本。

白石道人歌曲

姜夔撰。《直斋书录解题》著录为六卷。夏承焘《白石词版本考》云："《白石词》刻本，可考者十余，若合写本、景印本计之，共得三十余本。宋人词集版本之繁，此为首举。"今传有宋嘉泰二年(1202)钱希武刊本，其时姜夔健在，或为其手定。宋版原刻已佚，有元至正十年(1350)陶宗仪抄写本。清乾隆二年(1737)江炳炎传抄此本。有乾隆八年(1743)陆钟辉诗词合刊本，有乾隆十四年(1749)张奕枢刻本。毛晋汲古阁刊本作《白石词》一卷。《四库全书》与陆刻本无异。四印斋刻本、许增《榆园丛书》本皆用陆刻本。《彊村丛书》用江炳炎钞本。有《四部丛刊》本、《四部备要》本。1961年中华书局出版夏承焘《姜白石词编年笺校》。

双溪诗余

王炎撰。是书一卷，有明嘉靖刊本，有四印斋刊本，有劳巽卿校旧钞本。

南湖诗余

张镃撰。是书一卷，有永乐大典辑本，《知不足斋丛书》收刻，《彊村丛书》据知不足斋刊鲍氏补辑本。黄荛圃据鲍氏本校吴钞本作《玉照堂词钞》一卷。

笑 笑 词

郭应祥撰。《直斋书录解题》著录为一卷。有天一阁藏本、吴讷《百家词》本、毛斧季校钞本。《彊村丛书》用毛校本。

蒲 江 词

卢祖皋撰。《直斋书录解题》著录为《蒲江集》一卷。有明钞本、吴讷《百家词》本。有毛晋汲古阁刊本，《四库全书》用毛刻本。《彊村丛书》用明钞本。有《四部备要》本。

涧泉诗余

韩淲撰。是书一卷，有永乐大典辑本，《四库全书》有影印本。

有明钞本,有《宋元名家词》钞本。《彊村丛书》用善本书室藏明钞本。

竹斋诗余

黄机撰。《直斋书录解题》著录为《竹斋词》一卷。有天一阁藏本。吴讷《百家词》本为《竹斋诗余》。有毛晋汲古阁刊本,《四库全书》用毛刻本,《续金华丛书》亦用毛刻本。有《四部备要》本。

玉蟾先生诗余

葛长庚撰。词无单行本,所著《白玉蟾集》附词。《彊村丛书》收录词一卷一百二十四首,续一卷有词十一首。

鹤山居士长短句

魏了翁撰。所著《鹤山先生大全集》,有宋刻本,附词三卷,陶湘涉园景宋本据此。《宋元名家词》钞本作《鹤山词》。

洺水词

程珌撰。是书一卷,有毛晋汲古阁刊本,《四库全书》存目。所著《洺水集》,有明嘉靖三十五年(1556)刻本,附词比毛刻本多三首。有《四部备要》本。

东泽绮语

张辑撰。黄昇《中兴以来绝妙词选》云:"辑,鄱阳人。自号东泽,有词二卷,名《东泽绮语债》,朱湛庐为序。"明钞本、千顷堂书目均有"债"字。吴伯宛辑本作《清江渔谱》一卷。《彊村丛书》用明钞本。

平斋词

洪咨夔撰。有毛晋汲古阁刊本,《四库全书》用毛刻本。有《宋元名家词》钞本,有《四部备要》本。

文溪词

李昴英撰。有吴讷《百家词》本、《宋元名家词》钞本。有毛晋汲古阁刊本一卷,《四库全书》存目为毛刻本。有《四部备要》本。

虚斋乐府

赵以夫撰。有吴讷《百家词》本、侯文灿《十名家词》本。有毛晋汲古阁未刊本,黄荛圃藏汲古阁影宋钞本作二卷。陶湘涉园景宋本用汲古阁影宋钞本,《四部丛刊》三编影印此本。

履斋诗余

吴潜撰。吴讷《百家词》本作《履斋词》,不分卷。有《宋元名家词》本,有善本书室藏钞本。《彊村丛书》本作《履斋先生诗余》一卷,续集一卷,别集二卷。

秋崖词

方岳撰。善本书室藏明钞本有词四卷，陶湘涉园景元本据此。四印斋刊本为一卷。《诗渊》中多四首，孔凡礼收入《全宋词补辑》。

石屏词

戴复古撰。有明钞本、吴讷《百家词》本。有毛晋汲古阁刊本。《四库全书》用毛刻本。南京图书馆藏黄丕烈影钞宋本为《石屏长短句》一卷。有《四部丛刊》续编影印明弘治本，有《四部备要》本。

龟峰词

陈经国撰，亦作陈人杰。有明钞本、吴讷《百家词》本。有皕宋楼旧钞本，四印斋刊本据此。有振绮堂钞本，有劳巽卿钞本。

散花庵词

黄昇撰。有吴讷《百家词》本、《宋元名家词》本。有明万历翻宋刊本，《四部丛刊》本从此出。有毛晋汲古阁刊本，有《四部备要》本。

梦窗词

吴文英撰。有明万历二十六年(1598)张廷璋藏旧钞本。有毛晋汲古阁本，《四库全书》用毛刻，均为《梦窗稿》四卷，补遗一卷。有四印斋刊本。《彊村丛书》用明钞本，又有《彊村遗书》本，以朱氏手写校定。有《四部备要》本。近人杨铁夫有《梦窗词笺释》。

后村长短句

刘克庄撰。有明钞本。毛晋汲古阁刊本作《后村别调》一卷，《四库全书》以此本列入存目。吴讷《百家词》本作《后村居士诗余》二卷。南京图书馆藏清康熙钞本作《后村先生长短句》五卷，补遗一卷。有《彊村丛书》本，有《四部丛刊》影印全集本，有陶湘涉园景宋本。1980 年上海古籍出版社出版钱仲联《后村词笺注》。《诗渊》中多出五首，孔凡礼收入《全宋词补辑》。

可斋词

李曾伯撰。有毛晋汲古阁旧钞本七卷。《四库全书》用《可斋集》本，双照楼影印宋集本，卷数相同。

西麓继周集

陈允平撰。是书天一阁藏明钞本作《陈允平词》一卷。皕宋楼藏汲古阁景写宋本作《西麓继周集》一卷，何梦华钞本集名卷数同。劳巽卿传写本作《日湖渔唱》一卷。有《词学丛书》本、《彊村丛书》本、《粤雅堂丛书》本。有吴昌绶校本和朱祖谋校本。

花外集

王沂孙撰。吴讷《百家词》本、《宋元名家词》本作《玉笥词》,不分卷。天一阁藏钞本作《玉笥山人词》一卷。《知不足斋丛书》作《花外集》一卷,有清道光十五年(1835)复刻本,《丛书集成》初编复印。明《赵定宇书目》作《碧山乐府》二本,今不见传本。

须溪词

刘辰翁撰。是书善本书室藏钞本为一卷,《彊村丛书》入录并有补遗一卷。《四库全书》收《须溪集》本有词三卷。《全宋词》收录其词有三百五十多首。

蘋洲渔笛谱

周密撰。有毛斧季影宋钞本,《知不足斋丛书》用毛钞本。天一阁藏钞本作《草窗词》二卷。吴讷《百家词》本,不分卷。江宾谷疏证本为《蘋洲渔笛谱》二卷,集外词一卷,《彊村丛书》用此本,略有增补。有清乾隆刊本,有《山左人词》本,有《四部备要》本。

竹山词

蒋捷撰。有元钞本、明钞本、吴讷《百家词》本。有毛晋汲古阁刊本,《四库全书》用毛刻本,均为一卷。《彊村丛书》用元钞本,陶湘涉园影印士礼居藏元钞本。有《四部备要》本。

水云词

汪元量撰。善本书室藏旧钞本一卷。吴讷《百家词》本不分卷。《彊村丛书》用赵氏小山堂钞《湖山类稿》本。有《知不足斋丛书》本,有丁丙辑《武林往哲遗著》。《诗渊》中多二十五首,孔凡礼收入《全宋词补辑》。

山中白云词

张炎撰。明钞本及吴讷《百家词》作《玉田词》二卷。清雍正四年(1726)重刊陶钞本作《山中白云词》八卷。有清乾隆复刊本、道光校刊本。有江宾谷疏证本,《彊村丛书》用疏证本。四印斋刊本作《山中白云词》二卷,补钞二卷,续补一卷。有《四部备要》本。

中斋词

邓剡撰。是书一卷,有词十二首,赵万里收入《校辑宋金元人词》。

四、历代词话

时贤本事曲子集(一卷)

宋杨绘撰。尤袤《遂初堂书目》载“杨元素(绘)《本事曲》”，今不传。有赵万里校辑本,此辑本较早,未及尽录。吴熊和《唐宋词通论》又补辑数则。《词话丛编》中华书局本用赵辑本。

骫骳说(二卷)

宋晁无咎撰。《直斋书录解题》著录朱弁《骫骳说》注云:“《骫骳说》,以续《晁无咎词话》,而晁书未见。”据朱弁《续骫骳说序》云:“晁无咎《骫骳说》二卷,其大概为论乐府歌词,皆近世人所为也。”按:晁书今已不存。

古今词话(一卷)

宋杨湜撰。原书不传,今有赵万里辑本。此辑亦可收录。《词话丛编》中华书局本用赵辑本。

复雅歌词(一卷)

宋鲖阳居士撰。是书既录唐与北宋词作四千余首,又间附本事及评论。原书已散佚,今有赵万里辑本,《词话丛编》中华书局本用赵辑本。

拙轩词话(一卷)

宋张侃撰。见《四库全书》《拙轩集》卷五,《词话丛编》中华书局本收录。

碧鸡漫志(五卷)

宋王灼撰。有《知不足斋丛书》本,《词话丛编》收录。1958 年中华书局上海编辑所出版点校本。

能改斋词话(二卷)

宋吴曾撰。因吴曾字虎臣,亦称《吴虎臣词话》。《词话丛编》据《守山阁丛书》收录。

苕溪渔隐词话(二卷)

宋胡仔撰。《词话丛编》据耘经楼刊本《苕溪渔隐丛话》,收其中“乐府”二卷。

魏庆之词话(一卷)

宋魏庆之著。《词话丛编》据日本宽永十六年(1639)刊本《诗人玉屑》收录。

浩然斋词话(一卷)

宋周密撰。《词话丛编》据《聚珍版丛书》本《浩然斋雅谈》下卷“乐府”收录。

词源(二卷)

宋张炎撰。是书有元人旧钞本。《四库未收书目提要》谓"是编依元人旧钞影写"。其刻本最早为清嘉庆十五年(1810)江都秦恩复《词学丛书》本。后有《粤雅堂丛书》本,有《榆园丛书》本,皆出自秦刻本。笺释本有郑文焯《词源斠律》,有蔡嵩云《词源疏证》。1963 年人民文学出版社出版夏承焘《词源注》。《词话丛编》用蔡校疏证本,附录杨守斋《作词五要》。

乐府指迷(一卷)

宋沈义父撰。是书宋元无传本。最早收刻本为明陈耀文《花草粹编》,卷首附刻。《四库全书》著录,《提要》谓"旧本题宋张炎撰……考宋沈义父,字伯时,有《乐府指迷》一卷,今载陈耀文《花草粹编》中"。清有《晚翠楼丛书》本,有《四印斋所刻词》本。1948 年中华书局出版蔡嵩云《乐府指迷笺释》。1963 年人民文学出版社重版。《词话丛编》用《花草粹编》校本。

吴礼部词话(一卷)

元吴师道撰。所著《吴礼部诗话》附词话,《词话丛编》据《知不足斋丛书》本收录。

词旨(一卷)

元陆辅之撰。书前有自序云:"予从乐笑翁(即张炎)游,深得奥旨制度之法。因从其言,命韶暂作《词旨》。"是书《四库全书》收录。《词话丛编》用《百尺楼丛书》本。

渚山堂词话(三卷)

明陈霆撰。霆有《水南稿》《渚山堂诗话》三卷,《四库全书》均著录。《提要》谓"是编与《诗话》并刊,而较诗话为稍胜",确为明人词话中之善本。《词话丛编》收录明嘉靖九年(1530)刊本。1963 年人民文学出版社出版校点本。

艺苑卮言(一卷)

明王世贞撰。世贞有《弇州山人四部稿》一百七十四卷,《四库全书》著录。是编为正稿说部七种之一。《词话丛编》用此本。

爰园词话(一卷)

明俞彦撰。清秦玉笙《词系》钞本有《词旨丛说》,内节录有此书。《词话丛编》用蕙风簃藏本。

词品(六卷)拾遗(一卷)

明杨慎撰。慎一生著述宏富,其《词林万选》等书,《四库全书》已著录,然此编失收。《词话丛编》用明嘉靖刻本。1963 年人民文学出版社出版校点本。

窥词管见(一卷)

清李渔撰。《词话丛编》用《笠翁全集》本。

西河词话(二卷)

清毛奇龄撰。《四库全书》著录为《词话》二卷。《提要》云:“据《西河合集》序目称,此书本四卷,佚其二卷,不敢赝补,故仅以半刊行。”《词话丛编》用《西河合集》本。1937年开明书店出版毛奇龄《西河诗词话》。

古今词论(一卷)

清王又华撰。《四库全书总目提要》谓:“是编杂录论词之语,虽以《古今词论》为名,而古人仅十之一,近人乃十之九。”《词话丛编》用《词学全书》本。

七颂堂词绎(一卷)

清刘体仁撰。所著《七颂堂集》十四卷,《四库全书》已著录,是编失载。《词话丛编》用《别下斋丛书》本。

填词杂说(一卷)

清沈谦撰。《四库全书》著录其《东江集钞》九卷,《别集》一卷,署作“明沈谦”。《提要》谓编者“晚年手自删汰,仅存诗文八卷,杂说一卷”。《词话丛编》用《东江集钞》本。

远志斋词衷(一卷)

清邹祗谟撰。亦作《词衷》。《词话丛编》用《赐砚堂丛书》本。

花草蒙拾(一卷)

清王士禛撰。《词话丛编》用《昭代丛书》本。

皱水轩词筌(一卷)

清贺裳撰。《词话丛编》用增补赖古堂刊本。

金粟词话(一卷)

清彭孙遹撰。《词话丛编》用《别下斋丛书》本。

古今词话(八卷)

清沈雄撰。是书凡例谓:“旧有《古今词话》一书,撰者名氏,久矣失传,又散见一二则于诸刻,兹仍其名。”此编与宋杨湜《古今词话》,名同而实异。《词话丛编》用澄晖堂刊本。

词洁辑评

清先著撰。《词话丛编》中华书局本用胡念贻辑录本。

历代词说(十卷)

清王奕清等撰。《词话丛编》据《历代诗余》卷一百十一至卷一百二十辑录。

雨村词话(四卷)

清李调元撰。《词话丛编》用《函海》本。

西圃词话(一卷)

清田同之撰。《词话丛编》用古懽堂家刊本。

铜鼓书堂词话(一卷)

清查礼撰。《词话丛编》用《铜鼓书堂遗稿》。

雕菰楼词话(一卷)

清焦循撰。《词话丛编》用《易余籥录》本。

灵芬馆词话(二卷)

清郭麐撰。《词话丛编》用《灵芬馆全集》本。

词综偶评(一卷)

清许昂霄撰。附《查初白诗评》后。《词话丛编》入录。

戏鸥居词话(一卷)

清毛大瀛撰。《词话丛编》中华书局本用《戊寅丛编》本。

张惠言论词

清张惠言撰。《词话丛编》中华书局本据《词选》。

介存斋论词杂著(一卷)

清周济撰。《词话丛编》用《词辨》本。1962 年人民文学出版社出版校点本。

宋四家词选目录序论

清周济撰。《词话丛编》中华书局本用《宋四家词选》本。1958 年古典文学出版社出版《宋四家词选》。

片玉山房词话(一卷)

清孙兆溎撰。《词话丛编》中华书局本用《花笺录》卷十一。

词苑萃编(二十四卷)

清冯金伯撰。《词话丛编》用清嘉庆刊本。

本事词(二卷)

清叶申芗撰。是书体例仿唐孟棨《本事诗》,辑唐宋金元词人感遇及有关词作逸事,颇简明扼要,但剪裁旧文,不注明出处。有清道光天籁阁刊本,《词话丛编》用此本。1959 年中华书局上海编辑所与《本事诗》合印出版。

莲子居词话(四卷)

清吴衡照撰。《词话丛编》用退补斋刊本。

乐府余论(一卷)

清宋翔凤撰。《词话丛编》辑自词集。

填词浅说(一卷)

清谢元淮撰。《词话丛编》用《碎金词选》本。

双砚斋词话(一卷)

清邓廷桢撰。《词话丛编》用《双砚斋随笔》本。

问花楼词话(一卷)

清陆蓥撰。《词话丛编》用《笠泽词徵》本。

词径(一卷)

清孙麟趾撰。《词话丛编》用陈凝远校本。

听秋声馆词话(二十卷)

清丁绍仪撰。《词话丛编》用清同治刊本。

憩园词话(六卷)

清杜文澜撰。《词话丛编》用潘钟瑞、费念兹校钞本。

雨花庵词话(一卷)

清钱斐仲撰。《词话丛编》中华书局本据《词学季刊》增补。

蓼园词评

清黄苏撰。《词话丛编》中华书局本据《蓼园词选》。

左庵词话(二卷)

清李佳撰。《词话丛编》中华书局本用清光绪刊本。

南亭词话(一卷)

清李宝嘉撰。《词话丛编》中华书局本用《南亭四话》本。

词学集成(八卷)

清江顺诒撰。《词话丛编》用清光绪刊本,附郭麐《词品》、杨夔生《词品》。

赌棋山庄词话(十二卷)
续词话(五卷)

清谢章铤撰。《词话丛编》用清光绪刊本。

蒿庵词话(一卷)

清冯煦撰。《词话丛编》用《六十一家词选》。1962年人民文学出版社出版点校本。

菌阁琐谈(一卷)

清沈曾植撰。《词话丛编》用旧钞本。

芬陀利室词话(三卷)

清蒋敦复撰。《词话丛编》用清光绪刊本。

本书所见词牌简介

吴丈蜀

一、平　韵　格

二、仄 韵 格

三、平仄换韵格

一、平 韵 格

竹 枝

唐教坊曲名。据宋郭茂倩在所编《乐府诗集》中说,《竹枝》本出于巴渝,唐德宗年间,刘禹锡在沅湘,以俚歌鄙陋,乃依骚人《九歌》,作竹枝新词九章,教里中儿童歌唱。可知是刘禹锡用教坊曲名所制的新曲。单调,两句,十四字。每句第二字都用平声,其余各字不拘平仄。另有二十八字体,乃七言绝句。又名巴渝辞,调见《尊前集》。

捣 练 子

宋黄大舆编《梅苑》中收入无名氏词八首,其一首起句为"捣练子",即以作词名。或云:"李后主词,即咏捣练,乃唐词本体也。"(见《升庵词品》)前人多用为妇女怀念征夫之作。单调,二十七字,五句,三平韵。另有双调三十八字体,是别格,一名《捣练子令》。

又名《夜捣衣》《杵声齐》《夜如年》《望书归》《深院月》《剪征袍》等。

夜捣衣

即《捣练子》。

杵声齐

即《捣练子》。

夜如年

即《捣练子》。

潇湘神

此调是唐代潇湘一带祭祀湘妃的神曲。刘禹锡以此曲填了两首词,赋本题意,为此词首见。单调,二十七字,五句,三平韵一叠韵。起首三字例用叠韵。

又名《潇湘曲》。

渔歌子

唐教坊曲名。词调由张志和创制。志和自称烟波钓徒,此词就是写渔人生活。以后的作者也用以写渔家生活。五代和凝用此调,改称《渔父》。单调,二十七字,五句,四平韵。中间两个三字句,前人认为例用对偶,也不尽然,过去就有人用散句。有作二十七字,五句,三平韵者;又有作二十五字,五句,三仄韵者;亦有作五十字,前后段各六句,三仄韵或四仄韵者。

又名《渔父乐》。

忆江南

据唐人段安节《乐府杂录》说,此词乃李德裕为其妾谢秋娘作,名《谢秋娘》,因白居易词更今名。唐崔令钦《教坊记》有《望江南》调,可见盛唐时期已有此调。宋以前为单调,二十七字,五句,三平韵。宋以后开始用双调。中间两个七字句,有用对偶的,也有用散句的,可不拘一格。

单调又名《望江南》《梦江南》《梦江口》《江南好》《春去也》《望江梅》等。双调又名《安阳好》《梦仙游》《步虚声》《壶山好》《望蓬莱》《归塞北》等。

梦江南

即《忆江南》。

杨柳枝

唐教坊曲名。乐府横吹曲有《折杨柳》,此调是用旧曲名另创新调,多用以咏柳枝。单调,二十八字,四句,三平韵,本是唐人七言绝句。另有四十字体、四十四字体,是别格。

又名《杨柳》《柳枝》。

采莲子

唐教坊曲名。单调，二十八字，四句，三平韵，也是七言绝句，用以咏采莲。句中夹注"举棹""年少"，是歌唱时相和之声，即单数句独唱，双数句和。另有仄韵《采莲令》，是别调。

九张机

此调始见宋曾慥编《乐府雅词》中无名氏的两组《九张机》词。其中第一组除从一张机到九张机写正词九首，首尾另有序跋词三首；第二组只一张机至九张机词九首，无序跋词。照作者序言所说，这组词是"写掷梭之怨，章章寄恨，句句言情"。事实正是如此，所以声情凄切。全组词必须九首成套，每首开头三字句第一字须用序数依次写下去。每首三十字，六句；三平韵。亦有作二十九字，六句；三平韵者，首句为二字句，亦无名氏作。

抛球乐

此调本是唐人古诗，后入教坊谱曲供演唱，遂成词调。《唐音癸签》："《抛球乐》，酒宴中抛球为令，其所唱之词也。"此调始自刘禹锡。单调，三十字，六句，四平韵。中二句例作对偶。另有三十三字、四十字体，句式及韵位都有不同。以后柳永又演为长调，一百八十七字，上片十九句七仄韵，下片十七句七仄韵，与唐词小令体制迥然各异。

又名《莫思归》。

忆王孙

此词单调由北宋秦观创作，因词的起句有"忆王孙"三字，乃以为名。又名《豆叶黄》《独脚令》《画蛾眉》《阑干万里心》等。三十一字，五句，每句平韵。另有双调五十四字体，或名《怨王孙》，是别调，见后仄韵格。

又有单调仄韵《忆君王》，乃《渔家傲》之一段。

忆君王

即《忆王孙》。

何满子

唐教坊曲名。据《乐府诗集》八十引白居易云，何满子是唐玄宗开元年间沧州的歌者，临刑进此曲以赎死，竟不得免。词名本此。单调，三十六字，六句，三平韵。另有三十七字体及双调七十三、七十四字体。北宋毛滂并将双调改用仄韵。

又名《河满子》。

长相思

本为唐教坊曲。调名出古乐府"上言长相思，下言久离别"句。一名《双红豆》《相思令》《山渐青》《吴山青》《长相思令》《长思仙》《青山相送迎》《忆多娇》等，前人多用以写男女相思之情。始见白居易词。双调，三十六字，平韵。前后片各四句，句句用韵，亦有后片起句不用韵的。

蝴 蝶 儿

此调始于唐张泌，收入《花间集》，以词的起句三字为名。四十字，前段四句四平韵，后段四句三平韵。

浣 溪 沙

本唐代教坊曲名，因西施浣纱于若耶溪，故又名《浣溪纱》或《浣纱溪》。上下片三个七字句，四十二字，分平仄两体。平韵体流传至今最早的是唐人韩偓词，是正体。上片三句全用韵，下片末二句用韵，过片二句用对偶句的居多。仄韵体始于南唐李煜。另有《摊破浣溪沙》，又名《山花子》，上下片各增三字，韵位不变。

此调音节明快，句式整齐，易于上口。为婉约、豪放两派词人所常用。

又有《小庭花》《减字浣溪沙》等二十余种异名。

诉 衷 情

唐教坊曲名。本为情词，以后作一般抒情用。后人又更名《桃花水》《画楼空》《步花间》《偶相逢》《试周郎》等。单调，三十三字，五仄韵，六平韵。

另有《诉衷情令》，四十四字，前段四句三平韵，后段六句三平韵。

巫山一段云

唐教坊曲名。原为吟咏巫山神女事。双调，四十六字，前段四句三平韵，后段四句两平韵两仄韵。

另有双调四十四字，前后段各四句三平韵，为又一体。

采 桑 子

唐教坊大曲有《杨下采桑》，《采桑子》可能是从大曲截取一遍而成独立的一个词牌。又名《丑奴儿令》《罗敷媚歌》《罗敷媚》。《词谱》以五代和凝词为正体。双调，四十四字，八句，上下片都是起句仄收，以下三句用平韵。另有在两结句各添二字，变为前四字后五字的两句。

另有双调五十四字体，前段五句四平韵，后段五句三平韵。

阮 郎 归

据南朝宋刘义庆《幽明录》载，东汉刘晨、阮肇入天台山采药，遇二仙女，留住半年，二人思归甚苦。归来则乡里凋零，已历七世。词名本此，故音律凄恻。四十七字，平韵。上片四句二十四字,每句用韵;下片五句二十三字,四句用韵。换头两个三言句,多用对仗。

又名《醉桃源》《宴桃源》《濯缨曲》《碧桃春》。

秋 波 媚

陆游词始作《秋波媚》。《词谱》以左誉、贺铸词为正体。双调,四十八字,十句,平韵。上片五句三平韵,下片五句两平韵。

又名《眼儿媚》《小阑干》《东风寒》。

眼 儿 媚

即《秋波媚》。

添字丑奴儿

又名《摊破丑奴儿》《摊破采桑子》,是将四十四字的《丑奴儿令》(采桑子)添入和声而成。有两体:一体是四十八字,双调,将原来上下片结尾七言句各添两字,成为上四下五两句,各三平韵。此格见李清照词。另一体是六十字,在上下片结句后各添八字作和声,分为两个二字句、两个三字句。上片六句四平韵,下片六句三平韵一重韵。此格见南宋赵长卿词。

谪 仙 怨

唐乐曲名,或作《广谪仙怨》。据明胡震亨《唐音癸签》记载,唐玄宗奔蜀途中,因伤感索长笛吹一曲,乐官录成曲谱以进,因思念张九龄而作,故题名为《谪仙怨》,其音怨切,诸曲莫比。后人多用以写哀怨之情。大历中,江南人盛为此曲。双调,四十八字,上下段各四个六言句,上段三平韵,下段两平韵。

广谪仙怨

即《谪仙怨》。

添字浣溪沙

实为《浣溪沙》之别体,不过多三字两结句,移其韵于结句而已,因有“添字”“摊破”之名。双调,四十八字,上片四句三平韵,下片四句两平韵。此调五代和凝词称《山花子》,《山花子》本唐教坊曲名。近代在敦煌发现的《山花子》调虽字数与和凝词相同,但为仄韵,所以不能认为是一个词体。

又名《摊破浣溪沙》。

武 陵 春

调名出陶渊明《桃花源记》所记载武陵渔人入桃花源事。又名《武林春》。《词谱》以毛滂词为正体。双调,四十八字,八句,平韵,上下片各四句三平韵。别有在末句加一字,或在上下片二三四句各加一字的,是变格。换头七字句亦有用平起的。

柳 梢 青

《词谱》以秦观、刘镇词为正格。四十九字，上片六句二十四字，下片五句二十五字，各为三平韵。另有用入声韵一体，一名《陇头月》，字数、句式、韵位与平韵格相同，是别体。

又名《云淡秋空》《雨洗元宵》。

太 常 引

调见辛弃疾《稼轩词》。四十九字，前片四句四平韵，后片五句三平韵，两结句都是上三下四句法。亦有将上片第二句五言句改作两个三言句的，如南宋高观国词。

又名《太清引》《腊前梅》。

少 年 游

此调初见于晏殊《珠玉词》，因词中有"长似少年时"句，乃以为调名。此词各家句读不一，《词律》以柳永词为定格，《词谱》以晏殊词为正体。双调，五十字，十句，平韵，上片五句三平韵，下片五句两平韵。另有四十八字、四十九字、五十一字、五十二字诸体，用韵亦多有不同，是为别格。

又名《玉腊梅枝》《小阑干》。

燕 归 梁

此调始见晏殊词，因词有"双燕归飞绕画堂，似留恋虹梁"句，故名。双调，五十一字，前片四句四平韵，后片五句三平韵。另有五十字、五十二字体，是变格。

南 歌 子

唐教坊曲名。调名本汉张衡《南都赋》"坐南歌兮起郑舞"句。分单调、双调两体。单调体始于晚唐温庭筠，二十三字，五句，三平韵。双调平韵体始于五代毛熙震，五十二字，上下片各四句三平韵。双调仄韵见《乐府雅词》。以后宋人五十二字、五十三字及五十四字体，都本毛词。

又名《南柯子》《风蝶令》《望秦川》《十爱词》等。

浪 淘 沙

唐教坊曲名。原为七言绝句，白居易词有"却到帝都重富贵，请君莫忘浪淘沙"句，刘禹锡作的《浪淘沙》属此体。以后的双调小令《浪淘沙》，是南唐李煜创制。北宋张舜民用此调改名《卖花声》。《词谱》以李煜词为正体，五十四字，十句，平韵，上下片各四句用韵。此调并由柳永、周邦彦演为长调《浪淘沙慢》，是别格。

卖 花 声

即《浪淘沙》。

鹧 鸪 天

此调据唐人郑嵎诗句"春游鸡鹿塞,家在鹧鸪天"而取名。因贺铸词有"梧桐半死清霜后"句,又名《半死桐》。五十五字,平韵。上片七言四句,相当于一首七绝。下片换头两个三字句,如改为七言仄脚句,也是一首七绝。可见此调由一首七律演变而成。上片两个七字句,和换头两个三字句,前人用对偶的较多。

又名《思佳客》《思越人》。

半 死 桐

即《鹧鸪天》。

南 乡 子

唐教坊曲名。原为单调,有二十七字、二十八字、三十字各体,平仄换韵。单调始自后蜀欧阳炯。南唐冯延巳始增为双调。冯词五十六字,十句,平韵,上下片各四句用韵。另有五十八字体。

又名《好离乡》《蕉叶怨》。

瑞 鹧 鸪

据《词谱》说,《瑞鹧鸪》原本七言律诗,因唐人用来歌唱,遂成词调。双调,五十六字,前段四句三平韵,后段四句两平韵。中间两联例用对偶。《词律》认为"首句第二字平声起,不可误",不可从,冯延巳"才罢严妆"词,第二字"罢"就是仄声。可见此调既可平起,也可仄起,如七律格式。另有六十四字体、八十六字体、八十八字体,是变格。

又名《五拍》《天下乐》《太平乐》《桃花落》《舞春风》《鹧鸪词》《拾菜娘》《报师恩》等。

小 重 山

唐人常用此调写宫女幽怨。《词谱》以薛昭蕴词为正体。五十八字,上下片各四句,四平韵。换头句较上片起句少二字,其余各句上下片均同。另有五十七字、六十字两体,是变格。

又名《小冲山》《柳色新》《小重山令》。

临 江 仙

唐教坊曲名。最初是咏水仙的,调见《花间集》,以后作一般词牌用。双调,五十四字,上下片各五句,三平韵。常见的有三体:一是六十字体,如苏轼词;一是五十八字体,上下片第四句较苏轼词少一字,如李煜词;还有一体也是五十八字,上下片起句较苏轼词少一字,如晏几道词。前人也有在后片换韵的。另有《临江仙引》《临江仙慢》,九十三字,是别格。

又名《谢新恩》《雁后归》《画屏春》《庭院深深》。

唐多令

调见刘过《龙洲词》。双调，六十字，上下片各五句，四平韵。上下片第三句多作上三下四，结句多作上三下三。另有六十一字、六十二字两体，分见吴文英、周密词，是变格。

又名《糖多令》《南楼令》《箜篌曲》。

糖多令

即《唐多令》。

一剪梅

此调因周邦彦词起句有“一剪梅花万样娇”，乃取前三字为调名。双调，六十字。《词谱》以周邦彦、吴文英词为正体。周词为上下片各六句，三平韵，即起句、第三句和结句用韵。吴词为上下片各六句，四平韵，即起句、第三句、第四句和结句用韵。另一体为每句用韵，如蒋捷、张炎词。另有五十八字、五十九字两体。此调以一个七言句带两个四言句，节奏明快。

因韩淲词有“一朵梅花百和香”句，故又名《腊梅香》。因李清照词有“红藕香残玉簟秋”句，故又名《玉簟秋》。

系裙腰

此调始见张先词。双调，六十一字，上片六句四平韵，下片六句三平韵。张先词的上下片第四句和下片第五句，其第一字是衬字。另有五十八字体，就是减去张词中的三个衬字而成。

又名《芳草渡》。

破阵子

唐教坊曲名。唐太宗李世民任秦王时制大型舞曲，名《破阵乐》。本七言绝句，后因旧曲名，另倚新声。现存双调小令，始见晏殊词。六十二字，上下片各五句，三平韵。

又名《十拍子》。

好女儿

此调有两体，六十二字体起于晏几道，上片六句三平韵，下片六句两平韵，韵位较疏。另一四十五字体起于黄庭坚，上片四句三平韵，下片五句三平韵。

因贺铸词有“会国门东”句，故又名《国门东》。因黄庭坚词有“懒系酥胸罗带，羞见绣鸳鸯”句，故又名《绣带儿》，一作《绣带子》。此外，尚有《九回肠》《月光圆》《画眉郎》《绮宴张》等异名。

国门东

即《好女儿》六十二字体。

行香子

据宋人程大昌《演繁露》考

证,“行香”即佛教徒行道烧香,调名本此。平韵双调,六十六字,始见《东坡词》,前段八句五平韵,后段八句三平韵。此调短句多,上下片结尾以一字领三个三言句,前人在句中这一字常用相同的字,尤为别致,音节颇流转悦耳。《词谱》以晁补之词为正格,六十六字,前段八句四平韵,后段八句三平韵。另有六十四字、六十六字、六十九字诸体。

江城子

唐词单调,始见《花间集》韦庄词,单调三十五字,七句,五平韵。或谓调因欧阳炯词中有“如(衬字)西子镜照江城”句而取名。宋人改为双调,七十字,上下片都是七句五平韵。欧阳炯单调词将结尾两个三字句加一衬字成为七言句,开宋词衬字之法。后蜀尹鹗单调词将起首七言句改作三字两句,开宋词减字、摊破之法。

晁补之改其名为《江神子》。因韩淲词有“腊后春前村意远”句,故又名《村意远》。

江神子

即《江城子》。

风入松

《乐府诗集》收有古琴曲《风入松》,传为晋嵇康所作;唐僧皎然有《风入松歌》,是此调名称所本。平韵双调,《词谱》以晏几道词及吴文英词为正体。晏词七十四字,吴词七十六字,都是十二句,前后片各六句,四平韵。上下片第四句,多用上三下四句法。另有七十二字、七十三字体,是变格。

又名《风入松慢》《远山横》。

一丛花

调见苏轼词。双调,七十八字,上下片各七句,四平韵。词中上下片第五句(四言句)的第三字,《词律》认为“必用去声。即不能,亦用上、入声,必不可用平,此为定格”。按南宋程垓词此句是“青笺来约”,韩淲词此句是“聚散人生”,其中第三字都是平声。故《词律》所说并非事实,不可从。

山亭柳

此调有平韵仄韵两体,平韵始自晏殊,仄韵始自杜安世。两体虽同是七十九字,但句式明显不同。平韵体上片八句五平韵,下片八句四平韵。仄韵体上片八句四仄韵,下片八句五仄韵。《词谱》说两体句读大同小异,不确。

上西平

原名《金人捧露盘》《铜人捧露盘引》。用魏明帝派人去长安,摘取汉武帝制的金人承露盘事。李贺为此事作了《金铜仙人辞汉歌》，张元幹词改为《上西平》。《词谱》以高观国词和程垓词为正体。七十九字，上片八句五平韵，下片九句四平韵。另有七十八字、八十一字体。

又名《上平西》《上平南》《西平曲》。

江 梅 引

此调原名《江城梅花引》，旧说因前片用《江城子》句式，后半用《梅花引》句式，故合名《江城梅花引》，兼取李白"江城五月落梅花"句意。《词律》编者万树认为此调后半不似《梅花引》调，对旧说存疑。《词谱》认为此调有三体：换头句藏短韵的，以程垓词为正体，八十七字，前段八句四平韵一叠韵，后段十句六平韵两叠韵；换头句不藏短韵的，以吴文英词为正体，八十七字，前段八句六平韵，后段十句七平韵；后段第一句、第三句和第四句叶仄韵的，以王观词为正体，八十七字，前段八句五平韵，后段十句三叶韵三平韵。另有八十五字、八十八字两体。

又名《摊破江城子》《四笑江梅引》《明月引》《西湖明月引》。

八 六 子

此调初见《尊前集》收杜牧词。有多种体式，《词谱》以晁补之词为正体。九十一字，前段六句三平韵，后段十一句六平韵。前段第四句是以一字领以下两个六言句。后段四至七句是扇面对句法。

因秦观词有"黄鹂又啼数声"句，故又名《感黄鹂》。

水调歌头

唐大曲有《水调歌》，是隋炀帝开凿汴河时所作。凡是大曲都由几个乐章组成，"歌头"是开头一段。此调就是截取《水调歌》的开头一段另创的新调。《词谱》以苏轼、毛滂、周紫芝词为正体。九十五字，前片九句四平韵，后片十句四平韵。贺铸将此调中仄脚字概用同一韵部的字，成为平仄换韵格，但仿效者很少。此调上片三、四句，下片三字句后的两句，有作上四下七的，也有作上六下五的，不拘一格。另有九十四字、九十六字、九十七字各体，是变格。

又名《元会曲》《凯歌》《台城游》《花犯念奴》。

满 庭 芳

调名出晚唐吴融诗"满庭芳草易黄昏"句。《词谱》以晏几道、周邦彦词为正体，都是九十五字。晏词前后片各十句四平韵；周词前片十句四平韵，后片十一句五平韵，中有换头二字用暗韵。换头二字，晏词不用暗韵而与下句合为五言句。上片起首两个四言句，前人多用对仗。另有九十三字、九十六字两体。

又名《锁阳台》《潇湘夜雨》《满庭霜》《话桐乡》《江南好》《满庭花》等。

汉 宫 春

此调有平韵和仄韵两体。《词谱》以为平韵上下片起句不用韵的，以晁冲之词为正体，九十六字，上下片各九句四平韵；两起句用韵的，以张先词为正体，九十六字，上下片各九句五平韵。仄韵体以康与之词为正体，九十六字，上片九句四仄韵，下片九句五仄韵。两体上下片第二句，例用上一下四句法。另有九十四字体。

又名《汉宫春慢》。

八声甘州

唐教坊大曲有《甘州》，杂曲有《甘州子》，是唐边塞曲，因以边塞地甘州为名。《八声甘州》是从大曲《甘州》截取一段改制的。因全词前后片共八韵，故名八声。慢词，与《甘州遍》之曲破，《甘州子》之令词不同。《词谱》以柳永词为正体。九十七字，上片四十六字，下片五十一字，上下片各九句四平韵。亦有在起句增一韵的。上片起句、第三句，下片第二句、第四句，多用领句字。另有九十五字、九十六字、九十八字体，是变格。

又名《甘州》《潇潇雨》《宴瑶池》。

凤凰台上忆吹箫

《词谱》引《列仙传拾遗》说，萧史会吹箫，作鸾凤之响。秦穆公有女弄玉也会吹箫。秦穆公把女嫁给萧史，萧史教弄玉作凤鸣。过了十几年，凤凰飞来，秦穆公便为筑凤台，萧史夫妇居住台上。几年后，弄玉乘凤，萧史乘龙飞去。此调就由这段传说而取名。始见晁补之词。九十七字，上片十句，四平韵；下片九句，四平韵。《词谱》以晁补之词为正体。下片换头二字，有作一句用韵的，也有与下面四字句合为六言句的。如按前例，下片则为五平韵，李清照词就属此体。另有九十五字体、九十六字体，句式略有不同。清人任兆麟自度仄韵词，见《新声谱》。

又名《忆吹箫》。

夜 合 花

调见晁补之《琴趣外篇》。夜合花即合欢树。调名出唐韦应物诗句“夜合花开香满庭”。九十七字，上片十句五平韵，下片十句六平韵。上下片第八句，各家都作上一下三句法。另有九十九字体、一百字体，是变格。

扬 州 慢

此调是姜夔过扬州时自度之曲,内容是写扬州在战乱后的破败景象和自己的感慨。九十八字。上片五十字,十句,下片四十八字,九句,各四平韵。上片第四句、第五句及下片第三句、第八句,都是一字豆句式。此调声情悲凉,故后人多用以抒发怀古之幽情。

又名《朗州慢》。

声 声 慢

原名《胜胜慢》。此词有平韵和仄韵两体。按《词谱》所说,平韵体以晁补之、吴文英词为正体,晁词九十九字,上片九句四平韵,下片八句四平韵;吴词九十七字,上片十句四平韵,下片八句四平韵。仄韵体以高观国词为正体,九十七字,句读与吴文英词相同,例用入声韵。李清照词则为上下片各五仄韵。另有九十六字、九十八字体。

又名《人在楼上》《神光灿》《寒松叹》《凤求凰》等。

高 阳 台

调名出宋玉《高唐赋》,说是楚怀玉游高唐,于昼寝时梦见巫山神女对他说,她在巫山之阳,高丘之阻,旦为朝云,暮为行雨,朝朝暮暮,阳台之下。《词谱》以南宋刘镇词为正体。一百字。上片四十九字、下片五十一字,各十句四平韵。下片第二句多用一字豆句法。

又名《庆春泽慢》《庆春宫》。

凤 箫 吟

即《芳草》。有一百字和一百零一字两体。一百字体上片起句不用韵的,以韩缜词为正体,上片十句四平韵,下片十句五平韵。一百零一字体上片起句用韵的,以晁补之词为正体,上片十句五平韵,下片十一句五平韵。

又名《凤楼吟》。

凤 归 云

唐教坊曲名。词见柳永《乐章集》,有平韵和仄韵两体。平韵体一百零一字,上片十句四平韵,下片十一句三平韵;仄韵体一百一十八字,上片十句四仄韵,下片十一句五仄韵,与平韵词句读不同,宫调亦异。

寿 楼 春

史达祖自度曲,题为《寻春服感念》。从题名和词的内容来看,是作者因寻春衣而怀念他的亡妻之作,故声情悲凉。“寿楼”可能是作者寓楼名称。因此,词名虽有“寿”字,不能用作寿词。一百零一字。上片五十一字,十句,下片五十字,十一句,各六平韵。调中多拗句平声，全词一零一字，平声字便占了六十四字，且有许多四平声、五平声句，是作者情之所至信手写来，不受格律制约。

木兰花慢

此调是用小令《木兰花》调名另制的新曲，与《木兰花》本调无关。一百零一字，上下片各十句。上片五十字，五平韵；下片五十一字，七平韵。各家字句多有参差，《词谱》定柳永的清明词为正格。

庆宫春

有平韵和仄韵两体。平韵体始自北宋，有周邦彦诸词；仄韵体始自南宋，有王沂孙诸词，各为一百零二字。平韵体上片十一句四平韵，下片十一句五平韵。仄韵体上下片各十一句四仄韵。

又名庆春宫。

湘春夜月

此调是南宋黄孝迈自度曲，词名是作者根据所写内容而定，写自己于清明时节在湘江边旅宿对月的感慨。双调，一百零二字，前段十句四平韵，后段十一句四平韵，声情凄切。

夜飞鹊

即《夜飞鹊慢》。调见周邦彦《片玉词》，为此调正体。一百零六字，上片十句五平韵，下片十句四平韵。上片第七句、下片第九句，是一字豆句法。

望海潮

此调是柳永自度曲。一百零七字，上下片各十一句。上片五十三字，五平韵；下片五十四字，六平韵。歇拍二句，可用上六下五，也可用上四下七。

一萼红

此调有平韵和仄韵两体。平韵体见姜夔词。仄韵体见《乐府雅词》中的北宋无名氏词，中有“未教一萼、红开鲜蕊”句，因以“一萼红”为调名。此调仄韵格使用者极少。两体都是一百零八字。平韵体上片十一句五平韵，下片十句四平韵。上下片第二句是领字格，第六句例为拗句。歇拍前一句，可平收也可仄收。

过秦楼

调见《乐府雅词》，作者李甲。因词中有“曾过秦楼”句，遂取以为名。一百零九字，上片十一句五平韵，下片十一句四平韵。上片第四句，下片第一句、第二句，第四句、第五句和第九句，是领字格。据《词谱》考证，周邦彦《片玉词》，后人把他的《选官子》词刻作《过秦楼》，各谱遂名周词《选官子》为仄韵《过秦楼》。但两体不一，不能将《过秦楼》调另分仄韵体。

风 流 子

唐教坊曲名。单调者,唐词一体;双调者,宋词三体。有上下片两起句不用韵者;有上片起句用韵,下片起句不用韵者;有上下片起句俱用韵者。诸体中有句读异同。《词谱》以周邦彦词为平韵体正体,一百一十字,上片十二句四平韵,下片十一句四平韵。各家词句读有出入。仄韵体单调三十四字,八句六仄韵,见《花间集》收孙光宪词。

沁 园 春

“沁园”二字出汉代沁水公主园林。唐人崔湜、李適、李义府诗中均一再提及“沁园”“沁水园”“沁水林”。有一百一十二字至一百一十六字诸体,以一百一十四字为正格。上片四平韵,下片五平韵。前人认为换头句第二字有人用暗韵,实系偶合。上片第四句第一字和下片第三句第一字,必须用一字豆领以下四句,而所领四句例须用扇对。

此调始见于北宋张先词。原属婉约派词,因其格调开阔,韵位较疏,读起来更感沉郁,故豪放派词人及后人常用此调抒发激越情感。

又名《寿星明》《东仙》《洞庭春色》《念离群》等。

六 州 歌 头

据程大昌《演繁露》说,此调本鼓吹曲,近世词人根据它的曲调创制吊古词,音调悲壮,又把古代兴亡事实作为曲词,听到曲就使慷慨之情迸发,绝对不同于一般艳词。杨慎《词品》说,“六州”指唐代西部的伊、凉、甘、石、渭、氐等六个州。宋代举行大祀、大恤典礼都用此调。此调有三种用韵形式:一是平韵体,如刘过“镇长淮”词;二是平仄韵互叶格,如贺铸“少年侠气”词;三是平仄韵转换格,如韩元吉“春风著意”词。后两体句式与平韵体略异。三体中以平韵体为主。以刘过“镇长淮”词为例,一百四十三字,上片七十一字,下片七十二字,各十九句八平韵。

二、仄 韵 格

如 梦 令

此调为五代时后唐庄宗李存勗创作,原名《忆仙姿》,因词中有二言叠句“如梦,如梦,和泪出门相送”,故改为《如梦令》。三十三字,七句,五仄韵,一叠韵。

又名《宴桃源》《不见》《比梅》《古记》《如意令》《无梦令》等。

忆 仙 姿

即《如梦令》。

归 国 谣

唐教坊曲名。有两体,一见温庭筠词,四十二字,四句四仄韵。韦庄词起句增一字。有异名作《归平遥》。一见欧阳修词,三十四字,上下片各三句三仄韵。"国"一作"自","谣"一作"遥"。

生 查 子

唐教坊曲名。调见《尊前集》。双调,四十字,仄韵,上下片各为一首仄韵五言绝句。单数句不是韵位,但末一字限用平声,在双数句用韵。始见韦应物词。"查"读"楂"(zhā)。

又名《楚云深》《梅和柳》《晴色入青山》《梅溪渡》《陌上郎》《遇仙楂》《愁风月》《绿罗裙》等。

点 绛 唇

此调因南朝梁江淹《咏美人春游》诗中有"白雪凝琼貌,明珠点绛唇"句而取名。《词谱》以冯延巳词为正体。四十一字。上片四句,从第二句起用三仄韵;下片五句,亦从第二句起用四仄韵。《词律》认为,上片第二句第一字宜用去声,"作平则不起调"。按前人此字时用平声,如王禹偁词"江南依旧称佳丽"、苏轼词"今年身健还高宴""风流公子方终宴"等句,"江""今""风"都是平声字,用在此处音律和谐,何至不能起调。此说不可从。

又名《点樱桃》《十八香》《南浦月》《沙头雨》《寻瑶草》《万年春》等。

关 河 令

原名《清商怨》,古乐府有《清商曲辞》,多哀怨之音,故取名《清商怨》。晏殊作此词起首有"关河愁思望处满"句,周邦彦将此调改名《关河令》。晏殊词四十三字,上下片各四句三仄韵。周邦彦词四十二字,首句较晏词少一字。

又名《伤情怨》。

霜天晓角

此调以北宋林逋词为首见。调名根据林词上片的词意。此调有平韵和仄韵两体。仄韵,八句,四十三字。上片二十一字,四句,三仄韵;下片二十二字,五句,四仄韵。上下片只第三句不用韵,但须用仄声字收。上下片歇拍句例作上三下三句式。另有平韵体,四十三字,上下片各四句三平韵。

又名《月当窗》《踏月》《长桥月》等。

卜 算 子

《词律》以为此词取义于“卖卜算命之人”。《词谱》以苏轼词为正体。双调,仄韵,四十四字,上下片各四句,在偶数句用仄韵,奇数末字须用平声。两结句有增衬字为六字句的。另有《卜算子慢》,八十九字,是别格,与本调无关。

又名《百尺楼》《眉峰碧》《缺月挂疏桐》《黄鹤洞中仙》《楚天遥》。

好 事 近

“近”是词的种类之一,属一套大曲中的一个曲调。自词和音乐分离,此字只是某个词牌名称的组成部分,已无实际意义。《词谱》以北宋宋祁词为正体。四十五字,仄韵,上片四句,二十二字;下片四句,二十三字。上下片各两仄韵。此调前人习惯用入声韵。两结句都用一字豆句式。

又名《钓鱼船》《翠圆枝》《倚秋千》等。

谒 金 门

唐教坊曲名。《词谱》以韦庄词为正体。四十五字,仄韵,上片二十一字,下片二十四字。上下片各四句,四仄韵。

又名《空相忆》《花自落》《垂杨碧》《杨花落》《出塞》《东风吹酒面》《醉花春》《春早湖山》等。

忆 秦 娥

此调始见宋黄昇编《唐宋诸贤绝妙词选》,题李白作,或疑为后人伪托。因此词中有“秦娥梦断秦楼月”句,故名《忆秦娥》,又名《秦楼月》。四十六字,十句,仄韵。上下片各四句用仄韵,其中的三字句是叠韵,为上句末三字的重复。此调例用入声韵。《词律》谓“两结句第一字必用仄字,得去声尤妙”,未必尽然。至贺铸乃易仄韵为平韵,为变格。

又名《花深深》《碧云深》《蓬莱阁》《双荷叶》《玉交枝》《子夜歌》等。

秦 楼 月

即《忆秦娥》。

贺 圣 朝

唐教坊曲名。始自南唐冯延巳。四十七字,上片五句三仄韵,下片六句两仄韵。另有四十八字、四十九字各体,句式有出入。还有平韵体,是别格(见《古今词话》)。

又名《转调贺圣朝》。

应 天 长

此调有小令、长调两体。小令始于韦庄。五十字,上下片各五句四仄韵。各家用此调字数有增减,但以韦庄词为正体。长调始于柳永,九十四字,上片十句六仄韵,下片十句七仄韵。另有九十八字体,句式与柳词有出入。

又名《应天长令》《应天长慢》。

惜分飞

双调,五十字,仄韵,上下片各四句,都是每句用韵。另有在上下片第二句各增一字的五十二字体,称《惜双双令》,是变格。

又名《惜双双》《惜芳菲》。

惜双双

即《惜分飞》。

雨中花

双调,五十一字,上下片各四句三仄韵。另有五十二字、五十四字、五十五字、五十六字、五十八字、六十一字诸体。还有长调《雨中花慢》,是别格。

又名《雨中花令》《送将归》。

木兰花

唐教坊曲有《木兰花令》。宋人《木兰花》词,皆《玉楼春》体,七言八句,五十六字。五代毛熙震、魏承班、韦庄各有《木兰花》调,为此调正体。毛词双调,五十二字,上下片各六句三仄韵;魏词五十四字,上片六句三仄韵,下片四句三仄韵;韦词五十五字,上片五句三仄韵,下片四句三仄韵,上下片不同部。

按:《花间集》载,《木兰花》《玉楼春》两调,其七字八句者为《玉楼春》体,《木兰花》则韦词、毛词、魏词共三体,从无与《玉楼春》同者,自《尊前集》误刻以后,宋词相沿,率多混填,《词谱》已为校正。

醉花阴

此调为北宋毛滂自度曲。词中有句云:“人在翠阴中……劝君对客杯须覆。”因据句意取词名。双调,五十二字,八句,仄韵。上下片各四句,只第三句用平脚不入韵,其余各句均用韵。上下片第二句五言句,前人有的用上二下三句式,有的用上一下四句式,还有的上下片分别用以上两种不同的句式,因此,此句形式可以灵活使用。上下片歇拍九字句,前人多用上四下五句式。

玉楼春

调名由五代顾夐词“月照玉楼春漏促”及“柳映玉楼春日晚”句而来。此调在宋以前,与《木兰花》调是不同字数、不同宫调的两个词牌。北宋以后,两调就成为有两种调名的一个词体。仄韵,双调,五十六字,七字八句。上下片都是第三句平脚不入韵,其余三句用韵。

又名《木兰花》《玉楼春令》《西湖曲》《呈纤手》《东邻妙》《春晓曲》《惜春容》《梦相亲》《归风便》《归朝欢令》《转调木兰花》《续渔歌》等。

鹊 桥 仙

此调最初是咏牛郎织女在七夕藉鹊桥相会事的,故有此名。以后作一般词牌使用。始见欧阳修词,词有“鹊迎桥路接天津”句,故名。双调,五十六字,十句,仄韵。上下片各五句,都在三、五两句用韵。上下片结尾七字句,多用上三下四句式。

又名《鹊桥仙令》《忆人人》《金风玉露相逢曲》《广寒秋》《梅已谢》《蕙香囊》等。

夜 游 宫

调见宋毛滂《东堂词》。双调,五十七字,十二句,上下片各六句,均四仄韵。换头句较上片起句少一字,其余句式,上下片全同。

又名《念彩云》《新念别》。

踏 莎 行

调名从唐韩翃诗句“踏莎行草过春溪”而来。双调,五十八字,十句,上下片各五句三仄韵。起首四个四言句,前人多用对偶。另有《转调踏莎行》,六十六字,上下片各四仄韵,是别格。

又名《喜朝天》《柳长春》《踏雪行》《平阳兴》《江南曲》《芳心苦》《芳洲泊》《度新声》《思牛女》《惜余春》《阳羡歌》《晕眉山》《踏云行》《潇潇雨》等。

蝶 恋 花

唐教坊曲名。本名《鹊踏枝》。晏殊词改今名。调名取南朝梁简文帝萧纲诗句“翻阶蛱蝶恋花情”中的三字。双调,六十字,十句,上下片各五句四仄韵。

又名《黄金缕》《凤栖梧》《一箩金》《鱼水同欢》《细雨吹池沼》《明月生南浦》《卷珠帘》《江如练》等。

凤 栖 梧

即《蝶恋花》。

黄 金 缕

即《蝶恋花》。

钗 头 凤

即《撷芳词》,因禁中有撷芳园而得名。宋陆游因无名氏词有“可怜孤似钗头凤”句,故名。双调,六十字,十六句。上下片各八句七仄韵,两个韵部互换,前三句与后四句不同韵。结句三字例用叠字。

又名《折红英》《清商怨》《惜分钗》《玉珑璁》等。

后庭宴

宋人陈岩肖在所撰《庚溪诗话》中说，宋徽宗宣和年间，掘地得石刻唐人词，调名《后庭宴》。六十字，上片五句三仄韵，下片六句三仄韵。此词上片近《踏莎行》，下片字句又与上片不同。

渔家傲

此调是北宋年间流行歌曲，曾有人用来作“十二月鼓子词”。双调，六十二字，仄韵，上下片各四个七字句、一个三字句，每句用韵。另有六十六字者，为变体。此调始见于北宋晏殊，因词中有“神仙一曲渔家傲”句，便取“渔家傲”三字作调名。因其句句用韵，声律谐婉，既可用于一般抒情，尤宜表达悲凉情感，如范仲淹词堪作代表。

又名《吴门柳》《忍辱仙人》《荆溪咏》《游仙咏》。添字者又名《添字渔家傲》。

苏幕遮

唐教坊曲名。《唐书·宋务光传》：“比见都邑坊市，相率为浑脱队，骏马戎服，名苏幕遮。”按：张说《燕公集》有苏幕遮七言绝句。“苏幕遮”本西域舞曲，是当时高昌国语言音译。宋代词家用此调是另度新曲。双调，六十二字，上下片各五句四仄韵。

又名《鬓云松令》《云雾敛》。

淡黄柳

此调是姜夔自度曲。因词序谓“柳色夹道，依依可怜”，且词中形容柳色有“鹅黄嫩绿”句，故以“淡黄柳”为调名。六十五字。上片二十九字，五句五仄韵；下片三十六字，七句五仄韵。下片八字句是一字豆句法。

酷相思

始见南宋程垓《书舟词》。双调，六十六字。上下片各五句四仄韵，一叠韵。上下片八字句是领字句。

谢池春

《词律》《词谱》都以陆游词为正体。双调，六十六字，上下片各六句四仄韵。上下片第五句，例作上一下四句法。

又名《风中柳》《玉莲花》《卖花声》（与《浪淘沙》一名《卖花声》有别）。

感皇恩

唐教坊曲名。陈旸《乐书》：“祥符中，诸工请增龟兹部如教坊，其曲有《双调感皇恩》。”双调，六十七字，上下片各七句四仄韵。只起句上片比下片多一字，其余各句上下片完全相同。《词谱》以毛滂此词为正体，其余或作偷声，或作减字，或添字，皆其变格。

又名《叠萝花》。

青玉案

调名出自汉张衡《四愁诗》“美人赠我锦绣段,何以报之青玉案”。调见宋苏轼《东坡词》。六十七字,上片三十三字,下片三十四字,各六句,上下片不同的是上片起句后的两个三字句,下片改为七字句。上下片各五仄韵。也有上下片结句前一句不用韵的。

又名《西湖路》《青莲池上客》《横塘路》。

天仙子

唐教坊曲名,本名《万斯年》,原为咏天仙的。《乐府杂录》:“万斯年曲,是朱崖李太尉进此曲名,即《天仙子》。”唐时为仄韵单调,六句五仄韵。宋人改用双调,六十八字,十二句,上下片各六句,五仄韵。

千秋岁

唐教坊大曲有《千秋乐》调。据郭茂倩《乐府诗集》本曲题解,是唐玄宗生日,大宴群臣,百官上表请定此日为千秋节,可能由此产生《千秋乐》调。宋人根据旧曲另制新曲。双调,七十一字,十六句,仄韵,上下片各八句五仄韵。上片起句比下片起句少一字,其余句式全同。

另有游仲文词名《千秋岁》,即《念奴娇》。

又名《千秋节》《千秋万岁》。

传言玉女

据《词谱》引《汉武内传》,传说汉武帝闲居承华殿,忽见一女子对他说,我是墉宫玉女王子登。到七月七日,王母暂来。说罢就不见了。世人就说这女子是“传言玉女”,调名由此而来。双调,七十四字,上下片各八句四仄韵。上下片第四句,例作上一下四句法。《词律》《词谱》都以晁冲之词为正体。

千年调

此调见曾慥编《乐府雅词》,曹组作,名《相思会》。因词有“刚作千年调”句,辛弃疾改名《千年调》。双调,七十五字,上下片各九句四仄韵,上片起句比下片起句多一字,上下片其余句韵相同。《词律》《词谱》都以辛弃疾此调为正体。

御街行

调见柳永《乐章集》。双调,有七十六字、七十七字、七十八字、八十字、八十一字诸体,《词谱》定柳永七十六字体“燔柴烟断”词、范仲淹七十八字体“纷纷坠叶”词为正体。两人的词都是上下各七句四仄韵。柳词上下第二句是五言句，范词则将这个五言句增一字为“折腰体”六言句。

又名《孤雁儿》。

祝英台近

调出梁山伯祝英台故事，始见苏轼词。七十七字。上片八句，三十七字，三仄韵；下片八句，四十字，四仄韵。此调声情凄婉，犹带悲剧余音。另有平韵格，始自陈允平《日湖渔唱》。

又名《月底修箫谱》《英台近》《祝英台》《寒食词》《黄莺语》《宝钗分》等。

别仙子

此调是清末光绪年间在敦煌石窟中发现的唐代曲子词。因发现太晚，是以康熙年间成书的《词律》《词谱》和同治年间付刻的《〈词律〉拾遗》都未收入。此调虽然只有一首词，已使我们知道唐代有这么一个词牌，颇具价值。词的内容是写一对少年夫妻临别的情景。调名《别仙子》，当是此词作者根据内容而创制的，“仙子”就是指词中的女方。仄韵双调，用入声韵。七十九字，上下片各九句，四句用韵。下片第六句，较上片第六句少一字，疑有脱落。其余句式，上下片相同。词中六言句较多，都是上三下三“折腰体”，加以所用入声韵，声情更感沉郁。

安公子

唐教坊曲名。此调柳永作有两体，一为八十字体，他人无仿效之作。此体上片八句四仄韵，下片七句三仄韵。另一体一百零六字，《词谱》以此词为正体。双调，上下片各八句六仄韵。上下片第四句、第七句，例作上一下四句法。另有句读不同或减字体，都是变格。

洞仙歌

唐教坊曲名。原用以咏洞府神仙。敦煌曲中有此调，但与宋人所作此词体式不同。有中调和长调两体。中调八十三字至九十三字，长调一百一十八字至一百二十六字。《词谱》以苏轼、辛弃疾词为正体。八十三字。上片三十四字，六句；下片四十九字，七句，各三仄韵。上片第二句，是一字豆句法，亦有用上二下三句式。下片八字句，以一字领七字。结尾二句，以一字领两个四言句。调为咏仙而作，故节奏徐缓，情致超脱。

又名《羽仙歌》《洞中仙》《洞仙词》《洞仙歌令》《洞仙歌慢》。

鹤冲天

调见柳永词。与《喜迁莺》调别名《鹤冲天》者不同。八十四字，上片九句五仄韵，下片八句五仄韵。本书所收柳词乃八十八字体,是变格,上片九句六仄韵,下片九句五仄韵。所不同者,起句押韵,换头添三字,作四字一句,六字一句。第五句添一字,作六字句。另有八十六字体,亦变格。

采 莲 令

《词谱》引《宋史·乐志》说,皇帝曲宴游幸,教坊所奏十八曲调,第九叫"双调"《采莲》。可知此调本教坊曲。九十一字,上下片各八句四仄韵。与平韵小令《采莲子》各是一调。

凄 凉 犯

此调是姜夔自度曲。据作者自序说,他出合肥城,看到荒烟野草,不胜凄黯,乃制此调,并借琴曲凄凉调为名,因而音调悲凉。九十三字,上片九句六仄韵,下片九句四仄韵。另有九十四字体,在上片第二句增一字,作上三下四句式。

又名《瑞鹤仙影》。

满 江 红

此调唐人名《上江虹》,以后改今名。《词谱》以柳永"暮雨初秋"词为正体。九十三字。上片四十七字,八句,四仄韵;下片四十六字,十句,五仄韵。用入声韵者居多。格调沉郁激昂,前人用以抒发怀抱,佳作颇多。本书收平韵调《满江红》一首,声情与仄韵调迥异,而句读与仄韵词同。双调九十三字,前片八句四平韵,后片十句五平韵。

又名《念良游》《伤春曲》。

六 幺 令

唐教坊大曲有《绿腰》一调。《绿腰》又名《六幺》,是唐代从西域传来的一个大曲名称。白居易《琵琶歌》有"先为霓裳后六幺"句,元稹《琵琶歌》有"绿腰散序多拢捻"句。或云:"此曲拍无过六字者,故曰六幺。"后用作词名。《词谱》以柳永词为正体。九十四字,上片四十六字,下片四十八字,各九句五仄韵。

又名《宛溪柳》《乐世》《绿腰》《录要》。

扫 花 游

词见周邦彦《清真词》。因词中有"占地持杯,扫花寻路"句,乃取以为调名。九十五字,上片十一句六仄韵,下片十句七仄韵。上下片第五句例用上一下四句法。《词谱》以周邦彦调为正体。亦有多押一韵,或减字者,是为变体。

又名《扫地游》。

天 香

据唐代僧道世撰《法苑珠林》说,天童子天香甚香,调名本此。

《词谱》以贺铸、王观、毛滂、吴文英词为此调正体。贺铸词九十六字。上片十句五十一字,五仄韵;下片八句四十五字,六仄韵。上片第八句、下片第二句的七言句,是上三下四句法。下片第六句的八言句,是上三下五句法。

又名《伴云来》《楼下柳》。

剑器近

剑器,一种用以伴舞的器物,杜甫有《观公孙大娘舞剑器行》诗。宋教坊曲有《剑器曲》,此调当是从《剑器曲》中截取一段而成。九十六字。上片三十八字,八句,八仄韵;下片五十八字,十二句,七仄韵。上片七言句、下片八言句,都是三字豆句式。

烛影摇红

据宋吴曾《能改斋漫录》记载:王诜作的《忆故人》词,徽宗喜欢词意,但以为不丰容宛转,便令大晟府另谱新曲。乐官周邦彦根据王诜词加以增减制成新调,而以首句为名。这便是此调产生的经过。王词原是单调小令。周邦彦创为双调,九十六字,上下片各九句五仄韵。

又名《玉珥坠金环》《秋色横空》《忆故人》《归去曲》。

暗香

此调与《疏影》调,都是姜夔同时创作以咏梅花的,是取北宋林逋咏梅诗"疏影横斜水清浅,暗香浮动月黄昏"两句的首二字作为调名。以后张炎用此二调咏荷花荷叶,改名《红情》《绿意》。九十七字。上片四十九字,九句,五仄韵;下片四十八字,十句,七仄韵。例用入声韵。上片第二句、下片第三句,是一字豆句法。

迷神引

"引"是乐曲名词,有序曲的意味。《词谱》以柳永"红板桥头"词为此调正体。九十七字,上片十一句六仄韵,下片十三句六仄韵。上片第四句、下片第三句,是一字领句法。

醉蓬莱

《词谱》以柳永词为正体。相传为求内官达宫廷而作。九十七字,上片四十七字十一句,下片五十字十二句,各四仄韵。上片第一句、第五句、第八句,下片第六句、第八句,都是领句字格。

又名《雪月交光》《冰玉风月》。

长亭怨慢

此调是姜夔自度曲。词中有"谁似得、长亭树"句,且寄幽怨之情,故以"长亭怨"为调名,"慢"是词中长调别称。《词谱》以姜词为正体。九十七字,上片四十八字，下片四十九字，各九句五仄韵。

又名《长亭怨》。

帝台春

唐教坊曲名。据《词谱》引《宋史·乐志》说，琵琶曲有《帝台春》调。九十七字，上片十句五仄韵，下片十一句七仄韵。下片歇拍两句，是上一下四句法。

双双燕

此调是史达祖自度曲，为咏双燕而作，故以为调名。九十八字，上片九句五仄韵，下片十句七仄韵。亦有在上片二、三句，下片三、四句变更句式的。本词用韵多以上去通押，且上下片多有不同。吴文英词并将下片结句前一句减二字，是变格。

燕山亭

九十九字，上片五十字十一句，下片四十九字十句，各五仄韵。上片结句前一句、下片第二句，是一字豆句法。

又名《宴山亭》，但与《山亭宴》无涉。

月下笛

此调始自周邦彦词。因词中有“凉蟾莹彻”及“静倚官桥吹笛”句，乃以为调名。《词谱》定张炎词为此调正体。九十九字，上片十句五仄韵，下片十一句七仄韵。上片第八句是上一下四句法。换头句二字用暗韵，与周词不同。

三姝媚

此调始见史达祖《梅溪词》。调名出古乐府《三妇艳》。《词谱》以史词为正体。九十九字，上片十一句五仄韵，下片十句五仄韵。史词上片第二句是一字领四字，这四字都是平声，吴文英、王沂孙词此句也用四平声字。但张炎词此句前二字是用仄声。《阳春白雪》载宋杜良臣词，平韵格。

念奴娇

念奴是唐天宝年间著名歌妓，调名本此。此调有平韵和仄韵两体。《词谱》以苏轼“凭空眺远”词为仄体正体。一百字，上片四十九字，下片五十一字，各十句四仄韵。例用入声韵。上下片结句例用拗句。宜于抒写豪迈感情。苏轼赤壁词，句读与各家词微有出入，是变格。另有平韵格，以陈允平词为正体，用者较少。

又名《大江东去》《千秋岁》《酹江月》《杏花天》《赤壁谣》《壶中天》《大江西上曲》《百字令》等十多个名称。

百字令

即《念奴娇》。

酹江月

即《念奴娇》。

壶中天

即《念奴娇》。

双头莲

此调有一百字和一百零三字两体，与平韵小令《双头莲令》不是一调。一百零三字体见周邦彦词，韵位特疏，调式无他人使用。一百字体见陆游词。陆游的"华鬓星星"词，上片十句六仄韵，下片十句五仄韵。而他另一首"风卷征尘"词，则为上片十一句六仄韵，下片十句六仄韵。前首上片二、三句是上五下四，后首则是上三下六；而前首上片第五句是上三下六九言句，后首则改作上五下四两句。两首下片第八句，例作上一下四句法。

翠楼吟

此调为姜夔自度曲。宋孝宗淳熙年间，武昌安远楼建成，姜夔与友人同登此楼，写此词志感。词中有"层楼高峙，看槛曲萦红，檐牙飞翠"句，故名《翠楼吟》。一百零一字，上片五十字，十一句六仄韵；后片五十一字，十二句七仄韵。上下片第七句及下片第二句，都是一字豆句法。

桂枝香

唐裴思谦状元及第后赋诗，有"夜来新惹桂枝香"句，当是此调取名所本。《词谱》以王安石词为正体。一百零一字，上下片各十句五仄韵。上下片第二句，是一字豆句式。上下片四、五两句，既可作上六下四，也可作上四下六。

又名《疏帘淡月》。

水龙吟

调名出自李白诗句"笛奏水龙吟"。此调句读各家不同，《词谱》分立二谱。起句七字、第二句六字的以苏轼词为正体。一百零二字，上片十一句四仄韵，下片十一句五仄韵。上下片第九句都是一字豆句法。起句六字、第二句七字者，以秦观词为正体，一百零二字，上片十一句四仄韵，下片十句五仄韵。后结作九字一句，四字一句。此调气势雄浑，宜用以抒写激奋情思。

又名《丰年瑞》《鼓笛慢》《龙吟曲》《小楼连苑》《庄椿岁》《海天阔处》等。

瑞鹤仙

此调始自北宋，见周邦彦《片玉词》。《词谱》认为应以周邦彦词为正体。双调，一百零二字，上片十一句七仄韵，下片十一句六仄韵。南宋词人则依史达祖词体式。史词一百零二字,上片十句七仄韵,下片十二句六仄韵。此词第二句、第三句,第五句、第六句,皆五字一句,四字一句。

又名《一捻红》。

齐 天 乐

《词谱》以周邦彦词为正体。双调,一百零二字,上片十句,下片十一句,上下片各五十一字六仄韵。上下片起句亦有不用韵的。上片第七句、下片第八句,是一字豆句式。

又名《五福降中天》《如此江山》《台城路》。

石 州 慢

《词律》《词谱》都以贺铸词为正体。一百零二字,上片十句四仄韵,下片十一句五仄韵。上下片两结句,是上一下四句法。

又名《柳色黄》《石州引》。

花 犯

此调始见周邦彦词。《词谱》以周词为正体。一百零二字,上片十句六仄韵,下片九句四仄韵。各家此调句读不一,并有一百零一字体,是变格。

又名《绣鸾凤花犯》。

曲 游 春

此调始自周密《蘋洲渔笛谱》。《词谱》以周词为正体。双调,一百零二字,上片十句五仄韵,下片十一句七仄韵。上片第二句、第五句,下片第三句、第六句,都是以一字领两个四言句。下片第十句,是二字领句格。

雨 霖 铃

唐教坊曲名。据宋王灼《碧鸡漫志》引《明皇杂录》及《太真外传》所记,唐玄宗避安禄山乱入蜀,连日霖雨,栈道中听到铃声。他正悼念杨贵妃,便作《雨霖铃曲》以寄恨,叫伶人张野狐吹奏,因此流传于世。一百零三字,上片九句五十一字,下片八句五十二字,各五仄韵。例用入声韵。调见柳永《乐章集》。平韵则见《阳春白雪》杜龙沙词。

又名《雨霖铃慢》。

眉 妩

西汉京兆尹张敞常为妻子画眉,长安人说“眉妩”(眉秀美),调名本此。《词谱》以姜夔词为正体。一百零三字,上片十一句五仄韵,下片十一句七仄韵。上片起句和结句是上一下四句法。下片第三句以一字领两个四言句,歇拍三字句前一句是上一下四句法。

又名《百宜娇》。

倾　杯

唐教坊曲有《倾杯乐》,《乐府杂录》:"宣宗喜吹芦管,自制此曲。"调名本此,词调是用旧曲名另制的新调。分小令和长调两体。小令名《倾杯令》,五十二字,上片五句三仄韵,下片四句三仄韵。长调名《倾杯》《倾杯乐》《古倾杯》。此调在柳永《乐章集》中有七首,从一百零四字到一百一十六字,各体字句参差,韵位亦有出入。张先词亦有《倾杯》调,只同属仄韵体,句式与韵位有别于柳词。

拜星月慢

唐教坊曲名。此调始自周邦彦词,《词谱》以周词为正体。一百零四字,上片十句四仄韵,下片八句六仄韵。上片第五句和结句是上一下四句法,第七句以两字领两个六言句。下片第四句和结句,是上一下四句法。

又名《拜新月》。

迎　新　春

此调是柳永自度曲,为迎新春而作《词律》收此调,因无他词可校,未分片。《词谱》根据明陈耀文编《花草粹编》所选此词的体式分上下片,以"喧喧箫鼓"句为上片结句。清沈辰垣等编《历代诗余》选此词,以"素月当午"句为上片结句。一百零四字,上片八句七仄韵,下片十一句六仄韵。

花　心　动

此调始自周邦彦,一百零四字,上片十句四仄韵,下片九句七仄韵。但宋人照周词格式使用的很少,故《词律》《词谱》都以史达祖词作谱。史词上片十句四仄韵,与周词同;下片八句五仄韵,句式与周词不同,并少用两韵。另有数体,句式及用韵与史词小有差别,都是变格。

又名《上升花》《好心动》《花心动慢》《桂飘香》《梅梢月》。

永　遇　乐

此调有平韵和仄韵两体。仄韵体始自北宋,见于柳永《乐章集》。《词谱》以苏轼词为正体。一百零四字,上下片各十一句四仄韵。上片第三句较下片第三句少二字,上片结句较下片结句多二字,其余句式相同。此调平韵体是南宋陈允平创制,句读及平仄与苏轼词相同。

又名《消息》。

绮　罗　香

此调是史达祖自度曲。《词谱》以史词为正体。一百零四字,上下片各五十二字,九句四仄韵。换头句例用拗句,亦有在此句增一韵的。下片第二句、第三句,原为上六下四，亦可作上四下六。

按：《绮罗香》是在《齐天乐》的基础上创制的，两调的上下片之倒数第三句、过片、前后结平仄均相同。本词用韵上去通押，且后结末二字必用去上声。

南　浦

唐教坊曲有《南浦子》曲，《南浦》是宋人另制的新调。调名出自《楚辞·九歌》句“送美人兮南浦”。此调有平韵和仄韵两体，宋人多填仄韵调。《词谱》以张炎词作谱。一百零五字，上片九句，下片八句，各四仄韵。平韵体只北宋鲁逸仲（孔夷）一首，一百零二字，上片九句四平韵，下片八句四平韵。

尉　迟　杯

此调有平韵和仄韵两体。仄韵调见柳永词，一百零五字，上片八句六仄韵，下片九句六仄韵。上片第二句是领字格。平韵调见晁补之词，一百零六字，上片八句五平韵，下片九句五平韵。上片第五句五字，下片第四句七字。

又名《东吴乐》。

转调二郎神

《二郎神》是唐教坊曲名，经转变宫调为《转调二郎神》。据《词谱》考证：上片起句是三字的名《二郎神》，上片起句是四字的名《转调二郎神》，其他句读，两体亦有不同。《转调二郎神》见北宋徐伸词，一百零五字，上片十句四仄韵，下片十一句五仄韵。上片第三句、第八句，下片第四句，是上一下四句法。上片第一句第三字、第五句第五字，下片第七句第三字，例用去声。后段结句例作仄平平仄。

西　河

唐教坊曲有《西河狮子》《西河剑器》，宋王灼《碧鸡漫志》引《脞说》说，唐代宗大历初年“有乐工取古《西河长命女》加减节奏，颇有新声”。可知西河之名由来已久，当是以当时的西河郡作为曲名，如《甘州令》《酒泉子》然。宋人根据旧调演为新曲。《词谱》以周邦彦词为正体。此调是三叠，一百零五字。第一叠三十三字，六句四仄韵；第二叠三十六字，七句四仄韵；第三叠三十六字，六句四仄韵。此调各家字句多异，且多拗句。

又名《西河慢》《西湖》。

解　连　环

此调始自柳永，原名《望梅》，是据词中“信早梅偏占阳和”及“时有香来，望明艳遥知非雪”句取名。以后周邦彦用此调，因词中有“纵妙手能解连环”句，更名《解连环》。周词一百零六字，上下片各五十三字，十一句，五仄韵。上片第二句、第五句、第九句及下片第二句、第五句，例用领字句。

又名《玉连环》《杏梁燕》。

角　　招

据南宋赵以夫在他所作《角招》词注文中说，此调是姜夔所制。《词谱》以赵词作谱。一百零七字，上片十一句八仄韵，下片十二句九仄韵。按姜夔此调，只上片第二句比赵词多一字，其余句读韵位均同。

青 门 饮

此调与小令《青门引》不同。调见秦观词，《词谱》以秦词为正体。一百零七字，上片十二句四仄韵，下片十一句五仄韵。下片第二句是上一下四句法。另有一百零五字、一百零六字两体，是变格。

又作《青门引》。

薄　　幸

调见贺铸《东山词》。《词谱》以贺铸词为此调正体。一百零八字，上片九句五仄韵，下片十句五仄韵。上片第七句以一字领以下两个四言句。下片第七句是上一下四句法。

惜黄花慢

此调不同于小令《惜黄花》，有平韵和仄韵两体。仄韵体见南宋初杨无咎《逃禅词》。一百零八字，上片十一句六仄韵，下片九句五仄韵。上下片各五十四字，下片起句多二字，结尾少二字，上下片其余句式全同。上片第二句，以一字领两个四言句。此调平韵体见吴文英《梦窗词》，字数与仄韵体同，上片十二句六平韵，下片十一句六平韵。

疏　　影

此调与《暗香》一调，为姜夔咏梅同时自度之曲，用林逋咏梅诗句"疏影横斜水清浅，暗香浮动月黄昏"的首二字为调名。《词谱》以姜词为正体。一百一十字，上片五十四字，十句五仄韵；下片五十六字，十句四仄韵。例用入声韵。上片第二句是一字豆句式。

又名《佳色》《解佩环》《绿意》《绿影》。

苏 武 慢

苏武是汉武帝时人，以留匈奴十九年不变节操为世所重，调名本此。《词谱》以周邦彦词为正体。一百一十一字，上片五十五字十二句，下片五十六字十一句，各四仄韵。各家平仄句式不尽一致。

又名《选冠子》《选官子》《惜余春慢》《仄韵过秦楼》等。

霜叶飞

调见周邦彦词。《词谱》以周词为正体,《词律》以吴文英此调入谱。周词一百一十一字,上片十句六仄韵,下片十句五仄韵。上片第五句、第八句,下片第五句、第六句,都是一字豆句式。另有一百零九字、一百一十字、一百一十二字各体,是变格。

又名《斗婵娟》。

八归

此调有平韵和仄韵两体。仄韵体是姜夔自度曲,一百一十五字,上片五十七字,十句四仄韵;下片五十八字,十一句四仄韵。上片第五句,是以二字领以下两个四言句。第八句和结句,是上一下四句式。此调平韵体是南宋高观国自度曲,见他的词集《竹屋痴语》,一百一十三字,上片十句五平韵,下片十一句五平韵。上片结句、下片第八句,是上一下四句法。

摸鱼儿

唐教坊曲有《摸鱼子》,宋人始见晁补之词,名《摸鱼儿》。《词谱》以晁补之、辛弃疾、张炎三家词为正体。晁词一百一十六字,上片五十七字,十句六仄韵;下片五十九字,十一句七仄韵。上片第四韵、下片第五韵的十字句,须一气呵成,句式可以灵活。本书所收辛弃疾《摸鱼儿》,一百一十六字,上片十句七仄韵,下片十一句七仄韵。

又名《买陂塘》《迈陂塘》《陂塘柳》《双蕖怨》《山鬼谣》《安庆摸》等。

贺新郎

此调始见苏轼词,一说原名《贺新凉》,因苏词中有“乳燕飞华屋,悄无人,桐阴转午,晚凉新浴”句,故名。《词谱》以叶梦得词作谱。一百一十六字,上片五十七字,下片五十九字,各十句六仄韵。此调声情沉郁苍凉,宜抒发激越情感,历来为词家所习用。

又名《乳燕飞》《金缕曲》《貂裘换酒》《金缕衣》《金缕词》《金缕歌》《风敲竹》《雪月江山夜》等。

金缕曲

即《贺新郎》。

乳燕飞

即《贺新郎》。

兰陵王

唐教坊曲名。据《碧鸡漫志》引《北齐书》及《隋唐嘉话》说,齐文襄帝长子长恭封兰陵王,与周军作战，带着假面对敌，打败周军，勇冠三军，“武士共歌谣之曰《兰陵王入阵曲》”。宋人当是据旧曲另制新声，始见周邦彦词。《词谱》以周词为正体。三叠，二十四拍，一百三十一字。第一叠四十八字，十句七仄韵；第二叠四十二字，八句五仄韵；第三叠四十一字，九句六仄韵。宜用入声韵。此调声情雄浑，气势不凡，宜状写壮烈场面或激越情感。

瑞 龙 吟

此调始自周邦彦，《词谱》以周词为正体。一百三十三字，分三叠。前两叠各二十七字，六句三仄韵。第三叠七十九字，十七句九仄韵。三叠词中，凡前两叠的字数、句读和韵位完全相同的，称为“双拽（yè）头”，此调前两叠就是此体。这两叠的第二句，都是以两字领以下两个四言句。

六 丑

调见周邦彦词。据《词律》校勘者杜文澜在此调校勘语中引清吴衡照《莲子居词话》说，周邦彦作《六丑》词，宋徽宗问“六丑”是什么意义。周回答说，此调要犯的六个调都是优美的音调，但是不容易歌唱。从前高阳氏（即传说中的颛顼帝）有子六人，都有才而丑。所以用“六丑”作调名以比方。调名出处本此。《词谱》以周邦彦此调为正体。一百四十字，上片六十九字，十四句八仄韵；下片七十一字，十三句九仄韵。上片起句、第八句、第十三句，下片第二句、第六句，都是上一下四句法。

夜 半 乐

唐教坊曲名。据《词谱》引《碧鸡漫志》说，唐玄宗自潞州还京都长安，夜半举兵诛韦后，于是制《夜半乐》和《还京乐》。柳永据旧曲名翻制新调为此词。词为三叠，一百四十四字，第一叠十句五仄韵，第二叠九句四仄韵，第三叠七句五仄韵。柳永另一首是一百四十五字，前两叠各十句四仄韵，第三叠七句五仄韵，与前一首有别。

宝 鼎 现

此调始见宋康与之《顺庵乐府》。《词谱》以康词为正体。一百五十七字，分三叠。第一叠五十三字，九句四仄韵；第二叠五十五字，八句五仄韵；第三叠四十九字，八句五仄韵。

又名《三段子》《宝鼎儿》。

莺 啼 序

此调始见吴文英词。四叠，二百四十字，为词牌中字数最多的一个。《词谱》以吴氏“残寒正欹病酒”词为正体。第一叠八句四十九字,第二叠十句五十一字,第三叠十四句七十一字,第四叠十四句六十九字,每叠各四仄韵。

又名《丰乐楼》。

三、平仄换韵格

南乡子

唐教坊曲名。单调二十七字,两平韵,三仄韵。五代人词略增减字数。南唐改作平韵体。双调创自张先,五十六字,上下片各四平韵,宋以后多遵用之。

调笑令

此调在唐时有《古调笑》《宫中调笑》《调啸词》《转应曲》等多种名称,南唐冯延巳改称《三台令》。据白居易寄元微之代书诗自注“抛打曲有《调笑令》”,可知是当时宫廷中或宴会场中作抛打游戏时供演唱之曲。始见韦应物词。单调,三十二字,八句,四仄韵,两平韵,两叠韵。平仄韵递转三次。第四句、第五句从仄韵转平韵,从第六句起又由平韵转仄韵。第六、七两个二言叠句,必须用第五句的末二字倒转使用,这是此调一名《转应曲》的由来。北宋以后,此调只用仄韵,不再转韵,字数和句式亦有变化,是此调的变格。

毛滂以《调笑令》作大曲十首,咏崔徽、盼盼等。

相见欢

唐教坊曲名。前蜀薛昭蕴词始名《相见欢》,三十六字,平仄韵转换。上片三句,十八字,每句都用平韵。下片四句,十八字,前两个三言句用仄韵,后两句转平韵。上下片结句都是九字句,常用上六下三或上四下五句式。李煜此词用《乌夜啼》词牌,与四十七字的平韵《乌夜啼》调有别。

又名《上西楼》《月上瓜洲》《古乌夜啼》《西楼子》《秋夜月》《乌夜啼》《忆真妃》。

昭君怨

琴曲有《昭君怨》,用王昭君事而取名。双调,四十字,上下片各四句。全词四换韵,上下片各由两仄韵换两平韵。

又名《洛妃怨》《宴西园》《一痕沙》《明妃怨》《道无情》等。

酒泉子

唐教坊曲名。因酒泉郡而取名。四十字,平仄韵转换。上片五句,十九字,起句和结句用平韵，二四两句用仄韵。下片五句，二十一字，三仄韵，后结用平韵。

女冠子

唐教坊曲名。女冠即女道士，此调最初是咏女道士的。始见温庭筠词。四十一字，平仄转换。上片五句，二十三字，起首二句仄韵，第三句、第五句平韵。下片四句，十八字，第二句、第四句平韵。另有长调，始于柳永。

醉垂鞭

词见张先集。双调，四十二字，上下片各五句，上片首句用平韵，第二句、第三句用仄韵，末二句又转平韵；下片首二句用仄韵，末三句又换平韵。如此平仄交错使用，声情时起时伏，别有韵致。词中平仄韵不同部。

菩萨蛮

唐教坊曲名。菩萨蛮本女弟子舞队名。据《词谱》引唐苏鹗《杜阳杂编》说："大中（唐宣宗年号，850年前后）初，女蛮国入贡，危髻金冠，璎珞被体，号'菩萨蛮队'。当时倡优遂制《菩萨蛮》曲，文士亦往往声其词"。按大中一百年前开元时期成书的《教坊记》中已有此曲名，但苏说对这个词牌名的由来也有参考价值。四十四字，上下片各四句，均两仄韵转两平韵。《词谱》定李白词为正体。

又名《子夜歌》《巫山一片云》《花间意》《花溪碧》《城里钟》《重叠金》《梅花句》《晚云烘日》等，回文词体又名《联环结》。

减字木兰花

《木兰花令》始于韦庄，是五十五字仄韵体。南唐冯延巳制《偷声木兰花》，五十字，八句，上下片起句仍作七言仄韵，结处乃偷平声作四字一句、七字一句，自此才有两仄两平四换韵体。《减字木兰花》是就《偷声木兰花》上下片两起句各减三字而成。双调，四十四字，上下片各四句，两仄韵转两平韵。

清平乐

唐教坊曲名。乃祈求海内清平之乐曲，非指清调平调。《尊前集》载有李白词四首，如非后人伪作，则为此调的首见。平仄转换格。双调，四十六字。上片四句二十二字，仄韵，每句用韵；下片四句二十四字，转平韵，三句用韵。

又名《清平乐令》《醉东风》《忆萝月》。

喜迁莺

此调有小令、长调之分。小令起于唐人，长调起于宋人。四十七字，上片五句四平韵，下片五句两仄韵两平韵。诸体用韵不一致，其中张元幹词全用平韵。长调《词谱》以康与之词为正体，双调一百零三字，上下片各十一句五仄韵。另有一百零三字、一百零五字各体，均用仄韵。

更 漏 子

此调始见温庭筠词。双调，平仄韵转换格。四十六字，上下片各六句，上片两仄韵转两平韵，下片三仄韵转两平韵。亦有过片句不用韵一体。另有长调一体，一百零四字，上下片各十句五平韵，见杜安世词。

河 渎 神

唐教坊曲名。原用以咏祠庙。平仄转韵格，四十九字。八句，句句用韵。上片二十三字，四平韵；下片二十六字，四仄韵。

西 江 月

唐教坊曲名。调名出自李白《苏台览古》诗"只今唯有西江月，曾照吴王宫里人"。此调始于后蜀欧阳炯。双调，平仄换韵，五十字，八句。上下片起句仄脚不入韵，第二句、第三句两句押平韵，结句押仄韵，但仄韵用字必须与平韵字同韵部，如元初沈义父在《乐府指迷》中所说，《西江月》"如平声押'东'字，侧（仄）声须押'董'字'冻'字方可"。这种押韵方式称平仄韵通押。

又名《玉炉三涧雪》《白蘋香》《江月令》《步虚词》《晚香时候》《壶天晓》《双锦瑟》等。

怨 王 孙

原名《河传》，是隋代曲名，作为词则是晚唐温庭筠首创。韦庄用此调称《怨王孙》，见《尊前集》，但《花间集》中所收韦庄另三首，仍名《河传》，平仄如一。韦词五十三字，上片七句，三仄韵三平韵；下片六句，三仄韵两平韵。南宋张元幹用此调，五十三字，上下片都是六句，三仄韵两平韵。从两词用韵情况来看，平仄韵可以不同部。

虞 美 人

唐教坊曲名。最初是咏项羽所宠虞姬，因以为名，以后作一般词牌使用。平仄韵转换格，双调，五十六字，八句。上下片各四句，都是两仄韵转两平韵。上下片平仄韵脚用字都可分属不同韵部。两处歇拍九字句，可以灵活使用不同句式。

又名《一江春水》《玉壶冰》《巫山十二峰》《宣州竹》《虞美人令》《忆柳曲》等。

定 风 波

唐教坊曲名。始见于后蜀欧阳炯词。平仄换韵，六十二字。